המילון המקיף החדש
אנגלי - עברי

בעריכת

שמעון זילברמן

עם כללי הגייה

של השפה האנגלית

THE NEW COMPREHENSIVE

ENGLISH - HEBREW DICTIONARY

COMPILED BY

SHIMON ZILBERMAN

With Rules of Pronunciation of the English Language

ZILBERMAN'S DICTIONARIES

ISBN-978-965-90918-1
THE NEW COMPREHENSIVE
ENGLISH-HEBREW / HEBREW-ENGLISH DICTIONARY
89,000 ENTRIES

ISBN-965-90918-0-X
THE UP-TO-DATE
ENGLISH-HEBREW DICTIONARY
60,000 ENTRIES

ISBN-965-222-862-1
THE UP-TO-DATE
ENGLISH-HEBREW / HEBREW-ENGLISH DICTIONARY
82,000 ENTRIES

ISBN-965-222-778-1
THE COMPACT UP-TO-DATE
ENGLISH-HEBREW / HEBREW-ENGLISH DICTIONARY
55,000 ENTRIES

ISBN-965-222-779-X
THE UP-TO-DATE
HEBREW-ENGLISH DICTIONARY
27,000 ENTRIES

Published by Zilberman
P.O.B. 6119 Jerusalem
Tel./Fax 02-6524928

Printed in Israel

המילון המקיף החדש האנגלי-עברי

המגמה בעריכת המילון הזה הייתה לכלול בו ביטויים ומונחים חדשים שאינם נמצאים בכל מילון אנגלי-עברי אחר שיצא לאור עד כה. ואכן, במילון זה נוספו ערכים והגדרות באנגלית ובעברית, אשר מרבים להשתמש בהם לאחרונה, בעיקר באמצעי התקשורת, ואשר הולכים ומשתרשים בשתי שפות אלו.

חידוש חשוב מהווים כללי ההגייה של השפה האנגלית (עמודים 4 - 16). כללים אלה מקשרים בין כתיב המלה והגייתה; והשליטה בהם (ואף בחלק מהם) מקנה לקורא ולקוראת נכס רב-חשיבות. מאחר שעל רקע כללים אלה, ואגב קריאה מרובה, ניתן לנחש את הגייתן הנכונה של מלים רבות באנגלית.

טבלת הכתיב האמריקני והכתיב הבריטי (עמוד 16) מראה את ההבדלים העיקריים בין הכתיב האמריקני והכתיב הבריטי.

רשימת הפעלים החריגים (עמודים 17 - 20) מפרטת את הצורות השנייה והשלישית של העבר באנגלית של הפעלים החריגים.

הכרת המוספיות השכיחות ביותר באנגלית (עמודים 21 - 24), תסייע לקורא ולקוראת להבין את משמעותן של מלים רבות באנגלית בעלות מוספיות, אף אם לא ימצאו אותן במילון.

תוכן העניינים

קיצורים וראשי תיבות

adj = adjective
adv = adverb
conj = conjunction
interj = interjection
n = noun
p = past tense & past participle
pl = plural
pp = past participle
pt = past tense
pfx = prefix
prep = preposition
pron = pronoun
sfx = suffix
v = verb

* (כּוֹכָבִית) - בִּטּוּי דִּבּוּרִי/סְלֶנְג

כללי הגייה של השפה האנגלית (במבטא אמריקני)

א. מבוא

כללי ההגייה הבאים מקשרים בין כתיב המלה והגייתה. כלומר, על פי כללים אלה ניתן בדרך כלל לבטא נכונה את המלה בלי להיעזר בתעתיק היגוי. ראוי להדגיש שכללי ההגייה של השפה האנגלית הם רבים ומסובכים, ומהווים נושא לחיבור מקיף. כאן נביא רק את העיקריים שבהם, שרצוי שהקורא יכיר אותם. נציין גם שכללים אלה חלים אומנם על מרבית המלים באנגלית, אבל לא על כולן; ובמילון יובא תעתיק היגוי לכל מלה החורגת מהם.

כללים אלה יפים ברובם גם להגייה הבריטית, אך לשם תיאום עם המילון הובאה ההגייה האמריקנית. ההבדל בין שתי ההגיות הוא בקבוצות הכוללות מלים כגון: tune, hurry, advance, ask.

ב. הגדרות

עיצורים ותנועות

באלפבית האנגלי ישנם 20 עיצורים (consonants) ו-6 תנועות (vowels).

העיצורים הם:

b, c, d, f, g, h, j, k, l, m, n, p, q, r, s, t, v, w, x, z.

התנועות הן: a, e, i, o, u, y.

האותיות y ו-w נקראות גם חצאי-תנועות (semivowels), ומשמשות לפעמים כעיצורים ולפעמים כתנועות.

האות e בבואה בסוף מלה ואינה מבוטאת נקראת e סופית (final e), ובכללי ההגייה הבאים לא תיחשב כתנועה. דוגמאות:

face, make, smile, home, fire.

הברות

כל מלה אנגלית מורכבת מהברות (syllables).למשל, המלה table מורכבת מההברות ta-ble; המלה picture מורכבת מההברות pic-ture; המלה yesterday מורכבת מההברות yes-ter-day.

אלפי מלים באנגלית הן בנות הברה אחת בלבד. דוגמאות:

I, you, strange, down.

הברה סגורה והברה פתוחה

הברה המסתיימת בעיצור נקראת הברה סגורה (closed syllable). למשל, ההברה pic במלה picture היא הברה סגורה, כי היא מסתיימת בעיצור c.

הברה המסתיימת בתנועה נקראת הברה פתוחה (open syllable). למשל, ההברה ta במלה table היא הברה פתוחה, כי היא מסתיימת בתנועה a.

הברות מוטעמות

הברות מסויימות במלה מבוטאות ביתר הדגשה מן האחרות. הברות אלה נקראות הברות מוטעמות (stressed syllables). סימן ההטעמה העבה (ʹ) בא במילון מיד אחרי ההברה המוטעמת בהטעמה ראשית; סימן ההטעמה הדק (ʹ) בא מיד אחרי ההברה המוטעמת בהטעמה מישנית.

למשל, במלה yesterday באים סימני ההטעמה אחרי ההברות המוטעמות, כך: yesʹterdayʹ.

מלה בת הברה אחת, דינה כדין הברה מוטעמת, ונראה אותה כאילו סימן ההטעמה בא מיד אחריה. דוגמאות: I, go, spring, strange.

בכללים הבאים, הברה מוטעמת פירושה הברה בעלת הטעמה ראשית או מישנית.

צלילים

האותיות השונות מייצגות צלילים (sounds) של השפה האנגלית. נבחין בשני סוגי צלילים:

צלילים עיצוריים (consonant sounds) המיוצגים בדרך כלל על-ידי העיצורים; וצלילים תנועיים (vowel sounds) המיוצגים בדרך כלל על-ידי התנועות.

ואולם, לא כל עיצור מייצג תמיד צליל עיצורי קבוע; ולא כל תנועה מייצגת תמיד צליל תנועי קבוע. למשל, העיצור c מייצג צליל עיצורי שונה במלים car ו-face. והתנועה u מייצגת צליל תנועי שונה במלים but ו-put. מכאן, שלא נוכל תמיד לדעת את הגיית המלה על פי הכתיב שלה בלבד. לפיכך אנו בונים מערכת סמלים של הצלילים השונים, ומשכתבים את המלה בסמלים אלה, כדי שנדע לבטא אותה נכונה. אנו משתמשים במערכת הסמלים הבאה:

סמלי הצלילים התנועיים

01. (a) as in glad (glad)
02. (e) as in red (red)
03. (i) as in sing (sing)
04. (o) as in hot (hot)
05. (u) as in sun (sun)
06. (oo) as in foot (foot)
07. (ā) as in make (māk)
08. (ē) as in see (sē)
09. (ī) as in smile (smīl)
10. (ō) as in hope (hōp)
11. (ū) as in few (fū)
12. (o͞o) as in fool (fo͞ol)
13. (ä) as in car (kär)
14. (ô) as in all (ôl)
15. (ou) as in now (nou)
16. (oi) as in boy (boi)
17. (û) as in bird (bûrd)
18. (ə) as in about (əboutʹ)

סמלי הצלילים העיצוריים

01. (b) as in boy (boi)
02. (ch) as in chair (chār)
03. (d) as in glad (glad)
04. (dh) as in that (dhat)
05. (f) as in find (fīnd)
06. (g) as in go (gō)
07. (h) as in hat (hat)
08. (j) as in jam (jam)
09. (k) as in king (king)
10. (l) as in light (līt)
11. (m) as in man (man)
12. (n) as in sun (sun)
13. (ng) as in king (king)
14. (p) as in play (plā)
15. (r) as in rain (rān)
16. (s) as in sit (sit)
17. (sh) as in shine (shīn)
18. (t) as in tell (tel)
19. (th) as in thing (thing)
20. (v) as in love (luv)
21. (w) as in win (win)
22. (y) as in yes (yes)
23. (z) as in zero (zērʹō)
24. (zh) as in pleasure (plezhʹər)

תנועה קצרה ותנועה ארוכה

הצלילים התנועיים מ-01 עד 06, דהיינו (a, e, i, o, u, oo) נקראים תנועות קצרות (short vowels).
הצלילים התנועיים מ-07 עד 12, דהיינו (ā, ē, ī, ō, ū, o͞o) נקראים תנועות ארוכות (long vowels).

תעתיק היגוי

על פי מערכת הסמלים דלעיל, משוכתבות המלים הבאות כך: car (kär), face (fās), put (poot), but (but).
שיכתוב המלה בסמלים פונטיים כנ"ל, נקרא תעתיק היגוי (phonetic transcription).
ראוי לציין כי סמל פונטי כנ"ל עשוי לציין וריאציות שונות במעט זו מזו של הצליל שאותו הוא מייצג.

ג. כללי ההגייה

בכללי ההגייה הבאים, **C** מייצג עיצור, ו-**V** מייצג תנועה.
הערה: מתוך הדוגמאות ניתן להבין אם **C** כולל גם את העיצור r, מאחר שלפעמים יש לעיצור זה כללים משלו.

1. כללי הצלילים העיצוריים

1.01 **C = (C)**
כלומר, כל עיצור מבוטא בהתאם לסמל הזהה לו. דוגמאות:
book (book), hot (hot), wait (wāt), base (bās), star (stär).

1.02 **2C = (C)**
כלומר, עיצור כפול מבוטא כעיצור יחיד. דוגמאות:
press (pres), bot′tle (bot′əl), odd (od), acclaim′ (əklām′), ar′row (ar′ō).

1.03 c = (k)
כלומר, העיצור c מבוטא (k). דוגמאות:
act (akt), car (kär), cry (krī), cool (ko͞ol), cup (kup).

1.04 ce, ci, cy = (s)
כלומר, העיצור c בבואו לפני e או i או y מבוטא (s). דוגמאות:
face (fās), bi′cycle (bī′sikəl), cit′y (sit′i), ac′id (as′id).

1.05 cce, cci, ccy = (ks)
כלומר, העיצור הכפול cc בבואו לפני e או i או y מבוטא (ks). דוגמאות:
ac′cident (ak′sidənt), success′ (səkses′), ac′cent′ (ak′sent′), flac′cid (flak′sid).

1.06 ck, c(k) = (k)
כלומר, הצירוף ck, או הצירוף c ועיצור בעל צליל (k), מבוטאים (k). דוגמאות:
back (bak), acquire′ (əkwīr′), acquaint′ (əkwānt′).

1.07 sce, sci, scy = (s)

כלומר, הצירוף sc בבואו לפני e או i או y מבוטא (s). דוגמאות:
sci′ence (sī′əns), ab′scess′ (ab′ses′), scythe (sīdh), cres′cent (kres′ənt).

1.08 ch, tch = (ch)

כלומר, הצירופים ch ו-tch מבוטאים (ch). דוגמאות:
chair (chār), catch (kach), itch (ich), watch (woch), each (ēch), arch (ärch).

1.09 ge, gi, gy = (j)

כלומר, העיצור g בבואו לפני e או i או y מבוטא (j). דוגמאות:
age (āj), gi′ant (jī′ənt), gyp′sy (jip′si), philol′ogy (filol′əji), gem (jem).

1.10 dg, dj, = (j)

כלומר, הצירופים dg ו-dj מבוטאים (j). דוגמאות:
edge (ej), adjust′ (əjust′), fledg′ling (flej′ling), judge (juj), adja′cent (əjā′sənt).

1.11 gge, ggi, ggy = (g)

כלומר, העיצור הכפול gg גם בבואו לפני e או i או y מבוטא (g).
dag′ger (dag′ər), bag′gy (bag′i), :דוגמאות
rig′ging (rig′ing), rug′ged (rug′id).

1.12 n(g), n(k) = (ng)

כלומר, הצירוף n ועיצור בעל צליל (g) או הצירוף n ועיצור בעל צליל (k) מבוטאים (ng). דוגמאות:
king (king), drink (dringk), un′cle (ung′kəl), anx′ious (angk′shəs), van′quish (vang′kwish).

הערה: במילון לא ייתן תעתיק היגוי ליד מלה החורגת מכלל זה. למשל, המלה uncom′mon הגייתה (unkom′ən) ולא (ungkom′ən).

1.13 ph = (f)

כלומר, הצירוף ph מבוטא (f). דוגמאות:
el′ephant (el′əfənt), pho′to (fō′tō), al′pha (al′fə).

1.14 qu = (kw)

כלומר, הצירוף qu מבוטא (kw). דוגמאות:
liq′uid (lik′wid), queen (kwēn), e′qual (ēk′wəl), `square (skwār).

1.15 sh = (sh)

כלומר, הצירוף sh מבוטא (sh). דוגמאות:
shut (shut), brush (brush), shine (shīn), shop (shop).

1.16 th = (th)

כלומר, הצירוף th מבוטא (th). דוגמאות:
thing (thing), meth′od (meth′əd), oath (ōth), south (south), path (path).

1.17 wh = (w, hw)
כלומר, הצירוף wh מבוטא (w) או (hw). דוגמאות:
when (wen, hwen), why (wī, hwī), while (wīl, hwīl), whisper (wis′pər, hwis′pər).

1.171 wr = (r)
כלומר, הצירוף wr מבוטא (r). דוגמאות:
write (rīt), wrong (rông), wrap (rap).

1.18 x = (ks)
כלומר, האות x מבוטאת (ks). דוגמאות:
box (boks), ax (aks), six (siks).

1.19 y- = (y)
כלומר, האות y בבואה בתחילת המלה או בתחילת המרכיב השני של מלה מורכבת מבוטאת (y). דוגמאות:
yes (yes), court′yard′ (kôrt′yärd′).

1.20 kn = (n-)
כלומר, הצירוף kn בבואו בתחילת המלה מבוטא (n). דוגמאות:
know (nō), knee (nē), knot (not).

2. כללי הצלילים התנועיים

2.01 unstressed a, e, o, u = (ə)
כלומר, האותיות ,a, e, o, u בבואן בהברה לא מוטעמת, מבוטאות (ə). דוגמאות:
about′ (əbout′), les′son (les′ən), o′pen (ō′pən), cir′cus (sûr′kəs).

הצליל (ə) נקרא שווא schwa (shwä), והוא מיוצג במילונים אנגלים ע״י e הפוכה. schwa היא מלה שאולה מעברית.

2.02 unstressed i, y = (i)
כלומר, האותיות ,i, y בבואן בהברה לא מוטעמת, מבוטאות (i). דוגמאות:
ar′ticle (är′tikəl), bi′cycle (bī′sikəl).

הערה: בהברה לא מוטעמת ובסוף מלה, הסמל (i) מייצג לפעמים גם צליל זהה ל- (ē) ולפעמים גם צליל זהה ל- (ə). לדוגמה:
abil′ity (əbil′iti, əbil′ətē).

2.03 unstressed ia, ie, io, iu = (iə, yə)
כלל זה נובע משני הכללים הקודמים. כלומר הצירופים ,ia, ie, io, iu בבואם בהברה לא מוטעמת, מבוטאים (iə) או (yə). דוגמאות:
pe′riod (pēr′iəd), la′bial (lā′biəl), me′dium (mē′diəm), colo′nial (kəlō′niəl), id′iot (id′iət), famil′iar (fəmil′yər), au′dience (ô′diəns), al′ien (āl′yən), mil′lion (mil′yən), bril′liant (bril′yənt).

3.01 a**C′** = (a**C′**)
כלומר, האות a בבואה בהברה מוטעמת וסגורה, מבוטאת (a). דוגמאות:
man (man), gam′ble (gam′bəl), ask (ask), hand (hand).

3.02 eC′ = (eC′)
כלומר, האות e בבואה בהברה מוטעמת וסגורה, מבוטאת (e).
דוגמאות:
pen (pen), attempt′ (ətempt′), sev′eral (sev′ərəl).

3.03 iC′, yC′ = (iC′)
כלומר, האותיות i ו- y בבואן בהברה מוטעמת וסגורה, מבוטאות (i).
דוגמאות:
sit (sit), sim′ple (sim′pəl), admit′ (admit′),
sys′tem (sis′təm), sym′pathy (sim′pəthi), lynch (linch).

3.04 oC′ = (oC′)
כלומר, האות o בבואה בהברה מוטעמת וסגורה, מבוטאת (o).
דוגמאות: hot (hot), shock (shok), bot′tle (bot′əl).

3.05 uC′ = (uC′)
כלומר, האות u בבואה בהברה מוטעמת וסגורה, מבוטאת (u).
דוגמאות: but (but), ug′ly (ug′li), bunch (bunch), sun (sun).

3.06 ooC′ = (ooC′)
כלומר, הצירוף oo בבואו בהברה מוטעמת וסגורה, מבוטא (oo).
דוגמאות: look (look), foot (foot), boor (boor),
poor (poor), wood (wood), good (good), stood (stood).

3.99 VC′ or ooC′ = (short vowel)
כלומר לסיכום, תנועה או הצירוף oo בבואם בהברה מוטעמת וסגורה, תנועתם קצרה.

4.01 a′ = (ā′)
כלומר, האות a בבואה בהברה מוטעמת ופתוחה, מבוטאת (ā).
דוגמאות:
ba′by (bā′bi), ta′ble (tā′bəl), la′zy (lā′zi), la′dy (lā′di).

4.02 e′ = (ē′)
כלומר, האות e בבואה בהברה מוטעמת ופתוחה, מבוטאת (ē).
דוגמאות:
se′cret (sē′krit), le′gal (lē′gəl), he′ro (hēr′ō),
se′rious (sēr′iəs), ze′ro (zēr′ō), e′ven (ē′vən).

4.03 i′, y′ = (ī′)
כלומר, האותיות i ו- y בבואן בהברה מוטעמת ופתוחה, מבוטאות (ī).
דוגמאות:
li′on (lī′ən), si′lent (sī′lənt), bi′cycle (bī′sikəl),
I (ī), my (mī), sat′isfy′ (sat′isfī′), ty′rant (tī′rənt).

4.04 o′ = (ō′)
כלומר, האות o בבואה בהברה מוטעמת ופתוחה, מבוטאת (ō).
דוגמאות: o′pen (ō′pən), to′tal (tō′təl), ago′ (əgō′).

4.05 u′ = (ū′)

כלומר, האות u בבואה בהברה מוטעמת ופתוחה, מבוטאת (ū).
(הערה: לפני האות r הצליל מתקצר ל-(yoo)). דוגמאות:
fu′ture (fū′chər), u′sual (ū′zhōōəl), confu′sion (kənfū′zhən), mu′tual (mū′chōōəl), cu′rious (kyoor′iəs), fu′ry (fyoor′i).

4.051 (ch)u′, (d)u′, (j)u′, (l)u′, (n)u′, (r)u′, (s)u′, (sh)u′, (t)u′, (th)u′, (z)u′, = (ōō′)

כלומר, האות u בבואה בהברה מוטעמת ופתוחה, ולאחר אחד מן הצלילים העיצוריים דלעיל, מבוטאת (ōō).
(הערה: לפני האות r הצליל מתקצר ל-((oo)). דוגמאות:
stu′dent (stōōd′ənt), ju′ry (joor′i), nu′meral (nōō′mərəl), du′rable (door′əbəl), ru′by (rōō′bi), tu′nic (tōō′nik), lu′rid (loo′rid), matu′rity (məchoor′iti), su′per (sōō′pər), Zu′lu (zōō′lōō).

4.06 oo′ = (ōō′)

כלומר, הצירוף oo בבואו בהברה מוטעמת ופתוחה, מבוטא (ōō).
דוגמאות: too (tōō), poo′dle (pōō′dəl), coo (kōō).

4.99 V′ or oo′ = (long vowel)

כלומר לסיכום, תנועה או הצירוף oo בבואם בהברה מוטעמת ופתוחה, תנועתם ארוכה.

5.01 aCe = (āC)

כלומר, האות a בבואה לפני עיצור יחיד ו- e סופית, מבוטאת (ā).
דוגמאות:
make (māk), face (fās), dare (dār), declare′ (diklār′).

5.02 eCe = (ēC)

כלומר, האות e בבואה לפני עיצור יחיד ו- e סופית, מבוטאת (ē).
דוגמאות:
complete′ (kəmplēt′), eve (ēv), here (hēr), severe′ (səvēr′).

5.03 iCe, yCe = (īC)

כלומר, האותיות i ו- y בבואן לפני עיצור יחיד ו- e סופית, מבוטאות (ī).
דוגמאות: side (sīd), price (prīs), admire′ (admīr′), em′pire (em′pīr), style (stīl), type (tīp), tyre (tīr).

5.04 oCe = (ōC)

כלומר, האות o בבואה לפני עיצור יחיד ו- e סופית, מבוטאת (ō).
דוגמאות: bone (bōn), home (hōm).

5.05 uCe = (ūC)

כלומר, האות u בבואה לפני עיצור יחיד ו- e סופית, מבוטאת (ū).
(הערה: לפני האות r הצליל מתקצר ל-((yoo)). דוגמאות:
cute (kūt), refuse′ (rifūz′), pure (pyoor), huge (hūj).

5.051 (ch)uCe, (d)uCe, (j)uCe, (l)uCe, (n)uCe, (r)uCe, (s)uCe, (sh)uCe, (t)uCe, (th)uCe, (z)uCe, = (o͞oC)

כלומר, האות u בבואה לפני עיצור יחיד ו- e סופית ולאחר אחד מן הצלילים העיצוריים דלעיל, מבוטאת (o͞o).
(הערה: לפני האות r הצליל מתקצר ל-(oo)). דוגמאות:
reduce′ (rido͞os′), tune (to͞on), rude (ro͞od), June (jo͞on), lure (loor), assume′ (əso͞om′), resume′ (rizo͞om′), sure (shoor), nude (no͞od), chute (sho͞ot).

5.06 ooCe = (o͞oC)

כלומר, הצירוף oo בבואו לפני עיצור יחיד ו- e סופית, מבוטא (o͞o).
דוגמאות: choose (cho͞oz), ooze (o͞oz), groove (gro͞ov).

5.99 **VCe or ooCe = (long vowel)**

כלומר לסיכום, תנועה או הצירוף oo בבואם לפני עיצור יחיד ו- e סופית (גם בהברה לא מוטעמת), תנועתם ארוכה.

6.01 aCCe′ = (aC′)

כלומר, האות a בבואה בהברה מוטעמת לפני שני עיצורים ו- e סופית, מבוטאת (a). דוגמאות:
lapse (laps), valve (valv), advance′ (ədvans′).

6.02 eCCe′ = (eC′)

כלומר, האות e בבואה בהברה מוטעמת לפני שני עיצורים ו- e סופית, מבוטאת (e). דוגמאות:
defense′ (difens′), edge (ej).

6.03 iCCe′, yCCe′ = (iC′)

כלומר, האותיות i ו- y בבואן בהברה מוטעמת לפני שני עיצורים ו- e סופית, מבוטאות (i). דוגמאות: bridge (brij), since (sins).

6.04 oCCe′ = (oC′)

כלומר, האות o בבואה בהברה מוטעמת לפני שני עיצורים ו- e סופית, מבוטאת (o). דוגמאות: lodge (loj), revolve′ (rivolv′).

6.05 uCCe′ = (uC′)

כלומר, האות u בבואה בהברה מוטעמת לפני שני עיצורים ו- e סופית, מבוטאת (u). דוגמאות: judge (juj), repulse′ (ripuls′).

6.99 **VCCe′ = (short vowel)**

כלומר לסיכום, תנועה הבאה בהברה מוטעמת לפני שני עיצורים ו- e סופית, היא קצרה.

7.01 ar′, ar′C, arCe′ = (är′)

כלומר, הצירוף ar בהברה מוטעמת, בבואו בסוף מלה או לפני עיצור, מבוטא (är). דוגמאות: mar′ket (mär′kit), ar′ticle (är′tikəl), car (kär), charm (chärm), large (lärj), starve (stärv).

7.02 ar′V, ar′r = (ar′)

כלומר, הצירוף ar בהברה מוטעמת, בבואו לפני תנועה או לפני האות r, מבוטא (ar). דוגמאות: bar′on (bar′ən), ar′id (ar′id), nar′row (nar′ō), car′ry (kar′i), mar′ry (mar′i).

8.01 er′, er′**C**, er**C**e′ = (ûr′)
כלומר, הצירוף er בהברה מוטעמת, בבואו בסוף מלה או לפני עיצור, מבוטא (ûr). דוגמאות: per′son (pûr′sən), cer′tain (sûr′tən), her (hûr), verb (vûrb), nerve (nûrv), deserve′ (dizûrv).

8.02 er′**V**, er′r = (er′)
כלומר, הצירוף er בהברה מוטעמת, בבואו לפני תנועה או לפני האות r, מבוטא (er). דוגמאות: ver′y (ver′i), ter′ror (ter′ər), cer′emo′ny (ser′əmō′ni), ter′rible (ter′ibəl).

9.01 ir′, ir′**C**, ir**C**e′, yr′, yr′**C**, yr**C**e′ = (ûr′)
כלומר, הצירופים ir ו-yr בהברה מוטעמת, בבואם בסוף מלה או לפני עיצור, מבוטאים (ûr). דוגמאות: first (fûrst), dirt′y (dûr′ti), sir (sûr), bird (bûrd), dirge (dûrj), myr′tle (mûr′təl).

9.02 ir′V, ir′r, yr′V, yr′r = (ir′)
כלומר, הצירופים ir ו-yr בהברה מוטעמת, בבואם לפני תנועה או לפני האות r, מבוטאים (ir). דוגמאות: spir′it (spir′it), Syr′ia (sir′iə), mir′acle (mir′əkəl), pyr′amid′ (pir′əmid′) mir′ror (mir′ər).

10.01 ur′, ur′r, ur′**C**, ur**C**e′ = (ûr′)
כלומר, הצירוף ur בבואו בהברה מוטעמת מבוטא (ûr). דוגמאות: fur (fûr), turn (tûrn), mur′der (mûr′dər), tur′tle (tûrt′əl), nurse (nûrs), curve (kûrv), bur′row (bûr′ō), hur′ry (hûr′i).

11.01 or′, or′**C**, or**C**e′ = (ôr′)
כלומר, הצירוף or בבואו בהברה מוטעמת, בסוף מלה או לפני עיצור, מבוטא (ôr). דוגמאות: abhor′ (əbhôr′), por′ter (pôr′tər), sort (sôrt), tor′ture (tôr′chər), force (fôrs), horse (hôrs).

11.02 or′**V**, or′r, ore′ = (or′, ōr′, ôr′)
כלומר, הצירוף or בבואו בהברה מוטעמת, לפני תנועה או לפני האות r, או לפני e סופית, מבוטא (or) או (ōr) או (ôr). דוגמאות: sor′ry (sor′i, sôr′i), more (mōr, môr), or′igin (or′ijin, ôr′ijin).

3. הגיית צירופי תנועות

12.01 ai, ay = (ā)
כלומר, הצירופים ai ו- ay מבוטאים (ā). דוגמאות: rain (rān), day (dā), air (ār).

12.02 au, aw = (ô)
כלומר, הצירופים au ו- aw מבוטאים (ô). דוגמאות: cau′tion (kô′shən), law (lô).

12.03 ee, ea = (ē)
כלומר, הצירופים ea ו- ee מבוטאים (ē). דוגמאות: sea (sē), near (nēr), see (sē), beer (bēr).

12.04 oa = (ō)
כלומר, הצירוף oa מבוטא (ō). דוגמאות: boat (bōt), coast (kōst), board (bōrd, bôrd).

12.05 ou, ow = (ou)
כלומר, הצירופים ou ו- ow מבוטאים (ou). דוגמאות:
round (round), flour (flour), now (nou).

12.06 oi, oy = (oi)
כלומר, הצירופים oi ו- oy מבוטאים (oi). דוגמאות:
boil (boil), boy (boi).

4. הגיית סיומות

13.01 -**C**le = (-**C**əl)
כלומר, עיצור ו-le בסוף מלה, מבוטאים (-**C**əl). דוגמאות:
a′ble (ā′bəl), bot′tle (bot′əl).

13.02 unstressed -age = (-ij)
כלומר, age בסוף מלה, בהברה לא מוטעמת, מבוטא (-ij). דוגמאות:
man′age (man′ij), vil′lage (vil′ij).

13.021 unstressed -ate (noun, adjective) = (-it)
כלומר, ate בסוף מלה, בהברה לא מוטעמת, במלה המציינת שם או תואר, מבוטא (-it). דוגמאות:
del′icate (del′ikit), mod′erate (mod′ərit), sen′ate (sen′it).
אבל במלה המציינת פועל, או בהברה מוטעמת, ההגייה היא (-āt).
דוגמאות: mod′erate′ (mod′ərāt′), date (dāt), va′cate (vā′kāt).

13.03 -ey, -ie = (-i)
כלומר, -ey או -ie בסוף מלה, מבוטאים (-i). דוגמאות:
mon′ey (mun′i), kid′die (kid′i).

13.04 -ous = (-əs)
כלומר, -ous בסוף מלה, מבוטא (-əs). דוגמאות:
nerv′ous (nûr′vəs), se′rious (sēr′iəs).

13.05 -ism = (-iz′əm)
כלומר, -ism בסוף מלה, מבוטא (-iz′əm). דוגמאות:
re′alism′ (rē′əliz′əm), so′cialism′ (sō′shəliz′əm).

13.06 -tion, -sion = (-shən)
כלומר, -tion או -sion בסוף מלה, מבוטאים (-shən). דוגמאות:
ac′tion (ak′shən), na′tion (nā′shən), ten′sion (ten′shən),
mis′sion (mish′ən), posses′sion (pəzesh′ən).

(13.061) -**V**′sion = (-zhən)
כלומר, -sion בסוף מלה אחרי תנועה, מבוטא (-zhən). דוגמאות:
intru′sion (intrōō′zhən), adhe′sion (adhē′zhən),
occa′sion (əkā′zhən), divi′sion (divizh′ən),
explo′sion (iksplō′zhən).

13.07 -ight = (-īt)
כלומר, -ight בסוף מלה, מבוטא (-īt). דוגמאות:
night (nīt), right (rīt).

13.08 -ign = (-īn)
כלומר, ign- בסוף מלה, מבוטא (īn-). דוגמאות:
align′ (əlīn′), sign (sīn).

13.09 -o = (-ō)
כלומר, o- בסוף מלה, (גם בהברה לא מוטעמת), מבוטא (ō-).
דוגמאות: al′so (ôl′sō), pota′to (pətā′tō).

13.10 -ture = (-chər)
כלומר, ture- בסוף מלה, מבוטא (chər). דוגמאות:
pic′ture (pik′chər), adven′ture (adven′chər).

13.101 -some = (-səm)
כלומר, some- בסוף מלה, מבוטא (səm). דוגמאות:
troublesome (trub′əlsəm), lonesome (lōn′səm).

13.11 -tive = (-tiv)
כלומר, tive- בסוף מלה, מבוטא (tiv). דוגמאות:
ac′tive (ak′tiv), na′tive (nā′tiv).

13.12 -sive = (-siv)
כלומר, sive- בסוף מלה, מבוטא (siv). דוגמאות:
expen′sive (ikspen′siv), pas′sive (pas′iv).

13.13 -cial, -sial, -tial = (-shəl)
כלומר, cial, -sial, -tial- בסוף מלה, מבוטאים (shəl). דוגמאות:
so′cial (sō′shəl), ini′tial (inish′əl),
con′trover′sial (kon′trəvûr′shəl).

(13.14) -tual = (-cho͝oəl)
כלומר, tual- בסוף מלה, מבוטא (cho͝oəl). דוגמאות:
ac′tual (ak′cho͝oəl), mu′tual (mū′cho͝oəl).

(13.15) -all = (-ôl)
כלומר, all- בסוף מלה, מבוטא (ôl). דוגמאות: all (ôl), call (kôl).

(13.151) -cean, -cian, -sian, -tian = (-shən)
כלומר, הסופיות דלעיל מבוטאות (shən). דוגמאות:
o′cean (ō′shən), physi′cian (fizish′ən),
di′eti′tian (dī′ətish′ən), Rus′sian (rush′ən).

(13.152) -ceous, -cious, -tious = (-shəs)
כלומר, הסופיות דלעיל מבוטאות (shəs). דוגמאות:
av′ari′cious (av′ərish′əs), herba′ceous (hûrbā′shəs),
nutri′tious (no͞otrish′shəs).

13.16 -s = (-z)
כלומר, הסופית (s-) מבוטאת (z). דוגמאות:
num′bers (num′bərz), odds (odz).

13.17 (f)s, (k)s, (p)s, (t)s, (th)s = (-s)

כלומר, הסופית (-s) בבואה אחרי אחד הצלילים העיצוריים דלעיל, מבוטאת (s). דוגמאות:

cats (kats), books (books), lips (lips).

13.18 (ch)s, (j)s, (s)s, (sh)s, (z)s, (zh)s = (-iz)

כלומר, הסופית (-s) בבואה אחרי אחד הצלילים העיצוריים דלעיל, מבוטאת (iz). דוגמאות:

pushes (poosh′iz), horses (hôrs′iz), judges (juj′iz), roses (rōz′iz), ashes (ash′iz).

13.19 -ed = (-d)

כלומר, הסופית (-ed) מבוטאת (d). דוגמאות:

tried (trīd), aban′doned (əban′dənd).

13.20 (d)ed, (t)ed = (-id)

כלומר, הסופית (-ed) בבואה אחרי אחד הצלילים העיצוריים דלעיל, מבוטאת (id). דוגמאות:

pointed (poin′tid), needed (nē′did).

13.21 (ch)ed, (f)ed, (k)ed, (p)ed, (s)ed, (sh)ed, (th)ed = (-t)

כלומר, הסופית (-ed) בבואה אחרי אחד הצלילים העיצוריים דלעיל, מבוטאת (t). דוגמאות:

polished (pol′isht), watched (wocht), possessed (pəzest′), marked (markt), faced (fāst), stuffed (stuft), shaped (shāpt).

5. הגיית מלה עם סופית

סופיות אינן משנות בדרך כלל את הגיית המלה השורשית. כלומר, הסופיות המצורפות למלה, מותירות בדרך כלל את הגיית המלה הראשית בעינה (כולל ההברות המוטעמות), והשינוי היחידי הוא הצמדת ההגייה של הסופית למלה. דוגמאות:

abatement, (əbāt′mənt), cheerful (chēr′fəl), gracefully (grās′fəli), bottomless (bot′əmləs).

6. הגיית מלה מורכבת

השפה האנגלית עשירה במלים מורכבות. מלה מורכבת (compound word) היא מלה המורכבת משתי מלים או יותר. מלה מורכבת כתובה לפעמים כמלה אחת, לפעמים כמלה מוקפת (דהיינו כשתי מלים או יותר המחוברות במקף), ולפעמים כמלים נפרדות. דוגמאות:

sunshine, drive-in, post card.

בדרך כלל, במלה מורכבת הכתובה כמלה אחת, באה ההטעמה הראשית על המרכיב הראשון של המלה, וההטעמה המישנית באה על המרכיב השני שלה. לדוגמה: shoestring (shōō′string′)

כללי ההגייה והמילון

כללי ההגייה שהובאו לעיל חלים כאמור על רוב המלים באנגלית, אבל לא על כולן. לפיכך לא ניתן במילון תעתיק היגוי לכל מלה, אלא רק למלה שהגייתה (כולה או מקצתה) חורגת מכללים אלו. למשל במלה son ניתן תעתיק היגוי (sun), שלא נבטא (son) בהתאם לכללים.

הכללים בכללי ההגייה המוקפים בסוגריים, הם אלה שלגביהם ניתן תעתיק היגוי במילון, למרות האמור לעיל.

הנקודה הבין-הברתית

הנקודה הבין-הברתית (·) באה לפעמים מיד אחרי הברות בלתי-מוטעמות, כדי לציין שהגיית האותיות a, e, o, u, בהברות אלה אינה שוואית (כפי שניתן להסיק מכלל 2.01 #). כלומר, למרות שההברה אינה מוטעמת, הגיית הצליל התנועי שבה זהה להגיית הצליל בהברה מוטעמת, בהתאם לכללי הגיית הצלילים התנועיים. דוגמאות:
am·bas′sador (ambas′ədər), (ולא ambas′ədər)
ho·tel′ (hōtel′). (ולא hətel′)

כמו כן משמשת הנקודה הבין-הברתית כדלהלן:

1. e· = (i)

כלומר, כאשר הנקודה באה אחרי האות e הגייתה (i). דוגמאות:
re·turn′ (ritûrn′), be·have′ (bihāv′).

2. u· = (yə)

כלומר, כאשר הנקודה באה אחרי האות u הגייתה (yə). דוגמאות:
ar′gu·ment, (är′gyəmənt), pop′u·lar (pop′yələr).

לפעמים תבוא הנקודה לשם הבהרת משמעות המלה. דוגמאות:
in·es′timable, dis·com′fort.

יש לציין שבמילון זה, הנקודה הבין-הברתית אינה מציינת בהכרח את החלוקה המקובלת של המלה להברות, אלא מהווה אך ורק מכשיר-עזר להגייה נכונה של המלה.

כתיב אמריקני וכתיב בריטי

להלן קבוצות המלים העיקריות שבהן ישנו הבדל בין הכתיב האמריקני והבריטי:

כתיב אמריקני	כתיב בריטי	דוגמאות כתיב אמריקני	דוגמאות כתיב בריטי
-or	-our	color	colour
		honor	honour
-er	-re	center	centre
		theater	theatre
-l-	-ll-	traveler	traveller
		jeweler	jeweller
-ll-	-l-	skillful	skilful
		willful	wilful
-ense	-ence	license	licence
		defense	defence
-gment	-gement	abridgment	abridgement
		judgment	judgement
-e-	-ae-	anemia	anaemia
		eon	aeon
-ize	-ise	apologize	apologise
		capitalize	capitalise
וכן מספר קטן		check	cheque
של מלים אחרות		gray	grey

באנגלית - הצורה השנייה של העבר (The Past Tense) של פועל רגיל (regular verb) והצורה השלישית שלו (The Past Participle) הן בדרך כלל זהות, ומסתיימות ב-ed- ע"י הוספת ed- או d- לצורה הבסיסית (The Infinitive) של הפֹּעַל. לדוגמה: act, acted; love, loved. פועַל המסתיים בעיצור ו-y אחריו, ה-y משתנה ל-ied-. לדוגמה, cry, cried (לעומת play, played). פֹּעַל, שהברתו האחרונה מוטעמת, המסתיים בעיצור, תנועה אחת ועיצור אחד, מוכפל בו העיצור האחרון לפני ה-ed-. לדוגמה, commit, committed; stop, stopped (לעומת open, opened). להלן רשימת הפעלים החורגים מכללים אלו:

Verb	Past tense	Past participle
abide	abode, abided	abode, abided
arise	arose	arisen
awake	awoke, awaked	awoken, awaked
be	was, were	been
bear	bore	borne, (born נולד)
beat	beat	beaten
become	became	become
befall	befell	befallen
begin	began	begun
behold	beheld	beheld
bend	bent	bent
bereave	bereaved, bereft	bereaved, bereft
beseech	besought	besought
beset	beset	beset
bet	bet, betted	bet, betted
bid	bid, bade	bid, bidden
bide	bided, bode	bided
bind	bound	bound
bite	bit	bitten
bleed	bled	bled
bless	blessed, blest	blessed, blest
blow	blew	blown
break	broke	broken
breed	bred	bred
bring	brought	brought
broadcast	broadcast	broadcast
build	built	built
burn	burnt, burned	burnt, burned
burst	burst	burst
buy	bought	bought
cast	cast	cast
catch	caught	caught
chide	chided	chidden, chid
choose	chose	chosen
cleave	clove, cleft	cloven, cleft
cling	clung	clung
come	came	come
cost	cost	cost
creep	crept	crept
cut	cut	cut
deal	dealt	dealt
deep-freeze	deep-froze	deep-frozen
dig	dug	dug
dive	dived, dove	dived
do	did	done
draw	drew	drawn
dream	dreamed, dreamt	dreamed, dreamt
drink	drank	drunk
drive	drove	driven
dwell	dwelt, dwelled	dwelt, dwelled
eat	ate	eaten
fall	fell	fallen
feed	fed	fed
feel	felt	felt

Verb	Past tense	Past participle
fight	fought	fought
find	found	found
flee	fled	fled
fling	flung	flung
fly	flew	flown
forbear	forbore	forborne
forbid	forbad, forbade	forbidden
forecast	forecast, forecasted	forecast, forecasted
foreknow	foreknew	foreknown
foresee	foresaw	foreseen
foretell	foretold	foretold
forget	forgot	forgotten
forgive	forgave	forgiven
forsake	forsook	forsaken
forswear	forswore	forsworn
freeze	froze	frozen
gainsay	gainsaid	gainsaid
get	got	got, gotten
gild	gilded, gilt	gilded, gilt
gird	girded, girt	girded, girt
give	gave	given
go	went	gone
grind	ground	ground
grow	grew	grown
hamstring	hamstrung, hamstringed	hamstrung, hamstringed
hang (לתלות אדם)	hanged	hanged
hang (לתלות חפץ)	hung	hung
have	had	had
hear	heard	heard
heave	heaved, hove	heaved, hove
hew	hewed	hewed, hewn
hide	hid	hidden, hid
hit	hit	hit
hold	held	held
hurt	hurt	hurt
inlay	inlaid	inlaid
keep	kept	kept
kneel	knelt, kneeled	knelt, kneeled
knit	knitted, knit	knitted, knit
know	knew	known
lay	laid	laid
lead	led	led
lean	leaned, leant	leaned, leant
leap	leaped, leapt	leaped, leapt
learn	learned, learnt	learned, learnt
leave	left	left
lend	lent	lent
let	let	let
lie (לשכב)	lay	lain
lie (לשקר)	lied	lied
light	lit, lighted	lit, lighted
lose	lost	lost
make	made	made
mean	meant	meant
meet	met	met
miscast	miscast	miscast
misdeal	misdealt	misdealt
misgive	misgave	misgiven
mislay	mislaid	mislaid
mislead	misled	misled
misread	misread	misread
misspell	misspelled, misspelt	misspelled, misspelt
misspend	misspent	misspent
mistake	mistook	mistaken

Verb	Past tense	Past participle
misunderstand	misunderstood	misunderstood
mow	mowed	mowed, mown
outbid	outbid, outbade	outbid, outbidden
outdo	outdid	outdone
outgrow	outgrew	outgrown
outrun	outran	outrun
outshine	outshone	outshone
overbear	overbore	overborne
overcome	overcame	overcome
overdo	overdid	overdone
overhang	overhung	overhung
overhear	overheard	overheard
overlay	overlaid	overlaid
override	overrode	overridden
overrun	overran	overrun
oversee	oversaw	overseen
oversleep	overslept	overslept
overtake	overtook	overtaken
overthrow	overthrew	overthrown
partake	partook	partaken
pay	paid	paid
plead	pled, pleaded	pled, pleaded
prove	proved	proven, proved
put	put	put
read	read	read
rebind	rebound	rebound
rebuild	rebuilt	rebuilt
redo	redid	redone
remake	remade	remade
rend	rent	rent
repay	repaid	repaid
reset	reset	reset
retell	retold	retold
rewind	rewound	rewound
rewrite	rewrote	rewritten
rid	rid, ridded	rid, ridded
ride	rode	ridden
ring	rang	rung
rise	rose	risen
run	ran	run
saw	sawed	sawn, sawed
say	said	said
see	saw	seen
seek	sought	sought
sell	sold	sold
send	sent	sent
set	set	set
sew	sewed	sewn, sewed
shake	shook	shaken
shave	shaved	shaved, shaven
shear	sheared	shorn, sheared
shed	shed	shed
shine (לזרוח)	shone	shone
shine (לצחצח)	shined	shined
shoe	shod	shod
shoot	shot	shot
show	showed	shown, showed
shrink	shrank, shrunk	shrunk
shrive	shrove, shrived	shriven, shrived
shut	shut	shut
sing	sang	sung
sink	sank	sunk
sit	sat	sat
slay	slew	slain

Verb	Past tense	Past participle
sleep	slept	slept
slide	slid	slid
sling	slung	slung
slink	slunk	slunk
slit	slit	slit
smell	smelt, smelled	smelt, smelled
smite	smote	smitten
sow	sowed	sown, sowed
speak	spoke	spoken
speed	sped, speeded	sped, speeded
spell	spelt, spelled	spelt, spelled
spend	spent	spent
spill	spilt, spilled	spilt, spilled
spin	spun, span	spun
spit	spat, spit	spat, spit
split	split	split
spoil	spoilt, spoiled	spoilt, spoiled
spread	spread	spread
spring	sprang, sprung	sprung
stand	stood	stood
steal	stole	stolen
stick	stuck	stuck
sting	stung	stung
stink	stank, stunk	stunk
strew	strewed	strewn, strewed
stride	strode	stridden
strike	struck	struck
string	strung	strung
strive	strove, strived	striven, strived
swear	swore	sworn
sweep	swept	swept
swell	swelled	swollen, swelled
swim	swam	swum
swing	swung	swung
take	took	taken
teach	taught	taught
tear	tore	torn
tell	told	told
think	thought	thought
thrive	throve, thrived	thriven, thrived
throw	threw	thrown
thrust	thrust	thrust
tread	trod	trodden
unbend	unbent	unbent
undergo	underwent	undergone
understand	understood	understood
undertake	undertook	undertaken
undo	undid	undone
unwind	unwound	unwound
uphold	upheld	upheld
upset	upset	upset
wake	woke, waked	woken, waked
waylay	waylaid	waylaid
wear	wore	worn
weave	wove	woven
wed	wedded, wed	wedded, wed
weep	wept	wept
win	won	won
wind	winded, wound	winded, wound
withdraw	withdrew	withdrawn
withhold	withheld	withheld
withstand	withstood	withstood
wring	wrung	wrung
write	wrote	written

מוּסָפִית (affix) הִיא הֲבָרָה הַנּוֹסֶפֶת לְמִלָּה (הַנִּקְרֵאת מִלַּת שׁוֹרֶשׁ (root word)) בִּתְחִלָּתָהּ אוֹ בְּסוֹפָהּ, וְאַגַּב כָּךְ מְשַׁנָּה אֶת מַשְׁמָעוּתָהּ, לְעִתִּים תּוֹךְ שִׁנּוּי קַל בִּכְתִיב שֶׁל מִלַּת הַשּׁוֹרֶשׁ. הֲבָרָה הַנּוֹסֶפֶת בִּתְחִלַּת הַמִּלָּה נִקְרֵאת תְּחִלִּית (prefix); הֲבָרָה הַנּוֹסֶפֶת בְּסוֹף הַמִּלָּה נִקְרֵאת סוֹפִית (suffix). הַשִּׁנּוּיִים שֶׁהַמּוּסָפִיּוֹת יוֹצְרוֹת הֵם מְגוּוָנִים בְּיוֹתֵר, כְּגוֹן מִפּוֹעַל לְשֵׁם עֶצֶם, מִשֵּׁם תּוֹאַר לְתוֹאַר הַפּוֹעַל, מִמִּלָּה חִיּוּבִית לִשְׁלִילִית, וְכַדּוֹמֶה.

הַמּוּסָפִיּוֹת דִּלְהַלָּן הֵן הַשְּׁכִיחוֹת בְּיוֹתֵר בְּאַנְגְּלִית, וְהַכָּרָתָן תְּסַיֵּעַ לַקּוֹרֵא לְהָבִין מַשְׁמָעוּת מִלִּים רַבּוֹת בַּעֲלוֹת מוּסָפִיּוֹת, אַף אִם לֹא יִמְצָא אוֹתָן בַּמִּלּוֹן.

-ability *sfx.* (לִיצִירַת שֵׁם-עֶצֶם:
אֶפְשָׁרוּת, יְתָכְנוּת, תְּכוּנָה, סְגֻלָּה)
read (מִלַּת-שׁוֹרֶשׁ) קָרָא
readability קְרִיאוּת
move (מִלַּת-שׁוֹרֶשׁ) הֵזִיז
movability אֶפְשָׁרוּת הַהֲזָזָה, נַיָּדוּת
-able *sfx.* (לִיצִירַת תּוֹאַר הַשֵּׁם:
בַּר-, יָכוֹל, נִתָּן לְ-)
eat (מִלַּת-שׁוֹרֶשׁ) אָכַל
eatable אָכִיל, בַּר אֲכִילָה
tolerate (מִלַּת-שׁוֹרֶשׁ) סָבַל
tolerable שֶׁנִּתָּן לְסָבְלוֹ, נִסְבָּל
-al *sfx.* (לִיצִירַת תּוֹאַר הַשֵּׁם:
שֶׁל, שַׁיָּךְ לְ-, אוֹפְיָנִי לְ-)
magic (מִלַּת-שׁוֹרֶשׁ) כְּשָׁפִים
magical שֶׁל כְּשָׁפִים, קָסוּם
medicine (מִלַּת-שׁוֹרֶשׁ) רְפוּאָה
medicinal שֶׁל רְפוּאָה, רְפוּאִי
-al *sfx.* (לִיצִירַת שֵׁם-עֶצֶם:
פְּעוּלָּה, תַּהֲלִיךְ, תּוֹצָאָה)
arrive (מִלַּת-שׁוֹרֶשׁ) הִגִּיעַ
arrival הַגָּעָה, בִּיאָה
survive (מִלַּת-שׁוֹרֶשׁ) שָׂרַד
survival הִשָּׂרְדוּת
-an *sfx.* (לִיצִירַת תּוֹאַר הַשֵּׁם:
שֶׁל, שַׁיָּךְ לְ-; מוּמְחֶה בְּ-)
Mexico (מִלַּת-שׁוֹרֶשׁ) מֶקְסִיקוֹ
Mexican מֶקְסִיקָנִי
America (מִלַּת-שׁוֹרֶשׁ) אֲמֶרִיקָה
American אֲמֶרִיקָנִי
-ance *sfx.* (לִיצִירַת שֵׁם-עֶצֶם:
פְּעוּלָּה, תַּהֲלִיךְ, תּוֹצָאָה, מַצָּב)
appear (מִלַּת-שׁוֹרֶשׁ) הוֹפִיעַ
appearance הוֹפָעָה
continue (מִלַּת-שׁוֹרֶשׁ) הִמְשִׁיךְ
continuance הֶמְשֵׁכִיּוּת, רֶצֶף
-ant *sfx.* (לִיצִירַת תּוֹאַר הַשֵּׁם,
וְשֵׁם-עֶצֶם: עוֹשֶׂה, פּוֹעֵל, מְהַוֶּה)
please (מִלַּת-שׁוֹרֶשׁ) גָּרַם הֲנָאָה
pleasant נָעִים
assist (מִלַּת-שׁוֹרֶשׁ) עָזַר
assistant עוֹזֵר, סַיָּע
-ary *sfx.* (לִיצִירַת תּוֹאַר הַשֵּׁם:
שֶׁל, שַׁיָּךְ לְ-, קָשׁוּר לְ-)
second (מִלַּת-שׁוֹרֶשׁ) שֵׁנִי
secondary שֶׁל שֵׁנִי, מִשְׁנִי
custom (מִלַּת-שׁוֹרֶשׁ) מִנְהָג
customary שֶׁל מִנְהָג, נָהוּג
-ation *sfx.* (לִיצִירַת שֵׁם-עֶצֶם:
פְּעוּלָּה, תַּהֲלִיךְ, תּוֹצָאָה, מַצָּב)
contaminate (מִלַּת-שׁוֹרֶשׁ) זִהֵם
contamination זִהוּם
operate (מִלַּת-שׁוֹרֶשׁ) פָּעַל
operation פְּעוּלָּה
co- *pfx.* עִם, יַחַד, בְּצֵרוּף
exist (מִלַּת-שׁוֹרֶשׁ) הִתְקַיֵּם
coexist הִתְקַיֵּם יַחַד
operate (מִלַּת-שׁוֹרֶשׁ) פָּעַל
cooperate שִׁתֵּף פְּעוּלָּה
-cy *sfx.* (לִיצִירַת שֵׁם-עֶצֶם:
מַצָּב, מַעֲמָד, כְּהוּנָּה)
secret (מִלַּת-שׁוֹרֶשׁ) סוֹד
secrecy סוֹדִיּוּת
accurate (מִלַּת-שׁוֹרֶשׁ) מְדוּיָּק
accuracy דִּיּוּק, דַּיְקָנוּת
de- *pfx.* הָפַךְ, שָׁלַל, בִּטֵּל, סִלֵּק
populate (מִלַּת-שׁוֹרֶשׁ) אִכְלֵס
depopulate צִמְצֵם הָאוּכְלוּסִין
control (מִלַּת-שׁוֹרֶשׁ) פִּקֵּחַ
decontrol הֵסִיר הַפִּקּוּחַ
dis- *pfx.* אִי-; לֹא; שָׁלַל, בִּטֵּל
appear (מִלַּת-שׁוֹרֶשׁ) הוֹפִיעַ
disappear נֶעְלַם
belief (מִלַּת-שׁוֹרֶשׁ) אֱמוּנָה
disbelief חוֹסֶר אֵמוּן
-dom *sfx.* (לִיצִירַת שֵׁם-עֶצֶם:
מַצָּב, מַעֲמָד, כְּהוּנָּה)
king (מִלַּת-שׁוֹרֶשׁ) מֶלֶךְ
kingdom מְלוּכָה, מַמְלָכָה
wise (מִלַּת-שׁוֹרֶשׁ) חָכָם
wisdom חוּכְמָה
-ed *sfx.* (לְצִיּוּן זְמַן עָבָר)
want (מִלַּת-שׁוֹרֶשׁ) לִרְצוֹת
wanted רָצָה
try (מִלַּת-שׁוֹרֶשׁ) לְנַסּוֹת
tried נִסָּה
-ed *sfx.* (לִיצִירַת תּוֹאַר הַשֵּׁם:
בַּעַל-; מְאוּפְיָן בְּ-)
beard (מִלַּת-שׁוֹרֶשׁ) זָקָן
bearded בַּעַל זָקָן, מְזוּקָן
talent (מִלַּת-שׁוֹרֶשׁ) כִּשְׁרוֹן
talented בַּעַל כִּשְׁרוֹן
en- *pfx.* (לִיצִירַת פּוֹעַל:
גָּרַם, עָשָׂה לְ-; הִקִּיף בְּ-)

slave (מִלַּת-שׁוֹרֶשׁ) עֶבֶד
enslave שִׁעְבֵּד, עָשָׂה לְעֶבֶד
danger (מִלַּת-שׁוֹרֶשׁ) סַכָּנָה
endanger סִכֵּן
-en *sfx.* (לִיצִירַת תּוֹאַר הַשֵּׁם:
עָשׂוּי; דּוֹמֶה לְ-, כְּמוֹ)
silk (מִלַּת-שׁוֹרֶשׁ) מֶשִׁי
silken מִשְׁיִי; עָשׂוּי מֶשִׁי
wood (מִלַּת-שׁוֹרֶשׁ) עֵץ
wooden עֵצִי; עָשׂוּי עֵץ
-en *sfx.* (לִיצִירַת פּוֹעַל:
גָּרַם, עָשָׂה לְ-; נַעֲשָׂה לְ-)
sharp (מִלַּת-שׁוֹרֶשׁ) חַד
sharpen חִדֵּד
strength (מִלַּת-שׁוֹרֶשׁ) חוֹזֶק
strengthen חִזֵּק; הִתְחַזֵּק
-ence *sfx.* (לִיצִירַת שֵׁם-עֶצֶם:
פְּעוּלָה, תַּהֲלִיךְ, תּוֹצָאָה, מַצָּב)
confide (מִלַּת-שׁוֹרֶשׁ) סִפֵּר בְּסוֹד
confidence אֵמוּן, סוֹדִיּוּת
refer (מִלַּת-שׁוֹרֶשׁ) הִתְיַחֵס
reference הִתְיַחֲסוּת
-ent *sfx.* (לִיצִירַת תּוֹאַר הַשֵּׁם,
וְשֵׁם-עֶצֶם: עוֹשֶׂה, פּוֹעֵל, מְהַוֶּה)
differ (מִלַּת-שׁוֹרֶשׁ) הָיָה שׁוֹנֶה
different שׁוֹנֶה
persist (מִלַּת-שׁוֹרֶשׁ) הִתְמִיד
persistent מַתְמִיד
-er *sfx.* (לִיצִירַת שֵׁם-עֶצֶם:
עוֹשֶׂה, מְבַצֵּעַ; עוֹסֵק בְּ-)
drive (מִלַּת-שׁוֹרֶשׁ) נָהַג
driver נֶהָג
run (מִלַּת-שׁוֹרֶשׁ) רָץ
runner רָץ
-er *sfx.* (לִיצִירַת דַּרְגַּת הַיּוֹתֵר)
cold (מִלַּת-שׁוֹרֶשׁ) קַר
colder קַר יוֹתֵר
strong (מִלַּת-שׁוֹרֶשׁ) חָזָק
stronger חָזָק יוֹתֵר
-ess *sfx.* (לְצִיּוּן מִין נְקֵבָה)
lion (מִלַּת-שׁוֹרֶשׁ) אַרְיֵה
lioness לְבִיאָה
ambassador (מִלַּת-שׁוֹרֶשׁ) שַׁגְרִיר
ambassadress שַׁגְרִירָה
-est *sfx.* (לִיצִירַת דַּרְגַּת הַמּוּפְלָג)
cold (מִלַּת-שׁוֹרֶשׁ) קַר
coldest הַקַּר בְּיוֹתֵר
fast (מִלַּת-שׁוֹרֶשׁ) מָהִיר
fastest הֲכִי מָהִיר
ex- *pfx.* לְשֶׁעָבַר
minister (מִלַּת-שׁוֹרֶשׁ) שַׂר
ex-minister שַׂר לְשֶׁעָבַר
president (מִלַּת-שׁוֹרֶשׁ) נָשִׂיא
ex-president נָשִׂיא לְשֶׁעָבַר
-ful *sfx.* (לִיצִירַת תּוֹאַר הַשֵּׁם,
וְשֵׁם-עֶצֶם: מָלֵא; רַב-; שֶׁל; בַּעַל;
נוֹטֶה לְ-; מְאוּפְיָן בְּ-; מְלוֹא)
help (מִלַּת-שׁוֹרֶשׁ) עָזַר
helpful עוֹזֵר
glass (מִלַּת-שׁוֹרֶשׁ) כּוֹס
glassful מְלוֹא-הַכּוֹס
-hood *sfx.* (לִיצִירַת שֵׁם-עֶצֶם:
מַצָּב, מַעֲמָד, קְבוּצָה)
boy (מִלַּת-שׁוֹרֶשׁ) נַעַר
boyhood נְעוּרִים, יַלְדוּת
priest (מִלַּת-שׁוֹרֶשׁ) כּוֹמֶר
priesthood כְּהוּנָה, כְּמוּרָה
-ian *sfx.* (לִיצִירַת תּוֹאַר הַשֵּׁם:
שֶׁל, שַׁיָּךְ לְ-; מוּמְחֶה בְּ-)
magic (מִלַּת-שׁוֹרֶשׁ) כְּשָׁפִים
magician מְכַשֵּׁף, קוֹסֵם
mathematics מָתֵמָטִיקָה
mathematician מָתֵמָטִיקָאִי
-ibility *sfx.* (לִיצִירַת שֵׁם-עֶצֶם:
אֶפְשָׁרוּת, יְתָכְנוּת, תְּכוּנָה, סְגוּלָה)
flexible (מִלַּת-שׁוֹרֶשׁ) גָּמִישׁ
flexibility גְּמִישׁוּת
possible (מִלַּת-שׁוֹרֶשׁ) אֶפְשָׁרִי
possibility אֶפְשָׁרוּת
-ible *sfx.* (לִיצִירַת תּוֹאַר הַשֵּׁם:
בַּר-, יָכוֹל, נִתָּן לְ-)
resist (מִלַּת-שׁוֹרֶשׁ) עָמַד בִּפְנֵי
resistible שֶׁנִּתָּן לַעֲמוֹד בְּפָנָיו
reduce (מִלַּת-שׁוֹרֶשׁ) הִפְחִית
reducible בַּר הַפְחָתָה
-ic *sfx.* (לִיצִירַת תּוֹאַר הַשֵּׁם:
שֶׁל, בַּעַל; עָשׂוּי)
alcohol (מִלַּת-שׁוֹרֶשׁ) כּוֹהֶל
alcoholic כּוֹהֲלִי
athlete (מִלַּת-שׁוֹרֶשׁ) אַתְלֵט
athletic אַתְלֵטִי
-ification *sfx.* (לִיצִירַת שֵׁם-עֶצֶם:
עֲשִׂיָּה, גְּרִימָה)
beauty (מִלַּת-שׁוֹרֶשׁ) יוֹפִי
beautification יִפּוּי
null (מִלַּת-שׁוֹרֶשׁ) בָּטֵל
nullification בִּטּוּל
-ify *sfx.* (לִיצִירַת פּוֹעַל:
עָשָׂה, גָּרַם; נַעֲשָׂה)
beauty (מִלַּת-שׁוֹרֶשׁ) יוֹפִי
beautify יִפָּה
null (מִלַּת-שׁוֹרֶשׁ) בָּטֵל
nullify בִּטֵּל, עָשָׂה לְאַיִן
in-, il-, im-, ir- *pfx.* חוֹסֶר, אִי-;
לֹא; בְּלֹא; שָׁלַל, בִּטֵּל
correct (מִלַּת-שׁוֹרֶשׁ) נָכוֹן
incorrect לֹא נָכוֹן, מוּטְעֶה
legal (מִלַּת-שׁוֹרֶשׁ) חוּקִי
illegal לֹא חוּקִי, בִּלְתִּי לֵיגָלִי
possible (מִלַּת-שׁוֹרֶשׁ) אֶפְשָׁרִי
impossible בִּלְתִּי אֶפְשָׁרִי
relevant (מִלַּת-שׁוֹרֶשׁ) רֶלֶוַנְטִי

irrelevant	לֹא רֶלֶוַנְטִי
-ing *sfx.*	(הוֹוֶה מְמוּשָׁךְ, אוֹ תּוֹאַר)
drink	(מִלַּת-שׁוֹרֶשׁ) שָׁתָה
drinking	שׁוֹתֶה
walk	(מִלַּת-שׁוֹרֶשׁ) הָלַךְ
walking	מְהַלֵּךְ
-ing *sfx.*	(לְצִיּוּן שֵׁם פְּעוּלָּה)
drink	(מִלַּת-שׁוֹרֶשׁ) שָׁתָה
drinking	שְׁתִיָּה
swim	(מִלַּת-שׁוֹרֶשׁ) שָׂחָה
swimming	שְׂחִיָּה
-ish *sfx.*	(לִיצִירַת תּוֹאַר הַשֵּׁם: שֶׁל; כְּמוֹ; קְצָת; מַשֶּׁהוּ)
blue	(מִלַּת-שׁוֹרֶשׁ) כָּחוֹל
bluish	כְּחַלְחַל
Jew	(מִלַּת-שׁוֹרֶשׁ) יְהוּדִי
Jewish	שֶׁל יְהוּדִים, יְהוּדִי
-ism *sfx.*	(לִיצִירַת שֵׁם-עֶצֶם: פְּעוּלָּה, מַצָּב, טִיפּוּסִיּוּת, דּוֹקְטְרִינָה, עִקָּרוֹן)
hero	(מִלַּת-שׁוֹרֶשׁ) גִּבּוֹר
heroism	גְּבוּרָה, הֶרוֹאִיזְם
social	(מִלַּת-שׁוֹרֶשׁ) סוֹצְיָאלִי
socialism	סוֹצְיָאלִיזְם
-ist *sfx.*	(לִיצִירַת שֵׁם-עֶצֶם: עוֹשֶׂה; עוֹסֵק בְּ-; דּוֹגֵל בְּ-)
science	(מִלַּת-שׁוֹרֶשׁ) מַדָּע
scientist	מַדְּעָן
accompany	(מִלַּת-שׁוֹרֶשׁ) לִוָּה
accompanist	מְלַוֶּה
-ition *sfx.*	(לִיצִירַת שֵׁם-עֶצֶם: פְּעוּלָּה, תַּהֲלִיךְ, תּוֹצָאָה, מַצָּב)
compete	(מִלַּת-שׁוֹרֶשׁ) הִתְחָרָה
competition	הִתְחָרוּת
repeat	(מִלַּת-שׁוֹרֶשׁ) חָזַר
repetition	חֲזָרָה, הִשָּׁנוּת
-ity *sfx.*	(לִיצִירַת שֵׁם-עֶצֶם: מַצָּב, מַעֲמָד)
inferior	(מִלַּת-שׁוֹרֶשׁ) נָחוּת
inferiority	נְחִיתוּת
curious	(מִלַּת-שׁוֹרֶשׁ) סַקְרָן
curiosity	סַקְרָנוּת
-ive, -tive, -sive *sfx.*	(לִיצִירַת תּוֹאַר-הַשֵּׁם: שֶׁל, נוֹטֶה)
act	(מִלַּת-שׁוֹרֶשׁ) פָּעַל
active	אַקְטִיבִי, פָּעִיל
possess	(מִלַּת-שׁוֹרֶשׁ) הָיָה בַּעַל
possessive	שֶׁל בַּעֲלוּת
-ization *sfx.*	(לִיצִירַת שֵׁם-עֶצֶם: עֲשִׂיָּה; הֵעָשׂוּת)
fertile	(מִלַּת-שׁוֹרֶשׁ) פּוֹרֶה
fertilization	הַפְרָאָה, הַפְרָיָה
legal	(מִלַּת-שׁוֹרֶשׁ) חוּקִי
legalization	לֵיגָלִיזַצְיָה
-ize *sfx.*	(לִיצִירַת פּוֹעַל: עָשָׂה, גָּרַם; נַעֲשָׂה)
legal	(מִלַּת-שׁוֹרֶשׁ) חוּקִי
legalize	עָשָׂה לְחוּקִי
fertile	(מִלַּת-שׁוֹרֶשׁ) פּוֹרֶה
fertilize	הִפְרָה
-less *sfx.*	בְּלִי, חֲסַר-, נְטוּל
hope	(מִלַּת-שׁוֹרֶשׁ) תִּקְוָה
hopeless	חֲסַר תִּקְוָה
tree	(מִלַּת-שׁוֹרֶשׁ) עֵץ
treeless	חֲסַר עֵצִים
-let *sfx.*	קָטָן, זָעִיר
book	(מִלַּת-שׁוֹרֶשׁ) סֵפֶר
booklet	סִפְרוֹן
leaf	(מִלַּת-שׁוֹרֶשׁ) עָלֶה
leaflet	עַלְעָל, עָלוֹן
-like *sfx.*	כְּמוֹ, דּוֹמֶה, כְּיָאֶה לְ-,
child	(מִלַּת-שׁוֹרֶשׁ) יֶלֶד
childlike	יַלְדוּתִי
lady	(מִלַּת-שׁוֹרֶשׁ) גְּבֶרֶת
ladylike	כְּיָאֶה לִגְבֶרֶת
-ly *sfx.*	(לִיצִירַת תּוֹאַר הַפּוֹעַל: בְּאוֹפֶן, בְּצוּרָה)
glad	(מִלַּת-שׁוֹרֶשׁ) שָׂמֵחַ
gladly	בְּצוּרָה שְׂמֵחָה, בְּשִׂמְחָה
quick	(מִלַּת-שׁוֹרֶשׁ) מָהִיר
quickly	בְּאוֹפֶן מָהִיר, בִּמְהִירוּת
-ment *sfx.*	(לִיצִירַת שֵׁם-עֶצֶם: פְּעוּלָּה, תַּהֲלִיךְ, תּוֹצָאָה, מַצָּב)
improve	(מִלַּת-שׁוֹרֶשׁ) שִׁפֵּר
improvement	שִׁפּוּר, הִשְׁתַּפְּרוּת
amaze	(מִלַּת-שׁוֹרֶשׁ) הִדְהִים
amazement	תַּדְהֵמָה
mis- *pfx.*	אִי-; לֹא; גָּרוּעַ, לֹא טוֹב, לֹא נָכוֹן, מוּטְעֶה, לֹא נְכוֹנָה
conduct	(מִלַּת-שׁוֹרֶשׁ) הִתְנַהֲגוּת
misconduct	הִתְנַהֲגוּת רָעָה
quote	(מִלַּת-שׁוֹרֶשׁ) צִטֵּט
misquote	צִטֵּט לֹא נָכוֹן
-ness *sfx.*	(לִיצִירַת שֵׁם-עֶצֶם: מַצָּב, מַעֲמָד, פְּעוּלָּה, טִיב, תְּכוּנָה)
loud	(מִלַּת-שׁוֹרֶשׁ) רָם
loudness	רוֹם קוֹל, קוֹלָנִיּוּת
kind	(מִלַּת-שׁוֹרֶשׁ) אָדִיב
kindness	טוּב לֵב, אֲדִיבוּת
non- *pfx.*	אִי-, לֹא, חוֹסֶר
religious	(מִלַּת-שׁוֹרֶשׁ) דָּתִי
nonreligious	לֹא דָּתִי
payment	(מִלַּת-שׁוֹרֶשׁ) תַּשְׁלוּם
nonpayment	אִי תַּשְׁלוּם
-or *sfx.*	(לִיצִירַת שֵׁם-עֶצֶם: עוֹשֶׂה, מְבַצֵּעַ; עוֹסֵק בְּ-)
invent	(מִלַּת-שׁוֹרֶשׁ) הִמְצִיא
inventor	מַמְצִיא
debt	(מִלַּת-שׁוֹרֶשׁ) חוֹב
debtor	חַיָּב, לֹוֶה
-ory *sfx.*	(לִיצִירַת תּוֹאַר הַשֵּׁם: שֶׁל, מְשַׁמֵּשׁ כְּ-, שַׁיָּךְ לְ-)

compulsion	(מִלַּת-שׁוֹרֶשׁ) כְּפִיָּה
compulsory	שֶׁל כְּפִיָּה, כְּפִיָּתִי
contradict	(מִלַּת-שׁוֹרֶשׁ) סָתַר
contradictory	סוֹתֵר, מְנוּגָד
-ous *sfx.*	(לִיצִירַת תּוֹאַר הַשֵּׁם:
	שֶׁל, בַּעַל, מָלֵא, כְּמוֹ)
danger	(מִלַּת-שׁוֹרֶשׁ) סַכָּנָה
dangerous	מְסוּכָּן, הַרְבֵּה סַכָּנוֹת
fame	(מִלַּת-שׁוֹרֶשׁ) פִּרְסוּם
famous	מְפוּרְסָם, בַּעַל שֵׁם
out- *pfx.*	הַחוּצָה; עָלָה/עָבַר עַל
play	(מִלַּת-שׁוֹרֶשׁ) שִׂחֵק
outplay	הֵיטִיב לְשַׂחֵק מִן
smart	(מִלַּת-שׁוֹרֶשׁ) פִּקֵּחַ
outsmart	עָלָה בְּפִקְחוּתוֹ עַל
over- *pfx.*	יוֹתֵר מִדַּי; מֵעַל לְ-,
work	(מִלַּת-שׁוֹרֶשׁ) עָבַד
overwork	עָבַד בְּפֶרֶךְ
pay	(מִלַּת-שׁוֹרֶשׁ) שִׁלֵּם
overpay	שִׁלֵּם יוֹתֵר מִדַּי
pre- *pfx.*	קֹדֶם, לִפְנֵי, טְרוֹם
war	(מִלַּת-שׁוֹרֶשׁ) מִלְחָמָה
prewar	קְדַם-מִלְחַמְתִּי
condition	(מִלַּת-שׁוֹרֶשׁ) תְּנַאי
precondition	תְּנַאי מוּקְדָּם
re- *pfx.*	שׁוּב, שֵׁנִית, מֵחָדָשׁ
decorate	(מִלַּת-שׁוֹרֶשׁ) קִשֵּׁט
redecorate	קִשֵּׁט מֵחָדָשׁ
connect	(מִלַּת-שׁוֹרֶשׁ) קִשֵּׁר
reconnect	קִשֵּׁר מֵחָדָשׁ
-s, -es *sfx.*	(לִיצִירַת מִסְפַּר רַבִּים)
horse	(מִלַּת-שׁוֹרֶשׁ) סוּס
horses	סוּסִים
tomato	(מִלַּת-שׁוֹרֶשׁ) עַגְבָנִיָּה
tomatoes	עַגְבָנִיּוֹת
-s, -es *sfx.*	(בְּיָחִיד, נִסְתָּר, הוֹוֶה)
eat	(מִלַּת-שׁוֹרֶשׁ) אָכַל (לֶאֱכוֹל)
eats	(הוּא) אוֹכֵל
go	(מִלַּת-שׁוֹרֶשׁ) הָלַךְ (לָלֶכֶת)
goes	(הוּא) הוֹלֵךְ
self- *pfx.*	עַצְמִי, לְעַצְמוֹ
defense	(מִלַּת-שׁוֹרֶשׁ) הֲגַנָּה
self-defense	הֲגַנָּה עַצְמִית
respect	(מִלַּת-שׁוֹרֶשׁ) כָּבוֹד
self-respect	כָּבוֹד עַצְמִי
-ship *sfx.*	(לִיצִירַת שֵׁם-עֶצֶם:
	מַצָּב, מַעֲמָד, דַּרְגָּה, אוּמָּנוּת)
friend	(מִלַּת-שׁוֹרֶשׁ) יָדִיד
friendship	יְדִידוּת
hard	(מִלַּת-שׁוֹרֶשׁ) קָשֶׁה
hardship	קוֹשִׁי, מְצוּקָה
-sion *sfx.*	(לִיצִירַת שֵׁם-עֶצֶם:
	פְּעוּלָּה, תַּהֲלִיךְ, תּוֹצָאָה, מַצָּב)
confess	(מִלַּת-שׁוֹרֶשׁ) הוֹדָה
confession	הוֹדָאָה
invade	(מִלַּת-שׁוֹרֶשׁ) פָּלַשׁ
invasion	פְּלִישָׁה
-some *sfx.*	(לִיצִירַת תּוֹאַר הַשֵּׁם:
	שֶׁל, עָשׂוּי לְ-, נוֹטֶה)
quarrel	(מִלַּת-שׁוֹרֶשׁ) רִיב
quarrelsome	אִישׁ רִיב
frolic	(מִלַּת-שׁוֹרֶשׁ) עַלִּיזוּת
frolicsome	עַלִּיז
sub- *pfx.*	תַּחַת, מִשְׁנִי, תַּת
divide	(מִלַּת-שׁוֹרֶשׁ) חִלֵּק
subdivide	חִלֵּק לְתַת-חֲלֻקּוֹת
plot	(מִלַּת-שׁוֹרֶשׁ) עֲלִילָה
subplot	עֲלִילַת מִשְׁנֶה
super- *pfx.*	עַל, מֵעַל, סוּפֶּר
natural	(מִלַּת-שׁוֹרֶשׁ) טִבְעִי
supernatural	עַל-טִבְעִי
power	(מִלַּת-שׁוֹרֶשׁ) מַעֲצָמָה
superpower	מַעֲצֶמֶת-עַל
-tion *sfx.*	(לִיצִירַת שֵׁם-עֶצֶם:
	פְּעוּלָּה, תַּהֲלִיךְ, תּוֹצָאָה, מַצָּב)
object	(מִלַּת-שׁוֹרֶשׁ) הִתְנַגֵּד
objection	הִתְנַגְּדוּת
correct	(מִלַּת-שׁוֹרֶשׁ) תִּקֵּן
correction	תִּקּוּן
un- *pfx.*	אִי-; לֹא; שְׁלִילָה, הֶפֶךְ
afraid	(מִלַּת-שׁוֹרֶשׁ) פּוֹחֵד
unafraid	לֹא פּוֹחֵד
button	(מִלַּת-שׁוֹרֶשׁ) רָכַס, כַּפְתֵּר
unbutton	הִתִּיר אֶת הַכַּפְתּוֹרִים
under- *pfx.*	מִתַּחַת; לֹא מַסְפִּיק,
	פָּחוֹת מִן, נָמוּךְ מִן
estimate	(מִלַּת-שׁוֹרֶשׁ) הֶעֱרִיךְ
underestimate	מִעֵט בְּעֶרְכּוֹ
world	(מִלַּת-שׁוֹרֶשׁ) עוֹלָם
underworld	הָעוֹלָם הַתַּחְתּוֹן
-ward(s) *sfx.*	לְכִוּוּן, לְעֵבֶר, אֶל
sky	(מִלַּת-שׁוֹרֶשׁ) שָׁמַיִם
skyward	אֶל הַשָּׁמַיִם, לַשְּׁחָקִים
home	(מִלַּת-שׁוֹרֶשׁ) בַּיִת
homeward	הַבַּיְתָה
well- *pfx.*	הֵיטֵב, יָפֶה, כָּרָאוּי
cooked	(מִלַּת-שׁוֹרֶשׁ) מְבוּשָּׁל
well-cooked	מְבוּשָּׁל הֵיטֵב
built	(מִלַּת-שׁוֹרֶשׁ) בָּנוּי
well-built	בָּנוּי כַּהֲלָכָה
-wise *sfx.*	(לִיצִירַת תּוֹאַר הַפּוֹעַל:
	בְּאוֹפֶן, בְּצוּרָה, בְּכִוּוּן)
clock	(מִלַּת-שׁוֹרֶשׁ) שָׁעוֹן
clockwise	בְּכִוּוּן הַשָּׁעוֹן
contrary	(מִלַּת-שׁוֹרֶשׁ) מְנוּגָּד
contrariwise	בְּנִגּוּד לְכָךְ
-y *sfx.*	(לִיצִירַת תּוֹאַר הַשֵּׁם:
	שֶׁל, מֵכִיל, מָלֵא, כְּמוֹ)
rain	(מִלַּת-שׁוֹרֶשׁ) גֶּשֶׁם
rainy	גָּשׁוּם
thirst	(מִלַּת-שׁוֹרֶשׁ) צָמָא
thirsty	צָמֵא

A

A א׳ (האות הראשונה בא״ב האנגלי)
- from A to Z מא׳ ועד ת׳, הכל
a (ā, ə) *adj&prep.* אחד, כל אחד
- many a man אנשים רבים
- people of a kind אנשים מאותו סוג
- twice a day פעמיים בכל יום
A *n.* לה (צליל)
A-1, A-one מצויין, סוג א׳
A.B. = Bachelor of Arts
aba′ (əbä′) *n.* עביה (גלימה)
aback′ *adv.* אחורנית, לאחור
- taken aback מופתע, נדהם
ab′acus *n.* חשבונייה (מחשבון)
abaft′ *adv.* לכיוון ירכתי הספינה
aban′don *v.* לנטוש, להפקיר, לוותר על
- abandon oneself to grief לשקוע ביגון
- abandoned all hope אמר נואש
abandon *n.* התפרקות, התרת רסן
abandoned *adj.* מופקר; מושחת
abandonment *n.* נטישה, הפקרה
abase′ *v.* להשפיל, לבזות
abasement *n.* השפלה; התבזות
abash′ *v.* להביך, לבלבל
abashed *adj.* נבוך, מבולבל
abashment *n.* הבכה, ביזוי
abate′ *v.* להפחית, להקטין; לשכוך, לפוג; לחסל, לשים קץ ל-
abatement *n.* הפחתה, הקטנה; הנחה; חיסול
ab′attoir′ (-twär) *n.* בית מיטבחיים
ab′bacy *n.* נזירות
ab′be (-bā) *n.* כומר; ראש מינזר
ab′bess *n.* נזירה ראשית
ab′bey *n.* מינזר; כנסייה
ab′bot *n.* ראש מינזר
abbre′viate′ *v.* לקצר, לנטרק
abbre′via′tion *n.* קיצור; ראשי-תיבות
ABC *n.* הא״ב; יסודות, עקרונות
ab′dicate′ *v.* להתפטר; לוותר על
ab′dica′tion *n.* התפטרות; ויתור
ab′domen *n.* בטן, כרס; גחון
ab·dom′inal *adj.* של הבטן
ab·duct′ *v.* לחטוף (אדם)
ab·duc′tion *n.* חטיפה
abeam′ *adv.* בקו ניצב לאורך הספינה
abed′ *adv.* במיטה, שוכב
aber′rant *adj.* סוטה
ab′erra′tion *n.* סטייה; ליקוי
abet′ *v.* לעזור, לסייע, לעודד, להסית
- aid and abet לסייע (בביצוע פשע)
abetter, abettor *n.* עוזר, מסייע
abey′ance (-bā′-) *n.* דחייה, השעייה, אי-הפעלה, חוסר-תקפות
- fall into abeyance הוקפא, הושעה
- held in abeyance לא תקף, מוקפא
- in abeyance תלוי ועומד, לא בשימוש
ABH נזק גופני ממשי
abhor′ *v.* לתעב, לסלוד מ-
abhor′rence *n.* תיעוב; תועבה
abhor′rent *adj.* נתעב, מתועב
abide′ *v.* להישאר; לגור; לחכות ל-
- abide by לקיים, לפעול לפי; לעמוד ב-; לשאת ב-
- cannot abide her לא סובל אותה
- law-abiding שומר חוק
abi′ding *adj.* ניצחי, תמידי
abil′ity *n.* יכולת; כישרון
ab init′io′ (-sh′-) מן ההתחלה
a′biot′ic *adj.* חסר חיים
ab′ject′ *adj.* אומלל; נבזה, שפל
ab·jec′tion *n.* השפלה
ab′jura′tion *n.* התכחשות
ab·jure′ *v.* להישבע לוותר על, להתכחש, לכפור ב-, להתנער מ-
ab·late′ *v.* להסיר בניתוח, לקטוע
ab·la′tion *n.* קטיעה, כריתה
ablaze′ *adj.* בוער, לוהט, מבהיק
a′ble *adj.* יכול, מסוגל; כשרוני, מוכשר
able-bodied *adj.* חסון, בריא
abloom′ (-blōōm′) *adj.* פורח
ablu′tion *n.* רחיצה; טבילה
a′bly *adv.* בכישרון
ABM טיל אנטי-בליסטי
ab′ne·gate′ *v.* לוותר על, להקריב
ab′ne·ga′tion *n.* הקרבה עצמית
ab·nor′mal *adj.* לא-תקין, אנורמלי
ab′nor·mal′ity *n.* אי-נורמליות
aboard′ *adv.* על הרכבת/המטוס וכו׳
- all aboard! עלו! (לרכבת וכ׳)
abode′ *n.* דירה, מגורים, בית
- no fixed abode ללא מגורים קבועים
- right of abode זכות מגורים
abode = p of abide
abol′ish *v.* לבטל, לחסל
ab′oli′tion (-li-) *n.* ביטול, חיסול
A-bomb (ā′bom′) *n.* פיצצת אטום
abom′inable *adj.* נתעב; *גרוע, רע, מגעיל
abom′inate′ *v.* לתעב, לשנוא
abom′ina′tion *n.* תיעוב; תועבה
ab′orig′inal *adj&n.* קדמון, קיים באיזור מימי קדם
ab′orig′ine (-jini) *n.* תושב קדמון, יליד, אבוריג׳ן
aborn′ing *adv.* באיבו, בהיוולדו
abort′ *v.* להפיל (עוּבּר); להפסיק; לבטל; להיכשל
abor′tion *n.* הפלה; נפל, מיפלצת; כישלון, תוכנית-נפל
abortionist *n.* מְבַצֵּעַ-הפלות
abor′tive *adj.* כושל, שעלה בתוהו
abound′ *v.* להיות מלא, לשרוץ, לשפוע
about′ *adv&prep.* מסביב; בסביבה; אחורנית; בערך, כמעט; קרוב ל-; על-אודות, ליד
- (it's) about time סוף סוף, הגיע הזמן
- about to עומד ל-, מתכוון ל-
- bring about לגרום, להביא
- come about לקרות, להתרחש
- go about it לטפל בכך
- how/what about? מה דעתך ש-?
- isn't about to *לא מתכוון כלל ל-
- up and about קם, מסתובב
about-face/about-turn *n&v.* פנייה לאחור; תפנית; לפנות אחורה
above′ (-buv′) *adv&adj.* למעלה, ממעל, לעיל

- from above מלמעלה
- the above הנ"ל, דלעיל
above *prep.* מעל ל-, יותר מ-
- above all מעל לכל, יותר מכל
- above oneself יוצא מגדרו; מתנשא
- above par מעל השווי
- the lecture was above me ההרצאה נשגבה מבינתי
aboveboard *adj.* גלוי, כן, הוגן
above-mentioned *adj.* הנ"ל
above-named *adj.* הנ"ל
ab'racadab'ra *n.* אברקדברה, הבלים
abrade' *v.* לגרד, לשפשף, לשרוט
abra'sion (-zhən) *n.* שיפשוף; שריטה
abra'sive *adj.* משפשף; שורט; מחוספס, מגרה
abrasive *n.* חומר שיפשוף/ממרט
abreast' (-rest) *adv.* זה בצד זה
- abreast of the times מעודכן
abridge' *v.* לקצר; לצמצם
abridgement *n.* קיצור
abroach' *adj.* (ברז) פתוח
abroad' (-rôd) *adv.* בכל מקום; בחוץ; בחוץ לארץ
- from abroad מחוץ לארץ
- news spread abroad נפוצו ידיעות
ab'rogate' *v.* לבטל, לחסל
ab'roga'tion *n.* ביטול, חיסול
abrupt' *adj.* פתאומי; תלול; מקוטע, מחוסר-קשר; לא אדיב, גס
abruptly *adv.* בפתאומיות; בגסות
ABS בלימה ללא נעילה
ab'scess' *n.* מורסה, פצע מוגלתי
abscessed *adj.* מוגלתי
ab•scis'sa *n.* אבסציסה
ab•scis'sion (-si'zhən) *n.* קטיעה
ab•scond' *v.* לברוח בחשאי, להתחמק
ab'seil (-sāl) *v&n.* להשתלשל בחבל, (לעשות) סנפלינג; ירידה בחבל
ab'sence *n.* היעדרות, חוסר, העדר
- absence of malice העדר כוונת זדון
absence of mind היסח-הדעת
ab'sent *adj.* נעדר; מהורהר
ab•sent' *v.* להיעדר, להתרחק
- absent oneself להיעדר, להיפקד
ab'sentee' *n.* נעדר, נפקד
ab'sentee'ism' *n.* היעדרות
ab'sently *adv.* בהיסח הדעת
absent-minded *adj.* שקוע במחשבות
absent-mindedly *adv.* בפיזור נפש
absent-mindedness *n.* פיזור נפש
absent without leave נפקד (מהצבא)
ab'sinth *n.* אבסינת (משקה חריף)
ab'solute' *adj.* מוחלט, אבסולוטי
absolutely *adv.* בהחלט, לגמרי
ab'solu'tion *n.* מחילה, כפרה
ab'solu'tism' *n.* רודנות
ab•solve' (-z-) *v.* לפטור, לשחרר, למחול
ab•sorb' *v.* לספוג, לקלוט
- absorbed in שקוע ב-, מתעמק ב-
absorbent *adj.* סופגני
absorbing *adj.* מעניין, מרתק
ab•sorp'tion *n.* ספיגה; השתקעות, התעמקות; (בפיסיקה) בליעה
ab•stain' *v.* להימנע, להינזר, להדיר עצמו; להתנזר (מאלכוהול)

ab•ste'mious *adj.* מסתפק במועט
ab•sten'tion *n.* הימנעות
ab'stinence *n.* הינזרות, פרישות
- total abstinence הינזרות ממשקאות
ab'stinent *adj.* מתנזר (מתענוגות)
ab'stract' *adj.* אבסטראקטי, מופשט
- in the abstract כללית, תיאורטית
ab'stract' *n.* תמצית, תקציר
ab'stract' *v.* לתמצת, לקצר
ab•stract' *v.* להוציא, להפריד; *לגנוב
ab•stract'ed *adj.* שקוע במחשבות
abstractedly *adv.* בהיסח-הדעת
ab•strac'tion *n.* הפשטה; מופשטות; אבסטרקציה; היסח-הדעת
ab•struse' *adj.* עמוק, סתום, קשה
ab•surd' *adj.* אבסורדי, שטותי, מגוחך
ab•surd'ity *n.* אבסורד, שטות
abun'dance *n.* עושר, שפע
abun'dant *adj.* עשיר, מלא
abundantly *adv.* בשפע; הרבה
abuse' (-s) *n.* שימוש לרעה; התעללות; שחיתות; לשון גסה, גידופים
- animal abuse התעללות בבעלי חיים
- child abuse ניצול מיני של ילדים
abuse' (-z) *v.* להשתמש לרעה ב-, לנצל; להתעלל ב-; לגדף, לנאץ
abu'sive *adj.* גס, מגדף
abut' *v.* לגבול ב-, להיות סמוך
abut'ment *n.* יַרְכָּה (מיבנה התומך בגשר)
abut'ter *n.* גוּבָל, בר מיצרא
abuzz' *adj.* מזמזם, נמרץ, פעיל
abys'mal (-z-) *adj.* תהומי
abyss' *n.* תהום
AC זרם חילופין
a/c חשבון
aca'cia (-shə) *n.* שיטה (עץ)
ac'adem'ic *adj.* אקדמי, לא מעשי; של לימודים; של אקדמיה
academic *n.* אקדמאי, מלומד
ac'adem'icals *n-pl.* תילבושת אקדמית
ac'ademi'cian (-mish'ən) *n.* חבר אקדמיה
acad'emy *n.* אקדמיה, מידרשה
acan'thus *n.* קוציץ (צמח קוצני)
a cappel'la (ä k-) *adv.* מושר ללא ליווי כלי נגינה
a•cau'dal *adj.* חסר-זנב
ac•cede' *v.* להסכים, להיענות ל-; להיכנס לתפקיד; להצטרף להסכם
ac•cel'erate' *v.* להאיץ; להגביר מהירות
ac•cel'era'tion *n.* תאוצה
ac•cel'era'tor *n.* דוושת-הדלק
- particle accelerator מאיץ חלקיקים
accel'erom'eter *n.* מד תאוצה
ac'cent' *n.* הטעמה, נגינה; מיבטא, ניב
- put accent on שם דגש על, הדגיש
accent *v.* להדגיש, להבליט
ac•cen'tuate' (-chōōāt) *v.* להדגיש
ac•cen'tua'tion (-chōōā'-) *n.* הדגשה, הטעמה
ac•cept' *v.* לקבל, להסכים, להיענות ל-; לקבל שטר
ac•cep'tabil'ity *n.* התקבלות
acceptable *adj.* מתקבל; קביל; רצוי
acceptance *n.* קבלה, התקבלות; קיבול
ac'cep•ta'tion *n.* משמעות מקובלת

accepted *adj.* מקובל, מוסכם
ac′cess′ *n&v.* גישה; כניסה; התפרצות, התקף; לאחזור, לגשת ל- (קובץ)
- easy of access נוח לגישה
ac·ces′sary *n.* עוזר (לדבר פשע)
ac·ces′sibil′ity *n.* נגישות; פתיחות
ac·ces′sible *adj.* נגיש, ניתן להשיגו; בר-שיכנוע; פתוח
- accessible to bribery שחיד
ac·ces′sion *n.* כניסה לתפקיד, הגעה; היענות; תוספת
ac·ces′sory *n.* אביזר; עוזר (לדבר פשע)
access road כביש גישה
access time זמן גישה
ac′cidence *n.* תורת הנטיות
ac′cident *n.* תאונה, תקלה, תקרית
- accidents will happen אין להימלט מתאונות, לא לעולם חוסן
- by accident במיקרה
- road accident תאונת דרכים
- without accident ללא כל פגע
ac′ciden′tal *adj.* מיקרי, לא צפוי, אגבי
accidentally *adv.* במיקרה
accident insurance ביטוח תאונות
accident-prone *adj.* מוּעד לתאונות
acclaim′ *v.* להלל, להרעיף שבחים על; להריע ל-; להכריז עליו כ-
acclaim *n.* תשואות, שבחים
ac′clama′tion *n.* תרועות, קריאות הידד
ac′climate′ *v.* לסגל; להתאקלם
ac′clima′tion *n.* התאקלמות
accli′matiza′tion *n.* התאקלמות
accli′matize′ *v.* לסגל; להתאקלם
accliv′ity *n.* מַעֲלֶה, שיפוע
ac′colade′ *n.* תהילה, שבח
accom′modate′ *v.* לאכסן, לארח; להכיל מקום; לעשות טובה/שירות; להסתגל; לסגל, להתאים; לספק, לתת
- accommodated party הצד המוטב
- accommodating party הצד המיטיב
accommodating *adj.* נוח, אדיב, עוזר
accom′moda′tion *n.* דיור, איכסון; התאמה; סיגול; טובה, חסד; פשרה, הסדר; הלוואה; נוחות; נוחיות
- accommodation road כביש גישה
accommodation bill שטר טובה
accom′paniment (-kum-) *n.* ליווי
accom′panist (-kum-) *n.* מְלַוֶּה
accom′pany (-kum-) *v.* לְלַוּוֹת; לצרף
accom′plice (-lis) *n.* שותף לפשע
accom′plish *v.* לבצע, להשלים
accomplished *adj.* מושלם; מומחה
accomplished fact עובדה מוגמרת
accomplishment *n.* ביצוע, הגשמה; מעלה, סגולה
- easy of accomplishment קל לביצוע
accord′ *v.* לתת, להעניק; להתאים, לעלות בקנה אחד עם
accord *n.* הסכם, הסדר; התאמה
- in accord with עולה בקנה אחד עם
- of one's own accord מרצונו הטוב
- with one accord פה אחד
accord′ance *n.* התאמה, תיאום
- in accordance with בהתאם ל-
accord′ing *adv.* לפי, בהתאם ל-
- according as כפי, תלוי ב-
- according to בהתאם ל-, לפי
accordingly *adv.* לכן; בהתאם
accor′dion *n.* אקורדיון, מפוחית-יד
accost′ (-kôst) *v.* לפנות, לגשת אל
account′ *n.* תיאור, דו"ח, הסבר; חישוב, חשבון, חשיבות
- accounts payable חשבונות זכאים
- accounts receivable חשבונות חייבים
- bring/call him to account לדרוש ממנו הסבר, להענישו, לנזוף בו
- by all accounts לכל הדעות
- give a good account of oneself להוכיח את עצמו
- leave out of account לא להביא בחשבון, לשכוח
- not on any account בשום פנים לא
- of no account חסר-חשיבות
- on account על החשבון
- on account of בגלל, עקב
- on his account למענו, בגללו
- on no account בשום פנים לא
- on one's own account למען עצמו
- on this account על כן, משום כך
- put it down to one's account לזקוף זאת לחשבונו
- put it to good account לנצל יפה
- render an account לשלוח חשבון
- settle an account לסלק חשבון
- take account of להתחשב ב-
- take into account להביא בחשבון
account *v.* לחשוב, להתייחס ל-
- account for להסביר; למסור דו"ח; להרוג, לצוד
account′abil′ity *n.* אחריות
accountable *adj.* אחראי, חייב הסבר
account′ancy *n.* חשבונאות
account′ant *n.* חשבונאי, רואה חשבון
accountant general חשב כללי
accounting *n.* ניהול חשבונות
accou′ter (-ko͞o-) *v.* לצייד, להלביש
accou′terments (-ko͞o-) *n-pl.* חֲגוֹר
accred′it *v.* לאשר, להכיר ב-; לייחס ל-; למנות/להאמין שגריר, להסמיך
accredited *adj.* מוסמך, מקובל, מואמן; מיופה כוח
accre′tion *n.* גדילה, צמיחה; התלכדות; תוספת
accru′al *n.* הצטברות
accrue′ (-ro͞o) *v.* להצטבר, לגדול, לצמוח
acct. = account חשבון
accul′tura′tion (-′ch-) *n.* אימוץ תרבות זרה
accu′mu·late′ *v.* לצבור; להצטבר
accu′mu·la′tion *n.* צבירה; הצטברות; דחיסה; ערימה
accu′mu·la′tive *adj.* מצטבר
accu′mu·la′tor *n.* מצבר; אוגר
ac′cu·racy *n.* דייקנות
ac′cu·rate *adj.* מדוייק
accurately *adv.* במדוייק, בדייקנות
accurs′ed, accurst′ *adj.* ארור
ac′cu·sa′tion (-z-) *n.* האשמה, אשמה
accu′sative (-z-) *n.* (בדקדוק) יחסת הפעול, יחסת-את, אקוזטיב
accu′sato′ry (-z-) *adj.* מאשים
accuse′ (-z) *v.* להאשים

- the accused הנאשם, הנאשמים
accusingly *adv.* באצבע מאשימה
accus′tom *v.* להרגיל
accustomed *adj.* רגיל, מורגל
AC/DC זרם חילופין וזרם ישר; *דו-מיני
ace *adj.* אס (קלף); *אלוף, מומחה
- ace in the hole "קלף בשרוול"
- play one's ace לשחק על הקלף הנכון
- within an ace of על סף, קרוב
ac′erbate′ *v.* להחמיץ; להציק
acer′bic *adj.* חריף, מריר, בוטה
acer′bity *n.* חריפות, מרירות
ace′tic *adj.* של חומץ, חמוץ
ac′etone′ *n.* אצטון
acet′ylene′ *n.* אצטילן (גאז)
ache (āk) *v&n.* לכאוב, לחוש כאב; להשתוקק, להתגעגע; כאב
- aches and pains כאבים
achievable *adj.* בר-ביצוע
achieve′ (-chēv) *v.* לבצע, להשלים; להשיג
achievement *n.* הישג, ביצוע; מיבצע
Achilles' heel (əkil′ēz-) עקב-אכילס, נקודת תורפה
ach′romat′ic (-k-) *adj.* אכרומטי, נטול-צבע
a′chy (-ki) *adj.* כואב, סובל כאבים
ac′id *adj.* חמוץ, חריף; חד, שנון
acid *n.* חומצה; *ל.ס.ד.
acid drops סוכריות חמוצות
acid′ic *adj.* חומצי, חומצתי
acid′ify′ *v.* להחמיץ
acid′ity *n.* חמיצות
ac′ido′sis *n.* חמצת (מחלה)
acid test מיבחן מכריע וסופי
acid′ulate′ (-sij′-) *v.* להחמיץ, לעשות חמצמץ
acid′ula′ted (-j′-) *adj.* חמצמץ
acid′ulous (-j′-) *adj.* חמצמץ; מר, חריף
ack′-ack′ *n.* *נ.מ., נגד מטוסים
ac·knowl′edge (-nol′ij) *v.* להכיר ב-, להודות ב-; להודות על; לאשר קבלת-; לנופף לשלום
acknowledged *adj.* מוכר, מקובל
acknowledgement *n.* הודאה; הכרה; תודה, אות תודה; אישור
ac′me (-mi) *n.* שיא, פיסגה
ac′ne (-ni) *n.* חזזית, פצעי בגרות
ac′olyte′ *n.* עוזר (לכומר)
ac′onite′ *n.* אקוניטון (תרופה)
a′corn′ *n.* איצטרובל, בלוט
acous′tic (-kōō-) *adj.* אקוסטי, קולי, שמיעתי
acoustics *n.* אקוסטיקה, תורת הקול; תנאי השמיעה, סגולות האולם
acquaint′ *v.* להכיר, להציג, ליידע
- acquaint oneself with להכיר, ללמוד
acquaintance *n.* היכרות, ידיעה; מַכָּר
- make his acquaintance לעשות הכרה עמו, להכירו, להתוודע אליו
acquaintanceship *n.* חוג מכרים
acquainted *adj.* יודע, מודע ל-; מכיר
- get acquainted להכיר, להתוודע
ac′quiesce′ (ak′wies′) *v.* לקבל, לא לערער, להסכים

acquiescence *n.* הסכמה
acquiescent *adj.* מסכים
acquire′ *v.* לרכוש, להשיג
- acquired taste טעם נרכש
acquirement *n.* רכישה
ac′quisi′tion (-zi-) *n.* רכישה; נכס
acquis′itive (-z-) *adj.* רכושני, אוהב לרכוש, צורך, אוגר
acquit′ *v.* לשחרר, לזכות, לפטור
- acquit oneself להתנהג
acquit′tal *n.* שיחרור, זיכוי
Acre (ä′kər) *n.* עכו
a′cre (ā′kər) *n.* אקר (מידת שטח)
acreage (ā′kərij) *n.* השטח באקרים
ac′rid *adj.* חריף, מר
ac′rimo′nious *adj.* חריף, מר
ac′rimo′ny *n.* חריפות, מרירות
ac′robat′ *n.* לוליין, אקרובט
ac′robat′ic *adj.* אקרובטי
ac′robat′ics *n.* אקרובטיקה
ac′ronym′ *n.* נוטריקון, ראשי תיבות
acrop′olis *n.* אקרופוליס, מצודה
across′ (-rôs) *prep.* על-פני, מעבר ל-, לרוחב, בהצטלבות עם
across *adv.* מצד לצד; לעבר השני; בעבר השני; מאוזן
- across from מול
across-the-board מקיף, כולל
acros′tic (-rôs-) *n.* אקרוסטיכון
acry′lic *n.* אקריליק, סיב אקרילי
act *n.* מעשה, פעולה, אקט; חוק; מערכה במחזה; הופעה, אירוע, מוצג
- Acts ספר מעשי השליחים
- a hard act to follow מצויין, קשה להיכנס לנעליו
- act of God מעשה-אל, כוח עליון
- balancing act פעולה מאזנת, פעולה לרצות מתנגדים
- class act *מבצע בצורה נפלאה, ספורטאי מצויין
- get in on the act לקפוץ על העגלה, להפוך לשותף
- get one's act together לשנס מותניו, לקחת את עצמו בידיים
- in the act of בשעת מעשה
- put on an act להתנהג במלאכותיות
act *v.* לפעול, לבצע; לשחק במחזה, למלא תפקיד; להעמיד פנים
- act as לפעול כ-, לשמש כ-
- act out להוציא לפועל; לבטא (מחשבות) בתנועות וכו׳
- act up *להציק, לפעול שלא כשורה, להשתובב, להשתולל
- act upon/on לפעול לפי; לפעול על
acting *adj&n.* ממלא מקום; של מישחק; מישחק, אמנות המישחק
ac′tion *n.* פעולה, מעשה, פעילות; תנועה, מנגנון; תביעה, תובענה; קרב, מלחמה
- actions התנהגות, מעשים
- bring an action לפתוח בהליכים
- out of action יצא מכלל פעולה
- put it in action להפעילו
- see action להשתתף בקרב
- take action לנקוט פעולה
- take legal action לפתוח בהליכים
actionable *adj.* בר-תביעה

action group קבוצת פעולה, קבוצה אקטיבית
action-packed *מלא אקשן, רווי פעולה
action painting ציור מופשט
action point נקודה לפעולה
action replay *n.* הילוך חוזר
action stations עמדות קרב
ac'tivate' *v.* להפעיל
ac'tiva'tion *n.* הפעלה
ac'tive *adj.* פעיל, אקטיבי, נמרץ
- active voice בניין פעיל
active duty שירות פעיל
active service שירות פעיל
ac'tivism' *n.* אקטיביזם, פעלתנות
ac'tivist *n.* אקטיביסט
ac·tiv'ity *n.* פעילות, פעלתנות
ac'tor *n.* שחקן
ac'tress *n.* שחקנית
ac'tual (-chōōəl) *adj.* ממשי, בפועל
ac'tual'ity (-chōōal-) *n.* ממשות, אקטואליות; עובדה, מציאות
ac'tualize' (-chōōəl-) *v.* לממש, לעשות לריאלי
actually *adv.* לאמיתו של דבר, למעשה
ac'tuar'y (-chōōeri) *n.* אקטואר, שמאי
ac'tuate' (-chōōāt) *v.* להפעיל, להניע
acu'ity *n.* חריפות, חדות החושים
acu'men *n.* חריפות השכל, פיקחות
acu'minate *adj.* מחודד, בעל עוקץ
ac'u·press'ure (-shər) *n.* לחיצה במחט
ac'u·punc'ture *n.* ריפוי במחטים
acute' *adj.* חד, חריף; רציני, חמור
- acute accent תג (מעל אות)
- acute angle זווית חדה
- acute sound קול צרחני
ad *n.* מודעה
A.D. = anno Domini לספירת הנוצרים
ad'age *n.* פיתגם, מימרה
ada'gio (-dä'jō) *n.* אדאג'ו, באיטיות
Ad'am *n.* אדם הראשון
- not know him from Adam לא להכירו כלל, לא לדעת עליו מאומה
- the old Adam יצר הרע
ad'amant *adj.* קשה, עקשן, נחוש, קשוח
ad'aman'tine *n.* קשה, קשוח
Adam's apple פיקת-הגרגרת
adapt' *v.* לעבד, לסגל, להתאים
adap'tabil'ity *n.* סגילות, הסתגלות
adaptable *adj.* סגיל, מתאקלם מהר
ad'apta'tion *n.* עיבוד, סיגול
adap'ter, adap'tor *n.* מַתְאֵם, מעבד
ADC שליש צבאי; ממיר מאנלוגי לספרתי
add *v.* להוסיף; לחבר, לסכם
- add fuel to the fire להוסיף שמן למדורה
- add in לכלול
- add insult to injury לזרות מלח על הפצעים
- add together לחבר, לסכם
- add up לסכם; *להתקבל על הדעת
- add up to להסתכם ב-, להתפרש כ-
added *adj.* נוסף, מוסף, מחובר, מסוכם
added value ערך מוסף
addend' *n.* (בחשבון) מחובר
adden'da *n-pl.* תוספות, מילואים
adden'dum *n.* תוספת, נספח
ad'der *n.* אפעה (נחש)
addict' *v.* לגרום להתמכרות
- addicted to מתמכר ל-, מכור ל-
ad'dict *n.* מתמכר (לסמים), מכור
addic'tion *n.* התמכרות
addic'tive *adj.* (סם) ממכר
addi'tion (-di-) *n.* חיבור; תוספת
- in addition to נוסף על
additional *adj.* נוסף
ad'ditive *n.* תוספת, תוסף
ad'dle *v.* להתבלבל; לבלבל; להתקלקל
addle-brained *adj.* מבולבל
add-on *n.* תוסף
address' *v.* לפנות ל-, לדבר אל; לְמַעֵן, לכתוב מען; להפנות
- address oneself to להתמסר (למשימה)
address *n.* נאום, הרצאה; כתובת, מען; צורת התבטאות, התנהגות
- addresses חיזורים
- form of address צורת פנייה (לאדם)
ad'dress·ee' *n.* נמען
adduce' *v.* להביא (הוכחה, דוגמה)
ad'eni'tis *n.* דלקת הבלוטות
ad'enoid'al *adj.* של פוליפים
ad'enoids *n-pl.* פוליפים
adept' *adj&n.* מומחה, מיומן
ad'equacy *n.* התאמה, הלימות
ad'equate *adj.* מספיק, מתאים
ad·here' *v.* להידבק; לדבוק ב-, לדגול, לקיים
adherence *n.* הידבקות; נאמנות
adherent *n.* חסיד, תומך
ad·he'sion (-zhən) *n.* דבקות, קשירות; תמיכה; הסתרכות
ad·he'sive *adj.* דביק
adhesive *n.* דבק
adhesive tape איספלנית
adhib'it *v.* לצרף; לתת (תרופה)
ad hoc' אד הוק, לשם כך, לזה; (ועדה) מיוחדת, ספציפית
ad hom'inem לאדם, קשור לאדם מסויים, פונה לרגש ולא לשכל
adieu (ədōō') *interj.* שלום!
ad in'fini'tum עד אין קץ
ad in'terim בינתיים, לעת עתה
ad'ios' (-ōs') *interj.* שלום!
ad'ipose' *adj.* שומני, של שומן
ad'ipos'ity *n.* שומן, שמנוניות
ad'it *n.* כניסה, מבוא
adj. = adjective *n.* שם תואר
adja'cency *n.* קירבה, סמיכות מקום
adja'cent *adj.* סמוך, קרוב, צמוד
ad'jecti'val (-jik-) *adj.* של תואר השם
ad'jective (-jik-) *n.* תואר השם
adjoin' *v.* להיות סמוך ל-; לנגוע
adjoining *adj.* גובל ב-, סמוך
adjourn' (əjûrn') *v.* לדחות, לנעול (ישיבה); להינעל; לעבור (למקום אחר)
adjournment *n.* נעילה, דחייה
adjudge' *v.* לפסוק, לקבוע, לחרוץ משפט
adju'dicate' *v.* לפסוק, לשפוט, לקבוע
adju'dica'tion *n.* פסיקה, קביעה
ad'junct' *n.* תוספת, נספח
ad'jura'tion *n.* הפצרה, התחננות
adjure' *v.* להפציר ב-; להשביע (עד)

adjust′ *v.* להתאים, לסגל, לכוונן; להתקין; להסדיר, ליישב
adjustable *adj.* מתכוונן
adjuster *n.* קובע; מסדיר, מיישב; מתאם
adjustment *n.* כיוונון; התאמה; תיקון; יישוב-תביעה; כווננת
ad′jutant *n.* שליש צבאי; עוזר
ad′-lib′ *v.* *לאלתר, לעשות אילתורים
ad-lib *adj.* *מאולתר, ללא הכנה
ad lib *adv.* *חופשית, ללא הגבלה
ad li′tem לתביעה משפטית
ad′man′ *n.* *פירסומאי
ad′mass′ *n.* ההמון, הציבור המושפע מכלי התיקשורת
ad•min′ister *v.* לנהל, לפקח על; לתת, לספק; להוציא לפועל
- administer a blow להנחית מכה
- administer an oath להשביע
- administer medicine לתת תרופה
- administer the law להפעיל החוק
- administer to לדאוג ל-, לשרת

ad•min′istra′tion *n.* ניהול, מינהל; אמרכלות, אדמיניסטרציה; הממשל; מתן, סיפוק, הענקה
ad•min′istra′tive *adj.* מינהלי, הנהלי
ad•min′istra′tor *n.* אדמיניסטרטור, מנהל, אמרכל, מינהלאי, מוציא לפועל
ad′mirable *adj.* נפלא, מצויין
ad′miral *n.* אדמירל
ad′miralty *n.* אדמירליות
ad′mira′tion *n.* התפעלות; הערצה, מעורר הערצה
ad•mire′ *v.* להתפעל מ-, להלל, להעריץ
admirer *n.* מעריץ, מאהב
ad•mis′sibil′ity *n.* קבילות
ad•mis′sible *adj.* קביל; מתקבל
ad•mis′sion *n.* כניסה, הכנסה; רשות כניסה, דמי כניסה; הודאה
- by his own admission על פי הודאתו

ad•mit′ *v.* להכניס, לקבל; להתיר להיכנס; להודות
- admit of להותיר מקום, לאפשר, לקבל

ad•mit′tance *n.* כניסה; הכנסה
admittedly *adv.* יש להודות, אין ספק
ad•mix′ *v.* לערבב; להתערבב
ad•mix′ture *n.* תערובת, ערבוב; תוספת
ad•mon′ish *v.* להזהיר, להוכיח, לנזוף
ad′moni′tion (-ni-) *n.* אזהרה, תוכחה
ad•mon′ito′ry *adj.* מזהיר, מתרה
ad nau′se•am (-zi-) עד לזרא
ado (-do͞o′) *n.* מהומה, התרגשות
- without more ado בלי רעש, ללא שהיות מיותרות, בלי הכנות מרובות

ado′be (-bi) *n.* לבינה (מחומר מיובש)
ad′oles′cence *n.* בחרות, התבגרות
ad′oles′cent *adj&n.* מתבגר, נער, נערה
adopt′ *v.* לאמץ, לקבל
adop′tion *adj.* אימוץ
adop′tive *adj.* (הורה) מאמץ
ador′able *adj.* חמוד, מקסים; נערץ
ad′ora′tion *n.* הערצה, אהבה
adore′ *v.* להעריץ, לסגוד; *לאהוב
adoring *adj.* מלא הערצה, סוגד
adorn′ *v.* לקשט, לייפות
adornment *n.* קישוט; תכשיט
ADP עיבוד נתונים אוטומטי
ad per•so′nam′ לאדם, אישי
ad rem′ לעצם העניין
adre′nal *adj.* של בלוטות הכליות
adren′alin *n.* אדרנלין (הורמון)
adrift′ *adv.* נסחף הנה והנה, נתון לחסדי הגורל
- turn adrift לגרש (מהבית)

adroit′ *adj.* זריז, פיקח, מוכשר
adsorb′ *v.* לספוח, להצמיד אליו חומר
adsorp′tion *n.* ספיחה
ad′ulate′ (aj′-) *v.* להחניף ל-
ad′ula′tion (aj′-) *n.* חנופה
adult′ *adj&n.* בוגר, מבוגר, בגיר
adul′terate′ *v.* לפגום, למהול, לזייף
- adulterated milk חלב מהול במים

adul′tera′tion *n.* פגימה, מהילה
adul′terer *n.* נואף
adul′teress *n.* נואפת
adul′terous *adj.* של ניאוף, נאפופי
adul′tery *n.* ניאוף
adulthood *n.* בגרות
ad′umbrate′ *v.* לשרטט, לתאר; להטיל צל
ad′umbra′tion *n.* שרטוט, תיאור
adv. = adverb *n.* תואר הפועל
ad valor′em ביחס לערך
ad•vance′ *v.* להתקדם; לקדם, להקדים, להחיש, לתת מקדמה; לייקר; להתייקר
- advance the date להקדים התאריך
- advance the price להעלות המחיר

advance *n.* התקדמות; מקדמה; קידום
- advances חיזורים, פניות
- in advance מראש, בראש, לפני

advance *adj.* מוקדם; קדומני
- advance booking שריון מקום מראש
- advance copy עותק מוקדם
- advance party כיתת חלוץ

advanced *adj.* מתקדם; מודרני
- advanced in years זקן, בא בימים

advance guard חיל חלוץ
advance man איש חלוץ, מכין ביקור
advancement *n.* קידום; התקדמות
ad•van′tage *n.* יתרון, רווח, תועלת
- be to his advantage להועיל לו
- has the advantage of יש לו יתרון על
- take advantage of לנצל
- to advantage באופן הטוב ביותר
- turn it to advantage להפיק תועלת מכך

advantage *v.* להועיל ל-, לעזור ל-
ad′vanta′geous (-′jəs) *adj.* יתרוני, מועיל
ad′vent′ *n.* כניסה, הופעה, ביאה
Advent *n.* התגלות ישו
ad′venti′tious (-tish′əs) *n.* מיקרי, לא צפוי
adven′ture *n.* הרפתקה, סיכון
adventurer *n.* הרפתקן, שוחר הרפתקות
adventuress *n.* הרפתקנית
adven′turism′ (-′chər-) *n.* הרפתקנות
adven′turous (-ch-) *adj.* הרפתקני
ad′verb′ *n.* תואר הפועל
ad•ver′bial *adj.* של תואר הפועל
ad′versar′ial (-ser′-) *adj.* של יריבות,

עוין, מנוגד
ad′versar′y (-seri) *n.* יריב, אויב, מתנגד
ad′verse′ *adj.* נגדי, מנוגד, עוין
adver′sity *n.* מצוקה, צרה
ad•vert′ *v.* לרמוז, להתייחס ל-, להעיר
ad′vert′ *n.* *מודעה (בעיתון)
ad′vertise′ (-z) *v.* לפרסם (מודעה)
- advertise for לבקש בעזרת מודעה
ad′vertise′ment (-tīz′m-) *n.* מודעה, פירסום
advertising *n.* פירסום
ad•vice′ *n.* עצה, ייעוץ
ad•vi′sabil′ity (-z-) *n.* כדאיות
ad•vi′sable (-z-) *adj.* רצוי, מומלץ
ad•vise′ (-z) *v.* לערוץ, לייעץ; להודיע
advised *adj.* מכוון, שקול, מחושב
- ill-advised לא נבון, לא פיקחי
- well-advised נבון, פיקחי
advisedly *adv.* בשיקול דעת, בכוונה
adviser *n.* מייעץ, יועץ
advi′sory (-z-) *adj.* מייעץ
ad′vocacy *n.* תמיכה, סניגוריה, הגנה
ad′vocate *n.* פרקליט, עורך-דין; תומך, חסיד
ad′vocate′ *v.* לתמוך ב-, לדגול ב-
adz, adze *n.* קרדום (להקצעת עץ)
ae′gis (ē′-) *n.* חסות, מחסה
- under the aegis of בחסות-
ae′on (ē′-) *n.* תקופה, עידן
a′erate′ *v.* לאוורר, להכניס גאז
a′era′tion *n.* איוורור
aer′ial (ār-) *adj.* אווירי, גאזי
aerial *n.* אנטנה, משושה
aerie, aery (ār′i) *n.* קן-נשרים
aero- (תחילית) אווירי
aer′obat′ics (ār-) *n.* אמנות התעופה, אווירובטיקה, להטוטי-טיסה
aerob′ic (ār-) *adj.* אירובי, אווירני
aer′odrome′ (ār-) *n.* שדה-תעופה
aer′o•dy•nam′ics (ār-) *n.* אווירודינמיקה, תנועת האוויר
aer′ogramme′ (ār-) *n.* איגרת אוויר
aer′onau′tics (ār-) *n.* נווטות, טיס, אווירונוטיקה
aer′oplane′ (ār-) *n.* אווירון
aer′osol′ (ār′əsôl′) *n.* מזלף, מרסס
aer′o•space′ (ār-) *n.* חלל, אטמוספירה
aes′thete′ (es-) *n.* אסתטיקן, בעל טעם
aesthet′ic (es-) *adj.* אסתטי, נאה
aesthet′ics (es-) *n.* אסתטיקה, תורת היופי
ae′tiol′ogy (ē′-) *n.* אטיולוגיה, תורת הסיבות (במחלות)
AF איי אף (תדר)
afar′ *adv.* רחוק, במרחק
- from afar ממרחקים
af′fabil′ity *n.* אדיבות, חביבות
af′fable *adj.* אדיב, נוח, חביב
affair′ *n.* עניין, עסק; דבר, משהו; מאורע; פרשה; פרשת אהבים, רומן
- a wonderful affair *משהו נפלא
- have an affair לנהל רומן
- love affair רומן, פרשת אהבים
- mind your own affairs אל תתערב
- that is my affair זה ענייני
affair of honor דו-קרב
affect′ *v.* להעמיד פנים; לחבב, לאהוב להשתמש ב-, לעשות רושם
affect *v.* להשפיע על, לנגוע ללב, לזעזע; (לגבי מחלה) לתקוף
af′fecta′tion *n.* העמדת פנים
affected *adj.* מזויף, מלאכותי; נגוע
affecting *adj.* נוגע ללב, מרגש
affec′tion *n.* חיבה; מחלה, מיחוש
affec′tionate (-′shən-) *adj.* אוהב, רוחש חיבה
- yours affectionately שלך באהבה
affi′ance *v.* לארס
af′fida′vit *n.* תצהיר, הצהרה בשבועה
affil′iate′ *v.* לצרף, לסנף; להסתנף, להתחבר
affil′ia′tion *n.* צירוף; הסתנפות
affiliation order צו בית-משפט (לקביעת אבהות ומתן מזונות)
affin′ity *n.* דימיון; קירבה; חיבה; משיכה
affirm′ *v.* לאשר, לטעון, להצהיר (בהן צדק)
af′firma′tion (-fər-) *n.* הצהרה; הן צדק
affirm′ative *adj&n.* חיובי, כן, הן; מחייב (הצעה); חיוב
affirmative action אפליה לחיוב
affix′ *v.* לצרף, להדביק, להוסיף
af′fix *n.* מוספית, טפולה
affla′tus *n.* השראה, דחיפה
afflict′ *v.* לייסר, לצער, להציק
afflic′tion *n.* סבל, צרה, מכאוב
af′fluence (-lōōəns) *n.* עושר, שפע
af′fluent (-lōōənt) *adj.* עשיר, שופע
affluent *n.* יובל-מים, פלג
afford′ *v.* לתת, לספק, להעניק
- can afford יכול להרשות לעצמו
affor′est *v.* לייער, לשתול עצים
affran′chise (-z) *v.* לשחרר (משיעבוד)
affray′ *n.* תיגרה, קטטה, מהומה
affront′ (-unt) *v.* להעליב, לפגוע
affront *n.* פגיעה, עלבון
Af′ghan (-gan) *adj.* אפגאני
Af•ghan′istan′ (-gan-) *n.* אפגניסטן
af′iciona′do (-fisyənä′-) *n.* אוהד, מושבע, חסיד
afield′ (-fēld) *adv.* רחוק, הרחק
- far afield רחוק, הרחק
afire′ *adj.* בוער, לוהט
aflame′ *adj.* בוער, לוהט
afloat′ *adj.* צף; בים, על המים, באונייה; מוצף; נפוץ, מתהלך; נחלץ ממצוקה
aflut′ter *adj.* נרגש, מתנפנף
afoot′ *adj.* מתהלך; בהכנה, בפעולה, מתרחש, "מתבשל"
afore′ *prep.* לפני
aforementioned *adj.* הנאמר לעיל
aforesaid *adj.* הנאמר לעיל, הנ"ל
aforethought *adj.* במחשבה תחילה
a′ for′tio′ri′ על אחת כמה וכמה
afoul′ *adj.* מסתבך, מתנגש
- run afoul of להסתבך עם, להתנגש
afraid′ *adj.* פוחד, חושש
- I'm afraid that חוששני ש-
afresh′ *adv.* מחדש, עוד פעם
Af′rica *n.* אפריקה
Af′rican *n&adj.* אפריקני

Af′rikaans′ (-känz′) *n.* אפריקאנס
Af′rika′ner (-kä′-) *n.* אפריקאנר (לבן)
Af′ro *n.* אפריקני; תסרוקת מקורזלת
Af′ro *adj.* של אפריקה, אפריקני
aft *adv.* לכיוון ירכתי הספינה
af′ter *prep.* אחרי, אחר-, מאחורי;
בסיגנון, על-פי; על-אודות
- a man after my own heart איש כלבבי
- after all ככלות הכל; למרות כל
- they are after him הם מחפשים אותו
- time after time תכופות, שוב ושוב
after *conj.* לאחר ש-, אחרי ש-
after *adj.* הבא, שלאחר מכן, האחורני
- in after years בשנים שלאחר מכן
- the after deck הסיפון האחורי
after *adv.* אחרי כן
- ever after מאז, מני אז
- soon after מיד לאחר מכן
afterbirth *n.* שילייה
aftercare *n.* טיפול עוקב, שיקום
aftereffect *n.* תוצאה נדחית
afterglow *n.* דמדומי חמה
afterlife *n.* העולם הבא
af′termath′ *n.* תוצאה, תולדה
- in the aftermath of בעיקבות, אחרי
aftermost *adj.* אחורני, אחורי ביותר
af′ternoon′ (-nōōn) *n.* אחר-הצהריים
afternoons *adv.* מדי יום אחה"צ
afters *n-pl.* ליפתן, קינוח סעודה
aftershave *n.* אפטרשייב
aftertaste *n.* טעם לוואי
afterthought *n.* מחשבה שנייה
af′terwards (-z) *adv.* לאחר מכן
afterworld *n.* העולם הבא
again′ (-gen) *adv.* עוד פעם, שוב; זאת
ועוד, ברם
- again and again שוב ושוב
- as much again פי שניים, כפליים
- be oneself again לשוב לאיתנו
- come again *חזור, מה אמרת?
- now and again מדי פעם
- off again on again הפכפך, לא יציב
- then again מאידך, ואפשר ש-
- time and again שוב ושוב
against′ (-genst) *prep.* מול; נגד;
לקראת, מפני; על-, נשען על-, ליד-, כלפי-
- over against מול
- save against old age לחסוך לקראת
זיקנה
- sit against the wall לשבת ליד הקיר
- up against it במצב ביש, במצוקה
agape′ *adj.* פעור-פה
ag′ate *n.* אכטיס (אבן טובה)
age *n.* גיל; זיקנה; תקופה, דור
- act your age! התנהג כמבוגר!
- ages *עידן ועידנים, תקופה ארוכה
- come of age להגיע לבגרות
- over/under age זקן/צעיר מדיי
age *v.* להזקין
age bracket מיסגרת גילאים, שנתונים
a′ged *adj.* זקן, בא בימים
- the aged הזקנים, הישישים
aged (ājd) *adj.* בן-, שגילו-
- aged wine יין ישן, יין משומר
age group קבוצת גילאים, שנתונים
ageing, aging *n.* הזדקנות

age′ism, ag′ism (ā′jizəm′) *n.* אפלית
זקנים
ageless *adj.* ניצחי, לא מזקין
age-long *adj.* מדורי-דורות, עתיק
a′gency *n.* סוכנות, מישרד, לישכה
- by the agency of באמצעות, בהשפעת
agen′da *n.* סדר היום, אג'נדה
a′gent *n.* סוכן, נציג; כוח, גורם; חומר
- free agent שחקן חופשי/משוחרר
agent provoc′ateur′ (-toor′) סוכן
בולשת, סוכן שתול
age-old *adj.* עתיק, מאז ומעולם
agglom′erate *adj.* מגובב, גושי, צבור
agglom′erate′ *v.* לצבור; להצטבר
agglom′era′tion *n.* ערימה, גוש, גיבוב
agglu′tinate′ *v.* להדביק, לאחד
agglu′tina′tion *n.* התלכדות; צירוף,
הדבקה, יצירת מלים ע"י צירופים
agglu′tina′tive *adj.* דביק, צירופי
aggran′dize *v.* להגדיל, להרחיב
ag′gravate′ *v.* להרע, לקלקל, להחריף,
להחמיר; *להרגיז, להציק
ag′grava′tion *n.* החמרה, החרפה
ag′gregate *n.* סך הכל; צירוף, גוש;
תערובת, אגרגאט, תלכיד
- in the aggregate בכללו, בסך הכל
ag′gregate′ *v.* לצבור; להסתכם ב-
ag′grega′tion *n.* קיבוץ, התקבצות
aggres′sion *n.* התגרות, חירחור ריב
aggres′sive *adj.* אגרסיבי, תוקפני,
מתגרה; בעל-יזמה, שאינו נרתע
aggres′sor *n.* תוקפן, מחרחר מלחמה
aggrieve′ (-rēv) *v.* לצער, להעליב,
להציק; לקפח
ag′gro *n.* *בריונות; צרה, קושי
aghast′ (-gast) *adj.* נבעת, מזועזע
ag′ile (aj′əl) *adj.* קל, זריז, מהיר
agil′ity *n.* קלות, זריזות
ag′itate′ *v.* להטריד, להדאיג; לעורר
גלים, לנענע; להתסיס; לנהל תעמולה
ag′ita′tion *n.* חרדה, דאגה; נענוע;
תסיסה; תעמולה
ag′ita′tor *n.* תעמלן
ag′itprop′ *n.* תעמולה קומוניסטית
agleam′ *adj.* זורח, זוהר
aglow′ (-ō) *adj.* לוהט, בוער
AGM אסיפה כללית שנתית
ag·nos′tic *n&adj.* אגנוסטי, כופר
ag·nos′ticism′ *n.* אגנוסטיות
ago′ *adv.* בעבר; לפני כן
- how long ago? לפני כמה זמן? מתי?
- long ago לפני זמן רב
agog′ *adj.* מתלהב, נרגש
ag′onize′ *v.* להתייסר, לסבול קשות
agonized *adj.* מיוסר
agonizing *adj.* גורם ייסורים
ag′ony *n.* ייסורים; גסיסה
- pile on the agony להפליג בתיאור
הסבל
agony column טור ייעוץ
ag′ora′ (ägərä′) *n.* אגורה
ag′orapho′bia *n.* בעת-חוץ
agra′rian *adj.* אגרארי, חקלאי
agree′ *v.* להסכים; לחיות בשלום;
להתאים, לתאום, להלום
- agree with להתאים ל-, לעלות בקנה

אחד עם; להיות יפה לבריאותו
agree'able *adj.* נעים; מסכים
agreeably *adv.* בסיפוק, בהנאה
agreed *adj.* מוסכם
agree'ment *n.* תמימות דעים, הסכמה; הסכם; התאמה, הרמוניה
ag'ricul'tural (-'ch-) *adj.* חקלאי
ag'ricul'ture *n.* חקלאות
agron'omy *n.* אגרונומיה, חקלאות
aground' *adv.* על שירטון
- run aground לעלות על שירטון
a'gue (-gū) *n.* קדחת, צמרמורת
ah (ä) *interj.* אה! קריאה
aha' (ähä') *interj.* אה! קריאת שמחה
ahead' (-hed) *adv.* קדימה, לפנים, בראש; מראש
- ahead of לפני
- get ahead להתקדם; להצליח
- get ahead of לחלוף על פני
- go ahead להתקדם; להמשיך
- look ahead להסתכל קדימה (לעתיד)
ahem' *interj.* המ..., ביטוי סתמי
ahoy' *interj.* הלו! (קריאת ימאים)
AI בינה מלאכותית, תבונת מכונה; הזרעה מלאכותית
aid *v.* לעזור, לסייע ל-
aid *n.* עזרה, סיוע, אמצעי-עזר, עוזר
- first aid עזרה ראשונה
- legal aid סיוע משפטי
- what is this in aid of? לשם מה זה?
aide *n.* שליש, עוזר
aide-de-camp' *n.* שליש צבאי
aide-memoire (ād'māmwär') *n.* תזכורת; עוזר לזיכרון
AIDS, Aids (ādz) *n.* איידס (מחלה)
aigret(te)' *n.* תכשיט-נוצות (על הראש)
ail *v.* להכאיב, להציק; לחלות
- what ails you? מה כואב לך?
ai'leron' *n.* מאזנת (של מטוס)
ail'ing *adj.* חולני; במצב גרוע
ail'ment *n.* חולי, מחלה
aim *v.* לכוון; להתכוון; לשאוף, לתכנן
aim *n.* מטרה, כוונה, שאיפה; יעד
- take aim at לכוון לעבר-
aimless *n.* חסר מטרה, נטול תכלית
ain't = am not, is not, has not
air *n.* אוויר; רוח; אווירה, הופעה, מראה; מנגינה
- airs and graces התנהגות מעושה
- by air בדרך האוויר, באוויר
- clear the air לטהר את האווירה
- give oneself airs להתנפח, להתרברב, "לעשות רוח"
- go off the air להפסיק השידור
- in the air נפוץ, רווח, מתהלך, מורגש; תלוי ועומד, לא מוכרע; חשוף, גלוי
- melt into thin air להתנדף כעשן
- on the air משודר (ברדיו)
- put on airs להתנפח, "לעשות רוח"
- take the air לטייל; להתחיל בשידור
- up in the air תלוי ועומד; רוגז, נרגש
- walks on air הוא ברקיע השביעי
air *v.* לאוורר, לייבש; לנפנף, להבליט; להביע, לבטא
air bag כרית אוויר (במכונית)
airbase *n.* בסיס אווירי

airbed *n.* מזרן אוויר
airborne *adj.* מוטס; טס, בטיסה
airbrake *n.* בלם אוויר, מעצור אוויר
airbrush *n.* מרסס צבע
airbus *n.* מטוס נוסעים
air-conditioned *adj.* ממוזג
air-conditioner *n.* מזגן
air-conditioning *n.* מיזוג אוויר
air-cool *v.* לאוורר, לצנן (מנוע)
aircraft *n.* מטוס; מטוסים
aircraft carrier נושאת מטוסים
aircrew *n.* צוות אוויר
air cushion כרית אוויר
air cushion vehicle רחפה
airdrome *n.* שדה תעופה
airdrop *n.* הצנחה (ממטוסים)
air'er *n.* מיתקן איוורור
airfare *n.* דמי טיסה
airfield *n.* שדה תעופה
airflow *n.* זרם אוויר
airforce *n.* חיל אוויר
air-frame *n.* שלד-המטוס
air gun רובה-אוויר
air hammer פטיש אוויר
airhead *n.* ראש אוויר, בסיס נחיתה בשטח אויב; *טיפש, ראש כרוב
airhostess *n.* דיילת
airily *adv.* בעליזות, בקלילות
airing *n.* איוורור, הבעה בפומבי
airing cupboard ארון ייבוש
airlane *n.* נתיב אוויר
airless *adj.* מחניק, דחוס
airletter *n.* איגרת אוויר
airlift *n.* רכבת אווירית
airline *n.* חברת תעופה
airliner *n.* מטוס נוסעים
airlock *n.* תא אטים; סתימה בצינור
airmail *n.* דואר אוויר
airman *n.* טייס, איש-צוות
air mattress מזרן אוויר
air-minded *adj.* חובב תעופה
airplane *n.* מטוס, אווירון
airpocket *n.* כיס אוויר
airport *n.* נמל תעופה
air raid התקפה אווירית, הפצצה
air-screw *n.* מדחף
airshaft *n.* פתח-אוויר, ארובה
airship *n.* ספינת-אוויר
airshow *n.* מפגן אווירי
airsick *adj.* חולה טיסה
airspace *n.* חלל האוויר, שמי המדינה
air speed מהירות אווירית
airstrip *n.* מסלול המראה
air terminal טרמינל, מסוף
airtight *adj.* אטים, לא חדיר; משכנע
- airtight alibi אליבי מוצק
air-to-air *adj.* (טיל) אוויר-אוויר
air-to-ground *adj.* אוויר-קרקע
airway *n.* נתיב אוויר
airwoman *n.* טייסת
airworthy *adj.* כשיר לטיסה
airy *adj.* מאוורר, אוורירי; ריק, נבוב, שיטחי; עליז, קליל
airy-fairy *adj.* *לא מעשי, דמיוני, טיפשי
aisle (īl) *n.* מעבר (בין שורות)

- roll in the aisles להתגלגל מצחוק
- walk down the aisle להתחתן
aitch *n.* האות אייטש
aitch-bone *n.* עצם האחוריים
ajar' *adj.* (דלת) פתוחה במיקצת
aka *adj.* ששמו גם, ידוע גם כ-, מכונה
akim'bo *adv.* (ידיים) על המותניים
akin' *adj.* דומה, קרוב
a la (ä lä) *prep.* באופן, בנוסח, בסיגנון
al'abas'ter *n.* בהט
a la carte (ä'ləkärt') לפי התפריט, כל מנה לחוד
alack' *interj.* אהה!
alac'rity *n.* נכונות, להיטות
a la mode' (ä-) לפי האופנה; מוגש עם גלידה
alarm' *n.* אזעקה; פעמון-אזעקה; חרדה
- take alarm להיתקף חרדה
alarm *v.* להחריד, להפחיד
alarm clock שעון מעורר
alarming *adj.* מעורר חרדה
alarmist *n.* זורע בהלה
alas' *interj.* חבל! אהה!
alb *n.* גלימת כומר (לבנה)
Al·ba'nia *n.* אלבניה
Al·ba'nian *n.* אלבני
al'batross' *n.* אלבטרוס (עוף ים)
al·be'it (ôl-) *conj.* אף על פי ש-
al·bi'no *n.* לבקן, אלביניסט
al'bum *n.* אלבום; תקליט אריך-נגן
al·bu'men *n.* אלבומין; חלבון
al·bu'min *n.* אלבומין; חלבון
al'chemist (-k-) *n.* אלכימאי
al'chemy (-k-) *n.* אלכימיה
al'cohol' (-hôl) *n.* אלכוהול, כוהל
al'cohol'ic (-hôl-) *adj&n.* אלכוהולי; שתיין
al'coholism' (-hôl-) *n.* כהלת, אלכוהוליזם
al'cove' *n.* חדרון, חצי חדר, פינה
al'der (ôl-) *n.* אלמון (עץ)
al'derman (ôl-) *n.* חבר מועצת העירייה
ale *n.* שיכר, בירה
alehouse *n.* מיסבאה
alert' *adj.* דרוך, עירני, זריז, מהיר
alert *n.* אזעקה, אתראה, כוננות
- on the alert על המשמר, בכוננות
alert *v.* להעמיד על המישמר, להזהיר
alex'ia *n.* עיוורון-מילים
al·fal'fa *n.* אספסת (צמח)
al·fres'co *adj.* בחוץ, באוויר הצח
al'ga *n.* אצה
al'gae (-jē) *n-pl.* אצות
al'gebra *n.* אלגברה
al'gebra'ic *adj.* אלגבראי
Al·ge'ria *n.* אלג'יריה
Al·ge'rian *n.* אלג'ירי
al'gorithm (-ridhəm) *n.* אלגוריתם, תהליך פתרון בעיה
a'lias *n&adv.* שם נוסף, כינוי
- Tom alias Bob טום הנקרא גם בוב
al'ibi' *n.* אליבי; *תירוץ, אמתלה
a'lien *n.* זר, נכרי; חייזר, חוצן
alien *adj.* זר, שונה, מנוגד, סותר
a'lienable *adj.* בר העברה (רכוש)
a'lienate' *v.* להרחיק, לגרום ניכור; להעביר בעלות, להחרים, להפקיע
a'liena'tion *n.* הרחקה; התרחקות; ניכור; העברת בעלות, הפקעה; שיגעון
a'lienist *n.* פסיכיאטר
alight' *v.* לרדת (מסוס, מאוטובוס)
- alight on לנחות על; להיתקל ב-
alight *adj.* דולק, לוהט, בוער
align' (əlīn') *v.* לסדר/להסתדר בשורה, ליישר; להיערך; להתייצב לצד-
alignment *n.* יישור; היערכות; מערך
alike' *adj.* דומה, שווה, דומים
alike *adv.* באותה צורה, באופן דומה
al'imen'tary *adj.* עיכולי, מזוני
alimentary canal צינור העיכול
al'imo'ny *n.* (דמי) מזונות
alive' *adj.* בחיים; חי; פעיל, עירני
- alive and kicking חי וקיים
- alive to ער ל-, מודע ל-
- alive with שורץ, רוחש, מלא
al'kali' *n.* אלקאלי, בסיס
al'kaline' *adj.* אלקאלי, בסיסי
all (ôl) *adj.* כל, הכל, כולם; כל כולו
- I'm all ears "כולי אוזן"
- of all people דווקא הוא!
- on all fours על ידיו ורגליו, על ארבע
- with all speed במירב המהירות
all *adv.* כליל, לגמרי
- 2 all 2:2 (תוצאת תיקו)
- all alone לבדו, בעצמו
- all along במשך כל הזמן
- all but כמעט
- all for *בעד, תומך בהתלהבות ב-
- all in *עייף, "מת", "סחוט"
- all of 1000 1000 טבין ותקילין
- all of a tremble כולו רועד
- all one to היינו הך ל-
- all over נגמר, נסתיים, תם; בכל מקום; בכל רמ"ח אבריו
- all over the world בכל העולם
- all right בסדר, בריא ושלם; נכון, כן; *ללא כל ספק
- all the more הרבה יותר
- all the same אף על פי כן
- all the same to היינו הך ל-
- all the sooner מהר יותר
- all there "בסדר גמור", פיקח
- all told בסך הכל
- all up חסל, נגמר, זה הסוף
- not all there "לא בסדר", מטומטם
all *pron.* הכל, כולם
- above all מעל לכל
- after all אחרי ככלות הכל; למרות הכל
- all in all בסך הכל, בסיכום
- all of כל אחד מ-, הכל, כולם
- all very well, but הכל טוב ויפה, אבל
- for all על אף, למרות
- for all I know למיטב ידיעתי
- go all out לפעול במאמץ מרבי
- he is all in all to her הוא "הכל" בשבילה
- in all בסך הכל
- not at all לגמרי לא, "אין בעד מה" (כתשובה על "תודה")
- not so bad as all that לא רע עד כדי כך
- once and for all אחת ולתמיד
- one's all כל רכושו, כל היקר לו

Al'lah (-lə) *n.* אלהים, אללה
allay' *v.* לשכך, להפיג, להרגיע
all clear ארגעה, צפירת ארגעה
al'lega'tion *n.* הצהרה, טענה, אמירה; חשד
allege' (-lej') *v.* להצהיר, לטעון
alleged *adj.* החשוד, כפי שאומרים, שהוא כביכול, כאילו
allegedly *adv.* לפי ההאשמות, כביכול
alle'giance (-jəns) *n.* נאמנות
al'legor'ical *adj.* אלגורי, משלי
al'legorize' *v.* להמשיל משל
al'lego'ry *n.* משל, אלגוריה
al'legret'to *n.* אלגרטו
alleg'ro *n.* אלגרו, עירני
al'lelu'ia (-yə) *interj.* הללויה!
all-embracing *adj.* מקיף, חובק עולם
aller'gic *adj.* אלרגי, רגיש
al'lergy *n.* אלרגיה, רגישות
alle'viate' *v.* להקל, להפחית, לשכך
alle'via'tion *n.* הקלה, הפחתה
al'ley *n.* סימטה, מישעול
- blind alley מבוי סתום
- down one's alley *לטעמו, אוהב זאת
alley cat *לא צנועה, מתמסרת
alleyway *n.* סימטה, מישעול
alli'ance *n.* ברית, התקשרות
allied' (-līd') *adj.* בעל ברית; קשור, קרוב
al'liga'tor *n.* תנין; עור תנין
all-important *adj.* רב-חשיבות
all-in *adj.* כולל, מקיף; (היאבקות) חופשית
all-inclusive *adj.* כולל הכל
allit'era'tion *n.* אליטרציה (שוויון צלילים בראשי מלים סמוכות)
al'locate' *v.* להקציב, להקצות
al'loca'tion *n.* הקצבה; מנה
allot' *v.* להקציב, להקצות
allotment *n.* הקצאה; חלק, מנה; חלקת אדמה (מוחכרת)
all-out *adj.* כולל, שלם, כללי
allow' *v.* להרשות; לתת, להקציב; להודות, לקבל
- allow for לקחת בחשבון, לאפשר
- allow of לאפשר, לקבל
allowable *adj.* מותר, חוקי
allowance *n.* קצובה, מענק, דמי כיס; הנחה, הפחתה
- make allowances for להתחשב ב-
alloy' *n.* סגסוגת, מסג, נתך
alloy *v.* לסגסג; לפגום, לקלקל
all-powerful *adj.* כל-יכול, רב-כוח
all-purpose *adj.* רב-תכליתי
all-round *adj.* רב-צדדי
all-rounder *n.* ספורטאי רב-צדדי
all'spice' (ôl-) *n.* פילפל אנגלי
all-star *adj.* עם גדולי הכוכבים
all-time *adj.* שבכל הזמנים
- all-time high שיא חדש
allude' *v.* לרמוז, להזכיר
allure' *v.* למשוך, לפתות, לשבות לב
allure *n.* משיכה, קסם
allurement *n.* משיכה, פיתוי
allu'sion (-zhən) *n.* רמז, רמיזה
allu'sive *adj.* מרמז, רומז
allu'vial *n.* של סחף, אלוביאלי
ally' *v.* להתקשר, לבוא בברית; לאחד
- ally itself with לבוא בברית עם
ally *n.* בעל ברית, תומך, מסייע
al'ma ma'ter (-mät-) *n.* אלמה מאטר, בית הספר (לגבי בוגריו); הימנון ביה"ס
al'manac' (ôl-) *n.* אלמנך, לוח שנה, שנתון
al·might'y (ôl-) *adj.* כל-יכול
- the Almighty אלוהים
al'mond (ä'm-) *n.* שקד; שקדיה
almond-eyed *adj.* בעל עיניים שקדיות
al'moner *n.* עובד סוציאלי, פקיד סעד
almost (ôl'mōst) *adv.* כמעט
alms (ämz) *n-pl.* נדבה, צדקה
almshouse *n.* בית מחסה
al'oe (-lō) *n.* אלווי (צמח-נוי)
aloft' (əlôft') *adv.* למעלה, גבוה
alone' *adv&adj.* לבד, לבדו; יחיד
- let alone קל וחומר
- let me alone הנח לי!
- let well alone הנח לו כפי שהוא
- stands alone יחיד במינו, אין מושלו
along' (əlông') *prep.* לאורך-
- along here לכאן, לכיוון זה
along *adv.* (להדגשת פעולה) הלאה, קדימה; בחברת, יחד
- along with בצירוף, יחד עם
- come along בואו! הצטרף!
alongside *adv&prep.* לצד, על-יד
aloof' (əlo͞of') *adv.* במרחק, בנפרד
- keep aloof from להתרחק מ-
aloof *adj.* צונן, לא ידידותי
aloofness *n.* ריחוק, התבדלות
aloud' *adv.* בקול, בקול רם
alp *n.* הר גבוה
al·pac'a *n.* אלפקה, גמל-הצאן
al'penstock' *n.* מוט הטפסן
al'pha *n.* אלפא, אלף, ראשון
- alpha and omega האלף והתיו
al'phabet' *n.* אלף-בית, הא"ב
al'phabet'ical *adj.* אלפביתי
al'pine *adj.* של הרים, הררי
Al'pinist *n.* אלפיניסט, טפסן
already (ôlred'i) *adv.* כבר
alright' = **all right** (ôl-)
al'so (ôl-) *adv.* גם, גם כן
also-ran *n.* נכשל (בתחרות, בבחירות)
al'tar (ôl-) *n.* מיזבח
- lead to the altar להתחתן
altarpiece *n.* קישוט המיזבח
al'ter (ôl-) *v.* לשנות; להשתנות
alterable *adj.* בר-שינוי
al'tera'tion (ôl-) *n.* שינוי, תיקון
al'terca'tion (ôl-) *n.* ריב, ויכוח
al'ter e'go האני האחר; ידיד-נפש
al'ternate' (ôl-) *v.* לבוא לסירוגין, להתחלף; להחליף, לסדר זה אחר זה
al'ternate (ôl-) *adj.* בא לסירוגין, סירוגי, כל שני, חליפות; מתחלף
- alternate days כל יומיים
alternating current זרם חילופין
al'terna'tion (ôl-) *n.* התחלפות
alter'native (ôl-) *n.* ברירה, חלופה, אלטרנטיבה
alternative *adj.* אלטרנטיבי, חילופי

alternatively *adv.* לחלופין
al'terna'tor (ôl-) *n.* מחולל זרם חילופין
altho (ôldhō') *conj.* אף על פי ש-
although (ôldhō') *conj.* אף על פי ש-
al·tim'eter *n.* מד-גובה, מד-רום
al'titude' *n.* גובה, רום
al'to *n.* אלט (קול)
al'togeth'er (ôl'təgedh'ər) *adv.* לגמרי; בסיכום, בסך הכל
- in the altogether ערום, מעורטל
al'tru·ism' (-trōō-) *n.* אלטרואיזם, זולתנות
al'tru·ist (-trōō-) *n.* אלטרואיסט, זולתן
al'tru·is'tic (-trōō-) *adj.* זולתני
alu'minum *n.* אלומיניום, חמרן
alum'na *n.* בוגרת (של בית ספר)
alum'ni' *n-pl.* בוגרי בית ספר
alum'nus *n.* בוגר (של בית ספר)
al·ve'olar *n.* עיצור שיני
always (ôl'wāz) *adv.* תמיד
Alzheimer (alts'hī-) *n.* אלצהיימר
A.M. לפני הצהריים
am, I am, I'm אני, הנני
amal'gam *n.* מסג; אמאלגאמה
amal'gamate' *v.* לאחד, למזג; להתמזג
amal'gama'tion *n.* התמזגות; איגוד
aman'u·en'sis (-nū-) *n.* לבלר
am'aryl'lis *n.* נרקיס
amass' *v.* לצבור, לאגור, לערום
am'ateur (-choor) *n&adj.* חובב, חובבני
amateurish *adj.* חובבני, דל, טירוני
amateurism *n.* חובבנות
am'ato'ry *adj.* אוהב, עורג, חושק
amaze' *v.* להדהים, להפתיע
amazement *n.* תדהמה
amazing *adj.* מדהים, כביר
am'azon *n.* אמזונה, גיבורה
am·bas'sador *n.* שגריר, נציג
am·bas'sador'ial *adj.* של שגריר
am·bas'sadress *n.* שגרירה
am'ber *n.* עינבר; חום-צהבהב
am'bidex'trous *adj.* דו-ידי, שולט בשתי ידיו
am'bience *n.* אווירה, סביבה
am'bient *adj.* אופף, מקיף
am·bigu'ity *n.* אי-בהירות, עירפול
am·big'u·ous (-gūəs) *adj.* מעורפל, לא ברור
am'bit *n.* תחום, גבול
am·bi'tion (-bi-) *n.* אמביציה, שאיפה
am·bi'tious (-bish'əs) *adj.* שאפתני; דורש מאמץ
am·biv'alence *n.* דו-ערכיות, קיום רגשות מנוגדים, אמביוואלנטיות
am·biv'alent *adj.* דו-ערכי, אמביוואלנטי
am'ble *v.* לפסוע לאט, לצעוד קלות
amble *n.* טפיפה, פסיעה איטית
am·bro'sia (-zhə) *n.* לחם-האלים, מאכל תאווה; ריח ניחוח, אמברוסיה
am'bu·lance *n.* אמבולנס
am'bu·lato'ry *adj.* של הליכה; מתהלך
am'buscade' *n.* מארב
am'bush (-boosh) *n.* מארב
ambush *v.* לארוב, להתקיף מהמארב

ame'ba *n.* אמבה, חילופית
ame'bic *adj.* של אמבה, אמבי
ame'liorate' *v.* לשפר; להשתפר
ame'liora'tion *n.* שיפור, טיוב
a'men' *interj.* אמן!
ame'nable *adj.* מקבל מרות, ממושמע, נוח; מושפע בקלות
- amenable to כפוף ל-; אחראי כלפי-
amend' *v.* לשפר; להשתפר; לשנות, לתקן
amendment *n.* תיקון, שינוי
amends' *n-pl.* פיצויים
- make amends לפצות, לכפר
amen'ity *n.* נוחות, נעימות
- amenities דברים נעימים; גינונים נאים; תנאים נוחים
Am'era'sian (-shən) *n.* אמריקני אסייתי
amerce' *v.* להעניש
Amer'ica *n.* אמריקה
Amer'ican *adj&n.* אמריקני
Amer'icanism' *n.* אמריקניות
Amer'icanize' *v.* להפוך לאמריקני
am'ethyst *n.* אחלמה (אבן יקרה)
Am·har'ic *n.* אמהרית, אתיופית
a'miabil'ity *n.* חביבות, ידידותיות
a'miable *adj.* חביב, נעים
am'icable *adj.* ידידותי
amid', amidst' *prep.* בתוך, בין
amid'ships' *adv.* באמצע האונייה
amig'o *חבר, אמיגו
amir' (-mir) *n.* אמיר (מוסלמי)
amiss' *adv.* לא כשורה, לא בסדר
- take it amiss להיעלב מכך
am'ity *n.* ידידות, יחסי ידידות
am'me'ter *n.* מד-אמפר
am'mo *n.* *תחמושת
ammo'nia *n.* אמוניה, אמוניאק
am'monite' *n.* אמוניט (רכיכה מאובנת)
am'mu·ni'tion (-ni-) *n.* תחמושת
am·ne'sia (-zhə) *n.* שיכחון, אמנסיה, מחלת השיכחה, נשיון
am'nesty *n.* חנינה, המתקת עונש
am'niocente'sis *n.* בדיקת מי שפיר
am'nion *n.* שפיר, קרום השליה
am'niote *adj.* מתפתח בתוך שפיר
am'niot'ic *adj.* של השפיר, של קרום השליה
amniotic fluid מי שפיר
amoeba (əmē'bə) *n.* אמבה
amok', amuck' *adv.* אמוק, טירוף
among' (-mung) *prep.* בתוך, בין
- among themselves בינם לבין עצמם
amongst' (-mungst) *prep.* בתוך, בין
a·mor'al *adj.* לא מוסרי, חסר מוסריות
am'orous *adj.* אוהב, של אהבה; חשקני
amor'phous *adj.* נטול צורה, אמורפי
am'ortiza'tion *n.* בלאי, פחת
am'ortize' *v.* לסלק חוב (בתשלומים)
amount' *n.* סכום, כמות
amount *v.* להסתכם, להיות שווה ל-
amour' (-moor) *n.* פרשת אהבה
amour propre (-prop'rə) כבוד עצמי
am'pere *n.* אמפר (יחידת זרם)
am'persand' = (&) *n.* סימן החיבור, אמפרסנד

am·phet′amine (-min) *n.* אמפטמין
am·phib′ian *n.* דוחי, כלי-טיס אמפיבי, רכב אמפיבי
am·phib′ious *adj.* אמפיבי
am′phithe′ater *n.* אמפיתיאטרון
am′phora *n.* כד, אגרטל, קנקן, אמפורה
am′ple *adj.* גדול, מרווח; הרבה
am′plifica′tion *n.* הגדלה, הגברה
am′plifi′er *n.* מגבר (במקלט רדיו)
am′plify′ *v.* להגדיל; להאריך, להוסיף פרטים; להגביר עוצמת זרם
am′plitude′ *n.* גודל; שפע, שיפעה; מישרעת, אמפליטודה
amply *adv.* הרבה, בשפע
am′poule′ (-pūl) *n.* אמפולה
am′pule *n.* אמפולה; שפופרת קטנה
am′pu·tate′ *v.* לקטוע (איבר/גפה)
am′pu·ta′tion *n.* כריתה, קטיעה
am′pu·tee′ (-pyoo-) *n.* גידם, קיטע
amuck′, run amuck להתרוצץ אחוז אמוק (בתאוות-רצח)
am′u·let *n.* קמיע
amuse′ (-z) *v.* לבדר; להצחיק, לבדח
amusement *n.* בידור; הנאה, שעשוע
- places of amusement מקומות בידור
amusement arcade אולם שעשועים
amusement park גן שעשועים
an = a (an, ən) *adj.* אחד
anach′ronism′ (-k-) *n.* אנכרוניזם, טעות בזמן, דבר שנתיישן
anach′ronis′tic (-k-) *adj.* לא בעיתו
an′acon′da *n.* אנקונדה (נחש)
anae- see ane-
an′agram′ *n.* אנגרם, היפוך-אותיות (יצירת מלה מאותיות מלה אחרת)
a′nal *adj.* של פי הטבעת, אנאלי
an′alec′ta *n-pl.* לקט ספרותי, אנתולוגיה
an′alge′sia *n.* חוסר כאב
an′alge′sic *n.* משכך כאבים
an′alog′ical *adj.* אנלוגי
anal′ogize′ *v.* להקיש, להשוות
anal′ogous *adj.* דומה, מקביל
an′alogue′ (-lôg) *n.* דומה, מקביל
anal′ogy *n.* אנלוגיה, השוואה, היקש, הקבלה
anal′ysis *n.* ניתוח, בדיקה, אנליזה; פסיכואנליזה
an′alyst *n.* נתחן, מנתח, בודק; פסיכואנליטיקן
an′alyt′ical *adj.* ניתוחי, נתחני, אנליטי, ביקורתי
an′alyze′ *v.* לנתח; לעשות אנליזה
an′apest′ *n.* אנפסט, משפיל
an·ar′chic (-k-) *adj.* אנרכי, מופקר
an′archism′ (-k-) *n.* אנרכיזם
an′archist (-k-) *n.* אנרכיסט
an′archy (-k-) *n.* אנרכיה, הפקרות
anath′ema *n.* נידוי, חרם; תועבה
anath′ematize′ *v.* לקלל; לנדות
an′atom′ical *adj.* אנטומי
anat′omist *n.* עוסק באנטומיה
anat′omy *n.* אנטומיה, מיבנה הגוף
an′ces′tor *n.* אב קדמון
an·ces′tral *adj.* של אבות קדומים
an′ces′tress *n.* אם קדמונית
an′ces′try *n.* מוצא, ייחוס, שושלת
an′chor (-k-) *n.* עוגן; מחסה, מיבטח
- at anchor בעגינה, עוגן
- cast/drop anchor להשליך עוגן
- come to anchor להטיל עוגן
- ride at anchor לעגון
- weigh anchor להרים עוגן
anchor *v.* לעגון, להטיל עוגן
an′chorage (-k-) *n.* מעגן, עגינה
an′chorite′ (-k-) *n.* נזיר
anchorman *n.* קריין רצף, מגיש, רץ אחרון
an′cho·vy *n.* עפיין (דגיג), אנשובי
an′cient (ān′shənt) *adj.* עתיק, קדמון
- the ancients הקדמונים
an′cillar′y (-leri) *adj.* מסייע, מישני, טפל
and (and,ənd,ən) *conj.* ו-, גם
- and all "והכל", וכולי
- and how! ועוד איך! בהחלט!
- and/or ו/או
andan′te (ändän′ti) *n.* אנדנטה, מתון, הליכי
and′i′ron (-ī′ərn) *n.* מוט, משען באח (להחזקת העצים)
an·drog′ynous *adj.* דו-מיני, אנדרוגני
and′roid *n.* רובוט (דמוי אדם)
an′ecdote′ *n.* אנקדוטה, מעשייה
ane′mia *n.* אנמיה, מיעוט-דם, חסר-דם
ane′mic *adj.* אנמי, חסר-דם
an′emom′eter *n.* אנמומטר, מד-רוח
anem′one (-məni) *n.* כלנית (צמח, פרח)
anent′ *prep.* באשר ל-
an′esthe′sia (-zhə) *n.* הרדמה, אילחוש; אלחוש, העדר תחושה
an′esthet′ic *n.* מאלחש (סם)
anes′thetist *n.* מאלחש (רופא)
anes′thetize′ *v.* להרדים, לאלחש
anew′ (ənōō′) *adv.* שוב, עוד פעם, מחדש
an′gel (ān′-) *n.* מלאך
an·gel′ic *adj.* מלאכי, טהור, יפה
an′gelus *n.* אנגלוס (תפילה נוצרית)
an′ger (-g-) *n.* כעס, חימה
anger *v.* להרגיז, להכעיס
an·gi′na pec′toris תעוקת הלב
an′gle *n.* זווית; נקודת מבט
angle *v.* להטות, לזוות, להצדיד
- angle the report לסלף את הדו"ח
angle *v.* להשליך חכה, לחכות (דגים)
- angle for לנסות להשיג בתחבולות
Ang′lican *adj.* אנגליקני
Ang′licism′ *n.* ביטוי אנגלי
ang′licize′ *v.* לאנגל; להתאנגל
angling *n.* דיג (בחכה)
Ang′lo (תחילית) אנגלי, בריטי
Ang′lophile′ *n.* חובב אנגלים
Ang′lophobe′ *n.* שונא אנגלים
Ang′lo-Sax′on *n.* אנגלו-סקסי
An·go′la *n.* אנגולה
an·go′ra *n.* אנגורה, צמר אנגורה
an′gry *adj.* כועס, זועם, סוער
- angry sky שמיים קודרים
- angry wound פצע דלקתי
angst *n.* חרדה (לעתיד האנושות)
an′guish (-gwish) *n.* יסורים, חרדה
anguished *adj.* סובל, מתייסר

an'gu·lar *adj.* זוויתי; שעצמותיו בולטות, גרמי; קשה, נוקשה
an'gu·lar'ity *n.* נוקשות, גרמיות
an'iline' (-lin) *n.* אנילין (נוזל לייצור צבעים ותכשירים רפואיים)
an'imad'ver'sion (-zhən) *n.* ביקורת
an'imad'vert' *v.* לבקר, להעיר
an'imal *n.* בעל-חיים, חיה
animal *adj.* חייתי, גשמי, בשרי
an'imal'cule' *n.* חיידק
animal husbandry גידול בהמות
an'imalism' *n.* חייתיות, בהמיות
animal spirits מרץ, רעננות
an'imate *adj.* חי, מלא חיים
an'imate' *v.* לעורר, להחיות; להמריץ
animated cartoon סרט מצויר
an'ima'tion *n.* חיות, עירנות; אנימציה, הנפשה
an'imism' *n.* אנימיזם (אמונה בקיום נשמה בכל עצם)
an'imos'ity *n.* טינה, איבה
an'imus *n.* טינה, איבה, עוינות
an'ise (-nis) *n.* כמנון, אכרוע, אניס
an'iseed' זרעי אניס
an'kle *n.* קרסול
an'klet *n.* עכס, אצעדת-קרסול
an'nalist *n.* היסטוריון, רושם קורות
an'nals *n-pl.* תולדות, היסטוריה
anneal' *v.* לחשל, לקשח
an'nex' *n.* תוספת; אגף בבניין
annex' *v.* לספח, לחבר
an'nex·a'tion *n.* סיפוח, חיבור
anni'hilate' (-'əl-) *v.* להשמיד
anni'hila'tion (-'əl-) *n.* השמדה
an'niver'sary *n.* יום השנה
an'no Dom'ini' = A.D. לספירת הנוצרים, לספירה
an'notate' *v.* לפרש, להוסיף הערות
an'nota'tion *n.* פירוש
announce' *v.* להודיע, להכריז
announcement *n.* הודעה, מודעה
announcer *n.* קריין
annoy' *v.* להציק, להטריד, להרגיז
annoyance *n.* הטרדה; צער; מיטרד
an'nu·al (-nūəl) *adj.* שנתי
annual *n.* שנתון; חד-שנתי (צמח)
annu'ity *n.* קיצבה שנתית, אנונה
annul' *v.* לבטל, לחסל
an'nu·lar *adj.* טבעתי
annulment *n.* ביטול, חיסול
annun'ciate' *v.* להכריז
Annun'cia'tion *n.* חג הבשורה
an'ode *n.* אנוד, אלקטרוד חיובי
an'odyne' *n&adj.* מרגיע, משכך
anoint' *v.* למשוח (בשמן)
anointment *n.* משיחה
anom'alous *adj.* חורג, אנומלי
anom'aly *n.* סטייה, אנומליה, זרות
anon' *adv.* מיד, בקרוב
- ever and anon מדי פעם
anon = anonymous
an'onym'ity *n.* אלמוניות
anon'ymous *adj.* אנונימי, אלמוני
anoph'eles' (-lēz) *n.* אנופלס (יתוש)
an'orak' *n.* מעיל רוח, דובון
an'orec'tic *adj.* אנורקסי, *רזה מאוד
an'orex'ia (ner·vo'sa) *n.* פחד מהשמנה, אנורקסיה, הרעבה עצמית
anoth'er (-nudh-) *adj&pron.* נוסף, אחר, שונה, שני, עוד
- one another זה את זה
an'swer (-sər) *n.* תשובה, פיתרון
- in answer to בתשובה ל-
answer *v.* להשיב, לענות ל-, לענות על-; לספק, להלום את, להתאים
- answer a purpose להתאים למטרה
- answer back לענות בחוצפה
- answer for להיות אחראי ל-, לערוב ל-, לשלם בעד
- answer to להתאים ל-, להלום את
answerable *adj.* אחראי, חייב הסבר
answering machine *n.* מזכירה אלקטרונית, משיבון
answerphone *n.* מזכירה אלקטרונית, משיבון
ant *n.* נמלה
an·tag'onism' *n.* ניגוד, איבה
an·tag'onist *n.* יריב, מתנגד חריף
an·tag'onis'tic *adj.* מתנגד
an·tag'onize' *v.* להשניא
ant·arc'tic *adj.* אנטארקטי
Ant'arc'tica *n.* אנטרקטיקה
ant bear דוב הנמלים
an'te (-ti) *n&v.* כסף הימורים (מושלש); להמר; לשלם חלקו
ante (תחילית) לפני
an'tece'dence *n.* עדיפות, בכורה
an'tece'dent *adj.* בא לפני, קודם
antecedent *n.* מיקרה קודם; שם קודם
- antecedents אבות, ייחוס, מוצא
an'te·cham'ber (-chām-) *n.* פרוזדור, מבוא
an'te·date' *v.* להקדים תאריך; לקרות לפני, לקדום ל-
an'te·dilu'vian *adj.* לפני המבול; מיושן
an'telope' *n.* אנטילופה (צבי)
an'te merid'iem (-ti-) לפני הצהריים
an'te·na'tal *adj.* לפני הלידה
antenatal clinic מירפאת נשים
an·ten'na *n.* משושה, אנטנה; משוש, מחוש
an'te·penul'timate *adj.* השלישי מהסוף
an·te'rior *adj.* קודם, בא לפני
an'te·room' *n.* פרוזדור
an'them *n.* הימנון
an'ther *n.* מאבק (של פרח)
an'thol'ogy *n.* מיקראה, אנתולוגיה, קובץ, לקט
an'thracite' *n.* אנתרציט, פחם-אבן
an'thrax' *n.* פחמת (מחלה)
an'thropoid' *adj.* דומה לאדם (קוף)
an'thropol'ogist *n.* אנתרופולוג
an'thropol'ogy *n.* אנתרופולוגיה
an'thropomor'phism' *n.* אינוש
anti- (תחילית) אנטי, נגד-
an'ti-air'craft' *adj.* נגד מטוסים
an'tibi·ot'ic *n.* אנטיביוטיקה
an'tibod'y *n.* נוגדן
an'tic *n.* תעלול; תנועה מצחיקה
an·tic'ipate' *v.* לצפות ל-, לחזות; להטרים, להקדים, להזדרז ולהקדים

an·tic'ipa'tion *n.* ציפייה; הטרמה
an·tic'ipato'ry *adj.* מקדים, נעשה מראש, מוטרם
an'ticler'ical *adj.* אנטיקלריקלי
an'ticli'max' *n.* נפילה (ממצב רציני למצב מגוחך), אנטיקלימקס
anti-clockwise *adj.* נגד מהלך מחוגי השעון
an'tidepres'sant *n.* נגד דיכאון
an'tidote' *n.* תרופה; נגד רעלי
an'tifreeze' *n.* נגד הקפאה
an'tigen' *n.* אנטיגן, מייצר נוגדנים
anti-hero *n.* אנטי-גיבור
an'tiknock' (-tin-) *n.* מונע פיצוץ במנוע
an'tilock' *adj.* (בלימה) ללא נעילה
an'tilog'arithm' (-ridh'əm) *n.* אנטילוגאריתם (במתמטיקה)
an'timacas'sar *n.* מפית (נגד זיעה)
an'timat'ter אנטי חומר
anti-nuke נגד שימוש גרעיני
an·tip'athet'ic *adj.* שונא, סולד
an·tip'athy *n.* אנטיפתיה, סלידה
an'tiper'sonnel' *adj.* (פצצה) נגד אנשים
an'tiper'spirant *adj.* נגד הזעה
an·tip'odes' (-dēz) *n-pl.* אנטיפודים, שתי נקודות נגדיות על כדור הארץ, אוסטרליה וניו-זילנד
an'tiqua'rian *adj.* של עתיקות
an'tiquar'y (-kweri) *n.* עוסק בעתיקות
an'tiqua'ted *adj.* שעבר זמנו, מיושן
an·tique' (-tēk) *n&adj.* (חפץ) עתיק
- the antique הסיגנון העתיק באמנות
an·tiq'uity *n.* ימי-קדם, קדמונות
- antiquities שרידים, עתיקות
an'tirrhi'num (-rī-) *n.* לוע-הארי
an'ti-Sem'ite *n.* אנטישמי
an'ti-Semit'ic *adj.* אנטישמי
an'ti-Sem'itism' *n.* אנטישמיות
an'tisep'tic *n.* מונע זיהום, מחטא
an'tiso'cial *adj.* לא חברתי, בלתי חברותי
an·tith'esis *n.* ניגוד, אנטיתיזה
an'tithet'ic *adj.* מנוגד
an'titox'in *n.* רעלן נגדי
an'titrust' *n.* הגבלים עיסקיים
antitrust commissioner ממונה על הגבלים עיסקיים
an'tiven'in *n.* נגד ארס
an'tivi'ral *adj.* אנטי-וירוס
an'tivi'rus *n.* אנטי-וירוס
ant'ler *n.* קרן-הצבי
an'tonym' *n.* אנטונים, מלה נגדית
a'nus *n.* פי-הטבעת
an'vil (-vəl) *n.* סדן
anx·i'ety (angzī-) *n.* חרדה, דאגה; תשוקה, רצון עז
anx'ious (angk'shəs) *adj.* חרד, דואג; מדאיג; משתוקק
- anxious business עניין מדאיג
any (en'i) *adj&pron&adv.* איזשהו, כל, שום, מישהו; במידה כלשהי, בכלל
- at any rate בכל אופן
- if any אם בכלל
- in any case בכל מיקרה

anybody *pron.* מישהו; כל אדם
- anybody's guess *דבר לא ודאי
anyhow *adv.* איכשהו, בדרך כלשהי; בכל זאת, בכל אופן
anyone *pron.* מישהו; כל אחד
anyplace *adv.* בכל מקום שהוא
anything *n.* משהו; שום דבר, כל דבר
- anything but כלל לא
- as anything *"כמו כלום", מאוד
- if anything אם כבר, אם בכלל
- like anything *מאוד, מהר, חזק
anyway *adv.* בכל אופן, בכל זאת
anywhere *adv.* בכל מקום שהוא, איפשהו
a·or'ta *n.* אב העורקים, אבעורק
apace' *adv.* במהירות
ap'anage *n.* צירוף טיבעי, לוואי טיבעי; נכסים, רכוש
apart' *adv.* במרחק, בנפרד, לחוד, בצד, הצידה; במרחק-מה; לחתיכות, לחלקים
- apart from חוץ מ-; מלבד
- joking apart צחוק בצד
- keep apart from להתרחק מ-
- know them apart להבחין ביניהם
- set apart לייחד, להבדיל, להפריש
- take apart לפרק לחלקים
- tell apart להבחין
- worlds apart עולמות שונים
apart'heid (-'hāt) *n.* אפרטהייד
apart'ment *n.* חדר; דירה
- apartments מערכת חדרים
apartment house בית דירות
ap'athet'ic *adj.* אדיש, אפאתי
ap'athy *n.* אדישות, אפאתיה
ape *n.* קוף, קוף-אדם; חקיין
ape *v.* לחקות
ape'rient *n.* משלשל, סם שילשול
aper'itif' (äper'itēf') *n.* משקה מתאבן, אפריטיף
ap'erture *n.* פתח, חור
a'pex' *n.* שיא, פיסגה, קודקוד
apha'sia (-zhə) *n.* אפזיה, שיכחת הלשון
a'phid, a'phis *n.* כנימה (חרק קטן)
aph'orism' *n.* מימרה, פיתגם
aph'rodis'iac' (-z-) *adj&n.* (סם) מעורר תאווה מינית
a'piarist *n.* כוורן, בעל מיכוורת
a'piar'y (-eri) *n.* כוורת, מיכוורת
a'picul'ture *n.* כוורנות
apiece' (-pēs) *adv.* לכל אחד, כל אחד
ap'ish (āp'-) *adj.* קופי, מחקה
aplomb' (-lom) *n.* ביטחון עצמי
apnea (-nē'ə) *n.* דום נשימה
apoc'alypse' *n.* אפוקליפסה, חזון אחרית-הימים
apoc'alyp'tic *adj.* אפוקליפטי
Apoc'rypha *n-pl.* הספרים החיצוניים, אפוקריפים
apoc'ryphal *adj.* מפוקפק, מזויף
ap'odic'tic *adj.* בדוק, בר הוכחה ברורה
ap'ogee' *n.* אפוג'י (הנקודה הרחוקה ביותר במסלול הירח)
a'polit'ical *adj.* לא פוליטי
apol'oget'ic *adj.* מתנצל, מצטדק
apologetics *n.* אפולוגטיקה, סניגוריה
ap'olo'gia *n.* אפולוגיה, סניגוריה, הגנה

על דיעות

apol′ogist *n.* סניגור, דוגל ב-

apol′ogize′ *v.* להתנצל

apol′ogy *n.* התנצלות; סניגוריה, לימוד זכות, הגנה, הסבר; *תחליף זול

ap′oplec′tic *adj.* של שבץ, *סמוק-פנים, מתלקח

ap′oplex′y *n.* שיתוק פתאומי, שבץ

apos′tasy *n.* כפירה, בגידה

apos′tate *n&adj.* מומר, בוגד

a pos′te•rio′ri (ā-) בדיעבד, אפוסטריורי

apos′tle (-səl) *n.* מנהיג, מבשר; אפוסטול, שליח ישו

ap′ostol′ic *adj.* של האפיפיור, שליחי

apos′trophe′ (-trəfē) *n.* גרש, הסימן (׳); קריאה מליצית (״האזינו השמים!״)

apos′trophize′ *v.* לקרוא, לפנות אל

apoth′ecar′y (-keri) *n.* רוקח

ap′othegm′ (-them) *n.* פיתגם

ap′othe′osis *n.* האלהה, אפותיאוזה; מופת, אידיאל

appall′ (-pôl) *v.* להפחיד, להחריד

appalling *adj.* מפחיד, מזעזע

ap′panage *n.* צירוף טיבעי, לוואי טיבעי; נכסים, רכוש

ap′parat′us *n.* כלי, מיתקן; מערכת; מנגנון

appar′el *n.* לבוש, תילבושת

apparel *v.* ללבוש, להתלבש

appar′ent *adj.* ברור, גלוי; מדומה, שלכאורה, שכביכול

apparently *adv.* אין ספק ש-, ברור ש-; נראה ש-, לכאורה, למראית עין

ap′pari′tion (-ri-) *n.* הופעה (של רוח, שד); רוח רפאים

appeal′ *v.* לבקש, להתחנן, לפנות אל; למשוך, לרתק, לעניין; לערער

- appeal to force להשתמש בכוח

appeal *n.* פנייה, בקשה, תחנונים; עניין, משיכה; עירעור, ערר

- an appeal for help קריאה לעזרה

appealing *adj.* מתחנן; מושך, מעניין

appear′ *v.* להופיע; להיראות

- it appears that נראה ש-

appearance *n.* הופעה, מראה, רושם

- in appearance לפי מראהו, כלפי חוץ

- keep up appearances להיראות כעשיר, לנהוג בשיגרתיות, להסתיר האמת

- make an appearance להופיע, לנכוח

- to all appearances ככל הנראה

appease′ (-z) *v.* לשכך, לפייס

appeasement *n.* פיוס, הרגעה

appel′lant *adj&n.* מערער (על פס״ד)

appel′late *adj.* של עירעורים

ap′pella′tion *n.* כינוי, תואר

append′ *v.* להוסיף, לצרף

append′age *n.* תוספת; נספח

ap′pendec′tomy *n.* ניתוח התוספתן

appen′dici′tis *n.* דלקת התוספתן

appen′dix *n.* נספח; תוספתן

ap′pertain′ *v.* להיות קשור ל-, להשתייך

ap′petite′ *n.* תיאבון, חשק

ap′peti′zer *n.* מגרה תיאבון, מְתַאֲבֵן

ap′peti′zing *adj.* מעורר תיאבון, מגרה

applaud′ *v.* למחוא כף; להריע; לשבח

applause′ (-z) *n.* תשואות; שבחים

ap′ple *n.* תפוח, תפוח-עץ

- apple of discord סלע המחלוקת

- the apple of my eye אישון עיני

- upset his apple cart לסכל את תוכניותיו

apple-jack *n.* שיכר-תפוחים

apple-pie *n.* פשטידת-תפוחים

apple-pie order סדר מופתי

applesauce *n.* רסק תפוחים; *שטויות

appli′ance *n.* מכשיר, כלי, מיתקן

ap′plicable *adj.* מתאים, הולם, ישים

ap′plicant *n.* פונה, מועמד

ap′plica′tion *n.* פנייה, בקשה; התאמה, יישום, החלה, שימוש; הנחה; רטייה; תרופה; ריכוז, שקדנות, התמדה

application form טופס בקשה

applied′ (-plīd′) *adj.* שימושי, מעשי

ap′plique′ (-kā′) *n.* אפליקציה, קישוט-בד

apply′ *v.* לפנות, לבקש; להתייחס; ליישם, להחיל, להפעיל; לשים על-

- apply one's mind לרכז מחשבתו

- apply oneself to להתרכז ב-

appoint′ *v.* לקבוע, לייעד; לְמַנוֹת, לבחור, להרכיב

- well appointed מצויד, מרוהט היטב

appointee′ מינוי, שמינו אותו

appointment *n.* קביעה; ראיון, פגישה; מישרה; מינוי

- appointments ריהוט, קבועות

appor′tion *v.* לחלק, להקצות

ap′posite (-zit) *adj.* הולם, קולע

ap′posi′tion (-zi-) *n.* תמורה, אפוזיציה

apprais′al (-z-) *n.* הערכה, אומדן

appraise′ (-z) *v.* להעריך, לאמוד

appre′ciable (-′shəb-) *adj.* ניכר, גדול

appre′ciate′ (-′sh-) *v.* להעריך, להוקיר; לעלות בערכו; להתייקר

appre′cia′tion (-′shi-) *n.* הערכה; התייקרות

appre′ciative (-′shət-) *adj.* מעריך, מוקיר

ap′pre•hend′ *v.* לעצור, לתפוס; להבין; לחשוש

ap′pre•hen′sion *n.* מעצר, עצירה; תפיסה, הבנה; חשש, דאגה

ap′pre•hen′sive *adj.* דואג, חושש

appren′tice (-tis) *n.* חניך, שוליה

apprentice *v.* לעשות לשולייה

apprenticeship *n.* חניכות

apprise′ (-z) *v.* להודיע

ap′pro, on appro = on approval

approach′ *n.* התקרבות, גישה, דרך

- easy of approach נוח לגישה, נגיש

- make approaches to לחזר אחרי

approach *v.* להתקרב, לגשת; לפנות ל-

approachable *adj.* נוח לגישה, נגיש

ap′proba′tion *n.* אישור, הסכמה

appro′priate *adj.* מתאים, הולם

appro′priate′ *v.* להקצות, להקציב; לגנוב, ליטול בלי רשות

appro′pria′tion *n.* הקצבה

approv′al (-rōōv-) *n.* אישור; דיעה חיובית

- on approval על תנאי, לבדיקה

approve′ (-rōōv) *v.* להסכים, לאשר

- approve of לחייב, להתייחס באהדה
approved school מוסד לעבריינים
approvingly *adv.* באהדה, בחיוב
approx′imate *adj.* קרוב, כמעט, משוער
approx′imate′ *v.* להתקרב
approx′ima′tion *n.* התקרבות, הערכה
appur′tenance *n.* אביזר; זכות צמודה לבעלות על נכס
ap′ricot′ *n.* מישמש; עץ המישמש
A′pril *n.* אפריל
April Fool קורבן 1 באפריל
a prio′ri (ā-) שמלכתחילה, אפריורי
a′pron *n.* סינר, סינור; קדמת-הבימה; מישטח-מטוסים
- tied to mother's apron-strings כרוך אחרי סינר אימו
ap′ropos′ (-pō′) *adv.* הולם, לעניין, קולע למטרה; אגב, א-פרופו
apropos of *prep.* בנוגע ל-, באשר ל-
apse *n.* גומחה מקומרת (במיזרח הכנסייה), אכסדרה מקושתת
apt *adj.* מהיר-תפיסה; קולע, מתאים
- apt to נוטה ל-, עלול ל-
ap′titude′ *n.* כישרון, כושר
aq′ualung′ *n.* אקוואלונג, מיתקן נשימה, מכל צלילה
aq′uamarine′ (-rēn) *n.* תרשיש (אבן טובה); ירוק-כחלחל
aq′uaplane′ *n&v.* קרש-החלקה, מיגלש סקי-מים; להחליק במיגלש-מים
aqua′rium *n.* אקווריום
Aqua′rius *n.* מזל דלי
aquat′ic *adj.* מימי, של מים
aq′ueduct′ *n.* מוביל-מים, תעלה, אובל
aq′ue·ous *adj.* מימי, של מים
aq′uiline′ *adj.* נישרי, של נשר
Ar′ab *n.* ערבי
ar′abesque′ (-besk′) *n.* ערבסקה
Ara′bian *adj.* ערבי
Ar′abic *adj&n.* ערבי; ערבית
ar′able *adj.* ראוי לעיבוד, בר-חרישה
arach′nid (-k-) *n.* משפחת העכבישים
ar′biter *n.* בורר, פוסק, מתווך, שליט
ar′bitrable *adj.* ניתן לבוררות
ar·bit′rament *n.* בוררות, החלטה
ar′bitrar′y (-reri) *adj.* שרירותי
ar′bitrate′ *v.* לשמש כבורר, לתווך; למסור לבוררות
ar′bitra′tion *n.* בוררות, תיווך
ar′bitra′tor *n.* בורר, מתווך
ar′bor *n.* מקום מוצל, סוכה
ar·bo′re·al *adj.* של עצים, עצי
ar′bore′tum *n.* גן בוטני, משתלת עצים
arc *n.* קשת, קשת המעגל
ar·cade′ *n.* מיקמרת, מעבר מקומר, מיקשת
Ar·ca′dian *adj.* פשוט, כפרי, ארקדי
ar·cane′ *adj.* סודי, מיסתורי
ar·ca′num *n.* סוד; תרופת פלא
arch *n.* קשת, קימור, שער מקומר, קימרון
arch *v.* לקשת, לקמר, לגבנן; להתקמר
arch *adj.* ערמומי, שובבי; ראשי
arch- (תחילית) ראשי, רב-
ar′chae·olog′ical (-ki-) *adj.* ארכיאולוגי
ar′chae·ol′ogist (-ki-) *n.* ארכיאולוג
ar′chae·ol′ogy (-ki-) *n.* ארכיאולוגיה
ar·cha′ic (-k-) *adj.* עתיק, ארכאי
ar′cha·ism′ (-k-) *n.* ארכאיזם
arch′an′gel (-kān-) *n.* מלאך ראשי
arch·bish′op *n.* ארכיבישוף
arch·bish′opric *n.* מעמד הארכיבישוף
arch·dea′con *n.* סגן בישוף
arch·di′ocese *n.* איזור הארכיבישוף
arch·duke′ *n.* נסיך (אוסטרי)
arch·en′emy *n.* אויב ראשי; השטן
ar′che·ol′ogy (-k-) *n.* ארכיאולוגיה
arch′er *n.* קַשָּׁת, תופס קשת
arch′ery *n.* קשתות
ar′che·ty′pal (-k-) *adj.* אבטיפוסי
ar′che·type′ (-k-) *n.* אבטיפוס
ar′chiman′drite (-k-) *n.* ראש-מינזר, ארכימנדריט
ar′chipel′ago′ (-k-) *n.* ארכיפלג, קבוצת איים קטנים
ar′chitect′ (-k-) *n.* אדריכל
ar′chitec′tural (-kitek′ch-) *adj.* אדריכלי
ar′chitec′ture (-k-) *n.* אדריכלות
ar′chives (-kīvz) *n-pl.* גנזך
ar′chivist (-k-) *n.* ארכיבר
arch′way′ *n.* מעבר מקומר
arc lamp קשת-וולטה, קשת-פחם
arc′tic *adj.* ארקטי, של הקוטב הצפוני
arc welding ריתוך בקשת-פחם
ar′dent *adj.* נלהב, מלא התלהבות
ar′dor *n.* להט, התלהבות
ar′duous (-′jōōəs) *adj.* קשה, מפרך
are (är) *n.* אר (מידת שטח, 100 מ"ר)
are, you are (är) אתה, אתם, הנך
ar′e·a (ār′iə) *n.* שטח; איזור
area code *n.* איזור חיוג, קידומת
are′na *n.* זירה
aren't = are not, am not (ärnt)
ar′gent *n&adj.* כסף; כסוף
Ar′genti′na (-tē′-) *n.* ארגנטינה
Ar′gentin′e·an *adj.* ארגנטיני
ar′gon′ *n.* ארגון (יסוד כימי)
ar′got *n.* ארגו, שפת הגנבים
ar′gu·able (-gū-) *adj.* בר-ויכוח
ar′gue (-gū) *v.* להתווכח; לטעון; לנמק; להוכיח
- argue him into להשפיע עליו, לשדלו
- argue him out of לשכנעו לבל, להניאו מ-
ar′gu·ment *n.* ויכוח; טיעון; נימוק, טעם; תקציר; ארגומנט
ar′gu·men·ta′tion *n.* הנמקה, הנמק
ar′gu·men′tative *adj.* פולמוסי
ar′gy-bar′gy *n.* *ויכוח, מהומה, התנצחות
a′ria (ä-) *n.* אַרְיָה (שיר)
ar′id *adj.* יבש, צחיח
arid′ity *n.* יובש, צחיחות
Aries (ār′ēz) *n.* מזל טלה
aright′ *adv.* כיאות, כראוי
arise′ (-z) *v.* להתהוות; להתעורר
- arise from לנבוע מ-
ar′istoc′racy *n.* אריסטוקרטיה
aris′tocrat′ *n.* אריסטוקרט
aris′tocrat′ic *adj.* אריסטוקרטי

arith′metic′ *n.* חשבון, אריתמטיקה
ar′ithmet′ical *adj.* חשבוני
arithmetical progression טור חשבוני
arith′meti′cian (-tish′ən) *n.* מומחה בחשבון
ark *n.* תיבה, תיבת-נוח
Ark of the Covenant ארון-הברית
arm *n.* זרוע, יד; שרוול; ענף
- air arm זרוע אווירית, חיל אוויר
- an arm and a leg *סכום הגון
- arm in arm שלובי זרוע
- as long as your arm *ארוך ביותר
- baby in arms תינוק בחיתוליו
- keep at arm's length להתרחק מ-
- with open arms בזרועות פתוחות
arm *v.* לחמש, לצייד; להזדיין, להצטייד
ar·ma′da (-mä-) *n.* צי, ארמדה
ar′madil′lo *n.* ארמדיל
ar′mament *n.* חימוש
- armaments ציוד, כוחות צבא
ar′mature *n.* עוגן (של מנוע חשמלי)
armband *n.* סרט-שרוול
armchair *n.* כורסה
- armchair critic מבקר-כורסה, מתרווח על כורסתו ומותח ביקורת
armed *adj.* מזוין, מצויד
armed forces הכוחות המזויינים
armed services השירותים המזויינים
Ar·me′nia *n.* ארמניה
arm′ful′ (-fool) *n.* מלוא הזרוע
arm-hole *n.* חור השרוול (בבגד)
ar′mistice (-tis) *n.* שביתת נשק
arm′let *n.* צמיד, סרט שרוול
ar·moire′ (-mwär′) *n.* ארון
ar′mor *n.* שיריון; חיל שיריון
armored *adj.* משוריין
armored car *n.* שיריונית
ar′morer *n.* נַשָּק, יצרן נשק
ar·mo′rial *adj.* של מגן
armor plate שיריון
armor-plated *adj.* משוריין
ar′mory *n.* נשקייה; מחסן נשק
arm′pit′ *n.* בית השחי
armrest *n.* משענת זרוע, משענת יד
arms *n-pl.* נשק, כלי-מלחמה; שלט-גיבורים
- bear arms לשאת נשק, לשרת בצבא
- lay down one's arms להניח את נישקו
- take up arms להתכונן לקרב
- under arms מזויין, נכון לקרב
- up in arms מתקוממים
arms race מירוץ החימוש
arm twisting לחץ פיסי/מוסרי
arm wrestling הורדת ידיים
ar′my *n.* צבא; מחנה, ארמיה
army corps גיס (צבאי)
aro′ma *n.* ריח נעים; ארומה, בסומת
ar′omat′ic *adj.* ריחני, ארומתי, ניחוחי
arose′ = pt of arise (-z)
around′ *adv.* סביב, מסביב; בסביבות
- be around להסתובב, להיות בסביבה
- has been around סייר בעולם
- turn around לפנות לאחור
- up and around קם, מסתובב
around *prep.* מסביב ל-, קרוב ל-
- go/get around לעקוף, להערים על

arouse′ (-z) *v.* לעורר, להעיר
ar·peg′gio′ (-pej′iō) *n.* תצליל שבור
ar′rack *n.* ערק, ארק, יי״ש
arraign′ (ərān′) *v.* להעמיד לדין, להאשים
arraignment *n.* האשמה
arrange′ (ərānj′) *v.* לסדר; לתכנן; ליישב, להסדיר; לעשות תסדיר, לעבד
arrangement *n.* סידור; הסדר; תסדיר, עיבוד מוסיקלי
ar′rant *adj.* מובהק, גמור
ar′ras *n.* שטיח-קיר
array′ *v.* לערוך, להציב במערך; להלביש
array *n.* תצוגה; כוח, מערך; בגדים
arrears′ *n-pl.* פיגורים
- in arrears בפיגור
arrest′ *v.* לעצור, לעכב; לרתק
arrest *n.* מעצר, מאסר
- under arrest במעצר
arrester hook אונקל-בלימה (לבלימת מטוס על נושאת-מטוסים)
arresting *adj.* מעניין, מרתק
arrest of judgement עיכוב הליכים, הפסקת משפט
arri′val *n.* הגעה, כניסה, הופעה
- new arrival בא, אורח; *נולד, תינוק
arrive′ *v.* להגיע, לבוא; להיוולד; להצליח, להגיע למשהו
- arrive at להגיע ל-
ar′riviste′ (-vēst) *n.* נדחק, שאפתן, מרפקן
ar′rogance *n.* יהירות
ar′rogant *adj.* יהיר; מתנשא
ar′rogate′ *v.* לתבוע, ליטול (שלא כדין); לייחס (שלא בצדק)
ar′roga′tion *n.* תביעה (שלא כדין)
ar′row (-ō) *n.* חץ
arrowhead *n.* ראש חץ
arse *n.* *ישבן, תחת
arsehole *n.* *פי הטבעת; אידיוט
ar′senal *n.* מחסן-נשק
ar′senic *n.* זרניך, ארסן
ar′son *n.* הצתה בזדון
art *n.* אמנות
- arts מדעי הרוח
- the fine arts האמנויות היפות
- work of art יצירה אמנותית
art, thou art = you are אתה, הינך
art dec′o אר דקו, סגנון באמנות
ar′tefact′ = artifact
ar·te′rial *adj.* עורקי, של עורק
ar·te′rio·sclero′sis *n.* טרשת
ar′tery *n.* עורק; כביש עורקי
ar·te′sian well (-zhən) באר ארטזית
art′ful *adj.* פיקחי; ערמומי
ar·thri′tis *n.* דלקת המיפרקים
ar′tichoke′ *n.* קינרס, חרשף, ארטישוק
ar′ticle *n.* פריט, חפץ; מאמר, סעיף
- articles חוזה, חוזה חניכות
- definite article = the
- indefinite article = a, an
- leading article מאמר ראשי
article *v.* לקשור ע״י חוזה
articled clerk מתמחה, סטאז׳ר
ar·tic′u·late *adj.* מחותך, ברור; מתבטא בבהירות; מחובר במיפרקים

ar·tic′u·late′ *v.* לדבר ברורות, לבטא בבהירות; לחבר במיפרקים
articulated *adj.* מחובר במיפרקים
ar·tic′u·la′tion *n.* חיתוך הדיבור, הבעה, הגייה, ביטוי; מיפרק
ar′tifact′ *n.* כלי קדום; חפץ שימושי, מכשיר, מוצר מלאכותי
ar′tifice (-fis) *n.* תחבולה, מומחיות
ar·tif′icer *n.* מומחה, אומן, מכונאי
ar′tifi′cial (-fi-) *adj.* מלאכותי, מעושה
artificial insemination הזרעה מלאכותית
artificial intelligence בינה מלאכותית
artificial respiration הנשמה מלאכותית
ar·til′lery *n.* ארטילריה, חיל תותחנים, תותחנות
ar′tisan (-z-) *n.* אומן, פועל מיומן
art′ist *n.* אמן, צייר; שחקן, ארטיסט
ar·tiste′ (-tēst) *n.* אמן, שחקן
ar·tis′tic *adj.* אמנותי, שחקני
ar′tistry *n.* כישרון אמנותי
artless *adj.* טבעי, פשוט, תמים
artwork *n.* איורים
art′y *adj.* מתיימר להיות שוחר אמנות
arty-crafty *n.* *מפריז במלבושים מתוצרת בית
ar′um *n.* לוף (צמח בר)
Ar′yan (ā-) *adj.* ארי, הודו-אירופי
as (az, əz) *adv&conj.* כ-, כמו, כפי ש-; כש-; מכיוון ש-; אף-על-פי-ש-; באותה מידה
- as against לעומת, בהשוואה ל-
- as for, as to באשר ל-
- as from החל מ-, מתאריך-
- as good as dead חשוב כמת
- as good as one's word מקיים הבטחתו
- as if, as though כאילו, כמו
- as is *כמות שהוא, כפי שהוא
- as it is במציאות, למעשה
- as it were כביכול, כאילו
- as long as כל עוד, כל זמן ש-, בתנאי ש-, מכיוון ש-
- as much כך, בדומה לכך
- as of החל מ-, מתאריך-; עד (תאריך)
- as opposed to בניגוד ל-
- as regards באשר ל-, לפי, בהתאם
- as soon as מיד כש-, אך
- as soon as possible בהקדם האפשרי
- as to בנוגע, לגבי; לפי, בהתאם ל-
- as well גם כן
- as well as וגם, וכמו כן
- as yet עד עתה, עד כה
- as... as... כמו, כפי
- so as to כדי ל-, באופן ש-
- such as כגון
a.s.a.p. *adv.* בהקדם האפשרי
as·bes′tos *n.* אזבסט
ascend′ *v.* לטפס, לעלות על; להתרומם
- ascend the throne לעלות על כיסא המלוכה
ascend′ancy *n.* שליטה, עליונות
ascend′ant *adj.* מתרומם, עולה
- in the ascendant עולה, שולט
ascend′ency *n.* שליטה, עליונות
ascend′ent *adj.* מתרומם, עולה
ascen′sion *n.* עלייה, התרוממות
ascent′ *n.* טיפוס; התרוממות; מַעֲלֶה
as′certain′ *v.* לוודא, לאמת, לברר
ascertainable *adj.* שאפשר לוודאו
ascet′ic *adj&n.* פרוש, סגפן; נזירי
ascet′icism′ *n.* סגפנות
ASCII אסקי (תווי מחשב)
ascor′bic acid ויטמין סי
ascribable *adj.* ניתן לייחסו ל-
ascribe′ *v.* לייחס ל-, לתלות ב-
ascrip′tion *n.* ייחוס, שיוך
a·sep′sis *n.* חוסר-אלח, ניקיון
a·sep′tic *adj.* לא אלוח, נקי, לא מזוהם
a·sex′ual (-kshōōəl) *adj.* חסר-מין
a·sex′ual′ity (-kshōōal-) *n.* אי-מיניות
ash *n.* אפר, רמץ; מֵילָה (עץ)
- ashes אפר, אפר הגוף
ashamed′ (əshāmd′) *adj.* מתבייש, נכלם
ash-bin, ash-can *n.* פח אשפה
ash′en *adj.* חיוור, אפור
ashore′ *adv.* לחוף, על החוף
ash-tray *n.* מאפרה
Ash Wednesday יום א' של לנט
ash′y *adj.* אפור, אפרורי, חיוור
Asia (ā′zhə) *n.* אסיה
A′sian (-shən) *adj.* אסייתי
aside′ *adv.* הצידה, בצד, לצד
- aside from חוץ מ-, מלבד
- joking aside צחוק בצד
- lay aside להניח, לשים בצד
- put aside להניח, לשים בצד
- set aside לבטל; להפריש, להקצות
aside *n.* הערה צדדית (של שחקן)
as′inine′ *adj.* חמורי; *טיפשי
ask *v.* לשאול, לבקש, לדרוש; להזמין
- ask after לשאול לשלומו, להתעניין ב-
- ask for it להזמין לעצמו צרות
- ask for trouble להזמין צרות
- ask her out להזמינה לצאת עימו
- ask him in להזמינו להיכנס
- ask over/round להזמין לביקור
- for the asking רק תבקש, לכל דורש
askance′ *adv.* בחוסר אמון
- look askance at להביט בחשדנות על
askew′ (-kū) *adv.* באלכסון, בנטייה
asking price המחיר הנדרש
aslant′ *adv.* באלכסון
asleep′ *adj.* ישן, נרדם
- fall asleep להירדם
asp *n.* אפעה (נחש)
aspar′agus *n.* אספרגוס
as′pect′ *n.* מראה, הופעה, חזות; כיוון, צד; נקודת-ראות, פן, זווית, אספקט, היבט, בחינה
as′pen *n.* צפצפה (עץ)
asper′ity *n.* גסות, קשיחות; קושי, חיספוס
- asperities מלים קשות; תנאים קשים
asperse′ *v.* להשמיץ, להלעיז
asper′sion (-zhən) *n.* דיבה, השמצה
- cast aspersion on להטיל דופי ב-
as′phalt (-fôlt) *n.* אספלט, חימר, כופר
asphalt *v.* לכסות (כביש) באספלט
as′phodel′ *n.* עירית (צמח, פרח)
as·phyx′ia *n.* חנק, מחנק

as·phyx′iate′ *v.* לחנוק; להיחנק
as·phyx′ia′tion *n.* חנק, מחנק
as′pic *n.* קריש, מיקפא
as′pirant *n.* שאפתן
as′pirate′ *v.* לבטא הא בנשיפה, להפיק
as′pirate *n.* הגה מופק, הא מופקת
as′pira′tion *n.* שאיפה
aspire′ *v.* לשאוף
as′pirin *n.* אספירין
ass *n.* חמור; טיפש; *ישבן
- make an ass of oneself "להתנהג כמו חמור"
assail′ *v.* להסתער, להתנפל, להתקיף
assailant *n.* מתקיף, מתנפל
assas′sin *n.* רוצח, מתנקש
assas′sinate′ *v.* לרצוח, להתנקש
assas′sina′tion *n.* התנקשות, רצח
assault′ *n.* התקפה, התנפלות, תקיפה
assault *v.* להסתער, להתנפל, להתקיף
assault and battery תקיפת אדם
assault course מסלול מכשולים
assay′ *n.* בחינה (של מתכת)
assay *v.* לבדוק, לבחון; לנסות
assem′blage *n.* איסוף, אוסף; הרכבה
assem′ble *v.* לאסוף; להתאסף; להרכיב
assemb′ler *n.* אוסף, מרכיב, מסדר, אסמבלר (שפת מחשב)
assem′bly *n.* ציבור, אסיפה; הרכבה, בנייה; בית-מחוקקים; מתן אות למיסדר
assembly line שיטת הסרט הנע
assemblyman *n.* חבר בית המחוקקים
assembly room אולם מסיבות
assent′ *n.* הסכמה, אישור
- by common assent בהסכמה כללית
- with one assent פה אחד
assent *v.* להסכים
assert′ *v.* לטעון, להצהיר, להביע; להגן על, לעמוד על
- assert oneself להפגין סמכותיות; לדחוק עצמו, להתבלט
asser′tion *n.* טענה, עמידה בתוקף
asser′tive *adj.* תקיף, דעתן
assertiveness *n.* תקיפות, דעתנות
assess′ *v.* להעריך, לאמוד
assessment *n.* הערכה, שומה
assessor *n.* שמאי, מעריך, יועץ
as′set′ *n.* נכס, רכוש
assev′erate′ *v.* לטעון בתוקף, להצהיר
assev′era′tion *n.* טענה, הצהרה
as′sidu′ity *n.* שקדנות, התמדה
assid′uous (-j′ōōəs) *adj.* שקדן, מתמיד
assign′ (əsīn′) *v.* להקצות; למנות, לקבוע; לתת; להעביר (רכוש), להמחות; לייחס
assignable *adj.* שניתן לייחסו ל-
as′signa′tion *n.* פגישה
assignment *n.* הקצאה; משימה, תפקיד
assim′ilate′ *v.* להטמיע; להיטמע, להתבולל; לספוג, לעכל; להתעכל
- assimilate to להשוות ל-, להתאים
assim′ila′tion *n.* טמיעה, התמזגות
assist′ *v.* לעזור, לסייע ל-
assis′tance *n.* עזרה, סיוע, עזר
assis′tant *n.* עוזר, אסיסטנט, סיע
assize′ *n.* ישיבת בית-דין
asso′ciate *n.* שותף, חבר; חבר מוגבל
בזכויות
asso′ciate′ *v.* לקשר, לאחד; להתאחד; להתחבר, להתרועע
- associate oneself with להצטרף ל-, להיות שותף ל-
asso′cia′tion *n.* איגוד; התחברות; קשרים; אסוציאציה, זיכרה, החבר
association football כדורגל
as′sonance *n.* אסונאנס, חרוז-תנועה
assort′ *v.* לסווג, למיין
assorted *adj.* מגוון, מעורב
- ill-assorted לא מתאימים
- well-assorted הולמים זה את זה
assort′ment *n.* מיגוון, מיבחר
assuage′ (əswāj′) *v.* להרגיע, לשכך
assume′ *v.* להניח, לקבוע הנחה; ליטול, לקחת, לתפוס; ללבוש ארשת-
- assume office להיכנס לתפקיד
- assuming (that) אם נניח ש-
assuming *adj.* מתייהר
assump′tion *n.* הנחה, השערה; נטילה, תפיסה; ארשת, הופעה מטעה
assur′ance (əshoor-) *n.* הבטחה; ביטחון, אמונה; ביטחון עצמי; ביטוח
- make assurance doubly sure להסיר כל ספק
assure′ (əshoor′) *v.* להבטיח; לבטח
assured *adj.* ודאי, בטוח; בטוח בעצמו
assuredly *adv.* בלי ספק, בביטחה
as′ter *n.* אסתר (צמח, פרח)
as′terisk′ *n.* כוכבית, כוכבון, (*)
astern′ *adv.* לאחורי האונייה; מאחור
as′teroid′ *n.* אסטרואיד, בן-כוכב
asthma (az′mə) *n.* קצרת, אסתמה
asthmat′ic (azm-) *adj.* אסתמטי
astig′matism′ *n.* אסטיגמאטיות (ליקוי ראייה)
astir′ *adj.* נרגש, רוגש; ער
aston′ish *v.* להדהים
astonishment *n.* תדהמה
astound′ *v.* להדהים
as′tral *adj.* כוכבי, של הכוכבים
astray′ *adv.* שלא בדרך הנכונה
- be led astray להתדרדר, להתקלקל
astride′ *adv&prep.* ברגליים מפושקות, כשרגליו משני צידי (הסוס)
astrin′gency *n.* חומרה, קפדנות
astrin′gent *n.* מכווץ, עוצר דימום
astringent *adj.* מחמיר, חמור, קפדן
as′trogate′ *v.* לנסוע בחלל
astrol′oger *n.* איצטגנין, אסטרולוג
astrol′ogy *n.* אסטרולוגיה
as′tronaut′ *n.* אסטרונאוט, טייס-חלל
as′tronaut′ics *n.* אסטרונאוטיקה
astron′omer *n.* אסטרונום, תוכן
as′tronom′ical *adj.* אסטרונומי; עצום
astron′omy *n.* אסטרונומיה
as′tro·phys′ics (-z-) *n.* אסטרופיסיקה
astute′ *adj.* פיקח, חריף
asun′der *adv.* לחלקים, לחתיכות, בנפרד, הרחק זה מזה
- drive/force asunder להפריד
asy′lum *n.* מיקלט, מחסה; בי"ח לחולי רוח
a′symmet′ric *adj.* חסר-סימטריה
a·sym′metry *n.* חוסר-סימטריה

at *prep.* ב-, על, מ-, ליד, אצל; בשעה; לקראת, כלפי; במחיר, תמורת; בכיוון
- at 20 בגיל 20
- at a stroke "במכה אחת"
- at a word למשמע מלה אחת
- at all בכלל
- at best לכל היותר
- at first בתחילה, בהתחלה
- at home מסיבה ביתית
- at last סוף סוף
- at least לפחות
- at once מיד
- at times לפעמים
- be at it לעסוק בכך
- what are you at now? מה אתה עושה עכשיו?

at'avism' *n.* אטביזם, תורשתיות, סבל-הירושה
at'avis'tic *adj.* אטביסטי, תורשתי
atax'ia *n.* אי שליטה בשרירים, אטאקסיה
ate = pt of eat
at'elier' (-lyā') *n.* סטודיו, אולפן, אטליה
a'the·ism' *n.* אתיאיזם, כפירה
a'the·ist *n.* אתיאיסט, כופר
a'the·is'tic *adj.* אתיאיסטי
Ath'ens (-z) *n.* אתונה
ath'lete *n.* אתלט
athlete's foot פטרת הרגליים
ath·let'ic *adj.* אתלטי
ath·let'ics *n.* אתלטיקה
athwart' (əthwôrt') *prep.* לרוחב
at'las *n.* אטלס, מפון
at'mosphere' *n.* אטמוספירה; אווירה
at'mospher'ic *adj.* אטמוספירי
atmospherics *n-pl.* הפרעות אטמוספיריות
at'oll (-tôl) *n.* אטול, אי טבעתי
at'om *n.* אטום; שמץ
atom'ic *adj.* אטומי, של אטום, גרעיני
atomic bomb פיצצת אטום
atomic pile כור גרעיני
at'omize' *v.* לרסס; להפריד לאטומים
atomizer *n.* מרסס
a·to'nal *adj.* (במוסיקה) אטונלי
a'to·nal'ity *n.* אטונליות
atone' *v.* לכפר, לפייס
atonement *n.* כיפור
- Day of Atonement יום כיפור
atop' *prep.* על, מעל ל-
at'rabil'ious *adj.* מר-נפש, מלנכולי
atro'cious (-shəs) *adj.* אכזרי; רע
atroc'ity *n.* אכזריות; זוועה
at'rophy *n.* התנוונות, דילדול
atrophy *v.* לנוון; להתנוון
at'taboy' *interj.* הידד! זה גבר!
attach' *v.* לחבר, להדק; לספח; להוסיף; לעקל; להתחבר
- attach importance לייחס חשיבות
- attached to אוהב, קשור; מצורף, מסופח
- no guilt attaches to you אינך אשם
at'tache' (-təshā') *n.* ניספח (צבאי)
attache case תיק ג'יימס בונד
attachment *n.* סיפוח; אביזר, קביע; חיבה, משיכה; עיקול

attack' *v.* להתקיף, לתקוף
attack *n.* התקפה, התקף; פתיחה, גישה
attain' *v.* להגיע ל-, להגשים, להשיג
attainable *adj.* ניתן להשיגו
attain'der *n.* הפקעת נכסים וזכויות
attainment *n.* השגה, הגשמה; כישרון
attaint' *v.* לשלול זכויות
at'tar *n.* שמן פרחים, ורדינון
attempt' *v.* לנסות, להשתדל
attempt *n.* ניסיון, השתדלות
- attempt on his life התנקשות בחיו
attend' *v.* לבקר ב-, לנכוח, להיות נוכח; ללוות; לשרת, לטפל ב-, לדאוג ל-
- attend to להקדיש תשומת-לב ל-
attend'ance *n.* נוכחות; טיפול, שירות
- in attendance בטיפול, מטפל
- large attendance קהל גדול
attend'ant *adj.* נוכח, נלווה, מצוי
- attendant circumstances התנאים הנוכחים
attendant *n.* משרת, מלווה, סדרן
atten'tion *n.* תשומת-לב, הקשבה; התחשבות; דום! הקשב! (במיסדר)
- Attention, Mr. X לידי מר איקס
- call attention להסב תשומת-לב
- pay attention להקדיש תשומת-לב
atten'tive *adj.* מקשיב, מתרכז; אדיב, מסור, דואג ל-
atten'u·ate' (-nūāt) *v.* להחליש, להפחית (חוזק); להקליש, להדליל
attest' *v.* להצהיר, להשביע; להצהיר בשבועה; לאשר, להוכיח
- attest to להוכיח, להעיד על
at'testa'tion *n.* עדות בשבועה
attested *adj.* מאושר, בדוק
at'tic *n.* עליית-גג
attire' *v.* להלביש
attire *n.* בגדים, לבוש
at'titude' *n.* עמדה, יחס; תעמיד, עמידה
- strike an attitude לעמוד עמידה משונה, להעמיד פנים
at'titu'dinize' *v.* להתנהג בצורה מעושה, להעמיד פנים
attn. = attention
attor'ney (-tûr'-) *n.* פרקליט
- letter of attorney ייפוי כוח
- power of attorney ייפוי כוח
- state attorney פרקליט מדינה
attorney general תובע כללי; יועץ משפטי (לממשלה); שר המשפטים
attract' *v.* למשוך
attrac'tion *n.* משיכה, אטרקציה
attrac'tive *adj.* מושך, מקסים
attrib'u·table *adj.* ניתן לייחסו ל-
attrib'ute *v.* לייחס ל-, לזקוף ל-
at'tribute' *n.* סגולה, תכונה, אופי; סמל
at'tribu'tion *n.* ייחוס; תכונה
attrib'u·tive adjective תואר הבא לפני השם
attri'tion (-ri-) *n.* שחיקה, שיפשוף, התשה
- war of attrition מלחמת התשה
attune' *v.* להתאים, לסגל, לכוון
a·typ'ical *adj.* לא רגיל, לא טיפוסי
au'bergine' (ō'bərzhin') *n.* חציל
au'burn *adj.* (שיער) ערמוני

au courant (ō koorän′) *adj.* מעודכן, בעניינים
auc′tion *n.* מכירה פומבית
auction *v.* למכור במכירה פומבית
- auction off למכור במכירה פומבית
auc′tioneer′ (-shən-) *n.* כָּרוֹז
auda′cious (-shəs) *adj.* נועז; חצוף
audac′ity *n.* הרהבה; חוצפה
au′dibil′ity *n.* שמיעות
au′dible *adj.* שמיע, נשמע
au′dience *n.* קהל; חוג קוראים, צופים; ראיון (עם אישיות חשובה)
au′dio′ *adj.* של שמיעה, שמיעתי
audio frequency תדר שמע
au′diom′eter *n.* אודיומטר, מד-שמע
audio-visual *adj.* חזותי-שמיעתי, אורקולי, ראי-קולי
au′dit *n.* ביקורת חשבונות
audit *v.* לבקר חשבונות
audi′tion (-di-) *n.* מיבחן (לשחקן), אודישן; שמיעה
audition *v.* לערוך מיבחן (לשחקן)
au′ditor *n.* מבקר חשבונות; שומע
au′dito′rium *n.* אולם, אודיטוריום
au′dito′ry *adj.* של השמיעה, שמיעתי
au fait (ōfā′) *adj.* בקי, מתמצא
au fond (ōfon′) ביסודו של דבר
au′ger (-g-) *n.* מקדח
aught (ôt) *n.* משהו, כלום; *אפס
- for aught I care עד כמה שזה נוגע לי
- for aught I know למיטב ידיעתי
augment′ *v.* להגדיל; להתרבות
aug′menta′tion *n.* גידול, תוספת
au′gur *v.* לנבא, לבשר
- augur ill for להיות סימן רע ל-
augur *n.* מגיד עתידות, אבגור
au′gu·ry *n.* נבואה, סימן לעתיד
august′ *adj.* מעורר כבוד, אצילי
Au′gust *n.* אוגוסט
auld lang syne′ בימים ההם
aunt (ant) *n.* דודה
Aunt Sally מטרה ללעג
aun′ty, aun′tie (an-) *n.* *דודה
au pair′ (ō-) עוזרת, מטפלת
au′ra *n.* אווירה, הילה
au′ral *adj.* של האוזן, שמיעתי
au′re·ole′ *n.* הילה, נוגה
au revoir′ (ō rəvwär′) להתראות!
au′ricle *n.* אוזן; פרוזדור הלב, אוזנית
auric′u·lar *adj.* של האוזן; שמיעתי
- auricular confession וידוי באוזני כומר
aurif′erous *adj.* מכיל זהב
auro′ra *n.* אורורה, זוהר קוטבי
aus′culta′tion *n.* האזנה (רפואית)
aus′pices (-pisēz) *n-pl.* חסות
- under favorable auspices בסימן הצלחה
- under the auspices of בחסות-
auspi′cious (-pish′əs) *adj.* מצליח; מבשר טוב, מבטיח
Aus′sie *n.* *אוסטרלי
austere′ *adj.* מחמיר, קפדני; צנוע, פשוט
auster′ity *n.* חומרה; צנע; פשטות
- austerities סיגופים, צומות
Austra′lia *n.* אוסטרליה
Austra′lian (-lyən) *adj&n.* אוסטרלי, יליד אוסטרליה
Aus′tria *n.* אוסטריה
au′tar·chy (-ki) *n.* שילטון מוחלט
au′tar·ky *n.* אוטרקיה, משק עצמאי
authen′tic *adj.* אמיתי, אמין, אותנטי
authen′ticate′ *v.* לאשר; לוודא
authen′tica′tion *n.* אישור, וידוא
au′then·tic′ity *n.* אמיתיות
au′thor *n.* מחבר, סופר; יוצר
au′thoress *n.* סופרת; יוצרת
author′ita′rian *adj&n.* דוגל ברודנות; רודני, סמכותי
authoritarianism *n.* סמכותיות
author′ita′tive *adj.* מוסמך, מהימן; תקיף, מצווה, מרותי, סמכותי
- authoritative source מקור מוסמך
author′ity *n.* סמכות, מרות; רָשוּת, שלטון; אישור; מקור, בר-סמכא, אוטוריטה
- the authorities השלטונות
au′thoriza′tion *n.* אישור, הרשאה
au′thorize′ *v.* לאשר, להסמיך
authorship *n.* מחברוּת; סופרוּת
au′tism′ *n.* אוטיסם (מחלה)
autis′tic *adj.* אוטיסטי
au′to *n.* מכונית, אוטו
auto (תחילית) עצמי, אוטו-
au′to·bi′ograph′ical *adj.* אוטוביוגרפי
au′to·bi·og′raphy *n.* אוטוביוגרפיה
auto-changer *n.* מחלף תקליטים אוטומטי
autoch′thonous (-tok′-) *adj.* מקומי
autoc′racy *n.* רודנות, אוטוקרטיה
au′tocrat′ *n.* רודן, שליט יחיד
au′tocross′ *n.* מירוץ מכוניות
au′tocue′ (-kū) *n.* מקראה לקריין טלויזיה, טלפרומפטר
au′to-da-fe′ (-fā′) *n.* אוטודפה
au′to·e·rot′icism′ *n.* אוננות
au′tograph′ *n.* אוטוגרף
autograph *v.* לחתום אוטוגרף
au′tomat′ *n.* אוטומט מכירות
au′tomate′ *v.* למכן
au′tomat′ic *adj.* אוטומטי
automatic *n.* רובה אוטומטי
au′toma′tion *n.* מיכון, אוטומציה
autom′aton *n.* אוטומט, רובוט
au′tomobile′ (-bēl) *n.* מכונית
automo′tive *adj.* קשור לרכב
auton′omous *adj.* אוטונומי
auton′omy *n.* אוטונומיה, עצמאות
autopilot *n.* טייס אוטומטי
au′top′sy *n.* אוטופסיה, ניתוח שלאחר המוות; ניתוח ביקורתי
au′tostra′da (-ä′də) *n.* כביש מהיר, אוטוסטראדה
au′to·sugges′tion (-səgjes′chən) *n.* אוטוסוגסטיה, השאה עצמית, שיכנוע עצמי
au′tumn (-təm) *n.* סתיו; עת הבשלות
autum′nal *adj.* סתווי, של סתיו
auxil′iary (ôgzil′əri) *adj&n.* עוזר
- auxiliaries ליגיון זרים
avail′ *v.* להועיל, לעזור
- avail oneself of לנצל
avail *n.* תועלת, יתרון, רווח

- of little avail מועיל אך במעט
- of no avail ללא הועיל, לשווא
- of what avail? מה-בצע?
avail'abil'ity *n.* זמינות
avail'able *adj.* ישיג, ניתן להשיגו, זמין, פנוי; שימושי, בר-תוקף
av'alanche' (-lanch) *n.* מפולת; מבול
avant'-garde' *n.* חלוץ, אוונגארד, מתקדם
av'arice (-ris) *n.* אהבת בצע
av'ari'cious (-rish'əs) *adj.* רודף בצע
avast' *interj.* עצור! (קריאת ימאים)
avaunt' *interj.* לך! כלך לך!
Ave. = avenue
avenge' *v.* לנקום
- avenge oneself on להתנקם ב-
av'enue' (-nōō) *n.* שדירה, דרך; אמצעי
aver' *v.* לטעון, להצהיר
av'erage *n&adj.* ממוצע; רגיל
- on the average בממוצע
average *v.* למצע, לחשב את הממוצע
averse' *adj.* מתנגד, סולד
aver'sion (-zhən) *n.* סלידה, שינאה
- my pet aversion הדבר השנוא עלי במיוחד
- take an aversion to לטפח שינאה כלפי, לרחוש שינאה ל-
avert' *v.* למנוע, להפנות הצידה, להסב
a'vian *adj.* של עופות
a'viar'y (-vieri) *n.* כלוב עופות
a'via'tion *n.* תעופה, אוויראות
a'via'tor *n.* טייס
av'id *adj.* להוט, שואף
avid'ity *n.* להיטות
a'vion'ics *n.* אוויוניקה, אלקטרוניקת תעופה
a•vit'amino'sis *n.* חוסר ויטמינים
av'izan'dum *n.* פרק זמן לעיון, שיקול נוסף
av'oca'do (-kä-) *n.* אבוקדו
av'oca'tion *n.* תחביב, הובי
avoid' *v.* להימנע מ-, להתחמק מ-
avoidable *adj.* מניע, ניתן למניעה
avoidance *n.* הימנעות, התחמקות
- tax avoidance הימנעות מתשלום מס
avoirdupois (av'ərdəpoiz') *n.* אבוארדיפואה (שיטת מישקל ישנה)
avouch' *v.* לערוב; להכריז
avow' *v.* להצהיר, להודות ב-
avowal *n.* הצהרה, הודאה
avowed *adj.* מוצהר, מוכרז
- avowed enemy אויב מושבע
avowedly *adv.* בגלוי, בהודאה
avul'sion *n.* הפרדה, ניתוק, סחף פתאומי
avun'cu·lar *adj.* של דוד, דומה לדוד
await' (əw-) *v.* לחכות
awake' (əw-) *v.* להעיר, לעורר; להתעורר
- awake to להיות ער ל-
awake *adj.* ער, מודע ל-
awa'ken (əw-) *v.* לעורר
- awaken him to להחדיר לתודעתו
awakening *n.* התעוררות
- rude awakening יקיצה מרה, אכזבה
award' (əwôrd') *v.* לפסוק, להעניק
award *n.* פרס, מענק; תשלום; פסק-בוררות
aware' (əwār') *adj.* עירני; מכיר, יודע, מודע ל-
awareness *n.* מוּדָעוּת, הכרה
awash' (əwôsh') *adj.* מוצף מים
away' (əwā') *adv.* הלאה, במקום אחר, במרחק, הרחק; בכיוון אחר; בלי הרף
- 2 miles away במרחק 2 מילים
- away back *לפני זמן רב
- away match מישחק חוץ
- away with him! סלקוהו!
- do away with להיפטר מ-, לחסל
- far and away מאוד, בהרבה
- keep him away from להרחיקו מ-
- look away להסב עיניו מ-
- out and away במידה רבה, בהחלט
- right/straight away מיד, תיכף
- run away לברוח
- take it away הרחק זאת
- work away לעבוד בלי הרף
awe (ô) *n.* פחד, יראת-כבוד
- stand in awe לרחוש יראת כבוד
awe *v.* לעורר יראת כבוד בלב-
awe-inspiring *adj.* מעורר יראת-כבוד
awe'some (ô'səm) *adj.* נורא, מפחיד
awe-stricken *adj.* אחוז-פחד
awe-struck *adj.* מלא פחד, הלום-אימה
aw'ful *adj.* מפחיד, איום; *"נורא"
awfully *adv.* *נורא, מאוד
- awfully nice נורא נחמד
awhile (əwīl') *adv.* זמן-מה; לרגע
awk'ward *adj.* לא נוח, קשה לטיפול; מגושם, לא-יוצלח; ביש, מביך
- awkward customer אגוז קשה
- the awkward age גיל ההתבגרות
awl *n.* מרצע
awn *n.* מלען, זקן השיבולים
aw'ning *n.* סוכך, גגונת, גגון
awoke' = p of awake (əw-)
AWOL נפקד, נעדר
awry (ərī') *adv.* במעוקם, לא כשורה
- the plans have gone awry התוכניות לא עלו יפה
ax *n&v.* גרזן; לקצץ; לפטר
- apply the ax to לקצץ ב-
- give the ax לפטר, לשלח
- got the ax *פוטר מעבודתו
- has an ax to grind יש לו עניין אישי בכך, ישנה סיבה אנוכית להתנהגותו
axe = ax (aks)
ax'es = pl of axis (-sēz)
axil'la *n.* בית השחי
ax'iom *n.* אקסיומה, אמיתה
ax'iomat'ic *adj.* ברור מאליו, אקסיומאטי
ax'is *n.* ציר, ציר הסימטריה
- the earth's axis ציר כדור הארץ
ax'le *n.* סרן, ציר
ax'on *n.* ציר העצב
aye, ay (ī) *adv.* כן, הן
- aye, aye, sir! כן, אדוני!
- for aye לעולם, לעד
- the ayes have it הרוב בעד
Az'erbai'jan' (-bījän) *n.* אזרבייג'ן
az'imuth *n.* אזימות, זווית האופק
azure (azh'ər) *adj&n.* תכול; תכלת

B

B סי (צליל)
b & b *n.* לינה וארוחת בוקר
BA = Bachelor of Arts ב"א
baa (bä) *n.* פעייה (של כבש, טלה)
baa *v.* לפעות, לגעות, לחנוב
baa-lamb *n.* *טלה, כבש
Bab′bitt *n.* מרוצה מעצמו, גשמי, קרתני, צר אופק
bab′ble *n.* פיטפוט, מילמול; פיכפוך
babble *v.* למלמל, לפטפט; לבעבע
babbler *n.* פטפטן, מגלה סודות
babe *n.* תינוק; תמים, נאיבי; *בחורה
- babe in the woods דל ניסיון, חסר אונים, מגשש באפילה
Ba′bel *n.* רעש, המולה; בבל
baboon′ (-ōōn) *n.* בבון (קוף)
babush′ka (-boosh′-) *n.* מטפחת ראש
ba′by *n.* תינוק; זעיר; *בחורה, מותק
- baby car מכונית קטנה
- carry/hold the baby להיתקע עם הבעיה, לשאת באחריות
baby *v.* לפנק
baby boom גידול בילודה
baby carriage עגלת תינוק
baby face פני תינוק
baby grand פסנתר קטן
babyhood *n.* ינקות, ילדות, טפות
babyish *adj.* ילדותי, תינוקי
Bab′ylo′nia *n.* בבל
baby-minder מטפלת בתינוקות
baby-sit *v.* לשמש כשמרטף
baby-sitter *n.* שמרטף, בייבי-סיטר
baby-talk *n.* מילמול תינוק
baby tooth שן חלב
bac′calau′re·ate *n.* תואר ב"א
bac′carat′ (-rä) *n.* בקרה (מישחק קלפים)
bac′chanal′ (bak′ən-) *n.* הולל, פרוע; הילולה, אורגייה, פריצות
bac′chana′lian (bak′ən-) *adj.* הוללני
baccy (bak′i) *n.* *טבק
bach′elor *n.* רווק, לא נשוי; בעל תואר ב"א
bachelor girl רווקה
Bachelor of Arts ב"א (תואר)
bachelor's degree תואר ב"א
bacil′lus *n.* חיידק, מתג, באצילוס
back *n.* גב, צד אחורי; מיסעד הכיסא; מגן (בכדורגל); קצה, סוף
- at one's back מאחוריו, תומך בו
- at the back of מאחורי-
- back to back גב אל גב
- behind his back מאחורי גבו
- break her back (לגבי אונייה) להתבקע לשניים
- break his back להעבידו בפרך
- break the back of לסיים את החלק הקשה, לעבור את מחצית הדרך
- get off his back להניח לו, "לרדת ממנו"
- get one's back up להתרגז
- glad to see the back of him שמח להיפטר ממנו
- on his back מציק לו
- on one's back חולה, שוכב, חסר-אונים
- put his back up להרגיזו
- put one's back into להתמסר במרץ
- turn one's back on לפנות עורף ל-
- with one's back to the wall בגבו אל הקיר
back *v.* להוליך אחורה; לנוע לאחור; לתמוך ב-; להמר על
- back a bill להסב שטר
- back away לסגת, להירתע
- back down/off לוותר, לסגת מ-
- back out להתחמק מ-, לסגת
- back up לתמוך, לתת גיבוי; לנוע לאחור; לסתום, לחסום
- back water לסגת
- backed with מצופה מאחור ב-
- backed with silk ביטנתו עשויה משי
back *adj.* אחורי, אחורני, מפרעי
- be back לחזור, לשוב
back *adv.* אחורה, בחזרה, שוב; לעיל, לפנים, בעבר
- (in) back of *מאחורי
- back and forth הלוך ושוב
- get back at לגמול, להחזיר
- go back on להפר, לא לקיים; לבגוד
backache *n.* כאב גב
backbench *n.* ספסל אחורי
back′bite′ *v.* לרכל על, להלעיז
backboard *n.* (בכדורסל) לוח הסל
backbone *n.* חוט-שידרה; תקיפות-דעת
- to the backbone עד לשד עצמותיו
backbreaking *adj.* מפרך, קשה
backchat *n.* עזות, חוצפה, תשובה גסה
backcloth *n.* תפאורה אחורית
backcomb *v.* לנפח שיער
back′date′ *v.* להחיל למפרע
back door *n.* כניסה אחורית
backdoor *adj.* חשאי, סודי, עקיף
backdrop *n.* תפאורת-רקע
backer *n.* תומך, מממן; מהמר
backfield *n.* השחקנים האחוריים
backfire *n.* התפוצצות לפני זמנה
backfire *v.* להתפוצץ לפני זמנו; להשתבש; להביא תוצאה לא רצויה; לפעול כבומראנג
back′gam′mon *n.* שש-בש (מישחק)
background *n.* רקע
background music מוסיקת רקע
backhand *n.* (בטניס) חבטה בגב היד
backhanded *adj.* בגב-היד, של גב-היד, גבית
- backhanded compliment מחמאה מפוקפקת
backing *n.* תמיכה, תימוכין, גיבוי; תומכים; ליווי מוסיקלי
backlash *n.* רתיעה לאחור; תנועה נגדית, מגמה נגדית
backlog *n.* הצטברות, פיגורים
backmost *adj.* אחורי, האחרוני
backnumber *n.* עיתון ישן; *מיושן, יצא מן האופנה
backpack *n.* תרמיל גב
back passage רקטום, פי-הטבעת
backpedal *v.* לדווש לאחור; לסגת,

לחזור בו
backrest *n.* מסעד, משענת גב
backroom boys מדעני החדר האחורי (התורמים לניצחון), חיילים אלמונים
back seat מעמד מישני; מושב אחורי
back-seat driver נהג המושב האחורי (נוסע המשיא עצות לנהג)
backside *n.* *ישבן, עכוז
backslash *n.* קו נטוי הפוך
backslide *v.* להתדרדר, לחזור לסורו
backspace *n&v.* (במכונת כתיבה) מקש ההחזרה; להחזיר (הסמן)
backstage *n.* אחורי הקלעים
backstairs *adj.* סודי, חשאי, עקיף
- backstairs talk רכילות
back-stay *n.* חבל אחורי (בספינה)
back street רחוב אחורי, רחוב צדדי
backstroke *n.* שחיית גב
back talk חוצפה, עזות
backtrack *v.* לסגת, לחזור בו
back'up' *n.* תחליף, גיבוי, רזרבה
backward *adj.* פונה לאחור, מפגר, לא מתקדם; ביישן, מהסס
backward(s) *adv.* אחורנית, אחורה
- bend over backwards להתאמץ מאוד
- know it backwards לדעת זאת יפה
- backwards and forwards הנה והנה
backwash *n.* זרימה לאחור (של מים); תוצאת-לוואי
backwater *n.* מים עומדים; פיגור, מקום מנותק
backwoods *n-pl.* שממה, מקום נידח
backyard *n.* חצר אחורית
ba'con *n.* קותל חזיר
- bring home the bacon *לפרנס משפחה; להצליח במשימה
- save one's bacon *להינצל בנס
bac·te'ria *n-pl.* בקטריות, חיידקים
bac·te'rial *adj.* של בקטריות
bac·te'riol'ogist *n.* בקטריולוג
bac·te'riol'ogy *n.* בקטריולוגיה
bad *adj.* רע, גרוע, מזיק, חולה; רציני; חמור
- bad business עסק ביש
- bad coin מטבע מזויף
- bad egg/hat/lot/type *טיפוס רע
- bad form לא נימוסי
- bad lands קרקעות בור
- bad leg רגל כואבת
- bad name שם רע, כינוי גנאי
- bad shot ניחוש לא קולע
- bad word מלה גסה
- be taken bad להרגיש רע, לחלות
- feel bad about it להצטער על כך
- go bad להתקלקל
- go from bad to worse להתדרדר
- in a bad temper רוגז, כועס
- in a bad way במצב חמור, בצרה
- in bad faith בהונאה, בלי הגינות
- in bad with *בצרות עם
- not (half) bad לא רע, בסדר
- too bad *חבל, אני מצטער
- with bad grace מתוך אי רצון
bad *n.* רוע, רע
- go (to the) bad להתדרדר, להתקלקל
- in bad בצרה, במצוקה
- the bad הרעים, הרשעים
- to the bad בחובה, בהפסד
bad blood איבה, טינה
bad debt חוב אבוד, חוב מסופק
bad'dy *n.* *רע, רשע
bade = pt of bid
badge *n.* תג, סמל, אות
badg'er *n.* גירית, פרוות הגירית
badger *v.* להציק, להטריד, לנדנד
bad'inage' (-näzh') *n.* ליגלוג, היתול
badly *adv.* בצורה גרועה; מאוד מאוד
- badly in need of זקוק מאוד ל-
badly-off *adj.* עני, דל
bad'min'ton *n.* נוצית (מישחק)
bad-mouth *v.* *להשמיץ, להלעיז
bad news *נודניק, טיפוס לא נעים, דבר מטריד
bad-tempered *adj.* רגזן, מהיר לכעוס
baf'fle *v.* להביך, לבלבל; לסכל
baffle *n.* וסת-זרם, לוח ויסות
bafflement *n.* מבוכה, בילבול
bag *n.* תיק, ילקוט, ארנק, שקית; שלל-ציד (עופות, חיות)
- bag and baggage עם כל חפציו
- bag of bones גל עצמות, כחוש
- bags מיכנסיים רחבים
- bags of *הרבה, "המון"
- in the bag *מונח בכיס, מובטח
- left holding the bag נושא באשמה או באחריות; *סידרו אותו
- the whole bag of tricks *הכול, כל הדרוש
bag *v.* לשים בילקוט; להרוג, לצוד; *לתפוס, "לסחוב"; להיות תלוי כשק
- bag a chair לתפוס כיסא (מקום)
bag'atelle' *n.* דבר קל-ערך; זוטה, בגטלה
ba'gel (-g-) *n.* כעך, בייגל׳ה
bag'gage *n.* מיטען, מיזוודות, חבילות, ציוד צבאי; *נערה שובבה
bag'gy *adj.* תלוי ברפיון
bag'pipe' *n.* חמת חלילים
bah (bä) *interj.* בה! (קריאת בוז)
Bahrain' (bärān') *n.* בחריין
bail *n&v.* ערבות; שחרור בערבות; מוטית (להחזקת נייר)
- bail out לשחרר בערבות; לרוקן ממים; לצנוח ממטוס; לחלץ ממצוקה
- go bail לערוב, להפקיד ערבות
- jump/skip bail לברוח, לערוק
- out on bail משוחרר בערבות
bail'ee' *n.* נאמן, שומר, אפיטרופוס
bai'ley *n.* חומה חיצונית
Bailey bridge גשר ביילי
bai'liff *n.* פקיד בית המשפט, פקיד הוצאה לפועל; מנהל אחוזה
bailment *n.* הפקדה (בידי נאמן)
bailor *n.* מפקיד (בידי נאמן)
bailout *n.* חילוץ ממצוקה, עזרה כספית
bait *n.* פיתיון, פיתוי
- rise to the bait לבלוע הפיתיון
bait *v.* לשים פיתיון; להציק, להרגיז
baize *n.* בייז (אריג צמר עבה)
bake *v.* לאפות; להקשות בחימום; להתחמם, להשתזף
- half-baked טיפש, טיפשי

Ba′kelite′ *n.* בקליט
baker *n.* אופה, פועל מאפייה
- baker's dozen שלושה-עשר, 13
ba′kery *n.* מאפייה
baking-hot *adj.* לוהט, חם מאוד
baking powder אבקת אפייה
bak′sheesh *n.* בקשיש, נדבה
bal′alai′ka (-lī′-) *n.* בללאיקה
bal′ance *n.* מאזניים; שיווי-מישקל; יציבות; מאזן; יתרה
- favorable balance מאזן חיובי
- hold the balance להיות לשון המאזניים (בפרלמנט)
- in the balance על כף המאזניים
- keep one's balance לשמור על שיווי מישקל
- lose one's balance לאבד שיווי המישקל
- off balance מתמוטט, לא יציב
- on balance בהתחשב בכול
- strike a balance להגיע להסדר, לפשר, למצוא את שביל הזהב; למצוא היתרה
balance *v.* לשקול, להשוות, לאזן; להתאזן
balanced *adj.* מאוזן, יציב, שקול
balanced diet דיאטה מאוזנת
balance of payments מאזן התשלומים
balance of power מאזן הכוחות
balance of trade מאזן מיסחרי
balance sheet מאזן
balancing act פעולה מאזנת, פעולה לריצוי מתנגדים
balconied *adj.* בעל מירפסות
bal′cony *n.* מירפסת; יציע
bald (bôld) *adj.* קירח; גלוי, פשוט, ללא כחל ושרק
bal′derdash′ (bôl-) *n.* שטויות
bald-head *n.* קירח
baldly *adv.* בגלוי, גלויות
bal′dric (bôl-) *n.* חגורה (לחרב)
bale *n&v.* חבילה, צרור; לצרור, לארוז
- bale out לצנוח ממטוס פגוע
baleful (bāl′fəl) *adj.* רע, מלא שנאה
balk (bôk) *n.* קורה, מוט; מעצור, מיכשול
balk *v.* לסרב להתקדם, להסס, לעצור, להירתע; לעמוד בדרכו, לסכל
Bal′kan (bôl-) *n.* בלקן
balky *adj.* עקשן, עוצר
ball (bôl) *n.* כדור, כדור מישחק
- balls *שטויות; אשכים
- have the ball at one's feet להיות בעל סיכויי-הצלחה
- keep the ball rolling לתת לכדור להתגלגל, להמשיך את הפעילות
- on the ball עירני, יעיל, מוכשר
- play ball *לשתף פעולה
- the ball is in his court הכדור נתון בידיו, הכדור במיגרשו
- three balls סימן המשכונאי
ball *v.* להתכדר, להתעגל
- ball up *לקלקל, להרוס; לבלבל
ball *n.* נשף ריקודים
- have a ball *לעשות חיים
- open the ball לפתוח בפעולה
bal′lad *n.* בלדה, שיר
bal′last *n&v.* זבורית (משא לייצוב הספינה); חצץ; יציבות; למלא בזבורית
ball bearing מיסב כדוריות
ballboy, -girl *n.* אוסף/אוספת כדורים
ball-cock *n.* מצוף (של מיכל), צף
ball-dress *n.* שימלת-נשף
bal′leri′na (-rē′-) *n.* בלרינה
bal′let (-lā) *n.* בלט, מחול
ballet-dancer *n.* רקדן בלט
ballis′tic *adj.* בליסטי
ballistics *n.* בליסטיקה
ball′ocks (bôl-) *n.* *שטויות; אשכים
balloon′ (-o͞on) *n.* כדור פורח; בלון
- captive balloon בלון קשור
balloon *v.* להתנפח
balloonist *n.* טייס כדור-פורח
bal′lot *n.* הצבעה חשאית; פתק הצבעה; מספר הקולות; זכות הצבעה
ballot *v.* לערוך הצבעה; להגריל
ballot box קלפי
ballot paper פתק הצבעה
ballpark *n&adj.* מגרש בייסבול; קרוב, בערך
ball point pen עט כדורי
ballroom *n.* אולם ריקודים
bal′ly = bloody *adv.* *לעזאזל
bal′lyhoo′ *n.* *פרסומת רעשנית
balm (bäm) *n.* תרופה מרגיעה, צרי
balmy *adj.* מרגיע, נעים, ריחני; *שוטה
balo′ney *n.* שטויות
bal′sam (bôl-) *n.* בלסמון, בושם
bal′uster *n.* עמוד-מעקה
bal′ustrade′ *n.* מעקה, בלוסטראדה
bam·bi′no (-bē′-) *n.* תינוק, ילד
bam·boo′ *n.* במבוק, חיזרן
bam·boo′zle *v.* *לרמות, לבלבל
ban *v.* לאסור, להחרים
ban *n.* איסור; נידוי
banal′ *adj.* באנאלי, נדוש, שיגרתי
banal′ity *n.* באנאליות, נדישות, שיגרתיות
banan′a *n.* בננה, מוז
- go bananas *להשתגע, להיתקף חימה
banana skin קליפת בננה, מקור צרות, שגיאה
banana spilt גלידת בננה, ליפתן בננה
band *n.* רצועה, פס, סרט
band *v.* לשים רצועה על
band *n&v.* קבוצה, כנופייה; תיזמורת
- band together להתאחד
band′age *n.* תחבושת, רטייה
bandage *v.* לחבוש (פצע)
band-aid *n.* אגד מידבק; פתרון זמני
ban·dan′na *n.* מיטפחת ציבעונית
b and b לינה וארוחת-בוקר
bandbox *n.* תיבת כובעים (לאישה)
- out of a bandbox מצוחצח, מטופח
ban·deau′ (-dō) *n.* סרט (לשיער)
ban′dit *n.* שודד, גזלן
ban′ditry *n.* שוד, גזל
bandmaster *n.* מנצח תזמורת
ban′doleer′ *n.* פונדה, חגורה
bandsman *n.* חבר תזמורת
bandstand *n.* בימת התזמורת
bandwagon *n.* קרון התזמורת
- jump on the bandwagon לקפוץ על העגלה

ban'dy *v.* להחליף (מלים, מכות)
- bandied about נושא לרכילות
- bandy about להעביר מאיש לאיש
- bandy words להתנצח, להחליף הערות
bandy *adj.* (בעל רגליים) עקומות
bane *n.* הרס, קללה; ארס
- rat's bane רעל-עכברים
baneful *adj.* רע, ממאיר, הרסני
bang *v.* להלום, לדפוק, להרעיש
- bang away לעבוד/להרעיש בהתמדה
- bang into להיתקל ב-
- bang up *לקלקל; לפצוע
bang *n.* חבטה, קול נפץ, טריקה
- go over with a bang להצליח
bang *adv.* פתאום, בדיוק, ממש, ברעש
- bang off *מיד
- bang on *נכון, בדיוק
- go bang להתפוצץ; לטרוק; *להיכשל
bang *n&v.* (לעשות) תספורת-מצח קצרה
bang'er (-g-) *n.* *נקניק; זיקוק-נפץ; מכונית מרופטת, גרוטה
Ban'gladesh' *n.* בנגלדש
ban'gle *n.* צמיד, אצעדה
bang-up *adj.* *מצוין, יפה, מוצלח
ban'ish *v.* להגלות, לגרש; לסלק
banishment *n.* גירוש, גלות
ban'ister *n.* מעקה
ban'jo *n.* בנג'ו (כלי נגינה)
bank *n.* גדה, שפה; שיפוע, תל, ערימה (של עננים, שלג)
bank *v.* לטוס בשיפוע; לנסוע בהטייה
- bank up להיערם; לערום (שלג, עפר); לסכור נהר; להאיט בעירת אש
bank *n.* בנק, קופה; שורת קלידים; בנקאי, של בנק
- break the bank לגרוף כל הקופה
bank *v.* להפקיד (כספים) בבנק
- bank on לסמוך על
bank bill שטר בנקאי
bank-book *n.* פינקס-הפקדות
banker *n.* בנקאי, קופאי
banker's order פקודת-קבע
bank holiday יום פגרה (בבנקים)
banking *n.* בנקאות
bank note בנקנוט, שטר כסף
bankroll *n&v.* מזומנים, משאבים פיננסיים; לממן
bank'rupt' *n.* פושט רגל
- go bankrupt לפשוט רגל
bankrupt *v.* לגרום לפשיטת רגל
bankrupt *adj.* חסר-, נעדר-, נטול-
bank'rupt'cy *n.* פשיטת-רגל
ban'ner *n.* דגל, נס, כרזה
- banner headline כותרת ענקית
- under the banner of בסיסמת, כשעל דיגלו חרות-
banner *adj.* מצוין, כביר
ban'nock *n.* לחם ביתי, עוגה ביתית
banns *n-pl.* הודעת נישואין
ban'quet *n.* מסיבה, סעודה, מישתה
banquet *v.* לערוך מסיבה ל-; להסב
ban'tam *n.* בנטם (תרנגול)
bantam weight מישקל תרנגול
ban'ter *v.* להתלוצץ, להתבדח
banter *n.* לצון, התבדחות

ba'o·bab' *n.* באובב (עץ)
bap'tism' *n.* טבילה, הטבלה, שיעמוד
- baptism of fire טבילת אש
bap·tis'mal (-z-) *adj.* של טבילה
Bap'tist *n.* בפטיסט
bap·tize' *v.* להטביל לנצרות, לשעמד
bar *n.* מוט; בריח; מחסום; מחיצה, תא; שירטון; עיטור; פס; רף; בר, מיסבאה, דלפק; לישכת עורכי הדין; תיבה (במוסיקה)
- bar of chocolate טבלת שוקולדה
- bar of public opinion חוות דעת הציבור, דעת הקהל כשופט
- bar of soap חתיכת סבון
- be called to the bar לקבל תואר עורך-דין
- behind bars מאחורי סורג ובריח
- the bar פרקליטות; מחיצת השופטים
- the prisoner at the bar הנאשם
bar *v.* לסגור, לנעול, לחסום; לאסור, לשלול; לסמן בפסים
bar *prep.* חוץ מ-, זולת, בר
- bar none ללא יוצא מהכלל
barb *n.* חוד, קרס, וו כפוף
bar·ba'rian *n.* פרא; ברברי
bar·bar'ic *adj.* ברברי
bar'barism' *n.* ברבריות, ברבריזם
bar·bar'ity *n.* ברבריות
bar'barize' *v.* להפכו לברברי
bar'barous *adj.* ברברי, פראי
bar'be·cue' (-kū) *n.* פיקניק-צלי, ברבקיו; צלי; מחתה, אסכלה
barbecue *v.* לצלות (על מחתה)
barbed (bärbd) *adj.* בעל חוד, עוקץ
barbed wire תיל דוקרני
bar'ber *n.* סַפָּר
bar'bican *n.* מיגדל מבוצר
bar·bit'urate (-bich-) *n.* תרופת הרגעה
bar'carole' *n.* ברקרולה, שיר
bar chart/graph תרשים עמודות
bar code ברקוד
bard *n.* משורר
- the Bard שקספיר
bar·dol'atry *n.* הערצת שקספיר
bare *adj.* חשוף, ערום, גלוי, ריק; מצומצם; בקושי, גרידא
- lay bare לחשוף, להציג לראווה
- with bare hands בידיו בלבד
bare *v.* לחשוף, לגלות
- bare one's head להוריד כובעו
- bare one's heart לשפוך ליבו
bareback *adv.* ללא אוכף
barebacked *adj.* חסר-אוכף
barefaced *adj.* נועז, חוצפני
barefoot *adj.* יחף
bareheaded *adj.* גלוי-ראש
bare-legged *adj.* ללא גרביים
barely *adv.* אך; בקושי, בצימצום
barf *v&n.* *להקיא, הקאה
bar'fly' *n.* *מבקר במסבאות
bar'gain (-gən) *n.* עיסקה; הסכם; קנייה, "עסק טוב", "מציאה"
- a bargain's a bargain עסק זה עסק
- drive a (hard) bargain (לנסות) לעשות מיקח טוב, להתמקח בתקיפות
- into the bargain נוסף על כך

- it's a bargain עשינו עסק
- strike a bargain להגיע להסכם
bargain *v.* להתמקח; להגיע להסכם
- bargain away למכור, להקריב
- bargain for לשער ש-, לצפות ל-
bargain hunter מחפש מציאות
bargaining chip קלף מיקוח
bargaining position עמדת-מיקוח
bargain price מחיר מציאה
barge *n.* דוברה, סירה, ארבה
barge *v.* לנוע בכבדות
- barge in להיתקל, להידחק, להתפרץ
- barge into להיתקל ב-; להתפרץ ל-
bar·gee′ *n.* ממונה על סירה
barge pole משוט, כלונס
- not touch it with a barge pole לתעב
זאת
bar′itone′ *n.* בריטון (קול)
bar′ium *n.* בריום (מתכת)
bark *n.* קליפת עץ
bark *v.* לקלף; להוריד עור, לפצוע
bark *n.* נביחה; קול ירי; שיעול
bark *v.* לנבוח; לצעוק
- bark up the wrong tree לטעות
בכתובת
bark *n.* סירת מיפרשים
barker *n.* נַבחָן; כָּרוֹז, מכריז בפתח העסק
המזרז אנשים להיכנס; *אקדח
bar′ley *n.* שעורה
barley-corn *n.* גרגר-שעורה; שיכר
barley sugar סוכר-שעורה (ממתק)
barm *n.* שמרים
barmaid *n.* מלצרית, מוזגת
barman *n.* מלצר, מוזג, בארמן
bar mitz′vah (-və) בר מיצווה
bar′my *adj.* *טיפש, טיפשי
barn *n.* אסם, ממגורה; בניין גס
- barn door *מטרה גדולה ובולטת
bar′nacle *n.* ספחת; בע"ח ימי הנצמד
בחוזקה לתחתית האונייה
barn dance מחול כפרי
barn′storm′ *v.* לבקר בערי השדה
barn-yard *n.* חצר-משק
bar′ograph′ *n.* רשם-לחץ, בארוגראף
barom′eter *n.* ברומטר, מד-כובד
bar′omet′ric *adj.* ברומטרי
bar′on *n.* ברון, רוזן; איל-הון
baroness *n.* ברונית, רוזנת
bar′onet *n.* בארונט, אציל
bar′onetcy *n.* מעמד הבארונט
baro′nial *adj.* של ברון, שופע אצילות
bar′ony *n.* מעמד הברון, ברונות
baroque′ (-rōk) *n.* בארוק (סגנון)
barque (bärk) *n.* סירה, דוברה
bar′rack *v.* לצעוק בוז
bar′racks *n-pl.* קסרקטין, בניין גס
bar′rage *n.* סכר (בנהר)
barrage′ (-räzh′) *n.* מסך-אש; מטר-אש
- barrage of questions מטר-שאלות
barrage *v.* להמטיר (שאלות) על
barred (bärd) *adj.* מוברח, נעול, סגור;
מפוספס
bar′rel *n&v.* חבית; קנה-רובה,
קנה-אקדח; מכל גלילי; לשים בחבית;
*לנוע מהר, לדהור
- over a barrel במצב ביש, בדילמה

barrelled beer בירה מהחבית
barrel organ תיבת נגינה
bar′ren *adj.* עקר, לא פורה
bar′ricade′ *n.* בריקדה, מיתרס
barricade *v.* לחסום; לכלוא
bar′rier *n.* מחסום, סייג
barrier cream משחת עור
bar′ring (bär-) *prep.* להוציא, פרט ל-
bar′rister *n.* פרקליט, עורך דין
barroom *n.* בר, מיסבאה
bar′row (-ō) *n.* עגלת-יד; מריצה;
עגלת-רוכלים; תל, גבעה
barrow boy רוכל (בעל עגלה)
bar sinister ממזרות
bartender *n.* מוזג; מלצר
bar′ter *n.* סחר-חליפין
barter *v.* להחליף, לעסוק בחליפין
- barter away למכור, להחליף, להקריב
basalt′ (-sôlt) *n.* בזלת, בשנית
base *n&v.* בסיס; תחנה; לבסס
- base on/upon לבסס על
- get to first base להצליח בצעד הראשון,
להתחיל ברגל ימין
- off base *מוטעה לחלוטין; לא מוכן
base *adj.* שפל, נבזה
- base coin מטבע מזויף
- base metal מתכת פשוטה
baseball *n.* בייסבול, כדור-בסיס
baseboard *n.* פנל, ציפוי עץ, שיפולת
based *adj.* מבוסס על, נמצא ב-, מושבו
ב-, פועל על
- land-based יבשתי
baseless *adj.* חסר-בסיס, ללא יסוד
base′ment (bās′-) *n.* קומת-מרתף
bases = pl of basis (bā′sēz)
bash *n.* חבטה, מהלומה
- have a bash at *לנסות כוחו ב-
bash *v.* להלום, להכות, לחבוט
bash′ful *adj.* ביישן, נבוך
ba′sic *adj.* בסיסי, יסודי
- basic law חוק יסוד
basically *adv.* ביסודו של דבר
bas′il (-zəl) *n.* ריחן (תבלין)
basil′ica *n.* בסיליקה (אולם)
bas′ilisk′ *adj.* (מבט) קטלני
ba′sin *n.* כיור, קערה; אגן; ביקעה
ba′sis *n.* בסיס, יסוד
bask *v.* להתחמם, ליהנות
- bask in his approval למצוא חן בעיניו,
לזכות באהדתו
bas′ket *n.* סל, טנא
basketball *n.* כדורסל
basketry *n.* קליעת-סלים
basketwork *n.* קליעת-סלים; סלים
bas′-re′lief′ (bärilēf′) *n.* תגליף נמוך
bass (bas) *n.* אוקנוס (דג)
bass (bās) *n.* בס, קול בס
bass clef מפתח בס
bas′sinet′ *n.* עריסת תינוק, סל-קל
bassoon′ (-ōōn) *n.* בסון, פגוט
bast *n.* לכש, רפייה
bas′tard *n&adj.* ממזר; מזוייף
bas′tardize′ *v.* להשפיל; לזייף
bas′tardy *n.* ממזרות, מעמד הממזר
baste (bāst) *v.* להכליב (בתפירה); לצקת
רוטב על, להטפיח; להלקות, להכות

bas'tina'do *v.* להלקות על כפות הרגליים
bas'tion (-'chən) *n.* מצודה, תבנון
bat *n.* עטלף
- has bats in the belfry *מטורף
bat *n.* מחבט; מחזיק המחבט
- at full bat *במהירות רבה
- go to bat for לעזור, לתמוך, להגן
- off one's own bat *בלי עזרה, ביוזמתו
bat *v.* להכות, לחבוט
bat *v.* למצמץ, לקרוץ
- not bat an eyelid לא להניד עפעף
batch *n.* קבוצה, אוסף, צרור, אצווה
bate *v.* להפחית
- with bated breath בנשימה עצורה
bath *n.* אמבטיה, מרחץ
- baths מרחצאות
- take a bath להתרחץ, להתאמבט
bath *v.* לעשות אמבטיה
bath chair כיסא גלגלים
bathe (bādh) *v.* לרחוץ; להרטיב
- bathed in light מוצף אור
- bathed in sweat ספוג זיעה
bathe *n.* רחיצה, טבילה
ba'ther (-dh-) *n.* מתרחץ, טובל
bathhouse *n.* בית-מרחץ
ba'thing (-dh-) *n.* רחיצה, רחצה
bathing beauty "חתיכה" בבגד-ים
bathing costume בגד ים
bathing machine תא להחלפת בגדים
bathing suit בגד-ים
ba'thos' *n.* נפילה (בסיפור) מהרציני למגוחך, אנטיקלימקס
bathrobe *n.* גלימת רחצה
bathroom *n.* אמבטיה; שירותים
bathtub *n.* אמבטיה
bath'ysphere' *n.* תא-צלילה, בתיספירה
bat'ik *n.* הדפס בטיק (על בדים)
batiste' (-tēst) *n.* בטיסט, בד דק
bat'man *n.* משרת פרטי, עוזר אישי
baton' *n.* שרביט, אלה
baton round כדור גומי
bats *adj.* *מטורף, מוזר
batsman *n.* תופס המחבט
battal'ion *n.* גדוד, בטליון
bat'ten *n.* קרש, לוח
batten *v.* להשמין (ע"ח הזולת)
- batten down להדק בקרשים, לסגור
bat'ter *v.* להלום, להכות, להרוס
- battered hat כובע מרופט
batter *n.* מחזיק המחבט
batter *n.* תערובת לאפייה, תבליל
battered wife אישה מוכה
battering ram איל-ברזל
bat'tery *n.* סוללה; מצבר; גונדה; מערכת
- assault and battery תקיפת אדם
battery hens עופות לול
bat'tle *n.* קרב, מלחמה; ניצחון
- give battle להילחם
- half the battle מחצית הדרך, מרבית העבודה
battle *v.* להילחם
battle-ax *n.* *אישה שתלטנית
battle-cruiser *n.* סיירת (ספינה)
battle-cry *n.* סיסמת קרב, קריאת קרב
battle-dress *n.* מדי-חייל, בטלדרס, חליצה, מותנית
battlefield *n.* שדה-קרב, זירה
battleground *n.* שדה-קרב
battlements *n-pl.* גג-החומה, חומה מאושנבת (לירייה)
battle royal קרב עז
battleship *n.* אוניית-קרב
bat'ty *adj.* *מטורף, מוזר
bau'ble *n.* תכשיט זול/צעקני
baulk = balk
bawd *n.* בעלת בית בושת
baw'dy *n.* ניבול פה; גס, של ניבול-פה
bawl *v.* לצווח, לצעוק, לבכות
- bawl out *לנזוף, לגעור
bay *n.* מיפרץ
bay *adj&n.* (סוס) חום-אדמדם
bay *n.* דפנה, עץ דפנה
- bays זרי-דפנה
bay *n.* תא, מדור, אגף
bay *n.* נביחה (של כלב ציד)
- at bay מותקף, בין המיצרים, דפון
- bring to bay ללחוץ אל הקיר
- hold at bay להרחיקו, למנוע ממנו אפשרות להתקרב
bay *v.* לנבוח (בשעת ציד)
- bay at the moon *לדבר אל הקיר, "לצעוק חי וקיים"
bay leaves עלי-דפנה
bay'onet *n.* כידון
bayonet *v.* לדקור בכידון
bay window חלון בולט, מרפסת זגוגה
bazaar' (-zär) *n.* בזאר, יריד, שוק
bazoo'ka *n.* בזוקה
B.C. לפני הספירה
be *v.* להיות, להימצא, להתקיים
- his wife to-be אישתו לעתיד
- if I were/were I אילו הייתי
- let him be הנח לו!
- the be-all and end-all הדבר החשוב ביותר, העיקר
- there is ישנו, קיים
beach *n.* חוף ים, שפת הים
beach *v.* להעלות סירה אל החוף
beach buggy מכונית חופים
beach bunny *נערת חוף
beachcomber *n.* גל ארוך; סורק חופים, מחפש מציאות
beachhead *n.* ראש חוף (בפלישה)
beachwear *n.* בגדי ים, בגדי חוף
bea'con *n.* משואה, אור (להנחייה, לאזהרה), מיגדלור
bead *n.* חרוז; טיפה, אגל
- beads מחרוזת, ענק
- draw a bead on לכוון אל, להתקיף
- tell one's beads להתפלל
beading *n.* לוח מעוטר (בחרוזים)
bea'dle *n.* לוואי (לראש עיר); עוזר-כומר, שמש
bead'y *adj.* (עיניים) קטנות ונוצצות
bea'gle *n.* כלב-ציד
beagling *n.* ציד-ארנבות (ע"י כלבים)
beak *n.* מקור, חרטום; *אף, חוטם
beak *n.* *שופט שלום, מנהל בי"ס
bea'ker *n.* ספל, גביע
beam *n.* קורה, מוט, אסל, יצול

- broad in the beam *אדם רחב, שמן
beam *n.* קרן-אור, קרן-רדיו; חיוך קורן
- off the beam לא בכיוון הנכון
- on her beam-ends עומדת לטבוע
- on one's beam ends דחוק בכסף
- on the beam בכיוון הנכון
beam *v.* להאיר, לקרון; להקרין
bean *n.* שעועית, פול, קיטנית
- full of beans *עירני, תוסס
- old bean! *ידידי! אחא!
- spill the beans *לפלוט סוד/מידע
- without a bean *ללא פרוטה
beanfeast *n.* *מסיבה
beanpole *n.* מקל תומך לצמח, אדם גבוה
beanstalk *n.* גבעול השעועית
bear (bār) *n.* דוב; גס, קשוח; ספסר-מניות (הגורם להורדת שעריהן)
bear *v.* לשאת, להוביל, לתמוך, לסבול; ללדת; להניב
- bear a hand להושיט יד, לעזור
- bear away לזכות (בפרס)
- bear down לגבור על; ללחוץ; להתאמץ
- bear down on להתקדם במהירות לעבר
- bear hard on להכביד על
- bear hatred לנטור טינה
- bear in mind לזכור, לחרות במוחו
- bear interest לשאת ריבית
- bear love לרחוש אהבה
- bear on להתייחס ל-, להשפיע על
- bear oneself להתנהג
- bear out לאשר, לאמת; לתמוך ב-
- bear right/left לפנות ימינה/שמאלה
- bear up לסבול, לעמוד ב-; להחזיק
- bear with להתייחס בסבלנות
- bear witness להעיד
- bears signs of נושא סימנים של
- can't bear him לא סובל אותו
- in full bearing מניב פירות
- it won't bear repeating לא נאה לחזור על זאת
- will bear watching כדאי לשים עליו עין
bearable *adj.* נסבל, שאפשר לשאתו
beard *n.* זקן; מלענים
beard *v.* להתנגד, להתייצב מול
bearded *adj.* בעל זקן, מזוקן
bearer *n.* מוכ"ז; נושא; מניב פרי
bear′ing (bār-) *n.* התנהגות, הופעה, קשר, יחס, התייחסות; כיוון; סבילה; מיסב
- bearings התמצאות, כיוון
- beyond bearing בלתי נסבל
- lose one's bearings לאבוד
bearish *adj.* כמו דוב, דובי, גס; (שוק) יורד
bear market שוק יורד, שוק מוכרים
bearskin *n.* עור-דוב; כובע פרווה
beast *n.* חיה, בהמה
beastly *adj.* שנוא, נתעב, גרוע; חייתי
beastly *adv.* *מאוד מאוד, נורא
beast of burden בהמת-משא
beast of prey חיית-טרף
beat *v.* להכות, להלום, לגבור על; לרקע מתכת
- beat a retreat לסגת, לחזור
- beat a way לכבוש דרך
- beat about לחפש, להתאמץ למצוא
- beat about the bush להתקרב בעקיפין אל הנושא; להתחמק מהבעיה
- beat down להוריד מחיר, להתמקח
- beat hollow *להביס, לעלות על
- beat in לשבור (בחבטות)
- beat it! הסתלק!
- beat off להדוף
- beat one's brains לשבור את הראש
- beat out להשמיע בתיפוף, לתופף; לכבות אש ברקיעת רגליים וכ׳
- beat the record לשבור את השיא
- beat time (במוסיקה) להקיש בקצב
- beat up להכות קשות, לטרוף ביצה
- he beat me to it הוא הקדימני
- it beats me נבצר ממני להבין
- that beats everything זה עולה על הכל
- to beat the band *במהירות; ברעש
beat *n.* מכה, דפיקה; מיקצב, קצבה, פעמה; מסלול, מקוף, נתיב קבוע
- off one's beat *בשטח זר לו
beat *adj.* *עייף, סחוט; של ביטניק
beaten *adj.* (מתכת) מרוקעת; (דרך) כבושה, סלולה; מוכה, מובס
- go off the beaten track לסטות מהדרך הרגילה
beater *n.* מחבט; מקצף-ביצים; מבריח (עופות לקראת הציידים)
be′atif′ic *adj.* מבורך, מאושר
be·at′ifica′tion *n.* קידוש המת
be·at′ify′ *v.* (בכנסייה) לקדש מת
beating *n.* מלקות, הכאה; תבוסה
be·at′itude′ *n.* ברכה, אושר רב
beat′nik *n.* ביטניק
beat-up *adj.* *מוכה, מרופט
beau (bō) *n.* מחזר, מאהב
beau ideal כליל היופי
beau monde עולם האופנה
beau′te·ous (bū′-) *adj.* יפהפה
beau·ti′cian (būtish′ən) *n.* בעל סלון-יופי, יפאי; קוסמטיקאית
beau′tiful (bū′-) *adj.* יפה, יפהפה
beau′tify′ (bū′-) *v.* לייפות
beau′ty (bū′-) *n.* יופי; יפהפיה
beauty parlor/salon/shop סלון-יופי
beauty queen מלכת-יופי
beauty sleep שינה קלה, נימנום
beauty spot נקודת חן
bea′ver *n&v.* ביבר, בונה; פרוות-בונה; שיריון-סנטר
- beaver (away) *לעבוד קשה, לעמול
be·calm′ (-käm) *v.* לעצור, להרגיע
becalmed *adj.* (לגבי ספינה) לא נעה
be·came′ = pt of become
be·cause′ (-z) *conj.* מכיוון ש-
- because of בגלל, מחמת
beck *n.* רמיזה, סימן, אות
- at his beck and call מוכן ומזומן לשרתו
beck *n.* פלג, נחל
beck′on *v.* לרמוז, לאותת
be·cloud′ *v.* להעיב, להאפיל; לבלבל
be·come′ (-kum′) *v.* להיות, להיעשות, להפוך; להלום את, להיות יאה ל-
- become of לקרות ל-, לעלות בגורלו
becoming *adj.* יאה, הולם, נאה

bed *n.* מיטה; קרקעית; שיכבה; ערוגה; בסיס, מישטח
- bed and board לינה ואוכל, תמיכה
- die in one's bed למות מוות טבעי
- go to bed ללכת לישון, לשכב
- make the bed להציע את המיטה
- out of bed on the wrong side קם על צד שמאל
- put to bed לסיים עריכת (עיתון)
- take to one's bed ליפול למישכב

bed *v.* לשתול בערוגה; לקבוע, לנעוץ
- bed down לספק כלי מיטה; לשכב

be·daub′ *v.* ללכלך בבוץ, להכפיש
bedbug *n.* פישפש
bedclothes *n-pl.* כלי-מיטה
bedding *n.* כלי-מיטה; מצע
be·deck′ *v.* לייפות, לקשט
be·dev′il *v.* לסבך, להביך, לבלבל; להציק
bedevilment *n.* בילבול
be·dew′ (-dōō′) *v.* ללחלח, להרעיף
bedewed *adj.* מכוסה טיפות, לח
bedfellow *n.* שותף למיטה; ידיד
be·dim′ *v.* לעמעם, לטשטש
bed′lam *n.* מהומה; בית-משוגעים
bed linen ליבני-מיטה
bed′ouin (-ōōin) *n.* בדווי, נווד
bedpan *n.* עביט, סיר-חולה
bedpost *n.* רגל המיטה
- between you, me, and the bedpost בינינו לבין עצמנו

be·drag′gle *v.* ללכלך, להכפיש
bedridden *adj.* מרותק למיטתו, שוכב
bedrock *n.* יסוד; סלע-אדמה
- get down to bedrock לרדת לעובדות היסוד

bedroll *n.* שק שינה, כלי-מיטה
bedroom *n.* חדר-שינה
bedside *n.* צד המיטה, ליד המיטה
- bedside manner אופן הטיפול בחולה

bed′sit′ter *n.* חדר מגורים
bedsore *n.* פצע שכיבה, פצע לחץ
bedspread *n.* כיסוי-מיטה
bedstead (-sted) *n.* שלד המיטה
bedtime *n.* שעת שינה
bee *n.* דבורה; אסיפה; תחרות
- have a bee in one's bonnet להיות משוגע לדבר, להתמכר לרעיון

beech *n.* אשור (עץ)
beech mast בלוטי האשור
beef *n.* בשר-בקר; שרירים, כוח
- beeves שוורים מפוטמים (לאכילה)

beef *v.* *להתלונן, להתאונן
- beef up לחזק, להגביר

beefburger *n.* קציצת בשר
beefcake *n.* *גברים שריריים
beef cattle בקר-שחיטה
beefeater *n.* זקיף (במיגדל לונדון)
beefsteak *n.* סטייק בשר, אומצה
beefy *adj.* חסון, שרירי
bee′hive′ *n.* כוורת; מקום שוקק
beekeeper *n.* כוורן
bee-line *n.* קו ישר
- make a beeline for לצעוד הייישר

been = pp of be (bin)
- been and- *אכן! (ביטוי להפתעה)
- he has been to- הוא ביקר ב-

beep *n.* צליל חוזר, ביפ
beeper *n.* ביפר, איתורית, זימונית
beer *n.* בירה, שיכר, בקבוק בירה
- small beer *קל-ערך, קוטל קנים

beer belly/gut *כרס משתיית בירה
Beershe′ba (bir-) *n.* באר שבע
beery *adj.* כמו בירה, של שיכר
beeswax *n.* דונג דבורים
beet *n.* סלק
bee′tle *n.* חיפושית; פטיש, קורנס
beetle *v.* להיות תלוי ממעל, לבלוט
- beetle off *הסתלק!

beetle-browed *adj.* בעל גבות עבות
beetroot *n.* סלק
beeves = pl of beef (bēvz)
be·fall′ (-fôl) *v.* לקרות, להתרחש, לעלות בגורלו
be·fit′ *v.* להתאים, להלום את
befitting *adj.* מתאים, נאות, הולם
be·fogged′ (-fôgd) *adj.* מבולבל
be·fore′ *adv.* לפני כן, בעבר, לפנים
- long before זמן רב לפני כן
- the day before אתמול, ביום שעבר

before *conj.* לפני ש-, בטרם
before *prep.* לפני-
- before long בקרוב, תוך זמן קצר
- before tax לפני מס, ברוטו
- carry all before him לנחול הצלחה
- sail before the mast לשרת כימאי פשוט

beforehand *adv.* מראש, לפני המועד
beforehand *adj.* מהיר, מקדים, פזיז
be·foul′ *v.* ללכלך, להשמיץ
be·friend′ (-rend) *v.* להתיידד עם, לעזור
be·fud′dle *v.* להדהים, לבלבל
beg *v.* לבקש, להתחנן; לפשוט יד
- I beg to אבקש ל-, ברצוני ל-
- I beg to differ אבקש לחלוק על כך
- a begging letter מכתב המבקש סיוע כספי
- beg off לבקש שיחרור; לשחרר
- beg the difficulties להתעלם מן הקשיים
- beg the question להתחמק מן הבעייה, להסתמך על דבר שטרם הוכח
- go begging אין קופצים עליו

be·gan′ = pt of begin
be·get′ (-g-) *v.* להוליד; לגרום
beg′gar *n.* קבצן, שנורר; *ברנש
beggar *v.* לרושש, להרוס
- beggar description אין להביע זאת במלים

beggarly *adj.* דל, עלוב; נבזה
beggary *n.* דלות, עוני
be·gin′ (-g-) *v.* להתחיל, לפתוח ב-
- to begin with קודם כל

beginner *n.* מתחיל
beginning *n.* התחלה, ראשית
be·gird′ (-g-) *v.* להקיף
be·gone′ (-gôn) *interj.* הסתלק!
be·go′nia *n.* בגוניה (צמח-נוי)
be·got′ = p of beget
be·got′ten = pp of beget
be·grime′ *v.* לטנף, ללכלך
be·grudge′ *v.* לקנא ב-, לא לפרגן, להיות

צר-עין ב-; לתת באי-רצון
be•guile′ (-gīl) *v.* לרמות, לפתות; לבלות, לבדר; להקסים
be′gum *n.* נסיכה מוסלמית, אצילה
be•gun′ = pp of begin
be•half′ (-haf) *n.* תועלת
- on behalf of לטובת-, למען-, בשם-
- on his behalf בשמו, למענו; לטובתו
be•have′ *v.* להתנהג, לפעול
- behave yourself התנהג יפה
- well-behaved מנומס, מתנהג יפה
be•hav′ior (-hāv′yər) *n.* התנהגות
- be on one's best behavior להשתדל מאוד להתנהג יפה
- put him on his best behavior להתרות בו שיתנהג יפה
behaviorism *n.* התנהגותנות
be•head′ (-hed) *v.* לערוף
be•held′ = p of behold
be•hest′ *n.* פקודה; בקשה
be•hind′ (-hīnd) *prep.* מאחורי, אחרי
- behind the scenes מאחורי הקלעים
- behind the times מיושן, מפגר
behind *adv.* מאחור, בפיגור
- be behind לפגר
- fall behind לפגר, לא להשיג
- put behind להשליך מאחורי גוו
behind *n.* *ישבן, אחוריים
behindhand *adj.* מפגר, בפיגור
be•hold′ (-hōld) *v.* לראות, להביט
be•hold′en (-hōl-) *adj.* אסיר-תודה
be•hoove′ *v.* להיות חובה על
- it behooves you חובה עליך
beige (bāzh) *n.* בז', צבע בז'
be′ing *n&adj.* קיום; ישות
- call into being ליצור, לברוא
- come into being להיווצר
- for the time being בינתיים
- human being יצור אנוש, אדם
- in being קיים, ישנו
be•jew′el (-jōō′-) *v.* לקשט, לייפות
be•la′bor *v.* להכות, להתקיף
- belabor a point להאריך מדי, לדוש
Be′larus′ (-rōōs) *n.* בלרוס
be•la′ted *adj.* משתהה, מאחר
be•lay′ *v.* לקשור בחבל, להדק
belaying-pin *n.* יתד לקשירת חבל
belch *v.* לגהק; לפלוט
belch *n.* גיהוק, פליטה (של עשן)
bel′dam *n.* מירשעת, אישה זקנה
be•lea′guer (-gər) *v.* לכתר, להקיף; לצער, לגרום צרות
bel′fry *n.* מיגדל פעמון
Bel′gium (-jəm) *n.* בלגיה
be•lie′ (-lī) *v.* להסוות, להסתיר, להכזיב, לאכזב
be•lief′ (-lēf) *n.* אמונה; דת
- beyond belief לא יאומן
- to the best of my belief למיטב ידיעתי, לפי הערכתי
believable *adj.* אמין, מהימן
be•lieve′ (-lēv) *v.* להאמין
- believe one's ears להאמין למישמע אוזניו
- make believe להעמיד פנים, לדמות
believer *n.* מאמין, חסיד

be•lit′tle *v.* להמעיט, לזלזל ב-
bell *n&v.* פעמון, צילצול פעמון
- bell the cat להסתכן למען הזולת
- bell, book and candle קללה, חרם
- ring a bell *להזכיר
- sound as a bell בריא, במצב מצוין
- with bells on *בלהיטות
bel′ladon′na *n.* בלדונה (צמח ארסי)
bell-bottoms *n.* מיכנסי-פעמון, מיכנסיים מתרחבים
bellboy *n.* משרת, שליח (במלון)
belle *n.* יפהפיה
belles-lettres (bel′let′rə) *n.* ספרות יפה, בלטריסטיקה
bellflower *n.* פעמונית (צמח)
bell′hop′ *n.* משרת, שליח (במלון)
bel′licose′ *adj.* תוקפני, שש לקרב
bel′licos′ity *n.* מילחמתיות
-bellied *adj.* בעל כרס-
- big-bellied כרסתני
bellig′erency *n.* לוחמות, קרביות
bellig′erent *adj.* לוחם, מלחמתי
bel′low (-ō) *v.* לצווח, לשאוג
bel′lows (-ōz) *n.* מפוח
- a pair of bellows מפוח
bell-push *n.* כפתור-פעמון
bell′weth′er (-dh-) *n.* מוביל, מנהיג, משכוכית
bel′ly *n.* כרס, בטן, קיבה
belly *v.* לנפח; להתנפח, לבלוט, להתכרס
bellyache *n.* כאב בטן
bellyache *v.* *להתאונן, לרטון
bellybutton *n.* *טבור
belly dancer רקדנית בטן
bellyful (-fool) *n.* מלוא הכרס
bellyland *v.* לנחות על גחונו
belly laugh צחוק רם, צחוק עמוק
be•long′ (-lông) *v.* להיות מתאים ל-/מקומו ב-/חבר ב-
- belong to להיות שייך ל-
belongings *n-pl.* נכסים, חפצים
be•loved′ (-luvd) *adj.* אהוב, יקר
be•lov′ed (-luv′id) *n&adj.* אהוב
be•low′ (-ō) *adv.* למטה; להלן
- go below לרדת (לתא, באונייה)
- here below על הארץ
below *prep.* למטה מ-, מתחת ל-
belt *n.* חגורה, רצועה; איזור
- green belt חגורת-ירק
- hit below the belt להכות מתחת לחגורה
- tighten the belt להדק את החגורה
- under one's belt בקיבתו; באמתחתו
belt *v.* לחגור; להלקות, להכות; לרוץ, למהר
- belt out *לשיר בקול רם
- belt up! שקט! שתוק!
belted *adj.* חגור, בעל חגורה
belting *n.* הלקאה; חגורות, רצועות
be•moan′ *v.* לקונן על
be•mused′ (-mūzd) *adj.* מבולבל
bench *n.* ספסל; שופט, שופטים; כיסא השופט; שולחן-מלאכה
bencher *n.* שופט
benchmark *n.* סימן מדידה, אמת מידה, דוגמה, נקודת התייחסות

bench warrant פקודת מעצר
bend *n.* פנייה, עיקום; קשר
- round the bend *משוגע, מטורף
- the bends מחלת האמודאים, כאב מיפרקים
bend *v.* לכופף; להתכופף, לרכון; לנטות; לכוון; להיכנע; לכפות
- bend a bow לדרוך קשת; לכופף קשת
- bend one's mind להתרכז ב-
- bend the knee לכרוע ברך
- on bended knees בכריעת ברך
bender *n.* *הילולה, חינגה; הומו
be·neath' *adv.* למטה, מלמטה, מתחת
beneath *prep.* למטה מ-, מתחת ל-
- beneath notice ראוי להתעלם מכך
- it's beneath you to הרי זה למטה מכבודך ל-
ben'edict' *n.* חתן, רווק שהתחתן
Ben'edic'tine (-tin) *n.* נזיר בנדיקטי; בנדיקטין, ליקר
ben'edic'tion *n.* ברכה, תפילה
ben'efac'tion *n.* גמילות חסד, נדבה
ben'efac'tor *n.* גומל חסד, תורם
ben'efac'tress *n.* גומלת חסד
ben'efice (-fis) *n.* נכסי כנסייה, מקור פרנסה (לכומר)
benef'icence *n.* גמילות חסד
benef'icent *adj.* גומל חסד
ben'efi'cial (-fi-) *adj.* מועיל, מהנה
ben'efic'iar'y (-shieri) *n.* בעל קיצבה, נהנה (מעיזבון), מוטב
ben'efit *n.* טובה, יתרון, רווח, תועלת; סיוע; קיצבה, גימלה
- benefit match תחרות שהכנסותיה קודש לצדקה
- for the benefit of לטובת, למען
- have the benefit of the doubt ליהנות מן הספק
benefit *v.* להועיל; ליהנות, להרוויח
benev'olence *n.* נדיבות לב
benev'olent *adj.* נדיב-לב, רחב-לב
be·night'ed *adj.* שרוי בחשיכה, חשוך
be·nign' (-nīn) *adj.* נדיב לב; נעים, נוח; (מחלה) לא מסוכנת, שפיר
be·nig'nant *adj.* נעים, נוח
be·nig'nity *n.* נדיבות-לב, חסד
Benin' *n.* בנין (דהומיי)
ben'ison *n.* ברכה
bent *adj.* מעוקם; *מושחת; מטורף; הומו
- bent on נחוש בדעתו ל-
bent *n.* נטייה, כישרון טבעי
- follow one's bent להתעסק בדבר החביב עליו
bent = p of bend
be·numbed' (-numd') *adj.* קהוי, משותק
ben'zine (-zin) *n.* בנזין
be·queath' *v.* להוריש, להנחיל
be·quest' *n.* ירושה, עיזבון
be·rate' *v.* לנזוף, לגעור
be·reave' *v.* לשכל, לאבד, לשלול
- bereaved father אב שכול
bereavement *n.* שיכול, שכול
be·reft' *adj.* חסר-, נטול-, נעדר-
beret' (-rā') *n.* כומתה, כובע, ברט

berg *n.* קרחון
ber'iber'i *n.* ברי-ברי (מחלה)
berk *n.* *טיפש, מטומטם
ber'ry *n.* עינב, גרגר; פול-קפה
berserk' *adj.* אחוז-חימה, כועס
berth *n.* מיטה (ברכבת); מעגן; *מישרה, עבודה
- give a wide berth להתרחק מ-
berth *v.* לאכסן; לעגון; להעגין
ber'yl *n.* תרשיש (אבן טובה)
be·seech' *v.* להתחנן, להפציר ב-
be·seem' *v.* להתאים, להלום את
- it ill beseems you לא יאה לך
be·set' *v.* לכתר, להתקיף; להטריד
besetting *adj.* מטריד, אינו מרפה
be·side' *prep.* אצל, ליד, על-יד; בהשוואה ל-, לעומת
- beside oneself יוצא מגדרו
- beside the point לא שייך לנושא
besides *adv&prep.* נוסף לכך; נוסף ל-
be·siege' (-sēj) *v.* לכתר, להקיף; להציק
be·smear' *v.* ללכלך, להכפיש
be·smirch' *v.* ללכלך, להכתים
be'som (-z-) *n.* מטאטא
be·sot'ted *adj.* שתוי, שיכור, מבולבל
be·sought' = p of beseech (-sôt)
be·spat'ter *v.* ללכלך, להכפיש
be·speak' *v.* להראות, להעיד על
be·spec'tacled (-kəld) *adj.* מרכיב משקפיים
be·spoke'(= p of bespeak) מוזמן מראש
bespoke tailor תופר לפי הזמנה
best *adj.* הטוב ביותר
- the best part of רוב, מרבית
best *adv.* באופן הטוב ביותר, הכי
- as best he could כמיטב יכולתו
- best-hated man האיש הכי שנוא
- had best מוטב ש-, טוב היה אילו
best *n.* הטוב ביותר, מיטב
- all for the best יסתיים בטוב
- all the best! שלום! כל טוב!
- at best לכל היותר; "מכסימום"
- at one's best בשיא כושרו
- do it all for the best לפעול מתוך כוונה טובה
- get the best of לגבור על, לנצח
- in one's best בבגדיו הנאים
- make the best of להפיק את מירב התועלת מן-, לקבל ברוח טובה
- to the best of one's ability כמיטב יכולתו
best *v.* לגבור על, להביס
bes'tial (-'chəl) *adj.* אכזרי, חייתי
bes'tial'ity (-'ch-) *n.* חייתיות
bes'tiar'y (-'chieri) *n.* סיפורי חיות
be·stir' *v.* לעורר לפעולה, להזדרז
- bestir oneself להזיז עצמו, לפעול
best man שושבין
be·stow' (-ō) *v.* לתת, להעניק
bestowal *n.* מתן, הענקה
be·strew' (-ro͞o) *v.* לפזר, לזרות
be·stride' *v.* לעמוד/לשבת בפישוק על, לטרטן
best seller *n.* רב-מכר

bet *v.* להתערב, להמר
- I bet *אני בטוח, אני מתערב ש-
- you bet *בוודאי, אין ספק
bet *n.* התערבות, הימור
beta (bā'tə) *n.* ביתא (אות)
be•take' *v.* ללכת
- betake oneself ללכת, לפנות
bete noire (bātnwär') *n.* תועבה, דבר שנוא ביותר
beth'el *n.* בית תפילה, בית-אל
be•think' *v.* לחשוב, להיזכר
Beth'le•hem' *n.* בית לחם
be•tide' *v.* לקרות, להתרחש
- woe betide you אוי לך
be•times' (-tīmz) *adv.* בהקדם, מוקדם
be•to'ken *v.* לנבא, לבשר; לציין, לסמן
be•tray' *v.* לבגוד ב-; למסור, לגלות סוד, להסגיר, להעיד על
betrayal *n.* בגידה; הסגרה
be•troth' (-rōdh) *v.* לארס
betrothal *n.* אירוסין
betrothed *adj.* מאורס; ארוסה
bet'ter *adj.* טוב יותר
- better than יותר מ-, רב מ-
- better than one's word מקיים יותר מכפי שהבטיח
- go one better לעלות על
- he has seen better days הוא ראה ימים טובים יותר, ירד מגדולתו
- little better than כמעט, ממש
- no better than she should be אינה צנועה ביותר
- one's better half אישתו, פלג-גופו
- the better part of רוב, מרבית
better *adv.* (באופן) טוב יותר
- better off במצב יותר טוב
- had better כדאי, מוטב ש-
- think better of להעריכו יותר; לשקול שנית בדבר, להחליט אחרת
better *n.* דבר (או אדם) יותר טוב
- for better or worse בכל הנסיבות
- for the better (שינוי) לטובה
- get the better of לגבור על
- one's betters הגדולים ממנו
better *v.* לשפר, לתקן
- better oneself לשפר מצבו, להתקדם
betterment *n.* שיפור, השבחה
bet'tor *n.* מתערב, מהמר
be•tween' *prep.* בין
- between them יחד, במשותף
- between you and me בינינו לבין עצמנו
- come between them להפריד ביניהם
- no love lost between them אין אהבה שורה ביניהם
- nothing to choose between- אין הבדל בין-
between *adv.* באמצע, בין השניים
- far between רחוקים, נדירים
- in between בתווך, באמצע
be•twixt' and between במצב ביניים, לא זה ולא זה
bev'el *n.* שיפוע; קצה משופע, מדר
bevel *v.* לשפע קצה, להמדיר
bev'erage *n.* משקה
bev'y *n.* קבוצה, להקת ציפורים
be•wail' *v.* לקונן, לבכות

be•ware' *v.* להישמר, להיזהר
be•wil'der *v.* לבלבל, להביך
bewilderment *n.* מבוכה, תדהמה
be•witch' *v.* לכשף; להקסים
bey (bā) *n.* מושל טורקי, ביי
be•yond' *prep.* מעבר ל-, למעלה מ-
- beyond a reasonable doubt מעל לכל ספק סביר
- beyond all praise משובח ביותר
- beyond measure לאין שיעור
- beyond repair לא ניתן לתיקון
- beyond that מלבד זאת, נוסף לכך
- it's beyond me זה נשגב מבינתי
beyond *adv.* הלאה, יותר רחוק
- the beyond העולם הבא
bezique' (-zik) *n.* בזיק (מישחק קלפים)
b.f. לעמוד הבא; *טיפש גמור
Bhutan' (bōōtän') *n.* בהוטן
bi- (תחילית) פעמיים בכל-, דו-, כפול
bi•an'nu•al (-nūəl) *adj.* חצי-שנתי
bi'as *n.* נטייה, דיעה קדומה, נטאי; משוא פנים
- on the bias בקו אלכסוני
bias *v.* להטות דיעה, לשחד, להשפיע
biased *adj.* משוחד, בעל דיעה קדומה
bib *n.* סינר, לבובית, חפי
Bi'ble *n.* תנ"ך, כתבי הקודש
bib'lical *adj.* תנכ"י, מיקראי
bib'liog'rapher *n.* ביבליוגרף, ספרן
bib'liograph'ical *adj.* ביבליוגרפי
bib'liog'raphy *n.* ביבליוגרפיה
bib'liophile' *n.* חובב ספרים
bib'u•lous *adj.* מכור לשתייה, שתיין
bi•cam'eral *adj.* בעל 2 בתי מחוקקים
bi•car'bonate *n.* סודה לשתיה
bi'cen•ten'ary *n.* יום השנה ה-200
bi'cen•ten'nial *adj.* פעם ב-200 שנה
bi'ceps' *n.* קיבורת, שריר הזרוע
bick'er *v.* לריב, להתקוטט
bi'con•cave' *adj.* קעור משני צדדיו
bi'con•vex' *adj.* קמור משני צדדיו
bi'cycle *n.* אופניים
bicycle *v.* לרכוב על אופניים
bid *v.* להציע מחיר; להשתדל לרכוש; לצוות, לבקש, להזמין; לברך, לאחל
- bid for לחזר אחרי, להשתדל לרכוש
- bid up להעלות את המחיר
- bids fair to יש רושם ש-, נראה ש-
bid *n.* הצעת מחיר, מיכרז; מאמץ, ניסיון; הצעה (בקלפים)
bid'dable *adj.* צייתן, מצייתת
bidder *n.* מציע מחיר במיכרז
bidding *n.* פקודה; הצעת מחיר
bide *v.* לחכות, להישאר
- bide one's time לחכות לשעת כושר
bidet' (-dā') *n.* אסלת-רחצה, בידה (מושב דמוי-אסלה לשטיפת הנקבים)
bi•en'nial *adj.* דו-שנתי
bier (bir) *n.* מיטת מת, ארון מת
biff *v&n.* *להכות; מכה, חבטה
bi•fo'cal *adj.* דו-מוקדי
- bifocals משקפיים דו-מוקדיים
bi'furcate' *v.* להסתעף לשניים
bi'furcate *adj.* מסתעף לשניים, ממוזלג
bi'furca'tion *n.* הסתעפות, מיסעף
big *adj.* גדול, מבוגר, חשוב; *מפורסם

- big deal! *האומנם?! (בזילזול)
- big with child הרה, בהריון
- have big ideas לשאוף לגדולות
- talk big *להתפאר, להתרברב
- too big for one's boots *שחצן
big′amist *n.* ביגמיסט
big′amous *adj.* של ביגמיה
big′amy *n.* ביגמיה, נישואים כפולים
Big Bang המפץ הגדול
big brother האח הגדול, המנהיג
big dipper הדובה הגדולה; רכבת (בפארק)
big game חיות גדולות (לציד)
big head *n.* *שחצן, רברבן, מנופח
big-hearted *adj.* נדיב, רחב-לב
bight *n.* מיפרץ; עניבה, לולאה
big mouth פה גדול, פה מפטפט
big name בעל שם, מפורסם
big noise *אישיות, תותח כבד
big′ot *n.* קנאי, קנאי חשוך
big′oted *adj.* קנאי, דוגמטי
big′otry *n.* קנאות עיוורת
big shot *אדם חשוב, אישיות
big time *מצליח, חשוב; פרסום, הצלחה; מאוד, ביותר
big top אוהל קירקס
big wheel גלגל ענק; *אישיות
big′wig′ *n.* *אדם חשוב, אישיות
bi′jou (bē′zhōō) *n.* תכשיט, אבן חן
bike *n&v.* * (לרכוב על) אופניים
biki′ni (-kē′-) *n.* ביקיני
bi·la′bial *adj&n.* (עיצור) דו-שפתי
bi·lat′eral *adj.* דו-צדדי, הדדי
bil′ber′ry *n.* אוכמנית
bile *n.* מרה; מרירות, רגזנות
bilge *n.* שיפולי האונייה, מי-שיפולים; *שטויות, זבל
bi·ling′ual (-gwəl) *adj.* דו-לשוני
bil′ious *adj.* סובל מעודף מרה; רגזן
bilk *v.* לרמות, להתחמק מתשלום
bill *n.* מקור, חרטום; לשון יבשה
bill *n.* חשבון (לתשלום); מודעה; הצעת חוק; שטר, תעודה
- bill of exchange שטר חליפין
- bill of fare תפריט (במיסעדה)
- bill of lading שטר מיטען
- bill of sale שטר מכר
- bills payable שטרות לפירעון
- bills receivable שטרות לקבל
- fill the bill לעשות כפי הנדרש
- foot the bill לשלם, לפרוע
- top the bill להוביל (ברשימה)
bill *v.* להגיש חשבון; לפרסם במודעות, להכריז, להודיע
- bill and coo להתעלס, להתנשק
billboard *n.* לוח מודעות
bil′let *n.* מגורי-חייל (בבית פרטי); *מישרה, ג'וב
billet *v.* לשכן חייל (בבית פרטי)
billet-doux (bil′ādōō′) *n.* מכתב אהבה
bill′fold′ (-fōld) *n.* ארנק, תיק לכסף
billhook *n.* גרזן כפוף-להב
bil′liards (-lyərdz) *n.* ביליארד
bil′liard table שולחן ביליארד
bil′lingsgate′ (-z-) *n.* לשון גסה
bil′lion *n.* ביליון, מיליארד
billionth *n.* ביליונית
bil′low (-ō) *n.* גל, נחשול
billow *v.* להתנחשל, להתאבך
billowy *adj.* גלי, מתרומם כנחשול
billposter *n.* מדביק מודעות
billsticker *n.* מדביק מודעות
bil′ly *n.* כלי (להרתחת מים); אלת-שוטר
billy goat תיש
bil′ly-o′, like billy-o *בעוצמה רבה, מהר מאוד, הרבה וכו'
bi′metal′lic *adj.* דו-מתכתי
bi·met′allism *n.* דו-מתכתיות
bi·month′ly (-mun-) *adj.* דו-חודשי
bin *n.* ארגז, תיבה
bi′nary *adj.* של שניים, כפול, בינארי, שניוני, זוגי
bind (bīnd) *v.* לקשור, לכבול; לכפות, לחייב; לכרוך; להקשות, לגבש; לעצר מעיים
- bind oneself to להתחייב ל-
- bind over לחייב את הנאשם ל-
- bind the edges לקשט השוליים, להדק הקצוות לבל ייפרמו
- bind up a wound לחבוש פצע
- bind up the hair לצנוף השיער
bind *n.* *מטרד, צרה; *קנוקנת
binder *n.* כורך ספרים; כורכן, תיק; מאלמת (לקצירה); מלט, חומר מצמיד; הסכם קושר
bindery *n.* כריכייה
binding *n.* כריכה; רצועת שוליים
binding *adj.* מחייב, קושר, כובל
bindweed (bīnd′-) *n.* חבלבל (צמח)
bine *n.* קנוקנת (של צמח מטפס)
binge *n.* *הילולה
bin′go *n.* בינגו (מישחק)
bin liner שקית אשפה, שקית זבל
bin′nacle *n.* קופסת המצפן (בספינה)
binoc′u·lars *n-pl.* מישקפת
bi·no′mial *n.* (במתימטיקה) בינום
bi′o·chem′istry (-k-) ביוכימייה
bi·o·de·gra′dable *adj.* מתפרק ביולוגית
bi·og′rapher *n.* ביוגרף
bi′ograph′ical *adj.* ביוגרפי
bi·og′raphy *n.* ביוגרפיה
bi′olog′ical *adj.* ביולוגי
bi·ol′ogist *n.* ביולוג
bi·ol′ogy *n.* ביולוגיה
bi·on′ic *n.* *בעל כוחות על-טבעיים, ביוני
bi′o·phys′ics (-z-) *n.* ביופיסיקה
bi′op′sy *n.* ביופסיה, בדיקה מן החי
bi′o·rhythm′ (-ridh′əm) *n.* ביוריתמוס, שעון ביולוגי
bi′o·sphere′ *n.* ביוספירה
bi′o·tech·nol′ogy (-tek-) *n.* ביוטכנולוגיה
bi·par′tisan (-z-) *adj.* דו-מפלגתי
bi·par′tite′ *adj.* דו-צדדי
bi′ped′ *n.* הולך על שתיים, דו-רגלי
bi′plane′ *n.* ביפלאן (מטוס)
birch *n.* ליבנה, מקל ליבנה; תירזה
birch *v.* להלקות במקל ליבנה
bird *n.* ציפור, עוף; *ברנש, בחורה
- bird's-eye view מראה ממעוף הציפור; סקירה כללית
- birds of a feather דומים זה לזה

- do bird *לשבת בבית סוהר
- early bird משכים קום, בא מוקדם
- for the birds *טיפשי, חסר-ערך
- get the bird להתקבל בשריקות בוז

bird-brained *מוח של אפרוח
bird fancier חובב ציפורים
bird'ie *n.* ציפור, ציפורית
birdlime *n.* דבק ללכידת ציפורים
bird of passage ציפור נודדת
bird of prey עוף טורף, דורס
biret'ta *n.* כומתה (של כמרים)
bi'ro *n.* עט כדורי
birth *n.* לידה, שעת הלידה, ילודה; מוצא, מקור, ייחוס

- by birth מלידה
- give birth to ללדת, ליצור

birth control פיקוח על הילודה
birthday *n.* יום הולדת

- birthday suit עירום מלא

birthmark *n.* סימן-לידה (על הגוף)
birthplace *n.* מקום הלידה
birthrate *n.* שיעור הילודה
birthright *n.* זכות מלידה
bis'cuit (-kət) *n.* ביסקוויט, אפיפית, תופין, מרקוע, עוגייה; חום-בהיר
bi'sect' *v.* לחתוך, לחצות
bi'sec'tion *n.* חצייה, חיתוך
bi•sex'ual (-kshōōəl) *adj.* דו-מיני
bish'op *n.* בישוף, הגמון; רץ (בשחמט)
bish'opric *n.* בישופות
bis'muth (-z-) *n.* ביסמות (מתכת)
bi'son *n.* ביזון, בופאלו, תאו
bisque (bisk) *n.* מרק (ירקות) סמיך
bis'tro (bēs'-) *n.* בר, ביסטרו
bit *n.* מתג (בפי הסוס); מקדח

- take the bit between its teeth;להתפרע לנקוט פעולה נמרצת

bit *n.* משהו, קצת, חתיכה; מטבע קטן; ביט

- 2 bits 25 סנט
- a bit (of) קצת, במידה מסוימת
- a bit at a time בהדרגה
- a nice bit חתיכה הגונה
- bit by bit בהדרגה
- bits and pieces חפצים שונים
- do one's bit לתרום את חלקו
- every bit לגמרי, הכול
- not a bit (of it) לגמרי לא
- to bits לחתיכות, לרסיסים

bit = p of bite
bitch *n.* כלבה
bitch *v.* *להתאונן, להתמרמר
bitchy *adj.* *מתמרמר, מנבל פיו
bite *v.* לנשוך, לעקוץ; להכאיב; לבלוע פיתיון; להיצמד, להיתפס

- bite back לרסן; לאטום שפתיו
- bite his head off *לדבר בגסות
- bite off לנגוס
- bite one's lips לנשוך שפתיו
- bite the dust *ליפול חלל
- bitten with להוט אחרי, אחוז-
- something to bite on עניין לענות בו, משהו להתעסק עמו

bite *n.* נשיכה, מינשך, נגיסה, עקיצה, הכשת נחש; בליעת פיתיון; חריפות; אחיזה

- a bite to eat משהו לאכול

biting *adj.* חד, שנון, עוקצני
bit'ten = pp of bite
bit'ter *adj.* מריר, מר; (קור) עז

- to the bitter end עד הסוף המר

bitter *n.* בירה מרה (משקה)

- bitters משקה מר

bit'tern *n.* אנפה
bittersweet *adj.* (שוקולד) מריר
bit'ty *adj.* *קטנטן, זעיר; עשוי טלאים
bitu'men *n.* אספלט, ביטומן
bitu'minous *adj.* ביטומני
bi'valve' *n.* צידפה (דו-קשוותית)
biv'ouac' (-vōōak) *n&v.* (לחנות ב-) מחנה ארעי ללא אוהלים
bi•week'ly *adj.* דו-שבועי
bi•year'ly *adj.* דו-שנתי; חצי שנתי
biz *n.* *ביזנס, עסק
bizarre' (-zär) *adj.* משונה, מוזר
blab *v.* לפטפט, לגלות סוד
blab'ber *v.* לפטפט, לגלות סוד
blabbermouth *n.* פטפטן
black *adj&n.* שחור, כושי; קודר; מלוכלך

- black and blue כולו פצע וחבורה
- black and white שחור על גבי לבן, בכתב; (שידור ב) שחור-לבן
- black in the face סמוק (מזעם)
- black look מבט זועם
- black tidings בשורות מרות
- dressed in black לבוש שחורים
- go black להתערפל, להיטשטש
- in the black (חשבון בנק) בזכות
- look black לבשר עתיד קודר

black *v.* להשחיר; להחרים (סחורה/עסק)

- black out לאפל, להטיל איפול; לכבות האורות; לאבד ההכרה, להתעלף

black'amoor' *n.* כושי, שחור
black art כישוף, כשפים
blackball *v.* להצביע נגד (צירוף חבר חדש למועדון)
blackberry *n.* אוכמנית
blackbird *n.* שחרור (ציפור), כושי חטוף
blackboard *n.* לוח (של כיתה)
blackcurrant *n.* עינבי-שועל
blacken *v.* להשחיר; להשמיץ
black eye פנס (מסביב לעין)
blackguard (blag'ərd) *n.* נבל
blackguardly *adj.* גס, נבזה
blackhead *n.* חטטית (בעור)
blackhearted *adj.* רע-לב, אכזר
black hole חור שחור (בחלל)
black ice/frost כפור (על הכביש)
blacking *n.* משחת-נעליים שחורה
blackjack *n.* עשרים ואחד (מישחק); אלה כבדה (נשק קר)
black lead *n.* גרפיט
black-lead *v.* לצפות בגרפיט
blackleg *n.* מפר שביתה; רמאי
blackleg *v.* להפר שביתה
blacklist *n.* רשימה שחורה
blacklist *v.* לכלול ברשימה שחורה
blackly *adv.* בזעם, בעצב, ברוע-לב
black magic כשפים, מאגיה שחורה, אמנות שחורה; כישוף

blackmail *n.* סחיטה, סחטנות
blackmail *v.* לסחוט (כספים)
Black Mari'a *מכונית אסירים
black market שוק שחור
Black Mass פולחן השטן
blackout *n.* האפלה (במלחמה), איפול; כיבוי אורות, עלטה; איבוד ההכרה
black pudding נקניק (שחור)
black sheep כיבשה שחורה, בן סורר
blacksmith *n.* נפח, מפרזל סוסים
black spot מקום מועד לתאונות
black tie תלבושת חגיגית
black widow האלמנה השחורה (עכביש)
blad'der *n.* שלפוחית (השתן); פנימון
blade *n.* להב, חורפה; סכין-גילוח; עלה ארוך; כף (של משוט, מחבט, מדחף)
blah (blä) *n.* *הבלים, להג, בלה-בלה
blame *v.* להאשים, להטיל אשמה על
- is to blame אשם, אחראי
blame *n.* אשמה, אחריות, גינוי
- bear the blame לשאת באחריות
- lay the blame להטיל את האשמה
blameless *adj.* לא אשם, נקי, חף מפשע
blameworthy *adj.* ראוי לגינוי
blanch *v.* להחוויר; להלבין צמחים; לקלף שקדים; לחלוט, לשלוק
blancmange (bləmänj') *n.* רפרפת
bland *adj.* נעים, נוח, רך, עדין; שיטחי; אדיש; משעמם
blan'dish *v.* להחניף
blandishment *n.* חנופה, שידולים
blank *adj.* ריק, חלק, חסר-הבעה; משעמם; מוחלט
- blank look מבט בוהה
- come up against a blank wall להיתקל בקיר אטום
blank *n.* חלל ריק; טופס ריק; תורף; כדור סרק
- draw a blank להעלות חרס בידו
blank cartridge כדור סרק (לאימון)
blank check צ'ק ריק; יד חופשית
blan'ket *n.* שמיכה, כיסוי, מעטה
- wet blanket אדם המשרה דיכאון
blanket *adj.* כולל, מקיף, לכל מיקרה
blanket *v.* לכסות
blank verse שירה ללא חרוזים
blare *n.* רעש, תרועת חצוצרה
blare *v.* לנגן ברעש, לשאוג, להרעיש
blar'ney *n.* חנופה, חנפנות
blase (blazā') *adj.* עייף מתענוגות
blas·pheme' *v.* לחרף; לנאץ
blas'phemous *adj.* מחרף; מנאץ
blas'phemy *n.* חילול השם, חירוף
blast *n.* זרם-אוויר; הדף-אוויר; התפוצצות; צפירה, שריקה
- at full blast במלוא הקיטור, במרץ
blast *v.* לפוצץ סלעים; להפציץ; לקלקל, להרוס; לשדוף; לגעור, לגנות
- blast it! לעזאזל!
- blast off להמריא, לזנק; לגעור
blasted *adj.* ארור
- blasted hopes תיקוות מנופצות
blast furnace כור היתוך
blast-off *n.* זינוק (של חללית)
bla'tant *adj.* קולני, גס, חסר-בושה, בוטה

blath'er (-dh-) *n.* שטויות
blaze *n.* להבה, שריפה; אור מבהיק; התפרצות זעם, התלקחות
- go to blazes! לך לעזאזל!
- like blazes *במרץ; כמו משוגע
blaze *v.* לבעור, להתלקח; להבהיק; לפרסם
- be blazed להתנוסס, להתפרסם
- blaze a trail לסמן נתיב ביער; לבצע דבר לראשונה, להיות חלוץ
- blaze away לירות בלי הרף
blaze *n.* כתם לבן (בראש הסוס)
bla'zer *n.* מעיל ספורטיבי, בלייזר, זיג
blazing *adj.* בוער, בולט, גס
bla'zon *n.* שיריון, מגן
blazon *v.* לקשט, לייפות; לפרסם
bla'zonry *n.* תצוגה מרהיבה
bleach *n&v.* חומר מלבין; להלבין
bleach'ers *n-pl.* ספסלי הצופים
bleaching powder אבקת הלבנה
bleak *adj.* קר, עגום; חסר-מחסה, חשוף
blear'y *adj.* מטושטש-ראייה, עמום
bleary-eyed *adj.* מטושטש-ראייה
bleat *n.* פעייה (של צאן, עגל)
bleat *v.* לפעות, לדבר בשפה רפה
bled = p of bleed
bleed *v.* לדמם, לאבד דם; להקיז דם; לסחוט כספים
- my hearts bleeds ליבי מתחמץ
bleeder *n.* המופילי, סובל מדממת
bleeding *n&adj.* דימום; *ארור
bleeding heart יפה נפש, רך לבב
bleep *n.* בליפ, צליל (הבוקע ממכשיר)
bleep *v.* להפיק צליל כנ"ל
- bleep out למחוק (ע"י בליפ)
bleep'er *n.* איתורית, זימונית
blem'ish *n.* דופי, פגם, ליקוי
blemish *v.* לפגום, להטיל דופי ב-
blench *v.* להירתע בפחד, להתחלחל
blend *v.* לערב, לערבל, למהול; להתמזג
blend *n.* תערובת, מימזג
blender *n.* ממרס, בלנדר, ממחה
bless *v.* לברך, לקדש
- bless me! I'm blest! חי נפשי!
- bless you! לבריאות (למתעטש)
- blessed with ניחן, נתברך ב-
bless'ed *adj.* מבורך, קדוש; *ארור
blessedness *n.* אושר
- single blessedness רווקות
Blessed Sacrament לחם הקודש
blessing *n.* ברכה, מזל, טובה
- a blessing in disguise תקלה שברכה טמונה בה
- ask a blessing לברך ברכת המזון
bleth'er (-dh-) *v&n.* (לדבר) שטויות
blew = pt of blow (bloo)
blight *n.* שידפון, הרס, פגע
blight *v.* להקמיל, לקלקל, להרוס
blighter *n.* *ברנש, טיפוס רע
bli'mey *interj.* *חי נפשי!
blimp *n.* ספינת אוויר
blind (blīnd) *adj.* עיוור; אטום ל-
- blind drunk שיכור כלוט, שתוי
- blind haste פזיזות, חיפזון
- turn a blind eye to להתעלם מ-
blind *v.* לעוור, לסנוור

blind *n.* וילון (משתלשל); מסווה, הטעייה, רמאות; מארב
blind alley מבוי סתום
blind corner סיבוב סמוי, פניית שדה-ראיה מוגבל
blind date פגישה עיוורת (בין בני זוג שאינם מכירים זה את זה)
blind′er (blīnd′-) *n.* *הילולה; ביצוע מצוין
- blinders סכי-עיניים
blind flying טיסה עיוורת (בעזרת מכשירים בלבד)
blindfold *v.* לקשור העיניים
blindfold *adj.* בעיניים קשורות
blinding *adj.* מעוור, מסנוור; *נורא
blind man's buff מישחק ה"תופסת" בעיניים קשורות
blind spot הכתם העיוור (בעין); חוסר-הבנה מוחלט
blind turning סיבוב סמוי, פנייה בעלת שדה-ראייה מוגבל
blink *v.* למצמץ, לקרוץ; להבהב
- blink the fact להתעלם מן העובדה
- didn't blink לא הניד עפעף
blink *n.* מיצמוץ, היבהוב
- on the blink *לא פועל כשורה
blink′er *n.* נורת-היבהוב; סך-עיניים
blinkered *adj.* שעיניו טחו מראות
blinking *adj.* *ארור
blip *n.* כתם על מסך המכ"מ
bliss *n.* אושר, שימחה
blissful *adj.* מאושר
blis′ter *n.* בועה, אבעבועה, כווייה
blister *v.* לגרום לבועות, להתכסות בועות
blis′tering *adj.* זועף, פוגעני
blister pack אריזת בועה
blithe (blīdh) *adj.* עליז
blith′ering (-dh-) *adj.* (פטפטן) גמור
blithesome *adj.* עליז
blitz *n.* התקפת-בזק, בליץ
blitz *v.* להפציץ תוך התקפת בזק
bliz′zard *n.* סופת-שלג עזה
bloat′ed *adj.* נפוח, מנופח, מתנפח
bloat′er *n.* דג מלוח מעושן
blob *n&v.* טיפה, גוש קטן, כתם; להתיז
bloc *n.* גוש פוליטי, בלוק
- en bloc במיכלול אחד, אן-בלוק
block *n.* גוש; בלוק; אימום, גלופה; סתימה, מחסום; גרדום; *ראש
- on the block למכירה
- traffic block פקק תנועה
block *v.* לחסום, להכשיל, לעכב, לסכל
- block in/out לתכנן בצורה כללית
block•ade′ *n.* הסגר ימי, מצור
- raise a blockade להסיר המצור
- run a blockade לחמוק ממצור
blockade *v.* להטיל מצור על
block′age *n.* עיכוב, מיכשול, סתימה
block and tackle גלגלת (מכשיר)
blockbuster *n.* פצצה אדירה; להיט, רב-מכר
blockhead *n.* טיפש
blockhouse *n.* מיבצר, מצודה, תבצור
block letters אותיות דפוס
bloke *n.* *אדם, ברנש

blond *adj&n.* בלונדיני, בהירני
blonde *adj&n.* בלונדינית
blood (blud) *n.* דם, קירבת-דם
- bad blood שינאה, איבה
- blood-and-thunder stories סיפורי הרפתקאות
- flesh and blood בשר ודם
- fresh blood דם חדש, כוח חדש
- let blood להקיז דם
- make his blood boil להרתיח את דמו
- make his blood run cold להפחידו, להקפיא דמו
- of the blood מגזע המלוכה
- runs in his blood טבוע בדמו
blood *v.* להקיז דם
- be blooded לטעום לראשונה (דם)
blood bank בנק דם
blood-bath *n.* מרחץ דמים
blood count ספירת דם
bloodcurdling *adj.* מקפיא דם, מחריד
blood donor תורם דם
blooded *adj.* בעל דם-
- cold-blooded (רצח) בדם קר
blood feud מילחמת מישפחות
blood group סוג דם
blood heat חום הגוף (של האדם)
bloodhound *n.* כלב גישוש
bloodless *adj.* ללא שפיכות דמים; חיוור, אדיש, חסר-דם
bloodletting *n.* הקזת דם
blood lust תאוות רצח
blood money כסף לביצוע רצח
blood poisoning הרעלת דם
blood pressure לחץ דם
blood red אדום כדם
blood relation/relative שאר בשר
blood sample דגימת דם
bloodshed *n.* שפיכות דמים
bloodshot *adj.* (עיניים) אדומות
blood sport הריגת חיות, ציד
bloodstained *adj.* מוכתם בדם
bloodstock *n.* סוסים גיזעיים
bloodstream *n.* מחזור-הדם
bloodsucker *n.* עלוקה, סחטן
blood test בדיקת דם
bloodthirsty *adj.* צמא-דם
blood transfusion *n.* עירוי דם
blood vessel כלי דם, גיד, עורק, וריד
bloody *adj.* שותת דם, עקוב מדם; *ארור
- not bloody likely! לא ולא
bloody-minded *adj.* רע-לב, אכזר
bloom (blo͞om) *n.* פרח, פריחה, זוהר; אבקה, דוק (המכסה פירות בשלים)
- take the bloom off לקלקל, לפגום
bloom *v.* לפרוח, ללבלב; לקרון
bloo′mer *v.* *טעות גסה
- bloomers אברקי אישה, תחתוני אישה
bloo′ming *adj.* *ארור, מוחלט
bloop′er *n.* *טעות גסה/אומללה
blos′som *n.* פרח, פרחים, פריחה
blossom *v.* להוציא פרחים, לפרוח
blot *n.* כתם, רבב, פגם
blot *v.* להכתים; לספוג בנייר סופג
- blot one's copybook להכתים שמו
- blot out להסתיר; למחוק, להשמיד

blotch *n.* כתם, כתם-דיו
blot′ter *n.* מספג, נייר סופג; פינקס
blotting paper נייר סופג
blot′to *adj.* *שיכור, שתוי
blouse *n.* חולצה; מעיל
blow (blō) *v.* לנשב, לנשוף; לנפח; להתנפנף; להתנשם; לשרוק; לפוצץ; להתפוצץ; להתפרץ; לבזבז כסף
- I'll be blowed תיפח רוחי!
- blow 500 NIS "לשרוף" 500 ש"ח
- blow back (לגבי גאז) להתפוצץ
- blow great guns לסעור, לגעוש
- blow hot and cold להיות הפכפך
- blow in להופיע פתאום, להתפרץ
- blow it *לקלקל, לפשל
- blow it! לעזאזל!
- blow off *להוציא אויר, להפליץ
- blow off steam להתפרק, לשחרר מרץ
- blow one's nose לגרוף את החוטם
- blow one's top *להתפרץ בזעם
- blow out לכבות; להיכבות; לפוצץ; להתפוצץ
- blow over לשכוך, להיפסק; להישכח
- blow town להסתלק לפתע מהעיר
- blow up לנפח; להתנפח; לפוצץ; להתפוצץ; להתפרץ; *לנזוף קשות
- blow up a picture להגדיל תמונה
- the fuse blew הנתיך נשרף
blow *n.* משב אויר, נשיפה
blow *v.* לפרוח, ללבלב
blow *n.* מהלומה, זעזוע, הלם
- at one blow במכה אחת
- blow-by-blow מפורט, צעד-צעד
- come to blows להתחיל להתקוטט
- get a blow in להנחית מכה
- strike a blow for להיאבק בעד
- without a blow ללא צורך להיאבק
blow dry ייבוש במייבש שיער
blow-dry *v.* לייבש במייבש שיער
blow-dryer *n.* מייבש שיער
blower *n.* מפוח; מנפח; *טלפון
blowfly *n.* זבוב (המטיל ביצים בבשר)
blowhard *n.* *רברבן, מנופח
blowhole *n.* נחיר-הלוויתן, פתח-אוויר (במינהרה, בקרח צף)
blowlamp *n.* מבער-הלחמה
blown (blōn) *adj.* חסר-נשימה
blown = pp of blow (blōn)
blowout *n.* התפוצצות; פנצ'ר, תקר, נתיך שרוף; *סעודה; *תבוסה
blowpipe, blowgun *n.* רובה-נשיפה (צינור שדרכו נושפים חיצים)
blowtorch *n.* מבער-הלחמה
blow-up *n.* התפוצצות; התפרצות זעם; תמונה מוגדלת
blowy *adj.* קריר, מנושב
blow′zy *adj.* סמוק-פנים; פרועת-מראה
blub′ber *n.* שומן לוויתן; ייבוב
blubber *v.* לבכות, לייבב
- blubber out לדבר בבכי, לבכבך
bludg′eon (-jən) *n.* מקל, אלה
bludgeon *v.* להכות באלה כבדה
- bludgeon into לאלצו במכות ל-
blue (bloo) *n&adj.* כחול, תכלת; עצוב
- as a bolt from the blue כרעם ביום בהיר
- once in a blue moon פעם ביובל
- out of the blue באופן לא צפוי
- shout blue murder לצרוח, לצעוק
blue *v.* לצבוע בכחול, לכחל
bluebag *n.* כוחל-כביסה
bluebell *n.* פעמונית (פרח)
blueberry *n.* אוכמנית
blue-blooded *adj.* בן-אצולה, כחול-דם
bluebottle *n.* זבוב-הבשר
blue chip מניה יקרה
bluecoat *n.* שוטר (במדים)
blue-collar *adj.* של פועלים שחורים, של צווארון כחול
blue-eyed boy *בחור חביב
blue film סרט מין, סרט כחול
bluejacket *n.* ימאי
blue law חוק כחול (לשמירה על המוסר)
blue-pencil *v.* לצנזר, למחוק
blueprint *n.* תוכנית, שירטוט, העתק-שמש
blue ribbon עיטור (למנצח בתחרות)
blues *n-pl.* בלוז (מוסיקה); *עצבות
blue stocking משכילה, אינטליגנטית
bluff *n.* צוק, שן-סלע
bluff *adj.* קשוח וגם לבבי, גלוי-לב, פשוט, עליז; בעל חזית רחבה ותלולה
bluff *v.* לרמות, לבלף, להתעות
- bluff it out להיחלץ מתיסבוכת
bluff *n.* בלוף, רמאות
- call his bluff להזמינו לבצע איומיו, לא להיבהל ממנו
bluf′fer *n.* רמאי, בלופר
blu′ish *adj.* כחלחל
blun′der *n.* שגיאה גסה, טעות חמורה
blunder *v.* לשגות גסות; לנוע הנה והנה, לגשש באפלה
- blunder on להיתקל במיקרה ב-
blun′derbuss′ *n.* רובה (מסוג ישן)
blunt *adj.* קהה, לא חד; גלוי, פשוט, בוטה
blunt *v.* להקהות, לפגום בחודו
bluntly *adv.* בצורה גלויה, בפשטות
blur *v.* ללכלך; לטשטש; לעמעם
blur *n.* כתם, טישטוש, ליכלוך
blurb *n.* תיאור קצר (של ספר, על גבי עטיפתו)
blurt *v.* לגלות, לפלוט (סוד)
blush *v.* להסמיק; להתבייש
blush *n.* סומק, אודם
- at first blush ממבט ראשון
- put to the blush לבייש, להביך
blush′er *n.* סומק
blus′ter *v.* לסעור, לגעוש, לצעוק; לדבר בגאווה, "לעשות רוח"
bluster *n.* שאון-הגלים, המיית רוח עזה; רברבנות, איומים קולניים
blustery *adj.* סוער, מנשב בעוצמה
BO ריח הגוף; קופה
bo′a *n.* חנק (נחש חונק), בואה
- feather boa סודר (לצוואר)
boar *n.* חזיר בר; חזיר זכר
board *n.* קרש, לוח; שולחן; מועצת המנהלים, דיקרטוריון; ועדה; ארוחות, אוכל; דף-כריכה
- above board בגלוי, מעל לשולחן
- across the board כולל, מקיף

- go by the board להיכשל, להיפסק
- on board באונייה, במטוס וכ׳
- sweep the board לגרוף כל הקופה, לזכות בניצחון סוחף
- take on board לשקול (רעיון)
- the boards קרשי הבימה
board *v.* לכסות בקרשים; לעלות על (הרכבת וכ׳); לאכסן; להתגורר
- board out לאכול בחוץ
boarder *n.* מתאכסן; פנימאי
board game מישחק לוח
boarding *n.* מיבנה-קרשים; כיסוי-לוחות; איכסון; התגוררות
boarding house פנסיון
boarding school פנימייה
boardroom *n.* חדר המנהלים
board-wages *n-pl.* תוספת ארוחות
boardwalk *n.* טיילת (בחוף הים)
boast *v.* להתפאר, להתגאות ב-
boast *n.* התרברבות, גאווה
- it's my boast גאוותי על כך
boastful *adj.* מתפאר, יהיר
boat *n.* סירה; קערה (דמויית-סירה)
- burn one's boats לשרוף את כל הגשרים מאחוריו
- in the same boat בסירה אחת
- rock the boat להחמיר את המצב, להפריע, לטלטל את הסירה
- take to the boats להימלט בסירות
boat *v.* לשייט בסירה
boat′er *n.* מיגבעת-קש
boat hook אונקל הסירה, מוט ארוך למשיכת הסירה ולדחיפתה
boat-house *n.* בית סירות
boatman *n.* סיראי, משכיר סירות
boat people פליטי סירות
boat race תחרות-שייט
boatswain (bō′sən) *n.* מפקח ראשי באונייה; רב-מלחים
boat train רכבת-נוסעים (המשרתת אוניות נוסעים)
bob *n.* תיספורת קצרה (עד לכתפיים)
bob *v.* לעשות תיספורת קצרה
bob *v.* לנוע מעלה ומטה; לקוד קידה
- bob up להופיע, לעלות, לצוף
bob *n.* התנועעות; קידה, מיכרוע
bob *n.* * (בעבר) שילינג, שילינגים
bob′bin *n.* סליל-חוטים, אשווה
bob′bish *adj.* *עליז, במצב מצוין
bob′ble *n.* פון-פון, כדורון צמר, כישלון, טעות, פשלה
bob′by *n.* *שוטר
bobby pin סיכת שיער
bobby socks גרבי נערה
bobby sox′er *גילאית טיפש-עשרה
bobsled, bobsleigh *n.* מיגררה, שלגית
bobtail *n.* סוס (או כלב) קצוץ-זנב
- the rag-tag and bobtail האספסוף
bod *n.* *ברנש, גוף
bode *v.* להוות סימן ל-, לבשר
- bode ill for להוות סימן רע ל-
- bode well for לבשר טוב, להבטיח
bode = pt of bide
bodge *v.* *לקלקל, לפשל
bod′ice (-dis) *n.* לסוטה, החלק העליון בשימלה
bodice-ripping *adj.* רומנטי, מגרה
bod′ied (-dēd) *adj.* בעל גוף-
- big-bodied גדל-גוף
bodily *adj.* גופני, של הגוף, גשמי
bodily *adv.* לגמרי, בשלמותו, כאיש אחד; אישית, בעצמו
bo′ding *n.* הרגשה של רעה קרבה
bod′kin *n.* מחט עבה; מרצע
bod′y *n.* גוף; גוויה; אדם; גוש; מרכב, גוף המכונית
- in a body כאיש אחד, הכל יחד
- keep body and soul together להישאר בחיים, לחיות איכשהו
- over my dead body על גופתי המתה
- wine of good body יין חזק
body blow *מהלומה, אכזבה
body-building פיתוח הגוף
bodyguard *n.* שומר-ראש
body language שפת הגוף
body odor ריח הגוף
body politic מדינה
body search חיפוש על הגוף
body-servant *n.* משרת אישי
bodywork *n.* גוף המכונית (מבחוץ)
Bo′er *n.* בורי (בדרום אפריקה)
bof′fin *n.* *מדען
bog *n&v.* בצה, אדמת-בוץ; *בית-כיסא
- bog down לשקוע בבוץ; להיתקע
bo′gey (-g-) *n.* (בגולף) בוגי, הישג
bogey, bogie, bogy (bō′gi) *n.* עגלת-משא; מערכת גלגלים; דחליל, שֵד
bog′gle *v.* להסס; להירתע, להזדעזע
bog′gy *adj.* טובעני, ביצתי
bo′gus *adj.* מזויף, מלאכותי
bo-he′mian *n&adj.* בוהמי, איש בוהמה
boil *n.* פורונקל, סימטה, נפיחות
boil *v.* לרתוח; להרתיח, לבשל
- boil away להמשיך לרתוח; להתאדות
- boil down להפחית ע״י רתיחה; לצמצם, לתמצת; להתרכז, להסתכם
- boil over לגלוש, לגלוש ל-
- keep the pot boiling להרוויח כדי מחייתו, להתקיים
boil *n.* הרתחה, נקודת רתיחה
- be on the boil לרתוח
- come to the boil להתחיל לרתוח
boil′er *n.* דוד-חימום, מרתח, בוילר
boiler suit סרבל-עבודה
boiling hot *חם מאוד, לוהט
bois′terous *adj.* סוער, רועש; קולני
bold (bōld) *adj.* אמיץ, נועז; חצוף, חסר-בושה; בולט, ברור; (אות) עבה
- as bold as brass במצח נחושה
- make bold to להעז, להיהין
- make bold with להשתמש בחופשיות
boldface *n.* אותיות עבות ושחורות
boldfaced *adj.* נועז
bole *n.* גזע עץ
bo-le′ro (-lā′-) *n.* בולרו (ריקוד ספרדי); מעיל קצר, אפודה
Boliv′ia *n.* בוליביה
boll *n.* תרמיל (של כותנה, צמח)
bol′lard *n.* עמוד
bol′locks *n.* *שטויות; אשכים

bolo'ney *n.* שטויות*
Bol'shevik *n.* בולשביק
bol'shy *n.* מתמרד, אנטי מימסדי*
bol'ster (bōl-) *n.* כר (למראשות המיטה)
bolster *v.* לחזק, לתמוך
bolt (bōlt) *n.* בריח; בורג; ברק, חזיז; חץ; גליל-בד
- shoot one's last bolt לעשות מאמץ אחרון
bolt *v.* להבריג, להבריח; להינעל
- bolt in לכלוא
bolt *n.* מנוסה, בריחה
- as a bolt from the blue כרעם ביום בהיר
- make a bolt for it לברוח
- sit bolt upright לשבת בזקיפות
bolt *v.* לנוס, לברוח; לבלוע מהר
- bolt a party לערוק ממפלגה
bolt *v.* לנפות (קמח)
bolt-hole *n.* מיפלט, מחסה
bo'lus *n.* גלולה גדולה; מזון לעוס
bomb (bom) *n.* פצצה
- like a bomb מוצלח, ממש פצצה*
bomb *v.* להפציץ, להטיל פצצות על
- bomb out לגרש בפצצות
- bomb up להטעין מטוס בפצצות
bom·bard' *v.* להפגיז, להמטיר (אש)
bom'bardier' (-dir) *n.* תותחן, מפציץ
bombardment *n.* הפגזה; הפצצה
bom'bast' *n.* מליצות נבובות
bom·bas'tic *adj.* מנופח, נמלץ, בומבאסטי
bomb bay תא פצצות במטוס
bomb disposal squad יחידה לסילוק פצצות
bomber *n.* (מטוס) מפציץ
- suicide bomber מתאבד (בפיגוע)
bombproof *adj.* חסין פצצות
bombshell *n.* פצצה; זעזוע, הלם
bombsight *n.* כוונת-פצצות
bomb-site *n.* שטח שנהרס בפצצות
bo'na fide מהימן, בלי רמאות; בונה פידה, בתום לב
bo'na fi'des (-diz) *n-pl.* תום לב
bonan'za *n.* מיכרה-זהב, מזל
bon'bon' *n.* סוכרייה, ממתק
bonce *n.* ראש*
bond *n.* קשר, התחייבות, התקשרות; אחיזה, תפיסה; איגרת חוב
- bonds כבלים, אזיקים
- enter into a bond with לעשות הסכם עם
- his word is as good as his bond מבטיח ומקיים, עומד בדיבורו
- in bond (סחורה) במחסן ערובה
bond *v.* לאחסן במחסן ערובה; להדביק; להידבק
bond'age *n.* עבדות, שיעבוד
bonded *adj.* מופקד במחסן-ערובה
bonded warehouse מחסן ערובה
bondholder *n.* בעל איגרת חוב
bondman *n.* משועבד, עבד
bone *n.* עצם
- all skin and bone גל עצמות
- bone of contention סלע המחלוקת
- cut to the bone לקצץ ככל האפשר
- has a bone to pick with him יש לו סיבה לריב עמו
- in one's bones בעצמות, בדם
- make no bones about it לא להסס
- to the bone עד העצם, לגמרי
- will not make old bones לא יאריך ימים
bone *v.* להוציא את העצמות מ-, לגרם
- bone up לשקוד על לימודיו*
bone china חרסינת עצמות
boned *adj.* בעל עצמות; מגורם
- big-boned רחב-גרם
- boned meat בשר בלי עצמות/מגורם
bone-dry *adj.* יבש כעצם
bone-head *n.* טיפש*
bone-idle *n.* בטלן ללא תקנה
bone-lazy *n.* עצלן ללא תקנה
bone-meal *n.* אבקת עצמות (לזיבול)
bo'ner *n.* טעות גסה*
bone-setter *n.* מרפא שברים (בגוף)
bone-shaker *n.* מכונית טלטלנית*
bon'fire' *n.* מדורה
- make a bonfire of להיפטר מ-
bon'homie' (-nəmē') *n.* לבביות
boni'to (-nē'-) *n.* פלמודה (דג)
bon'kers (-z) *adj.* משוגע, מטורף*
bon mot (bōnmō') *n.* אימרה שנונה
bon'net *n.* כובע, מיצנפת; חיפת המנוע
bon'ny *adj.* נעים, נאה, בריא
bo'nus *n.* בונוס, הטבה
- cost-of-living bonus תוספת יוקר
- no claims bonus הטבת העדר תביעה
bon vivant/viveur (-vä'/-vû') אוהב חיים, הוללן, בעל טעם טוב
bo'ny *adj.* כחוש; מלא עצמות, גרמי
boo *n.* בוז!קריאת בוז
- can't say boo to a goose פחדן
boo *v.* לצעוק בוז
boob (bōōb) *v.* (לעשות) שגיאה טיפשית; טיפש*
- boobs שדיים*
boob, boo'by *n.* טיפש
booby hatch בית חולי רוח
booby prize פרס לאחרון בתחרות
booby trap פצצה ממולכדת
booby-trap *v.* למלכד
boo'dle *n.* שוחד, מתת*
boo'hoo' *v.* לבכות, לייבב
book *n.* סֵפֶר, פינקס; חבילה, צרור; ליברית, תמליל; רשימת ההימורים
- books ספרים, פינקסי העסק
- bring him to book להענישו, לדרוש ממנו הסבר
- closed book ספר חתום, נושא סתום
- in my good books חביב עלי
- make a book on לנהל הימורים
- one for the books בלתי רגיל*
- suit one's books להלום את תוכניותיו
- take a leaf out of his book לקחת דוגמה ממנו
- throw the book at להחמיר בדינו
book *v.* להזמין, להסדיר מראש; להירשם; לרשום; להאשים, להגיש תלונה
- book in להירשם (כאורח במלון)
- book up להזמין (כרטיס) מראש
- booked up מלא, אין מקום, תפוס

bookable *adj.* שאפשר להזמינו מראש
bookbindery *n.* כריכייה
bookcase *n.* כוננית ספרים
book club מועדון הספר
book-end *n.* מאחזות ספרים
book'ie *n.* *סוכן הימורים
booking *n.* הזמנת מקומות מראש
booking clerk מוכר כרטיסים
booking office קופה; משרד נסיעות
bookish *adj.* תולעת-ספרים, ספרותי
bookkeeper *n.* מנהל חשבונות
bookkeeping *n.* הנהלת חשבונות
book'let *n.* ספרון, חוברת
bookmaker *n.* סוכן הימורים
bookmark *n.* סימנייה (של ספר)
book'mo·bile' (-bēl) *n.* ספרייה ניידת
book of words תמליל, ליברית
bookseller *n.* מוכר ספרים
bookshelf *n.* מדף ספרים
bookshop *n.* חנות ספרים
bookstall *n.* חנות ספרים (קטנה)
bookstore *n.* חנות ספרים
book token תלוש לקניית ספרים
bookwork *n.* למידה בספרים
bookworm *n.* תולעת ספרים
boom (bo͞om) *n.* רעם, רעש, שאון, בום
boom *v.* לרעום, להרעיש, להדהד
- boom out להרעים בקול
boom *n.* שיגשוג מהיר (של עסק)
boom *v.* לשגשג, להצליח; להתפרסם
boom *n.* מנור (בספינה); זרוע המיקרופון; שרשרת-קורות בנהר
- derrick boom זרוע העגורן
boo'merang' *n.* בומראנג
boomerang *v.* לפעול כבומראנג
boom town עיר משגשגת
boon (bo͞on) *n.* יתרון, ברכה, נוחיות
- ask a boon לבקש טובה
boon companion חבר עליז
boor *n.* גס, חסר נימוס
boorish *adj.* גס, חסר נימוס
boost (bo͞ost) *v.* לתת דחיפה, להעלות, להרים; להלל, להפליג בשבחים
boost *n.* דחיפה, הרמה, עידוד
booster *n.* תומך, חסיד; מגביר (עוצמה, לחץ); תזריק נוסף
boot (bo͞ot) *n.* מגף, נעל; *בעיטה; *פיטורין; תא המיטען (במכונית)
- die with one's boots on למות מוות לא טיבעי, למות בעודו עובד
- get the boot *להיות מפוטר
- give the boot *לפטר, להעיף מהעבודה
- his heart's in his boots נפל ליבו
- lick his boots ללקק לו, להתחנף
- put the boot in לבעוט
- to boot נוסף על כך, גם כן
- too big for one's boots יהיר
boot *v.* לבעוט; *לפטר
- it boots not to לא כדאי ל-
bootblack *n.* מצחצח נעליים
booted *adj.* נעול מגפיים, ממוגף
boo'tee *n.* נעל תינוק (מצמר)
booth (bo͞oth) *n.* תא טלפון; ביתן
- polling booth תא הקלפי
bootlace *n.* שרוך-מגף, רצועת מגף
bootleg *v.* להבריח משקאות
bootleg *adj.* (משקאות) לא חוקיים
bootlegger *n.* מבריח משקאות
bootless *adj.* חסר תועלת, מיותר
boots *n.* משרת במלון
boo'ty *n.* שלל-מלחמה, ביזה
booze *v.* *לשתות לשכרה, להשתכר
booze *n.* *משקה חריף
- go on the booze *לשתות לשכרה
boo'zer *n.* *שתיין; *מיסבאה
booze-up *n.* *הילולה, מישתה
boozy *adj.* שתיין; של שתייה
bop *n.* *מכה; בופ (ריקוד)
bop *v.* *לרקוד; להכות קלות
bo-peep' *n.* "קוקו", משחק להצחקת תינוק
borac'ic acid חומצת-בור
Bor·deaux' (-dō) *n.* (יין) בורדו
bor·del'lo *n.* בית בושת
bor'der *n.* גבול; קצה, שפה
border *v.* לגבול ב-, לעשות שפה ל-
- border on לגבול ב-; לשכון ליד
borderer *n.* תושב ספר
borderland *n.* איזור הגבול/הספר
borderline *n.* קו הגבול
- borderline case מיקרה גבול
bore *v.* לקדוח (חור); להתקדם, לנוע
- bore one's way לפלס דרכו
bore *n.* חור; קדח, חלל הקנה
bore *n.* גל גבוה, נחשול
bore *n.* אדם משעמם, דבר לא נעים
bore *v.* לשעמם
bore = pt of bear
boredom *n.* שיעמום
borehole *n.* חור (בקידוח)
bor'ic acid חומצת בור
boring *adj.* משעמם
born *adj.* נולד, נוצר, מלידה
- born and bred נולד וגדל
- born leader מנהיג מלידה
- born of נוצר מ-, פרי-
- in all my born days כל ימי חיי
born = pp of bear נולד
borne = pp of bear נישא
- borne in on חודר להכרה, מתחוור
bo'ron' *n.* בור (יסוד כימי)
borough (bûr'ō) *n.* עיר (בעלת שלטון עצמי); שכונה, רובע
bor'row (-ō) *v.* לשאול, ללוות; לגנוב; להעתיק
borrower *n.* שואל, לווה
borrowing *n.* שאילה, נטילה
borscht (-rsht) *n.* חמיצה, סילקנית
bor'stal *n.* מוסד לעבריינים
bosh *n.* *שטויות
bos'ky *adj.* מכוסה עצים, מלא שיחים
bo's'n = boatswain (bō'sən) *n.* מפקד ראשי באונייה; רב-מלחים
Bos'nia (-z-) *n.* בוסניה
bos'om (booz'-) *n.* חיק
- bosom friend ידיד נפש
- in the bosom of בחיק-
bosomy *adj.* בעלת חזה שופע
boss (bôs) *n.* *בוס, אדון, מעביד
boss *v.* לנהל, לשלוט
- boss him around לרדות בו
boss *n.* תבליט, קישוט, פיתוח

- make a boss shot *לפספס, להיכשל
boss-eyed *adj.* *פוזל
bossy *adj.* שתלטן, רודני
bo′sun = boatswain
botan′ical *adj.* של בוטאניקה, בוטאני
bot′anist *n.* בוטאניקן
bot′anize′ *v.* לעסוק במחקר צמחים
bot′any *n.* בוטאניקה, תורת הצומח
botch *v.* לקלקל, לתקן באופן רע
botch *n.* עבודה גרועה, קילקול
botcher *n.* בטלן, חושם, לא-יוצלח
both (bōth) *adj&pron.* שניהם, שני ה-
- both he and she שניהם, הוא וגם היא
- both of them שניהם
both′er (-dh-) *v.* להציק, להטריד, להדאיג; לטרוח, לדאוג
- bother one's head about לדאוג
- bother! לעזאזל! לכל הרוחות!
- cannot be bothered לא יטרח ל-
bother *n.* טירחה, מיטרד, צרה
both′era′tion (-dh′-) *interj.* לעזאזל
bothersome *adj.* מציק; טורדן
Bots·wa′na (-wä-) *n.* בוצוואנה
bot′tle *n.* בקבוק
- hit the bottle *לשתות לשכרה
- the bottle משקה חריף; חלב-בקבוק
bottle *v.* למלא בקבוקים ב-
- bottle out *לא לבצע, לסגת
- bottle up לרסן, לעצור (רגשות)
bottled *adj.* נתון במכלים; עצור, מרוסן; לכוד; *שתוי
bottle-fed *adj.* ניזון מחלב-בקבוק
bottle green ירוק כהה
bottle-neck *n.* צוואר הבקבוק
bot′tom *n&v.* תחתית, יסוד; ישבן; מושב-הכיסא; ספינה; הילוך ראשון
- I'll bet my bottom dollar אתערב אתך ש-, אני בטוח ש-
- at bottom ביסודו, בתוך תוכו
- at the bottom of גרם ל-, מאחורי
- bottom out להגיע לנקודת השפל
- bottom up הפוך
- bottoms up! *לחיים!
- from the bottom of my heart מקרב ליבי
- get to the bottom of להגיע לשורשי ה-
- hit bottom להגיע לשפל המדרגה
- knock the bottom out of להשמיט את הקרקע מתחת ל-
- the bottom of קצה, סוף-
bottom drawer חפצי הכלה, מגירת הנישואין
bottomless *adj.* עמוק מאוד, תהומי
bottom line השורה התחתונה, הגורם המכריע
bot′ulism′ (-ch-) *n.* הרעלה ממזון
boudoir (bōō′dwär) *n.* חדר-אישה
bouffant (bōōfänt′) *adj.* (שיער) מנופח
bou′gainvil′le·a (bōōgən-) *n.* בוגנוויליאה (צמח נוי)
bough (bou) *n.* ענף
bought = p of buy (bôt)
bouillon (bōō′yon) *n.* מרק דליל
boul′der (bōl′-) *n.* סלע, אבן
boule (bōōl) *n.* בול (מישחק)
boule (bōōl′i) *n.* בית מחוקקים, סנט
boul′evard′ (bool′-) *n.* שדירה
bounce *v.* לקפוץ, לקפץ; להקפיץ; לזנק; להתפרץ; לנענע; להתנענע
- bounce back להתאושש
- the check bounced *השק חזר בלי כיסוי
bounce *n.* ניתור, קפיצה; התרברבות
- give the bounce *לפטר, להעיף
- on the bounce בשעת מעופו
bouncer *n.* סדרן (ההודף מתפרעים)
bouncing *adj.* חסון, שופע בריאות
bouncy *adj.* מלא חיים, קפיצי
bound *adj.* בדרך ל-, פניו מועדות ל-
bound *v.* לקפוץ, לנתר, לדלג
bound *adj.* חייב, מוכרח; ודאי, בטוח; קשור, כרוך
- I'll be bound! חי נפשי!
- bound up in שקוע ראשו ורובו ב-
- bound up with כרוך ב-, תלוי ב-
bound *n.* קפיצה, ניתור
- by leaps and bounds במהירות רבה
bound *n.* תחום, גבול
- out of bounds מחוץ לתחום
- within the bounds of בתחום
bound *v.* לתחום תחום, לגבול ב-
bound = p of bind
bound′ary *n.* גבול; תחום
bound′en duty חובה מצפונית
bound′er *n.* *חסר-נימוס
boundless *adj.* ללא גבול, עצום
boun′te·ous *adj.* נדיב לב; שופע
boun′tiful *adj.* נדיב לב; שופע
boun′ty *n.* נדיבות-לב; מענק, פרס
bouquet′ (bōōkā′) *n.* צרור פרחים; ריח יין נעים; מחמאה, דברי שבח
bour′bon (bûr′-) *n.* בורבון, ויסקי
bourgeois (boorzhwä′) *n&adj.* בורגני, רכושני
bourgeoisie (boor′zhwäzē′) *n.* בורגנות
bourn (bôrn) *n.* נחל; גבול
bourse (boors) *n.* בורסה
bout *n.* תקופת פעילות; התקף מחלה, בולמוס; תחרות
boutique (bōōtēk′) *n.* בוטיק
bo′vine *adj.* כמו שור או פרה
bov′ver *n.* *אלימות, פירחחות
bow (bō) *n.* קשת; קשתנית; קשת בענן; קשר, לולאה, עניבה; יצול-המישקפיים
- draw the long bow להגזים
- have two strings to one's bow לשמור באמתחתו כמה תוכניות
bow (bō) *v.* לנגן בקשתנית
bow (bou) *n.* קידה, קידת נימוסין
- make one's bow להופיע לראשונה
- take a bow להחוות קידה
bow (bou) *v.* לקוד, להשתחוות, להתכופף; לכופף; להביע תוך קידה
- bow and scrape להתרפס
- bow him in להכניסו בקידה
- bow him out ללוותו החוצה בקידה
- bow out *לצאת, להסתלק; להתפטר
- bow the knee/neck להיכנע
- bow to להיכנע, לציית, לקבל
- bowed with age שבע-ימים
bow (bou) *n.* חרטום הספינה

bowd′lerize′ *v.* למחוק, לצנזר
bowel movement פעולת מעיים
bow′els *n-pl.* מעיים, קרביים, בטן
bow′er *n.* מעון קיץ, מקום מוצל; חדר
אישה פרטי
bow′ing (bō′-) *n.* נגינה בקשתנית
bowl (bōl) *n.* קערה, דבר דמוי-קערה;
אמפיתיאטרון; *הילולה
bowl *n.* כדור (בכדורת)
- bowls כדורת (מישחק)
bowl *v.* לשחק כדורת; לגלגל כדור;
לזרוק כדור
- bowl along להחליק, להתגלגל
- bowl over להפיל; לבלבל; להדהים
bow-legged *n.* עקום-רגליים
bow legs רגליים עיקלות, רגלי או
bow′ler (bō′-) *n.* מיגבעת
bowler *n.* מגלגל הכדור (בכדורת)
bow′line′ (bō′-) *n.* קשר, לולאה
bowl′ing (bōl′-) *n.* כדורת (מישחק)
bowling alley אולם כדורת
bowling green מיגרש כדורת
bowman *n.* תופס קשת, קַשָּׁת
bowshot *n.* מטחווי קשת
bow′sprit′ *n.* מוט החרטום (בספינה)
bow tie (bō′-) עניבת פרפר
bow window (bō′-) חלון קמור
bow′-wow′ *n&interj.* *כלב; נביחת
כלב
box *v.* להתאגרף
- box his ears לסטור על אוזנו
box *n.* סטירה; מכת אגרוף
box *n.* ארגז, קופסה; תא; *טלוויזיה
- in a box בצרות, במצב ביש
box *v.* לשים בארגזים
- box in/up לכלוא במקום צר
- box off להפריד, לשים לחוד
- box the compass לעשות תפנית מלאה
box, boxwood *n.* (עץ) תאשור
box camera מצלמה (פשוטה)
boxcar *n.* קרון-מיטען סגור
boxer *n.* בוקסר (כלב); מתאגרף
boxer shorts תחתוני בוקסר, מכנסונים
boxful (-fool) *n.* מלוא הארגז
boxing *n.* איגרוף
Boxing Day יום השני (חג אנגלי)
boxing glove כיפפת איגרוף
box kite עפיפון-תיבה
box number מספר תא (במודעת עיתון)
box office משרד כרטיסים; קופה
box-office success הצלחה קופתית
boy *n.* נער, בן, בחור; משרת
- boy! *או! (קריאה)
boy′cott′ *v.* להחרים, להטיל חרם
boycott *n.* חרם, החרמה
boyfriend *n.* ידיד, חבר קבוע
boyhood *n.* נערות, נעורים
boyish *adj.* נערי; ילדותי
boy scout צופה (חבר בתנועת צופים)
bo′zo *n.* *טיפש, אידיוט
Br. = Brother, British
bra (brä) *n.* חזייה
brace *v.* להדק, לחזק, להצמיד בחוזקה
- brace oneself להתאזר באומץ לקראת
- brace up להתחזק, לחזק רוחו
brace *n.* מישען, מיתמך, מהדק, מחזק;
חבל מיפרש
- braces כתפיות, כתפות; מיתקן ליישור
השיניים, גשר; סוגריים
brace *n.* זוג, צמד; זוגות, צמדים
brace and bit מקדחת-יד
brace′let (brās′l-) *n.* צמיד
- bracelets *אזיקים
bracing *adj.* מחזק, מבריא, מרענן
brack′en *n.* שרך (צמח)
brack′et *n.* מישען, זווית (להחזקת מדף);
סיווג, סוג, קבוצה, מיסגרת
- brackets סוגריים; מדרגות (מס)
bracket *v.* לשים בסוגריים; לכלול
באותה קבוצה
brack′ish *adj.* מלחלח, מלוח מעט
bract *n.* חפה, עלעל
brad *n.* מסמר קטן, מסמרון
brad′awl′ *n.* מרצע קטן
brag *v.* להתפאר, להתרברב
brag′gado′cio′ (-′sh-) *n.* רברבנות
brag′gart *n.* רברבן
Brah′min (brä-) *n.* ברהמין, כוהן הודי
braid *v.* לקלוע (צמה/חלה); לקשט
בסרט
braid *n.* צמה, מיקלעת; סרט
braille *n.* כתב ברייל
brain *n.* מוח; שכל
- beat/rack one's brain(s) "לשבור את
הראש", להתאמץ לחשוב
- blow out one's brains להתאבד בירייה;
*לעמול
- brains מוח-בהמה (לאכילה); שכל רב
- has it on the brain הוגה בכך יומם
ולילה, הדבר בראש מעייניו
- pick his brains לנצל את שיכלו
brain *v.* לרוצץ גולגולת, להרוג
brainchild *n.* רעיון מקורי, אמצאה
brain-dead *adj.* מת מוות מוחי; *רפה
שכל
brain death מוות מוחי
brain drain בריחת מוחות
brain-fag *n.* עייפות-המוח
brain fever דלקת המוח
brainless *n.* טיפש, רפה-שכל
brainpan *n.* גולגולת
brain-storm *n.* השראת פתע, רעיון
מבריק; התקפת עצבים
brain-teaser *n.* חידה; בעייה קשה
brain trust טרסט מוחות
brain-wash *v.* לעשות שטיפת-מוח
brain-washing *n.* שטיפת-מוח
brain-wave *n.* *רעיון מבריק
brainy *adj.* פיקח, בעל מוח
braise (-z) *v.* לטגן (בשר לאט), לכמר
brake *n.* בלם, מעצור
- put the brakes on לבלום את
brake *v.* לבלום, לעצור
brake *n.* סבך, איזור שיחים; כירכרה
brake disc דיסק הבלם
brake drum תוף הבלם
brake fluid נוזל בלמים
brake lining/pad רפידת הבלם
brake shoe סנדל הבלם
bram′ble *n.* אטד, סנה
bran *n.* סובין
branch *n.* ענף; סניף, זרוע

branch *v.* להסתעף, להתפצל
- branch out להרחיב שטח הפעילויות
branch line קו (רכבת) מסתעף
brand *n.* סימן מסחרי, סוג מוצר, סוג; מותג; אוד; אות קלון, ברזל מלובן
- a brand from the burning אוד מוצל מאש
brand *v.* לסמן בברזל מלובן; להותיר רישום; להוקיע; למתג (מותג)
bran'dish *v.* לנופף, לנפנף
brand name שם מותג
brand-new *adj.* חדש בתכלית, חדשדש
bran'dy *n.* ברנדי; יין שרף
brandy snap/ball מיני-מתיקה
brash *adj.* חצוף, מחוצף; פזיז, נועז
brass *n.* פליז; כלי-פליז; כלי-נשיפה; לוח-זיכרון; *כסף; חוצפה
- get down to brass tacks *לרדת לעובדות היסוד
- top brass *הקצונה הגבוהה
bras'sard' *n.* סרט שרוול
brass band תיזמורת כלי נשיפה
brassed off *adj.* *עייף, נשבר לו
bras'serie' *n.* מיסעדה, מיסבאה
brass hat *קצין בכיר
brassiere (brəzir') *n.* חזייה
brass knuckles אגרופנים (לידיים)
brass plate שלט (על דלת), לוחית
brassy *adj.* פליזי; חצוף
brat *n.* ילד (רע)
brava'do (-vä'-) *n.* העזה, הרהבה
brave *adj.* אמיץ, נועז; נאה, יפה
brave *n.* לוחם אינדיאני
brave *v.* להתייצב מול, להתריס
- brave it out לעבור (המשבר) בעוז
bra'very *n.* אומץ לב
bra'vo (-rä'-) *n.* הידד! בראבו!
bravu'ra *n.* ביצוע מעולה
brawl *n.* מריבה, קטטה
brawl *v.* להתקוטט; להשתפך ברעש
brawler *n.* משתתף בקטטה, איש מדון
brawn *n.* שרירים, כוח; בשר-חזיר
brawny *adj.* שרירי, חזק
bray *n&v.* נעירת חמור; לנעור
braze *v.* להלחים; לצפות בפליז
bra'zen *adj&v.* פליזי, מתכתי; חצוף
- brazen it out לנהוג בעזות מצח
bra'zier (-zhər) *n.* מחתת-גחלים
Brazil' *n.* ברזיל
breach *n.* הפרה; עבירה; פירצה
- stand in the breach לעמוד בפרץ
- throw oneself into the breach לאוץ לעזרה
breach *v.* לפרוץ, לעשות פירצה ב-
breach of faith הפרת אמון, מעילה
breach of promise הפרת הבטחה (לנישואין)
breach of the peace הפרת הסדר
bread (bred) *n.* לחם, מזון; *כסף
- bread and butter לחם בחמאה
- break bread with להסב אל שולחן-
- earn one's bread להרוויח את לחמו
- one's daily bread לחם חוקו
- take the bread out of his mouth לגזול את לחם חוקו
- the side the bread is buttered היכן להפיק תועלת
bread and butter *n.* *פרנסה
bread-and-butter *adj.* חומרי, חיוני
- bread and butter note מכתב תודה
breadbasket *n.* *קיבה, בטן
bread bin ארגז לחם
breadboard *n.* קרש-בציעה (ללחם)
breadcrumbs *n-pl.* פירורי-לחם
breadfruit (tree) עץ הלחם
breadline *n.* תור ללחם
- on the breadline עני
breadth (bredth) *n.* רוחב, מרחב, מישור; רוחב לב, רחבות-אופק
breadthways, -wise *adv.* לרוחבו, מול צידו הרחב
breadwinner *n.* מפרנס
break (brāk) *v.* לשבור; להישבר; לנתק; להינתק; להפר; לפרוץ; להפסיק, לבטל
- as day breaks עם עלות השחר
- break a fall להחליש עוצמת נפילה
- break a horse לאלף סוס
- break a record לשבור שיא
- break a rope לקרוע חבל
- break a way לפלס דרך
- break an agreement להפר הסכם
- break an officer להוריד קצין בדרגה
- break away לברוח, להימלט, להינתק
- break bread with להסב אל שולחן-
- break camp לפרק מחנה, לארוז
- break cover לברוח ממקום מחסה
- break down להרוס; להישבר, להתמוטט; לפרק, למיין, לסווג
- break even לסיים עיסקה בלי רווח או הפסד, לצאת בלי רווח והפסד
- break faith with למעול באמון
- break forth להתפרץ
- break her back (לגבי אונייה) להתבקע לשניים
- break his back להעבידו בפרך
- break his heart לשבור את ליבו
- break in לפרוץ פנימה; לאלף, ללמד
- break in on להתפרץ, להפריע ל-
- break into לפרוץ ב-, לפרוץ ל-
- break into a run לפתוח בריצה
- break loose/free לברוח, להינתק
- break new ground לגלות נצורות, לחקור ארץ לא נודעת
- break of להגמילו מ-
- break off להפסיק, לנתק; להינתק
- break one's neck להיהרג; *להרוג את עצמו, להשתדל ביותר
- break open לפרוץ, לשבור; להתפצח
- break out לפרוץ, להופיע; לברוח
- break out in להתכסות ב- (זיעה)
- break prison לברוח מן הכלא
- break short לסיים טרם זמנו
- break step לצעוד בלי קצב אחיד
- break the back of לסיים את החלק הקשה, לעבור את מחצית הדרך
- break the bad news to him לבשר לו את הבשורה המרה בעדינות
- break the bank לגרוף כל הקופה
- break the code לפענח את הצופן
- break the ice לשבור את הקרח
- break the law לעבור על החוק
- break the news לפרסם את הידיעה

- break the skin לפצוע את העור
- break the soil לתחח את האדמה
- break through להבקיע, להפציע; לעשות פריצת דרך, להצליח
- break up לפרק; להתפרק; לשבור; להיהרס; לפזר; להתפזר, להיפרד
- break wind לפלוט נפיחה
- break with להיפרד מ-, להינתק מ-
- his voice broke קולו התחלף
- the abscess broke המורסה נתבקעה
- the ball broke הכדור שינה כיוון
- the frost broke הכפור חלף
- the storm broke הסערה פרצה

break *n.* שבר, פירצה, הפסקה; שינוי, שינוי כיוון; *הזדמנות, צ'אנס *שגיאה; הערה אומללה
- a bad break
- a lucky break הצלחה
- break of day/dawn עלות השחר
- make a break for לנסות לברוח

breakable *adj.* שביר; עלול להישבר
breakage *n.* שבר, שבירה; נזקי שבירה
breakaway *n.* ניתוק; פילוג; פלג
breakdancing *n.* ריקוד ברייקדנס
breakdown *n.* קילקול; התמוטטות; ניתוח, פירוט
breaker *n.* מישבר, גל גדול, נחשול
break′fast (brek′-) *n&v.* ארוחת בוקר; לאכול ארוחת בוקר
break-in *n.* פריצה (לדירה)
breaking and entering פריצה לבית
breakneck *adj.* מסוכן, מהיר מאוד
breakout *n.* בריחה
breakthrough *n.* הבקעה; פריצת דרך
breakup *n.* התפרקות, התמוטטות
breakwater *n.* שובר-גלים; מזח
bream *n.* אברומה (דג)
breast (brest) *n.* חזה, שד, שדיים; חיק
- a troubled breast לב דואג
- make a clean breast of להתוודות

breast *v.* להיאבק עם, להתייצב מול; לדחוף בחזה, לגעת בחזהו ב-
breast cancer סרטן השד
breast-fed *adj.* ניזון מחלב-אם
breast-high *adv.* בגובה החזה
breastplate *n.* שריון חזה
breaststroke *n.* שחיית חזה
breastwork *n.* סוללה, קיר מגן
breath (breth) *n.* נשימה; אוויר, רוח קלה; סימן קל, רמז, משהו, שמץ
- bad breath ריח רע (מהפה)
- below/under one's breath בלחש
- breath of life נשמת-חייו
- catch one's breath לעצור נשימתו; לנשום, לנוח
- draw/take breath לנשום, לנוח
- get one's breath לנשום כרגיל, לשאוף רוח, לנוח
- hold one's breath לעצור נשימתו
- in the same breath בנשימה אחת
- long breath נשימה ארוכה
- lose one's breath להתנשם
- out of breath חסר נשימה
- take his breath away להדהימו
- waste one's breath לשחת דבריו

breath′aly′ser (breth-z-) *n.* מד שיכרות (למדידת שיכרותו של נהג)

breathe (brēdh) *v.* לנשום, לנשוף; ללחוש, לפלוט; להוציא, להפיח
- breathe a word להוציא הגה
- breathe again/easily/freely לנשום לרווחה
- breathe down his neck לנשוף בעורפו
- breathe in/out לנשום/לנשוף
- breathed his last נפח נפשו

breath′er (-dh-) *n.* הפסקה קצרה
breath′ing (-dh-) *n.* נשימה
breathing space הפסקה, מנוחה
breathless *adj.* חסר-נשימה, מתנשם; עוצר נשימה, מותח; חסר-רוח
breathtaking *adj.* עוצר נשימה
breath test בדיקת צריכת אלכוהול
bred = p of breed
breech *n.* מיכנס (בכלי ירייה)
breech birth/delivery לידת עכוז
breeches *n-pl.* מיכנסיים
breeches buoy מיכנסי-הצלה
breech-loader ניטען במיכנס
breed *v.* לפרות, להתרבות; לגדל חיות; לחנך, לטפח; ליצור, לגרום
- well-bred מחונך, מנומס

breed *n.* גזע, מין
breeder *n.* מגדל, עוסק בגידול חיות
breeding *n.* גידול; חינוך; נימוס
breeze *n.* רוח קלה, בריזה; *ריב
- in a breeze *בקלות, בנקל
- shoot the breeze *לנהל שיחה קלה

breeze *v.* *לנוע, לחלוף, לעבור
breezy *adj.* אוורירי, מנושב; עליז
Bren *n.* מקלע ברן
breth′ren (-dh-) *n-pl.* אחים
breve *n.* סימן התנועה הקצרה
brevet′ *n.* העלאה בדרגה (ללא שכר)
brevet rank דרגת כבוד
bre′viar′y (-vieri) *n.* ספר תפילה נוצרי
brev′ity *n.* קיצור, קוצר, קצרות
brew (broo) *v.* לבשל שיכר, לחלוט תה; לתכנן, לרקום מזימה; להתהוות
- trouble is brewing צרה "מתבשלת"

brew *n.* בישול; חליטה; סוג שיכר
brewer *n.* מבשל שיכר
brew′ery (broo′-) *n.* מיבשלת שיכר
bri′ar *n.* מיקטרת (משורש העצבונית)
bribable *adj.* שחיד, בר-שיחוד
bribe *n.* שוחד
bribe *v.* לשחד, לתת שוחד
bri′bery *n.* מתן שוחד, לקיחת שוחד
bric′-a-brac′ *n.* חפצי נוי קטנים
brick *n&v.* לבינה; קובייה; *איש אדיב
- brick up/over לאטום בלבינים
- drop a brick *לפגוע, להעליב
- like a ton of bricks במחץ רב
- make bricks without straw לעבוד בפרך, לעמול בחינם
- run head against brick wall להטיח ראשו בכותל

brickbat *n.* חתיכת לבינה; ביקורת חריפה, התקפה מוחצת
bricklayer *n.* בנאי, מניח לבינים
brickwork *n.* מיבנה-לבינים
brickyard *n.* בית חרושת ללבינים
bri′dal *adj.* של כלה, של חתונה

bride *n.* כלה, ארוסה
bridegroom *n.* חתן, ארוס
bridesmaid *n.* שושבינה
bridge *n.* גשר; גישרה; גישרית
- burn one's bridges לשרוף הגשרים מאחוריו
bridge *v.* לגשר, לבנות גשר מעל-
- bridge over להתגבר על; לסייע (בהלוואה לזמן קצר)
bridge *n.* ברידג' (מישחק)
bridgehead *n.* ראש-גשר
bridgework *n.* גשר-שיניים
bridging loan הלוואת גישור, הלוואה קצרת מועד
bri′dle *n.* רסן, מושכות
bridle *v.* לשים רסן על, לרסן; לזקוף ראש (בגאווה, בכעס, בבוז)
bridle path/road שביל-סוסים
brief (brēf) *adj.* קצר, תמציתי, מהיר
- brief and to the point קצר ולעניין
- in brief/briefly בקיצור, בקצרה
brief *n.* תקציר, תיק, תדריך, תידרוך; הוראות, תחום פעולה; טיעון
- briefs תחתונים קצרים וצמודים
- hold a brief for לטעון בעד, להגן
- hold no brief for לא לתמוך ב-
brief *v.* לתדרך; לדווח, למסור
briefcase *n.* תיק (למיסמכים)
briefing *n.* תדריך, תידרוך
bri′er, bri′ar *n.* קוץ, חוח, עצבונית
brig *n.* דו-תורנית (ספינה); תא-מעצר
brigade′ *n.* בריגאדה, חטיבה; גדוד
brig′adier′ (-dir) *n.* בריגדיר, תת-אלוף
brigadier general בריגדיר, תת-אלוף
brig′and *n.* שודד, גזלן
brig′andage *n.* שוד; גזילה
brig′antine′ (-tin) *n.* דו-תורנית
bright *adj.* בהיר; מבריק, פיקח, שנון, מזהיר; עליז, זוהר, קורן
- bright and early השכם בבוקר
- bright future עתיד ורוד
- look on the bright side להיות אופטימי
brighten *v.* להתבהר; להאיר, להבהיר
brill *n.* פוטית (דג שטוח)
brill *adj.* *מבריק, מעולה
bril′liance, -cy *n.* זוהר, הברקה
bril′liant *adj.* מבהיק, מבריק, מצוין
bril′liantine′ (-tin) *n.* בריליאנטין
brim *n.* שפה, קצה; אוגן הכובע, תיתורה
brim *v.* להיות מלא עד גדותיו
- brim over להיות מלא, לשפוע, לגלוש
brimful (-fool) *adj.* מלא, שופע, גדוש
brim′stone′ *n.* גופרית
brin′dled (-dəld) *adj.* מנומר, חברבור
brine *n.* מי-מלח (לשימור מזון)
bring *v.* להביא
- bring about להביא, לגרום ל-; לשנות את כיוון הספינה
- bring an action להגיש תביעה
- bring around לשכנעו לשנות עמדתו; לאושש, לרפא
- bring back להחזיר
- bring down להפיל, להוריד; להנמיך קומתו; לדכא, לדכדך
- bring down the house לשלהב את קהל הצופים, לעורר רעם מחיאות כפיים
- bring down trouble on להמיט שואה על
- bring forth ללדת, להוליד
- bring forward להגיש, להציע, להמציא; להקדים; להעביר מדף לדף
- bring him low להשפילו
- bring in להכניס, להגיש; לעצור לחקירה; להוציא פסק דין
- bring into force ליישם, להפעיל
- bring off להגשים, לבצע; להציל
- bring on לגרום; לעזור להתפתחות
- bring out להוציא; להוציא לאור; לחשוף; להשבית; לדובב
- bring over לשכנעו לשנות עמדתו
- bring round לעוררו מעלפונו; לשכנעו לשנות דעתו; לשנות כיוון
- bring through להציל, לחלץ
- bring to לעוררו מעילפון; לעצור
- bring to bear לרכז כוח, ללחוץ
- bring to book לדרוש הסבר, להעניש
- bring to light להוציא לאור
- bring to mind להזכיר
- bring together להפגיש
- bring under לדכא, להכניע; לכלול
- bring up לגדל, לחנך; להעלות; להביא, להגיש; להקיא; לעצור, לאסור
- bring up short לעצור פתאום
- bring up the rear להיות המאסף
- bring upon oneself להמיט על עצמו
bring-and-buy sale יריד צדקה
brink *n.* שפה, גדה, קצה
- on the brink of על סף-
brinkmanship *n.* מדיניות ההליכה על חבל דק
bri′ny *adj.* מלוח
- the briny הים, האוקיינוס
brioche (briōsh′) *n.* עוגייה
briquet′ (-ket) *n.* פחם כבוש
brisk *adj.* מהיר, פעיל, ער; מרענן
bris′ket *n.* עטין, דד; בשר חזה
bris′tle (-səl) *n.* זיף, שיער קשה
bristle *v.* להסתמר, לסמור; לזעוף
- bristle with להיות מלא ב-, לשפוע
bristly *adj.* מכוסה זיפים, זיפי
Brit *n.* בריטי
Brit′ain (-tən) *n.* בריטניה
britch′es *n-pl.* מיכנסיים
Brit′ish *adj.* בריטי
Britisher *n.* בריטי
Brit′on *n.* בריטי
brit′tle *adj.* שביר, פריך; רגיש
broach *v.* לפתוח בקבוק; לנקב חבית; להעלות נושא
broad (brôd) *adj.* רחב, כללי, מקיף; מובהק, גלוי, ברור; סובלני, ליברלי
- as broad as it is long היינו הך
- broad hint רמז שקוף
- broad jokes בדיחות גסות
- broad jump קפיצת-רוחק
- in broad daylight לאור היום
broad *n.* רוחב; *אישה, בחורה
broad bean פול (קיטנית)
broad-brush *adj.* כללי, מקיף
broadcast *v.* לשדר (ברדיו); לפרסם; לזרוע ע״י פיזור הזרעים

broadcast *n.* שידור, תוכנית
broadcasting *n.* שידור
Broad Church הכנסייה הליברלית
broadcloth *n.* בד עבה משובח
broaden *v.* להרחיב; להתרחב
broadly *adv.* כללית, באופן רחב
- broadly speaking כללית, בלי להיכנס לפרטים
broadminded *adj.* רחב-אופק
broadsheet *n.* גיליון, עלון
broadside *n.* צידון, צד הספינה; מטח תותחי הצידון; התקפה מוחצת
- broadside on מצד הצידון
broadways, -wise *adv.* בצידו הרחב
bro·cade′ *n.* ריקמה (בחוטי זהב)
brocade *v.* לרקום (בחוטי זהב)
broc′coli *n.* ברוקולי (כרובית)
bro·chure′ (-shoor′) *n.* חוברת
brogue (brōg) *n.* נעל כבדה; מיבטא אירי (של אנגלית)
broil *v.* לצלות; להיצלות; ללהוט
broil *n.* קטטה, מריבה
broiler *n.* אסכלה, מיתקן-צלייה; עוף לצלייה; איש ריב; *יום לוהט
broke *adj.* *חסר-כול, מרושש
- flat/stone broke *הרוס, מרושש
- go broke *להתרושש
- go for broke *לעשות מאמץ עליון
broke = pt of break
bro′ken = pp of break
broken *adj.* שבור, הרוס, רצוץ
- broken ground אדמה סלעית/גבנונית
- broken sleep שינה מקוטעת
broken-down *adj.* שבור, רעוע
brokenhearted *adj.* שבור-לב
broken home משפחה הרוסה
broken reed משענת קנה רצוץ
bro′ker *n.* תווכן, מתווך, ברוקר; כונס נכסים
bro′kerage *n.* דמי תיווך
brol′ly *n.* *מיטרייה
bro′mide *n.* ברומיד; הערה נדושה
bro′mine (-min) *n.* ברום (יסוד כימי)
bron′chi (-kī) *n-pl.* סימפונות
bron′chial (-k-) *adj.* של הסימפונות
bron·chi′tis (-k-) *n.* דלקת הסימפונות, ברונכיטיס
bron′co *n.* ברונקו (סוס בר)
bronze *n.* ארד, ברונזה; כלי-ברונזה
bronze *v.* לצבוע בגון הארד, לשזף
Bronze Age תקופת הברונזה/הארד
bronze medal מדליית ארד
brooch (brōch) *n.* מכבנה, סיכת-נוי
brood (brōōd) *v.* לדגור; לדאוג
- brood over לדגור על (בעייה)
brood *n.* מידגר, אפרוחים; קבוצה
brooder *n.* דוגר, דוגרת
brood hen תרנגולת רבייה
broody *adj.* דוגרנית; מודאג
brook *n.* נחל קטן, פלג, פלגלג
brook *v.* לשאת, לסבול
broom (brōōm) *n&v.* מטאטא; רותם (שיח); לטאטא, לנקות
- a new broom "מטאטא חדש"
broomstick *n.* מקל המטאטא
Bros. = Brothers

broth *n.* מרק, מרק-בשר
broth′el *n.* בית בושת
broth′er (brudh-) *n.* אח
- brother doctor רופא עמית
- brothers in arms חברים לנשק
- oh brother! אוי, אבוי
brotherhood *n.* אחווה, אגודה
brother-in-law *n.* גיס
brotherly *adj.* כמו אח, ידידותי
brougham (brōō′əm) *n.* כירכרה
brought = p of bring (brôt)
brouhaha (brōōhä′hä) *n.* *בלגן
brow *n.* מצח; ראש גבעה, ראש צוק
- brows, eyebrows גבות (העיניים)
- knit one's brows להזעיף את מיצחו
browbeat *v.* להפחיד (במבט מאיים)
brown *n&adj.* חום, שחום
- in a brown study שקוע במחשבות
brown *v.* להשחים, להזהיב
- browned off *נשבר לו, נמאס לו
brown bread לחם שחור
brown′ie *n.* שדון טוב, רוח; חברה בתנועת-צופים, צופה; עוגיית שוקולד
brownish, browny *adj.* שחמחם
brown nosing *חנפנות, לקקנות
brownstone *n.* אבן חומה (לבנייה)
browse (-z) *n.* מירעה; ריפרוף, עיון
browse *v.* לרעות; לרפרף בספרים
bru′in *n.* דוב
bruise (brōōz) *v.* להכות, לחבול, לפגוע; להיפגע, להתנפח
bruise *n.* חבלה, חבורה, תפיחה
bruiser *n.* בירון, איש-זרוע
bruit (brōōt) *v.* להפיץ (ידיעה)
brunch *n.* ארוחת בוקר מאוחרת
bru·nette′ (brōō-) *adj&n.* שחומת-עור; שחרחור
brunt *n.* כובד, מחץ (ההתקפה)
brush *n.* מיברשת, מיכחול; הברשה; תיגרה, מגע; זנב-השועל
brush *v.* להבריש, לצחצח; לנגוע, לשפשף, להתחכך ב-, לחלוף, לעבור
- brush aside להתעלם מ-
- brush away לסלק; להתעלם מ-
- brush him off לדחות, לסרב לו, לסלק
- brush off להיעלם תוך הברשה
- brush up ללטש את ידיעותיו
brush *n.* שיחים, חורשה
brush-off *n.* *דחייה, סירוב; התעלמות
brush-up *n.* ריענון הידיעות
brushwood *n.* שיחים; ענפים כרותים
brushwork *n.* סיגנון-ציור
brusque (brusk) *adj.* פיתאומי, מהיר; נוקשה, גס, בוטה
Brus′sels sprout כרוב הניצנים
bru′tal *adj.* אכזרי, ברוטאלי
bru·tal′ity (brōō-) *n.* אכזריות
bru′talize′ *v.* לבהם, להפכו לאכזר
brute *n.* חיה, בהמה, אכזר, פרא
bru′tish *adj.* אכזרי, פראי, גס
BS = Bachelor of Science
bub′ble *n.* בועה, בלון; בעבוע
bubble *v.* להעלות בועות, לבעבע
- bubble over להיות מלא, לשפוע
bubble and squeak כרוב ותפוחי אדמה מטוגנים

bubble bath קצף אמבטיה; אמבטיית קצף

bubble gum גומי-לעיסה (מתנפח)

bubbly *adj.* מלא בועות, מבעבע, תוסס

bubbly *n.* *שמפניה

buc'caneer' *n.* שודד-ים

buck *n.* צבי; שפן (זכר); *דולר

- pass the buck להטיל האחריות על הזולת

- quick buck *רווח קל/מהיר

buck *v.* לקפוץ, לקפץ, להפיל רוכב; להתנגד ל-; לעודד רוחו

- buck up לעודד; להתעודד; להזדרז

buckboard *n.* כירכרה

buck'et *n.* דלי

- kick the bucket למות

bucket *v.* לרכוב במהירות, לנסוע בטילטולים; לרדת בשפע (גשם)

- it's bucketing ניתך גשם עז

bucketful (-fool) *n.* מלוא הדלי

bucket seat כיסא (קעור)

bucket-shop בורסה (של ספקולנטים)

buck'le *n.* אבזם; בליטה, כיפוף

buckle *v.* לאבזם, להדק, לחגור, לרכוס; לעקם; להתעקם; להיכנע

- buckle down to להירתם במרץ לעבודה, לשנס מותניו

buck'ler *n.* מגן; שיריון קטן

buck'ram *n.* אריג קשה/גס

buck·shee' *adv&n.* חינם; באקשיש

buckshot *n.* כדור-עופרת כבד

buckskin *n.* עור צבי

bucktooth *n.* שן בולטת (קידמית)

buckwheat *n.* כוסמת

bu·col'ic (bū-) *adj.* כפרי

bucolics *n-pl.* שירי רועים

bud *n.* ניצן, נבט; *ברנש

- in bud מעלה ניצנים, מנץ

- nip in the bud לקטוף באיבו

bud *v.* להנץ, להוציא ניצנים

Bud'dhism' (bood'iz'əm) *n.* בודהיזם

budding *adj.* מתחיל להתפתח, מנץ, עולה

bud'dy *n.* *חבר, ידיד, ברנש

budge *v.* להזיז; לזוז

budg'et *n.* תקציב

budget *v.* לתקצב, להכין תקציב

budgetary *adj.* תקציבי, של תקציב

buff *n.* עור-פרה; צהוב-בהיר; חסיד, אוהד, מעריץ

- in the buff ערום, מעורטל

- strip to the buff להתפשט לגמרי

buff *v.* ללטש, להבריק

buf'falo' *n.* בופאלו, תאו, שור-הבר

buf'fer *n.* סופג זעזוע, מחליש הלם, מַנְחֵת

- old buffer *זקן שוטה

buffer state מדינת חיץ

buf'fet *n.* מהלומה, מכה

buf'fet *v.* להלום, להכות; להיאבק

buffet' (bəfā') *n.* מיזנון

buffet car קרון מיסעדה

buffoon' (-ōōn) *n.* ליצן, מוקיון

- play the buffoon להשתטות, לבדח

buffoonery *n.* ליצנות

bug *n.* פישפש, חרק; *חיידק, נגיף; קילקול; מיקרופון שתול

- big bug *אדם חשוב, אישיות

bug *v.* *לשתול מיקרופון; להציק

bug'aboo', bugbear *n.* מיפלצת, דחליל

bug-eyed *adj.* פעור-עיניים

bug'ger *n.* עושה מעשה סדום; *ברנש, דבר

- bugger all *כלום, שום דבר

bugger *v.* לעשות מעשה סדום

- bugger around *להתעסק (עם)

- bugger off! *הסתלק! התחפף!

buggery *n.* מעשה סדום

bug'gy *n.* כירכרה; עגלה; עגלת תינוק

- in the horse-and-buggy age לפני הופעת המכונית

bughouse *n.* *בית-משוגעים

bu'gle *n.* חצוצרה

- bugles חרוזים (תפורים על שימלה)

bu'gler *n.* חצוצרן

buhl (bōōl) *n.* בול (רהיטים מעוטרים)

build (bild) *v.* לבנות, ליצור

- build a fire under להמריץ לפעולה

- build him up להאדיר שמו, להללו

- build in(to) לקבוע, להרכיב, להכליל

- build on לבסס/לסמוך על, לבנות על

- build up לבנות, לפתח; להתפתח, לגדול, להתרבות

build *n.* צורה, מיבנה הגוף

builder *n.* בנאי, בונה; קבלן

building *n.* בניין; הקמת בניינים

building blocks נידבכים

building site אתר בנייה

building society קרן לרכישת דירות

build-up *n.* גידול; יצירת תדמית

built = p of build (bilt)

built-in *adj.* מורכב, קבוע, מובנה

built-up *adj.* מכוסה בניינים, בנוי

bulb *n.* נורת חשמל; פקעת, בולבוס

bul'bous *adj.* פקעתי, בולבוסי

bul'bul' (bool'bool) *n.* בולבול

Bul'gar'ia *n.* בולגריה

bulge *n.* בליטה; גידול ארעי

bulge *v.* לבלוט; להתנפח

bulim'ia (ner·vo'sa) (boo-) *n.* בולימיה (מחלה), אכילה והקאה

bulk *n&v.* נפח, גודל; גוף גדול

- break bulk להתחיל לפרוק מיטען

- bulk large לשחק תפקיד חשוב

- in bulk בציבורות, בצובר, בתיפזורת

- the bulk of מרבית, חלק הארי

bulkhead *n.* מחיצה אטימה (באונייה)

bulky *adj.* בעל נפח, גדול, מגושם

bull (bool) *n.* שור, פר; פיל זכר; *שוטר; *שטויות; מעלה שערי המניות

- a bull market שוק מניות גואה

- bull in a china shop פיל בחנות חרסינה

- shoot the bull *לשוחח

- take the bull by the horns לתפוס את השור בקרניו

bull *v.* לגרום לעליית המחירים

bull *n.* בולה, איגרת-האפיפיור

bull *n.* (בצבא) קפדנות, טירטור

bulldog *n.* בולדוג (כלב)

bulldog clip תפס קפיצי (לניירות)

bull'doze' (bool-) *v.* להפחיד; ליישר בדחפור, לדחוף כבדחפור

bull′doz′er (bool′dōz-) *n.* דחפור
bul′let (bool-) *n.* כדור; קליע
- bite the bullet לסבול באומץ
bullet-headed *adj.* (אדם) עגלגל-ראש
bul′letin (bool-) *n.* בולטין, עלון, ידיעון
bulletin board לוח-מודעות
bulletproof *adj.* חסין קליעים
bulletproof vest שכפ"ץ, איפוד מגן
bullfight *n.* מלחמת שוורים
bullfighter *n.* לוחם שוורים
bullfinch *n.* ציפור-שיר קטנה
bullheaded *adj.* קשה-עורף
bul′lion (bool-) *n.* מטיל-זהב; מטיל-כסף
bull′ish (bool-) *adj.* כמו שור; (שוק) גואה
bullnecked *adj.* בעל צוואר עבה
bul′lock (bool-) *n.* שור, פר מסורס
bullring *n.* זירת מלחמת שוורים
bull's-eye *n.* בול, מרכז המטרה, אישון; סוכרייה; פתח עגול
bull′shit′ (bool′-) *n.* *שטויות
bul′ly (bool-) *n.* רודן, שתלטן, בריון
bully *v.* להציק, להפחיד
bully *adj.* *מצוין, מוצלח, יפה
bully beef בשר משומר
bul′rush′ (bool-) *n.* אגמון
bul′wark (bool-) *n.* מיבצר, מעוז
- bulwarks קיר-מגן
bum *n&v.* *בטלן, קבצן; ישבן; לשנורר
- bum about להתבטל
- go on the bum להתבטל
bum *adj.* *גרוע, חסר ערך
bum′bag′ *n.* *כיס חגורה, פאוץ׳
bum′ble *v.* *למלמל, לקשקש
bumblebee *n.* דבורה גדולה
bum′bling *adj.* *בטלן, מפשל
bum′boat′ *n.* סירת אספקה
bumf *n.* *ניירות; נייר טואלט
bump *v.* לחבוט; להכות; להתנגש ב-; להיטלטל, לנוע בטילטולים
- bump into לפגוש, להיתקל ב-
- bump off *לרצוח, לחסל
- bump up להעלות, להרים, להגדיל
bump *n.* חבטה; בליטה, נפיחות
bump *adv.* בקול חבטה, פתאום, טרח!
bump′er *n.* (במכונית) פגוש
bumper *n.* כוס מלאה; דבר גדוש ומלא
- bumper crop יבול מבורך
bumper-to-bumper *adj.* פגוש אל פגוש, בטור ארוך
bumph *n.* *ניירות; נייר טואלט
bump′kin *n.* מגושם, גמלוני
bump′tious (-shəs) *adj.* מתנשא; בטוח בעצמו
bumpy *adj.* בעל גבשושיות; טלטלני
bun *n.* לחמנייה מתוקה; צמה מצונפת
bunch *n.* אשכול, צרור; *קבוצה
- best of the bunch *טוב מכולם
bunch *v.* לאגד; להתקבץ; להתקפל
bun′dle *n.* אגודה, חבילה
bundle *v.* לארוז, לדחוס בעירבוביה
- bundle off לסלקו בלי שהיות
- bundle up להתעטף בלבוש חם
bung *n.* פקק, מגופה
bung *v.* *לדחוף, לזרוק, להשליך
- bung up לסתום, לפקוק
bun′galow′ (-ō) *n.* בונגאלו
bun′gee jumping קפיצת בנג׳י
bunghole *n.* פי-החבית
bun′gle *n&v.* מלאכה גרועה, כישלון, פשלה; לקלקל, לפשל
bungle
bun′ion *n.* תפיחה (בבוהן הרגל)
bunk *n.* מיטה צרה, דרגש
bunk *n&v.* *שטויות; מנוסה, בריחה
- do a bunk/bunk off *לברוח
bunk beds מיטות דו-קומתיות
bun′ker *n.* בונקר, מיקלט, מלינה; מחסן-פחם
bunkhouse *n.* מעונות פועלים
bun′kum *n.* *שטויות
bun′ny *n.* שפן, ארנבת
bunny girl *שפנפנה
Bun′sen burner בונזן (מבער-גאז)
bunt′ing *n.* בד-דגלים; קישוטי רחוב
buoy (boi) *n.* מצוף; מיתקן-הצלה
buoy *v.* להציף, להחזיק במצב ציפה; לתמוך, לרומם, לעודד
- buoy up לרומם רוחו, לעודד
buoy′ancy (boi′-) *n.* כושר ציפה, נטייה לצוף; קלילות, כושר התאוששות
buoy′ant (boi′-) *adj.* צף, מציף; עליז, קליל
bur, burr *n.* תרמיל-צמח דביק; ספחת
bur′ble *v.* לבעבע, לפכפך; לפטפט
bur′den *n.* משא, נטל; כושר-קיבול, טונאז׳; פיזמון; *נושא מרכזי
- burden of proof חובת ההוכחה
burden *v.* להעמיס, להטעין, להכביד
burdensome *adj.* כבד, מעייף, מעיק
bur′dock′ *n.* צמח בעל תרמיל דביק
bu′reau (-rō) *n.* ארון מגרות; שולחן כתיבה; מישרד, לישכה
bu·reauc′racy (byoorok′-) *n.* ביורוקרטיה, שילטון פקידים; ניירת, מישרדנות
bu′reaucrat′ (-rək-) *n.* ביורוקרט
bu′reaucrat′ic (-rək-) *adj.* ביורוקרטי, מישרדני, פקידותי
burg *n.* *עיר
bur′geon (-jən) *v.* ללבלב, להתפתח
bur′gess *n.* אזרח, אזרח עיר
bur′gher (-g-) *n.* אזרח עיר
bur′glar *n.* גנב, פורץ
burglar alarm מזעק נגד פריצה
bur′glarize′ *v.* לפרוץ, לחטוף
burglar-proof *adj.* חסין פריצות
bur′glary *n.* פריצה, גניבה
bur′gle *v.* לגנוב, לחטוף; לפרוץ
bur′gomas′ter *n.* ראש עיר
Bur′gundy *n.* יין בורגונדי
bur′ial (ber′-) *n.* קבורה, טקס קבורה
burke *v.* להשתיק, למנוע
Burkin′a Fa′so (-fä-) *n.* בורקינה פסו (וולטה עילית)
bur′lap′ *n.* אריג גס
burlesque′ (-lesk) *n.* בורלסקה, גחכה, פארודיה
burlesque *v.* לעשות פארודיה על
bur′ly *adj.* חזק, מוצק

Bur′ma (see Myanmar) *n.* בורמה
burn *v.* לבעור, לחרוך, לצרוב, לשרוף; להישרף; להשתוקק, "למות על"
- burn away להמשיך לבעור; להישרף
- burn down לכלות באש; להישרף כליל
- burn into לקעקע, לצרוב, לחרות עמוק
- burn low לדעוך, לבעור באש קטנה
- burn one's boats/bridges לשרוף את הגשרים מאחוריו
- burn one's fingers להיכוות ברותחין
- burn oneself out להרוס את עצמו
- burn out לדעוך, להישרף; לשרוף
- burn the midnight oil לעשות לילות כימים
- burn up להשתלהב; לבער; להישרף; לשרוף; להרגיז, להרתיח
- burn up the road לשרוף את הכביש, לנהוג במהירות
- has money to burn לא חסר לו כסף
burn *n.* כווייה; בעירה
burner *n.* מבער, ברנר
burning *adj.* בוער, צורב
bur′nish *v.* להבריק, לצחצח
burnoose′ *n.* בורנס (גלימה ערבית)
burnt = p of burn
burnt offering קורבן; *אוכל שרוף
burp *v&n.* לגהק; להגהיק (תינוק); גיהוק
burr *n.* זימזום ארוך, רעש מכונות; הגיית ריש גרונית
burr = bur
burr drill מקדח שיניים
bur′ro (bûr′ō) *n.* חמור קטן, חמורון
bur′row (bûr′ō) *n.* מאורה, שוחה
burrow *v.* לחפור; לחקור; לנבור; להטמין; להסתתר, להתחפר
bur′sar *n.* גיזבר, קופאי; מילגאי
bursary *n.* קופה; גיזברות; מענק, מילגה
burst *v.* לפרוץ; להתפרץ; לשבור; להישבר; לנפץ; להתפוצץ, להתפקע
- be bursting to לא יכול להתאפק
- burst at the seams להתפקע
- burst in on להתפרץ, להופיע לפתע
- burst into לפרוץ/לפתוח/לגעות ב-
- burst into sight להיגלות לפתע
- burst open להיפצח; לפרוץ בכוח
- burst out/forth להתפרץ ב-, לצעוק
- burst upon להופיע לפתע, להיגלות
burst *n.* התפרצות; צרור יריות; פיצוץ
bur′then = burden (-dh-)
bur′ton, gone for a burton *נעדר, נפל חלל
Burun′di (-rōōn-) *n.* בורונדי
bur′y (ber′i) *v.* לקבור; להטמין
- buried in thoughts שקוע במחשבות
- bury the hatchet להניח נשקו
burying-ground *n.* בית-קברות
bus *n.* אוטובוס; *מכונית, מטוס
- miss the bus להחמיץ את ההזדמנות
bus *v.* לנסוע/להסיע באוטובוס
bus′boy *n.* מנקה שולחנות
bus′by (-z-) *n.* כובע פרווה
bus conductor כרטיסן
bush (boosh) *n.* שיח; יער בראשית
- beat about the bush לדבר בעקיפין על הנושא; להתחמק מהבעיה
- beat the bushes לחפש בכל מקום
bushed (boosht) *adj.* *עייף, סחוט
bush′el (boosh-) *n.* בושל, 8 גלונים
- hide one's light under a bushel להצטנע, לנהוג ענווה
bushwhacker *n.* *שוכן יערות
bushy *adj.* סבוך, עבות, עבה
business (biz′nəs) *n.* עסק, עסקים; עניין; (בתיאטרון) תנועות, הבעות
- I mean business אני מתכוון לכך ברצינות
- business as usual עסקים כרגיל
- business end *הקצה החד והמסוכן
- business is business עסק הוא עסק
- do the business לעשות את הדרוש, לפתור הבעיה
- get down to business לגשת לעניין
- got the business *קיבל מנה הגונה
- has no business to אין לו שום זכות/סיבה ל-
- in the business of עסוק ב-; מתכוון ל-
- it is his business to חובתו ל-
- like nobody's business *בלתי רגיל
- make it one's business להתחייב
- mind your own business אל תתערב בענייני הזולת
- no business of yours לא עיסקך
- on business לרגל עסקיו
- send him about his business לסלקו
business administration מינהל עסקים
business card כרטיס עסק, כרטיס ביקור
business hours שעות העבודה
business-like *adj.* מעשי, יעיל, שיטתי, ענייני
businessman *n.* איש עסקים
business studies מינהל עסקים
businesswoman *n.* אשת עסקים
busk *v.* לנגן ברחוב (לתרומות)
bus′ker *n.* נגן רחוב, אמן נודד
bus′kin *n.* מגף; סנדל יווני
bus lane נתיב אוטובוסים
busman *n.* נהג אוטובוס
- busman's holiday חופשת-הנהג, חופשה שממשיכים לעבוד בה כרגיל
bus shelter תחנת אוטובוס
bus station תחנה מרכזית
bus stop תחנת אוטובוסים
bust *n.* פסל-חזה, פרוטומה; היקף החזה; שדיים; *מאסר; כישלון חרוץ
- go bust *להיכשל
- go on the bust *להתהולל
bust *v.* לשבור; להישבר; לעצור, לאסור; לפשוט על; להוריד בדרגה
- bust up לקלקל, להרוס; לריב
bus′ter *n.* הורס, מפוצץ, משמיד
buster *n.* *בחור, חבר, ברנש
bust′ier *n.* לסוטה הדוקה, חולצה צמודה
bus′tle (-səl) *v.* להקים רעש, להתרוצץ, למהר
bustle *n.* המולה, פעילות, תכונה
bustle *n.* כרית (מתחת לשימלה)
bust-up *n.* *מריבה, קטטה; התפרקות
busy (biz′i) *adj&v.* עסוק, עסוק ב-, טרוד, מלא פעילות

- busy oneself with — להתעסק ב-
- the line is busy — הקו תפוס

busybody *n.* — מתערב בעסקי הזולת

but *conj&prep&adv.* — אבל, אך, אלא, כי-אם, ברם; מבלי ש-, בלא ש-; חוץ מ-
- I cannot (choose) but go — אין לי (ברירה) אלא ללכת
- I cannot help but go — אני נאלץ ללכת
- I never go there but I see him — אני רואהו כל אימת שאני הולך לשם
- all but — כמעט
- but for — אלמלא, לולא
- but good — *היטב היטב, כדבעי
- but that — אלא ש-
- but then — מאידך, ברם
- last but one — אחד לפני האחרון

but *pron&v&n.* — שלא-, אשר איננו-
- but me no buts — בלי "אבל"!
- not a man but loves her — אין גבר שלא אוהב אותה

bu′tane *n.* — בוטן (גאז)

butch (booch) *n.* — אישה גברית

butch′er (booch-) *n.* — שוחט, קצב, בעל איטליז; רוצח

butcher *v.* — לשחוט, לרצוח

butchery *n.* — שחיטה, קצבות; קטל

but′ler *n.* — ראש המשרתים

butt *v.* — לנגוח, לחבוט ראשו; להיתקל
- butt in — להפריע, להתפרץ

butt *n.* — מטרה (במיטווח); מטרה ללעג, קורבן; נגיחה; ישבן

butt *n.* — קצה, קת-רובה; בדל-סיגריה

butt *n.* — חבית גדולה

but′ter *n.* — חמאה

butter *v.* — למרוח בחמאה
- butter up — להחניף

butter bean — שעועית

buttercup *n.* — נורית (צמח, פרח)

butterfat *n.* — זיבדה, שמנת

butterfingers *n.* — בטלן, לא יוצלח

butterfly *n.* — פרפר; שחיית פרפר
- butterflies in his stomach — פרפרים בבטן, כאב-בטן (ממתח)

butterfly stroke — שחיית פרפר

buttermilk *n.* — חובצה, חלב-חמאה

butterscotch *n.* — ממתק-חמאה

but′tery *n.* — מיזנון (למכירת מזון)

but′tock *n.* — עכוז, שת, אחור
- the buttocks — האחוריים, הישבן

but′ton *n.* — כפתור, לחיץ, מתג; פיטרייה צעירה
- a hot button — נושא חם, נושא שנוי במחלוקת
- buttons — נער, משרת, שליח
- on the button — במקום, קולע

button *v.* — לרכוס, לכפתר; להירכס
- button down — *לאמת, לוודא, לסדר
- button up — לכפתר; *לסגור עיסקה; לשתוק
- button up! — בלום פיך!

buttoned-up *adj.* — מתכפתר, מסתגר; מבוצע בהצלחה

buttonhole *n.* — לולאה, איבקת הכפתור; פרח (הנעוץ בבגד)

buttonhole *v.* — לתפוס בביגדו, לאלצו להקשיב

buttonhook *n.* — פורפן (לכפתורים)

but′tress *n.* — מיתמך, תומך, מישען

buttress *v.* — לחזק, לתמוך

but′ty *n.* — סנדוויץ', כריך, פרוסה בחמאה, סירה נגררת, *חבר, ידיד

bux′om *adj.* — שמנמנה, יפה, נאה

buy (bī) *v.* — לקנות
- buy in — לקנות מלאי של-; (במכירה פומבית) לקנות סחורתו שלו
- buy it — *להיהרג, להירצח
- buy off/over — לשחד, לקנות
- buy out — לקנות הכל; לקנות זכותו
- buy time — *להרוויח זמן
- buy up — לקנות הכל

buy *n.* — קנייה, "מציאה"

buyer *n.* — קונה, קניין

buyers' market — שוק הקונים (זול)

buzz *v.* — לזמזם; לתסוס; לרחוש, לרעוש; להנמיך טוס
- buzz off! — *הסתלק! עוף מכאן!

buzz *n.* — זימזום; המולה, רחש; *צילצול

buz′zard *n.* — איה (עוף)

buzzer *n.* — זמזם, מיתקן-זימזום

buzzword *n.* — מלה פופולרית, שפה טכנית, סיסמה

by *prep&adv.* — ע"י; אצל, קרוב ל-; ב-; דרך, בעד; עד ל-, לפני; לפי, בהתאם
- 3 by 4 — 3 על 4 (כגון חדר)
- by 2 o'clock — לא יאוחר מ-2
- by air/bus — במטוס/באוטובוס
- by and by — עוד מעט, תיכף
- by and large — כללית, בדרך כלל
- by day/night — בשעות היום/הלילה
- by oneself — לבדו, בעצמו
- by the bye/by the way — דרך אגב
- by the dozen/thousand — בכמויות
- come by! — קפוץ אלי הביתה!
- day by day — יום יום
- go by — לעבור, לחלוף
- has it by him — נמצא לידו
- lay/put by — להניח בצד, לחסוך
- pay by the hour — לשלם לפי שעות
- stand by him — לתמוך בו
- when nobody is by — כשאין איש בסביבה

bye-bye (bī′bī′) — *שלום! להתראות!
- go to bye-byes — *לשכב לישון

by-election *n.* — בחירות מישנה

bygone *adj.* — שעבר, שחלף
- let bygones be bygones — מה שהיה היה, שכח את העבר

by-law *n.* — חוק-עזר עירוני

by-line *n.* — שורת מישנה (מתחת לכותרת שבה נרשם שם המחבר)

by-pass *n.* — כביש עוקף; מעקף

by-pass *v.* — לעקוף, להתעלם מ-

by-path/way *n.* — דרך צדדית
- by-ways — שטחים פחות ידועים

by-play *n.* — מישחק צדדי

by-product *n.* — תוצר לוואי

byre *n.* — רפת

by-road *n.* — רחוב צדדי

by-stander *n.* — משקיף, עומד קרוב

byte *n.* — בית (במחשבים), בייט

by-word *n.* — פיתגם, שנינה; שם-דבר

C

C דו (צליל); סנט; מאה; צלזיוס
c, ca = circa בערך בשנת-
C.A. = chartered accountant
cab *n.* מונית; כירכרה; תא-הנהג, קבינה
cabal′ *n.* קנוניה; קבוצת קושרים
cab′ala *n.* קבלה
cab′aret′ (-rā′) *n.* קאבארט
cab′bage *n.* כרוב
cab′by, cab′bie *n.* *נהג מונית
cab-driver *n.* נהג מונית
cab′in *n.* ביתן, תא, קבינה
cabin boy נער, משרת
cabin class מחלקה שנייה (באונייה)
cabin cruiser *n.* סירה (בעלת תאים)
cab′inet *n.* ארון, שידה; חדרון; קאבינט, ממשלה; לישכה
- filing cabinet תיקייה
cabinetmaker *n.* נגר
ca′ble *n.* כבל, כבל תת-ימי; מיברק
cable *v.* להבריק, לשלוח מיברק
cable car רכבל
cablegram *n.* מיברק
cable length מידה ימית (720 רגל)
cable railway רכבל
cable television טלוויזיה בכבלים
cable TV טלוויזיה בכבלים
caboo′dle *n.* *בכל מכל כל
caboose′ *n.* מיטבח (באונייה); קרון-הצוות
cab rank, cab stand תחנת מוניות
cab′riolet′ (-lā′) *n.* כירכרה; מכונית בעלת גג מתקפל
caca′o *n.* קקאו
cache (kash) *n.* מחבוא, מטמון, סליק
cache *v.* להחביא, להטמין
cachet (-shā′) *n.* חותמת, סימן מיוחד; עמדה גבוהה; קפסולת, כמוסה
cachou (-shōō′) *n.* סוכרייה
cack-handed *adj.* *איטר, שמאלי, מגושם
cack′le *n.* קירקור; צחוק רם; פיטפוט
cackle *v.* לקרקר, לצחקק, לפטפט
cacog′raphy *n.* כתב יד גרוע; איות גרוע
cacol′ogy *n.* בחירה רעה של מילים; מיבטא גרוע
cacoph′onous *adj.* צורמני
cacoph′ony *n.* קקופוניה, תצרום
cac′tus *n.* קקטוס, צבר
cad *n.* גס, חסר-נימוס
cadav′er *n.* גופה, גווייה
cadav′erous *adj.* חיוור, כמו מת
cad′die, cad′dy *n.* נושא המקלות (בגולף)
cad′dish *adj.* גס, לא-נימוסי
cad′dy *n.* קופסת-תה
ca′dence *n.* מיקצב, קצב; תינח
caden′za *n.* קדנצה, תינח
cadet′ *n.* צוער, חניך; קאדט, שוחר; בן צעיר
cadet corps גדנ"ע (בבריטניה)
cadge *v&n.* לבקש נדבה, לנדנד
- on the cadge *מבקש נדבות
cadger *n.* קבצן, מבקש נדבות
cad′i *n.* קאדי, שופט מוסלמי
cad′re (kä′drə) *n.* מיסגרת, סגל, צוות מצומצם; גרעין צבאי, קאדר
Caesa′re·an section (siz-) ניתוח קיסרי, לידת-חתך
caesura (sizoor′ə) *n.* אתנחתא, צזורה, מיפסק
cafe (kəfā′) *n.* בית-קפה
cafe au-lait (kəfā′ōlā′) קפה בחלב
caf′ete′ria *n.* קפטריה, מיסעדה
caff *n.* *בית-קפה
caf′feine′ (-fēn) *n.* קפאין
caf′tan *n.* גלימה, קפטן
cage *n.* כלוב; מחנה שבויים; מעלית
cage *v.* לכלוא, לשים בכלוב
cage′y (kā′ji) *adj.* *זהיר, סודי, מסתגר
cagily *adv.* *בזהירות
cagoule′ (-gōōl) *n.* מעיל גשם
ca′gy *adj.* *זהיר, סודי, מסתגר
cahoots′ (-hōōts) *n.* שותפות
- in cahoots "יד אחת"
Cain, raise Cain להרעיש/להפוך עולמות
cairn *n.* מצבת-זיכרון, גלעד, רוגם
Cai′ro (kī-) *n.* קהיר
cais′son *n.* קרון תחמושת; תא צלילה
cai′tiff *n.* נבזה; מוג-לב
cajole′ *v.* לפתות, לשדל, לרמות
cajo′lery *n.* פיתוי, דברי חלקות
cake *n.* עוגה, לביבה, פשטידה; חתיכה
- a piece of cake *דבר קל, מישחק ילדים
- a slice of the cake חתיכה מהעוגה, שיתוף ברווח
- cake of soap חתיכת סבון
- cakes and ale שימחה, הילולה
- have one's cake and eat it ליהנות משני העולמות
- sell like hot cakes להיחטף כמו לחמניות טריות
- took the cake *עבר כל גבול
cake *v.* לכסות, למרוח; להתקרש
Cal קלוריה; קליפורניה
cal′abash′ *n.* דלעת
cal′aboose′ *n.* *כלא, בית סוהר
calam′itous *adj.* ממיט שואה
calam′ity *n.* אסון, שואה
cal′cifica′tion *n.* הסתיידות
cal′cify′ *v.* להסתייד; להקשות בסיד
cal′cina′tion *n.* שריפה, בעירה
cal′cine *v.* לשרוף לאפר; להישרף
cal′cium *n.* סידן
cal′cu·lable *adj.* ניתן לחישוב
cal′cu·late′ *v.* לחשב, להעריך, לתכנן; לשער, להאמין
- calculate on לסמוך על
- calculated insult עלבון מכוון
calculated *adj.* מחושב, מתוכנן, מכוון
calculating *adj.* ערמומי, זהיר
cal′cu·la′tion *n.* חישוב, שיקול; תחשיב
cal′cu·la′tor *n.* מכונת חישוב
cal′cu·lus *n.* חשבון; אבן (בכליות)
cal′dron (kôl-) *n.* יוֹרָה, קדירה
cal′endar *n.* לוח-שנה; לוח זמנים; רשימת תיקים לדיון

calendar month חודש חמה
cal′ender *n.* מעגילה, זיירה
calender *v.* לגהץ (במעגילה)
cal′ends *n-pl.* ראש חודש (ברומא)
- on the Greek calends לעולם לא
calf (kaf) *n.* עגל; פילון; עור-עגל
- with calf (פרה) מעוברת
calf *n.* סובך, בשר-השוק
calf-length *adj.* (בגד) מגיע מתחת לברך
calf-love *n.* רומן ילדותי
calf skin עור-עגל
cal′iber *n.* קוטר פנימי; טיב, איכות, שיעור-קומה, קליבר
cal′ibrate′ *v.* למדוד את הקוטר, לכייל, להתאים מספרי מידות, לשַנת
cal′ibra′tion *n.* כיול, קליברציה
cal′ico′ *n.* בד-כותנה
ca′lif, -liph *n.* כליף מוסלמי
cal′ipers *n-pl.* מחוגה (למדידה); משענות-מתכת (המצומדות לרגלי נכה)
ca′liphate′ *n.* כליפות
cal′isthen′ics *n-pl.* התעמלות
calk (kôk) *n.* פרסה (מונעת החלקה)
calk *v.* להתקין פרסה (כנ״ל)
calk = caulk
call (kôl) *v.* לצעוק; לקרוא; להזמין; לטלפן; להעיר; לבוא, לבקר; לעצור בתחנה
- call a halt to להפסיק, לאסור
- call a meeting להזמין אסיפה
- call a strike להכריז על שביתה
- call attention להסב תשומת לב
- call away להסיח דעת
- call back לטלפן בחזרה
- call by לבקר, ״לקפוץ אל״
- call down להתפלל, להזמין; לנזוף
- call for לדרוש, להצריך, לחייב; לבקר, לאסוף, לבוא אצל
- call forth לעורר, להפעיל
- call him down *לנזוף, לגעור בו
- call him to account לדרוש ממנו הסבר, להענישו, לנזוף בו
- call his bluff להזמינו לבצע איומיו, לא להיבהל ממנו
- call in לדרוש, לתבוע בחזרה
- call in doubt להטיל ספק
- call in question לפקפק ב-
- call into being ליצור, לברוא
- call it 50 NIS ״לגמור״ על 50 ש״ח
- call names לכנות כינויי גנאי
- call off לבטל, להפסיק, להרחיק
- call on/upon לבקר; להזמין, לקרוא
- call out לצעוק; להזעיק; להשבית
- call the shots/tune להיות בשליטה; ליטול יוזמה
- call to mind להיזכר
- call to order לקרוא לסדר
- call up לטלפן; להיזכר ב-; להזכיר; להזמין; לגייס
call *n.* קריאה; ביקור; צילצול; הזמנה; תביעה; צורך; החלטת השופט; דרישת תשלום
- at call, on call מוכן ומזומן; עם דרישה ראשונה
- call of nature צורך לעשיית צרכים
- close call כמעט תאונה, ממש נס
- no call אין סיבה, אין צורך
- pay a call לערוך ביקור; *להשתין
- return his call להחזיר לו ביקור
- within call כמטחווי קריאה, קרוב
cal′la *n.* קלה (צמח)
callable *adj.* (ערבות) לפירעון עם הדרישה
call box תא טלפון
call-boy *n.* נער-משרת (בתיאטרון)
caller *n.* מבקר, עורך ביקור
call-girl *n.* נערת-טלפון
callig′raphy *n.* כתיבה תמה, כתב
calling *n.* משלח-יד, מיקצוע; שאיפה
calling card כרטיס ביקור
calling down נזיפה, גערה
cal′lipers = calipers
cal′listhen′ics *n.* התעמלות
call loan, call money הלוואה שיש לפרעה עם דרישה ראשונה
callos′ity *n.* יבלת (בעור)
cal′lous *adj.* קשוח; יבלני, מיובל
cal′low (-ō) *adj.* צעיר, חסר-ניסיון; חסר-נוצות
call sign אות התחנה
call-up *n.* גיוס, צו-קריאה
cal′lus *n.* יבלת (בעור)
calm (käm) *adj.* שקט, שליו, רגוע
calm *n.* שקט, שלווה; העדר-רוח
calm *v.* להרגיע, להשקיט
- calm down להרגיע; להירגע
cal′orie, cal′ory *n.* קלוריה, חומית
cal′orif′ic *adj.* יוצר חום
calum′niate′ *v.* להלעיז; להעליל
calum′nious *adj.* מעליל, משמיץ
cal′umny *n.* דיבה; עלילה
Cal′vary *n.* תבליט הצליבה; סבל רב
calve (kav) *v.* להמליט עגל
calves = pl of calf (kavz)
Cal′vinism′ *n.* קלוויניזם
calyp′so *n.* קליפסו (שיר)
ca′lyx *n.* גביע (של פרח)
cam *n.* פיקה, גל, בליטה (בגלגל)
cam′arad′erie *n.* ידידות, אחווה
cam′ber *n.* שיפוע, קימור קל
camber *v.* לקמר, לקשת; להתקמר
Cam·bo′dia *n.* קמבודיה
ca′mbric *n.* אריג כותנה
camcorder *n.* מצלמת וידיאו
came=pt of come
cam′el *n.* גמל; מיבדוק; חום-צהבהב
camel-hair *n.* שיער-גמל
camel′lia (-mē′l-) *n.* קמליה (פרח)
Cam′embert′ (-bār) *n.* גבינת קאממבר
cam′e·o′ *n.* קמיע; תכשיט; סקיצה; תפקיד קצר
cam′era *n.* מצלמה, מסרטה
- in camera בדלתיים סגורות
cameraman *n.* צלם
camerawork *n.* טכניקת הצילום
Cam′eroon′ (-rōōn) *n.* קמרון
cam′i-knickers (-minik-) *n-pl.* תחתונית, מיצרפת
cam′isole′ *n.* תחתונית, כותונת
cam′omile′ *n.* בבונג
cam′ouflage′ (-′əfläzh) *n.* הסוואה

camouflage *v.* להסוות
camp *n.* מחנה
- break/strike camp לפרק מחנה
camp *v.* להקים מחנה, לחנות
- camp out לגור במחנה, לישון במחנה
- go camping לצאת למחנה
camp *adj&v.* *מיושן, מגוחך; הומו, נשי
- camp it up *לשחק בצורה מעושה
- high camp *הופעה שטותית מעושה
cam·paign′ (-pān) *n.* מערכה, מיבצע
campaign *v.* לנהל מסע, להשתתף במיבצע, לעשות תעמולה
campaigner *n.* לוחם, תעמלן
cam′pani′le (-nē′li) *n.* מיגדל פעמון
cam·pan′u·la *n.* פעמונית (פרח)
camp bed מיטה מתקפלת
camp chair כיסא מתקפל
camper *n.* חונה; מחנאי; מכונית-נופש
campfire *n.* מדורת-קומזיץ
camp follower בן-לוויה, רוכל, מספק שירות לחיילים, זונה
campground *n.* אתר-מחנאות; שטח לכינוס דתי
cam′phor *n.* קמפור
cam′phora′ted *adj.* מכיל קמפור
camphor ball כדור נפטלין
camping *n.* קמפינג, מחנאות
cam′pion *n.* ציפורנית (צמח)
camp meeting כינוס דתי
campsite *n.* אתר המחנה
camp-stool *n.* כיסא מתקפל
cam′pus *n.* קמפוס, אוניברסיטה; קריה
cam′shaft′ *n.* גל הפיקות
can *n.* קופסה, פחית; *בית-סוהר; *בית שימוש
- can of worms *קופסת תולעים, תיבת פנדורה
- carry the can *לשאת באשמה
- in the can * (סרט) מוכן להקרנה
can *v.* לשמר (מזון) בפחית
can *v.* יכול ל-, מסוגל ל-, עשוי ל-, רשאי ל-
- you can't go אסור לך ללכת
Ca′naan (-nən) *n.* כנען
Ca′naanite′ (-nən-) *n&adj.* כנעני
Can′ada *n.* קנדה
Cana′dian *n&adj.* קנדי
canal′ *n.* תעלה; צינור
can′aliza′tion *n.* תיעול
can′alize′ *v.* לתעל; להפנות (לאפיק)
can′ape′ (-nəpā) *n.* פרוסונת מרוחה (בגבינה)
canard′ *n.* סיפור בדים
cana′ry (-ner′i) *n.* ציפור-שיר; זמרת; צהוב-בהיר; יין לבן מתוק
canas′ta *n.* קנסטה (מישחק קלפים)
can′can′ *n.* קנקן (ריקוד)
can′cel *v.* לבטל, לחסל, למחוק, לקזז
- cancel out למחוק; לצמצם מישוואה
can′cella′tion *n.* ביטול; מחיקה
can′cer *n.* סרטן
- Tropic of Cancer חוג הסרטן
Cancer *n.* מזל סרטן
can′cerous *adj.* סרטני, ממאיר
cancer stick *סיגריה

can′dela *n.* נר (יחידת-הארה)
can′delab′rum (-lä-) *n.* מנורה
can′did *adj.* גלוי-לב, ישר
can′didacy *n.* מועמדות
can′didate *n.* מועמד; ניבחן
can′didature *n.* מועמדות
candid camera מצלמה נסתרת
candidly *adv.* בגילוי-לב, גלויות
candied *adj.* מְסוּכָּר, מתובל בסוכר
- candied words דברי-חלקות
can′dle *n.* נר
- burn the candle at both ends לבזבז מרץ רב, לעבוד בלי הרף
- can't hold a candle to לא מגיע עד קרסוליו, אין להשוותו ל-
- game is not worth the candle חבל על המאמץ
candleholder *n.* פמוט
candlelight *n.* אור-הנר
Candlemas *n.* חג נוצרי (2 בפברואר)
candlepower *n.* נר (יחידת הארה)
candlestick *n.* פמוט
candlewick *n.* פתילה; קישוט בחוטים
can-do *adj.* נחוש לבצע, החלטי
can′dor *n.* הגינות; גילוי לב
can′dy *n.* סוכרייה, ממתק
candy *v.* לבשל בסוכר; להתגבש
candyfloss *n.* צמר-גפן מתוק
cane *n.* קנה, מקל; חיזרן
- get the cane לספוג מלקות
cane *v.* להלקות
cane sugar סוכר מקנה-סוכר
ca′nine *adj.* כמו כלב, כלבי
canine tooth ניב (שן)
can′ister *n.* קופסה; פצצה; מדוכה
can′ker *n.* איכל, פצע; הרס, סרטן
canker *v.* להשחית, לקלקל; להיפגע
can′kerous *adj.* ממאיר, סרטני
can′nabis *n.* קנבוס, חשיש, מריחואנה
canned *adj.* (מזון) משומר; *שיכור
canned music מוסיקה מוקלטת
can′nery *n.* בית-חרושת לשימורים
can′nibal *n.* קניבל, אוכל-אדם
can′nibalism′ *n.* קניבליות
can′nibalis′tic *adj.* קניבלי
can′nibalize′ *v.* לנצל חלקי מכונה (לתיקונים), להשתמש בחלפים
can′non *n.* תותח
cannon *v.* להפגיז; להתנגש ב-
can′nonade′ *n.* הרעשה, הפגזה
cannon-ball *n.* פגז
cannon fodder בשר-תותחים
cannot = can not לא יכול
- cannot (choose) but חייב ל-
- cannot help but נאלץ ל-
can′nu·la *n.* צינורית, צנתר
can′nu·late′ *n.* לצנתר
can′ny *adj.* ערמומי, זהיר
canoe (-nōō′) *n.* בוצית, סירה קלה, קאנו
canoe *v.* לשוט בסירה
canoeist *n.* משיט בוצית
can′on *n.* קאנון, חוקת הכנסייה; קריטריון, עיקרון; רשימת הקדושים; כתבי הקודש; כומר
canon′ical *adj&n.* קאנוני
- canonicals ביגדי כמורה

can'oniza'tion *n.* קנוניזציה, קידוש
can'onize' *v.* לקדש, לעשות לקדוש
canon law חוקת הכנסייה
canoo'dle *v.* *להתגפף, להתחבק
can-opener *n.* פותחן קופסאות
can'opy *n.* אפיריון, חופה, כיפה; גג זחיח של תא-הטייס
canst, thou canst אתה יכול
cant *n.* צביעות, התחסדות; ז'רגון
- thieves' cant עגת-הגנבים
cant *n.* שיפוע, נטייה; תנועת-פתע
cant *v.* לשפע, להטות, להפוך
can't = cannot (kant)
Can'tab' *adj.* של קיימבריג'
can'taloupe' (-lōp) *n.* סוג מלון
can·tan'kerous *adj.* רגזן, איש-ריב
canta'ta (-tä'tə) *n.* קנטטה
can·teen' *n.* קנטינה, שקם; מערכת כלי-אוכל, סכו"ם; מימייה
can'ter *n.* דהירה קלה, דהרור
- win at a canter לנצח בקלות
canter *v.* לדהור דהירה קלה, לדהרר
can'ticle *n.* שיר, הימנון
Canticles שיר השירים
can'tile'ver *n.* מוט תומך, תומכה
can'to *n.* פרק בפואמה, קאנטו
can'ton *n.* קנטון, מחוז (בשוייץ)
can·ton'ment *n.* מחנה צבאי
can'tor *n.* חזן; מנצח על מקהלה
can'vas *n.* אריג גס; ברזנט; ציור שמן
- under canvas באוהלים; במיפרשים פרושים
can'vass *v.* לנהל תעמולה, לחזר אחרי קולות; לדון, לשקול
canvass *n.* ניהול תעמולה, דיון
can'yon (-yən) *n.* קניון, ערוץ
caou'tchouc (kou'chook) *n.* קאוצ'וק
cap *n.* כובע, כיפה; פקק, מיכסה; "קפצון"; פיקה; טבעת; אות גדולה
- a feather in one's cap משהו להתגאות בו, נוצה להתקשט בה
- cap in hand בהכנעה, בהתרפסות
- if the cap fits אם הוא סבור שהכוונה אליו - יהי כן
- put on one's thinking cap לחשוב בהתעמקות
- set her cap at ניסתה לכבוש ליבו
cap *v.* לשים כובע על, להכתיר; לעלות על, להצליח יותר
- cap a joke לספר בדיחה יותר טובה
ca'pabil'ity *n.* כישרון, יכולת; כוח
- capabilities סגולות, פוטנציה
- nuclear capabilities כוח גרעיני
ca'pable *adj.* מוכשר, כישרוני
- capable of מסוגל; ניתן ל-
capa'cious (-shəs) *adj.* מרווח, רחב
capac'itor *n.* קבל (באלקטרוניקה)
capac'ity *n.* קיבולת, יכולת, קליטה, יכולת-הבנה; מעמד, תפקיד; כושר, כשרות
- beyond his capacity למעלה מהבנתו
- filled to capacity מלא עד אפס מקום
- in his capacity as בתוקף תפקידו כ-
- within his capacity בתחום הבנתו
cap and bells תילבושת הליצן
cap'-a-pie' (-pē) מכף רגל ועד ראש

capar'ison *n.* כיסוי מקושט לסוס
caparison *v.* להלביש, לקשט (סוס)
cape *n.* שיכמייה; כֵּף, לְשׁוֹן-יַבָּשָׁה
Cape of Good Hope כף התקווה הטובה
ca'per *n.* צלף (שיח-בר)
caper *n.* קפיצה, ניתור; *תעלול
- cut a caper לכרכר; להשתטות
caper *v.* לקפץ, לכרכר, לקפצץ
ca'pias *n.* צו מעצר
cap'illar'ity *n.* נימיות
cap'illar'y (-leri) *n.* נימת-דם, נימה
cap'ital *n.* בירה; הון, רכוש, קאפיטאל; כותרת העמוד; אות גדולה
- fixed capital רכוש קבוע
- make capital of לנצל
- risk/venture capital הון סיכון
- share capital הון מניות
capital *adj.* דינו מוות; ראשי; *מצוין
- capital importance חשיבות עליונה
- with a capital A בא' רבתי
capital crime/case עבירה שדינה מוות
capital expenditure הוצאות הון
capital gains ריווחי הון
cap'italism' *n.* רכושנות, קפיטליזם
cap'italist *n.* רכושן
cap'italis'tic *adj.* רכושני
cap'italiza'tion *n.* היוון
cap'italize' *v.* להוון, לממן; לכתוב באותיות גדולות; להפיק תועלת
- capitalize on לנצל (שגיאת יריב)
capital letter אות גדולה
capital levy מס רכוש
capital punishment עונש מוות
capital stock הון מניות
cap'ita, per capita לראש, לגולגולת
cap'ita'tion *n.* מס גולגולת
Capitol *n.* בניין הקונגרס, הקאפיטול
capit'ulate' (-ch'-) *v.* להיכנע
capit'ula'tion (-ch'-) *n.* כניעה
- capitulations הסכם לשמירת זכויות האזרחים הזרים
ca'pon *n.* תרנגול מסורס (מפוטם)
cap'pucci'no (-poochē'-) *n.* קפוצ'ינו
capricc'io (-prich'iō) *n.* קפריצ'ו (במוסיקה)
caprice' (-rēs) *n.* קפריזה, גחמה, עיקשות, חפציות, ציפרונות; קפריצ'ו
capri'cious (-shəs) *adj.* קפריזי, הפכפך, גחמני
Cap'ricorn' *n.* מזל גדי
- Tropic of Capricorn חוג הגדי
cap'riole' *n&v.* קפיצה; קפיצה ובעיטה של סוס מאולף; להקפיץ סוס כך
Capri pants מכנסי קפרי, מכנסי נשים צמודים
Capris' (-rēz') *n-pl.* מכנסי קפרי, מכנסי נשים צמודים
cap'sicum *n.* פילפלת (צמח)
capsizal *n.* התהפכות
cap·size' *v.* להפוך; להתהפך
cap sleeve שרוול (כתף) קצר
cap'stan *n.* כנן (למשיכת ספינות)
cap'sule (-səl) *n.* קפסולת, גלולה, כמוסה, הֲלקֶט, מיכסה; תא-חללית
cap'tain (-tən) *n.* סרן, מפקד, רב-חובל,

מנהיג, ראש-קבוצה
captain *v.* לפקד, להנהיג
cap'taincy (-tən-) *n.* מנהיגות, ראשות-קבוצה
cap'tion *n.* כותרת, מילות-הסבר; כותרת מיסמך מישפטי; כיתוב, כתובית
cap'tious (-shəs) *adj.* קטנוני, חטטני
cap'tivate' *v.* להקסים, לכבוש לב
cap'tiva'tion *n.* הקסמה, קסם
cap'tive *n&adj.* שבוי, אסיר, בשבי
- captive audience ציבור שבוי
- captive balloon בלון קשור לקרקע
- hold him captive להחזיקו בשבי
cap•tiv'ity *n.* שבי; מאסר
cap'tor *n.* לוכד, שבאי, שובה
cap'ture *v.* לשבות, ללכוד, לתפוס
capture *n.* תפיסה, לכידה; שבוי
car *n.* מכונית; קרון-רכבת; מעלית
carafe (-raf') *n.* בקבוק, לגין, כד
car'amel *n.* שזף-סוכר, קאראמל
car'apace' *n.* שיריון הצב
car'at *n.* קאראט (יחידת משקל)
car'avan' *n.* שיירה; קרון-מגורים, קארוואן, מעונוע
caravanning *n.* בילוי חופשה בקרון
car'avan'sary *n.* פונדק
car'away' (-'əwā) *n.* כרוויה (צמח)
carb = carburettor *n.* *קרבוראטור, מאייד
car'bide *n.* קרביד
car'bine *n.* קרבין (רובה)
car'bo•hy'drate *n.* פחמימה
- carbohydrates מזון עמילני
car•bol'ic acid *n.* חומצת קרבול
car bomb מכונית תופת
car'bon *n.* פחמן; פחם; העתק
car'bona'ted *adj.* מוגז
- carbonated water מי-סודה
carbon black אבקת פחם
carbon copy העתק
carbon dioxide דו-תחמוצת הפחמן
car•bon'ic acid חומצה פחמתית
car'bonif'erous *adj.* מכיל פחם
car'boniza'tion *n.* פיחמון
car'bonize' *v.* לפחם, לפחמן
carbon paper נייר פחם
car'borun'dum *n.* קרבורונד
car'boy' *n.* בקבוק (גדול)
car'bun'cle *n.* גחלית, פורונקל, קרבונקול; אבן יקרה
car'bure'tor (-rā-) *n.* מאייד, קרבוראטור
car'buret'tor *n.* קרבוראטור, מאייד
car'cass *n.* גוויה; שלד; *גוף
car•cin'ogen *n.* גורם סרטן, מְסַרטֵן
car'cino'ma *n.* סרטן
card *n.* כרטיס, גלויה; קלף; תוכניה; רשימת-האירועים; *ברנש מצחיק
- a card up one's sleeve תוכנית באמתחתו, קלף בשרוול
- a sure/safe card קלף בטוח
- cards, playing cards קלפים
- house of cards בניין קלפים
- in the cards עלול לקרות, אפשרי
- one's best card הקלף החזק שלו
- play one's cards well לנהוג בפיקחות, לתמרן יפה
- put one's cards on the table לגלות את קלפיו
card *n.* מסרק, מסרקה, מנפטה
card *v.* לסרוק, לנפט, לנפץ
car'damom *n.* הל, קרדמון
cardboard *n.* קרטון, ניורת
cardboard city איזור חסרי בית
card-carrying member חבר מלא
card game מישחק קלפים
cardholder *n.* בעל כרטיס אשראי
car'diac' *adj.* של הלב
cardiac arrest דום לב
car'digan *n.* אפודת צמר, מיקטורה
car'dinal *adj.* יסודי, ראשי, עיקרי
cardinal *n.* חשמן; אודם, אדום
cardinal number מיספר יסודי
cardinal points נקודות המצפן היסודיות
card index כרטסת
car'diogram' *n.* רישמת לב
car'diol'ogist *n.* רופא לב, קרדיולוג
car'diol'ogy *n.* רפואת הלב, קרדיולוגיה
cardphone *n.* טלפון טלכרט
cardpunch *n.* מנקב-כרטיסים
card-sharper *n.* רמאי-קלפים
card vote הצבעת נציגים
care *n.* דאגה, תשומת-לב; זהירות; טיפול, פיקוח, השגחה
- care of, c/o גר אצל, שכתובתו
- have a care! היזהר!
- take care להיזהר
- take care of לטפל ב-
- take into care להכניס למוסד
care *v.* לדאוג; לחפוץ, לרצות
- I couldn't care less לא מעניין אותי
- I don't care לא איכפת לי
- I don't care to איני חפץ ל-
- care for לטפל ב-; לאהוב, לחבב
- for all I care מצידי, לא איכפת לי
- not care a damn לא איכפת כלל
careen' *v.* להטות (אוניה) על הצד; לנטות; לנוע במהירות ובטילטולים
career' *n.* קריירה; מיקצוע; ריצה, מהירות, דהירה
- at full career במהירות רבה
career *adj.* מיקצועי; של קריירה
career *v.* להתרוצץ, לדהור במהירות
careerist *n.* קרייריסט, תכליתן
carefree *adj.* חסר-דאגות, עליז
careful *adj.* זהיר; קפדני, מדוקדק
caregiver *n.* מטפל
care label תווית הוראות (טיפול בבגד)
careless *adj.* לא זהיר, רשלני; לא דואג, עליז, לא איכפת לו, אדיש
carer *n.* מטפל
caress' *n.* לטיפה, נשיקה
caress *v.* ללטף, לנשק, לחבק
car'et *n.* סימן ההשמטה (בהגהה)
caretaker *n.* משגיח, ממונה, שרת, שַמָש
caretaker government ממשלת מעבר
careworn *adj.* אכול-דאגות
carfare *n.* דמי נסיעה
car'go *n.* מיטען, משא
car'icature *n.* קריקטורה
caricature *v.* לעשות קריקטורה מ-

caricaturist *n.* קריקטוריסטן
car′ies (kār′ēz) *n.* עששת, ריקבון
car′illon *n.* נגינת פעמונים
caring *adj.* אדיב, דואג; מטפל
car′ious (kār′-) *adj.* (שן, עצם) רקובה
car′jack′ *v.* לחטוף מכונית
carjacking *n.* חטיפת מכונית
Car′melite′ *n.* כרמלי (נזיר)
car′mine *n.* ארגמן, כרמין
car′nage *n.* שחיטה, טבח, קטל
car′nal *adj.* בשרי, חושני, גופני
- carnal knowledge יחסי מין
car·na′tion *n.* ציפורן (פרח); ורוד
car′nival *n.* קרנבל
car′nivore′ *n.* חיה טורפת, טורף
car·niv′orous *adj.* (חיה) אוכלת בשר
car′ob *n.* חרוב (עץ)
car′ol *n.* שיר עליז; שיר הלל
carol *v.* לשיר, לזמר, להלל
carou′sal (-z-) *n.* הילולה, מישתה
carouse′ (-z) *v.* לשתות, להתהולל
car′ousel′ (-rəs-) *n.* סחרחרה, קרוסלה
carp *v.* לחטט, להטיל דופי; להתאונן
carp *n.* קרפיון, קרפיונים
car′pal *adj.* של שורש כף-היד
car park חניון
car′penter *n.* נגר
car′pentry *n.* נגרות
car′pet *n.* שטיח, מרבד
- call on the carpet לנזוף
- sweep under the carpet לטאטא אל מתחת לשטיח
carpet *v.* לכסות בשטיח; *לנזוף ב-
carpetbagger *n.* צפוני (בארה"ב) שהיגר לדרום לעשות רווחים; מועמד פוליטי במחוז זר; אופורטוניסט
carpet bombing הפצצה כבדה
carpeting *n.* חומר לשטיחים
carpet-knight *n.* חייל-שוקולדה
carpet slipper נעל בית
carpet sweeper מנקה שטיחים
car phone טלפון מכונית
carping *adj.* חטטני, מחפש פגמים
car pool הסכם הסעה הדדי
carport *n.* מיגרש-חנייה, סיככת מכונית
car′pus *n.* שורש היד, מיפרק כף היד
car′rel *n.* מדור-עיון (בסיפרייה)
car′riage (-rij) *n.* עגלה, כירכרה; קרון-רכבת; הובלה; גרר מכונת-כתיבה; כן-תותח
- carriage forward הובלה על המקבל
- carriage paid דמי-הובלה שולמו
carriage *n.* הופעה, הילוך, הליכה
carriage and pair כירכרה
carriage trade העשירים
carriageway *n.* כביש
- dual carriageway כביש רחב
carrier *n.* סַבָּל, נושא, חברת-הובלה; נשא, נושא מחלות; נושאת-מטוסים; משאית
carrier bag שקית קניות
carrier pigeon יונת דואר
car′rion *n.* נבילה, פגר
car′rot *n.* גזר
- the stick and the carrot שיטת המקל והגזר
carroty *adj.* דומה לגזר; אדום-תפוז

car′rousel′ (-rəs-) *n.* סחרחרה, קרוסלה
car′ry *v.* לשאת; להעביר; להמשיך, להאריך; לכבוש בסערה; להינשא למרחקים; לנהוג, להתנהג; לשדר
- carried his point נימוקיו שיכנעו
- carry 1 מעבירים 1 (בחיבור)
- carry all before him להצליח יפה
- carry away לשלהב, לסחוף
- carry back להחזיר (לזמן עבר)
- carry conviction לשכנע
- carry forward להעביר לדף הבא
- carry him through לחלצו
- carry interest לשאת ריבית
- carry off לזכות ב-, להצליח, לבצע יפה; לגרום מוות
- carry on לנהל; להמשיך; לנהל רומן; להתנהג באופן מוזר; להשתולל
- carry oneself להתנהג (בהילוך וכ')
- carry out/through לבצע, להגשים
- carry over להימשך; להישאר; להעביר
- carry the ball לבצע הדבר הקשה
- carry the day לנחול הצלחה
- carry too far לעבור הגבול, להגזים
- carry weight להיות בעל מישקל
- my voice carries קולי נשמע רחוק
- the cow's carrying הפרה מעוברת
- the law (was) carried החוק נתקבל
- to be carrying on with בינתיים
carry *n.* טווח-תותח; נשיאה; הובלת סירות ביבשה
carryall *n.* תרמיל, סל
carry-cot *n.* סל-קל (לתינוק)
carrying charge תשלום נוסף על קנייה במזומנים
carryings-on *n-pl.* *אירועים, התרחשויות מוזרות
carry-on *n.* שקית, תרמיל קטן; *רעש, המולה; שובבנות; רומן
carry-over *n.* העברה מדף לדף; עסקים דחויים; השפעת-לוואי
carsick *adj.* חולה נסיעה
cart *n.* עגלה, קרון
- in the cart *במצב ביש
- put the cart before the horse להקדים את המאוחר
cart *v.* להעביר בעגלה; *לסחוב
- cart away/off לגרור, להעביר
cart′age *n.* (דמי) הובלה בעגלה
carte blanche (-blänsh) *n.* יד חופשית
car·tel′ *n.* קרטל, איגוד
car′ter *n.* עגלון
Car·te′sian (-zyən) *adj.* קרטזיאני, של דקארט
carthorse *n.* סוס עבודה
car′tilage *n.* סחוס, חסחוס
car′tilag′inous *adj.* סחוסי
car·tog′rapher *n.* מפאי, קרטוגרף
car·tog′raphy *n.* מיפוי, מפאות
car′toman′cy *n.* קרטומניה, הגדת עתידות בקלפים
car′ton *n.* קופסת קרטון
car·toon′ (-o͞on) *n.* קריקטורה; סרט מצויר
- animated cartoon סרט מצויר
cartoonist *n.* קריקטוריסטן
car′tridge *n.* כדור, תרמיל; קסטה;

סליל-מצלמה; מחסנית; מילוי-עט
cartridge belt פונדה
cartridge paper נייר לבן עבה
cart track/road דרך עפר
cartwheel *n.* קפיצת גילגול הצידה
- turn cartwheels להתגלגל הצידה
carve *v.* לפסל, לגלף; לחתוך, לפרוס
- carve out להשיג (במאמץ רב)
carver *n.* סכין (לבשר); גלף
carving *n.* גילוף, תגליף
carving knife סכין (לבשר)
car'yat'id *n.* עמוד (בדמות אישה)
cas·cade' *n.* מפל-מים; דבר דמוי גל
(שיער גולש, חצאית); שרשרת, סידרה
cascade *v.* ליפול כמפל-מים
cas·car'a *n.* סם משלשל
case *n.* מיקרה, מצב; עניין; תיק, מישפט;
טענה, נימוק; (בדקדוק) יחסה
- as the case may be בהתאם למצב
- borderline case מיקרה גבולי
- case in point דוגמה, הוכחה
- in any case בכל מיקרה
- in case פן, למיקרה של
- in case of במקרה ש-, אם
- in no case בשום מיקרה
- in the case of בנוגע ל-
- in this case במיקרה זה
- is it the case that? הנכון ש-?
- it's not the case אין זה כך
- just in case על כל מיקרה
- make one's case להוכיח צידקתו
- make out a case for לטעון לטובת
- such being the case הואיל וכך
case *n.* תיבה, קופסה; נרתיק, מיסגרת
- lower case אותיות קטנות
- upper case אותיות גדולות
case *v.* לארוז, לשים בתיבה
casebook *n.* יומן מיקרים (של רופא)
case-hardened *adj.* קשוח, מחושל
case history תיק (של חולה)
ca'se·in *n.* קזיאין, חלבון החלב
case law דיני פסקים; דינים מבוססים
על תקדימים
caseload *n.* עומס תיקים, מקרים
לטיפול
case'ment (kās'-) *n.* חלון-צירים
ca'se·ous *adj.* של קזיאין, גביני
case study חקר המיקרה, ניתוח המצב
casework *n.* עבודה סוציאלית, חקר
הרקע
caseworker *n.* עובד סוציאלי
cash *n.* כסף, מזומנים
- cash on delivery תשלום עם המסירה
- cash price המחיר במזומן
- out of cash חסר-מזומנים
- ready cash מזומנים
cash *v.* להחליף במזומנים, לפדות
- cash and carry שלם וקח
- cash in להחליף במזומנים; *למות
- cash in on לנצל, להפיק תועלת מ-
cashable *adj.* זמין
cash basis בסיס מזומנים
cash box כספת
cash card כרטיס כספומט
cash cow *פרה חולבת, עסק מכניס
cash crop גידולי קרקע למכירה

cash desk דלפק הקופה
cash dispenser בנקומט, מנפק כסף
cash down תשלום בעת הקנייה
cash'ew (-yōō) *n.* קשיו (אגוז)
cash flow תזרים מזומנים
cash·ier' (-shir) *n.* קופאי
cashier *v.* לסלק, להדיח, לפטר
cash'mere *n.* צמר קשמיר
cash point מנפק כסף, כספומט
cash register קופה רושמת
ca'sing *n.* כיסוי, מיסגרת, עטיפת-מגן
casi'no (-sē'-) *n.* קאזינו
cask *n.* חבית
cas'ket *n.* תיבה; ארון מתים
casque (kask) *n.* קסדה
cas'serole' *n.* אילפס, קדירה; תבשיל
cassette' *n.* קסטה, קלטת, מחסנית
cassette player רשמקול, טייפ
cassette recorder רשמקול, טייפ
cas'sock *n.* גלימה
cas'sowar'y (-səweri) *n.* קזואר
cast *v.* להטיל, להשליך; לגבש; לעצב,
לצקת; ללהק, לשבץ בתפקיד; לחשב
- cast a vote להצביע
- cast about/around לחפש; לחשוב
- cast accounts לחשב, לחבר
- cast ashore להטיל לחוף
- cast aside לזנוח, לנטוש
- cast doubts להטיל ספיקות
- cast down מדוכדך; להעציב, לדכא
- cast loose לשחרר, להרפות; להתנתק
- cast lots להפיל גורלות
- cast off להשליך, לנטוש; להתיר (סירה);
לסיים את הסריגה
- cast on להעלות עיניים על המסרגה
- cast one's eyes over להסתכל ב-
- cast out לגרש
- cast up לחשב, לחבר; לכוון כלפי מעלה
- cast your bread upon the waters
שלח לחמך על פני המים
cast *n.* השלכה, הטלה; צוות השחקנים;
צורה, דמות; גבס (תחבושת); פזילה
cas'tanets' *n-pl.* ערמוניות
castaway *n.* ניצול (של ספינה שנטרפה,
שהגיע לארץ זרה)
caste *n.* כת, מעמד חברתי
- lose caste לרדת בדרגה
cas'tella'ted *adj.* בנוי כמיבצר
cas'ter = castor
caster sugar סוכר דק
cas'tigate' *v.* להעניש, לבקר קשות
cas'tiga'tion *n.* ענישה חמורה
casting *n.* השלכה; יציקה, עיצוב; ליהוק
casting vote קול מכריע (של יו"ר)
cast iron ברזל יציקה, יצקת
cast-iron *adj.* כברזל, קשה, חזק
cas'tle (-səl) *n.* טירה, ארמון, מצודה;
צריח
- castle doctrine ביתו של האדם הוא
מיבצרו
- castles in Spain/in the air מיגדלים
פורחים באוויר, חלום באספמיא
castle *v.* להצריח
cast-off *adj.* מושלך, משומש
cast-offs *n-pl.* בגדים משומשים
cas'tor *n.* גלגילון (מתחת לרהיט); מבזק

(למלח, פילפל)
castor oil *n.* שמן קיק
castor sugar סוכר דק
cas′trate *v.* לסרס, לעקר
cas·tra′tion *n.* סירוס, עיקור
cas′ual (-zhōōəl) *adj&n.* מיקרי; שיטחי, לא מתחשב; ארעי, לא קבוע
- casual worker עובד לא קבוע/ארעי
- casuals בגדים/נעליים ליום-יום
cas′ualty (-zhōōəl-) *n.* תאונה; נפגע, נעדר, חלל
casualty department חדר-חירום לנפגעים
casualty ward חדר-חירום לנפגעים
cas′uist (-zhōōist) *n.* פלפלן
cas′uis′tic (-zhōōist-) *adj.* פלפלני
cas′uistry (-zhōōis-) *n.* התפלפלות, פלפלנות
ca′sus bel′li (-lī) עילה למלחמה, קאזוס בלי
cat *n.* חתול, חתולה; *טרקטור; שוט
- cat and dog life חיי-מריבות
- it's raining cats and dogs ניתך גשם עז
- let the cat out of the bag לגלות סוד
- like a cat on a hot tin roof עצבני, מתוח
- not room to swing a cat מקום צר
- rains cats and dogs ניתך גשם עז
- wait for the cat to jump לראות איך ייפול דבר
cat′aclysm′ (-liz′əm) *n.* קאטאקליזם, מהפך; רעידת-אדמה; שואה
cat′aclys′mic (-z-) *adj.* קאטאקליסטי, מהפכני
cat′acomb′ (-kōm) *n.* מערת-קברים, כוך, קאטאקומבה
cat′afalque′ (-falk) *n.* בימת-המת
cat′alep′sy *n.* קטלפסיה, שיתוק
cat′alog′ (-lôg) *n&v.* קטלוג; לקטלג, לרשום בקטלוג
cat′alogue′ (-lôg) *n&v.* קטלוג; לקטלג, לרשום בקטלוג
catal′ysis *n.* קטליז, זירוז
cat′alyst *n.* קטליזטור, מדרבן, זָרָז
cat′alyt′ic *adj.* מזרז
cat′amaran′ *n.* רפסודה, סירה
cat′apult′ *n.* מרגמה, בליסטרה; מעוט; מיקלעת
catapult *v.* להזניק, להעיף; לזנק
cat′aract′ *n.* מפל-מים; ירוד (מחלה), קאטאראקט
catarrh′ (-tär) *n.* נזלת
catas′trophe′ (-rəfē) *n.* אסון, קטסטרופה, שואה
cat′astroph′ic *adj.* קטסטרופי
cat burglar פורץ (המטפס כחתול)
catcall *n.* שריקת-בוז
catch *v.* לתפוס; להבין; ללכוד; להידבק ב-; להכות; להיאחז, להסתבך
- catch a cold להצטנן
- catch a crab לפספס במכת-חתירה
- catch as catch can תפוס כפי יכולתך, מכל הבא ליד
- catch at לנסות לתפוס, להיאחז
- catch at a straw להיאחז בקש
- catch fire להידלק, להתלקח; להתלהב
- catch his attention למשוך תשומת-ליבו
- catch his eye למשוך תשומת-ליבו
- catch hold of לתפוס
- catch on להתפרסם; להבין; להישכר
- catch one's breath לעצור נשימתו
- catch out לתפוס בקלקלתו
- catch sight of לראות לרגע, להבחין
- catch the sun להשתזף (יותר מדי)
- catch up (with) להשיג, להדביק
- catch-22 מילכוד 22, סיבוך ללא מוצא
- caught short נקלע למצב דחוק
- caught up שקוע, נסחף ב-; מסתבך
- you'll catch it! תקבל מנה!
catch *n.* תפיסה; שלל; בריח; עוקץ, טריק, מילכוד; שאלה מכשילה, משהו חשוד
- a good catch "שידוך" טוב
catchall *n.* סל גדול
catch crop יבול מהיר-גידול
catcher *n.* תופס (בבייסבול)
catching *adj.* (מחלה) מידבקת, מנגעת
catchment area אגן-נהר; איזור, תחום שירות
catchpenny *adj.* חסר-ערך, צעקני
catchphrase *n.* אימרת-כנף
catchword *n.* סיסמה, מלת-מפתח
catchy *adj.* מושך; קל לזכרו, קליט; ערמומי, מוליך שולל
cat door דלת כנף/מתנפנפת (לחתול)
cat′echism′ (-k-) *n.* מדריך בצורת שאלות ותשובות, קטכיסיס
cat′echize′ (-k-) *v.* ללמד בשיטת שאלות ותשובות; לבחון, לחקור
cat′egor′ical *adj.* מוחלט, פסקני, קטגורי
cat′egorize′ *v.* להכליל בקטגוריה
cat′ego′ry *n.* קטגוריה, סוג
ca′ter *v.* לספק (מזון, בידור), לארגן שירותי הסעדה
- cater to להתחשב ב-, לספק רצון-
caterer *n.* ספק-מזון, מיסעדן
catering *n.* הסעדה, קייטרינג
cat′erpil′lar *n.* תולעת, זחל
caterpillar tractor טרקטור-זחל
cat′erwaul′ *n.* יללת-חתול
caterwaul *v.* ליילל כחתול, לריב
catfish *n.* שפמנון (דג)
cat flap דלת כנף/מתנפנפת (לחתול)
catgut *n.* מיתר-נגינה, מיתר
cathar′sis *n.* היטהרות, זיכוך הנפש; מתן פורקן לבעיות נפשיות
cathar′tic *adj&n.* (סם) משלשל
cathe′dra *n.* קתדרה
cathe′dral *n.* כנסייה ראשית, קתדרלה
Cath′erine wheel (-rin) גלגל זיקוקין די נור
cath′eter *n.* קתטר, צנתר
cath′ode *n.* קתודה, אלקטרוד שלילי
cath′olic *adj.* כללי, רחב, מקיף
Cath′olic *adj&n.* קתולי
Cathol′icism′ *n.* קתוליות
cath′olic′ity *n.* כלליות, רוחב-דעת
cat-house *n.* *בית בושת
cat′kin *n.* עגיל (תיפרחת)
catlick *n.* *רחצה שיטחית
catlike *adj.* חתולי, כחתול; בגניבה

cat′nap′ *n.* תנומה קלה
cat-o'-nine-tails שוט, מגלב
cat's cradle *n.* עריסת-חתול (מישחק בחוט הכרוך על האצבעות)
cat's eye עין-חתול, מחזירור-כביש
cat's paw כלי-שרת בידי הזולת; רוח קלה; לולאה
cat suit בגד מהודק, בגד-גוף
cat′sup *n.* קטשופ, מיץ עגבניות
cat′tle *n-pl.* בקר, בהמות
cattle cake מזון-בהמות
catty, cattish *adj.* חתולי, ערמומי
cat-walk שביל צר; במת-אופנה
Cauca′sian (-zhən) *n.* קווקזי, לבן
Cau′casus *n.* קווקז
cau′cus *n.* ועידה מפלגתית
caucus *v.* לכנס ועידה מפלגתית
cau′dal *adj.* של הזנב, ליד הזנב, זנבי
caught = p of catch (kôt)
caul *n.* עטיפת העובר, מעטה הוולד
caul′dron *n.* יוֹרָה, קדירה
cau′liflow′er *n.* כרובית
cauliflower ear אוזן נפוחה (ממכות)
caulk (kôk) *v.* לסתום (סדקים)
caus′al (-z-) *adj.* סיבתי, גורם
causal′ity (-z-) *n.* סיבתיות
causa′tion (-z-) *n.* סיבתיות
cau′sative (-z-) *n&adj.* גורם; בניין הִפְעִיל
cause (-z) *n.* סיבה, גורם; עניין, מטרה, עיקרון; עילה, עילה לתביעה
- cause of action עילה לתביעה
- in the cause of לטובת, למטרת-
- make common cause with him לתמוך בו, להתייצב לצידו
- show cause לבוא ולנמק בבי"ד; לתת סיבה טובה
cause *v.* לגרום ל-, להביא
cause (koz) *conj&adv.* *בגלל, מכיוון ש-
causeless *adj.* חסר-סיבה
cau′serie′ (kō′zərē′) *n.* שיחה קלה
cause′way′ (kôz′wā) *n.* שביל מורם (בשטח בוצי), דרך מוגבהת
caus′tic *adj.* שורף, צורב, חריף
caustic soda נתר מְאַכֵּל, סודה קאוסטית
cau′terize′ *v.* לצרוב (פצע, נכישה)
cau′tion *n.* זהירות; אזהרה; התראה
caution *v.* להזהיר, להתרות ב-
cautionary *adj.* מזהיר, מתרה, מדריך
cau′tious (-shəs) *adj.* זהיר
cav′alcade′ *n.* תהלוכה, צעדת פרשים
cav′alier′ (-lir) *n&adj.* פרש, אביר; יהיר, אנוכי, מזלזל
cav′alry *n.* חיל-פרשים; שיריון קל
cave *n&v.* מערה
- cave in להתמוטט, לקרוס; למוטט
ca′ve·at′ *n.* הפסקת הליכים; אזהרה
ca′ve·at′ emp′tor′ ייזהר הקונה!
cave-in *n.* התמוטטות, מפולת, קריסה
caveman *n.* איש-מערות; *חסר נימוס
cav′ern *n.* מערה (גדולה)
cav′ernous *adj.* עמוק; מלא מערות
- cavernous eyes עיניים שקועות
cav′iar′ *n.* קוויאר, ביצי דגים
- caviar to the general רק לאניני-טעם

cav′il *v.* לחפש פגמים; להתאונן
cav′ity *n.* חלל, חור, חריר, קבית
cavity wall קיר חלול (לבידוד)
cavort′ *v.* *לקפץ, לכרכר
ca′vy *n.* חזיר-ים
caw *n&v.* צריחת עורב; לצרוח כעורב
cay·enne′ *n.* פילפל אדום
cc. = cubic centimeter
CD קומפקט דיסק, תקליטור, הג"א, הגנה אזרחית
CD-ROM סי-די רום
cease *v&n.* להפסיק, לחדול
- cease and desist order צו הפסקת פעולה, צו מניעה
- without cease בלי הרף, ללא הפסק
ceasefire *n.* הפסקת-אש
ceaseless *adj.* מתמיד, לא פוסק
ce′dar *n.* ארז (עץ)
cede *v.* לוותר על, להעביר (שטח)
ce·dil′la *n.* סדילה (סימן מתחת לאות סי)
ceil (sēl) *v.* להתקין תיקרה; לצַפּוֹת
ceil′ing (sēl-) *n.* תיקרה, תיקרת הגובה
ce·leb′ *n.* *סֶלֶבּ, ידוען, אדם מפורסם
cel′ebrant *n.* מנהל טקס (כומר)
cel′ebrate′ *v.* לחגוג; להלל, לפאר
celebrated *adj.* מפורסם
cel′ebra′tion *n.* חגיגה, שימחה
celeb′rity *n.* אדם מפורסם; פירסום
celer′ity *n.* מהירות
cel′ery *n.* כרפס, סלרי
celes′tial (-schəl) *adj.* שמיימי
cel′ibacy *n.* רווקות, פרישות
cel′ibate *n.* רווק
cell *n.* תא
cel′lar *n.* מרתף, מחסן-יינות
cel′larage *n.* שטח המרתף; דמי איחסון
cel′list (ch-) *n.* צ'לן, נגן צ'לו
cel′lo (ch-) *n.* צ'לו, בטנונית
cel′lophane′ *n.* צלופן (נייר)
cellphone *n.* טלפון סלולרי, פלפון
cel′lu·lar *adj.* תאי, נקבובי; סלולרי
cellular phone טלפון סלולרי
cel′lu·loid′ *n.* צלולואיד, ציבית; סרט
cel′lu·lose′ *n.* תאית, צלולוזה
Cel′sius *n.* צלסיוס
Cel′tic *n.* קלטית (שפה)
cem′balo′ (chem-) *n.* צ'מבלו
ce·ment′ *n.* מלט; מילוי
cement *v.* לכסות במלט, למלט; לחזק
ce′men·ta′tion *n.* חיזוק, גיבוש; התחזקות
cement mixer מערבל (מכונה)
cem′eter′y *n.* בית-קברות, בית-עלמין
cen′otaph′ *n.* מצבת-זיכרון, יד
cen′ser *n.* מחתה, מקטר
cen′sor *n.* צנזור, בַּדָּק
censor *v.* לצנזר, לבדוק
cen·sor′ious *adj.* ביקורתי, מחפש פגמים
cen′sorship *n.* צנזורה, ביקורת, בידוקת
cen′sure (-shər) *n.* ביקורת, גינוי
censure *v.* לגנות, לבקר, לנזוף
cen′sus *n.* מיפקד
cent *n.* סנט (מטבע)
- per cent אחוז, למאה

cen′taur *n.* קנטאור (אדם-סוס)
cen′tena′rian *n&adj.* בן מאה שנה (או יותר)
cen·ten′ary *n.* מאה שנה; יובל המאה
cen·ten′nial *adj.* של יובל ה-100
cen′ter *n.* אמצע, מרכז; שחקן מרכז
- center of attention מוקד ההתעניינות
- off center משונה, מוזר; לא באמצע
center *v.* להתרכז; לשים במרכז; להעביר כדור למרכז השדה; לְמַרְכֵּז
- center upon להתרכז ב-, להתמקד על
center bit מקדח-מירכוז
centerboard *n.* לוח איזון (בסירה)
center forward חלוץ מרכזי
center of gravity מרכז הכובד
centerpiece *n.* קישוט מרכזי; פריט עיקרי
center spread עמודי האמצע
center stage מרכז הבמה; מוקד ההתעניינות
cen′tigrade′ *adj.* בעל 100 מעלות; צלסיוס
cen′tigram′ *n.* סנטיגרם
centime (sän′tēm) *n.* מאית פרנק
cen′time′ter *n.* סנטימטר
cen′tipede′ *n.* נדל (רמש טורף)
cen′tral *adj.* מרכזי, עיקרי
central *n.* מרכזייה; מרכזן
central heating הסקה מרכזית
cen′tralism′ *n.* ריכוז, מירכוז
cen′traliza′tion *n.* מירכוז
cen′tralize′ *v.* לְמַרְכֵּז; להתרכז
central processing unit יחידת עיבוד מרכזית
central reservation שטח הפרדה (בכביש), רצועה מכוסה דשא
cen′tre = center (-tər)
cen·trif′u·gal *adj.* צנטריפוגלי, סירכוזי
cen′trifuge′ *n.* מפרדה, צנטריפוגה, סרכזת
cen·trip′etal *adj.* צנטריפטלי
cen′trist *n.* איש המרכז, מתון
cen′tury (-′ch-) *n.* מאה שנה
- the 20th century המאה העשרים
CEO נשיא, יו״ר, מנכ״ל
ce·phal′ic *adj.* של הראש
ce·ram′ic *adj.* של קֲדרות, של קרמיקה
ce·ram′ics *n-pl.* קרמיקה, כלי חרס
ce′re·al *n.* דגן, תבואה; דייסה
cer′ebel′lum *n.* המוח הקטן
cere′bral *adj.* של המוח, מוחי
cer′ebra′tion *n.* פעולת המוח, חשיבה
cere′brum *n.* המוח הגדול
cer′emo′nial *adj.* טיקסי, רישמי
ceremonial *n.* טקס, נוהג
cer′emo′nious *adj.* של טקסים, טיקסי
cer′emo′ny *n.* טקס, רישמיות
- master of ceremonies ראש הטקס
- stand on ceremony להקפיד על טיקסיות יתירה
cerise′ (-rēz′) *adj.* אדום-בהיר
cert *n.* *ודאות, דבר ודאי; תעודה
- a dead cert ודאות מוחלטת
cert. = certificate, certified
cer′tain (-tən) *adj.* בטוח; מסוים
- for certain בלי ספק, בוודאות
- make certain לוודא
certainly *adv.* בלי ספק; כמובן!
- certainly not כמובן שלא!
cer′tainty (-tən-) *n.* ודאות, דבר ודאי
- for a certainty בביטחון
cer′tifi′able *adj.* בר-אישור; *משוגע
certif′icate *n.* תעודה, אישור, נייר
certif′icate′ *v.* לאמת, לאשר
certif′ica′ted *adj.* מוסמך, מדופלם
cer′tifica′tion *n.* אימות, אישור
certified *adj.* מוסמך; מאושר
certified mail דואר רשום
certified public accountant רואה חשבון
cer′tify′ *v.* לאשר, לתת אישור; להסמיך; לדפלם; להצהיר כבלתי-שפוי
cer′tiorar′i (-′shər-) *n.* צו בירור, צו לערכאה נמוכה להמציא מסמכים לבירור
cer′titude′ *n.* ביטחון, ודאות
ceru′le·an *adj.* תכלתי, תכול
cer′vical *adj.* של הצוואר; של צוואר הרחם
cer′vix *n.* צוואר; צוואר הרחם
Cesarean = Caesarean
ces·sa′tion *adj.* הפסקה, הפוגה
ces′ser *n.* סיום, הפסקה
ces′sion *n.* ויתור, מסירת שטחים
cess′pit′, cesspool בור שפכין
ce·ta′cean (-shən) *n.* יונק ימי, לווייתן
c.f. = carried forward הועבר לדף הבא
cf. = compare השווה
chaconne′ (sh-) *n.* צ׳קונה (ריקוד)
Chad *n.* צ׳אד
chafe *v.* לשפשף, לחכך; להשתפשף
- chafe at/under להתעצבן
chafe *n.* חכך (מקום מחוכך בעור)
chaff *n.* מוץ; חציר; ליגלוג
chaff *v.* ללגלג
chaf′fer *v.* להתמקח, להתווכח
chaf′finch *n.* פרוש (ציפור-שיר)
cha′fing dish מכשיר חימום (לחימום התבשיל על השולחן)
chagrin′ (sh-) *n.* אכזבה, מפח-נפש
chagrin *v.* לצער, לאכזב
chain *n.* שרשרת; מידת אורך (20 מטר)
- in chains אסור, כבול, באזיקים
chain *v.* לכבול, לאסור
chain gang קבוצת אסירים כבולים
chain mail/armor שיריון קשקשים
chain reaction תגובת שרשרת
chain saw מסור-שרשרת
chain-smoker מעשן בשרשרת
chain stitch תפירת-שרשרת
chain stores רשת חנויות
chair *n.* כיסא; כיסא היושב-ראש; יושב ראש; קתדרה; כיסא חשמלי
- leave the chair לסיים ישיבה
- take a chair קח כיסא, שב
- take the chair לנהל ישיבה
chair *v.* לנהל ישיבה; להרים, לשאת על כיסא
chair lift רכבל-כיסאות
chairman *n.* יושב-ראש
chairmanship *n.* מעמד היושב-ראש
chairperson *n.* יושב ראש, יו״ר

chairwoman *n.* יושבת-ראש
chaise (shāz) *n.* כירכרה
chaise longue/lounge (shāz lông) *n.* כיסא משענת, מיטת שמש, ספת התפרקדות
chalet′ (shala′) *n.* צריף כפרי
chal′ice (-lis) *n.* גביע, קוּבַּעַת
chalk (chôk) *n.* גיר
- as chalk and cheese שונים מאוד
- not by a long chalk בהחלט לא, כלל לא, רחוק בתכלית
chalk *v.* לכתוב בגיר, לסמן בגיר
- chalk out לתאר בצורה כללית
- chalk up לזקוף לחשבונו
chalkboard *n.* לוח (של כיתה)
chalk-striped *adj.* מפוספס (בקווים לבנים על רקע שחור)
chalky *adj.* גירי, כמו גיר
chal′lah (hä′lə) *n.* חלה
chal′lenge (-linj) *v.* להזמין, לקרוא, לאתגר; להוות אתגר; לדרוש שיזדהה; לפקפק ב-
- challenge a juror לבקש לפסול מושבע
challenge *n.* הזמנה, אתגר; הוראה לעצור ולהזדהות; התנגדות למושבע
- challenge for cause טענת פסלות על סמך נימוק
- peremptory challenge טענת פסלות בלי צורך לנמק
challenger *n.* טוען לכתר-האליפות
challenging *adj.* מעורר אתגר, מקסים
cham′ber (chām′-) *n.* חדר, חדר-שינה; לישכה; גוף מחוקק; בית-מחוקקים; תא
- chamber of commerce לישכת מיסחר
- chambers לישכת-שופט; מערכת חדרים
cha′mberlain (-lən) *n.* חצרן, מנהל הלישכה
chambermaid *n.* חדרנית
chamber music מוסיקה קאמרית
chamber orchestra תיזמורת קאמרית
chamber pot משתן, עביט
chame′le·on (k-) *n.* זיקית
cham′fer *n.* פינה מלוכסנת, שיפוע
cham′my (sh-) *n.* עור-יעל
chamois (sham′i) *n.* יעל; עור-יעל
champ *v.* ללעוס (מזון, מתג), לגרוס; לגלות קוצר-רוח
- champ at the bit לגלות קוצר-רוח
champ *n.* *אלוף
cham·pagne′ (shampān′) *n.* שמפנייה
cham·paign′ (shampān′) *n.* מישור
cham′pers (sham-z) *n-pl.* *שמפנייה
cham′perty *n.* קנוניה משפטית, קניית דין
cham′pion *n.* אלוף; תומך, דוגל, לוחם
champion *v.* להגן על, לדגול ב-
champion *adj.* *מצויין, כביר
championship *n.* אליפות; דגילה
chance *n.* הזדמנות, שעת-כושר, כושרה; מיקרה, מזל; סיכון, סיכוי, אפשרות
- by chance במיקרה, באקראי
- chances are רבים הסיכויים
- game of chance מישחק מזל
- on the chance of בתיקווה ש-
- stands a chance יש לו סיכוי
- take a chance להסתכן, לנסות מזלו
- the main chance הסיכוי להתעשרות
chance *v.* להזדמן, לקרות; לסכן
- chance it *להסתכן
- chance on להיתקל ב-
- it chanced that קרה ש-, אירע ש-
chance *adj.* מיקרי, לא צפוי
chan′cel *n.* מיזרח הכנסייה
chan′cellery *n.* מעמד הקנצלר, משרד הקנצלר, קנצלריה; שגרירות
chan′cellor *n.* קנצלר; מזכיר השגרירות; נשיא אוניברסיטה
- Chancellor of the Exchequer שר האוצר
- Lord Chancellor שופט עליון
chan′cery *n.* בית מישפט גבוה לצדק; גנזך
- ward in chancery קטין באפיטרופסות השופט העליון
chan′cy *adj.* *כרוך בסיכון, מסוכן
chan′delier′ (sh-lir) *n.* ניברשת
chan′dler *n.* רוכל; יצרן נרות
change (chānj) *v.* לשנות, להחליף, להחליף בגדים, לפרוט כסף; להשתנות
- change a baby להחליף חיתול לתינוק
- change a bed להחליף מצע-המיטה
- change color להסמיק, להחוויר
- change down לעבור להילוך נמוך
- change gear להחליף הילוך
- change hands להחליף בעלים
- change into להחליף (בגדים)
- change off להתחלף
- change one's mind לשנות דעתו
- change one's tune לשנות את הטון
- change over לעבור שינוי
- change step להחליף צעד (בצעידה)
- change up לעבור להילוך גבוה
change *n.* שינוי, החלפה, המרה; כסף קטן; עודף
- a change for the better שינוי לטובה
- change of clothes בגדים להחלפה
- change of heart שינוי בעמדה
- change of life תקופת המעבר, בלות
- change of venue שינוי אתר השיפוט
- for a change לשם שינוי
- get no change out of him לא לקבל מידע ממנו; לא להפיק תועלת ממנו
- ring the changes לשנות, לגוון
- small change כסף קטן
changeable *adj.* מתחלף, חליף; הפכפך
changeful *adj.* מתחלף; הפכפך
changeless *adj.* לא משתנה, יציב
change′ling (chānj′l-) *n.* ילד מוחלף
changeover *n.* תמורה, מַהפָך
chan′nel *n.* תעלה; ערוץ, אפיק
- channels צינורות, דרכים
channel *v.* לכוון, להפנות; לתעל, להעביר בתעלה
chant *n.* פיזמון, שיר
chant *v.* לשיר, לזמר
chan′tey (sh-) *n.* שיר ימאים
chan′ticleer′ *n.* תרנגול
chan′try *n.* חדר תפילה; תשלום לכומר בעד תפילה לעילוי נשמה
chan′ty (sh-) *n.* שיר ימאים
cha′os′ (k-) *n.* תוהו ובוהו
cha·ot′ic (k-) *adj.* בעירבוביה, הפוך

chap *v.* להיסדק, להתבקע; לסדוק
chap *n.* סדק, בקיע; *ברנש, בחור
- chaps לְסָתוֹת, לְחָיַיִם; מכנסי עור
chap. = chapter פרק
chapbook *n.* ספר מעשיות
chap'el *n.* מקום תפילה, קפלה; תפילה; איגוד עובדי-דפוס
chaperon (shap'ərōn') *n.* בת-לוויה (לנערה), משגיחה
chaperon *v.* לשמש כמשגיחה כנ"ל
chapfallen *adj.* עצוב, נפול-פנים
chap'lain (-lən) *n.* רב צבאי; כומר
chaplaincy *n.* כמורה
chap'let *n.* זֵר, מחרוזת; תפילה
chap'ter *n.* פרק; תקופה; סניף, כינוס דתי, אסיפת כמרים
- chapter and verse מקור מדויק, ציטטה מדוייקת; ברחל בתך הקטנה
- chapter of accidents מסכת תקלות
chapter house אולם האסיפות
char *v.* לחרוך; להיחרך; להשחיר
char *v.* לעבוד כפועלת-ניקיון
char *n.* פועלת ניקיון; *תה
char'acter (k-) *n.* אופי, טבע; פירסום, שם; דמות, טיפוס; תעודת-אופי; אות, סימן, תו
- character actor שחקן אופי
- character assassination רצח אופי
- in character אופייני, מתאים
- out of character לא אופייני
character evidence עדות אופי
char'acteris'tic (k-) *adj.* אופייני
characteristic *n.* מאפיין, תכונה
char'acter'iza'tion (k-) *n.* איפיון
char'acterize' (k-) *v.* לאפיין
characterless *adj.* חסר-אופי, רגיל
character witness עד אופי
charade' (sh-) *n.* חידון תנועות, מציאת מלה ע"י פנטומימה
char'coal' *n.* פחם; ציור פחם
chard *n.* סלק שווייצי
charge *v.* לדרוש מחיר; לחייב; לצוות על; להתנפל; להטעין, למלא; להצהיר
- charge a gun לטעון רובה
- charge a jury להדריך המושבעים
- charge him with להאשימו ב-
- charge it to- לזקוף זאת ל-
- charge off לבטל, לרשום כהפסד
- charge oneself with לקבל עליו
- charge with להפקיד בידיו, לתת
charge *n.* מחיר; אחריות; פיקוח, טיפול; שיעבוד; פיקדון; הוראה; חובה; התנפלות; אשמה; חומר-נפץ; מיטען, משא, נטל
- bring a charge against להאשים
- face a charge להיות מואשם ב-
- give in charge להסגיר למשטרה
- in charge אחראי, ממונה
- in his charge תחת פיקוחו
- lay to his charge להאשימו ב-
- take charge of להיות אחראי ל-
chargeable *adj.* בר-האשמה; נזקף ל-; חייב מס
charge account חשבון הקפה
charge card כרטיס אשראי
charged *adj.* מואשם; טעון, מלא, רווי

charge d'affaires (shärzā'dəfär') ממלא מקום השגריר, מיופה-כוח
charge-off *n.* ביטול, מחיקה
charger *n.* מַטען; סוס-מלחמה
charge sheet גיליון אישום
chariness *n.* זהירות, חסכנות
char'iot *n.* רכב ברזל; כירכרה
char'ioteer' *n.* רַכָּב
charis'ma (kəriz-) *n.* כריזמה
char'ismat'ic (kariz-) *adj.* כריזמטי
char'itable *adj.* נדיב לב, אדיב; של צדקה
char'ity *n.* נדיבות-לב, רחמים, צדקה; מוסד צדקה
- Sister of Charity חברה באירגון-צדקה
charlady *n.* פועלת ניקיון
char'latan (sh-) *n.* נוכל, שרלטן
Char'leston (-ls-) *n.* צ'רלסטון (ריקוד)
char'ley horse התכווצות שריר
char'lock *n.* חרדל בר
char'lotte (shär'lət) *n.* עוגת פירות, תפוח אפוי
charm *n.* משיכה, יופי; קסם; קמיע
- work like a charm לפעול כבמטה-קסם
charm *v.* להקסים, לכשף
- a charmed life חיי ניסים
- charm away להפיג כבמטה קסם
charmer *n.* אדם מקסים; קוסם
charming *adj.* מקסים, נחמד
char'nel house חדר-מתים
chart *n.* מפה, תרשים
- the charts מיצעד הפיזמונים
chart *v.* לשרטט, לערוך תרשים, לתרשם
char'ter *n.* צ'רטר, אישור, כתב-זכויות, זיכיון; הצהרת-יסוד; שֶׂכֶר, חכירה
charter *v.* להעניק צ'רטר/זיכיון; לשכור
chartered accountant רואה חשבון
charter flight טיסת שֶׂכֶר
charter member חבר מייסד
charter-party שכירות-אונייה
char·treuse' (shärtrōōz') *n.* ירוק-צהוב; שרטרז (ליקר)
chart-topper *n.* מוביל מיצעד הפיזמונים
chart-topping *adj.* בראש מיצעד הפיזמונים
charwoman *n.* פועלת ניקיון
cha'ry *adj.* זהיר, חסכן
chase *v.* לרדוף אחרי; לגרש; *לרוץ
- chase around להסתובב, להתרוצץ
- chase up *לרדוף אחרי, לנדנד
- go chase yourself! הסתלק!
chase *n.* מירדף, רדיפה; חיה נרדפת, דבר נרדף; איזור ציד
- give chase לרדוף אחרי
- the chase ספורט הציד
- wild goose chase רדיפת-רוח
chase *n.* קנה-רובה; חריץ
chase *v.* לחרות במתכת, לחקוק
chaser *n.* רודף; משקה קל
chasm (kaz'əm) *n.* בקיע, פער, תהום
chassis (shas'i) *n.* בסיס, תושבת, מיסגרת, שילדה, שאסי
chaste (chāst) *adj.* פרוש, טהור, פשוט, צנוע
chas'ten (chā'sən) *v.* לייסר, לטהר

chas·tise′ (-z) *v.* לענוש, להלקות
chastisement *n.* ענישה חמורה
chas′tity *n.* טוהר, צניעות
chastity belt חגורת צניעות
chas′u·ble (-z-) *n.* גלימת כומר
chat *n.* שיחה, פיטפוט, רכילות
chat *v.* לפטפט, לשוחח, לגלגל שיחה
- chat up *לשוחח כדי להתיידד
chateau (shatō′) *n.* טירה, ארמון
chat′elaine′ (sh-) *n.* בעלת הארמון
chat show תוכנית ראיונות, טוקשואו
chat′tels *n-pl.* מיטלטלים, חפצים
chat′ter *v.* לפטפט, לנקוש, לתקתק
chatter *n.* פיטפוט, נקישות, תיקתוק
chatterbox *n.* פטפטן, קשקשן
chatty *adj.* אוהב לפטפט
chauffeur (shōfûr′) *n.* נהג
chau′vinism′ (shō′v-) *n.* לאומנות
chau′vinist (shō′v-) *n.* לאומני, שוביניסט
- male chauvinist קנאי המין החזק
chau′vinis′tic (shōv-) *adj.* לאומני
chaw *n&v.* *לעיסה; ללעוס
cheap *adj&adv.* זול; בזול
- dirt cheap בזיל הזול
- feel cheap לחוש השפלה
- hold cheap לזלזל ב-
- make oneself cheap להשפיל עצמו
- on the cheap *בזול, במחיר נמוך
cheapen *v.* להוזיל; לזלזל ב-
cheap-jack *n&adj.* רוכל; זול, גרוע
cheap skate קמצן
cheat *v.* לרמות, להונות; *לבגוד
- cheat death להערים על המוות
- cheat on *לבגוד ב- (בן זוג)
cheat *n.* רמאי, רמאות
Chech′en′ *adj&n.* צ'צ'ני
Chech′nya *n.* צ'צ'ניה
check *v.* לבדוק, לאמת; לעצור, לבלום; לאיים שח; למסור, להפקיד
- check (up) on לבדוק, לחקור
- check in להירשם (בשעת בואו), להגיע
- check off לסמן (בשעת בדיקה); לנכות (מהמשכורת)
- check out לסלק החשבון (במלון), ללכת, לעזוב; לרשום; לבדוק; *למות
- check over לבדוק, לאמת
- check through לבדוק, לבחון, לאמת
check *n.* מעצור, בלימה; בדיקה, אימות
- in check באיום שח
- keep in check לרסן, לבלום
check *n.* פתק-פיקדון, קבלה; צ'ק, המחאה; חשבון-מיסעדה; אריג משובץ
- blank check יד חופשית; צ'ק ריק
- cross a check לשרטט צ'ק
checkbook *n.* פינקס צ'קים
check card כרטיס (לכיבוד) צ'קים
checked *adj.* משובץ
check′er *v.* לגוון, לשבץ
checkerboard *n.* לוח דמקה
checkered *adj.* מגוון, רב-תהפוכות
check′ers (-z) *n.* דמקה
check-in *n.* רישום כניסה, קבלה
checking account חשבון עו"ש/שיקים
checklist *n.* רשימה, קטלוג
check′mate′ *v.* לתת מט, להביס
check′mate′ *n.* מט; תבוסה, מפלה
checkoff *n.* ניכוי (מיסים) מהמשכורת
checkout *n.* ביקורת-יציאה; סיום, פינוי (מלון); נקודת תשלום; קופה
checkpoint *n.* נקודת ביקורת
checkrein *n.* עורפית, רסן-העורף
checkroom *n.* מלתחה
checkup *n.* בדיקה (רפואית) כללית
Ched′dar *n.* גבינת צ'דאר
cheek *n.* לחי; *חוצפה; ישבן
- cheek by jowl בצוותא; בצפיפות
- tongue in cheek אחד בפה ואחד בלב, לא רציני, אירוני
- turn the other cheek להפנות את הלחי השנייה; לחטוף סטירה ולא להגיב
cheek *v.* להתחצף אל-
cheekbone *n.* עצם-הלסת, עצם-הלחי
cheeked *adj.* בעל לחיים
- rosy-cheeked אדום-לחיים
cheeky *adj.* חוצפני, חצוף
cheep *n&v.* ציוץ; לצייץ
cheer *n.* תרועה; שימחה, עליזות
- cheers! *לחיים! תודה; שלום! הידד!
- good cheer מטעמים; חגיגה; שימחה
- words of cheer מילות-עידוד
cheer *v.* להריע, לעודד
- cheer up לעודד; להתעודד
cheerful *adj.* עליז, צוהל, שמח
cheer′io′ *interj.* *שלום!להתראות!
cheerleader *n.* מארגן התרועות, מעודד
cheerless *adj.* עגום, קודר
cheery *adj.* עליז, שמח, קורן
cheese (-z) *n&v.* גבינה; *אישיות
- big cheese *אישיות חשובה
- cheesed off *נמאס לו, נשבר לו
cheeseboard *n.* מגש גבינות, מיבחר גבינות
cheese-cake *n.* עוגת גבינה; *תמונת נערה (החושפת חמוקיה)
cheese-cloth *n.* אריג מרושת, גזה
cheese-paring *n.* קמצנות
chee′tah (-tə) *n.* צ'יטה, ברדלס
chef (shef) *n.* אשף מיטבח, טַבָּח
chef d'oeuvre (shādûv′rə) *n.* יצירה מצוינת, פאר יצירתו
chem. = chemical
chem′ical (k-) *adj.* כימי
chemicals *n-pl.* כימיקלים
chemical warfare לוחמה כימית
chemise′ (shəmēz′) *n.* כותונת-אישה, תחתונית
chem′ist (k-) *n.* כימאי; רוקח
chem′istry (k-) *n.* כימיה
chem′o·ther′apy (k-) *n.* כימותרפיה, ריפוי בחומרים כימיים
chenille′ (shənēl′) *n.* חוטי-קישוט
cheque (see check) (chek) *n.* צ'ק, המחאה
chequer = checker
cher′imoy′a *n.* אנונה (פרי)
cher′ish *n.* לאהוב, לפנק; לשמור בליבו, לטפח (תיקווה, אשלייה)
cheroot′ (shərōōt′) *n.* סיגר
cher′ry *n&adj.* דובדבן; אדום
cherry picker מנוף
cher′ub *n.* מלאך, כרוב

cheru′bic *adj.* מלאכי; יפהפה, תמים
cher′ubim′ *n-pl.* כרובים
cher′vil *n.* סוג תבלין
Cheshire (chesh′ər) *n.* צ׳שייר (גבינה)
- like a Cheshire cat כמו חתול צ׳שייר, בעל חיוך רחב וקבוע
chess *n.* שחמט, מישחק המלכים
chessboard *n.* לוח שחמט
chessman *n.* כלי שחמט
chess set *n.* מערכת שחמט
chest *n.* ארגז, שידה; חזה, בית-החזה; קופת מוסד ציבורי
- close to one's chest קרוב לחזהו, סודי, לא מגלה
- flat-chested שטוחת-חזה
- off one's chest אבן נגולה מעל ליבו; השתפך
- on one's chest מעיק עליו
ches′terfield′ (-fēld) *n.* מעיל גבר; ספה מרופדת
chest′nut′ (-sn-) *n&adj.* ערמון; סוס ערמוני; ערמוני; *בדיחה נדושה
chest of drawers שידה (לבגדים)
chesty *adj.* *בעלת חזה שופע
cheval′ glass (sh-) *n.* ראי (גדול)
chev′alier′ (sh-lir) *n.* אביר
chev′ron (sh-) *n.* סרט, סימן-דרגה
chev′y *v.* להציק, להקניט
chew (cho͞o) *v&n.* ללעוס; לעיסה
- chew out *לגעור ב-, לנזוף ב-
- chew over להרהר, להפוך בדבר
- chew the fat *לשוחח, לפטפט
- chew the rag *לפטפט, להתאונן
- chewed up *דואג; מוטרד
chewing gum מסטיק, גומי לעיסה
chewy *adj.* מצריך לעיסה; לעיס
chiar′oscu′ro (kiä-) *n.* ציור-אורצל
chic (shēk) *n.* שיק, הדר, טעם טוב
chic *adj.* אופנתי, מהודר
chica′nery (sh-) *n.* רמאות, הונאה
chichi (shē′shē) *adj.* *אופנתי, מגונדר, צעקני, מעושה
chick *n.* אפרוח, פרגית; *ילד; נערה
chick′en *n&v.* תרנגולת, פרגית; בשר-עוף; *פחדן
- chicken out לחדול מתוך פחד
- no chicken כבר אינה צעירה
chicken-and-egg *adj.* הביצה והתרנגולת, (שאלת) מי קדם למי
chickenfeed *n.* *סכום כסף זעום
chickenhearted *adj.* מוג-לב, פחדן
chicken-livered *adj.* מוג-לב, פחדן
chicken pox אבעבועות רוח
chickpea *n.* חימצה (קיטנית), חומוס
chic′le *n.* שרף לייצור גומי-לעיסה
chic′ory *n.* ציקוריה, עולש
chide *v.* לנזוף ב-, לגעור ב-
chief (chēf) *n.* ראש, מנהיג; *בוס, ציף
- commander-in-chief מפקד עליון, רמטכ״ל
- in chief בעיקר, ביחוד
chief *adj.* ראשי, עיקרי, עליון
chief constable מפכ״ל משטרה
chief executive ראש מדינה
chief inspector פקד (במשטרה)
chief justice נשיא בית משפט עליון
chiefly *adv.* בעיקר, ביחוד
Chief of Staff רמטכ״ל
chief′tain (chēf′tən) *n.* מנהיג, ראש
chieftaincy *n.* ראשות, מנהיגות
chiffon′ (sh-) *n.* אריג-משי, שיפון
chif′fonier′ (sh-nir) *n.* שידה (לבגדים)
chignon (shēn′yon) *n.* צמה צנופה
chihua′hua (chiwä′wə) *n.* צ׳יוואווא (כלב)
chil′blain′ *n.* אבעבועות קור
child (chīld) *n.* תינוק, ילד, בן
- with child בהריון, הרה
child abuse התעללות בילדים, ניצול (מיני של) ילדים
child allowance קיצבת ילדים
childbearing *n.* לידה, ילידה
childbed *n.* לידה
child benefit קיצבת ילדים
childbirth *n.* לידה
childhood *n.* ילדות, גיל הילדות
- second childhood זיקנה, סניליות
childish *adj.* ילדותי, טיפשי
childless *adj.* חשוך-בנים
childlike *adj.* ילדותי, תמים
childminder *n.* מטפל בילדים
child molester מתעלל (מינית) בילדים
childproof *adj.* חסין ילדים, בטוח לילדים
chil′dren = pl of child
child's play מישחק ילדים, דבר קל
Chi′le (chil′i) *n.* צ׳ילי
chile (chil′i) *n.* פילפל אדום, צ׳ילי
chil′i *n.* פילפל אדום, צ׳ילי
chil′iad′ (k-) *n.* אלף, אלף שנים
chill *n.* קור, צינה; צמרמורת; קדרות
- catch a chill להצטנן
- take the chill off להתחמם במיקצת
chill *adj.* קריר, צונן
chill *v.* להצן, לצנן, לקרר; להתקרר
- chill out *להירגע
chiller *n.* מצנן; סיפור מתח
chil′li *n.* פילפל אדום, צ׳ילי
chillingly *adv.* בקור, ברוח צוננת
chilly *adj.* קר, קריר, צונן
chime *n.* צילצול, צילצול-פעמונים; מערכת פעמונים; הרמוניה
chime *v.* לצלצל; לעלות בקנה אחד עם
- chime in להתערב בשיחה; להצטרף
- chime in with להתאים, להלום את
chi·me′ra (k-) *n.* חימרה, מיפלצת אגדית; חזון-תעתועים, דימיון כוזב
chi·mer′ical (k-) *adj.* דימיוני
chim′ney *n.* ארובה; אח; זכוכית-עששית; מעלה צר, שביל צר
chimneybreast *n.* קיר האח
chimney corner פינת האח
chimneypiece *n.* קישוט האח
chimney-pot כובע הארובה
chimneystack *n.* מעשנה; קבוצת כובעי-ארובה
chimney-sweep(er) מנקה ארובות
chimp *n.* *שימפנזה
chim′pan·zee′ *n.* שימפנזה
chin *n&v.* סנטר
- chin up! התעודד! בראש זקוף!
- double chin פימה; סנטר כפול

- take it on the chin *לספוג מכה
chi'na *n.* חרסינה, כלי חרסינה
- bull in a china shop פיל בחנות-חרסינה
China *n.* סין
china clay *n.* קאולין, טין לבן
china closet ארון כלי-חרסינה
chinaware *n.* כלי חרסינה
chinchil'la *n.* שינשילה (מכרסם)
chine *n.* עמוד השידרה
Chi·nese' (-z) *n&adj.* סיני
chink *n.* סדק; קישקוש, צילצול
- chink of light אלומת-אור
chink *v.* לצלצל, לקשקש; לסתום סדקים
Chink *n.* *סיני
chinless *adj.* חסר-סנטר; *פחדני
chinstrap *n.* רצועת-סנטר
chintz *n.* אריג כותנה צבעוני
chin'wag' *n.* *שיחה קלה, פיטפוט
chip *n.* חתיכה, קיסם, נתח, שבב; אסימון-מישחק; בקיע, סדק
- chip off the old block התפוח אינו נופל הרחק מן העץ, כָּאָב - כֵּן הַבֵּן
- chips טוגני תפוחי-אדמה, צ'יפס
- has a chip on his shoulder במצב-רוח קרבי, כועס, רוגז
- in the chips *עשיר
- when the chips are down בשעה גורלית, בשעת משבר
chip *v.* לשבור חתיכה, לבקוע; להישבר; לפלח טוגנים; לפסל
- chip at לשבב, לקצץ
- chip in *להתפרץ לשיחה; לתרום
chipboard *n.* קרש, לוח-עץ, לוח סיבית
chip'munk' *n.* סנאי מפוספס
Chip'pendale' *n.* צ'יפנדייל (ריהוט)
chip'per *adj.* *עליז; מצוחצח
chippings *n-pl.* אבני-תשתית, חצץ
chi'roman'cy (k-) *n.* חכמת-היד
chirop'odist (k-) *n.* רופא רגליים
chirop'ody (k-) *n.* ריפוי רגליים
chi'roprac'tic (k-) *n.* כירופרקטיקה, ריפוי ע"י טיפול בעמוד השידרה
chi'roprac'tor (k-) *n.* כירופרקט
chirp *n&v.* ציוץ, צירצור; לצייץ
chir'py *adj.* עליז, שמח
chir'rup *n&v.* ציוץ, צירצור; לצייץ
chis'el (-z-) *n.* איזמל, מַפְסֶלֶת
chisel *v.* לפסל, לסתת; *לרמות
chiseled *adj.* חטוב, מחוטב
chiseler *n.* *רמאי, נוכל
chit *n.* ילדונת; פתק; תיזכורת
chit-chat *n.* *שיחה קלה, רכילות
chiv'alrous (sh-) *adj.* אבירי, אדיב
chiv'alry (sh-) *n.* אבירות, אדיבות
chive *n.* תבלין, מין בצלצל
chiv'vy, chiv'y *v.* *להציק, להקניט
chlo'ride (k-) *n.* כלוריד
chlo'rinate' (k-) *v.* להכליר, לטהר
chlo'rina'tion (k-) *n.* הכלרה
chlo'rine (klô'rēn) *n.* כלור
chlo'roform' (k-) *n.* כלורופורם
chloroform *v.* לאלחש בכלורופורם
chlo'rophyll' (k-) *n.* כלורופיל, ירק-עלה
choc *n.* *שוקולדה
choc'-ice *n.* *ארטיק-שוקולד
chock *n.* יתד, מעצור, טריז
chock *v.* לשים מעצור ל-; לדחוס
chock'a *adj.* *מלא, דחוס
chock'-a-block' *adj.* מלא, דחוס
chock-full *adj.* מלא, דחוס
choc'ohol'ic *n.* מכור לשוקולד
choc'olate *n.* שוקולדה
chocolate-box *adj.* יפה, סנטימנטלי, קיטשי
choice *n.* בחירה, ברירה, מיבחר
- Hobson's choice הברירה היחידה
- by choice מתוך בחירה, מרצונו
- for choice אם עליו לבחור, כעדיף
- take one's choice לבחור כרצונו
choice *adj.* מובחר, משובח
choir (kwīr) *n.* מקהלה; מחיצת המקהלה (שטח המקהלה בכנסייה)
choirboy *n.* נער מקהלה
choirgirl *n.* נערת מקהלה
choirmaster *n.* מנצח המקהלה
choir screen מחיצת המקהלה
choke *v.* לחנוק; לדחוס; להיחנק; להיסתם
- choke back/down לדכא, לשלוט ב-
- choke off לשים קץ; לנזוף ב-; להיפטר מ-
choke *n.* חניקה; משנק (במכונית)
choke damp גאז מחניק
cho'ker *n.* מחרוזת מהודקת (לצוואר); צווארון גבוה
cho'ky, cho'key *n.* *בית-סוהר
chol'er (k-) *n.* כעס, חימה
chol'era (k-) *n.* כולירה, חולירע
chol'eric (k-) *adj.* רתחן, מהיר-חימה
choles'terol' (k-ôl) *n.* כולסטרול
chomp *v.* ללעוס
choose (-z) *v.* לבחור; להחליט; להעדיף; לחפוץ
- cannot choose but חייב, נאלץ ל-
choo'sy, choo'sey (-z-) *adj.* בררן
chop *v.* לגדוע, לחטוב, לקצוץ, לחתוך
- chop about להחליף כיוון לפתע
- chop and change לשנות (דעתו) תמיד
- chop at לכוון מכה חדה
- chop logic להתפלפל
chop *n.* מכת-גרזן, מהלומה; נתח-בשר, צלעית
- get the chop *לעוף מהעבודה
chop *n.* חותמת, חתימה; מותג (מסחרי)
- first-chop מסוג משובח
chop = chap
chop-chop *adv.* *מהר, צ'יק-צ'אק
chophouse *n.* מיסעדת-בשר
chop'per *n.* מקצץ, קופיץ; *הליקופטר
- choppers *שיניים
chop'py *adj.* גלי, רוגש; מתחלף, הפכפך
chop'sticks' *n-pl.* מקלות סיניים
chop su'ey *n.* צ'ופסואי, תבשיל סיני
chor'al (k-) *adj.* מקהלתי, כורלי
chorale (kəräl') *n.* כורל, שיר מקהלתי
choral society מקהלה
chord (k-) *n.* מיתר; אקורד, תצליל
- strike a chord להזכיר; להביע סימפתיה
- touch the right chord לפרוט על המיתר הנכון

chore *n.* עבודה יומיומית; משימה לא נעימה
chor'e·og'rapher (k-) *n.* כוריאוגרף; תעוגאי
chor'e·og'raphy (k-) *n.* כוריאוגרפיה, תעוגה, אמנות הריקוד
cho'rine (kôr'ēn) *n.* נערת-מקהלה
chor'ister (k-) *n.* חבר-מקהלה
chor'tle *v&n.* לצחוק בקול; צחוק רם
chor'us (k-) *n.* מקהלה; להקה; שיר-מקהלה; פזמון חוזר
- in chorus במקהלה, הכל ביחד
chorus *v.* לשיר במקהלה
chorus girl נערת-מקהלה
chose = pt of choose (-z)
chose (shōz) *n.* דבר, חפץ
- chose in action דבר שנתבעה זכות עליו
- chose in possession דבר מוחזק (בבעלותו)
cho'sen = pp of choose (-z-)
chow *n.* כלב סיני; *מזון, אוכל
chow'der *n.* מרק דגים, מרק סמיך
chow line *תור לאוכל
Christ (krīst) *n.* ישו
chris'ten (kris'ən) *v.* להטביל, לנצר; לקרוא שם; לחנוך (ספינה)
Christendom *n.* העולם הנוצרי
christening *n.* טקס הטבילה לנצרות
Chris'tian (kris'chən) *n&adj.* נוצרי
Christian Era הספירה הנוצרית
Chris'tian'ity (krischi-) *n.* נצרות
Chris'tiani·za'tion (krischə-) *n.* התנצרות
Chris'tianize' (kris'chən-) *v.* לנצר; להתנצר
Christian name שם פרטי
Christlike *adj.* כמו ישו
Christ'mas (kris'm-) *n.* חג המולד
Christmas box שי חג-המולד
Christmas card כרטיס שנה-טובה
Christmas Day חג המולד
Christmas Eve ערב חג המולד
Christmastide *n.* תקופת חג המולד
Christmastime *n.* תקופת חג המולד
Christmas tree אשוח (לחג המולד)
chromat'ic (k-) *adj.* ציבעוני, ציבעי; כרומאטי
chromatic scale הסולם הכרומאטי
chrome (k-) *n.* כרום
chro'mium (k-) *n.* כרום
chro'mosome' (k-) *n.* כרומוזום
chron'ic (k-) *adj.* כרוני, ממושך; *רע
chron·ic'ity *n.* כרוניות
chron'icle (k-) *n.* דברי-הימים, קורות, כרוניקה, היסטוריה
chronicle *v.* לרשום קורות
Chronicles דברי-הימים (בתנ"ך)
chron'ograph' (k-) *n.* רשמזמן
chron'olog'ical (k-) *adj.* כרונולוגי
chronol'ogy (k-) *n.* כרונולוגיה
chronom'eter (k-) *n.* מד-זמן
chrys'alis (k-) *n.* גולם (של פרפר)
chrysan'themum (k-) *n.* חרצית (פרח)
chub *n.* מין דג
chub'by *adj.* שמנמן
chuck *n.* מלחציים; *בשר-העורף
- give the chuck *לפטר מהעבודה
chuck *v.* לזרוק; ללטף, לטפוח קלות
- chuck it! חדל! הפסק!
- chuck out להשליך (מתפרעים) החוצה
- chuck up *לנטוש, לזרוק; לוותר על
chucker-out מעיף מתפרעים
chuck'le *v.* לצחוק בקירבו, לגחך
chuckle *n.* צחוק חרישי, צחוק לעצמו
chucklehead *n.* *טיפש
chuckleheaded *adj.* *טיפשי
chuffed (chuft) *adj.* *מרוצה, מבסוט
chug *n.* טירטור (של מנוע)
chug *v.* לנוע תוך השמעת טירטורים
chum *n&v.* *ידיד, חבר לחדר
- chum up *להתיידד, להתחבר
chum'my *adj.* *ידידותי
chump *n.* בול-עץ; נתח בשר; *טיפש
- off one's chump *יצא מדעתו
chunk *n.* גוש, חתיכה, נתח
chunk'y *adj.* חסון, מוצק, עבה
chun'ter *v.* *למלמל, לנהום, לרטון
church *n.* כנסייה; נוצרים, ציבור המאמינים; תפילה בכנסייה
- enter the church להיעשות לכומר
- he's at church הוא מתפלל בכנסייה
church *v.* (לגבי יולדת) להתפלל
churchgoer *n.* מתפלל (קבוע) בכנסייה
Church of England הכנסייה האנגליקנית
churchwarden *n.* נציג הכנסייה
churchyard *n.* בית-קברות כנסייתי
churl *n.* גס, לא מחונך, איכר
churlish *adj.* גס, לא מחונך
churn *n.* מחבצה; כד חלב
churn *v.* לחבץ שמנת; לעשות חמאה; להקציף גלים, להניע, להתסיס; לסעור
- churn out ליצור הרבה
churr *n.* צירצור
chute (shōōt) *n.* תללה (מיתקן להחלקת חפצים), מיגלש; מפל-מים; *מצנח
chut'ney *n.* תבלין, סלט חריף
chutz'pah (hoots'pə) *n.* *חוצפה
CIA=Central Intelligence Agency
ciao (chou) *interj.* *צ'או, ביי, שלום
cibo'rium *n.* חופה, כיפת מיזבח; קופסה קמורת-מיכסה
cica'da *n.* צרצר, ציקדה
cic'atrice' (-ris) *n.* צלקת
cic'atrix' *n.* צלקת
cic'ero'ne (-rō'ni) *n.* מדריך, מורה-דרך
CID=Criminal Investigation Dep.
ci'der *n.* מיץ תפוחים, סיידר
cider press מסחטת תפוחים
cif=cost, insurance, and freight סי"פ, כולל הובלה וביטוח
cigar' *n.* סיגר
cig'aret' *n.* סיגריה
cig'arette' *n.* סיגריה
cigarette case קופסת סיגריות
cigarette end בדל סיגריה
cigarette holder מחזיק סיגריות, פומית
cig'gy *n.* *סיגריה
C-in-C = Commander-in-Chief
cinch *n.* חבק, חגורת האוכף; *דבר ודאי, ודאות, דבר קל ובטוח
cinc'ture *n.* חגורה

cin'der *n.* גחלת, אפר
- burnt to a cinder נשרף לחלוטין
Cin'derel'la *n.* סינדרלה, ליכלוכית
cine- (sin'ə-) (תחילית) של קולנוע
cine-camera *n.* מסרטה
cine-film *n.* סרט (של מסרטה)
cin'ema *n.* סרט; בית-קולנוע; קולנוע, אמנות הקולנוע
cin'ematheque' (-tek) *n.* סינמטק, קולנוע לסרטים מיוחדים
cin'emat'ic *adj.* קולנועי, של סרטים
cine-mat'ograph' *n.* מטולנוע
cin'ematog'raphy *n.* הפקת סרטים
cin'ephile' *n.* חובב סרטים, שוחר קולנוע
cine-projector *n.* מטולנוע
cin'namon *n&adj.* קינמון; קינמוני
cinque'foil' (singk'f-) *n.* צמח בעל עלים מחומשים, קישוט מחומש
ci'pher *n.* אפס, 0; סיפרה; פחות-ערך; צופן, כתב-סתרים
cipher *v.* לצפן, לחשב
cir'ca *prep.* בערך, בסביבות שנת-
cir·ca'dian *adj.* של יממה
cir'cle *n.* עיגול, מעגל; טבעת; חוג; מחזור; גוש מושבים (בתיאטרון), יציע
- come full circle לחזור לנקודת המוצא
- in a circle במעגל, ללא התקדמות
- political circles חוגים פוליטיים
- run round in circles להתרוצץ הרבה וללא תוצאות
- square the circle לרבע העיגול
- vicious circle מעגל-קסמים
circle *v.* להקיף; להסתובב, לחוג
cir'clet *n.* תכשיט, צמיד, עטרה, טבעת
cir'cuit (-kət) *n.* סיבוב, היקף, הקפה, מעגל; מסלול, סיור, נסיעה
- circuit court בית-דין נייד
- circuit rider מטיף נודד
- closed circuit מעגל סגור
- make a circuit of להקיף
- short circuit קצר חשמלי
circuit breaker מפסק חשמלי, מַתֵּק
cir·cu'itous *adj.* עוקף
circuitry *n.* מערכת מעגלים חשמליים
cir'cu·lar *adj.* עיגולי, מסתובב, עקיף
circular *n.* חוזר, מיכתב חוזר
cir'cu·larize' *v.* להפיץ חוזר
cir'cu·late' *v.* לנוע בחופשיות, להסתובב, לזרום; להפיץ; להתפשט
circulating library ספריית השאלה
cir'cu·la'tion *n.* הפצה, תפוצה; מחזור-הדם; מחזור; הסתובבות
- out of circulation לא מסתובב, לא פעיל
cir'cu·latory *adj.* של מחזור הדם
cir'cumcise' (-z) *v.* למול (הערלה)
cir'cumci'sion (-sizh'ən) *n.* מילה
circum'ference *n.* היקף
circum'feren'tial *adj.* היקפי
cir'cumflex' *n.* תג (על אות)
cir'cumlo·cu'tion *n.* גיבוב מלים
cir'cumnav'igate' *v.* להקיף (באונייה את כדור הארץ)
cir'cumnav'iga'tion *n.* הקפה
cir'cumscribe' *v.* להגביל; להקיף

cir'cumscrip'tion *n.* הגבלה; תיחום; כתובת (על מטבע)
cir'cumspect' *adj.* זהיר, שקול, מחושב
cir'cumspec'tion *n.* זהירות
cir'cumstance' *n.* עובדה, פרט, מיקרה, מצב; טקס, טיקסיות
- circumstances תנאים, נסיבות; מצב כספי
- in reduced circumstances בעוני
- in/under no circumstances בשום אופן, לעולם לא
- in/under the circumstances לנוכח התנאים, במצב הקיים
cir'cumstan'tial *adj.* מפורט, נסיבתי
circumstantial evidence עדות נסיבתית
cir'cumvent' *v.* להערים על, לעקוף
cir'cumven'tion *n.* הערמה, עקיפה
cir'cus *n.* קירקס; כיכר; צומת
cirrho'sis (-rō'-) *n.* צמקת, שחמת (מחלה)
cir'rus *n.* ענני-נוצה, צירוס
cis'sy *n.* גבר נשי; פחדן
cis'tern *n.* מיכל, מכל-הדחה
cit'adel *n.* מצודה, מיבצר, מעוז
ci·ta'tion *n.* ציטטה, ציטוט, איזכור, מובאה; ציון לשבח; הזמנה לדין
cite *v.* לצטט; לציין לשבח; להזמין לדין
cit'ified' (-fīd) *adj.* *עירוני
cit'izen *n.* אזרח
- citizen of the world אזרח העולם
citizens band פס תקשורת אזרחי
citizenship *n.* אזרחות
cit'ric acid חומצת לימון
cit'ron *n.* אתרוג
cit'rous *adj.* של פרי-הדר
cit'rus *n.* הדר, ציטרוס
cit'y *n.* עיר; תושבי עיר
- the City הרובע המסחרי בלונדון
city desk מדור החדשות המקומיות
city editor עורך החדשות המקומיות; עורך החדשות הפיננסיות
city father אב-עיר (מאבות-העיר)
cit'yfied' (-fīd) *adj.* *עירוני
city hall עירייה, בית העירייה
city manager מנכ"ל עירייה
city-state עיר-מדינה (בעבר)
civ'et *n.* סיביט (חומר-בשמים)
civ'ic *adj.* עירוני, אזרחי
- civic center איזור משרדי העירייה
civ'ics *n.* מדע האזרחות
civ'ies (-iz) *n-pl.* ביגדי-אזרח
civ'il *adj.* אזרחי; אדיב, מנומס
civil action תביעה אזרחית
civil aviation תעופה אזרחית
civil defense הג"א, הגנה אזרחית
civil disobedience מרי אזרחי
civil engineering הנדסה אזרחית
civil'ian *adj&n.* אזרח; אזרחי, אזרחני
civil'ianiza'tion *n.* איזרוח
civil'ianize' *v.* לאזרח, להפוך לאזרחי
civil'ity *n.* אדיבות, נימוס
civ'iliza'tion *n.* ציוויליזציה, תרבות; עמי התרבות; תירבות, אילוף
civ'ilize' *v.* לתרבת, לחנך, לאלף

civilized *adj.* מתורבת, מתקדם
civil law החוק האזרחי
civil list קצובה קבועה למלך
civ'illy *adv.* בנימוס, כבן-תרבות
civil marriage נישואים אזרחיים
civil rights זכויות אזרחיות
civil servant עובד מדינה
civil service שירות המדינה
civil war מלחמת אזרחים
civ'vies (-ēz) *n-pl.* ביגדי-אזרח
Civ'vy Street *החיים האזרחיים
cl = centiliter, class
clack *n.* נקישה, תיקתוק; פיטפוט
clack *v.* להקיש, לתקתק; לפטפט
clad *adj.* עטוי, לבוש, מכוסה
cladding *n.* ציפוי, כיסוי, מעטה
claim *v.* לדרוש, לתבוע; לטעון; לחייב
- claim attention לחייב תשומת-לב
claim *n.* דרישה, תביעה, טענה; זכות, דרישת בעלות; דבר נתבע
- has a claim זכאי, זכותו לדרוש
- jump a claim לתפוס שטח הנתבע ע"י אדם אחר
- lay claim to לתבוע זכות על
- put in a claim להגיש תביעה
- stake a claim לסמן תחומי שטח, לתבוע בעלות
claimant *n.* תובע
claim check תלוש דרישה
clairvoy'ance *n.* ראייה על-טיבעית, צחזות
clairvoy'ant *n.* צחזאי
clam *n.* צידפה; *שתקן
clam *v.* לאסוף צדפות
- clam up *להשתתק, להיאלם דום
clam'bake' *n.* פיקניק-חוף
clam'ber *v.* לטפס (בידיים וברגליים)
clamber *n.* עלייה מפרכת
clam'my *adj.* דביק, לח וקר
clam'or *n.* רעש, מחאה המונית, זעקה
clamor *v.* לזעוק, לתבוע בקול
clam'orous *adj.* צעקני, תובעני
clamp *n.* מלחציים, מלחצת, כליבה; סנדל (רכב)
clamp *v.* להדק (לוחות) במלחצת; לסנדל (רכב)
- clamp down *להפסיק, ללחוץ, להגביל
clamp *n.* ערימת תפוחי-אדמה וכ'
clampdown *n.* *מניעה, איסור, מיגבלה
clamshell *n.* קשוות-הצידפה
clan *n.* שבט, כת, מישפחה גדולה
clan·des'tine (-tin) *adj.* סודי
clang *n&v.* צילצול; לצלצל
clan'ger (-g-) *n.* *שגיאה גסה
- drop a clanger *לטעות גסות
clang'or *n.* צילצול, הקשה
clan'gorous *adj.* מצלצל, מרעיש
clank *n.* צילצול; נקישה
clank *v.* לצלצל, לקשקש
clannish *adj.* עדתי, כיתתי, שיבטי
clans'man (-z-) *n.* בן שבט
clap *v.* למחוא כפיים; לטפוח; להטיל במהירות, להשליך
- clap eyes on לראות
- clap in prison להשליך לכלא
- clap one's hat on לחבוש כובעו
במהירות
clap *n.* קול נפץ; טפיחה; מחיאת כפיים; *זיבה (מחלה)
clapboard *n.* לוח-עץ, קרש
clapped-out *adj.* *עייף, חבוט; משומש
clap'per *n.* עינבל; רעשן
clapperboard *n.* קרש-הקשה (של במאים, לסימון תחילת ההסרטה)
claptrap *n.* שטויות, מלים ריקות
claque (klak) *n.* קבוצת מחאנים
clar'et *n&adj.* יין אדום; אדום
clar'ifica'tion *n.* הבהרה
clar'ify' *v.* להבהיר; להתבהר; לצלל, לזכך, לטהר
clar'inet' *n.* קלרנית
clarinetist *n.* קלרניתן
clar'ion *n.* קול רם וצלול
clar'ity *n.* בהירות, צלילות
clash *v.* להקיש, להרעיש; להתנגש
clash *n.* נקישה; התנגשות; עימות, ניגוד
clasp *n.* אבזם, מנעולון; עיטור; לחיצת-יד; חיבוק; לפיתה
clasp *v.* לחבק, ללפות; להדק, לאבזם
- clasp hands ללחוץ ידיים בחמימות
- clasp one's hands לשלב אצבעותיו
clasp knife אולר-כיס
class *n.* כיתה; מחלקה; מעמד; סוג, מין; קבוצה; שיעור; מחזור
- class war מלחמת מעמדות
- first class מחלקה ראשונה; סוג א'; ציון א'
- in a class of its own אין דומה לו
- no class *חסר איכות, לא משהו
- she's got class *היא מיוחדת
class *v.* לסווג, למיין, לשייך
class action תביעה ייצוגית
class-conscious חדור הכרה מעמדית
clas'sic *adj.* קלאסי, מעולה, מופתי
classic *n.* יצירה קלאסית; סופר-מופת, קלאסיקון; מאורע קלאסי
- the classics ספרות יוון ורומי
clas'sical *adj.* קלאסי, מעולה, מסורתי
classical music מוסיקה קלאסית
clas'sicism' *n.* קלסיות, קלסיציזם
clas'sicist *n.* קלסיקון, סופר-מופת
classifiable *adj.* ניתן לסיווג
class'ifica'tion *n.* מיון, סיווג
classified *adj.* ממוין; מסווג; סודי
classified ad מודעה (בעיתון)
class'ify' *v.* לסווג, למיין; לסווג אינפורמציה כסודית
classless *adj.* ללא מעמדות
class list רשימת הציונים
classmate *n.* חבר לכיתה
classroom *n.* כיתה
class struggle מילחמת מעמדות
classy *adj.* *אופנתי, מהמעמד הגבוה
clat'ter *n.* נקישות, רעש, המולה
clatter *v.* להקיש, להרעיש, לקשקש
clause (-z) *n.* סעיף, פיסקה; (בדקדוק) משפט טפל, פסוקית
claus'tropho'bia *n.* קלאוסטרופוביה, פחד ממקומות סגורים, בַּעַת-סָגוֹר
claus'tropho'bic *n&adj.* סובל מקלאוסטרופוביה
clav'ichord' (-k-) *n.* קלאוויכורד

(כלי-נגינה)
clav′icle *n.* עצם הבריח
claw *n.* ציפורן, טופר; צבת-הסרטן
claw *v.* לקרוע, לתפוס בציפורניים
- claw back לרכוש בחזרה
claw-hammer פטיש (לשליפת מסמרים)
clay *n.* חומר, טיט
clay′ey *adj.* של טיט, כמו טיט
clay pigeon מטרה מעופפת
clean *adj.* נקי, טהור, חלק; מושלם; כשר
- clean animal חיה טהורה/כשרה
- clean break היפרדות מהירה וסופית
- clean sweep שינוי גמור, מהפכה; טיאטוא כללי, היפטרות טוטאלית; טיהור יסודי; ניצחון סוחף
- has clean hands נקי-כפיים
- make a clean job of לבצע בצורה יסודית
clean *adv.* לגמרי, לחלוטין
- come clean להודות, לגלות האמת
clean *v.* לנקות; להתנקות
- clean down להבריש, לטאטא
- clean out לנקות, לרוקן, להציגו ככלי ריק
- clean up להתנקות; לנקות, לבער; *לגרוף סכום הגון, לעשות כסף
- cleaned out *נותר ללא פרוטה
clean *n.* ניקוי
clean-cut *adj.* ברור, חד; נאה; נקי
cleaner *n.* מנקה; מכבסה
- take to the cleaners להרוס
clean-limbed *n.* נאה, חטוב, גבוה
cleanly (klen′-) *adj.* נקי
cleanly (klē′-) *adv.* בצורה נקייה
cleanse (klenz) *v.* לנקות, לטהר
cleanser *n.* מנקה; חומר ניקוי
clean-shaven *adj.* מגולח למישעי
clean sheet דף חלק, עבר נקי
cleansing cream קרם ניקוי
clean slate דף חלק, עבר נקי
clean-up *n.* ניקוי; זכייה גדולה
clear *adj.* בהיר, ברור, צלול, נקי; ריק; ודאי, בטוח; שלם, תמים
- 1000 clear אלף נטו
- clear and present danger סכנה ברורה ומיידית
- in the clear חופשי, משוחרר
- it is clear that ברור ש-
- make oneself clear להבהיר דבריו
clear *adv.* ברורות; לגמרי; במרחק, בלי לנגוע
- keep clear of להתרחק מ-
clear *v.* להבהיר; להתבהר; לנקות, לטהר; לדלג, לעבור בלי לנגוע; לשחרר
- clear 1000 להרויח 1000 נטו
- clear a check לפדות צ׳ק במיסלקה
- clear a debt לסלק כל החוב
- clear away לסלק; לנקות השולחן
- clear away/off לסלק; להסתלק
- clear customs להשתחרר במכס
- clear off לסלק; *להסתלק
- clear one's throat לכחכח, לחכחך
- clear out לנקות, לרוקן; *להסתלק
- clear the air לטהר את האווירה
- clear the deck להתכונן לפעולה
- clear up להתבהר; להבהיר; לנקות; לסדר; לפתור; לרפא; להתרפא
clearance *n.* שיחרור; ניקוי, טיהור; מירווח, שטח חופשי; פדיון במיסלקה; הרחקה
clearance order צו הריסה
clearance sale מכירת חיסול
clear-cut *adj.* ברור, חלק
clear-eyed *adj.* צלול-ראייה
clear-headed *adj.* בעל מוח צלול
clearing *n.* קרחת (ביער), מיברא; סילוקין
clearing-hospital *n.* בי״ח שדה
clearing-house *n.* מיסלקה
clearly *adv.* ברורות, בלי ספק
clear-out *n.* סילוק כללי, ניקיון כללי
clear-sighted *adj.* צלול-ראייה
clear title זכות נקייה
clear-up *n.* ניקוי, פענוח פשעים
clearway *n.* כביש
cleat *n.* זיז (בנעל, למניעת החלקה); יתד (לקשירת חבל); קרש-חיזוק
cleav′age *n.* התבקעות, הסתדקות; חלוקה; *חריץ בין השדיים
cleave *v.* לבקע; להתבקע, להתפצל
- cleave a path לפלס דרך
- cleave to לדבוק ב-, להיצמד ל-
cleav′er *n.* סכין-קצבים, קופיץ, מקצץ
clef *n.* (במוסיקה) מפתח
cleft *n.* סדק, בקיע, פער
cleft = p of cleave
- caught in a cleft stick נתון בין הפטיש ובין הסדן
cleft palate חך שסוע
clem′atis *n.* זלזלת (צמח מטפס)
clem′ency *n.* רחמים; נוחות, נעימות
clem′ent *adj.* רחמן; נוח, נעים
clench *v.* להדק, לסגור, ללפות
- clenched fist אגרוף קמוץ
cle′resto′ry *n.* קיר עליון (בכנסייה)
cler′gy *n.* כמורה, כמרים
clergyman *n.* כומר
cler′ic *n.* כומר
cler′ical *adj.* קלאריקלי, של כמורה; של פקיד, פקידותי, מישרדי
clerical error טעות סופרים
cler′ihew′ (-hū) *n.* מרובע קל (שיר)
clerk *n.* פקיד, לבלר; מזכיר; זבן; כומר
- articled clerk מתמחה
clerk *v.* לעבוד בפקידות, ללבלר
clerk of the works מנהל עבודה
clev′er *adj.* פיקח, פיקחי, שנון, זריז
clever Dick *״חכם גדול״, ידען
clew (klo͞o) *n.* פקעת חוטים; לולאה, טבעת; כנף-המיפרש
clew *v.* לגולל מיפרש, לגולל פקעת
cliche (klēshā′) *n.* ביטוי נדוש, קלישה
cliche-ridden *adj.* זרוע קלישאות
click *n.* נקישה, הקשה, קליק
click *v.* להקיש; *לדפוק, להצליח, לקצור הצלחה; להתיידד מהר
- it all clicked *הכל היה ברור/דפק
cli′ent *n.* לקוח, קונה, קליינט, מרשה
cli′entele′ (-tel) *n.* קליינטורה, לקוחות
client state מדינת-חסות, גרורה
cliff *n.* צוק, שן-סלע, מצוק

cliffhanger *n.* סיפור מותח, מותחן
cli·mac′teric *n.* נקודת מיפנה
cli·mac′tic *adj.* של פיסגה, של שיא
cli′mate *n.* אקלים
climate of opinion עמדת הציבור
cli·mat′ic *adj.* אקלימי, של אקלים
cli′matol′ogy *n.* אקלימאות
cli′max′ *n.* שיא, פיסגה, קלימקס
climax *v.* להגיע לפיסגה
climb (klīm) *v.* לטפס, לעלות
- climb down להודות בטעות; לרדת
climb *n.* עלייה, מעלה, טיפוס
climbdown *n.* נסיגה, הודאה בטעות
climber *n.* מטפס; שואף להתקדם
climbing frame מיתקן טיפוס
climbing irons מיטפסיים
clime *n.* אקלים, איזור
clinch *v.* להדק (ע״י כיפוף חוד המסמר); להסדיר; להתחבק (באיגרוף)
- clinch a deal לסכם עיסקה
- clinch an argument לסיים ויכוח
clinch *n.* תפיסה, לפיתה; חיבוק
clinch′er *n.* *נימוק מכריע
cling *v.* להיצמד, לדבוק, להיאחז
cling film ניילון נצמד (לאריזה)
clinging *adj.* צמוד, תלוי ב-; מהודק
clinging vine אישה חסרת-אונים (התלויה בגבר)
clin′ic *n.* מירפאה, קליניקה
clin′ical *adj.* קליני, רפואי
clinical death מוות קליני
clinical thermometer מדחום רפואי
clink *n.* צילצול, נקישה; *בית-סוהר
clink *v.* להקיש, לצלצל
clink′er *n.* פסולת-פחם; *כישלון
clinker-built *adj.* מרועף-לוחות
clip *n.* קליפ, סרטון; מהדק, אטב, רתק; מטען-כדורים
clip *v.* להדק, להצמיד; להיצמד
clip *n.* גזיזה, גז; מכה חדה; מהירות
clip *v.* לגזור, לקצץ; להבליע מלים; לנקב (כרטיס); לפגום; *להכות
- clip his wings לקצץ את כנפיו
- clip out לגזור (קטעי עיתונים)
clipboard *n.* לוח בעל מאחז, לוח-רתק
clip-clop *n&v.* (להשמיע) נקישת פרסות
clip joint מועדון לילה (לא הגון)
clip-on *adj.* ניתן להדקו (בסיכה)
clip′per *n.* מיפרשית מהירה
- clippers קוצץ-ציפורניים; מגזזה
clipping *n.* קטע-עיתון, תגזיר
clique (klēk) *n.* כת, קבוצה, חוג, קליקה
cliq′uish (-kish) *adj.* מתבדל, בדלני
clit′oris *n.* דגדגן
clo·a′ca *n.* פי-הטבעת
cloak *n.* גלימה, מעטה, מסווה
cloak *v.* להסתיר, לכסות
cloak-and-dagger הרפתקני, בלשי
cloakroom *n.* מלתחה; שירותים
clob′ber *v.* *להכות, להלום, להביס
clobber *n.* *בגדים, חפצים
cloche (klōsh) *n.* כובע-נשים מהודק; כיסוי לצמחים
clock *n.* שעון; קישוט-גרב; *פרצוף
- kill the clock להחזיק בכדור, ״לשחק על הזמן״
- put the clock back להחזיר מחוגי השעון
- round the clock 24 שעות ביממה
- watch the clock לייחל לסיום העבודה
- work against the clock לנהל מירוץ עם הזמן
clock *v.* למדוד זמן, לקבוע זמן
- clock him one *לתת לו מכה
- clock in/out להחתים הכרטיס עם הכניסה/היציאה
- clock up לזקוף לחשבונו; להגיע ל-
clock tower מיגדל שעון
clockwatcher *n.* מצַפֶּה לסיום העבודה
clockwise *adj.* בכיוון השעון
clockwork *n.* מנגנון-השעון
- like clockwork באופן חלק, בקלות
clockwork toys צעצועים מכאניים
clod *n.* גוש עפר, רגב; *טיפש
clod′hop′per *n.* מגושם, כפרי
- clodhoppers נעליים כבדות
clog *v.* לסתום; להיסתם; להכביד, להעמיס
clog *n.* קבקב, נעל-עץ; בול-עץ (קשור לרגל, להכבדת התנועה)
clog′gy *adj.* גושי, דביק
cloi′sonne′ (-zənā′) *n.* אמייל מקושט
clois′ter *n.* סטיו, אכסדרה; מינזר
cloister *v.* לסגור במינזר, לבודד
clone *n.* שיכפול (גנטי), שיבוט; העתק
clone *v.* לשכפל, לשבט; להעתיק
close (-s) *adj.* קרוב; צר, צפוף, מעיק; קפדני; סודי; סגור, מוגבל; קמצן
- close argument טענה בנוייה יפה
- close at hand קרוב, בהישג-יד
- close attention תשומת-לב רבה
- close call כמעט תאונה, ממש נס
- close contest מאבק צמוד
- close on/upon קרוב ל-, כמעט
- close shave היחלצות בדרך נס
- close thing כמעט אסון, ממש נס
- close to home *קרוב לאמת
- close watch שמירה קפדנית
- keep close להסתתר; לשמור בסוד
- sailed close to the wind כמעט שעבר עבירה
close (-s) *adv.* קרוב
close (-z) *v.* לסגור, לגמור; להיסגר
- close a deal לסכם עיסקה
- close down לסגור, לנעול; להיסגר
- close in להתקצר; להתקרב
- close in on להקיף, להתקרב
- close one's eyes to להתעלם מ-, להעלים עין, לעצום עין
- close out לערוך מכירת חיסול
- close ranks לסגור רווחים; להתאחד
- close up לסגור; לסגור רווחים
- close up shop לסגור העסק; לסיים
- close with להתקרב; להיאבק; להסכים
close (-z) *n.* סוף, סגירה, שלהי
- bring to a close לסיים
close (-s) *n.* חצר, מיגרש; סימטה
close-cropped/cut *adj.* (שיער) קצר
closed (klōzd) *adj.* סגור, בלעדי
closed book ספר חתום, דבר סתום
closed circuit מעגל סגור

closed-door *adj.* בדלתיים סגורות
closedown (-z-) *n.* סגירה, נעילה
closed season עונה סגורה לציד
closed shop מוסד בלעדי (המעסיק רק חברי איגוד מיקצועי)
close-fisted *adj.* קמצן
close-fitting *adj.* מהודק, צמוד
close-grained *adj.* צפוף קווי-טבעות
close-hauled *adj.* נגד הרוח
close-knit *adj.* קרוב, מהודק
close-lipped *adj.* שתקן, חתום-שפתיים
closely (-s-) *adv.* בקפדנות; כמעט
close-mouthed *adj.* שתקן, חתום-פה
closeness (-s-) *n.* קירבה; צפיפות
closeout (-z-) *n.* מכירת-חיסול
close quarters מגע, קרב-מגע
close-range *adj.* קרוב, מטווח קצר
close-set *adj.* קרוב, צמוד
clos′et (-z-) *n.* חדרון, מזווה; ארון; בית שימוש, שירותים
closet *v.* להתייחד, להסתגר
close-up *n.* צילום מיקרב, תקריב
closing *n.* סיום (של עיסקה)
closing prices שערי-נעילה
closing time שעת הסגירה
clo′sure (-zhər) *n.* סגירה; סיום הדיון ועריכת ההצבעה; סֶגֶר
clot *n.* גוש, קריש-דם; *טיפש
clot *v.* להקריש
cloth (klôth) *n.* אריג, בד, מטלית
- table cloth מפת שולחן
- the cloth הכמורה, הכמרים
clothe (klōdh) *v.* להלביש, לכסות
clothes (klōz) *n-pl.* בגדים
- bed clothes כלי מיטה
clothes-basket *n.* סל-כבסים
clothes-horse *n.* מתלה-ייבוש
clothes-line *n.* חבל-כביסה
clothes-pin, -peg *n.* אטב כביסה
clothes tree מקלב
cloth′ier (klōdh′-) *n.* סוחר בדים
cloth′ing (klōdh′-) *n.* הלבשה
clotted cream זיבדה, שמנת סמיכה
clo′ture = closure
cloud *n.* ענן, עננה; כתם, צל
- cloud on title זכות מסופקת, תביעה להטלת ספק בבעלות
- in the clouds ראשו בעננים
- on cloud nine *ברקיע השביעי
- under a cloud חשוד, ששמו הועב
cloud *v.* לענן, להעיב, להקדיר; לטשטש
cloud-bank *n.* עננה נמוכה
cloud-burst *n.* שבר-ענן
cloud-capped *adj.* עטור-עננים
cloud-cuc′koo-land (-kōō′kōō-) *n.* ארץ החלומות
cloudless *adj.* בהיר, ללא עננים
cloudy *adj.* מעונן, מעורפל; עכור
clout *n.* מטלית; *מהלומה, השפעה
clout *v.* *להכות
clove = pt of cleave
clove *n.* שן-שום; ציפורן (תבלין)
clove hitch קשר, לולאה
clo′ven = pp of cleave שסוע
cloven hoof פרסה שסועה
clo′ver *n.* תילתן
- in clover במותרות, בעושר, בנוחיות
clover-leaf *n.* צומת תילתן
clown *n.* מוקיון, ליצן; גס
clown *v.* להתנהג כמוקיון
clownish *adj.* מוקיוני, נלעג
cloy *v.* לפטם, לסתום תיאבון; להתפטם
cloze *n.* הכנסת מילה, תרגיל מילוי, מבחן מילוי
club *n.* מועדון; אלה, מקל; קלף-תילתן
- in the club הרה, בהיריון
club *v.* להכות, לחבוט
- club together להתאגד, להשתתף
club′bable *adj.* ראוי להתקבל למועדון
clubfoot *n.* כף-רגל עקומה, רגל עבה
clubhouse *n.* מועדון
cluck *n&v.* קירקור; לקרקר
clue (klōō) *n&v.* סימן, רמז, מפתח
- clue him in *לתת לו רמז
- has not a clue *אין לו מושג
clue = clew
clued *adj.* מעודכן, מתמצא
clueless *adj.* *חסר-אונים; טיפשי
clump *n.* סבך-שיחים; גוש; קול, חבטה
clump *v.* לפסוע בכבדות; לשתול בקבוצות; להתקבץ לגוש, להתאשכל
clum′sy (-zi) *adj.* מגושם, מסורבל, גס
clung = p of cling
clunk *n&v.* נקישה; להקיש
clus′ter *n.* קבוצה; אשכול
cluster *v.* להתקבץ, להתקהל; להתאשכל
cluster-bomb פיצצת מיצרר
clutch *v.* לאחוז, ללפות, לתפוס
- clutch at להשתדל לתפוס
clutch *n.* לפיתה, אחיזה; מצמד, קלאץ׳, מזווג; קבוצת אפרוחים, מידגר
- in the clutches of בידי, בציפורני
clut′ter *v.* לבלבל, להפוך
clutter *n.* אי-סדר, עירבוביה
cm. = centimeter
co- (תחילית) יחד-, שותף
c/o = care of הגר, שכתובתו-
coach *n.* כירכרה; קרון-רכבת, אוטובוס; מורה, מאמן
- drive coach and horses through לגלות פירצה רחבה (בחוק)
coach *v.* לאמן, להדריך
coach-builder *n.* מרכיב מכוניות
coachload *n.* נוסעי אוטובוס
coachman *n.* נהג כירכרה
coach station תחנת אוטובוסים
co·ad′jutor *n.* עוזר, סגן
co·ag′u·lant *n.* חומר מקריש
co·ag′u·late′ *v.* להקריש, להקפיא
co·ag′u·la′tion *n.* הקרשה, הקפאה
coal *n.* פחם, גחלת
- carry coals to Newcastle להביא סחורה למקום שאין בה צורך
- haul over the coals לגעור, לנזוף
- heap coals of fire on his head לגמול טובה תחת רעה, לחתות גחלים על ראשו
coal *v.* לספק פחם, להטעין פחם
coal-black *adj.* שחור כפחם
coal-bunker *n.* מחסן-פחם
co′alesce′ (-les) *v.* להתמזג
coalescence *n.* התמזגות
coalescent *adj.* מתמזג, מתחבר

coalface *n.* פני מירבץ-פחם
coalfield *n.* שדה-פחם
coal-hole *n.* מרתף-פחם
coal-house *n.* ביתן-פחם
co'ali'tion (-li-) *n.* קואליציה, התחברות
coalmine, -pit *n.* מיכרה פחם
coal oil נפט
coal-scuttle *n.* כלי לפחם
coal-seam *n.* מירבץ פחם
coal tar עיטרן
coarse *adj.* גס; מחוספס
coarsen *v.* לחספס; להתחספס
coast *n.* חוף-ים; מידרון, מורד
- the coast is clear אין איש בסביבה, אין סכנה
coast *v.* לשייט לאורך החוף; להחליק במידרון, לגלוש ללא דיווש
coastal *adj.* של חוף, חופי
coaster *n.* סירת-חופים; תחתית לכוס
coastguard *n.* שוטר מישמר החופים
coastline *n.* קו החוף
coastwise *adv.* לאורך החוף
coat *n.* מעיל; שיער, פרווה; שיכבה
- coat of arms שלט גיבורים
- coat of mail שיריון קשקשים
- turn one's coat להפוך עורו, לערוק למחנה הנגדי
coat *v.* לכסות, לצפות, לעטוף
coatee' *n.* מעיל קצר
coat hanger קולב
coating *n.* שיכבה, ציפוי; בד-מעילים
coatroom *n.* מלתחה
coat tails זנבות-המעיל
- on his coat tails בעזרת הזולת
co-au'thor *n&v.* מחבר-שותף; להשתתף בחיבור
coax *v.* לפתות, לשדל, לשכנע בסבלנות
- coax from להוציא ממנו בעדינות
coaxingly *adv.* בשפת חלקות, בפיתוי
cob *n.* ברבור; סוס קצר-רגליים; שיזרת התירס; מין אגוז
co'balt (-bôlt) *n.* קובלט
cob'ble *v.* לרצף באבנים חלקות; לתקן נעליים; לתקן בצורה מגושמת; לארגן
cobbler *n.* סנדלר; פשטידה; משקה
cobblestone *n.* אבן-ריצוף (עגולה)
co'bra *n.* קוברה (נחש)
cob'web' *n.* קורי עכביש
co'ca-co'la *n.* קוקה-קולה
co-caine' *n.* קוקאין
coc'cyx *n.* עצם העוקץ
coch'ineal' *n.* שני, אדום
coch'le·a (-k-) *n.* שבלול-האוזן
cock *n.* תרנגול; עוף זכר; ברז; נוקר, פטיש; נוקר דרוך; ערימת חציר; ביטחון מופרז; *איבר המין
- at full cock דרוך לירייה
- cock of the walk בעל שררה
- go off at half cock להתחיל לפעול מוקדם מדי
- live like fighting cocks לאכול היטב, לחיות במותרות
cock *v.* לדרוך רובה; לזקוף; להזדקף; להטות מעט; לערום (ערימת חציר)
- cock one's eyes at להציץ ב-

- cock up *לבלבל, להפוך; לשבש, לקלקל
cock·ade' *n.* סרט-קישוט (בכובע)
cock'-a-doo'dle-doo' קוקוריקו
cock'-a-hoop' (-hōōp) *adj.* עליז; באי-סדר
cock-and-bull story סיפור בדים
cock'atoo' *n.* קקדו (תוכי)
cock'cha'fer *n.* חיפושית גדולה
cockcrow *n.* עלות-השחר, קריאת הגבר
cocked hat כובע תלת-פינתי
- knock into a cocked hat להכות שוק על ירך
cock'er *n.* כלב-ציד
cock'erel *n.* תרנגול צעיר
cock-eyed *n.* *פוזל; טיפש, עקום
cock-fighting *n.* קרב-תרנגולים
cockhorse *n.* סוס-עץ (מתנדנד)
cock'le *n.* צידפה; סירה קטנה
- warm the cockles of the heart; ליהנות; לגרום קורת-רוח
cockle-shell *n.* קשוות-הצידפה
cock'ney *n&adj.* קוקני, לונדוני
cockpit *n.* תא הטייס; זירת-קרב
cock'roach' *n.* מקק, תיקן
cockscomb *n.* כרבולת; כובע הליצן
cock'sure' (-shoor) *adj.* בעל ביטחון מופרז
cock'tail' *n.* קוקטייל, מימסך, מיסכה
cocktail lounge אולם קוקטייל, מיזנון
cock-up *n.* אות מוגבהת; *באלגאן
cocky *adj.* *בטוח בעצמו, חצוף
co'co *n.* קוקוס, עץ הקוקוס
co'coa *n.* קקאו
co'conut' *n.* קוקוס, אגוז הודו
coconut palm דקל הקוקוס
cocoon' (-kōōn) *n&v.* קליפת הגולם, פקעת; לכסות, לעטוף, להגן
cod *v.* *לשטות ב-, להתל ב-
C.o.D. = Cash on Delivery
cod, cod'fish' *n.* בקלה (דג)
co'da *n.* (במוסיקה) קודה, יסף
cod'dle *v.* לפנק; לבשל באיטיות
code *n.* קוד, צופן; קובץ חוקים; כללים, עקרונות
- break a code לפענח צופן
code *v.* לצפן, לרשום בכתב-סתרים, לקודד
co'deine (-dēn) *n.* קודאין (סם)
co'dex' *n.* כתב-יד עתיק, מיצחף, קודקס
codg'er *n.* *ברנש מוזר
co'dices' = pl of codex (-sēz)
cod'icil *n.* ניספח לצוואה
cod'ifica'tion *n.* קודיפיקציה, כינוס החוקים בקובץ
cod'ify' *v.* לערוך חוקים בקובץ
cod'lin *n.* תפוח קטן, תפוחון
cod'ling *n.* בקלה צעירה
cod-liver oil שמן דגים
codpiece *n.* (בעבר) כיסוי-בד על פתח המיכנסיים
codswallop *n.* *שטויות, חנטריש
co'ed' *n.* תלמידה (בבי"ס מעורב)
co'ed·uca'tion (-ej-) *n.* חינוך מעורב
co'effi'cient (-ifish'ənt) *n.* מקדם, קואפיציינט
co'e'qual *adj.* שווה (בדרגה) ל-

co•erce′ *v.* להכריח, לאלץ, לדכא
co•er′cion (-zhən) *n.* כפייה
co•er′cive (-siv) *adj.* כפייתי
co•e′val *adj.* בן גילו, בן דורו
co′exist′ (-igz-) *v.* לחיות באותו זמן, להתקיים יחד
coexistence *n.* דו-קיום
cof′fee (kôf′-) *n.* קפה; ספל קפה
- white coffee קפה בחלב
coffee bar בית קפה, מיזנון מהיר
coffee beans פולי-קפה
coffee break הפסקה (ללגימת קפה)
coffee house בית קפה
coffee mill/grinder מטחנת קפה
coffee-pot *n.* קנקן קפה
coffee shop בית קפה
coffee table שולחן נמוך
coffee-table book ספר תמונות
cof′fer *n.* תיבה, כספת; קישוט-תיקרה
- coffers אוצר, קרנות
cofferdam *n.* מיבנה אטים-מים
cof′fin (kôf′-) *n.* ארון-מתים
- drive a nail into his coffin לנעוץ את המסמר האחרון בארונו
cog *n.* שן (בגלגל משונן)
- cog in the machine "בורג קטן"
co′gency *n.* עוצמה (של טענה)
co′gent *adj.* (נימוק) כבד-מישקל, משכנע
co′gitate′ *v.* לחשוב, להרהר ב-
co′gita′tion *v.* מחשבה, הירהור
cognac (kon′yak) *n.* קוניאק
cog′nate′ *adj&n.* מאותו מקור, קרוב
cog•ni′tion (-ni-) *n.* הכרה, ידיעה
cog′nitive *adj.* הכרתי, של ידיעה
cog′nizance *n.* הכרה, מוּדָעוּת, ידיעה
- take cognizance of לשים לב ל-, לרשום לפניו
- within his cognizance בתחום שיפוטו, בתחום טיפולו
cog′nizant *adj.* מכיר, מודע ל-
cog′nomen *n.* שם משפחה; כינוי
cognoscenti (kon′yəshen′ti) *n.* מבינים, מומחים, בעלי הטעם הטוב
cog railway רכבת משוננת
cogwheel *n.* גלגל שיניים
co•hab′it *v.* לחיות יחד (כזוג נשוי), לדור בכפיפה אחת
co•hab′ita′tion *n.* חיים בצוותא
co-heir *n.* יורש במשותף
co•here′ *v.* להתלכד; להיות עיקבי
coherence *n.* התלכדות; עיקביות
coherent *adj.* מחובר, עיקבי, הגיוני
co•he′sion (-zhən) *n.* התלכדות, אחדות
co•he′sive *adj.* מתלכד; מלכד
co′hort′ *n.* קבוצה, פלוגה, קוהורטה; חבר
coif *n.* כובע מהודק, שביס
coiffeur (kwäfûr′) *n.* סַפָּר
coiffure′ (kwäf-) *n.* תיסרוקת
coign of van′tage (koin-) נקודת תצפית טובה
coil *v.* לגלגל, לכרוך; להתפתל
coil *n.* סליל, גליל, טבעת; התקן תוך-רחמי; ליפוף
coin *n.* מטבע
- pay him in his own coin להשיב לו כגמולו, להחזיר לו באותו מטבע
coin *v.* לטבוע מטבע; להמציא מלה
- coin a phrase לטבוע מטבע-לשון
- coin money לעשות הון, לגרוף כסף
coin′age *n.* טביעת מטבעות; מטבע; מטבע-לשון
co′incide′ *v.* להתרחש באותו זמן, לחפוף; לעלות בקנה אחד
co•in′cidence *n.* צירוף מיקרים
co•in′cident *adj.* תואם, הולם, חופף
co•in′ciden′tal *adj.* של צירוף מיקרים
coiner *n.* זייפן מטבעות
co′insur′ance (-shoor-) *n.* ביטוח במשותף
coir *n.* סיבי הקוקוס
co•i′tion (kōish′ən) *n.* הזדווגות
co′itus *n.* הזדווגות
coke *n.* קוקס (פחם)
coke *n.* קוקאין; קוקה קולה*
col *n.* מעבר, אוכף-הרים
Col. = Colonel אלוף מישנה
co′la *n.* קולה (משקה)
col′ander *n.* מיסננת
cold (kōld) *adj.* קר, צונן
- I'm cold קר לי
- give him the cold shoulder להפגין יחס צונן כלפיו
- have cold feet לפחוד
- leaves him cold לא מתלהב מזה
- out cold מתעלף
cold *n.* קור, הצטננות; נזלת
- catch cold/take cold להצטנן
- out in the cold עזוב, לא רצוי
cold-blooded *adj.* אכזרי; בעל דם קר
cold chisel מפסלת (למתכות קרות)
cold comfort נחמה עלובה
cold cream מישחת-עור
cold cuts פרוסות בשר קרות
cold frame חממה, מינבטה
cold-hearted *adj.* אדיש, לא לבבי
cold-shoulder *v.* להפגין יחס צונן כלפי-
cold steel נשק קר, פגיון
cold storage אחסנה בקירור
cold turkey גמילה פתאומית (מסם); מיחוש-ראש; אמת מרה; לשון בוטה
cold war מילחמה קרה
cole′slaw′ (kōl′s-) *n.* סלט-כרוב
col′ic *n.* מעיינה, כאב-בטן, כאב עוויתי
coli′tis *n.* דלקת המעי הגס
collab′orate′ *v.* לשתף פעולה
collab′ora′tion *n.* שיתוף פעולה
collaborationist *n.* משתף פעולה
collab′ora′tor *n.* משתף פעולה
collage (-läzh′) *n.* קולאז', הדבק
collapse′ *v.* להתמוטט, לקרוס, ליפול, להתקפל; למוטט, לקפל
collapse *n.* התמוטטות, נפילה
collapsible *adj.* מתקפל
col′lar *n.* צווארון; קולר; מחרוזת
collar *v.* לתפוס בצווארונו, *לסחוב
collarbone *n.* עצם-הבריח
collate′ *v.* להשוות, להתאים, לבדוק
collat′eral *adj.* צדדי, מישני, מקביל, עקיף; נוסף, טפל
- collateral relative קרוב, דודן

- collateral security ערבון, משכון, בטוחה
collateral *n.* ערבון, משכון
collateral attack תקיפה עקיפה (על פס"ד/צו)
collateral estoppel השתק עקיף
collateral heir יורש עקיף
colla'tion *n.* ארוחה קלה; השוואה
col'league (-lēg) *n.* עמית, קולגה
col'lect' *n.* תפילה קצרה
collect' *v.* לאסוף; לגבות; להתאסף
- collect one's thoughts/oneself למשול ברוחו, ליישב הדעת
collect' *adv.* לתשלום בגוביינא
collect call שיחת גוביינה
collected *adj.* שולט בעצמו, שליו
collec'tion *n.* מילקט, אוסף, ערימה; גבייה
collec'tive *adj.* קולקטיבי, קיבוצי
collective *n.* קולקטיב, צוות, סגל
collective bargaining מו"מ קיבוצי (לתנאי עבודה)
collective farm משק שיתופי
collective leadership הנהגה קולקטיבית
collective noun שם קיבוצי
collec'tivism' *n.* קיבוצנות
collec'tiviza'tion *n.* הלאמה
collec'tivize' *v.* להלאים
collec'tor *n.* גובה; אספן, אגרן
col'leen *n.* צעירה, בחורה
col'lege (-lij) *n.* מיכללה, קולג'; מועצה
colle'giate *adj.* של קולג'
collide' *v.* להתנגש
col'lie *n.* כלב רועים, קולי
col'lier (-yər) *n.* כורה פחם; ספינת פחם
col'liery (-yər-) *n.* מיכרה-פחם
colli'sion (-lizh'ən) *n.* התנגשות
collision course מסלול התנגשות
col'locate' *v.* ללוות באופן טיבעי; (לגבי מלים) לסדר זה בצד זה
col'loca'tion *n.* שכנות, קולוקציה, צירוף מלים טיבעי
collo'quial *adj.* דיבורי, של שיחה
collo'quialism' *n.* ביטוי דיבורי
collo'quium *n.* כנס אקדמי
col'loquy *n.* שיחה, דיון
collude' *v.* לשתף פעולה, לחבור
collu'sion (-zhən) *n.* קנוניה, מזימה, קשר
collu'sive *adj.* של מזימה
col'lywob'bles (-bəlz) *n.* *כאב-בטן
cologne (-lōn') *n.* מי-בושם; מי-קולון
Colom'bia (-lum-) *n.* קולומביה
co'lon *n.* נקודתיים (:); המעי הגס
colonel (kûr'nəl) *n.* קולונל, אל"מ
colo'nial *adj.* של מושבה, קולוניאלי
colonial *n.* תושב מושבה
colo'nialism' *n.* קולוניאליזם
colo'nialist *n.* קולוניאליסט
col'onist *n.* מתיישב, מתנחל
col'oniza'tion *n.* יישוב, התנחלות
col'onize' *v.* לייסד מושבה; ליישב
col'onnade' *n.* אכסדרה, סטיו, שורת עמודים
col'ony *n.* מושבה, קולוניה

col'ophon *n.* סמל המוציא לאור
col'or (kul-) *n.* צבע, גוון; גיוון; מראית עין, מעין
- a man of color ציבעוני, כושי
- change color להסמיק, להחוויר
- color of title מעין זכות, מעין בעלות
- colors דגל, מולדת; כובע (וכ' כסמל של קבוצה)
- get one's colors להיכלל בקבוצה (בספורט)
- give a false color to לסלף
- give/lend color to לגוון, להוסיף צבע ל-, לחזק, לאמת, לאשר
- has a high color סמוק-פנים
- in its true colors כמות שהוא
- lose color להחוויר
- lower one's colors לוותר, להיכנע
- nail one's colors to the mast להיות נחוש בדעתו
- off color *חולה, חש ברע; לא מנומס
- sail under false colors לנהוג בצביעות; להעמיד פנים
- show one's true colors לגלות זהותו
- stick to one's colors להיות איתן בדעתו
- with flying colors בהצלחה רבה
color *v.* לצבוע; לגוון; לקבל גוון; לשנות, לסלף; להסמיק
colorable *adj.* למראית עין, מזוייף
col'ora'tion (kul-) *n.* גיוון, צביעה
col'oratu'ra *n.* סילסולי-קול
color bar מחסום הצבע, גזענות
color-blind *adj.* עיוור צבעים
colorcast *n.* שידור בצבעים
colored *adj.* כושי, כהה-עור, ציבעוני
colorfast *adj.* יציב, שאינו דוהה
colorful *adj.* ססגוני, רבגוני
color guard מישמר הדגל
coloring *n.* צבע, צביעה
colorless *adj.* חסר-צבע, חיוור
color line מחסום ההפרדה הגזעית
color scheme מערך הצבעים (בחדר)
colos'sal *adj.* כביר, עצום, ענקי
colos'sus *n.* פסל ענק, ענק
colour = color
col'por'teur (-tər) *n.* מוכר ספרי דת, מפיץ תנ"כים
colt (kōlt) *n.* סייח; טירון; אקדח קולט
col'ter (kōl-) *n.* סכין המחרשה
coltish *adj.* כמו סייח, פזיז
Colum'bian *adj.* של קולומבוס
col'umn (-m) *n.* עמוד, טור, עמודה
columned *adj.* בעל עמודים
col'umnist *n.* בעל טור
co'ma *n.* חוסר-הכרה, תרדמת
- go into a coma לאבד ההכרה
co'matose' *adj.* חסר-הכרה
comb (kōm) *n.* מסרק; מגרדת; כרבולת; חלת-דבש
comb *v.* לסרוק, לסרק; להסתרק; להתנפץ
- comb out לסלק (פקידים מיותרים)
com'bat' *n.* קרב, מילחמה, מאבק
- single combat דו-קרב
combat' *v.* להילחם ב-, להיאבק ב-
combat'ant *adj&n.* לוחם

combat fatigue הלם קרב
com'bative *adj.* שש לקרב
comber (kōm'ər) *n.* גל ארוך מתגלגל
com'bina'tion *n.* קומבינציה, צירוף, איחוד; אופנוע עם סירה
- combinations מיצרפת, קומביניזון
combination lock מנעול-צירופים
combine' *v.* לאחד, לצרף; להתאחד
com'bine *n.* קומביין, קצרדש; איגוד
combine harvester קומביין, קצרדש
comb-out *n.* סילוק (פקידים מיותרים)
combus'tible *adj.* דליק; מתלהב, מתלקח
combustible *n.* חומר דליק
combus'tion (-chən) *n.* בעירה
come (kum) *v.* לבוא; להגיע; לקרות; להתחיל; להיעשות, להפוך ל-
- came across my mind עלה בדעתי
- came to nothing עלה בתוהו
- come about לקרות, להתרחש
- come across להיתקל ב-, לפגוש
- come across with לספק, לתת
- come again *חזור, מה אמרת?
- come along להתקדם; להופיע, לבוא
- come along/on! קדימה! נו!
- come apart להתפורר, להתפרק
- come at להגיע; להתנפל על; להבין
- come away להיפרד, להינתק
- come back לחזור; להחזיר (תשובה)
- come between להפריד בין, להפריע
- come by להשיג, לרכוש, לקבל
- come down להתמוטט; לרדת; לשלם
- come down in the world לרדת במעמדו, לרדת מנכסיו
- come down on "לרדת" על, לגעור ב-
- come down on the side of לתמוך
- come down to להסתכם ב-, להצטמצם
- come down to earth לחזור לקרקע המציאות, להיות מציאותי
- come down with a cold להצטנן
- come for להתקרב, להתנפל
- come forward להציע עצמו, להתנדב
- come home to להתחוור, להתברר
- come in להיכנס, להופיע, להגיע; להיבחר; לגאות; להשתתף
- come in for לקבל, לרשת; לספוג ביקורת; להוות מטרה ל-
- come in handy/useful להיות שימושי
- come in on להשתתף ב-
- come into להתחיל ב-, להגיע ל-
- come into flower ללבלב, לפרוח
- come into money לזכות בכסף
- come into one's own לזכות בכבוד הראוי
- come into sight להופיע, להיראות
- come it a bit strong להגזים
- come of age להגיע לבגרות
- come off להינתק מ-, ליפול; להתגשם, להתבצע, להצליח
- come off it! הפסק! רד מזה!
- come on לבוא; להתקדם; להופיע; להגיע; להתחיל; לעלות לדיון; להיתקל ב-
- come on! בוא! קדימה! אנא!
- come one's way לקרות/להזדמן לו
- come out לצאת, להופיע; להתברר; להיפתר; לשבות; להימחק, להיעלם
- come out for לצאת בתמיכה ב-
- come out in להתכסות (בפריחה)
- come out right *להסתדר על הצד הטוב ביותר
- come out with להגיד, לומר, להציע
- come over לעבור על, לעבור ל-
- come over ill לחלות
- come round לבקר; לחזור; לשנות דעתו; להסכים; להתאושש
- come through להגיע, לעבור
- come to להתאושש; להגיע ל-
- come to blows להתחיל להתקוטט
- come to light לצאת לאור
- come to one's senses להתאושש
- come to oneself להתאושש
- come to pass לקרות, להתרחש
- come to terms להגיע לידי הסדר
- come true להתאמת, להתגשם
- come under להשתייך ל-, כפוף ל-
- come under the knife לעבור ניתוח
- come unstuck להיתקל בקשיים
- come up לעלות; להתרחש; להגיע
- come up against להיתקל ב-
- come up to להשתוות ל-
- come up with להשיג; למצוא (תשובה); לחשוב על; לספק; להציע, לשלוף
- come upon לתקוף; לתבוע; להיות למעמסה על-; להיתקל ב-
- come what may יקרה אשר יקרה
- how come? כיצד? היאך?
- is coming 6 יהיה בן 6 בקרוב
- the door came open הדלת נפתחה
- to come הבא, שיבוא, בעתיד
- when it comes to- כשמדובר ב-
come-at-able (kumat'-) *adj.* *נוח לגישה, נגיש
comeback *n.* התאוששות, קאמבק; מענה חריף
come'dian *n.* קומיקן, ליצן
come'dienne' *n.* קומיקאית
comedown *n.* נפילה, אכזבה
com'edy *n.* קומדיה
come-hither look *מבט מזמין/מפתה
comely (kum'li) *adj.* נאה, נעים
come-on *n.* *פיתוי, הזמנה
comer *n.* בא; מרשים, מבטיח
comes'tible *n&adj.* דבר-מאכל; אכיל
com'et *n.* כוכב שביט
come-uppance (kumup'-) *n.* *עונש ראוי
com'fit (kum-) *n.* סוכרייה, ממתק
com'fort (kum-) *n.* נוחיות; נחמה
comfort *v.* לנחם, לעודד
comfortable *adj.* נוח; אמיד
comfortably off אמיד
comforter *n.* סודר, שמיכה; מוצץ
comfortless *adj.* חסר-נוחיות
comfort station שירותים ציבוריים
com'fy (kum-) *adj.* *נוח
comic *n.* עיתון מצויר; קומיקן
com'ic, -cal *adj.* מצחיק, קומי
comic opera אופרה קומית
comic strip סיפור מצויר (בעיתון)
Com'inform' *n.* קומינפורם

coming *n.* הופעה, ביאה, התקרבות
- comings and goings התרחשויות
- got what was coming to him קיבל המגיע לו
- had it coming קיבל כגמולו
coming *adj.* הבא; מצליח, מבטיח
- coming and going במצב ביש, חסר אונים; בשני הכיוונים
coming-out *n.* הופעה ראשונה
com'intern' *n.* קומינטרן
com'ity *n.* אדיבות, נימוס, כבוד
comity of nations כיבוד חוקי המדינות ומינהגיהן
com'ma *n.* פסיק, (,)
- inverted commas מרכאות
command' *v.* לצוות, להורות; לשלוט; לחלוש על; לעורר (כבוד, אהדה) בלב-
command *n.* פקודה; פיקוד, שליטה
- at his command לפקודתו; שברשותו
- in command of שולט על
com'mandant' *n.* מפקד
com'mandeer' *v.* להפקיע, להחרים
comman'der *n.* מנהיג, מפקד
commander in chief מפקד עליון, רמטכ"ל
commanding *adj.* שולט; מצווה; מרשים
- commanding tone טון מצווה, תקיף
command'ment *n.* דיבר, מיצווה
- the Ten Commandments עשרת הדיברות
command module תא הפיקוד
comman'do *n.* קומנדו, איש קומנדו
command post חפ"ק, חבורת פיקוד קדמית, עמדת-פיקוד
comme il faut (kōm'ēlfō') נאה, מקובל בחברה
commem'orate' *v.* להנציח
commem'ora'tion *n.* אזכרה, הנצחה
commem'ora'tive *adj.* של זיכרון
commemorative stamp בול זיכרון
commence' *v.* להתחיל, לפתוח ב-
commencement *n.* התחלה, רישא; טקס חלוקת תארים
commend' *v.* להלל, לשבח; להמליץ על; להפקיד בידי
commendable *adj.* ראוי לשבח
com'menda'tion *n.* הסכמה, הערכה; שבח; ציון לשבח
commen'dato'ry *adj.* מהלל
commen'surable (-sh-) *n.* בר-השוואה, בעל מכנה משותף
commen'surate (-sh-) *adj.* הולם, תואם, שווה, פרופורציונלי
com'ment' *n.* הערה; פירוש
- no comment! אין תגובה!
comment *v.* להעיר; להגיב; לפרש
com'mentar'y (-teri) *n.* פירוש, פרשנות
- a running commentary פרשנות אגב שידור חי
com'mentate' *v.* לשמש כפרשן
com'menta'tor *n.* פרשן
com'merce *n.* מיסחר
commer'cial *adj.* מיסחרי
commercial *n.* תשדיר פירסומת
commer'cialism' (-shəl-) *n.* מיסחריות
commer'cialize' (-shəl-) *v.* למסחר
commercial law משפט מיסחרי
commercial traveler סוכן-נוסע
commercial vehicle רכב מיסחרי
com'mie *n.* *קומוניסט
com'mina'tion *n.* תוכחה, איום
com'minato'ry *adj.* מאיים
comming'le *v.* למזג; להתמזג
commis'erate' (-z-) *v.* להשתתף בצער, להביע צערו על
commis'era'tion (-z-) *n.* רחמים
com'missar' *n.* קומיסאר
com'missa'riat *n.* אספקה; חיל-אספקה
com'missar'y (-seri) *n.* חנות, מיזנון, שק"ם, שיקמית
commissary general קצין אספקה
commis'sion *n.* יפוי-כוח; תפקיד; ביצוע; עמלה, עמילות, קומיסיון; ועדה, הסמכה לקצונה
- commission of crime ביצוע פשע
- in commission מוכנה להפלגה; בכושר, בשימוש, פועל
- out of commission לא בשימוש
commission *v.* להטיל תפקיד על, להזמין; להסמיך לקצונה
commis'sionaire' (-mishən-) *n.* שוער, שומר
commissioned *adj.* בעל מינוי
commissioned officer קצין
commis'sioner (-mish'ən-) *n.* חבר-ועדה; מנהל, ממונה; נציב; נציג
commit' *v.* לעשות, לבצע; למסור, להעביר; לשלוח (לכלא, למוסד)
- commit oneself להתחייב; להביע דעתו
- commit suicide להתאבד
- commit to memory ללמוד על-פה
- commit to paper להעלות על הנייר
commitment *n.* התחייבות; נאמנות, מחוייבות; ביצוע; העברה; מעצר
commit'tal *n.* העברה (למוסד)
committed *adj.* מסור, נאמן; מתחייב; מחוייב
commit'tee *n.* ועדה
commode' *n.* שידה; ארון (לעביט, למי-רחצה)
commo'dious *n.* נוח, מרווח
commod'ity *n.* מיצרך, חפץ
com'modore' *n.* קומודור, מפקד ימי
com'mon *adj.* משותף; ציבורי, כללי; רגיל, מצוי; פשוט, גס
- common ground מכנה משותף
- common nuisance מיטרד ציבורי
- common-or-garden רגיל
- it's common knowledge ידוע לכל
- the Common Market השוק המשותף
- the common good טובת הכלל
- the common man האיש הפשוט
common *n.* שטח ציבורי
- commons ההמון; מיצרכי-מזון
- in common במשותף
- in common with כמו, בדומה ל-
- out of the common יוצא דופן
- short commons מזון בצימצום
- the Commons בית הנבחרים

com'monalty *n.* ההמון, העם
common area רכוש משותף
common carrier מוביל, חברת-הובלה
common denominator מכנה משותף
com'moner *n.* אדם פשוט
common fraction שבר פשוט
common land אדמה ציבורית
common law המשפט המקובל, נוהג
common-law wife ידועה בציבור
commonly *adv.* בדרך כלל; בגסות
common noun שם-עצם כללי
com'monplace' *adj.* רגיל, שיטחי, נדוש
commonplace *n.* דבר רגיל, שיגרה
common room מועדון כללי
common sense היגיון, שכל ישר
common stock מניות רגילות
commonweal *n.* טובת הכלל
commonwealth *n.* קהילייה, מדינה
commo'tion *n.* תסיסה, מהומה, תכונה
commu'nal *adj.* עדתי; ציבורי, משותף
com'mune *n.* קומונה, קבוצה
commune' *v.* לשוחח, להסתודד
commu'nicable *adj.* מידבק, עובר
commu'nicant *n.* אוכל לחם קודש
commu'nicate' *v.* להעביר, למסור; להידבר, להתקשר; לגבול ב-, להתחבר
commu'nica'tion *n.* קשר, קומוניקציה; ידיעה, מסר
- communications תחבורה, תיקשורת
communication cord שרשרת חירום (לעצירת הרכבת)
commu'nica'tive *adj.* פתוח, דברני; תיקשורתי
commu'nion *n.* קשר, שיתוף; דו-שיח; כת דתית; אכילת לחם קודש
- hold communion with oneself לעשות חשבון-הנפש
commu'nique' (-nikā') *n.* הודעה, תמסיר
com'mu·nism' *n.* קומוניזם
com'mu·nist *n.* קומוניסט
commu'nity *n.* קהילה; ציבור; שיתוף, שותפות; קירבה, דימיון
- the community הציבור, הכלל
community center מרכז קהילתי
community chest קרן סעד
community property רכוש משותף (של בני זוג)
community singing שירה בציבור
commu'table *adj.* חליף, בר-המרה
com'mu·ta'tion *n.* המרה, חליפין; המרת עונש, המתקה; נסיעה בקביעות
commutation ticket כרטיס מנוי, כרטיסיית-נסיעה
com'mu·ta'tor *n.* מחלף (בחשמל)
commute' *v.* להחליף; להמיר; להמתיק עונש; לנסוע בקביעות (לעבודה)
commuter *n.* נוסע בקביעות
compact' *adj.* דחוס, קומפאקטי, מרוכז
com'pact' *v.* לכרות ברית, לעשות הסכם
com'pact' *n.* חוזה, הסכם; פודרייה; מכונית קטנה
compact' *v.* לדחוס; להדק; לחבר
compact disc תקליטור
compact'ed *adj.* מהודק, מרוכז
compan'ion *n.* שותף, חבר; בן-לוויה, בן-זוג; מדריך, ספר שימושי
companionable *adj.* חברותי
companionship *n.* ידידות, חברות
companionway *n.* מדרגות (מהסיפון לתאים)
com'pany (kum-) *n.* חֶבְרָה; חבורה; אורחים; קבוצה; צוות; להקה; פלוגה
- and company ושות'
- for company לשם ליווי
- he's good company נעים בחברתו
- in company בחברה, בציבור
- in company with בליווי, בחברת
- keep company להתחבר, "לצאת איתו"
- part company with להיפרד מ-
company manners נימוסי חברה
com'parable *adj.* בר-השוואה, דומה
compar'ative *adj.* משווה, השוואתי, יחסי, לא מוחלט
comparative *n.* ערך היתרון
comparatively *adv.* יחסית
compare' *v&n.* להשוות; להידמות ל-
- beyond/past compare אין כמוהו
- compare notes להחליף דעות
- he can't compare with her אין להשוותו כלל אליה
- without compare אין דומה לו
compar'ison *n.* השוואה, דימיון; (בדקדוק) השוואת ערכים
- bear comparison with להשתוות ל-
- beyond comparison אין דומה לו
- in comparison with בהשוואה ל-
- stand comparison with להשתוות ל-
compart'ment *n.* תא, מחלקה
compart·men'talize' *v.* לחלק לתאים
com'pass (kum-) *n.* מצפן; תחום, גבול
- compasses מחוגה
- within the compass of בתחום-
compass *v.* להקיף; להשיג; להבין
compas'sion *n.* רחמים
compas'sionate (-shən-) *adj.* של רחמים, מרחם
compassionate leave חופשה מסיבות אישיות
compat'ibil'ity *n.* תואמות, הלימות
compat'ible *adj&n.* מתאים, תואם, הולם
- IBM compatible תואם איי בי אם
compa'triot *n.* בן-ארצו
com'peer *n.* שווה-מעמד; חבר
compel' *v.* לאלץ, להכריח
compelling *adj.* מרתק; מרשים; משכנע
compen'dious *adj.* תמציתי, קצר
compen'dium *n.* תמצית, קיצור; אוסף
com'pensate' *v.* לפצות
com'pensa'tion *n.* פיצוי
compen'sato'ry *adj.* מפצה
com'pere (-pār) *n.* מנחה, מגיש
compere *v.* להגיש, להנחות
compete' *v.* להתחרות, להתמודד
com'petence *n.* כישרון, יכולת; הכנסה נוחה; סמכות שיפוטית; כשרות
com'petent *adj.* מוכשר, כשיר, מתאים, מוסמך
com'peti'tion (-ti-) *n.* התחרות, התמודדות
compet'itive *adj.* תחרותי, מתחרה

compet′itor *n.* מתחרה
com′pila′tion *n.* ליקוט; קובץ
compile′ *v.* לאסוף, לחבר (מילון)
compiler *n.* אוסף, מחבר; מהדיר
compla′cency *n.* שלווה, שאננות, מרוצות
compla′cent *adj.* שאנן, מרוצה מעצמו
complain′ *v.* להתלונן
complain′ant *n.* מתלונן, תובע
complaint′ *n.* קבילה, תלונה, תביעה; מחלה
- lodge a complaint להגיש תלונה
complais′ance (-z-) *n.* אדיבות
complais′ant (-z-) *adj.* אדיב, נוח
com′plement *n.* השלמה, משלים; תקן מלא
com′plement′ *v.* להשלים
com′plemen′tary *adj.* משלים
complete′ *adj.* שלם, מושלם, גמור, מוחלט
complete *v.* להשלים; לסיים
completely *adv.* לגמרי, כליל
comple′tion *n.* השלמה, סיום
complex′ *adj.* מורכב, מסובך
com′plex′ *n.* תסביך; מערכת מורכבת, קומפלקס; מערכת מיבנים/כבישים; תשלובת
complex′ion (-kshən) *n.* גון הפנים; פני הדברים; אופי כללי
complex′ity *n.* סיבוך; מורכבות
compli′ance *n.* ציות, ניכנעות
- in compliance with בהתאם ל-
compli′ant *adj.* מסכים, נכנע
com′plicate′ *v.* לסבך
complicated *adj.* מסובך, מורכב
com′plica′tion *n.* סיבוך, הסתבכות
complic′ity *n.* שותפות (לפשע)
com′pliment *n.* מחמאה, קומפלימנט
- compliments ברכות
- pay a compliment לחלוק מחמאה
com′pliment′ *v.* להחמיא, לתת מחמאה
com′plimen′tary *adj.* חולק שבחים
complimentary ticket כרטיס הזמנה
com′plin *n.* תפילת ערבית (נוצרית)
comply′ *v.* להיענות ל-, לציית ל-
com′po *n.* תערובת
compo′nent *n.* מרכיב, רכיב, פריט
comport′ *v.* להתנהג
- comport with להתאים, להלום
comportment *n.* התנהגות
compose′ (-z) *v.* להרכיב, ליצור, לחבר; להלחין; להרגיע; לסדר; ליישב
- compose oneself לשלוט ברוחו
composed *adj.* שליו, מושל ברוחו
composer (-z-) *n.* מלחין
compos′ite (-zit) *adj.* מורכב
com′posi′tion (-zi-) *n.* יצירה; חיבור; הרכב; תערובת; קומפוזיציה, מיצור; הלחנה; פשרה
compos′itor (-z-) *n.* סַדָּר (בדפוס)
com′pos men′tis *adj.* שפוי בדעתו
com′post (-pōst) *n.* קומפוסט, זבל
compost *v.* לזבל בקומפוס
compo′sure (-zhər) *n.* קור-רוח
com′pote *n.* ליפתן, קומפוט
com′pound *adj.* מורכב
com′pound *n.* תירכובת, מלה מורכבת
compound′ *v.* להרכיב, לערבב; להגדיל; להחמיר; להגיע להסדר
com′pound *n.* שטח מגודר
compound fracture שבר בעצם (המלווה חתך בעור)
compound interest ריבית דריבית
com′pre·hend′ *v.* להבין; לכלול
com′pre·hen′sibil′ity *n.* מובנות
com′pre·hen′sible *adj.* מובן, נתפס
com′pre·hen′sion *n.* הבנה
com′pre·hen′sive *adj.* מקיף, מלא, כולל
comprehensive school בי"ס מקיף
compress′ *v.* לדחוס, לכווץ, לתמצת
com′press′ *n.* רטייה, תחבושת
compressible *adj.* דחיס
compres′sion *n.* דחיסה, לחיצה
compres′sor *n.* מדחס, קומפרסור
comprise′ (-z) *v.* להיות מורכב מ-, לכלול
com′promise′ (-z) *n.* פשרה, התפשרות
compromise *v.* להתפשר; להעמיד בסכנה, לסכן (שמו הטוב)
comp·tom′eter *n.* מכונת חישוב
comptrol′ler (kəntrōl-) *n.* מבקר
compul′sion *n.* כפייה, הכרח; כפייתיות
- under compulsion מתוך אונס
compul′sive *adj.* כופה; משועבד, מכור
compul′sory *adj.* כפייתי, של חובה
compunc′tion *n.* נקיפת מצפון
com′pu·ta′tion *n.* חישוב, הערכה
compute′ *v.* לחשב
compu′ter *n.* מחשב
compu′teriza′tion *n.* מיחשוב
compu′terize′ *v.* למכן, לשמור נתונים במחשב, למחשב
com′rade (-rad) *n.* חבר; קומוניסט
- comrade in arms חבר לנשק
comradeship *n.* חברות, ידידות
coms (komz) *n.* מיצרפת, קומביניזון
con *v.* ללמוד על-פה; *להונות
con *n.* *הונאה, רמאות; *אסיר
con *n&adv.* מתנגד; נגד
con·cat′enate′ *v.* לשרשר, לחבר
con·cat′ena′tion *n.* שירשור, חיבור; שורת-אירועים
concave′ *adj.* קעור, שקערורי
concav′ity *n.* שקערוריות
conceal′ *v.* להסתיר, להחביא
concealment *n.* הסתרה; מחבוא
concede′ *v.* לוותר על; להודות
conceit′ (-sēt) *n.* יהירות; הערכה עצמית מופרזת; דימוי, ביטוי מבדח
- in one's own conceit בעיניו
conceited *adj.* יהיר, גא
conceivable *adj.* מתקבל על הדעת
conceive′ (-sēv) *v.* להגות רעיון; להבין, לתאר, להאמין; להרות
- conceive a dislike לרחוש טינה
con′centrate′ *v.* לרכז; להתרכז
con′centrate′ *n.* תרכיז
concentrated *adj.* מרוכז
con′centra′tion *n.* ריכוז, התרכזות
concentration camp מחנה-ריכוז
concen′tric *adj.* משותף-מרכז

- concentric circles מעגלים מרכזיים
con'cept' *n.* רעיון, מושג
concep'tion *n.* הגיית רעיון; תפיסה; מושג, קונצפציה; הירָיון
- I've no conception אין לי מושג
concep'tual (-chōōəl) *adj.* של מושג, תפיסתי
concep'tualize' (-chōōəl-) *v.* להמשיג, ליצור מושג מ-
concern' *n.* דאגה; עסק; עניין; חלק, שותפות, מיפעל, קונצרן
- a going concern עסק מצליח
- a paying concern עסק משתלם
- it isn't my concern אין זה ענייני
concern *v.* לנגוע ל-, לעסוק ב-, להתייחס; לעניין; להדאיג
- as concerns באשר ל-
- concern oneself with להתעסק ב-
- to whom it may concern לכל המעוניין
concerned *adj.* מודאג; מעורב; מעוניין
- as far as I'm concerned מצידי
- where he's concerned כשמדובר בו
concerning *prep.* באשר ל-
con'cert *n.* קונצרט, מיפעע; תיאום
- at concert pitch בכוננות מלאה
- in concert בצוותא, בהרמוניה
concert'ed *adj.* מתוכנן; משותף; מרוכז; מתואם
concert grand פסנתר כנף
concert hall אולם קונצרטים
con'certi'na (-tē'-) *n&v.* קונצרטינה, מפוחית-יד; למעוך, למחוץ, לדחוס
concertmaster *n.* נגן ראשי
concer'to (-cher-) *n.* קונצ'רטו
conces'sion *n.* ויתור, כניעה; הנחה; זיכיון
conces'sionaire' (-shən-) *n.* בעל זיכיון, זכיין
conces'sive *adj.* של ויתור
conch (-k) *n.* קונכייה
con•chol'ogy (-k-) *n.* חקר הקונכיות
con'chy (-shi) *n.* *סרבן מלחמה
con'cierge' (-siûrzh') *n.* שוער
concil'iate' *v.* להרגיע, לפייס
concil'ia'tion *n.* פיוס, הרגעה; פשרה, תיווך
concil'ia'tor *n.* מתווך, בורר, מפשר
concil'iato'ry *adj.* פייסני, מפייס
concise' *adj.* מקוצר, תמציתי
conci'sion (-sizh'ən) *n.* תמציתיות
con'clave *n.* כנס חשמנים, קונקלבה
- sit in conclave לנהל ישיבה סגורה
conclude' *v.* לגמור, לסכם, להסדיר; להסיק, להחליט
conclu'sion (-zhən) *n.* מסקנה; סיום, סיכום, הסדר; עריכה (של הסכם)
- a foregone conclusion ודאות, תוצאה חזויה מראש
- in conclusion בקיצור, בסיכום
- jump to conclusions להיחפז להסיק
- try conclusions with להתמודד עם
conclu'sive *adj.* משכנע, סופי, מכריע
concoct' *v.* להכין תבשיל; להמציא
concoc'tion *n.* תבשיל; המצאה, בדותה
concom'itance *n.* ליווי, צמידות
concom'itant *n&adj.* צמוד, מלווה, מתלווה
con'cord' *n.* התאמה, הרמוניה; הסכם
concord'ance *n.* התאמה, הרמוניה; קונקורדנציה, מתאימון
concord'ant *adj.* מתאים, הרמוני
concor'dat' *n.* קונקורדט, חוזה
con'course (-kôrs) *n.* התקהלות, כינוס, מיפגש; רחבה
con'crete *n.* בטון, חומר בנייה
concrete *adj.* ממשי, קונקרטי, מוחשי
concrete *v.* להתלכד לגוש; להתגבש; לכסות בבטון
concrete mixer מערבל
concre'tion *n.* התקרשות; ליכוד; גוש, תלכיד, תצביר
con•cu'binage *n.* פילגשות
con'cu•bine' *n.* פילגש
concu'piscence *n.* תאווה מינית
concur' *v.* להסכים; לתאום; להתרחש בו-זמנית; להצטרף, לפעול יחדיו
concurrence *n.* הסכמה, תמימות-דעים, שיתוף-פעולה; צירוף-מיקרים
concurrent *adj.* מתאים, מסכים, תמים-דעים; חל בו-זמנית, חופף
concurrent jurisdiction סמכות שיפוט מקבילה
concurrently *adv.* בעת ובעונה אחת
concuss' *v.* לזעזע, לגרום הלם
concus'sion *n.* זעזוע-מוח, הלם
condemn' (-m) *v.* לגנות; לדון; להרשיע; לפסול לשימוש; להחרים, להלט
- his face condemned him פרצופו הסגירו
- the condemned הנידונים למיתה
con'demna'tion *n.* גינוי, הרשעה; החרמה
condem'nato'ry *adj.* של גינוי, מגנה
condemned cell תא הנידונים למוות
con'densa'tion *n.* עיבוי, טיפות, אדים; קיצור, ריכוז
condense' *v.* לעבות; להתעבות; לרכז, לתמצת
conden'ser *n.* מעבה, קונדנסטור, קבל
con'de•scend' *v.* למחול על כבודו, להואיל להשפיל עצמו; להתנשא
condescending *adj.* מוחל על כבודו
con'de•scen'sion *n.* מחילה על כבודו, יחס של עליונות
condign' (-dīn') *adj.* ראוי, יאה
con'diment *n.* תבלין
condi'tion (-di-) *n.* מצב, תנאי; כושר גופני; מעמד
- conditions תנאים, נסיבות
- in condition בקו הבריאות, בכושר
- in good condition במצב טוב
- on condition that בתנאי ש-
- on no condition בשום אופן
- on one condition בתנאי אחד
- out of condition לא בכושר
condition *v.* להכשיר, לאלף; להתאים; להתנות, לקבוע
- be conditioned by תלוי, מותנה
- condition oneself לשפר כושרו
conditional *adj.* מותנה, תלוי ב-; על תנאי
conditional fee תשלום על תנאי

conditional sale מכירה על תנאי
conditioned *adj.* מותנה; בכושר
conditioned reflex רפלקס מותנה
conditioner *n.* קונדישנר, מייצב שיער
condition precedent תנאי מיקדמי, תנאי החייב להתמלא לפני יישום ההסכם
condition subsequent תנאי שלאחר מעשה (שאם הדבר יקרה - ההסכם מבוטל)
condo *n.* *בית משותף
condole′ *v.* לנחם, להביע צערו
condo′lence *n.* צער, תנחומים
con′dom *n.* כובעון
con′domin′ium *n.* שלטון משותף, קונדומיניון; דירת בית משותף
con′dona′tion *n.* מחילה, סליחה
condone′ *v.* למחול, להעלים עין; לאשר; לפצות על
conduce′ *v.* לגרום, לתרום ל-
condu′cive *adj.* גורם ל-, מביא
conduct′ *v.* להוביל, לנהל; לנצח על
- conduct heat להוליך חום
- conduct oneself להתנהג
con′duct′ *n.* התנהגות; ניהול
conducted tour סיור מודרך
conduc′tion *n.* העברה, הובלה; הולכה
conduc′tive *adj.* מוליך (חשמל, חום)
con′duc•tiv′ity *n.* מוֹליכוּת
conduc′tor *n.* מנצח; כרטיסן; מוליך
con′duit (-dōōit) *n.* תעלה, צינור
cone *n&v.* חרוט, חדודית, קונוס; גביע גלידה; איצטרובל
- cone off לחסום (כביש) בקונוסים
co′ney *n.* שפן
con′fab′ *n.* *שיחה קלה
confab′ *v.* *לשוחח, לפטפט
confab′u•late′ *v.* לשוחח
confab′u•la′tion *n.* שיחה ידידותית
confec′tion *n.* הלבשה, קונפקציה; מיני-מתיקה, רקיחת ממתק
confec′tioner (-′shən-) *n.* קונדיטור
confectioner's sugar אבקת סוכר
confectionery *n.* ממתקים; מיגדניה, קונדיטוריה, קונדיטאות
confed′eracy *n.* קונפדרציה, ברית
confed′erate *n&adj.* בעל-ברית, שותף
confed′erate′ *v.* להצטרף לברית
confed′era′tion *n.* איחוד, ליגה; קונפדרציה
confer′ *v.* להיוועץ; להעניק, לתת
con′feree′ *n.* משתתף בדיון
con′ference *n.* ישיבה, ועידה, דיון
confer′ment *n.* הענקה, האצלה
confess′ *v.* להודות ב-, להתוודות; לוודות, לשמוע ווידוי
confessed *adj.* גלוי, מוצהר
confes′sion *n.* הודאה; התוודות
confessional *n.* תא הווידויים
confessor *n.* כומר וידויים
confet′ti *n.* גזוזים, קונפטי
con′fidant′ *n.* ידיד נאמן
confide′ *v.* לגלות, לספר בסוד; להפקיד בידי, להעביר, למסור
- confide in לבטוח ב-
con′fidence *n.* ביטחון, אֵמוּן; סוד
- in confidence בסוד
- took her into his confidence גילה לה סודותיו
confidence game/trick רמאות
confidence man רמאי, נוכל
con′fident *adj.* בטוח, בטוח בעצמו
con′fiden′tial *adj.* סודי; פרטי, מהימן; מפגין ביטחון
con′fiden′tial′ity (-shial′-) *n.* סודיות, חשאיות
confiding *adj.* מאמין, בוטח בזולת
config′u•ra′tion *n.* צורה, מיבנה, קונפיגורציה, תצורה; מערך
confine′ *v.* להגביל; לרתק, לכלוא
- be confined לשכב לפני הלידה
con′fine *n.* גבול, תחום
confined′ (-fīnd) *adj.* צר; מצומצם, מוגבל
confinement *n.* מאסר; ריתוק; לידה
confirm′ *v.* לאמת, לחזק; לאשר; לקבל כחבר בכנסייה
con′firma′tion (-fər-) *n.* אישור, אימות
confirmed *adj.* מאושר; ללא תקנה, מושבע
con′fiscate′ *v.* להחרים, לעקל
con′fisca′tion *n.* עיקול
confis′cato′ry *adj.* של עיקול
con′flagra′tion *n.* דליקה, שריפה
conflate′ *v.* לחבר, לצרף
con′flict *n.* סיכסוך, מאבק, ניגוד, עימות
- conflict of interest ניגוד עניינים
- conflict of laws ברירת דין, הבדלים בחוקים
conflict′ *v.* לסתור; להתנגש עם
conflicting *adj.* מנוגד, סותר
con′fluence (-lōōəns) *n.* זרימה ביחד; צומת נהרות
con′fluent (-lōōənt) *adj.* מתלכד, מתאחד
conform′ *v.* להתאים, לציית, לפעול לפי, ללכת בתלם
conformable *adj.* נכנע, מציית; הולם, עולה בקנה אחד עם
con′for•ma′tion *n.* צורה, מיבנה
confor′mist *n.* תואמן, קונפורמיסט
confor′mity *n.* קונפורמיזם; קבלת מרות, ציות למוסכמות; תואמנות
- in conformity with בהתאם ל-
confound′ *v.* לבלבל, להדהים; לערבב
- confound it! לעזאזל!
confounded *adj.* ארור
con′frater′nity *n.* אגודה דתית
con′frere (-rār) *n.* חבר, עמית
confront′ (-unt) *v.* לעמוד מול
- confront him with להעמידו מול, לעמת, להעמיד פנים אל פנים מול
con′fronta′tion *n.* עימות, הקבלה
Confu′cian *adj.* של קונפוציוס
confuse′ (-z) *v.* לבלבל, לערבב
confused *adj.* מבולבל
confu′sion (-zhən) *n.* בילבול, מבוכה, מהומה
con′fu•ta′tion (-fyoo-) *n.* הפרכה, סתירה
confute′ *v.* להפריך, לסתור
con′ge (-zhā) *n.* פרידה
- give him his conge לסלקו

- took his conge נפרד, ביקש ללכת
congeal' *v.* להקפיא, להקריש; לקפוא
conge'nial *adj.* חביב, נעים; מתאים, בעל עניין משותף, קרוב ללִיבו
congen'ital *adj.* קיים מלידה, מוּלד
con'ger (-g-) *n.* מין צלופח
congest' *v.* לדחוס
congested *adj.* דחוס, צפוף; מלא-דם
conges'tion (-schən) *n.* צפיפות
conglom'erate *n.* גוש, תלכיד; תשלובת
conglom'erate *adj.* מאושכל, מגובב
conglom'erate' *v.* לגבב; להתאשכל
conglom'era'tion *n.* גיבוב; אוסף
Con'go (see Zaire) *n.* קונגו
congrats' *interj.* מזל-טוב!
congrat'ulate' (-ch'-) *v.* לברך; לאחל
- congratulate oneself לשמוח, להתגאות, לראות עצמו בר-מזל
congrat'ula'tion (-ch'-) *n.* ברכה
- congratulations איחולים, מזל-טוב
congrat'ulato'ry (-ch'-) *adj.* של איחולים, מברך, מאחל
con'gregate' *v.* להתקהל; להקהיל
con'grega'tion *n.* התקהלות; קהל; ציבור מתפללים
congregational *adj.* של קהל
con'gress *n.* קונגרס; ועידה
congres'sional (-shənəl) *adj.* של הקונגרס
congressman *n.* חבר הקונגרס
con'gruence (-rōōəns) *n.* חפיפה
con'gruent (-rōōənt) *adj.* מתאים, יאה; חופף
congru'ity *n.* התאמה, תיאום, חפיפות
con'gruous (-rōōəs) *adj.* מתאים, הולם, יאה
con'ic, -al *adj.* חרוטי, קוני, חדודי
con'ifer *n.* עץ מחט, איצטרובל
conif'erous *adj.* מחטני
conjec'tural (-ch-) *adj.* משוער, סברתי
conjec'ture *n.* השערה, סברה, ניחוש
conjecture *v.* לשער, לנחש
conjoin' *v.* לאחד; להתאחד
conjoint' *adj.* משותף, מאוחד
con'jugal *adj.* של נישואים, של הזוג
con'jugate *adj.* מחובר, זוגי, צמוד
con'jugate' *v.* להטות פעלים
con'juga'tion *n.* הטיית פעלים; נטייה
conjunc'tion *n.* צירוף; מילת-חיבור
- in conjunction with ביחד עם
con'junc·ti'va *n.* לחמית
conjunc'tive *adj.* של חיבור, מקשר
conjunctive *n.* מילת-חיבור
conjunc'tivi'tis *n.* דלקת הלחמית
conjunc'ture *n.* צירוף מסיבות
con'jura'tion *n.* הפצרה, השבעה; כישוף
conjure' *v.* להפציר, להתחנן
con'jure (-jər) *v.* להעלות בכישוף; לאחז העיניים
- a name to conjure with שם עולמי
- conjure up להעלות, לעורר בדימיון
con'juror *n.* להטוטן
conk *n.* *אף, חוטם
conk *v.* *להכות, לחבוט
- conk out *להתקלקל; ליפול מהרגליים

con-man *n.* *רמאי, נוכל
con'nate' *adj.* מלידה, טבוע, בו-זמני
connect' *v.* לחבר, לקשר; להתחבר
connected *adj.* קרוב, קשור; מתקשר; משותף
- well-connected בעל קשרים אישיים
connecting rod טַלטָל (במכונה)
connec'tion *n.* חיבור; קשר; מעבר (מרכבת לרכבת); תחבורה
- connections קשרים; קליינטורה
- in connection with בקשר ל-
- in this connection בהקשר זה
connec'tive *adj&n.* מקשר; מילת-חיבור
connexion = connection
con'ning tower צריח, גשר-הפיקוד
conni'vance *n.* העלמת עין; שיתוף פעולה
connive' *v.* לעשות קנוניה, לזום
- connive at להעלים עין מ-
con'noisseur' (-nəsûr') *n.* בעל טעם טוב, מבין
con'nota'tion *n.* משמעות לוואי, קונוטציה
connote' *v.* לרמוז על, להעלות משמעות לוואי
connu'bial *adj.* של נישואים, של זוג
con'quer (-kər) *v.* לכבוש; לנצח
conqueror *n.* כובש
con'quest *n.* כיבוש; אדמה כבושה
- make a conquest לכבוש את ליבו
con'san·guin'e·ous (-gwin-) *adj.* קרוב
con'san·guin'ity (-gwin-) *n.* קירבת-מישפחה
con'science (-'shəns) *n.* מצפון
- for conscience' sake להרגעת מצפונו
- guilty conscience מצפון לא נקי
- has no conscience חסר-מצפון
- in all conscience *באמת, ברצינות
- matter of conscience שאלה של מצפון
- on one's conscience רובץ על מצפונו, חש אשמה
- upon my conscience בחיי!
conscience money מתן בסתר (להשקטת המצפון)
conscience-smitten מיוסר-מצפון
conscience-stricken נקוף-מצפון
con'scien'tious (-'shien'shəs) *adj.* מצפוני; מסור, רציני
conscientious objector סרבן-מילחמה (מטעמי מצפון)
con'scious (-'shəs) *adj.* בהכרה, ער, מכיר, יודע, מודע, תודעתי; בכוונה, ביודעים
consciousness *n.* הכרה, מוּדָעוּת, תודעה
conscript' *v.* לגייס לצבא
con'script *n.* מגוייס
conscrip'tion *n.* גיוס; הפקעת רכוש
con'secrate' *v.* להקדיש; לקדש
con'secra'tion *n.* הקדשה; קידוש
consec'u·tive *adj.* רצוף, עוקב, רציף
consen'sus *n.* קונסנסוס, הסכמה כללית
consent' *v.* להסכים
consent *n.* הסכמה
- age of consent גיל הבגרות

- silence gives consent שתיקה כהודאה
- with one consent פה אחד
consent decree צו מוסכם, פסק דין מוסכם
consent judgment פסק דין מוסכם
con'sequence *n.* תוצאה; חשיבות
- in consequence כתוצאה, עקב, לכן
- take the consequences לשאת בתוצאות
con'sequent *adj.* נוצר מ-, בא אחרי
con'sequen'tial *adj.* בא כתוצאה, עקיב; עקיף; מחשיב עצמו; חשוב, בעל ערך
con'sequently *adv.* וכתוצאה; לכן
conser'vancy *n.* ועדה מפקחת
con'serva'tion *n.* שימור, השגחה
- conservation of energy חוק שימור האנרגיה
conservation area שמורה
con'serva'tionist (-shənist) *n.* תומך בשימור אתרי טבע
conser'vatism' *n.* שמרנות
conser'vative *adj.* שמרני; זהיר, צנוע
conservative *n.* שמרן
Conservative Party המפלגה השמרנית
conser'vatoire' (-twär) *n.* קונסרווטוריון
conser'vator *n.* מגן, שומר; אפוטרופוס
conser'vato'ry *n.* חממה; קונסרווטוריון
conserve' *v.* לשמר
con'serve' *n.* שימורים, קונסרבים, ריבה
consid'er *v.* לחשוב, לשקול; לקחת בחשבון; לחשוב ל-, להתייחס כ-
- all things considered בהתחשב בכל
- considered opinion דיעה שקולה
considerable *adj.* גדול, חשוב, ניכר
considerably *adv.* הרבה, בהרבה
consid'erate *adj.* מתחשב (בזולת)
consid'era'tion *n.* התחשבות; שיקול, גורם; תשלום, בצע-כסף; תמורה
- in consideration of בהתחשב ב-
- leave out of consideration להשמיט, לא להביא בחשבון
- of no consideration חסר חשיבות
- on no consideration בשום אופן
- take into consideration להביא בחשבון
- under consideration בעיון
considered *adj.* שקול
considering *prep.* בהתחשב ב-
considering *adv.* בהתחשב בכל
consign' (-sīn') *v.* לשלוח, לשגר; להפקיד בידי, למסור
con'signee' (-sīn-) *n.* נישגר
consignment *n.* משלוח, מישגור
consignor *n.* משגר הסחורה, שוגר
consist' *v.* להיות מורכב מ-
- consists in מבוסס על, מושתת על
consistence *n.* עיקביות, עקיבות, יציבות; צפיפות, סמיכות
consistency *n.* עיקביות, עקיבות, יציבות; צפיפות, סמיכות
consistent *adj.* עיקבי, יציב
- consistent with הולם, מתאים
consis'tory *n.* מועצת חשמנים

conso'lable *adj.* ניתן לנחמו
con'sola'tion *n.* נחמה, תנחומים
consolation prize פרס תנחומים
consol'ato'ry *adj.* מנחם
console' *v.* לנחם, לעודד
con'sole *n.* זווית-מדף; לוח-בקרה; ארון רדיו\טלוויזיה
console table שולחן-קיר
consol'idate' *v.* לחזק, לגבש; למזג; להתמזג
consol'ida'tion *n.* גיבוש, מיזוג; קונסולידציה
con'somme' (-səmā') *n.* מרק בשר
con'sonance *n.* התאמה, תיאום; מזיג
con'sonant *n.* עיצור
consonant *adj.* מתאים, הולם; הרמוני
con'sonan'tal *adj.* עיצורי
con'sort' *n.* בן-זוג; ספינת-ליווי
- prince consort בעל המלכה
- queen consort רעיית המלך
consort' *v.* להתחבר, להתרועע; להלום את, לעלות בקנה אחד עם
consor'tium (-'sh-) *n.* שותפות, קונסורציום
conspec'tus *n.* סקירה, פתשגן, קונספקט, תמצית, תקציר
conspic'uous (-'ūəs) *adj.* בולט, ברור
- make oneself conspicuous להתבלט
- conspicuous consumption ביזבוז ראוותני
conspir'acy *n.* קנוניה, קשר, קונספירציה
conspiracy of silence קשר שתיקה
conspir'ator *n.* קושר, חורש רעה
conspir'ato'rial *adj.* של קשר, של מזימה
conspire' *v.* לקשור, לתכנן בחשאי
- events conspired המיקרים נצטרפו
con'stable *n.* שוטר; אחראי על טירה
- chief constable מפקח ראשי
constab'u·lar'y (-leri) *n.* מישטרה
con'stancy *n.* יציבות, נאמנות
con'stant *adj.* רצוף, קבוע, יציב, נאמן
constant *n.* גודל קבוע, קונסטאנטה
constantly *adv.* בקביעות, תכופות
con'stella'tion *n.* קבוצת-כוכבים; קונסטלציה
con'sterna'tion *n.* תדהמה, חרדה
con'stipate' *v.* לעצר (המעיים)
con'stipa'tion *n.* עצירות
constit'uency (-ch'ōōənsi) *n.* מחוז בחירות; ציבור הבוחרים
constit'uent (-ch'ōōənt) *n&adj.* בוחר, מצביע; מרכיב, חלק יסודי
constituent assembly אסיפה מכוננת
con'stitute' *v.* להוות, ליצור; לייסד, להקים, למנות, להסמיך
con'stitu'tion *n.* חוקה; מצב גופני; מערוכת; מיבנה, הרכב
constitutional *adj.* חוקתי; מערוכתי
constitutional *n.* טיול קצר
constitutionalism *n.* חוקתיות
constitutionally *adv.* לפי החוקה
con'stitu'tive *adj.* יסודי, מרכיב, יוצר
constrain' *v.* לאלץ, להכריח
constrained *adj.* מאולץ, מעושה, עצור
constraint' *n.* אילוץ; מעצור, מבוכה

constrict′ *v.* לכווץ, להצר, לצמצם
constric′tion *n.* כיווץ; תעוקה
constrictor *n.* מכווץ (שריר); חנק
construct′ *v.* לבנות, להרכיב
con′struct′ *n.* תבנית, מושג
construc′tion *n.* בניין, מיבנה, בנייה; פירוש, פרשנות, משמעות
- put a wrong construction on לפרש שלא כהלכה
construc′tive *adj.* קונסטרוקטיבי, מועיל, בונה; להלכה, לפי רוח החוק
- constructive fraud תרמית להלכה
constructor *n.* בונה, מרכיב
construe′ (-rōō) *v.* לפרש, להבין; לנתח משפט
con′sul *n.* קונסול
con′sular *adj.* קונסולרי
con′sulate *n.* קונסוליה
consulship *n.* מעמד הקונסול
consult′ *v.* להיוועץ ב-; להתחשב ב-
- consult a map לעיין במפה
- consult for לשמש כיועץ
- consult with להתייעץ עם
consul′tant *n.* יועץ, מייעץ; רופא מומחה
con′sulta′tion *n.* ייעוץ, התייעצות
consul′tative *adj.* יועץ, מייעץ
consulting *adj.* יועץ, מייעץ
consu′mable *n&adj.* מיצרך; ניתן לצריכה
consume′ *v.* לאכול, לצרוך, לכלות
- consume away לבזבז
- consumed by hate אכול שינאה
- consuming ambition שאיפה בוערת
consumer *n.* צרכן
consumer goods/items מיצרכים
consu′merism′ *n.* הגנת הצרכן
consumer price index מדד המחירים לצרכן
consum′mate *adj.* מושלם, שלם, מומחה
- consummate liar שקרן מובהק
con′summate′ *v.* להשלים, להגשים
con′summa′tion *n.* השלמה, הגשמה, גמר, סיום
consump′tion *n.* צריכה; שחפת
consump′tive *adj.* שחפני
cont. = contents, continued
con′tact′ *n.* מגע, קונטאקט, קשר
- be in contact להיות בקשר
- break contact לנתק זרם
- come into contact לבוא במגע
- make contact ליצור קשר; לחבר זרם
contact *v.* להתקשר עם, ליצור קשר
contact lenses עדשות-מגע
conta′gion (-jən) *n.* התפשטות (של מחלה, פחד); מחלה מידבקת
- a contagion of fear גל של פחד
conta′gious (-jəs) *adj.* מידבק, מדביק, מנגע
contain′ *v.* להכיל, לכלול; לעצור בעד, לרסן; להתאפק; להבליג; להתחלק
contained *adj.* מאופק, שליו
container *n.* כלי-קיבול; מכולה; מכל
contain′erize′ להוביל במכולות
containment *n.* בלימת ההשפעה (של מדינה עוינת)
contam′inate′ *v.* לזהם, לטמא
contam′ina′tion *n.* זיהום, מזהם
contemn′ (-m) *v.* לבוז ל-
con′template′ *v.* להתבונן, לעיין, לבחון; לשקול, להתכוון, לצפות ל-
con′templa′tion *n.* שקיעה במחשבות
contem′plative *adj.* מהורהר, עיוני
contem′pora′ne•ous *adj.* קיים באותה עת, בו-זמני, חופף
contem′porar′y (-reri) *adj&n.* בן-זמנו, בן-גילו; מודרני, עכשווי
contempt′ *n.* בוז, התעלמות
- contempt of court ביזיון בית-דין
- hold in contempt לבוז
- in contempt of בבוז, בהתעלמות מ-
contemptible *adj.* ניבזה
contemp′tuous (-′chōōəs) *adj.* בז
contend′ *v.* להתחרות; להיאבק; לטעון
- contend with להתמודד עם (בעיה)
- contended passions רגשות מתלבטים
contender *n.* טוען לכתר (אליפות)
content′ *adj.* מרוצה, שבע-רצון; שמח
content′ *n.* שביעות-רצון, מרוצות
- to one's heart's content לשביעות-רצונו, כאוות-נפשו
content′ *v.* לגרום שביעות-רצון
- content oneself with להסתפק ב-
con′tent′ *n.* תוכן, תכולה
- contents תוכן העניינים; תכולה
content′ed *adj.* מרוצה, שבע-רצון
conten′tion *n.* ריב; טענה
- bone of contention סלע המחלוקת
- my contention is אני טוען ש-
conten′tious (-shəs) *adj.* פולמוסי, וכחני
content′ment *n.* שביעות-רצון
conter′minous *adj.* גובל
contest′ *v.* להתמודד, להיאבק על; לערער על, לחלוק על
con′test′ *n.* תחרות
contes′tant *n.* מתחרה; מערער
con′text′ *n.* קונטקסט, הקשר
contex′tual (-kschōōəl) *adj.* לפי ההקשר
con′tigu′ity *n.* קירבה, סמיכות
contig′uous (-′ūəs) *adj.* גובל, נוגע, קרוב
con′tinence *n.* התאפקות, התרסנות
con′tinent *adj.* מתאפק, כובש יצרו
continent *n.* יבשת; יבשת אירופה
con′tinen′tal *adj&n.* יבשתי; אירופי, קונטיננטאלי
- not worth a continental חסר-ערך
contin′gency *n.* אפשרות, מיקרה
contingency plans תוכניות חירום
contin′gent *adj.* מיקרי, אפשרי; מותנה, על תנאי
- contingent on תלוי ב-
contingent *n.* תיגבורת; נציגות
contin′ual (-nūəl) *adj.* נמשך, מתמיד, לא פוסק
continually *adv.* בלי הרף
contin′uance (-nūəns) *n.* המשך; דחיית הליך לעתיד
- for the continuance of במשך
contin′ua′tion (-nūa′-) *n.* המשך,

הארכה, הימשכות
contin′ue (-nū) *v.* להמשיך, להוסיף; להישאר, להימשך; להשאיר; לדחות הליך לעתיד
con′tinu′ity *n.* המשכיות; רצף; סצינאריו, תסריט
continuity girl נערת רצף
contin′uous (-nūəs) *adj.* נמשך, רצוף, מתמיד
contin′uum (-nūəm) *n.* רֶצֶף
contort′ *v.* לעקם, לעוות, לסלף
contor′tion *n.* עיקום, התפתלות
contortionist *n.* איש-גומי
con′tour (-toor) *n.* מיתאר, קו-גבול, קו מקיף, קו-גובה, קונטור
contour *v.* לשרטט מיתאר, לסלול לאורך מיתאר
contour line קו-גובה
contour map מפת קווי-גובה/מיתאר
con′tra- (תחילית) נגד, מול
con′traband′ *n&adj.* הברחה; מוברח
contraband goods סחורה מוברחת, מיברח
con′trabass′ (-bās) *n.* בטנון
con′tracep′tion *n.* מניעת הריון
con′tracep′tive *adj&n.* מונע הריון; אמצעי מניעה
con′tract′ *n.* הסכם, חוזה
- enter into a contract with לערוך חוזה עם
- implied contract חוזה להלכה
- unilateral contract חוזה חד-צדדי
contract′ *v.* לערוך הסכם, להסדיר ע"י חוזה; לרכוש, ליצור, לקבל; לכווץ, לקצר; להתכווץ
- contract an illness לחלות
- contract debts לשקוע בחובות
- contract in להתחייב, לקחת חלק ב-
- contract out למשוך ידו, להשתחרר
contract bridge ברידג' התחייבות
contrac′tible *adj.* כוויץ
contrac′tile (-təl) *adj.* כוויץ
contrac′tion *n.* קיצור; התכווצות, ציר
contract′or *n.* קבלן, חברה קבלנית
contrac′tual (-cho͞oəl) *adj.* חוזי, של חוזה
con′tradict′ *v.* להכחיש; לסתור
con′tradic′tion *n.* הכחשה, סתירה
- contradiction in terms דבר והיפוכו, מלים סותרות
con′tradic′tory *adj.* מנוגד, סותר
con′tradistinc′tion *n.* ניגוד, עימות
con′tradistin′guish (-gwish) *v.* לעמת, להקביל
contraflow *n.* זרימה בכיוון נגדי
con′trail *n.* שובל-אדים (של מטוס)
contral′to *n.* קונטראלטו, אלט נמוך
contrap′tion *n.* *מכשיר מוזר
con′trapun′tal *adj.* קונטרפונקטי
con′trari′ety *n.* ניגוד, ניגודיות
con′trariwise′ (-reriwīz) *adv.* להיפך, לעומת זאת, מאידך
con′trar′y (-reri) *adj.* מנוגד, נגדי
- contrary to בניגוד ל-
contrary *adj.* עקשן, סרבן
contrary *n.* היפך, ניגוד
- by contraries בניגוד למצופה
- on the contrary להיפך, אדרבה
- to the contrary להיפך, היפך מזה
con′trast′ *n.* ניגוד, קונטראסט
- by contrast with לעומת
contrast′ *v.* לעמת, להקביל, להשוות
con′travene′ *v.* לעבור על, להפר; לערער על, לחלוק על; להתנגש
con′traven′tion *v.* הפרה, עבירה, חטא
con′tretemps′ (-täng) *n.* תקלה
contrib′ute *v.* לתרום; לגרום ל-; לתרום (מאמרים) לעיתון
con′tribu′tion *n.* תרומה
- lay under contribution להטיל יהב
contrib′u·tor *n.* תורם
contrib′u·to′ry *adj.* תורם, מסייע, של השתתפות העובדים
- contributory negligence רשלנות תורמת
con-trick *n.* *רמאות, הולכת שולל
con′trite *adj.* מלא-חרטה, חש אשמה
contri′tion (-ri-) *n.* מוסר-כליות, חרטה
contri′vance *n.* אמצאה, מיתקן; כושר המצאה; תחבולה
contrive′ *v.* לתכנן, להמציא, להצליח
contrived *adj.* מאולץ, מעושה
contriver *n.* מתכנן; עקרת בית; מסתדר
control′ (-rōl) *n.* שליטה; פיקוח, בקרה; לוח-בקרה; קנה-מידה; רסן, בלם
- bring under control להשתלט על
- in control אחראי, ממונה
- in the control of בידי, בפיקוח
- lose control of לאבד השליטה על
- out of control ללא שליטה
- price controls פיקוח על המחירים
- take control of להשתלט על
control *v.* לשלוט, לרסן, לפקח; לבדוק, לאמת
- control oneself לשלוט ברוחו
controllable *adj.* בר-שליטה
controller *n.* מבקר, מפקח
controlling interest שליטה, בעלות על רוב המניות
control room חדר-בקרה
control tower מיגדל פיקוח
con′trover′sial *adj.* פולמוסי, וכחני, שנוי במחלוקת
con′trover′sy *n.* מחלוקת, ויכוח
con′trovert′ *v.* לחלוק על, להתנגד
con′tuma′cious (-shəs) *adj.* עקשן, מתמרד, מתעקש
contu′macy *n.* עקשנות, עיקשות
con′tume′lious *adj.* חצוף, מעליב
contu′mely *n.* גסות; עלבון
contuse′ (-z) *v.* לחבול, להכות
contu′sion (-zhən) *n.* חבלה, חבורה
conun′drum *n.* בעייה, חידה
con′ur·ba′tion *n.* גוש ערים
con′valesce′ (-les) *v.* להחלים
convalescence *n.* החלמה, הבראה
convalescent *n&adj.* מחלים, מבריא
convalescent home בית החלמה
convec′tion *n.* זרימת חום
convec′tor *n.* קונבקטור, מפזר חום
convene′ *v.* לכנס, לזמן; להתכנס

convener *n.* מְכַנֵּס, מְזַמֵּן
conven'ience (-vēn'-) *n.* נוחות, נוחיות; שעה נוחה; שירותים
- at your convenience כשנוח לך
- make a convenience of לנצל
convenience food מזון מוכן, מזון מהיר הכנה
conven'ient (-vēn'-) *adj.* נוח, מתאים, קרוב
con'vent' *n.* מינזר
conven'ticle *n.* אסיפה חשאית
conven'tion *n.* ועידה; הסכם, אמנה; נוהג, שיגרה; מוסכמה
conventional *adj.* שיגרתי, רגיל, רוֹוֵחַ
- conventional weapons נשק קונבנציונלי
conven'tional'ity (-shən-) *n.* שיגרה
converge' *v.* להיפגש בנקודה אחת, להתלכד, להתמקד, להתקרב, להתכנס
convergence *n.* היפגשות, התכנסות
convergent *adj.* נפגש, מתמקד
conver'sant *adj.* בקי, יודע
con'versa'tion *n.* שיחה, דיבור
conversational *adj.* דיבורי, של שיחה
conversation piece חפץ מדובר
con'versazio'ne (-sätsiō'ni) *n.* סימפוזיון
converse' *v.* לשוחח, לדבר
converse' *adj.* הפוך, מנוגד, נגדי
con'verse' *n.* היפך, ניגוד; שיחה
conver'sion (-zhən) *n.* המרה, החלפה, שינוי; המרת דת, גיור; עוולה, גזל
convert' *v.* להמיר, להחליף, לשנות, להפוך; להמיר דתו
con'vert' *n.* מומר, גר
conver'ter *n.* ממיר
conver'tibil'ity *n.* הפיכוּת
conver'tible *adj.* הפיך, בר-המרה
convertible *n.* מכונית בעלת גג מתקפל
conver'tor *n.* ממיר
con'vex' *adj.* קמור
convex'ity *n.* קמירות
convey' (-vā') *v.* להעביר, למסור
conveyance *n.* העברה; רכב-הובלה; תעודת-העברה; העברת בעלות
conveyancer *n.* עורך תעודות העברה
conveyer *n.* מוביל, מעביר
conveyer belt רצועת תימסורת
conveyor *n.* מסוע
convict' *v.* להרשיע; להאשים
con'vict אסיר
convic'tion *n.* הרשעה; שיכנוע; הכרה, אמונה
- carry conviction להיות משכנע
convince' *v.* לשכנע
convinced *adj.* משוכנע, בטוח
convincible *adj.* ניתן לשיכנוע
convincing *adj.* משכנע
conviv'ial *adj.* עליז, הוללני
conviv'ial'ity *adj.* עליזות, שימחה
con'voca'tion *n.* כינוס, זימון, אסיפה
convoke' *v.* לְכַנֵּס, לְזַמֵּן
con'volute' *v.* לפתל, לגולל
convoluted *adj.* מפותל, מעוקל, מסובך
con'volu'tion *n.* פיתול, התפתלות
convol'vu·lus *n.* חבלבל (צמח)

con'voy *v.* ללוות (ספינה), להגן
convoy *n.* ליווי; שיירה מוגנת
- sail in convoy להפליג בשיירה
- under convoy בליווי הגנה
convulse' *v.* לזעזע, לטלטל, לנענע
- convulsed with laughter מתפתל בצחוק
convul'sion *n.* זעזוע, עווית, התכווצות, התפתלות
convul'sive *adj.* עוויתי, של זעזוע
co'ny, co'ney *n.* שפן, פרוות שפן
coo *v.* להמות כיונה, למלמל, ללחוש
- bill and coo להתנות אהבים
coo *n.* המייה, מילמול, לחישה, לאיטה
cook *n.* טבח, טבחית
cook *v.* לבשל, לצלות, לאפות, לטגן; להתבשל; לזייף, לטפל ב-
- cook his goose לחסל אותו
- cook the books לזייף הספרים
- cook up *לבשל, להמציא
- what's cooking? מה קורה/מתבשל?
cookbook *n.* ספר בישול
cooker *n.* תנור, כירים; פרי-בישול
cook'ery *n.* בישול, הכנת אוכל
cook-house *n.* מיטבח
cook'ie, cook'y *n.* עוגייה; *ברנש
cooking *n.* בישול, טבחות
- cooking apples תפוחים לבישול
cookout *n.* פיקניק, סעודת-חוץ
cool (kōōl) *adj.* קריר, צונן, קר-רוח; חצוף; *ממש, ללא גוזמה; מצויין, גזעי
- a cool 5000 5000 טבין ותקילין
- a cool head קר-רוח
- keep cool להיות רגוע
- play it cool *לא להתרגש
cool *n.* קור, צינה; *שלוות-נפש
cool *v.* לקרר, להצן; להתקרר; לשכוך
- cool down/off להירגע, להרגיע
- cool it *להירגע
- cool one's heels להמתין, לחכות
coo'lant *n.* נוזל-צינון
cool bag/box צידנית
cooler *n.* כלי-קירור; *בית-סוהר
cool-headed *adj.* קר-רוח
coo'lie *n.* קולי, פועל פשוט
cooling-off צינון, הרגעת רוחות
coon (kōōn) *n.* *כושי, שחור
coon's age עידן ועידנים
coop (kōōp) *n&v.* לול, כלוב
- coop up לכלוא, לשים בלול
- fly the coop *לברוח, להסתלק
co'-op' *n.* *צרכנייה
coo'per *n.* חבתן, עושה חביות
co·op'erate' *v.* לשתף פעולה
co·op'era'tion *n.* שיתוף-פעולה
co·op'erative *adj.* עוזר, משתף פעולה; קואופרטיבי, משותף
cooperative *n.* קואופרטיב
cooperative society קואופרטיב
co-operator *n.* משתף-פעולה
co·opt' *v.* לצרף (חבר לוועדה), לספח
co·or'dinate *adj&n.* שווה-ערך, שווה-דרגה; קואורדינטה
co·or'dinate' *v.* לתאם פעולות, להתאים, לשלב
- coordinates פריטי לבוש מתאימים

co·or'dina'tion *n.* תיאום, הסדר, קואורדינציה, הרמוניה
coot (ko͞ot) *n.* אגמית; *טיפש
- bald as a coot קירח לחלוטין
co-own *v.* להיות שותף בבעלות
cop *n.* *שוטר; תפיסה, לכידה
- a fair cop *לכידה נאה
- not much cop *לא שווה במיוחד
cop *v.* *לתפוס, ללכוד
- cop a plea *להודות בעבירה
- cop it *לקבל מנה, להיענש
- cop out *להתחמק, להשתמט
co'pacet'ic *adj.* *מצוין, משביע רצון ביותר
co·part'ner *n.* שותף
copartnership *n.* שותפות
co'paset'ic *adj.* *מצוין, משביע רצון ביותר
cope *n.* גלימה
cope *v.* להתמודד, להתגבר על
co'peck' *n.* קופיקה (מטבע)
co'per *n.* סוחר סוסים
Coper'nican *adj.* של קופרניקוס
co'peset'ic *adj.* *מצוין, משביע רצון ביותר
copier *n.* מעתיק; מכונת צילום
co'pi'lot *n.* טייס-מישנה
co'ping *n.* נידבך עליון
coping-stone *n.* גולת-הכותרת
co'pious *adj.* שופע, רב, פורה
cop-out *n.* *התחמקות, השתמטות
cop'per *n.* נחושת; מטבע; דוד-הרתחה
copper *v.* לצפות בנחושת
copper *n.* *שוטר
copper-bottomed *adj.* בטוח, מוגן
copperhead *n.* נחוש-הראש (נחש)
copperplate *n.* גלופת-נחושת
- copperplate writing כתיבה תמה
coppersmith *n.* חרש-נחושת
cop'pice (-pis) *n.* חורשה, סבך
cop'ra *n.* קופרה (קוקוס מיובש)
copse *n.* חורשה, סבך
cop'ter *n.* *מסוק, הליקופטר
Cop'tic *n.* קופטי
cop'u·la *n.* אוגד (בדקדוק)
cop'u·late' *v.* להזדווג
cop'u·la'tion *n.* הזדווגות
cop'u·la'tive *adj.* מחבר, מקשר
copulative *n.* אוגד (בדקדוק)
cop'y *n.* העתק, עותק; חומר להדפסה
- fair copy טיוטה סופית
- good copy חומר מעניין, סנסציה
- rough copy טיוטה ראשונה
copy *v.* להעתיק, לחקות
- copy out להעתיק במלואו
copybook *n.* מחברת
- blot one's copybook להכתים שמו
copybook *adj.* מדויק; שיגרתי
- copybook maxims פיתגמים נדושים
copy boy נער שליח (במערכת)
copy cat *n.* *חקיין
copy desk שולחן המערכת
copy editor עורך מישנה
copyhold *n.* החזקת קרקע (באריסות)
copyholder *n.* מחזיק בקרקע; טיוטן
copyist *n.* מעתיק

copyright *n.* זכות יוצרים
copyright *v.* להבטיח זכות יוצרים
copywriter *n.* מסגנן מודעות
co·quet' (-ket) *v.* להתחנחן
co'quetry (-k-) *n.* קוקטיות, עגבנות, התחנחנות, התעסקות
co·quette' (-ket) *n.* קוקטית, מתחנחנת, עגבנית
coquettish *adj.* מתחנחן, קוקטי
cor'acle *n.* סירת נצרים
cor'al *n.* קורל, אלמוג
coral *adj.* אדום, אדמדם, ורוד
coral island אי-אלמוגים
coral reef שונית אלמוגים
cor anglais (-änglā') קרן אנגלית
cor'bel *n.* זיז (הבולט מקיר)
cord *n.* חוט, משיחה, מיתר, פתיל; אריג קורדורוי; כמות עצי-הסקה
- cords *מיכנסי קורדורוי
- spinal cord חוט השידרה
- vocal cords מיתרי הקול
cord *v.* לקשור בחוט
cord'age *n.* חבלים, חבלי ספינה, חיבל
cor'dial (-jəl) *n.* לבבי, חם, עמוק
cordial *n.* משקה מרענן, ליקר
cor'dial'ity (-'j-) *n.* לבביות
cor'dite *n.* חומר-נפץ (חסר-עשן)
cordless *adj.* אלחוטי
cor'don *n&v.* חגורת ביטחון (מסביב למקום); סרט-כבוד; עץ גזום
- cordon off להקיף בטבעת-ביטחון
cordon bleu (-blə') *n.* אשף-מיטבח; סרט כחול (פרס עבור טבחות מעולה)
cor'duroy' *n.* קורדורוי
- corduroys מיכנסי קורדורוי
corduroy road כביש קורות
core *n.* תוך-הפרי; מרכז, לב
- rotten to the core מושחת עד היסוד
- to the core עד לב-ליבו
core *v.* לגלען, להוציא את תוך-הפרי
co'reli'gionist (-lijən-) *n.* בן אותה דת
cor'er *n.* סכין (להוצאת תוך-הפרי)
co're·spon'dent *n.* אשם בניאוף
co'rian'der *n.* גד, כוסבר (תבלין)
Corin'thian *adj.* קורינתי, מפואר
cork *n.* שעם, פקק
cork *v.* לפקוק, לסתום
- cork up לסתום, לעצור (רגשות)
cork'age *n.* דמי הגשת משקאות
corked *adj.* שטעמו פגום; *שתוי
cork'er *n.* *מצוין; טענה ניצחת; שקר
cork-screw *n.* מחלץ, חולץ-פקקים
cork-screw *v.* להתברג, להתחלזן
cork-screw *adj.* בורגי, לולייני
corm *n.* פקעת, בולבוס
cor'morant *n.* קורמורן (עוף-מים)
corn *n.* דגן, תבואה, תירס; גרעין, יבלת
- corn on the cob קלח תירס מבושל
- tread on his corns לדרוך על יבלותיו
corn *v.* לשמור (בשר) במלח
corn bread לחם-תירס
corn-cob *n.* שיזרת-התירס
cor'ne·a *n.* קרנית
cor·ne'lian *n.* אודם (אבן יקרה)
cor'ner *n.* פינה, זווית; קרן; מחבוא; עמדת-שליטה, מונופול

- cut corners לחסוך בהוצאות
- cut off a corner לעשות קפנדריה
- drive into a corner ללחוץ אל הפינה
- make a corner in להשתלט על (שוק)
- round the corner קרוב מאוד
- the four corners of the earth ארבע כנפות הארץ
- tight corner מצב קשה, מצוקה
- turn the corner לעבור את המשבר
corner *v.* ללחוץ אל הקיר; להשתלט על השוק; לפנות, לעשות פנייה
corner *adj.* פינתי
cornered *adj.* בעל פינות; לכוד, דפון
corner kick בעיטת קרן
cornerstone *n.* אבן-יסוד, אבן-פינה
cor'net *n.* קורנית; גביע, שקיק
corn-exchange *n.* בורסת-תבואה
corn-field *n.* שדה-תבואה
cornflakes *n-pl.* פתיתי-תירס
cornflour *n.* קמח-תירס, קורנפלור
cornflower *n.* דגנייה (פרח)
cor'nice (-nis) *n.* כרכוב; גוש-שלג (המאיים ליפול)
corn pone לחם תירס
cornstarch *n.* קמח-תירס, קורנפלור
cor'nuco'pia *n.* שפע, גודש, קרן השפע
corn'y *adj.* *נדוש, מיושן
corol'la *n.* כותרת (של פרח)
cor'ollar'y (-leri) *n.* תוצאה, מסקנה
coro'na *n.* הילה, עטרה
cor'onar'y (-neri) *adj.* (עורק) כלילי
coronary *n.* פקקת (בעורק כלילי)
cor'ona'tion *n.* הכתרה
cor'oner *n.* חוקר מיקרי מוות
cor'onet *n.* נזר, זר, עטרה
Corp. = Corporation, Corporal
cor'pora = pl of corpus
cor'poral *adj.* גופני
corporal *n.* רב-טוראי, קורפורל
corporal punishment עונש גופני; מלקות
cor'porate *adj.* משותף, קולקטיבי, מאוחד; של איגוד מקצועי
cor'pora'tion *n.* חברה, איגוד, תאגיד; מועצת-עיר; *בטן גדולה, כרס
cor·por'e·al *adj.* גופני, גשמי
corps (kôr) *n.* חַיִל, גַיִס, סגל
- diplomatic corps הסגל הדיפלומטי
corps de ballet (-balā') להקת בלט
corpse *n.* גווייה, גופה
cor'pu·lence *n.* שומן
cor'pu·lent *adj.* שמן, בעל גוף
cor'pus *n.* אוסף, קובץ
cor'puscle (-pəsəl) *n.* גופיף, כדורית דם
cor'pus de·lic'ti' עובדת-היסוד (המוכיחה את הפשע), אובייקט הפשע
corral' *n.* מיכלאה; טבעת עגלות
corral *v.* לכלוא; ליצור טבעת עגלות
correct' *v.* לתקן; להעניש
correct *adj.* נכון, מדוייק; יאה, הוגן
correc'tion *n.* תיקון; ענישה
- house of correction בית-סוהר
- speak under correction לדבר מתוך ידיעה שעשויים לתקן דבריו
correction fluid נוזל תיקון, טיפקס
correc'titude' *n.* התנהגות הולמת
correc'tive *adj.* מחזיר למוטב
cor'relate' *v.* לקשר ביחס-גומלין; לגלות קשר הדדי, לתאם, להקביל
cor'relate' *adj.* קשור הדדית
cor'rela'tion *n.* מיתאם, קשר הדדי
correl'ative *adj.* בעלי קשר הדדי
cor'respond' *v.* להתאים, להלום; להקביל, להיות דומה; להתכתב
correspondence *n.* התאמה, דימיון; התכתבות, תיכתובת, קורספונדנציה
correspondence course קורס בהתכתבות
correspondent *adj.* מקביל, דומה
correspondent *n.* מתכתב; כַּתָּב
corresponding *adj.* מקביל, דומה
cor'ridor' *n.* מיסדרון
- corridors of power חוגים בעלי השפעה בממשלה
corridor train רכבת בעלת מיסדרונות ותאים
cor'rigen'da *n-pl.* תיקוני טעויות
cor'rigen'dum *n.* דבר הטעון תיקון
cor'rigible *adj.* בר-תקנה
corrob'orate' *v.* לחזק, לאשר, לאמת
corrob'ora'tion *n.* חיזוק, אימות
corrob'orative *adj.* מחזק, מאשר
corrode' *v.* לאכל, להחליד, לשתך
corro'sion (-zhən) *n.* איכול, שיתוך, קורוזיה
corro'sive *adj.* מְאַכֵּל, הורס, חד, שנון
cor'rugate' *v.* לקמט, לתלם; להיחרץ
corrugated cardboard קרטון גלי
corrugated iron לוח גלי (מפלדה)
cor'ruga'tion *n.* קימוט, קמט
corrupt' *adj.* מושחת, מקולקל; קלוקל
- corrupt practices שחיתות, שוחד
corrupt *v.* להשחית; לשחד; להתקלקל
corrup'tibil'ity *n.* השחתה, שחיתות
corrup'tible *adj.* מושחת, שחיד
corrup'tion *n.* שחיתות, ריקבון; שיבוש-הלשון
cor·sage' (-säzh) *n.* צרור-פרחים; חזייה; חלק הבגד העליון
cor'sair' *n.* שודד-ים; ספינת-שוד
corse *n.* גופה, גוויה
corse'let (kôrs'lət) *n.* שיריון-חזה
cor'set *n.* מחוך, קורסט
cor·tege' (-tezh) *n.* פמליה, לוויה
cor'tex' *n.* קליפה
cor'tical *n.* קליפתי, של קליפה
cor'tisone' *n.* קורטיזון (הורמון)
cor'uscate' *v.* להבריק, להזהיר
cor'usca'tion *n.* הברקה
cor'vee (-vā) *n.* אנגריה, מס-עובד
cor·vette' *n.* קורבטה (ספינת-קרב)
cos *n.* קוסינוס; חסה ארוכת-עלים
cos = because (kəz) *conj.* *בגלל
cosh *n.* *אלת-מתכת, אלת-גומי
cosh *v.* *להכות, לחבוט
co·sig'nato'ry *n.* חותם (עם אחרים)
co'sine' *n.* קוסינוס
cos·met'ic (-z-) *adj.* קוסמטי, מייפה
cos'meti'cian (-zmətish'ən) *n.* תמרוקן
cosmetics *n-pl.* קוסמטיקה
cos'mic (-z-) *adj.* קוסמי, של היקום
cos·mog'ony (-z-) *n.* בריאת העולם

cos·mol′ogy (-z-) *n.* מדע היקום
cos′monaut′ (-z-) *n.* קוסמונאוט, טייס-חלל
cos′mopol′itan (-z-) *adj&n.* אזרח-העולם, קוסמופוליט; כלל-עולמי
cos′mos (-z-) *n.* קוסמוס, יקום, חלל; קוסמוס (פרח)
Cos′sack *n&adj.* קוזק; קוזקי
cos′set *v.* לפנק, לטפל ברוך
cost (kôst) *n.* מחיר; עלות, יציאות
- at all costs בכל מחיר
- at cost במחיר הקרן, במחיר העלות
- at the cost of במחיר-
- cost of living יוקר המיחיה
- costs הוצאות משפט
- count the cost לשקול הסיכונים
- to one's cost מניסיונו המר
cost *v.* לעלות; לקבוע מחיר; לתמחר
cost accountant/clerk תמחירן
cost accounting תמחיר
co-star *n.* כוכב (המככב לצידו)
co-star *v.* לככב (לצד כוכב)
Cos′ta Ri′ca (-rē-) *n.* קוסטה ריקה
cost-benefit *adj.* של עלות התועלת
cost-effective *adj.* רווחי, משתלם
cos′termon′ger (-g-) *n.* רוכל
costing *n.* תמחיר
cos′tive *adj.* סובל מעצירות
costly *adj.* יקר
cost price מחיר העלות
cos′tume *n.* תילבושת; חליפת-אישה
costume jewellery תכשיטים מלאכותיים
costu′mier *n.* תופר תילבושות
co′sy (-z-) *adj.* נוח, חמים
cosy *n.* כיסוי, מטמן (לשמירת חום)
cot *n.* מיטת תינוק; מיטה מתקפלת
cot *n.* דיר, ביתן, ביקתה; קוטנגנס
co·tan′gent *n.* קוטנגנס
cot death מוות בעריסה
cote *n.* צריף, דיר, שובך
co·ten′ant *n.* דייר משותף
co′terie *n.* חוג, קבוצה, כת
co·ter′minous *adj.* משותף-גבול, נוגע
cot′tage *n.* צריף, קוטג׳
cottage cheese גבינת קוטג׳
cottage hospital בית-חולים קטן
cottage industry תעשיית בית
cottage loaf לחם דו-קומתי
cottage pie פשטידת בשר ותפו"א
cot′tar, cot′ter *n.* איכר, אריס
cot′ton *n&v.* צמר-גפן, כותנה, חוטי-כותנה
- cotton on *להבין
- cotton to *להתחבב על, להתיידד
cotton batting צמר-גפן
cotton-cake *n.* כוספה (מכותנה)
cotton candy צמר-גפן מתוק
cotton gin מנפטה
cotton-tail *n.* שפן
cotton wool צמר-גפן
cot′yle′don *n.* פסיג
couch *n.* ספה, מיטה; מין עשב
couch *v.* לנסח, להביע; להרכין; להתכופף לקראת זינוק
couchant *adj.* רובץ (זקוף-ראש)

couch doctor פסיכיאטר
couchette (kōōshet′) *n.* יטת-מדף
cou′gar (kōō′-) *n.* ימה (נמר)
cough (kôf) *v.* השתעל; *להודות
- cough down החרישו בשיעולים
- cough up למסור בלי רצון, לספר
cough *n.* יעול; *הודאה בפשע
cough drop כריה נגד שיעול
could = pt of can (kood)
- could you come? תוכל לבוא?
couldn't = could not (kood′ənt)
couldst = could (koodst)
coul′ter (kōl′-) *n.* כין המחרשה
coun′cil (-səl) *n.* יעצה
council-board *n.* ולחן המועצה
council chamber ילם המועצה
council house ירה להשכרה
coun′cilor *n.* בר-המועצה
coun′sel *n.* צה, ייעוץ; פרקליט
- counsel for the defense ציגי ההגנה, הסניגור, הסניגורים
- counsel of perfection צה מושלמת (אבל לא מעשית)
- hold/take counsel התייעץ
- keep one's own counsel שמור דיעותיו לעצמו
- take counsel together התייעץ
counsel *v.* ייעץ, להמליץ על
coun′selor *n.* יעץ; עורך דין
count *v.* ספור, למנות; לכלול, להביא בחשבון; לראות, לחשוב את
- be counted among הימנות עם-
- count against him זקוף לחובתו
- count down ספור לאחור
- count heads/noses ספור אנשים
- count in כלול, להביא בחשבון
- count off התפקד; להפריש
- count on/upon סמוך על; לצפות מ-
- count oneself ראות עצמו כ-
- count out ספור אחד-אחד; לספור עד 10 (באיגרוף); לא לכלול
- count the cost שקול הסיכונים
- count up מנות, לספור
- counts for nothing וסר ערך
- every word counts ל מלה חשובה
- he doesn't count אין להתחשב בו
- stand up and be counted ומר את דברו בגלוי
count *n.* ספירה; סעיף-אשמה; רוזן
- be out for the count ספוג נוק-אאוט
- keep count זכור המיספר המדוייק
- lose count שכוח המיספר המדוייק
- take no count of התעלם מ-
- take some count of להתחשב ב-
- take the count לספוג נוק-אאוט
countable *adj.* ספיר, אפשר לספרו
countdown *n.* ספירה לאחור
coun′tenance *n.* פנים, פרצוף, ארשת, הופעה; תמיכה, עידוד
- change countenance להחליף ארשת הפנים
- keep one's countenance לשמור על הבעה מאופקת
- put out of countenance להביך
countenance *v.* להרשות, לעודד
coun′ter *n.* דלפק, דוכן; אסימון-מישחק;

מונה, מד-
under the counter באופן לא-חוקי, מתחת לשולחן
ounter *v.* לגמול במכה, להגיב
ounter *adv.* בניגוד, נגד
ounter- (תחילית) נגד
oun'teract' *v.* לפעול נגד, לבטל
oun'terac'tion *n.* ביטול
oun'terattack' *n.* התקפת-נגד
ounterattack *v.* לערוך התקפת-נגד
oun'terattrac'tion *n.* משיכה נגדית
oun'terbal'ance *n.* מישקל נגדי
oun'terbal'ance *v.* לאזן
oun'terblast' *n.* תגובה חריפה
oun'terclaim' *n.* תביעה נגדית
oun'terclock'wise (-z) *adj.* נגד השעון
oun'teres'pionage *n.* ריגול נגדי
oun'terfeit' (-fit) *adj.* מזוייף
ounterfeit *v.* לזייף
ounterfeiter *n.* זייפן
oun'terfoil' *n.* חֲבוּר, קבלה
oun'terintel'ligence מודיעין נגדי
oun'terir'ritant *n.* מגרה נגדי
oun'terman' *n.* דלפקן, מגיש
oun'termand' *v.* לבטל פקודה
oun'termarch' *n&v.* (לצעוד) צעידת חזרה
oun'termea'sure (-mezhər) *n.* צעד נגדי, תגובה
oun'termine' *n.* מוקש נגדי, קשר נגדי
oun'teroffen'sive *n.* התקפת-נגד
oun'terpane' *n.* כיסוי מיטה
oun'terpart' *n.* מקביל, דומה
oun'terplot' *n.* קשר נגדי
oun'terpoint' *n.* קונטרפונקט
oun'terpoise' (-z) *n.* מישקל נגדי
ounterpoise *v.* לאזן
oun'terproduc'tive *adj.* גורם לתוצאה הפוכה מהרצוי
oun'terrev'olu'tion (-r-r-) *n.* מהפכת-נגד
coun'tersign' (-sīn) *n.* סיסמה
countersign *v.* להוסיף חתימה
coun'tersink' *v.* להרחיב חור; לתחוב (בורג לבל יבלוט), לשקע
coun'terten'or *n.* טנור גבוה, אלט
coun'tervail' *v.* לפעול נגד; לאזן
countervailing *adj.* מאזן, נגדי
coun'terweight' (-wāt) *n.* מישקל נגד
coun'tess *n.* רוזנת
counting frame חשבונייה, אבאקוס
counting-house *n.* מדור חשבונות
countless *adj.* עצום, לאין ספור
coun'trified' (kun'trifīd) *adj.* קרתני, גס
coun'try (kun-) *n.* מדינה, עם, ארץ; אדמה, שטח
- go to the country ללכת אל העם, להכריז על בחירות
- the country איזורי הכפר, מחוץ לעיר
- unknown country שטח זר/לא מוכר
country *adj.* כפרי, של כפר
country club מועדון, קאנטריקלב
country cousin כפרי, תמים
country gentleman בעל אחוזה
countryman *n.* בן אותה ארץ; כפרי
country party מיפלגת עובדי-אדמה
country seat/house בית כפרי
countryside *n.* איזורי הכפר
coun'ty *n.* מחוז
county court בית-מישפט מחוזי
county town/seat עיר המחוז
coup (koo) *n.* צעד מזהיר, פעולה מוצלחת; הפיכה
- pull off a coup לעשות צעד יפה
coup de grace (koo'dəgräs') *n.* מכת-חסד, מהלומה סופית
coup d'etat (koo'dätä') הפיכה
coupe (koopā') *n.* כירכרה סגורה; מכונית דו-דלתית
coup'le (kup-) *n.* זוג
couple *v.* לקשר, לחבר, לשלב; להזדווג
- couple on לצרף, להוסיף, לחבר
coup'let (kup-) *n.* צמד חרוזים
coupling *n.* בריח (לחיבור כלי-רכב)
cou'pon' (koo'-) *n.* תלוש, טופס, קופון
cour'age (kûr-) *n.* אומץ-לב
- have the courage of conviction לפעול לפי מצפונו
- lose courage ליפול רוחו
- pluck up one's courage לאזור אומץ
- screw up one's courage לאזור אומץ
- summon up courage לאזור אומץ
- took his courage in both hands התאזר עוז
coura'geous (kərā'jəs) *adj.* אמיץ
courgette (koorzhet') *n.* קישוא
cou'rier (koo-) *n.* רץ, שליח; מלווה-תיירים
course (kôrs) *n.* התקדמות; מסלול, כיוון, דרך; קורס; מנה; סידרה; נידבך
- a golf course מיגרש גולף
- a matter of course דבר טיבעי
- course of drugs סידרת תרופות
- course of events מהלך האירועים
- in course of בתהליך-
- in course of time במרוצת הימים
- in due course, בבוא הזמן, בקרוב, בעיתו, בשעה הנכונה
- in the course of במרוצת-, במשך
- of course כמובן ש-, כמובן
- off course לא בכיוון הנכון
- on course בכיוון הנכון
- run/take its course להתפתח כרגיל, ללכת בדרכו
- stay the course להמשיך עד הסוף
course *v.* לזרום; לצוד ארנבות
courser *n.* סוס מהיר
courseware *n.* לומדה
coursing *n.* ציד-ארנבות
court (kôrt) *n.* חצר; בית-מישפט; ארמון-מלך; אנשי-החצר; קבלת-פנים
- court of appeals בית דין לעירעורים
- court of inquiry ועדת חקירה
- court of small claims בית מישפט לתביעות קטנות
- hold court לנהל מישפט/אסיפה; להתנהג כמלך
- pay court to לחזר אחרי
- put out of court לפסול (בבימ"ש)
- take to court לפתוח בהליכים
- tennis court מיגרש טניס

court *v.* לחזור אחרי
- court danger להסתכן ביותר
- court popularity לרדוף פירסומת
court-card *n.* קלף-מלך (מלכה, נסיך)
cour′te·ous (kûr′-) *n.* אדיב
cour′tesan (kôr′təzən) *n.* יצאנית, זונת-צמרת
cour′tesy (kûr′-) *n.* אדיבות
- by courtesy of באדיבותו של-
courtesy call ביקור נימוסין
courtesy light פנס פנימי (ברכב), אור כשהדלת נפתחת
courthouse *n.* בניין בית-המשפט
court′ier (kôrt-) *n.* חצרן, איש חצר
courting *adj.* מחזר, אוהב
court′ly (kôrt-) *adj.* מנומס, אצילי
court-martial *n.* בית-דין צבאי
court-martial *v.* לשפוט בבית-דין צבאי
court of law בית משפט
court order צו בית משפט
courtroom *n.* אולם מישפטים
courtship *n.* חיזור, תקופת החיזור
court shoe נעל אישה קלה
courtyard *n.* חצר
cousin (kuz′ən) *n.* דודן; קרוב
- first cousin דודן, בן-דוד
- second cousin דודן משנה, שלישי בשלישי
couture (kōōtoor′) *n.* הלבשה
couturier (kōōtoor′iər) *n.* מעצב אופנה
cove *n.* מיפרץ קטן, מיפרצון; *ברנש
cov′en (kuv-) *n.* כנס מכשפות
cov′enant (kuv-) *n.* חוזה; התחייבות; אמנה, ברית
- Ark of the Covenant ארון הברית
- covenant not to compete הסכם להימנע מתחרות
covenant *v.* להתחייב בכתב
Cov′entry *n.* קובנטרי (עיר)
- send to Coventry להחרים
cov′er (kuv-) *v.* לכסות; לסקר; לחפות על; להגן על; לכלול; לבטח
- 5 NIS will cover 5 שקלים יספיקו
- be covered with להתמלא, להתכסות
- cover 20 miles לעבור 20 מילים
- cover for him למלא מקומו
- cover in לסגור, לסתום
- cover oneself להמיט/להביא על עצמו
- cover over לכסות, לצפות
- cover up להסתיר, לכסות; לחפות
cover *n.* כיסוי, חיפוי; מיכסה; מעטפה; כריכה; שמיכה; מחסה; ביטוח; שולחן ערוך (לאיש אחד)
- break cover להגיח ממחבוא
- from cover to cover מא׳ עד ת׳
- take cover למצוא מחסה, להסתתר
- under cover בחשאי, בסוד
- under cover of במסווה של, בחסות
- under plain cover בלי ציון תוכן המישלוח ע״ג המעטפה
- under separate cover במעטפה נפרדת
cov′erage (kuv-) *n.* כיסוי; סיקור
cover charge דמי שירות במיסעדה
cover girl נערת-שער
covering *n.* כיסוי, מיכסה
covering letter מיכתב-הסבר

cov′erlet (kuv-) *n.* יסוי-מיטה
cover note וליסה זמנית
cover story תבת שער
co′vert *adj.* ודי, כמוס, נסתר
cov′ert (kuv-) *n.* ורשת-שיחים
- draw a covert סרוק חורשה
cover-up *n.* יסוי, חיפוי, אליבי
cov′et (kuv-) *v.* חמוד
cov′etous (kuv-) *adj.* מדני
cov′ey (kuv-) *n.* הקת-ציפורים
cow *n.* ירה; פילה; נקבה; *אישה
- till the cows come home לעד
cow *v.* הפחיד, לדכא
cow′ard *n.* חדן
cow′ardice (-dis) *n.* חדנות
cowardly *adj.* חדני, שפל
cowbell *n.* עמון-פרה
cowboy *n.* וקר, קאובוי
cowcatcher *n.* סיר מיכשולים (מיתקן לפני הקטר לפינוי מיכשולים)
cow college ידרשה חקלאית
cow′er *v.* השתוחח; להתכווץ בפחד
cowgirl *n.* וקרת
cowhand *n.* ועה-בקר
cowherd *n.* ועה-בקר
cowhide *n.* ור-פרה; שוט
cowl *n.* רדס, בורנס; כובע-המעשנה
cow′lick′ *n.* וצת-שיער, תלתלון
cowl′ing *n.* יפת המנוע (במטוס)
cowman *n.* ועה-בקר, בוקר, רפתן
co-worker *n.* בר לעבודה
cowpat *n.* לל, צואת פרה, רעי
cowpox *n.* אבעבועות הפרות
cowshed, cowhouse *n.* פת
cox, cox′swain′ *n.* הגאי-סירה
cox, coxswain *v.* השיט סירה
coxcomb *n.* נדרן, רברבן
coy *adj.* יישנית, מצטנעת
coyote (kīō′tē) *n.* אב-ערבות
coy′pu (-pōō) *n.* וטרייה (מכרסם)
coz′en (kuz-) *v.* הוציא במירמה
- cozen into פתות, לשדל
co′zy *adj.* וח, חמים
CPA=Certified Public Accountant
CPI מדד המחירים לצרכן
cps = characters per second
CPU יחידת עיבוד מרכזית
crab *n.* סרטן; *רגזן, נרגן
- catch a crab לפספס במכת-חתירה
crab *v.** לצוד סרטנים; למרר; *להתאונן, להטיל דופי
crab apple תפוח חמוץ
crab′bed *adj.* מר-נפש; לא-קריא
crab′by *adj.* רגזן, מר-נפש
crab louse כינת הערווה
crack *n.* סדק, בקיע; קול נפץ; צליף; מהלומה; הערה שנונה, בדיחה; קראק (סם)
- crack of dawn הפצעת השחר
- crack of doom אחרית הימים
- fair crack of the whip הזדמנות
- have a crack at לנסות
crack *v.* לסדוק; להיסדק; לפצח, להשמיע קול נפץ; להצליף; לפתוח
- crack a book לפתוח ספר (לקריאה)
- crack a bottle *לפתוח בקבוק

- crack a crib *לפרוץ לדירה
- crack a joke *לספר בדיחה
- crack a smile לחייך
- crack down לנקוט יד קשה נגד, לדכא
- crack him up לשבחו, להללו
- crack oil לזקק נפט
- crack open לפצח, לפרוץ; להיפתח
- crack up להתמוטט; להישבר; להתרסק
- get cracking להירתם לעבודה
- his voice cracked קולו נשבר; קולו התחלף
- not as it's cracked up to be *לא משובח כל כך, לא מי-יודע-מה

crack *adj.* מעולה, מצויין
crackbrained *adj.* מטורף
crack-down *n.* נקיטת יד קשה, דיכוי
cracked *adj.* מטורף
crack'er *n.* רקיק, מצייה; זיקוקין-די-נור; *חתיכה
crack'ers (-z) *adj.* *מטורף
crackers *n-pl.* מפצח-אגוזים
cracking plant בית-זיקוק
crack'le *v.* להשמיע קולות התפצחות
crackle *n.* קולות נפץ, נקישות
crackleware *n.* חרסינה מרושתת
crack'ling *n.* עור-חזיר צלוי
crackpot *n.* *מטורף
cracksman *n.* פורץ, גנב
crack-up *n.* *התמוטטות
cra'dle *n.* עריסה, ערש; פיגום; כן, מיתקן דמוי עריסה
- cradle of culture ערש-התרבות
cradle *v.* להשכיב (כאילו) בעריסה
craft *n.* אומנות; איגוד מיקצועי; ספינה, מטוס; ערמומיות
craftsman *n.* אומן, מומחה
craftsmanship *n.* אומנות
craft union איגוד מיקצועי
crafty *adj.* ערמומי
crag *n.* צוק, שן-סלע, ראש צור, מתלול
craggy *adj.* מסולע, מלא-סלעים; קשוח
crake *n.* עוף ארך-רגליים
cram *v.* לדחוס, לפטם; להתפטם
cram-full *adj.* מלא ודחוס
crammer *n.* מתפטם בלימודים; מפטם
cramp *n.* התכווצות שרירים, עווית
- cramps כאבי בטן עזים
- writer's cramp עווית סופרים
cramp *v.* לעצור, להגביל, להצר; לכווץ; להדק במלחצת
- cramp his style למנוע את יכולת התבטאותו הרגילה
cramp, cramp-iron *n.* מלחצת, כליבה
cramped *adj.* צר, צפוף
cram'pon *n.* מיטפסיים; מלקחי-הרמה
cran'ber'ry *n.* מין אוכמנית
crane *n.* עגורן; עגור (עוף)
crane *v.* לשרבב צוואר
crane fly "עכביש" ארך רגליים
cra'nial *adj.* של הגולגולת, גולגולתי
cra'nium *n.* גולגולת
crank *n.* ארכובה, מנוף; *טיפוס מוזר
crank *v.* לסובב, להתניע בארכובה
crankshaft *n.* גל, ידית הארכובה
cran'ky *adj.* מוזר; רעוע; רגזן
crannied *adj.* מלא חורים, מסודק

cran'ny *n.* נקיק, חור, סדק
crap *n&v.* *חרא; שטויות; לחרבן
crape *n.* סרט שחור (לאות אבל); קרפ
craps *n-pl.* מישחק קוביות
- shoot craps לשחק בקוביות
crash *v.* להתנגש; להתרסק; לנפץ; לנוע ברעש; להתפרץ; להתמוטט
- crash a party "להתפלח" למסיבה
crash *n.* רעש; התרסקות; התמוטטות
crash *adv.* בקול-נפץ, ברעש, טראח!
crash *adj.* מהיר, דראסטי, מאומץ
crash *n.* אריג גס (למגבות)
crash barrier מעקה-ביטחון
crash course קורס מזורז
crash diet דיאטת כאסאח
crash-dive *n.* צלילת-פתע
crash-dive *v.* לצלול צלילת-פתע
crash halt/stop עצירת פתאום
crash helmet קסדת-מגן
crashing *adj.* *מושלם, כביר
crash-land *v.* לנחות נחיתת אונס/חירום
crash-landing *n.* נחיתת אונס/חירום
crass *adj.* גס, גמור, מושלם
crate *n.* תיבה; *גרוטה, מכונית ישנה
crate *v.* לארוז בתיבה
cra'ter *n.* לוע-הר-געש; מכתש
cravat' *n.* עניבת-פרפר; צעיף-צוואר
crave *v.* להשתוקק ל-; להתחנן
cra'ven *n&adj.* פחדן, שפל
craving *n.* תשוקה
craw *n.* זפק; קיבה
craw'fish *n.* סרטן-הנהרות
crawl *v.* לזחול; לשרוץ; להתרפס
- it made my flesh crawl סמרמורת תקפתני, שערותי נסתמרו
crawl *n.* זחילה; שחיית חתירה
crawler *n.* *מתרפס, לקקן, זחלן
- crawlers מיצרפת-תינוק
cray'fish *n.* סרטן-הנהרות
cray'on *n.* עפרון-גיר, עפרון-צבע
crayon *v.* לצייר בעפרון-גיר
craze *v.* להטריף דעתו, לשגע; לסדוק
craze *n.* שיגעון האופנה
cra'zy *adj.* מטורף, משוגע
- crazy building בניין רעוע
- crazy paving מרצפת מגוונת
- work like crazy לעבוד כמו משוגע
creak *v&n.* לחרוק; חריקה
creaky *adj.* חורק, חרקני
cream *n.* שמנת; שומן; קצפת; קרם; קציפה; מישחה; עידית
- cream of society החברה הגבוהה
- cream of the cream עידית דעידית
cream *v.* להקציף; להוסיף שמנת; להסיר השמנת; לבשל בשמנת; *להביס
- cream off, לבחור, להוציא הטובים ביותר, לקחת לעצמו
cream *n&adj.* קרם (צבע); קרום
cream cheese גבינה שמנה
creamer *n.* כלי לשמנת
cream'ery *n.* מחלבה
cream puff עוגת-קצפת, פחזנית; חלש-אופי
cream tea תה מינחה (ארוחה)
creamy *adj.* כמו שמנת, שמן
crease *n.* קמט, קיפול

crease *v.* לקמט; להתקמט; לגהץ פס
cre•ate′ *v.* ליצור, לברוא; להעניק תואר; *להרעיש
- create a part לגלם דמות לראשונה
cre•a′tion *n.* בריאה; יצירה; עולם
- the Creation בריאת העולם
cre•a′tive *adj.* יוצר, חדשני
cre′a•tiv′ity *n.* יצירתיות, חדשנות
cre•a′tor *n.* יוצר, בורא
- the Creator הבורא
crea′ture *n.* יצור, יציר, ברייה; עבד נרצע
- creature comforts צרכים גשמיים
creche (kresh) *n.* פעוטון, מעון-תינוקות; תמונת ישו התינוק
cre′dence *n.* אמון
- attach credence to לתת אמון ב-
- letter of credence מיכתב-המלצה
cre•den′tial *n.* מיכתב-המלצה
- credentials כתב-האמנה
cred′ibil′ity *n.* אמון, אמינות
credibility gap פער אמון
cred′ible *adj.* מהימן, אמין
cred′it *n.* אמון; אשראי, הקפה; זכות; הערכה, כבוד; נקודת-זכות; קרדיט
- a credit to מקור-גאווה ל-
- buy on credit לקנות בהקפה
- do credit to להוסיף לשמו הטוב
- get credit לזקוף לזכותו
- give credit להעריך, לכבד, להאמין
- lend credit to לחזק האימון ב-
- letter of credit מיכתב-אשראי
- to his credit לזכותו יש לזקוף
credit *v.* להאמין; לזקוף לזכותו
- credit with לייחס ל-, להאמין
creditable *adj.* ראוי להוקרה
credit account חשבון הקפה
credit card כרטיס אשראי
credit note זיכוי, פתק זיכוי
creditor *n.* נושה, מלווה
credits *n-pl.* (תודה ל-) משתתפים
credit sales מכירות בהקפה
credit squeeze הגבלת אשראי
credit titles רשימת המשתתפים
credit union קופת תגמולים
credit-worthy *adj.* ראוי לאשראי
cre′do *n.* אמונה, דת
cre•du′lity *n.* פתיות, תמימות
cred′ulous (-j′-) *adj.* מאמין, תמים
creed *n.* אמונה, עקרונות-דת
creek *n.* נחל, פלג; מיפרצון
- up the creek *במצב ביש
creel *n.* סל לדגים
creep *v.* לזחול; להתגנב; לטפס
- creep in להתגנב פנימה
- it made my flesh creep שערותי הסתמרו, תקפתני סמרמורת
creep *n.* זחילה; *מתרפס, חלאת אדם
- give him the creeps להעביר בו צמרמורת
creeper *n.* צמח מטפס; זוחל
- creepers נעלי-גומי; מיצרפת-תינוק
creepy *adj.* מפחיד, מעורר סמרמורת
creepy crawly *חרק זוחל, שרץ
cre′mate *v.* לשרוף גופת-מת
cre•ma′tion *n.* שריפת מת
cre′mator′ium *n.* כיבשן, מישרפה
cre′mato′ry *n.* כיבשן, מישרפה
creme de la creme עידית שבעידית, הטוב ביותר
creme de menthe′ (-mint) *n.* מנתה (משקה)
cren′ela′ted *adj.* בעל חרכי-ירי
Cre′ole *adj&n.* קראולית (שפה)
crepe (krāp) *n.* מלמלה, קרפ
crepe rubber קרפ (לסוליות)
crep′itate′ *v.* להשמיע קולות-נפץ
crep′ita′tion *n.* קולות נפץ
crept = p of creep
cre•pus′cu•lar *adj.* של דימדומי ערב
cre•scen′do (-shen-) *adv.* קרשנדו, בעלייה; הולך וגובר
cres′cent *n.* חצי-סהר, קשת
cress *n.* צמח חריף-טעם
crest *n.* ציצת-נוצות, כרבולת; פיסגה; סמל (של פירמה)
- on the crest of a wave במרום הפיסגה
crested *adj.* מכותר, מעוטר, מצויץ
crestfallen *adj.* מדוכדך, מאוכזב
cre•ta′ceous (-shəs) *adj.* גירי, מכיל גיר
Crete *n.* כרתים
cre′tin *n.* מפגר, אידיוט, מיפלצת
cre′tinous *adj.* מפגר
cre′tonne′ *n.* קרטון (אריג כותנה)
cre•vasse′ *n.* סדק, בקיע
crev′ice (-vis) *n.* סדק, בקיע צר
crew (kroo) *n.* צוות
- ground crew צוות-קרקע
crew *v.* לפעול כצוות
crew cut תיספורת קצרה
crewman *n.* איש-צוות
crib *n.* מיטת-תינוק; תמונת ישו התינוק; איבוס; תיבה; מחסן, חדרון
crib *n.* העתקה, גניבה; תרגום
crib *v.* להעתיק, לגנוב; לכלוא, לסגור
crib′bage *n.* מישחק-קלפים
crib death מוות בעריסה
crick *n.* התכווצות שרירי העורף
crick *v.* לגרום להתכווצות כנ"ל
crick′et *n.* צרצר; קריקט
- not cricket לא הוגן, לא מכובד
cricketer *n.* שחקן קריקט
cri′er *n.* כָּרוֹז, מכריז; בכיין
cri′key *interj.* *קריאת הפתעה
crime *n.* פשע, פשיעה, חטא
crime sheet גליון התנהגות
crim′inal *adj.* של פשע, פלילי, פישעי
criminal *n.* פושע
criminal law דיני העונשין
criminal negligence רשלנות פושעת
criminal record עבר פלילי
crim′inol′ogist *n.* קרימינולוג
crim′inol′ogy *n.* קרימינולוגיה
crimp *v&n.* לסלסל (שיער), לקפל, לגהץ
- crimps שיער מתולתל
crim′son (-z-) *n&adj.* אדום, ארגמן
crimson *v.* להאדים, להסמיק
crimson lake צבע אדום
cringe *v.* להירתע, להתכווץ; להתרפס; *להיתקף גועל
crin′gle *n.* עניבת-חבל, עזק

crin′kle *n.* קמט, קיפול
crinkle *v.* לקמט; להתקמט
crinkly *adj.* מקומט; מתולתל, גלי
crin′oline (-lin) *n.* קרינולינה, שימלה רחבה; חישוק הקרינולינה
cripes (krīps) *interj.* *לעזאזל!
crip′ple *n.* נכה, בעל מום
cripple *v.* להטיל מום; לשבש, לפגוע
cri′ses = pl of crisis (-sēz)
cri′sis *n.* משבר, שעה גורלית
crisp *adj.* פריך; טרי, רענן, קר; מתולתל; מהיר, חד, ברור
crisp *n.* טוגן תפוח-אדמה
- burn to a crisp לשרוף (אוכל)
crisp *v.* לעשותו פריך; להתקשות
crisp′y *adj.* פריך, קשה, טרי, רענן
criss′cross′ (-rôs) *adv.* במצולב
crisscross *adj.* מצולב, מצטלב
crisscross *n.* שתי וערב, מעשה תשבץ
crisscross *v.* לְרַשֵת; להצטלב
cri·te′ria *n-pl.* קריטריונים
cri·te′rion *n.* קריטריון, קנה-מידה, אבן-בוחן
crit′ic *n.* מבקר; מוצא פגמים
crit′ical *adj.* קריטי, גורלי; ביקורתי
crit′icism′ *n.* ביקורתיות, ביקורת
crit′icize′ *v.* למתוח ביקורת, לבקר
critique′ (-tēk) *n.* מאמר-ביקורת
crit′ter *n.* *יצור, בריה
croak *n.* צריחה, קירקור
croak *v.* לקרקר, לדבר בקול צרוד; לנבא רעות; *למות
Cro·a′tia (-′shə) *n.* קרואטיה
cro·chet′ (-shā′) *n.* צנירה
crochet *v.* לסרוג בצינורית
crochet-hook *n.* צינורית
crock *n.* כלי-חרס; חרס
crock *n&v.* *"סוס מת", גרוטה
- crock up *להיחלש; לקלקל
crock′ery *n.* כלי-חרס
croc′odile′ *n.* תנין; טור ילדים
crocodile tears דמעות תנין
cro′cus *n.* כרכום (צמח)
croft (krôft) *n.* חווה קטנה
crofter *n.* אריס, חוכר
croissant (krwäsäng′) *n.* קרואסון, סהרון, סהרית
crom′lech (-lek) *n.* יד, גלעד
crone *n.* זקנה בלה
cro′ny *n.* ידיד, חבר
crook *n.* מקל רועים; כיפוף, עיקום; *נוכל
- on the crook *במירמה
crook *v.* לכופף, לעקם; להתעקם
crookbacked *adj.* גיבן
crook′ed *adj.* עקום; *רמאי
croon (-ōōn) *v.* לזמזם, לזמר
crooner *n.* זמר שירי-נשמה
crop *n.* יבול, תוצרת; קבוצה, צרור; זפק; שוט, ידית-השוט; תיספורת קצרה
- under crop בעיבוד
crop *v.* ללחוך; לגזוז, לספר; לנטוע, לזרוע; להניב
- crop up/out לבצבץ, להופיע, לעלות
crop-dusting *n.* ריסוס שדות
cropper *n.* מוציא יבול; צמח מניב
- come a cropper להיכשל, ליפול
cro·quet′ (-kā′) *n.* קרוקט (מישחק)
cro·quette′ (-ket) *n.* קציצה
cro′sier (-zhər) *n.* שרביט הבישוף
cross (krôs) *n.* צלב; ייסורים; בן-כילאיים, תערובת; צומת
- bear one's cross לשאת סיבלו
- on the cross באלכסון
- take the cross לצאת למסע צלב
- took up his cross סבל בדומייה
cross *v.* לחצות; להעביר קו; להצליב; להצטלב; להכשיל; להתנגד, להרגיז
- cross a check לשרטט צ'ק
- cross his palm לשלם, לשחד
- cross his path לפגוש, להיתקל ב-
- cross my heart *בהן צדק
- cross off/out לבטל, למחוק
- cross one's mind לחלוף במוחו
- cross oneself להצטלב
- cross swords להתנצח
- cross the t's and dot the i's לדקדק ביותר
- cross up *לבלבל, לשבש; להונות
- crossed in love אהבתו הכזיבה
- keep one's fingers crossed להחזיק אצבעות, "להתפלל"
cross *adj.* כועס, רוגז; מנוגד, נגדי
- as cross as two sticks מלא זעם
cross action תביעה נגדית
crossbar *n.* משקוף-השער; מוט רוחב
crossbeam *n.* קורה
cross-bencher *n.* ציר בלתי-תלוי
crossbenches *n-pl.* מושבי הלא-תלויים
crossbones *n-pl.* עצמות מצליבות
- skull and crossbones סמל המוות, גולגולת עם עצמות
crossbow *n.* קשת (עתיקה)
crossbred *adj.* מוצלב, מוכלא
crossbreed *n.* מוצלב, בן-כלאיים
crossbreed *v.* להצליב, להכליא
cross-check *n.* אימות (בשיטה שונה)
cross-check *v.* לאמת, לוודא
cross claim תביעה נגדית
crosscountry *adj.* דרך שדות
cross-cultural *adj.* של תרבויות שונות
crosscurrent *n.* זרם נגדי
crosscut *n.* חיתוך אלכסוני
crosscut saw משור לנסירת עץ
crosse (krôs) *n.* מחבט
crossed check צ'ק מסורטט
cross-examination *n.* חקירה נגדית, חקירת שתי וערב, חקירה צולבת
cross-examine *v.* לחקור חקירה נגדית
cross-eyed *adj.* פוזל
cross-fertilization הצלבה
cross-fertilize *v.* להצליב
cross-fire *n.* אש צולבת
cross-grained *adj.* עקשן, קשה לרצותו; (עץ) שסיביו רוחביים
cross-hatch לקוקוו קטע (ברישום)
cross-heading *n.* כותרת-מישנה
cross-index *v.* להוסיף (בספר) מפתח של מראי-מקומות
crossing *n.* חצייה, מיצלב; הצטלבות, תיצלובת
- level crossing צומת (ללא גשר)

- street crossing מעבר-חצייה
cross-legged *adv.* ברגליים שלובות, ישוב רגל על רגל
crossover *n.* צומת; מעבר חצייה; מסילת-עיתוק
crosspatch *n.* *רגזן, כעסן
cross-piece *n.* קורת-רוחב
cross-pollinate *v.* להצליב
cross-purpose *n.* מטרה מנוגדת
- be at crosspurposes לטעות בכוונת הזולת; מטרותיהם מנוגדות
cross-question *v.* לחקור חקירת שתי וערב
cross-reference *n.* מראה-מקום
crossroad *n.* רחוב חוצה
crossroads *n.* צומת, מיצלב
- at the crossroads על פרשת-דרכים
cross-section *n.* חתך-רוחב
cross-stitch *n.* תפר מצולב
cross-talk *n.* ציחצוח-מלים; הפרעה
crosstree *n.* קורת-רוחב (בתורן)
crosswalk *n.* מעבר-חצייה, תחצה
crosswind *n.* רוח רוחבית; רוח צד
crosswise *adv.* לרוחב, במצולב
crossword puzzle תשבץ
crotch *n.* מיסעף (בעץ); מיפשעה
crotch'et *n.* רבע תו; רעיון מוזר
crotch'ety *adj.* מוזר ברעיונותיו; רגזן
crouch *v.* להתכופף; להתכורץ
crouch *n.* התכופפות, התקפלות
croup (kro͞op) *n.* עכוז; אסכרה
croupier (kro͞o'piər) *n.* קופאי, קרופייה
crou'ton (kro͞o'ton) *n.* קרוטון, קוביית לחם קלויה
crow (-ō) *n.* עורב; קריאת תרנגול
- as the crow flies בקו ישר
- had to eat crow *נאלץ להודות שטעה, "אכל אותה"
- has a crow to pluck עליו לשוחח על דבר לא נעים
crow *v.* לקרוא, לקרקר; להתרברב
- crow over לצהול על
crowbar *n.* קנטר, מוט-הרמה
crowd *n.* קהל; חבורה; ערימה
- above the crowd משיכמו ומעלה
- follow the crowd ללכת בתלם
- the crowd ההמון, הציבור
- would pass in a crowd יעבור אם לא ידקדקו בו
crowd *v.* למלא; להצטופף; לדחוס; *ללחוץ על, לנגוש
- be crowded out להישאר בחוץ (מחוסר מקום)
- crowd in לדחוס; להידחק
- crowd round להתקהל סביב-
- crowd sail להניף עוד מיפרשים
crowded *adv.* צפוף, דחוס, מלא
crown *n.* כתר; זר, עטרה; מלך, שילטון; ראש, פיסגה, גולת-הכותרת
- succeed to the crown לעלות לכס-המלוכה
crown *v.* להכתיר, לעטר (ראש, פיסגה); לשים כתר על שן
- crowned with success מוכתר בהצלחה
- to crown it all לא זו אף זו, השיא הוא-
crown cap פקק (ממתכת)
crown colony מושבת-כתר
crowned head מלך, מלכה
crowning *adj.* משלים, מביא לשלימות
crown prince יורש-עצר, נסיך הכתר
crow's feet קמטים (בצידי העיניים)
crow's nest תא-תצפית (בראש התורן)
cro'zier (-zhər) *n.* שרביט הבישוף
cru'cial *adj.* מכריע, קריטי
cru'cible *n.* כור-היתוך; מיבחן רציני
cru'cifix' *n.* צלב
cru'cifix'ion (-kshən) *n.* צליבה
- the Crucifixion צליבת-ישו
cru'ciform' *adj.* מצולב, דמוי-צלב
cru'cify' *v.* לצלוב
crud *n.* *פסולת, דבר מאוס
crude *adj.* גס; לא-מעובד
- crude facts העובדות כמות שהן
crude *n.* נפט גולמי; *שטויות
cru'dity *n.* גסות, גולמיות
cru'el *adj.* אכזרי
cru'elty *n.* אכזריות, התאכזרות
cru'et *n.* בקבוקון, צינצנת
cruet stand מערכת צינצנות
cruise (kro͞oz) *n.* הפלגה, שיוט
cruise *v.* לשייט; לנוע במהירות בינונית
cruise missile טיל שיוט
cruiser *n.* סיירת, ספינת-קרב
- cabin cruiser סירת-טיולים
cruising speed מהירות חסכונית
crumb (-m) *n.* פירור; תוך הלחם
crum'ble *v.* לפורר, לפותת; להתפורר, להימוג
crumbly *adj.* פריר, פריך
crum'my *adj.* *גרוע, רע, דל
crum'pet *n.* לחמניה קלויה; *חתיכה
crum'ple *v.* לקמט; להתקמט
- crumple up למוטט; להתמוטט
crunch *v.* ללעוס; לגרוס; לחרוק
crunch *n.* לעיסה, קול חריקה
- when it comes to the crunch *בהגיע השעה המכרעת
crun'chy *adj.* פריך, ניתן לפוררו
crup'per *n.* רצועת-הזנב; עכוז
cru·sade' (kro͞o-) *n.* מסע-צלב
crusade *v.* לערוך מסע-צלב
crusader *n.* צלבן, לוחם
cruse (-z) *n.* צפחת, כד
crush *v.* למעוך, למחוץ; לדחוס; לדכא, לחסל; לקמט; להתקמט
- crush into להידחק ל-
- crush out לסחוט
- crush up לכתוש
crush *n.* דוחק, הצטופפות; מיץ
- get a crush on *להתאהב ב-
crush barrier מחסום, מעקה
crushing *adj.* מוחץ, מכריע, נִיצַחַת
crust *n&v.* קרום, קליפה; לקרום, להקרים
- crust over לקרום, להגליד
crus·ta'cean (-shən) *n.* סרטן
crust'ed *adj.* נוקשה, עתיק; מושרש
crust'y *adj.* קשה-קליפה; קשוח, רגזן
crutch *n.* קב; מישענת; מיפשעה
crux *n.* לב הבעייה, עיקר (הקושי)
cry *v.* לבכות, לצעוק; לקרוא; להכריז על
- cry (out) for לזעוק, לשווע, לדרוש

- cry down להמעיט ב-, לזלזל ב-

- cry for the moon לדרוש את הבלתי אפשרי

- cry off למשוך ידו מן, לסגת

- cry one's eyes out למרר בבכי

- cry one's heart out למרר בבכי

- cry oneself to sleep להירדם תוך בכי

- cry out לצעוק

- cry out against להתמרמר על

- cry up להלל, לשבח

cry *n.* קריאה; צעקה, זעקה; בכי; סיסמה

- a far cry אין להשוות כלל

- great cry and little wool ההר הוליד עכבר, הרבה זמר ומעט צמר

- have a good cry להתפרק ע״י בכי

- in full cry נובח, מתקיף קשות

- within cry לא רחוק, במרחק-שמיעה

crybaby *n.* בכיין

crying *adj.* משווע, דחוף, בולט לעין

crypt *n.* אולם תת-קרקעי, קריפטה

cryp′tic *adj.* סודי, נסתר, כמוס

cryp′to- (תחילית) סודי, נסתר

cryp′togram′ *n.* הודעה בצופן, כתב-סתרים

cryptog′raphy *n.* כתב-סתרים

crys′tal *n.* בדולח; גביש, קריסטל; זכוכית-השעון

- crystal clear צלול; ברור, מובן

crystal gazing הגדת-עתידות בעזרת כדור-בדולח

crys′talline (-lən) *adj.* בדולחי, צח

crys′talliza′tion *n.* גיבוש

crys′tallize′ *v.* לגבש; להתגבש; להתבדלח; לצפות בסוכר, לזגג

crystal set מקלט גבישים

cu. = cubic

cub *n.* גור; צופה; פירחח; טירון

Cu′ba *n.* קובה

cub′by-hole′ *n.* מקום סגור ונוח

cube *n.* קובייה; חזקה שלישית

cube *v.* לעקב, להעלות בחזקה השלישית

cube root שורש מעוקב

cu′bic *adj.* מעוקב, דמוי-קובייה

cu′bical *adj.* דמוי-קובייה

cu′bicle *n.* חדרון, תא

cu′bism′ *n.* קוביזם (באמנות)

cu′bist *n.* אמן קוביסטי

cu′bit *n.* אמה (מידת-אורך)

cub reporter עיתונאי טירון

cuck′old *n.* בעל אישה בוגדת

cuckold *v.* להצמיח קרניים

cuckoo (kōō′kōō) *n.* קוקיה; *טיפש

cuckoo clock שעון קוקיה

cu′cum′ber *n.* מלפפון

cud *n.* גירה

- chew the cud להרהר, לשקול היטב

cud′dle *v.* ללטף; להתגפף

- cuddle up להצטנף; לשכב בנוחיות

cuddle *n.* ליטוף, גיפוף, חיבוק

cuddly, cuddlesome *adj.* לטיף, שנעים ללטפו

cud′gel *n.* אלה; מקל עבה

- take up the cudgels for להילחם, לצאת למאבק למען

cudgel *v.* להכות, להלום

- cudgel one's brains לשבור את הראש

cue (kū) *n&v.* אות (לשחקן שעליו להתחיל), רמז, דוגמה, מופת; מקל ביליארד

- cue in לסמן (לשחקן) שתורו לשחק; לעדכן במידע

- follow his cue לקחת דוגמא מ-

- take one's cue from להתנהג כמו, לקחת דוגמא מ-

cuff *n.* שולי-השרוול; חפת-המיכנס

- cuffs *אזיקים

- off the cuff מניה וביה, ללא הכנה

- on the cuff *באשראי, בהקפה

cuff *n&v.* לסטור; סטירה

cuff link כפתור-חפתים

cuirass′ (kwir-) *n.* שיריון חזה

cuisine (kwizēn′) *n.* בישול, טבחות

cul′-de-sac′ *n.* מבוי סתום

cul′inar′y (-neri) *adj.* של בישול

cull *v.* לברור, ללקט; לקטול החלשים

cull *n.* המתת החלשים; חיה קטולה

cul′lender *n.* מיסננת

cul′minate′ *v.* להסתיים, להגיע לשיא

cul′mina′tion *n.* שיא, פיסגה

culottes (kūlots′) *n-pl.* חצאית-מיכנסיים

cul′pa *n.* אשמה, רשלנות

cul′pabil′ity *n.* אשמה

cul′pable *adj.* ראוי לעונש, אשם

culpable negligence רשלנות פושעת

cul′prit *n.* נאשם, פושע

cult *n.* פולחן, כת

cul′tivable *adj.* בר-עיבוד

cul′tivate′ *v.* לעבד; לפתח, לטפח; לטפח יחסי ידידות

cultivated *adj.* מנומס, תרבותי

cul′tiva′tion *n.* עיבוד, טיפוח

cul′tiva′tor *n.* קלטרת, מתחחה

cul′tural (-′ch-) *adj.* תרבותי

cul′ture *n.* פיתוח; עיבוד; תרבות; גידול בעל-חיים, תרבית, תירבות

cultured *adj.* מעובד, תרבותי

cul′vert *n.* תעלה, צינור תת-קרקעי, מיפלש מים

cum- *prep.* יחד עם

cum′ber *v.* להכביד, להעמיס

cumbersome *adj.* מגושם, מסורבל

cum′brous *adj.* מגושם, מסורבל

cum′in *n.* כמון (צמח)

cum′merbund′ *n.* אבנט, חגורה

cu′mu·lative *adj.* מצטבר

cu′mu·lus *n.* קומולוס, ענן-ערימה

cu′ne·iform′ *n.* כתב-היתדות

cun′ning *adj.* ערום, פיקח; חמוד

cunning *n.* ערמומיות; כישרון

cunt *n.* *נקבה; נרתיקה; טיפש

cup *n.* ספל; גביע; כוס, גורל

- cup of sorrow כוס-היגונים

- in one's cups בגילופין

- not my cup of tea *לא לטעמי

cup *v.* לחפון, להקיף בכף היד; להצמיד כוסות-רוח

cupbearer *n.* שר המשקים, מלצר

cupboard (kub′ərd) *n.* מיזנון, ארון

cupboard love אהבה התלויה בדבר

cup final גמר הגביע

cup′ful′ (-fool) *n.* מלוא הספל
Cu′pid *n.* קופידון, סמל האהבה
cu·pid′ity (kū-) *n.* חמדנות
cu′pola *n.* כיפת-גג
cup′pa *n.* *ספל תה
cup′ping *n.* הצמדת כוסות-רוח
cupping-glass *n.* כוס-רוח
cu′pric *adj.* נחושתי
cup-tie *n.* מישחק גביע
cur *n.* כלב; פחדן, נבזה
cu′rabil′ity *n.* רפיאות
cu′rable *adj.* שניתן לרפאו, רפיא
cu′racau′ (-sou) *n.* קורסאו (ליקר)
cu′racy *n.* מעמד-הכומר, כמורה
cu′rate *n.* כומר
cu′rative *adj.* מְרַפֵּא, של מַרְפֵּא
cu·ra′tor (kyoo-) *n.* ממונה, מנהל, מפקח
curb *n.* רסן; אבן-שפה
curb *v.* לרסן, לבלום
curb service שירות לנוסעים ברכב
curd *n.* קום, גוש חלב חמוץ
cur′dle *v.* להקריש, להקפיא; להתגבן
cure *n.* ריפוי; תרופה; מישרת כומר
cure *v.* לרפא; לתקן; לשמר (מזון)
- cure of bad habits להחזיר למוטב
- cure unemployment לחסל אבטלה
cure-all *n.* תרופת-פלא
cur′few (-fū) *n.* עוצר; שעת כיבוי אורות
Cu′ria *n.* האפיפיור וצוות עוזריו
cu′rio′ *n.* חפץ עתיק, דבר נדיר
cu′rios′ity *n.* סקרנות; דבר נדיר
cu′rious *adj.* סקרן; מוזר; נדיר
- curiously enough מוזר, אבל-
curl *n.* תלתל, סליל, סילסול
- curl of the lips עיוות הפה בבוז
curl *v.* לסלסל; להסתלסל; להתאבך
- curl up להתפתל, להצטנף; למוטט
curler *n.* גלגילון-סילסול (לשיער)
cur′lew (-lo͞o) *n.* עוף ארך-מקור
cur′licue′ (-kū) *n.* סילסול (מתחת לחתימה)
curling irons/tongs צבת-סילסול (לסילסול השיער או להחלקתו)
curling-pins מכבנות
curly *adj.* מסולסל, מתולתל
cur·mud′geon (-jən) *n.* קמצן, רע
cur′rant (kûr-) *n.* דמדמנית, צימוק
cur′rency (kûr-) *n.* נוהג, תפוצה; מחזור; מטבע, כסף
- gain currency להתהלך, להיות מופץ
- give currency to לפרסם, להפיץ
cur′rent (kûr-) *adj.* שוטף, נוכחי; במחזור
current *n.* זרם; מהלך; תהליך; מגמה
- current of thought נטייה כללית
current account חשבון עובר ושב
current assets רכוש שוטף
currently *adv.* בימים אלה, כיום
curric′u·lum *n.* תוכנית לימודים
curriculum vi′tae (-tī) תולדות חיים (תיאור קצר)
cur′rish (kûr-) *adj.* נבזה, פחדן, שפל
cur′ry (kûr-) *v.* לקרצף, לעבד עורות
- curry favor להחניף, לכרכר לפני
curry *n.* קארי, תבשיל (בשר) חריף

curry *v.* לתבל בקארי
currycomb *n.* קרצפת, מגרדת
curse *n.* קללה; *וסת
- not care a curse *לא איכפת כלל
- under a curse מקולל, ארור
curse *v.* לקלל
- cursed with נגוע ב-, סובל מ-
cursed *adj.* ארור
cur′sive *adj.* קורסיבי, רהוט, שוטף
cur′sor *n.* סמן (על מסך מחשב)
cur′sory *adj.* שיטחי, מהיר, קצר
curst *adj.* ארור
curt *adj.* קצר, מדבר קצרות, גס
curtail′ *v.* לקצץ, להפחית
curtailment *n.* קיצוץ, הפחתה
cur′tain (-tən) *n.* מסך, וילון
- curtains *מוות; אסון
- draw a curtain over להטיל איפול
curtain *v.* לוולן, לכסות בווילון
- curtain off לחייץ בווילון
curtain call הופעת השחקנים בסיום ההצגה
curtain raiser מערכון (לפני ההצגה)
curt′sey *n.* קידה, מיכרוע
curtsey *v.* לקוד קידה
curt′sy *n.* קידה, מיכרוע
curtsy *v.* לקוד קידה
cur·va′ceous (-shəs) *adj.* *חטובה, מושכת
cur′vature *n.* עקמומיות
curve *v.* לעקם; להתעקם, לנטות
curve *n.* קו עקום; סיבוב, פנייה
- throw a curve להטיל כדור מסובב
cur′vy *adj.* רב עיקולים; חטובה
cush′ion (koosh′ən) *n.* כר
cushion *v.* לרפד; להפחית, לרכך
- cushioned against מוגן, מחוסן מפני
cush′y (koo-) *adj.* *נוח, קל
cusp *n.* חוד, קצה חד
cus′pidor′ *n.* רקקית, מרקקה
cuss *n.* *ברנש, טיפוס; קללה
cuss *v.* *לקלל
cuss′ed *adj.* *עקשן, ארור
cus′tard *n.* רפרפת ביצים, חביצה
custard pie עוגת קצפת
custo′dial *adj.* תחת השגחה
custo′dian *n.* ממונה; אפיטרופוס
cus′tody *n.* פיקוח, השגחה; שמירה, מישמרת; מישמורת; מעצר
- give into custody להסגיר למשטרה
- take into custody לעצור
cus′tom *n.* מינהג, הרגל, נוהג; קנייה קבועה; לקוח קבוע
custom- *adj.* לפי הזמנת הלקוח
- custom-built מורכב לפי הזמנה
- custom-made תפור לפי הזמנה
cus′tomar′ily (-mer-) *adv.* כנהוג
cus′tomar′y (-meri) *adj.* נהוג, מקובל
cus′tomer *n.* לקוח, קונה; *טיפוס
- an odd customer טיפוס מוזר
custom house בית-המכס
customize *v.* להתאים לדרישות הקונה, לייצר לפי הזמנה
customs *n.* מכס
customs duty מכס
customs union הסכם מכס

cut *v.* לחתוך, לקצור, לקצץ; לחצוב; לפצוע; לנתק; להיחתך; להפסיק
- cut a ball להטיל כדור מסובב
- cut a corner לעשות קפנדריא
- cut a record להוציא תקליט
- cut across לחצות; לסתור, לנגוד
- cut and run *לברוח, להסתלק
- cut at לכוון מכה חדה, להכות
- cut away לחתוך, להסיר
- cut back לגזום, לקצץ
- cut both ways לפעול בשני הכיוונים, להוות חרב-פיפיות
- cut corners לחסוך בהוצאות
- cut down לכרות, לגדוע; לקצץ, להפחית; להרוג; לפצוע
- cut down to size *להעמידו במקומו, להנמיך קומתו
- cut him dead להתעלם מ-, להתנכר
- cut in להתפרץ, להפריע; לעקוף בצורה מסוכנת, לחתוך פנימה
- cut it fine לחשב במדוייק, להשאיר המינימום הדרוש
- cut it out! הפסק!
- cut loose/free להתיר; לשחרר
- cut no ice לא להשפיע, לא להרשים
- cut off לחתוך; לנתק, לבודד; להפסיק; לשלול ירושה
- cut one's losses למנוע עוד הפסדים, לבלום הדרדרות כספית
- cut one's teeth להצמיח שיניים
- cut one's teeth on לרכוש ניסיון
- cut open לפתוח, לסדוק
- cut out לגזור; לחצוב; להפסיק; להפסיק לפעול; לסלק, להביס; "לחתוך" החוצה (בנסיעה)
- cut out dead wood לסלק דברים מיותרים (לשם ייעול)
- cut out for "תפור ל-", מתאים ל-
- cut school להיעדר מבית-ספר
- cut short לקצץ, להפסיק, לשסע
- cut the ground from under him להשמיט הקרקע מתחת לרגליו
- cut to pieces לקרוע לגזרים
- cut to the quick לפגוע עמוקות
- cut up לקצוץ; להרוס; לקטול; לפגוע; להשתולל, להשתטות
- cut up rough *לזעום, להתרגז
- cut up well להניח ירושה הגונה
- cut! קאט! הפסק! (שאגת הבמאי)

cut *n.* חתך; חיתוך, פצע; נתח; קיצוץ; גיזרה; פגיעה; גֵז
- a cut above *למעלה מ-, טוב מ-
- cut and thrust ציחצוח-מלים, ריב
- give the cut direct להתנכר לו
- short cut דרך קצרה, קפנדריא

cut *adj.* חתוך, קצוץ, מוזל
- cut and dried קבוע מראש, מגובש
- cut price/rate במחיר מוזל

cu·ta'ne·ous *adj.* של העור
cutaway *n.* מעיל זנב, פרק
cutback *n.* צימצום, הפחתה, קיצוץ
cute *adj.* פיקח; *חמוד, נחמד
cut glass זכוכית מעוטרת
cu'ticle *n.* עור קשה (בציפורן)
cut'lass *n.* פיגיון, חרב קצרה
cut'ler *n.* מוכר סכינים
cut'lery *n.* סכו"ם, כלי-אוכל
cut'let *n.* פרוסת-בשר, קציצה
cutoff *n.* קיצוץ; מפסק; וסת-זרם; קיצור דרך
- cut-offs מיכנסיים חתוכים

cut-out *n.* מפסק חשמלי; קטע גזור
cut'purse' *n.* כייס, גונב ארנקים
cut'ter *n.* סירה מהירה; גזרן; מיגזרי-תיל; מַקֵד
cut'throat' *n.* רוצח
cutthroat *adj.* אכזרי, חסר-רחמים
cutthroat razor סכין-גילוח פתוח
cutting *n.* מעבר חצוב; קטע-עיתון, תגזיר; ייחור; עריכת סרטים
cutting *adj.* חד, פוגע, עוקץ
cutting-edge *adj.* חלוץ, מתקדם
cutting room חדר-עריכה (לסרט)
cut'tle-fish' *n.* דיונון
CV. קורות חיים
cwt = hundredweight
cy'anide' *n.* ציאניד (רעל)
cy'bernet'ics *n.* קיברנטיקה
cy'berspace' *n.* עולם המחשב, מציאות מדומה
cy'clamate' *n.* ציקלמאט
cyc'lamen *n.* רקפת (צמח)
cy'cle *n.* מעגל, מחזור, תקופה; קובץ-שירים; אופניים
cycle *v.* לרכוב על אופניים
cycle track מסלול לרוכבי אופניים
cycleway *n.* מסלול לרוכבי אופניים
cy'clic, cy'clical *adj.* מחזורי
cy'clist *n.* אופנן, רוכב-אופניים
cy'clone *n.* ציקלון (סערה)
Cy·clo'pe·an *adj.* ענקי
cy'clope'dia *n.* אנציקלופדיה
cy'clops *n.* ציקלופ (ענק)
cy'clostyle' *n.* מכונת-שיכפול
cyclostyle *v.* לשכפל
cy'der = cider
cyg'net *n.* ברבור צעיר
cyl'inder *n.* גליל, צילינדר
- on all cylinders במלוא הקיטור

cylin'drical *adj.* גלילי
cym'bals *n-pl.* מצילתיים
cyn'ic *n.* ציני, לגלגן
cyn'ical *adj.* ציני, לעגני
cyn'icism' *n.* ציניות; הערה לעגנית
cy'nosure' (-shoor) *n.* מוקד-ההתעניינות
cy'pher = cipher
cy pres (sī prā') בקירוב עד כמה שאפשר, ביצוע צוואה לפי כוונה כללית
cy'press *n.* ברוש (עץ)
Cy'prus *n.* קפריסין
cyst *n.* ציסטה, שלפוחית, כיסתה, שלחוף
cys'tic fi·bro'sis סיסטיק פיברוזיס, לייפת כיסתית
cysti'tis *n.* דלקת שלפוחית-השתן
cy·tol'ogy *n.* חקר-התאים
czar (zär) *n.* צאר
czari'na (zärē'-) *n.* אשת הצאר
Czech (chek) *n.* צ'כי; צ'כית
Czech'oslova'kia (chek-vä'-) *n.* צ'כוסלובקיה
Czech Republic צ'כיה

D

D רה (צליל)
- 3D = 3 dimensional
'd, he'd = he would, he had
DA תובע מחוזי, תסרוקת ברווז
dab *v.* לטפוח, לנגוע קלות, למרוח
dab *n.* נגיעה, טפיחה; מעט, קורטוב
- dabs *טביעת אצבעות
dab *n.* מין דג שטוח; *מומחה
- a dab hand *מומחה, מיומן
dab'ble *v.* לטפוח במים, להתיז
- dabble in להתעסק בשיטחיות ב-; לעסוק בדבר כבתחביב
dabbler *n.* חובבן, שיטחי
da ca'po (dä kä-) מהתחלה
dace *n.* סוג דג קטן
dachshund (dak'sənd) *n.* תחש (כלב)
dac'tyl (-təl) *n.* דאקטיל, מרים
dad *n.* *אבא
dad'dy *n.* *אבא
daddy-longlegs עכביש ארך-רגליים
da'do *n.* חלק הקיר התחתון
dae'mon = demon (dē'-) *n.* שֵׁד
daf'fodil' *n.* נרקיס
daf'fy *adj.* *טיפשי
daft *adj.* *טיפש, טיפשי
- daft as a brush *טיפש כמו קרש
dag'ger *n.* פגיון, חרב; צלבון (סימן)
- at daggers drawn עומד להיאבק
- look daggers at לנעוץ מבט זועם
- shoot daggers at לנעוץ מבט זועם
da'go *n.* *איטלקי, ספרדי, פורטוגלי
daguerre'otype' (-ger'ət-) *n.* דאגרוטייפ (שיטת צילום)
dahl'ia (dal-) *n.* דליה (צמח)
dai'ly *adj.* יומי, יומיומי
daily *adv.* יום-יום, מדי יום, יומית
daily *n.* יומון, עיתון; *עוזרת-בית
daily bread לחם-חוקו; פרנסה
daily dozen התעמלות יומית
dain'ty *n.* מעדן, מאכל טעים
dainty *adj.* טעים; עדין, יפה; ברנן, אנין
dair'y *n&adj.* מחלבה, חנות למוצרי חלב; של (מוצרי) חלב
dairy cattle פרות חלב, חולבות
dairy farm משק חלב
dairy farming חלבנות
dairying *n.* חלבנות, ניהול מחלבה
dairymaid *n.* פועלת-מחלבה
dairy-man *n.* חלבן, בעל מחלבה
dais *n.* דוכן, בימה
dai'sy (-zi) *n.* חיננית (פרח)
- pushing up the daisies *מת, שוכב בקבר
daisy wheel ראש מניפה, גלגל הדפסה
dale *n.* עמק, בקעה
dal'liance *n.* אהבהבים, פלירט
dal'ly *v.* להתבטל, להתמזמז; להתעסק, לפלרטט
- dally with an idea להשתעשע ברעיון
Dal·ma'tian (-shən) *n.* כלב דלמאטי
dam *n.* סכר; אם (בבעלי-חיים)
dam *v.* לסכור, לבנות סכר
- dam up לסכור; לבלום, לרסן
dam'age *n.* נזק, הפסד
- actual damages פיצויים ממשיים
- consequential damages פיצויים לנזק עקיף
- damages דמי-נזק, פיצויים
- exemplary damages פיצויים לדוגמה
- liquidated damages פיצויים מוסכמים (בחוזה)
- nominal damages פיצויים סימליים
- punitive damages פיצויי עונשין
- war damages נזקי מלחמה
- what's the damage? כמה לשלם? מה הנזק?
damage *v.* לגרום נזק ל-, להזיק
dam'ascene' *adj.* מעוטר, מקושט
Damas'cus *n.* דמשק
dam'ask *n.* אריג מעוטר, בד משי
damask *adj.* מעוטר; ורוד; דמשקי
dame *n.* אישה, גברת, אצילה
Dame Fortune אלילת הגורל
dame school בית-ספר פרטי (המנוהל ע"י אישה)
dam'fool (-fo͞ol) *adj.* *מטומטם, טיפשי
damn (dam) *v.* להשליך לגיהינום; לגנות, לקטול; להרוס, לקלל
- I'll be damned! תיפח רוחי!
- damn it (all)! *לעזאזל!
- damn with faint praise לשבחו בקול ענות חלושה, לגנות
damn *n.* קללה
- not give a damn לא איכפת כלל
- not worth a damn לא שווה כלום
damn *adj&adv.* *ארור; לעזאזל
- damn all *כלום, שום דבר, אפס
- knows damn well ועוד איך יודע!
dam'nable *adj.* *שנוא, ארור
dam·na'tion *n.* קללה, דין גיהינום
- damnation take you! *לך לעזאזל!
damned (damd) *adj.* *ארור
- damned hot *חם מאוד, לוהט
- do one's damnedest *לעשות כל שביכלתו
Dam'ocles (-lēz) *n.* דמוקלס
- sword of Damocles חרב דמוקלס, סכנה מרחפת
damp *adj.* לח, רטוב
damp *n.* לחות, רטיבות
- cast a damp over להשרות דיכאון
damp *v.* ללחלח, לעמעם; לדכא
- damp down לעמעם אש, לעמעם צליל
damp course שיכבת בידוד (בקיר)
damp'en *v.* ללחלח; לנסוך דיכדוך; להחליש; להחניק
damp'er *n.* וַסַּת-אוויר; עמעמת; מדכא
- put a damper להעכיר אווירה
dampish *adj.* לחלוחי
damp squib ניסיון לא מוצלח
dam'sel (-z-) *n.* עלמה, בחורה
dam'son (-z-) *n.* שזיף דמשק; סגול כהה
dance *n.* ריקוד; נשף ריקודים
- lead him a dance לטלטלו הנה והנה, לגרום לו צרות
dance *v.* לרקוד, לפזז; להרקיד

- dance attendance on לכרכר סביב-
- dance to another tune לשנות את הטון, להתנהג אחרת
dance band תיזמורת ריקודים
dance floor רחבת ריקודים
dance hall אולם ריקודים
dancer *n.* רקדן, רקדנית
dancing *n.* ריקוד, מחול
dancing master מורה למחול
dan'deli'on *n.* שן-הארי (צמח), שינן
dan'der *n.* *כעס
- get his dander up להרגיזו
- get one's dander up להתרגז
dandified *adj.* מגונדר
dan'dify' *v.* לגנדר
dan'dle *v.* לנענע תינוק
dan'druff *n.* קשקשים (בראש), קשקשת
dan'dy *n.* גנדרן, מתהדר
dandy *adj.* *מצוין, טוב מאוד
Dane *n.* דני, תושב דנמרק
dan'ger (dān'-) *n.* סכנה
- out of danger יצא מכלל סכנה
danger list רשימת החולים המסוכנים
danger money תוספת סיכון
dan'gerous (dān'-) *adj.* מסוכן
dan'gle *v.* לתלות, להתנדנד; לנדנד
- dangle before להציע, לפתות, למשוך
- keep him dangling להחזיקו במתח
Da'nish *n&adj.* דני; דנית (שפה)
dank *adj.* לח, טחוב, קר
daph'ne (-ni) *n.* דפנה (שיח)
dap'per *adj.* נאה, זריז, פעיל
dap'ple *v.* לנמר
dappled *adj.* מנומר, חברבור, מגוון
dapple-gray *adj.* (סוס) חברבר
Dar'by and Joan' זוג אוהבים (זקנים)
dare *v.* להעז, להרהיב עוז; לעמוד מול; להזמין, לאתגר
- I dare say סבורני, חוששני
- I dare you! אדרבה! נראה שתעז!
dare *n.* אתגר, הזמנה
dare-devil *n.* נועז, נמהר, "שד"
daring *adj.* אמיץ, נועז, חצוף
daring *n.* אומץ, העזה
dark *adj.* חשוך; כהה; קודר, עגום; עמום, אפל, סודי; מעורפל
- keep it dark להטיל עליו איפול
dark *n.* חושך; שְחור
- a leap in the dark קפיצה לתוך העלטה, צעד שאין לחזות תוצאותיו, הימור נועז
- a shot in the dark ניחוש בעלמא
- a stab in the dark ניחוש בעלמא
- after dark בלילה
- be in the dark לגשש באפילה
- before dark בערב
- keep in the dark להטיל איפול
Dark Ages ימי הביניים
Dark Continent אפריקה
dark'en *v.* להחשיך, להכהות, להקדיר
- never darken my door again בל תדרוך כף רגלך על מיפתן ביתי
dark'ey *n.* *כושי
dark horse נעלם, מתמודד העשוי לנצח
darkness *n.* חושך, אפילה
darkroom *n.* חדר-חושך (בצילום)
dark'y *n.* *כושי

dar'ling *n&adj.* אהוב, יקר, יקירי; *נחמד, מקסים
darn *v.* לתקן גרביים
darn *n.* תיקון בגרביים, טלאי
darn = damn *לעזאזל
darning *n.* גרביים הטעונים תיקון
darning needle צינורית, צינורה
dart *n.* זינוק; חץ, חץ נוצי
- darts קליעה בחיצים נוציים (מישחק)
dart *v.* לזנק; לזרוק, להטיל
- dart about להתרוצץ
- dart an angry look לנעוץ מבט זועם
dartboard *n.* לוח מטרה (לחיצים)
dash *n.* קורטוב, מעט; מפריד (-)
dash *n.* זינוק, הסתערות; מירוץ, מאוץ; פעלתנות, מרץ; מַשק-מים
- cut a dash להרשים, להבריק
dash *v.* לזנק, להגיח; לנפץ; להתנפץ; להשליך, להטיל; להתיז
- dash his hopes לנפץ תיקוותיו
- dash it all! *לעזאזל
- dash off לכתוב בחיפזון, לשרבט; להסתלק
dashboard *n.* לוח מחוונים, דֶשבּוֹרד
dashed *adj.* מאוכזב, מדוכא; *ארור
dashing *adj.* נמרץ, פעיל, נועז
dash light מנורת המחוונים
das'tard *n.* מוג-לב, רע-לב
da'ta *n.* נתונים, פרטים
data bank מאגר נתונים
database מאגר נתונים, בסיס נתונים
da'table *adj.* ניתן לתארך אותו
data processing עיבוד נתונים
date *n.* תאריך; תקופה; ראיון, פגישה; *חָבֵר, חֲבֵרָה
- bring up to date לעדכן
- dates תאריכי הולדת ומוות
- go out of date לצאת מכלל שימוש
- out of date מיושן, עבר זמנו
- past his sell-by date עבר זמנו, מיושן
- to date עד כה, עד היום
- up to date מעודכן, עדכני, חדיש
date *v.* לתארך; לקבוע תאריך; ליישן; להתיישן; להיפגש; "לצאת עם"
- dates back to/from קיים מ-
date *n.* תמר; דקל
dated *adj.* מיושן, לא בשימוש
- long-dated (אג"ח) ארוכות מועד
- short-dated קצר-מועד
dateless *adj.* ניצחי, קיים לעד
date-line *n.* שורת התאריך (בעיתון); קו התאריך הבינלאומי
date palm דקל
date stamp תאריכון, חותמת תאריך
da'tive *n.* מושא עקיף, יחסת אל
da'tum *n.* נתון, פרט
daub *v.* למרוח, לצבוע, ללכלך
daub *n.* טיח, ציפוי; קישקוש, מריחה
dauber *n.* מרחן
daugh'ter (dô'-) *n.* בת
daughter-in-law *n.* כלה, אשת הבן
daughterly *adj.* של בת
daunt *v.* להרתיע, להפחיד
- nothing daunted לא נשברה רוחו
dauntless *adj.* עשוי לבלי חת
dau'phin *n.* יורש-עצר (צרפתי)

dav′enport′ *n.* ספה; מיכתבה
dav′it *n.* מדלה, מנוף להרמת סירות
daw *n.* קאק (עורב); *טיפש
daw′dle *v.* להתבטל, להתמזמז
- dawdle away לבזבז (זמן)
dawdler *n.* בטלן
dawn *n.* שחר, זריחה; הופעה
- a false dawn אכזבה
- dawn is breaking השחר מפציע
dawn *v.* לעלות (עמוד השחר), לזרוח
- dawn on להתבהר, לחדור להכרה
dawn chorus מקהלת ציפורים (בבוקר)
day *n.* יום; תחרות
- all day במשך כל היום
- all in a day's work שיגרתי, צפוי
- at the end of the day *סיכומו של דבר
- before day לפני עלות השחר
- better days שעות יפות (בחיים)
- by day בשעות היום, יומם
- call it a day לסיים יום עבודה; לפרוש, להתפטר
- carry the day לנחול הצלחה
- day after day יום אחר יום
- day and night יומם ולילה
- day by day מדי יום, בכל יום
- day in court יום ההופעה בבית מישפט; יום להגשת טענות וכו'
- day in, day out יום יום
- fall on evil days להגיע לזמנים קשים
- from day to day מדי יום
- from one day to the next מהיום למחר, מיום ליום
- good day! שלום!
- he's had his day ירד מגדולתו
- his days are numbered ימיו ספורים
- in a few days' time תוך כמה ימים
- in days of old בימי-קדם
- in days to come בעתיד
- in my day בצעירותי
- in these days היום, כיום
- in those days אז
- late in the day מאוחר, ברגע האחרון
- make a day of it לבלות יום שלם
- make his day *להסב לו נחת-רוח
- one of these days לא ירחק היום
- pass the time of day להחליף כמה מלים
- some day/one day באחד הימים
- that'll be the day! זה לעולם לא יקרה!
- the day after the fair מאוחר מדי
- the day after tomorrow מחרתיים
- the day before yesterday שילשום
- the day is mine! ניצחתי!
- the other day לפני כמה ימים
- the present day היום, כיום
- this day fortnight היום בעוד שבועיים
- this day week היום בעוד שבוע
- to the day בדיוק
- to this day עד היום, עד כה
- win/lose the day לנצח/להפסיד
day bed ספה
day-book *n.* יומן
day-boy *n.* תלמיד-יום (הלן בביתו)
daybreak *n.* עלות השחר
day care השגחה במעון יום
day center מעון יום (לקשישים)

daydream *n.* חלום בהקיץ
daydream *v.* לשגות בהזיות
day-laborer *n.* פועל יומי
daylight *n.* אור היום
- daylights *שכל, בינה
- in broad daylight לאור היום, בפומבי
- see daylight לראות את האור (שבקצה המינהרה); להבין
daylight robbery שוד לאור היום
daylight saving time שעון קיץ
day-long *adj.* במשך כל היום
day nursery מעון-יום, גן
day off יום חופשה
day of reckoning יום הדין
day return כרטיס הלוך ושוב
dayroom *n.* מועדון, חדר-תרבות
days (-z) *adv.* יומית, בכל יום
day school בית-ספר יום
day-spring *n.* עלות-השחר
day ticket כרטיס הלוך ושוב
daytime *n.* שעות היום
day-to-day *adj.* יומיומי
day trip טיול יומי, יום טיול
daze *v&n.* לבלבל, להמם
- in a daze במבוכה, בהלם
daz′zle *v.* לסנוור
dazzle *n.* סינוור, ברק-אור
DC = direct current
D-day *n.* שעה ש', שעת האפס
DDT דידיטי
dea′con *n.* כומר
de·ac′tivate′ *v.* להוציא מכלל פעולה, לנטרל
dead (ded) *adj.* מת, חסר-תחושה; משומש; לא-פועל; כבד, עמום; מוחלט; מדויק
- dead calm רוגע, דממה גמורה
- dead faint עילפון עמוק
- dead loss הפסד גמור
- dead matter דומם
- dead on his feet *נופל מהרגליים
- dead silence שקט מוחלט
- dead sleep שינה עמוקה
- dead stop עצירה מוחלטת
- dead to pity חסר-רחמים
- dead to the world בשינה עמוקה
- in the dead of winter בעיצומו של החורף
- the dead המתים
dead *adv.* לגמרי, פתאום; בהחלט
- catch him dead לתפוס אותו פיתאום (בקלקלתו)
- cut him dead להתעלם מ-, להתנכר
- dead ahead הלאה, היישר בדיוק
- dead certain בטוח לגמרי
- dead tired עייף מאוד
- knock him dead *להרשים אותו ביותר; להפיל אותו מהכיסא
dead beat עצלן, ביטניק; לא פורע חוב; *עייף, רצוץ
dead center המרכז המדויק, בול
dead duck *לא יוצלח; דבר אבוד
dead′en (ded′ən) *v.* להחליש, לשכך; להרדים
dead end מבוי סתום, קיפאון
dead-end *adj.* חסר סיכויי קידום

dead-end kids ילדי מצוקה
deadhead *n.* אדם משעמם/יבש
dead heat מירוץ-תיקו
dead letter אות מתה, חוק לא תקף; מיכתב ללא דורש
deadline *n.* מועד אחרון, מועד סופי
deadlock *n.* קיפאון, מבוי סתום
dead loss *הפסד גמור; לא שווה
deadly *adj.* קטלני; כמוות; מוחלט, גמור
- deadly enemy שונא בנפש
- deadly weapon כלי נשק קטלני
deadly *adv.* כמוות; עד מאוד
dead march מארש אבל
dead′pan′ (ded-) *adj.* חסר-הבעה, קפוא
dead reckoning ניווט ללא עזרת גרמי השמיים
Dead Sea ים המלח
dead set התקפה מחושבת
dead shot צלף מעולה; קליעת בול
dead weight משא כבד
dead wood דברים מיותרים
deaf (def) *adj.* חירש
- deaf to אוטם אוזנו ל-
- turn a deaf ear לאטום אוזן
deaf-aid *n.* מכשיר-שמיעה
deaf′en (def-) *v.* להחריש, להרעיש
deaf-mute *n.* חירש-אילם
deal *n.* סכום, כמות, כמות הגונה
- a good/great deal הרבה, בהרבה
deal *n.* חלוקת-קלפים, תור לחלק
- new deal רפורמה, תוכנית חדשה
- raw deal יחס רע
- square deal יחס הוגן, יחס טוב
deal *v.* לחלק, לתת, לספק
- deal a blow להנחית מכה
- deal at לשאת ולתת עם, לעסוק עם
- deal in לסחור ב-
- deal justice to לעשות צדק עם
- deal out לחלק, לתת
- deal with לנהל עסקים עם, לשאת ולתת עם, לעסוק ב-, לטפל ב-
- is well dealt by נוהגים בו יפה
deal *n.* עסק, הסכם, עיסקה
- a done deal עסק גמור, עיסקה סגורה
- it's a deal עשינו עסק! אני מסכים
- no deal! לא! לא מסכים!
- package deal עסקת חבילה
deal *n.* עץ אורן (לרהיטים)
dealer *n.* מחלק קלפים; סוחר, עוסק
dealing *n.* התנהגות, יחס, גישה; חלוקה
- dealings עסקים, יחסים
dealt = p of deal (delt)
dean *n.* כומר ראשי, דקן פקולטה
dean′ery *n.* כהונת הדקן, דקנות
dear *adj.* יקר; אהוב, נחמד
- Dear Sir א.נ., נכבדי
- hold it dear להוקיר זאת
dear *adv.* במחיר גבוה, ביוקר
dear *n.* יקר, יקיר, יקירי
dear *interj.* אוי! אהה!
- Oh Dear! dear me! אוי! אהה!
dear′ie *n.* *יקירי
dearly *adv.* מאוד; ביוקר
dearness *n.* יוקר, יַקרוּת

dearth (dûrth) *n.* מחסור
dear′y *n.* *יקירי
death (deth) *n.* מוות; הרס
- at death's door על סף המוות
- be the death of להרוג, לחסל
- catch one's death *לחלות מאוד
- death of my hopes קץ לתקוותי
- dice with death לשחק באש
- in at the death נוכח בסיום הציד, רואה את התבוסה
- is death on *מחמיר עם, מתנגד
- living death חיים גרועים ממוות
- look like death warmed up *להיראות חולה ביותר, "נראה כמו מת"
- put to death להוציא להורג
- sick to death of נקעה נפשו מ-
- stone to death לסקול
- the death knell of סתם הגולל על
- to death עד מוות, עד מאוד
- work him to death להעבידו בפרך
death-bed *n.* ערש מוות, מיטת גוסס
death-blow *n.* מכת-מוות, מהלומה
death certificate תעודת פטירה
death duty/tax מס עיזבון
deathless *adj.* אלמותי, נצחי
deathlike *adj.* של מוות, כמוות
deathly *adj&adv.* של מוות, כמוות
death mask תבליט פני מת
death penalty עונש מוות
death rate תמותה
death rattle חירחורי גסיסה
death roll רשימת החללים
death's head גולגולת-מת
death toll קציר-דמים
death trap מלכודת מוות
death warrant פקודת מוות; גזר דין מוות; חיסול, קץ; תעודת פטירה
deb = debutante
de·ba′cle (-bä′-) *n.* מנוסה, בהלה; התמוטטות, כישלון, אסון
de·bar′ *v.* לשלול, למנוע
de·bark′ *v.* לעלות ליבשה
de·base′ *v.* להשפיל; לזייף מטבע
debasement *n.* השפלה
debatable *adj.* נתון לוויכוח
de·bate′ *n.* ויכוח, דיון
debate *v.* להתווכח, לדון, לשקול
debater *n.* משתתף בדיון; פולמוסן
de·bauch′ *v.* להדיח, להשחית, להתעות
debauch *n.* הילולה, אורגייה
de′bauchee′ *n.* הולל, מושחת
de·bauch′ery *n.* הוללות
de·ben′ture *n.* איגרת חוב
de·bil′itate′ *v.* להתיש, להחליש
de·bil′ity *n.* חולשה, תשישות
deb′it *n.* חובה; חיוב
debit *v.* לחייב, לזקוף לחובת-
debit side חובה, טור החובה
deb′onair′ *adj.* עליז, מקסים; אדיב
de′bone′ *v.* להוציא העצמות, לגרם
de·bouch′ (-bo͞osh) *v.* לצאת, להגיח
de′brief′ (-brēf) *v.* לתחקר, לנהל תחקיר, לתשאל
debris′ (-brē′) *n.* עיי-חורבות, שפוכת
debt (det) *n.* חוב
- bad debt חוב רע, חוב אבוד, חוב מסופק

- in debt חייב כספים, שקוע בחובות
- in his debt חייב לו טובה
- out of debt משוחרר מחובות
- run into debt לשקוע בחובות
debt'or (det-) *n.* חייב, לווה
de·bug' *v.* לסלק (טעויות), לנפות
de·bunk' *v.* *לחשוף, לגלות האמת
debut (dābū') *n.* הופעת בכורה
deb'u·tante' (-tänt) *n.* מתחילה, מופיעה בהופעת בכורה (בחברה)
Dec. = December
dec'a (תחילית) עשר, 10
dec'ade *n.* עשור, 10 שנים; מניין
dec'adence *n.* שקיעה, התנוונות
dec'adent *adj&n.* מתנוון
de'caf' *adj.* נטול קפאין
de·caf'feina'ted (-fənā'-) *adj.* נטול קפאין
dec'agon' *n.* מעושר, בעל עשר צלעות
Dec'alogue' (-lôg) *n.* עשרת הדיברות
de·camp' *v.* לנטוש מחנה, לברוח
de·cant' *v.* לצקת (יין, בלי המישקע) לכלי אחר, לשפות
de·cant'er *n.* בקבוק (ליין)
de·cap'itate' *v.* לערוף, להסיר ראש
de·cap'ita'tion *n.* עריפה
de'car'bonize' *v.* לפחם, לסלק פחמן
de·cath'lon *n.* קרב-עשר
de·cay' *v.* להרקיב, להתנוון
decay *n.* ריקבון; דעיכה
- fall into decay להתנוון
de·cease' *n.* מוות
deceased *adj&n.* מת, המנוח
de·ce'dent *n.* מת, נפטר
de·ceit' (-sēt) *n.* רמאות, הונאה
deceitful *adj.* רמאי, מוליך שולל
de·ceive' (-sēv) *v.* לרמות, להתעות
- be deceived in לטעות, ללכת שולל
deceiver *n.* רמאי
de·cel'erate' *v.* להאיט
de·cel'era'tion *n.* האטה
De·cem'ber *n.* דצמבר
de'cency *n.* הגינות, צניעות
- decencies נימוסים, הליכות נאות
de·cen'nium *n.* עשור, עשר שנים
de'cent *adj.* צנוע, הגון, נאה, מכובד
decently *adv.* בהגינות, כהוגן
de·cen'traliza'tion *n.* ביזור
de·cen'tralize' *v.* לבזר, לפצל סמכויות בין יחידות קטנות
de·cep'tion *n.* רמאות, הולכת שולל
de·cep'tive *adj.* מטעה, מוליך שולל
dec'i- (תחילית) עשירית, 1/10
dec'ibel' *n.* דציבל (יחידה של עוצמת הקול)
de·cide' *v.* להחליט, לפסוק, להכריע
- decide him to להביאו לכלל החלטה ל-
- decide in favor of להכריע לטובת
- decide on להחליט על
decided *adj.* ברור, החלטי, פסקני
decidedly *adv.* בהחלט, החלטית
decider *n.* משחק מכריע
de·cid'uous (-j'ōōəs) *adj.* (עץ) נשיר
dec'igram' *n.* דציגרם, עשירית גרם
dec'ili'ter (-lē'tər) *n.* דציליטר
dec'imal *adj&n.* עשרוני; שבר עשרוני
decimal fraction שבר עשרוני
dec'imaliza'tion *n.* המרה לשיטה העשרונית
dec'imalize' *v.* להמיר לשיטה העשרונית
decimal point הנקודה העשרונית
dec'imate' *v.* להשמיד חלק ניכר מ-
dec'ima'tion *n.* השמדת חלק ניכר
dec'ime'ter *n.* דצימטר
de·ci'pher *v.* לפענח, לגלות
decipherable *adj.* פתיר, בר-פיענוח
de·ci'sion (-sizh'ən) *n.* החלטה; החלטיות
decision-making *n.* קבלת החלטות
de·ci'sive *adj.* מכריע, מוחלט, פסקני
deck *v.* לקשט; להתקין סיפון
- decked out in מקושט ב-
deck *n.* סיפון, קומה (באוטובוס); חפיסת קלפים
- clear the decks להתכונן לפעולה
- double-deck דו-קומתי
- hit the deck *לקום, להירתם לעבודה; ליפול ארצה
- on deck מוכן ומזומן
deck chair כיסא-נוח
deck'er *n.* בעל קומות (או שכבות)
- double-decker (אוטובוס) דו-קומתי
deck hand סיפונאי
deck'le-edged *adj.* מחוספס קצוות
de·claim' *v.* לדקלם
- declaim against לתקוף, לדבר בלהט
dec'lama'tion *n.* דיקלום; נאום
de·clam'ato'ry *adj.* דיקלומי
declarable *adj.* טעון מיצהר (במכס)
dec'lara'tion *n.* הצהרה; מיצהר; תצהיר; הכרזה
- declaration against interest הצהרה בניגוד לאינטרסים של המצהיר
- declaration of intentions הצהרת כוונות (של המבקש לקבל אזרחות ארה"ב)
de·clar'ato'ry *adj.* הצהרתי
de·clare' *v.* להצהיר, להכריז, לומר
- I declare! (קריאת הפתעה) ברצינות!
- declare against להביע התנגדות
- declare for להביע תמיכה ב-
- declare oneself להבהיר עצמו, לטעון
- declare war להכריז מילחמה
- it declares him to be- הדבר מעיד עליו שהוא-
declared *adj.* מוצהר, מובהק
de'clas'sifica'tion *n.* הסרת הסודיות
de'clas'sify' *v.* להסיר הגבלת הסודיות (ממיסמך מסווג)
de·clen'sion *n.* (בדקדוק) נטייה
dec'lina'tion *n.* זווית הסטייה (במצפן); סירוב, מיאון
de·cline' *v.* לסרב, לדחות; לרדת, להידרדר, לשקוע; (בדקדוק) להטות
- declining years זיקנה
decline *n.* שקיעה, ירידה
- fall into a decline להידרדר
- on the decline הולך ופוחת
de·cliv'ity *n.* מידרון, מורד
de'clutch' *v.* לנתק/ללחוץ על המצמד
de·coc'tion *n.* תמצית, תרכיז; מירתח
de'code' *v.* לפענח צופן

decolletage (dā'koltäzh') *n.* מחשוף
עמוק
decollete (dā'koltā') *adj.*
עמוקת-מחשוף
de'col'oniza'tion *n.* דקולוניזציה
de'col'onize' *v.* להעניק עצמאות, לחסל
הקולוניזציה
de'commis'sion *v.* לסגור, לפרק,
להוציא משימוש
de'compose' (-z) *v.* להפריד, לשבור
קרני אור, לפרק; להרקיב
de'com'posi'tion (-zi-) *n.* פירוק
de'compress' *v.* להפחית הלחץ
de'compres'sion *n.* הורדת הלחץ
de'conges'tant *n.* משחרר גודש (באף)
de'contam'inate' *v.* לטהר, לחטא
de'contam'ina'tion *n.* טיהור
de'control' (-rōl) *v.* להסיר הפיקוח מ-
decontrol *n.* הסרת הפיקוח
decor' (dā-) *n.* תפאורה
dec'orate' *v.* לקשט, לייפות, לעטר,
לצבוע; להעניק עיטור
dec'ora'tion *n.* קישוט, ייפוי; עיטור,
אות-כבוד; תפאורה; דקורציה
dec'orative *adj.* קישוטי, תפאורתי
dec'ora'tor *n.* קשט, תפאורן, יפאי, שפר,
דקוראטור
dec'orous *adj.* הולם, הוגן, לא פוגע
de·co'rum *n.* הגינות, צניעות
- decorums גינונים, נימוסים
de'coy' *n.* פיתיון, ברווז-פיתיון; מלכודת
de·coy' *v.* להפיל במלכודת, לפתות
de·crease' *v.* להפחית, לצמצם; לרדת
de'crease' *n.* הפחתה, ירידה
- on the decrease הולך ופוחת
de·cree' *n.* צו, פקודה; פסק-דין
decree *v.* להוציא צו, לפסוק, לגזור
decree absolute צו (גירושין) מוחלט
decree ni'si (-sī) צו (גירושין) על תנאי
dec'rement *n.* הפחתה
de·crep'it *adj.* חלוש, תשוש
de·crep'itude' *n.* תשישות
de·cry' *v.* לזלזל ב-, לגנות
ded'icate' *v.* להקדיש
dedicated *adj.* מסור, דבק במטרה
ded'ica'tion *n.* הקדשה; מסירות
de·duce' *v.* להסיק (מסקנה)
de·duct' *v.* להפחית, לנכות
deductible *adj.* שאפשר לנכותו
de·duc'tion *n.* הפחתה, ניכוי; מסקנה
de·duc'tive *adj.* מסקני, דדוקטיבי
deed *n.* מעשה, עשייה; מיסמך, תעודה;
שטר
- in word and deed להלכה ולמעשה
deed-box *n.* כספת מיסמכים
deed of covenant שטר-קניין
deed of trust שטר נאמנות
deed poll תצהיר רישמי
deem *v.* לסבור, להאמין, להעריך
- deem fit לחשוב לנכון, לשקול בחיוב
- deem to be true להעריך (זאת) כאמת
deep *adj&adv.* עמוק
- cars parking 4 deep מכוניות החונות 4
בשורה
- deep green ירוק עז
- deep in a book מתעמק בספר
- deep in debt שקוע בחובות
- deep into the night עד שעה מאוחרת,
עמוק אל תוך הלילה
- deep learning התעמקות, עמקנות
- deep person אדם שקשה להבינו
- deep secret סוד כמוס
- deep thinker עמקן
- go off the deep end *להתפרץ בזעם,
להתלקח; לפעול בפזיזות
- goes deep להיות חזק/רציני ביותר
- in deep בבוץ, בצרה, בתיסבוכת
- in deep debt בחובות כבדים
- in deep water באו מים עד נפש
- runs deep להיות חזק/רציני ביותר
- still waters run deep מים שקטים
חודרים עמוק
- the deep הים, האוקיינוס
deep'en *v.* להעמיק
deep-freeze *v.* להקפיא (מזון)
deep-freeze *n.* מקפיא; הקפאה
deep-fry *v.* לטגן בשמן עמוק
deep-laid *adj.* מתוכנן בסודיות
deeply *adv.* עמוק, מאוד
deep-rooted *adj.* מושרש, עמוק
deep-seated *adj.* מושרש, עמוק
deep throat גרון עמוק (מדליף)
deep-water/sea *adj.* של לב-הים
deer *n.* צבי, צבאים
deerskin *n.* עור-צבי
deer-stalker *n.* כובע ציידים
de'-es'calate' *v.* להפחית, לצמצם
de'-es'cala'tion *n.* צימצום, הורדה
def. = **definite, definition**
de·face' *v.* להשחית צורה, לטשטש
defacement *n.* השחתה, טישטוש
de' fac'to דה פאקטו, למעשה
de'fal·ca'tion *n.* מעילה
def'ama'tion *n.* השמצה
de·fam'ato'ry *adj.* משמיץ
de·fame' *v.* להשמיץ, להלעיז
de·fault' *v.* להשתמט; לא להופיע
default *n.* השתמטות, התחמקות,
אי-מילוי הבטחה; היעדרות, אי-הופעה;
מחדל
- in default of בהיעדר-, ללא-
- win by default לזכות עקב אי-הופעת
היריב
defaulter *n.* עבריין (בצבא)
default judgment פס"ד בהיעדר
הנאשם
de·fea'sance (-z-) *n.* ביטול, סיום
de·fea'sible (-z-) *adj.* בר-ביטול
de·feat' *n.* מפלה, הפסד, תבוסה; ביטול
defeat *v.* להביס, לגבור על; לסכל; לבטל
de·feat'ism' *n.* תבוסנות
de·feat'ist *n.* תבוסן, תבוסתן
def'ecate' *v.* לעשות צרכיו
def'eca'tion *n.* עשיית צרכים
de'fect' *n.* פגם, חסרון, דפקט
de·fect' *v.* לערוק (למחנה הנגדי)
de·fec'tion *n.* עריקה
de·fec'tive *adj.* פגום; לוקה בשכלו
- mentally defective מפגר
defectiveness *n.* דפקטיביות, לקות
defector *n.* עריק
defence = **defense** הגנה

de•fend′ *v.* להגן על
de•fend′ant *n.* ניתבע, נאשם
defender *n.* מגן, סניגור
de•fense′ *n.* הגנה; מגן
- counsel for the defense סניגור
- self-defense הגנה עצמית
defenseless *adj.* חסר-הגנה
defense mechanism מנגנון הגנה
de•fen′sible *adj.* בר-הגנה
de•fen′sive *adj.* מגן, הגנתי
- on the defensive בעמדת התגוננות
de•fer′ *v.* לדחות (לעתיד), לעכב
- defer to להיכנע ל-, לקבל דעתו
def′erence *n.* יחס-כבוד, כיבוד
- in deference to מתוך כיבוד-
def′eren′tial *adj.* מכבד
de•fer′ment *n.* דחייה, עיכוב
de•fer′ral *n.* דחייה
de•fer′red *adj.* דחוי
de•fi′ance *n.* התנגדות, אי-ציות
- bid defiance to להתקומם, להתריס
- in defiance of בניגוד, למרות, חרף
- set at defiance לבוז, להתעלם מ-
de•fi′ant *adj.* מתנגד, לא מציית, בז
de•fi′ciency (-fish′ən-) *n.* חוסר, מחסור; פגם, ליקוי
deficiency disease חסר (מחלה)
de•fi′cient (-fish′ənt) *adj.* חסר, לקוי; נטול-, נעדר, לא מספיק; מפגר
def′icit *n.* גירעון, דפיציט
de•file′ *v.* ללכלך, לטנף, לזהם
de′file′ *v.* לצעוד בטור
de′file′ *n.* מעבר צר (בין הרים)
defilement *n.* ליכלוך, זיהום
de•fine′ *v.* להגדיר; לתחום תחומים
- clearly defined מוגדר היטב, ברור
def′inite (-nit) *adj.* מוגדר, מוחלט, ברור; פסקני, החלטי
definite article = the
definitely *adv.* בהחלט, החלטית; כן
def′ini′tion (-ni-) *n.* הגדרה; צלילות
de•fin′itive *adj.* סופי, מוחלט
de•flate′ *v.* להוציא האוויר מ-, להנמיך קומתו; לצמצם מחזור הכסף
de•fla′tion *n.* דפלציה, צימצום מחזור הכסף
de•fla′tionar′y (-shəneri) *adj.* דפלציוני
de•flect′ *v.* להטות; לסטות ממסלולו
de•flec′tion *n.* סטייה; הטייה
de•flow′er *v.* לגזול בתולים
de′fo′liant *n.* משיר עלים (כימיקל)
de′fo′liate′ *v.* להשיר עלים
de′fo′lia′tion *n.* השרת עלים
de′for′est *v.* לברא, לעקור עצים
de′for′esta′tion *n.* בירוא
de•form′ *v.* לעוות, להשחית צורה
de′for•ma′tion *n.* שינוי צורה, שינוי לרעה; מום, עיוות, עיווי
deformed *adj.* מעוות, בעל מום
de•for′mity *n.* מום, עיוות
de•fraud′ *v.* לרמות, להוציא במירמה
de•fray′ *v.* לשלם
defrayal *n.* סילוק חשבון
defrayment *n.* סילוק חשבון
de′frock′ *v.* להסיר המדים מ-

de•frost′ (-rôst) *v.* להפשיר
defroster *n.* מפשיר
deft *adj.* זריז, מוכשר
de•funct′ *adj.* מת, לא קיים
- the defunct המנוח
de′fuse′ (-z) *v.* להוציא המרעום, לפרק/לנטרל (פצצה)
de•fy′ *v.* להמרות; לזלזל, לעמוד מול, לאתגר; "לצפצף על"
- I defy you! אדרבה! נראה אותך!
- defies description בל יתואר
de′gauss′ (-gous) *v.* לנטרל המגנטיות
de•gen′eracy *n.* התנוונות, דילדול
de•gen′erate′ *v.* להתנוון, להידרדר
de•gen′erate *adj.* מנוון, מקולקל
de•gen′erate *n.* דגנראט, מפגר
de•gen′era′tion *n.* התנוונות
de•gen′era′tive *adj.* מתנוון
deg′rada′tion *n.* השפלה, קלון; ירידה
de•grade′ *v.* להשפיל, לבזות
de•gree′ *n.* מידה, דרגה, מעלָה; תואר
- 60 degrees 60 מעלות
- by degrees בהדרגה
- degree of MA תואר מ"א
- degree of proof רמת ההוכחה, מישקל הראיות
- first degree דרגה א', חמור
- not in the slightest degree כלל לא, לגמרי לא
- third degree חקירת עינויים
- to a (high) degree *מאוד, ביותר
- to the nth degree מאוד, ביותר
de•gres′sive *adj.* (שיעור מס) יורד
de′horn′ *v.* לגדוע קרניים
de•hu′maniza′tion *n.* נטילת צלם-אנוש
de′hu′manize′ *v.* ליטול צלם-אנוש
de′hy′drate′ *v.* לסלק המים, לייבש
de′hy•dra′ted *adj.* יבש, מיובש
de′hy•dra′tion *n.* אל-מיום, הובשה
de′ice′ *v.* להסיר הקרח מ-
de′ifica′tion *n.* האלהה
de′ify′ *v.* לְהַאֲלִיהַּ, לסגוד ל-
deign (dān) *v.* להשפיל עצמו
- does not deign לא נאה לו, מתנשא
de′ism′ *n.* דיאיזם, אמונה באל
de′ist *n.* דיאיסט
de′ity *n.* אלוהות, אלוהים
deja vu (dā′zhä′ vōō′) *n.* דז'ה וו, חוויה מדומה
de•jec′ted *adj.* מדוכא, עצוב
de•jec′tion *n.* דיכאון, עצבות
de′ ju′re (-ri) דה יורה, להלכה
dek′ko *n.* *מבט
- have a dekko להעיף מבט
de•lay′ *n.* דחייה, עיכוב, שהייה
- without delay מיד, ללא דיחוי
delay *v.* לדחות, לעכב; להשתהות
delayed action פעולת השהיה
de•lec′table *adj.* טעים, נעים, נחמד
de′lec•ta′tion *n.* עונג, בידור
del′egacy *n.* מינוי ציר; ייפוי כוח, הסמכה; נציגות
del′egate *n.* ציר, בא-כוח, נציג
del′egate′ *v.* למנות ציר, להסמיך
del′ega′tion *n.* משלחת, נציגות; הסמכה; האצלה

de·lete′ *v.* למחוק
del′e·te′rious *adj.* מזיק
de·le′tion *n.* מחיקה
delft, delf *n.* דלפט (חרס)
del′i *n.* *מעדנייה
de·lib′erate *adj.* מכוון, בכוונה; מחושב, שקול, מדוד
de·lib′erate′ *v.* לשקול היטב, לדון
deliberately *adv.* בכוונה, מדודות
de·lib′era′tion *n.* דיון, שקלא וטרייא; מתינות, זהירות
de·lib′era′tive *adj.* של דיון, דיוני; שקול, מתוכנן
del′icacy *n.* עדינות, רגישות; מעדן
del′icate *adj.* עדין, רגיש
del′icates′sen *n.* מעדנים; מעדנייה
de·li′cious (-lish′əs) *adj.* טעים, ערב מאוד
de·lict′ *n.* עבירה, פשע
de·light′ *n.* הנאה, שימחה, תענוג
- take delight in ליהנות מ-
delight *v.* לענג, לשמח; ליהנות
- delight in להפיק הנאה מ-
delighted *adj.* שמח, נהנה
delightful *adj.* מענג, נעים
de·lim′it *v.* לקבוע גבולות, לתחום
de·lim′itate′ *v.* לקבוע גבולות
de·lim′ita′tion *n.* תיחום
de·lin′e·ate′ *v.* לתאר, לשרטט
de·lin′e·a′tion *n.* תיאור, שירטוט
de·lin′quency *n.* עבריינות; עבירה
de·lin′quent *n.* עבריין
delinquent *adj.* משתמט ממילוי חובה
del′iques′cent *adj.* נמס, הופך לנוזל
de·lir′ious *adj.* מטורף, נרגש
de·lir′ium *n.* טירוף, הזייה, תזזית
de·liv′er *v.* להעביר, למסור, לתת; לומר, להביע; ליילד
- be delivered of ללדת
- deliver a blow להנחית מכה
- deliver from לשחרר מ-, לגאול
- deliver oneself of לומר, להביע
- deliver the goods לקיים הבטחה, לפעול כמצופה, לבצע כיאות
- deliver up להסגיר, למסור
deliverance *n.* שיחרור; גילוי דעת
deliverer *n.* משחרר, גואל
de·liv′ery *n.* העברה, מסירה; חלוקת מיכתבים; שיחרור, גאולה; סיגנון; לידה
- on delivery (לתשלום) עם המסירה
delivery note תעודת מישלוח
dell *n.* עמק, ביקעה
de′louse′ *v.* לסלק הכינים, לפלות
Del′phic *adj.* מעורפל, לא ברור
del·phin′ium *n.* דרבנית (צמח)
del′ta *n.* דלתה; דלתא
delta-winged *adj.* בעל כנפי דלתה
de·lude′ *v.* לרמות, להוליך שולל
del′uge (-′ūj) *n.* מבול
deluge *v.* להציף, להמטיר
de·lu′sion (-zhən) *n.* אשלייה, הזייה; רמאות
de·lu′sive *adj.* מַשלֶה; מִרמָה, מטעה
de·luxe′ (-looks) דה-לוקס, מפואר
delve *v.* להתעמק, לצלול
de′mag′netiza′tion *n.* ביטול מיגנוט
de′mag′netize′ *v.* למחוק המיגנוט
dem′agog′ic *adj.* דמגוגי
dem′agogue′ (-gôg) *n.* דמגוג
dem′agogu′ery (-gog′əri) *n.* דמגוגיה
dem′agog′y *n.* דמגוגיה
de·mand′ *n.* דרישה, תביעה; ביקוש
- is in demand יש לו ביקוש
- it makes demands on my time הדבר גוזל מזמני
- on demand לתשלום עם הדרישה
demand *v.* לתבוע, לדרוש; להצריך
- demand his business לשאול מה חפצו
demanding *adj.* דורש תשומת-לב
demand note דרישת תשלום
de·mar′cate *v.* לציין גבולות, לתחום
de′mar·ca′tion *n.* תחימה, סימון גבולות; הבחנה; הגדרה ברורה
de·mean′ *v.* להשפיל, לבזות
- demean oneself להשפיל עצמו; להתנהג
de·mea′nor *n.* התנהגות
de·men′ted *adj.* מטורף
de·men′tia (-men′shə) *n.* שיטיון; טירוף
de·mer′it *n.* חיסרון
de·mesne′ (-mān′) *n.* אחוזה, בעלות
dem′i- (תחילית) חצי
dem′igod′ *n.* חצי-אל, אליל
dem′ijohn′ (-jon) *n.* בקבוק גדול (נתון בתוך סל נצרים)
de′mil′itariza′tion *n.* פירוז
de′mil′itarize′ *v.* לפרז
dem′imonde′ *n.* עולם הנשים שבשולי החברה המכובדת
de·mise′ (-z) *n&v.* מוות, פטירה; העברת בעלות (בצוואה); להעביר בעלות; למות
de′mist′ *v.* להסיר האדים מ-
dem′itasse′ *n.* ספל קפה קטן
dem′o *n.* *הפגנה
de·mob′ *v.* לשחרר משירות (בצבא)
de·mo′biliza′tion *n.* שיחרור מהצבא
de·mo′bilize′ *v.* לשחרר מהצבא, לשלוח החיילים הבייתה
de·moc′racy *n.* דמוקרטיה
dem′ocrat′ *n.* דמוקרט
dem′ocrat′ic *adj.* דמוקרטי
de·moc′ratiza′tion *n.* דמוקרטיזציה
de·moc′ratize′ *v.* להנהיג דמוקרטיה
demode (dā′mōdā′) *adj.* מיושן, יצא מן האופנה
dem′ograph′ic *adj.* דמוגרפי
de·mog′raphy *n.* דמוגרפיה
de·mol′ish *v.* להרוס, לחסל
dem′oli′tion (-li-) *n.* הרס, חיסול
- demolitions חומרי נפץ
de′mon *n.* שד, שטן; "שד משחת"
- a demon for work עובד כמו שד
de·mon′etize′ *v.* להוציא מהמחזור, לשלול השימוש (ממתכת) כמטבע
de·mon′ic, de′moni′acal *adj.* שטני
de·moniza′tion *n.* דמוניזציה, ייחוס תכונות שטניות
de·mon′strabil′ity *n.* אפשרות ההוכחה
de·mon′strable *adj.* יכיח, ברור
dem′onstrate′ *v.* להוכיח, להראות, להדגים, להציג; להפגין
dem′onstra′tion *n.* הוכחה; הפגנה

de·mon′strative *adj.* מפגין רגשות, גלוי, פתוח; הפגנתי
demonstrative pronoun כינוי רומז
dem′onstra′tor *n.* מפגין; מדגים
de·mor′aliza′tion *n.* דמורליזציה
de·mor′alize′ *v.* להשחית, לקלקל; להוריד המוראל
de·mote′ *v.* להוריד בדרגה
de·mot′ic *n.* עממי, של העם
de·mo′tion *n.* הורדה בדרגה
de·mur′ *v.* להתנגד, לערער על
demur *n.* התנגדות, עירעור
de·mure′ *adj.* צנוע, רציני; מצטנע
de·mur′rer *n.* טענת דחייה על הסף
de′mys′tify′ *v.* להסיר המיסתורין
den *n.* מאורה; *חדר פרטי
de′nary *adj.* עשרוני, עשורי
de′na′tionaliza′tion (-nash′ən-) *n.* ביטול הלאמה
de′na′tionalize′ (-nash′ən-) *v.* לבטל הלאמה
de′na′ture *v.* לפגל, להשחית טעמו (לבל ישמש כמזון)
denatured alcohol כוהל מפוגל
de·ni′able *adj.* ניתן להכחישו
de·ni′al *n.* שלילה, סירוב; הכחשה
- self-denial הקרבה-עצמית, הינזרות
denier′ (-nir) *n.* דניר (מידת דקות לחוטי משי וכ׳)
den′igrate′ *v.* להשמיץ
den′igra′tion *n.* השמצה
den′im *n.* דנים (אריג כותנה חזק)
- denims מיכנסי ג׳ינס
den′izen *n.* תושב, שוכן-, חי ב-
Den′mark′ *n.* דנמרק
de·nom′inate′ *v.* לכנות, לקרוא
de·nom′ina′tion *n.* כינוי, שם; כת, עדה; סוג, מין, ערך; מכנה
denominational *adj.* כיתתי, עדתי
de·nom′ina′tor *n.* מכנה (של שבר)
de′no·ta′tion *n.* ציון, סימול, הגדרה
de·note′ *v.* לציין, לסמל
denouement (dā′nōōmäng′) *n.* סוף המעשה, שלב סופי, התבהרות
de·nounce′ *v.* לגנות; להלשין, להאשים; להודיע על סיום ההסכם
dense *adj.* צפוף, סמיך, דחוס; אטום, מטומטם, סתום
den′sity *n.* צפיפות, דחיסות
dent *n.* גומה, שקע (ממכה); פגיעה
- make/put a dent in להפחית במיקצת, לגרוע מ-
- not make a dent in לא להקטין כהוא זה
dent *v.* לגרום לשקע, לעשות גומות; להיווצר בו שקעים
den′tal *adj.* של השיניים, שיני
dental *n.* עיצור שיני
dental floss חוט דנטאלי, חוט לניקוי השיניים
dental plate שיניים תותבות, פלאטה
dental surgeon רופא שיניים
den′tifrice (-fris) *n.* משחת-שיניים, אבקה לשיניים
den′tist *n.* רופא שיניים
den′tistry *n.* ריפוי שיניים
den′ture *n.* שיניים תותבות
- dentures שיניים תותבות
de′nu·da′tion (-nōō-) *n.* הפשטה; חשיפה
de·nude′ *v.* לערטל, להפשיט; לחשוף
de·nun′cia′tion *n.* גינוי, האשמה
de·ny′ *v.* להכחיש; להתכחש, לנער חוצנו מ-; לשלול, למנוע, לחשוך
- deny oneself למנוע מעצמו, להינזר
- there is no denying the fact אין להכחיש ש-
de′o′dorant *n.* דאודורנט, מפיג ריח
de′o′dorize′ *v.* לסלק ריח רע
dep. = departs, deputy
de·part′ *v.* לעזוב, לצאת, להיפרד
- depart from לסטות מ-, לחרוג
- depart this life למות
departed *adj.* שהלך לבלי שוב
- the departed המנוח, המתים
de·part′ment *n.* מישרד (ממשלתי); מחלקה, אגף; מחוז; תחום, שטח
- not my department לא התחום שלי, אינני אחראי לכך
de′part·men′tal *adj.* מחלקתי, מישרדי
de·part′men′taliza′tion *n.* חלוקה למחלקות
de·part′men′talize′ *v.* לחלק למחלקות
department store חנות כל-בו
de·par′ture *n.* עזיבה, פרידה, יציאה; סטייה, חריגה
- take one's departure ללכת, לצאת
de·pend′ *v.* להיות תלוי ב-
- depend on להיות תלוי ב-/מותנה ב-; לסמוך על
- depend upon it הֱיֵה בטוח בכך
- that depends זה תלוי, ייתכן
dependable *adj.* שאפשר לסמוך עליו
dependant *n.* תלוי, מכולכל
dependence *n.* תלות; ביטחון, אימון
- drug dependence התמכרות לסמים
de·pen′dency *n.* מדינת חסות
de·pend′ent *adj.* תלוי ב-, מותנה ב-
de·pict′ *v.* לתאר, להראות, לצייר
de·pic′tion *n.* תיאור
de·pil′ato′ry *adj.* מרחיק שיער, מנשיר
de′plane′ *v.* לרדת ממטוס
de·plete′ *v.* לרוקן, להריק
de·ple′tion *n.* הרקה
deplorable *adj.* מצער; רע, גרוע
de·plore′ *v.* להצטער, להביע צער; לגנות
de·ploy′ *v.* לפרוס הכוחות, להתפרס
deployment *n.* פריסה
de·po′nent *n.* עד (הכותב תצהיר)
de′pop′u·late′ *v.* להפחית התושבים
de′pop′u·la′tion *n.* הפחתת מיספר התושבים, חיסול, השמדה
de·port′ *v.* להגלות; לגרש; להתנהג
- deport oneself להתנהג, לנהוג כ-
de′por·ta′tion *n.* גירוש, הגלייה
de′por·tee′ *n.* גוֹלֶה, נידון לגירוש
de·port′ment *n.* התנהגות; הילוך
de·pose′ (-z) *v.* להדיח (שליט); להעיד, להצהיר
de·pos′it (-z-) *n.* פיקדון; דמי-קדימה; מירבץ, שיכבה; מישקע, סחופת
- money on deposit פיקדון
deposit *v.* להטיל, לשים; להפקיד,

להשליש; להניח סחופת
deposit account חשבון פיקדון
dep′osi′tion (-zi-) *n.* הדחה; תצהיר
de·pos′itor (-z-) *n.* מפקיד
de·pos′ito′ry (-z-) *n.* מחסן, בית-גנזים, אוצר
deposit safe כספת
de′pot (-pō) *n.* תחנת-רכבת; מחנה קלט; מחסן
dep′rava′tion *n.* השחתה; דירדור
de·prave′ *v.* להשחית, לקלקל
depraved *adj.* מושחת
de·prav′ity *n.* שחיתות, קלקלה
dep′recate′ *v.* לגנות, להביע התנגדות; לא לראות בעין יפה
dep′reca′tion *n.* גינוי, מחאה
dep′recato′ry *adj.* מתנצל; מגנה
de·pre′ciate′ (-shi-) *v.* למעט, לזלזל ב; לרדת בערכו
de·pre′cia′tion (-shi-) *n.* ירידת ערך, פחת
de·pre′ciato′ry (-shi-) *adj.* מזלזל
dep′reda′tion *n.* הרס, ביזה
de·press′ *v.* ללחוץ על, להקיש; לדכא; להוריד, להפחית
depressant *n.* מדכא, סם הרגעה
depressed *adj.* מדוכא; נחות, ירוד
depressed area איזור מצוקה
depressing *adj.* מדכא
de·pres′sion *n.* דיכאון; שקע, גומה; תקופת שפל; שקע בארומטרי
de·pres′sive *adj&n.* מדכא, לוחץ; סובל מדיכאון
de·pres′sor *n.* לוחץ, מלחץ (מכשיר)
de·pres′surize′ (-presh′-) *v.* להפחית לחץ
dep′riva′tion *n.* מניעה, שלילה; מחסור
de·prive′ *v.* למנוע, לשלול, ליטול
- deprived of נטול-, משולל-
deprived *adj.* מקופח
dept. = department
depth *n.* עומק
- beyond one's depth במים עמוקים מדי; נשגב מבינתו, עמוק
- in depth לעומק; בהתעמקות
- in the depths of despair בתהום הייאוש
- in the depths of winter בעיצומו של החורף
- out of one's depth במים מעל לראשו; במשימה קשה עבורו
- plumb the depths of לרדת לעומק-, להבין, להגיע עד שורשי-; להיות רע ביותר
depth charge פיצצת עומק (במים)
dep′u·ta′tion *n.* מישלחת; נציגות
de·pute′ *v.* לייפות כוחו, להסמיך
dep′u·tize′ *v.* למנות/לשמש כנציג
dep′u·ty *n.* בא-כוח; סגן, ממלא מקום; נבחר
deputy commander תת ניצב
de′rail′ *v.* להוריד מהפסים
derailment *n.* הורדה מהפסים
de·range′ (-rānj) *v.* לבלבל; לשגע
deranged *adj.* לקוי בשיכלו, מופרע
derangement *n.* בילבול, אי-סדר
der′by *n.* מיגבעת, כובע

Der′by *n.* מירוץ סוסים; מישחק דרבי
de′reg′u·late′ *v.* להסיר הפיקוח מן
der′elict′ *adj.* נטוש, מוזנח, מופקר
der′elic′tion *n.* הזנחה; חורבן; התרשלות במילוי חובה
de′req′uisi′tion (-zi-) *v.* לשחרר רכוש מוחרם
de′re·strict′ *v.* לבטל ההגבלה
de·ride′ *v.* ללעוג ל-, לצחוק
de rigueur (dərigûr′) הכרחי, חייב, צו האופנה
de·ri′sion (-rizh′ən) *n.* לעג
- hold in derision ללעוג ל-
de·ri′sive *adj.* מלגלג, לועג; מגוחך
de·ri′sory *adj.* מלגלג, לועג; מגוחך
der′iva′tion *n.* מקור, מקור מלה, השתלשלות מלה
de·riv′ative *adj.* ניגזר, לא מקורי
derivative *n.* ניגזר, תולדה; ניגזרת
de·rive′ *v.* להפיק, לקבל, לשאוב
- derived from נגזר מ-, השתלשל
der′mati′tis *n.* דלקת העור
der′matol′ogist *n.* רופא עור
der′matol′ogy *n.* ריפוי מחלות עור
der′ogate′ *v.* להפחית מערך, לפגום ב-, לפגוע בכבוד-
der′oga′tion *n.* הפחתה, המעטה
de·rog′ato′ry *adj.* משפיל, מבזה, מזלזל
der′rick *n.* עגורן, מיגדל קידוח
der′ring-do′ (-dōō) *n.* העזה, אומץ
derv *n.* סולר (לרכב)
der′vish *n.* דרוויש
de′sal′inate′ *v.* להתפיל (מי-ים)
de′sal′ina′tion *n.* התפלה
de′sal′iniza′tion *n.* התפלה
de′sal′inize′ *v.* להתפיל (מי-ים)
de′salt′ (-sôlt) *v.* להתפיל
de′scale′ *v.* להסיר אבנית
des′cant′ *n.* נעימה, ליווי; סופראנו
des·cant′ *v.* לנגן ליווי; להרחיב הדיבור על
de·scend′ *v.* לרדת; לעבור בירושה
- descend on/upon להסתער על
- descend to להשפיל עצמו עד
- descend to particulars להיכנס לפרטים
- descended from מתייחס על, מצאצאי
descendant *n.* צאצא
descendent *n.* צאצא
de·scent′ *n.* ירידה, הידרדרות; מוצא, שושלת; התנפלות; הורשה
de·scribe′ *v.* לתאר, לשרטט
- describe as לכנות, להתייחס אליו
de·scrip′tion *n.* תיאור; סוג
- of every description מכל הסוגים
de·scrip′tive *adj.* תיאורי, ציירני
de·scry′ *v.* לראות, להבחין מרחוק
des′ecrate′ *v.* לחלל
des′ecra′tion *n.* חילול
de′seg′regate′ *v.* לבטל ההפרדה הגיזעית, להנהיג אינטגרציה
de′seg′rega′tion *n.* ביטול ההפרדה
de′sen′sitiza′tion *n.* הפחתת רגישות
de′sen′sitize′ *v.* להפחית הרגישות
de·sert′ (-z-) *v.* לנטוש, להפקיר; לערוק
des′ert (-z-) *n.* מידבר

des′ert (-z-) *adj.* מידברי; שומם
de•ser′ter (-z-) *n.* עריק
de•ser′tion (-z-) *n.* נטישה; עריקה
de•serts′ (-z-) *n-pl.* גמול
- just deserts עונש צודק
- one's deserts המגיע לו
de•serve′ (-z-) *v.* להיות ראוי ל-
- deserves ill ראוי לייחס רע
- deserves well זכאי לייחס טוב
de•serv′edly (-z-) *adv.* כיאות, בצדק
deserving *adj.* ראוי לעזרה, זכאי
des′habille′ (dez′əbēl′) *n&adj.* לבוש מרושל, לבוש חלקי; טרם התלבש
des′iccant *n.* מייבש, סופג לחות
des′iccate′ *v.* לייבש (פירות, מזון)
de•sid′era′ta *n-pl.* נחוצות
de•sid′era′tum *n.* דבר נחוץ
de•sign′ (-zīn) *n.* תוכנית, תרשים, שירטוט, דוגמה; מידגם, מודל; תכן, תיכנון; עיצוב
- by design במזיד, בכוונה
- have designs לתכנן, לרקום מזימות; לחמוד, ללטוש עין
design *v.* לתכנן, לשרטט; לעצב
des′ignate (-z-) *adj.* המיועד
- the minister designate השר המיועד
des′ignate′ (-z-) *v.* לציין, לסמן; למנות, לבחור, לייעד
des′igna′tion (-z-) *n.* מינוי, בחירה; כינוי, תואר; ייעוד
designed *adj.* מיועד, מתוכנן
de•sign′edly (-zīn′-) *adv.* בכוונה
designer *n.* משרטט; מעצב; מתכנן
designer drug סם סינתטי (חוקי)
designing *n.* שירטוט, תיכנון; עיצוב
designing *adj.* נוכל, חורש רעה
desirable *adj.* רצוי; נחמד
de•sire′ (-z-) *v.* לרצות, לחפוץ, לבקש; להשתוקק
- I desire you to אבקשך ל-
desire *n.* תשוקה; רצון, בקשה
- to his heart's desire כאוות-נפשו
de•si′rous (-z-) *adj.* רוצה, חפץ
de•sist′ *v.* לחדול, להפסיק
desk *n.* שולחן (מישרדי), מיכתבה; דסק; מדור
desk clerk פקיד קבלה
desktop *n.* מישטח שולחן; מחשב שולחן
desktop *adj.* שולחני, של מחשב שולחן
deskwork *n.* פקידות
des′olate *adj.* שומם, עזוב; אומלל
des′olate′ *v.* להזניח; לאמלל
des′ola′tion *n.* חורבן, שמה
de•spair′ *n.* ייאוש; גורם מפח-נפש
- he's the despair of his mother הוא תוגת אימו
despair *v.* להתייאש
despatch = dispatch
des′pera′do (-rä-) *n.* פושע
des′perate *adj.* מיואש, נואש; מסוכן; חמור
desperately *adv.* נואשות, עד מאוד
des′pera′tion *n.* ייאוש
- drive to desperation לשגע
de•spic′able *adj.* ניבזה, ניבזי
de•spise′ (-z) *v.* לבוז, לתעב
de•spite′ *prep.* למרות, חרף
de•spoil′ *v.* לבזוז, לשדוד
de•spon′dency *n.* דיכאון
de•spon′dent *adj.* מדוכא
des′pot *n.* עריץ, רודן
de•spot′ic *adj.* רודני, עריצי
des′potism′ *n.* רודנות, עריצות
dessert′ (diz-) *n.* ליפתן, פרפרת
dessertspoon *n.* כפית פרפרת
dessertspoonful *n.* כפית פרפרת
de′sta′bilize′ *v.* לערער יציבות; לחתור תחת
des′tina′tion *n.* מחוז-חפץ, יעד, מועדה
des′tine (-tin) *v.* להועיד
- destined מיועד; ניגזר (משמיים)
des′tiny *n.* גורל, מזל, ייעוד
des′titute′ *adj.* חסר-כול, עני
- destitute of נטול-, חסר-, משולל-
des′titu′tion *n.* עוני, מחסור
de•stroy′ *v.* להרוס, להשמיד, לחסל, להרוג
- destroy his hopes לנפץ תיקוותיו
destroyer *n.* משחתת
de•struct′ *n.* השמדה מכוונת (של טיל/חללית לאחר השיגור)
de•struc′tible *adj.* בר-השמדה
de•struc′tion *n.* הרס, חורבן, השמדה
de•struc′tive *adj.* הורס, הרסני
des′uetude′ (-swət-) *n.* אי-שימוש
- fall into desuetude להתיישן
des′ulto′ry *adj.* שיטחי, לא שיטתי
de•tach′ *v.* לנתק, להפריד; להקצות, להפריש
detachable *adj.* נתיק
detached *adj.* לא משוחד, אובייקטיבי
- detached house בית נפרד/בודד
detachment *n.* הינתקות; אובייקטיביות; אדישות; פלגה, פלוגה
de•tail′ *n.* פרט; פלגה, יחידה
- go into details להיכנס לפרטים
- in detail בפרוטרוט
detail *v.* להקצות (למשימה מיוחדת)
detailed *adj.* מפורט
de•tain′ *v.* לעכב, לעצור, לכלוא
de′tainee′ *n.* עצור, עציר
de•tain′er *n.* מעצר
de•tain′ment *n.* מעצר
de•tect′ *v.* לגלות, להבחין ב-
detectable *adj.* שניתן לגלותו
de•tec′tion *n.* גילוי, חשיפה
de•tec′tive *n.* בלש
detective story סיפור בלשי
detector *n.* מגלה, גלאי, דטקטור
detente (dātänt′) *n.* דיטאנט
de•ten′tion *n.* מעצר, עיכוב, ריתוק
- administrative detention מעצר מינהלי
- detention home בית מעצר לנוער
de•ter′ *v.* להרתיע, לעצור בעד
de•ter′gent *n.* דטרגנט, תכשיר ניקוי
de•te′riorate′ *v.* לקלקל; להתקלקל; להידרדר; להחמיר
de•te′riora′tion *n.* הידרדרות
de•ter′minable *adj.* בר הגדרה
de•ter′minant *adj.* קובע, מכריע
de•ter′minate *adj.* מוגדר, קבוע

de·ter′mina′tion *n.* החלטה נחושה; החלטה סופית; החלטיות; הגדרה, קביעה; מציאה, חישוב
de·ter′minative *adj.* מכוון, מגדיר
de·ter′mine (-min) *v.* להחליט; לקבוע; לחשב, למצוא
- determine him to להביאו לכלל החלטה
determined *adj.* נחוש בדעתו
determiner *n.* (בדקדוק) מגביל
de·ter′minism′ *n.* דטרמיניזם
de·ter′rence *n.* הרתעה
de·ter′rent *n&adj.* מרתיע
de·test′ *v.* לשנוא, לתעב
de·test′able *adj.* מתועב
de′tes·ta′tion *n.* תיעוב
de·throne′ *v.* להדיח (מלך)
dethronement *n.* הדחה
det′onate′ *v.* לפוצץ; להתפוצץ
det′ona′tion *n.* פיצוץ, ניפוץ
det′ona′tor *n.* נַפָּץ, דטונטור, פצץ
de·tour′ (-toor) *n.* מעקף, עקיפה
- make a detour לנסוע במעקף
detour *v.* לנסוע במעקף, לעקוף
de′tox′ifica′tion *n.* סילוק רעלים, גמילה
de′tox′ify′ *v.* לסלק רעלים, לגמול
de·tract′ *v.* לגרוע, לפגום, לזלזל
de·trac′tion *n.* הפחתה, זילזול
de·trac′tor *n.* משפיל, מעליל
de′train′ *v.* לרדת מרכבת
det′riment *n.* נזק, פגיעה, רעה
- to the detriment of בהיזק ל-
det′rimen′tal *adj.* מזיק, פוגע
de·tri′tus *n.* שחק, נשורת
de trop (dətrō′) מפריע, מיותר
deuce (dōōs) *n.* (קלף, קוביה) שניים; (בטניס) שוויון; שטן, שד
- the deuce = the devil *לעזאזל
deuced, deucedly *ארור, מאוד
Deu′teron′omy (dōōt-) *n.* דברים (חומש)
Deutschmark (doich′märk′) *n.* מרק גרמני
de′val′uate′ (-lūāt) *v.* לפחת
de′val′ua′tion (-lūā′-) *n.* פיחות, הורדת ערך המטבע, דיוולואציה
de′val′ue (-lū) *v.* לפחת
dev′astate′ *v.* להרוס, להחריב
devastating *adj.* הורס; מצוין, "פצצה"
dev′asta′tion *n.* הרס, חורבן
de·vel′op *v.* להתפתח; לפתח
developer *n.* (בצילום) מְפַתֵּחַ
developing country ארץ מתפתחת
development *n.* התפתחות; פיתוח; איזור פיתוח
de·vel′opmen′tal *adj.* התפתחותי
de′viant *adj.* סוטה
de′viate′ *v.* לסטות, לחרוג
de′viate *n.* סוטה
de′via′tion *n.* סטייה, נליזה
deviationist *n.* סוטה (בדיעותיו)
de·vice′ *n.* תחבולה, תוכנית; מיתקן, מכשיר; סמל, ציור
- leave him to his own devices לעזבו לנפשו
dev′il (-vəl) *n.* שטן, שד; "ממזר"; אומלל; נער-שליח
- better the devil you know אם כבר - אזי הרע במיעוטו
- between the devil and the deep בין הפטיש והסדן
- give the devil his due לעשות צדק עם הכל, להודות שהלה מוכשר
- go to the devil להיהרס, להידרדר
- go to the devil! לך לעזאזל!
- like the devil כמו שד
- play the devil with להרוס, לקלקל
- poor devil מיסכן, ביש-מזל
- raise the devil להקים רעש
- speak\talk of the devil חבל שלא הזכרנו את המשיח!
- the devil of a *ארור, לעזאזל
- the devil of it *הגרוע מכל
- the devil to pay צרות באופק
- the devil's advocate פרקליטו של השטן
- what the devil- מה, לכל הרוחות-
devil *v.* לטגן (עם תבלינים חריפים); להציק, לענות
devilish *adj.* שטני, אכזרי, רע
devilish *adv.* *מאוד, ביותר
devil-may-care *adj.* פזיז, עליז, ציפור דרור
devilment *n.* תעלול; שדיות, עליזות
dev′ilry *n.* תעלול; שדיות, עליזות
de′vious *adj.* עוקף, עקלקל; ערמומי
de·vise′ (-z) *v.* להמציא, לתכנן; להוריש, להנחיל
dev′isee′ (-zē) *n.* יורש
dev′isor′ (-z-) *n.* מוריש (בצוואה)
de′vi′taliza′tion *n.* נטילת החיוניות
de′vi′talize′ *v.* לשלול החיוניות
de·void′ *adj.* ריק; חסר, נעדר-
dev′olu′tion *n.* ייפוי כוח, הסמכה, אצילה
de·volve′ *v.* להעביר, להטיל, לגלגל, להסמיך, לעבור
de·vote′ *v.* להקדיש
- devote oneself to להתמסר ל-
devoted *adj.* מסור, נאמן, מתמסר
dev′otee′ *n.* חסיד, חובב; קנאי
de·vo′tion *n.* מסירות; התמסרות
- devotions תפילות, תפילה
devotional *adj.* של תפילה
de·vour′ *v.* לטרוף; לאכול, לזולול
- devoured by hate אכול-שינאה
de·vout′ *adj.* אדוק, דתי, רציני
devoutly *adv.* בכוונות, ברצינות
dew (dōō) *n.* טל
dewdrop *n.* אגל-טל
dew′lap′ (dōō-) *n.* פימה, סנטר כפול
dewy *adj.* מטולל, מלוחלח
dewy-eyed *adj.* נאיבי, רגשני
dex·ter′ity *n.* מיומנות
dex′terous *n.* זריז, מומחה
dex′trose *n.* סוכר-פירות
dex′trous *n.* זריז, מומחה
DG = director general מנכ"ל
di′abe′tes *n.* סוכרת, מחלת הסוכר
di′abet′ic *adj&n.* (של) חולה סוכרת, דיאבטי
di′abol′ic *adj.* שטני
di′acrit′ic *n.* נקודה דיאקריטית (על גבי

אות)
di'adem' *n.* כתר, נזר, עטרה
di'agnose' *v.* לאבחן
di'agno'sis *n.* דיאגנוזה, אבחנה, תבחין
di'agnos'tic *adj.* אבחנתי, דיאגנוסטי
di'agnos'tics *n.* דיאגנוסטיקה, תורת האיבחון
di·ag'onal *n&adj.* אלכסון; אלכסוני
di'agram' *n.* דיאגרמה, תרשים, תיאור גרפי
di'agrammat'ic *adj.* של תרשים
di'al *n.* חוגה; לוח השעון; לוח (עם מחוג או מחוון)
dial *v.* לחייג
di'alect' *n.* דיאלקט, ניב
di'alect'al *adj.* דיאלקטי, ניבי
di'alec'tic *n.* דיאלקטיקה
di'alec'tical *adj.* דיאלקטי, ניבי
di'alec·ti'cian (-tish'ən) *n.* דיאלקטיקן, וכחן
di'alec'tol'ogy *n.* דיאלקטולוגיה, חקר הדיאלקטים של הלשון
dialing code קידומת, איזור חיוג
di'alogue' (-lôg) *n.* דיאלוג, שיחה
dial tone צליל חיוג
di·al'ysis *n.* דיאליזה, הפרדה
diamante (di'əman'tā') *adj.* מקושט בנצנצים
di·am'eter *n.* קוטר
- magnify 30 diameters להגדיל פי 30 (עצמים זעירים)
di'amet'rical *adj.* של קוטר; מנוגד
diametrically *adv.* בקוטביות, לגמרי
di'amond *n.* יהלום; מעוין, רומבוס
- rough diamond גס וטוב-לב
diamond *adj.* של יום השנה ה-60/ה-75
di'aper *n.* חיתול; בד כותנה משובץ
di·aph'anous *adj.* שקוף
di'aphragm' (-ram) *n.* סרעפת; תופית; דיאפרגמה, צַמְצָם; פרגוד דק במצלמה
di·ar'chy (-ki) *n.* דו-שילטון
di'arist *adj.* יומנאי
di'arrhe'a (-rē'ə) *n.* שילשול
di'arrhoe'a (-rē'ə) *n.* שילשול
di'ary *n.* יומן
Di·as'pora *adj.* גלות, יהדות התפוצות, הפזורה היהודית בגולה
di'astol'ic *adj.* דיאסטולי, (הלחץ) הנמוך
di'aton'ic scale סולם דיאטוני
di'atribe' *n.* התקפה חריפה, הצלפה
dib'ber *n.* דקר, כלי-חפירה קטן
dib'ble *n.* דקר, כלי-חפירה קטן
dibble *v.* לשתול בעזרת דקר
dice *n.* קובייה, קוביות
- no dice *לא ולא; אין מזל
- the dice are loaded against הכל פועל לרעת-
dice *v.* לשחק בקוביות; לחתוך (מזון) לקוביות, לקצוץ
- dice away להפסיד כספו במישחקים
- dice with death לשחק באש
di'cey *adj.* *מסוכן, לא בטוח
di·chot'omy (-k-) *n.* התפצלות
dick *n.* *איבר המין הגברי; בלש
dick'ens (-z) *n.* שד, שטן
- what the dickens- *מה, לעזאזל-
dick'er *v.* *להתמקח
dick'ey *n.* צווארון; חולצה מזויפת; מושב קטן אחורי; *ציפור
dick'y צווארון; חולצה מזויפת; מושב קטן אחורי; *ציפור
dick'y *adj.* *חלוש, רעוע
dicky-bird *n.* *ציפור, ציפורה
dick'ie צווארון; חולצה מזויפת; מושב קטן אחורי; *ציפור
di'cot'yle'don *n.* דו-פסיגי
dic'taphone' *n.* דיקטאפון
dictate' *v.* להכתיב
- be dictated to לקבל תכתיב
dic'tate' *n.* תכתיב, צו, דיקטאט
dicta'tion *n.* הכתבה, תכתיב
dic'ta'tor *n.* רודן, דיקטטור
dic'tato'rial *adj.* רודני, דיקטטורי
dicta'torship *n.* רודנות
dic'tion *n.* דיקציה, סיגנון; מיבטא
dic'tionar'y (-'shəneri) *n.* מילון
dic'tum *n.* פיתגם; חוות דעת
did = pt of do
di·dac'tic *adj.* דידאקטי, לימודי, מאלף
di·dac'tics *n.* דידאקטיקה, פדגוגיה
did'dle *v.* *לרמות, להונות
didn't = did not (did'ənt)
di'do *n.* *תעלול, מעשה קונדס
didst, thou didst עשית
die (dī) *v.* למות; לדעוך
- be dying for "למות", להתאוות ל-
- die away לדעוך, להימוג, לגווע
- die back לקמול רק עד השורשים
- die by one's own hand להתאבד
- die down לדעוך, לגווע; לקמול
- die game למות מות גיבורים
- die hard לעמוד על נפשו, להיאבק נמרצות עד הרגע האחרון
- die in harness למות בעודו עובד
- die in one's bed למות מוות טבעי
- die in the last ditch להילחם עד טיפת-דמו האחרונה
- die off למות בזה אחר זה
- die out להיעלם כליל, להיכחד
- die with one's boots on למות כשהוא במלוא אונו, למות שלא במיטה
- dying wish רצונו האחרון
- never say die! אל תרים ידיים! לעולם אל תאמר די!
die *n.* קובייה; מטבעת, מטריצה
- the die is cast הפור נפל
die-cast *adj.* מוטבע, עשוי בהטבעה
die-hard *n.* עקשן; שמרן
di·er'esis *n.* נקודות דיאקריטיות (על גבי אות)
die'sel (dē'z-) *n.* דיזל
diesel oil סולר
di'et *n.* דיאטה, תפריט, תזונה, ברות
- on a diet שומר על דיאטה
diet *v.* לצוות/לשמור על דיאטה
diet *n.* ועידה, אסיפה
di'etar'y (-teri) *adj.* של דיאטה, דיאטי
dietary laws דיני כשרות
di'etet'ic *adj.* תזונתי, דיאטטי
dietetics *n.* תזונה
di'eti'cian (-tish'ən) *n.* תזונאי,

דיאטיקן
di'eti'tian (-tish'ən) *n.* תזונאי, דיאטיקן
diet sheet תפריט דיאטי
dif'fer *v.* להיות שונה; לחלוק על
- I beg to differ איני מסכים
- agree to differ לחדול מוויכוח
- differ from/with לחלוק על
- tastes differ כל אחד וטעמו שלו
dif'ference *n.* שוני, הבדל, הפרש; אי הסכמה
- it makes a difference זה משנה, זה חשוב
- make a difference between להפלות בין
- makes no difference לא משנה, לא משפיע
- split the difference להתפשר על מחצית ההפרש
dif'ferent *adj.* שונה; מיוחד
dif'feren'tial *adj&n.* מִשְׁתַּנֶּה; שונה; הפרשיות; דיפרנציאל
differential calculus חשבון דיפרנציאלי
differential gear (במכונית) דיפרנציאל
dif'feren'tiate' (-'sh-) *v.* להבחין, להבדיל; להפלות
dif'feren'tia'tion (-'sh-) *n.* הבחנה, הבדלה, הפרדה, מיון
dif'ficult *adj.* קשה
dif'ficulty *n.* קושי
- make difficulties לערום קשיים
dif'fidence *n.* ביישנות
dif'fident *adj.* ביישן, חסר-ביטחון
diffract' *v.* לשבור (קרן-אור)
diffrac'tion *n.* השתברות קרן-אור, דיפרקציה, סטייה
diffuse' (-s) *adj.* מכביר מילים, להגני; מפוזר, מתפשט
diffuse' (-z) *v.* להתפשט; להפיץ
diffu'sion (-zhən) *n.* הפצה; דיפוזיה, דיות, התחדרות
dig *v.* לחפור, לעדור; *לחבב, להבין
- dig at him לשלוח עקיצה לעברו
- dig down *לשלם מכספו
- dig for gold לחפש זהב
- dig him in the ribs לתקוע מרפק בצלעותיו
- dig in להתכבד, להתחיל לאכול; לערבב בעפר; להתחפר; לעמול
- dig into לחדור, לבדוק היטב, לתקוע, לנעוץ
- dig oneself in להתחפר, להתבצר
- dig oneself out of a hole להיחלץ מקושי
- dig out למצוא, לחשוף; למהר, להסתלק
- dig over *לשקול, להרהר שנית
- dig up לגלות, לחשוף; *לגייס כסף
dig *n.* חפירה, אתר; דחיפה; *עקיצה
- a dig at me עקיצה לעברי
- digs *מגורים, מעונות
di'gest' *n.* תמצית, תקציר; תלקיט
di·gest' *v.* לעכל; להתעכל; להבין
di·ges'tibil'ity *n.* התעכלות
di·ges'tible *adj.* מתעכל
diges'tion (-chən) *n.* עיכול
diges'tive *n.* עיכולי

digestive system צינור העיכול
digger *n.* חופר, מחפר
diggings *n-pl.* חפירות, מיכרה; *מגורים
dig'it *n.* סיפרה; אצבע
dig'ital *adj.* סיפרתי, דיגיטאלי; של אצבע
digital computer מחשב סיפרתי
dig'itiza'tion *n.* הפיכה לדיגיטאלי
dig'itize' *v.* להפוך לדיגיטאלי
dignified *adj.* מרשים, מעורר כבוד
dig'nify' *v.* לכבד, להאדיר, לנפח
dig'nitar'y (-teri) *n.* נכבד, איש-כמורה
dig'nity *n.* כבוד, אצילות, מעמד
- beneath one's dignity למטה מכבודו
- stand on one's dignity לדרוש יחס כבוד
di'graph' *n.* דיגראף, צמד אותיות
di·gress' *v.* לסטות, לחרוג
di·gres'sion *n.* סטייה, חריגה, עיוות
dike *n.* דייק, סוללה, תעלה; לסבית
dike *v.* להקים סוללה
dilap'ida'ted *adj.* רעוע, הרוס
dilap'ida'tion *n.* רעיעות
- dilapidations דמי-נזיקין
di·late' *v.* להרחיב, לפעור; להתרחב
- dilate on להרחיב את הדיבור על
di·la'tion *n.* הרחבה, התרחבות
dil'ato'ry *adj.* רשלני, איטי, מעכב
dilem'ma *n.* דילמה, מצב קשה, תיסבוכת
dil'ettan'te (-tänti) *n&adj.* חובבן, דילטאנט, שיטחי
dil'igence *n.* התמדה, שקדנות
diligence *n.* דיליז'אנס, כירכרה
dil'igent *n.* מתמיד, שקדן
dill *n.* שֶׁבֶת (צמח-תבלין)
dil'ly *adj.* *מצוין, נפלא, מוזר, מטורף
dil'ly-dal'ly *v.* לבזבז זמן, להסס
di·lute' *v.* לדלל, להחליש חוזק
dilute *adj.* דליל
di·lu'tion *n.* דילול; נוזל מדולל
dilu'vial *adj.* של מבול
dim *adj.* עמום, מטושטש; *טיפש
- take a dim view of להתייחס בהסתייגות ל-
dim *v.* לעמעם; להתעמעם
dime *n.* דיים (10 סנטים)
- a dime a dozen בזיל הזול, תריסר בפרוטה
dime novel רומן זול
dimen'sion *n.* מימד
dimensional *adj.* ממדי
- 3-dimensional תלת-ממדי
dimin'ish *v.* להפחית, לצמצם; לפחות
diminished capacity כשרות מוגבלת (של נאשם)
dimin'uen'do (-nūen-) *n.* החלשה הדרגתית
dim'inu'tion *n.* הפחתה, הקטנה
dimin'u·tive *adj.* זעיר, קטנטן
diminutive *n.* מילת הקטנה
dim'ity *n.* דימיטי (בד כותנה)
dim'mer *n.* מעמעם; עממור
dim'out' *n.* עימעום; האפלה
dim'ple *n.* גומת-חן

dimple *v.* ליצור/להיווצר גומות
dim-witted *adj.* *טיפשי
din *n.* רעש, שאון
- kick up a din להקים רעש
din *v.* לרעוש, להרעיש
- din into him לשנן, להטיף באוזניו
dinar′ *n.* דינר
dine *v.* לסעוד, לאכול ארוחה
- dine and wine לכבד בסעודה
- dine in לאכול בבית
- dine off לסעוד, לאכול
- dine out לאכול בחוץ
di′ner *n.* סועד; קרון-מיזנון
di·nette′ *n.* פינת אוכל
ding *n&v.* צילצול; לצלצל
ding′-dong′ (-dông) *n.* צילצול
ding-dong battle קרב שבו עובר היתרון מצד לצד, קרב מטוטלת
din′ghy (-gi) *n.* סירה קטנה
din′gle *n.* ביקעה, עמק
din′gy *adj.* מלוכלך; קודר
dining car קרון מיזנון
dining room חדר אוכל
din′ky *adj.* *חמוד, מקסים; קטנטן
din′ner *n.* ארוחת היום העיקרית
- have/eat dinner לסעוד
- hold a dinner לערוך מסיבה/סעודה
dinner bell צילצול (שהארוחה מוכנה)
dinner jacket סמוקינג, מיקטורן
dinner party ארוחה חגיגית
dinner service מערכת כלי שולחן
di′nosaur′ *n.* דינוזאור
dint *n.* שקע, גומה
- by dint of באמצעות, על-ידי
di·oc′esan *adj.* של מחוז הבישוף
di′ocese′ *n.* מחוז הבישוף, בישופות
di·ox′ide *n.* דו-תחמוצת
dip *v.* לשרות, לטבול; לשקוע; לרדת; להוריד
- dip a flag להוריד דגל (בהצדעה)
- dip a garment לצבוע בגד (בנוזל)
- dip into a book לרפרף בספר
- dip into one's pocket להוציא כסף
- dip sheep להטביל צאן (לשם חיטוי)
- dip the headlights לעמעם האורות
- dip up/out לדלות, לשאוב
dip *n.* טבילה; ירידה, שיפוע; הורדה; נוזל חיטוי; מישרה לטבילת רקיק
diphthe′ria *n.* דיפתריה, אסכרה
diph′thong′ *n.* דו-תנועה, דיפתונג
diplo′ma *n.* דיפלומה; תעודת-גמר
diplo′macy *n.* דיפלומטיה, מדינאות
dip′lomat′ *n.* דיפלומט, מדינאי
dip′lomat′ic *adj.* דיפלומטי; טאקטי
diplo′matist *n.* דיפלומט
dip′per *n.* מצקת, תרווד
- the Big Dipper העגלה הגדולה
dip′py *adj.* מטורף, מוזר, תמהוני
dip′soma′nia *n.* שכרת
dip′soma′niac′ *n.* חולה שכרת
dip-stick *n.* קנה-טבילה (למדידת כמות השמן במכונית)
dipswitch *n.* עממור
dip′tych (-tik) *n.* דיפטיכון, ציור על לוחות מתקפלים
dire *adj.* נורא, מפחיד

- in dire need זקוק בדחיפות
direct′ *adj.* ישר, ישיר; ברור
- direct answer תשובה ברורה
- direct hit פגיעה ישירה
- the direct opposite ההיפך הגמור
direct *adv.* ישר, ישירות, היישר
direct *v.* להנחות, להדריך, להפנות, לכוון; לפקח, לנהל; לצוות, להורות
- direct a film לביים סרט
- direct a letter לְמַעֵן מיכתב
- direct an orchestra לנצח על תיזמורת
direct action פעולה ישירה, שביתה
direct current זרם ישר
direct dialing חיוג ישיר
direct evidence עדות ישירה
direct examination חקירה ראשית
direc′tion *n.* כיוון; הדרכה, פיקוח; ניצוח; הנהלה
- directions הוראות, הנחיות; מען
- sense of direction חוש כיוון
direc′tional (-rek′shənəl) *adj.* כיווני
direc′tive *n.* הנחייה, הוראות
directive *adj.* מדריך, מנחה
directly *adv.* ישירות, היישר; ברורות; מיד, תיכף ומיד
directly *conj.* *ברגע ש-, מיד כש-, אך
direct mail דיוור ישיר
direct mailing דיוור ישיר
direct object מושא ישיר
director *n.* מנהל; דירקטור; במאי
direct′orate *n.* הנהלה; דירקטוריון; מנהלות
director-general *n.* מנכ"ל
direc′to′rial *adj.* של דירקטור; של במאי
directorship *n.* מנהלות
direct′ory *n.* מדריך (ספר)
directory assistance שירות מודיעין
direct speech דיבור ישיר
direct tax מס ישיר
direful *adj.* נורא, איום
dirge *n.* קינה
dir′igible *n.* ספינת אוויר
dirigible *adj.* בר-ניווט
dirk *n.* פיגיון
dirn′dl (-dəl) *n.* שימלה רחבה
dirt *n.* ליכלוך; עפר; ניבול פה
- as cheap as dirt גס, המוני
- dig for dirt *להפוך כל רגב, לחפש פגמים
- dirt cheap *בזיל הזול
- dish the dirt *לרכל, להלעיז, להטיל בוץ
- do him dirt *לנהוג בו בניבזות
- fling dirt at להטיל בוץ ב-
- treat like dirt לזלזל, לרמוס
dirt farmer איכר (עצמאי)
dirt road דרך עפר
dirt track מסלול (לתחרויות)
dirt′y *adj.* מלוכלך; סוער, סגרירי
- a dirty look מבט המביע שאט-נפש
- dirty work עבודה שחורה
- play a dirty trick לנהוג בשפלות
dirty *v.* ללכלך; להתלכלך
dis- (תחילית) לא, אי-, לבטל, לשלול
dis′abil′ity *n.* מום, נכות, ליקוי; אי-יכולת (מישפטית)

dis·a′ble *v.* להטיל מום; לפסול
disabled *adj.* נכה, בעל מום
disablement *n.* גרימת נכות
dis′abuse′ (-z) *v.* לשחרר מרעיונות מוטעים, לפקוח עיניים
dis′accord′ *v.* לא להסכים, לחלוק על
dis′accord′ *n.* אי התאמה
dis′advan′tage *n.* מיגרעת, חיסרון
- at a disadvantage בעמדה נחותה
- to his disadvantage לרעתו, נגדו
disadvantaged *adj.* מקופח, נחות
dis·ad′vanta′geous (-jəs) *adj.* לא נוח, נחות
dis′affec′ted *adj.* לא מרוצה, לא נאמן
dis′affec′tion *n.* חוסר נאמנות
dis′affil′iate′ *v.* לנתק; להתפלג
dis′affor′est *v.* לכרות עצי היער
dis′affor′esta′tion *n.* בירוא יער
dis′agree′ *v.* לא להסכים, לחלוק על; לא להתאים/להזיק לבריאות
disagreeable *adj.* לא נעים; רגזן
disagreement *n.* חילוקי-דיעות, אי-התאמה, הבדל
dis′allow′ *v.* לדחות, לפסול
dis′appear′ *v.* להיעלם; להיכחד
disappearance *n.* היעלמות
dis′appoint′ *v.* לאכזב
disappointed *adj.* מאוכזב
disappointing *adj.* מאכזב
disappointment *n.* אכזבה, מפח-נפש
dis·ap′proba′tion = disapproval
dis′approv′al (-rōōv-) *n.* אי-הסכמה, יחס שלילי, הסתייגות, מורת-רוח
- to his disapproval למורת רוחו
dis′approve′ (-rōōv) *v.* להתייחס בשלילה; להסתייג, להביע מורת-רוח
dis·arm′ *v.* לפרק/להתפרק מנישקו; להפיג, להרגיע, לסלק כעס
- disarming smile חיוך מפיג רוגז
dis·ar′mament *n.* פירוק נשק
dis′arrange′ (-rānj) *v.* לבלבל, להכניס אי-סדר, להפוך, לפרוע
disarrangement *n.* אי-סדר
dis′array′ *n.* בילבול, אי-סדר
disarray *v.* לבלבל, לעשות אי-סדר
dis′asso′ciate = dissociate
disas′ter (-zas-) *n.* אסון
disas′trous (-zas-) *adj.* ממיט שואה
dis′avow′ *v.* לכפור, לדחות, לשלול כל קשר
disavowal *n.* דחייה, הכחשה
dis·band′ *v.* לפרק, לשחרר; להתפרק
disbandment *n.* פירוק
dis·bar′ *v.* לשלול (מעו"ד) רישיון
disbarment *n.* השעיית עו"ד
dis′be·lief′ (-lēf) *n.* חוסר אמון, כפירה
dis′be·lieve′ (-lēv) *v.* לא להאמין, לכפור
dis·bur′den *v.* לפרוק משא מ-
dis·burse′ *v.* להוציא כסף, לשלם
disbursement *n.* הוצאה, תשלום
disc *n.* דיסק, דיסקה, דיסקוס; עיגול; תקליט
discard′ *v.* להשליך, להיפטר, לגרוט
dis′card *n.* קלף מושלך; גרט
discern′ *v.* להבחין, לראות
discernible *adj.* ניכר
discerning *adj.* מבחין, מבין
discernment *n.* הבחנה, מבינות
dis·charge′ *v.* לפרוק מיטען; לפלוט; להוציא; לשחרר, לפטר; לשלוח; לירות
- discharge a debt לסלק חוב
- discharge a duty למלא חובה
- discharge itself להישפך לים
discharge *n.* פריקה; פליטה; הפטר, שיחרור, סילוק חוב; ירייה
discharged bankrupt פושט רגל משוחרר
disci′ple *n.* תלמיד, מעריץ, חסיד
dis′ciplina′rian *n.* משליט מישמעת, מטיל מרות
dis′ciplinar′y (-neri) *adj.* מישמעתי; תחומי
- interdisciplinary בין-תחומי
- multidisciplinary רב-תחומי
dis′cipline (-lin) *n.* מישמעת; עונש; שיטה, דרך; מיקצוע מדעי, תחום
discipline *v.* למשמע, להעניש, לאלף
dis·claim′ *v.* לוותר על תביעה, לנער חוצנו מ-
disclaimer *n.* כתב-ויתור
disclose′ (-z) *v.* לגלות, לחשוף
disclo′sure (-zhər) *n.* גילוי
dis′co *n.* *דיסקו; דיסקוטק
dis·col′or (-kul-) *v.* לשנות צבע; לדהות; לטשטש
dis·col′ora′tion (-kul-) *n.* שינוי צבע, דיהוי; טישטוש, כתם
dis·com′fit (-kum-) *v.* להביך; לסכל
dis·com′fiture (-kum-) *n.* מבוכה
dis·com′fort (-kum-) *n.* אי-נוחות; מבוכה; טירדה, קושי
dis′commode′ *v.* לגרום לאי-נוחות
dis′compose′ (-z) *v.* לערער שלווה
dis′compo′sure (-zhər) *n.* מבוכה
dis′concert′ *v.* להביך, להדאיג; לסכל
dis′connect′ *v.* לנתק
disconnected *adj.* מנותק, חסר-קשר
dis′connec′tion *n.* ניתוק
dis·con′solate *adj.* אומלל, שאין לנחמו
dis′content′ *n.* אי-שביעות-רצון, מורת-רוח
discontented *adj.* לא-מרוצה
discontinuance *adj.* הפסקה, אי-המשך
dis′contin′ue (-nū) *v.* להפסיק, לחדול
dis′con·tinu′ity *adj.* אי-רציפות
dis′contin′uous (-nūəs) *adj.* לא נמשך; מקוטע
dis′cord *n.* חוסר-הרמוניה, חילוקי-דיעות, מחלוקת; צריר, תצרום
dis·cor′dance *n.* חוסר הרמוניה
dis·cor′dant *adj.* לא-תואם; צורם
dis′cotheque′ (-tek) *n.* דיסקוטק
dis′count *n.* הנחה; ניכיון, דיסקונט
- at a discount בהנחה, ערכו ירד
discount *v.* לנכות, לנכות שטר; לפקפק בנכונות, לזלזל
discount broker מתווך קניות
dis·coun′tenance *v.* להתנגד, להסתייג מ-, לא לראות בעין יפה
discount store חנות מכירות בהנחה
dis·cour′age (-kûr′-) *v.* לרפות ידי-, להרתיע, לייאש; למנוע, לערום קשיים

- discourage from להניא, למנוע
discouragement *n.* מניעה, הרתעה
dis′course′ (-kôrs) *n.* הרצאה, נאום; שיחה, דיון
discourse′ (-kôrs) *v.* להרצות
dis·cour′te·ous (-kûr′-) *n.* לא-נימוסי, לא אדיב
dis·cour′tesy (-kûr′-) *n.* חוסר אדיבות; מעשה גס
dis·cov′er (-kuv-) *v.* לגלות, למצוא
discoverer *n.* מגלה
dis·cov′ery (-kuv-) *n.* גילוי; תגלית; גילוי מסמכים
dis·cred′it *v.* לערער האמון; לפקפק באמיתות, לא להאמין, לפסול
discredit *n.* חוסר-אמון; עירעור האמון; פיקפוק; כתם, שם-רע, חרפה
- throw discredit on להטיל ספק ב-
discreditable *adj.* מביש, מחפיר
discreet′ *adj.* דיסקרטי, זהיר, טקטי
dis·crep′ancy *n.* אי-התאמה, סתירה
discrete′ *adj.* לא-רציף, לא המשכי; נפרד
discre′tion (-resh′ən) *n.* זהירות, תבונה; שיפוט, שיקול-דעת; חופש לפעול כרצונו
- at one's discretion כראות עיניו
- years of discretion גיל הבגירות
discre′tionar′y (-resh′əneri) *adj.* לפי שיקול דעתו, שבסמכותו לפעול כרצונו
discrim′inate′ *v.* להבחין, להבדיל
- discriminate against להפלות לרעה
discriminating *adj.* מבחין; מַפְלֶה
discrim′ina′tion *n.* הבחנה; אפלייה
discrim′inato′ry *adj.* מַפְלֶה; מקפח
discur′sive *adj.* קופץ מנושא לנושא, מקוטע, לא מתוכנן
dis′cus *n.* דיסקוס
discuss′ *v.* לדון, לשוחח, להתווכח
discus′sion *n.* ויכוח, דיון
- come up for discussion לעלות לדיון
- hold a discussion לנהל דיון
- under discussion בדיון
disdain′ *v.* לבוז ל-, לדחות בבוז
disdain *n.* בוז
disdainful *adj.* בז, מתייחס בבוז
disease′ (-zēz) *n.* מחלה
diseased *adj.* חולה, נגוע
dis′embark′ *v.* לנחות, לרדת מאונייה; להנחית
dis·em′bar·ka′tion *n.* נחיתה
dis′embar′rass *v.* לחלץ ממבוכה, לפרוק מעליו, לשחרר
disembarrassment *n.* שיחרור ממבוכה
disembodied *adj.* חסר-גוף, של רוח
dis′embod′y *v.* לנתק מהגוף
dis′embow′el *v.* להוציא את המעיים
dis′embroil′ *v.* לחלץ מתיסבוכת
dis′enchant′ *v.* לשחרר מחבלי-קסם
disenchanted *adj.* משוחרר מאשלייה, מפוכח
disenchantment *n.* התפכחות
dis′encum′ber *v.* לשחרר מנטל
dis′endow′ *v.* לשלול מענק
dis·enfran′chise (-z) *v.* לשלול זכות בחירה מ-
dis′engage′ *v.* לנתק; להינתק; לנתק מגע, להסתלק
disengaged *adj.* פנוי, לא טרוד
disengagement *n.* הינתקות
dis′entan′gle *v.* לשחרר, להתיר, לחלץ מהסבך; להשתחרר
disentanglement *n.* התרה, שיחרור
dis·e′quilib′rium *n.* חוסר-איזון
dis′estab′lish *v.* לשלול ההכרה הרישמית (ממוסד)
dis·fa′vor *n.* חוסר-אהדה, הסתייגות
- incur his disfavor לסור חינו בעיניו
disfavor *v.* להתייחס בשלילה, להסתייג, לראות בעין רעה
dis·fig′ure (-gyər) *v.* לכער, להשחית היופי
disfigurement *n.* כיעור; הכערה
dis·for′est *v.* לעקור עצי יער, לברא
dis·fran′chise (-z) *v.* לשלול זכות בחירה מ-
disfranchisement *n.* שלילת זכות בחירה
dis·frock′ *v.* להסיר מדים
dis·gorge′ *v.* להקיא; להישפך לים; להחזיר לבעלים
dis·grace′ *n.* בושה, חרפה; קלון
- bring disgrace on להמיט קלון על
- fall into disgrace להיות לחרפה
- is in disgrace סר חינו, נכלם
disgrace *v.* להמיט חרפה על; לבייש
disgraceful *adj.* מביש, מחפיר
dis·grun′tle *v.* לאכזב
disgruntled *adj.* מאוכזב, ממורמר
dis·guise′ (-gīz) *v.* להסתיר, להסוות, לתחפש; להעלים
- disguise oneself להתחפש, להתחזות
- there's no disguising the fact אין להסתיר ש-
disguise *n.* תחפושת, מסווה; התחזות
disgust′ *n.* תיעוב, שאט-נפש
disgust *v.* לעורר גועל, להגעיל
disgusted *adj.* תקוף-בחילה
disgusting *adj.* גועלי, מגעיל
dish *n.* קערה; צלחת; תבשיל, מאכל, מנה; רפלקטור ענק; *חתיכה
- dishes כלים, כלי-אוכל
dish *v.* *להרוס, לסכל, להביס
- dish out לחלק, לתת; *לבקר קשות
- dish up להגיש אוכל; להכין; להציג עובדות
dis′habille′ (-səbēl) *n.* לבוש מרושל, לבוש חלקי; טרם התלבש
dis′har·mo′nious *n.* לא הרמוני
dis·har′mony *n.* חוסר-הרמוניה
dishcloth *n.* מטלית-כלים
dis·heart′en (-här-) *v.* לרפות ידיים, להרתיע, לייאש, לערער ביטחון
dishev′eled (-vəld) *adj.* פרוע, מרושל
dish′ful′ (-fool) *n.* מלוא הצלחת
dis·hon′est (-son-) *adj.* לא הוגן, רמאי
dishonesty *n.* מירמה, חוסר-הגינות
dis·hon′or (-son-) *n.* חרפה, קלון
dishonor *v.* לבייש; לא לכבד (צ'ק)
dishonorable *adj.* מביש, מגונה
dishwasher *n.* מדיח כלים
dishwater *n.* מי כלים (מלוכלכים)
dish′y *adj.* *מושך, סקסי

dis'illu'sion (-zhən) *v.* לערער אשליה, לשחרר מאמונת-שוא, לאכזב
disillusioned *adj.* מאוכזב, מתפכח
disillusionment *n.* התפכחות
dis'incen'tive *n.* גורם מרתיע, מרפה ידיים, גורע מהמאמץ
dis·in'clina'tion *n.* אי-רצון; חוסר נטייה
dis'incline' *v.* להסב לב מ-; לסרב
disinclined *adj.* לא רוצה, לא נוטה, לא מתלהב, מסרב, מתנגד
dis'infect' *v.* לְחַטֵא, לטהר
disinfectant *n.* מחטא
dis'infec'tion *n.* חיטוי, חיטוא, דיזינפקציה
dis'infest' *v.* להדביר מזיקים
dis·in'festa'tion *n.* הדברה
dis'infla'tion *n.* דפלציה, יציבות
dis'in'forma'tion *n.* מידע מסולף, דיסאיפורמציה
dis'ingen'uous (-nūəs) *n.* לא הוגן, לא כן
dis'inher'it *v.* לנשל מירושה
disinheritance *n.* שלילת ירושה
dis·in'tegrate' *v.* לפורר; להתפורר
dis·in'tegra'tion *n.* התפוררות
dis'inter' *v.* להוציא מן הקבר; לחשוף
dis·in'terest'ed *adj.* לא משוחד; אדיש
disinterment *n.* הוצאה מהקבר
dis·join' *v.* להפריד, לפלג
dis·joint' *v.* לפרק (לחלקים)
disjointed *adj.* חסר-קשר, מקוטע
disjunc'tive *n.* מילת ברירה
disk *n.* דיסק, דיסקה, דיסקוס; עיגול; תקליט
disk = disc
disk drive כונן דיסקים
diskette' *n.* תקליטון
disk harrow מַדְפֵּן
disk jockey מגיש שירים ולהיטים, די ג'יי
dis·like' *v.* לא לחבב, לשנוא
dislike *n.* סלידה, חוסר-חיבה
- took a dislike to טיפח שנאה בליבו ל-
dis'lo·cate' *v.* לנקע עצם; להזיז; לשבש, לבלבל, לגרום לאי-סדר
dis'lo·ca'tion *n.* נקע, חריגה; שיבושים
dis·lodge' *v.* להוציא, לחלץ, לעקור, לסלק, לגרש
dislodgement *n.* סילוק, גירוש
dis·loy'al *adj.* לא נאמן, לא מסור
dis·loy'alty *n.* אי-מסירות, בגידה
dis'mal (-z-) *adj.* עצוב, קודר, מדכא
disman'tle *v.* לפרק; לפנות ציוד
dis·mast' *v.* לעקור את התורן
dismay' *v.* להפחיד, להטיל אימה
dismay *n.* פחד, אימה
dis·mem'ber *v.* לבתר, לשסע; לחלק
dismemberment *n.* ביתור, חלוקה
dismiss' *v.* לפטר; לשלח, לשחרר; לדחות (רעיון, אשמה), לפטור, לטפל חטופות
- case dismissed זכאי, התיק נסגר
dismiss'al *n.* פיטורים; דחייה
dismis'sive *adj.* מבטל, מזלזל
dis·mount' *v.* לרדת (מסוס); להוריד (תותח) מכנו; להפיל פרש

dis'obe'dience *n.* אי-ציות
dis'obe'dient *adj.* לא מציית, סרבן
dis'obey' (-bā) *v.* לא לציית ל-; להמרות פי-
dis'oblige' *v.* לאכזב, לפגוע ב-, לא לעזור, לא להיענות ל-
dis·or'der *n.* אי-סדר, אנדרלמוסיה, הפרת-סדר; ליקוי, הפרעה; מחלה
disorder *v.* לגרום אי-סדר
disordered *adj.* מבולבל, מופרע
dis·or'derly *adj.* פרוע, לא מסודר
disorderly house בית בושת
dis·or'ganiza'tion *n.* שיבושים
dis·or'ganize' *v.* לשבש, לבלבל סדר
dis·or'ient' *v.* לבלבל, לגרום לאיבוד חוש הכיוון
dis·or'ienta'ted *adj.* מבולבל
dis·own' (-ōn) *v.* להתכחש ל-, לנער חוצנו מ-, לשלול כל קשר עם
dis·par'age *v.* לזלזל ב-, להמעיט
disparagement *n.* זילזול, המעטה
dis'parate *adj.* שונה לגמרי, לא דומה
dis·par'ity *n.* שוני, הבדל
dis·pas'sionate (-shən-) *adj.* שליו, לא נרגש; לא מצדד, אובייקטיבי
dispatch' *v.* לשלוח, להריץ, לשגר; לחסל, לגמור; להרוג
dispatch *n.* מישלוח, שיגור; שדר, מיברק; יעילות, מהירות; חיסול
- mentioned in dispatches צוין לשבח (בשדה-הקרב)
dispatch rider רץ, שליח מהיר
dispel' *v.* לפזר, להפיג, לסלק
dispen'sable *adj.* שאפשר לוותר עליו
dispen'sary *n.* מירפאה, בית מירקחת
dis'pensa'tion *n.* חלוקה, מתן; היתר, פטור, שיחרור; יד ההשגחה; תורה
dispense' *v.* לחלק, לתת; לוותר
- dispense justice לעשות דין צדק
- dispense medicines להכין תרופות
- dispense with לוותר על, לעשותו למיותר; להסתדר בלעדיו
dispenser *n.* רוקח; מנפק (לנייר/לסבון נוזלי וכו')
dispensing chemist רוקח
disper'sal *n.* פיזור; התפזרות
disperse' *v.* לפזר; להתפזר
disper'sion (-zhən) *n.* פיזור, פירוד, נפיצה
- the Dispersion יהדות התפוצות
dispir'it *v.* לרפות ידים
dispirited *adj.* מדוכא, נפול-רוח
dis·place' *v.* לגרש, לדחוק, לתפוס מקומו; להזיז, לעקור, לנקע (עצם)
displaced person עקור
displacement *n.* סילוק; דחיקה; תפוסה
display' *v.* להראות, לגלות, לחשוף
display *n.* הצגה, גילוי, ראווה; צג
- fashion display תצוגת אופנה
dis·please' (-z) *v.* להרגיז, להכעיס
- displeased with מתרעם על
dis·pleas'ure (-plezh'ər) *n.* מורת רוח, רוגז
disport' *v.* לשעשע, להשתעשע
dispo'sable (-z-) *adj.* לשימוש חד-פעמי;

עומד לרשותו, לשימושו החופשי
disposable income הכנסה פנוייה
dispo'sal (-zəl) *n.* חיסול, היפטרות; חלוקה, סידור; מערך, פריסה; פיקוח, שליטה
- at one's disposal לרשותו, לשימושו
dispose' (-z) *v.* לפרוס כוחות, לערוך; לסדר; להסדיר; להעביר
- dispose of להיפטר מ-; לחסל; לטפל ב-; להפריך
- dispose to להטות לב, להביא ל-
disposed *adj.* נוטה, רוצה, מוכן
- ill disposed מתייחס בשלילה
- well disposed מתייחס בחיוב
dis'posi'tion (-zi-) *n.* נטייה, זיקה; תכונה, אופי; מערך, פריסה, סידור; הסדר; שליטה; העברה
dis'possess' (-zes) *v.* לנשל, לגרש
dispossessed *adj.* מנושל, מקופח
dis'posses'sion (-zesh'ən) *n.* נישול, גירוש
dis·proof' (-ōōf) *n.* הפרכה, הכחשה
dis'propor'tion *n.* דיספרופורציה, חוסר התאמה
dis'propor'tionate (-shən-) *adj.* חסר-פרופורציה; ללא יחס נכון
dis·prove' (-rōōv) *v.* להפריך
dispu'table *adj.* שנוי במחלוקת
dispu'tant *n.* מתווכח
dis'pu·ta'tion *n.* ויכוח, מחלוקת
dis'pu·ta'tious (-shəs) *adj.* פולמוסני, וכחני
dispute' *v.* להתווכח, לדון ב-; לערער על; להתנגד, להיאבק
dispute *n.* ויכוח, דיון; ריב, סיכסוך
- beyond/past dispute ללא כל ספק
- in dispute with בסיכסוך עם
- in/under dispute שנוי במחלוקת
- without dispute ללא כל ספק
dis·qual'ifica'tion (-kwol-) *n.* פסילה; דבר פוסל, פגם
dis·qual'ify' (-kwol-) *v.* לפסול
dis·qui'et *v.* להדאיג, לעורר דאגה
disquiet *n.* דאגה, אי-שקט
dis·qui'etude' *n.* דאגה
dis'quisi'tion (-zi-) *n.* הרצאה ארוכה, חיבור מקיף, מסה, מחקר
dis're·gard' *v.* להתעלם מ-
disregard *n.* התעלמות; הזנחה
dis·rel'ish *v.* לסלוד מ-, לשנוא
disrelish *n.* סלידה, שינאה
dis're·pair' *n.* מצב הדורש תיקון
dis·rep'u·table *adj.* ידוע לשימצה, רע; מרופט, מלוכלך
dis're·pute' *n.* שם רע
- fall into disrepute להיות לשימצה
dis're·spect' *n.* חוסר כבוד, גסות
disrespectful *adj.* חסר נימוס
dis·robe' *v.* להתפשט; לפשוט (גלימה)
disrupt' *v.* לשסע, לנפץ; לפלג; לשבש
disrup'tion *n.* התפוררות; קרע
disrup'tive *adj.* מפורר, הורס
dis·sat'isfac'tion *n.* מורת רוח
dissatisfied *adj.* ממורמר, מאוכזב
dis·sat'isfy' *v.* לגרום לאי שביעות רצון, להרגיז, לעורר תרעומת

dissect' *v.* לבתר; לנתח, לבחון היטב
dissec'tion *n.* ביתור; ניתוח
dis·sem'ble *v.* להסוות; להעמיד פנים
dis·sem'inate *v.* להפיץ, לפזר
dis·sem'ina'tion *n.* הפצה, פיזור
dissen'sion *n.* מחלוקת, ריב
dissent' *v.* לחלוק על, לא להסכים
dissent *n.* התנגדות, אי-הסכמה
dissenter *n.* פורש, מתנגד
dissenting opinion דעת מיעוט
dis'serta'tion *n.* הרצאה, מחקר, חיבור
dis·ser'vice (-vis) *n.* נזק, רעה
dis·sev'er *v.* לנתק, להפריד
dis'sidence *n.* אי-הסכמה, התנגדות
dis'sident *adj&n.* מתנגד, חולק, פורש
dis·sim'ilar *adj.* שונה, לא דומה
dis·sim'ilar'ity *n.* שוני, אי-דימיון
dis'simil'itude' *n.* שוני
dis·sim'u·late' *v.* להעמיד פנים
dis·sim'u·la'tion *n.* העמדת פנים
dis'sipate' *v.* לפזר, לגרש; להתפזר; לבזבז; לשקוע בחיי הוללות
dissipated *adj.* הולל, הוללני
dis'sipa'tion *n.* פיזור; הוללות
dis·so'ciate' *v.* להפריד, לנתק
- dissociate oneself from לנער חוצנו מ-
dis·so'cia'tion *n.* ניתוק
dis·sol'u·bil'ity *n.* מסיסות
dis·sol'u·ble *adj.* מסיס, נמס
dis'solute' *adj.* הולל, מושחת
dis'solu'tion *n.* פירוד, פירוק; פיזור הפרלמנט; מוות, שקיעה
dissolve' (-zolv) *v.* להמס; להתמוסס; להפוך לנוזל; להיעלם; לפרק, לפזר
- dissolve in tears להתמוגג בדמעות
dis'sonance *n.* דיסונאנס, צריר
dis'sonant *adj.* צורמני, לא-הרמוני
dissuade' (-swād) *v.* להניא, לייעץ לבל, לנסות לעכב, להסב לב
dissua'sion (-swā'zhən) *n.* עיכוב
dis'syllab'ic *adj.* דו-הברי
dissyl'lable *n.* מילה דו-הברית
dis'taff *n.* פלך, כישור
- on the distaff side מצד האם
dis'tance *n.* מרחק, רוחק; דיסטאנץ, מירווח
- a good distance off רחוק מאוד
- at a distance במרחק, מרחוק
- distance of time רוחק זמן
- go the distance להמשיך עד הסוף
- keep at a distance להפגין קרירות כלפי, לשמור על דיסטאנץ
- keep one's distance להתרחק
- some distance רחוק למדי
- within spitting distance במרחק יריקה, קרוב מאוד
- within striking distance קרוב מאוד
distance *v.* לחלוף, להשאיר מאחור; להרחיק
dis'tant *adj.* רחוק; מתרחק, צונן
- distant relations קרובים רחוקים
distantly *adv.* מרחוק, בקרירות
dis·taste' *n.* סלידה, שאט-נפש
distasteful *adj.* לא נעים, חסר-טעם
dis·tem'per *n.* סיד, צבע (לקיר)
distemper *v.* לצבוע (קירות), לסייד

distemper *n.* מחלה (בכלבים)
distend′ *v.* להתנפח; לנפח
disten′tion *n.* התנפחות
distill′ *v.* לזקק, להתפיל; להטיף, להרעיף; לטפטף; לתמצת
dis′tilla′tion *n.* זיקוק; תזקיק
distiller *n.* מזקק (משקאות)
distil′lery *adj.* מזקקה (למשקאות)
distinct′ *adj.* ברור, ניכר, נראה היטב; נפרד, שונה
distinc′tion *n.* שוני, הבדל, הבחנה, ייחוד; שם, הצטיינות; תואר כבוד
- distinction without difference אין הבדל למעשה
- draw a distinction להבחין
distinc′tive *adj.* מיוחד, שונה
distinctly *adv.* ברורות, במפורש
distin′guish (-gwish) *v.* להבחין
- distinguish from לייחד, לאפיין
- distinguish oneself להצטיין
distinguishable *adj.* ניתן להבחין בו/ביניהם, שונה
distinguished *adj.* מפורסם, מצוין
distort′ *v.* לעוות; לעקם; לסלף
distor′tion *n.* עיוות
dis•tract′ *v.* להסיח דעת, להפריע
distracted *adj.* מבולבל, מודאג
dis•trac′tion *n.* הסחת דעת; בילבול, טירוף, הפרעה; בידור, שעשוע
- drive to distraction לשגע, להוציא מדעתו
- love to distraction לאהוב עד כדי טירוף
distrain′ *v.* לעקל נכסים
distraint′ *n.* עיקול
distrait (-rā′) *adj.* מפוזר, מבולבל
distraught′ (-rôt) *adj.* מבולבל, מטורף
distress′ *n.* צער, סבל; מצוקה; סכנה; עיקול
distress *v.* לצער, לגרום סבל
distressful *adj.* מצער
distressing *adj.* מצער
dis•trib′ute *v.* לחלק, לפזר, להפיץ
dis′tribu′tion *n.* חלוקה; תפוצה
dis•trib′u•tive *adj.* של חלוקה
distributive *n.* מילת פילוג
dis•trib′u•tor *n.* (במכונית) מפלג
dis′trict *n.* איזור, מחוז
district attorney תובע מחוזי
district court בית משפט מחוזי
dis•trust′ *v.* לא לסמוך על, לא לתת אמון ב-, לפקפק ב-
distrust *n.* חוסר אמון, חשד
distrustful *adj.* לא בוטח, חשדן
disturb′ *v.* להפריע; לבלבל; להדאיג
- disturb the peace להפר סדר
- don't disturb yourself אל תטרח
disturbance *n.* הפרעה; תסיסה
disturbed *adj.* מופרע
dis•u′nion (-sū′-) *n.* פירוד, ניתוק, התבדלות
dis′u•nite′ (-sū-) *v.* להפריד; להינתק
dis•u′nity (-sū′-) *n.* חוסר אחדות
dis•use′ (-sūs) *n.* אי-שימוש
- fall into disuse לצאת מכלל שימוש
dis•used′ (-sūzd′) *adj.* לא בשימוש

disyl′lable *adj.* דו-הברי
ditch *adj.* תעלה, ערוץ
- dull as ditch water משעמם מאוד
ditch *v.* לחפור תעלה; להשליך לתעלה; לנטוש, לזרוק; לנחות על הים
dith′er (-dh-) *v.* לרעוד, להסס
dither *n.* רעדה, התרגשות
- have the dithers *לרעוד, להסס
dit′to *n.* כנ"ל, אותו הדבר
- say ditto to להסכים עם
ditto marks גרשיים, מרכאות, (")
dit′ty *n.* שיר קצר, שיר פשוט
di′u•ret′ic *adj.* גורם מתן שתן, מְשַתֵּן
di•ur′nal *adj.* יומי, של היום
div = divine, dividend, division
di′vagate′ *v.* לסטות (מהנושא)
di′vaga′tion *n.* סטייה
di′van′ *n.* ספה, דרגש; מועצת המדינה, אולם המועצה
divan bed מיטת-ספה
dive *v.* לצלול; לשקוע ב-; לתחוב יד (לכיס)
dive *n.* צלילה; מועדון מפוקפק
divebomb *v.* להפציץ תוך צלילה
diver *n.* אמודאי, צולל
di•verge′ *v.* לסטות, לנטות הצידה
divergence *n.* סטייה
divergency *n.* סטייה
di′vers (-z) *adj.* שונים, אחדים
di•verse′ *adj.* שונה, מגוון
di•ver′sifica′tion *n.* מתן גיוון
di•ver′sify′ *v.* לגוון, לתת גיוון
di•ver′sion (-zhən) *n.* הטייה, הפנייה; הסחה, פעולת הסחה; בידור
di•ver′sionar′y (-zhəneri) *adj.* של הסחה
di•ver′sity *n.* גיוון, מיגוון
di•vert′ *v.* להטות, להפנות; להסיח דעת; לבדר
diver′timen′to *n.* דיברטימנטו
diverting *adj.* משעשע
di•vest′ *v.* להפשיט, לשלול, ליטול
- divest oneself להיפטר, להתנער
divide′ *v.* לחלק; להפריד; לחצות; להתחלק, להתפלג
- divide and conquer/rule הפרד ומשול
- divide the House לערוך הצבעה
divide *n.* פרשת מים; חלוקה
divided highway כביש בעל שטח הפרדה
divided skirt חצאית מכנסיים
div′idend *n.* דיבידנד; מחולק
- pay dividends להשתלם, להועיל
divider *n.* מחלק; מחיצה
- dividers מחוגת מדידה
div′ina′tion *n.* הגדת עתידות
divine′ *adj.* אלוהי, שמימי; *מצוין
divine *n.* כומר, תיאולוג
divine *v.* לנבא, לגלות; לנחש
diviner *n.* מגלה מים (תת-קרקעיים)
divine service תפילה; עבודת ה'
diving bell פעמון צלילה
diving board מקפצה
diving suit חליפת אמודאי
divin′ity *n.* אלוהות; תיאולוגיה
- the Divinity אלוהים

divis'ible (-z-) *adj.* מתחלק, חליק

divi'sion (-vizh'ən) *n.* חלוקה, חילוק, פילוג; דיביזיה, אוגדה, חטיבה; ליגה; מחלקה

division of labor חלוקת עבודה

division sign סימן החילוק

divi'sive *adj.* פלגני, מפלג

divi'sor (-z-) *n.* מְחַלֵּק

divorce' *n.* גירושין, גט; הפרדה

- limited divorce גירושין מוגבלים, גירושין ללא אפשרות להתחתן

divorce *v.* לגרש; להתגרש, להיפרד

- a divorced man גָרוּש

divor'cee' *n.* גרושה

div'ot *n.* (בגולף) גושיש דשא (הנתלש בחבטת המקל)

divulge' *v.* לגלות

divulgence *n.* גילוי

div'vy *v&n.* *לחלק; דיבידנד; טיפש

dix'ie *n.* סיר גדול, דוד, יורה

diz'zy *adj.* סחרחר; מסחרר

dizzy *v.* לסחרר, לבלבל

DJ מקטורן ערב; מגיש תקליטים, דיסק ג'וקי, די ג'יי

DNA דנ"א, די אן איי, בעל מאפיין גנטי

do (do͞o) *v.* לעשות, לפעול; לטפל ב-; להספיק; להציג, לשחק; לרמות; לבקר ב-; לחשב; לפתור; לסיים

- I could do with אני זקוק/רוצה
- I do go אני כן הולך
- be doing well להתקדם יפה
- can't do with לא סובל
- do away with לחסל; לבטל
- do better להצליח יותר
- do down *לרמות; להשמיץ, לרכל
- do for *לשמש כעוזרת-בית; להסתדר עם; לחסל; להתאים, לשמש כ-
- do go! אנא לך!
- do in *לחסל
- do it yourself עשה זאת בעצמך
- do one's best לעשות כמיטב יכולתו
- do one's hair לסדר שערו, להסתרק
- do out לנקות, לסדר
- do out of להערים עליו, לקפח
- do over לעשות מחדש; *להתנפל על
- do the flowers לסדר את הפרחים
- do up לתקן, לשפץ; להדק, לרכוס; לעטוף, לקשור; לכבס; לנקות; להתלבש
- do well by להתייחס יפה אל
- do with להסתדר עם; להיות זקוק ל-
- do without להסתדר בלי/בלעדי
- do wonders לחולל פלאים
- do-or-die-spirit רוח קרב, הקרבה
- done for *מחוסל, אבוד
- done in/up *מחוסל, "הרוג", עייף
- done! עשינו עסק! אני מסכים!
- hard done by זוכה לייחס רע
- has been done רימוהו, סידרו אותו
- has to do with יש לזה קשר עם
- have/be done (with) לסיים
- how are you doing? מה שלומך?
- how do you do? מה שלומך?
- it doesn't do to אין זה יאה
- it'll do him good/well זה יהיה לו לעזר, ימלא צרכיו
- make do להסתפק ב-, להסתדר עם
- no sooner said than done מתבצע מיד, אומר ועושה
- nothing doing! *לאו!
- over and done with חסל!
- that does it! זהו זהו! חסל!
- that isn't done מעשה שלא ייעשה
- that will do זה מספיק
- well done! טוב מאוד! כל הכבוד!
- what do you do for a living? מה עיסוקך?
- what's doing? מה מתרחש?
- you go, don't you? אתה הולך, לא כן?

do (do͞o) *n.* *רמאות; מסיבה

- dos and don'ts מיצוות עשה ולא-תעשה, כללים

do (dō) *n.* דו (צליל)

do = ditto (dit'ō)

do'able (do͞o'-) *adj.* שניתן לעשותו

dob'bin *n.* סוס-עבודה

doc = doctor, document

do'cent *n.* דוצנט, מרצה

doc'ile (-səl) *n.* צייתן, נוח

doc·il'ity *n.* צייתנות, נוחות

dock *n.* רציף; מיבדוק; מיספנה

- floating dock מיבדוק צף

dock *v.* להיכנס למיספנה, להספין; להצמיד חלליות בחלל

dock *n.* תא הנאשמים; חומעה (צמח בר)

dock *v&n.* לקצץ; זנב; בשר הזנב

dock'er *n.* סוור; עובד מיספנה

dock'et *n.* תמצית (של דו"ח); רשימה (של תיקים); תווית, פתק

docket *v.* לכלול ברשימה; להדביק תווית, לסמן

dockyard *n.* מיספנה

doc'tor *n.* דוקטור; רופא

doctor *v.* לטפל ב-, לתקן, לזייף; לסרס

doc'toral *adj.* של דוקטור

doc'torate *n.* דוקטוראט

doc'trinaire' *n&adj.* דוקטרינר, שקוע בהלכה, מתעלם מהמציאות

doc'trinal *adj.* של דוקטרינה

doc'trina'rian *n.* דוקטרינר

doc'trine (-rin) *n.* דוקטרינה, תורה

doc'u·dra'ma (-drä-) *n.* דרמה תיעודית, סרט דוקומנטרי

doc'u·ment *n.* מיסמך, דוקומנט, תעודה

- discovery of documents גילוי מיסמכים

doc'u·ment' *v.* להוכיח במיסמכים

doc'u·men'tary *adj.* תיעודי, תעודתי, מיסמכי, דוקומנטארי

documentary film סרט תיעודי

doc'u·menta'tion *n.* תיעוד

dod'der *v.* להיחלש, לרעוד, להשתרך

dod'dery *adj.* רועד, חלוש

dod'dle *n.* *משימה קלה, משחק ילדים

dodge *v.* לזוז הצידה, לעקוף; להתחמק, להשתמט, להערים על

dodge *n.* תנועה חטופה הצידה; *התחמקות, תחבולה

dod'gem *n.* *מכונית חשמלית (קטנה)

dodger *n.* מתחמק, משתמט

dodg'y *adj.* *שתמטן; מסוכן, לא בטוח

do'do *n.* דודו (עוף), טיפש, מיושן

- dead as a dodo מת לגמרי

doe (dō) *n.* אילה; ארנבת
do'er (do͞o'-) *n.* עושה, איש מעשה
- evil-doer עושה רע, רשע
doeskin *n.* עור צבי
doesn't = does not (duz'ənt)
doff *v.* להסיר (מעיל, כובע)
dog (dôg) *n.* כלב; מלקחיים; *ברנש
- dog eat dog אדם לאדם זאב
- dog in the manger רע-לב, זה לא נהנה וזה חסר, סדומי
- dog's age *יובלות, עידן ועידנים
- dog's life חיי כלב
- dogs משען (לעצי-הסקה באח); *מירוצי כלבים; רגליים
- dressed like a dog's dinner לבוש בהידור, מגונדר
- go to the dogs להיהרס, להידרדר
- not a dog's chance בלי כל סיכוי
- put on the dog *להתרברב
- the under-dog המקופח, הדפוק
- throw to the dogs לזרוק לכלבים
- top dog מנצח, ידו על העליונה
dog *v.* לעקוב, להיצמד ל-
dog biscuit רקיקי-כלבים
dogcart *n.* כירכרה (לשניים)
dog collar *צווארון כומר
dog days תקופת החום (ביולי-אוגוסט)
dog-eared *adj.* (ספר) מקופל פינות
dogface *n.* *חייל (בצבא ארה"ב)
dogfight *n.* קרב אווירי
dogfish *n.* כריש קטן
dog'ged (dôg-) *adj.* עקשני
dog'gerel (dôg-) *n.* חרזנות
dog'gie (dôg-) *n.* *כלבלב
dog'go (dôg-) *adv.* *ללא תנועה
doggone (dô'gôn) *interj.* *לעזאזל
dog'gy (dôg-) *n.* *כלבלב
doggy bag שקית לשאריות
doghouse *n.* בית כלבים
- in the doghouse נזוף, מבוייש
dogleg *n.* פנייה חדה, סיבוב
dog-like *adj.* כלבי, כמו כלב
dog'ma *n.* דוגמה, עיקר, הנחה מוסכמת
dog•mat'ic *adj.* דוגמטי
dog'matism' *n.* דוגמטיזם
dog'matize' *v.* להתבטא בהחלטיות
do-gooder *n.* מתקן עולם, שואף שיפור
dog paddle שחיית כלב
dogsbody *n.* עובד עבודה משעממת
dog-tired *adj.* *עייף, סחוט
dogtrot *n.* ריצה קלה, דהרור
dogwatch *n.* מישמרת ערב
dogwood *n.* מורן (שיח נושא פרחים)
doh (dō) *n.* דו (צליל)
doi'ly *n.* מפית שולחן, מפיונת
do'ings (do͞o'-) *n-pl.* *מעשים, פעולות
dol'drums *n-pl.* חוסר-פעילות
- in the doldrums מדוכדך, מדוכא
dole *n&v.* נדבה, צדקה
- be on the dole לקבל קיצבת אבטלה
- dole out לחלק נדבות
doleful *adj.* עצוב, מדכא
doll *n&v.* בובה
- doll up *להתגנדר; לקשט
dol'lar *n.* דולר
dol'lariza'tion *n.* דולריזציה
dollar sign/mark סימן הדולר
dollhouse *n.* בית בובות
dol'lop *n.* *כמות, גוש; קורטוב
dol'ly *n.* בובה; עגלת-הובלה
dol'men *n.* מצבת-אבן, יד, דולמן
do'lor *n.* צער, יגון
do'lorous *adj.* עצוב, מעציב
dol'phin *adj.* דולפין
dolt (dōlt) *n.* טיפש
doltish *adj.* טיפשי
do•main' *n.* ריבונות, אדנות; תחום
- public domain רשות הרבים
dome *n.* כיפה, כיפת-גג, קימרון; ארמון
domed (dōmd) *adj.* מקומר, בעל כיפה
domes'tic *adj.* ביתי, מישפחתי; מקומי, פנימי; מבויית
domestic *n.* עוזרת בית
domestic animal חיית בית
domes'ticate' *v.* לביית (בעלי-חיים)
domesticated *adj.* אוהב עבודות בית
domes'tica'tion *n.* ביות
domestic commerce סחר-פנים
do'mes•tic'ity *n.* חיי מישפחה
domestic science משק בית
domestic service עבודות-בית
dom'icile' *n.* בית, מגורים
domiciled *adj.* גר, שוכן
dom'icil'iar'y (-lieri) *adj.* ביתי
domiciliary visit ביקור בית
dom'inance *n.* שליטה
dom'inant *adj.* שולט, שליט, חולש על, דומינאנטי, שולטני
dominant *n.* (במוסיקה) דומיננטה
dom'inate' *v.* לשלוט על, למשול, לחלוש
dom'ina'tion *n.* שליטה
dom'ineer' *v.* להשתלט, להתנשא
domineering *adj.* שתלטן, מתנשא
Domin'ican *n.* דומיניקני
Domin'ican Republic הרפובליקה הדומיניקנית
domin'ion *n.* שליטה, סמכות, ריבונות, אדנות; דומיניון
dom'ino' *n.* טבלת-דומינו; מעיל רחב
domino effect אפקט הדומינו, אירוע גורר אירוע, סדרת מפולות
dominoes *n.* דומינו (מישחק)
don *n.* דון, אדון; מרצה
don *v.* ללבוש, לעטות; לחבוש
do'nate *v.* לתרום, לנדב
do•na'tion *n.* תרומה, נדבה
done = pp of do (dun)
done *adj.* עשוי, גמור; צלוי כדבעי; מקובל בחברה, יאה
don'jon *n.* צריח, מיגדל
Don Ju'an דון ז'ואן, קוטל נשים
don'key *n.* חמור
donkey engine מנוע קטן
donkey jacket מעיל עבה
donkey's years *עידן ועידנים
donkey-work *n.* עבודה קשה/משעממת
don'nish *adj.* למדני; של מרצה
do'nor *n.* תורם, מנדב
- blood donor תורם דם
don't = do not (dōnt)
do'nut *n.* סופגנייה, סופגנית
doo'dad' *n.* *דבר, חפץ יפה, קישוט

doo'dah (-dä) *n.* ‎*דבר, חפץ יפה, קישוט
- all of a doodah ‎נרגש
doo'dle *v.* ‎*לקשקש, לשרבט
doodle *n.* ‎קישקוש, שירבוט
doodlebug *n.* ‎*פצצה, טיל
doom (dōōm) *n.* ‎גורל מר, אבדון; מוות
- pronounce his doom ‎לחרוץ דינו לשבט
- the crack of doom ‎קץ הימים
doom *v.* ‎לחרוץ דין, לגזור על
- doomed to failure ‎נדון לכישלון
doomsday *n.* ‎קץ הימים; יום הדין
- till doomsday ‎עד עולם
door (dôr) *n.* ‎דלת, פתח; בית
- 3 doors away ‎במרחק 3 בתים
- answer the door ‎לפתוח את הדלת
- at death's door ‎על סף המוות
- at one's door ‎קרוב, מתחת לחוטמו
- back door ‎כניסה אחורית
- by the back door ‎בחשאי
- close the door to ‎לנעול דלת בפני-, לא להותיר פתח ל-
- from door to door ‎מבית לבית
- front door ‎כניסה ראשית
- lay at his door ‎להטיל האחריות עליו
- next door ‎בבית הסמוך
- next door to ‎כמעט, בבחינת
- open the door to ‎לפתוח שער ל-
- out of doors ‎בחוץ
- show him the door ‎לבקשו לצאת
- show him to the door ‎ללוותו החוצה
- shut the door in his face ‎לנעול הדלת בפניו
- within doors ‎בבית
doorbell *n.* ‎פעמון הדלת
doorcase *n.* ‎מיסגרת הדלת
doorframe *n.* ‎מיסגרת הדלת
door-keeper *n.* ‎שוער
door-knob ‎ידית הדלת, גולת-דלת
door knocker ‎מטרק דלת; מבקר, רוכל
doorman *n.* ‎שוער
doormat *n.* ‎מידרסה, מחצלת, שפשפת
door-nail *n.* ‎מסמר (לקישוט) דלת
- dead as a doornail ‎ללא רוח חיים
doorplate *n.* ‎שלט-דלת, לוחית-דלת
door-post *n.* ‎מזוזה
doorstep *n.* ‎מדרגת דלת, סף
doorstopper *n.* ‎מעצר-דלת
doorway *n.* ‎פתח, כניסה
dope *n.* ‎שמן סיכה, צבע מגן; *סם משכר; מידע; טיפש
dope *v.* ‎לתת סם משכר ל-
- dope out ‎*להבין, לגלות, לחשב
do'py, do'pey *adj.* ‎*מסומם, מטומטם
Dor'ic *adj.* ‎דורי, פשוט
dorm *n.* ‎*חדר שינה (במוסד); מעונות
dor'mant *adj.* ‎לא פעיל, ישן, רדום
dor'mer *n.* ‎חלון-גג
dor'mito'ry *n.* ‎חדר שינה; מעונות
dor'mouse' *n.* ‎מרמוטה
dor'sal *adj.* ‎גבי, של הגב
dor'y *n.* ‎סירה קלה; דג מאכל
do'sage *n.* ‎מינון, מנה
dose *n.* ‎מנת-תרופה, מנה; *מחלת מין
dose *v.* ‎למנן, לתת מנה
doss *n&v.* ‎*שינה חטופה
- doss down ‎*לשכב לישון
doss-house *n.* ‎*מלון זול
dos'sier' (-siā) *n.* ‎תיק
dost, thou dost = you do (dust)
dot *n.* ‎נקודה; נדוניה
- on the dot ‎*בדיוק, "על השנייה"
dot *v.* ‎לנקד; לסמן בנקודה; *להכות
- dot the i's and cross the t's ‎לדקדק ביותר
do'tage *n.* ‎טיפשות, סניליות
- in one's dotage ‎עובר בטל
do'tard *n.* ‎עובר בטל, טיפש
dote *v.* ‎לאהוב עד מאוד
doth = does (duth)
do'ting *adj.* ‎אוהב
dot matrix printer ‎מדפסת נקודות
dotted *adj.* ‎מנוקד, מסומן בנקודות
- dotted with stars ‎זרוע כוכבים
- sign on the dotted line ‎להסכים מיד
dot'tle *n.* ‎טבק (שנותר במיקטרת)
dot'ty *adj.* ‎*שוטה; דלוק על
doub'le (dub'-) *adj.* ‎כפול, זוגי
- double entendre ‎ביטוי דו-משמעי, מלה דו-משמעית
double *adv.* ‎פי שניים; בזוגות
- sleep double ‎לישון 2 במיטה
double *n.* ‎כפול; כפיל; תפנית חדה
- at the double ‎בריצה קלה
- double or quits ‎רווח כפול או הפסד (בהימור)
- doubles ‎משחק-זוגות
- mixed doubles ‎זוגות מעורבים
- on the double ‎מהר
double *v.* ‎להכפיל; להיכפל; לקפל; לפנות לאחור; לרוץ; להקיף, לעקוף
- double as ‎למלא תפקיד נוסף של
- double back ‎לפנות אחורה; לקפל
- double in brass ‎לשמש בשני תפקידים
- double over ‎לקפל
- double up ‎להתקפל; לקפל; לגור יחד
- double up with laughter ‎להתפתל בצחוק
double agent ‎סוכן כפול
double-barreled *adj.* ‎כפול-קנה; דו-משמעי; מחובר במקף, מוקף
double bass ‎בטנון
double bed ‎מיטה כפולה
double bill ‎הצגה כפולה, שני סרטים
double bind ‎דילמה
double-breasted *adj.* ‎(מעיל) בעל שוליים קידמיים רחבים וחופפים
double-check *v.* ‎לבדוק פעמיים
double chin ‎פימה; סנטר כפול
double-cross *v.* ‎לרמות
double-cross *n.* ‎הונאה, רמאות; בגידה
double date ‎פגישת שני זוגות
double-dealer *n.* ‎רמאי
double-dealing *n.* ‎רמאות
double-decker *n.* ‎אוטובוס דו-קומתי; כריך דו-קומתי
double Dutch ‎דיבורים סתומים; קפיצת שני חבלים
double-dyed *adj.* ‎גמור, מוחלט, מובהק
double-edged *adj.* ‎כפול-להב; דו-משמעי
double entry ‎רישום כפול
double-faced *adj.* ‎דו-פרצופי

double feature הצגת שני סרטים
double figures מספרים דו-ספרתיים
double first מצויין בשני מיקצועות
double glazing זיגוג כפול
double-headed nail מסמר דו-ראשי (שניתן להלצו בקלות)
double header תחרות כפולה
double-jointed *adj.* גמיש מיפרקים
double-park *v.* לחנות לצד מכונית (על הכביש)
double-quick *adv.* מהר מאוד, חיש
double standard מוסר כפול
doub'let (dub-) *n.* מלה שמוצאה מאותו מקור; חולצה מהודקת
double take תגובה מאוחרת
double-talk *n.* דיבור דו-משמעי
double-think *n.* חשיבה כפולה, אמונה בו-זמנית בשתי תורות מנוגדות
double time שכר שעות נוספות
doubloon' (dublōōn') *n.* דובלון; *כסף
doubly *adv.* פעמיים, כפליים
doubt (dout) *n.* ספק, פיקפוק
- have one's doubts לפקפק ב-
- in doubt מסופק, לא בטוח
- no doubt אין ספק
- throw doubt upon להטיל ספק ב-
- without doubt ללא כל ספק
doubt *v.* לפקפק ב-, להטיל ספק
- I don't doubt אין לי ספק
doubtful *adj.* בספק, מסופק; מפוקפק
doubtless *adv.* בלי ספק
douche (dōōsh) *n.* מיקלחת
dough (dō) *n.* עיסה, בצק; *כסף
doughnut *n.* סופגנייה, סופגנית
dough'ty (dou'-) *adj.* אמיץ
doughy (dō'i) *adj.* בצקי, רך
dour (door) *adj.* קודר, רציני
douse *v.* להטביל; להתיז; *לְכַבּוֹת
dove (duv) *n.* יונה
dove = pt of dive (dōv)
dovecote *n.* שובך
- flutter the dovecotes להחריד אנשים שאננים
dovetail *n.* חיבור-שגם; שגם טריזי
dovetail *n.* לשגם; לשלב, לחבר; להשתלב
dov'ish (duv-) *adj.* יוני, פשרני
dow'ager *n.* אישה כבודה, יורשת
dow'dy *adj.* רשלני, מרושל
dow'el *n.* פין, זיז, שגם
dowel pin מיתד, דיבל
dow'er *n.* ניכסי האלמנה, ניכסי מלוג; נדוניה; מתת-אל
dower *v.* לתת נדוניה
down *adv.* למטה; שוכב; דרומה; בכתב, על הנייר; בחוזקה; במזומנים
- I am down אני כלול ברשימה
- I have it down זה רשום אצלי
- down to עד ל-, ועד בכלל
- down to the ground לגמרי
- down with הלאה! בוז ל-!
- get down לבלוע; לקצר; לרדת
- get down to work להירתם לעבודה
- go down לרדת; להיבלע
- put down לכתוב, לרשום
- shout down להחריש, להשתיק
- sit down לשבת
- the sea is down הים שקט
down *adj.* יורד, מדוכדך; בשפל; גמור
- be down on לנטור טינה, לכעוס על
- down and out ספג נוק-אאוט
- down at heel משופשף-עקבים; עני
- down in the dumps/mouth *מדוכא
- down on one's luck *במזל ביש
down *prep.* בכיוון יורד, למטה, עד ל-
- down the years על פני השנים
- down wind עם הרוח
down *v.* להפיל, להביס; לבלוע
- down tools לשבות, להפסיק לעבוד
down *n.* ירידה; פלומה
- downs גבעות נמוכות (באנגליה)
- have a down on לנטור טינה
- ups and downs עליות וירידות
down-and-out חסר-מזל, חסר-כל
downbeat *n.* פעמה ראשונה
downbeat *adj.* פסימי; מדוכא
downcast *adj.* מדוכא; מושפל
downdraft *n.* זרם אוויר יורד
downer *n.* מאורע/סם מדכא
downfall *n.* נפילה, ירידה, הרס; גשם כבד, מבול
downgrade *v&n.* להוריד בדרגה; מוֹרָד; הידרדרות; החלשה
downhearted *adj.* עצוב, מדוכדך
downhill *adv.* במורד ההר
- go downhill להידרדר
Downing Street ממשלת בריטניה
download *v.* להעביר למחשב קטן
downmarket *adj.* *זול, של השוק הזול
down payment תשלום במזומנים
downplay *v.* להמעיט בחשיבות, להצניע
downpour *n.* גשם כבד, מבול
downright *adj.* ישר, הוגן; מוחלט, מובהק
- downright lie שקר מוחלט
downright *adv.* לגמרי
Down's syndrome תסמונת דאון
downstage *adv.* בקדמת הבימה
downstairs *adv.* בקומה מתחת, למטה; של קומת קרקע
downstream *adv.* במורד הנהר
down-to-earth *adj.* מעשי, מציאותי
downtown *adv.* למרכז המיסחרי בעיר
downtrodden *adj.* נרמס, מקופח
downturn *n.* שקיעה בפעילות עסקית
down under אוסטרליה, ניו זילנד
downward *adj.* יורד, מידרדר
downwards *adv.* כלפי מטה
downwind *adj&adv.* בכיוון הרוח
downy *adj.* פלומי, פלומתי
dow'ry *n.* נדוניה; כישרון טיבעי
dowse (-s) *v.* להטביל; להתיז; *לְכַבּוֹת
dowse (-z) *v.* לחפש מים (תת-קרקעיים)
dowsing *n.* חיפוש מים (כנ"ל)
dox·ol'ogy *n.* מיזמור (בכנסייה)
doy'en *n.* זקן הסגל, זקן החברים
doy'ley *n.* מפית שולחן, מפיונת
doze *v&n.* לנמנם; תנומה, שינה חטופה
- doze off לנמנם
doz'en (duz-) *n.* תריסר
- a dime a dozen בזיל הזול, תריסר

בפרוטה
- dozens of הרבה, המון
- talk nineteen to the dozen לדבר בשוטפת
do'zy *adj.* נמנמני; מרדים; *טיפש
DP = displaced person עקור
dpt = department
Dr. = doctor
drab *adj.* חום-בוצי; משעמם, חדגוני
drab *n.* זונה, יצאנית
drach'ma (-k-) *n.* דרכמון (מטבע)
draco'nian *adj.* דרקוני, אכזרי
draft *n.* טיוטה, תרשים; מימשך בנקאי; גיוס; יחידה; רוח פרצים; שוקע (של אונייה)
draft *v.* לערוך טיוטה, לטייט; לנסח, לחבר, להכין
draft = draught
draft card צו גיוס
draft dodger משתמט מגיוס
draft·ee' *n.* מגויס
draftsman *n.* שַׂרְטָט; נַסַּח-חוקים
drafty *adj.* מנושב, קריר
drag *n.* סחיבה; משדדה; כירכרה; גורם מעכב, מעצור; *מציצת סיגריה; דראג, בגדי אישה על גבר
- in drag כשהגברים בבגדי נשים
drag *v.* למשוך, לסחוב; להיגרר, להשתרך
- drag a river לסרוק קרקעית נהר
- drag in לגרור (נושא זר)
- drag on/out למשוך; להאריך; להימשך
- drag one's feet להתקדם בכבדות, לשרוך רגליו
- drag up לחנך בצורה מוזנחת
drag'gle *v.* ללכלך, להכפיש
drag'gy *adj.* *משעמם, לא נעים
drag hunt ציד בעזרת כלב-גישוש
drag'net' *n.* מיכמורת; מלכודת לפושע
drag'oman *n.* מתורגמן
drag'on *n.* דרקון; מירשעת
dragonfly *n.* שפירית (חרק)
dragoon' (-gōōn) *n.* פרש
dragoon *v.* לכפות, להכריח
drain *v.* לנקז; להתנקז; לייבש; להתייבש; לרוקן; להתרוקן; לאזול
- drain away/off לנקז; להתנקז
- drain dry לייבש לחלוטין
- drain the cup of לשתות את כוס (התרעלה)
drain *n.* תעלה; ניקוז, נקז; הרקת שפכין; גורם מכלה/סוחט; *לגימה
- go down the drain לרדת לטימיון
drain'age *n.* ניקוז, תיעול; שפכין
drainage basin אגן נהר
draining board לוח-ייבוש (לכלים)
drainpipe *n.* צינור ניקוז; גישמה
drainpipe trousers מיכנסיים הדוקים
drake *n.* ברווז זכר
dram *n.* דרכמון (מישקל); *לגימה
dra'ma (drä'-) *n.* דראמה
dramat'ic *adj.* דראמתי
dramat'ics *n-pl.* דראמה; דראמתיות
dram'atis perso'nae (-ni) הדמויות במחזה
dram'atist *n.* מחזאי
dram'atiza'tion *n.* המחזה; דרמטיזציה
dram'atize' *v.* להמחיז; להיות דראמתי; להגזים
dram'aturge' *n.* דרמטורג, מחזאי
drank = pt of drink
drape *v.* לווילן, לכסות בווילונות; לקשט בקפלים; לתלות בריפיון
drape *n.* סידור בקפלים; גיזור; וילון
dra'per *n.* סוחר בדים
dra'pery *n.* בדים; בדי וילונות; בדים גליים; וילונות
dras'tic *adj.* דראסטי, נמרץ
drat *interj.* *לעזאזל
draught (draft) *n.* רוח פרצים; משב; לגימה; שוקע (של אונייה); שלל-דיג
- beasts of draught בהמות-משא
- beer on draught בירה מהחבית
- draughts דמקה (מישחק)
- sleeping draught שיקוי שינה
draught beer בירה מהחבית
draughtboard *n.* לוח דמקה
draughtsman *n.* שרטט, נסח; אבן-דמקה
draughty *adj.* קריר, מנושב
draw *n.* משיכה; הגרלה; תיקו; מושך קהל
- quick on the draw מהיר שליפה
draw *v.* למשוך; להוציא; לשלוף; לצייר, לתאר, לשרטט; להכין (מיסמך); לנוע לקראת
- draw a blank להעלות חרס בידו
- draw a bow לדרוך קשת; למשוך בקשת
- draw a check למשוך צ'ק
- draw a chicken להוציא מעי-העוף
- draw a comparison לערוך השוואה
- draw a conclusion להסיק
- draw a game לסיים מישחק בתיקו
- draw apart להתרחק, להיפרד
- draw attention למשוך תשומת-לב
- draw away להתרחק, לחמוק; להרחיק
- draw back לסגת, להירתע
- draw blood להקיז דם
- draw breath לנשום
- draw fire למשוך האש, להוות מטרה
- draw in להחשיך; להתקצר; להגיע
- draw interest לשאת ריבית
- draw it mild לא להגזים
- draw lots/draw for להפיל גורל
- draw near להתקרב
- draw off להתרחק; להסיר (כפפות)
- draw on להתקרב; להשתמש ב-; למשוך; ללבוש (גרביים)
- draw oneself up להזדקף
- draw out למתוח, להאריך; להתארך; לדובב, למשוך; לערוך תוכנית
- draw tears לסחוט דמעות
- draw the line למתוח קו
- draw the winner לשלוף כרטיס זכייה
- draw to its close להתקרב לקיצו
- draw up לערוך (תוכנית, מערך); להקריב; להתקרב ולעצור
- the chimney draws well זרימת האוויר בארובה - טובה
- the ship draws 9 feet of water שוקע הספינה הוא 9 רגליים

- the tea drew התה התמצה
drawback *n.* חיסרון; קושי; הישבון
drawbridge *n.* גשר מתרומם
draw•ee′ *n.* נימשך
draw′er *n.* מושך; צייר; שרטט
- refer to drawer נא לפנות למושך, אין כיסוי
drawer (drôr) *n.* מגירה
- drawers תחתונים
- out of the top drawer מהמעמד העליון
drawing *n.* ציור, רישום
drawing board לוח שירטוט
drawing card מושך קהל, אטרקציה
drawing pin נעץ
drawing room חדר אורחים; תא פרטי
drawl *v.* לדבר לאט, למשוך המילים
drawl *n.* דיבור איטי
drawn *adj.* נמשך, מתוח
- a drawn game מישחק שנגמר בתיקו
- a face drawn with anxiety פנים שהבעת דאגה מתוחה עליהם
- long drawn out מתמשך, ארוך
drawn = pp of draw
drawstring *n.* חוט גומי
dray *n.* עגלת-משא
dread (dred) *n.* פחד, אימה
dread *v.* לפחוד, לירוא
dread *adj.* נורא
dreadful *adj.* נורא, איום
dreadlocks *n-pl.* תלתלי חבל
dream *n&v.* חלום; לחלום
- dream away "לחלום", לבזבז זמן
- dream up *להמציא
dreamboat *n.* *אדם מושך, דבר חלומי
dreamer *n.* חולם, הוזה
dreamland *n.* ארץ החלומות
dreamless *adj.* (שינה) ללא חלומות
dreamlike *adj.* חלומי
dreamt = p of dream (dremt)
dream ticket זוג מועמדים אידיאלי
dream world עולם הדימיון
dreamy *adj.* חלומי; מהורהר; מעורפל
drear′y *adj.* קודר, מעציב, משעמם
dredge *n.* מחפר (המעלה דברים מקרקעית הים וכו'); כַּדּוּם
dredge *v.* לחפור/להעלות (במחפר)
dredge *v.* לבזוק, לזרות, לקמח, לגלגל
dredger *n.* מַבְזֵק; סירת מחפר
dregs *n-pl.* מישקע; פסולת
drench *v.* להרטיב
- got a drenching ספג גשם שוטף
dress *n.* שימלה; תילבושת, לבוש
- evening dress תילבושת ערב
- full dress תילבושת חגיגית
dress *adj.* חגיגי, רישמי; של לבוש
dress *v.* להלביש; להתלבש; להסתדר בשורה; להכין (לשימוש, לבישול); לקשט
- dress a wound לחבוש פצע
- dress down לנזוף; להבריש, לשפשף
- dress one's hair לעשות תסרוקת
- dress up להתחפש; להתהדר
- dressed in לבוש, עוטה
- dressed to kill *מגונדר
dressage (-säzh′) *n.* אימון סוסים
dress circle המושבים הקידמיים
dress coat מיקטורן
dresser *n.* חובש, עוזר-מנתח; ארון מיטבח; שולחן טואלט; מתלבש
dressing *n.* לבוש; תחבושת, משחה; תערובת (לסלט); מילוי, מלית; רוטב
dressing down נזיפה
dressing gown חלוק
dressing station תחנת טיפול
dressing table שולחן טואלט
dressmaker *n.* תופרת
dress rehearsal חזרה סופית
dress shirt חולצה חגיגית
dressy *adj.* גנדרן, מגונדר
drew = pt of draw (droo)
drib′ble *n.* לטפטף, לזוב; לכדרר
dribble *n.* טיפה; טיפטוף; כידרור
drib′let *n.* טיפה; כמות זעומה
dribs and drabs מנות קטנטנות
dried = p of dry
drier = dryer מייבש
drift *n.* תנועה, כיוון, נטייה, מגמה; סחף, היסחפות; ערימה; משמעות
drift *v.* להינשא (עם הזרם); לסחוף; לנוע ללא מטרה; להיערם
drift′age *n.* היסחפות, סטייה
drifter *n.* בטלן; סירת דייגים
drift ice גושי קרח נסחפים
drift-net *n.* מיכמורת, רשת דייגים
drift-wood *n.* עצים נסחפים
drill *v.* לקדוח חור, לקדוח ב-
drill *n.* מקדח, מקדחה
drill *n.* אימון, תירגול, תרגיל
- fire drill תרגיל כיבוי אש
drill *v.* לאמן, לתרגל; להתאמן
drill *n.* תלם, מזרעה, מתלם, טורית
drill *v.* לזרוע בטורים-טורים
drill *n.* שָׁלֶשׁ (אריג כותנה חזק)
drily = dryly ביובש
drink *v.* לשתות; לספוג
- drink down/off לשתות עד תום
- drink in לשתות בצמא (דבריו)
- drink oneself to death למות מהתמכרות לשתייה
- drink to לשתות לחיי-, להרים כוס
drink *n.* משקה, משקאות; שתייה
- fond of drink חובב הטיפה המרה
- in drink מבוסם, בגילופין
- take to drink להתמכר לשתייה
- the drink *הים
drinkable *adj.* ראוי לשתייה
drinker *n.* שתיין
drinking *n.* שתייה
drinking fountain בירזייה
drinking water מי שתייה
drip *v.* לנטוף, לטפטף, לדלוף; להזיל
- dripping wet רטוב מאוד
drip *n.* טיפטוף; *אדם יבש, משעמם
drip-dry *n.* ייבוש כבסים בתלייה (בלי סחיטה וגיהוץ)
drip-dry *v.* לייבש כבסים בתלייה
drip feed הזנה בטפטוף, אינפוזיה
dripping *n.* שומן (מבשר צלוי)
- drippings טיפות, נטפים
drive *v.* לרדוף; להריץ; להסיע, להוביל; להניע; לנהוג, לנסוע; להטיל; לתקוע, לנעוץ; לדחוף
- be driving at להתכוון, לרמוז, לשאוף

- drive a hard bargain להתמקח
- drive a nail לנעוץ מסמר
- drive a tunnel לחצוב מינהרה
- drive away לגרש; לעבוד קשה
- drive him hard להעבידו בפרך
- drive him mad להוציאו מדעתו
- drive home להחדיר לראשו, לשכנעו
- drive in לנעוץ, להחדיר
- drive into a corner ללחוץ אל הפינה
- drive to distraction לשגע, להוציא מדעתו
- let drive at לכוון (מכה) לעבר-
- the rain was driving הגשם ניתך
drive *n.* נסיעה, טיול; העפת כדור; כביש פרטי; משלב; מיבצע, התקפה; מרץ, יוזמה, דחף; כונן
- front-wheel drive הינע קידמי
drive-in *n.* דרייב-אין, קולנוע-רכב, מיסעדת-רכב
driv'el *v.* לדבר שטויות, לקשקש
drivel *n.* שטויות, פיטפוטי סרק
driv'en = pp of drive
- driven snow ערימות שלג
driver *n.* נהג; מקל גולף
driver's license רשיון נהיגה
driver's test מיבחן נהיגה, טסט
driveway *n.* כביש פרטי
driving *adj.* מניע, נמרץ; של נהיגה
driving school בי"ס לנהיגה
driving test מיבחן נהיגה, טסט
driz'zle *v&n.* (לטפטף) גשם דקיק
driz'zly *adj.* (גשם) דקיק
drogue (drōg) *n.* עוגן (בצורת שק); מטרה (הקשורה למטוס); מצנח
droll (drōl) *adj.* מצחיק, מגוחך
droll'ery (drōl'-) *n.* ליצנות; דבר מצחיק; סיפור מבדח
drom'edar'y (-deri) *n.* גמל (חד-דבשתי)
drone *n.* דְבוֹר, זכר הדבורה; בטלן, טפיל; זמזום; נואם משעמם; מטוס מונחה
drone *v.* לזמזם; לדבר בחדגוניות
drool (drōōl) *v.* לריר מהפה; לפטפט
droop (drōōp) *v.* ליפול, לצנוח, לשקוע; ליפול ברוחו; להשפיל, להוריד
droop *n.* שקיעה, נטייה למטה, שחיחה
drop *n.* נטיף, טיפה; סוכרייה; נפילה, ירידה; דבר נופל/מוצנח
- a drop in the bucket טיפה בים
- at the drop of a hat מיד, לאלתר
- eyedrops טיפות עיניים
- get the drop on him להינות מעדיפות עליו
- had a drop too much שתוי, מבוסם
- in drops טיפין טיפין
- mail drop תיבה לשילשול מיכתבים
drop *v.* ליפול; להפיל; להוריד; לרדת; להצניח; להשמיט; להרפות מ-, לנטוש
- drop a clanger *לפגוע, להעליב
- drop a hint לזרוק/לתת רמז
- drop a lamb להמליט טלה
- drop a line לכתוב כמה מלים
- drop a note לשרבט פתק קצר
- drop a word לזרוק/להפטיר מילה
- drop back/behind לפגר, לסגת
- drop by/in לבקר, "לקפוץ"
- drop dead! התפגר!, הסתלק!
- drop money להפסיד כסף
- drop off לנמנם, להירדם; להוריד נוסע
- drop off/away לרדת, להתמעט
- drop out לנשור מתחרות, להסתלק
drop hammer קורנס
drop-kick *n.* בעיטה בכדור עם התרוממותו מהארץ
drop-leaf *adj.* בעל מדף עם ציר
drop'let *n.* טיפונת, טיפה
dropout *n.* נשירה, נושר (מכיתה)
dropper *n.* טפטפת, טפי, מנטף
droppings *n-pl.* גללים, רעי, לישלשת
drop press קורנס
drop'sical *adj.* של מיימת
drop'sy *n.* מיימת (מחלה)
dross (drôs) *n.* פסולת, סיג
drought (drout) *n.* בצורת, יובש
drove = pt of drive
drove *n.* עדר, קהל נוהר
dro'ver *n.* מוביל בקר, נוהג בקר
drown *v.* לטבוע; להטביע, להציף
- drown one's sorrows להשכיח יגונו בשתייה
- drown oneself in להשקיע עצמו ב-
- drown out להחריש, להשתיק
- drowned in sleep בשינה עמוקה
drowse (-z) *v&n.* לנמנם; נימנום
- drowse away לנמנם, להתבטל
drow'sy (-zi) *adj.* רדום; מרדים
drub *v.* להכות, להלום
- a good drubbing מכה רצינית
drudge *v.* לעבוד עבודה קשה/משעממת
drudge *n.* עובד עבודה קשה/משעממת
drudg'ery *n.* עבודה קשה ומשעממת
drug *n.* סם; תרופה; סם מסוכן
- drug on the market סחורה שאין עליה קופצים
drug *v.* לסמם, להרעיל; להוסיף סם
drug addict מכור לסמים, נרקומן
drug'get *n.* מרבד, שטיח (מצמר גס)
drug'gist *n.* רוקח; בעל חנות
drugstore *n.* חנות כל-בו, דראגסטור
drum *n&v.* תוף; תיפוף; לתופף; להקיש
- drum into להחדיר לראשו, לשנן לו
- drum out לגרש, לסלק
- drum up ליצור, לקבל, לגייס (תמיכה)
drumbeat *n.* תיפוף
drumfire *n.* הרעשה כבדה
drumhead *n.* עור התוף, יריעת תוף
drumhead court-martial משפט צבאי מהיר
drum major מנצח התיזמורת, שרביטאי
drum majorette שרביטאית
drummer *n.* מתופף, תַּפָּף; *סוכן-נוסע
drumstick *n.* מקל-תיפוף; רגל עוף
drunk *adj&n.* שיכור, שתוי
- dead/blind drunk שיכור כלוט
- drunk with success שיכור הצלחה
- get drunk להשתכר
drunk = pp of drink
drunk'ard *n.* שיכור
drunk'en *adj.* שיכור; של שיכרות
drupe *n.* פרי גלעיני
Druse (-z) *n.* דרוזי

Druze *n.* דרוזי
dry *adj.* יבש; מצמיא; צמא
- a dry cow פרה שחדלה לחלוב
- bone-dry יבש כעצם
- dry facts עובדות יבשות
- dry law חוק האוסר מכירת משקאות חריפים
- dry measure מידת היבש
- dry wine יין יבש/לא מתוק
dry *v.* לייבש, לנגב; להתייבש
- dried fruit פירות מיובשים
- dry out להיגמל משיכרות; להתייבש לגמרי
- dry up לייבש; להתייבש; להיעלם
- dry up! בלום פיך!
dry-clean *v.* לנקות ניקוי יבש
dry cleaning ניקוי יבש
dry′er, dri′er *n.* מייבש
dry-eyed *adj.* לא בוכה, ללא דמעות
dry goods אריגים, בדים, טקסטיל
dry land יַבָּשָׁה
dry′ly, dri′ly *adj.* ביובש
dryness *n.* יובש
dry nurse אומנת לא מיניקה
dry rot ריקבון, ריקבון כמוס
dry run *חזרה
dry-shod *adj.* בלא להרטיב רגליו
dry wall קיר אבנים (לא מטויח)
dt's *n.* טירפון, רטט (משתייה)
du′al *adj.* זוגי, כפול, דו-
dual carriageway כביש בעל שטח הפרדה
dual-purpose *adj.* דו-תכליתי
dub *v.* לכנות, לקרוא, להעניק תואר
- dub him knight להעניק לו אבירות
dub *v.* לדבב, לשנות שפה בפסקול
dub′bin *n.* מישחה (למוצרי עור)
dubbing *n.* דיבוב; הענקת תואר
du·bi′ety (dōō-) *n.* פיקפוק, ספקות
du′bious *adj.* מפוקפק; מסופק; מפקפק
du′cal *adj.* של דוכס, כמו דוכס
duc′at *n.* דוקאט, אדום (מטבע)
duch′ess *n.* דוכסית
duch′y *n.* דוכסות
duck *n.* ברווז; *חביב, מותק; רכב אמפיבי; אפס נקודות
- ducks and drakes הטלת אבנים על פני מים
- like a duck to water כדג במים
- like water off a duck's back בלי כל השפעה
- play ducks and drakes with לפזר, לבזבז (כסף)
duck *n.* אריג כותנה חזק
- ducks מיכנסיים (מהאריג הנ"ל)
duck *v.* לכופף; להתכופף; להטביל
- duck out of *להתחמק מ-
duck *n.* התכופפות; טבילה
duck boards לוחות-מעבר (על בוץ)
duck′ling *n.* ברווזון
duck soup *דבר קל, מישחק ילדים
duckweed *n.* ירוקה, ירוקת
duck′y *n.* *יקיר, מותק; מצויין
duct *n.* תעלה, צינור; צינור-איוורור
duc′tile (-til) *n.* רקיע; גמיש
duc·til′ity *n.* רקיעות; גמישות

dud *n&adj.* *דבר חסר-ערך; כישלון
- duds *בגדים, בלואים, סחבות
dude *n.* *גנדרן
dude ranch חוות נופשים
dud′geon (-jən) *n.* רוגז, התמרמרות
- in high dudgeon רוגז, ממורמר
due (dōō) *adj&n.* מגיע, יש לפרעו; מתאים, נאות, נכון; אמור להגיע
- I am due for אני מצפה ל-
- I am due to אני עומד ל-
- due date יום הפירעון; יום תשלום
- due north היישר צפונה
- due to בגלל, מחמת; עומד ל-
- dues אגרה, מס
- give him his due לתת את המגיע לו
- in due course בשעה המתאימה
- the train is due at 4 הרכבת צריכה להגיע ב-4
du′el *n&v.* דו-קרב; לצאת לדו-קרב
du·et′ (dōō-) *n.* דואט, צימדה, דואית, דוזמר
duff *n.* בצק
duf′fel *n.* דופל (אריג צמר גס)
duf′fer *n.* טיפש, לא-יוצלח
duf′fle *n.* דופל (אריג צמר גס)
duffle bag תרמיל, קיטבג, מיזוודה
duffle coat מעיל דופל
dug = p of dig
dug *n.* עטין, פיטמה
dug-out *n.* שוחה, חפירה; סירה קלה
duke *n.* דוכס
- dukes *אגרופים
dukedom *n.* דוכסות
dul′cet *adj.* מתוק, נעים
dull *adj.* עמום, קהה, קודר; קשה-הבנה; טיפש; משעמם
- dull business מיסחר רדום
- dull of hearing כבד-אוזן
dull *v.* להקהות; לעמעם
dull′ard *n.* מטומטם
du′ly *adv.* בזמן; כראוי, נכונה
dumb (dum) *adj.* אילם; שותק; *טיפש
- in dumb show בפנטומימה
- strike dumb להכותו באלם
dumbbell *n.* מישקולת (לשרירי היד)
dumb′found′ (dumf-) *v.* להדהים, להכות באלם
dumb′wait′er (dum′-) *n.* שולחנון מסתובב (להגשת אוכל); מעלית מזון
dum′dum′ bullet כדור דום-דום
dum′found′ *v.* להמום, להכות באלם
dum′my *n.* דמה, מידמה; זיוף; אימום, מנקין; ממלא מקום; מוצץ; נציג חשאי
dummy run הרצה ניסיונית
dump *v.* להשליך, לזרוק; להיפטר מ-; להריק; למכור סחורה (בחו"ל) בזול
dump *n.* מיזבלה; מחסן, מיצבור, מיצבר
- in the dumps *עצוב, מדוכדך
dump′er *n.* משאית-פריקה
dump′ing *n.* דאמפינג, היצף
dump′ling *n.* כופתה
dump truck משאית-פריקה
dum′py *adj.* גוץ, שמנמן
dun *n&adj.* סוס (חום-אפור)
dun *v.* לתבוע סילוק החוב
dun *n.* נושה; תביעה לתשלום חוב

dunce *n.* קשה-תפיסה; טיפש
dun'derhead' (-hed) *n.* טיפש
dune *n.* דיונה, חולית
dung *n.* גללים, זבל פרות
dun'garee' *n.* דאנגרי (אריג גס)
- dungarees סרבל, בגדי עבודה
dun'geon (-jən) *n.* צינוק, בור
dunghill *n.* ערימת זבל
dunk *v.* לטבול (עוגה בקפה); להטביע
dunk *n.* הטבעה (בכדורסל)
du'o *n.* דואט, דואית, צימדה; צמד, זוג
du'ode'nal *adj.* של התריסריין
du'ode'num *n.* תריסריין
du'ologue' (dū'əlog') *n.* דיאלוג, דו-שיח
dupe *v.* לרמות, להוליך שולל
dupe *n.* קורבן, מרומה, פתי
du'plex' *adj.* כפול, זוגי
duplex apartment דירה דו-מיפלסית
du'plicate *adj.* כפול, זהה
duplicate *n.* דופליקט, העתק, עותק, כפולה
- in duplicate בשני עותקים
du'plicate' *v.* לשכפל; לעשות העתק
du'plica'tion *n.* שיכפול
duplicator *n.* מכונת שיכפול, מכפלת
du·plic'ity (dōō-) *n.* רמאות, צביעות
du'rabil'ity *n.* יציבות
du'rable *adj&n.* נמשך, בר-קיימא; יציב
- durables מוצרים בני-קיימא
du·ra'tion (doo-) *n.* משך זמן, אורך זמן
- for the duration of למשך-
- of short duration נמשך זמן קצר
du·ress' (doo-) *n.* איום, לחץ
du'ring *prep.* במשך, בשעת, בעת
durst = pt of dare
dusk *n.* בין הערביים, עם חשיכה
dusky *adj.* חשוך, כהה
dust *n.* אבק, עפר; מת, עצמות-מת; מהומה, מבוכה; *כסף
- bite the dust ליפול חלל
- dust and ashes עפר ואפר
- in the dust מת, בקבר; מוכה, מושפל
- kick up a dust *להקים רעש
- lay the dust להרביץ את האבק
- shake the dust off one's feet להסתלק בזעם
- throw dust in his eyes לזרות חול בעיניו
dust *v.* להסיר האבק, לאבק; לבזוק
- dust off לנער מאבק
dustbin *n.* פח אשפה
dust-bowl *n.* איזור סופות חול
dust-cart *n.* מכונית איסוף-אשפה
duster *n.* מטלית אבק
dust jacket עטיפת-ספר
dustman *n.* פועל ניקיון
dustpan *n.* יעה, כף-אשפה
dust sheet/cover כיסוי (נגד אבק)
dust-up *n.* *ריב, קטטה
dusty *n.* מאובק, כמו אבק, יבש
- dusty answer תשובה מעורפלת
- not so dusty *לא רע, בסדר
Dutch *adj&n.* הולנדי; הולנדית (שפה)
- Dutch courage אומץ הבא משתייה
- Dutch treat כיבוד הולנדי (שלפיו כל משתתף משלם את הוצאותיו)
- go Dutch להתחלק בהוצאות
- in Dutch *בצרות, במצב ביש
- talk like a Dutch uncle להוכיח, לנזוף
Dutch auction מכירה פומבית (במחיר יורד)
Dutch cap דיאפרגמה
du'te·ous *adj.* ממלא חובתו, צייתן
du'tiable *adj.* חייב במכס
du'tiful *adj.* ממלא חובתו, צייתן
du'ty *n.* חובה; מס; מכס
- do duty for לשמש כ-, לשרת כ-
- double duty שתי מלאכות
- duty bound חייב (מבחינה מוסרית)
- duty visit/call ביקור חובה, ביקור מצפוני, ביקור מוסרי
- on/off duty בתפקיד/לא בתפקיד
duty-free *n.* פטור ממכס
duty officer קצין תורן
duvet (dōōvā') *n.* שמיכת-נוצות
dwarf (dwôrf) *n.* גמד
dwarf *v.* לגמד, להגמיד; לעכב צמיחה
dweeb *n.* *אדם משעמם, שקדן
dwell *v.* לגור, להתגורר
- dwell on להתעכב על, להרהר ב-; להדגיש
dweller *n.* גר, שוכן
dwelling *n.* בית, דירה, מעון
dwelling house בית מגורים
dwelling place מקום מגורים
dwelt = p of dwell
dwin'dle *v.* להתדלדל, לפחות
dy'ar·chy (-k-) *n.* דו-שילטון
dyb'buk *n.* דיבוק
dye (dī) *n.* צבע, חומר צביעה
- of the deepest dye הרע ביותר
dye *v.* לצבוע, להיצבע
dyed-in-the-wool *adj.* מוחלט, מובהק
dyer *n.* צַבָּע, צובע
dye-stuff *n.* צבע, חומר צביעה
dye-works *n.* מיצבעה
dy'ing *adj.* מת, גוסס, שכיב מרע
dyke *n.* דייק, סוללה, תעלה; לסבית
dyke *v.* להקים סוללה
dy·nam'ic *adj.* דינמי; פעיל, נמרץ
dynamic *n.* דחף, כוח מוסרי
- dynamics דינמיקה
dy'namism' *n.* דינמיזם, דינמיות
dy'namite' *n.* דינמיט, ברד
dynamite *v.* לפוצץ בדינמיט
dy'namo' *n.* דינמו
dy'nast' *n.* מושל, מלך
dy·nas'tic *adj.* של שושלת מלכים
dy'nasty *n.* שושלת מלכים, דינסטיה
d'you = do you (jə)
dys'enter'y *n.* דיזנטריה, בורדם
dysfunc'tion *n.* תיפקוד לקוי
dyslec'tic *adj.* דיסלקטי
dyslex'ia *n.* דיסלקסיה, קשיי קריאה וכתיבה
dyslex'ic *adj.* דיסלקטי
dyspep'sia *n.* הפרעה בעיכול
dyspep'tic *n.* סובל מהפרעה בעיכול

E

E מי (צליל)
E = East, Egypt
each *adj&prep.* כל, כל אחד
- each and every כל אחד (להדגשה)
- each of them כל אחד מהם
- each other זה את זה, זה לזה
- they each כל אחד מהם
ea'ger (-g-) *adj.* להוט, משתוקק
eager beaver שקדן, נלהב, שאפתן
ea'gle *n.* עיט; נשר
eagle-eyed *adj.* חד-עין; לוטש עין
ea'glet *n.* עיט צעיר; נישרון
ear *n.* אוזן; שמיעה; שיבולת
- I'm all ears כולי אוזן
- bend his ear לדבר על הנושא בלי הרף, לנדנד לו
- bring down around one's ears להוריד לטימיון
- catch/win his ear להעיר אוזנו
- dry behind the ears מנוסה, מיומן
- fall on deaf ears ליפול על אוזניים ערלות
- give one's ears לשלם כל מחיר
- give/lend an ear להטות אוזן
- go in one ear and out the other נכנס לו באוזן אחת ויצא מן השנייה
- grin/smile from ear to ear לצחוק מאוזן לאוזן, להיות מאושר
- had a word in his ear גלה אוזנו
- has it coming out of his ears *לצאת לו מהאוזניים, להימאס עליו
- has nothing between his ears לא יוצלח, טיפש
- has something between the ears יש לו שכל
- have his ear לצוד את אוזנו, לכבוש ליבו
- his ears are burning מרכלים עליו, מדברים על אודותיו
- keep an ear to the ground להיות ער להתרחשויות
- listen with half an ear לא להקשיב היטב
- out on ear *עף מהעבודה
- pin back one's ears להקשיב היטב; לנזוף, לגעור; להכות, להביס
- play by ear לנגן לפי שמיעה
- play it by ear לפעול בלי תיכנון, לפעול בהתאם להתפתחויות
- prick up one's ears לזקוף אוזניו
- set them by the ears לסכסכם זה בזה
- turn a deaf ear לאטום אוזנו
- up to one's ears in work שקוע ראשו ורובו בעבודה
- wet behind the ears טירון, תמים
earache *n.* כאב אוזניים
eardrop *n.* עגיל
eardrum *n.* תוף האוזן
eared *adj.* בעל אוזניים
- long-eared ארך-אוזניים
- sharp-eared חד-שמיעה
ear'ful' (-fool) *n.* נזיפה, מנה הגונה; חדשות, רכילות
earl (ûrl) *n.* רוזן, אציל
earldom *n.* רוזנות
ear lobe תנוך האוזן
ear'ly (ûr'-) *adj&adv.* מוקדם; בהקדם; בשעה מוקדמת
- at the earliest לכל המוקדם
- early on בשלב מוקדם, בראשית
- early riser משכים קום
- early warning התראה מוקדמת
- keep early hours לישון מוקדם
early bird *מקדים, משכים קום
early closing day יום שבו החנויות סגורות אחה"צ
early retirement פרישה מוקדמת
early warning התראה מוקדמת
earmark *n.* סימן בעלות (על אוזן)
earmark *v.* לתקצב, לשריין, לייעד
earmuff *n.* כיסוי אוזניים, בית אוזן
earn (ûrn) *v.* להרוויח; להיות ראוי/זכאי ל-
- earn him a title לזכותו בתואר
earned income הכנסה מגיעה
ear'nest (ûr'-) *adj&n.* רציני
- in earnest/earnestly ברצינות
earnest *n.* דמי קדימה, עירבון
- as an earnest of כאות, להבטחת
earnest money עירבון
earnings *n.* שכר; רווחים
earphone *n.* אוזנית
earpiece *n.* אפרכסת
earplug *n.* פקק אוזן, אטם אוזן
ear'ring (-r-r-) *n.* עגיל
earshot *n.* טווח שמיעה
earsplitting *adj.* מחריש אוזניים, רם
earth (ûrth) *n.* כדור הארץ, ארץ; אדמה, עפר; מאורה; ארקה; עפרה
- come down to earth לחזור אל קרקע המציאות
- down to earth מעשי, הוגן
- go to earth להסתתר
- move heaven and earth להפוך עולמות
- promise the earth להבטיח הרים וגבעות
- run to earth למצוא לאחר חיפוש
- what on earth... מה, לעזאזל
earth *v.* להאריק, לחבר לאדמה
- earth up לכסות בעפר
earthbound *adj.* גשמי, חומרי, ארצי
earthen *adj.* עשוי עפר, עשוי חומר
earthenware *n.* כלי חרס
earthly *adj.* ארצי
- hasn't an earthly *אין לו סיכוי
- no earthly *כלל לא, אין שום-
earth mover מכונה לעבודות עפר
earthnut *n.* אגוז אדמה
earthquake *n.* רעידת אדמה
earth-shattering *adj.* מהמם
earthwork *n.* ביצורים, סוללה
earthworm *n.* שילשול, תולעת
earthy *adj.* ארצי, גשמי
earwax *n.* דונג האוזן, שעוות האוזן
ear'wig' *n.* צבתן (חרק)
ease (-z) *n.* נוחות, שלווה, קלות
- at ease רגוע, בלי מתח
- ill at ease מודאג, עצבני

- put him at his ease להרגיעו
- stand at ease! עמוד נוח!
- take one's ease לנוח, להירגע
- with ease בקלות, בנקל
ease *v.* להרגיע, להקל, לשחרר, להרפות
- ease off/up להרפות, להיחלש
ea′sel (-z-) *n.* חצובה, כן-ציור
ease′ment (ēz′-) *n.* זיקת הנאה
easily *adv.* בקלות; בהחלט, ללא ספק
east *n&adj.* מיזרח; מיזרחי
- the Middle East המיזרח התיכון
east, eastwards *adv.* מיזרחה
east′bound′ *adj.* נוסע מיזרחה
East End מיזרח לונדון, איסטאנד
East′er *n.* חג הפסחא
east′erly *adj.* מיזרחי
east′ern *adj.* מיזרחי
east′erner *n.* תושב המיזרח
easternmost *adj.* המיזרחי ביותר
ea′sy (-zi) *adj.* קל; נוח; חסר-דאגות
- easy circumstances חיי רווחה
- easy goods סחורה מצוייה
- easy manners חביבות, קלילות
- easy mark/victim פתי, טרף קל
- easy money כסף קל, רווח מהיר
- easy on the eye *שובה עין
- easy virtue מוסר מפוקפק
- on easy street *מבוסס, בתנאים נוחים
- on easy terms בתשלומים
easy *adv.* בקלות, בנקל
- easy come, easy go דבר שזוכים בו בקלות - מפסידים בקלות
- easy does it! *לאט! בזהירות!
- easy! לאט לך! בעדינות!
- go easy on לא להפריז ב-
- got off easy נפטר בעונש קל
- it's easier said than done קל לומר, קשה לבצע
- stand easy! חופשי!
- take it easy! קח זאת בקלות! לאט!
easy chair כיסא נוח, כורסה
easygoing *adj.* עצלן, לא מקפיד, נוח
easy touch פתי, ניתן לסחיטה
eat *v.* לאכול; להרוס; לשתך
- eat away לאכל, לכרסם, לשתך
- eat dirt לגלות הכנעה, להרכין ראש
- eat its head off לאכול הרבה, יצא שכרו בהפסדו
- eat like a bird לאכול מעט
- eat like a horse לזלול
- eat one's cake and have it too ליהנות משני העולמות
- eat one's heart out לאכול את עצמו, לסבול
- eat one's words לחזור בו מדבריו
- eat out לאכול בחוץ
- eat up לאכול, לאכול הכל, לבלוע
- eaten up with jealousy אכול קינאה
eatable *adj.* ראוי לאכילה, אכיל
eatables *n-pl.* מיצרכי מזון
eat′en = pp of eat
eater *n.* אכלן; תפוח חי
eat′ery *n.* *מסעדה, מזללה
eating apple תפוח חי
eating-house *adj.* מיסעדה
eats *n-pl.* *אוכל, מזון

eau de cologne (ō′dəkəlōn′) מי קולון
eaves (ēvz) *n-pl.* שולי גג, מרזב
eavesdrop *v.* לצותת, להאזין בגניבה
eavesdropper *n.* מצותת בחשאי
eavesdropping *n.* האזנת סתר, ציתות
ebb *n.* שֵׁפֶל; ירידה
- at a low ebb בשפל
ebb *v.* לרדת, להתמעט, לדעוך
ebb tide שֵׁפֶל, זמן השפל
eb′onite′ *n.* הובנית, גומי מגופר
eb′ony *n&adj.* הובנה, שחור
e·bul′lience *n.* התלהבות, התרגשות
e·bul′lient *adj.* נלהב, נרגש; גולש, שופע
ec·cen′tric *adj&n.* מוזר, משונה; לא משותף-מרכז; לא מעגלי; משנה-תנועה
ec′cen·tric′ity *n.* מוזרות
eccle′sias′tic (iklēzi-) *n.* כומר
ecclesiastical *adj.* כנסייתי
ECG אק"ג
ech′elon′ (esh-) *n.* תדריג, תבנית מדרגות, מערך אלכסוני; רמה, דרג
ech′o (ek-) *n.* הד; חיקוי, חקיין
- to the echo בתרועות
echo *v.* להדהד; לחזור כהד, להחרות-להחזיק אחרי-
eclair′ (āk-) *n.* עוגייה
eclat (āclā′) *n.* הצלחה כבירה
ec·lec′tic *adj.* מלוקט, מלקט ממקורות שונים, אקלקטי
eclectic *n.* אקלקטיקן, לקטן
ec·lipse′ *n.* ליקוי מאורות
eclipse *v.* לגרום לליקוי מאורות; להאפיל על, להטיל צל על
ec·lip′tic *n.* מילקה, קו הליקויים
ec′logue′ (-lôg) *n.* שיר קצר
ec′olog′ical *adj.* אקולוגי
e·col′ogy *n.* אקולוגיה, תורת הסביבה
e′conom′ic *adj.* כלכלי; ריווחי
e′conom′ical *adj.* חסכוני
e′conom′ics *n.* כלכלה
e·con′omist *n.* כלכלן
e·con′omize′ *v.* לחסוך, לקמץ בהוצאות
e·con′omy *n.* חיסכון; כלכלה
economy *adj.* חסכוני, זול
economy class מחלקה זולה (בטיסה)
ecru (ākrōō′) *n.* חום בהיר, בז'
ec′stasy *n.* אקסטאזה, התלהבות
ec·stat′ic *adj.* אקסטאטי, מתלהב
Ec′uador′ (ekwə-) *n.* אקוודור
ec′u·men′ical *adj.* אקומני, עולמי
ec′zema (eks-) *n.* אקזמה, חככת, גרב, גלשת
e·da′cious (-shəs) *adj.* זולל, טורף
ed′dy *n.* מערבולת
eddy *v.* להתערבל, לנוע במעגלים
e·dem′a *n.* בצקת (מחלה)
E′den *n.* גן-עדן
edge *n.* חוד, להב, חורפה; קצה, שפה
- edge on בכיוון הקצה
- fray at the edges להיחלש, להתערער
- give the edge of one's tongue לנזוף קשות
- has the edge on יש לו יתרון על
- lost his edge אינו כתמול שלשום, נס ליחו, איבד את יתרונו
- on edge מתוח, עצבני

- on the edge of על סף
- put an edge on לחדד
- set his teeth on edge לעצבנו
- take the edge off להקהות, לשכך
edge *v.* לשפות, להתקין שוליים, לחדד; להתקדם לאט; להוביל לאט
- edge in להתקדם לאט, להידחק
- edge one's way לפלס דרכו
- edge out לדחוק רגליו
- edged with green ירוק-שוליים
edgeways *adv.* בכיוון החוד
- couldn't get a word in edgeways לא הצליח לומר מילה
edgewise *adv.* בכיוון החוד
edging *n.* שפה, שוליים
edg'y *adj.* מתוח, עצבני
ed'ibil'ity *n.* ראווית לאכילה
ed'ible *adj.* אכיל, ראוי לאכילה
edibles *n-pl.* דברי מאכל
e'dict *n.* צו, פקודה
ed'ifica'tion *n.* חיזוק הרוח, חינוך, השבחת הנפש
ed'ifice (-is) *n.* בניין, ארמון
ed'ify' *v.* לחזק המוסר, לחנך, לשפר
ed'it *v.* לערוך; להכין לדפוס
- edit out לצנזר, למחוק, להוציא
e·di'tion (-di-) *n.* מהדורה; הוצאה
ed'itor *n.* עורך
ed'ito'rial *adj.* של עורך, של עריכה
editorial *n.* מאמר המערכת
ed'ito'rialize' *v.* לבטא דיעות (פרטיות) במאמר
ed'ucate' (ej'-) *v.* לחנך, ללמד
educated *adj.* מחונך; מבוסס על ניסיון
ed'uca'tion (ej-) *n.* חינוך
educational *n.* חינוכי
educationist *n.* מחנך
ed'uca'tor (ej'-) *n.* מחנך, מורה
e·duce' *v.* להוציא, להסיק, לפתח
e·duc'tion *n.* מסקנה
ed'utain'ment (ej-) *n.* לימוד אגב בידור
eel *n.* צלופח
e'en = even (ēn)
e'er = ever (ār)
ee'rie *adj.* מפחיד, מוזר, מיסתורי
efface' (i-) *v.* למחוק, למחות
- efface oneself להיחבא אל הכלים
effacement *n.* מחיקה
effect' (i-) *n.* השפעה, תוצאה, תולדה; אפקט, רושם; פעלול
- effects חפצים; פעלולים
- give effect to להוציא לפועל
- in effect למעשה; בתוקף, תקף, חל
- into effect לשלב הפעלה
- no effects אין כיסוי (להמחאה)
- of no effect לבלי הועיל, לשווא
- put into effect להפעיל, לבצע
- take effect לפעול, להיכנס לתוקפו
- to that effect ברוח זו, במובן זה
- to the effect that לאמור, שמשמעו
effect *v.* להוציא לפועל, לבצע
effec'tive (i-) *adj.* אפקטיבי, יעיל, בר-פעל; מרשים; ממשי, ריאלי, קיים
effectives *n-pl.* כוחות צבא פעילים
effec'tual (ifek'chōōəl) *adj.* יעיל, אפקטיבי

effec'tuate' (ifek'chōōāt) *v.* להגשים, לבצע; לגרום ל-
effec'tua'tion (-chəwa'-) *n.* ביצוע
effem'inacy (i-) *n.* נשיות
effem'inate (i-) *adj.* נשי, כמו אישה
effen'di (i-) *n.* אפנדי
ef'fervesce' (-ves) *v.* לתסוס, לבעבע; להתרגש, לשפוע גיל
effervescence *n.* תסיסה
effervescent *adj.* תוסס
ef·fete' *adj.* חלש, בלה, מנוון
ef'fica'cious (-shəs) *adj.* יעיל, אפקטיבי
ef'ficacy *n.* יעילות
effi'ciency (ifish'ənsi) *n.* יעילות
efficiency bar נקודת היעילות, קידום הדורש יעילות
effi'cient (ifish'ənt) *adj.* יעיל, מוכשר
ef'figy *n.* בובה
- burn in effigy להעלות בובתו באש
ef'flores'cence *n.* פריחה
ef'flores'cent *adj.* פורח
ef'fluent (-lōōənt) *n.* נחל; שפכין
ef'flux' *n.* זרימה, יציאה
ef'fort *n.* מאמץ; ניסיון; מיבצע
- a good effort! כל הכבוד!
effortless *adj.* קל, ללא מאמץ
effron'tery (ifrun-) *n.* חוצפה
efful'gence (i-) *n.* זוהר, זיו
efful'gent (i-) *adj.* זוהר, מבהיק
effu'sion (ifū'zhən) *n.* השתפכות; נזילה
effu'sive (i-) *adj.* משתפך, שופע
e.g. כגון, לדוגמה
e·gal'ita'rian *adj.* שיוויוני, דוגל בשיוויון זכויות
egg *n&v.* ביצה; *אדם, ברנש
- as sure as eggs is eggs *מאה אחוז, ללא צל של ספק
- bad egg אדם רע, טיפוס רע
- egg on לדרבן, לעודד
- get egg on his face *להיות נבוך, להיות מושפל
- in the egg בעודו באיבו
- lay an egg *להיכשל לחלוטין
- put all one's eggs in one basket להמר על כל הקופה
- tread/walk on eggs להלך על ביצים, להיזהר
eggbeater *n.* מקצף ביצים, מטרף
eggcup *n.* גביע לביצים
egghead *n.* ראש-ביצה, משכיל
egg-nog/-flip *n.* גוגל-מוגל
egg'plant' *n.* חציל
eggshell *n.* קליפת הביצה
- tread/walk on eggshells להלך על ביצים, להיזהר
eggshell china חרסינה עדינה
egg whisk מקצף ביצים, מטרף
egg white חלבון הביצה
e'gis = aegis חסות
e'go *n.* אגו, ה"אני"
e'go·cen'tric *adj.* אגוצנטרי, אנוכיי
e'go·ism' *n.* אגואיזם, אנוכיות
e'go·ist *n.* אגואיסט, אנוכיי
e'go·is'tic *adj.* אגואיסטי
e'go·ma'nia *n.* אנוכיות חולנית

e′gotism′ *n.* אגוטיזם, אנוכיות
e′gotist *n.* אגוטיסט, אנוכיי
ego trip אגו טריפ, ניפוח עצמי
e·gre′gious (-′jəs) *adj.* בלתי-רגיל, גס, מובהק
e′gress′ *n.* יציאה
e′gret *n.* אנפה (עוף)
E′gypt *n.* מצריים
E·gyp′tian (-shən) *adj&n.* מצרי
E′gyptol′ogy *n.* אגיפטולוגיה, מדע מצריים
eh (ā) *interj.* אה, מה (קריאה)
ei′der (ī′-) *n.* ברווז ימי
eiderdown *n.* שמיכת נוצות
eight (āt) *adj&n.* שמונה, 8; סירת משוטים (ל-8 איש)
- one over the eight שתוי
eighteen (ātēn′) *n.* שמונה עשר
eighteenth *adj.* (החלק) השמונה עשר
eighth (āth) *adj.* (החלק) השמיני
eightieth (ā′tiəth) *adj.* (החלק) השמונים
eighty (ā′ti) *adj&n.* שמונים
- the eighties שנות השמונים
ei′ther (ē′dh-) *adj&pron.* אחד משניהם, זה או זה; זה וגם זה
- in either event בכל מיקרה
- on either side of משני צידי
either *adv.* גם כן (לא)
- either... or... או--או--
e·jac′u·late′ *v.* לקרוא, לומר לפתע, להפליט בקצרה; לפלוט (זרע)
e·jac′u·la′tion *n.* קריאה
e·ject′ *v.* לגרש; לפלוט
e·jec′tion *n.* גירוש; פליטה
ejectment *n.* גירוש; תביעת פינוי/פיצוי
ejector *n.* מפלט (בכלי ירייה)
ejector seat כיסא-הטייס (הנפלט)
eke *v.* להגדיל, להאריך
- eke out להשלים (החסר), להוסיף, להאריך
- eke out a living להתפרנס בדוחק
EKG אק"ג
el = elevated railway
e·lab′orate *adj.* משוכלל, מתוכנן, מעובד
e·lab′orate′ *v.* להוסיף פרטים, לתכנן בפרוטרוט, לעבד, לשכלל
e·lab′ora′tion *n.* עיבוד, שיכלול
elan (āläng′) *n.* התלהבות
e·lapse′ *v.* לעבור, לחלוף
e·las′tic *adj.* גמיש, אלאסטי, מתיח, קפיצי
elastic *n.* חומר גמיש; קפיץ, גומי
elastic band גומייה
e·las′tic′ity *n.* גמישות, אלאסטיות
e·late′ *v.* לרומם רוח, לנסוך גאווה
elated *adj.* מרומם, עליז, גאה
e·la′tion *n.* התרוממות רוח
el′bow (-bō) *n.* מרפק; זווית-צינור
- at one's elbow על ידו, קרוב
- lift one's elbow לשתות לשכרה
- out at elbows לבוש סחבות
- rub elbows with להתחכך ב-, להתרועע עם
- up to the elbows שקוע ב-

elbow *v.* לדחוק במרפקים, למרפק
elbow grease עבודת פרך
elbowroom *n.* מרחב פעולה
el′der *n.* סמבוק (שיח נוי)
elder *adj&n.* גדול, בכיר, מבוגר; קשיש
- he is my elder by 2 years הוא גדול ממני בשנתיים
- one's elders הזקנים ממנו
el′derly *adj.* קשיש, מזדקן
elder statesman מדינאי מנוסה
eld′est *adj.* הבכור, הגדול ביותר
El Dorado (-rä′-) *n.* אלדורדו; ארץ אגדית, ארץ החלומות
e·lect′ *adj.* נבחר
- president elect הנשיא הנבחר
- the elect המובחרים, עם סגולה
elect *v.* לבחור; להעדיף, להחליט
e·lec′tion *n.* בחירות
- by-election בחירות מישנה
e·lec′tioneer′ (-shən-) *v.* לנהל תעמולת בחירות
e·lec′tive *adj.* מתמנה בבחירות; מוסמך לבחור; לפי בחירה, לא חובה
elector *n.* בוחר; אלקטור
electoral *adj.* של בחירות/אלקטורים
electoral college מועצת האלקטורים (הבוחרים את נשיא ארה"ב)
electoral register רשימת הבוחרים
electoral roll רשימת הבוחרים
e·lec′torate *n.* ציבור הבוחרים
e·lec′tric *adj.* חשמלי
e·lec′trical *adj.* חשמלי
electric blanket שמיכה חשמלית
electric chair כיסא חשמל
electric eye עין אלקטרונית
electric guitar גיטרה חשמלית
e·lec′tri′cian (-rish′ən) *n.* חשמלאי
e·lec′tric′ity *n.* חשמל
electric shaver/razor מכונת גילוח חשמלית
electric shock הלם חשמלי
e·lec′trifica′tion *n.* חישמול
e·lec′trify′ *v.* לחשמל
e·lec′tro- (תחילית) חשמלי
e·lec′tro·car′diogram′ תרשים פעולת הלב, אק"ג
e·lec′trocute′ *v.* לחשמל (למוות)
e·lec′trocu′tion *n.* חישמול
e·lec′trode *n.* אלקטרוד
e·lec′trol′ysis *n.* אלקטרוליזה
e·lec′tro·mag′net *n.* אלקטרומגנט
e·lec′tron′ *n.* אלקטרון
e·lec′tron′ic *adj.* אלקטרוני
electronic mail = e-mail דואר אלקטרוני
electronics *n.* אלקטרוניקה
e·lec′troplate′ *v.* לצפות (בכסף) ע"י אלקטרוליזה, להכסיף
e·lec′troscope′ *n.* אלקטרוסקופ
el′e·emos′ynar′y (-neri) *adj.* של נדבות
el′egance *n.* אלגנטיות, הידור
el′egant *adj.* אלגנטי, הדור, נאה
el′egi′ac *adj.* נוגה, עצוב
elegiacs *n-pl.* חרוזי קינה

el'egy *n.* אלגיה, קינה
el'ement *n.* אלמנט, יסוד, עיקר, פרט
- in one's element כדג במים
- out of one's element בשטח זר, שלא בסביבתו הטיבעית
- the 4 elements 4 היסודות
- the Elements לחם הקודש ויין הקודש
- the elements איתני הטבע
- the elements of יסודות, עיקרי
el'emen'tal *adj.* של איתני הטבע
el'emen'tary *adj.* אלמנטארי, יסודי
elementary school בית ספר יסודי
el'ephant *n.* פיל
- a white elephant פיל לבן, דבר מפואר ומיותר
el'ephan'tine (-tēn) *adj.* כמו פיל
el'evate' *v.* להרים, לרומם, להגביה
elevated *adj.* אצילי, עדין; מורם
elevated railway רכבת עילית
el'eva'tion *n.* הרמה, הגבהה; אצילות, כבוד; גיבעה, רמה; תרשים צד-הבניין; מיגבה, זווית-גובה, גובה
el'eva'tor *n.* מעלית; מנוף אסם
e·lev'en *n&adj.* אחד עשר, 11
e·lev'enses (-siz) *n.* ארוחת 11
eleventh *adj.* (החלק) האחד עשר
- at the eleventh hour ברגע האחרון
elf *n.* שדון, שדונת, פייה קטנה
el'fin, el'fish *adj.* שדוני, שובבי
e·lic'it *v.* להוציא, למשוך, להפיק
e·lic'ita'tion *n.* הוצאה, הפקה
e·lide' *v.* להשמיט, להבליע
el'igibil'ity *n.* התאמה, כשירות
el'igible *adj.* ראוי, כשיר, מתאים
- eligible young man בן זוג מתאים
e·lim'inate' *v.* לסלק, להוציא
e·lim'ina'tion *n.* סילוק, הוצאה, השמטה, אלימינציה
e·li'sion (-lizh'ən) *n.* השמטה, הבלעה
e·lite' (ilēt') *n.* עילית, מובחר; אליטה, הסולת והשמן
e·lit'ism' (ilēt'-) *n.* טיפוח המוכשרים; אליטיזם, שילטון המובחרים
e·lix'ir (-sər) *n.* אליקסיר, שיקוי פלא
E·liz'abe'than *adj.* של אליזבת ה-1
elk *n.* אַיָּל גדול
ell *n.* אמה (כ-45 אינטש)
ellipse' (i-) *n.* אליפסה
ellip'sis (i-) *n.* השמט, השמטת מלה
ellip'tic (i-) *adj.* אליפסי, סגלגל
ellip'tical (i-) *adj.* מכיל השמט
elm *n.* בוקיצה (עץ-נוי)
el'ocu'tion *n.* אמנות הנאום
elocutionary *adj.* של אמנות הנאום
elocutionist *n.* אמן הנאום
e·lon'gate' *v.* להאריך
e·lon'ga'tion *n.* הארכה
e·lope' *v.* לברוח (עם אהובה)
elopement *n.* בריחה (עם אהובה)
el'oquence *n.* צחות הלשון
el'oquent *adj.* אמן הדיבור; משכנע
- eloquent of מביע, משקף היטב, מבטא
El Sal'vador' *n.* אל סלבדור
else *adv.* אחר, נוסף על, עוד; באופן אחר, אחרת, ולא
- or else ולא, פן; או ש-
- somebody else מישהו אחר
- who else- מי זולתו, מי עוד-
elsewhere *adv.* במקום אחר
e·lu'cidate' *v.* להסביר, להבהיר
e·lu'cida'tion *n.* הבהרה
e·lude' *v.* להתחמק מ-, להשתמט מ-
e·lu'sive *adj.* חמקמק, פורח מהזיכרון
el'ver *n.* צלופח צעיר
elves = pl of elf (elvz)
el'vish *adj.* שדוני, שובבי
E·ly'sian (-lizh'ən) *adj.* של גן-עדן
E·ly'sium (-lizh'əm) *n.* גן-עדן
'em = them (əm)
e·ma'ciate' (-'sh-) *v.* להרזות
e·ma'cia'tion (-'sh-) *n.* רזון
e-mail *n.* דואר אלקטרוני
em'anate' *v.* לנבוע, לצאת מ-
em'ana'tion *n.* נביעה, יציאה
e·man'cipate' *v.* לשחרר, לגאול
- emancipated woman אישה משוחררת
e·man'cipa'tion *n.* שיחרור, חירות, אמנציפציה
e·mas'cu·late' *v.* לסרס; להחליש, להתיש
e·mas'cu·la'tion *n.* סירוס
em·balm' (-bäm) *v.* לחנוט, לשמור בזיכרון, להנציח; לבשם
embalmment *n.* חניטה
em·bank'ment *n.* סכר, סוללה
em·bar'go *n.* אמבארגו, הסגר, מעצר
- lay under embargo להטיל אמבארגו
embargo *v.* להטיל אמבארגו על
em·bark' *v.* להעלות/לעלות לאונייה
- embark on להתחיל ב-, לפתוח ב-
em'bar·ka'tion *n.* עלייה על אונייה
em·bar'rass *v.* להביך; להדאיג, להטריד; להכביד, לעכב
embarrassment *n.* מבוכה; קושי
em'bassy *n.* שגרירות
em·bat'tle *v.* לערוך לקרב, לכתר
embattled *adj.* ערוך לקרב; מאושנב; מותקף, מסובך, שנוי במחלוקת
em·bed'ded *adj.* משובץ, נעוץ, קבוע
em·bel'lish *v.* לקשט, לייפות
embellishment *n.* קישוט; תקשיט
em'ber *n.* גחלת, אפר
ember days ימי צום ותפילה
em·bez'zle *v.* למעול
embezzlement *n.* מעילה
embezzler *n.* מועל
em·bit'ter *v.* לגרום התמרמרות
embitterment *n.* התמרמרות
em·bla'zon *v.* לקשט; להלל, לפאר
em'blem *n.* סמל, סימן
em'blemat'ic *adj.* סימלי, סימבולי
em·bod'iment *n.* התגלמות
em·bod'y *v.* לגבש, להביע, להמחיש, לגלם; להכיל, לכלול
em·bold'en (-bōl-) *v.* לחזק, לעודד, לאמץ
em'bolism' *n.* תסחיף, קריש-דם, סחיף
embonpoint (änbänpwä') *n.* שוּמָן
em·bos'om (-booz'-) *v.* לחבק, להקיף
em·boss' (-bôs) *v.* לתבלט, להבליט
em·bow'er *v.* להקיף בעצים, לסוכך
em·brace' *v.* לחבק; להתחבק; לקבל,

לאמץ; להקיף, לכלול
embrace *n.* חיבוק
em·bra'sure (-zhər) *n.* אשנב-ירי; פתח, צוהר
em'broca'tion *n.* מישחה רפואית
em·broi'der *v.* לרקום, לקשט
em·broi'dery *n.* ריקמה; תירקומת
em·broil' *v.* לסבך, להסתבך בריב
em'bryo' *n.* עוּבָּר
- in embryo בחיתוליו, באיבו
em'bryon'ic *adj.* בראשית התהוותו
em'cee' *n.* ראש הטקס; מנחה
e·mend' *v.* לתקן, להגיה, לסלק שגיאות
e'menda'tion *n.* תיקון, הגהה
em'erald *n.* ברקת, איזמרגד
e·merge' *v.* להופיע, להתגלות
emergence *n.* הופעה, התגלות
e·mer'gency *n&adj.* (של) שעת חירום
emergency exit יציאת חירום
emergency room חדר מיון
emergency ward חדר מיון
e·mer'gent *adj.* עולה, מבצבץ
e·mer'itus *adj.* אמריטוס, שפרש מתפקידו, בדימוס
em'ery *n.* שמיר (לשיוף ומירוק)
emery board פצירת ציפורניים
emery-paper *n.* נייר זכוכית, נייר שמיר, נייר לטש
e·met'ic *n.* סם הקאה, שיקוי הבחלה
em'igrant *n.* מהגר, יורד
em'igrate' *v.* להגר
em'igra'tion *n.* הגירה, ירידה
em'igre' (-grā') *n.* מהגר, גוֹלֶה
em'inence *n.* מעמד רם; רמה, גיבעה
- win eminence להתפרסם, להתבלט
- your eminence הוד מעלתך
em'inent *adj.* מפורסם, מצויין, בולט
eminent domain זכות השלטון להפקיע רכוש
eminently *adv.* מאוד, בהחלט
emir' (-mir) *adj.* אמיר (מוסלמי), מושל
emir'ate *n.* אמירות
em'issar'y (-seri) *n.* שליח, מעביר שדר
e·mis'sion *n.* הוצאה, פליטה; אמיסיה, הנפקה
e·mit' *v.* להוציא, לפלוט
e·mol'lient *n.* מישחת עור
e·mol'u·ment *n.* משכורת, שכר, הטבה
e·mote' *v.* *להביע ברגשנות
e·mo'tion *n.* רגש, ריגוש, אמוציה
emotional *adj.* אמוציונלי, ריגושי
e·mo'tive *adj.* ריגושי, מעורר רגשנות
em·pan'el *v.* לצרף לחבר-המושבעים
em'pathy *n.* הזדהות גמורה, אמפתיה
em'peror *n.* קיסר
em'phasis *n.* הדגשה, הבלטה
em'phasize' *v.* להדגיש
em·phat'ic *adj.* תקיף, נחרץ, ודאי, מודגש
emphatically *adv.* בהחלט, נחרצות
em'physe'ma *n.* נַפַּחַת
em'pire *n.* אימפריה, שילטון
em·pir'ic *adj.* אמפירי, ניסיוני
em·pir'icism' *n.* ניסיוניות
em·place' *v.* להציב בעמדה

emplacement *n.* עמדת-תותח
em·plane' *v.* להעלות/לעלות על מטוס
em·ploy' *v&n.* להעסיק; להשתמש ב-, להפעיל
- employ one's time לנצל זמנו
- in the employ of מועסק אצל
employable *adj.* בר-העסקה
em'ployee' *n.* עובד, פועל
em·ploy'er *n.* מעביד
employment *n.* עבודה, תעסוקה; העסקה
- out of employment מובטל
employment exchange לישכת עבודה
em·po'rium *n.* מרכז מיסחרי
em·pow'er *v.* לייפות כוחו, להסמיך
em'press *n.* קיסרית
emp'tiness *n.* ריקנות
emp'tor' *n.* קונה
- caveat emptor ייזהר הקונה!
emp'ty *adj.* ריק; *רעב
- empties בקבוקים/ארגזים ריקים
- running on empty עבר זמנו, אזלו משאביו; עייף ורעב, על בטן ריקה
empty *v.* לרוקן; להתרוקן; להשתפך
empty-handed *adj.* בידיים ריקות
empty-headed *adj.* טיפש
em·pur'ple *v.* להאדים, לאדם
em'pyre'an *n.* רקיע, שמיים
e'mu (-mū) *n.* אמו (עוף גדול)
em'u·late' *v.* לחקות, ללכת בדרכיו
em'u·la'tion *n.* חיקוי
em'u·lous *adj.* מחקה, שואף, רודף
e·mul'sify' *v.* לתחלב
e·mul'sion *n.* תחליב, אמולסיה
en·a'ble *v.* לאפשר; להתיר; להסמיך
enabling act/statute חוק מסמיך
en·act' *v.* לחוקק; לגלם (תפקיד) במחזה
enactment *n.* חקיקה; חוק
e·nam'el *n.* אמייל, זגג, זגוגית, תזגיג
enamel *v.* לאמל, לצפות באמייל
enamel ware כלי אמייל
en·am'or *v.* להקסים, לשבות לב
enamored *adj.* מאוהב
en bloc' במיכלול אחד, אן-בלוק
en·camp' *v.* לחנות, להקים מחנה
encampment *n.* מחנה
en·cap'sulate' *v.* לתמצת, לסכם, לעטוף, לבודד, לסגור
en·case' *v.* לארוז, לכסות, לעטוף
en·caus'tic *adj.* בצבעים שרופים
enceinte (ensānt') *adj.* הרה, בהריון
en·ceph'ali'tis *n.* דלקת המוח
en·chain' *v.* לכבול, לרתק
en·chant' *v.* להקסים; לכשף
enchanter *n.* מכשף
enchantment *n.* קסם
en·cir'cle *v.* להקיף, לכתר
encirclement *n.* הקפה, כיתור
encl. = enclosed, enclosure
en clair' (än-) בשפה פשוטה
en'clave *n.* מובלעת
en·close' (-z) *v.* להקיף, לסגור, לגדור; לצרף למיכתב
- enclosed, please find רצ"ב
en·clo'sure (-zhər) *n.* סגירת שטח; שטח מגודר; דבר מצורף

en•code′ *v.* לכתוב בצופן, לצפן
en•co′mium *n.* הלל, תהילה
en•com′pass (-kum-) *v.* להקיף, לכתר
en′core (än-) *n&interj.* הדרן
encore *v.* לבקש הדרן מ-
en•coun′ter *v.* להיתקל ב-
encounter *n.* היתקלות
en•cour′age (-kûr′-) *v.* לעודד
encouragement *n.* עידוד
en•croach′ *v.* להסיג גבול, לפלוש
encroacher *n.* פולש, מסיג גבול
encroachment *n.* הסגת גבול
en•crust′ *v.* לצפות, לכסות; להקרים
en•cum′ber *v.* להעמיס, להכביד; לשעבד
encumbered *adj.* מטופל, עמוס, דחוס
en•cum′brance *n.* משא, מעמסה; שיעבוד
en•cyc′lical *n.* איגרת האפיפיור
en•cy′clope′dia *n.* אנציקלופדיה
en•cy′clope′dic *adj.* אנציקלופדי
end *n.* סוף, קצה; מטרה, תכלית; מוות
- 3 hours on end 3 שעות רצופות
- at an end נגמר, נסתיים
- at loose ends מתבטל, לא עסוק; תוהה, מבולבל
- begin at the wrong end להתחיל ברגל שמאל
- cigarette end בדל סיגריה
- come to a bad end למות מיתה משונה
- dead end מבוי סתום, קיפאון
- dead-end job מישרה חסרת סיכויי קידום
- draw to an end להתקרב לקיצו
- end in itself מטרה בפני עצמה
- end of the road/line סוף הדרך
- end on (התנגשות) חזיתית
- end to end קצה אל קצה
- for this end לשם כך
- get the wrong end of the stick לטעות לחלוטין
- go off the deep end להתפרץ בזעם; לאבד את ראשו
- in the end לבסוף
- keep one's end up להחזיק מעמד, לעשות המוטל עליו
- loose ends פרטים שלא הושלמו
- make (both) ends meet להרוויח כדי מחייתו
- make an end of לסיים, לשים קץ ל-
- no end (of) *המון, הרבה, לאין שיעור
- on end על קצהו, על הצד; ברציפות
- play both ends against middle להציב זה מול זה כדי להפיק יתרון
- put an end to לשים קץ ל-
- to no end לשווא
- to the bitter end עד לסוף המר
- to the end that כדי ל-
- turn end for end להתהפך
- win one's ends להשיג את מטרתו
- without end ללא קץ
end *v.* להסתיים; לסיים, לגמור
- end it (all) להתאבד
- end off/up לסיים, לגמור
en•dan′ger (-dān′-) *v.* לסכן
en•dear′ *v.* לחבב על; להתחבב על
endearing *adj.* חביב, מושך

endearment *n.* ביטוי אהבה, חיבה
en•deav′or *v.* להשתדל, להתאמץ
endeavor *n.* ניסיון, מאמץ
en•dem′ic *adj.* אנדמי, מוגבל, מקומי
endgame *n.* שלב אחרון (בשחמט)
ending *n.* סוף, סיום
en′dive *n.* עולש, ציקוריה
endless *adj.* אין-סופי
endless belt חגורה אין-סופית (שקצותיה מחוברים)
en′do•crine′ *adj.* של הפרשה פנימית
en•dorse′ *v.* להסב (שק); לחתום מעבר למיסמך; לאשר, להביע תמיכה
- endorse a driving license לרשום עבירת תנועה ברישיון
endorsement *n.* הסבה, אישור, היסב; רישום עבירת תנועה
endorser *n.* מסב (שטר/שיק)
en•dow′ *v.* לתרום, להקדיש נכס, להעניק
- endowed with מחונן ב-, נתברך ב-
endowment *n.* תרומה; הקדשה; כישרון
endowment assurance ביטוח מעורב
endpaper *n.* דף ריק (בתחילת הספר)
end product מוצר סופי
en•due′ (-do͞o′) *v.* להעניק, לחונן
endurable *adj.* שאפשר לסבלו, נסבל
endurance *n.* כוח סבל, סבלנות
- past endurance לא נסבל
en•dure′ *v.* לסבול; לשאת; להימשך
- endure for ever להתקיים לעד
enduring *adj.* קיים, מתמיד, ניצחי
end user צרכן המוצר הסופי
endways *adv.* מכיוון הקצה, בכיוון הקצה, קצה אל קצה
endwise *adv.* מכיוון הקצה, בכיוון הקצה, קצה אל קצה
en′ema *n.* חוקן
en′emy *n.* אויב, שונא
en′erget′ic *adj.* מלא מרץ, נמרץ, אנרגי
en′ergize′ *v.* להפעיל; להמריץ
en′ergy *n.* מרץ, אנרגיה
en′ervate′ *v.* להחליש, להתיש
en famille (än'famē′) בחוג המשפחה
enfant terrible (änfänterēb′lə) שובב, הילד הנורא
en•fee′ble *v.* להחליש, להתיש
en′filade′ *n.* אש אנפילדית
en•fold′ (-fōld) *v.* לחבק, להקיף, לעטוף
en•force′ *v.* לכפות, לאכוף; לחזק
enforceable *adj.* אכיף
enforcement *n.* אכיפה
en•fran′chise (-z) *v.* להעניק זכות בחירה; לשחרר, להוציא לחרות
enfranchisement *n.* שיחרור
en•gage′ *v.* להעסיק, לשכור; להזמין; להתקיף; לחבר, לשלב; להתקשר
- engage (oneself) in לעסוק ב-
- engage (oneself) to להתחייב ל-
- engage attention למשוך תשומת-לב
- engage for לערוב ל-, להתחייב
- engage the clutch לשלב המצמד
engaged *adj.* עסוק, תפוס, לא פנוי; מאורס
engagement *n.* התחייבות; אירוסין; התקפה; קרב; התקשרות

engagement ring טבעת אירוסין
engaging *adj.* מקסים, מרתק
en·gen′der *v.* להוליד, לגרום
en′gine (-jən) *n.* מנוע; קטר
engine driver נהג הקטר; קטראי
en′gineer′ *n.* מהנדס; קטראי; חייל בחיל הנדסה, פַּלָּס
engineer *v.* לתכנן; לעבוד כמהנדס
engineering *n.* הנדסה; תיכנון
En′gland (ing-) *n.* אנגליה
Eng′lish (ing′-) *n.* אנגלית
- in plain English בשפה פשוטה
- the king's English אנגלית נכונה
English *adj.* אנגלי
- the English האנגלים
English horn קרן אנגלית
Englishman *n.* אנגלי
en·graft′ *v.* להרכיב (ענף); להחדיר
en·grave′ *v.* לחרות, לחקוק, לגלף
engraver *v.* גלף, גלופאי
engraving *n.* גילוף, תגליף
en·gross′ (-rōs) *v.* לכתוב באותיות גדולות
- engrossed in שקוע ראשו ורובו ב-
engrossing *adj.* מרתק, מעניין מאוד
en·gulf′ *v.* לבלוע, להטביע
en·hance′ *v.* להגדיל, להגביר, להעלות ערך
e·nig′ma *n.* חידה, תעלומה
en′igmat′ic *adj.* מסתורי, סתום
en·join′ *v.* לצוות, להטיל, לחייב
- enjoin from לאסור, לא להתיר
en·joy′ *v.* ליהנות מ-
- enjoy oneself ליהנות, להתענג
enjoyable *adj.* מהנה, מענג
enjoyment *n.* הנאה
- in the enjoyment of good health נתברך בבריאות תקינה
en·kin′dle *v.* להצית, לשלהב, ללבות
en·large′ *v.* להגדיל, להרחיב
- enlarge upon להרחיב הדיבור על
enlargement *n.* הגדלה
en·light′en (-līt′-) *v.* להסביר, לבאר, להבין
enlightened *adj.* נאור
enlightenment *n.* השכלה; הבהרה
en·list′ *v.* לגייס (לצבא); להתגייס
- enlist his help לגייס תמיכתו
enlisted man חוגר
enlistment *n.* גיוס
en·li′ven *v.* להחיות, לעורר
en masse (enmas′) הכל יחד, כאיש אחד
en·mesh′ *v.* ללכוד, להפיל ברשת
en′mity *n.* שנאה, טינה
en·no′ble *v.* לעדן, לאצל; להאציל, להעלות לדרגת אציל
ennoblement *n.* איצול
ennui (änwē′) *n.* שעמום, עייפות
e·nor′mity *n.* מעשה-זוועה, פשע; גודל, קושי רב
e·nor′mous *adj.* עצום, גדול, כביר
enormously *adv.* מאוד, במידה רבה
e·nough′ (inuf′) *adj&adv.* די, מספיק; למדי
- I've had enough of נמאס לי מ-
- enough and to spare די והותר
- fair enough בסדר גמור, או קיי
- man enough מתנהג כגבר
- more than enough יותר מדי
- strangely enough מוזר למדי
- sure enough כנראה, כמצופה, לבטח
- well enough די טוב
en·plane′ *v.* להעלות/לעלות למטוס
enquire′ = inquire *v.* לשאול, לחקור ולדרוש
enqui′ry = inquiry *n.* חקירה
en·rage′ *v.* להרגיז
en·rap′ture *v.* להלהיב, למלא גיל
en·rich′ *v.* להעשיר, להשביח, לשפר
enrichment *n.* העשרה, השבחה
en·roll′ (-rōl) *v.* להכניס לרשימה, לרשום; להירשם כחבר
enrollment *n.* רשימה; הרשמה
en route (änroot′) בדרך
en·san′guined (-gwind) *adj.* מוכתם בדם, עקוב מדם
en·sconce′ *v.* להטמין; להתבסס במקום, להתרווח (בכיסא)
ensem′ble (änsäm-) *n.* אנסמבל, להקה אמנותית; מראה כללי
en·shrine′ *v.* לשמור במקום קדוש
en·shroud′ *v.* לעטוף, לאפוף
en′sign (-sən) *n.* דגל-אונייה; סמל, סימן; סגן-משנה (בחיל הים)
en′silage *n.* תחמיץ (השמור בסילו)
en·slave′ *v.* לשעבד
enslavement *n.* שיעבוד, עבדות
en·snare′ *v.* ללכוד, להפיל ברשת
en·sue′ (-soo) *v.* לנבוע, להיגרם, לעקוב, לבוא אחרי
- the ensuing year השנה הבאה
en suite (än swēt′) כיחידה אחת, עם שירותים צמודים
en·sure′ (-shoor) *v.* להבטיח
ENT = ear, nose, throat אא"ג
en·tail′ *v.* לגרור, להצריך, לדרוש, לחייב; להוריש, להנחיל
en′tail *n.* ירושה, עיזבון; הורשה
en·tan′gle *v.* לסבך
- entangle oneself להסתבך
entanglement *n.* סיבוך, תסבוכת
- entanglements גדר תיל
entente (äntänt′) *n.* הבנה, יחסי ידידות; גוש מדינות ידידותיות
entente cordiale (- kôr′dyäl′) הבנה ידידותית
en′ter *v.* להיכנס; להצטרף; לרשום
- enter (oneself) for להירשם ל-
- enter Othello אותלו מופיע
- enter into להיכנס ל-, לפתוח ב-
- enter into the spirit of לחדור לנפש
- enter on להתחיל ב-; לזכות, ליהנות
- enter up לרשום
en·ter′ic *adj.* של המעיים
en′teri′tis *n.* דלקת המעיים
en′terprise′ (-z) *n.* מיבצע, יוזמה, אומץ; עסק, מפעל
- private enterprise יוזמה פרטית
enterprising *adj.* בעל יוזמה, נמרץ
en′tertain′ *v.* לארח, לקבל אורחים; לבדר, לשעשע; לשקול; לנטור; לקבל, להיענות ל-

- entertain a proposal לשקול הצעה
- entertain an action להיענות לתובענה
- entertains doubts יש לו ספקות
entertainer *n.* בדרן
entertaining *adj.* משעשע, מעניין
entertainment *n.* אירוח; בידור
en·thral′ (-rôl) *v.* לרתק, להקסים
en·throne′ *v.* להושיב על כס-מלכות
- enthroned in our hearts חרות על לוח-ליבנו
enthronement *n.* המלכה
en·thuse′ (-z) *v.* *להתלהב
en·thu′siasm′ (-′ziaz′əm) *n.* התלהבות
en·thu′siast (-′z-) *n.* מתלהב, חסיד
en·thu′sias′tic (-′z-) *adj.* מתלהב
en·tice′ *v.* לפתות, להדיח
enticement *n.* פיתוי, הדחה
en·tire′ *adj.* כולל, שלם, גמור, מלא
entirely *adv.* לחלוטין, לגמרי, כליל
en·tire′ty (-tīr′-) *n.* שלמות, סך הכל
- in its entirety בכללותו
en·ti′tle *v.* לקרוא, לתת שם, לכנות; לזכות, להקנות זכות
entitled *adj.* רשאי, זכאי
entitlement *n.* זכאות
en′tity *n.* ישות, מציאות
en·tomb′ (-tōōm) *v.* לקבור
en′tomol′ogist *n.* חרקן; חוקר חרקים
en′tomol′ogy *n.* חרקנות, חקר חרקים
entourage (än′toorázh′) *n.* פמליה
entr'acte (än′trakt) *n.* הפסקה
en′trails *n-pl.* מעיים, קרביים
en·train′ *v.* לעלות/להעלות לרכבת
en′trance *n.* כניסה, פתח
en·trance′ *v.* להפנט, להכניס לטראנס; להקסים, לרתק
entrance fee דמי-כניסה
en′trant *n.* נכנס, מצטרף, מתמודד
en·trap′ *v.* ללכוד, להפיל בפח
en·treat′ *v.* להפציר, להתחנן
en·trea′ty *n.* הפצרה; בקשה
en′trecote′ (än′-) *n.* סטייק צלע
entree (än′trā) *n.* זכות כניסה, דלת פתוחה; מנה אמצעית (בארוחה)
en·trench′ *v.* לחפור חפירה, לבצר
- entrench oneself להתחפר
entrenched *adj.* מושרש, קבוע; מבוצר
entrenchment *n.* חפירה, התחפרות
entrepot (än′trəpō) *n.* מרכז שיווק, מחסני ערובה
entrepreneur (än′trəpənûr′) *n.* יזם; קבלן
en′tresol′ (än-) *n.* אנטרסול, עליית ביניים, יציע
en′tropy *n.* אנטרופיה, אי סדר
en·trust′ *v.* להפקיד בידי, להטיל
en′try *n.* כניסה; ערך, מלה (במילון); רישום (בהנהח"ש); פרט; מתמודד; רשימון
- 20 entries for the competition 20 משתתפים בתחרות, 20 נרשמים
en′tryism′ *n.* הסתננות, חתרנות
entryphone *n.* אינטרקום
entry visa אשרת כניסה
en·twine′ *v.* לקלוע, לשזור, לשלב
e·nu′merate′ *v.* לספור, למנות

e·nu′mera′tion *n.* רשימה; ספירה
e·nun′ciate′ *v.* לבטא, להביע ברורות
e·nun′cia′tion *n.* ביטוי, הבעה
en′u·re′sis *n.* השתנה לא רצונית
en·vel′op *v.* לעטוף
en′velope′ *n.* מעטפה
en·vel′opment *n.* עטיפה, אפיפה
en·ven′om *v.* להרעיל
en′viable *adj.* מעורר קנאה; מצויין
en′vious *adj.* מקנא, אכול קנאה
en·vi′ron *v.* להקיף
en·vi′ronment *n.* סביבה
en·vi′ronmen′tal *adj.* סביבתי
en·vi′ronmen′talist *n.* דוגל באיכות הסביבה, לוחם בזיהום האוויר
en·vi′rons *n-pl.* פרברים
en·vis′age (-z-) *v.* לראות, לחזות
en·vi′sion (-vi′zhən) *v.* לראות, לחזות, לצפות
en′voy *n.* שליח, ציר; סיום שיר
en′vy *n&v.* קינאה; לקנא ב-
- be the envy of לעורר קינאת-
- green with envy אכול קינאה
en′zyme *n.* אנזים, חומר מתסיס
e′on *n.* עידן, תקופה ארוכה
ep′aulette′ (epəlet′) *n.* כיתפה, כותפת
epee (āpā′) *n.* סיף
e′phah (-fə) *n.* איפה (מידת היבש)
e·phem′eral *adj.* קיקיוני, בן-חלוף
ep′ic *n.* אפוס, שיר-עלילה, אפופיה, אפיקה
epic *adj.* אפי, רב-עלילה
ep′icen′ter *n.* מוקד הרעש
ep′icure′ *n.* אנין טעם, מבין באוכל
ep′icu′re·an *adj.* רודף תענוגות
ep′idem′ic *n.* מגיפה, אפידמיה
epidemic *adj.* אפידמי, מתפשט מהר, מגיפתי
ep′ider′mis *n.* קרום העור (בבע"ח)
ep′idi′ascope′ *n.* אפידיאסקופ, מטול תמונות
ep′idu′ral *n.* אפידורל (סם אילחוש)
ep′igram′ *n.* פתגם, מימרה, מיכתם
ep′igrammat′ic *adj.* שנון, חריף
ep′igraph′ *n.* כתובת, כותרת
ep′ilep′sy *n.* אפילפסיה, כיפיון
ep′ilep′tic *adj&n.* חולה נפילה, נכפה
ep′ilogue′ (-lôg) *n.* אפילוג, סיום
E·piph′any *n.* חג ההתגלות
e·pis′copal *adj.* של בישופים, בישופי
ep′isode′ *n.* אפיזודה, מיקרה
ep′isod′ic *adj.* אפיזודי, מיקרי, ארעי
e·pis′tle (-səl) *n.* מכתב
- the Epistles איגרות השליחים
e·pis′tolar′y (-leri) *adj.* של איגרות
ep′itaph′ *n.* כתובת (על מצבה)
- write one's own epitaph לסתום את הגולל על תוכניותיו (שלו)
ep′ithet′ *n.* כינוי, תואר
e·pit′ome (-təmi) *n.* תמצית; עיקר
e·pit′omize′ *v.* למצות, להוות עיקר
ep′och (-k) *n.* עידן, מאורע חשוב
epoch-making *adj.* פותח עידן חדש
ep′onym′ *n.* שם, מקום על שם אדם, כינוי
Ep′som salts מלח אנגלי

eq′uabil′ity *n.* אחידות, יציבות
eq′uable *adj.* אחיד, יציב, קבוע
e′qual *adj.* שווה, זהה; מסוגל, מוכשר
- equal to the occasion מטפל היטב בדבר, מתמודד כראוי עם הבעיה
- he has no equal אין דומה לו
- on equal terms באותם התנאים
- one's equal בן מעמדו, שווה לו
- with equal ease באותה קלות
equal *v.* להיות שווה ל-, להידמות
e·qual′ita′rian (-kwol-) *n&adj.* דוגל בשיוויון, שיוויוני
e·qual′ity (-kwol-) *n.* שיוויון
- on an equality שווה מעמד
e′qualiza′tion *n.* השוואה
e′qualize′ *v.* להשוות
equalizer *n.* משווה, שער משווה; כלי נשק
equally *adv.* במידה שווה, בד בבד
equal opportunity הזדמנות שווה
equals sign סימן השיוויון, (=)
eq′uanim′ity *n.* קור-רוח, שלווה
e·quate′ *v.* להשוות
e·qua′tion *n.* משוואה; השוואה
e·qua′tor *n.* קו-המשווה, משוון, אקוואטור
e′quato′rial *adj.* משווני, חם, לוהט
eq′uerry *n.* חצרן, מאנשי החצר
e·ques′trian *adj&n.* (של) פרש, רוכב
equi- (תחילית) שווה
e′quidis′tant *adj.* שווה-מרחק
e′quilat′eral *adj.* שווה-צלעות
e′quilib′rium *n.* שיווי משקל
e′quine *adj.* סוסי, של סוס
e′quinoc′tial *n.* של שיוויון היום והלילה, סמוך לראשית האביב/הסתיו
e′quinox′ *n.* שיוויון יום ולילה, אקווינוקס, נקודת האביב, נקודת הסתיו
- autumnal equinox השוואת החורף (21 במרץ)
- vernal equinox השוואת הקיץ (23 בספטמבר)
e·quip′ *v.* לצייד
- well equipped מצוייד כהלכה
eq′uipage *n.* כרכרה (עם פמליה)
e·quip′ment *n.* ציוד
e′quipoise′ (-z) *n.* שיווי משקל
eq′uitable *adj.* צודק, ישר, הוגן
eq′uita′tion *n.* פרשות, רכיבה
eq′uity *n.* צדק, יושר, הגינות; הון עצמי
- equities מניות רגילות
e·quiv′alence *n.* שיווין ערך, שקילות
e·quiv′alent *adj&n.* שווה-ערך, שקול; תמורה שוות-ערך, אקוויוואלנט
e·quiv′ocal *adj.* דו-משמעי, מפוקפק
e·quiv′ocate′ *v.* לערפל, להוליך שולל
e·quiv′oca′tion *n.* ביטוי דו-משמעי; הולכת שולל
e′ra *n.* תקופה, עידן
e·rad′icate′ *v.* להשמיד, לבער, לשרש
e·rad′ica′tion *n.* השמדה, ביעור
e·rase′ *v.* למחוק
e·ra′ser *n.* מחק, מוחק
e·ra′sure (-zhər) *n.* מחיקה
ere (ār) *prep.* לפני, טרם, קודם
e·rect′ *adj.* זקוף
erect *v.* לבנות, להקים, להעמיד
e·rec′tile (-til) *adj.* ניתן להתקשות
erec′tion *n.* הקמה, בניין; זיקפה
er′emite′ *n.* נזיר
erg *n.* ארג (יחידת עבודה ואנרגיה)
er′go *adv.* לכן, לפיכך
er′gonom′ics *n.* ארגונומיקה (השפעת תנאי העבודה על הפריון); הנדסת אנוש
Er′itre′a *n.* אריתריאה
er′mine (-min) *n.* (טורף קטן בעל פרווה לבנה; פרוות שופט
e·rode′ *v.* לאכל, לכרסם, לסחוף; להישחק
e·rog′enous *adj.* רגיש לגירוי מיני
e·ro′sion (-zhən) *n.* ארוזיה, סחף, שחיקה, עִרָצוֹן
e·ro′sive *adj.* סוחפני
e·rot′ic *adj.* ארוטי, תשוקתי
e·rot′ica *n-pl.* ספרי מין
e·rot′icism′ *n.* ארוטיות
err *v.* לטעות, לשגות
- err on the side of mercy לנהוג לפנים משורת הדין
er′rand *n.* שליחות קצרה
- fool's errand שליחות מיותרת
- go on/run errands לבצע שליחויות
errand-boy *n.* נער-שליחויות
er′rant *adj.* טועה; בורח מהבית; תועה
- errant husband בעל בוגד
erra′ta *n-pl.* תיקוני טעויות
errat′ic *adj.* לא-יציב, לא-קבוע
erra′tum *n.* טעות דפוס
erro′ne·ous *adj.* מוטעה, של טעות
er′ror *n.* טעות, שגיאה
- clerical error פליטת קולמוס
- in error בטעות, בשוגג
- lead into error להטעות
er′satz′ (-säts) *n.* תחליף
Erse *n.* אירית (שפה)
erst′while′ *adj.* קודם; לפנים
e·ruc′ta′tion *n.* גיהוק, פליטה
er′udite′ *adj.* למדני, מלומד, ידען
er′udi′tion (-di-) *n.* למדנות, בקיאות
e·rupt′ *v.* להתפרץ (הר געש)
e·rup′tion *n.* התפרצות; פריחה בעור
er′ysip′elas *n.* שושנה (מחלה)
es′calate′ *v.* להסלים, להחריף; לעלות
es′cala′tion *n.* הסלמה, החרפה
es′cala′tor *n.* דרגנוע, מדרגות נעות
es′calope′ *n.* פרוסת בשר-עגל
es′capade′ *n.* מיבצע, הרפתקה, תעלול
es·cape′ *n.* בריחה; דליפה; מיפלט
- fire-escape יציאת חירום
- narrow escape הינצלות בנס
escape *v.* לברוח, להימלט; לדלוף, להיפלט; להיחלץ, לחמוק, להינצל מ-
- his name escapes me שמו פרח מזכרוני
escape clause סעיף היחלצות (בחוזה)
es·ca′pee′ *n.* אסיר נמלט
escape hatch פתח מילוט
es·cape′ment (-kāp′m-) *n.* מחגר (בשעון)
es·ca′pism′ *n.* ערקנות, אסקאפיזם
es·carp′ment *n.* מַתלול, מידרון
es′chatol′ogy (-k-) *n.* אסכטולוגיה, חזון אחרית הימים

es·chew′ (-cho͞o) *v.* להימנע מ-, להתרחק מ-
es′cort′ *n.* משמר, ליווי, בן-לוויה
- under escort תחת משמר
es·cort′ *v.* לְלַוּוֹת
es′critoire′ (-twär′) *n.* מכתבה
es′cu·lent *adj.* אכיל, ראוי לאכילה
es·cutch′eon (-chən) *n.* מגן מעוטר
- blot on one's escutcheon כתם על שמו
Es′kimo′ *adj.* אסקימוסי
e·soph′agus *n.* ושט
es′oter′ic *adj.* סודי, סתום, מוגבל לחוג מצומצם, אזוטרי
es·pal′ier *n.* עריס, שיח מודלה
es·pe′cial (-pesh′əl) *adj.* מיוחד, ספציאלי
- in especial בייחוד, במיוחד
especially *adv.* בייחוד, במיוחד
Es′peran′to *n.* אספרנטו (שפה)
es′pionage′ (-näzh) *n.* ריגול
es′planade′ *n.* טיילת (על החוף)
es·pous′al (-z-) *n.* תמיכה, דגילה; נישואין, אירוסין
es·pouse′ (-z) *v.* לדגול ב-, לתמוך ב-; להתחתן
es·pres′so *n.* אספרסו, קפה
esprit de corps (esprē′dəkôr′) נאמנות, רוח צוות, אחווה
es·py′ *v.* לראות, להבחין ב-
Esq., Esq·uire′ *n.* אדון, מר, הנכבד
es·say′ *v.* לנסות
es′say *n.* בחינה, ניסיון; מאמר, חיבור
es′say·ist *n.* מסאי
es′sence *n.* תמצית, עיקר
- in essence ביסודו, בעיקרו
essen′tial (i-) *adj.* נחוץ, חיוני; יסודי, עיקרי; תמציתי
essentially *adv.* ביסודו, בעיקרו
- not essentially לא בהכרח
essentials *n-pl.* יסודות, עיקרים; דברים חיוניים
es·tab′lish *v.* לייסד, להקים; לבסס; לקבוע; למסד
- establish oneself להתבסס, להתמקם
established *adj.* מבוסס, מושרש, מוכר; ממוסד
- established religion דת רישמית
establishment *n.* הקמה, ייסוד; מוסד; עסק, מפעל; בית; מימסד
es·tam′inet′ (-nā′) *n.* בית-קפה
es·tate′ *n.* אחוזה, חלקה; רכוש, נכסים; מצב, מעמד; עיזבון
- 4th estate המעצמה ה-4, העיתונות
- housing estate איזור בניינים
- industrial estate איזור תעשייה
- personal estate מיטלטלין
- real estate נכסי דלא ניידי
estate agent מתווך בניינים
estate car מכונית סטיישן
es·teem′ *v.* לכבד, להעריך; לחשוב
esteem *n.* הערכה, כבוד
- hold him in esteem לכבדו
es′thete *n.* אסתטיקן, בעל טעם טוב
es·thet′ic *adj.* אסתטי, יפה, נעים לעין
esthetics *n-pl.* אסתטיקה, טוב טעם
es′timable *adj.* ראוי להערכה
es′timate′ *v.* להעריך, לאמוד
es′timate *n.* הערכה, אומדן, שומה
- a rough estimate אומדן גס
- estimates הצעות מחיר
es′tima′tion *n.* הערכה, שומה; דעה
es′tima′tor *n.* שמאי
Es·to′nia *n.* אסטוניה
es·top′pel *n.* הַשְׁתֵּק
es·trange′ (-rānj) *v.* לגרום להתנכרות, להרחיק מעליו, להפריד
estrangement *n.* התנכרות, ניכור
es′trogen *n.* אסטרוגן (הורמון)
es′tuar′y (-′cho͞oeri) *n.* שפך-נהר
et al′ והאחרים
etc., et cet′era וכו', וכדי
etch *v.* לחרוט, לחרות
etcher *n.* חרט, גלופאי
etching *n.* חריטה; הדפס גלופה
e·ter′nal *adj.* נצחי, אין-סופי
eternally *adv.* לעד, לעולמים
eternal triangle המשולש הנצחי
e·ter′nity *n.* נצח, עד; עולם האמת
e′ther *n.* אֶתֶר; סם הרדמה
e·the′re·al *adj.* אוורירי, עדין, שמימי
eth′ic *n.* כללי התנהגות, עקרונות-מוסר
eth′ical *adj.* אתי, מוסרי
eth′ics *n-pl.* אתיקה, תורת המידות
E′thio′pia *n.* אתיופיה
E′thio′pian *n&adj.* אתיופי
eth′nic *adj.* אתני, גזעי, עדתי, שבטי
eth·nog′raphy *n.* אתנוגרפיה, תיאור העמים, ידע-עם
eth·nol′ogy *n.* אתנולוגיה, תורת העמים
e′thos′ *n.* אתוס, מכלול התכונות
et′iol′ogy *n.* חקר סיבות המחלה, אטיולוגיה
et′iquette′ (-ket) *n.* כללי התנהגות, אתיקטה
et′ymol′ogy *n.* אטימולוגיה, גזרון, תולדות המלים
EU האיחוד האירופי
eu′calyp′tus (ū-) *n.* איקליפטוס
Eu′charist (ū′k-) *n.* סעודת-ישו
Eu·clid′e·an (ū-) *adj.* של אוקלידס, אוקלידי
eu·gen′ics (ū-) *n.* אבגניקה, שיפור הגזע
eu′logist (ū-) *n.* מהלל, חולק שבחים
eu′logis′tic (ū-) *adj.* מעתיר שבחים, מהלל
eu′logize′ (ū-) *v.* להלל, לחלוק שבחים
eu′logy (ū-) *n.* הלל, שבחים
eu′nuch (ū′nək) *n.* סריס
eu′phemism′ (ū-) *n.* לשון נקייה, איפמיזם
eu′phemis′tic (ū-) *adj.* נקי-לשון
eu·pho′nious (ū-) *adj.* ערב לאוזן
eu′phony (ū-) *n.* נועם-צלילים, תנועמה
eu·phor′ia (ū-) *n.* תחושה נעימה, אופוריה, התרוממות רוח
eu·phor′ic (ū-) *adj.* של תחושה נעימה
Euphra′tes (yoofrā′tēz) *n.* פרת (נהר)
Eur·a′sia (yoorā′zhə) *n.* אירסיה, אירופה-אסיה
eu·re′ka (yoor-) *interj.* מצאתי! גיליתי!
eu·rhyth′mics (yooridh-) *n.* התעמלות

לצלילי מוסיקה, איריתמיקה
eu'ro (yoor'ō) n. יורו, המטבע האירופי
Eu'ro·dol'lar (yoor-) n. יורודולר
Eu'rope (yoo'rəp) n. אירופה
Eu'rope'an (yoor-) adj. אירופי
Eu'rovi'sion (yoo'rəvizhən) n.
אירוויזיון
eu·thana'sia (ū-zhə) n. המתת חסד
e·vac'uate' (-kūāt) v. לפנות (אנשים,
מקום); לעשות צרכיו
e·vac'ua'tion (-kūā'-) n. פינוי
e·vac'uee' (-kūē') n. מפונה
e·vade' v. להתחמק מ-, להשתמט מ-
- evade a question להתחמק מתשובה
e·val'uate' (-lūāt) v. להעריך
e·val'ua'tion (-lūā'-) n. הערכה
ev'anes'cence n. היעלמות, הסתלקות
ev'anes'cent adj. נשכח, נעלם, חולף
e'van·gel'ic adj. של האוונגליון
evangelical n. אוונגלי (פרוטסטנטי)
e·van'gelist n. מטיף (נוצרי)
e·vap'orate' v. לאדות; להתנדף
evaporated milk חלב מרוכז
e·vap'ora'tion n. אידוי, התנדפות
e·va'sion (-zhən) n. התחמקות
- tax evasion התחמקות מתשלום מס
e·va'sive adj. מתחמק, חמקמק
- take evasive action לברוח, להתחמק
Eve n. חווה (אשת אדם הראשון)
eve n. ערב, היום שלפני
- Christmas Eve ערב חג המולד
- on the eve of ערב, על סף
eve, e'ven n. ערב, לפנות ערב
e'ven adj. חלק, ישר; קבוע, יציב; שווה,
זהה
- break even לסיים ללא רווח והפסד
- even number מספר זוגי
- even odds/chance סיכויים שקולים
- get even with לנקום, להחזיר, לגמול
- we are even אנו במצב תיקו
even v. להשוות, ליישר
- even up/out לאזן, להשוות
even adv. אפילו
- even as ממש ברגע ש-, אך
- even if/though אף אם, למרות ש-
- even so אף על פי כן
- even then/now אפילו אז, אעפ"כ
even-handed adj. ללא משוא פנים
eve'ning (ēv'n-) n. עֶרֶב
evening dress שמלת ערב
evening prayer תפילת ערבית
evenings adv. בכל ערב
evening star נוגה (כוכב)
even money הימורים שווה בשווה,
שקול, סכום זהה
e'vens n-pl. הימורים שווה בשווה, שקול,
סכום זהה
evensong n. תפילת ערב
e·vent' n. מקרה, מאורע; אירוע, תחרות
- at all events בכל אופן, בכל זאת
- in any event בכל מקרה
- in either event בכל מקרה
- in that event במקרה זה, אם כך
- in the event לבסוף, למעשה
- in the event of במקרה ש-, אם
- in the natural course of events בדרך
הטבע
- quite an event מאורע יוצא דופן
even-tempered adj. מיושב, קר רוח
eventful adj. רב אירועים
e'ventide' n. ערב
e·ven'tual (-chōōəl) adj. סופי, תוצאתי
e·ven'tual'ity (-chōōal'-) n. מקרה,
אפשרות
eventually adv. לבסוף
e·ven'tuate' (-chəwāt) v. להסתיים,
לצאת בסופו של דבר
ev'er adv. בזמן כל שהוא, אי פעם, מעודו,
מעולם, בכלל
- do you ever? האם מעודך?
- ever after מאז ואילך
- ever and anon/again מדי פעם
- ever since מאז
- ever so/ever such מאוד
- for ever (and ever) לעולם, לעד
- if ever אם בכלל
- never ever *אף פעם
- why ever למה בכלל/לעזאזל
- yours ever שלך לנצח
Ev'erest n. אוורסט (הר)
evergreen n&adj. (עץ) ירוק-עד
everlasting adj. נצחי, אין סופי
- the Everlasting אלוהים, שוכן עד
ev'ermore' adv. לעולם, לעד
every (ev'ri) adj. כל, בכל
- every bit as...as ממש כמו
- every bit of הכל, עד הסוף
- every last man כל איש ואיש
- every now and again מפעם לפעם
- every now and then מפעם לפעם
- every one of ללא יוצא מן הכלל
- every other day כל יומיים
- every so often לעיתים קרובות
- every time תמיד; כל אימת ש-
- every which way *לכל הכיוונים
- his every word כל מלה שלו
- in every way מכל הבחינות
everybody pron. הכל, כל אדם, כל
אחד
everyday adj. יומיומי, רגיל
everyone pron. הכל, כל אדם, כל אחד
everyplace adv. *בכל מקום
everything pron. הכל, כל דבר
- and everything *והכל, וכל זה, וכו'
- you are everything to me את הכל
בשבילי
everywhere adv. בכל מקום
e·vict' v. לגרש (בצו פינוי)
e·vic'tee' n. מגורש, מפונה
e·vic'tion n. גירוש, פינוי
ev'idence n. עדות, הוכחה, ראיה, ראיות
- State's evidence עד המדינה
- be in evidence להיראות, להתבלט
- bear evidence of להעיד על
- evidences הוכחות, סימנים
- fabrication of evidence בידוי ראיות
- rules of evidence דיני ראיות
evidence v. להעיד על, להוכיח
ev'ident adj. ברור, ניכר, נראה
evidently adv. ברור ש-, אין ספק
e'vil (-vəl) adj. רע, מושחת
- evil tongue לשון הרע

- fell on evil days צרות פגעו בו
- in an evil hour בשעה ארורה
- put off the evil day/hour לדחות את הקץ
- the Evil One השטן
evil *n.* רע, רוע; אסון
- the lesser of two evils הרע במיעוטו
evil-doer *n.* עושה רע
evil eye עין הרע
evil-minded *adj.* זומם רעות
e·vince′ *v.* להראות, להפגין, לגלות
e·vis′cerate′ *v.* להוציא המעיים
ev′oca′tion *n.* העלאה
e·voc′ative *adj.* מעורר, מזכיר
e·voke′ *v.* להעלות, לעורר
ev′olu′tion *n.* התפתחות; אבולוציה
- evolutions תנועות; תימרונים
ev′olu′tionar′y (-shəneri) *adj.* התפתחותי
e·volve′ *v.* לפתח; להתפתח
ewe (ū) *n.* כבשה
ew′er (ū-) *n.* כד, כלי, קיתון
ex *prep.* מ-, מתוך, מכוח, בגין, בהתאם
- ex cathedra בכוח הסמכות הרשמית
- ex gratia מתוך חובה מוסרית, לפנים משורת הדין
- ex libris מסיפרי-, שייך ל-
- ex officio בתוקף תפקידו
- ex parte חד צדדי, במעמד צד אחד
- ex post facto בדיעבד; רטרואקטיבית
- ex voto לקיום נדר
ex- מי שהיה, לשעבר, אקס
- ex-minister שר לשעבר
ex·ac′erbate′ *v.* להרע, להכביד, להחמיר
ex·ac′erba′tion *n.* החמרה
ex·act′ (egz-) *adj.* מדויק, דייקני
- exact sciences המדעים המדויקים
exact *v.* לסחוט, לתבוע, לגבות; להצריך, לדרוש, לחייב
exactable *adj.* שניתן לחייבו/לתבעו
exacting *adj.* סוחט, מייגע; קפדן
ex·ac′tion (egz-) *n.* סחיטה, עושק
ex·ac′titude′ (egz-) *n.* דייקנות
exactly *adv.* בדיוק
exactness *n.* דיוק, דייקנות
ex·ag′gerate′ (egzaj′ər-) *v.* להגזים
ex·ag′gera′tion (egzajər-) *n.* הגזמה
ex·alt′ (egzôlt′) *v.* להעלות, לרומם; להלל, לשבח
ex′alta′tion (egzôl-) *n.* התעלות
exalted *adj.* רם; שיכור הצלחה
exam′ (egzam′) *n.* *בחינה, מיבחן
ex·am′ina′tion (egz-) *n.* מיבחן, בחינה, בדיקה; חקירת-עד
- cross-examination חקירה נגדית, חקירת שתי וערב, חקירה צולבת
- examination paper גליון-בחינה
- under examination בחקירה, בבדיקה
ex·am′ine (egzam′in) *v.* לבחון, לבדוק; לחקור (עד)
- cross-examine לחקור חקירה נגדית
- he needs his head examined *אין לו שכל
ex·am′inee′ (egzaminē′) *n.* נִבְחָן; נֶחקָר
examiner *n.* בוחן, בודק
examiner of banks המפקח על הבנקים
ex·am′ple (egz-) *n.* דוגמה; אזהרה
- be an example לשמש דוגמה
- follow his example לעשות כדוגמתו
- for example לדוגמה, כגון
- make an example of להעניש
- set an example לשמש דוגמה
- without example ללא תקדים
ex·as′perate′ (egz-) *v.* להרגיז
ex·as′pera′tion (egz-) *n.* כעס
ex cathe′dra בכוח הסמכות הרשמית
ex′cavate′ *v.* לחפור, לגלות עתיקות
ex′cava′tion *n.* חפירה
ex′cava′tor *n.* עוסק בחפירות; מחפר
ex·ceed′ *v.* לעלות על, לעבור
- exceed one's authority לחרוג מסמכותו
- exceed the speed limit לעבור על המהירות המותרת
exceedingly *adv.* מאוד, ביותר
ex·cel′ *v.* להצטיין; לעלות על
ex′cellence *n.* הצטיינות; סגולה
- His Excellency הוד מעלתו
ex′cellent *adj.* מצוין
ex·cel′sior *n.* נסורת, שבבי-אריזה
ex·cept′ *prep.* חוץ מ-, פרט ל-
- except for פרט ל-; לולא
except *conj.* אלא ש-
except *v.* להוציא; לא לכלול
excepted *adj.* חוץ מ-; לא כלול
- nobody excepted ללא יוצא מהכלל
- present company excepted פרט לנוכחים
excepting *prep.* חוץ מ-
- always excepting חוץ מ-
- without/not excepting כולל, גם
ex·cep′tion *n.* יוצא מן הכלל; חריג; התנגדות
- make an exception לחרוג מהרגיל
- take exception להיעלב; להתנגד; למחות, להסתייג
- with the exception of חוץ מ-
- without exception ללא יוצא מן הכלל
exceptionable *adj.* מעורר מחאה, פוגע
exceptional *adj.* בלתי רגיל
ex′cerpt′ *n.* קטע (מספר)
ex·cess′ *n.* עודף, מותָר; יסף; הפרזה
- excesses מעשי-זוועה, פשעים
- in excess of מעבר ל-, מעל ל-
- to excess יותר מדי
ex′cess′ *adj.* נוסף, יותר מהרגיל
- excess luggage מיטען עודף
- excess profits רווחים מופרזים
ex·ces′sive *adj.* מוגזם, יותר מדי
ex·change′ (-chānj) *n.* חילופים; המרה, חליפין; בורסה
- exchange of shots חילופי אש
- in exchange for תמורת
- labor exchange לשכת עבודה
- rate of exchange שער החליפין
- stock exchange בורסה
- telephone exchange מרכזיה, מירכזת
exchange *v.* להחליף, להמיר
- exchange words להתנצח
exchangeable *adj.* חליף
ex·cheq′uer (-kər) *n.* אוֹצָר

- Chancellor of the Exchequer שר האוצר (בבריטניה)
ex'cise (-z) *n.* בלו (מס)
ex·cise' (-z) *v.* לקצץ, לחתוך; לסלק
ex·ci'sion (-sizh'ən) *n.* כריתה, ניתוח
ex·ci'tabil'ity *n.* רגשנות
excitable *adj.* נוטה להתרגש, רגשני
ex·cite' *v.* לעורר, לרגש, להלהיב
- excite envy לעורר קנאה
- excite oneself להתרגש
excited *adj.* נרגש
excitement *n.* התרגשות
exciting *adj.* מלהיב, מרגש, מרתק
ex·claim' *v.* לקרוא, לצעוק
- exclaim against למתוח ביקורת
ex'clama'tion *n.* קריאה
- exclamation mark/point סימן קריאה
ex·clam'ato'ry *adj.* של קריאה
ex·clude' *v.* לשלול, למנוע; לגרש, להרחיק; לא לכלול
- exclude the possibility that להוריד מהפרק את האפשרות ש-
excluding *prep.* להוציא, לא כולל
ex·clu'sion (-zhən) *n.* מניעה, הרחקה
- to the exclusion of חוץ מן
ex·clu'sive *adj.* אכסקלוסיבי, בלעדי; מיוחד, ייחודי; סגור, מתרחק
- exclusive of חוץ מן, לא כולל
exclusive *n.* סקופ, כתבה מיוחדת
exclusively *adv.* אך ורק, בלעדית
ex·cog'itate' *v.* לחשוב, להמציא
ex·cog'ita'tion *n.* המצאה
ex'commu'nicate' *v.* לנדות, להחרים
ex'commu'nica'tion *n.* נידוי
ex·cor'iate' *v.* לקלף, להפשיט העור; לבקר קשות, לגנות
ex·cor'ia'tion *n.* ביקורת חריפה
ex'crement *n.* צואה
ex·cres'cence *n.* תפיחה (בעור), בליטה
ex·cre'ta *n-pl.* הפרשה, צואה, זיעה
ex·crete' *v.* להפריש, להוציא
ex·cre'tion *n.* הפרשה
ex·cru'cia'ting (-'sh-) *adj.* (כאב) עז
ex'cul·pate' *v.* לזכות (מאשמה)
ex'cul·pa'tion *n.* זיכוי
ex·cur'sion (-zhən) *n.* טיול קצר
excursionist *n.* טייל, מטייל
excursion ticket כרטיס הלוך ושוב
ex·cur'sive *adj.* סוטה, חורג, מתפתל
excusable *adj.* בר-סליחה, סליח
ex·cuse' (-s) *n.* תירוץ, אמתלה; התנצלות, סליחה; הצדקה
- in excuse of כתירוץ ל-, להצדקת
- make excuses להתנצל, להצטדק
ex·cuse' (-z) *v.* לסלוח; לפטור; להשתחרר; להצדיק
- be excused להשתחרר, לקבל פטור
- excuse me סליחה!
- excuse oneself להתנצל, להצטדק, להצדיק עצמו
ex-directory *n.* לא רשום במדריך הטלפון; חסוי
ex·ec' (egzek') *n.* *מנהל, מוציא לפועל
ex'e·crable *adj.* נתעב, גרוע
ex'e·crate' *v.* לתעב, לשנוא, לקלל
ex'e·cra'tion *n.* תיעוב, סלידה
ex·ec'u·tant (egz-) *n.* מְבַצֵּעַ
ex'e·cute' *v.* לבצע; להוציא לפועל; להוציא להורג; לתת תוקף ל-
- execute a will לקיים צוואה
ex'e·cu'tion *n.* ביצוע; הוצאה להורג
- do execution להפיל חללים, לחסל
- put/carry into execution לבצע
ex'e·cu'tioner (-shənər) *n.* מוציא לפועל; תליין
ex·ec'u·tive (egz-) *adj.* של ביצוע, ביצועי
- executive ability כושר ביצוע
- executive branch הזרוע המבצעת
executive *n.* מנהל, מינהלה; ועד הפועל; מוציא לפועל
ex·ec'u·tor (egz-) *n.* אפיטרופוס (לביצוע צוואה)
ex·ec'u·trix' (egz-) *n.* אפיטרופסית
ex'ege'sis *n.* פירוש (לתנ"ך)
ex·em'plar (egz-) *n.* עותק, דוגמה
ex·em'plary (egz-) *adj.* מופתי, למופת
exemplary damages פיצויים לדוגמה, פיצויי עונשין
ex·em'plifica'tion (egz-) *n.* הדגמה; דוגמה
ex·em'plify' (egz-) *v.* להדגים
ex·empt' (egz-) *v.* לפטור, לשחרר
exempt *adj.* פטור, משוחרר מ-
ex·emp'tion (egz-) *n.* שיחרור, פטור
ex'ercise' (-z) *n.* אימון, תרגול; הפעלה, שימוש; מימוש; התעמלות; תרגיל
- exercises תמרונים; טקסים
- spiritual exercises תפילות
- take exercise להתעמל
exercise *v.* להתעמל; להתאמן; לאמן, לתרגל; לנהוג ב-, להשתמש ב-
- be exercised להיות מודאג
- exercise one's rights להפעיל זכויותיו
- exercise patience לנהוג סבלנות
exercise book מחברת, ספר תרגילים
Ex'ercy'cle *n.* אופני כושר
ex·ert' (egz-) *v.* להפעיל, להשתמש
- exert oneself להתאמץ, להשתדל
ex·er'tion (egz-) *n.* הפעלה; מאמץ
ex'e·unt הם יוצאים (מהבימה)
ex gra'tia (-shə) *adv.* מתוך חובה מוסרית, לפנים משורת הדין
ex'hala'tion *n.* נשיפה; אד
ex·hale' *v.* לנשוף
ex·haust' (egzôst') *v.* לעייף, להחליש; לרוקן, לכַלות, למצות
- exhaust a subject למצות נושא
exhaust *n.* גז נפלט; מפלט, צינור פליטה
ex·haus'tion (egzôs'chən) *n.* לאות, עייפות; אזילה, הרקה
ex·haus'tive (egzôs'-) *adj.* מקיף, ממצה, שלם
exhaustless *adj.* בלתי נדלה
exhaust pipe מפלט, צינור פליטה
ex·hib'it (egzib'-) *n.* להראות, להפגין; להציג; להציג בתערוכה
exhibit *n.* מוצג; תערוכה
ex·hibi'tion (eksibi-) *n.* תערוכה; גילוי, הפגנה; מילגה, מענק
- make an exhibition of oneself

להתנהג כשוטה
exhibitionism *n.* התראוות, ראוותנות, התערטלות, אקסהיביציוניזם
exhibitor *n.* מציג, משתתף בתערוכה
ex·hil′arate′ (egzil-) *v.* לשמח, לרומם רוח
ex·hil′ara′tion (egzil-) *n.* שימחה
ex·hort′ (egzôrt′) *v.* להוכיח, להטיף, לדרוש מ-
ex′horta′tion (egzôr-) *n.* תוכחה
ex′hu·ma′tion (-hūm-) *n.* הוצאה מהקבר
ex·hume′ *v.* להוציא מהקבר
ex·ig′ency *n.* מצב חירום
ex′igent *adj.* דחוף, דוחק, לוחץ
ex·ig′uous (egzig′ūəs) *adj.* זעום, מועט
ex′ile (egz-) *n.* גלות; גוֹלֶה
exile *v.* לגרש, להגלות
ex·ist′ (egz-) *v.* להתקיים, להיות
existence *n.* קיום, מציאות; חיים
- in existence קיים
existent *adj.* קיים, ישנו
ex·isten′tialism′ (egz-shəlizəm) *n.* קיומיות, אקזיסטנציאליזם
existing *adj.* קיים, נוכחי
ex′it (egz-) *n&v.* יציאה; לצאת
- exit Othello אותלו יוצא
- make one's exit לצאת
exit visa אשרת יציאה
ex li′bris מסיפרי-, שייך ל-
ex′odus *n.* יציאה, נהירה המונית
Exodus *n.* שמות (חומש); יציאת מצריים
ex offi′cio′ (-fish′iō) בתוקף תפקידו
ex·og′enous *adj.* חיצוני, שמקורו מבחוץ
ex·on′erate′ (egz-) *v.* לְזַכּוֹת (מאשמה), לשחרר
ex·on′era′tion (egz-) *n.* זיכוי
ex·or′bitance (egz-) *n.* הפרזה; הפקעת שער
ex·or′bitant (egz-) *adj.* מופרז, מופקע
ex′or·cism′ *n.* גירוש רוחות
ex′or·cize′ *v.* לגרש רוחות
ex·ot′ic (egz-) *adj.* אקזוטי, יוצא דופן, זר
ex·pand′ *v.* להתפשט, לגדול; להרחיב; להיפתח, להתיידד
- expand on להרחיב הדיבור על
ex·panse′ *n.* מרחב, שטח
ex·pan′sion *n.* התפשטות; פיתוח
expansion card/board כרטיס הרחבה (במחשב)
ex·pan′sive *adj.* מתפשט; פתוח, ידידותי
ex par′te (-ti) חד צדדי, במעמד צד אחד
ex′pat′ *n.* *גולה, מגורש, יורד
ex·pa′tiate′ (-′sh-) *v.* להרחיב את הדיבור
ex·pa′triate′ *v.* לגרש, להגלות
ex·pa′triate *n.* גולה, מגורש; יורד
ex·pect′ *v.* לקוות, לצפות; *לשער
- it's to be expected זה צפוי
- she's expecting היא מצפה לתינוק
ex·pec′tancy *n.* ציפייה; תקווה
- life expectancy תוחלת חיים
ex·pec′tant *adj.* מקווה, מצפה
expectant mother אם לעתיד, הרה
ex′pecta′tion *n.* תקווה, סיכוי; ציפייה
- beyond expectation למעלה מהמצופה
- contrary to expectation בניגוד למצופה
- expectation of life תוחלת חיים
- expectations ירושה (שמצפים לה)
- in expectation of בציפייה ל-, לקראת
ex·pec′torate′ *v.* לירוק, לרקוק
ex·pe′dience *n.* תכליתיות, תועלתיות, נחיצות; אינטרסנטיות
ex·pe′diency *n.* תכליתיות, תועלתיות, נחיצות; אינטרסנטיות
ex·pe′dient *adj.* תועלתי, כדאי, רצוי
expedient *n.* אמצעי, תחבולה
ex′pedite′ *v.* להחיש, לזרז, לקדם
ex′pedi′tion (-di-) *n.* משלחת; מסע; מהירות, זריזות
expeditionary *adj.* של משלחת
expeditionary force חיל משלוח
ex′pedi′tious (-dish′əs) *adj.* מהיר, זריז, מיידי
ex·pel′ *v.* להוציא, לגרש
ex·pend′ *v.* לבזבז, להוציא, לכַלות
ex·pend′able *adj.* ראוי להקריבו
ex·pen′diture *n.* הוצאה (כספית)
ex·pense′ *n.* מחיר, הוצאה, הוצאות
- at his expense על חשבונו
- at the expense of במחיר
- expenses הוצאות
- go to the expense of לבזבז על
- put him to the expense of לגרום לו הוצאה כספית
- spare no expense לא לקמץ בהוצאות
expense account הוצאות אש״ל
ex·pen′sive *adj.* יקר
ex·pe′rience *n.* ניסיון; חוויה
experience *v.* להתנסות, לחוות, לחוש
- experience defeat לנחול תבוסה
experienced *adj.* מנוסה
ex·pe′rien′tial *adj.* חוויתי
ex·per′iment *n.* ניסוי, מיבחן, אקפרימנט
experiment *v.* לערוך ניסויים
ex·per′imen′tal *adj.* ניסויי
ex·per′imenta′tion *n.* נסיינות
ex′pert′ *n&adj.* מומחה, ידען
ex′pertise′ (-tēz) *n.* מומחיות; חוות-דעת, תמחית, אקספרטיזה
expert witness עד מומחה
ex′piate′ *v.* לכפר על
ex′pia′tion *n.* כפרה, כיפור
ex′pira′tion *n.* גמר, פקיעה; נשיפה
ex·pire′ *v.* לפקוע, להסתיים; למות
ex·pi′ry *n.* גמר, תפוגה, פקיעה
ex·plain′ *v.* להסביר
- explain away לתרץ, להסביר
- explain oneself להבהיר את עצמו; להסביר את התנהגותו
ex′plana′tion *n.* הסבר
ex·plan′ato′ry *adj.* מסביר, של הסבר
ex′pletive *n.* מלת סרק, קללה
ex·plic′able *adj.* ניתן להסבר
ex′plicate′ *v.* להסביר, לנתח
ex·plic′it *adj.* ברור, מובע ברורות

explicitly *adv.* ברורות, מפורשות, במפורש
ex·plode′ *v.* להתפוצץ; לפוצץ
- explode a belief לנפץ אמונה
- explode a bombshell *להדהים
- explode with rage להתפרץ בזעם
ex′ploit *n.* מיבצע, מעשה נועז
ex·ploit′ *v.* לנצל
ex′ploita′tion *n.* ניצול, נצלנות
ex′plora′tion *n.* חקירה, בדיקה
ex·plor′ato′ry *adj.* מחקרי, לימודי
ex·plore′ *v.* לחקור (ארץ, נושא)
explorer *n.* חוקר
ex·plo′sion (-zhən) *n.* התפוצצות, התפרצות
ex·plo′sive *adj.* עלול להתפוצץ; מתפרץ
- explosive question בעייה הטעונה
חומר נפץ
explosive *n.* חומר נפץ
- high explosives חומר נפץ מרסק
ex′po *n.* תערוכה בינלאומית
ex·po′nent *n.* פרשן, מפרש; מעריך
ex′ponen′tial *adj.* של מעריך; מהיר ביותר
ex′port′ *n.* יצוא; ייצוא
ex·port′ *v.* לייצא
ex·port′able *adj.* בר יצוא
ex′por·ta′tion *n.* ייצוא
ex·por′ter *n.* יצואן
ex·pose′ (-z) *v.* לגלות, לחשוף, להציג לראווה; להפקיר, לנטוש
- exposed to joking מטרה ללעג
ex′po·se′ (-pōzā′) *n.* הרצאה; חשיפה
ex′posi′tion (-zi-) *n.* הבהרה, הסבר, הצגה, פיתוח נושא, היצג; תערוכה
ex post fac′to בדיעבד; רטרואקטיבית
ex·pos′tulate′ (-′ch-) *v.* למחות, לנזוף, להתווכח
ex·pos′tula′tion (-′ch-) *n.* מחאה
ex·po′sure (-zhər) *n.* גילוי, חשיפה, הוקעה; תמונה; צד, כיוון
ex·pound′ *v.* להסביר, להרצות
ex·press′ *adj.* ברור, מפורש; מדוייק, זהה; מהיר, אקספרס
- send express לשלוח באקספרס
express *n.* אקספרס (שירות, רכבת)
express *v.* לבטא, להביע; לשלוח, לשגר באקספרס; לסחוט, להוציא
- express oneself להתבטא
ex·pres′sion *n.* ביטוי, מלה; הבעה; הטעמה; מבע, מראה
- find expression in להתבטא ב-
- past expression בל יתואר
expressionism *n.* אקספרסיוניזם
expressionless *adj.* חסר-הבעה
ex·pres′sive *adj.* מביע, משמעותי
expressly *adv.* במפורש; במיוחד
expressway *n.* כביש מהיר
ex·pro′priate′ *v.* להפקיע, להחרים
ex·pro′pria′tion *n.* הפקעה, תפיסה
ex·pul′sion *n.* גירוש
expulsion order צו גירוש
ex·punge′ *v.* למחוק
ex′purgate′ *v.* לטהר, לצנזר
ex′purga′tion *n.* טיהור
ex′quisite (-zit) *adj.* מושלם, מצויין; חד, חריף; רגיש, עדין
- exquisite pain כאב חד
ex-service *adj.* משוחרר, ששירת בצבא
ex·tant′ *adj.* קיים, עדיין נמצא
ex·tem′pora′ne·ous *adj.* מאולתר
ex·tem′pora′ry (-reri) *adj.* מאולתר
ex·tem′pore (-pəri) *adj.* מאולתר, מניה וביה
ex·tem′porize′ *v.* לאלתר
ex·tend′ *v.* להגיע, להשתרע; להאריך, להגדיל; למתוח; להעניק, לתת
- extend a hand להושיט יד
- fully extended אזל כוחו, סחוט
ex·ten′sion *n.* התפשטות; הארכה, תוספת, שלוחה
extension cord חוט מאריך
extension course לימודי חוץ
extension table שולחן שחיל
ex·ten′sive *adj.* מקיף, גדול, נרחב, פשיט
ex·tent′ *n.* היקף, גודל; מידה, שיעור
- to some extent במידה מסוימת
ex·ten′u·ate′ (-nūāt) *v.* להקל, להפחית
- extenuating circumstances נסיבות מקילות
ex·ten′u·a′tion (-nūā′-) *n.* הקלה
ex·te′rior *adj.* חיצוני
exterior *n.* חיצוניות, מראה חיצוני
ex·te′riorize′ *v.* להביע כלפי חוץ, להחצין
ex·ter′minate′ *v.* להשמיד, לחסל
ex·ter′mina′tion *n.* השמדה, הדברה
ex·ter′nal *adj&n.* חיצוני, זר
- externals חיצוניות, מראה חיצוני
ex·ter′naliza′tion *n.* החצנה
ex·ter′nalize′ *v.* להחצין
ex′ter·rito′rial *adj.* אקסטריטוריאלי
ex·tinct′ *adj.* לא קיים; נעלם, מת
- extinct volcano הר-געש כבוי/רגע
ex·tinc′tion *n.* כיבוי; השמדה
ex·tin′guish (-gwish) *v.* לכבות
- extinguish a debt לסלק חוב
extinguisher *n.* מטפה
ex′tirpate′ *v.* להשמיד, לעקור
ex′tirpa′tion *n.* השמדה
ex·tol′ (-tōl) *v.* להלל, לשבח
ex·tort′ *v.* לסחוט, להוציא בכוח
ex·tor′tion *n.* סחיטה
ex·tor′tionate (-shən-) *adj.* סחטני, מופרז
ex′tra *adj.* נוסף, אקסטרה, מיוחד
extra *n.* דבר נוסף, תשלום מיוחד; ניצב (בסרט); הוצאה מיוחדת
ex·tract′ *v.* להוציא, לחלץ; לסחוט; להעתיק קטעים מספר
ex′tract′ *n.* תמצית; קטע, ציטטה; נסח
ex·trac′tion *n.* הוצאה, עקירה, סחיטה; מוצא, מקור, ייחוס
extractor *n.* מסחטה, מסלק ריח רע, מאוורר
ex′tracurric′u·lar *adj.* (בבי״ס) שמחוץ לתוכנית הלימודים הרגילה
ex′tradite′ *v.* להסגיר
ex′tradi′tion (-di-) *n.* הסגרה
ex′traju·di′cial (-jōōdi′-) *adj.* מעבר לסמכות ביה״ד, מחוץ לסמכות החוק

ex'tramar'ital *adj.* מחוץ לנישואין
ex'tramu'ral *adj.* מחוץ לעיר; מחוץ לכותלי ביה"ס
ex·tra'ne·ous *adj.* חיצוני; לא שייך
ex·traor'dinar'y (-trôr'dineri) בלתי רגיל, יוצא מן הכלל
- envoy extraordinary שליח מיוחד
ex·trap'olate' *v.* לנחש, לשער
ex'trasen'sory *adj.* שמעבר לחושים
ex'traterres'trial *adj.* מהחלל החיצון, מחוץ לכדור הארץ, חייזר, חוצן
ex'trater'rito'rial *adj.* אקסטריטוריאלי
extra time הארכה, זמן הארכה
ex·trav'agance *n.* פזרנות
ex·trav'agant *adj.* פזרני, בזבזן; יקר; לא מרוסן, מוגזם
ex·trav'agan'za *n.* יצירה מבדחת
ex·treme' *adj.* קיצוני; רב
- extreme old age זיקנה מופלגת
extreme *n.* קיצוניות; ניגוד גמור
- extremes ניגודים, הפכים
- go to extremes לנהוג בקיצוניות
- in the extreme עד מאוד
extremely *adv.* עד מאוד
ex·tre'mist *n.* קיצוני (בדיעותיו)
ex·trem'ity *n.* קיצוניות; מצב חמור
- extremities גפיים; מעשים חמורים
ex·tric'able *adj.* שניתן לחלצו
ex'tricate' *v.* לחלץ, לשחרר
ex'trica'tion *n.* חילוץ
ex·trin'sic *adj.* חיצוני, זר
ex'trover'sion (-zhən) *n.* החצנה
ex'trovert' *n.* מוחצן, לא מסתגר
ex·trude' *v.* להוציא, לדחוס החוצה, לגרש; לעצב חומר
ex·tru'sion (-zhən) *n.* הוצאה, גירוש
ex·u'berance (egzōō'-) *n.* שפע, חיות, עירנות; התרוממות רוח
ex·u'berant (egzōō'-) *adj.* שופע חיים, שופע מרץ; גדל בשפע
ex·ude' (egz-) *v.* להזיע; להרעיף; להוציא, להפיק; להפריש; לגלות, להפגין
ex·ult' (egz-) *v.* לצהול, לשמוח
exultant *adj.* צוהל
ex'ulta'tion (egz-) *n.* צהלה
ex vo'to לקיום נדר
eye (ī) *n.* עין
- all eyes כולו עין
- an eye for an eye עין תחת עין
- be all eyes להביט בשבע עיניים
- be in the public eye להיראות תכופות בציבור, להיות מפורסם
- before one's eyes לנגד עיניו
- believe one's eye להאמין למראה עיניו
- black his eye לעשות לו פנס בעין
- cast a cool eye on לתת חוות דעת צוננת על
- cast one's eyes on ללטוש עין ל-, לחמוד
- cast/run one's eye over להסתכל, להעיף מבט על
- catch his eye למשוך תשומת ליבו
- clap/set eyes on לראות
- close one's eyes להעלים עין
- cry one's eyes out למרר בבכי, לבכות בדמעות שליש
- eyes front! לחזית שור!
- eyes only פרטי, למכותב בלבד
- fasten one's eyes on לנעוץ מבטו
- find favor in his eyes למצוא חן בעיניו
- give the eye ללטוש עיניים, לנעוץ מבט
- had his eyes open פקח עיניו, השגיח היטב; פעל בדעה צלולה
- has an eye for יש לו חוש ל-
- has an eye to/on רוצה, חפץ, שואף
- in his eyes בעיניו, לדעתו
- in one's mind's eye בעיני רוחו
- in the eye of the law בעיני החוק
- keep an eye on להשגיח על
- lay eyes on לראות
- make eyes at לנעוץ מבטים ב-
- meet one's eye להתגלות לעיניו
- mind your eye שים לב!
- my eye! חי נפשי! (קריאת הפתעה)
- naked eye עין בלתי מזוינת
- one in the eye for *מכה ניצחת ל-
- open his eyes לפקוח עיניו
- see eye to eye להיות תמים דעים
- see with half an eye לראות מיד
- take one's eyes off לגרוע עין
- to the eye למראית עין
- up to one's eyes in שקוע ב-
- with an eye out משגיח היטב
- with an eye to במטרה ל-
- with my own eyes במו עיניי
- with open eyes בעיניים פקוחות
eye *v.* להביט, לנעוץ מבט, ללטוש עין
eyeball *n.* גלגל העין
- eyeball to eyeball פנים אל פנים
eyebrow *n.* גבה
- raise eyebrows להרים גבה, להדהים
eye-catching *adj.* מושך עין, מצודד
eye contact קשר עין, מבט ישיר בעיניים
eyed *adj.* בעל עיני-
- blue-eyed תכול-עיניים
eyedrops *n-pl.* טיפות עיניים
eye-filling *adj.* מרהיב-עין
eyeful (ī'fool') *n.* מלוא עיניו; *חתיכה
- get an eyeful להזין עיניו
eyeglasses *n-pl.* משקפיים
eyelash *n.* ריס
eyelet *n.* לולאה
eye-level *adj.* בגובה העיניים
eyelid *n.* עפעף, שמורת העין
- hangs on by his eyelids מצבו חמור
- not bat an eyelid לא להניד עפעף
eyeliner *n.* פוך, כחל, צבע
eye-opener *n.* פוער-עיניים, הפתעה
eyepatch *n.* רטייה, רטיית-עין
eyepiece *n.* עדשת העין, עינית
eyeshade *n.* מיצחייה, מגן עיניים
eyeshadow *n.* צבע, צללית עיניים
eyeshot *n.* טווח-ראייה
eyesight *n.* ראייה, ראות
eyesore *n.* חפץ מכוער, מראה דוחה
eyestrain *n.* עייפות העיניים
eyetooth *n.* שן העין
eyewash *n.* הטעייה, אחיזת-עיניים; תרחיץ עיניים
eye-witness *n.* עד ראייה
eyewitness account עדות ראייה
eyrie, eyry (ī'əri) *n.* קן נשר

F

F פה (צליל)
F = Fahrenheit
fab *adj.* *אגדי, נפלא, מצוין
Fa′bian *adj.* מתון, מעכב, מתיש
fa′ble *n.* משל, אגדה; בדותה
fabled *adj.* אגדי
fab′ric *n.* אריג; בניין, מיבנה, מערכת
fab′ricate′ *v.* ליצור, להמציא; לזייף, לבדות, לפברק
fab′rica′tion *n.* פבריקציה, זיוף, בידוי
fab′u·lous *adj.* אגדי; *נפלא
- fabulously rich עשיר מופלג
facade (fəsäd′) *n.* חזית; חזות
face *n.* פרצוף, פנים
- blue in the face נרגש מאוד
- face down/up עם הפנים למטה/למעלה
- face to face פנים אל פנים
- have the face to להעז ל-
- in his face בפניו; לפתע
- in the face of מול, בפני-; למרות
- in-your-face *פרובוקטיבי, להכעיס
- keep a straight face להסתיר רגשותיו, לא לצחוק
- lost face with סר חינו בעיני
- make faces לעוות פניו
- on the face of it למראית עין, "על פניו"
- pull a long face ללבוש ארשת עצבות
- put a bold face on להפגין אומץ לב
- put a new face on לשוות לו מראה חדש
- saved his face כבודו ניצל
- set one's face against להתנגד
- show one's face להופיע
- the face of פני-, חזית-
- to his face בפניו, גלויות
face *v.* להיות מול; להתייצב מול; לעמוד בפני; לכסות, לְצַפּות
- face facts להכיר בעובדות
- face out לטפל בדבר באומץ
- face the music לשאת בתוצאות, לקבל העונש, לא להירתע, להתנהג כגבר
- face up to לקבל זאת באומץ
- left face! שמאלה פנה!
- let's face it נהיה מציאותיים
face-ache *n.* *פרצוף צנע; מרגיז
face-card *n.* קלף-תמונה
face-cloth *n.* מגבת, מטלית פנים
face cream קרם פנים, משחת פנים
faced *adj.* בעל פני-
- red-faced סמוק-פנים
faceless *adj.* ללא פנים, אלמוני
face-lift *n.* מיתוח עור הפנים
face pack מישחת פנים
face-saving *adj.* מציל יוקרה
fac′et *n.* פאה (של יהלום), שיטחה; צד, נקודת-ראות
face′tious (-shəs) *adj.* מבדח, היתולי
face value ערך נקוב
- at its face value לפי מראהו
fa′cial *adj.* של הפנים, של הפרצוף
facial *n.* עיסוי פנים
fac′ile (-səl) *adj.* קל, מהיר, קליל; שטחי, נוח, נעים
facil′itate′ *v.* להקל, להפחית קושי
facil′ita′tion *n.* הקלה
facil′ity *n.* קלות; כישרון; נוחיות
- facilities אמצעים, מיתקנים, כלים
facing *n.* ציפוי, כיסוי
- facings צווארון והפתים
fac′sim′ile (-mili) *n.* מַעְתָּק, פאקסימילה, העתק מדויק; פקס
fact *n.* עובדה, מציאות; מעשה, פשע
- as a matter of fact למעשה
- facts and figures פרטים מדוייקים
- facts of life נושאי מין, עובדות החיים
- in (point of) fact למעשה
- matter of fact אמת, אומנם
fact-finding *n.* מימצא העובדות
fac′tion *n.* סיעה, פלג; חילוקי דעות
fac′tious (-shəs) *adj.* פלגני, חרחרני
fac·ti′tious (-tish′əs) *adj.* מלאכותי
facto: de′ fac′to דה פאקטו, למעשה
facto: ip′so fac′to בעובדה עצמה
fac′toid′ *n.* פריט מידע; עובדה מדומה
fac′tor *n.* גורם; סוכן, עמיל
fac′torize′ *v.* לפרק לגורמים
fac′tory *n.* בית-חרושת, מיפעל
factory farm משק בעלי חיים
factory floor הפועלים
fac·to′tum *n.* משרת
fact sheet גיליון מידע
fac′tual (-cho͞oəl) *adj.* עובדתי
fac′ulta′tive *adj.* של כושר; עשוי להתרחש
fac′ulty *n.* כישרון, יכולת; פקולטה; מכון, מחלקה
- in possession of his faculties שולט בחושיו
fad *n.* שיגעון חולף, תחביב זמני
fad′dy, fad′dish *adj.* שיגעוני
fade *v.* לדעוך; לדהות; להדהות; להימוג
- fade away להיעלם, לדעוך
- fade in להתחזק בהדרגה (קול)
- fade out לגווע (קול, תמונה)
faery (fär′i) *adj.* קסום
faff *v&n.* *להתרגש; (להקים) מהומה
fag *n.* עבודה מעייפת; *סיגרייה; הומו
fag *v.* לעמול; לשרת תלמיד מבוגר
- fagged out עייף, סחוט
fag-end *n.* שארית; בדל-סיגריה
fag′got, fag′ot *n.* צרור עצים; קציצה, לביבה; *הומו
Fahrenheit (far′ənhīt′) *n.* פרנהייט
faience (fääns′) *n.* חרסינה מקושטת
fail *v&n.* להיכשל; להכשיל, לפסול; לא לבצע; להיחלש; לאכזב; לפשוט רגל
- he failed to come הוא לא בא
- he fails in courage אין לו אומץ
- his heart failed him ליבו נפל
- not fail to להקפיד ל-, לזכור ל-
- without fail לעולם, תמיד, בדיוק, בכל הנסיבות, לבטח
- words fail me אין מלים בפי
failing *n.* פגם, חולשה
failing *prep.* בהיעדר, באין-, ללא-
- failing this אם זה לא יקרה
fail-safe *adj.* מונע תקלות, אל-כשל
fail′ure (-lyər) *n.* כישלון; אי-יכולת,

אי-ביצוע, חוסר; פשיטת רגל
- failure of consideration כישלון
תמורה, אי יכולת לבצע התמורה (בחוזה)
- failure of issue מוות בלי ילדים
fain *adv.* ברצון, מעדיף
- I would fain ברצון הייתי-
faint *adj.* חלש, רפה, קלוש; דהוי
- I haven't the faintest idea אין לי מושג
- feels faint עומד להתעלף
faint *v&n.* להתעלף, להיחלש;
התעלפות
faint-hearted *adj.* פחדן, מוג-לב
fair *adj.* הוגן, צודק; בינוני, ממוצע; נאה;
בהיר; ברור; נקי
- fair (market) value ערך השוק ההוגן
- fair copy העתק נקי וברור
- fair dos *חלוקה הוגנת
- fair hair שיער בהיר/בלונדי
- fair hearing שימוע הוגן
- fair shake הגינות, יחס הוגן
- fair words מלים נאות, חלקות
- fair's fair נהיה הוגנים
- for fair *לגמרי
- in a fair way to בדרכו ל-
- play fair לנהוג בהגינות
- the fair sex המין היפה
fair *adv.* בהגינות; היישר אל
- bid fair להיראות, ליצור רושם ש-
- fair and square בהגינות, בצדק
- fair enough הוגן, די בסדר
fair *n.* יריד
- after the fair מאוחר מדי
fair-complexioned *adj.* בהיר-עור
fair game ציד חוקי; מטרה ללעג
fair ground מיגרש היריד
fair-haired boy חביב, אהוב
fairly *adv.* בהגינות; לגמרי, בהחלט
- fairly well די טוב
fair-minded *adj.* הוגן, צודק בשיפוט
fair play מישחק הוגן, צדק
fairway *n.* מסלול ימי; מסלול גולף
fair-weather friend נוטש ידידו בעת
צרה, מישענת קנה רצוץ
fair'y *n.* פיה; *הומו
fairy godmother המלאך הטוב
fairy lamp נורה צבעונית
fairy-land *n.* עולם קסום
fairy tale אגדה, סיפור בדים
fait accompli (fāt'äkongplē') *n.* עובדה
מוגמרת (שאין לשנותה)
faith *n.* אמונה; דת; אמון
- break faith with להפר האמון ב-
- in bad faith בכוונה להונות, בלי הגינות,
בחוסר תום לב
- in faith באמת, באמונה
- in good faith בתום לב, בהגינות
- keep faith with לשמור אמונים
- on faith מתוך אמונה בדבריו
faithful *adj.* נאמן, מסור; מדויק
- faithful copy העתק מדויק
- the faithful המאמינים
- yours faithfully שלך בנאמנות
faith healing ריפוי בתפילה
faithless *adj.* לא נאמן; לא מאמין
fake *n&adj.* זיוף; בלוף; רמאי,
מתחזה; מזויף

fake *v.* לזייף, להתחזות כ-; להמציא
fakir' (-kir) *n.* פאקיר
fal'con *n.* בז (עוף דורס)
falconer *n.* בזייר
falconry *n.* ציד בבזים, בזיירות
fall (fôl) *v.* ליפול; לרדת; להיעשות ל-,
להפוך ל-; לחול
- fall about *להתגלגל מצחוק
- fall all over להעריץ, להתלהב
- fall asleep להירדם
- fall away להיעלם, להסתלק
- fall back לסגת
- fall back on להסתמך, להיעזר ב-;
להישען על
- fall behind לפגר
- fall down on להיכשל ב-
- fall due לחול מועד פרעונו
- fall flat להיכשל, לא להצליח
- fall for להתאהב; ליפול בפח
- fall foul of להתנגש ב-; להסתבך
- fall ill לחלות, ליפול למישכב
- fall in להתמוטט; להסתדר בשורה; לפוג
תוקפו; להגיע זמן פרעונו
- fall in for לקבל, לזכות ב, לספוג
- fall in love להתאהב
- fall in with להיתקל ב-; להסכים
- fall into לשקוע ב-; להתחלק ל-
- fall into line להסכים; ללכת בתלם
- fall off לפחות, להתמעט, לנשור
- fall on hard times לרדת מנכסיו
- fall on one's feet לנחות על רגליו
- fall on/upon להתנפל על
- fall out לקרות; (במיסדר) להתפזר
- fall out with לריב, להתקוטט
- fall over oneself להיות להוט מדי
- fall over/down ליפול
- fall short לא להגיע למטרה
- fall through להיכשל
- fall to להתחיל ב-; להתנפל על האוכל
- fall under להיכלל בסוג מסוים
- his eyes fell השפיל מבטו
- his face fell נפלו פניו
- let fall להפיל; לומר, לבטא, לפלוט
- the wind fell הרוח נחלשה
fall *n.* נפילה; ירידה; מפולת; סתיו
- falls מפל-מים
- ride for a fall להסתכן
- the Fall of Man החטא הקדמון
falla'cious (-shəs) *adj.* מטעה; מוטעה
fal'lacy *n.* טעות, אשלייה
fallback *n&adj.* נסיגה; עתודה,
תחליף; לשעת חירום; מינימלי
fall'en (fôl'-) *adj.* נופל; החללים
- fallen woman אישה לא צנועה
fall guy *פתי, קורבן
fal'libil'ity *n.* עלילות לטעות
fal'lible *adj.* עלול לטעות
falling-out *n.* ריב, ויכוח
falling star מטאור
fall-off *n.* ירידה, נסיגה
Fallo'pian tube צינור השחלה
fall-out *n.* נשירה; נשורת
fal'low (-ō) *adj&n.* (שדה) נחרש אך
לא נזרע; שדה-בור
false (fôls) *adj.* מוטעה, מזויף, מלאכותי;
לא נאמן, משקר; כוזב

- false alarm אזעקת שווא
- false arrest מעצר בלתי-חוקי
- false bottom תחתית כפולה
- false face מסיכה
- play false לרמות, לבגוד ב-
- sail under false colors להתחזות
- take a false step למעוד
false-hearted *adj.* חסר-כנות, נוכל
falsehood *n.* שקר, שקרנות, כזב
false pretenses התחזות, רמאות
false start זינוק פסול
false teeth שינים תותבות
falset'to (fôl-) *n.* סלפית, פאלסט
fal'sies (fôl'siz) *n-pl.* *חזייה ממולאת, שדיים מלאכותיים
fal'sifica'tion (fôl-) *n.* זיוף
fal'sify' (fôl-) *v.* לזייף, לסלף
fal'sity (fôl-) *n.* שקר, רמאות
fal'ter (fôl-) *v.* לגמגם, להסס; לנוע בחוסר יציבות, להתנודד
falteringly *adv.* בהיסוס
fame *n.* פרסום, שם, תהילה
famed *adj.* מפורסם
famil'ial *adj.* משפחתי
famil'iar *adj.* שכיח, רגיל; מוכר, ידוע; קל, פשוט, ידידותי; מישפחתי
- familiar with בקי ב-
familiar *n.* ידיד
famil'iar'ity *n.* בקיאות, ידידות; חופשיות, חוסר-גינונים
famil'iarize' *v.* לפרסם
- familiarize with ללמד, להכיר
fam'ily *n.* משפחה
- in the family way *בהריון
family allowance קצובת משפחה
family circle חוג המשפחה
family doctor רופא כללי
family man איש מישפחה
family planning תכנון המשפחה
family tree אילן היחס
fam'ine (-min) *n.* רעב; מחסור חמור
fam'ish *v.* לסבול מרעב, לרעוב
fa'mous *adj.* מפורסם; *מצוין
famously *adv.* יפה, היטב
fan *n.* מְאַוְרֵר; מניפה; אוהד, מעריץ
fan *v.* לאוורר; ללבות (אש, זעם)
- fan out להתפרס, להתפזר
- fan the flames להוסיף שמן למדורה
fanat'ic *n.* קנאי, פנאטי
fanatic(al) *adj.* קנאי
fanat'icism' *n.* קנאות, פנאטיות
fan belt חגורת המאוורר
fancied *adj.* מדומה, דימיוני
fan'cier *n.* מומחה ל-, חובב
- dog-fancier מומחה לכלבים
fan'ciful *adj.* דימיוני; מוזר
fan club מועדון מעריצים
fan'cy *n.* דימיון; משיכה, כמיהה
- passing fancy שיגיון זמני
- take a fancy to להימשך אל
- take the fancy of לכבוש את לב-
fancy *adj.* מקושט, דימיוני, לא רגיל
- fancy goods חפצי נוי
- fancy price מחיר מופרז
fancy *v.* לתאר לעצמו, להעלות בדימיונו; להאמין, לחשוב; לאהוב, לחבב
- I fancy that- נדמה לי ש-
- fancy oneself להחשיב עצמו
- fancy! תאר לעצמך! הייתכן!
fancy dress תחפושת
fancy-free *adj.* חופשי לנפשו, ציפור-דרור, לא מאוהב
fancy man מאהב
fancy woman *מאהבת, פילגש
fancy work מירקם, מעשה-ריקמה
fan·dan'go *n.* פנדאנגו (ריקוד); שטויות
fan'fare' *n.* תרועת חצוצרות
fang *n.* שן כלב, שן נחש, ניב
fan heater מפזר חום (חשמלי)
fanlight *n.* אשנב (מעל לדלת), צוהר
fan mail מכתבי מעריצות (לזמר)
fan'ny *n.* *ישבן
fanny pack *תיק חגורה, פאוץ'
fan·ta'sia (-zhə) *n.* פנטסיה
fan'tasize' *v.* לפנטז
fan·tas'tic *adj.* פנטסטי, דימיוני
fan'tasy *n.* פנטסיה, דימיון
fan'zine' (-zēn) *n.* עיתון-אוהדים, עיתון מעריצים
far *adv&adj.* רחוק, הרחק; במידה ניכרת; בהרבה, מאוד
- (so) far from לא זו בלבד שלא
- as far as עד כמה ש-; עד ל-
- by far בהרבה, בהחלט, במידה ניכרת
- far and away מאוד, בהחלט
- far and wide בכל מקום
- far be it from me חלילה לי מ-
- far cry from רב ההבדל/המרחק בין
- far from לגמרי לא, רחוק מ-
- far from it אדרבה, כלל לא
- far off/away רחוק
- from far and near מקרוב ומרחוק
- go far להגיע רחוק; להרחיק לכת; להצליח; להיות לעזר, לעזור
- how far עד היכן
- in so far as במידה ש-
- so far so good עד כה הכל בסדר
- so far, thus far עד כה, עד כאן
- take/go/carry too far להגזים
- the Far East המזרח הרחוק
far-away *adj.* רחוק; מנותק, חולמני
farce *n.* פארסה, קומדיה, בדחית
far'cical *adj.* קומי, אבסורדי
fare *v.* להתקדם, להצליח
- fare badly לא להצליח
- it fared well with me הצלחתי
fare *n.* דמי נסיעה; נוסע (במונית)
fare *n.* מזון, ארוחה
- bill of fare תפריט
fare'well' (fārw-) *interj.* שלום!
farewell *n.* פרידה
far-famed *adj.* מפורסם
far-fetched *adj.* דחוק, לא סביר, לא הגיוני, לא טיבעי, חסר-קשר
far-flung *adj.* משתרע, נרחב
far gone במצב חמור, שקוע ב-
far'ina'ceous (-shəs) *adj.* עמילני
farm *n.* חווה, משק; בית המשק
- buy the farm *למות
farm *v.* לעבד אדמה, לנהל משק
- farm out למסור לאחרים
farm'er *n.* חוואי, איכר, חקלאי

farmhand *n.* עובד משק
farmhouse *n.* בית החוואי
farming *n.* חקלאות, חוואות
farmyard *n.* חצר המשק
far-off *adj.* רחוק
farouche′ (fərōōsh′) *adj.* ביישן
far-out *adj.* רחוק; *מוזר; מצויין
farra′go *n.* תערובת
far-reaching *adj.* מרחיק-לכת, מקיף
far′rier *n.* פרזל-סוסים
far′row (-ō) *v.* להמליט חזירונים
farrow *n.* המלטה; גורי חזיר
far-seeing *adj.* מרחיק ראות
far-sighted *adj.* רחוק-ראייה
fart *v&n.* * (להפליט) נפיחה, להפליץ
far′ther (-dh-) *adj&adv.* יותר רחוק, הלאה; היותר רחוק
far′thest (-dh-) *adj.* הכי רחוק
- at farthest הכי רחוק, מקסימום
far′thing (-th-) *n.* (בעבר) פרוטה
- not care a farthing לא אכפת כלל
fa′scia (-shə) *n.* לוח, סרט
fas′cinate′ *v.* להקסים
fascinating *adj.* מקסים
fas′cina′tion *n.* קסם
- have a fascination for להקסים
fas′cism′ (fash′iz′əm) *n.* פאשיזם
fas′cist (fash′ist) *n&adj.* פאשיסט
fash′ion (fash′ən) *n.* אופנה, מנהג; צורה, דרך
- after a fashion ככה-ככה, בינוני
- after the fashion of כדוגמת
- follow the fashion ללכת בתלם
- man of fashion מהחברה הגבוהה
- set a fashion לשמש דוגמה
fashion *v.* ליצור, לעצב
fashionable *adj.* אופנתי, מקובל
fashion designer מעצב אופנה
fashion plate ציור אופנה
fast *adj.* מהיר, ממהר; רודף תענוגות
- pull a fast one on לרמות
fast *adv.* מהר; בהוללות; בקרבת-
fast *adj.* קבוע; חזק, איתן; לא דוהה
- make fast להדק
fast *adv.* בחוזקה, במהודק
- fast and furious פראי, חסר-רסן; במהירות
- fast asleep בתרדמה עמוקה
- play fast and loose לשחק ב- (רגשות)
- stand fast לעמוד איתן
- stick fast להיתקע במקום, לא לזוז
fast *v&n.* לצום; צום
fas′ten (-sən) *v.* להדק, להדביק, להצמיד, לסגור; להיסגר, להירכס
- fasten it on him לטפול זאת עליו
- fasten on the idea לאמץ הרעיון
- fasten one's eyes on לנעוץ מבטו
fastener *n.* מהדק; רוכסן
fastening *n.* מהדק; בריח
fast food מזון מהיר
fast forward קידום (קלטת) מהיר
fas·tid′ious *adj.* איסטניס, ברדן
fastness *n.* מצודה, מיבצר; יציבות
fast-talk *v.* לשכנע בחלקת לשון
fast time שעון קיץ
fast track מסלול מהיר

fat *adj.* שמן, עבה; (אדמה) פורייה
- a fat lot (באירוניה) *הרבה
- fat cat *עשיר, תורם למפלגה
- fat chance *שום סיכוי (לא)
fat *n.* שומן
- chew the fat להתלונן, לשוחח
- live on the fat of the land לחיות בעושר, לאכול מטעמים
- the fat is in the fire השגיאה נעשתה, הצרות יבואו
fa′tal *adj.* קטלני, גורלי, פטאלי
fa′talism′ *n.* פטאליות, פטאליזם
fa′talist *n.* פטליסט
fatal′ity *n.* גורליות; מוות, אסון
fate *n.* גורל; מוות
- as sure as fate אין מנוס, בטוח
- meet one's fate למות
- the Fates אלות הגורל
fated *adj.* נגזר עליו, גורלו נחרץ
fateful *adj.* גורלי; נבואי
fat-head *n.* מטומטם
fa′ther (fä′dhər) *n.* אב
- like father like son כאב - כן בנו
- the Holy Father האפיפיור
father *v.* להוליד; להודות באבהות
- father it on him לייחס זאת לו
Father Christmas סנטה קלאוס
father figure דמות אב, כמו אב
fatherhood *n.* אבהות
father-in-law *n.* חם, חותן
fatherland *n.* ארץ אבות
fatherless *adj.* יתום, אין לו אב
fatherly *adj.* אבהי
fath′om (-dh-) *n.* פאתום (1.8 מטר)
fathom *v.* לרדת לעומק, להבין
fathomless *adj.* עמוק, תהומי
fatigue′ (-tēg′) *n.* עייפות, חוסר-אונים; (בצבא) תורנות, עבודות
- fatigue party כיתת תורנים (בצבא)
- fatigue uniform בגדי עבודה
- fatigues בגדי עבודה
fatigue *v.* לעייף
fat′ted *adj.* מפוטם
- kill the fatted calf לקבל אורח בשמחה
fat′ten *v.* לפטם, להשמין
fat′tish *adj.* שמנמן
fat′ty *adj.* מכיל שומן
fatu′ity *n.* טיפשות, טמטום
fat′uous (fach′ōōəs) *adj.* מטומטם
fau′cet *n.* ברז
faugh (fô) *interj.* פוי!
fault *n.* ליקוי, פגם טעות, עבירה; אשמה; בקע גיאולוגי
- at fault לא בסדר; אשם, נבוך
- find fault with למצוא פגמים, לחפש פגמים; להתלונן
- the fault lies with me אני אשם
- to a fault יותר מדי, מאוד
fault *v.* לחפש פגמים, להתלונן על
fault-finding *n.* חיפוש פגמים
faultless *adj.* מושלם, ללא פגם
faulty *adj.* פגום, לקוי
faun *n.* פן (אל היער)
fau′na *n.* פאונה, ממלכת החי
faux pas (fōpä′) *n.* משגה, טעות
fa′vor *n.* אהדה, עין יפה; משוא פנים,

יחס מועדף; טובה, חסד; סרט, סמל
- bestow her favors להעניק חסדיה
- by favor of באמצעות-
- do me a favor עשה לי טובה
- find favor in his eyes למצוא חן בעיניו
- in favor of בעד, מחייב; לפקודת-
- in favor with מוצא חן בעיני-
- in his favor לטובתו, לזכותו
- out of favor סר חינו
- stand high in his favor לזכות בהערכתו
- win his favor לזכות באהדתו

favor *v.* לראות בעין יפה, לתמוך, להפלות לטובה, להקל
- favor him with להואיל לתת לו
- the baby favors her father התינוקת דומה יותר לאביה

favorable *adj.* רצוי, חיובי; מגלה אהדה, מסייע, מעודד
favored *adj.* חביב, מועדף; ניחן, נתברך
- favored beneficiary מוטב מועדף (בצוואה)
- ill-favored מכוער
- well-favored נאה

fa′vorite (-rit) *n&adj.* חביב, אהוב; מופלה לטובה; פייבוריט, בעל הסיכויים
fa′voritism′ *n.* פרוטקציה
fawn *n.* עופר; חום-צהבהב
fawn *v.* לכרכר סביב-, להחניף
fax *v&n.* (לשלוח) פקס; לפקסס
fay *n.* פייה
faze *v.* *להפחיד, להדהים
FBI *n.* אף-בי-איי
fe′alty *n.* נאמנות, אמונים
fear *n.* פחד, חשש
- fear and trembling חיל ורעדה
- for fear מרוב פחד
- for fear of/that מחשש, פן-
- in fear of חושש לשלום-
- no fear! בהחלט לא, אין פחד
- without fear or favor ללא מורא, ללא משוא פנים

fear *v.* לפחוד
- I fear חוששני ש-
- fear for him להיות חרד לשלומו

fear′ful *adj.* איום; "נורא"; פוחד
fearless *adj.* לא פוחד; אמיץ, לבלי חת
fearsome *adj.* מפחיד
fea′sibil′ity (-z-) *n.* אפשרות ביצוע
feasibility study מחקר יְשִׂימוּת
fea′sible (-z-) *adj.* בר-ביצוע, אפשרי, ישים; סביר
feast *n.* סעודה, מישתה; חג
- enough is as good as a feast "איזהו עשיר? השמח בחלקו"
- feast or famine או שפע או מחסור

feast *v.* לסעוד; לערוך משתה
- feast one's eyes on לזון עיניו

Feast of Weeks חג השבועות
feat *n.* מיבצע, מעשה גבורה
feath′er (fedh′-) *n.* נוצה
- a feather in one's cap משהו להתפאר בו, אות-כבוד, נוצה להתהדר בה
- birds of a feather מאותו מין
- in high feather במצב רוח מרומם
- make the feathers fly ליהנות מעבודה; להפוך עולמות
- ruffle his feathers לעצבן אותו, להרגיז אותו
- show the white feather לפחוד

feather *v.* לכסות בנוצות; להחליק משוט
- feather one's nest להתעשר

feather-bed *n.* מזרן-נוצות
feather-bed *v.* לפנק, לסבסד
featherbrained *adj.* טיפש
featherweight *n.* משקל-נוצה
feathery *adj.* נוצי, קל, רך, ספוגני
fea′ture *n.* תכונה מיוחדת, תופעה; מאמר, כתבה, סרט-קולנוע
- features פנים, תווי-פנים

feature *v.* לככב, להציג; לאפיין
featured *adj.* מובלט, מיוחד
- fine-featured בעל פנים נאים

featureless *adj.* משעמם, חסר תכונות בולטות
feb′rile (-rəl) *adj.* של קדחת
Feb′ru·ar′y (-rōōeri) *n.* פברואר
fe′ces (-sēz) *n.* צואה
feck′less *adj.* חלש; בלתי-אחראי
fe′cund *adj.* פורה, יוצר
fe·cund′ity *n.* פוריות
fed = p of feed
fed′eral *adj.* פדרלי, מרכזי
fed′eralism′ *n.* פדראליזם
fed′erate′ *v.* להתאחד לפדרציה
fed′era′tion *n.* פדרציה, איחוד
fee *n.* תשלום, אגרה, שכר
- hold in fee להחזיק בבעלות מלאה

fee *v.* לשכור, לשלם ל-
fee′ble *adj.* חלש
feeble-minded *adj.* רפה-שכל
feed *v.* להאכיל; לאכול; להזין
- I'm fed up נמאס לי
- feed on להיזון מ-, לחיות על
- feed up לספק מזון עשיר, לפטם

feed *n.* ארוחה; מזון; הספקה; מיספוא; כלי-הזנה
- off feed לא חש טוב

feedback *n.* היזון חוזר, משוב
feeder *n.* אכלן; כלי-הזנה; בקבוק הזנה; סינר; זרוע, נתיב קישור
- poor feeder ממעט באכילה

feeding bottle בקבוק הזנה
feel *v.* לחוש, להרגיש; למשש, לגשש; להצטער על, לסבול מ-
- I don't feel like אין לי חשק ל-
- feel (like) oneself להיות כתמול שלשום
- feel a draft לחוש ביחס צונן
- feel for לגשש, לחפש
- feel for him להשתתף בצערו
- feel one's way לגשש, לחפש דרך
- feel out למשש את הדופק
- feel up to *להיות מסוגל ל-
- feels like מתחשק לו, רוצה
- he feels sad הוא עצוב
- my hands feel cold ידי קרות

feel *n.* מגע, הרגשה, מישוש
- get the feel of לחוש, להתרגל

feeler *n.* מחוש (של חרק)
- put out feelers למשש את הדופק

feeling *n.* הרגשה, תחושה, רגש; התרגשות, התמרמרות

- bad/ill feeling טינה, מרירות
- feelings רגש, רגשות
- good feeling ידידות
- no hard feelings בלי טינה בלב
feeling *adj.* מלא-רגש
feelingly *adv.* ברגש רב
fee simple עיזבון בלתי מוגבל
feet = pl of foot
fee tail עיזבון מוגבל
feign (fān) *v.* להעמיד פנים, להתחזות; להמציא, לבדות
- feign death להעמיד פנים כמת
feint (fānt) *n.* תרגיל הסחה
feint *v.* לערוך תרגיל הסחה, להטעות
fei'sty (fī'-) *adj.* תוקפני, שופע מרץ; רגיש
fe·lic'itate' *v.* לאחל, לברך
fe·lic'ita'tion *n.* איחולים
fe·lic'itous *adj.* מתאים, הולם
fe·lic'ity *n.* אושר; כושר הבעה
fe'line *adj.* חתולי, כמו חתול
fell *n.* עור חיה; אדמת טרשים
fell *adj.* איום, מסוכן, אכזרי
fell *v.* להפיל ארצה; לכרות עץ
fell = pt of fall
fel'lah (-lə) *n.* פלח (ערבי)
fella'tio (-'shēō) *n.* מין אוראלי
fel'low (-ō) *n.* חבר, ידיד; ברנש; בן-זוג; חבר אקדמיה
fellow *adj.* מסוג אחד; חבר ל-
- fellow workers חברים לעבודה
fellow feeling אהדה, סימפתיה
fellowship *n.* ידידות, אחווה; אגודה, חברה; עמותה; חברות בקולג'; מילגה
fellow traveler אוהד מפלגה
fel'on *n.* פושע
felo'nious *adj.* פושע, פשעי, פלילי
fel'ony *n.* פשע, עבירה חמורה
felt *n.* לֶבֶד
felt = p of feel
felt-tip pen עט לבד, עט לורד
feluc'ca *n.* מפרשית, סירת משוטים
fe'male *n.* נקבה; *אישה
female *adj.* של נקבה, נקבי; חלול
- female workers פועלות
fem'inine (-nin) *adj.* נשי, נקבי
feminine gender מין נקבה (בדקדוק)
fem'inin'ity *n.* נשיות
fem'inism' *n.* פמיניזם, נשיות
fem'inist *n.* פמיניסט
femme fatale (fam'fətäl') *n.* פאם פאטאל, קוטלת גברים
fe'mur *n.* עצם הירך, קולית
fen *n.* אדמת בצה
fence *n.* גדר
- mend one's fences לעשות בדק בית, לחזק השפעתו
- sit on the fence לשבת על הגדר
- the right side of the fence צד המנצח
fence *v.* לגדור; להקים גדר מסביב
- fence in לכלוא, לכבול ידיו
fence *n.* סוחר בסחורה גנובה
fence *v.* לסייף; להסתייף
- fence with להתחמק (מתשובה ישירה)
fencer *n.* סייף, אמן-סיוף
fence-sitter *n.* יושב על הגדר

fencing *n.* סיוף; גידור
fend *v.* להדוף
- fend for oneself לדאוג לעצמו
- fend off להדוף
fend'er *n.* מעקה האח; פגוש; כנף; מגן
fen'nel *n.* שומר (עשב, תבלין)
fen'u·greek' *n.* חילבה, גרגרנית יוונית
fe'ral *adj.* פראי
ferment' *v.* לתסוס; להתסיס; להסית
fer'ment' *n.* תסיסה; שמרים; תסס
fer'menta'tion *n.* תסיסה; התססה
fern *n.* שרך, שרכים (צמחים)
ferny *adj.* מלא שרכים
fero'cious (-shəs) *adj.* אכזרי, פראי
feroc'ity *n.* אכזריות, מעשה אכזרי
fer'ret *n.* סמור (חיית-טרף)
ferret *v.* לצוד בעזרת סמורים; לחטט
- ferret out להוציא לאור, לחשוף
Fer'ris wheel גלגל ענק (ביריד)
fer'ro·con'crete *n.* בטון מזוין
fer'rous *adj.* מכיל ברזל
fer'rule (fer'əl) *n.* כיפת-מתכת (בקצה מטרייה); טבעת-חיזוק
fer'ry *v.* להעביר במעבורת, להסיע
ferry *n.* (תחנת) מעבורת
ferryboat *n.* מעבורת
ferryman *n.* מעבוראי
fer'tile (-təl) *adj.* פורה, יוצר; שופע
Fertile Crescent הסהר הפורה
fertil'ity *n.* פוריות
fer'tiliza'tion *n.* הפראה
fer'tilize' *v.* להפרות; לזבל
fertilizer *n.* דשן, זבל כימי
fer'ule (fer'əl) *n.* מקל, סרגל
fer'vency *n.* להט, חום
fer'vent *adj.* לוהט, חם, עז
fer'vid *adj.* לוהט, נלהב
fer'vor *n.* להט, חום
fes'tal *adj.* חגיגי, עליז
fes'ter *v.* להתמגל; להימלא מוגלה
fes'tival *n.* פסטיבל, חג, חגיגה, תחיגה
Festival of Lights חג האורים, חנוכה
fes'tive *adj.* חגיגי, של חג
festive board שולחן ערוך
fes·tiv'ity *n.* חגיגה, שמחה
fes·toon' (-tōōn') *n.* שרשרת-קישוט
festoon *v.* לקשט (חדר) בשרשרות
fe'tal *adj.* של עוּבָּר, עוברי
fetch *v.* להזעיק, להביא; למשוך; לפלוט, להוציא, לגרום שיופיע
- fetch a blow להנחית מכה
- fetch and carry for לשרת את
- fetch up להופיע, להגיע
- it fetched 100 NIS זה הכניס 100 ש"ח
fetching *adj.* מקסים, מושך
fete (fāt) *n.* מסיבה, חגיגה
fete *v.* לערוך מסיבה ל-
fet'id *adj.* מסריח
fet'ish *n.* פֶטִישׁ, אליל
fet'lock' *n.* רגל הסוס, תלתל הרגל
fet'ter *n&v.* שרשרת, כבלים; לכבול
fet'tle *n.* מצב, בריאות
fe'tus *n.* עוּבָּר, שליל
feud (fūd) *n.* משטמה, ריב משפחות
feu'dal (fū'-) *adj.* פיאודלי
feu'dalism' (fū'-) *n.* פיאודליות

feu′dato′ry (fū′-) *n.* אריס, עבד
fe′ver *n.* חום; קדחת; מתח, עצבנות
- at fever pitch בשיא ההתרגשות
fevered *adj.* סובל מחום, קדחתני
fever heat חום, חום גבוה
feverish *adj.* קדחתני, קודח; גורם לקדחת
feverishly *adv.* בקדחתנות
few (fū) *adj.* מעט, מעטים, כמה
- a few words כמה מלים
- a good few מספר ניכר, לא מעט
- few and far between נדירים
- few words מעט מאוד מלים
- no fewer than לא פחות מ-
- not a few לא מעט, די הרבה
- quite a few מספר ניכר, לא מעט
- some few מספר ניכר, לא מעט
- the few המיעוט
fey (fā) *adj.* גוסס; מוזר; קסום
fez *n.* תרבוש
ff. = and the following והלאה
fiance (fē′änsā′) *n.* ארוס
fiancee (fē′änsā′) *n.* ארוסה
fias′co *n.* פיאסקו, כישלון, מפלה
fi′at *n.* צו, פקודה
fib *n&v.* *שקר, בדותה; לשקר
fibber *n.* שקרן
fi′ber *n.* סיב, ליף, חוט; מיבנה; אופי
fiberboard *n.* לוח סיבית
fiberglass *n.* פיברגלאס, סיבי זכוכית
fi′brous *adj.* סיבי, כמו סיבים, ליפי
fib′u·la *n.* שוקית (מעצמות השוק)
fiche (fēsh) *n.* מיקרופיש
fick′le *adj.* קל-דעת, הפכפך
fic′tion *n.* סיפורת; פיקציה; מיבדה
fic′tionalize′ (-shənəl-) *v.* לבדות
ficti′tious (-tish′əs) *adj.* בדוי, פיקטיבי
fic′tive *adj.* פיקטיבי, בדוי
fid′dle *n.* כינור; *רמאות
- a face as long as a fiddle פנים עצובות
- be on the fiddle *לרמות, להוליך שולל
- fit as a fiddle בריא מאוד
- second fiddle כינור שני (למישהו)
fiddle *v.* לכנר, לנגן בכינור; להתבטל; לטפל בספרים, לזייף
- fiddle with לשחק ב-, להשתעשע ב-
fiddler *n.* כנר
fiddlestick *n.* קשת-הכינור
fiddlesticks *interj.* שטויות
fid′dling *adj.* חסר-ערך, זעיר
fid′dly *adj.* קשה, מורכב, מעייף
fidel′ity *n.* נאמנות; אמונים; דיוק
fidg′et *v.* להתנועע בעצבנות, לנוע בקוצר-רוח; לעצבן
fidget *n.* *נודניק, מעצבן
- get the fidgets להתעצבן
fidgety *adj.* עצבני
fidu′ciary (-dōō′shəri) *n.* נאמן, אפיטרופוס
fie (fī) *interj.* בושה וחרפה! פוי!
fief (fēf) *n.* אחוזה פיאודלית
field (fēld) *n.* שדה; מגרש; שטח, תחום; המשתתפים בתחרות
- hold the field לעמוד איתן
- in the field בשדה, באופן מעשי
- out of left field *באופן בלתי צפוי
- outside my field לא בתחום שלי
- play the field לצאת לפגישות עם חברים שונים
- take the field לצאת למלחמה
field *v.* להעלות למגרש; לקלוט כדור
field day יום ספורט; מאורע חשוב
- have a field day *לחגוג בגדול,
fielder *n.* קולט כדורים; שחקן שדה
field event מופע ספורט (לא מירוץ)
field glasses משקפת שדה
field gun תותח קל
field hospital בית-חולים שדה
field marshal פילדמארשל
field officer קצין בכיר; קצין שדה
field of vision שדה-ראייה
field sports ספורט שדה, ספורט חוץ
field test ניסיון בשדה (בשטח)
field work עבודת-שדה, בדיקה בשטח; ביצורים זמניים
fiend (fēnd) *n.* שטן, רשע; משוגע ל-
fiendish *adj.* שטני; *כביר, גאוני
fiendishly *adv.* *מאוד
fierce (firs) *adj.* אכזרי; זועף, פראי; עז, לוהט
fi′ery *adj.* לוהט, כמו אש; מתלקח
fies′ta *n.* חג, פסטיבל
fife *n.* חליל
fif·teen′ *adj.* חמש עשרה, 15
fifteenth *adj&n.* (החלק) החמישה עשר
fifth *adj&n.* החמישי; חמישית
- take the fifth לא לענות, לשתוק
fifth column גַיס חמישי
fifthly *adv.* חמישית, ה׳
fifth wheel גלגל חמישי, אדם מיותר
fif′tieth *adj&n.* (החלק) החמישים
fif′ty *n&adj.* חמישים, 50
- the fifties שנות החמישים
fifty-fifty *adv.* שווה בשווה
- go fifty-fifty with להתחלק שווה בשווה
fig *n.* תאנה; *תילבושת; מצב
- not care a fig לא איכפת כלל
- not worth a fig לא שווה כלום
fight *v.* להילחם, להילחם ב-, להיאבק
- fight back להשיב מלחמה שערה
- fight down לדכא, להתגבר על
- fight it out להכריע הריב בקרב
- fight off להדוף, להילחם ב-
- fight one's way לפלס דרכו
- fight shy of להתרחק, להתחמק
fight *n.* קרב, מלחמה; רוח-קרב
- put up a good fight להילחם באומץ
- show fight להפגין רוח-קרב
fighter *n.* לוחם; מטוס-קרב
fighting chance סיכוי כלשהו
fighting fit כשיר להיאבק, בשיא הכושר
fig leaf עלה תאנה
fig′ment *n.* המצאה (של הדימיון)
fig′u·rative *adj.* ציורי, סימלי, מושאל
fig′ure (-gyər) *n.* ספרה, מספר; מחיר; צורה, דמות; אדם, אישיות; גוף; תארית
- 4-figure בעל 4 ספרות
- a fine figure of a man איש נאה
- cut a good figure להרשים בהופעה
- figure of eight צורת 8
- figures חשבון, חישובים

figure *v.* להופיע (בספר, במחזה); להאמין, לחשוב, לתאר
- figure in לכלול, לקחת בחשבון
- figure on לסמוך על; לתכנן, לחשוב
- figure out לפענח, להבין אותו
figured *adj.* מקושט, מעוטר
figurehead *n.* בובה, מנהל חסר סמכות; פסלון (על חרטום אונייה)
figure of speech ניב ציורי
figure skating החלקה אמנותית
fig′u·rine′ (-rēn′) *n.* פסלון
Fi′ji (fē′jē) *n.* פיג'י
fil′ament *n.* תיל דק (בנורת חשמל)
fil′ature *n.* מטוואה, מטווייה
fil′bert *n.* אגוז
filch *v.* לגנוב
file *n.* פצירה, שופין
file *v.* לפצור, לשייף, ללטש, להשחיז
file *n.* תיק; תיקייה, כרטסת; קובץ
- on file רשום בתיק, מתויק
file *v.* לתייק; להגיש רשמית
- file a claim להגיש תביעה
file *n.* שורה עורפית
- in single file בשורה עורפית
file *v.* לצעוד בשורה עורפית
fil′ial *adj.* של בן, של בת
filial piety כיבוד אב ואם
fil′ia′tion *n.* יחסי בן-אב; קביעת אבהות
fil′ibus′ter *n.* פיליבסטר, נואם ארוכות (כדי לעכב חוק)
fil′igree′ *n.* פיליגרן, רקימה בחוטי זהב
filing cabinet תיקייה
filing clerk פקיד-תיוק
fi′lings *n-pl.* נישופת, גרודת
fill *v.* למלא; להתמלא; למלא תפקיד
- fill a tooth לסתום חור בשן
- fill him in on לעדכנו במידע נוסף על
- fill his shoes להיכנס לנעליו
- fill in למלא, לרשום; למלא מקום
- fill out להתעגל, להתנפח; למלא טופס
- fill the bill *לענות על הדרישות
- fill up למלא; להתמלא
fill *n.* מילוי
- have one's fill למלא כרסו
filler *n.* מילוי, חומר מילוי
filler cap מכסה מכל הדלק
fil′let *n.* סרט-שיער; פילה (בשר, דג)
fillet *v.* להוציא העצמות, לגרם
fill-in *n.* *ממלא מקום
filling *n.* מילוי, מלית; סתימה
filling station תחנת דלק
fil′lip *n.* מכת אצבע; עידוד, דחיפה
fil′ly *n.* סייחה, סוסה צעירה
film *n.* סרט; שכבה, קרום, דוק
film *v.* להסריט; להתאים להסרטה
- film over להיטשטש, להתכסות קרום
filmable *adj.* ראוי להסרטה
film premiere הצגת בכורה
film star כוכב קולנוע
film stock סרט חדש
film-strip *n.* סרט שקופיות
film test מיבחן בד
filmy *adj.* שקוף; מעורפל; מכוסה דוק
fil′ter *n.* מסנן, פילטר; רמזור
filter *v.* לסנן; להסתנן, לחדור; לווסת תנועה

filter tip פיית-סינון (בסיגריה)
filth *n.* לכלוך; טינופת; גסות
filthy *adj.* מלוכלך, מטונף; *מאוד
fil′trate′ *v&n.* לסנן; תסנין
fin *n.* סנפיר; דבר דמוי-סנפיר; *חמישה דולרים
fi′nable *adj.* צפוי לקנס
fina′gle *v.* *לתחמן, להונות
fi′nal *adj.* סופי, אחרון
final *n.* מהדורה אחרונה (של עיתון)
- finals משחקי גמר; בחינות גמר
finale (-näl′i) *n.* פינאלה, סיום
fi′nalist *n.* (בספורט) עולה לגמר
fi·nal′ity *n.* פסקנות, החלטיות
fi′nalize′ *v.* לגבש סופית, לסיים
fi′nally *adv.* לבסוף, אחת ולתמיד
fi′nance′ *v.* לממן
finance *n.* מימון
- Minister of Finance שר האוצר
- finances פיננסים, ממונות
fi·nan′cial *adj.* פיננסי, כספי
- financial statement דו"ח כספי
financial year שנת כספים
fin′ancier′ (-sir) *n.* ממונאי, מממן
financing *n.* מימון
find (fīnd) *v.* למצוא, לגלות; לספק, לצייד; להחליט, לפסוק
- all found בתוספת אש"ל
- be found להימצא, ישנו
- find for לפסוק לטובת
- find him in לספק לו, להמציא לו
- find one's feet לעמוד על רגליו
- find one's voice לפצות פיו
- find oneself לגלות את ייעודו
- find out לגלות, לחשוף
- you don't/won't find אין (בנמצא)
find *n.* מציאה
finder *n.* מוצא (אבידה); מגלה
- finders keepers *כל המוצא הרי זה שלו
fin de siecle (fan′dəsyek′əl) סוף המאה התשע עשרה
finding *n.* פסק-דין, הכרעת דין; מימצא
fine *n&v.* קנס; לקנוס
- fine down לצרוף; לזקק; להידוק
- in fine בקיצור, בסיכומו של דבר
fine *adj.* נאה, יפה; דק; עדין
- I'm fine אני מרגיש מצוין
- fine gold זהב טהור
- fine print אותיות זעירות
- fine state מצב מצוין (באירוניה)
- one fine day ביום בהיר אחד
fine *adv.* היטב, יפה; עד דק
fineable *adj.* צפוי לקנס
fine arts האמנויות היפות
finely *adv.* יפה; בעדינות; עד דק
fi′nery *n.* בגדי פאר; מחלצות
finesse′ *n.* עדינות, טאקט; תחבולה, עורמה, פיקחות
fine-tooth comb מסרק דק-שיניים
fine tuning תיאום עדין, כיוון עדין
fin′ger (-ngg-) *n.* אצבע
- burn one's fingers להיכוות ברותחין
- have a finger in every pie להיות מעורב בכל, לרקוד בכל החתונות
- his fingers are all thumbs בטלן
- keep one's fingers crossed להתפלל,

לקוות; להחזיק אצבעות
- lay one's finger on להצביע על
- lift a finger לנקוף אצבע
- not lay a finger on לא לגעת ב-
- not raise a finger לא לנקוף אצבע
- pull/get one's finger out לטפל בעניין ביתר מרץ
- put the finger on *להודיע למשטרה
- slip through one's fingers לחמוק בין אצבעותיו
- twist him round one's finger לסובבו על האצבע, לשלוט בו
- with one's finger on the pulse עם האצבע על הדופק
- work one's fingers to the bone לעבוד בפרך
finger *v.* למשש באצבעות; לנגן, לאצבע
fingerboard *n.* צוואר הגיטרה, שחיף
finger bowl קערית (לרחיצת אצבעות)
finger-mark *n.* סימן-אצבע, כתם
fingernail *n.* ציפורן
- hang on by one's fingernails להיאחז בציפורניים ב-
finger-post תמרור, מורה-דרך
fingerprint *n.* טביעת אצבעות
fingerstall *n.* כיסוי (לאצבע פצועה)
fingertip *n.* קצה האצבע
- cling on by one's fingertips להיאחז בציפורניים, להיצמד בכל מאודו ל-
- has it at his fingertips בקי בנושא; בהישג ידו
- to the fingertips בכל רמ"ח איבריו
fin'ical *adj.* איסטניס, עדין, קפדן
fin'icky *adj.* איסטניס, עדין, קפדן
fin'is *n.* סוף
fin'ish *v.* לגמור; להיגמר; לתגמר, לשפץ; לחסל
- finish off/up לחסל, לשים קץ ל-
finish *n.* סיום; תגמיר; גימור
- be in at the finish להיות בשלב הסיום
- fight to the finish מלחמה עד הסוף
finished *adj.* גמור, מושלם; מומחה
fi'nite *adj.* מוגבל, סופי
fink *n.* *מפר שביתה; מושתל, מלשין
Fin'land *n.* פינלנד
Finn *n.* פיני
fin'nan *n.* דג מעושן
Fin'nish *n.* פינית (שפה)
fiord (fyôrd) *n.* פיורד
fir *n.* אשוח, עץ אשוח
fire *n.* אש, שריפה; התלהבות
- ball of fire שד משחת, מוכשר
- between 2 fires באש צולבת, במיצר
- breathe fire לשפוך אש וגופרית
- catch/take fire להתלקח
- cease fire להפסיק הלחימה
- draw fire למשוך אש, לספוג ביקורת
- hang fire לפעול לאט מדי
- hold fire להימנע מלדבר
- lay a fire להכין אש
- light a fire under him *לדחוף אותו לפעולה
- make up a fire להוסיף עצים למדורה
- on fire בוער, בלהבות
- open fire לפתוח באש
- play with fire לשחק באש

- running fire מטר אש/שאלות
- set fire to להדליק, להצית
- set on fire להעלות באש, להצית
- set the world on fire לעשות משהו רציני, להרשים
- under fire באש, תחת אש
- with fire in the belly *בהתלהבות
fire *v.* לירות; להבעיר; לשרוף; לשלהב; *לפטר
- fire away לירות בלי הרף
- fire away! בבקשה! קדימה!
- fire up להתלקח
- oil-fired (תנור) פועל על נפט
fire alarm פעמון אזעקה, מזעק
firearm *n.* נשק, רובה, אקדח
fireball *n.* כדור-אש; *שד משחת
firebomb *n.* פצצת תבערה
firebox *n.* תא האש
firebrand *n.* אוד; מחרחר, מסית
firebreak *n.* מונע אש, רצועת אדמה
קירחת; קיר חסין-אש
firebrick *n.* לבינה חסינת-אש
fire brigade מכבי אש
fire-bug *n.* מצית (בזדון)
fire control בקרת-אש
fire-cracker *n.* פצצת-רעש
firedamp *n.* גאז מכרות
firedog *n.* משען העצים (באח)
fire drill תרגול שריפה
fire-eater *n.* רגזן, שש לריב
fire engine מכונית כיבוי-אש
fire escape מדרגות-חירום/מילוט
fire extinguisher מטפה
fire fighter כבאי
firefly *n.* גחלילית
fireguard *n.* מעקה האח
fire-hose *n.* זרנוק
fire hydrant ברז כיבוי אש
fire irons כלי האח
firelight *n.* אור האח
fire lighter חומר הצתה
fireman *n.* כבאי
fireplace *n.* אח
firepower *n.* עוצמת האש
fireproof *adj.* חסין אש
fire-raising *n.* הצתה (בזדון)
fireside *n.* קרבת האח; חיי משפחה
fire station תחנת כיבוי אש
firetrap *n.* מלכודת אש
fire-walking *n.* הליכה על גחלים
fire-water *n.* *משקאות חריפים
firewood *n.* עצי-הסקה
firework *n.* זיקוקין-די-נור
- fireworks התפרצות, אש וגופרית
firing line קו-אש
firing squad כיתת יורים
fir'kin *n.* חביונת, חבית קטנה
firm *adj&adv.* חזק, איתן, יציב; קשה, מוצק; תקיף
- firm ground בסיס איתן
- hold firm לעמוד איתן
firm *v.* למצק, להקריש, לייצב
firm *n.* חברה, עסק מסחרי, פירמה
fir'mament *n.* שמים, רקיע
first *adv.* תחילה, קודם-כל; לראשונה
- come in first להגיע ראשון

- first and foremost בראש ובראשונה
- first of all קודם-כל
- first off *ראשית כל
first *adj&pron.* ראשון, עיקרי
- at first בתחילה
- at first sight ממבט ראשון
- first and last בסך הכל, בכללותו
- first come, first served הבא ראשון, מקבל ראשון
- first instance ערכאה ראשונה
- first things first סדר עדיפויות נכון
- from first to last מא' עד ת'
- from the first מהרגע הראשון
- in the first place קודם כל, קודם
first *n.* מצויין (ציון)
- firsts מיצרכים מאיכות משובחת
first aid עזרה ראשונה
firstborn *n.* בכור
first-class *adj.* מעולה, משובח
first class מחלקה ראשונה
first-degree *adj.* בדרגה ראשונה
first floor קומת קרקע
first-fruits ביכורים, פירות ראשונים
first-hand *adv.* ממקור ראשון
first lady הגברת הראשונה
first lieutenant סגן (דרגה)
first light אור ראשון, בוקר
firstly *adv.* ראשית, א'
first name שם פרטי
first night הצגת בכורה
first offender עבריין תם (לראשונה)
first person גוף ראשון, מדבר
first-rate *adj.* מעולה, מצוין
first-run *adj.* חדש, מוצג לראשונה
first-string *adj.* בהרכב הראשון; מצויין
fis'cal *adj.* פיסקלי, כספי
fish *n.* דג, דגים
- a big fish *דג שמן, אישיות חשובה
- big fish in a small pond ראש לשועלים, גדול בין קטנים
- cold fish *טיפוס מוזר, לא מעורה
- drink like a fish להתמכר לשתייה
- has other fish to fry יש לו דברים יותר דחופים
- neither fish nor fowl לא זה ולא זה, דבר מוזר, ברייה משונה
- pretty kettle of fish *עסק ביש
- small fish in a big pond זנב לאריות, קטן בין גדולים
fish *v.* לדוג; לנסות להשיג, לחפש
- fish in troubled waters לדוג במים עכורים
- fish or cut bait להחליט לכאן או לכאן
- fish out/up למשות, לשלוף, להוציא
fishball, fishcake *n.* קציצה
fish'erman *n.* דייג
fish'ery *n.* דַיִג, איזור דיג
fish fry פיקניק דגים
fish-hook *n.* קרס החכה
fishing *n.* דַיִג
fishing-line *n.* חוט-החכה
fishing-rod *n.* קנה-החכה
fishing tackle ציוד דיג
fish knife סכין דגים
fishmonger (-mung-) *n.* מוכר דגים
fishnet stockings גרבי רשת

fish slice סכין דגים, כף טיגון
fish story *גוזמה, בדותה
fishwife *n.* מוכרת דגים
fishy *adj.* של דגים; מפוקפק, חשוד
fis'sile (-səl) *adj.* סדיק, בקיע
fis'sion *n.* ביקוע; התפלגות
fissionable *adj.* ניתן לביקוע, בקיע
fissip'arous *adj.* מתפלג
fis'sure (fish'ər) *n.* סדק, בקיע; חרץ
fist *n.* אגרוף
fis'ticuffs' *n-pl.* התאגרפות
fis'tula (-'ch-) *n.* פיסטולה, פצע, בתר
fit *adj.* ראוי, מתאים, הולם, יאה; בריא, בכושר טוב
- fit to drop עומד ליפול
- keep fit לשמור על הכושר
- think/see fit to למצוא לנכון
fit *n.* התקף, התפרצות; שבץ; מצב-רוח
- give him fits להרגיזו, לזעזעו
- have a fit להזדעזע; להתפרץ
- in fits and starts לא בקביעות
fit *n.* מידת ההתאמה
- a tight fit צר מדי
fit *v.* להתאים; להתקין, להכשיר
- fit in להתאים, להלום; לתאם
- fit out לצייד, לספק כל הנחוץ
- fit up לצייד, להכשיר
- have it fitted להתקין זאת
fitful *adj.* לא סדיר, הפכפך
fit'ment *n.* מיתקן, רהיט קבוע, קבועה
fitness *n.* התאמה, הלימות; כושר
fitted *adj.* מצוייד; קבוע
fit'ter *n.* מסגר; חייט, מתקן בגדים
fitting *adj.* מתאים, ראוי, יאה
fitting *n.* מדידת בגד; ציוד, ריהוט; מיתקנים
five *adj&n.* חמש, 5
fivefold *adj.* פי חמישה
fi'ver *n.* *5 דולרים, חמישייה
fix *v.* לקבוע; לסדר, לתקן; להכין; לייצב; *לשחד, לקבוע תוצאה מראש
- I'll fix him *אטפל בו, אסדר אותו
- fix breakfast להכין ארוחת בוקר
- fix him up לארגן לו (לינה)
- fix his attention לרתק תשומת ליבו
- fix on להחליט על; לנעוץ מבט ב-
- fix up לתקן
fix *n.* מצב ביש, סבך; איתור, מיקום; *זריקת סמים
- no quick fix for *אין פיתרון פשוט ל-
fixa'tion *n.* קיבעון, היצמדות; ייצוב, מיקבע; קיבוע, פיקסציה
fix'ative *n.* מייצב, קובע, מחזיק
fixed *adj.* קבוע, יציב; נקבע מראש
- fixed assets נכסים קבועים
- fixed income הכנסה קבועה
fixed idea אידיאה פיקס, שיגיון
fixedly *adv.* בלא לגרוע עין מ-
fixed star כוכב שבת
fixings *n-pl.* תוספות, אבזורים, קישוטים
fix'ity *n.* יציבות, קביעות
fix'ture *n.* קבועה, מיתקן, אביזר קבוע; מופע ספורט; מועד התחרות
fizz *v.* לתסוס, להשמיע קול תסיסה
fizz *n.* קול תסיסה; *שמפניה

fiz′zle *v.* להשמיע קול תסיסה
- fizzle out לעלות בתוהו, להיכשל
fiz′zy *n.* תוסס
fjord (fyôrd) *n.* פיורד
flab *n.* שומן, מפלי בשר
flab′bergast′ *v.* להדהים
flab′by *adj.* חלש, רפוי; רך, רפה
flac′cid *adj.* רך, רפה
flac·cid′ity *n.* רכות, ריפיון
flag *n.* דגל; אבן-ריצוף; איריס
- a red flag before a bull סדין אדום מול פר, מרגיז
- show the white flag להיכנע
- strike one's flag להיכנע
flag *v.* לקשט בדגלים, להדגיל; לרצף
- flag down לאותת (למכונית) לעצור
flag *v.* להיחלש, לדעוך, לקמול
flag day יום ההתרמה
flag′ellant *n.* מלקה; סופג מלקות
flag′ellate′ *v.* להלקות
flag′ella′tion *n.* הלקאה, מלקות
flag′eolet′ (-jəl-) *n.* חליל קטן
flagi′tious (-jish′əs) *adj.* אכזרי
flag′on *n.* בקבוק (גדול); כד
flagpole *n.* מוט הדגל
- run it up the flagpole להציע זאת לציבור, למשש את הדופק
fla′grancy *n.* שערוריה, חרפה
fla′grant *adj.* מביש, חסר-בושה
flagship *n.* אוניית הדגל
flagstaff *n.* מוט הדגל
flagstone *n.* אבן ריצוף, מרצפת, אריח
flag-waving *n.* נפנוף בדגל, גל התלהבות לאומנית
flail *n.* כלי-דישה (לתבואה), מחבטה
flail *v.* לחבוט, להכות, לדוש
flair *n.* חוש טבעי, כישרון
flak *n.* אש נגד-מטוסים; ביקורת
flake *n.* פתית, רסיס, שבב
flake *v.* להתקלף, לנשור בפתיתים
- flake out *להתמוטט, להתעלף
flak jacket אפוד מגן, שכפ"ץ
fla′ky *adj.* עשוי עלים-עלים, קשקשי
flaky pastry בצק עלים
flambe (flăm′bā) *v.* להגיש (מזון) בלהבה
flam′beau (-bō) *n.* לפיד
flam·boy′ance *n.* צעקנות
flam·boy′ant *adj.* צעקני, מצועצע
flame *n.* להבה, אש; זוהר
- burst into flames להתלקח
- go up in flames לעלות בלהבות
- old flame אהובה בעבר
- shoot down in flames *לבקר קשות
flame *v.* לבעור, להבהיק
- flame up/out להתפרץ; להתלקח
flamen′co *n.* פלמנקו (ריקוד)
flame-thrower *n.* להביור
flaming *adj.* בוער; * (טיפש) גמור
flamin′go *n.* פלמינגו, שקיטן
flam′mable *adj.* מתלקח
flan *n.* עוגת גבינה, עוגת פירות
flange *n.* אוגן (של גלגל)
flank *n.* אגף, צד, יציע; כסל
flank *v.* לאגף, להקיף מצד האגף
flan′nel *n.* פלנל; מטלית; *שטויות
- flannels מכנסי ספורט
flan′nelette′ *n.* פלנלית
flap *n.* חבטה, סטירה; דש, כנף, לשון המעטפה, שפה
- get in a flap *להתרגש
flap *v.* להכות, לנפנף; להתנפנף, לעוף; *להתרגש
flap′jack′ *n.* עוגיה שטוחה, לביבה
flapper *n.* מחבט-זבובים; סנפיר
flare *v.* לבעור, להבהיק
- flare up להתלקח
flare *n.* להבה, אור מבהיק
flare *n.* התרחבות הדרגתית
flare *v.* להתרחב כלפי מטה
flared skirt חצאית מתרחבת
flare path מסלול מואר
flare-up *n.* התלקחות
flash *n.* נצנוץ, רשף, הבזק, חזיז; מברק; מבזק, פלאש (במצלמה); תג, סמל
- flash in the pan דבר חולף
- in a flash כהרף עין
flash *v.* להבהב, לנצנץ; לחלוף, לנוע; להבריק מברק; לזרוק, לשלוח
flash *adj.* *מרשים, צעקני
flashback *n.* הבזק לאחור, פלאשבק
flashbulb *n.* נורת פלאש
flashcube *n.* קובית פלאש
flasher *n.* מאותת; פנס איתות; *חושף אברי מינו
flashgun *n.* פנס פלאש
flashlight *n.* פנס; אור-איתות
flash point נקודת ההתלקחות
flash′y *adj.* צעקני, מרשים
flask *n.* בקבוק, בקבוקון; תרמוס
flat *adj.* שטוח, חלק, שרוע; תפל, שטחי; מוחלט, מפורש
- B flat סי במול, סי נחת
- fall flat להיכשל
- flat battery סוללה ריקה
- flat refusal סירוב מוחלט
- flat tyre צמיג חסר-אוויר
- lay flat להרוס, להחריב
- that's flat! *וזהו זהו! נקודה!
flat *adv.* בהחלט, גלויות
- flat broke חסר פרוטה
- flat out במהירות, במלוא הקיטור; גלויות; *סחוט, הרוג
- sing flat לזייף (בחצי טון)
flat *n.* דירה; מישטח; צד שטוח; צמיג מנוקר; תפאורה זחיחה; נחת, במול
flat-car *n.* קרון-רכבת שטוח
flatfish *n.* דגים שטוחים
flatfoot *n.* *שוטר
flat-footed *adj.* שטוח-רגל; *מוחלט, פסקני; לא מוכן, לא ערוך
flat-iron *n.* מגהץ
flat′let *n.* דירה קטנה
flatly *adv.* בהחלט, החלטית
flat racing מירוץ על מישור
flat rate מחיר אחיד (ללא תוספת)
flat spin סיחרור (של מטוס נופל); מבוכה, בלבול
flat′ten *v.* לשטח; ליישר; לפחוס; להיפחס
flat′ter *v.* להחניף, להחמיא
- flatter oneself להשלות את עצמו

flatterer *n.* חנפן

flat'tery *n.* חנופה, מחמאה

flattop *n.* *נושאת מטוסים

flat'ulence (-ch'-) *n.* גזים בבטן

flaunt *v.* לנפנף, להציג לראווה

flau'tist *n.* חלילן

fla'vor *n.* טעם, טעם מיוחד, ריח

flavor *v.* לתבל, לתת טעם ל-, לבסם

flavoring *n.* תבלין

flaw *v&n.* לפגום; סדק; פגם, ליקוי

flawless *adj.* מושלם, ללא פגם

flax *n.* פישתן, פישתה

flax'en *adj.* פישתני, זהוב, בהיר

flay *v.* לפשוט העור מ-, להצליף ב-

flea *n.* פרעוש

- a flea in his ear חפוי-ראש, נזוף

fleabag *n.* *לכלוך; מלון זול

flea-bite *n.* אי-נוחיות קלה

flea market שוק פשפשים

fleapit *n.* *מקום בידור מטונף

fleck *n.* כתם; גרגיר זעיר

fleck *v.* לכסות בכתמים, להכתים

fled = p of flee

fledge *v.* להצמיח נוצות

fledged *adj.* מנוצה, מסוגל לעוף

- fully-fledged מנוסה, מיומן

fledg'ling *n.* אפרוח, טירון

flee *v.* לברוח, להימלט מ-

fleece *n.* צמר, גיזה

fleece *v.* לעשוק, לגזול

fleecy *adj.* צימרי, דומה לצמר

fleer *v.* לצחוק, ללעוג

fleet *n.* צי; צי-מלחמה, ימייה

fleet *adj.* מהיר

fleeting *adj.* חולף, קצר

Fleet Street העיתונות הבריטית

flesh *n.* בשר; ציפה

- flesh and blood בשר ודם, שאר-בשר

- go the way of all flesh למות

- in the flesh בחיים, במציאות

- one's pound of flesh ליטרת הבשר שלו

- the flesh תשוקות הגוף

flesh *v.* להסיר בשר (מעור)

- flesh out להשמין; להוסיף, להגדיל, למלא, להאריך

fleshing *n.* לבוש הדוק, בגד-גוף

flesh'ly *adj.* גופני, חושני

fleshpot *n.* סיר הבשר, מקום שפע

flesh wound פצע חיצוני (בבשר)

fleshy *adj.* בשרי, שמן

fleur-de-lis (flûr'dəlē') *n.* אירוס, חבצלת

flew = pt of fly (flōō)

flex *n.* חוט חשמל, תיל חשמלי

flex *v.* לכופף, לעקם, להניע

- flex one's muscles להפגין כוחו

flex'ibil'ity *n.* גמישות

flex'ible *adj.* גמיש

flex'time' *n.* שעות עבודה גמישות

flib'bertigib'bet *n.* קשקשן

flick *n.* מכה קלה, הצלפה, פליק

- flicks *סרט, קולנוע

flick *v.* להצליף, לתת מכה קלה; להניע בתנועה מהירה

- flick away לסלק בנגיעה קלה

- flick through לדפדף; לרפרף

flick'er *v.* להבהב, להבליח; לעפעף

flicker *n.* הבהוב, זיק (תקווה)

flick knife סכין קפיצית

fli'er *n.* טייס; *עלון פרסומת

flight *n.* בריחה, מנוסה; טיסה, תעופה; התעלות; להקה; גף; מערכת מדרגות

- flight of imagination הפלגת הדימיון

- flight of time חלוף הזמן

- in the first flight צועד בראש

- put to flight להניס

- take to flight לנוס

flight attendant דיילת

flight deck סיפון המראה; תא הטייס

flightless *adj.* שאינו יכול לעוף

flight lieutenant סרן (בח"א)

flight sergeant סמל (בח"א)

flighty *adj.* קל-דעת

flim'flam' *n.* *רמאות; שטויות

flim'sy (-zi) *n.* נייר דק

flimsy *adj.* דק, שביר; חלש; קלוש

flinch *v.* להירתע, לגלות פחד

fling *v.* להטיל, להשליך; לזנק

- fling in his face להטיח בפניו

- fling into prison להשליך לכלא

- fling off לברוח, לחמוק מ-

- fling one's clothes on להתלבש בחיפזון

- fling open לפתוח בתנופה

- fling out of לצאת בזעם מ-

fling *n.* הטלה, השלכה

- have a fling at לנסות כוחו ב-

- have one's fling "לעשות חיים"

flint *n.* צור, חלמיש, אבן-אש

flinty *adj.* קשה כאבן, חלמישי

flip *v.* להעיף, להטיל (מטבע); *להשתגע

- flip one's lid *לצאת מדעתו

- flip through לרפרף, לעיין ברפרוף

flip *n.* מכה קלה; העפה; מזג יין וביצה

flip-flop *n.* תפנית, שינוי מקום

flip-flops *n-pl.* סנדלי-אצבע

flip'pancy *n.* קלות דעת, זלזול

flip'pant *adj.* קל דעת, מזלזל

flip'per *n.* סנפיר

flipping *adj.* *ארור, מזופת, לעזאזל

flip side *הצד השני (של תקליט)

flirt *v.* להתעסק (עם בחורה), לפלרטט

- flirt with the idea להשתעשע ברעיון

flirt *n.* מתעסקת, מפלרטטת

flir·ta'tion *n.* פלירט, רומן קצר

flir·ta'tous (-shəs) *adj.* מפלרטטת

flit *v&n.* להתעופף, לעוף

- do a flit *לעבור דירה בחשאי

flitch *n.* ירך-חזיר מעושנת

fliv'ver *n.* מכונית קטנה וזולה

float *n.* מצוף, מכל-אוויר (להחזקת מטוס על המים); קרון-תצוגה; כסף

float *v.* לצוף; להשיט; לרחף; לייסד חברה; להציף שער-מטבע; לנייד

floata'tion *n.* מימון עסק מסחרי

floater *n.* צף, קול צף, מחליף עבודות, *שגיאה

floating *adj.* צף; לא-קבוע, נע ונד

floating bridge גשר סירות

floating dock מבדוק צף

floating lien שיעבוד צף

floating vote קולות צפים

flock *n.* עדר, להקה; צאן מרעית

- flocks and herds צאן ובקר
flock *v.* להתקהל, להתקבץ; לנהור
flock *n.* צמר, שיער (למילוי כרים)
floe (flō) *n.* גוש קרח צף
flog *v.* להלקות; *למכור
- flog a dead horse ברכה לבטלה
- flog it to death לחזור על כך עד לזרא
flogging *n.* הלקאה
flood (flud) *n.* מבול, שיטפון
- in flood עובר על גדותיו
flood *v.* להציף; לעבור על גדותיו
- be flooded out לנוס משיטפונות
- flood in לזרום פנימה
flood gate סכר
floodlight *n.* תאורת זרקורים
floodlight *v.* להאיר בזרקורים
flood tide גיאות
floor (flôr) *n.* רצפה; קומה; קרקע; אולם; מישטח
- fall through the floor לצנוח (מחירים)
- take the floor לנאום בדיון; להתחיל לרקוד
- wipe/mop the floor with להביס, להכות
floor *v.* לרצף; להפיל, להביס; להביך
floorboard *n.* לוח-ריצוף
floor cloth סמרטוט רצפה, סחבה
flooring *n.* חומר-ריצוף
floor show מופעי בידור (במועדון)
floor-walker *n.* פקח (בחנות)
floo′zy *n.* *פרוצה
flop *v.* לפרפר, לנוע כגולם; *להיכשל
- flop down ליפול/להפיל בחבטה
flop *n&adv.* חבטה; *כישלון חרוץ
- fall flop ליפול בקול חבטה
flop′py *adj.* תלוי בריפיון, רפוי
floppy disk דיסקט, תקליטון
flo′ra *n.* פלורה, צמחייה
flo′ral *adj.* פרחוני, של פרחים
Flor′ence *n.* פירנצה
flo•res′cence *n.* פריחה
flo′ricul′ture *n.* גידול פרחים
flor′id *adj.* נמלץ, מליצי; אדום, סמוק
flor′in *n.* פלורין (מטבע)
flor′ist *n.* בעל חנות פרחים
floss (flôs) *n.* משי גס; חוט דנטלי
floss *v.* לנקות בחוט דנטלי
flo•ta′tion *n.* גיוס כסף, מימון חברה
flo•til′la *n.* שייטת משחתות
flot′sam *n.* שרידי אונייה טרופה
flotsam and jetsam חפצים זרוקים; מסכנים, נעים ונדים
flounce *v.* לנוע בעצבנות
- flounce out of לצאת בכעס מ-
flounce *n.* נפנפת, אימרה, פס-נוי
flounce *v.* לקשט (שימלה) בנפנפת
floun′der *v.* לפרפר, להתחבט, לנוע בכבדות; לגמגם, להתבלבל
flounder *n.* דג שטוח קטן
flour *n&v.* קמח; לבזוק קמח, לקמח
flour′ish (flûr′-) *v.* לנפנף; לנופף; לפרוח, לשגשג, להצליח
flourish *n.* תנועת-ראווה; סלסול; תרועת חצוצרות
flour′y *adj.* קימחי, אבקי
flout *v.* לזלזל ב-, להתייחס בבוז

flow (flō) *v.* לזרום, לגלוש, לתלות ברפיון; לגאות; לנבוע מ-
flow *n.* זרם, זרימה; גיאות
- go with the flow לשחות עם הזרם
flowchart *n.* תרשים זרימה
flow′er *n&v.* פרח; מיטב, פאר; לפרוח
- flowers of speech מליצות
- in flower פורח, בפריחה
flowerbed *n.* ערוגת פרחים
flowered *adj.* פרחוני
flower garden גינת פרחים
flower girl מוכרת פרחים; נערת פרחים (בחתונה)
flowering *n.* פריחה
flowerless *adj.* חסר-פרחים
flowerpot *n.* עציץ
flowery *adj.* מלא פרחים, פירחוני; גדוש מליצות
flown = pp of fly (flōn)
flu (flo͞o) *n.* *שפעת
flub *v&n.* *לפשל, לקלקל; פשלה, עבודה גרועה
fluc′tuate′ (-′cho͞oāt) *v.* להתנדנד, לעלות ולרדת חליפות
fluc′tua′tion (-′cho͞oā′-) *n.* תנודה
flue (flo͞o) *n.* ארובה
flu′ency *n.* שטף-הדיבור, רהיטות
flu′ent *adj.* רהוט, מדבר בשטף
fluff *n.* מוך, פלומה; *פיספוס, טעות
fluff *v.* לנפה (שיער, כר); *לפספס
fluffy *adj.* מוכי, פלומי
flu′id *adj.* נוזלי, גמיש, משתנה
fluid *n.* נוזל, גאז
flu•id′ity (flo͞oid′-) *n.* נזילות
fluke *n.* כף העוגן; אונת הזנב; קרס הצלצל; טפיל; תולעת
fluke *n.* מזל, הצלחה מקרית
flu′ky *adj.* של מזל, מיקרי
flume *n.* תעלה מלאכותית
flum′mery *n.* מליצות נבובות
flum′mox *v.* *לבלבל, להביך
flung = p of fling
flunk *v.* להיכשל/לפסול בבחינה
- flunk out *"לעוף" מבית-ספר
flun′key *n.* משרת, מתרפס
flu′ores′cent lamp נורת ניאון
flu′oridate′ *v.* להוסיף פלואור
flu′oride′ *n.* פלואוריד
flur′ry (flûr′i) *n.* התרגשות, מתח; סופה
flurry *v.* לבלבל, לעצבן, להרגיז
flush *v.* להתרומם, לעוף, להסתלק
- flush out להבריח ממחבוא; לחשוף
flush *adj.* שטוח, לא בולט; עשיר, שופע
- flush with money גדוש בכסף
flush *n.* זרם מים; שטיפה; הסמקה; התלהבות; פריחה; רצף קלפים
- the first flush עת הפריחה
flush *v.* להסמיק, להאדים; לשלהב; לזרום בשטף; לשטוף (האסלה)
- flush it *להיכשל
- flushed with success שיכור הצלחה
flus′ter *v.* לבלבל, להביך
fluster *n.* בלבול, מבוכה
flute *n&v.* חליל; לחרץ, לקשט בחריצים
flu′ting *n.* חריצים, חריצי-קישוט

flu'tist *n.* חלילן
flut'ter *v.* לנפנף; לנופף; להתנופף; לדפוק (לב), להלום; להתרוצץ
flutter *n.* נפנוף; התרגשות; תנודה, תקלה; רעד; *הימור
flu'vial *adj.* של נהרות
flux *n.* זרימה; זרם; חומר ריתוך
- in a state of flux בשינוי מתמיד
fly *n.* זבוב; פתיון דמוי-חרק
- fly in the ointment קוץ באליה
- on the fly עסוק, מתרוצץ; בנסיעה
- there are no flies on him אינו טיפש
fly *v.* לעוף, לטוס; להטיס; להתעופף; לרוץ, לברוח; לחלוף; לחצות
- fly a flag להניף דגל
- fly a kite להעיף עפיפון; למשש הדופק
- fly at לזנק בזעם לעבר-, להתנפל על
- fly high לשאוף לגדולות
- fly in the face of; להמרות פי-; להתריס; לסתור, להיות נוגד ל-
- fly into a rage להתלקח, להתקצף
- fly open להיפתח בתנופה
- let fly להתקיפו קשות; לירות
- make the feathers/fur fly להקים שערוריה, לצעוק, להתנפל על
- make the money fly לבזבז כסף
- the bird is flown והילד איננו
fly *n.* יריעת-הפתח (באוהל); קצה יריעת הדגל; דש ה"חנות"
- flies דש ה"חנות" במכנסיים
fly *adj.* *ערמומי, עירני; נאה
flyaway *adj.* מתנפנף, מרפרף
fly-blown *adj.* מטונף, מכיל ביצי זבוב
flyby *n.* מיפגן אווירי
fly-by-night *n.* בורח באישון לילה (מחובות); שאין לסמוך עליו
flyer *n.* טייס; עלון פרסומת; שאפתן
fly-fish *v.* לדוג בפתיוני-זבוב
flying *adj.* מעופף; קצר, חטוף
- a flying visit ביקור חטוף
- flying high *ברקיע השביעי, מאושר
- send him flying להעיף אותו במכה
flying *n.* טיסה, תעופה
flying boat מטוס-ים
flying bomb טיל
flying buttress מיתמך משופע
flying colors דגלים מתנופפים
- come off with flying colors להצליח
flying fish דג מעופף
flying officer סגן (בח"א)
flying saucer צלחת מעופפת
flying squad ניידת-משטרה
flying start זינוק טוב
flyleaf *n.* דף ריק (בקצה הספר)
flyover *n.* מפגן אווירי; גשר עילי
fly paper נייר דביק (לוכד זבובים)
flypast *n.* מפגן אווירי
flyswatter *n.* מחבט זבובים
flyweight *n.* משקל זבוב
flywheel *n.* גלגל תנופה
FM = frequency modulation
foal *n.* סייח, סייחה
- with/in foal מעוברת
foal *v.* (לגבי סוסה) להמליט
foam *n.* קצף; גומי-ריפוד, ספוג
foam *v.* להעלות קצף, לקצוף
- foam at the mouth להתקצף
foam rubber גומי-ריפוד, ספוג
fob *n.* כיס-שעון, כיסון
fob *v.* להתעלם מ-; להונות, לתחוב
- fob off לנפנף הצידה; להוליך שולל
fob = free on board פר"ב
fo'cal *adj.* של מוקד, של פוקוס, מוקדי
focal point נקודת המוקד
fo'c'sle = forecastle
fo'cus *n.* מוקד, פוקוס, מרכז
focus *v.* למקד; למרכז; להתמקד
fod'der *n.* מספוא, חציר, מזון
foe (fō) *n.* אויב
foetus = fetus *n.* עוּבָּר, שליל
fog (fôg) *n.* עֲרָפֶל; כתם (בסרט)
- in a fog במבוכה, מבולבל
fog *v.* לכסות בערפל, לערפל, לטשטש
fogbank *n.* ערפל כבד (על הים)
fogbound *adj.* מעוכב בערפל
fo'gey, fo'gy (-gi) *n.* מאובן-דיעות
foggy *adj.* מעורפל
- I haven't the foggiest *לא יודע
foghorn *n.* צופר-ערפל
foglamp *n.* פנס-ערפל (במכונית)
foi'ble *n.* חולשה, נקודת תורפה; שיגיון
foil *v.* לסכל, להפר
foil *n.* סַיִף; ריקוע, נייר אלומיניום; ניגוד, קונטרסט
foist *v.* להוליך שולל, לתחוב
fold (fōld) *v.* לקפל; להתקפל; לעטוף; לערבב, לבחוש
- fold one's arms לשלב ידיו
- fold up להתמוטט, להיכשל, להתקפל
fold *n.* קמט, קיפול; גיא, קפל קרקע
fold *n.* דיר, מכלאה; קהל מאמינים, צאן מרעית
- return to the fold לשוב לביתו
-fold (סופית) פי-
- threefold פי שלושה
foldaway *adj.* מתקפל, שאפשר לקפלו
fold'er (fōld'-) *n.* עוטפן, תיק; עלון
folding money *שטרות כסף
fo'liage (-liij) *n.* עלווה
fo'lio' *n.* פוליו, גיליון; ספר בגודל פוליו; דף
folk (fōk) *n.* אנשים; עם
- folks משפחה, הורים, "חברה"
folk *adj.* עממי, שבטי
folk dance ריקוד-עם
folk'lore' (fōk'lôr) *n.* פולקלור, ידע-עם
folk songs שירי עם
folksy (fōk'si) *adj.* *עממי, פשוט
folktale *n.* אגדת-עם
folkways *n.* דפוסי התנהגות (של ציבור)
fol'low (-ō) *v.* ללכת אחרי, לבוא אחריו; להמשיך בכיוון-; לעקוב; לפעול לפי; לנבוע (מסקנה), לעסוק במקצוע
- I didn't follow לא הבנתי
- as follows כדלהלן, כדלקמן
- follow on להמשיך, לבוא (אחרי הפסקה); לנבוע מ-
- follow out להמשיך עד תום
- follow suit לעשות כמוהו, להחרות-להחזיק אחריו
- follow the law לעסוק בפרקליטות
- follow through להמשיך עד הסוף

- follow up לפעול הלאה; לעקוב; לגלות
- it follows מכאן ש-, זאת אומרת
- to follow אחרי כן, המנה הבאה

follower *n.* חסיד, מעריץ
following *adj.* הבא, דלקמן
- on the following day למחרת

following *n.* קהל מעריצים, תומכים
follow-up *n.* פעולת-המשך; מעקב
fol'ly *n.* שטות, טיפשות
fo·ment' *v.* לטפח (איבה); לחרחר; לחבוש, לשים רטייה חמה
fo'men·ta'tion *n.* הסתה; תחבושת
fond *adj.* אוהב, מחבב; מפריז באהבתו
- be fond of לאהוב
- fond hope/belief אשליה

fon'dant *n.* יצקת (ממתק), פונדן
fon'dle *v.* ללטף
fondly *adv.* באהבה; מתוך אשלייה
font *n.* אגן, קובעת, כלי למי טבילה; אותיות דפוס מסוג אחד, גופן, פונט; מקור
- font of wisdom מעיין החוכמה

food (fōōd) *n.* מזון, מאכל
- food for thought חומר למחשבה

food'ie (fōōd'i) *n.* *אנין טעם, ראשו ורובו באוכל
food poisoning הרעלת קיבה
food processor מעבד מזון
food-stuff מצרכי מזון
food value ערך תזונתי
fool (fōōl) *n.* טיפש; ליצן
- All Fools' Day האחד באפריל
- a fool's errand ברכה לבטלה
- fool's mate מט סנדלרים
- fool's paradise גן-עדן של שוטים
- make a fool of לרמות, לשטות ב-
- nobody's fool קשה לסדר אותו
- play the fool להשתטות

fool *v.* לשטות, לרמות; להשתטות
- fool around/about להתבטל
- fool away לבזבז
- fool with להשתעשע ב-, לשחק ב-

fool'ery (fōōl'-) *n.* שטות, טיפשות
foolhardy *adj.* נמהר, פזיז, נועז
foolish *adj.* טיפשי, שטותי
foolproof *adj.* פשוט מאוד, חייב להצליח, חסין-תקלות
foolscap *n.* גיליון (16 על 13 אינטש)
foot *n.* רגל, כף הרגל; תחתית; צעד; פוט
- at one's feet לרגליו, נתון לחסדיו
- cold feet עצבנות, פיק ברכיים
- fall on one's feet להיחלץ בשלום, לנחות על רגליו
- feet of clay חולשה, פגם סמוי
- find one's feet לעמוד על רגליו; למצוא את ידיו ורגליו
- get a foot in להשיג דריסת רגל
- get off on the wrong foot להתחיל ברגל שמאל
- get one's feet under the table *להתמקם היטב במקום
- get one's feet wet להתחיל
- get one's foot in the door לעשות צעד ראשון
- get to one's feet לעמוד, לקום
- has his feet on the ground מציאותי, עיניו בראשו
- keep one's feet לעמוד על רגליו
- my foot! שטויות!
- on foot בהכנה, בפעולה; ברגל
- on one's feet עומד על רגליו
- put one's best foot forward להתקדם מהר, להתאמץ מאוד, להשתדל
- put one's feet up *לנוח
- put one's foot down להיות תקיף
- put one's foot in it לשגות גסות
- set foot ללכת, לצעוד
- sweep him off his feet להלהיבו
- under one's feet מסתובב בין הרגליים, מפריע
- vote with one's feet להצביע ברגליים, להסתלק

foot *v.* להתקין סוליה
- foot it *ללכת ברגל
- foot the bill *לשלם את החשבון

foot'age *n.* מידה (ברגליים); סרט
foot-and-mouth disease מחלת הפה והטלפיים
football *n.* כדורגל; רגבי
football pools טוטו כדורגל
foot-bath *n.* אמבט-רגליים
footboard *n.* משען-רגל (לנהג)
footbridge *n.* גשר להולכי רגל
footed *adj.* בעל רגליים
- flat-footed שטוח רגל

footer *n&adj.* *כדורגל
- a six-footer שגובהו 6 רגליים

foot-fall *n.* צעד; קול פסיעה, פעם
foot fault (בטניס) פסול-פסע
foot-hill *n.* גיבעה (למרגלות הר)
foothold *n.* מאחז, דריסת-רגל
footing *n.* עמידה, בסיס; מעמד, מצב, מערך; יחסים; דריסת-רגל
- a firm footing בסיס איתן
- lose one's footing למעוד

foo'tle *v.* *להתבטל, להשתטות
- footle away *לבזבז

footlights *n-pl.* אורות הבימה
foot'ling (fōōt'-) *adj.* חסר-ערך
footloose *adj.* חופשי, ציפור דרור
footman *n.* משרת
footnote *n.* הערה (בתחתית הדף)
footpad *n.* שודד, גזלן
footpath *n.* שביל, משעול
footplate *n.* דוכן הקטראי (ברכבת)
footprint *n.* עקב, סימן עקב
foot-race *n.* מירוץ
foot rule סרגל (של 12 אינטש)
foot'sie, foot'sy *n.* *נגיעה ברגליים, מזמוז ברגל
footslog *v.* לצעוד מרחקים ארוכים
footsore *adj.* סובל מכאב רגליים
footstep *n.* צעד, קול פסיעה, פעם
- follow in his footsteps ללכת בעיקבותיו

footstool *n.* הדום, שרפרף
footsure *n.* יציב-רגל, צועד איתן
footwear *n.* תנעולת, הנעלה
footwork *n.* רגלול, עבודת רגליים
fop *n.* גנדרן, מתגנדר
foppish *adj.* מגונדר, מתגנדר
for *prep.* ל-, עבור, למען, לשם, כדי ל-,

לגבי, בעד, בגלל, למשך, לאורך
- be for it ליתן את הדין, להיענש
- for all למרות כל-, חרף
- for all I know למיטב ידיעתי
- for anything/the world בשום אופן
- for my part לדידי, מצידי
- for one thing---and for another קודם כל---וחוץ מזה
- take him for לטעות בו, לחשבו ל-
- what for לאיזו תכלית, למה
for *conj.* כי, מכיוון ש-
for′age *n.* מספוא, חציר; חיפוש
forage *v.* לחפש
for′asmuch′ (-z-) *conj.* הואיל ו-
for′ay *n.* פשיטה, הסתערות
foray *v.* לפשוט על
forbade′ = pt of forbid
for·bear′ (-bār) *v.* להימנע מ-, להתאפק; לוותר, להתייחס בסבלנות
forbearance *n.* סבלנות, התאפקות
forbid′ *v.* לאסור על, לשלול מ-
- God forbid! השם ישמור! חלילה!
forbid′den *adj.* אסור
- forbidden fruit פרי אסור
forbidding *adj.* דוחה, מאיים
for·bore′ = pt of forbear
for·borne′ = pp of forbear
- forborne from התאפק מ-
force *n.* כוח, עוצמה; תוקף; משמעות
- by force of בכוח ה-, בתוקף ה-
- come into force להיכנס לתוקפו
- forces צבא, כוחות, חילות
- in force בכוחות גדולים; בתוקף, תקף
- join forces להתאחד
- put into force להפעיל (חוק), להחיל
force *v.* להכריח, לאלץ; להוציא בכוח; ללחוץ; לפרוץ, לשבור
- force a plant לזרז גידול צמח
- force his hand לדחוק בו, לאלצו
- force one's way להבקיע דרך
- force open לפרוץ, לשבור
- force the pace להזדרז; לזרז
forced *adj.* מאולץ, מעושה
forced landing נחיתת אונס
forced march מסע מזורז
forced sale מכר כפוי
force-feed *v.* להאכיל בכוח
forceful (-fəl) *adj.* חזק, תקיף
force majeure (-məzhûr′) *n.* כוח עליון
forcemeat *n.* בשר קצוץ, בשר-מלית
for′ceps *n.* מלקחיים
for′cible *adj.* משכנע; חזק
- forcible entry פריצה בכוח
forcibly *adv.* בכוח, בחוזקה
ford *n.* מעברה (בנהר)
ford *v.* לחצות נהר (ברגל)
fordable *adj.* עביר, ניתן לחצותו
fore *adj.* קידמי, קדומני
fore *adv.* קדימה, בחזית הספינה
fore *n.* חזית (הספינה)
- come to the fore להתבלט, להתפרסם
- fore and aft לאורך הספינה
- to the fore נמצא במקום, מוכן
fore- (תחילית) מראש, קידמי
fore′arm′ (fôr′-) *n.* אמת היד, זרוע
forearm′ (fôrärm′) *n.* לצייד מראש

fore′bear′ (fôr′bār) *n.* אב קדמון
forebode′ (fôrbōd′) *v.* לבשר רע, להוות אות, לחוש מראש
foreboding *n.* תחושת רעה קרבה
fore′cast′ (fôr′-) *v.* לנבא
forecast *n.* תחזית
fore′cas′tle (fôr′kasəl) *n.* חרטום הספינה
foreclose′ (fôrklōz′) *v.* לעקל, לחלט
foreclosure (fôrklōzh′ər) *n.* עיקול
fore′court′ (fôr′kôrt) *n.* חצר קידמית, קדמה
foredoomed′ (fôrdōōmd′) *adj.* נדון מראש
fore′fath′er (fôr′fädhər) *n.* אב קדמון
fore′fin′ger (fôr′finggər) *n.* אצבע
fore′foot′ (fôr′-) *n.* רגל קידמית
fore front *n.* חזית קידמית
forego′ (fôrgō′) *v.* לקדום, ללכת לפני
foregoing *adj.* הנ"ל, האמור
fore′gone′ (fôr′gôn) *adj.* קודם, של העבר
foregone conclusion מסקנה צפויה, תוצאה מחויבת המציאות
fore′ground′ (fôr′-) *n.* החלק הקרוב, רקע קידמי, עמדה בולטת, קדמה
fore′hand′ (fôr′-) *n.* (בטניס) חבטה כפית
fore′head′ (fôr′hed) *n.* מצח
for′eign (-rin) *adj.* זר, נוכרי
- foreign body גוף זר
- foreign to one's nature זר לרוחו
foreign aid סיוע חוץ
foreigner *n.* זר, נוכרי
foreign language שפה זרה
Foreign Office משרד החוץ
foreign trade סחר חוץ
foreknowl′edge (fôrnol′ij) *n.* ידיעה מראש
fore′leg′ (fôr′-) *n.* רגל קידמית
fore′lock′ (fôr′-) *n.* בלורית, תלתל-מצח
- take time by the forelock לנצל את ההזדמנות
fore′man (fôr′-) *n.* מנהל עבודה, ראש חבר המושבעים
fore′most′ (fôr′mōst) *adj.* בולט, חשוב ביותר
fore′name′ (fôr′-) *n.* שם פרטי
fore′noon′ (fôr′nōōn) *n.* לפני הצהריים
foren′sic *adj.* משפטי
forensic medicine רפואה משפטית
fore′or·dain′ (fôr-) *v.* לגזור, לדון, לחרוץ מראש
fore′part′ (fôr′-) *n.* חלק קידמי
fore′play′ (fôr′-) *n.* משחק מקדים
fore′run′ner (fôr′-) *n.* מבשר, אות, סימן; חלוץ, קודם
fore′sail′ (fôr′-) *n.* מיפרש קידמי, תוסף
foresee′ (fôrsē′) *v.* לחזות, לצפות
foreseeable *adj.* צפוי
- in the foreseeable future בעתיד הנראה לעין
foreshad′ow (fôrshad′ō) *v.* לבשר, להוות אות
fore′shore′ (fôr′-) *n.* רצועת החוף
foreshort′en (fôrshôrt′-) *v.* לשרטט

בפרספקטיבה (בקווים נפגשים)
fore′sight′ (fôr′-) *n.* מחשבה תחילה, ראיית הנולד; כוונת קידמית
fore′skin′ (fôr′-) *n.* עורלה
for′est (-rist) *n.* יער
forestall′ (fôrstôl′) *v.* להקדים; לסכל
forester *n.* יערן
forestry *n.* יערנות
fore′taste′ (fôr′-) *n.* ניסיון-מה, טעימה
foretell′ (fôrtel′) *v.* לנבא
fore′thought′ (fôr′thôt) *n.* מחשבה תחילה
foretold = p of foretell
for·ev′er *adv.* לעד, לנצח
- forever and a day *לעד, לעולם
- forever and ever לעד, לצמיתות
forewarn′ (fôrwôrn′) *v.* להזהיר מראש, להתרות
fore′wom′an (fôr′woo-) *n.* מנהלת עבודה
fore′word′ (fôr′wûrd) *n.* הקדמה, מבוא
for′feit (-fit) *v.* לאבד, להפסיד; לחלט
forfeit *n.* קנס, הפסד, מחיר
for′feiture (-fichər) *n.* החרמה, חילוט
for·gath′er (-dh-) *v.* להתקבץ
forgave′ = pt of forgive
forge *n.* נפחיה, כור
forge *v.* לעצב, לחשל, לגבש; לזייף
- forge ahead להתקדם, להוביל
forger *n.* זייפן
for′gery *n.* זיוף
forget′ (-g-) *v.* לשכוח
- forget oneself לצאת מכליו; לאבד עשתונותיו; לשכוח את עצמו
forgetful *adj.* שכחן
forget-me-not זיכריני (צמח)
forging *n.* חתיכת מתכת מחושלת
forgivable *adj.* בר-מחילה, סליח
forgive′ (-giv) *v.* לסלוח
- forgive a debt לוותר על חוב
forgiveness *n.* סליחה, סלחנות
for·go′ *v.* לוותר על
forgot′ = pt of forget
forgot′ten = pp of forget
fork *n.* מזלג, קלשון; מסעף
fork *v.* לחפור בקלשון; להסתעף
- fork out/up *לשלם (בלי רצון)
forked *adj.* ממוזלג, מתפלג, מסועף
fork-lift *n.* מלגזה
fork supper ארוחת שירות עצמי
forlorn′ *adj.* נטוש; אומלל
forlorn hope תוכנית חסרת סיכוי
form *n.* צורה, דמות; נוהג, טקס; טופס; כושר, מצב-רוח; ספסל; כיתה
- a matter of form עניין של נוהג
- bad form חוסר נימוס; לא בכושר
- fill out a form למלא טופס
- for form's sake כי כן הנוהג
- in the form of בצורת, בדמות
- out of form לא בכושר
- take form ללבוש צורה, להתגבש
form *v.* ליצור, להרכיב; לעצב; להוות; להתהוות; להיערך
- form into a line להסתדר בשורה
- form part of להיות חלק מ-
- form up להסתדר בשורות

-form (סופית) בצורת-, דמוי-
- multiform רב-צורות
for′mal *adj.* רשמי, פורמלי; חיצוני, טקסי; קפדני; סימטרי; צורתי, צורני
for′malin *n.* פורמלין (לחיטוי)
for′malism′ *n.* פורמליזם, קפדנות
for·mal′ity *n.* פורמליות, רשמיות, טקסיות, נוהל, הליך
for′malize′ *v.* לעשותו לרשמי
for′mat′ *n&v.* פורמט, תבנית; לפרמט
for·ma′tion *n.* עיצוב, גיבוש; מערך, מבנה; עוצבה; היווצרות; תצורה
- formation flying טיסה במבנה
for′mative *adj.* מעצב, מתפתח
for′mer *adj.* קודם, הקודם, הראשון
- in former times בימים עברו, בעבר
- like one's former self כתמול שילשום
formerly *adv.* בעבר, בימים עברו
For·mi′ca *n.* פורמייקה
for′mic acid חומצת נמלים
for′midable *adj.* מפחיד, קשה, נורא
formless *adj.* נטול-צורה
For·mo′sa (see Taiwan) *n.* פורמוזה
for′mu·la *n.* נוסחה, פורמולה, מירשם; תחליף חלב (לתינוק)
for′mu·late′ *v.* לנסח
for′mu·la′tion *n.* ניסוח
for′nica′tion *n.* ניאוף, זנות
for′rader *adv.* קדימה, הלאה
for·sake′ *v.* לזנוח, לנטוש
for·sook′ = pt of forsake
for·sooth′ (-sōōth′) *adv.* אומנם
for·swear′ (-swār) *v.* לוותר (בשבועה)
- forswear oneself להישבע לשקר
fort *n.* מבצר, מעוז
forte *n.* צד חזק, תחום הצטיינות
for′te (-tā) *adj.* פורטה, חזק
forth *adv.* החוצה; הלאה, קדימה
- and so forth וכן הלאה
- back and forth הנה והנה
- form this day forth מהיום והלאה
forth·com′ing (-kum′-) *adj.* הבא, הקרב; מוצע, ניתן; מוכן, מוכן לעזור
forth′right′ *adj.* ישר, גלוי
forth·with′ *adv.* מיד, תכף, לאלתר
for′tieth *adj&n.* (החלק) הארבעים
for′tifica′tion *n.* חיזוק; ביצורים
for′tify′ *v.* לחזק, לבצר
for·tis′simo′ *adv.* פורטיסימו, חזק
for′titude′ *n.* אומץ, גבורה, קור-רוח
fort′night′ *n.* שבועיים
fortnightly *adv.* אחת לשבועיים
for′tress *n.* מבצר, מצודה
for·tu′itous *adj.* מקרי; *בר-מזל
for′tunate (-′ch-) *adj.* בר-מזל
fortunately *adv.* למרבה המזל
for′tune (-chən) *n.* מזל, מקרה; עושר; הון עתק; אלילת הגורל
- a small fortune סכום נכבד
- come into a fortune לזכות בירושה
- fortunes of war טלטלות המלחמה
- tell fortunes להגיד עתידות
- try one's fortune לנסות מזלו
fortune hunter מחפש עושר
fortune teller מגיד עתידות
for′ty *n&adj.* ארבעים, 40

- have forty winks לנמנם
- the forties שנות הארבעים
fo′rum *n.* במה, פורום (לדיונים)
for′ward *adj.* קדמי, חזיתי; מתקדם; מוקדם; להוט, מוכן; נועז; עתידי
- forward planning תכנון מראש
forward *adv.* קדימה, הלאה
- bring forward להקדים (תאריך); להסב לב; להעלות, להציג
- come forward להציע את עצמו
forward *v.* לשגר, לשלוח; לקדם
forward *n.* חלוץ (בכדורגל)
forwarding *n.* משלוח, העברה
forwarding address מען חדש
forwardness *n.* התקדמות; חוצפה
forwards *adv.* הלאה; חזיתית
for·went′ = pt of forgo
fosse *n.* חפיר, תעלה, חיל
fos′sil (-səl) *n.* מאובן
- old fossil מאובן דיעות, שונא חידושים
fos′siliza′tion *n.* התאבנות
fos′silize′ *v.* לאבן; להתאבן
fos′ter *v.* לגדל, לאמון (ילד); לטפל ב-; לפתח, לטפח, לעודד
foster- אוֹמֵן; שנמסר לאומנה
- foster-son בן אמון (במשפחה אומנת)
fos′terage *n.* אומנה
fought = p of fight (fôt)
foul *adj.* מלוכלך, מסריח, מגעיל; גס, רע
- a foul rope חבל מסובך (שהסתבך)
- a foul weather מזג אוויר קשה
- by fair means or foul בכל האמצעים
- fall foul of להסתבך עם
- the pipe is foul הצינור סתום
foul *n.* עבירה (בספורט)
- through fair and foul בכל עת
foul *v.* ללכלך; להתלכלך; לסתום, להיסתם; לבצע עבירה; להסתבך, להתנגש
- foul up *לקלקל, לשבש; לסבך; לטנף
foul-mouthed מנבל פיו
foul play רצח, פשע; עבירה (בספורט)
foul-up *n.* *שיבוש, טעות, בילבול
found *v.* לייסד, להקים; להתיך
- found on לבסס על
found = p of find
founda′tion *n.* ייסוד, הקמה; מוסד, קרן; בסיס, יסוד
foundation course קורס הכנה
foundation cream משחת יסוד (לעור)
foundation garment מחוך, חגורה
foundation stone אבן-פינה
found′er *n.* מייסד, בונה
founder *v.* לטבוע, להתמלא מים, לשקוע; להיכשל, למעוד; להפיל
found′ling *n.* אסופי, ילד נטוש
foun′dry *n.* בית יציקה
fount *n.* מעיין, מקור
fount *n.* גופן, פונט, אותיות דפוס
foun′tain (-tən) *n.* מעיין; מזרקה; מקור; בירזייה
fountain-head *n.* מקור ראשון
fountain pen עט נובע
four (fôr) *n&adj.* ארבע, 4; סירת משוטים
- on all fours על ידיו ורגליו, על ארבע
- to the four winds לכל עבר
four-eyes *n.* *משקפופר
four-footed *adj.* בעל ארבע רגליים
four-in-hand *n.* עניבה; כרכרה
four-letter word מלה גסה
four-part *adj.* של 4 קולות
fourpenny *adj.* שמחירו 4 פנים
four-poster *adj.* מיטת-אפיריון
fourscore *n.* שמונים
foursome *n.* תחרות זוגות
foursquare *adj.* ריבועי; איתן, חזק
four·teen′ (fôr-) *n&adj.* ארבע עשרה
fourteenth *adj&n.* (החלק) הארבעה עשר
fourth (fôrth) *adj&n.* רביעי; רבע
- the Fourth יום העצמאות
fourth estate העיתונות
fowl *n.* עוף, תרנגולת
fowling *n.* ציד-עופות
fowling piece רובה-ציד
fowl pest מגיפה (בעופות)
fox *n.* שועל
fox *v.* לבלבל, להביך, לרמות; להתחזות
foxglove *n.* אצבעונית (צמח-נוי)
foxhole *n.* שוחה, חפירה
foxhound *n.* כלב-ציד
foxhunt *n.* ציד-שועלים
fox terrier שפלן, כלב קטן
foxtrot *n.* פוקסטרוט, צעדי-שועל
foxy *adj.* ערמומי, שועלי
foy′er *n.* אולם הכניסה, טרקלין, פוייה
Fr = Father, franc, French
fra′cas *n.* מהומה, תגרה
frac′tion *n.* חלק, חלקיק, שבר
fractional *adj.* של שבר; זעום, קטן
frac′tious (-shəs) *adj.* רגזן, עצבני
frac′ture *n.* שבר, סדק (בעצם)
fracture *v.* לשבור; להיסדק
frag′ile (-jəl) *adj.* שביר, חלש
fragil′ity *n.* שבירות
frag′ment *n.* רסיס, קטע, חלק
frag′ment′ *v.* להתרסק; לקטוע
frag′mentar′y (-teri) *adj.* מקוטע
frag′menta′tion *n.* התרסקות, ריסוק; חלוקה, קיטוע; רֶסֶס
fra′grance *n.* ניחוחיות, ריח ניחוח
fra′grant *adj.* ריחני, נעים
frail *adj.* חלש, שביר, רופף
frail′ty *n.* חולשה, שבירות
frame *n.* מסגרת, שלד, גוף; חממה; תמונה (של סרט)
- frame of mind מצב רוח
- frames מסגרת משקפיים
frame *v.* למסגר, לשים במסגרת; להרכיב, לבנות; לשמש מסגרת; להפיל בפח, לביים אשמה, להפליל
frame house בית עץ
frame-up *n.* *ביום אשמה, הפלה בפח
framework *n.* מסגרת, שלד
franc *n.* פרנק (מטבע)
France *n.* צרפת
fran′chise (-z) *n.* זכות בחירה; זיכיון, מתן מונופול
Fran·cis′can *adj&n.* פרנציסקני
Fran′co- (תחילית) צרפתי
frank *adj.* גלוי, כן, פתוח, הוגן

frank *v.* להחתים (מכתב) בחותמת
frank'furter *n.* נקניקית
frank'incense' *n.* לבונה, שרף
frankly *adv.* בכנות, גלויות
fran'tic *adj.* יוצא מגדרו, מטורף
frap·pe' (-pā') *adj.* קריר, צונן, קפוא
frater'nal *adj.* של אחים; ידידותי
frater'nity *n.* אחווה; ידידות; אגודה
frat'erniza'tion *n.* התיידדות
frat'ernize' *v.* להתיידד, להתחבר
frat'ricide' *n.* רצח אח; רוצח אח
Frau (frou) *n.* גברת
fraud *n.* הונאה, מעילה, רמאות; רמאי
fraud'ulent (-j'-) *n.* רמאי
fraught (frôt) *adj.* מלא, גדוש, כרוך ב-
Fraulein (froi'līn) *n.* עלמה
fray *n.* מריבה, תגרה
fray *v.* לבלות, לקרוע; להישחק; להשתפשף; למרוט עצבים
fraz'zle *n.* לאות, עייפות; בלות
freak *n.* קפריזה; בריה משונה; רעיון משונה; *משוגע; מסומם; הומו
- film-freak להוט לסרטים
- freak of nature בריה משונה
freak *adj.* מוזר, לא רגיל
freak *v.* *להיות מסומם; לסמם
freakish *adj.* קפריזי; משונה
freak-out *n.* מסומם; טריפ; חוויה משונה
freck'le *n.* נמש, בהרת-קיץ
freckled *adj.* מנומש, מכוסה נמשים
free *adj.* חופשי, פנוי; פטור, חינם, שופע, בזבזני; גס, לא מרוסן
- for free בחינם, ללא תשלום
- free and easy לא רשמי, חופשי
- free from ללא; נקי, פטור מ-
- free of ללא; מחוץ ל-, רחוק מ-
- has his hands free ידיו חופשיות
- make free with לנהוג בחופשיות
- make him free of להעניק לו זכות מיוחדת ב-
- post free ללא תוספת דמי משלוח
- set free לשחרר, להוציא לחופשי
- work itself free להתרופף, להינתק
free *v.* לשחרר, לחלץ
free agent חופשי לפעול כרצונו
free'bie, free'bee *n.* *שי חינם
freeboard *n.* חלק הספינה שמעל למים; גובה הצידון
free'boo'ter *n.* שודד-ים, פיראט
freeborn *adj.* בן-חורין
freedman *n.* עבד משוחרר
free'dom *n.* חופש, חירות, חופשיות
- freedom of a city אזרחות כבוד
- freedom of information חופש המידע
- freedom of speech חופש הדיבור
free enterprise יזמה חופשית
free fall צניחה חופשית
free fight קטטה, מהומה
free-for-all *n.* ויכוח המוני
free-form *adj.* סיגנון חופשי של
free hand יד חופשית
freehand *adj.* (ציור) ביד חופשית
freehanded *adj.* נדיב, שידו פתוחה
freehold *n.* בעלות מלאה
freeholder *n.* בעל אחוזה
free kick בעיטת עונשין
free-lance *n&v.* (לעבוד כ-) עיתונאי חופשי, סופר חופשי
free-list *n.* רשימת פטור
free-living *n.* הוללות, זלילה
freeload *v.* *לחיות כטפיל
free love אהבה חופשית
freely *adv.* באופן חופשי; גלויות
freeman *n.* אזרח כבוד
free market שוק חופשי
freemason *n.* בונה חופשי
freemasonry *n.* בונים חופשים; הבנה
free on board = fob (במסחר) פוב
free pass כרטיס נסיעה חופשי
free-range hens תרנגולות חופשיות
free rein התרת הרסן, דרור
free speech חופש הדיבור
free-spoken *adj.* גלוי, מדבר גלויות
free-standing *adj.* חופשי, לא מחובר
freestone *n.* אבן חול
freestyle *n.* סגנון חופשי
free-thinking *adj.* רציונליסטי (בדת)
free thought מחשבה חופשית (בדת)
free throw זריקה חופשית
free trade סחר חופשי
free verse שירה בפרוזה
freeway *n.* כביש מהיר
freewheel *v.* לנוע חופשית (במורד)
free will בחירה חופשית, רצון חופשי
free-will *adj.* מרצונו החופשי
freeze *v.* לקפוא; להקפיא
- be frozen in להיתקע בכפור
- freeze on to להיצמד בחוזקה
- freeze one's blood להקפיא את דמו
- freeze out להרחיק, לא לשתף
- freeze over לקפוא, להתכסות כפור
- freeze prices להקפיא מחירים
- freeze up להיאלם, להתאבן
freeze *n.* קור עז, קיפאון; הקפאה
- deep-freeze מקרר (בהקפאה עמוקה)
freezer *n.* מקרר, תא-הקפאה, מקפיא
freezing point נקודת קיפאון
freight (frāt) *n.* מיטען; (דמי) הובלה
freight *v.* להטעין בסחורה, לשגר
freight car קרון-משא
freighter *n.* מטוס הובלה, ספינת משא
freightliner *n.* רכבת משא
French *adj&n.* צרפתי; צרפתית
French chalk גיר (לסימון על בד)
French dressing תבל (חומץ ושמן)
French fries טוגנים, צ'יפס
French horn קרן צרפתית
French leave היעדרות ללא רשות
French letter *כובעון
Frenchman *n.* צרפתי
Frenchwoman *n.* צרפתייה
frenet'ic *adj.* מטורף, משתולל
frenzied *adj.* מטורף, משתולל
fren'zy *n.* טירוף, השתוללות
fre'quency *n.* תכיפות, תדירות, תדר
fre'quent *adj.* שכיח, מצוי, רגיל
fre·quent' *v.* לבקר תדיר, להימצא ב-
fre'quently *adv.* לעיתים קרובות
fres'co *n.* פרסקו, ציור קיר, תמשיח
fresco *v.* לצייר פרסקו
fresh *adj.* טרי, חדש, קריר, רענן

- be fresh out of למכור/לאזול כל המלאי
- break fresh ground לפתוח פרק חדש
- fresh paint צבע לח
- fresh water מים מתוקים
- get fresh with *להתחיל, להתעסק איתה
- in the fresh air בחוץ
fresh- לאחרונה, זה עתה
freshen *v.* לרענן; להתרענן, להתחזק
fresh'er *n.* תלמיד שנה ראשונה
fresh'et *n.* פלג-מים
freshly *adv.* לאחרונה, אך אתמול
freshman *n.* תלמיד שנה ראשונה
freshwater *adj.* של מים מתוקים
fret *v.* להדאיג, להרגיז; להתרגז, להתעצבן; לכרסם; לשפשף; להישחק
fret *n.* רוגז, התעצבנות
fret *v.* לקשט, לגלף בעץ
fret *n.* קו-האיצבוע (בשחיף-גיטארה)
fretful *adj.* רגזני, כועס
fret'saw' *n.* מסורית, משור-נימה
fretwork *n.* עיטורי-עץ, מעשה-תשבץ
Freudian (froid'-) *adj.* של פרויד
Freudian slip טעות פרוידיסטית
Fri. = Friday
fri'abil'ity *n.* פריכות
fri'able *adj.* פריך, שביר
fri'ar *n.* נזיר
fric'assee' *n.* נזיד בשר
fric'ative *n.* הגה חוכך
fric'tion *n.* חיכוך
Fri'day *n.* יום שישי
- Good Friday יום ו׳ לפני הפסחא
- Man Friday ששת, משרת נאמן
fridge *n.* *מקרר
friend (frend) *n.* חבר, ידיד; שוחר, תומך, עוזר; קווייקר
- be friends with להתיידד עם
- friend of the court ידיד בית המשפט, מוסר מידע לביה״ד לטובת הציבור
- make friends לרקום יחסי ידידות
- make friends again להשלים
friendless *adj.* חסר-ידידים, גלמוד
friendly *adj.* ידידותי; מוכן ל-; נוח
friendly society אגודה הדדית; עמותה
friendship *n.* ידידות
fri'er *n.* עוף-טיגון; מטגן
frieze (frēz) *n.* רצועת-עיטור, כרכוב מעוטר
frig'ate *n.* פריגטה; ספינת ליווי
fright *n.* אימה, פחד
- give a fright להפחיד
- looks a fright נראה ״ממש זוועה״
- take fright להיבהל
frighten *v.* להפחיד, להבהיל
- frighten into לאלץ תוך הפחדה
- frighten off/away להבריח
- frighten out להניא תוך הפחדה
frightened *adj.* פוחד, נבהל
frightful *adj.* מפחיד, מזעזע; *נורא
frightfully *adv.* *נורא, מאוד
frig'id *adj.* קר, צונן
frigid'ity *n.* קור, קרירות
frigid zones אזורי הקוטב
frill *n.* ציצה, גדיל, מלל
- frills קישוטי סרק, הצטעצעות
frilled *adj.* מצויץ, בעל מלל
frilly *adj.* מצויץ, מסולסל
fringe *n.* ציצית, מלל; שפה, קצה; תספורת מצח קצרה
fringe *v.* לשמש כקצה ל-, לעטר
fringe benefits הטבות שונות
fringe group פלג קיצוני, פלג שולי
frip'pery *n.* קישוט מיותר; תכשיטי זול
fris'bee (-z-) *n.* פריזבי, צלחת מעופפת
frisk *v.* לקפץ, לכרכר; לחפש, לבדוק
frisky *adj.* שופע חיים, עליז
fris'son' *n.* ריגוש, רטט
frit'ter *n&v.* פרוסה מטוגנת, טיגנית
- fritter away לבזבז
friv'ol *v.* לבזבז; להתבטל
frivol'ity *n.* קלות-דעת; שטות
friv'olous *adj.* קל-דעת; אוהב בילויים
frizz *v.* לסלסל שיער
friz'zle *v.* לרחוש (בטיגון), לטגן
frizzle *v.* לסלסל; להסתלסל (שיער)
frizzy *adj.* מתולתל
fro: to and fro הלוך ושוב
frock *n.* מעיל, גלימה
frock-coat *n.* מעיל ארוך, פראק
frog (frôg) *n.* צפרדע; כפתור מוארך, אבזם-מעיל; *צרפתי
- a frog in the throat צרידות
- big frog in a small pond ראש לשועלים, גדול בין קטנים
- little frog in a big pond זנב לאריות, קטן בין גדולים
frogman *n.* איש-צפרדע
frogmarch *v.* לשאת אסיר כשפניו כלפי מטה; להוביל בכוח
frol'ic *v.* לקפץ, לכרכר, לשחק
frolic *n.* עליזות, השתובבות
frolicsome *adj.* עליז, שמח
from *prep.* מן, מ-
- from day to day מיום ליום
- from time to time מפעם לפעם
- from...to... מ---ועד---
frond *n.* עלה, עלה-שרך
front (frunt) *n.* פנים, חזית, חלק קדמי, קדמה; מסווה, כיסוי; שפת-הים
- come to the front להתבלט
- have the front להעז פנים
- home front חזית הפנים (במלחמה)
- in front קדימה; בצד הקדמי
- in front of בנוכחות, לפני, קבל
- out front *בין קהל הצופים
- put on a bold front להראות פני גיבור, ללבוש ארשת גבורה
- sea front שפת הים, טיילת
front *adj.* קדמי, חזיתי; *מוסווה
- front page עמוד ראשון
- front rank חשוב, מהשורה הראשונה
front *v.* לפנות לעבר-, לעמוד מול
front'age (frunt'-) *n.* חזית
front'al (frunt'-) *adj.* חזיתי, קדמי
front benches הספסלים הקדמיים
front company חברת קש
front door כניסה ראשית
frontier' (fruntir') *n.* גבול
frontiersman (-z-) *n.* תושב-ספר
front'ispiece' (frun'tispēs) *n.* תמונת השער (בספר)

front line קו החזית
frontman *n.* מנהיג, ראש; נציג; איש קש, איש חיפוי; מגיש (תוכנית)
front office *ההנהלה, המנהלים
front-page *adj.* של העמוד הראשון
frontrunner *n.* מוביל (בתחרות)
frost (frôst) *n.* קור, כפור; כישלון, אירוע משעמם
- 2 degrees of frost מינוס 2 מעלות
frost *v.* להתכסות בכפור; להשמיד בכפור; לעמם זכוכית; לאבק (בסוכר)
- frost over להתכסות בכפור
frost-bite *n.* אבעבועות חורף
frost-bitten *adj.* מוכה כפור
frost-bound *adj.* מוקשה מחמת קור
frosting *n.* קציפה, ציפוי, זיגוג
frosty *adj.* קר מאוד, צונן
froth (frôth) *v.* להעלות קצף
froth *n.* קופי, קצף; הבלים, רעיון-רוח
frothy *adj.* מעלה קצף; שיטחי
frown *v.* לקמט המצח, לכווץ הגבות, להקדיר המצח, לזעוף; לאיים
- frown on לראות בעין רעה
frown *n.* מבט זועם; קמטי-מצח
frows'ty *adj.* מעיק, מחניק, חם
frow'zy *adj.* מלוכלך, מעופש
froze = pt of freeze
fro'zen = pp of freeze קפוא, קר
fruc'tifica'tion *n.* מתן פירות
fruc'tify' *v.* לשאת פרי
fru'gal *adj.* חסכני, מקמץ, דל
fru·gal'ity (froo-) *n.* חיסכון
fruit (froot) *n.* פרי; פירות
- bear fruit לשאת פרי, להצליח
- the fruit of פרי, תוצאת-
fruit *v.* לשאת פרי
fruitcake *n.* עוגת פירות
fruit'erer (froot-) *n.* מוכר פירות
fruitful *adj.* נושא פרי, פורה
fru·i'tion (frooish'ən) *n.* הגשמה
- come to fruition להתממש, להתגשם
fruitless *adj.* חסר תוצאות, עלה בתוהו
fruit machine מכונת הימורים
fruit salad סלט פירות
fruity *adj.* כמו פירות, עסיסי
frump *n.* מרושל-לבוש
frus'trate' *v.* לתסכל, לסכל, לאכזב
frus·tra'tion *n.* תיסכול, אכזבה, מפח
fry *v&n.* לטגן; להיטגן; דגי-רקק
- small fry דגי רקק
fry'er *n.* עוף-טיגון; מטגן
frying pan מחבת, מרחשת
- out of frying pan into fire מן הפח אל הפחת
fry-up *n.* *מנת מזון מטוגן
ft. = foot, feet
fuck *n&v.* *מישגל; לקיים יחסים
- fuck off! *הסתלק, עוף מפה!
fucker *n.* *טיפש
fucking *adj.* *לעזאזל, ארור
fud'dle *v.* לשכר, לטמטם
fud'dy-dud'dy *n.* *מחזיק בנושנות
fudge *n.* ממתק; *רמאות; שטויות
fudge *v.* לפעול ברשלנות; לגבב
fu'el *n.* דלק
- add fuel to the flames להוסיף שמן למדורה
fuel *v.* לתדלק, למלא דלק; ללבות; להגביר
fug *n.* אוויר מחניק
fug'gy *adj.* מחניק, מעופש
fu'gitive *adj.* נמלט, בורח; חומק, זמני
fugitive *n.* פליט, עריק
fugue (fūg) *n.* פוגה, רדיפת קולות
ful'crum *n.* נקודת המישען
fulfil', fulfill' (fool-) *v.* לקיים, לבצע, למלא, להגשים
- fulfil oneself לממש סגולותיו
fulfilment, fulfillment *n.* קיום, ביצוע, הגשמה, סיפוק
full (fool) *adj.* מלא, שלם; שופע
- at full speed במירב המהירות
- full coverage כיסוי מלא
- full length לכל אורכו
- full of שקוע ראשו ורובו ב-
- full of it *רע, עושה צרות
- full of oneself אנוכיי, מתעניין בעצמו
- full skirt חצאית רחבה
- full up מלא על כל גדותיו
- in full במלואו, בשלמותו
- to the full מאוד, לגמרי
- wine with a full body יין חזק
full *adv.* מאוד; ישר, היישר
- full on his face היישר בפרצוף
- full well יפה, היטב
full-back *n.* מגן (בכדורגל)
full-blooded *adj.* גיזעי, נמרץ, חזק
full-blown *adj.* במלוא פריחתו
full board פנסיון מלא
full-bodied *adj.* (יין) חזק
full dress תלבושת רשמית
- full-dress debate דיון רשמי
ful'ler (fool-) *n.* מנקה בדים
fuller's earth אבקת-ניקוי
full-face *adv.* עם הפנים לחזית
full-fashioned *adj.* תואם את צורת הגוף
full-fledged *adj.* מנוסה, מוכשר, מיומן; שלם; יכול לעוף, מנוצה במלואו
full-grown *adj.* מבוגר
full house אולם מלא
full-length *adj.* באורך מלא
fullness *n.* מלוא, מלאות; שובע
- in the fullness of time בבוא היום
full-page *adj.* על פני עמוד שלם
full-scale *adj.* מקיף; בגודל טבעי
full stop נקודה; עצירה מוחלטת
full-time *adj.* של יום עבודה מלא
full time גמר המשחק, 90 דקות
fully *adv.* לְפחות; במלואו, לגמרי
ful'minate' *v.* למחות, להתקיף קשות
ful'mina'tion *n.* גינוי, התקפה מרה
ful'some (fool'səm) *adj.* מוגזם, מבחיל
fum'ble *v.* למשש, לגשש; לפספס
fume *n.* זעם, קצף
- fumes עשן, אדים
fume *v.* לרתוח מכעס, לזעום; להעלות עשן, לעשן
fu'migate' *v.* לחטא באדים
fu'miga'tion *n.* חיטוי
fun *n.* צחוק, שעשוע, בידור, תענוג
- fun and games מעשי שובבות; *מסיבה;

מיזמוזים, התעלסויות
- in fun, for fun בצחוק, לא ברצינות
- make fun of לצחוק על, ללעוג
- poke fun at לצחוק על, ללעוג
- what fun! איזה בידור! איזה כיף!

fun *adj.* משעשע, מבדר
func'tion *n.* תפקיד; טקס, אירוע חגיגי; פונקציה
function *v.* לפעול; לתפקד
functional *adj.* שימושי, פרקטי; תיפקודי, פונקציונלי
functionalism *n.* פונקציונאליות
func'tionar'y (-shəneri) *n.* פקיד, פונקציונר
fund *n.* קרן, קופה, הון; אוצר, מלאי
- funds כספים, מזומנים
- no funds אין כיסוי (להמחאה)
- pension fund קרן פנסיה
- provident fund קופת תגמולים
- trusteeship fund קרן נאמנות

fund *v.* לממן; להפוך (מילווה קצר-מועד) לארוך, לפרוס (חוב); להפריש סכומים
fun'damen'tal *adj.* בסיסי, יסודי
fun'damen'talism' *n.* אמונה בכתבי-הקודש; פונדמנטליזם, קנאות דתית
fun'damen'talist פונדמנטליסט, קנאי
fundamentally *adv.* עקרונית
fundamentals *n-pl.* יסודות, עיקרים
fund-raising *n.* מימון, התרמה, גיוס כסף
fu'neral *n.* הלוויה, לוויית-המת
- that's your funeral *זו בעייה שלך, זב"ש

funeral march מארש אבל
funeral parlor משרד קבורה
funeral pile/pyre ערימת עצים (לשריפת המת)
fu·ne're·al (fū-) *adj.* של לוויה
funfair *n.* יריד שעשועים
fun'gicide' *n.* קוטל פטריות
fun'goid, fun'gous *adj.* פיטרייתי
fun'gus, (pl = fungi) פטרייה
fu·nic'u·lar (fū-) *n.* רכבל
funk *n.* *פחד, אימה; פחדן
funk *v.* לפחוד, להתחמק מ-
funky *adj.* *של פאנק; אופנתי; מדהים, לא רגיל; מדיף ריח עז
fun'nel *n.* ארובה, מעשנה; משפך
funnel *v.* לשפוך/לעבור במשפך
fun'ny *adj.* מצחיק, משעשע; מוזר
- don't get funny *אל תתחכם
- funnily enough מוזר למדי
- the funnies *עמודי הבידור (בעיתון)

funny bone עצם המרפק; *חוש הומור
fur *n.* פרווה; אבנית, מישקע, קרד; דוק-הלשון, שיכבה על הלשון
- fur and feather חיות ועופות

fur *v.* לכסות/להתכסות באבנית
fur'below' (-ō) *n.* קישוט צעקני, נפנפת
fur'bish *v.* לצחצח, להבריק, לחדש
fu'rious *adj.* רוגז, מלא זעם, פראי
furl *v.* לקפל; להתקפל
fur'long (-lông) *n.* פרלונג (201 מטר)
fur'lough (-lō) *n.* חופשה
fur'nace (-nis) *n.* כבשן
fur'nish *v.* לרהט; לצייד; לספק
furnishings *n-pl.* ריהוט, ציוד
fur'niture *n.* רהיטים, ריהוט
fu'ror' *n.* התלהבות; זעם
fur'rier (fûr'-) *n.* פרוון, מוכר פרוות
fur'row (fûr'ō) *n.* תלם, חריץ, קמט
furrow *v.* לתלם, לעשות חריצים ב-
fur'ry (fûr'i) *adj.* דמוי פרווה; מכוסה פרווה
fur'ther (-dh-) *adj&adv.* הלאה, יותר רחוק; עוד, נוסף; חוץ מזה
- I'll see you further first בהחלט לא!
- further to בהמשך ל-
- go further להוסיף על כך
- until further notice עד להודעה חדשה

further *v.* לקדם, לעודד, לעזור ל-
furtherance *n.* קידום, עידוד
further education חינוך משלים
furthermore *adv.* נוסף על כך
furthermost *adj.* הרחוק ביותר
fur'thest (-dhist) *adj.* הרחוק ביותר
fur'tive *adj.* חשאי, חומק, מתגנב, חטוף
fu'run'cle *n.* פורונקול, סימטה
fu'ry *n.* זעם, חימה; סערה, התרגשות; כעסנית
- fly into a fury להתלקח
- fury of battle סערת הקרב
- like fury *"כמו משוגע", במרץ

furze *n.* רותם, אולקס (שיח קוצני)
fuse (-z) *n.* פתיל, מרעום, נתיך; קצר
- blow a fuse *להתלקח, להתפרץ

fuse *v.* להתיך; להינתך; לאחד, למזג; לגרום לקצר; לקרות קצר
fu'selage' (-läzh) *n.* גוף המטוס
fuse wire נתיך
fu'silier' (-lir) *n.* רובאי
fu'sillade' *n.* מטר-אש
fu'sion (-zhən) *n.* התכה, מיזוג
fusion bomb פצצת מימן
fuss *n.* התרגשות, מהומה, רעש
- fuss and feathers התרגשות, רעש
- make a fuss להקים רעש, להפוך עולמות, לכרכר סביב, לפנק

fuss *v.* להתרגש, להקים רעש; לעצבן
fusspot *n.* *קפדן, מדקדק, עצבני
fussy *adj.* קפדן, מדקדק, עצבני; מגונדר
fus'tian (-chən) *n.* פשתן; אריג גס; מליצות נבובות
fus'ty *adj.* מסריח, מעופש; מיושן
fu'tile (-til) *adj.* חסר-תועלת, כושל, שעלה בתוהו; הבלי; ריק; לא-יוצלח
fu·til'ity (fū-) *n.* הבל, אפס
fu'ture *n&adj.* עתיד
- future life העולם הבא
- futures סחורה עתידית
- in future בעתיד, מעתה ואילך
- my future wife אישתי בעתיד

futureless *adj.* ללא עתיד
fu'turism' (-'ch-) *n.* פוטוריזם
fu·tu'rity (fū-) *n.* העתיד
fu'turol'ogy (-chər-) *n.* עתידנות
fuze *n.* מרעום
fuzz *n.* פלומה, מוך; *משטרה
fuzzy *adj.* מסולסל, מתולתל; מטושטש, מעורפל; רך, פלומתי

G

G סול (צליל); *1000 דולר
G = giga-
gab *n&v.* *דיבור, פטפוט; לדבר
- gift of gab *כוח הדיבור
gab'ardine' (-dēn) *n.* גברדין
gab'ble *v&n.* למלמל, לפטפט; פטפוט
gab'by *adj.* *פטפטני, דברני
ga'ble *n.* גמלון (קיר)
gabled *adj.* (בית) בעל גמלון
Gabon' (gabōn') *n.* גבון
gad *v.* *לשוטט, לנסוע, לתייר
gad'about' *n.* *משוטט, אוהב לטייל
gad'fly' *n.* זבוב הבקר; מחפש פגמים
gad'get *n.* כלי, אבזר, מכשיר
gadgetry *n.* כלים, מכשירים
Gael'ic (gā'-) *n&adj.* גאלית; קלטי
gaff *n.* חַכָּה; צִלְצָל
- blow the gaff לגלות סוד
- stand the gaff לעמוד בקשיים
gaff *v.* לדקור בצלצל, למשות בצלצל
gaffe *n.* טעות, מישגה גס
gaf'fer *n.* *זקן; בוס, ממונה
gag *n.* מחסום (לסתימת פה); בדיחה
gag *v.* לסתום פה; להיתקע בגרונו, להתחיל להקיא; לשבץ בדיחות
gaga (gä'gä) *n.* עובר בטל, שוטה
gage *n.* עירבון; כסייה, כפפה; אתגר
gage *v.* לעבוט, לתת בעירבון
gage = gauge
gag'gle *n.* להקת אווזים; פטפטניות
gag order צו איסור פירסום
gai'ety *n.* שמחה, עליזות
gai'ly *adv.* בשמחה, בעליזות
gain *n.* רווח, יתרון; תוספת
- ill-gotten gains רווחים שנעשו בדרך מפוקפקת
gain *v.* להשיג, לרכוש; להגיע ל-
- gain ground להתקדם
- gain in weight לעלות במשקל
- gain on להתקדם, לצמצם המרחק
- gain speed להגביר מהירות
- gain the upper hand לגבור, לנצח
- gain time להרוויח זמן
- the watch gains השעון ממהר
gainful *adj.* מפיק רווחים, מכניס
gainsay' *v.* להכחיש, להפריך
- there's is no gainsaying אין לפקפק, אין להכחיש
gait *n.* הילוך, צורת הליכה
gai'ter *n.* קרסולית, מוק, חותלת
gal *n.* *נערה
gal. = gallon(s) *n.* גלונים
ga'la *n&adj.* תפארת, חגיגיות, גאלה; חגיגי
galac'tic *adj.* של גלאקסיה, גלאקסי
gal'antine' (-tēn) *n.* בשר מבושל, בשר קר
gal'axy *n.* גלאקסיה; שביל החלב; קבוצת אישים, נערות זוהר
gale *n.* סופה, סערה
- gale of laughter גל צחוק
Gal'ilee' *n.* גליל
- Sea of Galilee ים כינרת
gall (gôl) *n.* מרה; התמרמרות; חכך, פצע בעור; עפץ, נפיחות בעץ; *חוצפה
- dip the pen in gall לכתוב במרירות, להתקיף קשות
gall *v.* להכאיב, להעליב, לפגוע
gal'lant *n&adj.* אביר; אמיץ, אדיב; הדור
gallantry *n.* אבירות; אומץ; חיזור
gall bladder כיס המרה
gal'le·on *n.* (בעבר) ספינה; מיפרשית
gal'lery *n.* גלריה, מוזיאון; יציע; אכסדרה, אולם; ניקבה, מנהרה
- play to the gallery לחזר אחרי ההמונים, לעשות רושם, לערוך הצגה
gal'ley *n.* גלרה, ספינת עבדים; מיטבח-אונייה; (בדפוס) מגש סדר
galley proof יריעת הגהה
galley slave עבד חותר בספינה; עובד קשה
Gal'lic *adj.* גאלי; צרפתי
Gal'licism' *n.* ביטוי צרפתי
gall'ing (gôl'-) *adj.* מכאיב, מרגיז
- galling defeat תבוסה צורבת
gal'livant' *v.* לשוטט, להסתובב
gal'lon *n.* גלון
gal'lop *n.* דהירה
gallop *v.* לדהור; להדהיר; לרוץ, להתקדם מהר; להידרדר, להחמיר
- galloping inflation אינפלציה דוהרת
gal'lows (-lōz) *n.* גרדום
gallows bird ראוי לתלייה
gallows humor הומור שטני
gallstone *n.* אבן-מרה
Gal'lup poll מישאל גאלופ
galore' *adv.* הרבה, בשפע
galosh' *n.* ערדל
galumph' *v.* לפזז (בצהלת ניצחון)
gal·van'ic *adj.* גלוואני, מחושמל
gal'vanism' *n.* גלוואניות
gal'vanize' *v.* לגלוון, לחשמל, לאבץ
Gam'bia *n.* גמביה
gam'bit *n.* גאמביט, מַעֲד, פתיחה
gam'ble *v.* לשחק בקלפים, להמר
- gamble away להפסיד כסף בהימור
gamble *n.* הימור מסוכן
gambler *n.* מהמר, קוביוסטוס, קלפן
gambling *n.* משחקי מזל, הימור
gambling den מועדון הימורים
gam·boge' *n.* גאמבוז', צבע צהוב
gam'bol *n.* קפיצה, כרכור, פיזוז
gambol *v.* לקפץ, לפזז
game *v.* לשחק בקלפים, להמר
game *n.* מישחק; תוכנית; חיות ניצודות, צַיִד
- ahead of the game *מקדים
- fair game ציד חוקי, מטרה כשרה
- game all תיקו
- games תחרויות אתלטיקה
- give the game away לגלות את התוכנית הסודית
- has the game in his hands שולט בעניינים; בטוח בניצחונו
- make game of לצחוק על, להתל ב-
- off one's game לא בכושר, למטה

מרמתו הרגילה
- on one's game בכושר, משחק היטב
- on the game *עוסקת בזנות, גנב
- play a double game לשחק מישחק כפול, לנהוג בצביעות
- play the game לשחק משחק הוגן
- the game's up התוכנית נחשפה, התחבולה נכשלה, המישחק נגמר

game *adj.* אמיץ; מוכן, חפץ, רוצה
- die game למות כגיבור

game *adj.* (רגל, איבר) פגוע, צולע, נכה
gamecock *n.* תרנגול-קרב
gamefowl *n.* תרנגול-קרב
gamekeeper *n.* שומר ציד
game laws חוקי ציד
game license רישיון ציד
gamely *adv.* באומץ
game park חייבר
gamesmanship *n.* אמנות המשחק
gamesome *adj.* שמח, עליז
gamester (gām′s-) *n.* שחקן, מהמר
game warden פקח ציד
gaming table שולחן הימורים
gam′ma *n.* גאמה (אות יוונית)
gamma rays קרני גאמה
gam′mon *n.* קותל חזיר; שטויות
gam′my *adj.* * (רגל) פגועה, נכה
gamp *n.* *מטריה (גדולה)
gam′ut *n.* (במוסיקה) סולם; היקף מלא
- run the whole gamut of לעבור את כל השלבים של

ga′my *adj.* (בעל טעם) של צַיִד
gan′der *n.* אווז; *מבט חטוף
gang *n&v.* קבוצה, חבורה, כנופיה
- gang up לחבור על, לקשור, להתחבר

gang bang *אונס קבוצתי
ganger *n.* מנהל עבודה, מנהיג קבוצה
gangland *n.* עולם הפשע
gang′ling *adj.* רזה, גבוה
gang′lion *n.* גנגליון, חרצוב; מוקד פעילות
gangplank *n.* גמלה (גשר בין סירות)
gang rape אונס קבוצתי
gan′grene′ *n.* גאנגרינה, מֶקֶק, נמק
gangrene *v.* להרקיב בגאנגרינה
gan′grenous *adj.* נגוע בגאנגרינה
gang′ster *n.* גאנגסטר, פושע, בירון
gang′way′ *n.* גמלה, פתח הכבש; מעבר (בין שורות)
gang′way′ *interj.* הצידה! פנו דרך!
gant′let = gauntlet
gan′try *n.* מיסגרת, חישוק-מתכת; פיגום נע (להרכבת חללית)
gaol = jail (jāl) (לכלוא ב-) כלא
gap *n.* פירצה; פער; מרחק
- bridge/stop a gap לסתום פירצה
- credibility gap פער האימון
- generation gap פער הדורות

gape *v.* לפעור פה; לפהק; להיפתח
- gape open להיפער, להיפתח

gape *n.* פעירת פה
- the gapes התקף פיהוק, פהקת

gapped *adj.* מפורץ, בעל פרצות
gap′py *adj.* מפורץ, בעל פרצות
gap-toothed *adj.* בעל רווחים בין השיניים, מפורץ-שיניים

garage′ (-räzh) *n.* מוסך; תחנת דלק
garage *v.* להכניס למוסך
garb *n&v.* תלבושת, בגדים; להלביש
gar′bage *n&v.* פסולת; אשפה; זבל
- garbage down *לזלול, לבלוע
- garbage in, garbage out - *תייצר זבל - תקבל זבל

garbage can פח-אשפה
garbage disposal unit מגרסת אשפה
gar′ble *v.* לסרס, לתאר בראי עקום
gar′den *n.* גן, גינה; פארק
- common-or-garden רגיל
- garden-variety רגיל
- lead him up the garden path להוליכו שולל

garden *v.* לעבוד בגינה
garden apartment דירה עם גינה
garden center מישתלה
garden city עיר (משובצת) גנים
gardener *n.* גנן
gar·de′nia *n.* גרדניה (שיח, פרח)
gardening *n.* גינון, גננות
garden party מסיבת-גן
garden suburb שכונת גנים
gar·gan′tuan (-′chōōən) *adj.* ענקי
gar′gle *v.* לגרגר, לשטוף בגירגור
gargle *n.* גירגור; תשטיף (לגירגור)
gar′goyle *n.* פי-המרזב (דמוי-מפלצת, בכנסיות גותיות)
ga′rish *adj.* (צבע) רועש, צעקני
gar′land *n.* זֵר, מיקלעת פרחים, עטרה
garland *v.* לקשט בזר פרחים, לעטר
gar′lic *n.* שום
gar′ment *n.* בגד, מלבוש; הלבשה
gar′ner *v&n.* לאסוף, לאגור; אסם
gar′net *n.* נופך, אבן יקרה; אדום עז
gar′nish *v.* לקשט (מנה, אוכל), ללפת; לעקל
garnish *n.* קישוט, תוספות
gar′nishee′ *n&v.* מעקל; מעוקל; עיקול; לעקל
garnishment *n.* עיקול
gar′ret *n.* עליית-גג
gar′rison *n.* חיל משמר; מחנה צבאי
garrison *v.* להציב חיל משמר
garrotte′ *v.* לחנוק
garrotte *n.* חניקה, הוצאה להורג
garru′lity *n.* פטפטנות, להג
gar′ru·lous *adj.* פטפטן
gar′ter *n.* בירית, בירית-גרב
gas *n.* גאז; בנזין; חומר מאלחש; *פיטפוט, "רוח", כיף, תענוג
- run out of gas להפסיק, להיכשל
- step on the gas להגביר מהירות

gas *v.* להרעיל בגאז; לפטפט, לקשקש
- gas up *למלא דלק, לתדלק

gas-bag *n.* *פטפטן, קשקשן
gas chamber תא גאזים
gas-cooker *n.* תנור גאז
gas′e·ous *adj.* גאזי
gas-fired *adj.* פועל על גאז
gas fitter מתקין גאז
gas-fittings *n-pl.* מיתקני גאז
gash *v&n.* לחתוך; חתך עמוק, פצע
gas-holder *n.* מכל גאז (גדול)
gas′ifica′tion *n.* הפיכה לגאז

gas′ify′ *v.* להפוך/ליהפך לגאז
gas′ket *n.* אֶטֶם (לאוגנים); רצועה (לקשירת מיפרש מגולל)
- blow a gasket להתפרץ, להתלקח
gaslight *n.* אור גאז; מנורת גאז
gasman *n.* טכנאי גאז
gas mask מסכת גאז
gas-meter *n.* מד-גאז, מונה גאז
gas′olene′ *n.* בנזין, גאזולין
gas′oline′ (-lēn) *n.* בנזין, גאזולין
gasom′eter *n.* מכל גאז (גדול); גאזומטר
gasp *v.* להתנשף, להתנשם
- gasp out לדבר/לפלוט בהתנשפות
gasp *n.* התנשפות, נשימה בכבדות
- at one's last gasp על סף המוות
gasp′er *n.* *סיגרייה
gas ring טבעת הלהבה, טבעת גאז
gas station תחנת דלק
gas′sy *adj.* גאזי, מלא גז; מנופח, ריק
gas′tric *adj.* קיבתי, השייך לקיבה
gas•tri′tis *n.* דלקת הקיבה
gas′tro•en•teri′tis *n.* דלקת הקיבה והמעיים
gas′tro•en•terol′ogy *n.* גסטרולוגיה
gas′tronom′ic *adj.* גאסטרונומי
gas•tron′omy *n.* גאסטרונומיה, אמנות הטבחות והאכילה
gasworks *n.* מיפעל לייצור גאז
gat *n.* *אקדח
gate *n.* שער, פתח; מיפתק; מספר הצופים
- give the gate *להעיף, לפטר
gateau (gätō′) *n.* עוגה
gatecrash *v.* *להתפלח (למסיבה)
gate-house *n.* בית-שער
gate-keeper *n.* שומר, שוער
gate-legged table שולחן בעל לוח מתקפל
gate money הכנסות מן המישחק
gatepost *n.* מזוזת השער
- between you me and the gatepost בינינו לבין עצמנו
gateway *n.* שער; כניסה
gath′er (-dh-) *v.* לקבץ; לאסוף; להתאסף; ללקוט; להבין, להסיק; להתמגל
- be gathered to one's fathers להיאסף אל אבותיו
- gather speed לצבור מהירות
- gather up לאסוף
- gathered skirt חצאית מקובצת
gather *n.* קיבוץ (בבגד)
gathering *n.* מיקבצת; אסיפה, התקהלות; מוגלה
gauche (gōsh) *n.* לא-יוצלח, בטלן; חסר טאקט
gaucherie *n.* בטלנות
gaud *n.* תכשיט ראוותני
gau′dy *adj.* צעקני, ראוותני, רועש
gauge (gāj) *n.* מכשיר מדידה, מדיד, מונה; קנה-מידה; עובי, קוטר
- standard gauge מסילה תיקנית
- take the gauge of להעריך, לשפוט
gauge *v.* למדוד, להעריך, לאמוד
gaunt *adj.* רזה, כחוש; שומם, קודר
gaunt′let *n.* כפפה, כסייה
- pick up the gauntlet להיענות לאתגר
- run the gauntlet להיחשף לסכנה, לספוג ביקורת קטלנית
- throw down the gauntlet לזרוק את הכפפה, להזמין לדו-קרב
gauze *n.* גאזה, מלמלה; רשת
gau′zy *adj.* שקוף, כמו גאזה
gave = pt of give
gav′el *n.* פטיש היושב-ראש
gavotte′ *n.* גבוט (ריקוד)
gawk *n.* לא-יוצלח, מגושם
gawk *v.* להסתכל כגולם
gaw′ky *adj.* כבד-תנועה, מגושם
gawp *v.* לנעוץ מבט טיפשי
gay *adj.* עליז, שמח; *הומו
- gay life חיי תענוגות/הוללות
gay′ety *n.* שמחה, עליזות
Ga′za עזה
Ga′za Strip רצועת עזה
gaze *v&n.* להסתכל; מבט
gaze′bo *n.* בית-קיץ
gazelle′ *n.* צבי
gazette′ *n.* עיתון רשמי
gazette *v.* לפרסם ברשומות
gaz′etteer′ *n.* אינדקס גיאוגרפי
gazump′ *v.* להעלות המחיר, למכור לאחר
GB = Great Britain
GDP = gross domestic product תמ"ג, תוצר מקומי גולמי
gear (g-) *n.* מערכת הילוכים, גיר; כלים, ציוד; מנגנון; *בגדים
- bottom gear הילוך נמוך
- get into gear להיכנס להילוך גבוה, להתחיל לטפל במרץ בנושא
- high gear הילוך גבוה
- in gear בהילוך
- out of gear בהילוך סרק/נייטראלי; לא פועל כהלכה
- throw out of gear לנתק המצמד; לבלבל; לשבש
gear *v.* להרכיב גלגלי שיניים
- gear to לתאם, לקשר, להצמיד
- gear up לשלב להילוך גבוה
- geared up מתוח, בציפייה
gearbox, gearcase *n.* תיבת הילוכים
gear shift/stick מוט הילוכים
geck′o (g-) *n.* שממית, לטאה
gee *interj.* ג'י! (קריאת-הפתעה)
- gee up קדימה! (לסוס)
gee′-gee′ *n.* *סוס
geese = pl of goose (g-)
gee-string *n.* חוטיני
gee′zer (g-) *n.* *ברנש, משונה
Gei′ger counter (gī′g-) *n.* מונה גייגר
gei′sha (gā′-) *n.* גיישה
gel *n.* קריש, ג'ל, חצי-מוצק
gel *v.* להקריש, להגליד; להצליח
gel′atine′ (-tēn) *n.* ג'לטין, גלדין, מיקפית
gelat′inous *adj.* כמו ג'לטין
geld (g-) *v.* לסרס, לעקר
gelding *n.* סוס מסורס
gel′ignite′ *n.* ג'ליגניט, חומר-נפץ
gem *n.* אבן יקרה, פנינה
gem′inate′ *v.* להכפיל; לערוך בזוגות

Gem′ini′ *n.* מזל תאומים
gen *n&v.* *מידע מקיף
- gen up *ללמוד; ללמד, לעדכן
gendarme (zhän′därm) *n.* שוטר
gen′der *n.* (בדקדוק) מין
gene *n.* גן, גורם תורשתי
ge′ne•alog′ical *adj.* גיניאלוגי
genealogical tree אילן יוחסין
ge′ne•al′ogist *n.* חוקר שושלות
ge′ne•al′ogy *n.* גיניאולוגיה, חקר ההתפתחות, שלשלת היוחסין
gene pool מאגר הגֶנים
gen′era = pl of genus סוגים
gen′eral *adj.* כללי, כולל, גנראלי
- as a general rule בדרך כלל
- general idea מושג כללי
- general interest אינטרס ציבורי
- general meeting אסיפה כללית
- in general בדרך כלל
general *n.* גנראל, רב-אלוף, אלוף
general anesthetic הרדמה כללית
General Assembly עצרת האו"ם
general assignment המחאה כללית
general delivery דואר שמור
general election בחירות כלליות
gen′eralis′simo′ *n.* גנראליסימו
gen′eral′ity *n.* כלליות, הכללה
- the generality הרוב, הכלל
gen′eraliza′tion *n.* הכללה
gen′eralize′ *v.* להכליל, לסכם כללית, להסיק; ליישם בצורה כללית
generally *adv.* בדרך כלל, כללית
general practitioner רופא כללי
general-purpose *adj.* רב-שימושי
general staff המטה הכללי
general strike שביתה כללית
gen′erate′ *v.* ליצור, להוליד
gen′era′tion *n.* דור; יצירה
generation gap פער הדורות
gen′era′tive *adj.* מוליד, יוצר, בונה
gen′era′tor *n.* גנראטור, דינאמו, מחולל
gener′ic *adj.* של מין; משותף לכל הקבוצה
gen′eros′ity *n.* רוחב-לב, נדיבות
gen′erous *adj.* נדיב, רחב-לב, פזרן; רב, שופע, עשיר
gen′esis *n.* מקור; היווצרות, לידה
Genesis *n.* בראשית (חומש)
genet′ic *adj.* גנטי, של גֶנים, תורשתי, של גנטיקה
genetic code צופן גנטי
genetic engineering הנדסה גנטית
genet′icist *n.* חוקר גנטיקה
genet′ics *n.* גנטיקה, מדע התורשה
ge′nial *adj.* עליז, שמח, חמים, נעים
ge′nial′ity *n.* עליזות, שימחה
ge′nie (pl = genii) *n.* שֵד, רוח
- the genie is out of the bottle השד יצא מהבקבוק
gen′ital *adj.* של איברי המין, גניטאלי
gen′ita′lia *n-pl.* איברי המין
genitals *n-pl.* איברי המין
gen′itive case יחס הקניין
ge′nius *n.* גאונות; גאון; כישרון, גניוס; אופי, תכונה טיפוסית; מלאך
- evil genius מלאך רע
genius lo′ci (-sī) אווירת המקום
genned up *מעודכן
gen′ocide′ *n.* ג'נוסייד, רצח עם
genre (zhän′rə) *n.* ז'אנר, סוג, סגנון; ציור, תמונות מן החיים
gent *n.* *ג'נטלמן
- gents שירותי גברים
gen•teel′ *adj.* נימוסי, מחונך
gen′tile *adj&n.* גוי, לא יהודי
gen•til′ity *n.* נימוסיות, חינוך
gen′tle *adj.* עדין; נוח, רך, מתון; אציל, מיוחס
gentlefolk *n-pl.* מיוחסים, אצילים
gentleman *n.* ג'נטלמן; אדיב; אדון, איש; חצרן המלך
- gentlemen! רבותיי! חברים!
gentleman-at-arms *n.* משומרי המלך
gentlemanly *adj.* ג'נטלמני, אדיב
gentleman's agreement הסכם ג'נטלמני
gentleman's gentleman משרת
gentle sex המין היפה, המין החלש
gentlewoman *n.* גברת, ליידי
gently *adv.* בעדינות, מתון-מתון
gen′try *n.* בני מעמד גבוה
gen′u•flect′ *v.* לכרוע ברך, לקוד
gen′u•flec′tion *n.* כריעת ברך
gen′uine (-nūin) *adj.* אמיתי, מקורי, לא-מלאכותי
ge′nus *n.* סוג (בתורת המיון)
ge′o- (תחילית) ארץ
ge′o•cen′tric *adj.* גיאוצנטרי, מיוחס לארץ כמרכז
ge•og′rapher *n.* גיאוגרף
ge′ograph′ical *adj.* גיאוגראפי
ge•og′raphy *n.* גיאוגראפיה
ge′olog′ical *adj.* גיאולוגי
ge•ol′ogist *n.* גיאולוג
ge•ol′ogy *n.* גיאולוגיה
ge′omet′ric(al) *adj.* גיאומטרי, הנדסי
geometric progression טור הנדסי
ge•om′etry *n.* גיאומטריה, הנדסה
ge′o•phys′ics (-z-) *n.* גיאופיסיקה
ge′o•pol′itics *n.* גיאופוליטיקה, השפעת הגיאוגרפיה על המדיניות
George (jôrj) *n.* ג'ורג'; *טייס אוטומטי
- by George! חי נפשי!
georgette′ (jôrjet′) *n.* ז'ורז'ט (משי)
Georgia (jôr′jə) *n.* גרוזיה
Georgian (jôr′jən) *adj.* גרוזיני; של המלך ג'ורג'; גיאורגיאני
gera′nium *n.* גרניון (צמח)
ger′iat′ric *adj.* גריאטרי
ger′iatri′cian (-rish′ən) *n.* גריאטריקן, חוקר מחלות הזיקנה
ger′iat′rics *n.* גריאטריקה, רפואת הזיקנה
germ *n.* חיידק, נבט; ראשית, התהוות
Ger′man *adj&n.* גרמני; גרמנית
ger•mane′ *adj.* נוגע, רלוואנטי
Ger•man′ic *adj.* גרמני
German measles אדמת
Ger′many *n.* גרמניה
ger′micide′ *n.* קוטל חיידקים
ger′minal *adj.* בראשית התפתחותו, ניבטי

ger′minate′ *v.* לנבוט; להתפתח; להנביט
ger′mina′tion *n.* נביטה; התפתחות
germ warfare מלחמה ביולוגית
ger′ontol′ogy *n.* גרונטולוגיה, מדע הזיקנה
ger′ryman′der *v.* לחלק מחוז-בחירות באופן לא הוגן, לסלף
ger′und *n.* שם הפעולה, שם פועלי
Gestapo (gestä′-) *n.* גסטאפו
ges·ta′tion *n.* הריון, נשיאת העובר
ges·tic′u·late′ *v.* להניע הידיים והראש (תוך כדי דיבור)
ges·tic′u·la′tion *n.* תנועות, ג׳סטיקולציה
ges′ture *n.* מחווה, ג׳סטה; תנועה (בידיים/בראש)
gesture *v.* להניע הידיים/הראש
get (g-) *v.* לקבל, להשיג, לרכוש, לקחת; לבוא, להגיע; להיות, להיעשות; לגרום, להביא ל-; להבין
- I've got you! תפסתיך! הפסדת!
- be getting on *להזדקן
- be getting on for להתקרב ל-(גיל)
- get about להסתובב, להתהלך, לנוע
- get above oneself להחשיב עצמו
- get across לעבור, להעביר; להיקלט, לתפוס (נאום, בדיחה)
- get after לרדוף, לתקוף, לגעור
- get ahead לעלות על, להשיג, לעבור; להתקדם; לחסוך כסף
- get along להסתדר; להתקדם; לזוז
- get along with you! *לך! כלך לך!
- get around להתפנות; להסתובב; להתפשט; לעקוף, להערים על, לחמוק
- get at להגיע ל-; לרמוז, להתכוון; *לשחד; ללעוג, להתגרות
- get away להסתלק, להימלט; להשתחרר
- get away with it להצליח (לרמות), להיפטר בלא עונש
- get back להחזיר; לחזור; לנקום
- get behind לפגר; לתמוך, לעמוד מאחורי; לחשוף, לפענח
- get better/well להשתפר, להחלים
- get by לעבור; להתקיים; לחיות; להיחלץ מעונש
- get down לרדת; להוריד; לבלוע; לרשום; לדכא; לקום מן השולחן
- get down to work להירתם לעבודה
- get even with להחזיר לו כגמולו, לנקום
- get going לזוז; להזיז; להרגיז
- get him off להרדים; לחלץ מעונש
- get his *להיהרג; לספוג עונש
- get hold of לתפוס; להבין; להחזיק; לרכוש
- get home לחדור לראש, להיקלט
- get in להגיע; להכניס; להיכנס; לצבור, לאסוף; לקרוא, להזעיק
- get into להיכנס; להכניס
- get it all together להיות בעל דיעה מיושבת/צלולה
- get it off לשלוח; להסיר
- get it over להיות כבר אחרי זה
- get it? *מובן? הבנת?
- get lost! הסתלק! עוף!
- get off לרדת; להוריד; לזוז, לצאת; להתחמק מעונש; לסיים העבודה
- get off my back! רד ממני!
- get off with להתיידד עם
- get on לעלות על; להתקדם, להמשיך, להסתדר; להתנפל על
- get on for להתקרב ל-
- get on to/onto להתקשר, לטלפן; "לעלות עליו", לחשוף פרצופו
- get one's own back לנקום
- get out לצאת; להוציא; לברוח
- get outside *לאכול, לשתות
- get over להתגבר על; לשכוח; לסיים
- get round לעקוף, להערים על; להתפנות, למצוא זמן; לשכנע, לשדל
- get somewhere להגיע לאן-שהוא, להצליח, להתקדם
- get the ax *לעוף, להיות מפוטר
- get there *להגשים מטרה, להצליח
- get through להגיע; להשיג (בטלפון); להעביר; לעבור; להבין; לגמור
- get to להתחיל ל-, להגיע לשלב-; להצליח
- get to be להיעשות, להפוך ל-
- get to know להכיר, ללמוד, לדעת
- get together להיוועד, להתאסף; לארגן, לסדר; להגיע להסכם
- get told off *לספוג נזיפה
- get up לקום; להקים; להתעורר; לארגן, להכין; להלביש; להתגנדר
- get up to להגיע ל-; להשיג, להדביק
- get with it *להתעורר לחיים; להיות עירני, לשים לב
- has got יש לו, הוא בעל-
- has got to הוא חייב, הוא מוכרח
- it gets me *זה פוגע/מעליב
- you'll get it! תקבל מנהו!
get-at′-able *adj.* ניתן להשיגו, נגיש
get-away *n&adj.* (של) בריחה, הסתלקות
get-rich-quick *adj.* רוצה להתעשר מהר
get-together *n.* מסיבה
get-up *n.* *מראה חיצוני; תלבושת
get-up-and-go *n.* *מרץ, התלהבות
gew′gaw′ (gū′-) *n.* תכשיט צעקני
gey′ser (gī′z-) *n.* גייזר, מעיין מים חמים; מיתקן חימום
Ghana *n.* גאנה
ghas′tly (gas-) *adj.* חיוור, כמו מת; נורא, מזעזע
gher′kin (gûr′-) *n.* מלפפון (קטן)
ghet′to (ge-) *n.* גטו
ghost (gōst) *n.* רוח, שד; צל
- give up the ghost לחדול מכך; למות
- hasn't the ghost of a chance אין לו אף צל של סיכוי
ghost *v.* לשמש כסופר-צללים
ghosted *adj.* נכתב בידי אחר (למעשה)
ghostly *adj.* כמו רוח/שד; דתי, רוחני
ghost town עיר רפאים
ghost train רכבת שדים
ghost-writer *n.* סופר-צללים
ghoul (gōōl) *n.* שד; אדם מתועב
ghoulish *adj.* נתעב, דוחה
GHQ = General Headquarters
GI (gē′ī′) *n&v.* חייל; לנקות
gi′ant *n&adj.* ענק; ענקי
giantess *n.* ענקית
gib′ber *v.* למלמל, לקשקש

gib′berish *n.* מילמול, קישקוש
gib′bet *n.* עץ התלייה
gibbet *v.* לתלות; להוקיע
gib′bon (g-) *n.* גיבון (קוף)
gib′bous (g-) *adj.* גבנוני, מקומר
gibe *n.* ליגלוג; הערה לעגנית
gibe *v.* ללגלג, לצחוק
gib′lets *n-pl.* טפלי-עוף (כבד, לב)
gid′dy (g-) *adj.* מסוחרר; מסחרר; קל-דעת, לא-רציני; אוהב בילויים
gift (g-) *n.* שי, מתנה; כישרון טבעי; סמכות ההענקה, זכות ההקנייה; *מציאה
- I wouldn't have it as a gift איני רוצה זאת אפילו במתנה
- a free gift שי לקונה
gifted *adj.* מחונן, נתברך ב-
gift token/voucher תלוש שי
gig (g-) *n.* כרכרה; סירה קטנה; *עבודה, ג'וב; מופע
giga- (תחילית) מיליארד
gigabyte *n.* גיגבייט, מיליארד בתים
gi·gan′tic *adj.* ענקי, כביר, רב-מידות
gig′gle (g-) *v.* לגחך, לצחקק
giggle *n.* גיחוך, ציחקוק, צחוק
gig′olo′ *n.* ג'יגולו, בן-זוג
gild (g-) *v.* לצפות בזהב, להזהיב
- gild the lily לייפות דבר יפה, לקלקל היופי
- gild the pill להמתיק הגלולה
gilded youth נוער זהב, נערי זוהר
gilder *n.* מצפה בזהב, מזהיב
gilding *n.* חומר זיהוב, הזהבה
gill (g-) *n.* זים
- white about the gills חיוור מאוד
gill (j-) *n.* רבע פיינט (מידה)
gilt (g-) *n.* ציפוי זהב
gilt-edged *adj.* (ניירות ערך) בטוחים
gim′crack′ *adj.* חסר-ערך, צעקני
gim′let (g-) *n.* מרצע, מקדח
gimlet eye מבט נוקב, עין חדה
gim′mick (g-) *n.* *גימיק, טריק, אביזר-פרסומת, פעלול
gimmickry *n.* גימיקים
gimp (g-) *n.* חוט, פתיל; חוט החכה
gimp *v&n.* *לצלוע; צולע; טיפש
gin *n.* מנפטה; מלכודת; ג'ין (משקה)
gin *v.* לנפט כותנה; ללכוד
gin′ger *n.* זנגביל; חיות, פעילות; אדמוני, ג'ינג'י, חלמוני
ginger *v.* להכניס חיים ב-, לחזק
ginger ale/beer משקה זנגביל
gingerbread *n.* עוגת זנגביל
- the gilt is off the gingerbread, פג הודו, לא כתמול שילשום
ginger group סיעה אקטיביסטית/קיצונית
gin′gerly *adj&adv.* זהיר; בזהירות
ginger nut/snap עוגיית זנגביל
gingham (ging′əm) *n.* גינגאם (בד ציבעוני)
gin′givi′tis *n.* דלקת החניכיים
gip′sy *n.* צועני
giraffe′ *n.* ג'ירפה
gird (g-) *v.* להקיף, לחגור, לאזור; ללעוג
- gird on/up לחגור, לחבר בחגורה
- gird one's loins לשנס מותניו

gir′der (g-) *n.* קורה, קורת פלדה
gir′dle (g-) *n.* חגורה, אבנט; חגורת בטן, מחוך; טבעת
girdle *v.* להקיף
girl (g-) *n.* נערה, ילדה; *אישה; עוזרת; פועלת, עובדת
girl Friday עובדת, עוזרת
girl friend חברה, ידידה
girl guide צופה
girlhood *n.* תקופת הילדות
girlish *adj.* של נערה
girly *adj.* גדוש תצלומי נערות
gi′ro *n.* העברה בנקאית
girt = p of gird (g-) מוקף; חגור
girth (g-) *n.* היקף, היקף המותניים; חבק, רצועת האוכף
gis′mo (giz′-) *n.* *מכשיר, פטנט
gist *n.* תמצית, נקודות עיקריות
give (giv) *v.* לתת; למסור, להעביר; להתכופף, להיכנע, להיחלש; לערוך; לגרום
- I give you that נכון, אני מודה
- I give you the king לחיי המלך
- be given over לשקוע ב-, להתמכר
- give a hand להושיט יד
- give as good as one gets להחזיר באותו מטבע, להשיב מלחמה שערה
- give away לתת; לבזבז; להסגיר; לגלות; למסור (את הכלה לחתן)
- give back להחזיר
- give birth to ללדת, ליצור
- give forth להוציא, לפלוט
- give him up (for lost) להתייאש ממנו
- give him what for *לתת לו מנה
- give in להיכנע; למסור, לתת
- give it to him לתת לו מנה
- give me אני מעדיף, הייתי רוצה
- give of oneself להקדיש מעצמו לזולת
- give off להוציא, לפלוט
- give on to להשקיף על, להיות מול
- give one's word לתת דיברתו, להבטיח
- give oneself להתמסר, למסור גופה
- give oneself away להסגיר עצמו
- give oneself over להתמסר ל-
- give oneself up להסגיר עצמו; לשקוע ב-
- give or take פחות או יותר
- give out לחלק, לתת; להודיע, לפרסם; לאזול; להוציא, לפלוט; לקרוס
- give over לתת, להסגיר; להקדיש; *לחדול, להפסיק
- give rise to לעורר, להביא ל-
- give to understand לתת להבין, להסביר
- give up לחדול, לנטוש, לוותר, להתייאש; להסגיר, למסור
- give way להיכנע, לוותר, להישבר; לסגת; לתת זכות קדימה, לפנות דרך
- what gives *מה קורה? מה חדש?
give *n.* גמישות
give and take תן וקח, ויתור; ציחצוחי מלים
give-away *n.* הסגרה, גילוי-סוד; שי
given *adj.* נתון, מוסכם, מסוים; נכתב, נערך; אם יקבל-
- given (that-) בהנחה ש-; בהתחשב

- is given to נוטה ל-, רגיל; מכור ל-
given name שם פרטי
giver *n.* נותן, נדבן
giz'mo (giz'-) *n.* *מכשיר, פטנט
giz'zard (g-) *n.* קורקבן
- it sticks to my gizzard "עומד לי בגרון" לא לרוחי
glace (glasā') *adj.* מצופה בסוכר, מְסוּכָּר; חלק, מבריק
gla'cial *adj.* של קרח/קרחונים; קר
gla'cier (-shər) *n.* קרחון
glad *adj.* שמח; משמח
- give the glad eye *לקרוץ, לנעוץ מבט מזמין
- give the glad hand *לקבל פניו בלבביות
- glad rags *בגדי חג
gladden *v.* לשמח, לשמח לב
glade *n.* קרחת-יער; מיברא
glad'ia'tor *n.* גלאדיאטור, לודר
glad'iato'rial *adj.* של גלאדיאטורים
glad'io'lus *n.* גלדיולה, סֵיפָן
gladly *adv.* בשמחה, בחפץ לב
glam'or *n.* זוֹהַר, קסם, חן
glam'orize' *v.* לאפוף בזוהר, להוסיף קסם, להציג באור נוצץ
glam'orous *adj.* אפוף זוהר, מקסים
glance *v.* להעיף מבט, להציץ; להבהיק, להבריק
- glance off/away להחליק הצידה
- glance one's eye להעיף מבט
glance *n.* מבט חטוף; קריצה, ניצנוץ
- see at a glance לראות מיד
gland *n.* בלוטה
glan'dular (-'j-) *adj.* של בלוטה
glare *n.* אור חזק, אור מסנוור; מבט חודר, מבט זועם
glare *v.* להבהיק, לסנוור; לנעוץ מבט נוקב/זועף
glaring *adj.* מסנוור; בולט; זועם
- glaring colors צבעים רועשים
- glaring mistake טעות גסה
glas'nost' (gläs'nōst) *n.* גלאסנוסט, פתיחות
glass *n.* זכוכית; כוס; משקפת; ראי; ברומטר; שעון-חול; כלי זכוכית
- glasses משקפיים; משקפת
- had a glass too much שתה לשכרה
- magnifying glass זכוכית מגדלת
glass *v.* לזגג
- glass in לזגג, לכסות בזכוכית
glass-blower *n.* מנפח זכוכית
glass-cutter *n.* זַגָּג, חותך זכוכית; חורת צורות בזכוכית
glass fiber פיברגלס, סיבי זכוכית
glass'ful' (-fool) *n.* כוס; מלוא הכוס
glasshouse *n.* בית-זכוכית; חממה
glasspaper *n.* נייר זכוכית
glassware *n.* כלי זכוכית
glass wool סיבי-זכוכית
glassworks *n.* ביח"ר לזכוכית, מיזגגה
glassy *adj.* זגוגי; חסר-הבעה
glauco'ma *n.* גלוקומה, ברקית
glau'cous *adj.* אפרפר-כחול; (פרי) מכוסה אבקה
glaze *v.* לזגג; לצפות בְּזֶגֶג; לכסות בזכוכית; להזדגג
- glaze over להזדגג
glaze *n.* זֶגֶג; ציפוי זגוגי
gla'zier (-zhər) *n.* זַגָּג
glazing *n.* זגגות, הזגה; שימשה
gleam *n.* קרן-אור, זוהר; זיק, שביב
gleam *v.* לנצנץ, לזרוח
glean *v.* לאסוף (תבואה); ללקט
gleanings *n-pl.* לקט; אוסף ידיעות
glebe *n.* אחוזת-כומר; אדמה
glee *n.* גיל, צהלה; שיר מקהלה
gleeful *adj.* שמח, צוהל
glen *n.* גיא
glib *adj.* קל-לשון, מהיר-דיבור; חלק, לא רציני, לא אמיתי
glide *v.* לדאות; לגלוש, להחליק
glide *n.* דאייה; גלישה
glider *n.* דאון; דואה
gliding *n.* דאייה, הטסת דאונים
glim'mer *v.* לנצנץ, להבהב
glimmer *n.* היבהוב; זיק, שביב
glimpse *n.* מראה חטוף, מבט קצר
- catch a glimpse לראות לרגע קט
glimpse *v.* לראות לרגע, להבחין
glint *n.* ניצנוץ, ברק
glint *v.* לנצנץ, להבריק, לזרוח
glissade' *n.* גלישה על שלג, החלקה
glissan'do (-sän-) *n.* גליש, גליסאנדו
glis'ten (-sən) *v.* להבריק, לזהור
glitch *n.* *תקלה, פעולה לקויה
glit'ter *v.* להבריק, לנצנץ
glitter *n.* ברק, ניצנוץ
glittering *adj.* מזהיר, זוֹהֵר
glitz *n.* *זוֹהַר, צעקנות
gloam'ing *n.* דימדומי-ערב
gloat *v.* לצהול; לטרוף בעיניו, להסתכל בחמדה
glob *n.* טיפה; גוש
glo'bal *adj.* גלובאלי, כוללני, מקיף
globe *n.* גלובוס, כדור, אהיל
globe artichoke (ראש ה-) ארטישוק
globe-trot *v.* לסייר ברחבי העולם
globetrotter *n.* מסייר בעולם
glob'u·lar *adj.* כדורי; דמוי-טיפה
glob'ule *n.* טיפה, נטף, כדורית
glock'enspiel' (-pēl) *n.* פעמונייה
gloom (gloom) *n.* קדרות, עצב
gloo'my *adj.* קודר, עצוב
glor'ifica'tion *n.* הלל; הערצה
glorified *adj.* מרשים, מצועצע
glor'ify' *v.* להלל, להודות לאל; לפאר, לייפות, לעשותו מרשים, להאדיר
glor'ious *adj.* נהדר, מפואר
glo'ry *n.* הדר, כבוד, הלל; יופי
- go to glory *למות
- in one's glory מרוצה, מאושר, שמח
- send to glory *להרוג
glory *v.* להתפאר
- glory in להתפאר ב-, לשמוח
glory hole חדר עמוס בחפצים זרוקים
gloss (glôs) *n.* ברק, שטח חלק; מסווה, העמדת פנים; פירוש, הסבר, הערה
- put a gloss on it להוסיף לו ברק, לטייח
gloss *v.* לפרש, להוסיף הערות
- gloss over לכסות, להסתיר, להחליק
glos'sary *n.* מילון, גלוסריון, אגרון

gloss'y *adj.* מבריק, חלק
glot'tal *adj.* של פתח-הקול
glot'tis *n.* פתח-הקול (בגרון)
glove (gluv) *n&v.* כפפה; ללבוש כפפות
- fits like a glove הולם להפליא
- hand in glove with יד ביד
- handle with kid gloves לטפל בכפפות משי
- take the gloves off להסיר את הכפפות, להתכונן למאבק
- throw down the glove לזרוק את הכפפה
- with the gloves off ללא רחמים, בהסרת הכפפות
glove compartment תא הכפפות
glove puppet בובת כפפה
glow (glō) *v.* ללהוט; לזהור; להאדים
glow *n.* להט, חום; אדמומיות, סומק
glow'er *v.* לזעוף, להביט בזעם
glowing *adj.* לוהט, נלהב
glow-worm *n.* גחלילית
glu'cose *n.* גלוקוזה, סוכר-פירות
glue (gloo) *n.* דֶבֶק
glue *v.* להדביק, להצמיד
gluey *adj.* דביק
glum *adj.* עצוב
glut *n.* שפע, עודף-היצע
glut *v.* להציף, להלעיט
glu'ten *n.* גלוטן
glu'tinous *adj.* דביק
glut'ton *n.* זוללן; להוט אחרי
glut'tonous *adj.* זולל, רעב ל-
glut'tony *n.* זלילה
glyc'erin *n.* גליצרין, מתקית
gm = gram
G-man *n.* *בלש
GMT = Greenwich Mean Time
gnarled (närld) *adj.* מחוספס, מפותל, מלא-בליטות, מיובל, מסוקס
gnash (n-) *v.* לחרוק (בשיניים)
gnat (n-) *n.* יתוש
- strain at a gnat להקפיד על זוטות
gnaw (n-) *v.* לכרסם; לכסוס
gnome (n-) *n.* שד (שומר אוצרות)
GNP = Gross National Product תל"ג, תוצר לאומי גולמי
gnu (noo) *n.* גנו (בע"ח מעלה גירה)
go *v.* ללכת; לנסוע; להגיע; להיעשות, להיות; להשמיע קול; להתהלך
- 4 months gone בחודש ה-5 להריונה
- 5 days to go נותרו 5 ימים
- as things go בהשוואה לממוצע
- be going on for להתקרב לגיל-
- be going to הולך ל-, עומד ל-
- be gone on *להיות מאוהב ב-
- be gone! הסתלק! לך!
- far gone במצב חמור
- go a long way לעשות בו שימוש רב; לעשות כברת דרך ארוכה
- go about להסתובב, להתהלך; לטפל ב-
- go after/for לרדוף אחרי
- go against להתנגד, להיות מנוגד, לנטות לרעת-
- go ahead להמשיך, להתקדם; קדימה!
- go along להמשיך; להסכים; לתמוך
- go along with you! *עזוב אותי
- go around להתהלך, להסתובב; להספיק לכל
- go at להתקיף, לטפל במרץ
- go away ללכת, להסתלק
- go back לחזור
- go back on לא לקיים; לבגוד ב-
- go beyond לעבור, לעלות על
- go by לעבור, לחלוף; לפעול לפי; לשפוט לפי
- go by the name of להיקרא
- go down לרדת; לשקוע; להירשם, להיזכר; להיבלע; *להישלח לכלא
- go down before להיות מוכרע בידי-
- go down to להימשך, להגיע ל-
- go down well with להתקבל על
- go far להגיע רחוק, להצליח
- go for להתייחס, לנגוע; לנסות להשיג
- go for nothing ברכה לבטלה
- go for/at להימכר תמורת; להתקיף
- go halves/shares להתחלק שווה בשווה
- go in להיכנס
- go in for לחבב, להתעניין ב-; להשתתף ב-
- go in with להצטרף ל-
- go into להיכנס ל-, לחקור היטב
- go into business להיכנס לעולם העסקים
- go it לפעול; למהר; לזוז; לחיות
- go it alone לעשות בלא עזרה
- go off להתקלקל; להתפוצץ; לירות; להירדם; ללכת, להסתלק, להיפרד
- go off tea להפסיק לאהוב תה
- go off well להצליח, לעבור יפה
- go on להמשיך; להתרחש, לקרות; לעבור, לחלוף; להתנהג
- go on at להציק, לנדנד ל-, לגעור
- go on for להתקרב לגיל-; להסתדר עם
- go on it להסתמך/להתבסס על כך
- go on with you! *לך! שטויות!
- go one better לעלות על-
- go one's way להמשיך בדרכו
- go out לצאת; לשבות; לִכבות; לצאת מן האופנה; *לאבד ההכרה
- go over לעבור; לבדוק; לחזור על
- go over well להתקבל, לעשות רושם
- go round להסתובב; להספיק לכולם
- go shopping לערוך קניות
- go slow לשבות שביתת האטה
- go so far as להרחיק לכת עד-
- go steady לצאת בקביעות עם חבר
- go through לעבור; להתנסות ב-; לקיים
- go through with להשלים, לבצע
- go to him ליפול בחלקו
- go together ללכת עם
- go too far להגזים, להרחיק לכת
- go under להיכשל, להתמוטט; לשקוע
- go up לעלות; להיבנות; להיהרס
- go with להסכים עם; לְלַוות; ללכת עם
- go with her *לצאת איתה
- go with the tide לשחות עם הזרם
- go without להסתדר בלעדי
- going! gone! פעם שנייה! שלישית! נמכר!
- how goes it? מה נשמע?
- is going on 8 כמעט 8

- it goes without saying ברור ש-
- let oneself go להתפקר, להתפרק
- my heart goes out ליבי כלה ל-
go *n.* *מרץ; פעילות; ניסיון; התקף
- all the go *"הולך", באופנה
- from the word go מן ההתחלה
- have a go at *לנסות כוחו ב-
- make a go of להצליח ב-
- no go *לאו! זה לא ילך
- on the go *עסוק, פעיל
goad *n.* מַלְמָד, מרדע; גורם מדרבן, דרבן
goad *v.* לדחוף, לדרבן, לעורר
go-ahead *n.* *אות/רשות לפעול
go-ahead *adj.* מתקדם
goal *n.* מטרה, יעד; שער, גול
- an own goal גול עצמי
- score a goal לכבוש/להבקיע שער
goalkeeper, goalie *n.* שוער
goal line קו השער
goalpost *n.* קורת השער
go-as-you-please חופשי, לא לכוד
goat *n.* תיש, עז
- act the goat *להשתטות
- get his goat *להרגיזו
- he-goat תיש
- play the giddy goat להשתטות
- she-goat עז
goatee' *n.* זקן-תיש
goat-herd *n.* רועה עזים, רועה צאן
goatskin *n.* עור-עזים
gob *n.* *כיח, רוק; מַלח, ימאי; פֶּה
- gobs of money *המון כסף
gob'bet *n.* חתיכה, נתח
gob'ble *v.* לזלול, לאכול בלהיטות; לקרקר (כתרנגול הודו)
gob'bledygook' (-ld-) *n.* שפת-פקידים
gob'bler *n.* תרנגול הודו
go-between *n.* מתווך, איש-ביניים
gob'let *n.* גביע
gob'lin *n.* שד, רוח רעה
go-by *n.* התעלמות, הימנעות, התנכרות
- give the go-by להתעלם, להתנכר
go-cart *n.* הליכון; קרונית; מכונית מירוץ; עגלת-יד
God *n.* אלוהים, הבורא
- God forbid חס וחלילה
- God knows אלוהים יודע, מי יודע
- God willing אם ירצה השם, אי"ה
- thank God תודה לאל
god *n.* אליל
- little tin god מתנפח, מתרברב
- make a god of לסגוד ל-, לשקוע ראשו ורובו ב-
- the gods מושבי היציע
godchild *n.* ילד-סנדקאות
goddamned (god'amd') *adj.* *ארור
god'dess *n.* אלילה
godfather *n.* סנדק
God-fearing *adj.* ירא-שמיים
God-forsaken *adj.* שכוח-אל, שומם
Godhead *n.* אלוהות
godless *adj.* רשע, כופר
godlike *adj.* אלוהי, שמיימי
godly *adj.* ירא-שמיים, אדוק
godmother *n.* סנדקית
godparent *n.* סנדק
godsend *n.* מזל, מתת-אלוהים
godson *n.* בן-סנדקאות
godspeed *n.* "דרך צלחה", ברכה
-goer הולך, מבקר בקביעות ב-
- churchgoer מבקר בכנסייה
go'fer *n.* *שליח, רץ
go-getter *n.* נמרץ, מצליחן
gog'gle *v.* לפעור/לגלגל עיניים
goggle-box *n.* *טלוויזיה
goggle-eyed *adj.* פעור-עיניים; בעל עיניים בולטות
goggles *n-pl.* משקפי-מגן
go-go *adj.* מלא-חיים, נמרץ; ללא רסן
go-go girl נערת גוגו
going *n.* הליכה, הסתלקות; תנאי הנסיעה/הדרך; מהירות הנסיעה
going *adj.* קיים, נמצא, זמין; רווח; פועל
- going concern עסק הולך/מכניס
- going for him פועל למענו
- to be going on with לעת עתה
going-over *n.* *בדיקה כללית; מנה הגונה
goings-on *n-pl.* התרחשויות, מעשים
goi'ter *n.* זפקת (מחלה)
go'kart' *n.* מכונית מירוץ פתוחה
Go'lan Heights *n.* רמת הגולן
gold (gōld) *n.* זהב
- a heart of gold לב זהב
- all that glitters is not gold לא כל הנוצץ זהב
- as good as gold מצוין, נפלא
gold-beater *n.* מְרַקֵּעַ זהב, זהבי
gold-digger *n.* כורה-זהב, מחפש זהב; *רודפת עשירים
gold-dust *n.* אבקת זהב
golden *adj.* זהוב, זהבי; יקר
- golden opportunity הזדמנות פז
golden age תור-הזהב, ימי הזוהר
golden handshake מענק פרישה
golden jubilee יובל הזהב, יובל החמישים
golden mean שביל הזהב
golden rule כלל זהב (בהתנהגות)
golden wedding חתונת הזהב
gold-field *n.* עפרת-זהב
goldfinch *n.* חוחית (ציפור-שיר)
goldfish *n.* דג זהב
goldfish bowl כלי זכוכית לדגי זהב; מקום נטול-פרטיות
gold leaf עלה זהב, זהב מרוקע
gold medal מדלית זהב
goldmine *n.* מכרה זהב
gold plate כלי זהב; ציפוי זהב
gold rush בהלה לזהב
goldsmith *n.* צורף
go'lem *n.* גולם
golf *n&v.* גולף; לשחק בגולף
golf club מקל גולף; מועדון גולף
golf course/links מגרש גולף
golfer *n.* שחקן גולף
goli'ath *n.* גוליית, ענק
gol'liwog' *n.* בובה (שחורת-פרצוף)
gol'ly *interj.* *אוי! (קריאה)
go'nad' *n.* בלוטת-המין
gon'dola *n.* גונדולה; פיגום

gon′dolier′ (-lir) *n.* גונדוליר
gone (gôn) *adj.* כלה, אזל; הסתלק, מת; הרוס, אבוד
gone = pp of go
gon′er *n.* חשוב כמת, אבוד
gong *n.* גונג, מקוש
gon′na = going to
gon′orrhe′a (-rē′ə) *n.* זיבה
goo *n.* *חומר דביק; רגשנות
good *adj.* טוב; נעים, מהנה; שלם, ניכר, הגון, רציני; לא פחות מ-
- a good deal כמות הגונה
- a good debt חוב טוב, חוב בטוח
- a good few/many מספר ניכר, הרבה
- a good hour שעה תמימה/שלימה
- as good as למעשה, כמעט, בעצם, חשוב כ-
- as good as gold מתנהג למופת
- be so good as הואל בטובך
- good and- *לגמרי, מאוד
- good behavior התנהגות טובה
- good cause סיבה טובה, עילה מספקת
- good day שלום!
- good for כל הכבוד ל-; רוצה לשלם
- good money טבין ותקילין
- good morning בוקר טוב
- in good faith בתום לב, בהגינות
- in good time בעיתו, מוקדם
- it's a good thing that מזל ש-
- make good להצליח, להתעשר; לקיים
- make it good לפצות, להשלים, לתקן
- take in good part לא להיפגע, לקבל ברוח טובה
- the good book התנ"ך
good *n.* טוב; טובה; תועלת
- be to the good להרוויח נטו
- do good לעשות טוב, לעזור; להועיל
- do him good להיטיב עמו
- for good (and all) לעולם, לצמיתות
- for your (own) good לטובתך, למענך
- in good with אהוב, מקובל על
- no good/not much good אין ערך, אין תועלת, לבלי הועיל
- the good הטובים, הצדיקים
- to the good ברווח
- up to no good חורש רעה
good′bye′ (-bī′) *interj.* שלום!
good-for-nothing *n.* בטלן
Good Friday יום השישי הטוב (לפני הפסחא)
good-hearted *adj.* טוב-לב
good-humored *adj.* עליז, חביב
goodish *adj.* די גדול; טוב למדיי
good-looking *adj.* נאה, יפה, מושך
good′ly *adj.* יפה, נאה; גדול, ניכר
good-natured *adj.* טוב-לב, נוח
goodness *n.* טוב, טוב-לב; תמצית, כוח; השם, אלוהים
- for goodness' sake למען השם
- goodness gracious!/me! אלוהים אדירים!
- have the goodness to הואל נא
goodnight′! *interj.* לילה טוב!
goods *n-pl.* סחורה; מיטלטלין; מטען
- deliver the goods *לעשות כצפוי/כנדרש, לספק את הסחורה
goods and chattels חפצים אישיים
good sense כושר שיפוט, חכמה
goodwill′ *n.* רצון טוב; מוניטין
good′y *n.* ממתק
goody-goody *adj.* מתחסד, צבוע
goo′ey *adj.* דביק, מתוק; סנטימנטלי
goof (go͞of) *n.* *טיפש; שגיאה טיפשית
goof-off *n.* *בטלן, שתמטן
goo′fy *adj.* טיפש
goo′gly *n.* (בקריקט) כדור מטעה
goon (go͞on) *n.* *טיפש; בריון שכיר
goose *n.* אווז; בשר-אווז; *טיפש
- can't say boo to a goose פחדן
- cook his goose לנפץ תקוותיו, לסכל תוכניותיו, להרוס אותו
- gone goose *אבוד, חסר-תקנה
gooseberry *n.* דמדמנית, חזרזר
- play gooseberry לשמש פרימוס, לכפות נוכחותו על זוג אוהבים
goose bumps/pimples סמרמורת
goose-flesh *n.* סמרמורת
goose-step *n.* צעידת-אווז, איווזוז
GOP = Grand Old Party המפלגה הרפובליקנית
go′pher *n.* סנאי כיס
Gor′dian knot קשר גורדי
gore *n.* דם קרוש; חתיכת בד טריזית
gore *v.* לנגוח, לפצוע בנגיחה
gorge *n&v.* ערוץ; גרון; זלילה
- gorge on/with לזלול; להתפטם
- his gorge rose נתקף בחילה/זעם
gor′geous (-jəs) *adj.* נהדר, נפלא
gor′gon *n.* מכשפה, מפלצת
Gor′gonzo′la *n.* גבינת גורגונזולה
goril′la *n.* גורילה
gor′mandize′ *v.* לזלול, לטרוף האוכל
gorm′less *adj.* *טיפשי, חסר-תבונה
gorse *n.* אולקס (שיח קוצני)
gor′y *adj.* עקוב מדם, מכוסה דם
gosh, by gosh *interj.* בשם השם!
gos′ling (-z-) *n.* אווזון
go-slow *adj.* של שביתת האטה
gos′pel *n.* תורה; כלל, עיקרון
Gospel *n.* ספרי הבשורה
gospel truth אמת מוחלטת
gos′samer *n.* קורי-עכביש; אריג דק
gos′sip *n.* רכילות; רכלן
- have a gossip לפטפט
gossip *v.* לרכל, לכתוב רכילות
got = p of get
Goth′ic *adj.* גותי
got′ta = got to *צריך, חייב
got′ten = pp of get
gouache (gwäsh) *n.* גואש
gouge *n.* מפסלת
gouge *v.* לחרוט במפסלת; לנקר עין
gou′lash (go͞o′läsh) *n.* גולאש
gourd (goord) *n.* דלעת; כלי (מקליפת) דלעת
gour′mand (goor′-) *n.* זוללן
gourmet (goor′mā) *n.* מבין באוכל, אנין הטעם
gout *n.* צינית, שיגרון, פודגרה
gouty *adj.* סובל מצינית
gov′ern (guv-) *v.* למשול, לשלוט ב-; לקבוע, להשפיע על

governess *n.* מורה, מחנכת
governing *adj.* מושל, מנהל
gov′ernment (guv′ərmənt) *n.* ממשלה; שלטון
- form a government להרכיב ממשלה
- minority government ממשלת מיעוט
gov′ernmen′tal (guv-) *adj.* ממשלתי
governor *n.* מושל; נגיד; חבר הנהלה; אב; בוס; וַסָת (במכונית)
governor-general *n.* מושל כללי, נציב הכתר
gown *n.* גלימה; שמלה; חלוק
gowned *adj.* עוטה גלימה
GP = general practitioner
GPO = general post office
grab *v&n.* לתפוס, לחטוף, לקחת; חטיפה
- grab off לחטוף
- up for grabs *כל הקודם זוכה, לרכישה
grab bag הגרלה (מתוך שקית)
grabber *n.* חוטף; תאב-בצע
grace *n.* חן, נועם; חסד; רצון טוב; דחייה, ארכה; ברכת המזון; חסדי אל
- Your Grace הוד מעלתך
- a week's grace ארכה של שבוע
- act of grace מחווה, חסד
- airs and graces עשיית רושם, רוח
- fall from grace לסור חינו; להידרדר, לחזור לסורו
- had the grace to היה די הגון ל-
- in his good graces מוצא חן בעיניו, זוכה לאהדתו
- in the year of grace בשנת-
- the Graces אלילות החן והקסם
- with bad grace בלי רצון
- with good grace ברצון, ברוח טובה
grace *v.* לקשט, לכבד (בנוכחותו)
graceful *adj.* חינני, מובע בחן
graceless *adj.* חסר-חן, גס
gra′cious (-shəs) *adj.* אדיב, נעים; רחום
- gracious me! אלוהים אדירים!
gra·da′tion *n.* שלב, שינוי הדרגתי, מעבר בשלבים, הדרגתיות; דריגה
grade *n.* דרגה, סוג; כיתה; ציון; שיפוע
- make the grade להגיע לרמה הדרושה, להצליח
- on the down grade מידרדר
- on the up grade עולה, משתפר
- the grades בית-ספר יסודי
- up to grade תיקני
grade *v.* לסווג, להדריג, לחלק לדרגות; לדרג; ליישר שטח; להשביח (בקר)
grade crossing צומת מישורי
grade school בית ספר יסודי
gra′dient *n.* שיפוע; שיעור השיפוע
grad′ual (-jooəl) *adj.* הדרגתי; לא תלול
gradually *adv.* בהדרגה
grad′uate (-jooit) *adj.* בוגר (בי״ס)
grad′uate′ (-jooāt) *v.* לסיים לימודים; להעניק תואר; לסמן מידות, לְשַׁנֵּת, לְכַיֵּל; לסווג
grad′ua′tion (-jooa′-) *n.* טקס הענקת תארים, סיום; סיווג; שינות
graffi′ti (-fē′ti) *n.* גרפיטי, ציור-קיר
graft *n.* שָׁתֶל, רוכב (בהרכבה); רקמה מושתלת; שוחד, ניצול השפעה
graft *v.* להרכיב, להשתיל; לקחת שוחד, לנצל קשרים
grail *n.* הגביע הקדוש
grain *n.* גרעין; דגן, תבואה; אורז; גרגיר; קורטוב; מערך הסיבים
- against the grain בניגוד לנטיית-ליבו
- in grain ביסודו, מטבעו
- take it with a grain of salt להטיל ספק קל בדבר
gram, gramme (gram) *n.* גראם
gram′mar *n.* דקדוק
gramma′rian *n.* מדקדק
grammar school בית-ספר יסודי
grammat′ical *n.* דקדוקי
gram′ophone′ *n.* פטיפון, מקול
gram′pus *n.* מין דולפין; נושם בקול
gran *n.* *סבתא
gran′ary *n.* אסם, מחסן תבואה
grand *adj.* גדול; נפלא, מרשים; ראשי, חשוב; שלם, כולל
- grand total סיכום כולל
grand *n.* *פסנתר-כנף; אלף דולר
grandchild, grandson *n.* נכד
grand-dad (gran′dad′) *n.* *סבא
granddaughter *n.* נכדה
gran·dee′ *n.* אציל (ספרדי)
gran′deur (-jər) *n.* גדולה, הוד
grandfather *n.* סבא
grandfather clock שעון מטוטלת
gran·dil′oquence *n.* מליצות, עתק
gran·dil′oquent *adj.* נמלץ, מתנפח
gran′diose′ *adj.* מפואר, מרשים, נשגב
grand′ma (-nmä) *n.* *סבתא
grand master רב-אמן; ראש אירגון
grandmother *n.* סבתא
grand opera אופרה גדולה (שתמלילה מושר כולו)
grand′pa (-npä) *n.* *סבא
grandparent *n.* סבא, סבתא
grand piano פסנתר כנף
Grand Prix (-prē′) *n.* מירוץ מכוניות בינלאומי
grandstand *n.* יציע הקהל
grange (grānj) *n.* חווה; משק
gran′ite (-nit) *n.* גרניט, שחם
gran′ny, gran′nie *n.* *סבתא
grano′la *n.* גראנולה
grant *v.* לתת, להעניק; להיענות ל-; להודות, להסכים
- granted כן, אכן
- granted that נניח ש-, אומנם
- take for granted לקבל כמובן מאליו
grant *n.* מענק, קצבה, מלגה
grant·ee′ *n.* מקבל המענק
gran′u·lar *adj.* גרעיני, מחוספס
gran′u·late′ *v.* לפורר/להתפורר לגרגרים; לחספס
granulated sugar סוכר (מפורר)
gran′ule (-nūl) *n.* גרגירון
grape *n.* ענב
- sour grapes ענבי-בוסר (זלזול כביכול בדבר שחפצים בו ואין להשיגו)
grapefruit *n.* אשכולית
grape shot צרור פגזים, מטח
grape-vine *n.* גפן; הפצת ידיעות; מקור

סודי
graph *n.* גרף, עקומה, תרשים, רישמה
graph'ic(al) *adj.* כתבי, גרפי, של הכתב, של ציור; ברור, ציורי, חי
graphically *adv.* בצורה חיה, באופן ברור; בצורה גרפית
graphics *n-pl.* גרפיקה
graph'ite *n.* גרפיט
graph'olog'ical *adj.* גרפולוגי
graph·ol'ogist *n.* גרפולוג
graph·ol'ogy *n.* גרפולוגיה
graph paper נייר גראפים (משובץ)
grap'nel *n.* עוגן קרסים, כלי סריקה; אונקל
grap'ple *v.* להיאבק, להתגושש
grappling iron = grapnel
grasp *v.* ללפות; לתפוס; להבין; לקפוץ על, לקבל בלהיטות
- grasp at a straw להיאחז בקש
grasp *n.* אחיזה, תפיסה; השגה
- beyond my grasp נשגב מבינתי
- in the grasp of בציפורני, בידי
- within one's grasp בהישג ידו
grasping *adj.* רודף בצע
grass *n.* עשב, דשא; *חשיש; מודיע
- let grass grow under one's feet לפעול בעצלתיים, לבזבז זמן
- put/turn out to grass לרעות (בקר); לפטר מעבודה
- watch grass grow להשתעמם ביותר
grass *v.* לכסות בעשב; *להלשין
grass'hop'per *n.* חגב
grassland *n.* כר, שדה-מרעה
grass roots ההמון, הציבור; עובדות-היסוד
grass widow אלמנת קש, עגונה
grassy *adj.* מכוסה עשב, מדשיא
grate *n.* אח; שבכה (להחזקת הגחלים)
grate *v.* לגרד; לפורר, לגרר (במיגררת); לחרוק, לצרום; לעצבן
grateful *adj.* אסיר תודה; נעים
gratefully *adv.* מתוך הכרת תודה
gra'ter *n.* מגררת, פומפייה
grat'ifica'tion *n.* סיפוק; הנאה
grat'ify' *v.* לספק; לגרום עונג, להשביע רצון
gratifying *adj.* מספק, גורם סיפוק
gra'ting *n.* סורג
grating *adj.* חורק, צורמני
gra'tis *adj.* חינם, בלי תשלום, גראטיס
grat'itude' *n.* הכרת טובה, תודה
gratu'itous *adj.* ניתן בחינם, חופשי; ללא סיבה, מיותר, בלי טעם
gratu'ity *n.* דמי-שירות, טיפ; מענק
grave *adj.* רציני, חמור, חמור-סבר
grave *n.* קבר
- silent as the grave פיו חתום
- turn in one's grave להתהפך בקברו
- with one foot in the grave הולך למות, ברגל אחת בקבר
grave *v.* לחרות, לחקוק
gravedigger *n.* כורה קברים, קברן
grav'el *n.* חצץ, חול וחצץ; אבנים
gravel *v.* לכסות בחצץ; *להביך
gravel-blind *adj.* עיוור כמעט לגמרי
gravelly *adj.* מכוסה בחצץ; צורמני

gravestone *n.* מצבה
graveyard *n.* בית קברות
gra'ving dock מבדוק יבש (לניקוי תחתית האוניה)
grav'itas' *n.* רצינות
grav'itate' *v.* לנוע, להימשך אל
grav'ita'tion *n.* תנועה, משיכה; כוח הכובד, כבידה, גרביטציה
grav'ity *n.* כוח המשיכה; חומרה, רצינות, כובד ראש
- center of gravity מרכז הכובד
- specific gravity משקל סגולי
gravure' *n.* הדפס גלופה, פיתוח
gra'vy *n.* רוטב בשר, מרק בשר; *רווחים קלים
- get on the gravy train *לעשות כסף קל
gravy boat קערית לרוטב
gray *n&adj.* אפור, כסוף, מכסיף
- get gray להכסיף (שיער)
gray *v.* להאפיר, להכסיף (שיער)
graybeard *n.* זָקֵן
grayheaded *n.* זָקֵן, כסוף-שיער
grayhound *n.* זרזיר (כלב ציד)
grayish *adj.* אפרפר
gray market שוק אפור
gray matter מוח; תאים אפורים
graze *v&n.* לרעות; לשרוט, לשפשף; לנגוע ולחלוף; שריטה, שיפשוף
grazing-land *n.* אחו, שדה-מרעה
grease *n.* שומן; משחה, גריז
grease *v.* לשמן, למרוח, לגרז
- grease his palm לשחדו
- grease the wheels לגרז את הגלגלים; לארגן, לסדר, להפעיל
- like greased lightning מהר, כברק
grease gun מזרק גריז
grease-paint *n.* משחת-איפור
greaseproof *adj.* אטים שומן, (נייר) פרגמנט
greaser *adj.* מגרז מכונות
greasy *adj.* מכוסה שומן; חלקלק
great (grāt) *adj.* גדול; חשוב; רב; *כביר, מצוין
- Great Bear דובה גדולה, עגלה גדולה
- a great deal/many הרבה
- great Scott! אלוהים אדירים!
- great and small מקטון ועד גדול
- great big גדול, כביר
- great with child הרה, בהריון
- the great הגדולים, החשובים
Great Britain *n.* בריטניה
great-coat *n.* מעיל עליון
great-grandfather *n.* אבי הסב, רבסב, סבא רבא
great-grandson *n.* נין
greatly *adv.* מאוד, הרבה, בהרבה
great seal חותמת רשמית
greave *n.* מגן שוקיים
grebe *n.* טבלן (עוף)
Gre'cian (-shən) *adj.* יווני
Gre'co- יוון, יווני
Greece *n.* יוון
greed *n.* תאווה, אהבת בצע
greedy *adj.* תאוותני, צמא, להוט
Greek *adj&n.* יווני; יוונית
- it's Greek to me הדבר למעלה מהשגתי

green *adj.* ירוק; לא בשל, של בוסר; חולני; טירון; טרי, רענן
- get the green light *לקבל אור ירוק
- green in his eye תמימות, פתיות
- green with envy אכול קנאה
green *n&v.* ירוק; מגרש; כר דשא; להוריק
- greens ירקות
greenback *n.* שטר כסף
green bean שעועית ירוקה
green belt חגורת ירק
green card אשרת שהייה, גרין קארד
green′ery *n.* ירק, עלים ירוקים
green-eyed *adj.* מקנא, קנאי
green fingers *גננות
greenfly *n.* כנימת העלה
green′gage′ *n.* סוג של שזיף
greengrocer *n.* ירקן
greenhorn *n.* *פתי; מתחיל, טירון
greenhouse *n.* חממה
greenish *adj.* ירקרק
Green′land *n.* גרנלנד
Green party מפלגת הירוקים
green pepper פלפל ירוק
green revolution המהפכה הירוקה, גידול ביבול
greenroom *n.* חדר מנוחה (לשחקנים)
green tea תה ירוק
green thumb גננות
Green′wich time (grin′ij) שעון גרינוויץ
greenwood *n.* חורשה, יער
greet *v.* לקדם פניו, לקבל, לברך
greeting *n.* ברכה; פנייה (במכתב)
- greetings ברכות, איחולים
gre·ga′rious *adj.* עדרי, חי בעדר, קיבוצי; אוהב חברה
Gre·go′rian *adj.* גריגוריאני
grem′lin *n.* שֵד, רוח רעה
gre·nade′ *n.* רימון-יד
gren′adier′ (-dir) *n.* רמן, מטיל רימונים
grew = pt of grow (groo)
grey = gray (grā) אפור
grid *n.* אסכלה, שבכה; רשת (במפה); רשת חשמל; סריג; סורג; גגון-מכונית
grid′dle *n.* מחבת-אפייה
grid′i′ron (-ī′ərn) *n.* אסכלה, שבכה; מגרש כדורגל
gridlock *n.* פקק תנועה, קיפאון
grief (grēf) *n.* צער, עצב; יגון
- bring to grief להמיט אסון
- come to grief להיכשל
- good grief! בשם אלוהים!
griev′ance (grēv′-) *n.* תלונה, התמרמרות
- nurse a grievance לטפח רגש התמרמרות, לנטור הרגשת קיפוח
grieve (grēv) *v.* להצטער; להתאבל; לצער
griev′ous (grēv′-) *adj.* מצער, מכאיב, חמור
grievous bodily harm נזק גופני חמור
grif′fin *n.* גריפין (מפלצת אגדית)
grill *n.* גריל, אסכלה, סרד; מכבר; צלי; חדר-גריל
grill *v.* לצלות; לחקור קשות, להציק
grille *n.* סורג, מחיצה, אשנב
grim *adj.* אכזרי, מפחיד, נורא, שטני
- grim smile חיוך מר
- hold on like grim death להיאחז בצפורניים
grim′ace (-mis) *n.* העוויה
grimace *v.* לעשות העוויות
grime *n&v.* לכלוך; ללכלך
grim reaper מוות, מלאך המוות
gri′my *adj.* מלוכלך
grin *v.* לחייך חיוך רחב, לצחוק
- grin and bear it לסבול בדומייה
grin *n.* חיוך רחב, צחוק מאולץ
grind (grīnd) *v.* לטחון; להיטחן; להשחיז; לשפשף; ללחוץ; לדכא; לסובב בידית
- grind away/for ללמוד בשקידה
- grind down לדכא
- grind one's teeth לחרוק שיניים
- grind out להוציא/ליצור במכאניות
- grind to a halt לעצור בחריקה
grind *n.* טחינה; עבודה קשה/משעממת
grinder *n.* שן טוחנת; מטחנה
grindstone *n.* אבן-משחזת
- keep his nose to the grindstone להעבידו בפרך
grin′go *n.* נוכרי, זר (בדרום אמריקה)
grip *v.* לתפוס, לאחוז, לרתק
grip *n.* אחיזה, תפיסה; שליטה; הבנה; מזוודה; מתפס, ידית
- get a grip on oneself למשול ברוחו
- get/come to grips with להתגושש, להיאבק, לתקוף, לטפל ברצינות
- in the grip of נשלט על ידי-
gripe *n.* *תלונה
- gripes כאבי בטן עזים
gripe *v.* לכאוב (הבטן); *להתלונן
grippe *n.* *שפעת
gris′ly (-z-) *adj.* איום, זוועתי
grist *n.* גרעיני תבואה (לטחינה)
- it's all grist to his mill הוא מנצל כל הזדמנות להרוויח
gris′tle (-səl) *n.* סחוס, חסחוס
grit *n&v.* חצץ, חול; אומץ, כוח סבל
- grit the teeth לחרוק שיניים
- grits גרגרי שיבולת-שועל, גריסים
grit′ty *adj.* חולי, כמו חול
griz′zle *v.* *לבכות, לייבב
griz′zled (-zəld) *adj.* אפור, מכסיף
griz′zly *n.* דוב
groan *v.* להיאנח, להיאנק
- groan down להשתיק, להסות בגניחות
- groan out לדבר תוך גניחות
groan *n.* אנחה, גניחה
groat *n.* (בעבר) גרואוט, מטבע אנגלי
- groats גרעיני-תבואה, גריסים
gro′cer *n.* בעל חנות-מכולת
grocery *n.* חנות מכולת
- groceries מכולת, מצרכים
grog *n.* משקה חריף (מהול במים)
grog′gy *adj.* כושל, לא-יציב, חלוש
groin *n.* מפשעה; מיפגש קימרונות (בתיקרה)
groom *v.* לטפל ב-, לנקות, לסדר, לטפח; להכין, לגדל
groom *n.* סייס, מטפל בסוסים; חתן

groove *n.* חריץ, מסילה; אורח-חיים
- get into a groove להיכנס למסלול, לקיים אורח-חיים קבוע
- in the groove מושלם, במיטבו
groove *v.* לחרץ, לעשות חריצים
groo'ver *n.* *מודרני, נעים
groo'vy *adj.* *מודרני, נעים
grope *v&n.* למשש, לגשש, לחפש; מישוש
- grope one's way לגשש דרכו
gropingly *adv.* בגישוש, תוך מישוש
gro'schen (-'shən) *n.* גרושן (מטבע)
gro'sgrain' (grō'grān') *n.* אריג משי עבה
gross (grōs) *n.* גרוס, 144
- gross vegetation צמחיה שופעת
- in the gross בסיטונות; בסך הכל
gross *v.* להרוויח ברוטו
- gross up לגלם
- grossed up מגולם
gross *adj.* גס; בולט, שמן; דוחה, מגושם, המוני; כולל, ברוטו, גולמי
- gross income הכנסה כוללת
- gross negligence רשלנות חמורה
gross domestic product תוצר מקומי גולמי
gross national product תוצר לאומי גולמי, תל"ג
gro·tesque' (-tesk) *adj.* מגוחך
grotesque *n.* גרוטסקה, דמות נלעגת
- the grotesque הסגנון הגרוטסקי
grot'to *n.* מערה
grot'ty *adj.* *מלוכלך, לא-נעים
grouch *v.* להתלונן, להתרעם
grouch *n.* תלונה, טרוניה; רטנן
ground *n.* קרקע, ארץ; קרקע-הים; שטח, מגרש; יסוד, בסיס, רקע; נימוק
- above ground חי, בחיים
- below ground מת, בקבר
- break fresh ground לפתוח פרק חדש, לעבד קרקע בתולה
- common ground בסיס משותף
- cover ground לעבור כברת דרך, להשתרע על פני שטח רחב
- cut the ground from under him להשמיט את הקרקע מתחת לרגליו
- down to the ground לחלוטין
- fall to the ground להיכשל
- forbidden ground תחום האסור בכניסה; נושא אסור
- from the ground up לגמרי
- gain ground להתקדם; להתקרב
- get off the ground להמריא; לזוז
- give ground לסגת, לנטוש עמדה
- go to ground להתחבא
- grounds משקע; סיבה, סיבות
- hold/stand one's ground לעמוד איתן
- into the ground יותר מדי
- keep one's feet on the ground לעמוד איתן
- lose ground לסגת, להפסיד; להיחלש
- make ground להתקדם; להתקרב
- middle ground שביל זהב, פשרה
- on the grounds of/that בגלל
- run into the ground לנצח, להביס; להגזים, להפריז
- shift one's ground לשנות טיעוניו
ground *v.* לעלות על שרטון; לקרקע; לבסס; להאריק
- ground arms להניח נשק (על הארץ)
- ground in ללמד יסודות
- well grounded מבוסס היטב
ground = p of grind טחון
ground cloth/sheet בד קרקע (אטים למים, שפורשים על הארץ)
ground control בקרת קרקע
ground crew/staff צוות קרקע
ground floor קומת קרקע
- get in on the ground floor להיכנס לעסק בשלבים מוקדמים
ground glass זכוכית עמומה
grounding *n.* לימוד היסודות
groundless *adj.* נטול יסוד, חסר שחר
ground level גובה פני הקרקע
ground'ling *n.* איש קרקע, נחות
groundnut *n.* אגוז אדמה
ground plan תוכנית כללית
ground rent דמי חכירה
ground rule עיקרון בסיסי
ground'sel *n.* סביון (צמח בר)
groundsman *n.* אחראי על מיגרש
ground speed מהירות קרקע (של מטוס)
ground swell גלים כבדים (לאחר סערה); התפשטות (רעיון)
ground-to-air (טיל) קרקע-אוויר
ground-work *n.* בסיס, יסוד; עבודת הכנה
group (gro͞op) *n.* קבוצה; להקה
group *v.* לחלק לקבוצות; לקבץ, לסווג, למיין; להתקבץ
group captain ראש-להק
grou'pie (gro͞o'pi) *n.* *אוהד, גרופי
grouping *n.* הקבצה, סידור בקבוצות
group therapy רפואה קבוצתית
grouse *n.* תרנגול-בר, שכווי; *טרוניה
grouse *v.* *להתלונן, לרטון
grout *n.* מלט-אריחים; מישקע
grove *n.* חורשה
grov'el *v.* לזחול, להתרפס
groveler *n.* מתרפס
grow (grō) *v.* לצמוח, לגדול; לגדל, להצמיח; להיעשות, להיות
- grow into להיעשות ל-; להתרגל ל-
- grow on לכבוש את ליבו אט-אט
- grow out of לגדול במידותיו; לזנוח (מנהג רע); לצמוח, להתפתח מ-
- grow to be להיעשות בהדרגה
- grow to like it לחבבו עם הזמן
- grow up להתבגר, להתפתח
- grow up! התנהג כמבוגר!
grower *n.* מְגַדֵל (צמחים); צמח
- rapid grower צמח מהיר-גידול
growing pains כאבי גדילה; בעיות התפתחות; כל התחלות קשות
growl *v.* לרטון, לנהום
growl *n.* ריטון, נהמה; טרוניה
growler *n.* קרחון קטן, *כלב
grown = pp of grow (grōn) מבוגר
grown-up *adj&n.* מבוגר
growth (grōth) *n.* צמיחה; גידול; התפתחות

- of foreign growth גדל בחו"ל
growth shares מניות הצפויות לעלות בערכן
groyne *n.* סוללה, שובר-גלים
grub *n.* זחל, דרן; *מזון
grub *v.* לחפור, לעדור; לנכש, לעשב
grubber *n.* *צובר, אוסף, מנכש
grub′by *adj.* מלוכלך, שורץ זחלים, מתולע
grubstake *n.* השקעה בעסק תמורת רווחים
grudge *v.* לתת בלי רצון, לא לפרגן; לנטור טינה, לקנא
- not grudge לפרגן, למחול
grudge *n.* קנאה, טינה
- owe/bear a grudge לנטור טינה
grudging *adj.* מקמץ; נותן בלי רצון
gru′el *n.* דייסה
gru′eling *adj.* קשה, מציק, מפרך
grue′some (grōō′səm) *adj.* אָיוֹם
gruff *adj.* קשה, צרוד, מחוספס, גס
grum′ble *v.* להתלונן, לרטון, לנהום
grumble *n.* תלונה, ריטון, נהמה
grumbler *n.* רטנן, מלא טרוניות
grump′y *adj.* כועס, סר וזעף
Grun′dyism′ (-diiz′əm) *n.* שמרנות, צניעות
grunge *n.* לכלוך, מוסיקת גרנג'
grunt *v.* לנחור, לחרחר, לנהום
grunt *n.* נחירה, חרחור, נהמה
gryph′on *n.* גריפין (מפלצת אגדית)
G-string *n.* מיתר סול; חוטיני
gua′no (gwä′-) *n.* לשלשת (לזיבול)
guar′antee′ (gar-) *n.* ערבות; עָרֵב; ערובה; ביטחון, בטוחה, עירבון
guarantee *v.* לערוב ל-, להבטיח
guar′antor′ (gar-) *n.* עָרֵב
guar′anty (gar-) *n.* ערבות; ביטחון; משכון
guard (gärd) *n.* מישמר; שמירה; עמדת הגנה; עירנות; שומר, סוהר; מגן
- guard of honor מישמר כבוד
- keep/stand guard לשמור
- lower one's guard להפחית העירנות נגד התקפה
- mount guard לשמור, לצאת לשמירה
- off guard לא מוכן, לא עירני
- on guard על המשמר, עירני
- raise one's guard להגביר העירנות נגד התקפה
guard *v.* לשמור, לשמור על
- guard against להישמר מ-, למנוע
guarded *adj.* זהיר
guardhouse *n.* בית מישמר
guard′ian (gär-) *n.* שומר, אפיטרופוס
guardian angel מלאך שומר
guardianship *n.* אפיטרופסות
guard-rail *n.* מעקה, מעקה בטיחות
guardroom *n.* חדר מישמר
guard-ship *n.* אוניית מישמר
guardsman *n.* שומר, זקיף
Gua′tema′la (gwä-mä′lə) *n.* גוטמלה
gua′va (gwä-) *n.* גויבה
gu′bernato′rial *adj.* של מושל
gudg′eon (-jən) *n.* פתי; קברנון (דג)
guerril′la (gər-) *n.* לוחם גרילה
guerrilla war גרילה, לוחמה זעירה
guess (ges) *v.* לנחש, לשער
- I guess חושבני ש-, דומני ש-
guess *n.* ניחוש, השערה
- at a guess/by guess לפי ניחוש
- have a guess at לנחש
- it's anybody's guess אין לדעת בוודאות
- keep him guessing *לעכב מידע
guess′timate′ (ges′-) *n.* *הערכת-ניחוש
guesswork *n.* ניחוש, השערה
guest (gest) *n.* אורח, קרוא
- be my guest! *בבקשה
- paying guest מתאכסן בתשלום
guest *v.* להופיע כאורח (בתוכנית)
guesthouse *n.* בית הארחה
guest night מסיבת-אורחים (שמשתתפים בה גם לא-חברים)
guestroom *n.* חדר-אורחים
guest worker עובד זר
guff *n.* *שטויות, הבלים
guffaw′ *n.* צחוק רם, צחוק גס
guffaw *v.* לפרוץ בצחוק רם
guid′ance (gīd-) *n.* הנחיה, הדרכה; עצה
guide (gīd) *n.* מורה-דרך; מדריך; מנחה; מְכַוֵּן
guide *v.* להדריך; להנחות
guide book מדריך
guided missile טיל מונחה
guide dog כלב נחייה
guided tour סיור מודרך
guide lines קווים מנחים
guidepost *n.* תמרור
gui′don (gī′-) *n.* דגל, דגלון
guild (gild) *n.* גילדה, איגוד
guil′der (gil-) *n.* גילדר (מטבע)
guild-hall *n.* בית-העיריה
guile (gīl) *n.* רמאות, מירמה
guileful *adj.* רמאי, ערמומי
guileless *adj.* תמים, ישר
guil′lotine′ (gil′ətēn) *n.* גיליוטינה, מערפת; מכונת חיתוך
guillotine *v.* לערוף בגיליוטינה
guilt (gilt) *n.* אשמה
guiltless *adj.* חף מפשע
guilty (gil′-) *adj.* אשם
- guilty conscience מצפון מייסר
- plead guilty להודות באשמה
Guinea (gin′i) *n.* גיניאה
guinea (gin′i) *n.* גיני; 21 שילינג
guinea fowl פניניה (עוף)
guinea pig חזיר-ים, קביה; שפן-ניסיונות
guise (gīz) *n.* לבוש, תלבושת, הופעה
- the same thing in a new guise אותה הגברת בשינוי האדרת
- under the guise of במסווה של-
guitar′ (git-) *n.* גיטארה, קתרוס
guitarist *n.* גיטריסט
gulch *n.* גיא, קניון
gul′den (gōōl-) *n.* גילדר (מטבע)
gulf *n.* מיפרץ; תהום, פער
Gulf Stream זרם הגולף
Gulf War מלחמת המיפרץ
gull *n.* שחף (עוף-ים); פתי
gull *v.* לרמות, לפתות

gul′let *n.* גרון, ושט
gul′ley *n.* תעלה, ערוץ
gul′libil′ity *n.* פתיות, תמימות
gul′lible *adj.* פתי; קל לרמותו; תם
gul′ly *n.* ערוץ; תעלה
gulp *v.* לבלוע, לגמוע בשקיקה
- gulp back/down לעצור, להחניק
gulp *n.* בליעה, לגימה
- at one gulp בלגימה אחת
gum *n.* גומי; סוכריה; מסטיק, גומי-לעיסה; דבק; עץ-שרף
- by gum! בשם השם!*
- gums חניכיים
gum *v.* להדביק
- gum up לשבש, לקלקל
gum′bo *n.* מרק במיה
gumboil *n.* מורסה בחניכיים
gum boots מגפיים
gum drop סוכרית גומי
gum′my *adj.* דביק
gump′tion *n.* תבונה, שכל, תושיה*
gumshoe *n.* נעל גומי; בלש*
gum tree עץ גומי, עץ שרף
- up a gum tree במצב ביש, במיצר
gun *n.* רובה; אקדח; תותח; מזרק
- big gun "תותח כבד", אישיות
- blow great guns לנשב בעוצמה
- give it the gun להגביר מהירות
- go great guns לעבוד ביעילות
- jump the gun לזנק לפני האות
- son of a gun ממזר, נבל*
- spike his guns לשבש תוכניותיו
- stick to one's guns לדבוק בעמדתו
- till the last gun is fired עד הרגע האחרון
gun *v.* לירות; להגביר המהירות
- gun down להפיל/להרוג בירייה
- gun for לחפש, לבקש; לרדוף אחרי
gun-boat *n.* ספינת-תותחים
gun-boat diplomacy דיפלומטיה מלווה באיומים, שפת הכוח
gun carriage כן-תותח
gun cotton חומר נפץ
gun dog כלב ציד
gunfight *n.* קרב יריות
gunfire *n.* ירייה, הפגזה, הרעשה
gunge *n.* חומר דביק, זוהמה
gung ho נלהב*
gunlock *n.* ניצרה
gunman *n.* שודד, אקדחן, פושע; מחבל, טרוריסט
gun metal נתך של נחושת ואבץ
gun′nel *n.* לזבז, שפת הצידון
gunner *n.* תותחן; קצין תותחנים
gunnery *n.* תותחנות
gun′ny *n.* גוני (בד גס לשקים)
gunplay *n.* חילופי ירויות
gunpoint *n.* פי-האקדח
- at gunpoint באיום אקדח
gunpowder *n.* אבק-שריפה
gunroom *n.* חדר קצינים זוטרים
gun-runner *n.* מבריח נשק
gun-running *n.* הברחת נשק
gunship *n.* מסוק קרב חמוש
gunshot *n.* טווח-אש; ירייה; כדור
gun′shy′ *adj.* נבהל מקולות-ירי

gunsmith *n.* נַשָּק, מְתַקֵּן נֶשֶק
gun′wale (-nəl) *n.* לזבז הסירה; שפת הצידון
gur′gle *v.* לגרגר, לבעבע, לפכפך
gurgle *n.* גרגור, בעבוע, פכפוך
guru (goor′o͞o) *n.* גורו, מורה
gush *v.* לזרום, לפרוץ, להשתפך
- gush over לדבר בהערצה על
gush *n.* התפרצות, זרם
gush′er *n.* באר-נפט
gushing *adj.* משתפך, מלא-הערצה
gush′y *adj.* משתפך
gus′set *n.* חתיכת-בד (שמוסיפים לבגד להרחיבו); מחבר-מתכת
gust *n.* רוח חזקה, משב; התפרצות
gus·ta′tion *n.* טעימה, חוש הטעם
gus′tato′ry *adj.* של חוש הטעם
gus′to *n.* התלהבות, חשק רב, להיטות
gust′y *adj.* סופתי, סוער, מתפרץ
gut *n.* מעיים; מיתר, גיד
- I hate his guts אני שונא אותו שנאת מוות*
- guts מעיים; אומץ; תוכן, ערך*
- sweat/work one's guts out לעבוד* קשה, להזיע כמו סוס
gut *v.* להוציא המעיים; לרוקן, להרוס, לכַלות באש
gutless *adj.* פחדן, חסר-אומץ
gut′sy *adj.* אמיץ; חמדן*
gut′ta-per′cha *n.* גוטפרשה (חומר כעין גומי המשמש לבידוד)
gut′ter *n.* תעלה, מרזב, גישמה; שכונות עוני
gutter *v.* לבעור, להבליח (לגבי נר, כשהשעווה גולשת)
gutter press עיתונות צהובה
guttersnipe *n.* ילד-רחוב, זאטוט
gut′tural *adj.* גרוני
guv′nor *n.* בוס, מנהל-עבודה*
guy (gī) *n.* חבל, שרשרת; איש, ברנש;* בובת-אדם; אדם מגוחך
guy *v.* ללעוג ל-, לעשותו ללעג
guz′zle *v.* לזלול, לשתות, לסבוא
guzzler *n.* זולל, סובא
gym *n.* אולם התעמלות; התעמלות*
gymkhana (-kä′nə) *n.* ג'ימקנה
gymna′sium (-z-) *n.* אולם התעמלות
gym′nast *n.* מורה להתעמלות, מד"ס
gymnas′tic *adj.* של התעמלות
gymnastics *n-pl.* התעמלות
gymslip *n.* טוניקה חסרת שרוולים
gy′necolog′ical (g-) *adj.* גיניקולוגי
gy′necol′ogist (g-) *n.* גיניקולוג, רופא-נשים
gy′necol′ogy (g-) *n.* גיניקולוגיה
gyp *n.* רמאות, הונאה*
- give him gyp להכאיב, להעניש*
gyp *v.* לרמות, להונות
gyp′sum *n.* גבס
gyp′sy *n.* צועני
gy′rate *v.* להסתובב
gy·ra′tion *n.* הסתובבות
gy′ro *n.* גירוסקופ*
gy′roscope′ *n.* גירוסקופ
gyve *n.* שלשלת, כבל
- gyves אזיקים, נחושתיים

H

H = hydrogen
ha (hä) *interj.* אה (קריאה)
ha'be·as cor'pus הביאס קורפוס, צו הבאה (של אסיר לפני שופט)
hab'erdash'er *n.* מוכר בגדי גברים; מוכר מיני סדקית; סדקי
haberdashery *n.* סדקית, גלנטריה
habil'iment *n.* לבוש, תלבושת
hab'it *n.* מנהג, הרגל; תלבושת
- fall into bad habits לשקוע בהרגלים רעים
- force of habit כוח ההרגל
- get out of a habit לנטוש הרגל
- habit of mind מצב-רוח
- make a habit of לעשותו הרגל
- out of habit מתוך הרגל
hab'itable *adj.* ראוי למגורים
hab'itat' *n.* בית, בית טיבעי, מישכן
hab'ita'tion *n.* מגורים; בית
habit-forming *adj.* מְמַכֵּר
habit'u·al (-chōōəl) *adj.* רגיל; טבעי; מוּעָד
habit'u·ate' (-chōō-) *v.* להרגיל
hab'itude' *n.* הרגל, מנהג
habit'u·e' (-chōōā') *n.* מבקר בקביעות, אורח קבוע
ha'cien'da (hä-) *n.* חווה, אחוזה
hack *v.* לחתוך, לקצץ; להכות; לפלס דרך; לפרוץ למחשב; להצליח; לסבול; להפוך לנדוש; לנהוג במונית; לרכוב
hack *n.* מהלומה; חתך; שיעול יבש; מונית; סוס להשכרה; סוס זקן; כתבן שכיר; נדוש, חדגוני
hack'er *n.* האקר, פורץ מחשבים
hacking cough שיעול יבש
hack'le *n.* נוצת-צוואר
- with one's hackles up אחוז-חימה; נכון לקרב, מוכן להיאבק
hack'ney *n.* סוס רכיבה
hackney *v.* להפוך (ביטוי) לנדוש
hackney carriage מונית; כרכרה
hackneyed *adj.* נדוש, חבוט, באנאלי
hacksaw *n.* מסור (לניסור) מתכת
hackwork *n.* עבודה משעממת, כתבנות
had = p of have
had'dock *n.* חמור הים (דג)
Ha'des (-dēz) *n.* גיהינום
hadj'i *n.* חאג' (מוסלמי שביקר במכה)
hadn't = had not (had'ənt)
haemo- = hemo
haft *n.* ידית, ניצב, בית-אחיזה
hag *n.* מכשפה, זקנה, מרשעת
Hagga'da (-gä-) *n.* הגדה; אגדה
hag'gard *adj.* עייף, רע-מראה, כחוש
hag'gis *n.* הגיס (תבשיל סקוטי)
hag'gle *v.* להתמקח, להתווכח
Hag'iog'rapha *n.* כתובים (בתנ"ך)
hag'iol'ogy (hag-) *n.* ספרות הקדושים, אגדות הקדושים
hag-ridden *adj.* אחוז סיוטים
Hague, The Hague (hāg) *n.* האג
ha-ha (hä'hä') *n.* תעלת-גבול, קיר שקוע
ha-ha *interj.* חה-חה (קול צחוק)
Hai'fa (hī'-) *n.* חיפה
hail *n.* ברד; קריאת שלום, ברכה
- hail-fellow-well-met מתיידד מהר
- within hail בטווח-שמיעה
hail *v.* לרדת (ברד); להמטיר
- it hailed ירד ברד
hail *v.* לברך, לקרוא, להריע
- hail a taxi לעצור מונית
- hail from לבוא מ-, להיות ביתו ב-
- hail him as להכיר בו כ-
hailstone *n.* אבן ברד, כדור ברד
hailstorm *n.* סופת-ברד
hair *n.* שערה, שיער
- by a hair's breadth כחוט השערה
- curl his hair להפחידו, לסמר שערו
- get him by the short hairs *להשתלט עליו
- get in his hair להרגיזו
- keep your hair on משול ברוחך
- let one's hair down להתנהג בחופשיות
- lose one's hair להקריח; לרגוז
- make his hair stand on end לסמר שערותיו
- not turn a hair לא להניד עפעף
- out of one's hair נפטר מטירדה
- split hairs לדקדק דקדוקי עניות
- tear one's hair למרוט שער ראשו, להימלא צער/זעם
- to a hair בדייקנות מרובה
hair-breadth *adj.* כחוט השערה
- within a hair's breadth of על סף, רחוק כחוט השערה מ-
hairbrush *n.* מברשת שיער
haircare *n.* טיפול בשיער
hair conditioner מייצב שיער
haircut *n.* תספורת
hair-do *n.* תסרוקת
hairdresser *n.* סַפַּר-נשים, סַפָּר
hairdrier *n.* מייבש שיער
hairdryer *n.* מייבש שיער
hair-dye *n.* צבע-שיער
hairgrip *n.* מכבנה, סיכת-ראש
hairless *adj.* חסר-שיער, קירח
hairline *n.* קו השיער (במצח); קו דקיק, סדק
hairnet *n.* רשת (לשיער)
hair-oil *n.* שמן-שיער
hairpiece *n.* פאה נוכרית, קפלט
hairpin *n.* מכבנה, סיכת ראש
hairpin bend סיבוב חד, פנייה חדה
hair-raising *adj.* מסמר שיער, נורא
hair-restorer *n.* מצמיח שיער
hair shirt כתונת-שיער (לסגפנים)
hair slide סיכת-שיער
hair-splitting *n.* דקדוקי-עניות
hairspring *n.* קפיץ דקיק (בשעון)
hairstyle *n.* עיצוב שיער
hair trigger הדק עדין (המפעיל את כלי-היריה בלחיצה קלה)
hairy *adj.* שעיר; מכוסה שיער
Hai'ti *n.* האיטי
hajj'i *n.* חאג' (מוסלמי שביקר במכה)
hake *n.* זאב-הים (דג), בקלה
hal'berd *n.* חנית (קדומה)

hal'cyon *adj.* שקט, נוח, שליו
hale *adj.* בריא
hale and hearty בריא וחזק
half (haf) *n&adj&adv.* חצי, מחצית; קַשָר (בכדורגל); *חצי פיינט; כרטיס חצי מחיר; לחצאין, בחלקו
- by half במידה ניכרת
- cut in half לחתוך לשניים, לחצות
- do it by halves לעשות חצי עבודה
- go halves להתחלק שווה בשווה
- half a dozen שש, חצי תריסר
- half an eye מבט חטוף
- half and half חצי-חצי
- half the battle מרבית המלאכה
- how the other half lives איך חיים האנשים השונים ממנו
- not half bad כלל לא רע
- not half! *מאוד!
- one's better half אישתו, פלג-גופו
- too clever by half פיקח מאוד
halfback *n.* קַשָר (בכדורגל)
half-baked *adj.* טיפשי, לא-שקול, דל
half-blood *n.* אח חורג
half board חצי פנסיון
half-breed *n.* בן-תערובת, בן-כלאיים
half-brother *n.* אח חורג
half-caste *n.* בן-תערובת
half cock דריכה למחצה (של רובה); בילבול, חוסר תיכנון
- go off at half cock להתחיל לפעול מוקדם מדי
half-hardy *adj.* לא-עמיד (בתנאי כפור), חסין בחלקו
half-hearted *adj.* בלי התלהבות
half-holiday *n.* חופשת חצי יום
half-length *adj.* של חצי הגוף העליון
half-light *n.* אור עמום
half-mast *adv.* בחצי התורן
half measures צעדים לא מספיקים, פשרה מפוקפקת
half note חצי תו
half-pay *n.* שכר מוקטן
halfpence *n-pl.* חצאי פני
halfpenny *n.* חצי פני (מטבע)
halfpennyworth *n.* שווה חצי פני
half-pint *n.* חצי פיינט; איש נמוך, גוץ
half-seas-over מבוסם למחצה
half-sister *n.* אחות חורגת
half-timbered *adj.* (בית) בעל קירות עץ ואבן
half time הפסקה, מחצית
half-tone *n.* תמונה בשחור-לבן; חצי טון
half-track *n.* זחלם
half-truth *n.* חצי אמת
half-way *adj&adv.* (ממוקם) במחצית הדרך, אמצע; חלקי
- meet him halfway להתפשר עמו
halfway house פשרה, מחצית הדרך; מוסד שיקומי; פונדק
half-wit *n.* מטומטם, חסר-שכל
half-witted *adj.* מטומטם, חסר-שכל
hal'ibut *n.* פוטית (דג שטוח)
hal'ito'sis *n.* באשת (ריח רע מהפה)
hall (hôl) *n.* אולם; פרוזדור, הול; חדר-אוכל; מעון; בית, בניין
- City Hall בית העירייה
- hall of residence מעון סטודנטים
hal'lelu'jah (-yə) *interj.* הללויה
hallmark *n.* סימן, אות; חותמת האיכות (על כלי-זהב)
hallmark *v.* להטביע חותמת על
hallo' *interj.* הלו!
halloo' *interj.* הלו! (קריאה לכלבים)
hal'low (-lō) *v.* לקדש, להעריץ
hallowed *adj.* מקודש, קדוש
Hal'loween' (-ləw-) *n.* ליל כל הקדושים (31 באוקטובר)
hallstand *n.* מקלב
hallu'cinate' *v.* להזות
hallu'cina'tion *n.* הזיה
hallu'cinato'ry *adj.* של הזיות
hallu'cinogen'ic *adj.* גורם הזיות
hallway *n.* מסדרון, פרוזדור
hal'ma *n.* הלמה (משחק)
ha'lo *n.* הילה, עטרת-אור
hal'ogen lamp נורת הלוגן
halt (hôlt) *v.* לעצור; להסס, לפקפק
halt *n.* עצירה; תחנה; חנייה
- call a halt להפסיק, לשים קץ ל-
- come to a halt לעצור
halt *adj.* צולע
hal'ter (hôl'-) *n&v.* אפסר; חבל; רצועת-צוואר; חולצת רצועה; חבל-תליה; לשים אפסר; לתלות
halter-neck *adj.* קשור ברצועת צוואר
hal'vah (häl'vä) *n.* חלבה
halve (hav) *v.* לחצות, לחלק לשניים; להפחית בחצי
halves = pl of half (havz)
hal'yard *n.* חבל (להנפת דגל/מפרש)
ham *n.* ירך-חזיר, ירך; שחקן רע; אלחוטן חובב
ham *v.* לשחק שלא בטבעיות
- ham up לשחק בהגזמה
ham'adry'ad *n.* נמפת-העץ; קוברה
ham'burg'er (-g-) *n.* המבורגר, כריך-בשר
ham-fisted *adj.* לא-יוצלח, בעל שתי ידיים שמאליות
ham-handed *adj.* לא-יוצלח, בעל שתי ידיים שמאליות
ham'let *n.* כפר קטן, כפרון
ham'mer *n.* פטיש
- come under the hammer להימכר במכירה פומבית
- go at it hammer and tongs להילחם בהקרבה, להתווכח בלהט
- throwing the hammer זריקת-פטיש
hammer *v.* להכות (בפטיש); להביס
- hammer away at להכות בלי הרף; לעבוד קשה על; להדגיש
- hammer in להחדיר, לשנן לו
- hammer out לרקע, לעצב, לגבש
hammerhead *n.* דג-הפטיש
ham'mock *n.* ערסל
ham'per *v.* לעכב, להכביד
hamper *n.* סל; סל כבסים
ham'ster *n.* אוגר (מכרסם)
ham'string' *v&n.* לחתוך את מיתר הברך, להטיל מום; להכשיל; מיתר הברך
hand *n.* יד; כתב-יד; מחוג; 4 אינטשים; קלפים (שבידי שחקן); פועל, מַלָּח

- (come) to hand להתקבל, להגיע
- a dead hand מניעת התקדמות, חוסר שינוי
- a good hand at מומחה ב-
- a heavy hand יד ברזל/קשה
- all hands כל כוח האדם; כל הצוות
- an old hand מנוסה, ותיק
- at first hand באופן בלתי אמצעי
- at hand קרוב, מתקרב; בהישג יד, זמין
- at his hands ממנו, בגללו
- at second hand באופן בלתי ישיר
- at the hands of מפעולת-, מידי-
- be in hand לקבל טיפול נאות
- bind him hand and foot להותירו אין-אונים, לכבול ידיו ורגליו
- bring up by hand לגדל בהזנה מבקבוק
- by hand ביד
- change hands להחליף בעלים
- dirty one's hands ללכלך ידיו, לעשות מעשה מביש
- eats out of her hand לשירותה המידי, סר לפקודתה
- fight hand to hand להילחם בקרב-מגע
- force her hand לאלצה לפעול כרצונו
- from hand to hand מיד ליד
- from hand to mouth מן היד אל הפה
- get a hand לקצור תשואות
- get the upper hand לגבור על, לצאת וידו על העליונה
- give a hand למחוא כפיים; לעזור, להושיט יד
- hand in glove (עושים) יד אחת
- hand in hand יד ביד
- hand over fist/hand מהר מאוד
- hands off! אל תיגעו! הרף!
- hands up! ידיים למעלה!
- has a hand in יש לו יד/חלק ב-
- has a light hand ידיו קלות
- has his hands full עסוק מאוד, עמוס עבודה
- hat in hand בהכנעה, בהתרפסות
- have in hand לטפל כיאות ב-
- in hand תחת ידו
- in the hands of בידי-
- join hands לעשות יד אחת; לשלב ידיים
- keep/get one's hand in להתאמן, לתרגל, לשמור על כושר; לא להזניח
- lay hands on לתפוס, לשים יד על
- lend a hand לעזור, להושיט יד
- money/cash in hand מזומנים
- not do a hand's turn לא לנקוף אצבע
- off one's hands פטור מאחריות
- on (the) one hand מצד אחד
- on all hands מכל עבר
- on every hand בכל הכיוונים
- on hand זמין, תחת ידו; קרוב, נמצא
- on one's hands רובץ עליו (כחובה)
- on the other hand מאידך
- out of hand תיכף ומיד; מחוץ לשליטה
- play a good hand לשחק היטב
- play into his hands לשחק לידיו, להקנות יתרון ליריב
- put one's hand to לשים ידו על, להתחיל לעבוד ב-, להירתם ל-
- raise one's hand להרים יד על
- shake his hand ללחוץ ידו
- show one's hand לגלות את קלפיו
- sit on one's hands לשבת בחיבוק ידיים
- soil one's hands ללכלך ידיו, לעשות מעשה מביש
- take in hand לרסן, לקחת לידיים
- throw in one's hand להיכנע
- tie his hands לכבול את ידיו
- to hand זמין, בהישג-יד
- try one's hand לנסות כוחו ב-
- turn one's hand to לשים ידו על, להתחיל לעבוד ב-, להירתם ל-
- wait on him hand and foot לשרתו בכל
- wash one's hands of להתנער מ-, לרחוץ בניקיון כפיו
- win hands down לנצח בנקל
- won her hand הסכימה להינשא לו

hand *v.* לתת, למסור; לעזור
- hand around להעביר מיד ליד
- hand back להחזיר, למסור בחזרה
- hand down למסור; להעביר מדור לדור; (לגבי בי"ד) לנסח, להודיע
- hand in למסור, לתת
- hand on להעביר הלאה
- hand out לחלק, לתת
- hand over להסגיר, להעביר
- you have to hand it to her *כל הכבוד לה

handbag *n.* ארנק, תיק
handball *n.* כדור-יד
hand-barrow *n.* מריצה, עגלת-יד
handbill *n.* עלון פרסומת
handbook *n.* ספר שימושי, מדריך
handbrake *n.* בלם-יד, בלם עזר
handbreadth *n.* טפח
handcart *n.* עגלת-יד
handclap *n.* מחיאות כפיים
- a slow handclap מחיאות כפיים קצובות (להבעת קוצר-רוח)

hand cream קרם ידיים
handcuff *v.* לכבול באזיקים
handcuffs *n-pl.* אזיקים
handful *n&adj.* מלוא-היד, חופן; מעט, לא הרבה; שובב, קשה לשלוט בו
hand glass זכוכית מגדלת, ראי קטן
hand grenade רימון יד
handgrip *n.* ידית, תפיסה ביד
hand-gun *n.* אקדח
handheld *adj.* נאחז ביד, מחשב נישא
hand-hold *n.* מאחז (להיאחז בו)
hand'icap' *n.* מכשול, מגרעת; עמדה נחותה, נטל נוסף (בתחרות)
handicap *v.* להגביל, לעכב
handicapped *adj.* מוגבל
hand'icraft' *n.* מלאכת-יד
hand'iwork' *n.* עבודת-יד, יצירה
hand'kerchief (hang'kərchif) *n.* ממחטה, מטפחת
han'dle *n.* ידית; *תואר, כינוי
- fly off the handle לצאת מכליו
- give him a handle against לתת עילה נגד, לספק נשק בידי-

handle *v.* לנגוע, למשש; לטפל ב-, להתייחס ל-; לסחור ב-
handlebar moustache שפם עבות, שפם דמוי הגה אופניים

handlebars *n-pl.* הגה (של אופניים)
handler *n.* מאמן, מאלף; מפעיל
handloom *n.* נול-יד
hand luggage מזוודות קלות
hand-made *adj.* של עבודת-יד
handmaid *n.* שפחה, עוזרת
hand-me-down *n.* בגד משומש
hand-organ *n.* תיבת-נגינה
hand-out *n.* נדבה, מתנה לעני; תמסיר, הודעה, עלון
hand-over *n.* העברה, מסירה
hand-pick *v.* לבחור, לברור
handrail *n.* מעקה
handset *n.* שפופרת טלפון
handshake *n.* לחיצת-יד
hands-off *adj.* לא מתערב
hand'some (han'səm) *adj.* נאה, גברי, מושך; נדיב, הגון; ניכר
hands-on *adj.* מתערב, מאפשר נגיעה בידיים, שימושי, מעשי
handstand *n.* עמידה על הידיים
handwork *n.* עבודת-יד
handwriting *n.* כתב-יד
- the handwriting on the wall הכתובת על הקיר
handwritten *adj.* כתוב ביד
hand'y *adj.* שימושי, נוח; זריז, חרוץ; קרוב, לא-רחוק
- come in handy להיות לתועלת
handyman *n.* עושה כל מלאכה
hang *v.* לתלות, להיות תלוי
- I'll be hanged if תיפח רוחי אם
- be hung up להידחות; לחוש תסכול
- go hang ללכת לעזאזל
- hang about/around להסתובב, לחכות באפס מעשה
- hang back/off/behind להירתע, לגלות הססנות
- hang by a thread/hair (חייו) תלויים לו מנגד
- hang fire לפעול באיטיות
- hang him out to dry לעזוב אותו לאנחות, לנטוש אותו
- hang it! לכל הרוחות!
- hang on לאחוז בחוזקה; להישאר על קו הטלפון; להתמיד, להמשיך; לחכות
- hang on a minute! חכה רגע!
- hang on his lips/words להקשיב בדריכות למוצא-שפתיו
- hang on to it להחזיק בו
- hang one on *להלום; לשתות לשכרה
- hang out לתלות (כבסים) לייבוש; לגור, להתגורר; לבלות, להתבטל
- hang over לאיים על, לרחף על
- hang the head לכבוש פניו בקרקע
- hang together לפעול בצוותא, להיות מלוכדים; להתאים, להיות עיקבי
- hang up לסיים שיחת-טלפון; להיתקע
- hang up a record להציב שיא
- hang up on him לטרוק השפופרת
- hang wallpaper להדביק טפטים
- hanging in the air תלוי ועומד
- hangs in the balance תלוי ועומד
hang *n.* צורת התלייה
- get the hang of להבין הרעיון
- not care a hang לא איכפת כלל

han'gar *n.* מוסך-מטוסים, האנגאר
hangdog *adj.* נבזה, ביישני
hanger *n.* קולב, מתלה
hanger-on *n.* גרור, טפיל, נדחק
hang-glider *n.* גלשון
hanging *n.* תלייה, מוות בתלייה
- hanging matter פשע שדינו תלייה
- hangings וילונות, טפטים
hangman *n.* תליין
hang-out *n.* *מקום מגורים; מקום בילוי
hangover *n.* כאב-ראש, הנג-אובר, חמרמורת, זנבת הסביאה; שרידים, שארית
hang-up *n.* תיסכול, טראומה; עיכוב
hank *n.* סליל, פקעת חוטים/צמר
han'ker *v.* להשתוקק ל-, לחמוד
hankering *n.* רצון עז, תשוקה
han'ky *n.* *מטפחת, ממחטה
hank'y-pank'y *n.* רמאות, הונאה
Han'sard *n.* רשומות (הפרלמנט)
han'som *n.* כרכרה
Hanukkah (hä'nəkə) *n.* חנוכה
hap *v.* לקרות, להתרחש
hap'haz'ard *adj.* מקרי, לא-מתוכנן
hap'less *adj.* אומלל, חסר-מזל
hap'ly *adv.* אולי
hap'orth (hāp'-) *n.* חצי פני
hap'pen *v.* לקרות, להתרחש; להזדמן, לגרום לו מזלו
- as it happens במקרה, למרבה המזל, אינה הגורל
- happen on להיתקל, לפגוש
- it happened that במקרה, למרבה המזל, אינה הגורל
happening *n.* מקרה, מאורע; הפנינג, אירעון
hap'penstance' *n.* דבר מקרי
hap'pily *adv.* בשמחה; למזלו
hap'piness *n.* שמחה, אושר
hap'py *adj.* שמח, מאושר, בר-מזל; קולע, הולם
- happy event הולדת בן
happy-go-lucky *adj.* לא-דואג, סומך על המזל
happy hour שעת המחירים הזולים
happy medium/mean שביל הזהב
har'a-kir'i *n.* חרקירי
harangue' (-rang') *n.* נאום, תוכחה
harangue *v.* לשאת נאום ארוך
har'ass *v.* להציק, להטריד
harassment *n.* הטרדה; מצוקה
- sexual harassment הטרדה מינית
har'binger *n.* מבשר, מודיע
har'bor *n.* נמל, חוף-מבטחים
harbor *v.* להעניק מחסה ל-, להסתיר; לשמור בלבו; לטפח; לעגון
harborage *n.* מעגן; חוף-מבטחים
hard *adj.* קשה
- as hard as nails קשה כפלדה
- be hard on לגלות יחס קשה כלפי
- give a hard time לגרום סבל, להציק
- hard and fast (חוק) קבוע, נוקשה
- hard drink/liquor משקה חריף
- hard drinker שתיין, מרבה לשתות
- hard feelings תרעומת, טינה

- hard nut to crack אגוז קשה
- hard of hearing כבד-שמיעה
- hard times ימים טרופים
- hard water מים קשים
- hard words מלים קשות; קשות
- play hard to get להעמיד פנים, לשחק
- the hard way הדרך הקשה

hard *adv.* קשה, במאמץ, בפרך, בעוז; בצמוד ל-, בסמוך ל-, בעיקבות

- be hard hit לספוג מכה קשה
- feel hard done by לחוש נפגע
- hard at it משקיע בו כל מרצו
- hard by קרוב מאוד
- hard on/upon מיד אחרי
- hard put (to it) במצב קשה
- hard up דחוק (בכסף), זקוק ל-
- it comes hard to קשה ל-
- it goes hard with קשה ל-, אבוי ל-
- look hard at להתבונן היטב ב-

hardback *n.* ספר קשה-כריכה

hardball *v&n.* *ללחוץ, לאלץ; שיטות בלתי מתפשרות, קשיחות; בייסבול

- play hardball לעשות כל שביכולתו

hard-bitten *adj.* קשוח, עקשן

hardboard *n.* לוח עץ (דמוי-דיקט)

hard-boiled *adj.* (ביצה) קשה; קשוח

hardbound *adj.* בעל כריכה קשה

hard cash מזומנים

hard copy הדפס, תדפיס

hard core תשתית, גרעין, יסוד

hard court מגרש טניס (קשה-משטח)

hardcovered *adj.* בעל כריכה קשה

hard currency מטבע קשה

hard disk דיסק קשיח

hard′en *v.* להקשות; להתקשות; להקשיח; לחשל; להתחשל

hard-fisted *adj.* חזק; קשוח; קמצן

hard hat קסדה; פועל בניין; שמרן

hard-headed *adj.* מעשי, החלטי

hard-hearted *adj.* קשוח-לב

hard-hitting *adj.* קשה, נמרץ, פעיל

hardihood *n.* אומץ, העזה

hardiness *n.* אומץ, העזה

hard labor עבודת-פרך

hard line עמדה נוקשה, קו תקיף

hard-liner *n.* אינו מתפשר, נוקשה

hard luck/lines מזל רע

- hard luck story סיפור המבקש לעורר חמלת השומע

hardly *adv.* בקושי, כמעט שלא; כלל לא, בלתי-הגיוני

- hardly ever לעיתים נדירות מאוד
- hardly had I arrived when- אך זה הגעתי והנה-

hardness *n.* קושי; מוצקות

hard-nosed *adj.* קשוח

hard-pressed *adj.* בקשיים; לחוץ

hardship *n.* קושי, מצוקה, סבל

hard shoulder שולי הכביש

hard standing משטח קשה

hard-top *n.* מכונית בעלת גג קשיח

hardware *n.* כלי-מתכת, כלי בית וגינה; כלי מלחמה; גוף המחשב, חומרה

hardwood *n.* עץ קשה (לרהיטים)

hardy *adj.* חזק, נועז; חסין-קור

hare *n&v.* ארנבת

- hare off לרוץ מהר, לברוח
- mad as a March hare מטורף, פראי
- start a hare לסטות מן הוויכוח, להעלות נושא זר

harebell *n.* פעמונית (כחולת-פרח)

hare-brained *adj.* פזיז, טיפשי

harelip *n.* שפה שסועה

har′em *n.* הרמון, נשי ההרמון

har′icot′ (-kō) *n.* סוג של שעועית

hark *v.* לשמוע, להאזין

- hark back לחזור לדבר שקרה בעבר

har′lequin *n.* מוקיון, ליצן

har′lequinade′ *n.* מופע המוקיון

har′lot *n.* זונה, פרוצה

harlotry *n.* זנות

harm *n.* נזק, הפסד

- come to no harm לא להיפגע
- do harm לפגוע, להזיק
- means no harm לא מתכוון לפגוע
- no harm done לא נורא, אין דבר
- out of harm's way מחוץ לכלל סכנה, בחוף מבטחים

harm *v.* להזיק, לפגוע

harmful *adj.* מזיק, פוגע

harmless *adj.* לא מזיק; חף, תמים

har•mon′ic *n.* צליל הרמוני

har•mon′ica *n.* מפוחית-פה

har•mo′nious *adj.* הרמוני, מתמזג יפה; חיים בהרמוניה

har•mo′nium *n.* הרמוניום (כלי-נגינה)

har′moniza′tion *n.* הירמון

har′monize′ *v.* להרמן; להתהרמן; להתאים; למזג/להתמזג יפה

har′mony *n.* הרמוניה

- be in harmony להתאים, לתאום

har′ness *n.* רתמה, כלי-רתמה

- die in harness למות בעודו עובד
- run/work in double harness לעבוד עם שותף/בן-זוג

harness *v.* לרתום; לנצל (נהר כדי להפיק כוח)

harp *n&v.* (לפרוט על) נֵבֶל

- harp on לדבר שוב ושוב על

harpist *n.* מנגן בנבל, נבלאי

har•poon′ (-pōōn′) *n.* צִלְצָל

harpoon *v.* להטיל צלצל (בכריש)

harp′sichord′ (-k-) *n.* צ'מבלו

har′py *n.* מפלצת, מרשעת

har′ridan *n.* מרשעת, מכשפה

har′rier *n.* כלב-ציד; רץ למרחקים ארוכים

har′row (-ō) *n.* משדדה

harrow *v.* לשדד; להציק, להכאיב

har′ry *v.* לבזוז, להחריב; להטריד, להציק

harsh *adj.* קשה, גס; צורם; אכזרי

hart *n.* צבי, אַיָל

ha′rum-sca′rum *adj&n.* פזיז; מבולגן

har′vest *n.* קציר, אסיף; יבול

- reap the harvest ליהנות מפרי עמלו, לקטוף את הפירות

harvest *v.* לקצור, לאסוף

harvester *n.* קוצר, אוסף; מקצרה

harvest festival תפילת הודייה (לאחר האסיף)

harvest home חג/חגיגת האסיף
harvest moon ירח מלא (בסתיו)
has = pres. 3rd sing. of have (haz)
has-been *n.* *מי שהיה, שכוכבו דעך
hash *v.* לקצוץ (בשר)
- hash out *לדון ב-, ליישב, להסדיר
- hash up *להזכיר, לעורר
hash *n.* בשר קצוץ; *חשיש
- make a hash of it לקלקל, לבלבל, לשבש העסק
- settle his hash לטפל בו, לחסלו
hash house *מיסעדה זולה
hash'ish *n.* חשיש
hasn't = has not (haz'ənt)
hasp *n.* בריח (הנסגר על חַת)
has'sle *n&v.* *צרה; אי נעימות; ריב; ויכוח; להציק; לריב; להתווכח
has'sock *n.* כרית (לכריעה)
hast, thou hast = you have
haste (hāst) *n.* חיפזון
- make haste להזדרז
has'ten (hā'sən) *v.* למהר, להחיש
ha'sty *adj.* מהיר, נמהר, פזיז
hat *n.* כובע, מגבעת
- at the drop of a hat לפתע, מיד
- bad hat *אדם רע, טיפוס רע
- eat one's hat לאכול את הכובע שלו, להיות בטוח שהדבר לא יקרה
- hang up one's hat לחדול לעבוד
- hat in hand בהכנעה, בהתרפסות
- hold your hat! היכון להפתעה!
- keep under one's hat לשמור בסוד
- knock into a cocked hat להכות שוק על ירך
- my hat! שטויות! איני מאמין
- old hat *לא באופנה, מיושן
- pass the hat round לאסוף תרומות (למען הנזקק)
- pull a rabbit out of the hat לשלוף שפן מן הכובע
- pull out of a hat לשלוף מהכובע/מהשרוול
- take one's hat off to להסיר הכובע בפני-
- talk through one's hat *לדבר שטויות, לקשקש
hat-band *n.* סרט מגבעת
hatch *n.* פתח בסיפון; דלת, צוהר
- batten down the hatches להיערך לקראת מצב קשה, להתגונן בפני
- down the hatch *לחיים!
- under hatches מתחת לסיפון
hatch *v.* לבקוע מביצתו; להיבקע; להדגיר; לתכנן, לזום
hatchback *n.* מכונית דו-שימושית
hatch'ery *n.* מדגרה (לביצי-דגים)
hatch'et *n.* גרזן, כילף
- bury the hatchet להשלים, לחדול מריב
hatchet-faced *adj.* ארך-פנים, צר-פרצוף
hatchet job *התקפה חריפה
hatchet man רוצח שכיר; רוצה אופי
hatching *n.* קווים מקבילים, רשת
hatchway *n.* פתח (בסיפון)
hate *v.* לשנוא; *להצטער
hate *n.* שנאה, איבה
- pet hate *דבר שנוא ביותר
hateful *adj.* שנוא, דוחה, נתעב
hate mail מכתבי נאצה
hath = has
hatless *adj.* גלוי-ראש
hatpin *n.* סיכת-כובע
ha'tred *n.* שנאה, איבה
hatstand *n.* קולב כובעים
hat'ter *n.* כובען
- as mad as a hatter מטורף לחלוטין
hat trick ניצחון משולש, שלושער
hau'berk' *n.* שריון קשקשים
haugh'ty (hô'-) *adj.* יהיר, גא, מתנשא
haul *v.* למשוך, לגרור; לשנות כיוון
- haul down the colors להיכנע
- haul off להרים יד; לנוע פתאום
- haul over the coals לנזוף
- haul up/in להזמינו להופיע (למשפט)
haul *n.* משיכה, גרירה; מרחק הגרירה; שלל-דיג, שלל-גניבה
- long haul כיברת דרך ארוכה; זמן רב, טווח ארוך
haulage *n.* הובלה, משיכה
hauler *n.* מוביל, חברת הובלה
haul'ier *n.* מוביל, חברת הובלה
haulm (hôm) *n.* גבעולים
haunch *n.* מותן, ירך, אחוריים
haunt *v.* לבקר תדיר; לפקוד; להציק, להטריד, להדאיג
haunt *n.* מקום ביקורים
haunted *adj.* (מקום) רדוף רוחות
haunting *adj.* פוקד, מנקר במוח
haut'boy' (hō'boi) *n.* אבוב
haute couture (ōt'kootoor') *n.* אופנה עילית
haute cuisine (ōt'kwizēn') *n.* טבחות משובחת
hauteur (hōtûr') *n.* גאוותנות
Havan'a *n.* הבאנה (סיגרייה)
have (hav) *v.* להיות לו, יש לו; לקבל, לקחת; עליו ל-; לגרום, להביא ל-; להרשות, לסבול; "לסדר", לרמות
- I have (got) to אני חייב ל-, עלי ל-
- I have it! מצאתי! זהו!
- I won't/can't have it לא אסבול זאת
- I would have you know ברצוני שתדע
- I've (got) a pen יש לי עט
- had I- לו הייתי-
- had better/best מוטב ש-
- has to do with קשור/עוסק ב-
- have a baby ללדת
- have a look לראות
- have a swim לשחות
- have done (with) לחסל; לגמור
- have got = have
- have him down/up לארחו
- have him in להזמינו
- have him on לרמותו, לסדר אותו
- have in לשמור בבית (מלאי)
- have it in for לרחוש טינה ל-
- have it off ללמוד על-פה; *לשכב, לקיים יחסים
- have it out ליישב, להסדיר; להוציא, לעקור (שן)
- have it over- לעלות על-
- have nothing on him אין משהו

(מפליל) נגדו
- have on ללבוש; להיות עסוק/טרוד
- have over him *לעלות עליו ב-
- have something on him לדעת משהו עליו; לעלות על-
- he was had up הועמד לדין
- she/rumor has it that היא/השמועה אומרת ש-
- you have me there אחד אפס לטובתך
- you've been had סידרו אותך
- you've had it *סידרו אותך; מספיק לך, דיי! הרי לך!
have *n.* רמאות; "סידור"
- the have-nots העניים
- the haves העשירים
ha'ven *n.* נמל, חוף מבטחים
haven't = have not (hav'ənt)
hav'ersack' *n.* תרמיל
hav'oc *n.* הרס, אנדרלמוסיה
- cry havoc לתת האות לביזה והרס
- play havoc with לעשות שַמוֹת ב-
haw *n.* עוזרד; חהו! (קול צחוק)
Hawaii (həwä'i) *n.* הוואי
hawk *n.* נץ
hawk *v.* לעסוק ברוכלות; להפיץ
hawker *n.* רוכל
hawk-eyed *adj.* חד-ראייה
hawkish, hawklike *adj.* ניצי
haw'ser (-z-) *n.* חבל, כבל
haw'thorn' *n.* עוזרד
hay *n.* חציר, שחת, מספוא
- hit the hay *ללכת לישון
- it ain't hay *זה סכום נכבד
- make hay להפוך השחת (לייבוש)
- make hay of לבלבל, להטיל מבוכה
- make hay while the sun shines להכות על הברזל בעודו חם
haycock *n.* ערימת שחת
hay fever קדחת השחת
hay-fork *n.* קלשון
hay-maker *n.* מכין מספוא; מהלומה
hayrick *n.* ערימת-שחת
haystack *n.* ערימת-שחת
haywire *n.* חוט (לאגירת) שחת
- go haywire להשתגע, להשתבש
haz'ard *n.* סכנה, סיכון; משחק-מזל
- at all hazards חרף כל הסיכונים
hazard *v.* לסכן; להעז, להסתכן ב-
haz'ardous *adj.* מסוכן, כרוך בסכנה
haze *n.* אובך, ערפל; טשטוש
haze *v.* להציק, להשפיל (טירון)
ha'zel *n.* אילסר, אגוז; חום-אדמדם
ha'zy *adj.* מעורפל, אביך; מבולבל
H-bomb *n.* פצצת מימן
hcf = highest common factor
he (hē) *pron&adj.* הוא; זָכָר
- he who מי ש-, האיש אשר
head (hed) *n.* ראש
- 2 a head 2 לכל אחד
- 25 head of cattle 25 ראשי-בקר
- a bad head כאב ראש
- a good head for כישרון ל-
- a head of cabbage קולס כרוב
- a swelled head מנופח, גא
- above my head למעלה מהשגתי
- at the head of the בראש ה-
- beat into his head להחדיר לראשו
- bite his head off לדבר עמו בכעס
- bring on one's head להביא על עצמו, להמיט על ראשו
- bring to a head להביא לנקודת משבר
- bury one's head in the sand לטמון ראשו בחול
- cannot make head or tail of לא מבין כלום ב-, לא מוצא ידיו ורגליו
- come into one's head לעלות על דעתו
- come to a head להגיע לנקודת משבר
- enter one's head לעלות על דעתו
- from head to toe/foot מכף רגל ועד ראש
- get into one's head להיכנס לראשו, להבין
- get one's head down *ללכת לישון
- give him his head להניח לו לעשות כאוות-נפשו
- go over his head לעקפו
- go to one's head להסתחרר, להשתכר (מהצלחה)
- has his head in the clouds ראשו בעננים
- head and shoulders above משכמו ומעלה
- head of a bed מראשות המיטה
- head of hair רעמת שיער
- head over heels in- שקוע ב-
- heads or tails? פנים או אחור? (בהטלת מטבע)
- heads up! שימו לב! זהירות!
- heads will roll *יעופו ראשים
- hold up one's head לזקוף ראש
- it cost him his head זה עלה לו בחייו
- keep one's head down *להנמיך פרופיל
- keep one's head להישאר שליו
- keep one's head above water להתקיים על הכנסתו, לא לשקוע בחובות, לא להסתבך
- laugh one's head off לצחוק בלי הרף
- lose one's head לאבד עשתונותיו
- make head against לעמוד יפה נגד
- off one's head מטורף, יצא מדעתו
- off the top of one's head מבלי לחשוב, במהירות
- on my head על ראשי, על אחריותי
- out of one's head יצא מדעתו
- over his head מעל לראשו, עוקפו
- over one's head נשגב מבינתו
- per head לגלגולת, לכל אחד
- put heads together להיוועץ, לשבת על המדוכה
- put it into his head להעלות לו (רעיון)
- put it out of his head להשכיח מלבו, להוציא מראשו
- shout one's head off לצרוח בלי הרף
- standing on one's head בקלות
- take it into one's head להחליט לפתע, להאמין
- talk his head off לעייפו במלים
- the head on beer קצף של בירה
- turn his head לסחרר את ראשו
- with one's head in the clouds ראשו בעננים

head *adj.* ראשי, עיקרי
head *v.* להוביל, לעמוד בראש
- head a ball לנגוח כדור
- head back לפנות לאחור, לחזור
- head for לנוע בכיוון-; להזמין
- head for the hills להימלט
- head off למנוע, לחסום; להפנות הצידה
- head out to להועיד פניו אל
- head up להוביל
headache *n.* כאב ראש
headband *n.* סרט, סרט-מצח
headboard *n.* לוח ראש-מיטה
head-butt *v&n.* לנגוח; נגיחה
headcheese *n.* בשר-חזיר
headcount *n.* מספר הנפשות
headdress *n.* שביס, כיסוי ראש
headed *adj.* בעל ראש
- empty-headed נבוב, ריק מדעת
header *n.* קפיצת ראש; נגיחה
headfirst *adv.* בראש נטוי קדימה; בקלות-דעת; בחיפזון
head'gear' (hed'gir) *n.* כובע
head-hunter *n.* עורף ראשים; צייד-כשרונות
heading *n.* כותרת, ראש
headlamp *n.* פנס קדמי
headland *n.* כֵּף, לשון יַבָּשָׁה
headless *adj.* חסר-ראש
headlight *n.* פנס קדמי
headline *n&v.* כותרת; להיות בכותרות
- headlines עיקר החדשות
- hit/make the headlines להיות בכותרות
headlong *adj.* פזיז, חפוז
headlong *adv.* בראש נטוי קדימה; בקלות דעת; בחיפזון
headman *n.* מנהיג, ראש
headmaster *n.* מנהל, מורה-מנהל
headmistress *n.* מנהלת
headnote *n.* הערה בראש מסמך, סיכום, תמצית
head-on *adj.* חזיתי, פנים אל פנים
headphone *n.* אוזנית
headpiece *n.* קסדה; שכל, מוח; כותרת מעוטרת
headquarters *n.* מפקדה, מטה
head-rest *n.* משען-ראש
headroom *n.* מרווח-גובה
headset *n.* מערכת אוזניות
headship *n.* ראשות, מנהלות
head shrinker *n.* *פסיכיאטר
headstall *n.* רתמת-ראש, רסן
headstand *n.* עמידת ראש
head start יתרון, מיקדם, "פור"
headstone *n.* אבן הראשה, מצבה
headstrong *adj.* עקשן
headway *n.* התקדמות
- make headway להתקדם
headwind *n.* רוח נגדית
headword *n.* מלה ראשית, ערך
headwork *n.* מאמץ שכלי
heady (hed'i) *adj.* פזיז, קל-דעת; מסחרר, משכר
heal *v.* לרפא; להירפא; להגליד
- heal over/up להירפא

healer *n.* מְרַפֵּא, תרופה
health (helth) *n.* בריאות
- clean bill of health תעודת בריאות
- drink his health/a health to להרים כוס לכבוד-, לשתות לחיי-
- in poor health בבריאות לקויה
health food מזון בריאות
healthful *adj.* מבריא, יפה לבריאות
health insurance ביטוח בריאות
health visitor אחות לביקורי בית
healthy *adj.* בריא
heap *n.* ערימה
- a heap/heaps of *המון, רב
- heaps better *הרבה יותר טוב
- heaps more *הרבה, עוד המון
- lying in a heap מגובב בערימה
- struck/knocked all of a heap *נדהם, מבולבל
heap *v.* לערום, לצבור; למלא, לגדוש
- heap coals of fire on his head לגמול טובה תחת רעה, לחתות גחלים על ראשו
- heap on him להרעיף/להמטיר עליו
- heap up לצבור, לאסוף, לערום
hear *v.* לשמוע
- I won't hear of it איני רוצה לשמוע על כך, לא בא בחשבון!
- I've heard tell of שמעתי, אומרים
- hear about/of לשמוע על
- hear from him לשמוע ממנו, לקבל מכתב ממנו
- hear me out שמעני עד תום
- hear! hear! שמעתם?
hearer *n.* שומע, מאזין
hearing *n.* שמיעה; טווח שמיעה; דיון, משפט; שימוע
- gain a hearing לזכות לאוזן קשבת
- give him a fair hearing לאפשר לו להסביר עמדתו
- hard of hearing כבד-שמיעה
- out of hearing מחוץ לטווח-שמיעה
- within hearing בטווח-שמיעה
hearing aid מכשיר-שמיעה
heark'en (härk'-) *v.* להקשיב
hear'say' *n.* שמועה, דיבורים, רכילות, שמיעה
hearsay evidence עדות מפי השמועה
hearse (hûrs) *n.* קרון-המת
heart (härt) *n.* לב
- a man after my own heart איש כלבבי
- at heart בתוך-תוכו, בעומק לבו
- break his heart לשבור את לבו
- by heart בעל-פה
- close to one's heart קרוב לליבו
- couldn't find it in his heart לא מלאו ליבו
- cross my heart *בהן צדק
- cry one's heart out למרר בבכי
- do one's heart good להרנין ליבו
- eat one's heart out לאכול את עצמו
- from the bottom of my heart מעומק לבי
- get to the heart of the matter להיכנס לעובי הקורה
- give one's heart to להתאהב ב-
- had his heart in his mouth פג לבו, פרחה נשמתו

- had the heart מלאו לבו, העז
- have a heart! רחם!
- have it at heart לדאוג לכך בכל לבו, לגלות עניין רב בדבר
- have one's heart in להתעניין ב-, לחבב
- heart and soul בלב ונפש
- heart of gold לב זהב
- heart of oak לב אמיץ
- heart of stone לב אבן
- heart to heart מלב אל לב, גלויות
- heart's blood דם-לבו, חיים
- his heart bled לבו שתת דם
- his heart is in the right place הוא בעל לב טוב
- his heart sank נפל ליבו
- his heart stood still דמו קפא בעורקיו
- in one's heart of hearts בעמקי-לבו
- lose heart להתייאש, ליפול ברוחו
- lose one's heart to להתאהב ב-
- near one's heart קרוב לליבו
- open heart לב פתוח, לב רחב
- open one's heart לפתוח סגור-ליבו
- out of heart במצב רע; מדוכדך
- set one's heart to להשתוקק ל-
- take heart לקוות, לאזור עוז
- take it to heart לקחת ללב
- the heart of- לב-, תוך-
- to one's heart's content כאוות-נפשו
- with all my heart בכל לבי
- wore his heart on his sleeve הפגין רגשותיו ברבים

heartache *n.* כאב לב
heart attack התקף לב
heartbeat *n.* דופק, פעימת-הלב
heartbreak *n.* שברון-לב
heart breaker שוברת לבבות
heartbreaking *adj.* שובר לב
heartbroken *n.* שבור-לב
heartburn *n.* צרבת
heart disease מחלת לב
-hearted בעל לב-
- broken-hearted שבור-לב
heart′en (härt′-) *v.* לעודד
heart failure אי ספיקת הלב
heartfelt *adj.* עמוק, כן, רציני
hearth (härth) *n.* אח, מוקד, סביבת האח, מחיצת האח; בית, משפחה
hearth-rug *n.* שטיחון-האח
heartily *adv.* בכל-לב, במרץ; מאוד
- heartily sick of נמאס לו מ-
heartland *n.* לב האיזור
heartless *adj.* חסר-לב, אכזרי
heart-rending *adj.* קורע לב
heart-searching *n.* חשבון נפש
heartsick *adj.* מדוכדך
heartstrings *n-pl.* מיתרי הלב
- touch his heartstrings לנגוע עד לבו
heartthrob *n.* *קוטל נשים
heart-to-heart *adj.* גלוי-לב, מלב-אל-לב
heart-warming *adj.* מחמם את הלב
heart-whole *adj.* שלבו לא נכבש, לא מתאהב (בנשים)
heartwood *n.* ליבה, לב העץ
hearty *adj.* לבבי, כן, בריא, חזק
- a hearty appetite תיאבון בריא
- a hearty meal ארוחה הגונה

heat *n.* חום, להט; תחרות מוקדמת
- dead heat מירוץ תיקו
- in heat/on heat בעונת הייחום
- in the heat of the moment בעידנא דריתחא
- in the heat of the- בלהט ה-
- turn the heat on למקד ההתקפה על
heat *v.* לחמם; להתחמם
heated *adj.* מחומם, לוהט; זועם
heater *n.* תנור; מיתקן חימום
heat-flash *n.* גל-חום (הנפלט מפצצה)
heath *n.* שדה-בור; שיח, אברש
hea′then (-dh-) *n.* עובד-אלילים; ברברי, פרא-אדם
heathenish *adj.* של עובדי-אלילים
heath′er (hedh′-) *n.* אברש (שיח)
heather-mixture *n.* אריג מגוון
heating *n.* הסקה, חימום
heat pump משאבת חום
heat-resistant *adj.* חסין חום
heat-seeking *adj.* מתביית על חום/קרינה (טיל)
heat shield מגן חום (על חללית)
heat spot תפיחת-חום (בעור)
heat stroke מכת-חום
heat wave גל-חום, שרב
heave *v.* להרים, למשוך; להתרומם ולשקוע קצובות; להוציא; *לזרוק
- heave a sigh לפלוט אנחה
- heave at/on למשוך
- heave ho! משכו! (קריאת מלחים)
- heave in view/sight להתגלות לעין
- heave up להקיא, לפלוט
- the ship hove to הספינה עצרה
heave *n.* הרמה, משיכה; התרוממות
heav′en (hev′-) *n.* שמיים; אושר, גן-עדן; אלוהים
- Good Heavens! אלי שבשמיים!
- Heaven forbid! ישמרנו האל!
- go to heaven להסתלק לעולם האמת
- in seventh heaven ברקיע השביעי
- move heaven and earth להרעיש עולמות, לא לנוח ולא לשקוט
- the heavens opened נפתחו ארובות השמיים
heavenly *adj.* שמיימי; *נפלא
- heavenly bodies גרמי השמיים
heaven-sent *adj.* השגחי, משמיים, בעיתו
heavenwards *adv.* השמיימה
heav′y (hev′i) *adj&adv.* כבד; קשה
- drink heavily להרבות בשתייה
- hang heavy לעבור לאט (כגון זמן)
- hang heavy on להכביד על
- heavy crop יבול רב/מבורך
- heavy going קשה, כבד, משעמם
- heavy heart לב כבד
- heavy news חדשות רעות
- heavy on צורך הרבה, "זולל"
- heavy sea ים גועש
- heavy sky שמיים קודרים
- heavy smoker מרבה לעשן, עשנן
- heavy water מים כבדים
- lie heavy on להכביד על
- play the heavy father לשחק את

תפקיד האב הקפדן
heavy *n.* טיפוס רע (במחזה)
heavy-duty *adj.* עמיד, חזק
heavy-footed *adj.* כבד-צעד, מסורבל
heavy-handed *adj.* מגושם, כבד-תנועה; מכביד ידו
heavy-hearted *adj.* עצוב, מדוכא
heavy industry תעשייה כבדה
heavy-laden *adj.* עמוס לעייפה, כורע תחת נטל
heavy metal תותחים כבדים; רוק כבד
heavy-set *adj.* חסון, מוצק
heavyweight *n.* משקל כבד
heb·dom'adal *adj.* שבועי
He·bra'ic *adj.* עברי
He'brew (-broo) *adj&n.* עברי, יהודי; עברית
He'bron *n.* חברון
hec'atomb' (-toom) *n.* טֶבַח, זבח
heck *interj.* *לעזאזל!
heck'le *v.* להפריע, לשסע (נואם)
hec'tare *n.* הקטאר (10 דונמים)
hec'tic *adj.* קדחתני, אדמומי, סמוק
hec'to- (תחילית) מאה
hec'tor *v.* להציק, לנגוש; להתרברב
he'd = he had, he would (hēd)
hedge *n.* גדר-שיחים, משוכה
- a hedge against- הגנה בפני-, סייג
hedge *v.* לגדור, לתחום, להגביל; להתחמק (מתשובה ברורה)
- hedge around/in להקיף, להגביל
- hedge one's bets להמר בזהירות, לבטח עצמו מפני הפסד
hedge'hog' (hej'hôg) *n.* קיפוד
hedgehop *v.* להנמיך טוס
hedgerow *n.* שדירת-שיחים, משוכה
he'donism' *n.* הדוניזם, נהנתנות, רדיפת תענוגות, תענוגנות
he'donist *n.* הדוניסט, נהנתן
hee'bie-jee'bies (-bēz) *n-pl.* *עצבנות, סמרמורת
heed *v.* להקשיב ל-, לשים לב ל-
heed *n.* תשומת-לב
- give/pay heed לשים לב, להשגיח
- take heed of לשים לב, להשגיח
heedful *adj.* מקשיב, שם לב ל-
heedless *adj.* לא זהיר, מזלזל
hee'haw' *n.* נעירת חמור; צחוק גס
heel *n.* עָקֵב; נָבָל, אדם שפל
- at his heels בעיקבותיו
- bring to heel להכניע, להשתלט
- come to heel ללכת בעקבות; להיכנע, לציית
- cool one's heels להיאלץ לחכות
- dig in one's heels להתחפר בעמדותיו
- down at heel משופשף עקבים, לבוש בלואים, מוזנח
- hard/hot on the heels of מיד לאחר-
- kick one's heels להיאלץ לחכות
- kick up one's heels לכרכר, להתפרק בשמחה
- lay by the heels לעצור, לכלוא
- on his heels בעיקבותיו
- set back on his heels להדהימו
- show a clean pair of heels לברוח
- take to one's heels לברוח
- turn on one's heel לפנות אחורה פתאום, לשוב על עקביו
- under the heel of נרמס, משועבד
heel *v.* להתקין עקב על (נעל); לצעוד בעיקבות
- heel over לנטות על הצד (אונייה)
- well-heeled *עשיר
hef'ty *adj.* גדול, חזק, כבד
he·gem'ony *n.* הגמונייה, מנהיגות
Heg'ira *n.* הג'רה (בריחת מוחמד ב-622 לסה"נ)
heif'er (hef'-) *n.* עֶגְלָה, פרה רכה
heigh'-ho' (hā'-) *interj.* הו! (קריאה)
height (hīt) *n.* גובה, רום; שיא
- at/in the height of בשיא ה-
- mountain heights מרומי ההר
heighten *v.* להגביה; לגדול; להגביר
hei'nous (hā'-) *adj.* נתעב, שפל
heir (ār) *n.* יורש
- heir apparent יורש מוחלט/ודאי
- heir presumptive יורש על תנאי
- heir to the throne יורש-עצר
heiress *n.* יורשת
heir'loom' (ār'loom) *n.* נכס משפחתי (מורש מדור לדור)
heist (hīst) *v&n.* *לשדוד; שוד, גניבה
Hej'ira *n.* הג'רה (בריחת מוחמד ב-622 לסה"נ)
held = p of hold
he'lical *adj.* חלזוני
hel'icop'ter *n.* מסוק, הליקופטר
he'lio·cen'tric *adj.* מתייחס לשמש כמרכז
hel'iograph' *n.* הליוגרף
he'liotrope' *n.* עוקץ-העקרב (צמח)
hel'ipad' *n.* מינחת מסוקים
hel'iport' *n.* מינחת מסוקים
he'lium *n.* הליום (גאז)
he'lix *n.* קו חלזוני
hell *n.* גיהינום; *לעזאזל, ארור
- (by) hell! לעזאזל!
- a hell of a- *ועוד איך, נורא
- a living hell חיים גרועים ממוות
- beat the hell out of *להכות חזק
- come hell or high water יקרה אשר יקרה, באש ובמים
- for the hell of it *בשביל הכיף
- give hell *לתת מנה הגונה
- go to hell! לך לעזאזל!
- hell for leather *מהר מאוד
- hell on earth גיהינום עלי אדמות
- hell to pay צרות צרורות
- like hell! בוודאי שלא!
- play hell with לגרום נזק ל-
- raise hell להפוך עולמות
- run like hell *לרוץ כמו משוגע
- what the hell מה, לכל הרוחות-
- work like hell *לעבוד כמו משוגע
he'll = he will/shall (hēl)
hell-bent *adj.* נחוש בדעתו, נמהר, פזיז
hellcat *n.* מכשפה, מרשעת
Hel'lene *n.* יווני
Hel·len'ic *adj.* יווני
hel'lenize *v.* להתייוון
hellhole *n.* מקום בלתי נסבל
hell'ish *adj.* נורא, איום, שטני

hello′! הלו!
helm *n.* הגה (של ספינה/שלטון)
hel′met *n.* קסדה
helmeted *adj.* חבוש קסדה
helmsman (-z-) *n.* הגאי, תופס ההגה
hel′ot *n.* עבד; נחות-מעמד
help *n.* עזרה, סיוע, עזר; תועלת; עוזר, עוזרת; משרתות
- help! הצילו!
- is of some help עוזר, מועיל
- there's no help for it אין למנוע זאת, אין תרופה לכך
help *v.* לעזור, לסייע; לרפא, לתקן
- I can't help it זו לא אשמתי, אין בידי למנוע זאת
- can't help saying לא יכול שלא לומר, חייב לומר
- help down לעזור לרדת
- help oneself להתכבד, לקחת
- help out להושיט עזרה, לחלץ
- help up לעזור לעלות
- it can't be helped אין למנוע זאת
- not do more than one can help לעשות רק את המינימום
- so help me (God) חי נפשי!
helpful *adj.* עוזר, מועיל
helping *n.* מנה (בארוחה)
helping hand סיוע, עזרה
helpless *adj.* חסר-ישע; אין אונים
helpline *n.* שירות עזרה טלפוני
help′mate′ *n.* בת-זוג, אישה
help′meet′ *n.* בת-זוג, אישה
hel′ter-skel′ter *adv.* בבהילות, בחיפזון; תוך אי-סדר
helter-skelter *n.* מגלשה לוליינית
helve *n.* ידית (הגרזן)
hem *n.* מכפלת, שפה, שולי-הבגד
hem *v.* להתקין מכפלת, לשפות (בגד)
- hem in/around להקיף, לכתר
hem *interj.* המ-, (קול המהום)
hem *v.* להמהם, לגמגם
- hem and haw לגמגם, לכחכח, להסס
he-man *n.* גבר, גבר חסון
hem′isphere′ *n.* חצי-כדור (הארץ)
- Western hemisphere העולם החדש
hemline *n.* קו השוליים, אורך השימלה
- raise the hemline לקצר השמלה
hem′lock′ *n.* ראש, רוש (צמח רעלי)
he′moglo′bin *n.* המוגלובין
he′mophil′ia *n.* דממת, המופיליה
he′mophil′iac′ *adj.* סובל מדממת
hem′orrhage (-rij) *n.* דימום
hem′orrhoid′ (-roid) *n.* טחורים
hemp *n.* קנבוס, חשיש
hempen *adj.* של קנבוס
hemstitch *n.* שיפוי (בשולי הבד), מישלפת
hen *n.* תרנגולת; נקבה (בעוף)
hen′bane′ *n.* שיכרון (צמח רעלי)
hence *adv.* לכן, לפיכך, מכאן; מעתה, מהיום
- a year hence בעוד שנה
henceforth *adv.* מעתה ולהבא
henceforward *adv.* מעתה ולהבא
hench′man *n.* חסיד נלהב, גרור
hen-coop *n.* לול
hen house לול, בית-עופות
hen′na *n.* חינה; חום-אדמדם
hen′naed (-nəd) *adj.* צבוע בחינה
hen party *מסיבת נשים
hen′peck′ *v.* לרדות (בבעל)
hep *n.* *בקי, מעודכן בנעשה
hep′ati′tis *n.* דלקת הכבד
hep′tagon′ *n.* משובע, משובע-צלעות
hep·tath′lon *n.* קרב שבע
her *pron.* שלה; אותה; לה
her′ald *n.* שליח, רץ, מבשר, אחשתרן; רשם שלטי-הגיבורים
herald *v.* לבשר (את בוא-)
her·al′dic *adj.* של שלטי-גיבורים
her′aldry *n.* מדע שלטי-הגיבורים
herb *n.* עשב; צמח תבלין
her·ba′ceous (-shəs) *adj.* עשבוני, לא מעוצה
herb′age *n.* עשב, דשא-עשב; ירק
herb′al *adj.* עשבוני, של עשב
herb′alist *n.* עשבונאי
her′bicide′ *n.* קוטל צמחים
her·biv′orous *adj.* אוכל עשב
Her′cu·le′an *adj.* של הרקולס, אדיר
herd *n.* עדר; ההמון; רועה
- cow-herd רועה בקר
herd *v.* להתאסף; לקבץ; לנהוג עדר
herdsman *n.* רועה
here *adv.* כאן, פה; הִנֵה, הרי; הֵנָה
- here and now מיד, פה ועכשיו; היום
- here and there פה ושם
- here goes! הבה ננסה! קדימה!
- here there and everywhere בכל מקום
- here you are בבקשה, הא לך
- here's to you לחיים!
- look here שים לב, ראה נא
- near here קרוב לכאן, בסביבה
- neither here nor there לא לעניין, לא חשוב
- this man here האיש הזה
here′about(s)′ (hir′-) *adv.* בקרבת מקום, בסביבה
here′af′ter (hir′-) *n&adv.* העולם הבא; בעתיד, בעולם הבא
here′by′ (hir′-) *adv.* בזאת (הנני-)
her′edit′ament *n.* נכס בר-הורשה; ירושה
hered′itar′y (-teri) *adj.* תורשתי; מורש
hered′ity *n.* תורשה, ירושה
here′in′ (hir′-) *adv.* בזה, בזאת, כאן
here′in·af′ter (hir′-) *adv.* להלן
here′of′ (hirov′) *adv.* של זה, השייך לזה
her′esy *n.* כפירה
her′etic *n.* כופר
heret′ical *adj.* כופר, אפיקורסי
here′to′ (hirtōō′) *adv.* לזאת; עד כה
here′tofore′ (hir′-) *adv.* עד כה, בעבר
here′un′der (hir′-) *adv.* להלן
here′upon′ (hir′-) *adv.* בזה, על כך; בנקודה זו, ברגע זה; אחר כך
here′with′ (hir′-) *adv.* בזה, במצורף
her′itable *adj.* עובר בירושה, תורשתי
her′itage *n.* ירושה, נחלה
her·maph′rodite′ *n.* אנדרוגינוס
her·maph′rodit′ic *adj.* אנדרוגיני

her·met′ic *adj.* הרמטי, אטום, חתום
her′mit *n.* נזיר
her′mitage *n.* בית-הנזיר
her′nia *n.* שֶׁבֶר, בקע
he′ro *n.* גיבור
he·ro′ic *adj.* הירואי, נועז; כביר, גדל-ממדים; מליצי, מנופח
heroic poem שיר גיבורים
heroics *n-pl.* עתק, מליצות נבובות
her′o·in *n.* הרואין (סם משכר)
he′roine (-rəwin) *n.* גיבורה, דמות ראשית
her′o·ism′ *n.* גבורה, הירואיות
he′ro·ize′ *v.* להאדיר, לעשותו גיבור
her′on *n.* אנפה (עוף)
heronry *n.* מקום קינון אנפות
her′pes (-pēz) *n.* שלבקת (מחלה), בֶּרֶץ
Herr (her) *n.* מר, אדון
her′ring *n.* מליח, דג מלוח
- red herring מסיח דעת (דבר המועלה כדי להסיח הדעת מהנושא)
herringbone *n.* דגם שדרת דג, דגם אידרה, דגם קווים מזוגזגים
hers (-z) *pron.* שלה; השייך לה
her·self′ *pron.* (את-/ל-/ב-/מ-) עצמה
- by herself לבדה, בעצמה
- she herself היא בעצמה
- she's not herself חל בה שינוי, אין להכירה, אינה כתמול שלשום
hertz *n.* הרץ (יחידת-תכף)
Her′zego′vina (herts-) *n.* הרצגובינה
he's = he is, he has (hēz)
hes′itance (-z-) *n.* הססנות
hes′itancy (-z-) *n.* הססנות
hes′itant (-z-) *adj.* מהסס, הססן
hes′itate′ (-z-) *v.* להסס, לפקפק
hes′ita′tion (-z-) *n.* היסוס
Hes′perus *n.* נוגה (כוכב)
hes′sian (-shən) *n.* אריג עבה, בד יוטה; נעל גבוהה
het′erodox′ *adj.* אפיקורסי, כופר
het′erodox′y *n.* כפירה
het′eroge′ne·ous *adj.* הטרוגני, לא-אחיד, מגוון
het′erosex′ual (-sek′shōōəl) *adj.* הטרוסקסואלי, נמשך אל המין הנגדי
het-up′ *adj.* נרגש, נלהב
heu·ris′tic (hyoo-) *adj.* (לגבי למידה) מתוך ניסיון, המתגלה לתלמיד בכוחות עצמו
hew (hū) *v.* לקצץ, לכרות, לחצוב
- hew down a tree לכרות עץ
- hew one's way לפלס דרכו
- hew out לחצוב; לבנות בעמל רב
hewer *n.* חוטב עצים; כורה פחם
hex *n&v.* כישוף; קללה; לכשף
hex′agon′ *n.* משושה (מצולע)
hex·ag′onal *adj.* בעל שש צלעות
hex′agram′ *n.* מגן דוד
hex·am′eter *n.* הקסמטר (שורה בעלת 6 קצבים)
hey (hā) *interj.* היי! הלו!
hey′day′ (hā′-) *n.* פסגה; שעת הפריחה, תקופת השגשוג
hey presto! הוקוס פוקוס! (קריאת הקוסם)

HF תדירות גבוהה; חצי
hi (hī) *interj.* היי! הלו!
hi·a′tus *n.* פרצה, חור; הפסקה, פעירה
hi′bernate′ *v.* לחרוף, לישון במשך החורף
hi′berna′tion *n.* חריפה
Hi·ber′nian *adj.* אירי
hi·bis′cus *n.* היביסקוס (שיח)
hic′cough (-kup) *n.* שיהוק; שהקת
hiccough *v.* לשהק
hic′cup (-kup) *n.* שיהוק; שהקת
hiccup *v.* לשהק
hick *n.* *כפרי, קרתני, בער
hick′ey *n.* *מכשיר; סימן בעור
hick′ory *n.* אגוז אמריקני
hid = pt of hide
hid′den = pp of hide חבוי, כמוס
hide *v.* להחביא, להסתיר; להתחבא
- hide one's face לכבוש פניו בקרקע
- hide oneself להתחבא, להסתתר
hide *n.* מחבוא, מקום מעקב (אחרי חיות); עור (של חיה); *עור אדם
- have his hide *להעניש קשות
- neither hide nor hair of him *אין סימן ממנו, והילד איננו
- save one's hide להציל את עורו
- tan his hide להלקותו
hide-and-seek *n.* מחבואים (מישחק)
hide-away *n.* *מקלט, מחבוא
hidebound *adj.* צר-אופק, מאובן-דיעות, שמרן; קשה-עור
hid′e·ous *adj.* נתעב, זוועתי, נורא
hide-out *n.* *מקלט, מחבוא
hiding *n.* הסתתרות, מחבוא; *מלקות
hiding place מקום מיסתור
hie (hī) *v.* למהר, להזדרז
hi′erar′chy (-ki) *n.* היארכיה
hi′eroglyph′ *n.* הירוגליף, כתב-החרטומים; כתב לא-ברור
hi′eroglyph′ic *adj.* של הירוגליפים
hi′eroglyph′ics *n.* הירוגליפים
hi′-fi′ = high fidelity
hig′gledy-pig′gledy (-gəldi-gəldi) *adv.* בערבוביה
high (hī) *adj.* גבוה, רם; נעלה, אצילי; *שיכור, מסומם
- high and dry חסר-ישע, נטוש
- high and mighty רברבן
- high circles חוגים רמי-דרג
- high color סמוק, אדמדם
- high food מזון מקולקל
- high sign רמז, ברכה, אזהרה
- high society החברה הגבוהה
- high spirits מצב-רוח מרומם
- high summer אמצע הקיץ
- high wind רוח עזה
- it's high time הגיע הזמן ש-
- you'll be for the high jump יתלו אותך
high *adv.* גבוה, למעלה
- aim/fly high לשאוף לגדולות
- feelings ran high הרגשות נשתלהבו, היצרים התחממו
- flying high *ברקיע השביעי, מאושר
- high and low בכל מקום
- hold one's head high להפגין

גאווה/זקיפות-קומה

- live high לחיות חיי-מותרות

- riding high פופולרי, מצליח

high *n.* מרומים; הילוך גבוה

- reach a new high לשבור שיא

highball *n.* ויסקי עם סודה

highborn *adj.* מיוחס, בן-ייחוס

highboy *n.* ארון-מגרות (גבוה)

highbrow *n.* ידען, איש-רוח, סנוב

highchair *n.* כיסא גבוה (לתינוק)

High Church הכנסייה הגבוהה

high-class *adj.* מצוין; ממעמד רם

high commissioner נציג, שגריר

high court בית משפט עליון

highdays *n-pl.* חגים

higher education השכלה גבוהה

higher-ups *n-pl.* החלונות הגבוהים

high explosive חומר-נפץ מרסק

high-falu'tin *adj.* *מנופח עד-כדי גיחוך, מנסה להרשים

high fashion אופנה עילית

high fidelity נאמנות מרבית, (הקלטה) נאמנה למקור

high finance עיסקאות עתירות סכומים

high five *היי-פייב, הבעת שמחה, טפיחת כפיים גבוהה

high-flown *adj.* מליצי, מנופח

high-flyer *n.* שואף לגדולות

high-flying *adj.* שאפתני

high frequency תדר גבוה

high-grade *adj.* מעולה, מצוין

high ground עמדת יתרון

high-handed *adj.* ביד קשה

high-hat *v&adj.* להתנשא, לנהוג זילזול ב-; סנובי

high'jack' (hī'-) *v.* לחטוף (מטוס)

high jinks שימחה קולנית

high jump קפיצת-גובה

high-keyed *adj.* נלהב, חמום-מזג

highland *n.* רמה, איזור הררי

Highlander *n.* תושב רמות סקוטלנד

Highlands *n-pl.* רמות סקוטלנד

high-level *adj.* רם-דרג; (שפת-מחשב) עילית

high life חיי מותרות, רמת חיים גבוהה; ריקוד מערב-אפריקני

highlight *n.* מַבהָק (חלק מבהיק בתמונה); פרט בולט; עיקר

highlight *v.* להבליט, להדגיש

highlighter *n.* עט סימון, עט זוהר

highly *adv.* מאוד, במידה רבה

- highly paid יקר; משתכר יפה

- speak highly of להפליג בשבחו

highly-strung *adj.* עצבני, מתוח

High Mass מיסה גדולה (תפילה)

high-minded *adj.* בעל עקרונות נעלים, אציל-רוח

highness *n.* גובה, רום; אצילות

- Your Highness הוד מעלתך

high noon צהריים, אמצע היום

high-pitched *adj.* (קול) צרחני, גבוה

- high pitched roof גג חד-שיפוע

high point נקודת השיא

high-powered *adj.* רב-כוח; נמרץ

high-pressure *adj.* של לחץ גבוה; נמרץ

high-priced *adj.* יקר

high priest כומר ראשי

high-principled *adj.* נעלה-עקרונות

high-profile *n.* פרופיל גבוה, חשיפה תקשורתית

high-ranking *adj.* בכיר, רם-דרג

high-rise *adj.* של בניין רב-קומות, גבוה

highroad *n.* כביש ראשי, דרך

high-roller *n.* *אוהב להמר, בזבזן

high school בי"ס תיכון

high seas לב-ים, מחוץ למי-החופין

high season עונה בוערת (בעסקים)

high-sounding *adj.* מנופח, יומרני

high-speed *adj.* מהיר

high-spirited *adj.* אמיץ; עליז, מלא-חיים

high spot מאורע בולט, חוויה

high street רחוב ראשי

high table שולחן אוכל (למרצים)

hightail *v.* *לנהוג במהירות, למהר

high tea ארוחת ערב מוקדמת, ארוחת מינחה

high tech היי-טק, תעשייה עילית, טכנולוגיה עילית

high technology טכנולוגיה עילית, היי טק

high-tension *adj.* בעל מתח גבוה

high tide גיאות הים

high-toned *adj.* גבוה, אצילי, מכובד

high treason בגידה (במולדת)

high-up *n.* חשוב, רם-דרג

high water גיאות הים

high water mark שיא, גולת הכותרת

highway *n.* כביש ראשי; דרך

- highway robbery שוד לאור היום

Highway Code חוקי התנועה

highwayman *n.* שודד דרכים

hi'jack' *v.* לחטוף (מטוס); לגזול

hijack *n.* חטיפה

hijacker *n.* חוטף (מטוס)

hike *v.* לטייל, לצעוד; *להעלות, להרים

hike *n.* טיול; עלייה, התייקרות

hiker *n.* מטייל

hila'rious *adj.* עליז, שמח; מצחיק

hila'rity *n.* עליזות

hill *n.* גבעה; תלולית; שיפוע, מעלה

- go over the hill לברוח (ממאסר)

- old as the hills ישן מאוד

- over the hill כבר אינו חזק/פעיל

- up hill and down dale מול מכשולים רבים

hill'bil'ly *n.* *כפרי, איכר, בור

hill'ock *n.* תלולית, גבעונת

hillside *n.* צלע גיבעה

hilltop *n.* ראש הגבעה

hilly *adj.* רב-גבעות, משופע

hilt *n.* ניצב-החרב, ידית

- up to the hilt לגמרי; עד צוואר

him *pron.* אותו; לו; *הוא

himself' *pron.* (את-/ל-/ב-/מ-) עצמו

- by himself לבדו, בעצמו

- he himself בכבודו ובעצמו

- he's not himself חל בו שינוי, אין להכירו, אינו כתמול שלשום

hind (hīnd) *adj.* אחורי, שמאחור

hind *n.* איילה, צבייה

hin'der *v.* לעכב; להפריע; למנוע

hindmost *adj.* האחרון, אחורני
hindquarters *n-pl.* החלקים האחוריים (בגוף בע"ח)
hin′drance *n.* עיכוב, מעצור
hindsight *n.* ראייה לאחור, חכמה שלאחר מעשה
Hin′du (-dōō) *n.* הודי; הינדו
Hinduism *n.* הינדואיזם
hinge *n&v.* ציר; לתלות (דלת) על צירים
- it hinges on- זה תלוי ב-
hint *n.* רמז, סימן קל; עצה
- broad hint רמז שקוף
- take a hint לתפוס את הרמז
hint *v.* לרמוז
hin′terland′ *n.* תוך הארץ, עורף
hip *n.* ירך, מיפרק הירך; מותן; פרי הוורד
hip *interj.* הידד!
- hip, hip, hooray! הידד!
hip *adj.* *בקי, מעודכן בנעשה, מודרני
hipbath *n.* אמבטיית-ישיבה
hip bone עצם הירך
hip flask בקבוקון-כיס (למשקה)
hip′pie *n.* היפי
hip′po *n.* סוס-היאור, היפופוטמוס
Hip′pocrat′ic oath שבועת הרופאים
hip′podrome′ *n.* כיכר (למרוצי-סוסים)
hip′popot′amus *n.* סוס-היאור
hip′py *n.* היפי
hip′ster *n.* מעודכן בנעשה
hipster *adj.* (מכנסיים) חגורים סביב הירכיים
hire *v.* לשכור, לחכור
- hire out להשכיר; למכור שירותיו
hire *n.* שכירות; השכרה; דמי-שכירות; חכירה; החכרה
- for hire פנוי, להשכיר
hire car רכב להשכרה
hire′ling (hīr′l-) *n.* שכיר, מוכר שירותיו
hire purchase קנייה בתשלומים, שכר מכר
hirer *n.* שוכר; חוכר
hir′sute *n.* שעיר; פרוע-ראש
his (-z) *pron&adj.* שלו
hiss *v.* לשרוק, ללחוש, לנשוף
- hiss off לגרש (מהבמה) בשריקות
hiss *n.* שריקה; לחישה
hist *interj.* הס! שקט!
his′tamine′ (-mēn) *n.* היסטמין
his′togram′ *n.* תרשים עמודות
histol′ogy *n.* תורת רקמות-הגוף
histo′rian *n.* היסטוריון
histor′ic *adj.* היסטורי, רב-חשיבות
historical *adj.* היסטורי
historic present זמן הווה (בסיפור)
his′tory *n.* היסטוריה, דברי הימים
- make history לעשות היסטוריה, להטביע רישומו בהיסטוריה
- natural history ידיעת הטבע
his′trion′ic *adj.* תיאטרלי, דרמאתי
histrionics *n-pl.* אמנות המשחק, תיאטרליות
hit *v.* להכות; לפגוע ב-; להגיע ל-, למצוא
- hit a man when he's down להכות אדם מובס, לנהוג בניגוד לכללים
- hit back לגמול, להגיב בחריפות
- hit below the belt להכות מתחת לחגורה
- hit between the eyes להמם
- hit him hard לפגוע בו קשות
- hit him where it hurts לפגוע בציפור נפשו
- hit it לקלוע למטרה
- hit it off להסתדר יפה, להתאים
- hit off לחקות; לתאר בדיוק
- hit on/upon למצוא, להיתקל ב-
- hit or miss בעלמא, בלא תיכנון
- hit out להתקיף, להכות קשות
- hit the books *ללמוד
- hit the bottle *להתמכר לשתייה
- hit the hay/sack *ללכת לישון
- hit the headlines לעלות לכותרות
- hit the nail on the head לקלוע למטרה
- hit the road *לצאת לדרך
- hit the roof *להתרתח, להתרגז
hit *n.* מכה, מהלומה; פגיעה; להיט; הצלחה; הערה עוקצנית
- make a hit לקצור הצלחה
hit-and-miss *adj.* אקראי, לא תמיד מוצלח
hit-and-run *adj.* פגע וברח
hitch *v.* לקשור, לחבר; להתחבר
- be hitched *להתחתן
- hitch a ride לבקש טרמפ
- hitch up להרים, למשוך כלפי מעלה
hitch *n.* משיכה, הרמה בתנופה; מכשול, תקלה; קשר, לולאה
hitch′hike′ *v.* לנסוע בטרמפים
hitchhiker *n.* טרמפיסט
hi-tech *n.* היי-טק, תעשייה עילית, טכנולוגיה עילית
hith′er (-dh-) *adj.* לכאן, הֵנָּה
- hither and thither פה ושם
hith′erto′ (hidh′ərtōō) *adv.* עד כה
hit man רוצח שכיר
hit-or-miss *adj.* מקרי, לא-מתוכנן
hit parade מצעד הפזמונים
HIV נגיף האיידס
hive *n.* כוורת; מקום הומה
hive *v.* להכניס/להיכנס לכוורת; לחיות בצוותא; לאגור דבש
- hive off להיפרד, להפוך לעצמאי
hives *n-pl.* חרלת (מחלת-עור)
h'm *interj.* המ-- (מלמול)
HM = His Majesty המלך
HMS = His Majesty's Ship
ho *interj.* הו!
hoar *adj.* אפור, לבן, כסוף-שיער
hoard *v.* לאגור, לצבור
hoard *n.* אוצר, מטמון
hoarding *n.* אגירה; גדר; לוח מודעות
hoarfrost *n.* כפור לבן, טל קפוא
hoarse *adj.* צרוד
hoar′y *adj.* אפור, לבן, עתיק
hoax *n.* מתיחה, שיטוי, תעלול
hoax *v.* למתוח, לשטות, לרמות
hob *n.* מדף-מתכת, מישטח חימום
- play hob with *לבלבל, לשבש, לקלקל
hob′ble *v.* לצלוע, לגרור רגליו
- hobble a horse לקשור רגלי סוס
hob′ble·de·hoy′ (-bldi-) *n.* *צעיר

מגושם; חוליגן
hobble skirt חצאית צרה/הדוקה
hob′by *n.* תחביב, הובי
hobbyhorse *n.* סוס-עץ (למשחק); נושא אהוב, שיגיון
hob′gob′lin *n.* שד, רוח, מזיק
hob′nail′ *n.* מסמר קטן (עב-ראש)
hobnailed *adj.* (נעל) מסומרת
hob′nob′ *v.* להתרועע, להתיידד
ho′bo *n.* *נווד, פועל מובטל
Hobson's choice חוסר ברירה, הברירה היחידה
hock *n.* קרסול; קֶפֶץ (מיפרק ברגל); יין הוק; *משכון
- in hock *ממושכן; בכלא
hock′ey *n.* הוקי
- field hockey הוקי
- hockey stick מקל הוקי
- ice hockey הוקי קרח
ho′cus-po′cus *n.* הוקוס פוקוס, אחיזת-עיניים, הולכת שולל
hod *n.* ארגז (לנשיאת לבינים/פחם)
hodgepodge (hoj′poj′) *n.* בליל, ערבוביה
hoe (hō) *n.* מעדר, מכוש
hoe *v.* לעדור, לתחח, לנכש
hog *n.* חזיר
- eat high on the hog *לזלול
- go hog wild להתיר הרסן
- go the whole hog לעשות דבר בשלמותו/היטב
hog *v.* להתנהג כחזיר, לחטוף הכל
- hog the road לנהוג באמצע הכביש
hoggish *adj.* חזירי, גס, אנוכיי
hog′manay′ *n.* ערב ראש השנה
hogs′head′ (hogz′hed) *n.* חבית, מידת הלח (63 גאלונים)
hog-tie *v.* לעקוד, לכפות, לכבול
hogwash *n.* זבל, שטויות
hoi polloi′ *n.* ההמון, האספסוף
hoist *v.* להרים, להעלות, להניף
hoist *n.* מנוף; הנפה
hoi′ty-toi′ty *adj.* *גא, יהיר, מנופח
ho′kum *n.* *רגשנות, חנטריש
hold (hōld) *v.* להחזיק; לאחוז; להשאיר; להכיל; לשמור; לחשוב, להאמין; לנהל, לערוך; להיות בעל-, להיות לו
- I hold (that-) לדעתי
- be left holding the bag למצוא עצמו נושא באחריות
- hold a meeting לנהל ישיבה
- hold aloof להתרחק, לא להתערות
- hold back לעצור, לבלום; למנוע, לרסן; להסס, להימנע; להסתיר
- hold by לדבוק ב-; לתמוך, להסכים
- hold cheap לזלזל, לתעב
- hold court לקבל פני מעריצים
- hold dear להוקיר, להעריך
- hold down לדכא, לרסן, לבלום
- hold down a job להחזיק במשרה
- hold forth לנאום; להציע
- hold hands להחזיק ידיים, לתמוך
- hold him up as להציגו כ-
- hold in לרסן, להגביל, לעצור
- hold in high esteem להוקיר
- hold it against him להאשימו עקב כך, לדון אותו לכף חובה
- hold it! עצור! אל תזוז!
- hold off לעצור; להתרחק; להרחיק; לדחות
- hold on להחזיק מעמד, להמשיך; לחכות על הקו, לא לנתק
- hold on to לתפוס בחוזקה
- hold on! עצור! חכה רגע!
- hold one's breath לעצור נשימתו
- hold one's ground לעמוד איתן
- hold one's hand להימנע; להשהות
- hold one's head up לזקוף ראשו
- hold one's own לעמוד איתן
- hold one's tongue/peace לשתוק, להחריש
- hold oneself in readiness להיות מוכן (לבשורה רעה)
- hold out להציע, להושיט; להחזיק מעמד
- hold out for לעמוד בתוקף על
- hold out on him לסרב להיענות לו; להסתיר מפניו
- hold over לדחות; להמשיך; לאיים
- hold the fort לנהל את העניינים
- hold the line להמתין על הקו; להחזיק באופן יציב, למנוע הידרדרות
- hold to לדבוק ב-, להיות נאמן ל-
- hold together להחזיק במצב שלם/לבל יתפרק; להיות מאוחדים
- hold true להיות נכון, להיות כך
- hold up לעכב; לעצור כדי לשדוד; לשאת, לתמוך; להרים; להחזיק מעמד
- hold water להיות הגיוני/סביר
- hold with להסכים ל-
- hold yourself (still) אל תזוז
- holds good מתאים, ניתן ליישמו
- holds the road יציב על הכביש
- it still holds זה עומד בעינו
hold *n.* אחיזה, תפיסה; השפעה; בית אחיזה; ספנה (בספינה)
- catch/take/get hold of לתפוס
- have a hold over him לשלוט בו, להחזיקו תחת השפעתו
- on hold ממתין (על הקו); לא פעיל זמנית; זוכה לתשומת לב מעטה
- take hold להתבסס, להתמסד
- with no holds barred ללא הגבלה
hold-all *n.* תרמיל (לטיולים)
holder *n.* מחזיק, תופס, מחזק; בעלים
- cigarette holder מחזיק סיגריות
- holder in due course אוחז כשורה
- shareholder בעל-מניות
holding *n.* נכסים; קרקע; מניות; אחזקה
holding company חברת גג, חברת אם
holding operation השארת הסטטוס קוו
holdout *n.* עמידה איתנה, מסרב להשתתף
holdover *n.* דבר הנמשך מעבר לצפוי, שריד
hold-up *n.* שוד מזוין; עצירה
hole *n.* חור; גומה; מאורה; כוך
- get in the hole לשקוע בחובות
- hole in the wall כוך, חור; *מנפק כסף
- in a hole במצב קשה
- make a hole in his money לבזבז כספו,

לגרום לחסרון-כיס
- out of the hole נחלץ מחובות
- pick holes in למצוא פגם ב-
hole *v.* לנקב, לעשות חור ב-
- hole out לגלגל (כדור גולף) לגומה
- hole up/in *להתחבא, להסתתר
hole-and-corner *adj.* חשאי
hol'iday' *n.* חג; יום מנוחה; פגרה
- on holiday בחופשה, נוֹפֵש
holiday camp מחנה נוֹפֶש
holiday-maker *n.* נוֹפֵש, בחופשה
holier-than-thou' *adj.* *מתחסד
ho'liness *n.* קדושה
- His Holiness הוד קדושתו
ho·lis'tic *adj.* הוליסטי, של מיכלול
hol'land *n.* הולנד (אריג גס)
Hol'land *n.* הולנד
hol'ler *v.* *לצרוח, לצעוק
hol'low (-lō) *adj.* חלול, נבוב; ריקני; לא כן, מזויף
- beat him hollow *להכותו שוק על ירך
- hollow cheeks לחיים שקועות
hollow *n.* חור, חלל; בור, מכתש
hollow *v.* לנבב, לעשות נבוב; לחפור
hollow-eyed *adj.* שקוע-עיניים
hol'ly *n.* צינית (שיח ירוק-עד)
hollyhock *n.* חוטמית תרבותית (פרח)
Hol'lywood' *n.* הוליבוד
hol'ocaust' *n.* שואה; שריפה
hol'ogram' *n.* הולוגרמה
hol'ograph' *n.* הולוגרף (מיסמך הכתוב בידי החתום עליו)
hols *n-pl.* *ימי חופשה
hol'ster (hōl'-) *n.* נרתיק (האקדח)
ho'ly *adj&n.* קדוש
- holy of holies קודש הקודשים
- holy terror *ילד רע, טיפוס איום
Holy Father האפיפיור
Holy Ghost/Spirit רוח הקודש (בנצרות)
Holy Office האינקוויזיציה
Holy See הכס הקדוש, אפיפיורות
holystone *n.* אבן-חול (למירוק)
Holy Week השבוע הקדוש (שלפני הפסחא)
Holy Writ כתבי-הקודש
hom'age *n.* כבוד, הערכה
- do/pay homage לכבד, לחלוק כבוד
hom'burg' *n.* כובע רחב-אוגן
home *n.* בית
- at home בבית; מקבל פני אורחים
- at-home מסיבה, קבלת אורחים
- children's home מוסד לילדים
- close to home (לפגוע) עמוקות
- feel at home in להרגיש נוח ב-
- home and dry המטרה הוגשמה, הגיע הביתה בשלום
- home life חיי משפחה
- is at home in מתמצא ב-, בקי ב-
- leave home לעזוב את משפחתו, להתחיל בחיים חדשים
- make yourself at home! הרגש עצמך כמו בבית!
- nothing to write home about *לא משהו מיוחד, אין להתלהב מכך
home *adj.* ביתי, משפחתי, פנימי

- home trade סחר-פנים
home *adv.* הביתה; בבית, אל היעד
- bring it home to להחדיר למוחו
- drive/strike home לנעוץ פנימה; לחדור עמוק
- it came home to me נתחוור לי
home *v.* לשוב הביתה/לבסיס; להתביית
home-baked *adj.* ביתי, אפוי בבית
homebody *n.* אוהב להישאר בבית, "אשרי יושבי ביתך"
homebound *adj.* נוסע הביתה; מרותק לבית
home brew בירה ביתית
home-coming *n.* שיבה הביתה
home economics כלכלת הבית
home front חזית-הפנים; חזית העורף
home-grown *adj.* מתוצרת הארץ
Home Guard (חבר ב-) משמר לאומי
home help מטפלת, עוזרת
homeland *n.* מולדת
homeless *adj.* חסר-בית, הומלס
homelike *adj.* ביתי, משפחתי
home'ly (hōm'-) *adj.* פשוט, לא רב-רושם; מכוער; ביתי, משפחתי
home-made *adj.* ביתי, עשוי בבית
homemaker *n.* עקרת בית
home match/game משחק ביתי
Home Office משרד הפנים
ho'me·opath' הומיאופת
ho'me·opath'ic הומיאופתי
ho'me·op'athy *n.* הומיאופתיה (שיטת ריפוי)
homeowner *n.* בעל בית, דר בביתו
home plate תחנת הבית (בכדור בסיס)
Ho·mer'ic *adj.* הומרי, של הומרוס
Homeric laughter צחוק הומרי (רם)
home rule שלטון עצמי, אוטונומיה
home run הקפה שלמה (בכדור בסיס)
Home Secretary שר הפנים
homesick *adj.* מתגעגע הביתה
homespun *adj&n.* (אריג) טווי בבית; (דבר) פשוט/רגיל
home'stead' (hōm'sted) *n.* אחוזה, משק חקלאי; קרקע הניתנת על מנת שיעבדוה
home stretch/straight קטע הסיום (במסלול)
home team קבוצה מארחת, קבוצת הבית
home thrust התקפת מחץ
home town עיר מגורים, עיר מולדת
home truth האמת המרה, תוכחה
homeward(s) *adv.* הביתה
homework *n.* שיעורי-בית; הכנות
home'y (hō'mi) *adj.* *ביתי, נוח
hom'ici'dal *adj.* רצחני, של רצח
hom'icide' *n.* הֶרֶג; רֶצַח; רוצח
hom'ilet'ic *adj.* של דרשות, תוכחתי
homiletics *n-pl.* דרשנות
hom'ily *n.* דרשה, הטפת מוסר
ho'ming *adj.* שב הביתה, (טיל) מתביית
homing pigeon יונת-דואר
hom'inoid' *adj.* דומה לאדם
hom'iny *n.* תירס, דייסת תירס
ho'mo- (-mə) (תחילית) דומה, שווה

ho′mo *n.* אדם, איש
ho′mogene′ity *n.* הומוגניות
ho′moge′ne·ous *adj.* הומוגני, אחיד
homog′enize′ *v.* לעשות להומוגני
hom′ograph′ *n.* הומוגראף, צימוד (מלים השוות בכתיבן ושונות במשמעותן)
hom′onym′ *n.* צימוד, הומונים
ho′mopho′bia *n.* שנאת הומוסקסואלים
hom′ophone′ *n.* מלה שוות-היגוי, הומופון
Ho′mo sa′piens (-z) הומו ספיינס, האדם המודרני, האדם הנבון
ho′mo·sex′u·al (-sek′shōōəl) *adj&n.* הומוסקסואלי; הומוסקסואל
ho′mo·sex′u·al′ity (-sekshōōal′-) *n.* הומוסקסואליות
ho′my *adj.* *ביתי, נוח
Hon·du′ras *n.* הונדורס
hone *n&v.* אבן משחזת; להשחיז
hon′est (on-) *adj.* הוגן, ישר
- honest to goodness בהן צדק
- make an honest living להתפרנס ביושר
- make an honest women of her להתחתן עמה
- to be quite honest about it ייאמר גלויות
- turn/earn an honest penny להרוויח כספו ביושר
honest broker מתווך
honestly *adv.* בהן-צדק, באמת, באמונה
- come by honestly *להיות תורשתי
honesty *n.* הגינות, יושר
hon′ey (hun′i) *n.* דבש; *מותק; יקירי
honeybee *n.* דבורה
honeycomb *n.* חלת-דבש
honeycombed *adj.* עשוי תאים-תאים
honeydew *n.* טל דבש; טבק ממותק
honeydew melon מלון (חלק-קליפה)
honeyed *adj.* מתוק; מחמיא
honeymoon *n.* ירח דבש
honeymoon *v.* לבלות ירח דבש
honey pot כלי דבש, דבר מפתה
honeysuckle *n.* יערה (שיח מטפס)
Hong Kong *n.* הונג קונג
honk *n.* צפירת מכונית; גיעגוע
honk *v.* לצפור; לגעגע
hon′kie *n.* *לבן (כינוי גנאי בפי הכושים)
hon′ky *n.* *לבן (כינוי גנאי בפי הכושים)
honk'y-tonk" *n.* *מועדון לילה זול
hon′or (on-) *n.* כבוד
- Your/His honor כבוד השופט
- affair of honor דו-קרב
- debt of honor חוב של כבוד
- do him honor לחלוק לו כבוד
- do the honors לארח, להציע משקה
- guard of honor משמר כבוד
- have the honor to להתכבד ל-
- honor bound חב חוב מוסרי
- honors אותות הצטיינות; ציונים גבוהים; קלפים חזקים
- in honor of לכבוד, לזכר
- lost her honor איבדה צניעותה
- maid of honor גברת בשירות מלכה
- military honors טקסים צבאיים
- point of honor עניין של כבוד
- put him on his honor לסמוך על דברתו
- word of honor מלת כבוד, דיברה
- would you do me the honor of- התואיל ל-? האם תסכים ל-?
honor *v.* לכבד; להעריך; לקיים
- honor a check לכבד שק
honorable *adj.* מכובד
honorable mention ציון לשבח
hon′ora′rium (on-) *n.* שכר, תשלום (בעד שירות מיקצועי)
hon′orar′y (on′əreri) *adj.* של כבוד
honorary president נשיא כבוד
hon′orif′ic (on-) *adj.* חולק כבוד
honour = honor
hooch (hōōch) *n.* *משקה חריף
hood *n.* כובע, בורנס, ברדס; גג זחיח; חיפת המנוע; *פושע
hooded *adj.* מבורדס, חבוש כובע
- hooded eyes עיניים עצומות למחצה
hood′lum *n.* *פושע מסוכן, בריון
hoo′doo′ *n.* מזל רע
hoodoo *v.* להביא מזל רע ל-
hood′wink′ *v.* לרמות, להוליך שולל
hoo′ey *n.* *שטויות
hoof *n&v.* פרסה
- hoof it *ללכת ברגל; לרקוד
- on the hoof חי, שטרם נשחט
hoofer *n.* *רקדן מקצועי
hoo′-ha′ (-hä) *n.* *המולה, טאראראם
hook *n.* וו, קרס; מתלה; מכת מגל; עיקול; לשון-יַבָּשָׁה עקומה
- by hook or by crook בכל האמצעים
- give the hook *לפטר, לשלח
- off the hook נחלץ ממצב קשה
- on the hook במצב קשה
- reaping-hook מגל
- sling one's hook *להסתלק
- swallow hook line and sinker לבלוע הכל, להאמין כפתי
hook *v.* ללכוד, להעלות בחכה; לתלות על וו; לכופף; לרכוס; להירכס
- hook it *לברוח
- hook up לחבר למערכת מרכזית
- hook up with להתחבר, להתאחד עם
hook′ah (-kə) *n.* נרגילה
hooked *adj.* כפוף, מאונקל; בעל ווים
- hooked on *מכור ל-, להוט אחרי
hook′er *n.* *זונה
hook-nosed *adj.* בעל אף נשרי
hook-up *n.* התחברות של רשת תחנות שידור (לשידור תוכנית)
hookworm *n.* כרץ (תולעת מעיים)
hook′y *adj&n.* דמוי קרס
- play hooky להשתמט מבית-ספר
hoo′ligan *n.* חוליגן, בריון
hooliganism *n.* חוליגניות
hoop *n&v.* גלגל, חישוק; לחשק (חבית)
- go through the hoops לעבור תקופה קשה
hoop′-la (-lä) *n.* משחק קליעה (של טבעות על חפצים); קריאות התלהבות
hooray′ *interj.* הידד!
hoosegow (hōōs′gou′) *n.* *בית סוהר
hoot (hōōt) *n.* שריקת הינשוף; צפירה; קריאת בוז; צחוק לעגני

- not care a hoot *לא איכפת כלל
hoot *v.* לצפור; לשרוק; לצעוק בוז
- hoot down/out/off/away לגרש (נואם מהבמה) בקריאות בוז
hoo′ter *n.* צופר; *חוטם
hoo′ver *n&v.* (לנקות ב-) שואב אבק
hooves = pl of hoof (hoovz)
hop *v.* לקפץ, לדדות, לנתר; לדלג
- hop in/out *היכנס/צא (מהרכב)
- hop it *הסתלק!
- hop the twig *להסתלק; למות
- hop to it! קדימה!
- hopping mad *רותח מזעם
hop *n.* ניתור, קפיצה; *מסיבת-ריקודים; טיסה; כשות (צמח בר)
- hop step and jump קפיצה משולשת
- keep him on the hop להחזיקו בתנועה/בפעילות מתמדת
- on the hop *בפעילות, עסוק; לא מוכן
hope *n.* תקווה, ציפייה
- beyond/past hope לאחר ייאוש
- hold out hope לתת סיכוי/תקווה
- in the hope of בתקווה ש-
- live in hope לחיות בתקווה
- not a hope! *שום סיכוי!
- raise his hopes לטפח תקווה בלבו
hope *v.* לקוות, לייחל
- hope against hope לקוות (חרף הסיכוי האפסי)
- hope for the best לקוות לטוב
hope chest ארגז התקווה, חפצים שהנערה שומרת לקראת נישואיה
hopeful *adj.* מקווה; מבטיח
- a young hopeful צעיר מבטיח
hopefully *adv.* בתקווה, נקווה ש-
hopeless *adj.* חסר-תקווה, לאחר ייאוש, אבוד, ללא תקנה
hopped-up *adj.* * (מנוע) מוגבר; מסומם
hop′per *n.* מרזב, אפרכסת (מיתקן דמוי משפך); פרעוש, חגב
hop-picker *n.* קוטף כשות
hop pole כלונס (להדליית) כשות
hop-scotch *n.* ארץ (משחק באבן ובמשבצות מסומנות על הקרקע)
horde *n.* המון, קהל; שבט נודד
hori′zon *n.* אופק
hor′izon′tal *adj&n.* אופקי, מאוזן
horizontal bar מתח (בהתעמלות)
hor′mone *n.* הורמון
horn *n&v.* קרן; חומר קרני; צופר; שופר
- English horn קרן אנגלית
- blow one's own horn לטפוח על שכמו, להתפאר
- draw in one's horn להפגין פחות להיטות, לסגת
- horn in להתערב, לתחוב אפו
- horn of plenty קרן השפע
- on the horns of a dilemma נתון בין הפטיש והסדן
hornbill *n.* מקור-הקרן (עוף)
horned *adj.* מקרין, בעל קרניים
hor′net *n.* צרעה, דבור
- stir up a hornet's nest להמיט צרות, לעורר קן-צרעות, להרגיז
hornlike *adj.* קרני, דומה לקרן
hornpipe *n.* ריקוד הקרן (של ימאים)
horn-rimmed *adj.* (משקפיים) ממוסגרי-קרן
horny *adj.* קשה, קרני, מחוספס; *תאב
horol′ogy *n.* שענות
hor′oscope′ *n.* הורוסקופ
hor·ren′dous *adj.* נורא, מזעזע
hor′rible *adj.* נורא, איום; *מגעיל
hor′rid *adj.* נורא, איום
hor·rif′ic *adj.* מחריד, מזעזע
hor′rify′ *v.* להחריד, לזעזע
hor′ror *n.* אימה, חלחלה, זוועה
- have a horror of לתעב
- have the horrors לסבול מביעותים
- horror films סרטי זוועה
horror-stricken *adj.* אחוז אימה
horror-struck *adj.* מזועזע, מלא-פחד
hors de combat (ordəkōnbä′) לא כשיר ללחימה, נכה
hors d'oeuvre (ôrdûrv′) *n.* מְתַאֲבֵן
horse *n&v.* סוס; חמור (בהתעמלות); פרשים; הרואין
- a dark horse נעלם, מתחרה שסיכוייו לא ידועים
- a horse of another color עניין אחר לחלוטין
- a willing horse עובד מסור
- back the wrong horse להמר על הצד המפסיד
- be on one's high horse לדרוש יחס כבוד, להתנשא
- clothes horse מתלה-ייבוש
- from the horse's mouth ממקור ראשון, מהנוגע בדבר, מפי הסוס
- hold your horses חכה, גלה איפוק
- horse and foot פרשים ורגלים
- horse around לשחק, להתהולל
horse-and-buggy *adj.* ישן, שמלפני המצאת המכונית, מימי מתושלח
horseback *n.* גב הסוס, על הסוס
- a man on horseback רודן, מנהיג
horsebox *n.* כלי-רכב להובלת סוס
horse chestnut מין ערמון
horseflesh *n.* בשר סוס
horsefly *n.* זבוב הסוס
horsehair *n.* שער-סוס
horse-laugh *n.* צחוק גס, צחוק רם
horseman *n.* פרש, סייס
horsemanship *n.* פרשות
horsemeat *n.* בשר-סוס
horse opera *מערבון
horse-play *n.* משחק גס, משחק פרוע
horsepower *n.* כוח סוס
horserace *n.* מירוץ סוסים
horseradish *n.* חזרת (ירק)
horse sense שכל ישר, היגיון
horseshoe *n.* פרסה, פרסת-ברזל
horse trade סחר-סוסים
horse-trading *n.* מיקח וממכר
horsewhip *n.* שוט, מגלב
horsewhip *v.* להצליף, להלקות
horsewoman *n.* רוכבת, פרשית
hors′y *adj.* סוסי; שוחר רכיבה
hor′tative *adj.* מעודד, מעורר
hor′tato′ry *adj.* מעודד, מעורר

hor′ticul′tural (-′ch-) *adj.* של גננות
hor′ticul′ture *n.* גננות
hor′ticul′turist (-′ch-) *n.* גנן
ho•san′na (-z-) *interj.* הושענא, הללויה
hose (-z) *n.* גובתה, צינור, זרנוק; גרביים
hose *v.* להשקות/לשטוף בצינור
- hose down להשקות/לשטוף בצינור
hosepipe *n.* צינור, זרנוק, קולחה
ho′sier (-zhər) *n.* מוכר גרביים ולבנים
hosiery *n.* גרביים ולבנים
hos′pice (-pis) *n.* פונדק, אכסניה
hos′pitable *adj.* מסביר פנים, מארח
hos′pital *n.* בית-חולים
hos′pital′ity *n.* סבר פנים יפות
hos′pitaliza′tion *n.* אשפוז
hos′pitalize′ *v.* לאשפז
hoss (hôs) *n.* *סוס
host (hōst) *n.* מארח; פונדקאי; מַנְחֶה
- reckon without one's host לתכנן מבלי לשתף את הנוגע בדבר
host *n.* המון, הרבה, צבא
- Lord of Hosts ה' צבאות
- the Host לחם הקודש
host *v.* לארח; להנחות
hos′tage *n.* בן-ערובה
- give hostages to fortune לעשות צעד העשוי לכבול ידיו בעתיד
- take hostage לחטוף בן-ערובה
hos′tel *n.* אכסניה, פנימייה
- youth hostel אכסנית נוער
hosteler *n.* אכסנאי (באכסניות נוער)
hostess *n.* מארחת, בת-זוג לריקוד
- air hostess דיילת
hos′tile *adj.* אויב, עוין, מתנגד
hostile witness עד עויין
hos•til′ity *n.* איבה, שנאה
- hostilities מעשי איבה, קרבות
hot *adj&v.* חם, לוהט; חריף; טרי, חדש; נלהב, מגורה
- a hot one יוצא דופן, מיוחד
- blow hot and cold להיות הפכפך
- get hot להתקרב, לנחש כמעט נכונה
- give it him hot להענישו
- go hot and cold לחוש חום וקור חליפות
- hot and bothered מתרגש, מאוכזב
- hot and heavy נמרץ, נלהב, חזק
- hot articles *חפצים גנובים (שהמשטרה מבקשת)
- hot flash גל חום (העובר בגוף)
- hot news חדשות של הרגע האחרון
- hot on his trail/tracks עומד להדביקו, קרוב להשיגו
- hot on the heels בא מיד אחרי
- hot under the collar מתרגז
- hot up לחמם; להתחמם
- in hot water בצרות
- make it hot for him לעשות את המקום לבלתי נסבל, להבריחו, להענישו
- not so hot *לא-מי-יודע-מה, בינוני
hot air מלים ריקות, הבל
hotbed *n.* חממה; מקום גידול
hot-blooded *adj.* חמום מוח, חם מזג
hotch′potch′ *n.* ערבוביה, בליל
hot cross bun לחמנית (הנאכלת בלנט)
hot dog נקניקית (בתוך לחמנייה)
hot dog! *interj.* האומנם?! (קריאה)

ho•tel′ *n.* מלון, בית-מלון
ho•tel′ier (-lyā) *n.* מלונאי
hotfoot *adv&v.* מהר, בהתלהבות
- hotfoot it למהר, ללכת מהר, לרוץ
hothead *n.* חמום-מוח, לא מיושב
hotheaded *adj.* חמום-מוח
hothouse *n.* חממה
- hothouse plant אדם רגיש המצריך תשומת-לב מיוחדת
hot line קו ישיר (בטלפון האדום)
hotly *adv.* בחום, בהתרגשות, בכעס
hotplate *n.* לוח-בישול, משפת
hotpot *n.* תבשיל בשר ותפוחי-אדמה
hot potato תפוח אדמה לוהט, דבר מסוכן/קשה לטיפול
hot rod מכונית משופצת (גבוהת-מהירות)
hot seat כיסא חשמל; מצב שבו חייבים לקבל החלטות קשות
hotshot *n.* *אישיות חשובה, מומחה, אדם מוכשר, קלע מצטיין
hot spot מקום חם (על סף מלחמה)
hot spring מעיין מים חמים
hot stuff *דבר מעולה
hot-tempered *adj.* חמום-מזג
Hot′tentot′ *adj.* הוטנטוטי
hot-water bottle בקבוק מים חמים (מגומי)
hot-wire *v.* *להתניע רכב בחוט, לעקוף המתנע
hound *n.* כלב-ציד; נבל, מנוול
- follow the hounds לצאת לציד
- ride to hounds לצאת לציד
hound *v.* לצוד, לרדוף, להציק
hour (our) *n.* שעה; זמן
- after hours לאחר שעות העבודה
- at all hours במשך כל השעות
- at the eleventh hour ברגע האחרון
- for hours במשך שעות ארוכות
- in an evil hour במזל ביש
- in the hour of בשעת-
- keep late/bad hours לשכב לישון בשעה מאוחרת/לא קבועה
- office hours שעות העבודה (במשרד)
- on the hour בשעה, בכל שעה שלמה (ב-1, ב-2 וכ')
- out of hours לא בשעות הרגילות
- question of the hour בעיית השעה
- the small hours השעות הקטנות
- zero hour שעת האפס
hourglass *n.* שעון חול (האוזל בשעה)
hour hand מחוג השעות
hou′ri (hoor′i) *n.* יפיפייה
hour-long *adv.* למשך שעה
hourly *adv.* בכל שעה, מדי שעה
- expect hourly לצפות לו בכל רגע
hourly *adj.* פועל בכל שעה
house (-s) *n.* בית; בית-נבחרים; תיאטרון; קהל; אולם; הצגה; בית-מסחר
- bring the house down לקצור תשואות רמות
- eat him out of house and home לזלול את כל האוכל (של המארח)
- enter the House להיבחר לפרלמנט
- get on like a house on fire להתיידד מהר

- get one's house in order לעשות סדר בביתו, לסדר ענייניו
- house of cards בניין קלפים
- keep (to) the house להישאר בבית
- keep house לנהל משק בית
- keep open house לפתוח ביתו לכל
- like a house on fire במרץ, מהר; מצויין
- on the house על חשבון בעל הבית
- safe as houses בטוח ביותר
- set up house לחיות בבית נפרד
- under house arrest במעצר בית
house (-z) *v.* לשכן, לאכסן; לאחסן
house agent מתווך בתים
houseboat *n.* סירת מגורים
housebound *adj.* מרותק לבית
houseboy *n.* משרת
housebreaker *n.* פורץ, גנב
housebroken *adj.* (כלב) מאולף (להטיל מימיו בחוץ)
house call ביקור בית
housecoat *n.* חלוק בית
housecraft *n.* ניהול משק בית
house detective בלש העסק
housedog *n.* כלב שמירה
housefather *n.* מנהל מוסד, אב בית
housefly *n.* זבוב הבית
houseful *n.* מלוא הבית
household *n.* דרי הבית, בני בית
household *adj.* ביתי, של בית
household equipment כלי בית
householder *n.* בעל בית
household word/name שם שגור, שם ידוע
house husband עקרת בית (גבר)
housekeeper *n.* מנהלת משק הבית
housekeeping *n.* ניהול בית; ניהול המערכת
house lights אורות האולם
housemaid *n.* עוזרת, פועלת ניקיון
housemaid's knee דלקת הברך
houseman *n.* רופא מתמחה
housemaster *n.* מנהל פנימייה
housemother *n.* אם הבית
House of Commons בית הנבחרים
House of God כנסייה
House of Representatives בית הנבחרים
house party אירוח בכפר לכמה ימים
house physician רופא בית (הגר בבי״ח)
house-proud *adj.* עקרת בית קפדנית
houseroom *n.* מקום, שטח בבית
- not give it houseroom לא להכניס זאת לבית, לא לקבלו אפילו כמתנה
house surgeon מנתח (הגר בבי״ח)
house-to-house *adj.* מבית לבית
housetop *n.* גג הבית
- shout from the housetops לפרסם לכל, להודיע בפומבי
house-trained *adj.* (כלב) מאולף (להטיל מימיו בחוץ)
house-warming *n.* חנוכת בית
housewife *n.* עקרת בית
housewifery *n.* ניהול הבית
housework *n.* עבודות הבית
hous'ing (-z-) *n.* דיור; שיכונים; תיבה, בית (לאביזר במכונה)
housing estate/development איזור בתים, שיכון
housing project פרוייקט שיכון
hove = p of heave
hov'el *n.* בית עלוב, צריפון
hov'er *v.* לרחף; לשהות בסביבה
hovercraft *n.* רחפת, רחפה, ספינת-רחף
how *adv.* איך, כיצד; באיזו מידה
- a fine how-d'ye-do מצב ביש
- and how *ועוד איך! בטח!
- how about- מה דעתך על/ש-
- how are you? מה שלומך?
- how come *מדוע זה? איך ייתכן?
- how do you do? מה שלומך?; נעים להכירך
- how long כמה זמן
- how much/many כמה
- how often באיזו תכיפות
- how old בן כמה, מה גילו?
- how so? איך זה? הכיצד? למה?
- how's that? איך זה? מה אמרת?
how'dah (-də) *n.* אפיריון (על) פיל
how'dy *interj.* הלו!
how·ev'er *adv&conj.* בכל אופן, אעפ״כ; בכל מידה/דרך ש-; *כיצד? איך?
- however far it is יהיה המרחק אשר יהיה
how'itzer (-ts-) *n.* הוביצר (תותח)
howl *v.* ליילל, לייבב, לזעוק
- howl down להשתיק, להחריש (נואם)
- howl with laughter לגעות בצחוק
howl *n.* יללה, יבבה, זעקה
howler *n.* *טעות טיפשית/מצחיקה
howling *adj.* *גדול מאוד, כביר
how'so·ev'er *adv.* בכל דרך שהיא
how-to *n.* מדריך, שיטה מעשית
hoy'den *n.* נערה פראית, גסה
Hoyle *n.* הויל (ספר מישחקים)
- according to Hoyle חוקי, נאה, כהלכה
HP = horsepower, hire purchase
HQ = headquarters
hr = hour
ht = height
hub *n.* טבור האופן; מרכז, מוקד
hub'ble-bub'ble *n.* נרגילה
hub'bub' *n.* המולה, שאון
hub'by *n.* *בעל
hubcap *n.* כובע הטבור (בגלגל), צלחת
hu'bris *n.* ביטחון מופרז, גאווה
huck'aback' *n.* אריג גס (למגבות)
huck'leber'ry (-lb-) *n.* אוכמנית
huck'ster *n.* רוכל; *פרסומאי
hud'dle *v.* להצטופף; לדחוס
huddle *n.* קהל, ערב רב; ערבוביה
- go into a huddle לערוך התייעצות
hue (hū) *n.* צבע, גוון
- hue and cry מחאה, זעקה
hued (hūd) *adj.* בעל גוון-
huff *v.* להתנשף; להכות כלי (בדמקה)
huff *n.* רוגז, היפגעות, עלבון
- go into a huff להיפגע
huff'ish *adj.* פגיע, נעלב
huff'y *adj.* פגיע, נעלב
hug *v.* לחבק; לאחוז; להצמיד לגופו
- hug an opinion לאמץ דיעה
- hug oneself לטפוח על שכמו

- hug the shore להיצמד לחוף
- hug the thought להשתעשע במחשבה
hug *n.* חיבוק
huge *adj.* גדול, כביר, ענקי
hugely *adv.* הרבה מאוד
hug'ger-mug'ger *n.* בילבול; סוד
hu'la (hōō'-) *n.* הולהולה (ריקוד)
hulk *adj&n.* כבד, מגושם; גוות-אונייה
hulking *adj.* גדול, מגושם, כבד
hull *n.* גוף האונייה; תובת הטנק
hull *n.* קליפת התרמיל, קליפת הפרי
hull *v.* לקלף
hul'labaloo' *n.* רעש, מהומה
hullo' *interj.* הלו!
hum *v.* לזמזם; לנוע, לפעול; *להסריח
- hum and haw לגמגם, להסס
- make things hum להזיז העניינים
hum *n.* זמזום
hu'man *adj.* אנושי, של האדם
human being אדם, יצור אנושי
hu-mane' (hū-) *adj.* אנושי, הומני, טוב-לב, עדין
humane killer ממית מיתת-חסד, מכשיר קוטל חיות ללא כאבים
human engineering הנדסת אנוש
human interest עניין אנושי
hu'manism' *n.* הומניות, אנושיות
hu'manist *n.* הומניסט, עוסק במקצועות הומניסטיים
hu·man'ita'rian (hū-) *adj.* הומניטארי, אנושי, אוהב הבריות
humanitarianism *n.* אהבת-הבריות
hu·man'ity (hū-) *n.* אנושות, משפחת האדם; אנושיות, אהבת האדם
- humanities מדעי הרוח
hu'manize' *v.* לאנש, לעשות לאנושי
humankind *n.* המין האנושי
humanly *adv.* כאדם, בכוחות אנוש
hu'manoid' *adj.* דמוי אדם
human relations יחסי אנוש
human rights זכויות האדם
hum'ble *adj.* צנוע, עניו; עלוב, דל
- eat humble pie להתנצל בהכנעה
- your humble servant עבדך הנאמן
humble *v.* להשפיל, להכניע, לדכא
hum'bug' *n.* רמאות, אחיזת-עיניים; שטויות; רמאי; ממתק בטעם מנתה
humbug *v.* להונות, להוליך שולל
hum'ding'er (-ng-) *n.* דבר מצוין
hum'drum' *adj.* משעמם, מונוטוני
hu'merus *n.* עצם הזרוע
hu'mid *adj.* לח, רטוב
hu·mid'ify' (hū-) *v.* ללחלח
hu·mid'ity (hū-) *n.* לחות
hu'midor' *n.* תיבת לחות
hu·mil'iate' (hū-) *v.* להשפיל
hu·mil'ia'tion (hū-) *n.* השפלה
hu·mil'ity (hū-) *n.* ענווה, שפלות-רוח, כניעות, נכנעות
hum'mingbird' *n.* יונק-הדבש
hum'mock *n.* תלולית, גבעונת
hum'mus (hoom-) *n.* חומוס
hu·mon'gous *adj.* *כביר, ענקי
hu'mor *n.* הומור, היתול; מצב-רוח
- out of humor במצב-רוח רע
- sense of humor חוש הומור
humor *v.* למלא את רצון-, לפנק
hu'morist *n.* הומוריסטן, בדחן
hu'morous *adj.* הומוריסטי, היתולי
hump *n.* חטוטרת, דבשת
- give the hump *להשרות דיכאון
- over the hump עבר את המשבר
hump *v.* לקמר, לגבנן; להתקמר
humpback *n.* גיבן; גב מגובנן
humpbacked *adj.* מגובנן
humph *interj.* שטויות! (מלמול של הסתייגות או פקפוק)
hu'mus *n.* רקבובית, הומוס
Hun *n.* הוני; *גרמני
hunch *n.* חטוטרת, גוש; חשש, תחושה
- I have a hunch *חוששני, סבורני
hunch *v.* לגבנן, לקמר
hunchback *n.* גיבן; גב מגובנן
hun'dred *n.* מאה, 100
hundredfold *adv.* פי מאה
hundredth *adj.* ה-100; מאית
hundredweight *n.* מאה ליטראות
hung = p of hang
Hun'gar'ian *n&adj.* הונגרי
Hun'gary *n.* הונגריה
hun'ger (-ng-) *n.* רָעָב
hunger *v.* לרעוב, להשתוקק
hunger march מצעד רעב (של מובטלים)
hunger strike שביתת-רעב
hung-over *adj.* סובל מכאב ראש, סובל מחמרמורת
hun'gry *adj.* רָעֵב; גורם רעב, מרעיב
- go hungry להישאר רעב, להסתובב רעב
hunk *n.* חתיכה גדולה, נתח
hunk'er *v.* להתיישב על העקבים
- hunker down להירתם, להתמסר
hun'kers *n-pl.* עכוז, ירכיים, אחוריים
hun'ky-do'ry *adj.* *מצויין, מעולה
hunt *v.* לצוד, לערוך ציד; לחפש
- go hunting לצאת לציד
- hunt and peck "חפש והקש", הקשה באצבע (אחת, במכונת-כתיבה)
- hunt down ללכוד, לחפש ולתפוס
- hunt for לחפש
- hunt high and low לחפש בכל מקום
- hunt off/out of לגרש, להבריח
- hunt one's dogs לצוד בעזרת כלבים
- hunt out למצוא לאחר חיפוש
- hunt up/out לחפש, לאתר
hunt *n.* צַיִד; מצוד; חיפוש; ארגון ציידים; איזור ציד
hunt ball נשף ציידים
hunter *n.* צַיָּד; סוס-ציד; שעון-כיס
hunting *n.* צַיִד
hunting ground אתר-ציד
- happy hunting ground גן עדן
hunting pink ורוד (של ציידים)
huntress *n.* ציידת
huntsman *n.* צַיָּד
hur'dle *n.* משוכה; מחיצה מיטלטלת (להקמת גדר); קושי
hurdle *v.* להשתתף במירוץ משוכות
- hurdle off לגדור, לחייץ
hurdler *n.* משתתף במירוץ משוכות
hur'dy-gur'dy *n.* תיבת נגינה

hurl *v.* להשליך, להטיל
- hurl curses להמטיר קללות
hur'ly-bur'ly *n.* המולה, שאון
hurray' (hoor-) *interj.* הידד!
hur'ricane' (hûr'-) *n.* סופת הוריקן
hurricane lamp פנס רוח
hurried *adj.* חפוז
hur'ry (hûr'-) *v.* למהר, לחוש; להאיץ, להחיש
- hurry up להזדרז; לזרז
hurry *n.* חיפזון, מהירות; דחיפות
- in a hurry בחיפזון, בחופזה; אץ, להוט; *בקלות; מהר, ברצון
- in no hurry לא ממהר
hurt *v.* להכאיב, לפצוע; לפגוע; לכאוב
- it won't hurt לא יזיק (אם)
hurt *n.* פגיעה, עלבון
hurtful *adj.* פוגע, מזיק
hur'tle *v.* לנוע בעוצמה, להתעופף
hus'band (-z-) *n.* בעל
husband *v.* לחסוך, לקמץ
- husband one's resources לנצל ביעילות המשאבים העומדים לרשותו
husbandry *n.* חקלאות, ניהול; חיסכון
hush *v.* להשתיק; לשתוק
- hush up להשתיק, לטשטש, להעלים
hush *n.* שקט, דממה
hush-hush *adj.* חשאי, סודי
hush money דמי "לא יחרץ"
hush-up *n.* השתקה, טשטוש, העלמה
husk *n&v.* קליפה, מוץ; לקלף
hus'ky *adj.* צרוד, יבש; חסון, חזק
husky *n.* כלב אסקימוסי
hussar' (həz-) *n.* פרש
hus'sy *n.* אישה קלת-דעת
hus'tings *n-pl.* תעמולת בחירות
hus'tle (-səl) *v.* לדחוף, לדחוק, לזרז; לפעול/למכור במרץ; *לעסוק בזנות
hustle *n.* המולה, פעילות; *רמאות
hustler *n.* פעלתן; *יצאנית
hut *n.* צריף, בקתה
hutch *n.* תיבה, לול, כלוב
hut'ment *n.* מחנה צריפים
hutted *adj.* (מחנה) בעל צריפים
hy'acinth' *n.* יקינטון
hy'brid *n.* היבריד, בן-כלאיים
hy'bridiza'tion *n.* היברידיזציה, הכלאה
hy'bridize' *v.* להצליב, להכליא
hy'dra *n.* הידרה, מפלצת
hy'drant *n.* הידראנט, ברז-שריפה
hy'drate' *n.* הידראט, מימה, תירכובת המכילה מים
hy·draul'ic *adj.* הידרולי, של לחץ מים
hydraulics *n-pl.* הידרוליקה
hy'dro *n.* *אתר ריפוי במים
hy'drocar'bon *n.* פחמימן
hy'drochlor'ic acid (-kl-) *n.* חומצת-כלור
hy'dro·e·lec'tric *adj.* הידרואלקטרי
hy'drofoil' *n.* רחפת, ספינת-רחף
hy'drogen *n.* מימן
hydrogen bomb פצצת מימן
hydrogen peroxide מי חמצן
hy·drom'eter *n.* הידרומטר, מד משקל סגולי

hy·drop'athy *n.* ריפוי במים
hy'dropho'bia *n.* בעת-מים, כלבת
hy'droplane' *n.* סירת-מנוע מהירה; מטוס-ים, הידרופלאן
hy'dropon'ics *n-pl.* הידרופוניקה, גידול צמחים בתוך מים
hy'dro·ther'apy *n.* ריפוי במים
hy·e'na *n.* צָבוֹעַ
hy'giene (-jēn) *n.* היגיינה, גהות
hy'gien'ic *adj.* היגייני, גהותי
hy'men *n.* בתולים
hymn (him) *n.* המנון, פיוט
hymn *v.* להודות (לאל) בשירה
hym'nal *n.* ספר פיוטים
hype *v&n.* *לרמות, לקדם מכירות; פרסומת רעשנית; רמאות; מכור לסם; מזרק
- hyped up מלא מרץ (מזריקה)
hy'per- (תחילית) מעל, יותר מדי
hyper *adj.* *היפראקטיבי, נמרץ
hy'perac'tive *adj.* היפראקטיבי
hy·per'bola *n.* היפרבולה (עקומה)
hy·per'bole (-bəli) *n.* היפרבולה, הפרזה
hy'percrit'ical *adj.* בקרני יותר מדי, מחפש פגמים
hy'perinfla'tion *n.* אינפלציה דוהרת
hy'permar'ket *n.* היפרשוק
hy'persen'sitive *adj.* רגיש מאוד
hy'perten'sion *n.* מתח רב, לחץ דם גבוה
hy'perven'tilate' *v.* לנשום במהירות
hy'phen *n.* מקף, (-)
hy'phenate' *v.* לחבר במקף, למקף
hypno'sis *n.* היפנוזה
hypnot'ic *adj.* מהופנט, היפנוטי
hyp'notism' *n.* היפנוזה, היפנוטיזם
hyp'notist *n.* מהפנט
hyp'notize' *v.* להפנט
hy'po- (תחילית) תת-, מתחת ל-
- hypodermis שיכבה תת-עורית
hy'po *n.* זריקה, תזריק; היפוסולפיט
hy'pochon'dria (-k-) *n.* היפוכונדריה, דכדוך, פחד מפני מחלות מדומות
hy'pochon'driac' (-k-) *adj.* חולה היפוכונדריה
hypoc'risy *n.* צביעות
hyp'ocrite' (-rit) *n.* צָבוּעַ, מתחסד
hyp'ocrit'ical *adj.* צָבוּעַ
hy'poder'mic *n&adj.* תזריק; (זריקה) תת-עורית
hy'po·gly·ce'mia *n.* מיעוט סוכר בדם
hy·pot'enuse' *n.* יתר (במשולש ישר-זווית)
hy·poth'ec *n.* משכנתא, ערבות, אפותיקאי
hy·poth'ecate' *v.* למשכן, לתת כמשכון
hy'po·ther'mia *n.* מיעוט חום (בגוף)
hy·poth'esis *n.* היפותיזה, הנחה
hy·poth'esize *v.* להניח הנחה
hy'pothet'ical *adj.* היפותיטי, משוער
hys'sop *n.* איזוב
hys'terec'tomy *n.* כריתת הרחם
hyster'ia *n.* היסטריה
hyster'ical *adj.* היסטרי
hyster'ics *n-pl.* התפרצויות היסטריות
Hz = hertz

I

I אני
I = iodine
i′amb′ *n.* יאמבוס, יורד
i·am′bic *adj.* יאמבי, של יאמבוס
I·be′rian *adj.* איברי, של ספרד ופורטוגל
i′bex′ *n.* יעל, אקו, עז-הבר
ib′id, ib′idem′ *adv.* הנ"ל, שם
i′bis *n.* איביס (עוף גדול)
ice *n.* קרח; גלידה, שלגון
- break the ice לשבור את הקרח
- cut no ice לא להשפיע, לא להרשים
- keep it on ice לשמור במקרר; לשמור לשימוש בעתיד
- on ice מושעה, מונח בצד
- skating on thin ice מסתכן, מהלך על גבי חבל דק
ice *v.* להקפיא, לקרר; לצפות, לזגג
- ice up/over להתכסות קרח
ice age תקופת הקרח
ice axe גרזן קרח (של מטפסי הרים)
ice bag רטיית קרח (להורדת החום)
ice′berg′ (īs′-) *n.* קרחון
iceboat *n.* סירת קרח
icebound *adj.* (נמל) חסום בקרח
icebox *n.* מקרר, ארון קרח
ice-breaker *n.* שוברת-קרח (אונייה)
ice cap כיפת קרח (בקטבים)
ice-cold *adj.* קר כקרח
ice cream גלידה
iced *adj.* קפוא
icefall *n.* מפל-קרח (גוש קרח זקוף)
ice field שדה קרח (בים)
ice floe שכבת קרח צפה
ice-free *adj.* (נמל) פנוי מקרח
ice hockey הוקי קרח
icehouse *n.* בית קירור
Ice′land′ (īs′land) *n.* איסלנד
ice-lolly *n.* שלגון
ice-man *n.* מוכר קרח
ice pack רטיית קרח (להורדת החום); שדה קרח (בים)
ice pick מכוש קרח, אזמל קרח
icerink *n.* חלקלקה, רחבת קרח
ice-show *n.* מופע על קרח
ice-skate *v.* להחליק על קרח
ice skates מחליקיים
ice water מי-קרח, מים קרים
ichneu′mon (iknōō′-) *n.* נמייה
i′cicle *n.* נטיף קרח
i′cing *n.* ציפוי לעוגה, קצפת, זיגוג
icing sugar אבקת סוכר
i′con *n.* איקונין, צלם, פסל
i·con′oclast′ *n.* מנפץ אלילים; מורד במוסכמות, תוקף אמונות מקובלות
ic′terus *n.* צהבת
icy *adj.* קר כקרח; מכוסה קרח
I′d = I had, I would (īd)
ID card = identity card
i·de′a *n.* רעיון; מושג; תוכנית; דיעה; אידיאה, מחשבה
- I′ve an idea that- נראה לי ש-
- has no idea אין לו מושג
- not my idea of- לא הפירוש/הטעם שלי
- put ideas in his head לטפח אשליות בלבו
- the idea! what an idea! איזו חוצפה! איזו שטות!
- the young idea קו מחשבה של ילד
i·de′al *adj.* אידיאלי; מופתי, דימיוני
ideal *n.* אידיאל, חזון, מופת, משא-נפש
i·de′alism′ *n.* אידיאליזם
i·de′alist *n.* אידיאליסט
i′de·alist′ic *adj.* אידיאלי
i·de′aliza′tion *n.* אידיאליזציה
i·de′alize′ *v.* להציגו כאידיאל, לראותו כליל-השלמות
id′em *pron.* הנ"ל, שם
i·den′tical *adj.* זהה, דומה, שווה; אותו
identical twins תאומים זהים
i·den′tifica′tion *n.* זיהוי
identification parade מיסדר זיהוי
i·den′tify′ *v.* לזהות; להשוות
- be identified with להיות מזוהה עם
- identify oneself להזדהות (עם)
i·den′tikit′ *n.* קלסתרון
i·den′tity *n.* זהות
identity card תעודת זהות
identity crisis משבר זהות
identity disk דיסקית זיהוי
identity parade מסדר זיהוי
id′e·ogram′ *n.* סמל, אידיאוגרמה, תמונה המסמלת מלה
id′e·ograph′ *n.* סמל, אידיאוגרמה, תמונה המסמלת מלה
i′de·olog′ical *adj.* אידיאולוגי
i′de·ol′ogist *n.* אידיאולוג
i′de·ol′ogy *n.* אידיאולוגיה
Ides of March (īdz) 15 במרץ
id est′ כלומר, זאת אומרת
IDF צה"ל, צבא הגנה לישראל
id′iocy *n.* אידיוטיות, טיפשות
id′iom *n.* אידיום; ניב, צירוף מלים
id′iomat′ic *adj.* אידיומאטי; רב-ניבים; אופייני לשפה מסוימת
id′iosyn′crasy *n.* אופיינות, ייחודיות, מזג מיוחד, רגישות-יתר
id′iosyncrat′ic *adj.* ייחודי, מוזר
id′iot *n.* אידיוט; שוטה
idiot board *מקראה (לקריין)
idiot box *מכשיר טלוויזיה
id′iot′ic *adj.* אידיוטי, חסר-היגיון
idiot savant *מלומד אידיוט, מפגר בקי בשטח מסוים
i′dle *adj.* בטל, לא עובד; עצל; חסר-תועלת, חסר-ערך
- idle gossip דברים בטלים
- idle hours שעות בטלה
idle *v.* להתבטל; לפעול בהילוך סרק
- idle away לבזבז (זמן)
idler *n.* בטלן, מתבטל
i′dol *n.* אליל, פסל
i·dol′ater *n.* עובד-אלילים; מעריץ
i·dol′atress *n.* סוגדת, מעריצה
i·dol′atrous *adj.* פולחני, סוגד
i·dol′atry *n.* עבודת-אלילים, פולחן
i′doliza′tion *n.* הערצה, סגידה
i′dolize′ *v.* להעריץ, לסגוד ל-

i′dyll (-dəl) *n.* אידיליה
i·dyl′lic *adj.* אידילי, שליו, פשוט
i.e. = id est (īē′) כלומר
if *conj.* אם; אילו; כש-, כאשר; למרות
- a strong if old man איש חזק הגם שהוא זקן
- as if כאילו
- even if גם אם, אם גם, אפילו
- if I were you אני במקומך (הייתי) -
- if anything אם כבר
- if not אם לא, ואפילו, ואוליי
- if only הלוואי! אילו רק! לו!
- if so אם כך
- if you like אם תרצה, אפשר לומר, "הייתי אומר"
- it isn't as if לא נכון ש-
if′fy *adj.* *לא ודאי, מפוקפק
ig′loo *n.* איגלו, בית האסקימו
ig′ne·ous *adj.* וולקני, של אש
ig′nis fat′u·us (-chōōəs) *n.* אור מתעה, דבר מתעה
ignite′ *v.* להדליק; להתלקח
igni′tion (-ni-) *n.* הצתה; התלקחות
ignition key מפתח הצתה
ig·no′ble *adj.* שפל, נבזה, מביש
ig′nomin′ious *adj.* בזוי, מחפיר
ig′nomin′y *n.* חרפה, ביזיון
ig′nora′mus *n.* בור, בער, עם-הארץ
ig′norance *n.* אי-ידיעה, בורות
- ignorance of law אי-ידיעת החוק
ig′norant *adj.* לא-יודע, בור; של בור, הנובע מאי-ידיעה
ignore′ *v.* להתעלם מ-, להתנכר ל-
igua′na (igwä′-) *n.* איגואנה
i′kon = icon *n.* איקונין
ilk *n.* סוג, מעמד
- of that ilk מאותו סוג/מעמד
ill *adj.* חולה; רע, לא טוב, ביש
- be taken ill ליפול למשכב
- do an ill turn to להזיק ל-
- ill health בריאות לא תקינה
ill *adv.* באופן רע; בקושי; בעין רעה
- can ill afford it יכול בקושי להרשות לעצמו
- ill at ease במבוכה, לא נוח
- it ill becomes him to- אין זה יאה לו ל-
- speak ill of להשמיץ, לדבר בגנות
ill *n.* מחלה, צרה, פגע, רעה
I'll = I will, I shall (īl)
ill-advised *adj.* לא נבון, לא פיקחי
ill-affected *adj.* לא-נוטה, לא-אוהד
ill-assorted *adj.* לא מתאימים
ill-bred *adj.* גס, לא מחונך
ill-breeding *n.* גסות
ill-conceived *adj.* שלא תוכנן היטב
ill-considered *adj.* שלא נשקל היטב
ill-defined *adj.* לא ברור
ill-disposed *adj.* עוין; לא נוטה, מסרב
il·le′gal *adj.* לא-חוקי
il′le·gal′ity *n.* אי חוקיות; מעשה בלתי-חוקי
il′le′galize′ *v.* לעשות ללא חוקי, לאסור
il′le′galizg′tion *n.* איסור, פסילה
il·leg′ibil′ity *n.* אי-קריאות
il·leg′ible *adj.* לא-קריא
il′le·git′imacy *n.* אי-חוקיות
il′le·git′imate *adj.* לא-חוקי
illegitimate *n.* ממזר
ill-equipped *adj.* שלא צוייד כהלכה
ill fame שם רע, שימצה
ill-fated *adj.* ביש-מזל, מביא מזל רע
ill-favored *adj.* מכוער, דוחה
ill feeling איבה, טינה
ill-fitting *adj.* לא מתאים
ill-founded *adj.* לא מבוסס, חסר יסוד
ill-gotten *adj.* שנרכש במרמה
ill humor מצב רוח רע
ill-humored *adj.* מדוכא, בלי מצב רוח
il·lib′eral *adj.* לא ליבראלי; קמצן; צר-אופק
il·lib′eral′ity *n.* חוסר ליבראליות
il·lic′it *adj.* לא-חוקי
il·lim′itable *adj.* חסר-גבולות, אינסופי, ללא מצרים
ill-informed *adj.* לא מיודע כראוי
illiq′uid *adj.* לא נזיל (נכס)
il·lit′eracy *n.* אנאלפביתיות
il·lit′erate *adj.* אנאלפביתי, לא יודע קרוא וכתוב, בּוּר
ill-judged *adj.* בעיתוי לא מתאים, חסר שיקול נכון
ill-mannered *adj.* גס, לא מנומס
ill-natured *adj.* רע, רע-לב
illness *n.* מחלה
il·log′ical *adj.* לא הגיוני
il·log′ical′ity *n.* חוסר היגיון
ill-omened *adj.* ביש-מזל; מבשר רע
ill-prepared *adj.* שלא הוכן כראוי
ill-starred *adj.* ביש-מזל
ill-tempered *adj.* רע-מזג, רגזן
ill-timed *adj.* שלא בזמנו, בשעה לא מתאימה, לא מעותת כראוי
ill-treat *v.* להתאכזר, להתעלל
ill-treatment *n.* התאכזרות
illu′minate′ *v.* להאיר; לקשט בתאורה; להבהיר, להסביר
illu′mina′ti (-nä-) *n-pl.* נאורים, ידענים
illuminating *adj.* מסביר, שופך אור
illu′mina′tion *n.* הארה, תאורה; הבהרה
- illuminations תאורה חגיגית
illu′mine (-min) *v.* להאיר
ill-usage *n.* התאכזרות
ill-use *v.* להתאכזר, להתעלל
illu′sion (-zhən) *n.* אלוזיה, אשליה
- cherish an illusion לטפח אשליה
- optical illusion טעות אופטית, מחזה-שווא
- under an illusion חי באשליה
illusionist *n.* להטוטן
illu′sive *adj.* משלה, כוזב; מוטעה
illu′sory *adj.* משלה, כוזב; מוטעה
il′lustrate′ *v.* לבאר (בעזרת תמונות/דוגמאות), לאייר; להסביר, להדגים
il′lustra′tion *n.* ביאור, הסברה; הדגמה; איור, תמונה, אילוסטרציה
illus′trative *adj.* מסביר, מדגים
il′lustra′tor *n.* אַייר, מאייר
illus′trious *adj.* מפורסם, מזהיר
ill will שנאה, איבה
ill wind רוח רעה, מצב מבשר רע

I'm = I am (īm) אני, הנני
im′age *n.* דמות, תמונה; דימוי, אימאז',
תדמית; משל, מטפורה; בבואה
- the very image of דומה מאוד ל-
image *v.* לצייר דמות, לדמות
im′agery (im′ijri) *n.* דימויים
imag′inable *adj.* שאפשר להעלות על
הדעת
imag′inar′y (-neri) *adj.* דמיוני
imag′ina′tion *n.* דמיון
imag′ina′tive *adj.* של דמיון יוצר
imag′ine (-jin) *v.* לדמות, לדמיין,
לחשוב, לתאר לעצמו, להעלות על הדעת
imag′inings *n-pl.* דימיונות, פנטזיות
imam′ (-mäm′) *n.* אימאם, חזן מוסלמי
im•bal′ance *n.* חוסר-איזון
im′becile (-sil) *n&adj.* אימבצילי,
טיפש, קהה-שכל
im′becil′ity *n.* טמטום, טיפשות
imbed′ = embed *v.* לשבץ
imbibe′ *v.* לשתות, לספוג, לקלוט
im′bricate′ *v.* לרעף, לכסות בחלקו
im′bricate *adj.* מרועף, קשקשי
imbro′glio′ (-brōl′yō) *n.* תסבוכת,
אי-הבנה, בילבול
imbue′ (-bū′) *v.* למלא (לב, מוח),
להחדיר
- imbued with hatred אכול שנאה
IMF קרן המטבע הבינלאומית
im′itate′ *v.* לחקות; להיראות כ-
im′ita′tion *n.* חיקוי, חקיינות
- imitation jewellery תכשיטים
מלאכותיים
im′ita′tive *adj.* מחקה, חקייני
im′ita′tor *n.* חקיין
im•mac′u•late *adj.* טהור, ללא רבב
im′manence *n.* פנימיות, תוכיות
im′manent *adj.* פנימי, טבוע בפנים
im′mate′rial *adj.* לא חשוב, חסר-ערך,
לא מהותי; רוחני
im′mature′ (-toor′) *adj.* לא בשל, לא
מפותח
im′matur′ity (-toor′-) *n.* חוסר בשלות
im•meas′urabil′ity (-mezh-) *n.*
אי-מדידות
im•meas′urable (-mezh′-) *adj.* בלתי
מדיד, אינסופי
imme′diacy *n.* מידיות, תכיפות
imme′diate *adj.* מידי, מהיר, נעשה
לאלתר; הקרוב ביותר; לא-אמצעי; ישיר
- immediate information מידע ישיר
immediately *adv.* מיד, ללא דיחוי
im′memo′rial *adj.* קדום
- from time immemorial מימי קדם
immense′ *adj.* כביר, עצום
immensely *adv.* מאוד-מאוד
immen′sity *n.* ענקיות, גודל, עוצם
immerse′ *v.* להטביל, להשקיע
- immersed in work שקוע בעבודה
immer′sion (-zhən) *n.* טבילה,
השתקעות
immersion heater מזלג חשמלי
im′migrant *n.* מהגר, עולה
im′migrate′ *v.* להגר, לעלות
im′migra′tion *n.* הגירה, עלייה
im′minence *n.* קירבה, בוא
im′minent *adj.* קרוב, עומד לקרות
im•mis′cible *adj.* לא מתערבב
im•mo′bile (-bil) *adj.* לא זז, יציב
im′mobil′ity *n.* יציבות, אי-תזוזה
immo′biliza′tion *n.* ניוח
immo′bilize′ *v.* לנייח, להפסיק התנועה,
להעמיד, להדמים, להשבית מנוע
immobilizer *n.* אימוביליזר, מַשׁבֵּת מָנוֹעַ
im•mod′erate *adj.* מופרז, מוגזם
im•mod′est *adj.* לא צנוע, גס, חצוף
immodesty *n.* חוסר צניעות; חוצפה
im′molate′ *v.* להקריב (קורבן)
im′mola′tion *n.* הקרבה; קורבן
im•mor′al *adj.* לא-מוסרי, מושחת
im′moral′ity *n.* אי-מוסריות; שחיתות;
מעשה בלתי מוסרי
im•mor′tal *adj&n.* אלמותי, נצחי
- the Immortals אלי יוון ורומי
im′mor•tal′ity *n.* אלמות, נצחיות
im•mor′talize′ *v.* לתת חיי עולם, להנציח
im•mov′able (imōōv′-) *adj.* שאי אפשר
להזיזו, קבוע; מוצק, איתן
- immovables נכסי דלא ניידי
immune′ *adj.* מחוסן, חסין
immune system מערכת החיסון (בגוף)
immu′nity *n.* חסינות; פטור, שחרור;
חסיון
im′mu•niza′tion *n.* חיסון
im′mu•nize′ *v.* לחסן, להרכיב
im′mu•no•de•fi′ciency (-fish′ənsi) *n.*
ליקוי במערכת החיסון
im′mu•nol′ogy *n.* תורת החיסון
immure′ *v.* לכלוא
- immure oneself להסתגר
im•mu′tabil′ity *n.* אי-שינוי
im•mu′table *adj.* שאי אפשר לשנותו
imp *n.* שדון, שד קטן
im′pact′ *n.* התנגשות; רושם, השפעה,
אימפקט
impact′ *v.* לדחוס, ללחוץ, לנעוץ
impact′ed *adj.* דחוס, לחוץ
impair′ *v.* לקלקל, להחליש, לפגום
impairment *n.* קלקול, החלשה
impale′ *v.* לדקור, לנעוץ, לפלח
impalement *n.* דקירה, נעיצה
im•pal′pable *adj.* לא-מוחשי, לא נתפס
impan′el *v.* לצרף לחבר המושבעים
impart′ *v.* לתת, למסור, להקנות
im•par′tial *adj.* הוגן, לא נושא פנים;
חסר פניות
im•par′tial′ity (-′sh-) *n.* הגינות, יושר;
אי משוא פנים
impartially *adv.* ללא משוא פנים
im•pass′able *adj.* לא-עביר, חסום
im′passe′ *n.* מבוי סתום
impas′sible *adj.* לא חש כאב, חסר
רגשות
impas′sion *v.* להלהיב, לשלהב
impassioned *adj.* נלהב, מלא רגש
im•pas′sive *adj.* חסר רגש, שליו, שאנן
im′pas•siv′ity *n.* שלווה, אדישות
im•pa′tience (-shəns) *n.* קוצר-רוח
im•pa′tient (-shənt) *adj.* קצר-רוח,
חסר סבלנות, משתוקק
impeach′ *v.* להטיל ספקות, לפקפק ב-;
להאשים; להדיח (מכהונה)

impeachment *n.* הטלת ספק; האשמה; הדחה
im·pec′cable *adj.* טהור, ללא רבב
im′pe·cu′nious *adj.* עני
impe′dance *n.* עיכוב; עכבה
impede′ *v.* לעכב, למנוע, לעצור
imped′iment *n.* עיכוב, מעצור; מום, פגם
imped′imen′ta *n-pl.* מטען צבאי, כבודה, חפצים, חבילות
impel′ *v.* לדחוף, להמריץ, לזרז
impend′ *v.* לעמוד לקרות, לאיים
- impend over להיות תלוי ממעל
impend′ing *adj.* מתקרב, ממשמש ובא
im·pen′etrable *adj.* בלתי-חדיר
- impenetrable darkness עלטה כבדה
im·pen′itence *n.* קשיחות-לב
im·pen′itent *adj.* לא חוזר בתשובה, רשע, קשוח-לב
imper′ative *adj.* הכרחי, חיוני; מְצַוֶּה, - סמכותי; (בדקדוק) של ציווי
imperative *n.* ציווי (בדקדוק)
im′percep′tibil′ity *n.* אי-מוחשיות
im′percep′tible *adj.* לא-מורגש, לא ניכר
im·per′fect (-fikt) *adj.* לא-מושלם, פגום
imperfect (tense) עבר לא נשלם
im′perfec′tion *n.* אי-שלמות, פגם
impe′rial *adj.* קיסרי, מלכותי
imperial *n.* זקנקן מחודד
impe′rialism′ *n.* אימפריאליזם
impe′rialist *n.* אימפריאליסט
impe′rialis′tic *adj.* אימפריאליסטי
imper′il *v.* לסכן, להעמיד בסכנה
impe′rious *adj.* מְצַוֶּה, תקיף, מתנשא; הכרחי, דחוף
im·per′ishable *adj.* לא מתקלקל, בר-קיימא, נצחי
impe′rium *n.* כוח אבסולוטי
im·per′manence *n.* ארעיות
im·per′manent *adj.* ארעי
im·per′me·able *adj.* אטים, לא חדיר
im′permis′sible *adj.* שאין להרשותו
im·per′sonal *adj.* לא-אישי; על-אנושי; סתמי
imper′sonate′ *v.* לשחק/לגלם דמות; להתחזות כ-; לחקות; לרמות
imper′sona′tion *n.* גילום דמות
im·per′tinence *n.* חוצפה
im·per′tinent *adj.* חצוף; לא רלוואנטי
im′perturb′abil′ity *n.* קור-רוח
im′perturb′able *adj.* שקט, קר-רוח
im·per′vious *adj.* לא חדיר, אטים
im′peti′go *n.* סעפת (מחלה)
impet′u·os′ity (-choo-) *n.* פזיזות, נמהרות; קוצר-רוח
impet′u·ous (-chooəs) *adj.* פזיז, מתפרץ
im′petus *n.* דחף, דחיפה, תנופה
im·pi′ety *n.* חוסר כבוד, כפירה
impinge′ *v.* להתנגש; להשפיע
- impinge on לגבול ב-, להגיע ל-; להסיג גבול; להתנגש ב-
impingement *n.* השפעה; הסגת גבול
im′pious *adj.* לא דתי; כופר
imp′ish *adj.* שדוני, שובבני

im·plac′able *adj.* שאין לפייסו, קשה
implant′ *v.* להחדיר, להשריש
im′plant′ *n.* השתלה, שתל
im·plau′sible (-z-) *adj.* לא סביר
implead′ *v.* לתבוע, להעמיד לדין
im′plement *n.* כלי, מכשיר
im′plement′ *v.* להוציא לפועל, לבצע, ליישם
im′plementa′tion *n.* ביצוע, יישום
im′plicate′ *v.* לערב, לסבך, לגרור
im′plica′tion *n.* סיבוך; הסתבכות; רמז, אימפליקציה, משמעות, כוונה
implic′it *adj.* משתמע, נרמז; שלם, מוחלט
implied′ (implīd′) *adj.* מרומז, מובע בעקיפין, משתמע, להלכה, מכללא
implode′ *v.* להתפוצץ כלפי פנים
implore′ *v.* להתחנן, להפציר ב-
implo′sion (-zhən) *n.* פיצוץ (כלפי פנים)
imply′ *v.* לרמוז, להביע בעקיפין
im′polite′ *adj.* לא מנומס, גס
im·pol′itic *adj.* לא נבון, לא בחוכמה
im·pon′derable *adj&n.* (גורם) זעיר-משקל, שקשה לאמוד את חשיבותו/השפעתו
import′ *v.* לייבא; לרמוז, להתכוון
- it imports us to know חשוב שנדע
im′port′ *n.* יבוא; ייבוא; משמעות, כוונה; חשיבות
impor′tance *n.* חשיבות, ערך
impor′tant *adj.* חשוב, רב ערך
im′por·ta′tion *n.* ייבוא, יבוא
impor′ter *n.* יבואן
impor′tunate (-′ch-) *adj.* מפציר, תובע בלי-הרף; דחוף, דוחק
im′portune′ *v.* להפציר, לנדנד
im′portu′nity *n.* הפצרה, נדנדנות
impose′ (-z) *v.* להטיל (מס, תפקיד); לאכוף, לחייב; לכפות עצמו, להידחק, להכביד בנוכחותו
- impose upon/on לנצל
imposing *adj.* מרשים, רב-רושם
im′posi′tion (-zi-) *n.* הטלה; הכבדה; מס, עונש; רמאות; ניצול
im·pos′sibil′ity *n.* אי-אפשרות
im·pos′sible *adj.* בלתי אפשרי; לא נסבל
im′post′ (-pōst) *n.* מס; משקולת; כותרת העמוד
impos′tor *n.* רמאי, נוכל, מתחזה
impos′ture *n.* רמאות, התחזות
im′potence *n.* אימפוטנטיות, תשישות; אין-אונות, חוסר כוח-גברא
im′potent *adj.* חסר-אונים; אימפוטנט
impound′ *v.* לתפוס, להחרים; לכלוא
impov′erish *v.* לרושש, לדלדל
impoverishment *n.* דילדול; התרוששות
im·prac′ticabil′ity *n.* אי-מעשיות
im·prac′ticable *adj.* לא-מעשי
im·prac′tical *adj.* לא-מעשי
im′pre·cate′ *v.* לקלל
im′pre·ca′tion *n.* קללה
im′pre·cise′ *adj.* לא מדוייק
im′pre·ci′sion (-sizh′ən) *n.* אי-דיוק

im·preg′nabil′ity *n.* איתנות
im·preg′nable *adj.* שאין לכבשו, שאין לערערו, מוצק, איתן
impreg′nate *v.* להפרות; להספיג, להחדיר, למלא
im′presar′io′ (-sär-) *n.* אמרגן
impress′ *v.* להטביע; להחתים; להרשים, להשפיע; להשאיר רישומו
- impress the importance of- להדגיש/להבהיר את חשיבות-
im′press′ *n.* רושם, סימן, טביעה
impress′ *v.* לגייס בכוח; להפקיע
impres′sion *n.* טביעה, הטבעה; סימן; רושם, התרשמות; הדפסה, מהדורה
- under the impression that- תחת הרושם ש-
impressionable *adj.* מושפע בקלות
impressionism *n.* אימפרסיוניזם
impressionist *n.* אימפרסיוניסט
impres′sionis′tic (-shən-) *adj.* אימפרסיוניסטי, התרשמותי
impres′sive *adj.* רב רושם, מרשים
im′prima′tur *adj.* רישיון, הסכמה, אישור
imprint′ *v.* להדפיס, להחתים, להטביע
- imprint on the mind לחרות במוח
im′print′ *n.* חוֹתָם, סימן; שם המו״ל
impris′on (-z-) *v.* לאסור, לכלוא
imprisonment *n.* מאסר, כליאה
- life imprisonment מאסר עולם
im′pro *n.* *אילתור
im·prob′abil′ity *n.* אי-סבירות
im·prob′able *adj.* לא סביר, לא מתקבל על הדעת, לא ייתכן
im·prob′ity *n.* אי-הגינות, עוול
impromp′tu (-tōō) *adj&adv.* מאולתר, מניה וביה; בצורה מאולתרת
impromptu *n.* יצירה מאולתרת
im·prop′er *adj.* לא הוגן; לא מתאים; לא נכון; מוטעה; גס, מגונה
improper fraction שבר מדומה
im′propri′ety *n.* אי נכונות, חוסר הגינות; אי התאמה; מעשה לא יאה
improve′ (-rōōv′) *v.* לשפר; להשתפר; להשביח, להעלות ערכו; לנצל
- improve the occasion לנצל ההזדמנות
- improve upon/on ליצור דבר טוב מן
improvement *n.* שיפור; השבחה
im·prov′idence *n.* בזבזנות
im·prov′ident *adj.* בזבזן, לא דואג לעתיד
im′provisa′tion (-z-) *n.* אילתור, אימפרוביזציה
im′provise′ (-z) *v.* לאלתר
im·pru′dence *n.* אי-נבונות, נמהרות
im·pru′dent *adj.* לא נבון, נמהר
im′pu·dence *n.* חוצפה, עזות
im′pu·dent *adj.* חצוף, חסר-בושה
impugn′ (-pūn′) *v.* לפקפק ב-, לקרוא תגר על
im′pulse′ *n.* דחף, דחיפה; אימפולס; מיתקף
impul′sion *n.* דחיפה, דחף
impul′sive *adj.* אימפולסיבי, מתפרץ, דחפוני, פרצני
im·pu′nity *n.* פְּטוֹר מעונש
- with impunity ללא הסתכנות בעונש
im·pure′ *adj.* לא טהור, מזוהם
im·pu′rity *n.* אי טהרה, זוהמה
im′pu·ta′tion *n.* ייחוס, האשמה
impute′ *v.* לייחס, לתלות הקולר ב-
in *prep.* ב-, בתוך
- he's in politics הוא פוליטיקאי
- in all בסך הכל
- in itself בפני עצמו
- in so far as במידה ש-
- in that מכיוון ש-, בזאת ש-
in *adv.* בפנים, בתוכו, בבית; באופנה, "אִין"; נבחר; מכהן
- be in at להיות נוכח ב-
- be in for להיות צפוי (לדבר רע), לפני (צרה); להירשם/להיכלל
- be in on *לקחת חלק ב-, לדעת
- day in, day out יום יום
- have it in for him לחכות להזדמנות להרע לו
- in and out תכופות יוצא ונכנס
- in with ביחסי-ידידות
- the crop is in היבול נאסף
- the fire is still in האש בוערת
- the party is in המפלגה ניצחה
- the train is in הרכבת הגיעה
in *n&adj.* פנימי, נכנס
- in-patient חולה-פנים, מאושפז
- the in tray מגש "דואר נכנס"
- the ins and outs כל הפרטים
in- (תחילית) לא, אי-, חוסר-
in′abil′ity *n.* אי יכולת
in′acces′sibil′ity *n.* אי-נגישות
in′acces′sible *adj.* לא בר-גישה
in·ac′cu·racy *n.* אי-דיוק
in·ac′cu·rate *adj.* לא מדויק
in·ac′tion *n.* אי פעולה, אפס מעשה
in·ac′tivate′ *v.* להרוס, להשבית
in·ac′tive *adj.* לא פעיל
in′ac·tiv′ity *n.* חוסר פעילות
in·ad′equacy *n.* חוסר כשירות, אי התאמה; מחסור; ליקוי
in·ad′equate *adj.* לא מספיק; לא כשיר, לא מתאים; לקוי
in′admis′sibil′ity *n.* אי קבילות
in′admis′sible *adj.* שאין להכניסו; לא מתקבל, לא קביל
in′adver′tence *n.* אי-שימת לב; רשלנות
in′adver′tent *adj.* שלא בכוונה, בשוגג; שלא שם לב, שבהיסח הדעת; רשלני
inadvertently *adv.* בשוגג, בלא יודעין
in′advis′able (-vī′z-) *adj.* לא מומלץ
in·a′lienable *adj.* שאין להעבירו
- inalienable rights זכויות מושרשות
in·al′terable (-ôl′-) *adj.* שאין לשנותו
inane′ *adj.* ריק, טיפשי
in·an′imate *adj.* דומם, חסר-חיים
in′ani′tion (-ni-) *n.* חולשה; תשישות; ריקנות
inan′ity *n.* שטות, טיפשות
in·ap′plicable *adj.* לא הולם, לא ישים
in′appre′ciable (-shəb-) *adj.* לא ניכר, זעיר
in′approach′able *adj.* לא נגיש
in′appro′priate *adj.* לא הולם
in·apt′ *adj.* לא הולם; לא מוכשר

in·ap′titude′ *n.* אי התאמה; אי יכולת
in′ar·tic′u·late *adj.* לא מובע בבירור; לא בנוי כהלכה; מגמגם, מגומגם
in′art·is′tic *adj.* לא אמנותי
in′asmuch′ (-z-) *conj.* כיוון ש-
in′atten′tion *n.* חוסר תשומת לב
in′atten′tive *adj.* לא שם לב; לא מקשיב
in·au′dibil′ity *n.* אי-שמיעות
in·au′dible *adj.* שאין לשמעו
inau′gu·ral *adj.* חונך, של חנוכה
inaugural *n.* נאום פתיחה
inau′gu·rate′ *v.* להכניס למשרה (בטקס); לחנוך; לפתוח, להתחיל
inau′gu·ra′tion *n.* חנוכה, פתיחה
in′auspi′cious (-pish′əs) *adj.* מבשר רע
in′be·tween′ *adj.* של בינים, בינאי
in′board′ *adj.* פנימי, שבתוך האונייה
in′born′ *adj.* שמלידה, טבוע בדמו
in′bound′ *adj.* שפניו מועדות הביתה
in′breathe′ (-brēdh) *v.* לשאוף פנימה
in′bred′ *adj.* שמלידה, טבעי
in′breed′ing *n.* הרבעה, הרכבה
in′built′ (-bilt) *adj.* מובנה, בנוי בתוכו
Inc. = incorporated
in·cal′cu·lable *adj.* שאין לחשבו; בלתי מדיד; שאין לחזותו; הפכפך
in camera בדלתיים סגורות
in′candes′cence *n.* להט, זוהר
in′candes′cent *adj.* לוהט, זוהר
incandescent lamp נורת חשמל
in′can·ta′tion *n.* לחש, כישוף
in·ca′pabil′ity *n.* חוסר יכולת
in·ca′pable *adj.* לא מסוגל, לא יכול
- drunk and incapable שיכור כלוט
in′capac′itate′ *v.* לשלול יכולת
incapacitated *adj.* משולל יכולת, פסול מבחינה חוקית
in′capac′ity *n.* אי יכולת; פסלות
incar′cerate′ *v.* לכלוא, לאסור
incar′cera′tion *n.* מאסר
incar′nate *adj.* בצורת אדם, בהתגלמות
- devil incarnate השטן בהתגלמותו
incar′nate *v.* לגלם, להלביש גוף
in′car·na′tion *n.* התגלמות
- former incarnation גלגול קודם
in·cau′tion *n.* חוסר זהירות, נמהרות
in·cau′tious (-shəs) *adj.* לא זהיר, נמהר
incen′diarism′ *n.* הצתה; הסתה
incen′diar′y (-eri) *adj&n.* מבעיר, שולח אש; פצצת תבערה; מעורר אלימות
in′cense′ *n.* קטורת
incense′ *v.* להרגיז, להכעיס
incen′tive *n.* עידוד, דחיפה; תמריץ
incep′tion *n.* התחלה, פתיחה
in·cer′titude′ *n.* אי-ודאות
in·ces′sant *adj.* לא חדל, מתמיד
in′cest′ *n.* גילוי עריות
inces′tu·ous (-chōōəs) *adj.* של גילוי עריות
inch *n.* אינץ'; מידה זעומה
- by inches אט-אט, טיפין-טיפין
- every inch כולו, בכל רמ"ח אבריו
- inch by inch טיפין טיפין
- miss by inches להחטיא כחוט השערה
- not give/yield an inch לא לוותר מאומה
- within an inch of על סף ה-
inch *v.* לנוע/להתקדם באיטיות
- inch one's way לפלס דרכו באיטיות
incho′ate (-k-) *adj.* בראשית ההתפתחות, שאך זה התחיל, התחלי, לא שלם
in′cidence *n.* תחולה, היקף, שכיחות
in′cident *adj.* כרוך ב-, מהווה חלק מ-, קשור ל-
incident *n.* מאורע, תקרית
in′ciden′tal *adj.* מקרי, משני, טפל; עלול לקרות, כרוך ב-, נלווה, נגרר
- incidental expenses הוצאות קטנות, הוצאות נוספות, הוצאות נלוות
- incidental music מוסיקת ליווי/רקע
in′ciden′tally *adv.* אגב
incidentals *n-pl.* הוצאות קטנות
incin′erate′ *v.* לשרוף לאפר
incin′era′tion *n.* שריפה
incin′era′tor *n.* משרפת (לאשפה)
incip′ience *n.* התחלה, ראשית
incip′iency *n.* התחלה, ראשית
incip′ient *adj.* מתחיל, בשלב התחלתי
incise′ (-z) *v.* לחתוך; לחרוט
inci′sion (-sizh′ən) *n.* חתך; חיתוך
inci′sive *adj.* חותך, חד, שנון
inci′sor (-zər) *n.* שן חותכת
in′cita′tion *n.* הסתה; המרצה
incite′ *v.* להסית, להמריד; לעורר
incitement *n.* הסתה; דחיפה
in′civil′ity *n.* חוסר נימוס
in·clem′ency *n.* חוסר רחמים
in·clem′ent *adj.* (מזג אוויר) קשה, קר
in′clina′tion *n.* שיפוע, מורד; הרכנה, כפיפה; נטייה, רצון
incline′ *v.* לכופף, להרכין; להטות; לנטות; להטות לב, להשפיע
- be/feel inclined לנטות, לרצות
- inclined to believe נוטה להאמין
- inclines to fatness נוטה להשמנה
in′cline′ *n.* שיפוע, מדרון
inclined′ (-klīnd′) *adj.* נוטה; משופע
inclose′ (-z) *v.* לסגור, להקיף; להכיל
include′ *v.* לכלול
included *adj.* כולל, כלול (במחיר)
including *prep.* ובכלל זה, לרבות
inclu′sion (-zhən) *n.* הכללה
inclu′sive *adj.* כולל הכל; ועד בכלל
- inclusive of כולל
incog′, incog′nito′ *adv.* אינקוגניטו, באלמוניות, בעילום-שם
in′co·he′rence *n.* חוסר קשר, בלבול
in′co·he′rent *adj.* חסר קשר, מבולבל
in′combus′tible *adj.* לא דליק
in′come′ (-kum) *n.* הכנסה
- live within/beyond one's income לצרוך פחות/יותר מן ההכנסה
in′comer (-kumər) *n.* נכנס, מהגר, פולש
income statement דו"ח הכנסות (והוצאות)
income support השלמת הכנסה
income tax מס הכנסה
income tax brackets מדרגות מס הכנסה

income tax commission נציבות מס הכנסה
in'com'ing (-kum-) *adj.* נכנס, בא
in'commen'surable *adj.* לא בר השוואה, חסר מידה משותפת
in'commen'surate (-'sh-) *adj.* לא מתאים, חסר מידה משותפת, קטן בהשוואה ל-
in'commode' *v.* לגרום אי-נעימות
in'commo'dious *adj.* מטריד, לא נוח
in'commu'nica'do (-kä'-) *adj.* מנותק, שאסור להתקשר עמו
in·com'parable *adj.* אין דומה לו, אין שני לו, מופלג
in'compat'ibil'ity *n.* אי התאמה
in'compat'ible *adj.* לא מתאים, מנוגד
in·com'petence *n.* חוסר יכולת, אי מוכשרות
in·com'petency *n.* חוסר יכולת, אי מוכשרות
in·com'petent *adj.* לא מוכשר, לא מסוגל
- incompetent evidence עדות בלתי קבילה
in'complete' *adj.* לא מושלם, פגום
in·com'pre·hen'sibil'ity *n.* אי-הבנה
in·com'pre·hen'sible *adj.* לא מובן
in·com'pre·hen'sion *n.* אי הבנה
in'conceiv'able (-sēv'-) *adj.* לא-יאומן; לא מתקבל על הדעת, מוזר ביותר
in'conclu'sive *adj.* לא מכריע, לא משכנע
in'congru'ity *n.* אי התאמה
in·con'gru·ous (-rōōəs) *adj.* לא מתאים, לא הרמוני; לא משתלב בסביבה
in·con'sequent *adj.* לא עקיב, לא שייך לעניין
in'con'sequen'tial *adj.* חסר חשיבות
in'consid'erable *adj.* קל ערך, זעום
in'consid'erate *adj.* לא מתחשב
in'consis'tency *n.* אי התאמה
in'consis'tent *adj.* לא מתאים, לא עולה בקנה אחד, הפכפך, סותר
in'conso'lable *adj.* שאין לנחמו
in'conspic'u·ous (-ūəs) *adj.* לא בולט, לא מורגש
in·con'stancy *n.* חוסר עקביות
in·con'stant *adj.* לא עקיב, הפכפך
in'contest'able *adj.* שאין לערער עליו, שאין לסתור אותו
in·con'tinence *n.* אי התאפקות
in·con'tinent *adj.* לא יכול להתאפק
in'con'trovert'ible *adj.* שאין לערער עליו, שאין להפריכו
in'conve'nience *n.* אי נוחות, אי נעימות, טרחה
inconvenience *v.* לגרום אי נוחות
in'conve'nient *adj.* לא נוח
in'convert'ible *adj.* שאין להמירו
incor'porate' *v.* לאחד; להתאחד; למזג; להתמזג; לאגד, לכלול
incor'porate *adj.* מאוגד (לחברה)
incor'pora'tion *n.* איחוד, מיזוג; תאגיד, חברה
in'cor·por'e·al *adj.* לא חומרי, חסר-גוף
in'correct' *adj.* לא מדויק, לא נכון

in·cor'rigible *adj.* לא ניתן לתקנו; ללא תקנה
in'corrup'tibil'ity *n.* ניקיון כפיים
in'corrup'tible *adj.* לא נרקב, לא מושחת; נקי כפיים, ישר, הוגן
in'crease' *n.* גידול, תוספת, הוספה
- on the increase גובר והולך
increase' *v.* לגדול; להרבות; להגביר
increasingly *adv.* יותר ויותר
in·cred'ibil'ity *n.* חוסר סבירות
in·cred'ible *adj.* לא יאומן, מוזר; *נפלא, כביר
in'credu'lity *n.* ספקנות, אי אימון
in·cred'ulous (-krej'-) *adj.* לא מאמין, מפקפק, מפגין ספקנות
in'crement *n.* גידול, תוספת
- unearned increment רווח ללא מאמץ (מהתייקרות נכס)
incrim'inate' *v.* להפליל, להאשים
incrim'ina'tion *n.* הפללה, האשמה
in'crus·ta'tion *n.* ציפוי, קרום; הקרמה; שיבוץ (אבני חן)
in'cu·bate' *v.* לדגור; להדגיר
in'cu·ba'tion *n.* דגירה
in'cu·ba'tor *n.* אינקובטור, מדגרה
in'cu·bus *n.* סיוט, מועקה, נטל
incul'cate *v.* להחדיר, לשנן, לטעת
in'cul·ca'tion *n.* החדרה, שינון
in·cul'pable *adj.* חף מפשע
incul'pate *v.* להאשים, להפליל
incum'bency *n.* כהונה, תפקיד, חובה
incum'bent *adj.* חובה על; המכהן
- incumbent president הנשיא המכהן
- it's incumbent upon- שומה על-
incumbent *n.* כומר; מחזיק במשרה
in·cum'ber *v.* להעמיס, להכביד; לשעבד
incur' *v.* לגרום ל-, להביא על ראשו, להמיט על עצמו, להיכנס ל-
- incur debts לשקוע בחובות
in·cu'rable *adj&n.* חשוך-מרפא
in·cu'rious *adj.* לא מגלה סקרנות
incur'sion (-zhən) *n.* פלישה, התקפת-פתע, פשיטה
in·curve' *v.* לעקם פנימה
incurved *adj.* מעוקם כלפי פנים
indebt'ed (-det'-) *adj.* אסיר תודה; חייב
indebtedness *n.* חבות
in·de'cency *n.* חוסר צניעות, גסות
in·de'cent *adj.* לא צנוע, גס, פוגעני
indecent assault/act מעשה מגונה
indecent exposure התראוות
in'de·ci'pherable *adj.* לא פתיר, סתום
in'de·ci'sion (-sizh'ən) *n.* חוסר החלטה, הססנות
in'de·ci'sive *adj.* לא מוכרע; לא החלטי, הססני
in·dec'orous *adj.* לא נימוסי, חסר טעם
in'de·cor'um *n.* חוסר נימוס; חוסר טעם; מעשה לא נימוסי
indeed' *adv.* אומנם, אכן; למעשה
- indeed! האומנם? לא יאומן!
- very much indeed מאוד מאוד
in'de·fat'igable *adj.* שאינו מתעייף
in'de·fea'sible (-z-) *adj.* שאין לבטלו, שאין להפר אותו

in′de·fen′sible *adj.* שאין להצדיקו; שאי אפשר להגן עליו
in′de·fi′nable *adj.* לא בר-הגדרה
in·def′inite (-nit) *adj.* לא ברור, לא מסוים, סתמי
indefinite article = a, an
indefinitely *adv.* ללא גבול; סתמית
in·del′ible *adj.* שאי אפשר למחקו
- indelible stain כתם בל יימחה
in·del′icacy *n.* חוסר צניעות, גסות
in·del′icate *adj.* לא צנוע, לא מעודן, לא נימוסי, גס
indem′nifica′tion *n.* פיצויים; שיפוי, ביטוח
indem′nify′ *v.* לפצות; לשפות, לבטח
indem′nity *n.* פיצויים; שיפוי; ביטוח
indent′ *v.* לשנן, לחרוק, לעשות סימן נגיסה ב-; להרחיק שורה, לעשות זיח
- indent for להזמין (סחורה)
in′dent′ *n.* הזמנת סחורה
in′denta′tion *n.* שינון, חירוק; מפרץ; רווח (בשורה חדשה), זיח, פתיח
inden′ture *n.* הסכם (בשני העתקים)
indenture *v.* לקשור (עפ״י הסכם)
in′de·pen′dence *n.* עצמאות
Independence Day יום העצמאות
in′de·pen′dent *adj&n.* עצמאי, חופשי; בעל קו עצמאי
- independent of לא תלוי ב-
- independents הבלתי-תלויים
in-depth *adj.* מקיף, יסודי
in′de·scri′bable *adj.* בל יתואר
in′de·struc′tible *adj.* שאין להשמידו
in′de·ter′minable *adj.* שאין להגדירו
in′de·ter′minacy *n.* חוסר-קביעות
in′de·ter′minate *adj.* לא ברור, מעורפל, לא מוגדר, לא קבוע
in′deter′mina′tion *n.* חוסר החלטיות
in′dex′ *n.* מפתח, אינדקס; מדד; סימן, עדות, אות; מעריך
- consumer price index מדד המחירים לצרכן
- cost of living index מדד יוקר המחייה
- the Index רשימת ספרים אסורים
- the index finger האצבע
index *v.* לערוך מפתח (בספר), למפתח
in′dexa′tion *n.* הצמדה (למדד)
indexer *n.* מפתחן, עורך מפתחות
index-linked *adj.* צמוד למדד
In′dia *n.* הודו
In′dian *adj&n.* הודי; אינדיאני
Indian club אַלָּה (בהתעמלות)
Indian corn תירס
Indian file שורה עורפית, טור עורפי
Indian hemp קנבוס
Indian ink טוש; דיות הודית
Indian red אדום-צהבהב
Indian summer קיץ הודי (בשלהי הסתיו); תחושת נעורים (לעת זקנה)
India paper נייר דק
India-rubber גומי, מחק
in′dicate′ *v.* להראות, להצביע; לסמן; לרמוז שיש לנקוט-
- indicate right לאותת ימינה (רכב)
in′dica′tion *n.* סימן, אינדיקציה
indic′ative *adj.* מצביע, רומז על
indicative mood דרך החיווי
in′dica′tor *n.* מצביע, מחוון, מחוג; אור איתות, אינדיקטור, סימן
in′dices = pl of index (-sēz)
indict′ (-dīt′) *v.* להאשים
indictable *adj.* בר-אישום
indictment *n.* כתב אישום; האשמה
in′die (-di) *adj.* *עצמאי
in·dif′ference *n.* אדישות
- a matter of indifference, דבר קל בעיניו, עניין חסר-חשיבות
in·dif′ferent *adj.* אדיש; לא איכפתי; בינוני, לא מצוין
in′digence *n.* עוני
indig′enous *adj.* יליד, בן-המקום
in′digent *adj.* עני
in′diges′tible *adj.* שאינו מתעכל
in′diges′tion (-chən) *n.* קושי בעיכול; כאב בטן
indig′nant *adj.* כועס, מתמרמר
in′digna′tion *n.* זעם, התמרמרות
in·dig′nity *n.* אובדן כבוד; השפלה
in′digo′ *n.* אינדיגו, כחול כהה
in′direct′ *adj.* לא ישיר, עקיף
indirect object מושא עקיף
indirect speech דיבור עקיף
indirect tax מס עקיף
in′discern′ible *adj.* שאין להבחין בו, זעיר, סמוי
in·dis′cipline (-lin) *n.* חוסר משמעת
in′discreet′ *adj.* לא זהיר, לא טקטי
in′discrete′ *adj.* לא מופרד, רצוף
in′discre′tion (-resh′ən) *n.* חוסר זהירות, חוסר טקט; מעשה לא נאה
in′discrim′inate *adj.* לא מבחין
in′dispen′sabil′ity *n.* הכרחיות
in′dispen′sable *adj.* הכרחי, חיוני
in′dispose′ (-z) *v.* לגרום לאי-רצון; לדחות; להחלות
indisposed *adj.* לא מרגיש טוב, לא בקו הבריאות; לא נוטה, לא מתלהב
in·dis′posi′tion (-zi-) *n.* מחלה קלה; חוסר רצון, סירוב
in′dispu′table *adj.* שאין לערער עליו, ברור, ודאי
in′dissol′u·ble *adj.* לא נמס; יציב
in′distinct′ *adj.* לא ברור, מעורפל
in′distin′guishable (-gwish-) *adj.* שאין להבחין/להבדיל ביניהם
indite′ *v.* לחבר, לכתוב (שיר)
in′divid′ual (-j′o͞oəl) *adj.* יחיד, מיוחד, אינדיבידואלי, יחידני
individual *n.* יחיד, פרט; *ברנש
individualism *n.* אינדיבידואליזם; אגואיזם; אנוכיות
individualist *n.* אינדיבידואליסט
in′divid′ual′ity (-vijo͞oal-) *n.* אינדיבידואליות, עצמיות, ייחודיות; מיוחדות
in′divid′ualize′ (-vijo͞oəl-) *v.* לעשות למיוחד; לתת צורה אופיינית; להבחין; לציין
individually *adv.* בנפרד, אחד אחד
in′divis′ible (-z-) *adj.* לא מתחלק
In′do של הודו
In′do·chi′na *n.* הודו-סין

in·do'cile (-sil) *adj.* סורר, ממרה
indoc'trinate' *v.* להחדיר למוחו; לשנן; להקנות עקרונות
indoc'trina'tion *n.* החדרת דיעות
Indo-European *adj.* הודו אירופי
in'dolence *n.* עצלות; בטלה
in'dolent *adj.* עצלן; לא כואב
in·dom'itable *adj.* לא נכנע, איתן
in'done'sia (-zhə) *n.* אינדונזיה
in'door' (-dôr) *adj.* שבתוך הבית, באולם, לא בחוץ
in'doors' (-dôrz) *adv.* פנימה; בפנים, בבית
indorse' = **endorse** *v.* להסב
indorsement *n.* הסבה, היסב
in'drawn' *adj.* משוך כלפי פנים
in·du'bitable *adj.* שאינו מוטל בספק
induce' *v.* להשפיע, לפתות; להמריץ; לגרום; לזרז לידה; להשרות (זרם)
inducement *n.* פיתוי, דחיפה, שידול
induct' *v.* להכניס לתפקיד; לגייס
induc'tion *n.* הכנסה לתפקיד, גיוס; זירוז לידה; השראה, אינדוקציה; הכרה, הכנה
induction coil סליל השראה
induc'tive *adj.* אינדוקטיבי; מבוסס על אינדוקציה; של השראה, השראי
indue' (-dōō') *v.* להעניק, לחונן
indulge' *v.* לפנק, להשביע רצונו, לוותר; לשקוע, להתמכר, להתפרק
- indulge in להתמכר; להתענג על
indul'gence *n.* התמכרות, שקיעה ב-; פינוק, מילוי תאווה; תענוג; מחילה, כפרה
indul'gent *adj.* אדיב; ותרן, מפנק
in'durate' *v.* להקשות, להקשיח
indus'trial *adj.* תעשייתי
industrial action שביתה, עיצומים
industrial alcohol כוהל תעשייתי
industrial dispute סכסוך עבודה
industrial estate איזור תעשייה
indus'trialism' *n.* תעשיינות
indus'trialist *n.* תעשיין
indus'trial'iza'tion *n.* תיעוש
indus'trialize' *v.* לתעש
industrial relations יחסי עובד - מעביד
indus'trious *adj.* חרוץ, עובד בשקדנות
in'dustry *n.* תעשייה; שקדנות
in·dwell' *v.* לשכון, להימצא בנפש
in'dwell'ing *adj.* שוכן/נמצא בפנים
ine'briate' *v.* לשכר, להשקות לשכרה
ine'briate *adj&n.* שיכור, שתוי
in·ed'ible *adj.* לא אכיל, לא למאכל
in·ef'fable *adj.* בל-יתואר, שאין להביעו במלים; נפלא
- ineffable name שם המפורש
in'effec'tive *adj.* לא יעיל, לא אפקטיבי
in'effec'tual (-chōōəl) *adj.* לא יעיל
in·ef'fica'cious (-shəs) *adj.* לא יעיל כמצופה
in'effi'ciency (-fish'ən-) *n.* אי יעילות
in'effi'cient (-fish'ənt) *adj.* לא יעיל, בזבזני
in'e·las'tic *adj.* לא גמיש, לא אלסטי
in·el'egance *n.* חוסר אלגנטיות
in·el'egant *adj.* לא אלגנטי

in·el'igibil'ity *n.* אי כשירות
in·el'igible *adj.* לא כשיר, פסול
in'e·luc'table *adj.* שאין מנוס מפניו, נגזר
inept' *adj.* לא מתאים; שטותי
inept'itude' *n.* אי התאמה; שטות
in'e·qual'ity (-kwol'-) *n.* אי שוויון, הבדל, פער; אי מישוריות
in·eq'uitable *adj.* לא צודק, מַפלֶה
in·eq'uity *n.* אי צדק, איפה ואיפה
in'e·rad'icable *adj.* שאין לשרשו
inert' *adj.* לא נע; דומם; כבד, עצלן
- inert gases גאזים אצילים/אדישים
iner'tia (-shə) *n.* אינרציה, התמדה; חוסר פעילות, עצלות, חוסר תנועה
inertia reel גלגילית חגורת בטיחות
inertia selling מכירת התמדה, דחיפת חומר לא מוזמן
in'esca'pable *adj.* שאין מנוס ממנו
in'essen'tial *adj.* לא חיוני
in·es'timable *adj.* שאין להעריכו, עצום
inev'itabil'ity *n.* כורח, הכרח
inev'itable *adj.* בלתי נמנע, ודאי, מחויב המציאות
- his inevitable hat *כובעו הנצחי
in'exact' (-gz-) *adj.* לא מדויק
in'exact'itude' (-gz-) *n.* אי דיוק
in'excu'sable (-'z-) *adj.* בל-יכופר; שאין לו הצדקה
in'exhaust'ible (-igzôst') *adj.* שאינו אוזל לעולם, לא כלה, בלתי נדלה
in·ex'orable *adj.* לא מרחם, קשוח, קשה
in'expe'diency *n.* אי-כדאיות
in'expe'dient *adj.* לא כדאי
in'expen'sive *adj.* זול, לא יקר
in'expe'rience *n.* חוסר-ניסיון
inexperienced *adj.* חסר-ניסיון
in·ex'pert' *adj.* חסר מומחיות
in·ex'piable *adj.* שלא יכופר; שאין לפייסו
in'explic'able *adj.* שאין להסבירו
in'expres'sible *adj.* שאין להביעו
in'expres'sive *adj.* חסר הבעה
in'extin'guishable (-gwish-) *adj.* שאין לכבותה (אש, אהבה, שנאה), יוקד
in ex·tre'mis על סף המוות
in·ex'tricable *adj.* שקשה להיחלץ ממנו; מסובך, שאין להתירו
in·fal'libil'ity *n.* אי-טעייה
in·fal'lible *adj.* שאינו טועה; יעיל, טוב; בדוק ומנוסה
infallibly *adv.* בוודאות, לעולם
in'famous *adj.* נודע לגנאי; מביש
in'famy *n.* בושה, קלון, חרפה
in'fancy *n.* ילדות, ינקות
- in its infancy עודנו בחיתוליו
in'fant *n&adj.* תינוק, ילד, קטין; של ילדים; בשלבי התפתחות
infan'ticide' *n.* רצח תינוקות
in'fantile' *adj.* ילדותי, אינפנטילי
infantile paralysis שיתוק ילדים
infan'tilism' *n.* אינפנטיליות
infant prodigy ילד פלא
in'fantry *n.* חיל רגלים
infantryman *n.* חייל רגלי

infant school בית-ספר לפעוטות
in'farct' *n.* ריקמה מתה
infat'u·ate' (-chōōāt) *v.* להקסים; לעורר אהבה עיוורת
infatuated *adj.* מוקסם, מאוהב עד לשיגעון
infat'u·a'tion (-chōōā'-) *n.*, אהבה עיוורת, דיבוק של אהבה
infect' *v.* לזהם; להדביק (במחלה)
infec'tion *n.* זיהום, אינפקציה
infec'tious (-shəs) *adj.* (מחלה, צחוק) מידבק, מַנְגֵעַ
in'felic'itous *adj.* לא נאה, לא הולם
infer' *v.* להסיק, להגיע למסקנה
in'ference *n.* מסקנה
in'feren'tial *adj.* מסקני, שיש להסיק
infe'rior *adj&n.* נחות, נחות-דרגה; גרוע; תחתון; זוטר; כפוף; נמוך יותר
infe'rior'ity *n.* נחיתות
inferiority complex תסביך נחיתות
infer'nal *adj.* של הגיהינום, שטני
infer'no *n.* גיהינום
in·fer'tile (-təl) *adj.* לא-פורה, עקר
in'fertil'ity *n.* אי-פוריות
infest' *v.* לשרוץ, לרחוש, לפשוט
in'festa'tion *n.* שריצה
in'fidel *n&adj.* כופר; אפיקורסי
in'fidel'ity *n.* אי נאמנות; בגידה
in'field' (-fēld) *n.* שדה פנימי (בבייסבול)
in-fighting *n.* קרב מגע; קרב צמוד; תחרות קשה; ריב פנימי
in'filtrate' *v.* להסתנן; להחדיר
in'filtra'tion *n.* הסתננות, חדירה
in'filtra'tor *n.* מסתנן
in'finite (-nit) *adj.* אינסופי, רב
- the Infinite אלוהים
in'finites'imal *adj.* זעיר מאוד
infin'itive *n.* (בדקדוק) מקור
infin'itude' *n.* אינסופיות
infin'ity *n.* אין-סוף, אינסופיות
infirm' *adj.* חלש; לוקה בשכלו
- infirm of purpose לא החלטי, מהסס
infir'mary *n.* בית חולים, מרפאה
infir'mity *n.* חולשה
infix' *v.* לקבוע בפנים, לתחוב, לחרות, להכניס מוספית
inflame' *v.* להדליק; להרגיז; לשלהב
inflamed *adj.* אדום, נפוח, דלקתי
inflam'mable *adj.* דליק, מתלקח מהר
in'flamma'tion *n.* דלקת
inflam'mato'ry *adj.* דלקתי; מלהיב
infla'table *adj&n.* שניתן לנפחו; סירת גומי
inflate' *v.* לנפח; לגרום לאינפלציה
inflated *adj.* נפוח, מנופח; יהיר
infla'tion *n.* ניפוח; התנפחות; אינפלציה, הצפה
infla'tionar'y (-shəneri) *adj.* אינפלציוני
inflationary spiral גלגל אינפלציוני
inflect' *v.* להטות (מלה); לגוון קול
inflec'tion *n.* הטייה, נטייה; גיוון קול; סופית (של נטייה)
inflectional *adj.* של נטייה
in·flex'ibil'ity *n.* אי גמישות
in·flex'ible *adj.* לא גמיש; שאין לשנותו; עקשני, לא נכנע
inflexion = inflection
inflict' *v.* להטיל, לתת, לגרום (סבל)
inflic'tion *n.* גרימת סבל, מכה
in-flight *adj.* בשעת הטיסה
in'flo·res'cence *n.* פריחה, תפרחת
in'flow' (-flō) *n.* זרימה (פנימה)
in'flu·ence (-flōō-) *n.* השפעה; בעל השפעה
- under the influence בגילופין*
influence *v.* להשפיע על
in'flu·en'tial (-flōō-) *adj.* בעל השפעה
in'flu·en'za (-flōō-) *adj.* שפעת (מחלה)
in'flux' *n.* זרימה, נהירה
in'fo *n.* אינפורמציה, מידע*
infold' (-fōld) *v.* לעטוף, לחבוק
in'fomer'cial *n.* תשדיר פרסומת תיעודי
inform' *v.* להודיע, למסור מידע
- inform against/on להלשין על
- keep him informed לעדכנו במידע
in·for'mal *adj.* לא רשמי, לא פורמאלי
in'for·mal'ity *n.* אי רשמיות
infor'mant *n.* מוסר מידע
in'format'ics *n.* תורת איחסון המידע
in'forma'tion *n.* מידע, אינפורמציה; הסברה
information retrieval איחזור מידע
information science תורת איחסון המידע
infor'mative *adj.* אינפורמטיבי, מאלף
informed *adj.* מודע, בעל אינפומרציה
inform'er *n.* מודיע, מלשין
in'fo·tain'ment *n.* תשדיר מידע ובידור
in'fra *adv.* להלן (בספר)
infrac'tion *n.* הפרת חוק, עבירה
in'fra dig' למטה מכבודו
in·fran'gible *adj.* לא שביר, שאין להפירו
in'frared' *adj.* אינפרה-אדומות
in'frastruc'ture *n.* תת מבנה, תשתית
in·fre'quency *n.* נדירות
in·fre'quent *adj.* לא שכיח, נדיר
infringe' *v.* להפר (חוק)
- infringe on/upon להסיג גבול, להיכנס לתחום
infringement *n.* הפרה; הסגת גבול
infu'riate' *v.* לעורר זעם, להכעיס
infuse' (-z) *v.* לשפוך, לצקת, למלא; לחלוט (תה); להיחלט
- infuse life into להפיח רוח חיים
infu'sion (-zhən) *n.* חליטה; יציקה, מילוי, מזיגה; החדרה; עירוי, אינפוזיה
in'gath'ering (-dh-) *n.* אסיף; כינוס, התקבצות
inge'nious *adj.* חכם, בעל כושר המצאה, חריף; מחוכם, תחבולני, מתוחכם
ingenue (än'jənōō') *n.* נערה תמימה
in'genu'ity *n.* חריפות, כושר המצאה
ingen'u·ous (-ūəs) *adj.* תמים, כן, גלוי לב
ingest' *v.* להכניס (מזון) לקיבה
in'gle-nook' *n.* פינה (ליד האח)
in·glo'rious *adj.* מחפיר, מביש
in'go'ing *adj.* נכנס, בא
in'got *n.* מטיל (של כסף, זהב)

ingraft′ = engraft
in·grain′ *v.* להשריש, לטבוע
ingrained *adj.* קבוע, עמוק, מושרש, טבוע בדם
in′grate′ *adj.* כפוי טובה
ingra′tiate′ (-′sh-) *v.* להשתדל למצוא חן בעיני-; להתחנף, להתרפס
in·grat′itude′ *n.* כפיות טובה
ingre′dient *n.* יסוד, מרכיב
in′gress′ *n.* כניסה, זכות כניסה
in-group *n.* קבוצה פנימית
in′grow′ing (-grō-) *adj.* צומח פנימה
in′grown′ (-grōn) *adj.* צומח כלפי פנים (לתוך הבשר); פנימי, טיבעי
inhab′it *v.* לגור, לחיות ב-
inhab′itable *adj.* ראוי למגורים
inhab′itant *n.* תושב; דייר
inha′lant *n.* חומר נשאף
inhale′ *v.* לשאוף, לנשום פנימה
inhaler *n.* משאף (מכשיר שאיפה)
in′har·mo′nious *adj.* לא הרמוני, צורם
inhere′ *v.* להיות חלק טבעי מ-
inher′ent *adj.* טבוע, פנימי, שרוי בו
inher′it *v.* לָרֶשֶׁת
inheritable *adj.* בר הורשה
inheritance *n.* עיזבון; ירושה
inhib′it *v.* למנוע, לעצור, לרסן; לדכא (דחף, תיאבון)
inhibited *adj.* (אדם) מעוצר, מרוסן
in′hibi′tion (-bi-) *n.* מעצור, עכבה
inhib′ito′ry *adj.* עוצר, מעכב
in·hos′pitable *adj.* לא מסביר פנים, לא מארח יפה; לא מעניק מחסה
in·hos′pital′ity *n.* אי הסברת פנים
in-house *adj&adv.* פנימי
in·hu′man *adj.* לא אנושי, אכזרי
in′hu·mane′ (-hū-) *adj.* לא אנושי, אכזרי, לא הומני
in′hu·man′ity (-hū-) *n.* אכזריות, חוסר אנושיות
inhume′ *v.* לקבור
inim′ical *adj.* עוין, שונא, מזיק
in·im′itable *adj.* שאין לחקותו, מצוין
iniq′uitous *adj.* לא צודק, רשע
iniq′uity *n.* עוול, אי צדק, רשע
ini′tial (-ni-) *adj.* ראשון, התחלתי, פותח
initial *n.* אות ראשונה (בשם אדם)
initial *v.* לחתום בראשי תיבות
initially *adv.* בתחילה, בהתחלה
ini′tiate′ (inish′-) *v.* להכניס/לקבל כחבר; להקנות ידע, להכניס בסוד; ליזום; להתחיל, להפעיל
ini′tiate (inish′-) *n.* חבר (באגודה סודית); בעל ידע מיוחד
init′ia′tion (inish-) *n.* קבלה כחבר; טקס קבלה; הכנסה רשמית
init′iative (inish′ət-) *n.* יזמה; צעד ראשון/פותח; התחלה
- has the initiative היזמה בידו
- on one's own initiative ביזמתו
- take the initiative ליטול את היזמה; לעשות את הצעד הראשון
inject′ *v.* למלא; להזריק (זריקה); להחדיר; להזרים (כסף)
- inject new life להפיח חיים ב-

injec′tion *n.* הזרקה; זריקה; הזרמה
in′ju·di′cious (-jōōdish′əs) *adj.* לא נבון, לא פיקחי
injunc′tion *n.* פקודה, צו, צו מניעה
- mandatory injunction צו עשה, צו מחייב
in′jure (-jər) *v.* לפצוע, לפגוע
injured *adj.* נפגע; נעלב
injured party הצד הנפגע
inju′rious *adj.* מזיק, פוגע
in′jury *n.* פגיעה; נזק, חבלה
- add insult to injury לזרות מלח על הפצעים
injury time זמן פציעות
in·jus′tice (-tis) *n.* אי צדק, עוול
- do him an injustice לגרום לו עוול, לחשוד בכשרים
ink *n&v.* דיו; לדיית, להכתים בדיו
- ink in להשלים בדיו, לסמן בדיו
ink-blot test מיבחן רורשך
ink-bottle קסת, דיותה
ink-jet הזרקת דיו
ink′ling *n.* מושג-מה, רמז
ink-pad *n.* כרית דיו (להוחתמות)
ink-pot *n.* קסת, דיותה
ink-stand *n.* כן לדיותות ועטים
ink-well *n.* דיותה, קסת (בשולחן)
inky *adj.* מוכתם בדיו, מדוית; שחור
- inky darkness חושך מצרים
in′laid′ *adj.* משובץ (זהב וכ')
in′land *adj.* פנימי, תוך ארצי
inland *adv.* כלפי פנים/בפנים הארץ
inland revenue בלו (מס); (באנגליה) מינהל הכנסות המדינה
in-law *n.* חם, חותנת, גיס, קרוב
inlay′ *v.* לשבץ, לקבוע (קישוט)
inlay *n.* שיבוץ, קישוט, מילואה; סתימה; מילוי (בשן)
in′let′ *n.* מפרץ צר, לשון-ים; כניסה; דבר מוכנס/תחוב
in lo′co paren′tis במקום ההורה, כהורה (כלפי ילד)
in′mate′ *n.* חבר לחדר, שכן; אסיר; חוסה, פנימאי
in memo′riam לזכר-, להנצחת שם-
in′most′ (-mōst) *adj.* פנימי ביותר, תוך תוכי, עמוק; סודי, כמוס
inn *n.* פונדק, אכסניה
in′nards *n-pl.* מעיים, קרביים
innate′ *adj.* שמלידה, טבוע בדמו
in′ner *adj.* פנימי
- inner circle חוג פנימי
- the inner man הנפש; *הקיבה
innermost = inmost פנימי ביותר
inner tube פנימון (צמיג), אבוב
inner′vate′ *v.* לספק בעצבים
in′ning *n.* מחזור (בבייסבול)
innings *n.* תור, סיבוב (בקריקט); תקופת שלטון, חיים פעילים
- have a good innings *לחיות חיי אושר
inn-keeper *n.* בעל אכסניה, פונדקאי
in′nocence *n.* חפות מפשע; תמימות
in′nocent *adj&n.* חף מפשע; לא מזיק, טהור, תם, תמים, פתי
innoc′u·ous (-ūəs) *adj.* לא מזיק, לא פוגע

Inn of Court אגודת הפרקליטים (בלונדון)
in′novate′ *v.* לחדש, להכניס שינויים
in′nova′tion *n.* חידוש, המצאה
in′nova′tor *n.* חדשן, ממציא
in′nu·en′do (-nū-) *n.* רמיזה
- make innuendos לרמוז בעקיפין
innu′merable *adj.* עצום, לאין מיספר
innu′merate *adj.* חסר כישורים בחשבון
in′obser′vance (-z-) *n.* היסח הדעת; אי קיום
inoc′u·late′ *v.* להרכיב (תרכיב), לחסן
inoc′u·la′tion *n.* הרכבה, תרכיב; חיסון
inoc′u·lum *n.* תרכיב, חומר חיסון
in′offen′sive *adj.* לא פוגע, לא מזיק; לא מעורר התנגדות
in·op′erable *adj.* שאין לנתחו, לא נתיח
in·op′erative *adj.* לא פעיל, לא יעיל
in·op′portune′ *adj.* שלא בעיתו, לא בזמן המתאים, לא הולם
in·or′dinate *adj.* מופרז, לא מרוסן
in′organ′ic *adj.* לא אורגני
inorganic chemistry כימיה אי אורגנית
in-patient *n.* חולה-פנים, מאושפז
in′put′ (-poot) *n&v.* קֶלֶט (במחשב); תשומה; כניסה; כוח, אנרגיה; להכניס
input-output *n.* קלט-פלט
in′quest′ *n.* חקירה (לסיבת המוות)
in·qui′etude′ *n.* אי שקט, מתח
inquire′ *v.* לשאול, לחקור ולדרוש
- inquire after לשאול לשלום
- inquire for לבקש, לבקש לראות
- inquire into לחקור, ללמוד (הנושא)
- inquire upon/about לבקש מידע על
- inquire within שאל (לפרטים) בפנים!
inquirer *n.* חוקר; חקרן
inquiring *adj.* חוקר, מגלה סקרנות
inqui′ry *n.* חקירה
- hold an inquiry into לחקור ב-
in′quisi′tion (-zi-) *n.* חקירה, אינקוויזיציה
inquis′itive (-z-) *adj.* חקרני, חטטני
inquis′itor (-z-) *n.* אינקוויזיטור, חוקר
inquis′ito′rial (-z-) *adj.* אינקוויזיטורי, חקירתי
in′road′ *n.* התקפה, פלישה, חדירה, פשיטה
- make inroads on one's time לנגוס ב-/לגזול מזמנו
in′rush′ *n.* זרימה, נהירה
in′salu′brious *adj.* לא בריא
in·sane′ *adj.* מטורף, משוגע
in·san′itar′y (-teri) *adj.* לא תברואי
in·san′ity *n.* שיגעון
in·sa′tiable (-shəb-) *adj.* שאין להשביעו, רעב, תאב
in·sa′tiate (-′sh-) *adj.* לא שבע לעולם
inscribe′ *v.* לרשום, לחקוק, לחרות
- an inscribed book ספר מוקדש
- inscribed stock מניות על שם
inscrip′tion *n.* כתובת (חקוקה); רישום, הקדשה
in·scru′table *adj.* שאין להבינו, עמוק, סתום, שאין לרדת לעומקו
in′sect′ *n.* חרק
insec′ticide′ *n.* מדביר חרקים
insec′tivore′ *n.* אוכל חרקים
in′sec·tiv′orous *adj.* אוכל חרקים
insect-powder *n.* אבקה נגד חרקים
in′se·cure′ *adj.* לא בטוח, שאין לסמוך עליו, רעוע; חסר ביטחון עצמי
in′se·cu′rity *n.* חוסר ביטחון
insem′inate′ *v.* להפרות, להזריע
insem′ina′tion *n.* הפראה, הזרעה
in·sen′sate *adj.* חסר תחושה; נטול-רגש, ערל-לב, טיפשי
in·sen′sibil′ity *n.* אובדן ההכרה, חוסר הכרה; חוסר רגישות, העדר רגש
in·sen′sible *adj.* חסר הכרה, נטול רגש
- insensible change שינוי זעיר
- insensible of לא מודע ל-
- insensible to לא חש, אטום ל-
in·sen′sitive *adj.* לא רגיש, לא חש
in·sen′sitiv′ity *n.* אי רגישות
in·sen′tient (-shənt) *n.* חסר חיים
in·sep′arable *adj.* שאין להפרידו מ-
insert′ *v.* להכניס, לתחוב, לשבץ
in′sert′ *n.* דף נוסף, גיליון פנימי
inser′tion *n.* הכנסה, תחיבה; דבר מוכנס, מודעה; תוספת
in-service *adj.* תוך כדי עבודה
in′set′ *n.* תוספת; דף נוסף; מפה קטנה (בצד מפה גדולה)
inset′ *v.* להכניס (תוספת כנ"ל)
in′shore′ *adj&adv.* קרוב לחוף; אל החוף
inside′ *n.* פְּנים, תוך; פנים המדרכה (הרחק מהכביש); *מעיים
- inside out הפוך, כשצידו הפנימי נמצא בחוץ
- knows it inside out בקי בו היטב
in′side *adj.* פנימי
- inside information מידע פנימי
- inside job "עבודה פנימית" (של שוד)
- inside right/left קַשָר ימני/שמאלי
- inside track עמדת יתרון
inside′ *adv.* בפנים, פנימה; *בכלא
inside′ *prep.* בתוך
- inside of 2 hours בתוך שעתיים
insi′der *n.* איש פנים, קרוב לצלחת
- inside dealing/trading סחר פנימי (לא חוקי במניה)
insid′ious *adj.* חותרני, פועל מתחת לפני השטח, הרסני בחשאי
in′sight′ *n.* ראייה חודרנית, הבחנה, בוננות, תובנה
insig′nia *n-pl.* סמלים, סימני דרגה
in′signif′icance *n.* חוסר חשיבות
in′signif′icant *adj.* חסר ערך, נטול חשיבות, זעום
in′sincere′ *adj.* לא כן, מזויף, צבוע
in′sincer′ity *n.* חוסר כנות, צביעות
insin′u·ate′ (-nū-) *v.* לרמוז
- insinuate oneself into למצוא מסילות בלב-; לכבוש בעורמה את לב-
insin′u·a′tion (-nū-) *n.* רמיזה
in·sip′id *adj.* חסר טעם, תפל
in′sipid′ity *n.* חוסר טעם
insist′ *v.* להתעקש; לעמוד על (כך)
insistence *n.* התעקשות, עמידה על
insistent *adj.* מתעקש, דורש, עומד על כך; דחוף, לוחץ

in si′tu (-tōō) במקום האירוע
in′so•far′ *adv.* במידה ש-
in′sole′ *n.* סוליה פנימית, רפידה
in′solence *n.* חוצפה; העלבה
in′solent *adj.* חצוף; מעליב
in•sol′u•ble *adj.* לא מסיס; שאין לפתרו, בלתי-פתיר
in•solv′able *adj.* שאין לפתרו
in•sol′vency *n.* פשיטת רגל, חודל פירעון
in•sol′vent *adj.* פושט רגל, חדל פירעון
insom′nia *n.* נדודי שינה
insom′niac′ *n.* סובל מנדודי שינה
in′so•much′ *adv.* במידה ש-
in•sou′ciance (-sōō′-) *n.* חוסר דאגה, שאננות
in•sou′ciant (-sōō′-) *adj.* חסר דאגה, שאנן
inspect′ *v.* לבחון, לבדוק; לערוך ביקורת, לבקר; לפקח
inspec′tion *n.* בדיקה; פיקוח
inspector *n.* מפקח, משגיח; פקד
inspec′torate *n.* פיקוח; צוות פיקוח; מפקחה; מפקחות; איזור פיקוח
in′spira′tion *adj.* השראה; מקור השראה; שאר-רוח; *רעיון מוצלח
in′spira′tor *n.* משאף, מנשים; ממריץ
inspire′ *v.* לעורר, להמריץ; להאציל, להשרות על
- inspire hate in לעורר שנאה בלב
- inspire with hope להפיח תקווה
inspired *adj.* מלא השראה, מואצל
- inspired article מאמר מוכתב (ע״י גורמים מגבוה)
inspir′it *v.* להפיח חיים, לעודד
inst. לחודש זה; מכון
in′stabil′ity *n.* חוסר יציבות
install′ (-tôl′) *v.* להכניס לתפקיד; להתקין (מיתקן); ליישב, למקם
- install oneself להתיישב, להתמקם
in′stalla′tion *n.* הכנסה לתפקיד; התקנה; מיתקן
install′ment (-stôl′-) *n.* תשלום (אחד), פרק (מתוך סדרה בהמשכים)
- in installments בהמשכים
installment plan רכישה בתשלומים
in′stance *n.* דוגמה; ערכאה
- at the instance of לפי דרישת
- for instance לדוגמה, למשל
- in the first instance ראשית כל
instance *v.* להביא כדוגמה, להדגים
in′stant *n.* רגע
- that instant/on the instant מיד
- the instant that- מיד כש-, אך
instant *adj.* מידי, דחוף; בחודש זה
- in instant need זקוק בדחיפות ל-
in′stanta′ne•ous *adj.* מִיָּדִי
instant coffee קפה נמס
instantly *adv.* מיד, תכף ומיד
instant replay הקרנה חוזרת מיידית
instead′ (-sted) *adv.* במקום זאת
- instead of במקום-
in′step′ *n.* גב כף-הרגל, קמרון הרגל
in′stigate′ *v.* להסית; לעורר, להמריץ
in′stiga′tion *n.* הסתה; המרצה
- at his instigation כתוצאה מהסתתו
in′stiga′tor *n.* מסית, ממריץ
instill′ *v.* להחדיר למוחו, לשנן
in′stilla′tion *n.* החדרה
in′stinct *n.* אינסטינקט, חוש טבעי
- instinct with מלא, חדור, שופע
instinc′tive *adj.* אינסטינקטיבי, טבעי
in′stitute′ *n.* מוסד, מכון
institute *v.* לייסד; לקבוע; להתחיל
- institute a custom להנהיג מנהג
- institute actions לפתוח בהליכים
in′stitu′tion *n.* מוסד; מנהג קבוע
- institution of laws הנהגת חוקים
institutional *adj.* של מוסד, מוסדי
in′stitu′tionalize′ (-′shən-) *v.* למסד; לאשפז; לגרום לתלות באחרים
instruct′ *v.* להורות, ללמד, להדריך; לצוות; להודיע
instruc′tion *n.* הוראה; הדרכה
instructional *adj.* חינוכי
instruc′tive *adj.* מאלף, מדריך
instructor *n.* מאמן, מורה, מדריך
in′strument *n.* מכשיר, כלי; מיסמך
- legal instrument מיסמך מישפטי
- musical instrument כלי נגינה
in′strumen′tal *adj.* של אמצעי, עוזר, מועיל, גורם, תורם; של כלי נגינה, תיזמורתי
in′strumen′talist *n.* נגן
in′strumen•tal′ity *n.* אמצעים
- by the instrumentality of באמצעות, בסיוע
in′strumen•ta′tion *n.* תִּגְּגוּן; מיכשור
instrument panel לוח מחוונים
in′subor′dinate *adj.* לא צייתן, מרדן
in′subor′dina′tion *n.* אי ציות
in′substan′tial *adj.* חסר בסיס, חלש; לא ממשי, חסר תוכן
in•suf′ferable *adj.* בלתי-נסבל; יהיר
in′suffi′ciency (-fish′ən-) *n.* מחסור, מידה בלתי מספקת
in′suffi′cient (-fish′ənt) *adj.* לא מספיק
in′sular *adj.* של אי; צר אופק, קרתני
in′sularism′ *n.* צרות אופק
in′sular′ity *n.* צרות אופק
in′sulate′ *v.* לבודד, להפריד
insulating tape סרט בידוד
in′sula′tion *n.* בידוד; חומר בידוד
in′sula′tor *n.* מבדד
in′sulin *n.* אינסולין
insult′ *v.* להעליב, לפגוע ב-
in′sult′ *n.* עלבון, פגיעה
- add insult to injury לזרות מלח על הפצעים
in•su′perable *adj.* שאין להתגבר עליו
in′support′able *adj.* קשה מנשוא, בלתי נסבל
insu′rance (-shoor′-) *n.* ביטוח
- life insurance ביטוח חיים
insurance agent/broker סוכן ביטוח
insurance company חברת ביטוח
insurance policy פוליסת ביטוח
insure′ (-shoor′) *v.* לבטח; להבטיח
insured *adj.* מבוטח
insurer *n.* מְבַטֵּחַ; חברת ביטוח
insur′gence *n.* מרידה, התקוממות
insur′gency *n.* מרידה, התקוממות

insur′gent *n&adj.* מתקומם, מורד
in′surmount′able *adj.* שאין להתגבר עליו
in′surrec′tion *n.* מרד, התקוממות
in′suscep′tible *adj.* לא רגיש, לא מושפע
intact′ *adj.* שלם, בלי פגע, לא ניזק
inta′glio′ (-täl′yō) *n.* חריתה, חקיקה; תחריט; אבן חן מפותחת
in′take′ *n.* קליטה; מספר הנקלטים; פתח הכניסה; פי הצינור
in·tan′gibil′ity *n.* אי מוחשות
in·tan′gible *adj.* לא מוחש, לא נתפס, לא ניתן למישוש
- intangible asset נכס לא מוחשי (מוניטין)
in′teger *n.* מספר שלם (לא שבר)
in′tegral *adj.* אינטגרלי, לא נפרד; שלם; של מספר שלם
integral *n.* אינטגראל, אסכמת
integral calculus חשבון אינטגרלי
in′tegrate′ *v.* לאחד, למזג, להביא לשלמות אחת; להתמזג; להנהיג אינטגרציה
in′tegra′ted *adj.* משולב, מורכב היטב
in′tegra′tion *n.* מיזוג, אינטגרציה
integ′rity *n.* הגינות, יושר, יושרה; שלמות
integ′u·ment *n.* קליפה, עור
in′tellect′ *n.* אינטלקט, כוח השפיטה, בינה, שכל; חכם, חכמים
in′tellec′tual (-cho͞oəl) *adj&n.* אינטלקטואלי, שכלי, עיוני; אינטלקטואל, איש רוח; משכיל
intel′ligence *n.* אינטליגנציה, שכל, תבונה; משכל; ביון, מודיעין
intelligence quotient מנת משכל
intelligence test מיבחן מישכל
intel′ligent *adj.* אינטליגנטי, נבון
intel′ligent′sia *n.* המשכילים
intel′ligibil′ity *n.* מוּבָנוּת
intel′ligible *adj.* מובן, שקל להבינו
In′tel·post′ (-pōst) *n.* דואר אלקטרוני, דואר בינלאומי
in·tem′perance *n.* חוסר ריסון; שכרות
in·tem′perate *adj.* לא מרוסן, מפריז; שתיין
intend′ *v.* להתכוון, לחשוב; לייעד
- intended for מיועד ל-
- my intended *אשתי לעתיד
inten′dant *n.* מנהל, מפקח
intendment *n.* כוונה אמיתית (של חוק)
intense′ *adj.* חזק, עז, עמוק, לוהט, רציני, רגשני
inten′sifica′tion *n.* חיזוק; הגברה
inten′sifi′er *n.* מלת חיזוק (כגון מאוד); מעצם
inten′sify′ *v.* לחזק, להגביר, להחמיר, להעצים
inten′sity *n.* עוז, עוצמה, חוזק
inten′sive *adj.* אינטנסיבי, מרוכז, עצים
- intensive capital עתיר הון
intensive care טיפול נמרץ
intent′ *adj.* מרוכז, רציני
- intent on מתרכז, ראשו ורובו ב-
intent *n.* כוונה; מטרה; רצון
- to all intents מכל הבחינות

inten′tion *n.* כוונה; מטרה
- intentions כוונות לגבי נישואים
intentional *adj.* שבמזיד, מתכוון
intentionally *adv.* במזיד, בכוונה תחילה
intentioned *adj.* בעל כוונות
- ill-intentioned בעל כוונות רעות
inter′ *v.* לקבור
inter- (תחילית) בין
in′teract′ *v.* לפעול זה על זה
in′terac′tion *n.* פעולת גומלין
in′terac′tive *adj.* אינטראקטיבי, פועלים זה על זה, הידברותי
in′ter a′lia בין היתר, בין השאר
in′terbank′ *adj.* בין-בנקאי
in′terbreed′ *v.* להצליב, להכליא
inter′calar′y (-leri) *adj.* מוכנס; (יום) נוסף בשנה; (שנה) מעוברת
inter′calate′ *v.* להוסיף כנ״ל, לְעַבֵּר
in′tercede′ *v.* להשתדל למען
- intercede with להשתדל אצל
in′tercept′ *v.* לעצור; לעכב; ליירט; לצותת
in′tercep′tion *n.* עצירה; יירוט
in′tercep′tor *n.* מטוס יירוט
in′terces′sion *n.* השתדלות; תפילה
in′terchange′ (-chānj′) *v.* להחליף; להתחלף
in′terchange′ (-chānj) *n.* החלפה; מחלף (בכביש)
in′terchange′able (-chānj′-) *adj.* חליף, שניתן להחליפם זה בזה
in′tercolle′giate *adj.* בין מיכללות, נערך בין קולג׳ים
in′tercom′ *n.* אינטרקום, תקשורת פנים, קומוניקציה פנימית
in′tercom′mu·nal *adj.* בין עדתי
in′tercommu′nicate′ *v.* להתקשר זה עם זה; להיות משותפי פתח (חדרים)
in′terconnect′ *v.* להתחבר ביניהם
in′tercon′tinen′tal *adj.* בין יבשתי
in′tercourse′ (-kôrs) *n.* מגע, החלפת דיעות, יחסים, הידברות; יחסי מין
in′tercut′ *v.* לשלב צילומים שונים
in′terde·nom′ina′tional *adj.* בין כיתתי
in′terde·part·men′tal *adj.* בין מחלקתי
in′terde·pen′dence *n.* תלות הדדית
in′terde·pen′dent *adj.* תלויים זה בזה
in′terdict′ *v.* לאסור על, להחרים; להרוס (קו אספקה); למנוע (התקפה)
in′terdict *n.* איסור, חרם
in′terdis′ciplinary (-neri) *adj.* בין תחומי
in′terest *n.* עניין, התעניינות, תחביב; תועלת, טובה, אינטרס; ריבית; השקעה, חלק בעסק
- compound interest ריבית דריבית
- conflict of interests ניגוד עניינים
- in the interest of לטובת, למען
- interests קבוצה בעלת עניין משותף, ענף מסחרי
- return with interest להחזיר עם ריבית, להחזיר כפל כפליים
- take/show an interest להתעניין

interest *v.* לְעַנְיֵן, לעורר עניין
interested *adj.* מעוניין, מתעניין; אינטרסנטי, חד-צדדי; שותף
interested party צד מעוניין, נוגע בדבר
interest group קבוצה בעלת עניין משותף
interesting *adj.* מעניין, מרתק
interest rate שער הריבית
in'terface' *n.* מימשק
in'terfaith' *adj.* בין דתות
in'terfere' *v.* להפריע, להתערב, לתחוב אפו; למנוע; להתנגש ב-
- interfere with להפריע; להתעסק
interference *n.* הפרעה; התערבות; חסימה
in'tergrowth' (-grōth) *n.* צמיחה של זה בתוך זה
in'terim *n.* תקופת ביניים
- in the interim בינתיים, לפי שעה
interim *adj.* זמני, של ביניים
- interim order צו ביניים
- interim report דו"ח ביניים
inte'rior *n.* פְּנִים; פנים הארץ
- Ministry of the Interior משרד הפנים
- interior decorator מעצב פְּנִים
interior *adj.* פנימי, של פנים הארץ
interior decoration עיצוב פְּנִים
interior design עיצוב פְּנִים
in'terject' *v.* לשסע, להעיר לפתע
in'terjec'tion *n.* מלת קריאה, קריאה
in'terlace' *v.* לשזור, לשלב; להשתזר
in'terlard' *v.* לערבב, לשלב, לגוון
- interlard with jokes לתבל בבדיחות
in'terleave' *v.* להכניס (דפים) בין דפי ספר
in'terline' *v.* להוסיף בין השורות; להוסיף בטנה אמצעית
in'terlin'e·ar *adj.* כתוב בין השורות
in'terlink' *v.* לקשור יחדיו, לחבר
in'terlock' *v.* לחבר יחד, לשלב זה בזה; להשתלב, להשתזר
in'terlock' *n.* אינטרלוק (בד)
in'terloc'u·tor *n.* בן-שיחו, משוחח
in'terloc'u·to'ry *adj.* של ביניים
- interlocutory order צו ביניים
in'terlo'per *n.* דוחק עצמו, נדחק
in'terlude' *n.* הפוגה, הפסקה; אינטרלוד, נעימת ביניים
in'termar'riage (-rij) *n.* נישואי תערובת
in'termar'ry *v.* להתחתן ביניהם
in'terme'diar'y (-eri) *n.* מתווך
intermediary *adj.* מפשר; של ביניים
in'terme'diate *adj&n.* נמצא באמצע; (שלב) ביניים; מתווך
in'terme'diate' *v.* לתווך, לפשר
in'terme'dia'tion *n.* תיווך, פישור
inter'ment *n.* קבורה
in'termez'zo (-met'sō) *n.* אינטרמצו, נגינת ביניים
in·ter'minable *adj.* אינסופי, נצחי
in'termin'gle *v.* לערבב; להתמזג
in'termis'sion *n.* הפסקה, הפוגה
in'termit' *v.* להפסיק; להיפסק
in'termit'tent *adj.* בא והולך, לא רצוף, נפסק חליפות

in'termix' *v.* לערבב; להתמזג
in'termix'ture *n.* ערבוב
intern' *v.* לכלוא, להגביל התנועה
in'tern' *n.* רופא מתמחה, רופא פנימאי
inter'nal *adj.* פנימי
internal affairs ענייני פְּנִים
internal combustion שריפה פנימית
inter'naliza'tion *n.* הפנמה
inter'nalize' *v.* להפנים; לכלול הוצאות בפנים
internal medicine רפואה פנימית
in'terna'tional (-nash'ənəl) *adj.* בינלאומי
international *n.* תחרות בינלאומית
- the International האינטרנציונל
international court בית דין בינלאומי
in'terna'tionale' (-nashənal') *n.* האינטרנציונל
internationalism *n.* בינלאומיות
in'terna'tionaliza'tion (-nashənəl-) *n.* בנאום
in'terna'tionalize' (-nash'ənəl-) *v.* לבנאם
in'terne'cine (-sin) *adj.* גורם להשמדה הדדית, הרסני
in'tern·ee' *n.* כלוא, נתון במעצר
In'ternet' *n.* אינטרנט, רשת מחשבים
inter'nist *n.* מומחה למחלות פנימיות
intern'ment *n.* כליאה, מעצר
in'ternship' *n.* התמחות, סטאז'
in'terpel'late *v.* להגיש שאילתה
in'terpella'tion *n.* שאילתה
in'terpen'etrate' *v.* לחדור זה בזה
in'terper'sonal *adj.* (יחסים) בין אישיים
in'terphone' *n.* אינטרקום
in'terplan'etar'y (-teri) *adj.* בין כוכבי
in'terplay' *n.* פעולה הדדית
In'terpol' (-pōl) *n.* האינטרפול
inter'polate' *v.* להוסיף (חומר מטעה/חדש) בספר; לשבץ; לזייף
inter'pola'tion *n.* תוספת; זיוף
in'terpose' (-z) *v.* לשים באמצע; לעמוד בין; להפריע, לשסע דיבור; לתווך
- interpose oneself between לתווך
in'terposi'tion (-zi-) *n.* כניסה/עמידה בין, חציצה; הפרעה; תיווך
inter'pret *v.* לתרגם; להסביר; לפרש
- interpret a role לשחק/לגלם תפקיד
inter'preta'tion *n.* תרגום; פירוש; פרשנות
inter'preter *n.* מתורגמן; פרשן
inter'pretive *adj.* מתרגם; פרשני
in'terra'cial (-r-r-) *adj.* בין גזעי
in'terreg'num (-r-r-) *n.* תקופת מעבר (בין שלטון לשלטון); הפסקה
in'terre·late' (-r-r-) *v.* לקשור הדדית
in'terre·la'tion(ship) (-r-r-) *n.* קשר הדדי
inter'rogate' *v.* לחקור, להציג שאלות ל-
inter'roga'tion *n.* חקירה, תישאול
interrogation mark סימן שאלה
in'terrog'ative *adj.* שואל; של שאלה
interrogative *n.* מלת שאלה
inter'roga'tor *n.* חוקר

in'terrog'ato'ry *adj.* של חקירה
interrogatory *n.* שאלה (רשמית)
in'terrupt' *v.* להפריע; להפסיק; לנתק
- interrupt the view להסתיר המראה
interrupter *n.* מתג, מַתֵּק חשמלי
in'terrup'tion *n.* הפרעה; הפסקה
in'tersect' *v.* לחתוך, לחצות; להצטלב
in'tersec'tion *n.* הצטלבות, חצייה
in'tersex' *n.* אנדרוגינוס
in'tersex'ual (-sek'shəwəl) *adj.* בין מיני; אנדרוגיני
in'terspace' *n.* רווח, מירווח
in'terspace' *v.* להכניס רווחים
in'tersperse' *v.* לפזר, לשים (עלים) בין (פרחים); לגוון, לתבל (בבדיחות)
in'terstate' *adj.* בין ארצי
in'terstel'lar *adj.* בין כוכבי
inter'stice (-tis) *n.* סדק, רווח קטן
in'tertri'bal *adj.* בין שבטי
in'tertwine' *v.* לשזור; להשתזר
in'terur'ban *n.* בין עירוני
in'terval *n.* הפסקה; שהות; רווח; אינטרוול, רווח שבין 2 צלילים
- at intervals במרחקים/בהבדלי זמן קבועים; מדי פעם; פה ושם
in'tervene' *v.* להתערב; להפריע; להפריד; להתרחש בינתיים; לחלוף בינתיים
in'terven'tion *n.* התערבות; הצטרפות (צד ג')
in'terview' (-vū) *n.* ראיון
interview *v.* לראיין
in'terview'ee' (-vūē') *n.* מרואיין
interviewer *n.* מראיין
in'terweave' *v.* לשזור; להשתזר
intes'tate *adj.* (מת) בלי צוואה
intes'tinal *adj.* של המעיים
intes'tine (-tin) *n.* מעי
- intestines מעיים
In'tifa'da (-fä-) *n.* אינתיפדה, התקוממות, מרי
in'timacy *n.* אינטימיות; קרבה יתירה; יחסי מין; גיפופים, נשיקות
in'timate *adj.* אינטימי; אישי, פנימי
- intimate knowledge בקיאות רבה
- on intimate terms ביחסי קירבה
intimate *n.* ידיד נפש, איש סוד
in'timate' *v.* להודיע, לרמוז
in'tima'tion *n.* הודעה, רמז
intim'idate' *v.* להפחיד
intim'ida'tion *n.* הפחדה, איום
in'to (-tōō) *prep.* לתוך, אל-, ל-
- 4 into 8 goes 2 8:4 = 2
in·tol'erable *adj.* בלתי נסבל
in·tol'erance *n.* אי-סובלנות
in·tol'erant *adj.* לא-סובלני
in'to·nate' *v.* לבטא בנגינה, להנגין
in'tona'tion *n.* אינטונציה, הטעמה, הנגנה
intone' *v.* לפזם (תפילה)
in to'to בסך הכל, לגמרי
intox'icant *adj&n.* (משקה) משכר
intox'icate' *v.* לשכר
intoxicated *adj.* שיכור (מיין/הצלחה)
intox'ica'tion *n.* שכרות
intra- (תחילית) תוך-, פנים-

in·trac'tabil'ity *n.* מרדנות
in·trac'table *adj.* מרדן, עקשני, לא מקבל מרות, שקשה לשלוט בו
in'tramu'ral *adj.* פנימי, שבין כותלי המוסד; מוגבל לתלמידי בית-הספר
in·tran'sigence *n.* אי פשרנות
in·tran'sigent *adj.* לא מתפשר, נוקשה
in·tran'sitive verb פועל עומד
in'trapreneur' (-nûr') *n.* עובד-יזם
in'trastate' *adj.* של פנים המדינה
in'tra-u'terine' device התקן תוך-רחמי
in'trave'nous *adj.* שבתוך הווריד, ורידי
intrench' = entrench
in·trep'id *adj.* אמיץ, עשוי לבלי חת
in'trepid'ity *n.* אומץ, חוסר פחד
in'tricacy *n.* סבך, סיבוך, מורכבות
in'tricate *adj.* מסובך, מורכב
intrigue' (-rēg') *v.* לעניין, לסקרן, להקסים; לתכנן בחשאי, לעשות קנוניה
intrigue *n.* מזימה, קנוניה, רוגנה, אינטריגה; רומאן חשאי
intrin'sic *adj.* פנימי, עצמי, מהותי
int'ro. = introduction
in'troduce' *v.* להכניס, להביא לראשונה, להנהיג; להציג; להתחיל, לפתוח
- introduce a bill להגיש חוק
- introduce into להחדיר, לתחוב
- introduce to להציג לפני, לוודע
in'troduc'tion *n.* הכנסה; הצגה; היכרות; הקדמה, מבוא; ספר לימוד
- letter of introduction מכתב המלצה
in'troduc'tory *adj.* פותח, מציג
in'trospec'tion *n.* הסתכלות פנימית, אינטרוספקציה; התבוננות נפשית עצמית
in'trospec'tive *adj.* בוחן עצמו
in'trover'sion (-zhən) *n.* הפנמה, הסתגרות
in'trovert' *n.* מופנם, אינטרוורט
introverted *adj.* מופנם, סתגרני
intrude' *v.* לדחוק; להידחק; להחדיר; לפרוץ; להתפרץ; להיכנס; להפריע
intruder *n.* מתפרץ, חודר, נדחק
intru'sion (-zhən) *n.* התפרצות; פריצה; הידחקות, הפרעה, התערבות
intru'sive *adj.* נדחק, מפריע
intrust' = entrust
intu'it *v.* לחוש באינטואיציה
in'tu·i'tion (-tōōish'ən) *n.* אינטואיציה, טביעת-עין, בינת-הלב
intu'itive *adj.* אינטואיטיבי, בעל אינטואיציה
in'tu·mes'cence (-tōō-) *n.* נפיחות, תפיחה; התנפחות
in'undate' *v.* להציף
in'unda'tion *n.* הצפה; מבול
inure' (-nyoor) *v.* להרגיל, לחסן, לחשל
inv. = invoice
invade' *v.* לפלוש, להסיג גבול; לחדור לתחום הזולת
invader *n.* פולש, מסיג גבול
in'valid *n.* נכה, בעל-מום, חולה
in'valid *adj.* של נכים, עבור נכים
in'valid *v.* לשחרר בגלל נכות
in·val'id *adj.* פסול, לא-תקף, בטל
inval'idate' *v.* לפסול, לבטל תקפו
inval'ida'tion *n.* פסילה, ביטול תוקף

in′validism′ *n.* נכות
in′valid′ity *n.* חוסר-תוקף, פסול
in•val′u•able (-lū-) *adj.* יקר ביותר; שאין להעריכו
in•va′riable *adj.* לא משתנה, קבוע
invariably *adv.* בקביעות, תמיד, לעולם, ללא שינוי
inva′sion (-zhən) *n.* פלישה; הסגת גבול
inva′sive *adj.* פולש, חודרני, מתפשט
invec′tive *n.* חירוף, גידוף, קללה
inveigh′ (-vā′) *v.* להתקיף קשות
invei′gle (-vā′g-) *v.* לפתות
invent′ *v.* להמציא; לבדות מן הלב
inven′tion *n.* המצאה; אמצאה; בדותה
inven′tive *adj.* ממציא, חדשני, מקורי
inventor *n.* ממציא
in′vento′ry *n.* אינוונטר, מצאי, מלאי, פרטה
inventory *v.* לערוך אינוונטר
in′verse′ *adj.* הפוך, נגדי
- in inverse proportion ביחס הפוך
inver′sion (-zhən) *n.* היפוך; סדר הפוך
invert′ *v.* להפוך
in•ver′tebrate *n&adj.* חסר חוליות
inverted commas מרכאות כפולות
invest′ *v.* להשקיע; לרכוש, לקנות; לשים מצור על, לכתר
- invest with להעניק רשמית; לקשט
inves′tigate′ *v.* לחקור (פשע, נאשם)
inves′tiga′tion *n.* חקירה
inves′tiga′tive *adj.* של חקירה
- investigative detention מעצר לשם חקירה
inves′tiga′tor *n.* חוקר
inves′titure *n.* טקס הענקת סמכות, הכנסה לתפקיד
investment *n.* השקעה; מצור, כיתור
investor *n.* משקיע
invet′erate *adj.* מושרש, עמוק
- inveterate liar שקרן ללא תקנה
invid′ious *adj.* פוגע, גורם התמרמרות, לא הוגן
invig′ilate′ *v.* להשגיח (בבחינה)
invig′ila′tion *n.* השגחה, פיקוח
invig′orate′ *v.* לחזק, לעודד, להפיח חיים ב-, לרענן
in•vin′cibil′ity *n.* אי היכנעות
in•vin′cible *adj.* שאין להכניעו, שאין לגבור עליו, אדיר
in•vi′olabil′ity *n.* חוסר אפשרות לחללו
in•vi′olable *adj.* קדוש, שאין לחללו; שאסור להפר אותו
in•vi′olate *adj.* לא מופר, לא מחולל
- keep it inviolate לא להפר אותו
in•vis′ibil′ity (-z-) *n.* אי היראות
in•vis′ible (-z-) *adj.* אינו נראה, סמוי
in′vita′tion *n.* הזמנה
invite′ *v.* להזמין
- invite him in להזמינו (לביתו)
- invite questions/comments לבקש להציג שאלות/להעיר הערות
inviting *adj.* מזמין, מפתה
in vit′ro חוץ-גופי, במבחנה
in′voca′tion *n.* קריאה לעזרה; תפילה
in′voice′ *n.* חשבון (ללקוח), חשבונית
invoice *v.* להכין חשבון (כנ"ל)
invoke′ *v.* לקרוא לעזרה, לבקש; להתפלל, להעתיר; להעלות (רוחות)
in•vol′untar′ily (-ter′-) *adv.* מבלי משים
in•vol′untar′y (-teri) *adj.* לא רצוני
in′volute′ *adj.* מסובך, מסולסל
in′volu′tion *n.* מעורבות, סבך; סלסול פנימה
involve′ *v.* לסבך, לערב, להצריך, לדרוש, להיות כרוך ב-
- get involved להסתבך
- involved in debt שקוע בחובות
involved *adj.* מסובך, מעורב ב-
involvement *n.* מעורבות, הסתבכות
in•vul′nerabil′ity *n.* אי פגיעות
in•vul′nerable *adj.* לא פגיע, חזק
in′ward *adj&adv.* פנימי; כלפי פנים
inward-looking *adj.* מסתכל פנימה, שקוע בעצמו, צר אופק
inwardly *adv.* פנימה, בתוך ליבו
inwardness *n.* פנימיות, עולם פנימי
inwards *adv.* כלפי פנים
inweave′ *v.* לשזור זה בזה, לשלב
in′wrought′ (in′rôt′) *adj.* (אריג) מקושט (בדוגמאות)
i′odine′ *n.* יוד (יסוד כימי)
i′odize′ *v.* לשים יוד, להוסיף יוד
i′on *n.* יון (אטום טעון חשמל)
I•on′ic *adj.* יוני (סגנון בארדיכלות)
i′oniza′tion *n.* יוניזציה, יינון
i′onize′ *v.* ליינן, להקרין יונים
ionizer *n.* מיינן; מטהר האוויר
i•on′osphere′ *n.* יונוספירה
i•o′ta *n.* יוטה (אות יוונית), שמץ
- not an iota of- אף לא שמץ של-
IOU שטר חוב, פתק "אני חייב לך"
ipsis′sima ver′ba המילים המדוייקות
ip′so fac′to בעובדה עצמה
IQ = intelligence quotient
IRA צבא אירי רפובליקני
Iran′ *n.* אירן
Ira′nian *adj&n.* אירני; פרסית
Iraq (iräk′) *n.* עירק
Ira′qi (irä′ki) *adj.* עירקי
iras′cibil′ity *n.* רגזנות, מזג חם
iras′cible *adj.* רגזן, מתלקח מהר
i•rate′ *adj.* כועס, זועם
ire *n.* כעס, זעם
ireful *adj.* כועס, מלא זעם
Ire′land (īr′-) *n.* אירלנד
ir•ides′cence *n.* נצנוץ בשלל צבעים
ir•ides′cent *adj.* ססגוני, רב-צבעים
irid′ium *n.* אירידיום (מתכת)
i′ris *n.* אירוס (פרח); קשתית העין
I′rish *adj&n.* אירי; אירית (שפה)
Irishman *n.* אירי
irk *v.* להרגיז, לייגע
irksome *adj.* מרגיז, מייגע
i′ron (ī′ərn) *n.* ברזל; מגהץ
- a man of iron איש-ברזל
- an iron will רצון ברזל
- has several irons in the fire טרוד בעיסוקים שונים בבת אחת
- iron fist in a velvet glove אגרוף ברזל בכפפת משי
- irons שלשלאות, כבלים, נחושתיים;

משענות-מתכת (לרגלי נכה)
- rule with a rod of iron לשלוט ביד ברזל
- strike while the iron is hot להכות על הברזל בעודו חם
iron *v.* לגהץ; להתגהץ
- iron out להחליק בגיהוץ, ליישר
- iron out the difficulties לסלק את הקשיים, ליישר את ההדורים
Iron Age תקופת הברזל
iron-bound *adj.* קשה, קשוח, סלעי
ironclad *adj.* משוריין
Iron Curtain מסך הברזל
iron foundry בית יציקה לברזל
iron-gray *adj.* אפור-ברזילי
iron horse קטר רכבת
i•ron′ic(al) *adj.* אירוני, מלגלג
ironing *n.* גיהוץ; בגדים לגיהוץ
ironing board קרש גיהוץ
i′ronist *n.* לגלגן, משתמש באירוניה
iron lung ריאת ברזל
i′ronmon′ger (ī′ərnmung-) *n.* סוחר בכלי מתכת/ברזל
ironmould *n.* כתם חלודה
iron rations מנות ברזל, מנות קרב
ironside *n.* אדם קשה, תקיף
ironstone *n.* ברזל גולמי, עפרת-ברזל
ironware *n.* כלי ברזל
ironwork *n.* כלי ברזל; מעשה-ברזל
ironworks *n.* בית יציקה לברזל
i′rony *n.* אירוניה, לגלוג
- irony of fate צחוק הגורל
irra′diate′ *v.* להקרין; להטיל אור
- irradiated with joy קורן משמחה
ir•ra′tional (irash′ənəl) *adj.* אירציונלי, לא הגיוני, אבסורדי; חסר כוח-שפיטה
ir•ra′tional′ity (irashən-) *n.* אירנציונליות, חוסר הגיון
ir•rec′onci′lable *adj.* שאין לפייסו, שקשה לרצות; שאין להביאם לידי הרמוניה
ir′re•cov′erable (-kuv′-) *adj.* שאין להחזירו, אבוד, מוחמץ
ir′re•deem′able *adj.* שאין לפדותו; שאין לתקנו; ללא תקנה
ir′re•den′tism *n.* אירידנטיות, שאיפה לסיפוח שטחים למולדת
ir′re•du′cible *adj.* שאין להקטינו
ir•ref′ragable *adj.* שאין להפריכו
ir′re•fran′gible *adj.* (חוק) שאין להפר
ir′re•fu′table *adj.* שאין להפריכו
ir•reg′u•lar *adj.* לא סדיר; לא קבוע; חריג; לא לפי הכללים
- irregular verb פועל חריג
irregular *n.* חַיָּל לא סדיר
ir•reg′u•lar′ity *n.* אי סדירות; חריגות
ir•rel′evance *n.* אי רלוואנטיות
ir•rel′evancy *n.* אי רלוואנטיות
ir•rel′evant *adj.* לא רלוואנטי, לא שייך לעניין, אירלוואנטי
ir′re•li′gious (-lij′əs) *adj.* לא דתי; אנטי דתי
ir′re•me′diable *adj.* שאין לו תקנה
ir′re•mis′sible *adj.* בל יכופר
ir′re•mov′able (-mōōv′-) *adj.* שאין להזיזו, שאין לסלקו

ir•rep′arable *adj.* שלא ניתן לתיקון
ir′re•place′able (-plās′-) *adj.* שאין לו תחליף
ir′re•press′ible *adj.* שאין לרסנו
ir′re•proach′able *adj.* ללא דופי
ir′re•sis′tible (-zis′-) *adj.* שאין לעמוד בפניו, מגרה ביותר
ir•res′olute′ (-rez′-) *adj.* לא החלטי, הססני
ir•res′olu′tion (-rez-) *n.* הססנות, חוסר החלטיות
ir′re•spec′tive *adv.* בלי שים לב ל-
ir′re•spon′sibil′ity *n.* חוסר אחריות
ir′re•spon′sible *adj.* בלתי אחראי
ir′re•triev′able (-trēv′-) *adj.* שאין להשיבו
ir•rev′erence *n.* חוסר כבוד
ir•rev′erent *adj.* לא חולק כבוד, מזלזל בערכים דתיים
ir′re•vers′ible *adj.* שאין להחזירו לאחור, שאין לבטלו, בלתי הפיך
ir•rev′ocable *adj.* שאין לשנותו, סופי, בלתי חוזר
ir′rigate′ *v.* להשקות (שטחים); לשטוף (פצע)
ir′riga′tion *n.* השקייה
ir′ritabil′ity *n.* עצבנות
ir′ritable *adj.* עצבני, נוח להתרגז
ir′ritant *adj&n.* מרגיז, מגרה; גורם גירוי (בעור)
ir′ritate′ *v.* להרגיז; לגרות (העור)
ir′rita′tion *n.* הרגזה; גירוי
irrupt′ *v.* להתפרץ; לפרוץ
irrup′tion *n.* התפרצות
is, he is, it is (iz) הוא, הינו, זהו
ISBN מיספר ספר
ische′mia (-kē′-) *n.* חוסר דם מקומי
i′singlass′ (-zin-) *n.* דבק דגים
Islam′ (izläm′) *n.* איסלם
Islam′ic (iz-) *adj.* מוסלמי
Is′lamize′ *v.* לאסלם, להפוך למוסלמי
is′land (ī′l-) *n.* אי
- traffic/safety island אי תנועה
islander *n.* תושב אי
island-hop *v.* לקפוץ מאי לאי
isle (īl) *n.* אי
is′let (ī′l-) *n.* איון, אי קטן
ism (iz′əm) *n.* איזם, תורה
isn't = is not (iz′ənt)
i′so- (תחילית) שווה, באותו שיעור
i′sobar′ *n.* איזובר, קו לחץ אוויר שווה
i′sogon′ic *adj.* שווה-זוויות
i′solate′ *v.* לבודד
isolated *adj.* מבודד, מנותק; יחידי
i′sola′tion *n.* בידוד
isolationism *n.* בדלנות
isolationist *n.* בדלן
i′somet′ric *adj.* של אותה מידה
i′somet′rics *n-pl.* אימון שרירים
i•sos′celes′ (-lēz) *adj.* (משולש) שווה-שוקיים
i′sotherm′ *n.* איזותרם (במפה)
i′sotope′ *n.* איזוטופ
Is′rael (iz′riəl) *n.* ישראל
Israe′li (izrā′li) *adj.* ישראלי
Is′raelite′ (iz′riəl-) *adj.* מבני ישראל

is′sue (ish′ōō) *n.* יציאה, זרימה; הוצאה, הנפקה; הפצה, חלוקה; נושא, בעיה; תוצאה; מחלוקת; פלוגתא
- die without issue למות חשוך-בנים
- issue of blood זיבת דם
- join/take issue with לחלוק על
- make an issue of לעשות עניין מ-
- point at issue הנושא השנוי במחלוקת, הסוגיה העומדת על הפרק
- today's issue גליון היום (עיתון)
issue *v.* לצאת; להוציא, להנפיק; לנפק; לחלק; להפיץ
- issue from לזרום מ-; לנבוע מ-
isth′mus (is′m-) *n.* מיצר, רצועת יבשה (המאחדת שתי יבשות)
it *pron.* זה, זאת, הוא, היא; את זה, אותו
- go it! קדימה!
- if it weren't לולא, אלמלא
- it's a pity that חבל ש-
- it's he who הוא הוא (ולא אחר)
- it's hot חם, חם היום
- it's me זה אני
- it's raining יורד גשם
- it's said that אומרים ש-
- that's it! זהו זה! זהו!
it *n.* *אדם חשוב, אישיות
Ital′ian *adj&n.* איטלקי; איטלקית
ital′ic *n.* כתב קורסיב (משופע)
- italics אותיות קורסיב, אותיות מוטות
ital′icize′ *v.* להדפיס בקורסיב
It′aly *n.* איטליה
itch *n.* גירוי, עקצוץ; תשוקה, תאווה
itch *v.* לחוש עקצוץ; לגרות; "לגרד"
- an itching palm רודף בצע
- be itching for/to *להשתוקק ל-
itch′y *adj.* מגרה, מעקצץ, מגרד
- itchy feet נטייה לטייל
it'd = it had, it would (it′əd)
i′tem *n.* פריט, פרט
- news items ידיעות, חדשות
item *adv.* וכמו כן (ברשימת פריטים)
i′temize′ *v.* לפרט (ברשימה)
it′erate′ *v.* לחזור על, לומר שוב
it′era′tion *n.* חזרה
i·tin′erant *adj.* נוסע ממקום למקום, נודד
i·tin′erar′y (-reri) *n.* מסלול (של טיול)
i·tin′erate′ *v.* לנסוע ממקום למקום
it'll = it will, it shall (it′əl)
its *adj.* שלו, שלה
it's = it is, it has (its)
itself′ *pron.* (את) עצמו
- by itself בעצמו, לבדו
- in itself כשהוא לעצמו, בפני עצמו
it′sy-bit′sy *adj.* *זעיר, קטנטן
IUD = intra-uterine device התקן תוך-רחמי
I've = I have (īv)
IVF הפרייה חוץ-גופית, הפריית מבחנה
i′vied (-vid) *adj.* מכוסה קיסוס
i′vory *n.* שנהב
- ivories קלידי הפסנתר, מקלדת
Ivory Coast חוף השנהב
ivory tower מגדל השן, התבודדות
i′vy *n.* קיסוס
Ivy League אוניברסיטאות (בארה"ב)

J

jab להכות, לתקוע, לנעוץ; להיתקע
- jab out להוציא, לדחוק במכה
jab *n.* מכה; דקירה; *זריקה, חיסון
jab′ber *v.* לפטפט, למלמל, לקשקש
jabber *n.* פטפוט, מלמול, קשקוש
jabberer *n.* פטפטן
jab′berwoc′ky *n.* דברי שטות, נאום קומי
jabot′ (zhəbō′) *n.* קישוט מלמלה (על צווארון החולצה)
jack *n.* מַגְבֵּהַ, מנוף; דגל ספינה; כדורון לבן (בכדורת)
jack *v.* להרים במגבה, להניף
- jack in/up *לנטוש, לוותר על
- jack up להעלות (מחיר), לייקר
jack *n.* (בקלפים) נסיך, נער; *ברנש
- before he can say Jack Robinson כהרף-עין, תוך-כדי-דיבור
- every man jack כולם, כל אחד ואחד
jack′al *n.* תַּן
jack′anapes′ (-nāps) *n.* גאוותן; שובב
jack′ass′ *n.* טיפש; חמור (זכר)
jack-boot *n.* מגף (גבוה)
jack′daw′ *n.* קָאָק (עורב)
jack′et *n.* מותנייה, ז'קט, מעיל קצר; קליפת התפוד; עטיפה
- dust his jacket להלקותו
jacket potato תפו"א אפוי עם הקליפה
Jack Frost "מר כפור", קור
jackhammer *n.* פטיש אוויר נייד
Jack in office פקיד "מתנפח"
Jack-in-the-box קופסת צעצוע (שמתוכה קופצת בובה)
jack-knife *n.* אולר גדול; קפיצת אולר (ממקפצה, בקיפול הגוף ומיתוחו)
jack-knife *v.* להתקפל (כאולר)
jack-of-all-trades כל יכול
jack-o'-lan′tern (-kəl-) *n.* נר נתון בדלעת חלולה; אור מתעתע (בביצות)
jack plane מקצועה (להקצעה גסה)
jack plug תקע חד פיני
jackpot *n.* קופה מצטברת (בקלפים)
- hit the jackpot לנחול הצלחה רבה
jack-rabbit *n.* ארנב גדול
Jack the Lad *בטוח בעצמו, נמהר
Jac′obe′an *adj.* מתקופת ג'יימס הראשון
Jac′obin *n&adj.* יעקוביני; מהפכן
jacu′zzi *n.* ג'קוזי, אמבט עיסוי
jade *n&v.* סוס בלה/עייף; *אישה; מין אבן טובה (ירוקה); לעייף; להתיש
jaded *adj.* עייף, תשוש
Jaf′fa *n.* יפו; תפוז יפו
jag *n.* בליטה, זיז; קרע
jag *v.* לשנן, לחרץ; לעשות זיזים
jag *n.* *תקופת התהוללות
jag′ged *adj.* משונן, מלא זיזים
jag′uar (-gwär) *n.* יגואר (חיה)
jail *n&v.* כלא, בית-סוהר; לכלוא
jail-bird *n.* אסיר (שישב הרבה)
jailbreak *n.* בריחה מהכלא

jail'or, jail'er *n.* סוהר
jalop'y *n.* *מכונית ישנה, גרוטה
jam *v.* למלא, לדחוס; להידחס; לדחוק; להידחק; ללחוץ; להיעצר, להיתקע
- jam a station להפריע לשידורים
- jam on the brakes ללחוץ לפתע על הבלמים
jam *n.* דוחק; צפיפות; מעצור, תקלה
- get into a jam להיקלע למצב ביש
- traffic jam פקק תנועה
jam *n.* ריבה, מימרחת, מירקחת
- money for jam משהו תמורת כלום
Jamai'ca *n.* ג'מייקה
jamb (jam) *n.* מזוזה
jam'boree' *n.* ג'מבורי; מסיבה עליזה
jam jar צנצנת ריבה; *מכונית
jam-jar, jam-pot *n.* צנצנת ריבה
jam'my *adj.* *בר מזל; קל
jam-packed *adj.* *דחוס, צפוף
jam session קונצרט ג'אז מאולתר
Jan = January
jan'gle *v&n.* לריב בקול; להשמיע צליל צורמני/מתכתי; צליל מתכתי
jan'itor *n.* שוער, שומר; חצרן, שרת
Jan'u·ar'y (-nūeri) *n.* ינואר
Ja'nus *n.* יאנוס (אל דו-פרצופי)
Japan' *n.* יפן
japan *v.* לצפות באמייל שחור
Jap'anese' (-z) *n.* יפני; יפנית
japan ware כלי אמייל (כנ"ל)
jape *n.* בדיחה
jar *n.* צנצנת, כד, קנקן, פך, פכית; זעזוע; קול צורם, חריקה
- on the jar פתוח למחצה
jar *v.* לזעזע; לצרום, לא להלום
- jar on him לעצבנו, למרוט עצביו
jarful *n.* מלוא הצנצנת
jar'gon *n.* ז'רגון; שפה מקצועית
jarring *adj.* צורם, מתנגש
jas'mine (jaz'min) *n.* יסמין (שיח-בר)
jas'per *n.* ישפה (אבן טובה)
jaun'dice (-dis) *n.* צהבת (מחלה)
jaun'diced (-dist) *adj.* חולה צהבת
- a jaundiced eye/view קנאה, צרות עין, חשדנות
jaunt *v&n.* (לערוך) טיול קצר
jaunting car כרכרה קלה
jaun'ty *adj.* שופע עליזות, מפגין שביעות רצון עצמית
jav'elin *n.* כידון (להטלה)
jaw *n.* לסת; סנטר; פטפוט, דברנות
- his jaw dropped *פער פיו, נדהם
- hold your jaw! בלום פיך!
- jaws מלחציים; פתח (של קניון)
- jaws of death מלתעות המוות
jaw *v.* לפטפט, להטיף מוסר
jaw-bone *n.* עצם הלסת
jaw-breaker *n.* *שוברת שיניים (מלה שקשה לבטאה), ממתק קשה
jay *n.* עורב; פטפטן
jay-walk *n.* לחצות כביש שלא כחוק
jazz *n&v.* (לנגן בסגנון) ג'ז
- jazz up להפיח רוח חיים ב-
jazzy *adj.* *של ג'ז; מרשים, צעקני
jeal'ous (jel'-) *adj.* מקנא, קנאי
- jealous God אל קנוא
- jealous of one's rights מקנא לזכויותיו, מקפיד על זכויותיו
jealousy *n.* קנאה
jean *adj.* של אריג ג'ינס
- jeans מכנסי ג'ינס
jeep *n.* ג'יפ
jeepers (creepers) וואו! (קריאה)
jeer *v&n.* ללעוג, ללגלג; לגלוג
Je·ho'vah (-və) *n.* ה', שם הוויה
je·june' (-jōōn') *adj.* דל, יבש, לא מעניין; ילדותי
jell *v.* להקריש; להתגבש (רעיון)
jellied *adj.* קרוש, קפוא
jell'o *n.* מיקפא, קריש, ג'לי
jel'ly *n.* מיקפא, קריש, ג'לי
jelly bean סוכריית ג'לי
jelly-fish *n.* מדוזה
jelly roll עוגת רולדה
jem'my = jimmy מוט-פריצה
je ne sais quoi דבר שקשה לתארו (צרפתית)
jen'ny, spinning jenny *n.* מטווייה
jeop'ardize' (jep'-) *v.* לסכן
jeop'ardy (jep'-) *n.* סכנה
jerbo'a *n.* ירבוע (מכרסם)
jer'emi'ad *n.* קינה
Jer'icho' (-kō) *n.* יריחו
jerk *v.* למשוך/לדחוף בתנופה; לרטוט; להזדעזע; לנוע בטלטולים
- jerk out לשלוף בתנופה; לפלוט
jerk *n.* משיכת פתע; היזרקות; טלטול, זעזוע; *טיפש
- physical jerks *התעמלות
jerk *v.* לשמר בשר (ע"י ייבוש)
jer'kin *n.* מעיל קצר, מותנייה
jerky *adj.* מטלטל, מזדעזע; *טיפש
jer'ry *n.* *חייל גרמני; *עביט
jerry-build *v.* לבנות מהר ובצורה גרועה (בחומרים זולים)
jerry-built *adj.* בנוי כנ"ל
jerrycan *n.* ג'ריקן, קיבולית, דן
jer'sey (-zi) *n.* אפודת צמר; ג'רסי
Jeru'salem *n.* ירושלים
jest *n&v.* בדיחה; להתלוצץ
- in jest בצחוק, לא ברצינות
- jest with להקל ראש כנגד-
jester *n.* ליצן; ליצן החצר
jesting *adj.* מצחיק; נאמר בצחוק
Jes'u·it (jez'ōōit) *n.* ישועי; צבוע, מאמין שכל האמצעים כשרים
Jes'u·it'ical (-zōō-) *adj.* ערמומי
Je'sus (-zəs) *n.* ישו
jet *n.* סילון; פתח (ליציאת הגאז)
jet *v.* לטוס במטוס סילון; לקלוח, לפרוץ; לשטוף בזרם
jet *n.* מין מינרל שחור
jet aircraft/plane מטוס סילון
jet-black *adj.* שחור כוזפת
jet engine מנוע סילון
jet lag עייפות מטיסה
jetliner *n.* מטוס סילוני
jet-propelled *adj.* מונע במנוע סילון
jet'sam *n.* מטען ספינה שהושלך לים
jet set חוגי העשירים (הטסים במטוסי סילון)
jet'tison *v.* להשליך; לנטוש

jet′ty *n.* מזח, רציף
Jew (jōō) *n.* יהודי
jew′el (jōō′-) *n.* תכשיט, אבן טובה
jeweled *adj.* משובץ באבנים טובות
jeweler *n.* תכשיטן, מוכר תכשיטים
jewelry, jewellery (jōō′əlri) *n.* תכשיטים
Jew′ess (jōō′is) *n.* יהודיה
Jewish *adj&n.* יהודי; אידיש
Jew′ry (joo′əri) *n.* יהודים; יהדות
Jez′ebel *n.* איזבל; מרשעת
jib *n.* מפרש קטן; זרוע העגורן
- cut of one's jib סגנונו, הופעתו
jib *v.* לעצור לפתע, לסרב להתקדם
- jib at להירתע מ-; לגלות אי רצון
jibe *v.* ללגלג
jif′fy *n.* *רגע
- in a jiffy *מיד, בן-רגע
jig *n.* ג׳יג (ריקוד מהיר)
- the jig is up המישחק נגמר
jig *v.* לרקוד ג׳יג; לנענע מעלה ומטה; לפזז, לכרכר, לדלג
jig′ger *n.* חרק טפילי; כוסית (מידת הלח למשקאות)
jig′gered (-gərd) *adj.* *עייף, סחוט
- I'm jiggered! אני המום/נדהם
jig′gery-po′kery *n.* *הוקוס-פוקוס
jig′gle *v.* לנענע/להתנועע במהירות
jiggle *n.* נענוע, נדנוד
jig′saw′ *n.* מסורית מכנית
jigsaw puzzle מישחק הרכבה, פאזל
jihad′ *n.* ג׳יהאד, מלחמת קודש
jilt *v.* לנטוש; לסרב להינשא ל-
Jim Crow *כושי
jim′iny *interj.* ג׳ימיני (קריאת הפתעה)
jim′jams *n-pl.* מתח, חרדה, עצבנות
- get the jimjams להיות מתוח/עצבני
jim′my *n.* מוט ברזל (לפריצה)
jin′gle *n&v.* נקישה, צלצול; שיר, חרוזים, ג׳ינגל; לצלצל, לקשקש
jin′go *n.* לאומני, קנאי קיצוני
- by jingo! חי נפשי! (קריאה)
jingoism *n.* לאומנות
jin′go·is′tic *adj.* לאומני
jink *v.* להתחמק, לזוז הצידה
jinks, high jinks התהוללות
jinn, jin′ni *n.* רוח, שד
jinx *n.* מביא מזל רע; קללה
jit′ney *n.* *מונית
jit′ter *v.* לרעוד, לפעול בחרדה
jitterbug *n.* עצבני, פקעת עצבים
jit′ters *n-pl.* מתח, חרדה, עצבנות
- give the jitters להפחיד, להבהיל
jit′tery *adj.* עצבני, מתוח, פוחד
jiujitsu = jujitsu ג׳יאוג׳יטסו
jive *n.* ג׳ייב (מין ג׳ז); *שטויות
job *n.* עבודה, ג׳וב, משרה; משימה קשה; *פשע; דבר, עבודה; מוצר
- a job lot אוסף חפצים, חבילה
- a job of work *עבודה כראוי
- do a job on *להרוס, לקלקל
- fall down on the job *לעשות מלאכה גרועה
- give him up as a bad job להתייאש ממנו, להחליט שאין לו תקנה
- it's a good job (that) טוב ש-
- jobs for the boys עבודה לאנ״ש
- just the job *בדיוק מה שצריך
- lie down on the job *להתבטל, להזניח תפקידו
- make the best of a bad job לעשות ככל האפשר חרף התנאים
- odd jobs עבודות שונות/מגוונות
- odd-job man מתפרנס מעבודות שונות
- on the job *עובד, בפעולה; עובד קשה
- out of a job מובטל
- pay by the job לשלם בקבלנות
- pull a job *לבצע שוד
job *v.* לעשות עבודות שונות; לעבוד כסוכן בורסה; לנצל מעמדו
Job (jōb) *n.* איוב
- Job's comforter בא לעודד ונמצא מדכדך
job′ber *n.* סוכן בורסה; סיטונאי
jobbery *n.* שחיתות, פרוטקציוניזם
jobbing *adj.* מקבל עבודות קבלנות
job-hunt *v.* לחפש תעסוקה
jobless *adj.* מובטל, מחוסר עבודה
job sharing חלוקת העבודה
jobs′worth (-z-) *n.* *פקיד קטנוני וקפדן
jock *n.* *סקוטי; רוכב על סוס; מגיש תקליטים, די ג׳יי; מגן אשכים
jock′ey *n.* רַוָּץ, רוכב על סוס
jockey *v.* להונות, להשיג במרמה
- jockey for position להידחק קדימה, לתמרן כדי לזכות בעמדה
jockey club מועדון מירוצי הסוסים
jockstrap *n.* מגן אשכים; *חסון
jo·cose′ *adj.* עליז, מצחיק, מבדח
jo·cos′ity *n.* עליזות, צחוק
joc′u·lar *adj.* מבדח, מצחיק
joc′u·lar′ity *n.* התבדחות
joc′und *adj.* עליז
jocun′dity *n.* עליזות; התבדחות
jodh′purs (jod′pərz) *n-pl.* מכנסי רכיבה
Joe Doakes האזרח הממוצע
jog *v.* לדחוף קלילות; לטפוח; לנענע; להיטלטל; לרוץ באיטיות
- jog his memory להזכיר לו
- jog on/along להתקדם בכבדות
jog *n.* דחיפה קלה; טלטול; ריצה קלה
jogger *n.* רץ ג׳וגינג
jogging *n.* ג׳וגינג, ריצה קלה
jog′gle *v.* לנענע; להתנועע
joggle *n.* נענוע קל; תנועה קלה
jog trot ריצה קלה, צעידה איטית
john (jon) *n.* *בית שימוש; מבקר אצל זונה
John Bull אנגליה; אנגלי טיפוסי
John Doe פלוני, אדם טיפוסי
John Hancock, John Henry חתימת-יד
john′ny (joni) *n.* *חבר, ברנש
Johnny-come-lately פנים חדשות
Johnny-on-the-spot נמצא במקום, מוכן לעזור, ישנו כאשר זקוקים לו
joie de vivre (zhwä′dəvē′vrə) חדוות החיים
join *v.* לחבר, לקשור, לצרף, לאחד; להתחבר; להצטרף אל
- join battle להתחיל בקרב
- join forces להתאחד לפעולה משותפת

- join hands לעשות יד אחת; לשלב ידיים
- join in (with) להצטרף, להשתתף ב-
- join the army, join up להתגייס
- join together/up לחבר, לאחד
join *n.* מקום החיבור
join'der *n.* איחוד, צירוף, חיבור
join'er *n.* נגר בניין
joinery *n.* נגרות בניין
joint *n.* חיבור; מקום החיבור; מיפרק; חוליה; נתח בשר; *מאורת קלפים; סיגריית חשיש
- joint and several ביחד ולחוד
- jointly and severally ביחד ולחוד
- out of joint נקוע, שהרג ממקומו
- put his nose out of joint לדחוק את רגליו, לנפץ תוכניותיו, להביכו
joint *adj.* משותף
- during their joint lives בעודם בחיים
joint *v.* לחבר במיפרקים; להתקין מיפרקים; לחלק (בשר) לנתחים
joint account חשבון בנק משותף
jointed *adj.* בעל מיפרקים
joint liability אחריות משותפת
joint-stock company חברת מניות
join'ture *n.* קיצבת אלמנה, נכסים שנקבעו לאישה לימי אלמנותה
joist *v.* קורה (התומכת ברצפה)
jojoba (həhō'bə) *n.* חוחובה (צמח תמרוקים)
joke *n&v.* בדיחה; להתבדח, לחמוד לצון
- a practical joke מעשה קונדס
- can't take a joke לא סובל מתיחה
- cap a joke לספר בדיחה יותר טובה
- crack a joke *לספר בדיחה
- have a joke with לספר בדיחה ל-
- it goes beyond a joke זה חורג מגדר הבדיחה, הדבר הופך לרציני
- it's no joke זה לא צחוק, זה רציני
- joking apart/aside *צחוק בצד
- make a joke about להתלוצץ על
- play a joke on "לסדר" אותו, לצחוק על חשבונו, להפכו לקורבן מתיחה
jo'ker *n.* ליצן, לץ; ג'וקר
- joker in the pack גורם בלתי צפוי
jokingly *adv.* בצחוק, לא ברצינות
jol'lifica'tion *n.* עליזות, שמחה
jol'lity *n.* עליזות, שמחה
jol'ly *adj.* עליז, שמח; נעים; *שתוי
jolly *adv.* *מאוד, "נורא"
- jolly good fellow בחור כארז
- jolly well *בהחלט (ביטוי חיזוק)
jolly *v.* *לשמח; לשדלו לשתף פעולה
- jolly along לרומם רוחו
jolly boat סירה קטנה (של אונייה)
Jolly Roger דגל שודדי-ים
jolt (jōlt) *v.* לטלטל, לנענע, להקפיץ, לזעזע; להתנועע
jolt *n.* טלטול, נענוע; דחיפה
jolty *adj.* מטלטל; מתנועע
Jo'nah (-nə) *n.* יונה, מביא מזל רע
Jones, keep up with the Joneses לא לפגר אחרי השכן, להיות אופנתי
jon'quil *n.* נרקיס
Jor'dan *n.* ירדן; הירדן
Jor·da'nian *n&adj.* ירדני

jo'rum *n.* גביע (גדול)
josh *v.* לצחוק, להתלוצץ על
joss *n.* יוס, אליל סיני
jos'ser *n.* *טיפש; ברנש, טיפוס
joss-stick *n.* מקל קטורת
jos'tle (-səl) *v.* לדחוף; להידחק
jot *n&v.* שמץ, כמות זעומה
- jot down לרשום בקצרה, לשרבט הערות
- not a jot of truth אין שמץ אמת
jot'ter *n.* פנקס (לרישום הערות)
jot'tings *n-pl.* הערות קצרות (כנ"ל)
jounce *v&n.* לטלטל; טילטול
jour'nal (jûr'-) *n.* עיתון; יומן
jour'nalese' (jûrnəlēz') *n.* סגנון העתונות; ניבים נדושים
jour'nalism' (jûr'-) *n.* עיתונאות
jour'nalist (jûr'-) *n.* עיתונַאי
jour'nalis'tic (jûr-) *adj.* עיתונָאי
jour'ney (jûr'-) *n.* נסיעה, טיול
- break one's journey לקטוע טיול
- make a journey לערוך טיול
- one's journey's end יעד המסע; המוות
journey *v.* לנסוע, לערוך טיול
journeyman *n.* בעל מקצוע שכיר
joust *v.* להיאבק, להתחרות, להתנגח
Jove, by Jove! חי יופיטר!
jo'vial *adj.* עליז, מלא שמחה
jo'vial'ity *n.* עליזות, שמחה
jowl *n.* לסת; בשר הלחי, פימה
- heavy-jowled כבד לסת; בעל פימה
joy *n.* שמחה, עליזות; *הצלחה
- for joy מרוב שמחה, בגלל השמחה
joy *v.* לשמוח
joyful *adj.* שמח, עליז; משמח
joyless *adj.* חסר שמחה, עצוב
joy'ous *adj.* שמח, עליז; משמח
joy-ride *n.* *נסיעת-השתוללות, חרקה
joy-stick *n.* ידית הניווט
JP = justice of the peace
jr = junior
ju'bilant *adj.* צוהל, של צהלה, שמח
ju'bilate' *v.* לשמוח
ju'bila'tion *n.* צהלה, שמחה
ju'bilee' *n.* יובל, חגיגת יובל
- diamond jubilee יובל היהלום, 60 שנה
- golden jubilee יובל הזהב, 50 שנה
- silver jubilee יובל הכסף, 25 שנה
Ju·da'ic (jo͞o-) *adj.* יהודי
Ju'da·ism' *n.* יהדות; דת היהודים
Ju'das *n.* יהודה איש קריות, בוגד
jud'der *v.* לרעוד, להזדעזע
Ju·de'a (jo͞o-) *n.* יהודה
Ju·de'an (jo͞o-) *adj.* של יהודה
judge (juj) *n.* שופט; מבין, מומחה
- district court judge שופט בית משפט מחוזי
- no judge of art לא מבין באמנות
judge *v.* לשפוט, לשמש שופט; לפסוק; לחשוב, להעריך
- judge of להעריך, לגבש דיעה על
- judging from המסקנה הנובעת מ-
Judge Advocate General פרקליט צבאי ראשי
judgement *n.* משפט, דין; פסק-דין; שיפוט, שיקול דעת; דיעה
- a judgement on him! עונש משמיים!

- against my better judgement בניגוד לתחושתי שלי
- arrest of judgement עיכוב פסק דין
- form a judgement לגבש דיעה
- in my judgement לפי דעתי
- last judgement יום הדין
- pass judgement להוציא פסק דין
- sit in judgement לשבת בדין

judgemen'tal (jujmen'-) *adj.* שיפוטי

Judgement Day יום הדין

judgement seat כס המשפט

judgment = judgement

ju'dicato'ry *adj&n.* משפטי; בית-דין

ju'dica'ture *n.* מינהל משפטי, סמכות משפטית; שופטים

ju·di'cial (jōōdish'əl) *adj.* משפטי; שיפוטי; של שופט; ביקרתי, בלי משוא פנים

judicial notice ידיעה שיפוטית, דבר ידוע

judicial proceedings הליכים

judicial review ביקורת שיפוטית (על חוק)

ju·di'ciar'y (jōōdish'ieri) *n.* המערכת המישפטית

ju·di'cious (jōōdish'əs) *n.* נבון

ju'do *n.* ג'ודו

ju'do·ist *n.* לוחם ג'ודו

jug *n.* כד; *בית סוהר, חד גדיא

jug *v.* לבשל בכד; *לאסור, לכלוא

jug-eared *adj.* בעל אוזניים בולטות

jugful *n.* מלוא הכד

Jug'gernaut' *n.* מפלצת דורסנית; אמונה התובעת קורבנות; *משאית ענקית

jug'gle *v.* ללהטט (בזריקת כדורים), לאחז עיניים; לרמות, לזייף, לטפל ב-

- juggle ideas להשתעשע ברעיונות

juggler *n.* להטוטן, מאחז עיניים

jug'u·lar *adj.* של הצוואר

jugular vein וריד הצוואר

jug'u·late *v.* לספף הגרון; לעצור (מחלה)

juice (jōōs) *n.* מיץ; עסיס; *מקור כוח, דלק, חשמל

- digestive juices מיצי עיכול

juice *v.* להוציא מיץ מ-, לסחוט

- juice up *להפיח רוח חיים ב-

juice dealer מלווה בריבית קצוצה, איש העולם התחתון

juic'y (jōō'si) *adj.* עסיסי, מכיל מיץ; מעניין, מלא רכילות; מכניס כסף, "שמן"

ju·jit'su (jōōjit'sōō) *n.* ג'יאו-ג'יטסו

ju-ju (jōō'jōō) *n.* קמיע, קסם, כוח הקמיע

ju'jube' *n.* שיזף; מין ממתק

juke-box *n.* אוטומט-תקליטים, מקול אוטומטי (המופעל במטבע)

Jul. = July

ju'lep *n.* משקה מנתה

Ju'lian *adj.* יוליאני (לוח)

julienne (jōōlien') *n.* רצועות ירקות (מאכל)

Ju·ly' (joo-) *n.* יולי

jum'ble *v&n.* לערבב; להתערבב; בלבול

jumble sale מכירת חפצים משומשים (שהכנסתה קודש לצדקה)

jum'bo *adj.* ענק, גדול מהרגיל

jumbo jet מטוס ג'מבו

jump *v.* לקפוץ; להקפיץ; לדלג מעל

- jump a claim לתפוס שטח בכוח
- jump a train לנסוע ברכבת באופן לא חוקי/מבלי לשלם
- jump at לקפוץ על, "לחטוף" (הצעה)
- jump bail לברוח אחרי מתן הערבות
- jump down his throat לשסע אותו בחריפות, לנזוף בו קשות
- jump out of one's skin להיחרד, להידהם
- jump ship *לערוק מאנייה
- jump the gun לזנק מוקדם מדי
- jump the queue לקפוץ לראש התור
- jump the rails/track לרדת מהפסים
- jump through a hoop *ללכת באש ובמים
- jump to conclusions להיחפז להסיק
- jump to it למהר, להזדרז
- jump upon/on לגעור, לנזוף, להתקיף

jump *n.* קפיצה, זינוק; חלחלה

- get the jump on לזכות ביתרון על
- give him a jump להפחיד, להחריד
- high/long jump קפיצת גובה/רוחק
- jumps עוויתות, רטט עצבנות
- on the jump *בתנועה; ממהר
- one jump ahead בשלב אחד לפניו

jump ball (בכדורסל) כדור ביניים

jumped-up *adj.* מנופח, עלה לגדולה

jumper *n.* קופץ, קפצן; אפודה, סוודר

jumper cables כבלי התנעה

jumping jack צעצוע זיקוקין, בובת אדם קטנה

jumping-off place נקודת זינוק; סוף העולם, מעבר להרי חושך

jump jet מטוס הממריא אנכית

jump leads כבלי התנעה

jump seat כיסא מתקפל במכונית

jump start התנעה בכבל

jumpsuit *n.* סרבל

jump'y *adj.* עצבני, מתוח

Jun. = June

junc'tion *n.* חיבור, מפגש, צומת, מיצמת

junction box קופסת-צומת (לחשמל)

junc'ture *n.* חיבור; צומת

- at this juncture במצב זה, בשעה זו

June *n.* יוני

jun'gle *n.* ג'ונגל, יער; סבך

- law of the jungle חוק הג'ונגל, כל דאלים גבר

jungle gym מיתקן מישחקים (לילדים)

ju'nior *n&adj.* צעיר; זוטר; קטן; הצעיר, הבן; תלמיד שנה ג'

junior college מכללת צעירים (לשנתיים)

junior high school חטיבת ביניים

ju'niper *n.* ערער (שיח, עץ)

junk *n.* מפרשית סינית; גרוטאות; פסולת, זבל; *הרואין

junk bond אג"ח גבוהות תשואה; אג"ח זבל

jun'ket *n.* לֶבֶּן ממותק; נסיעה, טיול

jun'keting *n.* עריכת מסיבה; פיקניק

junk food אוכל דל-תזונה, ג'אנק פוד

junk mail דואר שאין לו דורש; חומר

פרסומת; דואר זבל
junk'y, junk'ie *n.* מכור לסמים, נרקומן
junkyard *n.* מגרש גרוטאות
Ju'no·esque' (-esk') *adj.* יפה, חטובה (כאלילה יונו)
jun'ta *n.* חונטה; מועצה, ממשלה צבאית
jun'to *n.* גוף פוליטי (חשאי), כת
Ju'piter *n.* יופיטר, צדק
ju'ral *adj.* של חוק, חוקי
Ju·ras'sic *adj.* מתקופת היורה
ju'rat' (joor-) *n.* פקיד, שופט; נספח לתצהיר
ju·rid'ical (joor-) *adj.* יורידי, משפטי
ju'risdic'tion *n.* סמכות חוקית, סמכות משפטית, תחום שיפוט; שיפוט
ju'rispru'dence *n.* מדע המשפט
ju'rispru'dent *n.* משפטן
ju'rist *n.* משפטן, יוריסט
ju'ror *n.* חבר בחבר-מושבעים
ju'ry *n.* חבר מושבעים; צוות שופטים
- the jury of public opinion הציבור כשופט, דעת הקהל
jury box תא המושבעים
juryman *n.* חבר בחבר המושבעים
jury mast תורן ארעי
just *adj.* צודק, הוגן; צדיק; מתאים, הולם, ראה; מדויק
just *adv.* בדיוק, ממש, פשוט; זה עתה; אך ורק; בקושי, כמעט; *אנא, בבקשה
- I should just think כמובן ש-
- I'm just going אני כבר הולך/זז
- he just managed בקושי הצליח ל-
- just a moment *רק רגע!
- just about כמעט, בערך; כמעט שלא
- just as ממש כפי, ממש כש-
- just as well באותה מידה
- just in case על כל מיקרה
- just look! *רק תראה! ראה-נא!
- just my luck! אין לי מזלי!
- just now זה עתה, עכשיו
- just so בדיוק כך; מסודר בדייקנות
- just the same אעפ"י כן
- just the thing! לזאת התכוונתי!
- only just בקושי, כמעט שלא
jus'tice (-tis) *n.* צדק, יושר; שופט; שופט בימ"ש עליון
- bring to justice להביא לדין, לדון
- court of justice בית משפט
- do justice to להיות הוגן כלפי-; לעשות כראוי; לזלול
- do oneself justice לעשות צדק עם עצמו, להפגין יכולתו האמיתית
- in justice to מתוך הגינות כלפי
Justice of the Peace שופט שלום
justiceship *n.* שופטות, כהונת שופט
jus·tic'iable (-tish'əbəl) *adj.* שפיט
jus·ti'ciar'y (-tish'iery) *n.* שופט
jus'tifi'able *adj.* מוצדק
jus'tifica'tion *n.* הצדקה
jus'tify' *v.* להצדיק; לתאם, להזיז (שורת דפוס)
justly *adv.* בצדק, בהגינות
jut *v.* לבלוט
jute *n.* יוטה (לייצור בד-יוטה)
ju'venes'cence *n.* חידוש נעורים, הצערה
ju'venes'cent *adj.* מחדש נעוריו
ju'venile' *adj&n.* צעיר; ל-/של נערים
juvenile delinquent עבריין צעיר
juvenile diabetes סוכרת נעורים
ju'venil'ity *n.* נערות, נעורים
jux'tapose' (-z) *v.* לשים זה בצד זה
jux'taposi'tion (-zi-) *n.* הנחת זה ליד זה; סמיכות

K

k = kilogram
kab'ala *n.* קבלה
kad'dish (kä'-) *n.* קדיש
kaf'fir (-fər) *n.* קאפיר, כושי
kaf'tan' *n.* גלימה; שמלה ארוכה
kail, kale *n.* זן של כרוב
Kai'ser (kī'zər) *n.* קיסר (בגרמניה)
Kalash'nikov' (-kof) *n.* קלצ'ניקוב (רובה)
kalei'doscope' (-lī'-) *n.* קליידוסקופ
kalei'doscop'ic (-lī-) *adj.* קליידוסקופי, ססגוני
kalends = calends
kam'ika'ze (-kä'zi) *n.* קמיקזי, מתאבד
kan'garoo' *n.* קנגורו
kangaroo court בית דין מהיר (לא חוקי)
ka'olin *n.* קאולין, טין לבן
ka'pok' *n.* קפוק (חומר למילוי כרים וכ')
kaput' (-poot') *adj.* *אבוד, מחוסל
kara'te (-rä'ti) *n.* קראטה
kar'ma *n.* קרמה, גורל, ייעוד
kay'ak' (kī'-) *n.* קאיאק (סירה קלה)
kay'o' *n.* נוקאאוט
Kazakh'stan' (-zak-) *n.* קזחסטן
kazoo' *n.* קאזו (כלי נגינה)
KB קילובייט, אלף בתים
KC = King's Counsel
kebab', kebob' *n.* קבאב
kedg'eree' *n.* קג'רי (אורז ודגים)
keel *n.* שדרית הספינה, קרין
- lay down a keel להתחיל בבניית ספינה
- on an even keel יציב, בלי זעזועים
keel *v.* להטות (ספינה) על צידה
- keel over להתהפך; ליפול; להתעלף
keelhaul *v.* לגעור, לנזוף ב-; (בעבר) לגרור אדם מתחת לשדרית
keen *adj.* חד; חריף; נלהב, להוט, משתוקק; ער, פעיל
- be keen on *להשתוקק, "למות" על
- keen competition התחרות מרה
- keen frost קור עז
- keen sorrow צער עמוק
keen *n&v.* קינה; לקונן
keen-sighted *adj.* חד-עין
keep *v.* להחזיק; לשמור; לקיים; לפרנס; לנהל; להישאר, להיות, להמשיך
- I'm keeping well אני בסדר/בריא
- keep (to the) right לנוע בימין הדרך
- keep a fire in לדאוג שהאש לא תכבה
- keep a fire under לאתר שריפה
- keep a gardener להעסיק גנן
- keep a secret לשמור סוד

- keep a shop לנהל/להיות בעל חנות
- keep accounts/books לנהל חשבונות
- keep after לשנן, לחזור ולומר
- keep an eye on להשגיח, לפקוח עין
- keep at it להתמיד בכך
- keep away להתרחק, להרחיק מ-
- keep back לעצור (התקדמות); לדכא, לרסן; להסתיר
- keep down לדכא; להכניע, לרסן
- keep down the food להתאפק מלהקיא
- keep from למנוע/להימנע מ-; להסתיר
- keep going להמשיך, להחזיק מעמד
- keep hens לגדל עופות, לנהל לול
- keep him going לעזור לו
- keep him in לרתקו למקום (כעונש)
- keep him waiting לאלצו לחכות, לגרום שימתין
- keep in mind לזכור, לרשום לפניו
- keep in with להישאר ידידותי עם
- keep it back להסתיר; לשמור לעצמו
- keep it in לרסן, לעצור בעד
- keep off להתרחק; להרחיק; לא לקרות
- keep on להמשיך, להוסיף ולהחזיק ב-
- keep on at him לנדנד לו, להציק לו
- keep oneself to oneself להתבודד
- keep out להרחיק; למנוע חדירתו
- keep out of להתרחק מ-
- keep quiet! שתוק!
- keep to לקיים, לכבד (הסכם)
- keep to the subject לא לסטות מהנושא
- keep under לדכא, לרסן
- keep up להמשיך; להחזיקו בגובה/על רמה, למנוע נפילתו; להשאירו ער
- keep up with להתקדם באותו קצב
- keep warm להתלבש/להתכרבל היטב
- keep your shirt on! אל תתרגש!
- the meat won't keep הבשר יתקלקל
- the news will keep החדשות לא יתיישנו גם כעבור זמן

keep *n.* פרנסה, אחזקה, תמיכה; מצודה
- for keeps *לעולם, לתמיד
- not earn one's keep אינו שווה את ההוצאות עליו, יצא שכרו בהפסדו

keeper *n.* שומר; שוער; אפוטרופוס
keep-fit *n.* התעמלות, שמירת כושר
keeping *n.* שמירה, השגחה
- in keeping with עולה בקנה אחד עם
- in safe keeping שמור היטב
- out of keeping סותר, לא תואם

keep′sake′ *n.* מזכרת
keg *n.* חביונת, חבית קטנה
kelp *n.* מין אצת-ים
ken *n.* ידיעה, ידע; תחום הידיעות
- beyond one's ken מעבר לידע שלו

ken′nel *n.* מלונה; מוסד לכלבים
- kennels מוסד לכלבים

kennel *v.* להכניס (כלב) למלונה
Ken′ya *n.* קניה
kep′i *n.* כובע צבאי (צרפתי)
kept = p of keep
- a kept woman פילגש

kerb *n.* אבן-שפה, שפת המדרכה
kerb-crawling *n.* נסיעה ליד המדרכה, הטרדת נשים עוברות
kerbstone *n.* אבן-שפה
ker′chief (-chif) *n.* מטפחת-ראש

kerfuf′fle *n.* *מהומה, תכונה
ker′nel *n.* גרעין, זרע; עיקר
ker′osene′ *n.* נפט, קרוסין
ker′sey (-zi) *n.* קרסי (אריג צמר)
kes′trel *n.* בז (עוף דורס)
ketch *n.* מפרשית דו-תורנית
ketch′up *n.* קטשופ, רוטב עגבניות, מיתבל
ket′tle *n.* קומקום
- a pretty kettle of fish עסק ביש, תסבוכת, "דייסה"

kettledrum *n.* תוף הכיור, תונפן
key *n.* מפתח; קליד; מקש; סולם-קולות, טון, עוצמת ההבעה
- all in the same key מונוטונית
- in a minor key בטון מינורי, בעצב
- key man איש מפתח
- key position עמדת מפתח
- master key,skeleton key פותחת, מפתח-כל (הפותח מנעולים שונים)

key *v.* לכוון (כלי נגינה); להתאים; להקליד
- key up למתוח, להעלות המתח

key *n.* אי אלמוגים נמוך
keyboard *n.* מקלדת, מערכת מקשים
keyboard *v.* להקיש (על מקשים), להקליד
keyboarder *n.* קלדנית; פסנתרן
keyhole *n.* חור המנעול
keyhole surgery ניתוח מינימלי
key money דמי מפתח
keynote *n.* צליל ראשי, צליל בסיסי; רעיון מרכזי
keypad *n.* מקלדת זעירה
keypunch *n.* מנקבת
key-ring *n.* טבעת-מפתחות, מחזיק מפתחות
keystone *n.* אבן הראשה, אבן פינה
keystroke *n.* הקשה על מקש
keyword *n.* מילת מפתח
kg = kilogram
khak′i (kak′i) *n.* חאקי
khan (kän) *n.* שליט, חאן; פונדק
kHz קילוהרץ
kibbutz′ (-boots) *n.* קיבוץ
kib′itzer *n.* קיביצר, משקיף, צופה במשחק ונותן עצות
ki′bosh′,put the kibosh on לסכל, לנפץ (תקווה); לשים קץ ל-
kick *n.* בעיטה; *סיפוק, תענוג שבמתח; כוח, עוצמה, חוזק
- get more kicks than halfpence לזכות ביחס גס תחת תודה
- has no kick left נס ליחו
- kick in the teeth *סטירת לחי
- kicks *עילה לתלונה; תענוג, מתח

kick *v.* לבעוט; להרתיע (אגב ירייה); *להתאונן, לרטון
- kick about/around להסתובב, לטייל; להתגלגל בלי שיבחינו בו; להתייחס בגסות
- kick against/at למחות, להתמרמר
- kick in *לתרום חלקו
- kick it *להיגמל (מסמים)
- kick off לפתוח במשחק (כדורגל)
- kick one's heels לחכות שעה ארוכה

- kick oneself *להתחרט, לאכול עצמו
- kick out לגרש, "להעיף"
- kick the bucket *למות
- kick the habit *להיגמל (מסמים)
- kick up *לעשות צרות, להתקלקל
- kick up a fuss/row/stink לגרום למהומה רבה, לעורר שערוריה
- kick upstairs לבעוט (פקיד) למעלה
kick'back' *n.* *עמלה (בעד סיוע לעשיית רווחים), שוחד
kicker *n.* בעטן
kick-off *n.* בעיטת הפתיחה
kick'shaw' *n.* מעדן; צעצוע
kick-starter *n.* מתנע, דוושת התנעה
kid *n.* גדי; עור-גדי; *ילד; צעיר
- handle with kid gloves לטפל בכפפות משי
- kid-glove methods שיטות מקל-נועם
kid *v.* *לרמות, למתוח
- you're kidding! אתה מתלוצץ!
kid'die, kid'dy *n.* ילד
Kid'dush (-doosh) *n.* קידוש
kid'nap' *v.* לחטוף (אדם)
kidnapper *n.* חוטף
kid'ney *n.* כִּליָה; סוג, טבע, טמפרמנט
kidney bean שעועית
kidney machine כליה מלאכותית, מכשיר דיאליזה
kidskin *n.* עור-גדי
kids' stuff דבר פשוט, מישחק ילדים
kike *n.* *יהודי, יהודון
kill *v.* להרוג, להמית, לחסל; לנטרל, להחליש האפקט
- dressed to kill מרשים בלבושו, מגונדר
- kill a bill לסכל הצעת חוק
- kill off להרוג, לחסל, להיפטר מ-
- kill time להרוג את הזמן
- kill two birds with one stone להרוג שתי ציפורים באבן אחת
- kill with kindness להרעיף חיבה
kill *n.* טרף, צַיִד; הריגה
- be in at the kill להיות נוכח בזמן ההריגה/בסיום המאבק
killer *n.* הורג, רוצח; *גדול, משהו
killing *adj&n.* *הורג; מצחיק מאוד
- make a killing להרוויח כסף רב
kill-joy *n.* משרה דיכאון
kiln *n.* תנור, כבשן
kil'o *n.* קילו
kilo- (תחילית) אלף
kil'ocy'cle *n.* קילוהרץ
kil'ogram' *n.* קילוגרם
kil'ohertz' *n.* קילוהרץ
kil'oli'ter (-lēt-) *n.* קילוליטר
kilom'eter *n.* קילומטר
kil'owatt' (-wot) *n.* קילוואט
kilt *n.* חצאית סקוטית
kil'ter *n.* *מצב טוב, איזון
- out of kilter *לא בסדר, מקולקל
kimo'no *n.* קימונו, חלוק יפני
kin *n.* משפחה, קרובים; קרוב-משפחה
- next of kin שאר-בשרו הקרוב ביותר
kind (kīnd) *n.* סוג, מין
- I kind of hoped *קיוויתי איכשהו
- coffee of a kind *קפה גרוע, "גם כן קפה!"
- differ in kind להיות שונה באופי
- had a kind of feeling that היתה לו מין תחושה ש-
- he's her kind הוא הטיפוס שלה
- kind of *כאילו, כלומר
- nothing of the kind כלל לא
- of a kind מאותו מין, מסוג אחד
- payment in kind תשלום בשווה-כסף
- repay in kind להחזיר לו כגמולו, להחזיר באותו מטבע
- something of the kind משהו מעין זה
kind *adj.* טוב, טוב-לב, אדיב
- be so kind as to- הואל נא ל-
ki'nda = kind of
kin'dergar'ten *n.* גן-ילדים
kind-hearted *adj.* טוב-לב
kin'dle *v.* להצית; לבעור; להתלקח
- kindle hatred להבעיר אש השנאה
kin'dling *n.* חומרים בעירים
kindly *adj.* חביב, נעים, ידידותי
kindly *adv.* באדיבות; אנא, בבקשה
- take kindly to לקבל ברצון/בקלות
kindness *n.* טוב-לב, אדיבות; טובה
- have the kindness to הואל נא-
- out of kindness מתוך טוב-לב
kin'dred *n.* קרבת משפחה, קרובים
kindred *adj.* קרוב, דומה, משותף-מקור
- kindred spirits טיפוסים דומים
kinet'ic *adj.* קינטי, של תנועה
kinetic energy אנרגיה קינטית
kinet'ics *n.* קינטיקה, תורת התנועה
kin'folk' (-fōk) *n-pl.* קרובים
king *n.* מלך
- King's English אנגלית צחה/נכונה
- Kings מלכים (בתנ"ך)
- king's evil חזירית (מחלה)
- oil king איל נפט
- turn king's evidence להפוך לעד המלך (עד המדינה)
king'cup' *n.* נורית (פרח)
kingdom *n.* מלוכה, ממלכה
- kingdom come עולם האמת
king'fish'er *n.* שלדג (עוף)
kingly, kinglike *adj.* מלכותי
kingmaker *n.* מכתיר מלכים (או פקידים רמי דרג)
kingpin *n.* ציר יד הסרן, קינגפין; האדם המרכזי/העיקרי, "המסמר"
kingship *n.* מלכות, מלוכה
king-sized *adj.* גדול, ענק
kink *n.* עיקול, כיפוף (בצינור, בחבל); תלתול, קרזול; מוח עקום
kink *v.* לעקם, להתעקם; לקרזל
kinky *adj.* מקורזל; מוזר, עקומוח
kins'folk' (-zfōk) *n-pl.* קרובים
kin'ship' *n.* קרבת משפחה; דמיון
kins'man (-z-) *n.* קרוב משפחה
kinswoman *n.* קרובת משפחה
ki'osk (kē'osk) *n.* קיוסק; תא טלפון
kip *n.* *שינה; מקום לינה
kip *n.* לישון, לפרוש לישון
kip'per *n.* דג מעושן
kirk *n.* כנסייה
kirsch *n.* קירש, ברנדי דובדבנים
kis'met (-z-) *n.* גורל
kiss *v&n.* לנשק; להתנשק; נשיקה

- kiss and tell לרוץ לספר לחברה
- kiss away tears למחות דמעות בנשיקות
- kiss goodbye to *להגיד שלום ל-, להשלים עם אובדן ה-
- kiss of life הנשמה מפה לפה
- kiss off *לפטר, להיפטר מ-; למות
- kiss the book לנשק התנ"ך ולהישבע
- kiss the dust/ground להיכנע; למות
- kiss the rod לקבל עונש בהכנעה

kisser *n.* *פה; פרצוף
kit *n&v.* ציוד, זווד, מערכת כלים; חלקים להרכבה
- kit out/up לצייד

kit-bag *n.* מזוודה, קיטבג, שק חפצים
kitch'en *n.* מטבח
kitch'enette' *n.* מטבחון
kitchen garden גינת ירקות ופירות
kitchen maid עוזרת מטבח
kitchen-sink *adj.* מתאר ריאליזם גס, המוני
kitchenware *n.* כלי-מטבח
kite *n.* עפיפון; דייה (עוף דורס)
- fly a kite להעיף עפיפון; לבדוק תגובת הציבור, למשש את הדופק
- go fly a kite! *הסתלק!

kith and kin קרובים, ידידים
kitsch (kich) *n.* קיטש, יצירה זולה
kit'ten *n.* חתלתול
- have kittens להיות מתוח/עצבני

kittenish *adj.* חתולי, כחתלתול, מְשַׁחֵק
kit'tiwake' *n.* שחף (ארך-כנפיים)
kit'ty *n.* קופה (במשחק קלפים); קופה משותפת, קרן; חתלתול
ki'wi (kē'wē) *n.* קיווי (עוף); *ניו-זילנדי
klax'on *n.* צופר חזק; צפירה
kleen'ex' *n.* מטפחת-נייר
klep'toma'nia *n.* קלפטומניה, דחף לגנוב
klep'toma'niac' *n.* קלפטומן
klutz *n.* *גולם, בול-עץ, טיפש
km = kilometer
knack *n.* כישרון, מיומנות, זריזות
knack'er *n.* מחסל סוסים; סוחר בבשר-סוסים; הורס מבנים רעועים
knackered *adj.* *עייף, מחוסל
knap *v.* לנפץ (אבנים) בפטיש
knap'sack' *n.* תרמיל גב
knave *n.* נסיך (בקלפים); נוכל
kna'very *n.* נוכלות
kna'vish *adj.* של נוכל, שפל
knead *v.* ללוש; לעסות, לעשות עיסוי
knee *n.* ברך
- bend the knee לכרוע ברך
- bring him to his knees להכניעו
- go down on the knees ליפול על ברכיו
- gone at the knees (מכנסיים) מרופטי-ברך
- knee breeches מכנסי ברך (הדוקים)
- on one's knees מתחנן; על סף משבר

kneecap *n.* פיקת-הברך; מגן ברך
knee-deep *adj.* עמוק עד הברכיים; שקוע ראשו ורובו ב-
knee-high *adj.* מגיע עד הברכיים
- knee-high to a duck נמוך מאוד; צוציק

knee-jerk *adj.* אוטומטי, צפוי, חזוי
knee jerk רפלקס הברך
kneel *v.* לכרוע, ליפול על ברכיו
knee-length *adj.* מגיע עד הברכיים
knees-up *n.* *מסיבה, הילולה
knell *n.* צלצול פעמון (בלוויה)
- sound the knell of one's hopes לבשר את קץ תקוותיו

knelt = p of kneel
Knes'set' (knes-) *n.* הכנסת
knew = pt of know (nōō)
knick'erbock'ers *n-pl.* אברקי-ברך
knick'ers *n-pl.* תחתונים; מכנסיים
knick'-knack' *n.* קישוט; חפץ-נוי
knife *n.* סכין
- get one's knife into לחרוש עליו רעה, לארוב לו בפינה
- pocket knife אולר
- under the knife על שולחן הניתוחים
- war to the knife מלחמה עד חורמה

knife *v.* לדקור בסכין
knife-edge *n.* חורפת הסכין
- on a knife-edge מתוח (לקראת העתיד); במצב עדין, טרם הוכרע

knifepoint *n.* חוד הסכין
- at knifepoint באיומי סכין

knight *n.* אביר; פרש
knight *v.* להכתיר בתואר אבירות
knight'-er'rant *n.* אביר נודד (מחפש הרפתקאות)
knighthood *n.* אבירות; אבירים
knightly *adj.* אבירי, אצילי
knit *v.* לסרוג; לקשור, לאחות
- knit one's brows לזעוף, לקמט מצחו
- knit together לאחד, ללכד
- knit up לתקן/להשלים בסריגה
- well knit משולב יפה, מלוכד היטב

knitter *n.* סורג, סרג
knitting *n.* סריגה, אריג נסרג
- tend to your knitting! עסוק בדברים שלך! אין זה עניינך!

knitting-machine *n.* מכונת סריגה
knitting-needle *n.* מסרגה, צינורה
knit'wear' (-wār) *n.* דברי סריגה
knives = pl of knife (nīvz)
knob *n.* גולה, ידית, כפתור; גבשושית, גוש, בליטה
- with knobs on *ואף יותר מכך, ועוד כהנה וכהנה

knob'by *adj.* בעל בליטות
knock *n.* דפיקה, מכה, נקישה; *ביקורת
- take a knock לספוג מכה קשה

knock *v.* להכות, לדפוק, להקיש; *למתוח ביקורת, לקטול; להדהים
- be knocked down להיפגע (ע"י מכונית); להימכר במכירה פומבית
- knock (it) off! חדל! הפסק!
- knock (on) wood הקש בעץ
- knock against להיתקל ב-; להתנגש ב-
- knock around/about *להסתובב, לטייל, לנדוד; להכות, לפגוע, לפצוע
- knock back *לשתות, לגמוע; להדהים
- knock down להפיל, להרוס; לפרק; להוריד מחיר
- knock him cold לעלף במכה; להדהים
- knock him off *לחסלו, לרצוח אותו
- knock him off his feet להממו

- knock him up *להעירו משינה (בדפיקות); לעייפו, להתישו
- knock his block off להכותו מכות נמרצות
- knock in להכות פנימה; לנעוץ
- knock into him להחדיר (רעיון) לראש; להיתקל, לפגוש במקרה
- knock off לנכות, להפחית; לגמור; לחבר (לחן) במהירות; *לשדוד; לגנוב
- knock off (work) להפסיק לעבוד
- knock on the head לסכל, לחסל
- knock oneself out *להתאמץ ביותר
- knock out להנחית נוקאאוט; להעיף מתחרות; להדהים; לרוקן ע"י טפיחה
- knock over *לשדוד, לגנוב
- knock sideways *להדהים
- knock spots off לעלות על, לגבור
- knock the bottom out of להשמיט את הקרקע מתחת ל-
- knock their heads together לאלצם להשלים ביניהם, לגרום שיפקחו עיניהם
- knock together להרכיב במהירות
- knock up *להקים/לארגן במהירות; לעשות כסף; לתרגל (לפני המישחק)

knock-about *adj.* (מחזה) מצחיק, רעשני; (בגד) מתאים לשימוש גס
knockdown *n.* מהלומה
knock-down *adj.* מהמם, מדהים
knock-down price מחיר נמוך ביותר
knocked-out *adj.* *שיכור, מסומם, מטורף
knocker *n.* דופק; מקוש-דלת, מטרק
- knockers *שדיים

knock-kneed *adj.* עקום ברכיים, שברכיו נוגעות זו בזו
knock-knees ברכיים משיקות, רגלי איקס
knock-on effect השפעה עקיפה
knockout *n&adj.* נוקאאוט; מהמם, מרשים בהופעתו; *סם מרדים
knock-up *n.* חימום (לפני מישחק)
knoll (nōl) *n.* תל, גבעונת
knot *n.* קשר, לולאה; קישור; סיקוס (בעץ); קבוצה, חבורה; קשר ימי
- marriage knot קשר הנישואים
- tie in knots לסבך; להדאיג
- tie the knot *להתחתן

knot *v.* לקשור; לעשות קשרים
knot-hole *n.* אם-הסיקוס, חור הסיקוס
knotty *n.* מסוקס, בעל סיקוסים; מסובך
knout *n.* שוט, מגלב
know (nō) *v&n.* לדעת, להכיר
- doesn't know him from Adam אינו מכירו כלל
- he knew grief ידע סבל
- he's known better days ראה ימים טובים יותר, ירד מגדולתו
- in the know בסוד העניינים
- know a thing or two להיות בעל ידע, להבין דבר
- know about לדעת, להיות מודע ל-
- know better than to do it להבין שמוטב שלא לעשות זאת
- know of לדעת, לשמוע על
- know one's business להתמצא בעניינים
- know what's what להיות בעל ידע, להבין
- know... from... להבחין בין- ל-
- make it known להודיע, לפרסם
- make oneself known to להציג עצמו לפני, להתוודע אל
- not that I know of לא - למיטב ידיעתי
- there is no knowing- אין לדעת-
- you know "אתה מבין" (ביטוי סתמי)

know-all *n.* ידען (כביכול)
know-how *n.* ידע מקצועי, ידע מעשי
knowing *adj.* יודע, מבין, פיקחי, חריף
knowingly *adv.* בכוונה, ביודעין
know-it-all *n.* יודע-כל (כביכול)
knowl'edge (nol'ij) *n.* ידיעה, הכרה, ידע, דעת
- come to his knowledge להיוודע לו
- to (the best of) my knowledge למיטב ידיעתי

knowledgeable *adj.* בעל ידיעות
known (nōn) *adj.* ידוע
- well-known ידוע, מפורסם, מוכר

known = pp of know
know-nothing *adj.* בור, בער
knuck'le *n&v.* פרק אצבע, מיפרק אצבע
- knuckle down להירתם לעבודה במרץ
- knuckle under להיכנע
- near the knuckle כמעט גס
- rap over the knuckles להכות על פרקי האצבע; להתקיף בחריפות

knuckle-duster *n.* אגרופן (ממתכת)
KO = knockout (kāō')
kohl (kōl) *n.* כוחל, פוך
kohl'ra'bi (kōl'räbi) *n.* קולרבי, כרוב-הקלח
kook *n.* *קוקו, משוגע, תמהוני
ko'peck' *n.* קופיקה (מאית הרובל)
kop'pie *n.* תל, גבעונת
Ko·ran' (-rän) *n.* הקוראן
Ko·ran'ic (-rän-) *adj.* של הקוראן
Kore'a *n.* קוריאה (חצי אי)
- North Korea צפון קוריאה
- South Korea דרום קוריאה

ko'sher *adj.* כשר; הגון
kow'tow', ko'tow' *v.* להתרפס
kph קילומטרים לשעה, קמ"ש
kraal (kräl) *n.* קראל (כפר אפריקני); גדרת בקר
Kraut *n.* *גרמני
Krem'lin *n.* הקרמלין
kro'na *n.* קרונה, כתר (מטבע שוודי)
kro'ne (-nə) *n.* קרונה (מטבע בדנמרק ובנורווגיה)
kro'ner = pl of krone
kro'nor' = pl of krona
ku'dos' *n.* תהילה, כבוד
ku'lak (kōō'läk) *n.* קולאק, איכר עשיר
kum'mel (kim'-) *n.* ליקר-קימל
Kurd *n.* כורדי
kurus' (kooroosh') *n.* גרוש (מטבע טורקי)
Kuwait (koowāt') *n.* כווית
kvass (kväs) *n.* קוואס, תמד (משקה)
kw = kilowatt
Kyr'gyzstan' (-g-) *n.* קירגיסטן

L

L "ל" (ללומדי נהיגה)
la (lä) *n.* לה (צליל)
LA = Los Angeles
laa'ger (lä'g-) *n.* לאגר, מחנה מוקף עגלות; חניון רכב משוריין
lab *n.* *מעבדה
lab animals חיות מעבדה
la'bel *n.* פתק, תווית; כינוי
label *v.* להדביק תווית; לכנות
la'bial *adj.* (עיצור) שפי, של השפתיים
la'bor *n.* עבודה, עמל, מלאכה; מעמד הפועלים, פועלים; לידה
- Ministry of Labor משרד העבודה
- hard labor עבודת פרך
- labor of love עבודה הנעשית באהבה
labor *v.* לעמול, לעבוד; לנוע בכבדות/בהתנשפות; להתעכב באריכות על
- labor the point להתעכב באריכות על הנושא
- labor under a mistake להיות קורבן טעות; לחיות בטעות
lab'orato'ry (-brə-) *n.* מעבדה
Labor Day יום העבודה (חג)
labor dispute סיכסוך עבודה
labored *adj.* איטי, כבד, מאולץ, מאומץ
laborer *n.* פועל
labor exchange לשכת עבודה
labor force כוח עבודה
labor-intensive *adj.* עתיר (הוצאות) עבודה
labo'rious *adj.* קשה, מפרך; עובד קשה, חרוץ; (סגנון) כבד, מאומץ, לא קולח
La'borite' *n.* איש מפלגת העבודה
labor market שוק העבודה
labor organization אירגון עובדים
labor pains צירי לידה, חבלי לידה
Labor Party מפלגת העבודה/הלייבור
labor-saving *adj.* חוסך עמל, אוטומטי
labor union איגוד מקצועי
labour = labor
Lab'rador' *n.* לברדור (כלב)
labur'num *n.* לבורנום (עץ-נוי)
lab'yrinth' *n.* מבוך; תסבוכת
lab'yrin'thine (-thin) *adj.* מסובך
lace *n.* שרוך, פתיל; תחרה, סלסלה
lace *v.* לשרוך, לקשור בשרוך; להשחיל
- lace into him להכות/להצליף בו
- lace with למהול (במשקה חריף)
lac'erate' *v.* לקרוע, לפצוע, לפגוע
lac'era'tion *n.* קריעה, פגיעה, פצע
lace-up *adj.* (נעל) קשורה בשרוך
lach'rymal (-k-) *adj.* של דמעות
lach'rymose' (-k-) *adj.* בכייני; עצוב
lacing *n.* קישוטי תחרה; קשירה בשרוך; מהילה ביי"ש; *מכות
lack *v.* לחסור, להיות משולל/נטול-
- be lacking להיות חסר, לחסור
- lacks for nothing אינו חסר דבר
lack *n.* חוסר, מחסור, העדר
- for lack of מחוסר, בגלל העדר
lack'adai'sical (-z-) *adj.* אדיש, לא מתלהב, לא מעוניין
lack'ey *n.* משרת, מתרפס
lacking *adj.* חסר; *רפה-שכל
lack'lus'ter *adj.* חסר ברק, עמום
lacon'ic *adj.* לקוני, מובע בקצרה
lac'onism' *n.* לקוניות, צמצום במלים
lac'quer (-kər) *n&v.* (לצפות ב-) לכה
lac'quey = lackey (-ki)
lacrosse' (-rôs) *n.* לקרוס (מישחק)
lac'tate *v.* להיניק, להניק
lac·ta'tion *n.* הנקה, תקופת ההנקה
lac'tic *adj.* חלבי, של חלב
lactic acid חומצת חלב
lac'tose *n.* לקטוז, סוכר חלב
lacu'na *n.* מקום ריק, קטע חסר, חלל, לאקונה
la'cy *adj.* של תחרה, משונץ
lad *n.* נער, בחור, עלם
lad'der *n.* סולם; רכבת (בגרב)
ladder *v.* להיווצר רכבות (בגרב)
ladder-proof *adj.* (גרב) חסין-רכבות
lad'die *n.* נער
la'den *adj.* טעון, עמוס, כורע תחת-
la-di-da (lä'dēdä') *n.* *סנוב, יומרני, גנדרן
ladies' fingers במיה
la'ding *n.* מטען, משא
- bill of lading שטר מטען
la'dle *n&v.* מצקת, תרווד
- ladle out לצקת (מרק) במצקת (לצלחות); לחלק, לתת, להעניק
la'dy *n.* גברת, אישה, ליידי
- Lady Day 25 במרס (חג)
- Our Lady מרים, אם ישו
- ladies שירותי נשים
- ladies and gentlemen גבירותי ורבותי
- ladies' man רודף נשים
- ladies' room שירותי נשים
ladybird *n.* פרת-משה-רבנו
ladybug *n.* פרת-משה-רבנו
ladyfinger *n.* עוגת ספוג דמוית אצבע
lady-help *n.* עוזרת
lady-in-waiting נערת המלכה
ladykiller *n.* קוטל נשים, דון ז'ואן
ladylike *adj.* כיאה לגברת, אצילית
ladyship *n.* הוד מעלתה
lady's maid משרתת גבירה
lag *v.* לפגר, להתקדם לאט; לבודד
- lag behind לפגר מאחור
lag *n.* פיגור, איחור; הבדל-זמן
- time lag הבדל-זמן, פיגור
lag *n.* *אסיר, פושע, עבריין
la'ger (lä'gər) *n.* לאגר (בירה)
lag'gard *n.* מפגר, מאחר, חסר-מרץ
lag'ging *n.* חומר-בידוד
lagoon' (-gōōn') *n.* לגונה, בריכה/לשון-ים רדודת-מים, ימה מוקפת אטול
lah'-di-dah' (lädidä') *adj.* גנדרן; יומרני, מעושה
la'ic *adj.* חילוני, לא דתי, הדיוט
la'icize' *v.* להפוך לחילוני, לחלן
laid = p of lay
laid-back *adj.* *נינוח, לא מודאג
lain = pp of lie

lair *n.* מאורה (של חיה)
laird *n.* בעל אחוזה
laissez-faire (les'āfār') *n.* לסה-פיר, יוזמה חופשית, אי התערבות
la'ity *n.* הדיוטות, חילונים, לא-מקצועיים
lake *n.* אגם, בריכה; צבע אדום
lam *v.* *להכות, להרביץ
- lam into him להתקיפו, להכותו
la'ma (lä'-) *n.* לאמה (נזיר טיבטי)
la'maser'y (lä'-) *n.* מנזר טיבטי
lamb (lam) *n&v.* טלה; בשר כבש; אדם עדין; להמליט טלאים
lam·baste' (-bāst') *v.* *להכות, להלקות, לנזוף
lam'bent *adj.* זוהר, מבליח, נוגע קלות
- lambent humor הומור דק/מבריק
lamb'kin (lam'-) *n.* טלה רך
lamblike *adj.* עדין, כמו טלה
lambskin *n.* עור כבש
lame *adj.* צולע, נכה, חיגר
- lame excuse תירוץ צולע
lame *v.* לעשות לצולע, להצליע
lame' (lämā') *n.* לאמה (אריג שזור בחוטי זהב או כסף)
lame duck חבר קונגרס העומד לפרוש; חסר אונים, "סוס מת"; עסק כושל
lament' *v.* לקונן, להתאבל על
- the late lamented המנוח
lament *n.* קינה, בכי, זעקה
lam'entable *adj.* מצער, גרוע, אומלל
lam'enta'tion *n.* קינה, הספד, נהי
lam'inate' *v.* לרקע, לרבד, לפצל לשכבות, להניח רבדים-רבדים, ללבד
laminated *adj.* מרובד, ערוך בשכבות
lam'ming *n.* *הכאה, הצלפה
lamp *n.* מנורה, נורה, פנס
lamp-black *n.* פיח (חומר צביעה)
lamplight *n.* אור המנורה
lam·poon' (-pōōn') *n&v.* סאטירה, היתול; לחבר סאטירה על
lamppost *n.* פנס רחוב, עמוד פנס
lam'prey *n.* דג דמוי צלופח
lampshade *n.* אהיל, מגינור
lance *n.* רומח, כידון, צלצל
lance *v.* לפתוח/לדקור באזמל
lance corporal טוראי ראשון
lanc'er *n.* (חיל) נושא רומח
- lancers לאנסרס (ריקוד בזוגות)
lan'cet *n.* אזמל מנתחים
land *n.* יבשה, אדמה, קרקע, ארץ; מדינה; אחוזה
- land of nod עולם השינה, תרדמה
- land of the living העולם הזה
- make land להגיע לחוף
- see how the land lies לבדוק את מצב העניינים
- the Promised Land ארץ ישראל
land *v.* לעלות ליבשה, לנחות; להנחית; *לזכות ב-, להשיג
- land a blow *להנחית מכה
- land a fish לדוג דג (ולהעלותו)
- land all over להתנפל על, לנזוף
- land him in trouble לסבכו בצרה
- land in jail לסיים/למצוא עצמו בכלא
- land on להתנפל על, להתקיף, לגעור
- land on one's feet לנחות על רגליו, להיחלץ מקושי, להיות בר-מזל
- land up *למצוא עצמו, להגיע
land-agent *n.* סוכן מקרקעין; מנהל אחוזה
lan'dau (-dou) *n.* כירכרה, לנדו
land betterment tax מס שבח מקרקעין
landed *adj.* של קרקעות; בעל קרקעות
landfall *n.* התקרבות ליבשה
land forces כוחות יבשה
landholder *n.* אריס; בעל מקרקעין
landing *n.* נחיתה; הנחתה; רציף; רחבה (בין מערכות-מדרגות), פרוזדור
landing craft נחתת, אסדת-נחיתה
landing field/strip מנחת
landing gear מתקן נחיתה (במטוס)
landing net רשת (בקצה מוט, להעלאת דג שנתפס בחכה)
landing pad מנחת מסוקים
landing party כיתת נחתים
landing ship נחתת, אסדת-נחיתה
landing stage לוח נחיתה, רציף צף
landlady *n.* בעלת בית
landless *adj.* חסר קרקע, ללא מולדת
landline *n.* אמצעי תקשורת יבשתיים
landlocked *adj.* (מפרץ) מוקף יבשה; (מדינה) מנותקת מהים
landlord *n.* בעל בית; בעל אכסניה
land'lub'ber *n.* *אוהב יבשה ("גולם" שאינו רגיל לחיי-ים)
landmark *n.* סימנוף, דבר בולט בשטח; סימן גבול; ציון דרך; נקודת מפנה
landmine *n.* מוקש (יבשתי)
land-office business עסקים משגשגים
landowner *n.* בעל קרקעות
land rover לאנדרובר (כלי-רכב לדרכים קשות)
land'scape' *n.* נוף; אמנות הנוף
landscape *v.* לשפר פני השטח, לשוות צורה נאה לנוף
landscape gardening גינון נוף
landslide *n.* מפולת אדמה; ניצחון מוחץ (בבחירות, כתוצאה מסחף קולות)
landslip *n.* מפולת אדמה
landsman (-z-) *n.* איש יבשה
landward *adv.* לעבר היבשה
lane *n.* שביל, משעול, רחוב צר, סמטה; מסלול, נתיב
lan'guage (-gwij) *n.* שפה, לשון
- bad language קללות, מלים גסות
- dead language שפה מתה
- strong language לשון חריפה, קשות
language laboratory מעבדת שפות (ללימוד שפות זרות)
lan'guid (-gwid) *adj.* חסר-מרץ, איטי, חלש, רפה
lan'guish (-gwish) *v.* להיחלש, להתנוון, לאבד מרץ; לסבול ארוכות; להשתוקק, להתגעגע
languishing *adj.* נחלש; כָּמֵהַ לאהבה
lan'guor (-gər) *n.* חולשה, עייפות, לאות; חוסר מרץ; עגמימות
languorous *adj.* חסר-מרץ, עייף; עגמומי
lank *adj.* דל-בשר, רזה וגבוה; (שיער) חלק ורפוי

lank'y *adj.* גבוה ורזה
lan'olin *n.* לנולין (מרכיב של משחות)
lan'tern *n.* פנס, פנס רוח
lantern-jawed *adj.* ארך-פרצוף, שקוע-לחיים
lan'yard (-y-) *n.* חבל קצר (באונייה); שרוך (של משרוקית)
Laos (lä'ōs) *n.* לאוס
lap *n.* חיק, ברכיים, ירכיים
- in the lap of luxury מוקף מותרות
- in the lap of the gods בחיק הגורל, ביד הגורל
lap *v.* לעטוף; להשלים הקפה (במירוץ)
- lap over לחפוף חלקית מעל, לרעף
lap *n.* הקפה (במירוץ); שלב בתוכנית
lap *v.* ללקלק, ללקוק; (לגבי מים/גלים) לשקשק, לטפוח, להשמיע מַשק
- lap up ללקלק; לקבל בלהיטות, לבלוע
lap *n.* לקלוק; משק מים (כנ"ל)
lap'aros'copy *n.* לפרוסקופיה (בדיקת איברי הבטן)
lap-dog *n.* כלבלב
la'pel *n.* דש
lap'idar'y (-deri) *n.* חותך, לטש יהלומים
lapidary *adj.* חרות, חקוק
lap'is laz'uli *n.* אבן תכלת; תכלת
lap of honor הקפת ניצחון
lapse *n.* משגה; פליטת פה/קולמוס; סטייה, עבירה; תפוגת-זכות, פקיעה
- lapse of time חלוף זמן, רווח זמן
lapse *v.* לשקוע, לעבור, להידרדר; לפוג, לפקוע
- lapse into crime להידרדר לפשע
lap-strap *n.* חגורת בטיחות
lap'top' *n.* מחשב נישא/נייד
lap'wing' *n.* קיווית (עוף בצה)
lar'board' *n.* שמאל האונייה
lar'ceny *n.* גניבה
larch *n.* ארזית (עץ-מחט נשיר)
lard *v.* למרוח שומן-חזיר, לתבל בקותלי-חזיר; לשבץ, לקשט (נאום)
lar'der *n.* מזווה
lardhead *n.* *מטומטם
large *adj&n.* גדול; מרווח; נדיב, רחב, ליברלי
- as large as life בגודל טבעי, הוא בכבודו ובעצמו
- at large חופשי, נמלט, מסוכן; בכללותו, באופן כללי
- by and large כללית, בסך הכל
- larger than life גדול מהחיים, מרשים; מוגזם
- talk at large להרחיב את הדיבור
large-eyed *adj.* פוער עיניים, נדהם
large-hearted *adj.* רחב-לב
large intestine המעי הגס
largely *adv.* במידה רבה; ביד נדיבה
large-minded *adj.* רחב-אופק, סובלני
large-scale *adj.* בקנה-מידה גדול
lar'gess' *n.* הענקה, נתינה, נדבנות
largish *adj.* גדול למדיי, גדלדל
lar'go *n&adv.* לארגו; ברחבות
lar'iat *n.* פלצור
lark *n.* עפרוני (ציפור-שיר)
lark *n&v.* שעשוע, צחוק, מעשה קונדס
- for a lark בצחוק
- lark about *להשתעשע, להשתולל
- what a lark! איזה בידור!
lark'spur' *n.* דרבנית (צמח, פרח)
lar'rup *v.* *להכות
lar'va *n.* זחל
lar'vae = pl of larva (-vē)
lar'val *adj.* זחלי, של זחל
laryn'ge·al *adj.* גרוני
lar'yngi'tis *n.* דלקת הגרון
laryn'goscope' *n.* ראי (לבדיקת) גרון
lar'ynx *n.* גרון
lasagna (ləzän'yə) *n.* לזניה (פסטה)
lasciv'ious *adj.* שטוף-זימה; תאוותני; מעורר תאווה
lase (lāz) *v.* לשלוח קרני לייזר
la'ser (-z-) *n.* לייזר
laser printer מדפסת לייזר
lash *v.* להכות, להצליף, להלקות; להדק, לקשור
- lash down להדק, לקשור
- lash him into לעוררו ל-, לשלהב
- lash out להכות, להתקיף; *לבזבז
- lash the tail לכשכש בזנב
lash *n.* שוט, ערקה; הצלפה; ריס, עפעף
lashing *n.* הלקאה; חבל-הידוק
- lashings *המון, שפע, כמות רבה
lash-up *n.* כלי מאולתר/זמני
lass, lass'ie *n.* נערה; אהובה, חברה
las'situde' *n.* עייפות, לאות, חולשה
las'so *n&v.* פלצור, לאסו; לפלצר, ללכוד בפלצור
last *adj&n.* אחרון, האחרון, שעבר
- Last Supper הסעודה האחרונה
- at (long) last סוף-סוף, לבסוף
- breathe one's last לנפוח נשמתו
- every last הכל, עד האחרון שבהם
- last but not least חשוב חרף היותו אחרון; אחרון אחרון חביב
- last but one אחד לפני האחרון
- last night אמש
- see the last of him לא לראותו עוד
- the last straw הקש ששבר את גב הגמל
- the last word המלה האחרונה
- the second last אחד לפני האחרון
- to the last עד הסוף
last *adv.* לאחרונה, בפעם האחרונה
last *v.* להימשך, לארוך; להתקיים; להתמיד; להספיק ל-
- last out להמשיך עד תום; להוסיף לחיות אחרי
last *n.* אימום (לנעל)
- stick to one's last לא לעסוק בדברים שאין הוא מבין בהם
last-ditch *adj.* של מאמץ אחרון, של קו נסיגה אחרון (לפני הכניעה)
lasting *adj.* ממושך, מתמיד, קיים, נצחי
last judgment יום הדין
lastly *adv.* לבסוף
last name שם משפחה
lat. = latitude
latch *n.* בריח; מנעול (לדלת)
- have the latch-string out לקבל בסבר פנים יפות
- off the latch לא סגור, פתוח קמעה
- on the latch מוברח (אך לא נעול)

latch *v.* להבריח, לנעול; להינעל
- latch onto להיצמד ל-; להחזיק ב-; להבין, לתפוס
latchkey *n.* מפתח (לדלת)
latchkey child ילד הדואג לצרכיו (מאחר שהוריו עובדים)
late *adj.* מאוחר; מאחר; האחרון; שאירע לא-מכבר; החדש; המנוח
- at the latest לכל המאוחר
- be late לאחר
- her late father אביה המנוח
- in late summer בשלהי הקיץ
- keep late hours לאחר לשכב לישון
- of late בזמן האחרון, לאחרונה
- the latest החדשות האחרונות; המלה האחרונה באופנה, הצעקה האחרונה
late *adv.* באיחור; לאחרונה
- better late than never טוב במאוחר מלא כל-עיקר
- early and late תמיד, ביום ובלילה
- sooner or later במוקדם או במאוחר
latecomer *n.* מאחר, מגיע באיחור
lateen' sail מפרש משולש
lately *adv.* לאחרונה, בזמן האחרון
la'tent *adj.* חבוי, כמוס, נסתר, סמוי מהעין, שבכוח, שבפוטנציה
- latent defect פגם סמוי
later *adj.* לאחר מכן
- later on לאחר מכן; להלן
lat'eral *adj.* צדדי, של הצד, מן הצד
la'tex' *n.* שרף-גומי
lath *n.* פסיסית, פסיס, לוח עץ דק
lathe (lādh) *n.* מחרטה
lath'er (-dh-) *n.* קצף
- in a lather *נסער, נרגש
lather *v.* להעלות קצף, להקציף, לכסות בקצף; *להכות, להצליף
Lat'in *n&adj.* לטיני; לטינית
Latin America אמריקה הלטינית
Latinist *n.* מלומד בלטינית
Lat'inize' *v.* לתרגם ללטינית
la'tish *adj.* באיחור-מה
lat'itude' *n.* רוחב גיאוגרפי, קו-רוחב; מרחב, חופש פעולה, חירות ההבעה
- high latitudes רחוק מקו המשווה
- latitudes אזורים (על כדור הארץ)
lat'itu'dinal *adj.* של קו-רוחב
lat'itu'dina'rian *adj&n.* סובלני, רחב-דעת, לא כופה דיעותיו
latrine' (-rēn') *n.* מחראה, בית שימוש (במחנה)
lat'ter *n.* המאוחר, השני, המוזכר אחרון; האחרון, הקרוב לסוף
latter-day *adj.* מודרני, שלאחרונה
latterly *adv.* לאחרונה; בימינו
lat'tice (-tis) *n.* סורג, שבכה, רשת
latticed *adj.* מסורג, עשוי מעשה רשת
lattice window חלון עשוי מעשה רשת
Lat'via *n.* לטביה
laud *v.* להלל, לשבח, לפאר
laudable *adj.* ראוי לתהילה
lau'danum *n.* סם הרגעה (אופיום)
lau'dato'ry *adj.* מהלל, מביע שבח
laugh (laf) *v.* לצחוק; להביע בצחוק
- he laughs best who laughs last צוחק מי שצוחק אחרון
- laugh at ליהנות מ-; ללעוג, לבוז
- laugh away/off לסלק/לבטל בצחוק
- laugh down להסות/להחריש בצחוק
- laugh him out of his bad mood להסיר דכאונו ע"י צחוק
- laugh in his face לצחוק לו בפרצוף, לבוז לו
- laugh in one's beard לצחוק בחשאי, לצחוק מתחת לשפמו
- laugh on the wrong side of face להתאכזב, לעבור מצהלה לעצב
- laugh one's head off להתפקע מצחוק
- laugh up one's sleeve לצחוק מתחת לשפמו, לצחוק בקרבו
- laughed himself hoarse צחק עד שנצטרד
- no laughing matter לא צחוק, רציני
laugh *n.* צחוק
- a laugh a minute מצחיק מאוד
- have the last laugh לנצח לאחר מפלות קודמות; לצחוק אחרון
laugh'able (laf'-) *adj.* מצחיק; מגוחך
laughing gas גאז צחוק
laughingstock *n.* מטרה ללעג
laugh'ter (laf'-) *n.* צחוק
- burst into laughter לגעות בצחוק
launch *v.* להשיק (ספינה); לשלוח, לשגר (טיל); להטיל; לחנוך, להתחיל
- launch an attack לפתוח בהתקפה
- launch out/into לפתוח ב-, להתחיל ב-; לשקוע ראשו ורובו ב-
launch *n.* השקה; שיגור; סירת מנוע; אילפה
launching pad כן-שיגור
launching site בסיס שיגור
laun'der *v.* לכבס (ולגהץ); להתכבס
- launder money *להלבין כסף
laun·derette' (-dret) *n.* מכבסה אוטומטית
laun'dress *n.* כובסת
laun'dromat' *n.* מכבסה אוטומטית
laun'dry *n.* מכבסה; כבסים, "כביסה"
laundry basket סל כבסים
laundryman *n.* אוסף כבסים
laur'e·ate *adj.* עטור זר דפנה
- poet laureate משורר המלוכה
laur'el *n.* (זר) דפנה; תהילה, כבוד
- gain one's laurels לנחול כבוד
- look to one's laurels לשמור על שמו הטוב; לעקוב אחרי יריביו פן יצליחו
- rest on one's laurels לנוח על זרי הדפנה
lav *n.* *בית שימוש, שירותים
la'va (lä'-) *n.* לבה
lav'age *n.* שטיפה, שטיפת קיבה
lav'ato'ry *n.* בית שימוש, שירותים
lavatory bowl אסלה
lavatory paper נייר טואלט
lave *v.* לרחוץ; לזרום
lav'ender *n&adj.* אזוביון (צמח ריחני); ארגמן-בהיר, סגול; *עדין, הומו
lavender water מי בושם
lav'ish *v.* לפזר; לבזבז; להרעיף
lavish *adj.* בזבזני, ניתן בשפע
law *n.* חוק; משפט, דין; מנהג; כלל, עיקרון
- Law תורת משה

- be a law unto oneself לעשות הישר בעיניו, לבוז לחוק
- case law דיני פסקים; דינים מבוססים על תקדימים
- civil law החוק האזרחי
- common law המשפט המקובל, נוהג
- criminal law דיני העונשין
- follow the law ללמוד משפטים
- go in for the law ללמוד משפטים
- go to law לפנות לערכאות
- have the law on him לתבעו לדין
- law and order חוק וסדר
- law of the jungle חוק הג'ונגל, כל דאלים גבר
- lay down the law לדבר בצורה סמכותית, להביע דעתו בתקיפות
- study/read law ללמוד משפטים
- the law החוק; *המשטרה
- the long arm of the law יד החוק
- took the law into his own hands נטל החוק לידיו

law-abiding *adj.* שומר חוק
law-breaker *n.* מפר חוק, עבריין
law court בית משפט
lawful *adj.* חוקי
law-giver *n.* מחוקק
lawless *adj.* לא חוקי; מופקר, חסר-חוק
lawmaker *n.* מחוקק
lawman *n.* איש חוק, שוטר, שריף
lawn *n.* מדשאה, כר-דשא, מגרש דשא; מין אריג עדין
lawn-mower *n.* מכסחה (לדשא)
lawn tennis טניס
lawsuit *n.* תביעה משפטית
law'yer (-yər) *n.* עורך-דין
lax *adj.* מרושל, רפוי, רפה, לא מקפיד
- lax bowels שלשול, קיבה רכה
lax'ative *n&adj.* רַפָּף, חומר משלשל; גורם לשילשול
lax'ity *n.* רפיון, רשלנות; אי הקפדה
lay *v.* להניח, לשים; להטיל; להשכיב; להשקיט; להמר; לכסות, לפרוש
- I'll lay you אתערב עמך, אני שָׂם-
- be laid in ruins להיחרב
- lay a fire לערוך (עצים ל-) אש
- lay a girl *לשכב עם נערה
- lay a spirit לגרש רוח
- lay a tax on להטיל מס על
- lay a trap להניח/להכין מלכודת
- lay about להכות בכל הכיוונים
- lay an egg *להיכשל, לא לעניין
- lay aside/by לחסוך (לעתיד); לנטוש
- lay at his door להטיל האחריות עליו
- lay away להניח בצד; להביא למנוחות
- lay bare לחשוף; לשפוך (לבו)
- lay by the heels ללכוד, לכלוא
- lay down להניח; להשכיב; לבנות, לתכנן; לקבוע; להפוך לשדה-מרעה
- lay down one's life להקריב חייו
- lay down wine לאחסן יין
- lay eggs להטיל ביצים
- lay emphasis/stress on להדגיש
- lay flat להפיל ארצה
- lay for *לארוב
- lay great store on להעריכו מאוד
- lay hands on להניח ידיו על; להרים יד על; למצוא; להסמיך כומר
- lay him low להפילו; להפילו למשכב
- lay him under the necessity לחייבו
- lay him under- להטיל עליו, לאלצו
- lay hold of לתפוס, להחזיק ב-
- lay in לאגור, לצבור
- lay into להתקיף
- lay it on (thick) להגזים; להחניף
- lay off להשעות; להפסיק לעבוד; לחדול; להשבית; לסמן, לתחום
- lay on לצייד, להתקין; לספק; *להכות
- lay one's hopes on להשליך יהבו על, לתלות תקוותו ב-
- lay oneself out להתאמץ ביותר
- lay open לחשוף, לגלות; לפתוח, לפצוע
- lay out לפרוש, לשטוח; לתכנן, לסדר; להוציא כסף, לבזבז; להכין לקבורה
- lay over לעשות חנייה קצרה; לדחות
- lay the blame on להטיל האשמה על
- lay the dust להרביץ/להשכיב האבק
- lay the table לערוך השולחן
- lay to לעצור (אונייה); להירתם לעבודה
- lay to rest לקבור; לחסל, להפסיק
- lay up לאגור, לצבור; לרתק למיטה; להוציא (זמנית) מכלל שימוש
- lay waste להחריב, להשמיד
- lay weight on לייחס לו משקל רב
- the story is laid in Japan העלילה מתרחשת ביפן

lay *adj.* חילוני, לא איש-דת; לא מקצועי, של הדיוט
lay *n.* שיר; *מישגל; שותפת למיטה
- lay of the land צורת הקרקע, פני השטח; מצב העניינים

lay = pt of lie שכב
layabout *n.* *בטלן, הולך בטל
lay brother נזיר הדיוט, פועל במנזר
lay-by *n.* שטח חנייה (בשולי הכביש)
lay'er *n.* שכבה, רובד; ענף מוברך; (תרנגולת) מטילה
layer *v.* להבריך ענף
layer cake עוגת רבדים
lay·ette' *n.* מערכת חפצים לתינוק (בגדים וכו')
lay figure בובה, מנקין
layman *n.* הדיוט, לא מקצועי
lay-off *n.* השעייה, פיטורים
lay-out *n.* סידור, תסדיר, תכנון; תבנית, תוכנית
layover *n.* חנייה קצרה (בנסיעה)
layperson *n.* הדיוט, לא מקצועי
lay reader . מנהל טקס דתי
laz'aret' *n.* בית חולים למצורעים
laze *v.* להתבטל, להתעצל
- laze away/around להתבטל

la'zy *adj.* עצל; משרה עצלות
lazy-bones *n.* עצלן
lb. = libra ליברה
l.c. = letter of credit מכתב אשראי
L-driver תלמיד נהיגה
lea *n.* אחו, כר-דשא
leach *v.* לסנן; לשטוף ע"י חלחול
lead *v.* להוביל; להוליך; להנחות; להנהיג, לעמוד בראש; להביא ל-, לפתוח ב-; לשכנע
- I am led to believe אני נוטה להאמין

- lead a happy/miserable life לחיות חיים מאושרים/אומללים
- lead an orchestra לנצח על תזמורת
- lead astray להטותו מדרך הישר
- lead him a dog's life למרר את חייו
- lead him by the nose; למשוך אותו באף; לשלוט בו כליל
- lead him up the garden path להוליכו שולל
- lead off להתחיל, לפתוח ב-
- lead on לפתותו, לעודדו להמשיך
- lead the way להוביל
- lead to the altar לשאת אישה
- lead up to להוביל ל-, להוות הכנה ל-; לכוון שיחה ל-

lead *n.* הנחייה, דוגמה, כיוון, רמז; פער המרחק; פותח במשחק; (בעל) תפקיד ראשי; פסקת מבוא (בעיתון); תעלה, מוביל; חוט חשמל; רצועת כלב
- follow his lead לעשות כמוהו
- give him a lead לעשות הצעד הראשון, לכוונו לפתרון הבעייה
- lead story החדשות המרכזיות
- take over the lead לתפוס המקום הראשון
- take the lead לעמוד בראש, לתת דוגמה, לפתוח בפעולה
- the lead המקום הראשון (במירוץ)

lead (led) *n.* עופרת; אנך, משקולת; גרפית; חצצה, לוחית-עופרת
- leads לוחות עופרת, פסי עופרת
- swing the lead *להתחלות, להשתמט מעבודה

lead (led) *v.* לכסות בעופרת
lead′en (led′-) *adj.* עשוי עופרת; אפור; כבד
lead′er *n.* מנהיג, ראש; מנצח, נגן ראשי; מאמר מערכת; פרקליט ראשי; גיד
leaderless *adj.* חסר מנהיג
leadership *n.* מנהיגות
lead-free *adj.* נטול עופרת
lead-in *n.* הערות-הקדמה; חוט אנטנה
leading *adj.* ראשי, עיקרי
- leading actor/man שחקן ראשי
- leading article מאמר מערכת
- leading case מקרה המשמש תקדים
- leading light אישיות בולטת
- leading question שאלה מנחה (הרומזת על התשובה הרצויה)

leading (led′-) *n.* פסי עופרת; רווח בין שורות
leading lady שחקנית ראשית
leading reins מושכות (לסוס); הליכון-מושכות (לתינוק הלומד ללכת)
leading strings הליכון-מושכות; פיקוח מתמיד, הנחייה, הדרכה
lead time זמן ייצור מוצר
leaf *n.* עלה; דף; ריקוע-מתכת; כנף-שולחן (זחיחה/מתקפלת)
- come into leaf ללבלב, להצמיח עלים
- in leaf מלבלב, מוציא עלים
- take a leaf out of his book לחקותו, לקחת דוגמה ממנו
- turn over a new leaf לפתוח דף חדש

leaf *v.* ללבלב, להוציא עלים
- leaf out להוציא עלים, ללבלב
- leaf through לדפדף, לרפרף, לעלעל

leaf′age *n.* עלווה, כלל העלים
leafless *adj.* חסר-עלים
leaf′let *n.* עלון; דף-פרסומת; עלעל
leaf mold אדמת עלים רקובים
leafy *adj.* מכוסה עלים, עלווני
league (lēg) *n.* ליגה, ברית, חֶבֶר
- in league בן-ברית, משתף פעולה
- league match משחק ליגה

league *v.* להתאגד בליגה, להצטרף
league table טבלת הליגה
leak *v.* לדלוף, לנזול; להדליף
- leaked out הודלפה (ידיעה)

leak *n.* חור; דליפה; הדלפה
leak′age *n.* דליפה, נזילה
leaky *adj.* דולף, שיש בו חור
lean *v.* לנטות, להתכופף; להישען; להשעין
- lean down/over לרכון, להתכופף
- lean on לסמוך על; *לסחוט, ללחוץ
- lean over backward לעשות כל מאמץ
- lean toward לנטות ל-, לצדד

lean *n.* נטייה; בשר רזה
lean *adj.* רזה, כחוש; דל
- lean years שנות מחסור

leaning *n.* נטייה, מגמה
lean-to *n.* מבנה צדדי (שגגו נשען על בניין אחר), אגף נסמך
leap *v.* לקפוץ, לדלג; להקפיץ
- leap at the opportunity לקפוץ על ההזדמנות

leap *n.* קפיצה, דילוג, ניתור
- a leap in the dark קפיצה לתוך העלטה, צעד שאין לחזות תוצאותיו, הימור נועז
- by leaps and bounds בצעדי ענק

leapfrog *n.* מיפשק (משחק בקפיצות מעל שחקנים העומדים כפופים)
leapfrog *v.* לדלג כנ"ל; לעקוף זה את זה
leap year שנה מעוברת
learn (lûrn) *v.* ללמוד; לדעת; להיווכח, למצוא ש-; להיוודע; *ללמד לקח
- learn by heart ללמוד על פה
- learn one's lesson ללמוד את הלקח

learn′ed (lûr′nid) *adj.* מלומד; ידעני
learner *n.* לומד, תלמיד
learner driver תלמיד נהיגה
learning *n.* בקיאות, ידע רחב
learning curve עקומת למידה, קצב ההתקדמות
lease *n.* חכירה, שכירות; הסכם חכירה
- by lease, on lease בחכירה
- new lease on life סיכוי לחיים טובים יותר, דם חדש בעורקיו

lease *v.* לחכור, להחכיר
leaseback *n.* החכרת הנכס למוכר
leasehold *adj&n.* (נכס) מוחכר
leaseholder *n.* חוכר
leash *n.* רצועת כלב
- hold in leash לשלוט, להחזיקו ברסן
- strain at the leash לגלות להיטות להיות חופשי

least *adj&n.* הקטן ביותר, הכי מעט
- at least לכל הפחות, לפחות
- not in the least כלל וכלל לא
- the least said the better סייג לחוכמה

שתיקה
- to say the least (of it) אם ננקוט לשון המעטה, מבלי להגזים, לא אוסיף
least *adv.* במידה הכי קטנה
- least of all ביחוד לא, פחות מכל
- not least בחלקו, במידה רבה
leastways *adv.* לְפָחוֹת
leastwise *adv.* לְפָחוֹת
leath'er (ledh'-) *n&v.* עור; *להלקות
leath'erette' (ledh-) *n.* חיקוי עור
leatherneck *n.* *נחת, איש המארינס
leathery *adj.* עורי, קשה, גילדני
leave *v.* לצאת, לעזוב, להיפרד; להשאיר, להניח, לנטוש; להתפטר
- 5 from 8 leaves 3 8 - 5 = 3
- it leaves much to be desired טעון שיפור רב, רחוק מלהניח הדעת
- leave behind לשכוח, להשאיר בטעות
- leave flat *לנטוש לפתע
- leave go/hold of להרפות מ-
- leave him be! השאר אותו כך!
- leave him to his own devices להניחו לנפשו (שיעשה כרצונו)
- leave him/it alone לעזוב אותו, להניח לו
- leave it at that להשאיר זאת כך
- leave it over until לדחות זאת ל-
- leave it with להשאיר זאת אצל
- leave off להפסיק; לחדול מללבוש
- leave one cold לא להתלהב
- leave out להשמיט, לשכוח, לפסוח על
- leave well (enough) alone להניח לדברים כמות שהם
- leave word with להשאיר הודעה אצל
- left at the post נוצח בתחילת התחרות
- left for dead ננטש כחסר סיכוי להצילו
- was nicely left *סידרוהו כהוגן
leave *n.* רשות, היתר; חופשה
- French leave יציאה/חופשה בלי רשות
- by your leave ברשותך
- leave of absence חופשה
- on leave בחופשה
- take leave להיפרד, לומר שלום
- take leave of one's senses להשתגע, לצאת מדעתו
leave *v.* ללבלב, להוציא עלים
leav'en (lev'-) *n.* שאור, שמרים; השפעה, דבר הגורם לשינוי
leaven *v.* להוסיף שאור, להשפיע
leavening *n.* שמרים, חומר מתפיח
leaves = pl of leaf (lēvz)
leave taking פרידה, עזיבה
leavings *n-pl.* שיירים, שיריים
Leb'anese' (-nēz') *n.* לבנוני
Leb'anon *n.* לבנון
lech *n&v.* (להיות שטוף ב-) זימה
lech'er *n.* שטוף בזימה, תאוותן
lech'erous *adj.* תאוותני
lech'ery *n.* תאוותנות, מעשה זימה
lec'tern *n.* עמוד קריאה (בכנסייה)
lec'ture *n.* הרצאה, נאום; הטפה
lecture *v.* להרצות; להטיף מוסר
lecturer *n.* מרצה
lectureship *n.* מישרת מרצה
led = p of lead
ledge *n.* מדף; זיז; רכס סלעים (בתוך הים)
- window ledge אדן החלון
led'ger *n.* ספר ראשי (בחשבונאות)
ledger line קו עזר (במחומשת)
lee *n.* מחסה (מפני רוח)
- lee shore חוף שהרוח נושבת לעברו (מכיוון הים)
- lee side צד (הספינה) שהרוח נושבת ממנו והלאה (לעבר הים)
- lee tide גיאות הים בכיוון הרוח
leech *n.* עלוקה; *רופא
leek *n.* כרישה (ירק דמוי-בצל)
leer *n.* מבט חשקני, מבט עוין
leer *v.* לנעוץ מבטים, לפזול
leery *adj.* *חשדני, חסר אמון ב-
lees (-z) *n-pl.* שמרים, משקע היין
- drink to the lees לשתות עד תום (את כוס התרעלה)
lee'ward *adj.* לכיוון (שבו נושבת) הרוח
leeward = lee side
lee'way *n.* צדידה, היסחפות לצד בשל רוח; זמן עודף, מרחב תמרון; פיגור
- make up leeway להדביק את הפיגור
left *n&adj.* שמאל, צד שמאל; שמאלי
- left and right מכל העברים, על ימין ועל שמאל, בכל מקום
- out in left field *מופרע, מטורף; טועה לחלוטין
left *adv.* שמאלה, לצד שמאל
left = p of leave
left-hand *adj.* שמאלי, שביד שמאל
left-handed *adj.* איטר, שמאלי
left-handed compliment מחמאה מפוקפקת
left-hander *n.* איטר; מכה ביד שמאל
lef'tie *n.* *שמאלני; איטר
leftist *n.* שמאלני
left luggage office משרד לשמירת חפצים
leftovers *n-pl.* שיירים, שיריים
leftward *adj&adv.* שמאלי, שמאלה
left wing האגף השמאלי
lef'ty *n.* *שמאלני; איטר
leg *n&v.* רגל, כֶּרַע; קטע, שלב (בטיול, בתחרות)
- be on one's (hind) legs לקום על רגליו
- find one's legs לעמוד על רגליו, להיות מודע לעוצמה הטמונה בו
- give him a leg up לעזור לו לעלות, לסייע לו בעת צרה
- has legs יש רגליים לדבר, זה נכון
- has no leg to stand on אין לו על מה להסתמך, הושמטה הקרקע מתחתיו
- has the legs of her רץ מהר ממנה
- he is all legs הוא גבוה ורזה
- leg it למהר, לרוץ, לברוח
- never off one's legs תמיד עובד
- on one's last legs עייף, הולך למות
- pull his leg למתוח אותו, להתל בו
- run him off his legs להריץ אותו/להעביד אותו עד לעייפה
- shake a leg *לרקוד; למהר
- show a leg *לקום מן המיטה
- stand on one's own legs להיות עצמאי
- stretch one's legs לערוך טיול קצר, להחלץ עצמותיו

- take to one's legs לברוח
leg′acy *n.* ירושה, עיזבון; מורשה
le′gal *adj.* חוקי; מותר; משפטי; ליגלי
- a legal offense עבירה על החוק
- legal instrument מסמך משפטי
- take legal action לנקוט אמצעים משפטיים
legal aid סיוע משפטי
legal capacity כשרות מישפטית
legal ethics אתיקה מישפטית
legal fiction הנחה משפטית (שבי״ד קובע)
le′galism′ *n.* דביקות יתירה בחוק
le·gal′ity *n.* חוקיות, ליגליות
le′galiza′tion *n.* ליגליזציה, מתן אישור חוקי, הפיכה לחוקי
le′galize′ *v.* לעשות לחוקי, להתיר
legally *adv.* באופן חוקי
legal tender מטבע חוקי, הילך חוקי
leg′ate *n.* שליח האפיפיור; ציר
leg′atee′ *n.* יורש, מקבל עיזבון
le·ga′tion *n.* צירות; לשכת הציר
le·ga′to (-gä-) *adv.* לגטו (במוסיקה)
leg′end *n.* אגדה, מיתוס; כתובת (על מטבע); מקרא (במפה)
leg′endar′y (-deri) *adj.* אגדי
leg′erdemain′ *n.* להטוטים
leg′er line קו עזר (במחמושת)
leg′ged (-legd) *adj.* בעל רגליים
- 3-legged בעל 3 רגליים, תלת-רגלי
leg′gings *n-pl.* חותלות, כיסוי שוקיים, מוקיים
leg′gy *adj.* ארך-רגליים
leg′horn′ *n.* לגהורן (סוג של תרנגולות)
leg′ibil′ity *n.* קריאות
leg′ible *adj.* קריא, נוח לקריאה
le′gion (-jən) *n.* לגיון; המון
- foreign legion לגיון זרים
- their name is legion מספרם רב
legionary *n.* לגיונאי, לגיונר
le′gionnaire′ (-jənār′) *n.* לגיונר
leg′islate′ *v.* לחוקק חוקים
- legislate against לאסור; למנוע
leg′isla′tion *n.* חקיקה, תחיקה; חוקים
leg′isla′tive *adj.* תחיקתי, מחוקק
leg′isla′tor *n.* חבר בית מחוקקים; מחוקק
leg′isla′ture *n.* בית מחוקקים
le·git′ *adj.* *חוקי, לגיטימי
le·git′imacy *n.* חוקיות, לגיטימיות
le·git′imate *adj.* חוקי, לגיטימי, כשר
- legitimate drama דרמה בימתית
- legitimate reason סיבה הגיונית
le·git′imate′ *v.* לעשות לגיטימי, לתת תוקף חוקי, להכשיר
le·git′ima′tion *n.* לגיטימציה
le·git′imize′ *v.* לעשות לגיטימי, לתת תוקף חוקי, להכשיר
legless *adj.* חסר רגליים; *שיכור
legman *n.* שליח; אוסף מידע
leg-pull *n.* *מתיחה, סידור
legroom *n.* מקום לרגליים
leg′ume (-gūm) *n.* קיטנית
le·gu′minous *adj.* של משפחת הקיטניות
leg-up *n.* עזרה, סיוע לגבור על קושי
leg work עבודה מעשית; שליחות
lei (lā) *n.* זר (מסביב לצוואר)
lei′sure (lē′zhər) *n.* פנאי
- at leisure פנוי, לא עסוק
- at one's leisure בזמנו החופשי
leisure center מרכז ספורט
leisured *adj.* פנוי, שיש לו פנאי
leisurely *adj.* מתון, איטי, לא ממהר
leisurely *adv.* במתינות, לא בחיפזון
leisurewear *n.* לבוש קל
leitmotif (līt′mōtēf) *n.* לייטמוטיב, רעיון מרכזי, תנע תואר, חוט השני
leitmotiv (līt′mōtēf) *n.* לייטמוטיב, רעיון מרכזי, תנע תואר, חוט השני
lem′ming *n.* למינג (מכרסם קטן)
lem′on *n.* לימון; *דבר לא נעים, נערה מכוערת
lem′onade′ *n.* לימונדה
lemon curd ריבת גבינה ולימון
lemon drop ממתק (חמצמץ)
lemon soda משקה לימון וסודה
lemon squash מיץ לימון ממותק
lemon squeezer מסחט
le′mur *n.* למור (קיפוף)
lend *v.* להלוות, להשאיל; להוסיף, לתרום; לתת, לעזור
- lend a hand לסייע, לעזור
- lend an ear להטות אוזן, להקשיב
- lend itself to להיות מתאים/נוח ל-
- lend oneself to לתת ידו, להסכים ל-
lender *n.* מלווה, משאיל
lending library ספריית השאלה
length *n.* אורך; תקופה, משך-זמן; חתיכה (של חבל/בד); אורך (הסירה) בתחרות
- at full length (שרוע) מלוא קומתו
- at length לבסוף; ביסודיות, בפרוטרוט; באריכות
- go to any/all lengths to לעשות הכל כדי-
- keep at arm's length להתרחק מ-
lengthen *v.* להאריך; להתארך
lengthways *adv.* לאורך
lengthwise *adv.* לאורך
lengthy *adj.* ארוך, ארוך ביותר
le′nience *n.* רוך, יד רכה, מקל-נועם
le′niency *n.* רוך, יד רכה, מקל-נועם
le′nient *adj.* מקל, לא מחמיר (בדין), רך
len′itive *adj.* (סם) מרגיע
len′ity *n.* רחמים, רכות, עדינות
lens (-z) *n.* עדשה; עדשת העין
- contact lenses עדשות-מגע
Lent *n.* לנט (תקופת צום לפני הפסחא)
lent = p of lend
Lent′en *adj.* של תקופת לנט
len′til *n.* עדשה (קטנית)
len′to *adv.* לנטו, לאט, במתינות
Le′o *n.* מזל אריה
le′onine′ *adj.* של אריה, כמו אריה
leop′ard (lep′-) *n.* נמר
leop′ardess′ (lep-) *n.* נמרה
le′otard′ *n.* מצרפת הדוקה (לרקדנים), בגד-גוף
lep′er *n.* מצורע
lep′rosy *n.* צרעת
lep′rous *adj.* מצורע

les′bian (-z-) *adj&n.* לסבית
lesbianism *n.* לסביות
lese′-maj′esty (lēz-) *n.* בגידה; *פגיעה בכבוד, התנהגות מחוצפת
le′sion (-zhən) *n.* פצע, פגיעה
Leso′tho (-tō) *n.* לסוטו
less *adj&adv&n.* פחות; פחות
- in less than no time כהרף עין
- it's nothing more or less than זה לא פחות מ-, זה ממש
- less and less פחות ופחות
- less of it! די! מספיק!
- less than happy לא מאושר (בלשון המעטה)
- no less לא פחות, ממש, טבין ותקילין
- none the less בכל זאת, אעפ״כ
- not any the less לא פחות כלל, אותו דבר, היינו הך
- still/much/even less ודאי שלא
- the less you talk the better מוטב לדבר פחות
- think the less of him להעריכו פחות, לסור חינו בעיניו
less *prep.* פחות, בניכוי, מינוס
les•see′ *n.* חוכר, שוכר
less′en *v.* להפחית; להמעיט; להיחלש
lesser *adj.* הפחות, היותר קטן
les′son *n.* שיעור; לקח; פרק בתנ״ך
- teach him a lesson ללמדו לקח
les•sor′ *n.* מחכיר, משכיר
lest *conj.* פן, שמא, לבל-
let *v.* להרשות, לאפשר, להניח, לתת; להשכיר, להחכיר; נניח ש-
- let X be equal to 4 נניח ש-איקס = 4
- let a window into the wall לקרוע חלון בקיר
- let alone כל שכן/בוודאי שלא
- let blood להקיז דם
- let down להוריד; להאריך (בגד)
- let down easy לסרב/לדחות בעדינות
- let drive לזרוק, להטיל; להכות
- let drop להפיל; לומר, לפלוט, להפטיר
- let fall להפיל; לומר, לפלוט, להפטיר
- let fly לירות; לפלוט; להתפרץ
- let go להרפות, להניח, לשחרר; לפלוט
- let him do it שיעשה זאת
- let him down לאכזבו, לנטשו
- let him have it *לתת לו מנה
- let him into לשתפו, להכניסו (בסוד)
- let him know להודיע לו
- let him/it alone להניח לו, לעזוב אותו
- let him/it be להניח לו, לעזוב אותו
- let in להכניס; להצר (בגד)
- let it go at that להשאיר זאת כך, לא לדון בכך עוד
- let it pass לעבור על כך לסדר היום, להתעלם מכך
- let loose לשחרר, לקרוא דרור ל-
- let me see רק רגע, הבה נראה
- let off לשחרר, לפטור; לירות, לפוצץ
- let on *לגלות (סוד); להעמיד פנים
- let oneself go לתת פורקן ליצריו; לא להקפיד על הופעתו, להזניח עצמו
- let oneself in for להסתבך ב-
- let out להשכיר; להרחיב (בגד); לפלוט, להוציא; לשחרר
- let out at להתקיף, להתפרץ כלפי-
- let slip להחמיץ (הזדמנות); לפלוט
- let there be no mistake שיהיה ברור, שלא תהיה אי-הבנה
- let through להעביר
- let up לחדול, להפסיק; להיחלש
- let up on לנהוג ביתר רכות כלפי-
- let us go, let's go הבה נלך, נזוז
- let well (enough) alone להניח לדברים כמו שהם
- to let ״להשכרה״ (שלט)
let *n.* השכרה; דירה להשכיר; *שוכר; מעצור, עיכוב; (בטניס) חזור (כדור הגשה הנוגע בראש הרשת)
- without let or hindrance ללא כל עיכוב
let-down *n.* אכזבה
le′thal *adj.* קטלני, גורם למוות
le•thar′gic *adj.* רדום, חסר-מרץ, אדיש
leth′argy *n.* רדמת; עייפות; אדישות
let's = let us (lets)
let′ter *n.* אות (בא״ב); מכתב
- letter of intent הבנה בכתב
- letters ספרות
- man of letters משכיל, יודע ספר
- the letter of the law החוק ככתבו וכלשונו (בניגוד לרוח החוק)
- to the letter ככתוב, אות באות
letter *v.* לכתוב/לסמן באותיות
letter bomb מעטפת נפץ
letter-box *n.* תיבת מכתבים
letter-card *n.* איגרת דואר
lettered *adj.* מלומד, יודע ספר
letterhead *n.* כותרת מכתב (עם הפירמה); נייר מכתבים
lettering *n.* אותיות, מלים; איות
letter of comfort כתב ערבות
letter of credit מכתב אשראי
letter-perfect *adj.* מדויק, בקי בע״פ
letterpress *n.* הדפסה ע״י סדר; תוכן הספר, טקסט (בניגוד לאיורים)
letter-quality *adj.* איכותי למכתבי עסק
letters patent אישור פטנט
letting *n.* דירה מושכרת
let′tuce (-tis) *n.* חסה (ירק)
let-up *n.* הפוגה, הפסקה
leu′cocyte′ (lōō′-) *n.* ליקוציט, כדורית לבנה
leu•ke′mia (lōōk-) *n.* ליקומיה, חיוור דם, סרטן הדם
leu′kocyte′ (lōō′-) *n.* ליקוציט, כדורית לבנה
Levant′ *n.* לבנט, המזרח הקרוב
levant *v.* לברוח, להסתלק
Lev′antine′ *adj.* לבנטיני
lev′ee *n.* סכר, סוללה (למי נהר); (בעבר) קבלת פנים (ע״י המלך)
lev′el *n.* רמה; דרגה; משטח, שטח; גובה, רום; מפלס; פלס-מים, מפלסה
- find one's level למצוא את מקומו הנכון בחברה
- ministerial level דרג מיניסטריאלי
- on the level הוגן, ישר; בכנות
- sea level פני הים
- spirit level פלס מים
level *adj.* ישר, חלק, אופקי; שווה-רמה

- a level head דיעה מיושבת/שקולה
- a level look מבט יציב/מיישיר
- a level race מירוץ צמוד
- do one's level best לעשות כמיטב יכולתו
- level spoon כף מחוקה
level *v.* ליישר, לאזן, לפלס; להשוות/להשתוות ברמה; להרוס, למחוק
- level a charge against להטיח אשמה ב-
- level at לכוון (רובה) לעבר
- level down להוריד, להשוות ברמתו
- level off/out להפסיק לנסוק, לטוס בגובה קבוע; לא להתקדם עוד בדרגה
- level up להרים, להשוות ברמתו
- level with לדבר בכנות, לא להסתיר
level crossing צומת מישורי
lev'eler *n.* דוגל בשוויון חברתי
level-headed *adj.* מיושב בדעתו
level pegging שוויון
lev'er *n&v.* מנוף; להניף, להזיז במנוף
lev'erage *n.* הנפה, תנופה; השפעה
lev'eret *n.* ארנבת צעירה
le·vi'athan *n.* לוויתן; ענק
Levi's (lē'vīz') *n-pl.* ליוייס (ג'ינס)
lev'itate' *v.* להתרומם, לרחף באוויר; להרחיף (בספיריטואליזם)
lev'ita'tion *n.* ריחוף; הרמה באוויר
Le'vite *n.* לוי
Le·vit'icus *n.* ויקרא (חומש)
lev'ity *n.* קלות ראש, זלזול
lev'y *v.* להטיל מס; לגבות; לגייס
- levy on להחרים, לעקל
- levy war לצאת למלחמה
levy *n.* מס, מכס; הטלת מס; גבייה; גיוס; מִכסָה, כמות
- capital levy מס רכוש
lewd (lo͞od) *adj.* גס; תאוותני
lex *n.* דין, חוק, מערכת חוקים
lex'ical *adj.* של מלים, בלשני, מילונאי
lex'icog'rapher *n.* מילונאי
lex'icog'raphy *n.* מילונאות
lex'icon *n.* מילון, לקסיקון
lex'is *n.* לקסיקה, אוצר מלים
li'abil'ity *n.* חבות, חובה; אחריות; עלילות, נטייה; *נטל, מעמסה
- liabilities התחייבויות, חובות
li'able *adj.* אחראי, נושא באחריות
- liable to עלול ל-, עשוי ל-, צפוי ל-; נוטה ל-; סובל מ-
liaise' (liāz') *v.* לקשר, לשמור על קשר בין, לפעול בצוותא
li'aison' (lē'āzon) *n.* קשר (בין יחידות צבא); יחסי מין (לא חוקיים)
liaison officer קצין קישור
lian'a *n.* ליאנה (צמח מטפס)
li'ar *n.* שקרן
lib = liberation *שחרור
li·ba'tion *n.* נסך; *שתיית משקה
lib'ber *n.* *דוגל בשחרור (האישה)
li'bel *n.* דיבה, לעז, כתב פלסתר; עוול, חטא לאמת, תיאור לא הוגן
libel *v.* להוציא דיבה, להלעיז
li'belous *adj.* משמיץ, מרכל
lib'eral *adj&n.* ליבראלי, חופשי, שופע, נדיב; מתקדם, ליבראל
- liberal table שולחן עמוס כל טוב
liberal arts המדעים החופשים, מדעי הרוח
liberalism *n.* ליבראליזם, ליבראליות
lib'eral'ity *n.* נדיבות, רוחב-לב, סובלנות, רוחב-אופק; מעשה צדקה
lib'eraliza'tion *n.* ליבראליזציה
lib'eralize' *v.* להנהיג ליבראליזציה
liberally *adv.* ביד רחבה, ברוחב לב
Liberal Party המפלגה הליברלית
lib'erate' *v.* לשחרר
lib'era'ted *adj.* משוחרר, חופשי
lib'era'tion *n.* שחרור
lib'era'tor *n.* משחרר, גואל
Li·be'ria *n.* ליבריה
lib'ero (lēb'-) *n.* ליברו (שחקן הגנה)
lib'erta'rian *n.* דוגל בחופש המחשבה/הדת; מאמין בבחירה חופשית
lib'ertine (-tēn) *n.* מופקר, שטוף בזימה, חסר מעצורים מוסריים
lib'erty *n.* חירות, חופש; חוצפה
- allow oneself the liberty להרשות לעצמו
- at liberty חופשי, רשאי ל-
- liberties זכויות מיוחדות
- liberty of conscience חופש המצפון
- liberty of speech חופש הדיבור
- liberty of the press חופש העיתונות
- set at liberty לשחרר
- take liberties with לנהוג בחופשיות יתירה; לשנות הכתוב, לשכתב
- take the liberty להרשות לעצמו
libid'inous *adj.* שטוף-תאווה
libi'do (-bē'-) *n.* ליבידו, יצר-המין, אביונה
Li'bra (lē'-) *n.* מזל מאזניים
li·bra'rian *n.* ספרן
librarianship *n.* ספרנות
li'brary *n.* ספרייה
- circulating library ספריית השאלה
- public library ספרייה ציבורית
- reference library ספריית עיון
libret'tist *n.* כותב ליברית
libret'to *n.* ליברית, ליברטו, תמליל
Lib'ya *n.* לוב
Lib'yan *n.* לובי, תושב לוב
lice = pl of louse כינים
licence = license
li'cense *n.* רשיון; רישוי; חופש, הפקרות, התפרעות, התרת הרסן
- driver's license רשיון נהיגה
- off-license רשיון למכירת משקאות ולהוציאם
- on-license רשיון למכירת משקאות לשתייה במקום
license *v.* להעניק רשיון
licensed *adj.* בעל רשיון, מורשה
li'censee' *n.* בעל רשיון
license plate לוחית זיהוי (במכונית)
li·cen'tiate (-shiit) *n.* בעל רשיון
li·cen'tious (-shəs) *adj.* מופקר, פרוץ; חסר-רסן
li'chee (lē'chē) *n.* ליצ'י (עץ סיני)
lich'en *n.* חזזית (צמח)
lich-gate שער בית-עלמין (כנסייתי)
lic'it *adj.* חוקי, מותר, כשר

lick *v.* ללקק; ללחך; *להכות, להביס; לרוץ, למהר
- it licks me הדבר נשגב מבינתי
- lick his boots להתרפס, "ללקק לו"
- lick into shape לאמן, להדריך; לעצב, לתת צורה, לתגמר
- lick one's chops *ללקק שפתיו
- lick one's lips ללקק שפתיו, ליהנות
- lick one's wounds ללקק את פצעיו
- lick the dust לנחול תבוסה; למות
- lick up ללקלק, ללקק הכל
- that licks everything זה מדהים אותי
lick *n.* לקיקה; מריחה קלה, ניקוי קל
- a lick and a promise *ניקוי שטחי
- at a great lick *במהירות רבה
- salt lick מקום לקיקת מלח
lick′ety-split′ *adv.* *חיש, מהר מאוד
licking *n.* *תבוסה; הצלפה
lick′spit′tle *n.* חנפן, מתרפס
lic′orice (-ris) *n.* שוש, סוס (משקה)
lid *n.* מיכסה; עפעף; *כובע
- blow the lid off לחשוף האמת
- put the lid on לשים קץ ל-; לעבור כל גבול
li′do (lē′-) *n.* בריכה פתוחה, לידו
lie (lī) *v.* לשכב; לנוח; לרבוץ; להיות, לשכון, להימצא, להשתרע
- as far as in me lies כמיטב יכולתי
- find out how the land lies לבדוק את מצב הדברים
- lie about להתבטל, להיות עצלן
- lie at his door לתלות בו הקולר, לרבוץ לפיתחו
- lie back להשתרע, לשכב, לנוח
- lie behind להיות הגורם ל-, להסתתר מאחורי-
- lie down לשכב, לרבוץ
- lie down under לקבל זאת בלי להתנגד
- lie heavy on להכביד/להעיק על
- lie in לאחר לקום (בבוקר), להמשיך לשכב; לשכב ללדת
- lie in state להיות מונח לפני הקהל (ארון הנפטר)
- lie in wait *לארוב
- lie low לשתוק; להסתתר; לשמור על פרופיל נמוך
- lie over להידחות לטיפול בעתיד
- lie to להגיע לעצירה כמעט מוחלטת (לגבי ספינה מול הרוח)
- lie up להיות מרותק למיטה; להסתתר
- lie with לחול על, להיות מוטל על, לרבוץ על; לשכב עם/את-
- take it lying down לבלוע זאת, לקבל זאת בלי למחות
- the appeal does not lie הערעור אינו מתקבל על הדעת
lie *n.* תנוחה, מצב
- the lie of the land פני השטח; מצב העניינים
lie *v&n.* לשקר, לרמות; שקר
- give the lie to להאשימו בדבר שקר; להזים
- nail a lie להפריך, לקבוע שזה שקר
- tell a lie לשקר
- white lie שקר לבן, שקר כשר
lie-abed *n.* עצל, מאחר לקום

Liech′tenstein′ (lik′tənshtīn′) *n.* ליכטנשטיין
lied (pl = lieder) (lēd) *n.* שיר גרמני
lie detector מכונת אמת, גלאי שקר
lie-down *n.* מנוחה קצרה, שכיבה
lief (lēf) *adv.* בחפץ לב, בשמחה
liege (lēj) *n.* אדון
liege man וסל, משועבד
lie-in *n.* הישארות במיטה, איחור לקום
lien (lēn) *n.* עיכבון, שעבוד
lieu,in lieu of (lo͞o) במקום, תחת
lieu·ten′ancy (lo͞ot-) *n.* סגנות (בצבא)
lieu·ten′ant (lo͞ot-) *n.* סגן (בצבא); סגן, ממלא מקום
- second lieutenant סגן-משנה
lieutenant colonel סגן-אלוף
life *n.* חיים; נפש, חיות; פעילות; מודל חי (בציור); *מאסר עולם
- a good life בעל תוחלת חיים גבוהה
- a life for a life נפש תחת נפש
- a matter of life or death שאלת חיים או מוות
- after life העולם הבא
- as large as life בגודל טבעי; הוא בכבודו ובעצמו; ללא כל ספק
- between life and death בין חיים ומוות, בסכנה רבה
- bring to life להשיב לתחייה
- change of life תקופת המעבר, בלות
- come to life להתאושש, לשוב להכרתו
- for (dear) life כדי להינצל ממוות
- for life למשך כל החיים, לצמיתות
- for the life of me כה אחיה!
- had the time of his life נהנה כפי שלא נהנה מעודו
- larger than life גדול מהחיים, מרשים; מוגזם
- life imprisonment מאסר עולם
- life story ביוגרפיה, סיפור חיים
- not on your life! חס וחלילה!
- paint from life לצייר ממודל חי
- run for your life! נוס על נפשך!
- see life לראות עולם, לחוות חוויות
- take his life להרגו
- take one's life in one's hands לשים נפשו בכפו
- take one's own life להתאבד
- the life of the party הרוח החיה במסיבה
- the other/future life העולם הבא
- this life העולם הזה
- to the life בדיוק רב, כמו בחיים
- true to life אמיתי, נאמן למציאות
- way of life אורח חיים
life assurance ביטוח חיים
life belt חגורת הצלה
lifeblood *n.* דם החיים
life-boat *n.* סירת הצלה
life buoy גלגל הצלה
life cycle מחזור הגלגולים (בהתפתחות החרק)
life estate רכוש המוחזק במשך כל החיים, אחוזת חיים
life expectancy תוחלת חיים
life-giving *adj.* מחזק, מפיח חיים
lifeguard *n.* מציל; שומרי ראש

life history שלבי הגלגולים (בהתפתחות החרק); תולדות חיים
life insurance ביטוח חיים
life interest הכנסה מרכוש למשך החיים
life jacket חגורת הצלה
lifeless *adj.* חסר-חיים, מת
lifelike *adj.* כמו בחיים, כמו במציאות
lifeline *n.* חבל הצלה, חבל אמודאים; עורק חיים; קו החיים (בכף היד)
lifelong *adj.* לאורך כל החיים
life member חבר לכל החיים
life-office *n.* משרד לביטוח חיים
life preserver חגורת הצלה
li'fer *n.* * (נדון ל-) מאסר עולם
- simple-lifer חי חיים פשוטים
life raft רפסודת הצלה
life-saver *n.* מציל (במקום רחצה)
life sciences מדעי החיים, ביולוגיה
life sentence מאסר עולם
life-size *adj.* (פסל) בגודל טבעי
life span אורך החיים
lifestyle אורח חיים
life-support *adj.* (ציוד) החייאה
life-support system מערכת החייאה
lifetime *n.* ימי החיים (של האדם)
- chance of a lifetime הזדמנות חייו
life work מפעל חיים
lift *v.* להעלות, להרים, להגביה; לעלות; להתנדף, להימוג; לגנוב; להסיר, לבטל; להוציא מן האדמה
- lift a finger/hand לנקוף אצבע
- lift down להוריד
- lift off להמריא (חללית)
- lift up one's eyes לשאת עיניו, להסתכל
lift *n.* הרמה, העלאה; מעלית; הסעה, טרמפ; מצב רוח מרומם
liftboy *n.* נער-מעלית
liftman *n.* איש-מעלית
lift-off *n.* זינוק, המראה
lig'ament *n.* מיתר (המחבר עצמות)
lig'ature *n.* תחבושת, סרט (למניעת אובדן דם); ליגטורה, אותיות מחוברות
light *n.* אור; אור יום; אש, גפרור; חלון, צוהר; אספקט; איש מופת
- according to one's lights במיטב יכולתו
- bring to light לגלות, להוציא לאור
- come to light להתגלות, להיוודע
- go out like a light להירדם; להתעלף
- in a bad light באור שלילי
- in a good light באור חיובי
- in the light of לאור-, בהתחשב-
- light at the end of the tunnel האור בקצה המנהרה
- look in a different light לראות (זאת) באור שונה
- see the light להיוולד; להתפרסם; להבין; לקבל, לראות האמת (ברעיון, בדת)
- shed/throw light on לשפוך אור על
- shining light אדם מבריק, אישיות
- stand in his light לעמוד בדרכו, להפריע לסיכוייו
- stand in one's own light לפעול נגד האינטרסים שלו עצמו
- strike a light להדליק גפרור
- the light dawns on להתבהר לו לפתע

light *v.* להאיר; להדליק; להאיר דרך
- his face lit up אורו פניו
- light into להתנפל על, להתקיף
- light out *להסתלק, לברוח
- light up להאיר; להדליק; *להדליק סיגריה, להתחיל למצוץ ממקטרתו
- light upon לגלות, למצוא, להיתקל ב-
- lit up *שתוי, מבוסם
light *adj.* קל; קליל; עליז; קל-דעת
- get off light להיפטר בעונש קל
- give light weight לרמות במשקל
- light cake עוגה תפוחה/גבוהה
- light head ראש סחרחר
- light heart לב שמח, חסר דאגה
- light horse פרשים קלים
- light punishment עונש קל
- light reading ספרות קלה
- light sleeper קל-שינה
- light soil אדמה קלה, אדמת חול
- light syllable הברה לא מוטעמת
- light weapons נשק קל
- light woman קלת-דעת, פרוצה
- make light of להקל ראש ב-
- travel light לנסוע במטען קל
light *adj.* מואר, שטוף-אור; בהיר
- light green ירוק בהיר
light-armed *adj.* חמוש בנשק קל
light bulb נורה
light'en *v.* להקל; לחוש הקלה
lighten *v.* להאיר; להתבהר; לזורח
- it was lightening הבריקו ברקים
light'er *n.* מצית; דוברה, רפסודה
lighter *v.* להעביר סחורה בדוברה
lighterage *n.* דמי פריקה, סוורות
lightfast *adj.* יציב אור, לא דוהה
light-fingered *adj.* זריז-אצבע, מאצבע/פורט בקלילות; כייס
light-footed *adj.* קל רגליים
light-handed *adj.* בעל יד קלה
light-headed *adj.* סחרחר; קל-דעת
light-hearted *adj.* שמח, עליז
light heavyweight משקל תת-כבד
lighthouse *n.* מגדלור
light industry תעשייה קלה
lighting *n.* תאורה, מאור
lighting-up time שעת הדלקת האורות
lightly *adv.* בקלות, בעדינות; בזלזול
light meter מד-אור
light-minded *adj.* קל-דעת
lightness *n.* קלות, קלילות
light'ning *n.* ברק, בזק
- lightning does not strike twice לא כל יום פורים
lightning bug גחלילית
lightning conductor/rod כליא-ברק, כליא-רעם
lightning strike שביתת פתע
light-o'-love קלת דעת
light-pen *n.* עט-אור
lights *n-pl.* ריאות (של בעל-חיים)
lightship *n.* ספינת מגדלור
lightsome *adj.* עליז; קל-דעת; זריז
lights-out *n.* שעת כיבוי אורות
light-weight *n&adj.* משקל קל (של מתאגרף); שוקל מתחת לממוצע, קל
light year שנת אור

lig'ne·ous *adj.* עצי, מעוצה
lig'nite *n.* פחם חום
likable, likeable *adj.* חביב, אהוב
like *v.* לאהוב, לחבב, לרצות
- I don't like to לא נעים לי ל-
- I like that! יופי! (באירוניה)
- I'd like to הייתי רוצה ל-
- as you like כרצונך
- fish doesn't like me דגים מזיקים לבריאותי
- how do you like- מה דעתך על-
- if you like אם טוב בעיניך, בבקשה
like *adj&adv.* דומה, דומים; שווה
- as like as not *קרוב לוודאי
- as like as- דומה, ממש כמו
- like enough קרוב לוודאי
- like father like son כאב כבן
- like ideas רעיונות דומים
- what is he like? איזה סוג אדם הוא?
like *prep&conj.* כמו, דומה ל-; אופייני/טיפוסי ל-; כגון, למשל; כפי ש-; כאילו
- I feel like מתחשק לי, הייתי רוצה
- it looks like rain נראה שירד גשם
- it's (just) like him to- זה אופייני לו ל-, זה הטבע שלו
- like anything מאוד, מהר, חזק וכ'
- shout like mad לצעוק כמו משוגע
- something like בערך, בסביבות
- there's nothing like אין כמו
like *n.* דבר דומה, אדם דומה
- and the like וכדומה
- likes and dislikes הדברים האהובים עליו והשנואים עליו
- see his like לראות אדם כמוהו
- see the like (of it) לראות דבר כגון זה
- the likes of us *אנשים כמונו
-like (סופית) דמוי, כמו-
- childlike ילדותי, כמו ילד
likelihood *n.* אפשרות, סבירות, עלילוּת
- in all likelihood קרוב לוודאי
likely *adj&adv.* מתאים, הולם, סביר; עשוי, צפוי, עלול; אפשרי, מתקבל על הדעת
- a likely story! ספר לסבתא!
- as likely as not קרוב לוודאי
- most likely קרוב לוודאי
- not likely! *בהחלט לא!
like-minded *adj.* בעל אותה כוונה, תמים-דעים, בעלי טעם זהה/אינטרסים דומים
liken *v.* להשוות, לדמות, להקביל
likeness *n.* דמיון, שוויון; תמונה
- in the likeness of בדמות-, בצורת-
likewise *adv&conj.* באותו אופן, באותה צורה, אותו הדבר; כמו כן, יתר על כן
liking *n.* חיבה, נטייה
- to one's liking לפי טעמו
li'lac *n.* לילך (שיח); סגול-ורוד
lil'lipu'tian (-shən) *adj.* ליליפוטי, זעיר, מגומד
li'lo *n.* מזרן-אוויר
lilt *n.* שיר ריתמי, מנגינה עליזה; תנועה קצובה; מקצב ברור
lilt *v.* לנגן במקצב, לשיר בקצב

lil'y *n.* שושן, שושנה
- paint the lily לייפות דבר יפה
lily-livered *adj.* פחדן, מוג-לב
lily-white *adj.* לבן, טהור
limb (lim) *n.* איבר, גף, זרוע, רגל, כנף; ענף גדול; *שובב, ילד רע
- escape with life and limb להיחלץ בלי פגיעה רצינית
- out on a limb בדד, ללא תמיכה, נטוש, פגיע, מסתכן (בהבעת דעה)
- tear limb from limb לקרוע איבריו
-limbed (limd) *adj.* בעל איברים
- long-limbed ארך-איברים
lim'ber *n.* ארגז תחמושת מתנייע
limber *v.* לחבר ארגז כנ"ל לתותח
limber *adj&v.* גמיש, כפיף
- limber up להגמיש, לרפות השרירים
lim'bo *n.* לימבו (לא גן-עדן ולא גיהינום); מצב של אי-ודאות
- in limbo תלוי ועומד, תלוי באוויר
Lim'burger (-g-) *n.* לימבורגר (גבינה)
lime *n&v.* סיד; להוסיף סיד (לאדמה)
- slaked lime סיד כבוי
lime *n.* ליים (פרי דמוי-לימון)
lime-green *adj.* ירוק ליים (כנ"ל)
limekiln *n.* כבשן-סיד
limelight *n.* אורות הבימה; פרסומת, מוקד ההתעניינות
- in the limelight נמצא במרכז ההתעניינות, זוכה לפרסומת רבה
lim'erick *n.* חמשיר
limestone *n.* אבן סיד, גיר
li'mey *n.* *בריטי, מַלָּח בריטי
lim'it *n.* גבול, תחום; מגבלה
- off limits to- מחוץ לתחום ל-
- within limits עד גבול מסוים
- without limit בלי הגבלה
- you're the limit! *אתה עובר כל גבול! אין לסבול אותך
limit *v.* להגביל; לצמצם
lim'ita'tion *n.* הגבלה, גבילה; מגבלה; התיישנות
lim'ited *adj.* מוגבל; מצומצם; בע"מ
limited liability אחריות בערבון מוגבל, אחריות מוגבלת
limitless *adj.* בלי גבול
limn (lim) *v.* לתאר, לצייר
lim'o *n.* *לימוזינה
lim'ousine' (-məzēn) *n.* לימוזין, מונית
limp *v&n.* לצלוע; לנוע בכבדות; צליעה
limp *adj.* רך, רפוי, חלש, תשוש
lim'pet *n.* צדפה (הנצמדת בחוזקה לסלעים); דבק לכסאו; נצמד לזולת
limpet mine מוקש מוצמד (לאונייה)
lim'pid *adj.* צלול, בהיר, שקוף, ברור
limpid'ity *n.* צלילות, שקיפות
limp-wristed *adj.* *רפה, רכרוכי
li'my *adj.* מכוסה סיד
linch'pin' *n.* פין אופן (התקוע בקצה הסרן); חלק חשוב, בורג מרכזי במערכת
lin'den *n.* טילייה (עץ)
line *n.* קו; שורה; חבל; חוט; גבול; קמט; תור; טור; שושלת; מתאר, תוכנית; מערך, קו הגנה, כוחות לוחמים; שורת אוהלים; עסק, מקצוע; סוג

- all along the line לאורך כל הדרך
- blow one's lines לשכוח המלים (במחזה)
- bring into line להביא לידי התאמה; לאלצו ללכת בתלם
- bus line קו אוטובוסים
- come/fall into line לעלות בקנה אחד עם, לנהוג בהתאם לקו
- down the line לחלוטין; בהמשך הדרך
- draw the line להבחין; להימנע מ-, להציב גבול שאין לעברו
- drop a line *לכתוב פתק/כמה מלים
- get a line on *לגלות משהו על-
- give a line on *לספק מידע על
- hard lines מזל ביש
- hold the line להמתין על הקו
- in line בשורה, בקו ישר; מרוסן
- in line for הבא בתור ל-
- in line with עולה בקנה אחד עם
- in one's line בתחום התעניינותו
- keep to one's own line ללכת בדרכו שלו, להיות עצמאי
- lay on the line להציע תשלום; לסכן, להעמיד בסכנה; לומר גלויות
- line abreast (אוניות) פרוסות בשורה חזיתית
- line astern (אוניות) ערוכות בטור
- line of battle קו חזית, מערך
- lines המלים במחזה; משפטים להעתקה (כעונש); שיר; קווים, שיטות
- marriage lines תעודת נישואים
- on the line (לגבי ציור) בקו העין, תלוי בגובה העין, נוח לראותו; על הקו (בטלפון); *בסכנה
- out of line לא בקו ישר; לא הולך בתלם; לא עולה בקנה אחד עם
- party line קו טלפון משותף
- reach the end of the line להגיע לקצה הדרך, להסתיים; להיכשל
- read between the lines לקרוא בין השיטין
- ship of the line אוניית קרב
- shoot a line *להתרברב, להתנפח
- take a line לנקוט קו/דרך
- the line of fire קו האש
- the party line קו המפלגה
- toe the line ללכת בתלם, לציית

line *v.* לסמן בקווים; לחרוש (פנים); להיערך בשורות
- line up לסדר/להסתדר בשורה; לעמוד בתור; להיערך; לארגן, לסדר
- line up behind להתייצב מאחורי, לתמוך

line *v.* לצפות בבטנה, לבטן, לרפד; למלא (כרסו/ארנקו); לרבד
lin'e·age (-niij) *n.* יחוס, מוצא, שלשלת יוחסין
lin'e·al *adj.* מתייחס, (צאצא) ישיר
lin'e·ament *n.* פרט אופייני, צביון
- lineaments תווי הפנים

lin'e·ar *adj.* קווי, מקווקו; של אורך
linear measure מידת אורך
lined paper נייר שורה
linefeed *n.* קידום נייר בשורה
lineman *n.* שופט קו; שחקן-התקפה; קוון, מתקין קווי טלפון
line manager מנהל ישיר
lin'en *n.* פשתן, בדי פשתן; לבנים
- wash one's dirty linen לכבס את כבסיו המלוכלכים בפומבי

linen basket סל-כבסים
linen-draper *n.* סוחר בדים
line of vision קו ראייה
line printer מדפסת שורות
li'ner *n.* מטוס/אוניית נוסעים; כחל, עפרון-פוך; כיסוי
liner train רכבת-משא (ארוכת-מסלול)
linesman (-z-) *n.* שופט-קו, קוון
line-up *n.* מערך, היערכות, מיסדר; סידרת תוכניות
ling *n.* לינג (דג מאכל)
lin'ger (-g-) *v.* להתמהמה, להתעכב
- linger on להתמהמה, להימשך, להתעכב

lingerie (lan'zhərā') *n.* לבני נשים
lin'gering (-g-) *adj.* ממושך, נשאר
lin'go *n.* *שפה, לשון, ז'רגון
lin'gua fran'ca (ling'gwə-) שפה משותפת (באיזור רב-לשוני)
lin'gual (-gwəl) *adj.* לשוני
lin'guist (-gwist) *n.* בלשן, לשונאי
linguist'ic (-gwist-) *adj.* בלשני, לשוני
linguistics *n.* בלשנות, תורת הלשון
lin'iment *n.* משחה (לעיסוי, לריפוי)
li'ning *n.* בטנה, ציפוי פנימי
link *n.* חוליה; קשר, חוליה מקשרת; מידה (כ-20 ס"מ); רכס-חפתים; לפיד
- the missing link החוליה החסרה

link *v.* לקשר, לחבר, לשלב; להתחבר; להצמיד
- link up להתחבר, להתקשר
- linked צמוד ל-

link'age *n.* חיבור, קישור, שילוב; הצמדה
linkman *n.* קריין רצף; איש קשר; קַשָּׁר; נושא הלפיד (בלילה)
links *n-pl.* מגרש גולף; משטח חולי
link-up *n.* קישור, נקודת-חיבור
lin'net *n.* פרוש (ציפור שיר)
li'no = linoleum
lino-cut *n.* חריטת תבליט בלינוליאום; הדפסה מתבליט כזה
lino'le·um *n.* לינוליאום, שעמנית
li'notype' *n.* לינוטיפ, מסדרת שורות
lin'seed' *n.* זרעי הפשתה
linseed oil שמן פשתים
lint *n.* רטיה מוכית (לחבישת פצע)
lin'tel *n.* משקוף
li'on *n.* אריה; אדם חשוב, אישיות
- the lion's share חלק הארי

lioness *n.* לביאה
lion-hearted *adj.* אמיץ
li'onize' *v.* להעריץ, לכבד, לארח
lip *n.* שפה; פה; *חוצפה
- bite one's lips לנשוך את שפתיו
- button one's lip *לבלום פיו
- curl one's lip לעוות שפתיו בבוז
- hang on his lips לייחל למוצא פיו
- keep a stiff upper lip לשמור על הבעה קפואה, לא לגלות סימני פחד וכו'
- lick/smack one's lips ללקק את שפתיו, לחכוך ידיים בהנאה
- my lips are sealed פי חתום

lip′id *n.* שומן, חלב
lip′osuc′tion *n.* שאיבת שומן
-lipped *adj.* בעל שפתיים
- red-lipped אדום-שפתיים
lip-read *v.* לקרוא תנועות שפתיים
lip-service *n.* מס-שפתיים
- pay lip-service לדבר מן השפה ולחוץ, לשלם מס-שפתיים
lipstick *n.* שפתון, ליפסטיק
liq′uefac′tion *n.* הנזלה, ניזול
liq′uefy′ *v.* להמיס, להפוך לנוזל
liques′cent *adj.* מסיס, הופך לנוזל
liqueur′ (-kûr′) *n.* ליקר
liqueur glass כוסית-ליקר
liq′uid *n.* נוזל; עיצור נמשך (ל׳, ר׳)
liquid *adj.* נוזלי, נזיל, שוטף; שקוף; צלול, זך, בהיר; לא-יציב, הפכפך
- liquid air אוויר (במצב של) נוזל
- liquid assets הון נזיל/זמין
- liquid food מזון נוזלי
liq′uidate′ *v.* לחסל, להשמיד; לפרק (חברה); לפשוט רגל; לסלק (חוב)
liq′uida′tion *n.* חיסול; סילוק (חוב); מחסול, ליקווידציה; פירוק
- go into liquidation לפשוט רגל
liq′uida′tor *n.* מפרק (חברה), חסלן
liquid′ity *n.* נזילות, זמינות
liq′uidize′ *v.* לרסק, למרס (פירות)
liquidizer *n.* ממרס, בלנדר
liq′uor (-kər) *n.* משקה; משקה חריף; מיץ
- in liquor שתוי, בגילופין
liquorice = licorice (lik′əris)
lir′a *n.* לירה (יחידת-כסף)
lisle (līl) *n.* לייל (אריג כותנה)
lisp *v.* לעלג, לבטא ת׳ במקום ס׳
lisp *n.* עילגות, שיפתות
lis′som *adj.* גמיש, זריז, נע בחן
list *n&v.* רשימה; לרשום; לערוך רשימה
- active list רשימת קצינים (העשויים להקרא לשירות פעיל)
- free list רשימת מצרכים פטורים ממכס; רשימת הפטורים מדמי-כניסה
list *n&v.* נטייה לצד; לנטות הצידה
list *v.* לרצות, לבחור; להקשיב
lis′ten (-sən) *v.* להקשיב, להאזין
- listen in לצותת; להאזין לשידור
- listen out להקשיב היטב, לשים לב
- listen to me שמע בקולי
listenable *adj.* ראוי/נעים לשמוע
listener *n.* מאזין, קַשָּׁב
list′less *adj.* אדיש, תשוש, נרפה
list price מחיר רשום (לא מחייב)
lists *n-pl.* זירה למלחמות פרשים
- enter the lists לקרוא להתמודדות, לאתגר; להשתתף בתחרות; להיענות לאתגר
lit=liter, literally, literature
lit = p of light
lit′any *n.* תפילה (בכנסייה)
li′tchi (lē′chē) *n.* ליצ׳י (עץ סיני)
li′ter (lē′-) *n.* ליטר
lit′eracy *n.* ידיעת קרוא וכתוב
lit′eral *adj.* מדויק, מילולי, מלה במלה; של אותיות; פרוזאי, יבש, חסר דמיון
- literal error/mistake טעות דפוס
literal *n.* טעות דפוס
literally *adv.* מלה במלה, פשוטו כמשמעו; ממש, פשוט
lit′erar′y (-reri) *adj.* ספרותי, של ספרות
- literary man סופר; שוחר ספרות
- literary property הזכות לתמלוגים (של סופר)
literary criticism ביקורת ספרות
lit′erate *adj&n.* יודע קרוא וכתוב; לא-אנאלפביתי; מלומד, משכיל
lit′era′ti (-rä′-) *n-pl.* אנשי ספר
lit′erature *n.* ספרות; *חוברת מידע, פרוספקט
lithe (līdh) *adj.* גמיש, כפיף
lith′ic *adj.* אבני, של אבן
lith′ium *n.* ליתיום, אבנן
lith′ograph′ *n&v.* דפוס-אבן, ליתוגרף; להדפיס מעל לוח-אבן
lith′ograph′ic *adj.* ליתוגרפי
lithog′raphy *n.* ליתוגרפיה, דפוס אבן
Lith′ua′nia (-wā′nyə) *n.* ליטא
lit′igant *adj.* בעל-דין, טוען
lit′igate′ *v.* להגיש תביעה משפטית; לטעון בבי״ד, להתדיין
lit′iga′tion *n.* התדיינות, משפט
liti′gious (-tij′əs) *adj.* מרבה להתדיין; נתון לדיון, שנוי במחלוקת
lit′mus *n.* לקמוס
litmus paper נייר-לקמוס
li′totes (-tēz) *n.* לשון המעטה (כגון ״לא-חכם״ במקום ״טיפש״)
litre = liter (lē′tər) *n.* ליטר
lit′ter *n.* אשפה, פסולת; אי-סדר; מצע-תבן; שכבת קש, רפד; אפיריון; אלונקה; גורים
litter *v.* לפזר (אשפה); להמליט
- litter down להכין מצע-תבן
lit′terateur′ (-tûr′) *n.* סופר
litter-bin/-bag *n.* פח אשפה
litter-lout/-bug *n.* לכלכן, משאיר פסולת (במקום ציבורי)
lit′tle *adj&adv&n.* קטן; מעט; קצת; מעט מאוד, בקושי, כלל לא; זמן-מה; מרחק קצר
- a little bit *מעט, קצת
- after a little לאחר זמן-מה
- he little cares לא איכפת לו כלל
- in little בקנה מידה קטן
- little by little בהדרגה, מעט-מעט
- little does she know that היא כלל לא יודעת ש-
- little ones הקטנים, הילדים
- little or nothing בקושי משהו
- little people/folk הפיות
- little short of כמעט
- make little of להמעיט בחשיבות, לבטל, לזלזל; להבין מעט מאוד
- quite a little לא מעט, די הרבה
- the little finger הזרת
- the little woman *האישה
Little Dipper דובה קטנה
lit′toral *n&adj.* חוף; לאורך החוף
litur′gical *adj.* ליטורגי
lit′urgy *n.* ליטורגיה; סדרי התפילה,

עבודת ה׳; צורת הפולחן
liv′able *adj.* ראוי למגורים; מתאים לחיות בו; נסבל; שקל לדור עמו
live (liv) *v.* לחיות; לגור; להתקיים
- live a lie לשקר בלי מלים, לרמות ע״י אורח חיים
- live and learn! אני מופתע ללמוד זאת!
- live and let live חיה ותן לחיות
- live by לנהוג לפי; להשתכר מן
- live by one's wits לעשות כסף בתחבולות
- live down להשכיח, למחוק מלב
- live for the day when- לייחל ליום שבו
- live in לגור במקום עבודתו
- live it up ליהנות מהחיים
- live off one's father לחיות על כספי אביו, לנצל את אביו
- live on לחיות על, להתקיים על; להמשיך לחיות
- live out לגור שלא במקום עבודתו; לחיות עד סוף-, לעבור, לבלות ימיו
- live through לעבור, להישאר בחיים
- live to oneself לחיות בבדידות
- live to- לחיות עד, לזכות בחייו ל-
- live together לחיות כבעל ואישה
- live up to לחיות לפי, לקיים, לבצע; להגיע לרמה המצופה
- live with לקבל, לסבול, לחיות עם
live (līv) *adj.* חי; מלא חיים; בוער; מלא-מרץ; רב-חשיבות; טעון חשמל
- a real live *ממש!
- live birth ולד חי
- live bomb פצצה חיה
- live broadcast שידור חי
- live wire אדם נמרץ, בעל יזמה
live′able (liv′-) *adj.* ראוי למגורים; מתאים לחיות בו; נסבל; שקל לדור עמו
lived-in *adj.* שגרים בו; נוח; מנוסה
live-in *adj.* דר עם בת הזוג; גר במקום עבודתו
live′lihood′ (līv′-) *n.* פרנסה, מחיה
live′liness (līv′-) *n.* חיות, עליזות
live′long′ (liv′lông) *adj.* כל (היום) כולו
live′ly (līv′li) *adj.* מלא-חיים, חי, עליז, שמח; ער, פעיל; מסוכן
- look lively להזדרז; להיות נמרץ
- make it lively לעשות ״שמח״, לגרום צרות
li′ven *v.* להפיח חיים; להתעורר
liv′er *n.* כבד; חי (בצורה מסוימת)
- evil liver חי ברשעות, רשע
liveried *adj.* לבוש מדים
liv′erish, liv′ery *adj.* חולה כבד; רגזן, מדוכא
liv′erwurst′ *n.* נקניק-כבד
liv′ery *n.* מדים; לבוש; אורוות סוסים
- in livery לבוש מדים, במדים
liveryman *n.* בעל אורוות-סוסים
livery stable אורוות-סוסים
lives = pl of life (līvz) חיים; נפשות
live′stock′ (līv′-) *n.* משק החי (צאן ובקר); *כינים, פשפשים וכ׳
liv′id *adj.* כחול-אפור (ממכות); זועם
liv′ing *adj.* חי, מלא חיים; קיים; פעיל
- knock the living daylights out *להכות מכות נמרצות
- living death חיים גרועים ממוות
- living fossil מאובן-דיעות
- the living האנשים החיים
- the living end *כביר, מצוין
- the living image of דומה מאוד ל-
- within living memory בזכרון האנשים החיים עדיין
living *n.* פרנסה, מחיה; אורח חיים, רמת חיים; מישרת כומר
- cost of living יוקר המחיה
- living standard רמת-חיים
- living wage שכר מינימום (לקיום)
- make a living להתפרנס, להשתכר
- standard of living רמת-חיים
living room טרקלין, סלון
living space מרחב מחיה, שטחים הדרושים לגידול האוכלוסיה
liz′ard *n.* לטאה
ll = lines
lla′ma (lä′-) *n.* לאמה, גמל-הצאן, עז-הגמל
lo *interj.* הנה! הבט!
load *n.* משא, מטען, מעמסה; מועקה; כמות עבודה (של מנוע); עומס חשמלי
- a load of nonsense *כמות רבה של שטויות
- get a load of *לראות; להקשיב
- loads of *המון
- take a load off his mind לגול אבן מעל ליבו
load *v.* להטעין, להעמיס; לטעון (תותח); להכביד
- load down להכביד, לעמוס
- load the dice לזייף הקוביות; לרמות, לסדר לעצמו עמדת יתרון
- load up להטעין
- load with gifts להציף במתנות
loaded *adj.* עמוס, טעון, מלא; מוכבד בעופרת, מזויף; גדוש בכסף; שתוי
- loaded question שאלה המפילה בפח
load line קו העומס, קו השוקע
load-shedding *n.* הורדת העומס החשמלי, ניתוק זרם חלקי
loadstar = lodestar
loadstone *n.* מגנט
loaf *n.* כיכר לחם; *ראש, שכל
- meat loaf קציץ, כיכר בשר קצוץ
- sugar-loaf חרוט-סוכר
loaf *v.* להתבטל, להתמזמז
- loaf away one's time להתבטל
loafer *n.* הולך-בטל, בטלן; נעל עור
loaf-sugar *n.* סוכר בחתיכות/בקוביות
loam *n.* חומר, אדמה עשירה (ברקבובית)
loamy *adj.* (אדמה) מכילה חומר
loan *n.* הלוואה, מלווה; השאלה
- on loan בהשאלה
loan *v.* להלוות; להשאיל
loan collection אוסף מושאל
loan-office *n.* משרד הלוואות
loan shark *מלווה בריבית קצוצה
loan-word *n.* מלה שאולה
loath *adj.* מסרב, לא רוצה, לא נוטה
- nothing loath ברצון, בחפץ לב
loathe (lōdh) *v.* לשנוא, לתעב
loathing (-dh-) *n.* שנאה, תיעוב
loathsome (-dh-) *adj.* מגעיל, דוחה

loaves = pl of loaf (lōvz)
lob *v&n.* (בטניס) לחבוט כדור קשתי, לתלל, להקשית; תילול
lob′by *n.* לובי, מבואה; מסדרון, מעבר, מבוא; שדולה
lobby *v.* לשדל, לפעול בשיטת השדולה
lob′byist (-bi-ist) *n.* שדולן, לוביסט
lobe *n.* אונה; בדל-אוזן, תנוך, אליה
lobed *adj.* בעל אונות
lo·bot′omy *n.* כריתת אונת-המוח
lob′ster *n.* סרטן
lobster-pot *n.* מלכודת סרטנים
lo′cal *adj.* מקומי, לוקלי; איזורי; חלקי
- local anesthetic הרדמה מקומית
- local custom מנהג המקום
local *n.* תושב המקום; ידיעה מקומית; רכב מקומי; *מסבאה מקומית
local color פרטים מהווי-המקום (לגיוון סיפור/תמונה)
lo·cale′ (-kal′) *n.* מקום, אתר-העלילה
local government שלטון מקומי
lo′calism′ *n.* צרות-אופק, הצטמצמות באינטרסים המקומיים; ניב מקומי
lo·cal′ity *n.* מקום, אתר-ההתרחשות
- sense of locality חוש ההתמצאות
lo′caliza′tion *n.* לוקליזציה, איתור
lo′calize′ *v.* לאתר, להגביל למקום
locally *adv.* במקום, בסביבה, באיזור
local option זכות מקומית (להתיר או לאסור מכירת משקאות חריפים)
local time לפי שעון המקום
lo′cate *v.* למקם, לאתר, לאכן, להקים/לקבוע בית, להתיישב, להתנחל
located *adj.* נמצא, שוכן
lo·ca′tion *n.* מקום; אתר-הסרטה
loch (lok) *n.* אגם; לשון-ים
lo′ci′ = pl of locus
lock *n.* מנעול; בריח; סכר; היתקעות, המנע-התנועה; מעצור; דרגת סיבוב ההגה; תלתל, קווצת שיער
- lock, stock, and barrel הכל בכל; בשלמותו
- locks שערות, שער הראש
- under lock and key מאחורי מנעול ובריח, במקום נעול היטב
lock *v.* לנעול; להינעל; להיעצר, להיתקע
- lock away לשמור במקום נעול
- lock him in לסגרו בחדר, לכלאו
- lock horns להיאבק, להתמודד
- lock on to (לגבי טיל) להינעל על (מטרה)
- lock oneself in להסתגר, לסגור מבפנים
- lock out להשבית; לנעול הדלת בפני-, להשאיר בחוץ
- lock up לנעול כל הדלתות; לשמור במקום נעול; להכניס למוסד/לכלא
- lock up money להשקיע בהון לא זמין
- locked in conflict תקועים בסכסוך
lock′er *n.* תא (במלתחה), ארון
- Davy Jones's locker קרקע הים
locker room מלתחת תאים
lock′et *n.* משכית, קופסית-קישוט (התלויה על הצוואר)
lock′jaw′ *n.* צפדת, טטנוס (מחלה)
lock keeper שומר סכר, מפעיל הסכר
locknut *n.* אום חוסמת, אום נוספת
lock-out *n.* השבתה
locksmith *n.* מסגר, מתקן מנעולים
lock step צעידה צמודה
lockstitch *n.* תפר דו-חוטי (במכונת תפירה), תפר קצר-תכים
lock-up *n.* בית מעצר, כלא
lock-up *adj.* ניתן להינעל, נסגר
lo′co *adj.* מטורף
lo′como′tion *n.* תנועה, ניידות
lo′como′tive *adj.* של תנועה, נייד, נע
locomotive *n.* קטר
lo′cum *n.* ממלא מקום
lo′cum te′nens (-z) ממלא מקום
lo′cus *n.* מקום
lo′cus clas′sicus המקום הקלאסי, המובאה הידועה ביותר על נושא
lo′cust *n.* ארבה; חרוב; חרובית
lo·cu′tion *n.* אופן דיבור; ניב
lode *n.* עורק מתכת (במרבץ)
lodestar *n.* כוכב הצפון, עיקרון מנחה, מופת
lodestone *n.* מגנט, אבן שואבת
lodge *v.* להתאכסן; לגור בשכירות; לאכסן, לשכן; לשים, לנעוץ; להיתקע
- lodge a complaint להגיש תלונה
- lodge money להפקיד כסף (בבנק)
lodge *n.* ביתן, צריף, אכסניה; חדר-השומר; לשכה, מקום כינוס
lodgement, lodgment *n.* הצטברות, סתימה; הגשה רשמית (של תלונה); עמדה (שנכבשה בקרב)
lodger *n.* דייר, גר בשכירות
lodging *n.* דיור, אכסניה, מגורים; הגשה
- lodgings דירה שכורה, חדר שכור
lodging house בית להשכרת חדרים
lo′ess *n.* לס (אדמה), חמרה
loft (lôft) *n.* עליית גג; מחסן-תבן (מתחת לגג), יציע (בכנסייה)
loft *v.* לחבוט (בכדור) לגובה, לתלל
lofted *adj.* (מקל גולף) לחבטות גבוהות
loftiness *n.* גובה; התנשאות
lofty *adj.* גבוה; אצילי; מתנשא, גא
log *n.* קורה, גזע כרות, בול-עץ; יומן-נסיעה; מנווט; יומן; לוגריתם
log *v.* לרשום ביומן-הנווט; לחטוב עצים
- log in/on להתחיל העבודה
- log off לסיים העבודה במחשב
lo′ganber′ry *n.* לוגן (דובדבן)
log′arithm′ (-ridhəm) *n.* לוגריתם
log′arith′mic (-ridh-) *adj.* לוגריתמי, מבוסס על לוגריתם
log book יומן-הנווט, יומן-מכונית
log cabin בקתת-קורות, צריף-קורות
loge (lōzh) *n.* תא (בתיאטרון)
logger *n.* חוטב עצים
loggerhead *n.* *טיפש, מטומטם
- at loggerheads בריב, במחלוקת
log′gia (loj′ə) *n.* אכסדרה
logging *n.* חטיבת עצים
log′ic *n.* היגיון, לוגיקה
log′ical *adj.* הגיוני, שכלי; סביר; לוגי
logically *adv.* לפי ההיגיון
lo·gi′cian (-jish′ən) *n.* בקי בלוגיקה, לוגיקן, הגיין
lo·gis′tic *adj.* לוגיסטי
logistics *n.* לוגיסטיקה, המדע העוסק

בתנועות הצבא, שיכונו וציודו

log jam גוש-קורות צף; מבוי סתום

lo′go *n.* לוגו, סמל

log-rolling *n.* שמור לי ואשמור לך, הרעפת שבחים הדדית

loin *n.* נתח בשר-מותן, ירכה

- gird up one's loins לשנס מותניו

- loins מותניים, חלציים

loin-cloth *n.* כסות מותניים

loi′ter *v.* להתנהל לאיטו, לבטל זמן

- loiter with intent להסתובב למטרת פשע

loiterer *n.* בטלן; משוטט

loll *v.* לשבת בעצלתיים, לעמוד בנרפות, להסתרח

- loll the tongue לשרבב את הלשון

lol′lipop′ *n.* סוכריה-על-מקל; שלגון

lollipop man מחזיק תמרור "עצור" (אדם המאפשר לילדים לחצות כביש)

lol′lop *v.* *לצעוד בפסיעות גסות

lol′ly *n.* *סוכריה-על-מקל; שלגון; כסף

Lon′don (lun-) *n.* לונדון

lone *adj.* בודד, יחיד; נידח

- lone wolf זאב בודד, פועל לבדו

- play a lone hand לפעול לבדו

loneliness *n.* בדידות

lonely *adj.* בודד, גלמוד, עצוב; עזוב

lonely heart בודד, מחפש שותף

lo′ner *n.* זאב בודד, מתבודד

lonesome *adj.* בודד, חש בדידות, עזוב

long (lông) *adj.* ארוך

- come a long way להתקדם יפה

- in the long run בסופו של דבר, במרוצת הזמן

- long dozen שלוש עשרה

- long drink משקה בכוס גבוהה

- long face פנים עצובים

- long haul כיברת דרך ארוכה; זמן רב, טווח ארוך

- long odds סיכויים לא שקולים

- long shot הימור דל-סיכויים

- long ton טונה גדולה (2240 ליטראות)

- long vacation/vac החופש הגדול

- long vowel תנועה גדולה/ארוכה

- not be long about it/doing it לא להתמהמה, להזדרז ולעשות זאת

- not by a long chalk/shot כלל לא

- take the long view לראות לטווח ארוך

- will he be long? האם יתמהמה?

long *adv.* זמן רב, לזמן ממושך

- all day long במשך כל היום

- at long last סוף-סוף, לבסוף

- at longest לכל היותר, מכסימום

- he no longer loves her הוא אינו אוהב אותה עוד

- long ago לפני זמן רב

- so long *שלום, להתראות

- so/as long as כל עוד, בתנאי ש-

long *n.* זמן רב; תנועה גדולה

- before long בקרוב, בתוך זמן קצר

- take long לארוך/לגזול זמן רב

- the long and short of it סיכומו של דבר, בסך הכל, בקיצור

long *v.* להשתוקק, לכמוה

long. = longitude קו-אורך, מצהר

long-awaited *adj.* שחיכו לו זמן רב

longboat *n.* הסירה הגדולה (באונייה)

long bonds אג"ח ארוכות מועד

longbow *n.* קשת ארוכה

long-dated *adj.* (אג"ח) ארוכות מועד

long-distance *adj.* למרחקים ארוכים

long-distance call שיחת-חוץ

long-drawn-out *adj.* נמשך זמן רב מדי

lon•gev′ity *n.* אריכות ימים

longhaired *adj.* ארך-שיער, מאריך שיער; שוחר אמנות; שמאלני, אנטי ממסדי

longhand *n.* כתיבה רגילה (לא קצרנות)

long-headed *adj.* פיקח, נבון

longing *n.* געגועים, כמיהה

longing *adj.* משתוקק, כָּמֵהַּ

longish *adj.* ארכרך, ארוך במקצת

lon′gitude′ *n.* קו-אורך, מצהר

lon′gitu′dinal *adj.* של מצהר, אורכי

long johns תחתוני-גבר ארוכים

long jump קפיצת-רוחק

long-lasting *adj.* מאריך ימים

long-life *adj.* עמיד, שומר על טריות

long-lived *adj.* ארך-ימים, מאריך ימים

long-lost *adj.* שאבד לפני זמן רב

long measure מידת אורך

long-playing *adj.* אריך-נגן

long-range *adj.* שלטווח רחוק

long-running *adj.* שנמשך זמן רב

longshoreman *n.* סוור

long-sighted *adj.* רחוק-ראייה

long-standing *adj.* יָשָׁן, קיים זמן רב, עתיק-יומין

long-stay *adj.* שוהה זמן רב

long-suffering *adj.* סובל בדומיה

long suit דבר שאדם מצטיין בו

long-term *adj.* ארך-מועד; שלטווח רחוק

lon•gueur′ (-gûr′) *n.* קטע משעמם

long waves גלים ארוכים

longways *adv.* לאורך

longwinded (-win-) *adj.* משעמם, רב-מלל

longwise *adv.* לאורך

loo *n.* *שירותים

loo′fah (-fə) *n.* לופה (צמח המשמש לרחצה)

look *v.* להסתכל, להביט, לראות; להיראות; לשים לב; להביע בעיניו

- good to look at עושה רושם טוב

- he wouldn't look at הוא דוחה את

- it looks as if נראה כאילו-

- it looks like- נראה כאילו שזה-; יש רושם שיהיה

- look about לחפש; להסתכל מסביב; לבדוק את מצב הדברים

- look after להשגיח על, לטפל ב-

- look after oneself לדאוג לעצמו

- look ahead להביט קדימה (לעתיד)

- look alive!/sharp! הזדרז! קדימה!

- look at לראות, להביט; לבחון, לבדוק

- look away להסב עיניו מ-

- look back להביט אחורה (לעבר)

- look black להיראות זועם

- look blue להיראות עצוב

- look down on לבוז, להסתכל מגבוה

- look down one's nose at לעקם חוטמו

להתייחס בבוז/במורת-רוח
- look for לחפש; להזמין (צרות); לצפות
- look forward to לצפות ל-
- look good להרשים, ליצור רושם טוב
- look here! הבט! ראה! שמע נא!
- look him in the eye/face להישיר מבט, לא להשפיל עיניו, להתייצב מול
- look him up לבקרו, לסור אליו
- look in לערוך ביקור קצר; "לקפוץ" אל; לצפות בטלוויזיה
- look into לבדוק, לחדור לנבכי-
- look on לחזות, לצפות; להשקיף על
- look on him as/with להסתכל עליו ב-, להתייחס אליו כ-
- look on with him לקרוא בצוותא
- look one's best להיראות נאה ביותר
- look oneself להיראות בקו-הבריאות, להיראות כתמול שילשום
- look out להיזהר; לשים לב; לחפש, לבחור; להשקיף על
- look over לבדוק, לעבור על; לסלוח, להעלים עין
- look round לראות, להסתכל, להתבונן
- look through לעבור על, לבדוק
- look to לשים לב, להקפיד
- look to him for להשליך יהבו עליו, לסמוך על עזרתו
- look up להשתפר, לשגשג; לחפש (בספר)
- look up and down לבחון מכף רגל ועד ראש, להסתכל בבוז
- look up to לכבד, להוקיר
- looks well הוא מרשים, נראה טוב
- make him look small לגמד דמותו
- never looked back המשיך להתקדם
- not much to look at לא מרשים כלל בהופעתו
- she doesn't look her age היא נראית צעירה מגילה
- to look at him- לפי הופעתו-
- you don't look yourself אינך כתמול שלשום, פניך רעים

look *n.* מבט; הבעה; מַרְאֶה
- I don't like the look of it זה לא מוצא חן בעיני
- by the looks of it כפי הנראה
- have a look לראות, להעיף מבט
- looks יופי, הופעה נאה

look-alike *n.* דבר דומה, כפיל
looker *n.* אדם נאה, יפה תואר
- good looker יפה תואר

looker-on *n.* צופה, משקיף
look-in *n.* *סיכוי להצליח, הזדמנות להשתתף; ביקור קצר; מבט חטוף
looking glass מַרְאָה, ראי
look-out *n.* עמידה על המשמר, ערנות; מיצפה; שומר, זקיף; פני-העתיד
- be on the look-out לעמוד על המשמר
- that is his own look-out זאת הדאגה שלו, זה עסק שלו

look-over *n.* בדיקה, סקירה
loom (lo͞om) *n.* נול, מכונת אריגה
loom *v.* להופיע, להגיח, להיראות במעורפל, ללבוש צורה מאיימת
loon (lo͞on) *n.* טבלן (עוף); בטלן
loo'ny *n&adj.* *מטורף
loony bin *בית משוגעים

loop (lo͞op) *n.* לולאה, עניבה; קו דמוי לולאה; שמינייה; התקן תוך רחמי
loop *v.* לעשות לולאה, לענוב
- loop the loop לעשות לולאה (מטוס)

loophole *n.* אשנב, סדק בקיר
- loophole in the law פירצה בחוק

loose *adj.* חופשי; רפוי, רופף; לא-מהודק; לא קשור; לא ארוז; חסר רסן; מרושל; לא מדויק; לא בנוי כהלכה
- at a loose end ללא תעסוקה
- be on the loose להתפקר, להתהולל
- break loose להשתחרר, לברוח
- cast loose לשחרר, להרפות
- come loose להשתחרר, להינתק
- cut loose להינתק, להשתחרר
- has a screw loose *חסר לו בורג
- let/set loose לשחרר, להתיר הרסן
- loose bowels שלשול, קיבה רכה
- loose living/life חיי פריצות
- loose soil אדמה תחוחה/מפוררת
- loose tongue לשון פטפטנית
- loose translation תרגום חופשי/לא נאמן למקור
- loose weave מארג קלוש
- loose woman אישה מופקרת
- ride with a loose rein לנהוג בוותרנות/בסלחנות
- work loose להשתחרר, להיעשות רופף

loose *v.* לשחרר, להתיר; לירות
loose box תא לסוס (להתהלך חופשי)
loose cannon גורם נזק שלא בכוונה
loose change כסף קטן
loose-fitting *adj.* (בגד) לא-הדוק, רחב
loose-leaf *adj.* (פנקס) שדפיו לא כרוכים/ניתנים להחלפה
loo'sen *v.* לשחרר, להתיר, לרפות, לרופף, לקלש; להתרופף
loot (lo͞ot) *n.* שלל, ביזה
loot *v.* לבזוז, לגזול
lop *v.* לכרות, לגדוע; לתלות ברפיון
- lop off לקצץ; לבטל, להפסיק (שירות)

lope *v.* לדהור (בצעדים ארוכים)
lope *n.* דהירה (בקפיצות ארוכות)
lop-eared *adj.* שאוזניו תלויות ברפיון
loppings *n-pl.* ענפים כרותים
lop-sided *adj.* נוטה לצד, כבד בצד אחד
lo·qua'cious (-shəs) *adj.* פטפטן, דברני
lo·quac'ity *n.* פטפטנות, דברנות
lo'quat' *n.* שסק
lord *n.* ה', הבורא; לורד, אדון; שליט
- House of lords, הבית העליון (בפרלמנט), בית הלורדים
- Lord Chancellor שופט עליון
- Lord Mayor ראש העיר
- Lord bless me! אלי! (קריאה)
- Lord's Prayer תפילה נוצרית
- Lord's Supper סעודת ישו
- Lord's day יום א'
- cotton lords אילי הכותנה
- drunk as a lord שיכור כלוט
- her lord and master בעלה
- lords of creation בני האדם

lord *v.* למשול, לשלוט; להתנשא
- lord it over למשול ב-, לרדות ב-

lordly *adj.* אצילי, כלורד; מתנשא, גא
lordship *n.* אדנות; אצילות

- your lordship כבוד הלורד
lore *n.* תורה, חכמה, ידע
lor·gnette′ (lôrnyet′) *n.* משקפי-אופרה (בעלי יצול ארוך)
lorn *adj.* עצוב, עזוב; גלמוד
lor′ry *n.* משאית
lose (lōōz) *v.* לאבד; להפסיד; לשכול; למות; לא לתפוס; לא לקלוט; לעלות לו ב-
- a losing game משחק אבוד
- lose face לאבד כבודו, לסור חינו
- lose ground לסגת, להפסיד; להיחלש
- lose interest לחדול מלהתעניין ב-
- lose no time in- למהר ו-
- lose on להפסיד על, להפסיד ב-
- lose one's cool *לאבד שלוותו
- lose one's hair להקריח
- lose one's reason לצאת מדעתו
- lose one's temper להתפרץ, להתלקח
- lose one's way לתעות בדרך
- lose oneself לתעות, לאבוד דרך
- lose oneself in לשקוע ראשו ורובו ב-
- lose out להפסיד
- lose sight of לא לראות, להתעלם מ-
- lose the train לאחר לרכבת
- the watch loses השעון מפגר ב-
los′er (lōōz′ər) *n.* מפסיד, מפסידן, "לוּזֶר"
- good loser מפסיד ברוח טובה
loss (lôs) *n.* איבוד; אבידה; הפסד
- at a loss במבוכה, אובד עצות
- at a loss for words נעתקו מלים מפיו
- cut one's losses למנוע עוד הפסדים, לבלום הדרדרות כספית
- dead loss *הפסד גמור, חסר-תועלת
loss adjuster סוכן ביטוח, שמאי הפסדים
loss leader מצרך הנמכר במחיר הפסד (כדי למשוך קונים)
lost (lôst) *adj.* אבוד; תועה; מקולל
- be/get lost ללכת לאיבוד; לתעות
- get lost! *הסתלק! עוף מפה!
- lost cause עניין אבוד
- lost chance הזדמנות שהוחמצה
- lost in thought שקוע במחשבות
- lost on him לא משפיע עליו, ברכה לבטלה
- lost to לא חש את-, לא מושפע מ-
lost = p of lose
lost property office משרד אבידות ומציאות
lot *n.* כמות, כמות רבה, הרבה
- a lot of *המון
- a lot you care! כאילו שאכפת לך!
- lots (and lots) of *המון
- lots/a lot הרבה; בהרבה
- see a lot of him לראותו תכופות
- take the lot! קח הכל!
- the (whole) lot of you *כולכם
lot *n.* גורל, פור; מזל, מנת-חלק; חלק; פריט; חלקה, מגרש; אולפן-הסרטה
- a bad lot *טיפוס רע, רשע
- cast/draw lots להטיל גורל
- throw in one's lot with להשתתף, להצטרף ל-
loth = loath (lōth) לא רוצה
lo′tion *n.* תרחיץ, נוזל רפואי

lot′tery *n.* הגרלה; מזל
lot′to *n.* לוטו
lo′tus *n.* לוטוס (פרח)
lotus eater שוקע בחיי עצלות והזיה
louche (lōōsh) *adj.* ידוע לשמצה, ערמומי
loud *adj.* רם, קולני, רועש, צעקני
loud *adv.* בקול רם
loud-hailer *n.* מגפון, מגביר-קול
loudmouthed *adj.* דברני, רברבן
loud-speaker *n.* רמקול
lough (lok) *n.* אגם, לשון-ים
lounge *v.* לעמוד/לשבת בעצלתיים, להישען; להתבטל באפס מעשה
lounge *n.* עמידה/ישיבה בטלנית; אולם-אורחים, טרקלין (במלון)
lounge-bar *n.* בר ממדרגה ראשונה
lounge-chair *n.* כורסה
lounger *n.* בטלן, הולך בטל
lounge suit חליפה (לשעות היום)
lour *v.* לזעוף, לרגוז; לקדור
louse *n.* כינה; *אדם שפל
louse *v.* *לקלקל, לסבך, לבלבל
lou′sy (-zi) *adj.* מכונם; *רע, נתעב
- lousy with *גדוש ב-, מלא-
lout *n.* גס, מגושם, בור
loutish *adj.* גס
lou′vers (lōō′-) *n-pl.* פסי-תריס מרועפים, רפפות אוורור
lov′able (luv′-) *adj.* נחמד, נעים
love (luv) *v.* לאהוב
- I'd love you to- אשמח אם אתה-
love *n.* אהבה, חיבה; אהובה; *דבר מקסים, מותק; אפס נקודות
- fall in love with להתאהב ב-
- for love מתוך אהבה; לשם ההנאה
- for the love of God! למען השם!
- give him my love מסור לו ד"ש
- in love with אוהב, מאוהב ב-
- love affair פרשת אהבים, רומן
- love all תיקו אפס
- love game (בטניס) מישחק אפס (שבו המפסיד לא זכה באף נקודה)
- make love להתעלס, להתנות אהבים
- my love אהובתי; אהובי, יקירי
- no love lost between them אין אהבה ביניהם
- not for love nor money בשום אופן לא, לא בעד כל הון שבעולם
lovebird *n.* נער מאוהב; תוכי
love-child *n.* ממזר, ילד פרי-אהבה
loveless *adj.* חסר-אהבה
love-letter *n.* מכתב אהבה
loveliness *n.* חביבות; יופי, נועם
lovelorn *adj.* מיוסר-אהבה, מאוכזב
lovely *adj.* יפה, נעים; מהנה, נפלא
love-making *n.* התעלסות
love-match *n.* נישואי אהבה
love nest קן אוהבים
love-philter *n.* שיקוי-אהבה
love-potion *n.* שיקוי-אהבה
lover *n.* מאהב; אוהב, חובב, שוחר
- lovers אוהבים, מאוהבים, נאהבים
love seat ספסל לשניים
lovesick *adj.* חולה-אהבה
love-song *n.* שיר אהבה
love-story *n.* סיפור אהבה, רומן

love-token *n.* שי-אהבה, מזכרת-אהבה
lovey (luv′i) *n.* *מותק, אהובה
lovey-dovey (luv′i-duv′i) *adj.* *אוהב, "קוצ'י-מוצ'י"
loving *adj.* אוהב, מביע אהבה
loving cup גביע-יין (גדול)
loving-kindness *n.* חסד, רחמים
low (lō) *adj.* נמוך; חלש, תשוש, מדוכא; שפל, נחות, זול; גס; רדוד
- Low Countries ארצות השפלה
- Low Sunday יום א' שלאחר הפסחא
- a low opinion of דיעה שלילית על
- be/get/run low לאזול, להיגמר
- bring low להשפיל, להוריד בריאותו
- fall low להידרדר, לרדת
- in low water דחוק בכסף
- lay low להשכיב, להפיל
- lie low להסתתר, לשמור על פרופיל נמוך
- low birth מוצא נחות
- low profile פרופיל נמוך, אי התבלטות
- low season עונת-שפל (במסחר)
- low tide, low water שֵפֶל
low *adv.* נמוך, באופן נמוך; בזול
low *n.* דרגה נמוכה; שקע ברומטרי
low *v&n.* (לגבי פרה) לגעות; געייה
low-born *adj.* נחות-מוצא
lowboy *n.* שידה נמוכה, שולחן נמוך
low-bred *adj.* גס, לא-מחונך
low-brow *n.* עם-הארץ, שוחר אמנות פשוטה/זולה
low comedy קומדיה זולה, פארסה
low-cut *adj.* (שמלה) עמוקת מחשוף
low-down *n.* *העובדות האמיתיות, האמת הכמוסה
low-down *adj.* *שפל, נבזה
low′er (lō′-) *v.* להפחית, להוריד, להנמיך; להחליש; לרדת
- lower away להוריד סירה/מפרש
- lower oneself להשפיל עצמו
- lower the boom on לשים קץ ל-
lower *adj.* תחתון, יותר נמוך
- lower case אותיות קטנות
low′er (lou′-) *v.* לזעוף, לרגוז; לקדור
Lower Chamber הבית התחתון
lower class המעמד הנמוך
lower deck סיפון תחתון; ימאים שאינם מפקדים
lowermost *adj.* הנמוך ביותר
low-fat *adj.* דל-שומן
low frequency תדר נמוך
low-grade *adj.* של איכות נמוכה
low-keyed *adj.* מרוסן, לא-צעקני; חלש
lowland *n.* שפלה (בסקוטלנד)
low-level *adj.* נמוך, של דרג נמוך
low life העולם התחתון
lowliness *n.* פשטות, שפלות
low′ly (lō′-) *adj&adv.* עניו, פשוט, נחות-דרגה; ברמה נמוכה, בצורה פשוטה/צנועה
low-lying *adj.* נמוך, של שפלה
low-minded *adj.* גס-רוח
low-necked *adj.* (בגד) עמוק-מחשוף
low-pitched *adj.* נמוך; נמוך-צליל
low-rise *adj.* נמוך, לא רב-קומות
low-spirited *adj.* מדוכא, מדוכדך
low water mark נקודת השפל

lox *n.* אילתית מעושנת, לקס; חמצן נוזלי
loy′al *adj.* נאמן, לויאלי, שומר אמונים
loyalist *n.* שומר אמונים (למשטר)
loyalty *n.* נאמנות, לויאליות
loz′enge (-zinj) *n.* גלולה, כדור, לכסנית, טבלית; מעוין, רומבוס
LP = long playing אריך-נגן
L-plate *n.* לוחית "ל" ללומדי נהיגה
LSD לס"ד (סם)
Lsd לירות, שילינגים, פנים; *כסף
lt. = lieutenant סֶגֶן
Ltd. = limited בע"מ
lub′ber *n.* גולם, מגושם
lubberly *adj.* כגולם, מגושם
lu′bricant *n.* שמן סיכה, גריז
lu′bricate′ *v.* לשמן, לגרז, לסוך
lu′brica′tion *n.* סיכה, גירוז
lu·bri′cious (lo͞obrish′əs) *adj.* גס, נבזה, שטוף זימה
lu′cent *adj.* מבריק, נוצץ
lu·cerne′ (lo͞osûrn′) *n.* אספסת
lu′cid *adj.* ברור, מובן; שקוף, בהיר
- lucid moments רגעים של דיעה צלולה
lu·cid′ity (lo͞o-) *n.* בהירות
Lu′cifer *n.* השטן, לוציפר; נוגה, ונוס
luck *n&v.* מזל, גורל
- as luck would have it למזלו (הרע)
- be in luck להיות בר מזל
- be out of luck להיות חסר מזל
- down on one's luck ביש-מזל
- for luck לשם מזל, לסימן טוב
- good luck! בהצלחה!
- hard luck חוסר מזל
- his luck is in הוא בר מזל
- his luck is out הוא חסר מזל
- just my luck! אין לי מזל (כרגיל) !
- luck out *להיות בר-מזל
- press one's luck לדחוק בגורלו, לקוות שהמזל יאיר לו פנים
- try one's luck לנסות מזלו
- what luck! איזה מזל!
- worse luck חבל! לרוע המזל!
luckily *adv.* למרבה המזל
luckless *adj.* חסר-מזל
lucky *adj.* בר-מזל, מוצלח
- strike it lucky להיות בר מזל
lucky dip הגרלה (שבה תוחבים יד לתיבה ומעלים חפץ מתוכה)
lu′crative *adj.* מכניס רווח, רנטבילי
lu′cre (-kər) *n.* בצע כסף
lu′dicrous *adj.* מגוחך, מצחיק
lu′do *n.* לודו (משחק ילדים)
luff *v.* להפנות הספינה לעבר הרוח
lug *v.* למשוך, לגרור, לסחוב
lug *n.* משיכה, סחיבה; ידית; זיז; מפרש מרובע; *אוזן; מגושם
lug′gage *n.* מיטען, מיזוודות, כבודה
luggage rack מדף המזוודות (ברכבת)
luggage van קרון-מזוודות
lug′ger *n.* ספינה (בעלת מפרשים מרובעים)
lug′hole′ *n.* *אוזן
lug′sail′ *n.* מפרש מרובע
lu·gu′brious (lo͞o-) *adj.* עצוב, מדוכא
lugworm *n.* תולעת פיתיון
luke′warm′ (lo͞ok′wôrm) *adj.* פושר

lull *v.* להרגיע, לשכך, ליישן, להרדים; להירגע, לשכוך
lull *n.* הפוגה, פוגה, תקופת-רגיעה
lul′laby′ *n.* שיר-ערש; רחש, רשרוש
lum·ba′go *n.* מתנת, לומבאגו
lum′bar *adj.* של המותניים
lumbar puncture הוצאת נוזל מהשדרה
lum′ber *n.* קורות, קרשים, עצים; גרוטאות; *מעמסה, דבר לא-רצוי
lumber *v.* לנסר עצים; לגבב, למלא בגרוטאות; לנוע בכבדות/בטרטור
lumberjack *n.* כורת עצים, סוחר עצים
lumberman *n.* כורת עצים, סוחר עצים
lumber-mill *n.* מנסרה
lumber-room *n.* חדר גרוטאות
lumber-yard *n.* מחסן עצים, מגרש לעצים
lu′minar′y (-neri) *n.* גרם שמיימי, כוכב מאיר, שמש, ירח; אדם מזהיר, מפורסם
lu′minos′ity *n.* נוגה; נהירות, אוֹריות
lu′minous *adj.* זוהר, זורח; ברור, נהיר
lum′me (-mi) *interj.* ביטוי הפתעה
lum′mox *n.* *גולם, מגושם
lum′my (-mi) *interj.* ביטוי הפתעה
lump *n.* גוש, חתיכה; נפיחות, תפיחה; קוביית-סוכר; גולם, טיפש
- a lump in the throat תחושת לחץ בגרון (מהתרגשות)
- in the lump בסך הכל
- lump sum תשלום כולל (לסילוק חוב)
- take one's lumps *לחטוף מכה רצינית
lump *v.* להתגבש, להפוך לגושים
- lump together לכלול, לחבר, לצרף
- you'll have to lump it עליך לבלוע זאת, עליך להשלים בעל כורחך
lump′ec′tomy *n.* הסרת גידול מהשד
lump′ish *adj.* טיפש, מגושם
lump sugar סוכר בקוביות
lumpy *adj.* מלא גושים, מכוסה גושים; טיפש, מגושם; גלי, מעלה אדווה
lu′nacy *n.* שיגעון
lu′nar *adj.* ירחי, של הלבנה
lunar month חודש הלבנה
lunar year שנת הלבנה
lu′nate′ *adj.* דמוי חצי-סהר
lu′natic *adj&n.* חולה-רוח, מטורף
lunatic asylum בית משוגעים
lunatic fringe פלג קיצוני, קבוצה שולית בעלת דיעות משונות
lunch *n.* ארוחת צהריים
lunch *v.* לסעוד ארוחת צהריים; לספק/לארח לארוחת צהריים
lunch′eon (-chən) *n.* ארוחת צהריים
lun′cheonette′ (-chənet′) *n.* מסעדה לארוחות קלות
lunchtime *n.* שעת ארוחת-צהריים
lung *n.* ריאה
lunge *n.* תנופה, זינוק, דחיפה, תנועה נמרצת קדימה
lunge *v.* לזנק, לדחוף בתנופה
lung-power *n.* קול חזק
lu′pin *n.* תורמוס (צמח נוי)
lu′pine *adj.* זאבי, כמו זאב
lu′pus *n.* זאבת
- lupus erythematosus זאבת אדמנתית
lurch *v.* להתנודד, לנוע בטלטולים

lurch *n.* תנועת פתע הצידה, הטיה, נטייה, טלטול
- leave him in the lurch לנטשו בעת צרה
lurch′er *n.* כלב ציד
lure *n.* פיתוי, קסם, משיכה; פיתיון
lure *v.* לפתות, למשוך
lur′gy *n.* *מחלה
lu′rid *adj.* זורח, מבהיק; מזוּעזע, איום
lurk *v.* לארוב, להסתתר; להתגנב
lurking place מחבוא, מסתור
lus′cious (lush′əs) *adj.* מתוק, ריחני; מושך, יפה; בשל; שופע; חושני
lush *adj.* שופע, גדל בשפע, עשיר
lush *n.* *שיכור; משקה, אלכוהול
lust *n.* תאווה, תשוקה
lust *v.* להשתוקק, לחשוק
lus′ter *n.* ברק, זוהר; פרסום; נברשת
lustful *adj.* חושק, שטוף-תאווה
lus′trous *adj.* מבריק, נוצץ
lust′y *adj.* חסון, חזק, שופע און
lu′tanist *n.* קתרוסן
lute *n.* קתרוס; מֶרק (לסתימת חורים)
lute *v.* לסתום (חורים במֶרֶק)
Lu′theran *adj&n.* לותרני
luv = love *מותק
luv′vie, luv′vy *n.* *מותק, אהובה
Lux′embourg′ (-bûrg′) *n.* לוקסמבורג
lux·u′riance (lugzhoor′-) *n.* שפע, עושר
lux·u′riant (lugzhoor′-) *adj.* שופע, גדל בשפע, עשיר, פורה; (סגנון) מקושט, מסולסל
lux·u′riate′ (lugzhoor′-) *v.* ליהנות, להתענג
lux·u′rious (lugzhoor′-) *adj.* מפואר, מובחר; אפוף מותרות, של לוקסוס; רודף מותרות
lux′ury (luk′shəri) *n.* מותרות, לוקסוס
lycee (lēsā′) *n.* בי״ס תיכון (בצרפת)
ly·ce′um *n.* מוסד ספרותי, אקדמיה
ly′chee *n.* ליצ׳י (עץ פרי סיני)
lych-gate *n.* שער בית-קברות
Lyd′da, Lod *n.* לוד
lye (lī) *n.* בורית, אפר, נוזל-ניקוי
ly′ing (see lie) שוכב; מקום לשכב; משקר, כוזב
lying-in *n.* שכיבת היולדת, לידה
lying-in-state *n.* הנחת ארון המת (לקהל שיעבור על פניו)
lymph *n.* לימפה, ליבנה, נסיוב הדם
lymphat′ic *adj.* לימפתי; איטי, כבד
lynch *v.* לערוך משפט-לינץ׳
lynch law משפט לינץ׳
lynch′pin′ *n.* פין אופן (התקוע בקצה הסרן); חלק חשוב, בורג מרכזי במערכת
lynx *n.* חתול פרא
lynx-eyed *adj.* חד-ראייה
lyre *n.* נֵבֶל (קדום)
lyr′ic *n.* שיר לירי, ליריקה
- lyrics מלות השיר
lyric(al) *adj.* לירי, פיוטי; משתפך
lyrical *adj.* נלהב, נרגש, מתפעל
lyr′icism′ *n.* ליריות, השתפכות הנפש
lyr′icist *n.* ליריקן, משורר לירי
ly′rist *n.* מנגן בנֵבֶל
ly′sol (-sôl) *n.* ליזול (נוזל-חיטוי)

M

M = meters, miles, minutes
ma (mä) *n.* אמא*
MA = Master of Arts מ"א
ma'am (mam) *n.* גברת
mac *n.* חבר, אדוני; מעיל גשם*
macabre (-kä'bər) *adj.* מבעית, מקאברי
macad'am *n.* חצץ (לסלילת כביש)
macad'amize' *v.* לסלול (כביש) בחצץ
macadam road כביש חצץ
mac'aro'ni *n.* איטריות, מקרונים
mac'aroon' (-rōōn) *n.* מקרון (עוגת שקדים)
macaw' *n.* מקאו (תוכי)
mace *n.* שרביט; אַלָּה כבדה; מין תבלין; תרסיס נגד תוקף
mace-bearer *n.* נושא השרביט
Mac'edo'nia *n.* מקדוניה
mac'erate' *v.* להמיס, למסמס, לרכך
Mach (mak) *n.* מאך (מהירות הקול באוויר)
- Mach 2 2 מאכים (600 מטר בשנייה)
machet' *n.* סכין
mach'iavel'lian (-k-) *adj.* מקיאבלי; לא בוחל בשום אמצעי להשגת מטרתו
mach'ina'tion (-k-) *n.* מזימה
machine' (-shēn) *n.* מכונה; רובוט, כלי-שרת; מנגנון (מפלגתי)
machine *v.* לייצר/לתגמר במכונה
machine code שפת מחשב
machine-gun *n.* מכונת ירייה, מקלע
machine-made *adj.* מיוצר במכונה
machine-readable *adj.* קריא למחשב
machin'ery (-shēn-) *n.* מכונות, מנגנון; שיטות, אירגון
machine tool מכשיר מכאני
machin'ist (-shēn-) *n.* מכונאי
machis'mo (mächēz'-) *n.* מצ'ואיזם, גבריות
ma'cho (mä-) *n.* מצ'ו, גבר
mack *n.* מעיל גשם*
mack'erel *n.* מקרל, קוליס (דג)
mack'intosh' *n.* מעיל גשם
mac'rame' (-rəmā) *n.* ציצית, מלמלה
mac'ro *n.* מקרו, מיכלל, גדול, רחב
mac'ro·bi·ot'ic *adj.* (מזון) מבריא, מכיל ירקות שגדלו ללא כימיקלים
mac'ro·cosm (-koz'əm) *n.* העולם, היקום, מאקרוקוסמוס
mac'roscop'ic *adj.* נראה לעין, בקנה-מידה רחב
mad *adj.* משוגע; רוגז, רותח מזעם
- go mad להשתגע
- mad about/for משוגע ל-, אוהב מאוד
- mad as a March hare/hatter משוגע לגמרי
- mad dog כלב שוטה
- mad keen להוט ביותר*
- run/work like mad לרוץ/לעבוד כמו משוגע (מהר, במרץ)
Mad'agas'car *n.* מדגסקר
mad'am *n.* גברת; מנהלת בית-בושת
madame' (-dam) *n.* גברת, מאדאם
mad'cap' *n&adj.* משוגע; פזיז, נמהר
mad cow disease מחלת הפרה המשוגעת
mad'den *v.* לשגע; להרגיז
mad'der *n.* עשב מטפס; חומר-צביעה אדום
made *adj.* עשוי, נוצר; שעתידו מובטח
- made in Israel תוצרת ישראל
made = p of make
Madei'ra (-dēr'ə) *n.* יין מדירה
mad'emoiselle' (-dəməzel') *n.* עלמה, מדמואזל
made-to-measure *adj.* (בגד) לפי הזמנה
made-up *adj.* בדוי, לא-אמיתי; מאופר; מוכן; סלול
madhouse *n.* בית-משוגעים
madly *adv.* כמו משוגע; *מאוד, ביותר
madman *n.* משוגע
madness *n.* שיגעון, טירוף
Madon'na *n.* מדונה, מרים אם ישו
mad'ras *n.* מדראס (אריג כותנה)
mad'rigal *n.* מדריגל, זמר רב-קולי
madwoman *n.* משוגעת
Maece'nas (misē'-) *n.* מצנס, פטרון יצירה
mael'strom (māl'-) *n.* מערבולת, שיבולת-מים
maenad (mē'nad) *n.* אישה משתוללת
maes'tro (mīs'-) *n.* מאסטרו, מנצח, מלחין
maf'fick *v.* לצהול, לעלוז, לחגוג
Maf'ia *n.* מאפיה, העולם התחתון
maf'io'so *n.* איש המאפיה, מאפיונר
mag *n.* מגאזין, כתב-עת*
mag'azine' (-zēn) *n.* מגאזין, כתב-עת; מחסן-תחמושת; מחסנית
magen'ta *n&adj.* ארגמן, אדום
mag'got *n.* רימה, תולעת, זחל
- has a maggot in his head נכנס לו זבוב בראש
mag'goty *adj.* שורץ זחלים, מתולע
mag'ic *n.* כשפים, קסם; להטוטים
- as if by/like magic כבמטה-קסם
magic, magical *adj.* קסום, מאגי
magic carpet מרבד קסמים
magic eye עין אלקטרונית
magi'cian (-jish'ən) *n.* מכשף, קוסם
magic lantern פנס-קסם
magic square ריבוע קסם
mag'iste'rial *adj.* סמכותי; של בר-סמכא; של שופט-שלום
mag'istracy *n.* כהונת שופט-שלום
- the magistracy שופטי השלום
mag'istrate *n.* שופט שלום
magistrate's court בית משפט שלום
mag'ma *n.* מאגמה, חומר סלעי מותך
mag'nanim'ity *n.* רוחב לב, גדלות
mag·nan'imous *adj.* רחב לב, אציל נפש
mag'nate *n.* בעל נכסים, איל הון
mag·ne'sia (-shə) *n.* מגנסיה, תחמוצת מגניון
mag·ne'sium (-z-) *n.* מגניון, מגנזיום
mag'net *n.* מגנט
mag·net'ic *adj.* מגנטי, מושך; מקסים

magnetic field שדה מגנטי
magnetic mine מוקש מגנטי
magnetic pole קוטב מגנטי
magnetic tape סרט מגנטי
mag′netism *n.* מגנטיות; קסם אישי
mag′netize′ *v.* למגנט; לרתק, להקסים
mag·ne′to *n.* מגנטו (ליצירת חשמל)
Mag·nif′icat′ *n.* שירת מרים אם ישו
mag′nifica′tion *n.* הגדלה
mag·nif′icence *n.* הוד, רושם
mag·nif′icent *adj.* מפואר, נהדר, נפלא
magnifier *n.* מכשיר הגדלה, מגדיל
mag′nify′ *v.* להגדיל (גוף, בעדשה); להלל, לשבח; להגזים
magnifying glass זכוכית מגדלת
mag·nil′oquence *n.* סיגנון מנופח, עתק
mag·nil′oquent *adj.* מנופח, נמלץ
mag′nitude′ *n.* גודל, חשיבות, ערך; כבוד (של כוכב)
mag·no′lia *n.* מגנוליה (עץ נוי)
mag′num *n.* בקבוק גדול
mag′num o′pus פאר יצירתו
mag′pie (-pī) *n.* עקעק, עורב-הנחלים; פטפטן; לקחן, לקטן
Mag′yar (-yär) *n.* מדיארי, הונגרי
maharaja (mähərä′jə) *n.* מהראג'ה, נסיך הודי
mahat′ma *n.* מהאטמה, חכם הודי
mahog′any *n.* מהגוני, תולענה (עץ)
maid *n.* נערה, בחורה; עוזרת, משרתת
- old maid רווקה זקנה
maid′en *n.* נערה; סוס שטרם ניצח במירוץ; גיליוטינה
maiden *adj.* של נערה, לא נשואה; בתולי
- maiden flight טיסת בכורה
- maiden land קרקע בתולה
- maiden name שם שלפני הנישואים
- maiden speech נאום בתולין/בכורה
maidenhair *n.* שערות שולמית (שרך)
maidenhead *n.* בתולים
maidenhood *n.* נעורים, בתולים
maidenlike *adj.* כעלמה, עדינה, צנועה
maidenly *adj&adv.* כעלמה, בביישנות
maiden voyage הפלגת בכורה
maidservant *n.* עוזרת, משרתת
mail *n.* דואר, דברי-דואר; שריון
mail *v.* לשלוח בדואר
mailbag *n.* שק דואר; ילקוט הדוור
mailbox *n.* תיבת-דואר
mail-coach *n.* מרכבת-דואר
mailed *adj.* משוריין
mailing-card *n.* גלוית דואר
mailing list רשימת נמענים
mailman *n.* דוור
mail order הזמנת משלוחים בדואר
mailshot *n.* שיגור דברי דואר רבים, הצפה בעלוני פרסומת
mail train רכבת דואר
maim *v.* לגרום לנכות, להטיל מום
main *adj.* ראשי, עיקרי
- by main force בכוחות מרביים
- has an eye to the main chance לוטש עיניו לכסף, מבקש להתעשר
- main clause משפט עיקרי (בתחביר)
- main deck סיפון עליון
- main drag הרחוב הראשי
main *n.* צינור ראשי; כבל ראשי; מערכת החשמל; ים
- in the main בכלל, בעיקר, לרוב
- mains רשת החשמל; צינור ראשי
- mains set/radio מקלט רדיו הפועל על חשמל (ולא על סוללות)
main course מנה עיקרית
mainframe *n.* מערכת מחשב; עיבוד מרכזי
mainland *n.* יבשה, ארץ (ללא האיים)
main line עורק ראשי; קו רכבת ראשי; *וריד להזרקת סם
mainline *v.* *להזריק סם
mainly *adv.* בעיקר
mainmast *n.* תורן ראשי
mainsail *n.* מיפרש ראשי
mainspring *n.* קפיץ ראשי; מניע ראשי
main squeeze *בוס, מנהיג
mainstay *n.* חבל ראשי (המתוח מראש התורן); משען ראשי, מפרנס, תומך
mainstream *n.* מגמה שלטת, נטייה
mainstream *v.* לשבץ (חריג) בכיתה רגילה
maintain′ *v.* להמשיך, להתמיד; להחזיק, לשמור; לתמוך, לפרנס; לתחזק; לטעון
- maintain one's health לשמור על בריאותו
- maintain one's right to- לעמוד על זכותו ל-
- maintain order לקיים סדר
- maintains an open mind on מוכן להקשיב/לשקול דיעות שונות
main′tenance *n.* אחזקה; תחזוקה; פרנסה; תמיכה; דמי-מזונות; התמדה, המשך
maintenance men עובדי תחזוקה
maintenance order צו לתשלום דמי-מזונות
mai′sonnette′ (-z-) *n.* בית קטן; דירת מגורים (בתוך דירה)
maitre d′hotel מלצר מלון ראשי
maize *n.* תירס
maj. = major
majes′tic *adj.* מלכותי, מעורר כבוד
maj′esty *n.* מלכות, הוד, תפארת
- His Majesty (the King) המלך
majol′ica *n.* מיוליקה (כלים בסיגנון איטלקי)
ma′jor *adj.* ראשי, עיקרי, חשוב; גדול
- major operation ניתוח מסוכן/קשה
- major scale סולם מז'ור, רביב, דור
major *n&v.* רב-סרן; בגיר, בוגר; מקצוע ראשי (באוניברסיטה)
- major in ללמוד כמקצוע ראשי
ma′jor-do′mo *n.* ראש המשרתים
ma′jorette′ *n.* שרביטאית
major general אלוף
major′ity *n&adj.* רוב, רוב קולות; בגרות, בגירות; דרגת רב-סרן; של (דעת) הרוב
majority leader מנהיג הרוב
majority rule שלטון הרוב
make *v.* לעשות; ליצור; לגרום, להביא; לאלץ, להכריח; להגיע, להשיג; לתאר, להציג; להעריך, להסתכם ב-; להיות,

להוות
- 3 and 2 make 5 — 3 + 2 = 5
- I made the train — הגעתי לתחנת הרכבת בזמן
- I make you a present of it — אני נותן זאת לך במתנה
- has it made — *מצליח, לא חסר דבר
- he made (as if) to speak — הוא עמד לדבר, נוצר רושם שידבר
- he made her — *הוא התעלס עמה
- made himself heard — השמיע קולו
- make (it) up with — להתפייס, להשלים
- make a bed — לסדר/להציע מיטה
- make a meal — לאכול ארוחה, לסעוד
- make a pile — *לגרוף הון
- make a will — לכתוב/לערוך צוואה
- make after — לרדוף אחרי
- make at — לתקוף, להתנפל על
- make away with — לחסל; לבזבז; לגנוב
- make for — לנוע בכיוון; להתנפל על; להביא ל-, לתרום ל-; להוביל ל-
- make into — להפכו ל-, לעשות ל-
- make it — להגיע בזמן; להצליח
- make it clear that — להבהיר ש-
- make it with — להתקבל (לחברה)
- make it worth his while — לגמול לו
- make land — להגיע לחוף
- make little of — להמעיט בחשיבות, לבטל, לזלזל; להבין מעט מאוד
- make love — להתעלס, להתנות אהבים
- make off — לברוח, להסתלק
- make one's way — ללכת, לשים פעמיו
- make or break/mar — להמר על כל הקופה, או הצלחה או כישלון
- make out — להבין, לפענח; לראות, להבחין; לרשום, לכתוב; *להתעלס
- make out (to be) — לטעון, לומר, להעמיד פנים
- make out (with) — להתקדם, להצליח, להסתדר עם
- make out a case for — להעלות נימוקים למען-
- make over — להעביר בעלות; לתת; לשנות, להחליף
- make the cards — לערבב/לטרוף הקלפים
- make time — למצוא זמן; *לחזר
- make towards — לנוע בכיוון
- make up — להתאפר; להמציא, לפברק; להרכיב, להכין; להשלים, למלא החסר
- make up for — לפצות על
- make up for lost time — למהר, להדביק פיגור
- make up one's mind — להחליט
- make up to — לבקש קרבת-, לכרכר סביב-; לגמול, לפצות, לכפר
- she made him a good wife — היא היתה אישה טובה
- the ebb is making — השפל מתחיל
- what am I to make of it? — כיצד אבין זאת? איך אפרש זאת?
- what time do you make it? — מה השעה להערכתך?

make *n.* — תוצרת, סוג
- on the make — *להוט לעשות רווחים, שואף להתקדם; רודף מין

make-believe *n.* — העמדת פנים, דמיון

make-believe *adj.* — דמיוני, מעמיד פנים

makeover *n.* — שינוי כללי, עיצוב מחדש

maker *n.* — בורא, יוצר; הבורא
- meet one's Maker — ללכת לעולמו

makeshift *n&adj.* — תחליף; זמני, ארעי

make-up *n.* — איפור; הרכב, מערוכת, מבנה; סידור, עימוד (בדפוס); בחינות מועד ב׳

makeweight *n.* — תוספת משקל (לאיזון); ממלא מקום, משלים החסר

making *n&adj.* — עשייה; עושה, גורם
- in the making — בתהליך הייצור
- it was the making of him — זה פיתח אותו, חישלו, קידמו, שיפרו
- makings — תכונות, נתונים, סגולות
- sick-making — מחליא, מבחיל

mal — (תחילית) (באופן) רע

malac'ca cane — מקל-הליכה (מחזרן)

mal'achite' (-k-) *n.* — מאלאכיט (מחצב)

mal'adjust'ed *adj.* — לא מתאים; לא מסתגל

mal'adjust'ment *n.* — חוסר הסתגלות

mal'admin'istra'tion *n.* — ניהול רע

mal'adroit' *adj.* — לא זריז, מגושם

mal'ady *n.* — מחלה, חולי

mala fide (maləfī'də) *adv.* — שלא בתום לב

malaise' (-z) *n.* — תחושת מחלה, הרגשה רעה, תשישות

mal'aprop·ism *n.* — שיבוש מלה

mal'ap·ropos' (-pō') *adj&adv.* — לא במקומו; לא בעיתו; לא הולם

malar'ia *n.* — קדחת הביצות, מלאריה

malarial *adj.* — מלארי, של קדחת הביצות

malar'key *n.* — *שטויות, חנטריש

Mala'wi (-lä'wi) *n.* — מאלאווי

Malay' *n.* — מלאיה

Malay'sia (-zhə) *n.* — מלזיה

mal'content' *adj.* — לא מרוצה, עלול למרוד

male *n&adj.* — זכר; גברי, של גברים

mal'edic'tion *n.* — קללה

mal'efac'tor *n.* — עושה רע, פושע

malef'icent *adj.* — מזיק, עושה רע

malev'olence *n.* — רוע-לב, רשע

malev'olent *adj.* — חורש רעה, רשע

mal·feas'ance (-z-) *n.* — עבירה

mal'for·ma'tion *n.* — עיוות צורה; איבר מעוות

mal'formed' (-fôrmd') *adj.* — מעוות

mal·func'tion *n&v.* — ליקוי בפעולה; לפעול בצורה גרועה

Mal'i *n.* — מאלי

mal'ice (-lis) *n.* — רשעות, רצון לפגוע
- bear malice — לנטור איבה
- with malice aforethought — בזדון

mali'cious (-lish'əs) *adj.* — זדוני, רע

malign' (-līn) *adj.* — מזיק, רע

malign *v.* — להשמיץ, לדבר סרה ב-

malig'nancy *n.* — זדון, רוע-לב

malig'nant *adj.* — זדוני, רע; ממאיר

malig'nity *n.* — רשעות, זדון, רוע-לב

malin'ger (-g-) *v.* — להתחלות

malingerer *n.* — מתחלה, מתחזה כחולה

mall (môl) *n.* — שדירה; מידרחוב; קניון; איזור חנויות

mal′lard *n.* ברכייה (ברווז בר)
mal′le·abil′ity *n.* חשילות; סגילות
mal′le·able *adj.* חשיל, ניתן לעיצוב; ניתן לאילוף, סגיל
mal′let *n.* פטיש-עץ; מקל-פולו
mal′low (-lō) *n.* חלמית (פרח)
malmsey (mäm′zi) *n.* יין מדירה מתוק
mal·nour′ished (-nur′isht) *adj.* סובל מתת תזונה
mal′nutri′tion (-no͞otrish′ən) *n.* תת-תזונה, תזונה לקויה
mal·o′dorous *adj.* מסריח, מדיף צחנה
mal·prac′tice (-tis) *n.* פעילות לא חוקית, שחיתות; טיפול רע (של רופא)
malt (môlt) *n&v.* לֶתֶת, מאלט; ללתות (שעורים); להילתת
Mal′ta (Môl-) *n.* מלטה
Maltese (môltēz′) *adj.* של מאלטה
Maltese cross צלב מאלטה (בעל זרועות ממוזלגות)
malthu′sian (-shən) *adj.* מאלתוסי, חרד מהתפוצצות האוכלוסיה
mal·treat′ *v.* להתאכזר, לנהוג בגסות
maltreatment *n.* אכזריות, התאכזרות
malt′ster (môlt′-) *n.* לַתָּת
mal′versa′tion *n.* שחיתות, מעילה
mama, mamma (mä′-) *n.* אמא
mam′ba *n.* מאמבה (נחש ארסי)
mam′bo *n.* מאמבו (ריקוד)
mam′mal *n.* יונק
mam·ma′lian *adj.* של יונקים
mam′mary *adj.* של השדיים
mammary gland בלוטת החלב
mam′mogram′ *n.* צילום שד
mam·mog′raphy *n.* ממוגרפיה
mam′mon *n.* ממון, עושר, רדיפת בצע
mam′moth *n&adj.* ממותה; ענקי
mam′my *n.* אמא; *מטפלת כושית
man *n.* איש, בן-אדם, גבר; הגזע האנושי; משרת, כפוף; כלי (בשחמט)
- a man of his word מבטיח ומקיים
- as one man כאיש אחד
- be a man לנהוג כגבר, לא לחשוש
- every man jack כולם, כל אחד ואחד
- here's your man זה האיש (המתאים)
- is his own man הוא עצמאי
- man about town מבלה במסיבות ושעשועים
- man and boy מילדות, כל חייו
- man and wife בעל ואישה, זוג נשוי
- man in the street האיש הממוצע
- man of God איש אלוהים
- man of the world איש העולם, מנוסה
- officers and men קצינים וחיילים
- play the man! היה גבר!
- to a man הכל, כולם, עד אחד
- to the last man עד לאחרון שבהם
man *v.* לאייש
man′acle *v.* לכבול באזיקים
manacles *n-pl.* אזיקים
man′age *v.* לנהל; לשלוט ב-; לטפל ב-; להסתדר; להצליח
- can manage להצליח להסתדר, לקבל, לנצל, לאכול
man′ageabil′ity (-nijəb-) *n.* נוחות הטיפול; צייתנות

manageable *adj.* קל לטפל בו; ניתן לניהול; צייתן
management *n.* ניהול; הנהלה; טיפול; תבונה, תחבולה
management fee דמי ניהול
man′ager (-ni-) *n.* מנהל; אמרגן
- a good manager בעלת-בית טובה
man′ageress (-ni-) *n.* מנהלת
man′age′rial *adj.* מינהלי, של הנהלה
managing *adj.* חסכן; שתלטן
managing director מנהל; מנכ"ל
man′-at-arms′ (-z) *n.* חייל, פרש
man′atee′ *n.* פרת-ים
man′darin *n.* מנדרין, פקיד בכיר; סינית מדוברת; מנדרינה (פרי)
man′date (-dāt) *n&v.* מנדאט, ייפוי-כוח; למסור (ארץ) למנדאט
man′dato′ry *adj.* הכרחי, נחוץ; של חובה; מנדטורי
man′dible *n.* לסת, צבת (של סרטן)
man′dolin′ *n.* מנדולינה (כלי נגינה)
man·drag′ora *n.* דודא
man′drake′ *n.* דודא
man′drill *n.* מאנדריל (קוף)
mane *n.* רעמה
man-eater *n.* אוכל אדם; קניבאל; *בעלת מחזרים רבים, קוטלת גברים
maneu′ver (-no͞o′-) *n.* תמרון; תכסיס
maneuver *v.* לערוך תמרונים, לתמרן
maneu′verabil′ity (-no͞o′-) *n.* כושר תמרון
maneu′verable (-no͞o′-) *adj.* ניתן לתמרון
man Friday ששת, עבד נאמן
man′ful *adj.* אמיץ, החלטי, גברי
man′ganese′ (-z) *n.* מנגן (מתכת)
mange (mānj) *n.* שחין (בכלבים)
man′gel-wur′zel (-g-) *n.* סלק-בהמות
man′ger (mān-) *n.* איבוס
man′gle *v.* למחוץ, לרסק; לפצוע; לקלקל, להשחית; לגהץ/לסחוט במעגילה
mangle *n.* מעגילה, זירה
man′go *n.* מאנגו (עץ, פרי)
man′gosteen′ *n.* מאנגוסטין (פרי)
man′grove *n.* מאנגרובה (עץ)
ma′ngy *adj.* מוכה-שחין; מלוכלך, דוחה
man-handle *v.* להזיז בכוח; לטפל בגסות
man′hole′ *n.* בור (בכביש, עם מיכסה)
manhood *n.* בגרות; גבריות; הגברים
man-hour *n.* שעת-עבודה (של אדם)
manhunt *n.* ציד אדם
ma′nia *n.* שיגעון; תאווה, תשוקה
ma′niac′ *n.* משוגע
mani′acal, man′ic *adj.* שיגעוני
manic-depressive *adj.* סובל מהתקפי דיכאון ושמחה לסירוגין
man′icure′ *n&v.* מניקור; טיפול בידיים ובציפורניים; לעשות מניקור
manicurist *n.* מניקוראית
man′ifest′ *adj.* ברור, גלוי
manifest *v.* להראות, לגלות, להפגין
- manifest itself להופיע, להתגלות
manifest *n.* רשימת הסחורות, מיצהר
man′ifesta′tion *n.* הבהרה; גילוי, הפגנה, ביטוי

man'ifes'to *n.* מינשר, גילוי-דעת, מניפסט
man'ifold' (-fōld) *adj.* רב, רבגוני, רב-צדדי
manifold *n.* סעפת (במכונית)
manifold *v.* לשכפל (במכונת שכפול)
man'ikin *n.* גמד; מנקין; אימום-אדם
manil'a *n.* מנילה, מוז הסיבים; סיגר
manila paper נייר מנילה (לאריזה)
manip'u·late' *v.* להפעיל, לטפל יפה ב; לנהוג, להשפיע; להשתמש לצרכיו; לזייף
manip'u·la'tion *n.* הפעלה; טיפול; השפעה; זיוף, מאניפולציה
manip'u·la'tive *adj.* מניפולטיבי, נצלני
man'kind' (-kīnd) *n.* האנושות, בני-האדם
manlike *adj.* של אדם, כמו גבר
manliness *n.* גבריות
manly *adj.* גברי, כגבר
man-made *adj.* עשוי בידי אדם
man'na *n.* מָן; דבר טוב הבא לפתע
manned (mand) *adj.* מאוייש
man'ne·quin (-kin) *n.* מנקין, בובה, דוגמן, אימום-אדם
man'ner *n.* אופן, צורה, שיטה, דרך; יחס לזולת; סגנון, מנהג; נימוס
- all manner of כל סוג
- as to the manner born כאילו נולד לכך, בטבעיות
- bad manners חוסר נימוס
- by no manner of means בשום אופן לא
- in a manner במובן מסוים, במידת-מה
- in a manner of speaking אם אפשר לומר כך, "הייתי אומר"
- manners מנהגים, ארחות-חיים; דרך-ארץ, נימוסים
- what manner of- איזה מין-
mannered *adj.* מעושה בגינוניו
- ill-mannered לא מנומס
- well-mannered מנומס, אדיב
mannerism *n.* הרגל מיוחד, גינונים, מלאכותיות; חיקוי; מניריזם
mannerly *adj.* מנומס, אדיב
man'nish *adj.* גברי, אופייני לגבר
manoeuvre = maneuver
man'-of-war' (-əv-wôr') *n.* ספינת-קרב
manom'eter *n.* מד-לחץ, מנומטר
man'or *n.* אחוזה, משק, חווה; נפת משטרה
manor'ial *adj.* של אחוזה
manpower *n.* כוח אדם
manque (mänkā') *adj.* שלא הצליח, שעשוי היה להיות
man'sard (-särd) *n.* גג בעל שני שיפועים, מאנסארד
manse *n.* בית הכומר
manservant *n.* משרת
man'sion *n.* בית גדול, ארמון
- mansions בית-דירות
man-sized *adj.* גדול, מתאים לגבר
manslaughter *n.* הריגה
man'tel(piece) *n.* לזבז האח, מסגרת האח
mantelshelf *n.* מדף האח
man·til'la *n.* מטפחת ראש, רדיד

man'tis *n.* גמל-שלמה
man·tis'sa *n.* מנטיסה (בלוגריתם)
man'tle *n.* מעיל; כסות; כיסוי רשת (ללהבת-גאז)
mantle *v.* לכסות; להסמיק; להאדים
man'-to-man' גלוי, ללא גינונים
man'tra *n.* מנטרה, מילה חוזרת
man'trap' *n.* מלכודת (לעבריינים)
man'u·al (-yooəl) *adj.* ידי, ידני, של יד, של עבודת-כפיים
manual *n.* מדריך, ספר שימושי; מקלדת
man'u·fac'ture *n.* ייצור; תוצרת
manufacture *v.* לייצר; לבדות, לפברק
manufacturer *n.* יצרן, תעשיין
man'u·mis'sion *n.* שחרור (עבד)
man'u·mit' *v.* להוציא (עבד) לחופשי
manure' *n&v.* זבל, דשן; לזבל, לדשן
man'u·script' *n.* כתב-יד
many (men'i) *adj&n.* הרבה, רבים; רב-
- a good/great many הרבה
- as many (again) כמספר הזה
- had one too many שתה לשכרה
- he's one too many for me איני יכול להתחרות בו, הוא פיקח ממני
- in so many words במלים ממש
- many a man אנשים רבים
- many-colored/-sided רבגוני, רב-צדדי
- many's the time הרבה פעמים, תכופות
- one too many אחד יותר מהדרוש
- the many ההמונים, רוב הציבור
- too many יותר מדי, הרבה מדי
Mao'ism (mou-) *n.* מאואיזם, תורת מאו-טסה-טונג
Mao'ri (mou-) *adj.* מאורי, ניו-זילנדי
map *n&v.* מפה; למפות, לערוך מפה
- map out לתכנן, לסדר
- off the map נידח; לא קיים
- put it on the map להציבו על המפה; לגרום שיתחשבו בו
ma'ple *n.* אדר (עץ)
map-maker *n.* קרטוגרף
mapping *n.* מיפוי, מפאות
map-reader *n.* קורא מפות
maquis (mäkē') *n.* מאקי (פרטיזנים צרפתים)
mar *v.* לקלקל, לפגום, להשחית
- make or mar להמר על כל הקופה, או הצלחה או כישלון
mar'abou' (-boo) *n.* מאראבו (עוף)
mar'aschi'no (-shē'-) *n.* מרסקינו (משקה, שרי)
mar'athon' *n.* מרתון
maraud' *v.* לשדוד, לשוטט, לשחר לטרף
marauder *n.* שודד, משחר לטרף
mar'ble *n.* שיש; גולה
marble *adj.* שיישי, קשה, חלק, קר
marbled *adj.* מגוון, כעין השיש
marbles *n-pl.* גולות-מישחק; פסלי שיש
- lose one's marbles *להשתגע
marc *n.* פסולת פירות סחוטים
march *v.* לצעוד; להצעיד, להוביל
- march with לגבול ב-
- quick march! קדימה צעד!
march *n.* צעדה, צעידה, מסע; מיצעד; התקדמות; מארש, שיר לכת; גבול, סְפָר

- line of march קו הצעידה/התנועה
- march past מיצעד הצדעה; מיצעד מיסקר
- on the march מתקדם, צועד קדימה
- steal a march on להקדים, להשיג יתרון על-, לעשות צעד מחוכם
March *n.* מרץ, מרס (חודש)
marching orders הוראות לנוע/לצאת לקרב; *מכתב פיטורים
mar'chioness' (-shən-) *n.* מרקיזה
mare *n.* סוסה; אתון
- mare's nest מתיחה; אמצאת-שווא
mare (mä'rā) *n.* ים (על הירח)
mar'garine (-jərin) *n.* מרגרינה
marge *n.* *מרגרינה
mar'gin *n.* שוליים; שפה, קצה; רווח; מרווח-זמן, עודף; מצב גבולי; תחום; הפרש
mar'ginal *adj.* של שוליים, שולי; זעום
- marginal land זיבורית (אדמה)
- marginal life חיים מן היד אל הפה
- marginal notes הערות שוליים
- marginal seat מושב פרלמנטרי שנבחר ברוב זעום, מושב מתנדנד
mar'gina'lia *n-pl.* הערות שוליים
mar'ginalize' *v.* לדחוק אל השוליים
mar'grave *n.* מרקיז (גרמני)
mar'guerite' (-gərēt) *n.* חיננית
mar'igold' (-gōld) *n.* ציפורני-החתול
mar'ihua'na (-riwä'-) *n.* מריחואנה
mar'ijua'na (-riwä'-) *n.* מריחואנה
marim'ba *n.* מרימבה (כעין כסילופון)
mari'na (-rē'-) *n.* מרינה, חוף סירות
mar'inade' *n.* תחמיץ בשר/דגים
mar'inate' *v.* לכבוש בשר/דגים
marine' (-rēn) *adj.* ימי; של ספינות
marine *n.* נֶחָת, חייל המארינס
- marines corps נחתים, מארינס
- merchant marine צי-הסוחר
- tell it to the marines ספר לסבתא
mar'iner *n.* מַלָּח, ימאי
mar'ionette' *n.* מריונטה, בובה
mar'ital *adj.* של נישואים, של בעל
marital status מצב משפחתי
mar'itime' *adj.* ימי; שליד הים
mar'joram *n.* איזוב (צמח)
mark *n.* כתם, צלקת; סימן, עקב; אות, ציון, נקודה; סמל; מטרה; קו-הזינוק; צלב, חתימת אנאלפביתי; סוג, מודל; מארק
- as a mark of לאות- (הוקרה)
- below the mark מתחת לתקן הדרוש
- beside the mark לא רלוואנטי
- full marks 100 נקודות, 100%
- hit the mark לקלוע למטרה, להצליח
- make one's mark לעשות לו שם
- man of mark מצטיין, בעל שם
- not up to the mark לא בקו הבריאות, לא כתמול שילשום
- on your marks, get set, go! מוכנים, היכון, רוץ!
- price mark תווית מחיר
- question mark סימן שאלה (?)
- quick off the mark מהיר-תפיסה
- up to the mark ברמה הנאותה
- wide of the mark לא מדויק כלל, לא קולע, לא שייך לנושא
mark *v.* לסמן, לציין; להותיר סימן; לתת ציון; לרשום; לשים לב ל-
- mark down/up להוזיל/לייקר (סחורה)
- mark off לתחום; להפריד; לסמן
- mark out לסמן, לציין; לתאר (שטח); לייחד, לייעד; לבחור
- mark time לדרוך במקום
- mark you! שים לב!
mark-down *n.* הוזלה, הנחה
marked *adj.* מסומן; מצוין; בולט, ניכר
- a marked man אדם הנתון במעקב, "נמצא על הכוונת"
marker *n.* מסמן; רושם נקודות; ציון; עט לורד; סימנית; *פתק חוב
mar'ket *n.* שוק; מסחר; דרישה, ביקוש
- bring eggs to a bad market לטעות בכתובת, להיכשל
- go to a bad market להיכשל
- in the market for מבקש לקנות
- on the market מוצע למכירה
- play the market לשחק במניות
- the market fell המחירים ירדו
market *v.* לשווק, למכור, לקנות
- go marketing לערוך קניות
marketable *adj.* שויק, ניתן לשיווק
market basket סל קניות, סל לחישוב המדד
market-day *n.* יום השוק
market economy כלכלת שוק
mar'keteer' *n.* שַׁוָּק; משווק
marketer *n.* שַׁוָּק; משווק
market garden גן ירק
marketing *n.* שיווק, הפצת סחורה
market-place *n.* שוק, כיכר השוק
market research תחקיר שיווק
market share נתח שוק
market town עיר יריד
marking *n.* סימן, סימנים מגוונים
marking ink דיו-סימון
marks'man *n.* קלע, צלף
marksmanship *n.* קלעות
mark-up *n.* עלייה, ייקור
marl *n.* אדמת-סיד (לזיבול)
mar'lin *n.* דג החנית, מרלין
mar'linespike' (-ns-) *n.* צינורית-התרה
marlinspike *n.* צינורית-התרה
mar'malade' *n.* מרמלדה, ממרח ריבה
mar·mo're·al *adj.* שיישי, קר, לבן
mar'moset' (-z-) *n.* מרמוזט (קיפוף)
mar'mot *n.* מרמוטה (מכרסם)
maroon' (-rōōn') *n&adj.* חום, ערמוני; ראקטה, זיקוקית; עבד נמלט
maroon *v.* לנטוש אדם (על אי שומם)
marque (märk) *n.* סוג, דגם, מודל
mar·quee' (-kē') *n.* אוהל גדול
mar'quetry (-k-) *n.* מעשה תשבץ, שיבוץ דוגמאות מגוונות בעץ
mar'quis, mar'quess *n.* מרקיז
mar'riage (-rij) *n.* נישואים
- give in marriage להשיא (בת)
marriageable *adj.* הגיע לפירקו
marriage bureau משרד שידוכים
marriage guidance ייעוץ נישואים
marriage lines תעודת נישואים
marriage settlement הסכם נישואים

married *adj.* נשוי; של נישואים
- young marrieds הזוג הצעיר
mar'row (-ō) *n.* לשד, מוח עצמות; תמצית; קישוא
- frozen to the marrow קפוא עד לשד עצמותיו
- vegetable marrow קישוא
marrowbone *n.* עצם (המכילה) לשד
marrowfat (pea) *n.* אפונה גדולה
mar'ry *v.* להתחתן; להשיא
- marry money להתחתן עם עשיר/עשירה
- marry off להשיא (את בתו)
Mars (-z) *n.* מארס; מאדים
Mar·sa'la (-sä-) *n.* יין מרסלה
Mar'seillaise' (-səlāz) *n.* מרסלייזה, ההימנון הלאומי הצרפתי
marsh *n.* בִּיצָה
mar'shal *n.* מארשאל; שריף; ראש-הטקס; פקיד ביה"ד; קצין משטרה/מכבי אש
marshal *v.* לסדר, לערוך; ללוות אדם למקומו (בטקס)
marshaling yard מיגרש עריכה
Mar'shall Islands *n.* איי מרשל
marsh gas גאז ביצות
marshland *n.* אדמת ביצות
marsh'-mal'low (-lō) *n.* חוטמית (צמח); מרשמלו (ממתק)
marshy *adj.* ביצתי, מלא ביצות
mar·su'pial *adj&n.* של כיס; חיית כיס
mart *n.* שוק, מרכז מסחרי
mar'ten *n.* נמייה
mar'tial *adj.* צבאי, מלחמתי; שש לקרב
martial arts ספורט הלחימה
martial law משטר צבאי
Mar'tian *adj&n.* של המאדים; תושב המאדים
mar'tin *n.* סנונית
mar'tinet' *n.* דורש משמעת, קפדן
mar·ti'ni (-tē-) *n.* מרטיני (מיסכה)
Mar'tinmas *n.* חג מרטין (החל ב-11 בנובמבר)
mar'tyr (-tər) *n.* קדוש, מת למען עיקרון; קדוש מעונה
- be a martyr to- לסבול קשות מ-
- make a martyr of oneself להקריב עצמו, להעמיד פני קדוש
martyr *v.* להפוך לקדוש; לענות
martyrdom *n.* מות קדושים; סבל רב
mar'vel *n.* פלא, דבר נפלא, מופת
- do/work marvels לחולל נפלאות
marvel *v.* להתפלא; להשתומם; להידהם
mar'velous *adj.* נפלא, מפליא
Marx'ism *n.* מרקסיזם
Marx'ist *n&adj.* מרקסיסט; מרקסיסטי
mar'zipan' *n.* מרציפן
Masa'da (-sä-) *n.* מצדה
masc. = masculine
mas·ca'ra (-kä-) *n.* מסקרה, פוך, צבע לעיניים
mas'cot (-kot) *n.* קמיע
mas'cu·line (-lin) *adj.* זכר; גברי
mas'cu·lin'ity *n.* גבריות; זכרות
ma'ser (-z-) *n.* מייזר, מכשיר ליצירת גלי-מיקרו
mash *n.* בליל, תערובת (למאכל בהמות); מזג של מאלט ומים; מחית, פירורה
mash *v.* לרסק, למחות, לעשות מחית
masher *n.* מרסק (לתפוחי-אדמה)
mash'ie *n.* מקל גולף (לחבטה גבוהה)
mask *n.* מסכה; מסווה; ראש שועל
- throw off the mask לחשוף פרצופו
- under a mask of במסווה של-
mask *v.* לכסות במסכה; להסוות
masked *adj.* עוטה מסכה; מוסווה
masked ball נשף מסכות
masking tape סרט דביק, מסקינטייפ
mas'ochism (-k-) *n.* מאזוכיזם
mas'ochist (-k-) *n.* מאזוכיסט
mas'ochis'tic (-k-) *adj.* מאזוכיסטי
ma'son *n.* בנאי, בונה; בונה חופשי
mason'ic *adj.* של הבונים החופשים
masonic *n.* מסיבת בונים חופשים
ma'sonry *n.* בנייה, בניין, בנאות
Maso'ra *n.* מסורה, מסורת
masque (mask) *n.* מחזה מוסיקלי
mas'querade' (-kər-) *n.* נשף מסכות; העמדת-פנים, התחזות
masquerade *v.* להתחפש, להתחזות
mass *n.* מיסה; תפילה; מנגינת-מיסה
mass *n&adj.* גוש, כמות רבה; המון, אוסף, שפע; מסה; המוני, של המונים
- he is a mass of bruises כולו פצע וחבורה
- in the mass בעיקרו, בכללו
- the masses ההמונים
mass *v.* לצבור; לרכז; להתרכז; להתקבץ
- mass troops לרכז כוחות/חיילים
mas'sacre (-kər) *n.* טבח, פוגרום
massacre *v.* לערוך טבח, להשמיד
massage (-säzh') *n.* עיסוי, מסאז'
massage *v.* לעסות, לעשות מסאז'; להחניף; לטפל ב-, לזייף (נתונים)
massage parlor מכון עיסוי, בית בושת
mass communication תקשורת המונים
mass destruction השמדה המונית
masseur' (-sûr') *n.* עסיין, מסאז'יסט, עסאי
masseuse' (-sōōz') *n.* עסיינית
mas·sif' (-sēf) *n.* גוש הרים
mas'sive *adj.* מאסיבי, גדול, מוצק, חזק
mass media כלי-תקשורת להמונים
mass meeting כינוס המוני
mass-produce *v.* לייצר ייצור המוני
mass production ייצור המוני
massy *n.* מאסיבי, כבד, מוצק
mast *n.* תורן; תורן האנטנה
mast *n.* פירות-עצים (מזון-חזירים)
mas·tec'tomy *n.* כריתת שד
mas'ter *n.* אדון, ראש; רב-חובל; מורה; מנהל; אמן; מעביד
- be master of לשלוט ב-/על
- master card קלף חזק
- master of the house בעל הבית
- one's own master אדון לעצמו
- the Master ישו הנוצרי
master *adj.* ראשי; שולט; מומחה
- Master Green האדון גרין הצעיר
master *v.* לשלוט; להיות בקי ב-

mas'ter-at-arms' (-z) *n.* קצין שיטור (באונייה)
master copy עותק ראשי, נוסח מתוקן
masterful *adj.* שתלטן; שליט, שולט
master key פותחת, מפתח למנעולים שונים
masterly *adj.* מומחה, אמנותי
master mariner קברניט
mastermind *n.* גאון, מתכנן
mastermind *v.* לתכנן, לארגן
Master of Arts מוסמך למדעי הרוח
master of ceremonies ראש הטקס
Master of Science מוסמך למדעי הטבע
masterpiece *n.* עבודה אמנותית, יצירת פאר
masterplan *n.* תוכנית אב
master's *תואר מ"א
mastership *n.* שלטון, שליטה; בקיאות
masterstroke *n.* צעד גאוני (מדיני)
master switch מפסק ראשי
masterwork *n.* מלאכת מחשבת, יצירת פאר
mas'tery *n.* שלטון; שליטה, בקיאות
- get (the) mastery לשלוט/להשתלט על
mast-head *n.* ראש התורן; שם העיתון, פרטי העיתון (בעלים וכו')
mas'tic *n.* שרף (לייצור לכה)
mas'ticate' *n.* ללעוס
mas'tica'tion *n.* לעיסה
mas'tiff *n.* מסטיף (כלב גדול)
mas·ti'tis *n.* דלקת השדיים
mas'todon' *n.* מסטודון (פיל שהוכחד)
mas'toidi'tis *n.* דלקת הזיז הפטמי
mas'turbate' *v.* לאונן
mas'turba'tion *n.* אוננות
mat *n.* מחצלת, מדרסה, שטיחון; מפית, תחתית (לכלי חם); סבך, גוש, קשר
- on the mat בצרה, סופג עונש
- welcome mat *קבלת פנים חמה
mat *v.* לסבך; להסתבך; לכסות במחצלות
mat *n.* עמום, לא מבריק, מאט
mat'ador' *n.* מאטאדור, הורג השור
match *n.* גפרור; תחרות; יריב שקול; בן זוג; דבר דומה/הולם; שידוך
- a good match (עשוי להיות) בעל טוב; דברים הולמים/מתמזגים יפה
- find/meet one's match להיתקל ביריב שקול; להיתקל באגוז קשה
- is a match for יכול להתמודד עם
- make a match (of it) להתחתן
- safety matches גפרורים
match *v.* להוות יריב שקול; להשתוות; להתאים; להעמיד בתחרות; להשיא
- match up to להתאים, להגיע לרמה
- well-matched מתאים, שווה
matchbox *n.* קופסת גפרורים
matching *adj.* מתאים
matchless *adj.* שאין דומה לו
matchmaker *n.* שדכן
matchmaking *n.* שדכנות
match point הנקודה המכרעת (הדרושה לניצחון)
matchstick *n.* גפרור
matchwood *n.* עץ גפרורים; קיסמים
- make matchwood of להרוס לגמרי

mate *n&v.* מט; לתת מט (בשחמט)
mate *v.* לחתן, לזווג; להזדווג
mate *n.* חבר, עמית; בן-זוג; קצין-אונייה; עוזר, שוליה
mate (mätā') *n.* תה דרום אמריקני
mate'rial *adj.* גשמי, חומרי, גופני; חשוב, יסודי, מהותי
- material needs מצרכים יסודיים
material *n.* חומר; אריג, בד
- building materials חומרי בניין
- collect material לאסוף חומר (לספר)
- writing materials מכשירי כתיבה
mate'rialism *n.* חמרנות, מטריאליזם, גשמנות, חומריות
mate'rialist *n.* חמרן, מטריאליסט
mate'rialis'tic *adj.* חמרני
mate'rializa'tion *n.* התגשמות
mate'rialize' *v.* להתגשם; ללבוש צורה גשמית, להופיע
mater'nal *adj.* אימהי; שמצד האם
mater'nity *n.* אימהות
maternity dress שמלת הריון
maternity hospital בי"ח ליולדות
maternity leave חופשת לידה
ma'tey *adj.* *ידידותי, חברותי
math, maths *n.* *מתימטיקה
math'emat'ical *adj.* מתימטי; מדויק
math'emati'cian (-tishən) *n.* מתימטיקאי
math'emat'ics *n.* מתימטיקה
mat'inee' (-nā) *n.* הצגה יומית
matinee coat בגד לתינוק
matinee idol שחקן נערץ
ma'ting *n.* הזדווגות
mat'ins *n-pl.* תפילת שחרית
ma'triarch' (-k) *n.* אם שלטת
ma'triar'chal (-k-) *adj.* מטריארכלי, של ראשות האם
ma'triar'chy (-ki) *n.* מטריארכט, שלטון האם
matric' = matriculation
ma'trices = pl of matrix (-sēz)
mat'ricide' *n.* רצח אם; הורג אם
matric'u·late' *v.* לרשום/להתקבל לאוניברסיטה
matric'u·la'tion *n.* כניסה לאוניברסיטה
ma'trilin'e·al *adj.* מצד האם
mat'rimo'nial *adj.* של נישואים
mat'rimo'ny *n.* נישואים
ma'trix *n.* מטריצה, אימה; טבלה
ma'tron *n.* מנהלת, אם בית; גברת, מטרונה
matronly *adj.* של גברת; כמטרונה
matron of honour שושבינת הכלה
matt, matte *n.* עמום, מאט
mat'ted *adj.* מסובך; מכוסה שטיח
mat'ter *n.* חומר; עניין, נושא; מוגלה
- a matter of בערך, בסביבות, כ-
- a matter of life and death שאלת חיים ומוות
- a matter of opinion שאלה של השקפה
- for that matter בנוגע לזה
- in the matter of בנוגע ל-
- it makes no matter לא חשוב, לא מעניין, לא איכפת

- let the matter drop להניח לעניין
- make matters worse להחמיר המצב
- no laughing matter עניין רציני
- no matter לא חשוב, אין דבר
- no matter how/who/what לא חשוב איך/מי/מה, לא משנה
- nothing's the matter with לא קרה דבר ל-, הכל בסדר עם-
- printed matter דברי דפוס
- reading matter חומר קריאה
- subject matter נושא, תוכן
- what's the matter? מה קרה?
matter *v.* להיות חשוב; להתמגל
- it doesn't matter אין זה חשוב, לא נורא, לא אכפת
matter-of-course *adj.* צפוי, טבעי
matter-of-fact *adj.* מעשי, ענייני, קר
mat'ting *n.* חומר למחצלות/לאריזה
mat'tins *n.* תפילת שחרית
mat'tock *n.* מעדר, חפרור, מכוש
mat'tress *n.* מיזרן, מיזרון
- spring mattress מיזרן קפיצים
mat'urate' (-ch'-) *v.* להבשיל
mat'ura'tion (-ch'-) *n.* הבשלה, גמילה, התבגרות
mature' (-choor) *adj.* מבוגר, מפותח, בשל; שקול, זהיר, יסודי
- mature bill שטר שחל זמן פרעונו
mature *v.* להבשיל, להתבגר; להתפתח; לחול מועד פרעונו
mature student סטודנט מבוגר
matu'rity *n.* בשלות, בגרות; תחולת פרעון
matu'tinal *adj.* של בוקר
maud'lin *adj.* רגשני, פורץ בבכי
maul *v.* לפצוע, למחוץ, לקרוע הבשר; לקטול קשות; לנהוג בגסות
maul'stick' *n.* מקל ציירים (התומך ביד המחזיקה במכחול)
maun'der *v.* לגמגם, למלמל; לפעול באדישות; לשוטט; להשתרך
Maun'dy money מתנות לאביונים
Maundy Thursday יום ה' הקדוש
Mau'reta'nia *n.* מאוריטניה
mau'sole'um *n.* מאוסוליאום, קבר
mauve (mōv) *adj&n.* סגול בהיר
mav'erick *n.* עֶגלה לא מסומנת; עצמאי, פורש, לא שוחה עם הזרם
maw *n.* זפק; קיבה; לוע פעור לטרוף
maw'kish *adj.* רגשני, משתפך, מגוחך
max *v&n.* *(לעשות את ה-) מקסימום
max'i *n.* מאקסי, חצאית ארוכה
max·il'la *n.* עצם הלסת
max'im *n.* פתגם, מימרה
max'imal *adj.* מְרַבִּי, מקסימאלי
max'imalist *n.* מקסימליסט, דוחה פשרות, דוגל בתגובה נמרצת
max'imiza'tion *n.* מירוב
max'imize' *v.* למרב
max'imum *n&adj.* מקסימום, מירב; מְרַבִּי
may *v.* להיות יכול/מותר/אפשרי/עשוי; ייתכן, אולי; מי יתן, הלוואי
- and who may you be? ומי אתה (אם מותר לי לשאול)?
- may (just) as well הגיוני ש-
- may well אפשרי מאוד, בהחלט יכול, מן הסתם
May *n.* מאי (חודש); תפרחת עוזרד
may'be (-bi) *adv.* ייתכן, אולי
- as soon as maybe מהר ככל האפשר
may-beetle/-bug *n.* חיפושית
may'day *n.* איתות לעזרה, קריאת עזרה
May Day *n.* 1 במאי, חג הפועלים
may'hem (-hem) *n.* פגיעה גופנית, הטלת מום; אנדרלמוסיה, אי-סדר
mayn't = may not (mānt)
may'o *n.* מיונז, מיונית
may'onnaise' (-z) *n.* מיונית
may'or *n.* ראש עיר
may'oral *adj.* של ראש עיר
may'oralty *n.* ראשות עיר
may'oress *n.* ראש עיר (אישה); אשת ראש עיר
maypole *n.* עמוד-מאי (שרוקדים סביבו)
May Queen מלכת ה-1 במאי
maze *n.* מבוך; מבוכה
mazed *adj.* נבוך, מבולבל
mazur'ka *n.* מזורקה (ריקוד)
MB מגבייט; בוגר רפואה
MBA מסטר במינהל עסקים
MC = master of ceremonies
mcCar'thyism (məkä'rthiiz'm) *n.* מקארתיזם
Mccoy' (məkoi') *n.* *הדבר האמיתי
MD = Doctor of Medicine
me (mi) *pron.* אותי, לי; *אני
mead *n.* תמד, משקה דבש; אחו
meadow (med'ō) *n.* אחו, כר-מרעה
mea'ger, mea'gre (-gər) *adj.* רזה; דל, עלוב, זעום
meal *n.* ארוחה; קמח, דגן טחון
mea'lie *n.* תירס
meals on wheels משלוחי מזון לנזקקים
meal ticket תלוש ארוחה; מקור הכנסה; תומך כספי
mealtime *n.* שעת הארוחה
mealy *adj.* קמחי; מקומח, אבקי; חיוור
mealy-mouthed *adj.* מתבטא בצורה סתומה, לא מדבר ברורות
mean *adj.* עלוב, דל; רע, שפל, נבזה; קמצן, אנוכיי; נחות; ממוצע, אמצעי
- I feel mean *אני פשוט מתבייש
- no mean לא רע, מצוין
mean *n.* ממוצע, מצב ביניים
- golden/happy mean שביל הזהב
mean *v.* לציין, להורות, להיות פירושו; להתכוון; לייעד; להוות סימן, לבשר; להיות חשוב בעיני-
- he is meant to- הוא נועד ל-
- he means no harm לא מתכוון לפגוע
- he means well כוונותיו טובות
- it means nothing to me אין זה חשוב בעיני, זה לא אומר לי כלום
- mean mischief לחרוש רעה
- mean well by him להתכוון להיטיב עמו
- you're meant to עליך, אתה חייב
me·an'der *v.* להתפתל, לזרום בנחת; לשוטט; לדבר בניחותא על דא ועל הא
meanderings *n-pl.* נתיב מתפתל
meaning *n.* כוונה, משמעות, מובן
meaning *adj.* משמעי, רב-משמעות

- ill-meaning מתכוון להרע

meaningful *adj.* משמעותי

meaningless *adj.* חסר משמעות

mean-minded *adj.* רע-לב

means (-z) *n&n-pl.* אמצעי, דרך; אמצעים, כסף, עושר, רכוש

- a means to an end אמצעי להשגת מטרה
- by all means בהחלט, בוודאי
- by means of באמצעות, בעזרת
- by no means בהחלט לא
- by some means or other כך או כך, בדרך כלשהי
- live beyond one's means לצרוך מעבר להכנסתו
- man of means בעל אמצעים
- the end justifies the means המטרה מקדשת את האמצעים
- ways and means שיטות שונות (לגיוס כספים)

means test בדיקת אמצעים, בדיקת מצב כלכלי

meant = p of mean (ment)

- well-meant שכוונתו טובה

mean′time′ *adv&n.* בינתיים

- in the meantime בינתיים

mean′while′ *adv.* בינתיים

mean′y, mean′ie *n.* *רע, קמצן

mea′sles (-zəls) *n-pl.* חצבת

meas′ly (-z-) *adj.* זעום, עלוב

meas′urable (mezh′-) *adj.* מדיד

meas′ure (mezh′ər) *n.* מידה; שיעור; כלי מדידה; אמצעי, צעד; חוק; משקל; קצב

- beyond measure גדול לאין שיעור
- for good measure כתוספת
- get the measure of him לעמוד על טיבו
- in a great measure במידה רבה
- in some measure במידה מסוימת
- liquid measure מידת הלח
- made to measure תפור לפי הזמנה
- set measures to להגביל
- short measure מידה חסרה
- take his measure לעמוד על טיבו
- take strong measures לנקוט אמצעים חריפים

measure *v.* למדוד; לאמוד; להיות שיעור אורכו/רוחבו/גודלו

- measure off/out למדוד, להקציב
- measure one's length ליפול מלוא קומתו
- measure one's strength להתמודד
- measure one's wits להתמודד במבחן שכל
- measure swords להתמודד, להתחרות
- measure up to להתאים ל-, להפגין כישורים הולמים ל-, להגיע לרמה

measured *adj.* מדוד, זהיר, שקול, קצוב

measureless *adj.* אינסופי, לאין שיעור

measurement *n.* מדידה; מידה

measuring tape סרט מידה

meat *n.* בשר; אוכל; ארוחה; תוכן, רעיונות

- fresh/frozen meat בשר טרי/קפוא
- it was meat and drink to him זה גרם לו הנאה מרובה

meatball *n.* כדור-בשר, קציצת-בשר

meatless *adj.* ללא בשר

meat-safe *n.* ארון בשר

meat tea ארוחת מינחה בשרית

meaty *adj.* בשרי; מלא תוכן

Mec′ca *n.* מכה (מולדת מוחמד); מקום עלייה לרגל; יעד, מטרה

mechan′ic (-k-) *n.* מכונאי

mechan′ical (-kan-) *adj.* מכאני, של מכונות; אוטומטי, ללא מחשבה

mechanical engineering הנדסת מכונות

mechan′ics (-kan-) *n.* מכניקה; מכונאות; מבנה, דרך הפעולה

mech′anism (-k-) *n.* מנגנון, מבנה, מכניות, מכניזם

mech′anis′tic (-k-) *n.* של מכניות

mech′aniza′tion (-k-) *n.* מיכון

mech′anize′ (-k-) *v.* למכן, לצייד במכונות

med′al *n.* מדליה, עיטור, פארה

med′alist *n.* בעל מדליה

medal′lion *n.* מדליון, תליון

med′dle *v.* להתערב (בענייני הזולת)

meddler *n.* מתערב, תוחב אפו

meddlesome *adj.* אוהב להתערב

me′dia *n.* כלי-התקשורת

me′diae′val = medieval (-diē′-)

media event אירוע תקשורתי

me′dial *adj.* אמצעי, תיכון; ממוצע

media mogul איל תיקשורת

me′dian *adj&n.* אמצעי, תיכון; חציון

median strip רצועת הפרדה

me′diate′ *v.* לתווך; ליישב, להסדיר

me′dia′tion *n.* תיווך, פיוס

me′dia′tor *n.* מתווך, מפייס

med′ic *n.* *סטודנט לרפואה; חובש

med′ical *adj&n.* רפואי; תרופתי; *סטודנט לרפואה; בדיקה רפואית

med′icament *n.* תרופה, רפואה

Med′icare′ *n.* ביטוח רפואי לקשישים

med′icate′ *v.* להוסיף חומר רפואי

med′ica′tion *n.* תוספת חומר רפואי; תרופה; טיפול בתרופות

medic′inal *adj.* רפואי, תרופתי

med′icine (-sən) *n.* רפואה; תרופה

- give him his own medicine להתייחס אליו כפי שהוא התייחס לזולתו
- take one's medicine *לקבל המגיע לו

medicine ball כדור התעמלות

medicine chest ארון תרופות

medicine man רופא אליל

med′ico *n.* *רופא; סטודנט לרפואה

me′die′val (-diē′-) *adj.* של ימי הביניים, בינאי, ביניימי; *עתיק, ישן

me′dio′cre (-kər) *adj.* בינוני, סוג ב'

me′dioc′rity *n.* בינוניות; אדם בינוני

med′itate′ *v.* לחשוב; לשקוע במחשבות

med′ita′tion *n.* מחשבה, שקיעה בהרהורים; התבוננות, הגות; מדיטאציה

med′ita′tive *adj.* מהרהר; מהורהר

Med′iterra′ne·an *n&adj.* הים התיכון; ים תיכוני

me′dium *n.* אמצעי, כלי ביטוי; סביבה; מתווך; מדיום

- happy medium שביל הזהב

- through the medium of באמצעות
medium *adj.* בינוני
medium dry חצי יבש (יין)
medium-range *adj.* לטווח בינוני
medium wave גל בינוני
med'lar *n.* שסק
med'ley *n.* ערבוביה; ערב-רב; ערברב, תערובת מנגינות
meed *n.* גמול, פרס
meek *adj.* עניו, נכנע, צנוע, צייתן
meer'schaum (-shəm) *n.* מקטרת
meet *v.* לפגוש; להיפגש; להיתקל ב-; להתאסף; לקדם פני; להכיר; לפרוע; לנגוע; להירכס; לספק, לענות על
- he met with an accident קרתה לו תאונה
- make both ends meet להרוויח כדי מחייתו
- meet halfway להתפשר
- meet his eye להיתקל במבטו
- meet my father הכר את אבי
- meet the case לענות על הדרישות
- meet the eye להיגלות לעין
- meet up with להיפגש, להיתקל ב-
- meet wishes להשביע רצון
- meet with approval לקבל אישור
- meet with success לנחול הצלחה
meet *n.* תחרות, מפגש (של ציידים)
meet *adj.* ראוי, יאה, מתאים
meeting *n.* פגישה; אסיפה; מיפגש; תחרות
meeting-house בית תפילה
meg'a- (תחילית) מיליון
megabuck *n.* *מיליון דולר
megabyte *n.* מגבייט, מיליון בתים
meg'acy'cle *n.* מגסייקל, מגהרץ
mega-deals עיסקות ענק
megadeath *n.* מות מיליון איש
megaflop *n.* יחידת מהירות גבוהה; כישלון ענק
meg'ahertz' *n.* מגסייקל, מגהרץ
meg'alith' *n.* מגלית, אבן גדולה
meg'alith'ic *adj.* מגליתי
meg'aloma'nia *n.* שיגעון הגדלות
meg'aloma'niac' *n.* מוכה שיגעון גדלות, מגאלומאן
meg'alop'olis *n.* עיר גדולה, עיר רבתי, עיר על פרווריה
meg'aphone' *n.* מגאפון, מגביר קול
meg'aton' (-tun) *n.* מגאטון, מיליון טונות
megil'lah (-gil'lə) *n.* מגילה
me'grim *n.* מיגרנה, כאב ראש, פולג
meio'sis (mīō'-) *n.* חלוקת גרעין התא
mel'ancho'lia (-k-) *n.* מרה שחורה
mel'anchol'ic (-k-) *adj.* עצוב, מדוכא
mel'anchol'y (-k-) *n&adj.* מרה שחורה, מלנכוליה; עצוב, מדוכא; מדכא
melange (mālänzh') *n.* תערובת
mel'anin *n.* פיגמנט כהה (בשיער)
mel'ano'ma *n.* גידול בעור
meld *v&n.* (בקלפים) להכריז, הכרזה
melee (mā'lā) *n.* מהומה, תיגרה; דיון סוער
me'liorate' *v.* לשפר; להשביח; להשתפר
me'liora'tion *n.* שיפור; טיוב, השבחה

me'liorism *n.* מיליוריזם (ההשקפה שאפשר לתקן את העולם ע"י מאמצים)
mellif'luous (-looəs) *adj.* (קול, לחן) מתוק, ערב
mel'low (-lō) *adj.* מתוק, בשל, רך, נעים; מנוסה, חכם; עליז, שתוי
mellow *v.* להבשיל, לרכך; להחכים
melod'ic *adj.* מלודי, ערב, לחין, נעימי
melo'dious *adj.* מלודי, ערב לאוזן
mel'odrama (-rä-) *n.* מלודרמה
mel'odramat'ic *adj.* מלודרמתי, רגשני
mel'ody *n.* נעימה, לחן, מלודיה
mel'on *n.* מלון, אבטיח צהוב
melt *v.* להמס; להימס; להתמוסס; להימוג; להיעלם, לגווע
- melt away להיעלם, להימס
- melt down להתיך, לצקת מתכת
- melt into tears להתמוגג בבכי
meltdown *n.* היתוך; אסון; צניחת מניות
melting *adj.* רך, עדין; רגשני
melting point נקודת היתוך
melting pot כור היתוך
melt water מי הפשרה (של שלג)
mem'ber *n.* חבר; איבר
- male member איבר המין הגברי
Member of Parliament חבר כנסת
membership *n.* חֲבֵרוּת
membership fee דמי חבר
mem'brane *n.* ממברנה, קרומית
mem'branous *adj.* קרומי, של קרומית
memen'to *n.* מזכרת
mem'o *n.* תזכיר, ממורנדום
mem'oir (-mwär) *n.* מאמר ביוגרפי, סיפור חיים; מסה, חיבור
- memoirs זיכרונות, אוטוביוגרפיה
mem'orabil'ia *n-pl.* דברים מעניינים (שראוי לזכרם)
mem'orable *adj.* שראוי לזכרו, מיוחד
mem'oran'dum *n.* תזכיר, ממורנדום, מיזכר
memo'rial *n.* מצבת זיכרון, יד; מפעל הנצחה; תזכיר
- memorials דברי הימים, קורות
Memorial Day יום זיכרון (לחללים)
memor'ialize' *v.* להגיש תזכיר
memorial service אזכרה
mem'orize' *v.* לשנן, ללמוד על פה
mem'ory *n.* זיכרון; זֵכֶר
- in memory of לזכר, להנצחת שם-
- of blessed memory זיכרו לברכה, ז"ל
- speak from memory לצטט מהזיכרון
- to the best of my memory עד כמה שאני זוכר, למיטב ידיעתי
- within his memory בזיכרונו, בחייו
- within living memory בזיכרון האנשים החיים
memory board לוח זיכרון; מיתקן איחסון נתיק
mem'sahib (-säib) *n.* גברת אירופית
men = pl of man
- men's room שירותי גברים
men'ace (-nis) *n.* איום; סכנה; מיטרד
menace *v.* לאיים על, לסכן
menage (-näzh') *n.* משק בית
menag'erie *n.* גן חיות; אוסף חיות

mend *v.* לתקן; לשפר; להשתפר; *להחלים
- mend one's pace להחיש צעדיו
- mend one's ways לתקן דרכיו
- mend the fire להגביר האש
mend *n.* תיקון
- on the mend מחלים, מצבו משתפר
men·da′cious (-shəs) *adj.* כוזב, שיקרי
men·dac′ity *n.* שקר, כזב; שקרנות
mender *n.* מְתַקֵן
men′dicant *n&adj.* קבצן, עני
mending *n.* תיקון; בגדים לתיקון
men′folk (-fōk) *n-pl.* *גברים
me′nial *n.* משרת; של משרת; בזוי
men′ingi′tis *n.* דלקת קרום המוח
menis′cus *n.* מניסקוס, סחוס הברך; עדשה קמורה-קעורה
men′opause′ (-z) *n.* הפסקת הווסת, בלות, תקופת המעבר
men′ses (-sēz) *n.* וֶסת, אורח נשים
mens rea כוונת פשע
men′stru·al (-rōō-) *adj.* של וסת
men′stru·ate′ (-rōō-) *v.* לקבל וסת
men′stru·a′tion (-rōō-) *n.* וֶסת
men′surable (-shər-) *adj.* מָדִיד
men′sura′tion (-shər-) *n.* מדידה
menswear *n.* בגדי גברים
men′tal *adj.* רוחני, שכלי, נפשי, מנטאלי; לא שפוי, מופרע
mental age גיל שכלי
mental arithmetic חישובים על פה
mental block מחסום נפשי
mental cruelty התאכזרות רוחנית
mental defective לוקה בשכלו
mental deficiency ליקוי שכלי
mental home/hospital בית-חולים לחולי רוח
mental illness מחלת נפש
men·tal′ity *n.* מנטליות; מהלך מחשבות, הגות, הלך-נפש
mental patient/case חולה רוח
mental specialist מומחה למחלות נפש
mental test מיבחן שיכלי
men′thol′ *n.* מנתול (כוהל)
men′thola′ted *adj.* מכיל מנתול
men′tion *v.* להזכיר; לומר; לרמוז
- don't mention it על לא דבר
- not to mention נוסף על, מבלי להזכיר
mention *n.* אזכור, הערה; אות-הערכה
- make no mention of לא להזכיר
mentioned *adj.* המוזכר
- below-mentioned המובא להלן
men′tor *n.* יועץ, מייעץ; מורה רוחני
men′u (-nū) *n.* תפריט
me·ow′ *n&v.* מייאו; ליילל (חתול)
MEP חבר הפרלמנט האירופי
Meph′istophe′le·an *adj.* שטני
Meph′istoph′eles′ (-lēz) *n.* מפיסטו, השטן
mer′cantile′ *adj.* מסחרי
mercantile marine צי הסוחר
mer′cenary (-ner′i) *n.* חייל שכיר (במדינה זרה), שכיר-חרב
mercenary *adj.* אוהב בצע, רודף ממון
mer′cer *n.* סוחר בדים
mer′cerize′ *v.* להחליק, להבריק, לעבד חוטי כותנה, לשוות ברק משיי
mer′chandise′ (-z) *n.* סחורות
merchandise *v.* לסחור; לקדם מכירות
mer′chant *n&adj.* סוחר; *להוט/מכור ל-
merchant bank בנק מסחרי
merchantman *n.* אוניית סוחר
merchant marine/navy צי הסוחר
merchant ship אוניית סוחר
merciful *adj.* רחום, רחמן
merciless *adj.* אכזרי, חסר-רחמים
mercu′rial *adj.* של כספית, כספיתני; ער, פעיל, תוסס; משתנה, לא יציב
mer′cu·ry *n.* כספית
Mercury *n.* כוכב (כוכב לכת)
mer′cy *n.* רחמים, רחמנות; מזל, הקלה
- at the mercy of נתון לחסדי-
- it's a mercy מזל ש-, תודה לאל ש-
- left to the tender mercies of נתון לחסדי-, טרף לשיני-
- show mercy to לרחם על
- small mercies חסדים קטנים
- throw oneself on the mercy of לבקש רחמים מ-
mercy killing המתת חסד
mere *adj.* רק, בלבד, גרידא, לא יותר מ-
- the merest הזעיר ביותר
mere *n.* בריכה, אגם
merely *adv.* אך ורק, בלבד, גרידא, סתם
mere right זכות בעלמא
mer′etri′cious (-rish′əs) *adj.* צעקני, מרשים כלפי חוץ, מזויף, חסר ערך
merge *v.* למזג; להתמזג, להיבלע, להיטמע, להשתנות בהדרגה
merg′er *n.* התמזגות; מיזוג
merid′ian *n&adj.* מיצהר, מרידיאן, קו-אורך; צהריים; תקופת זוהר; של זוהר
merid′ional *adj.* דרומי (באירופה)
meringue (-rang′) *n.* מיקצפת
merino (-rē′-) *n.* מרינו (כבש); אריג מרינו, צמר מרינו
mer′it *n.* ערך, ראויות להערכה, יתרון, מעלה; זכות
- on/according to its merits בהתאם לעניין עצמו, אובייקטיבית
merit *v.* להיות ראוי/זכאי ל-
mer′itoc′racy *n.* שלטון המוכשרים
mer′ito′rious *adj.* ראוי לשבח
mer′maid *n.* בתולת-הים (אישה-דג)
mer′man *n.* אדם-דג
mer′riment *n.* שמחה, עליזות
mer′ry *adj.* שמח, עליז; *שתוי
- Merry Christmas! חג מולד שמח!
- make merry לשמוח, לחוג, לעשות חיים
- the more the merrier רצויים מוזמנים רבים, וכל המרבה הרי זה משובח
merry-go-round *n.* סחרחרה, קרוסלה
merry-maker *n.* משמח, עליז, חוגג
merry-making *n.* שמחה, הילולה
mesa (mā′sə) *n.* הר שטוח-ראש
mesal′liance (māzal′-) *n.* נישואים עם נחות-מעמד
mes′calin *n.* מסקלין (סם הזיות)
mesdames = pl of madame (mādäm′) גברות

mesdemoiselles (mā'dəmwəzel') *n-pl.* מדמואזלות, עלמות
me•seems' (-z) *v.* נראה לי, דומני
mesh *n.* רשת; עין (של רשת)
- in mesh מוצמד, משולב (גלגל, הילוך)
mesh *v.* ללכוד ברשת; לשלב; להשתלב; להתאים, לעלות בקנה אחד
mesmer'ic (-z-) *adj.* מהפנט
mes'merism (-z-) *n.* היפנוט
mes'merist (-z-) *n.* מהפנט
mes'merize' (-z-) *v.* להפנט
Mes'olith'ic (-z-) *adj.* מסוליתי, מתקופת האבן האמצעית
mes'omorph' (-z-) *n.* בעל גוף מוצק
Mes'opota'mia *n.* מסופוטמיה (ארם נהריים)
mess *n.* אי-סדר, לכלוך, בלבול; צרה; חדר אוכל; ארוחה; האוכלים בצוותא
- in a mess במצב ביש, מסתבך
- make a mess לשבש, לקלקל, להרוס
mess *v.* לאכול בצוותא; לבלבל; ללכלך
- don't mess with me! אל תעשה בעיות, אל תגרום צרות
- mess around/about להסתובב בעצלתיים; לנהוג בטפשות/בגסות
- mess up ללכלך; לקלקל; לשבש; להכות
mes'sage *n.* הודעה; מסר; בשורה
- get the message להבין, לקלוט הרמז
mes'senger *n.* שליח, נושא מסר
mess hall *n.* חדר אוכל
Messi'ah (-sī'ə) *n.* משיח
mes'sian'ic *adj.* משיחי
mes'sieurs (-sərz) *n.* האדונים
mess-jacket *n.* מותניית-ארוחה
mess kit ערכת כלי אוכל, מסטינג
mess'mate' *n.* חבר לחדר אוכל
Mes'srs. (-sərz) *n.* האדונים
mes'suage (-swij) *n.* אחוזה, חווה
mess-up *n.* בלבול, אי-סדר
messy *adj.* מבולבל, מלוכלך; מלכלך
Met = meteorological
met = p of meet
met'a- (תחילית) מעל, מעבר
met'abol'ic *adj.* מטבולי, של מטבוליזם
metab'olism *n.* מטבוליזם, חילוף החומרים בגוף
metab'olize' *v.* לגרום מטבוליזם
met'acar'pal *n.* עצם כף-היד
met'al *n.* מתכת; חצץ (לכביש)
- metals פסי-רכבת
metal *v.* לסלול (כביש) בחצץ
metal'lic *adj.* מתכתי
metallic currency מטבעות, מצלצלים
met'allur'gical *adj.* מטלורגי
metal'lurgist *n.* מטלורג
met'allurgy *n.* מטלורגיה, תורת המתכות
metal-work *n.* עבודת מתכת
metal-worker *n.* אומן מתכת
met'amor'phose *v.* לשנות צורה
met'amor'phosis *n.* מטמורפוזה, תמורה, שינוי צורה, גלגול
met'aphor' *n.* מטפורה, השאלה, העברה, הוראה שאולה
met'aphor'ical *adj.* מטפורי, מושאל
met'aphys'ical (-z-) *adj.* מטפיסי
met'aphys'ics (-z-) *n.* מטפיסיקה, פילוסופיית הדברים הנשגבים מבינה
met'atar'sal *n.* עצם כף-הרגל
mete *v.* לחלק, להקציב
- mete out לחלק, להעניק, לתת, להטיל
metem'psycho'sis (-sik-) *n.* גלגול נשמה
me'te•or *n.* מטאור, כוכב נופל
me'te•or'ic *adj.* מטאורי; מזהיר, חולף
me'te•orite' *n.* מטאוריט, מטאור
me'te•orolog'ical *adj.* מטאורולוגי
me'te•orol'ogist *n.* מטארולוג
me'te•orol'ogy *n.* מטאורולוגיה, חזאות, תורת מזג האוויר
me'ter *n&v.* מטר; מונה, שעון, מד; למדוד
- electricity-meter מונה, מד-חשמל
- parking-meter מדחן
meter *n.* (בשירה) רגל, מקצב, משקל
meth'adone' *n.* מתדון, סם הרדמה, תחליף סם
meth'ane *n.* גאז הביצות, מתאן
me•thinks' *v.* נראה לי, דומני
meth'od *n.* שיטה, מתודה; שיטתיות
method acting משחק הזדהות עם הדמות
method'ical *adj.* שיטתי, מתודי
Meth'odism *n.* מתודיזם (כת נוצרית)
Meth'odist *n&adj.* מתודיסט
meth'odol'ogy *n.* מתודולגיה, תורת השיטות המדעיות במחקר
me•thought' = pt of methinks (-thôt) חשבתי
meths *n.* *כוהל מפוגל
Methu'selah (-zələ) *n.* מתושלח
methuselah *n.* בקבוק יין גדול
meth'yl alcohol כוהל מתילי
meth'yla'ted spirits כוהל מפוגל
metic'u•lous *adj.* קפדן, דקדקן
metier (metyā') *n.* מקצוע, משלוח-יד
metre = meter
met'ric *adj.* מטרי, של השיטה העשורית
met'rical *adj.* מקצבי, ריתמי
met'rica'tion *n.* הפיכה לשיטה המטרית, הנהגת השיטה העשורית
met'ricize' *v.* להנהיג השיטה המטרית
metric system השיטה המטרית
metric ton טון, טונה (1000 ק"ג)
met'ro *n.* מטרו, רכבת תחתית
met'ronome' *n.* מטרונום
metrop'olis *n.* מטרופולין, בירה, עיר-אם
met'ropol'itan *adj&n.* של מטרופולין; מטרופוליט; בישוף עליון
Metropolitan France צרפת
met'tle *n.* אופי, עוז-רוח, אומץ
- put him on his mettle להביאו למצב שבו יעשה מאמץ מירבי להצליח
- show one's mettle להראות מאיזה חומר הוא קורץ, להפגין אומץ לב
- try his mettle לעמוד על טיבו
mettlesome *adj.* אמיץ
mew (mū) *n&v.* מייאו; ליילל כחתול
mewl (mūl) *v.* לייבב, ליילל
mews (mūz) *n.* אורוות סוסים; אורוות משופצות (למגורים)

Mex′ican *adj&n.* מקסיקני
Mex′ico′ *n.* מקסיקו
mez′zanine′ (-nēn) *n.* יציע תחתון (בתיאטרון); קומת ביניים
mez′zo (mets′ō) *adj.* לחצאין, בינוני
mezzo forte בחוזק בינוני
mezzo-soprano *n.* מצו-סופרן
mez′zo·tint′ (mets-) *n.* (בדפוס) הדפסה בחצי גוון
mg = milligram
MHz מגהרץ
mi (mē) *n.* מי (צליל)
miaow (mēou′) *n.* מייאו
mias′ma (-z-) *n.* אדים רעילים
mi′ca *n.* נציץ, מיקה (מחצב שקוף)
mice = pl of mouse
Michaelmas (mik′əl-) *n.* חג מיכאל (החל ב-29/9)
Michaelmas daisy אַסתֵר (פרח)
mick *n.* *אירי
Mick′ey (Finn) שיקוי מרדים
- take the Mickey out of him ללעוג לו
mickey mouse *n.* *מיקי מאוז, טיפש
mi′cro- (תחילית) קטן, זעיר
mi′cro *n.* מיקרו-מחשב/-מעבד
mi′crobe *n.* מיקרוב, חיידק
mi′cro·bi·ol′ogy *n.* מיקרוביולוגיה
mi′cro·chip′ *n.* שבב זעיר, מיקרוצ׳יפ
mi′cro·cir′cuit (-kət) *n.* מעגל זעיר
mi′cro·compu′ter *n.* מחשב זעיר
mi′cro·cosm (-koz′əm) *n.* מיקרוקוסמוס, עולם קטן; האדם
mi′cro·e·conom′ics *n.* כלכלת הפרט
mi′cro·e·lectron′ics *n.* מיקרואלקטרוניקה
mi′cro·fiche′ (-fēsh) *n.* מיקרופיש
mi′cro·film′ *n.* מיקרופילם, תצלום על סרט זעיר, סרט-זיעור
microfilm *v.* לצלם במיקרופילם
mi′crogram′ *n.* מיליונית הגרם
mi′cro·mesh′ *n.* אריג-רשת עדין
mi·crom′eter *n.* מיקרומטר, מכשיר למדידת מרחקים זעירים
mi′cron (-ron) *n.* מיקרון, אלפית מילימטר
Mi′crone′sia (-zhə) *n.* מיקרונזיה
mi′cro·or′ganism *n.* חיידק, מיקרו-אורגניזם
mi′crophone′ *n.* מיקרופון
mi′cro·pro′ces′sor *n.* מיקרו-מעבד
mi′croscope′ *n.* מיקרוסקופ
mi′croscop′ic *adj.* מיקרוסקופי
mi′cro·sec′ond *n.* מיליונית שנייה
mi′cro·wave′ *n.* מיקרוגל; גל-מיקרו
mid *adj&prep.* אמצע; בין, בתוך
- in mid air בשמיים, גבוה; לא מוכרע
mid′day′ (-d-d-) *n.* צהריים
mid′den *n.* ערימת זבל, ערימת אשפה
mid′dle *adj.* אמצעי, בינוני; ביניימי
middle *n.* אמצע, תוך; איזור המותניים
- in the middle of באמצע; עסוק ב-
middle age גיל העמידה
middle-aged *adj.* בגיל העמידה
Middle Ages ימי הביניים
middle age spread *התכרסות, השמנה, ״צמיגים״
middlebrow *n.* שוחר אמנות בינונית
middle class המעמד הבינוני
middle course שביל הזהב
middle distance רוחק בינוני; קטע נוף הנמצא במרחק לא רב מהצופה
Middle East המזרח התיכון
middle finger אמה (אצבע)
Middle Kingdom סין
middleman *n.* מתווך, איש ביניים
middle management הנהלה בדרג ביניים
middle name שם אמצעי, שם פרטי שני
middle-of-the-road מתון, לא קיצוני
middle school בי״ס לגילאי 9 - 13, חטיבת ביניים
middle-sized *adj.* בעל גודל בינוני
middleweight *n.* משקל בינוני
Middle West המערב התיכון (בארה״ב)
mid′dling *adj&adv.* בינוני; סוג ב׳; במידה בינונית
- fair to middling *ככה-ככה, בינוני
- middling well טוב למדי
mid′dy *n.* פרח קצונה (בצי)
middy blouse חולצת מלחים
Mid′east′ *n.* המזרח התיכון
midfield *n.* אמצע המיגרש
midfielder *n.* קַשָר
midfield stripe קו האמצע (במיגרש)
midge *n.* יבחוש, זבובון, יתוש
midg′et *n&adj.* ננס, גמד; ננסי, קטן
mid′i *n.* שמלת מידי
mid′land *adj.* של פנים הארץ/המדינה
mid-life *adj.* של גיל העמידה
mid′most′ (-mōst) *adj.* בדיוק באמצע
mid′night′ *n.* חצות, אמצע הלילה
midnight blue כחול כהה
midnight sun שמש חצות לילה (הנראית בחוגים הארקטי והאנטארקטי)
mid′point′ *n.* נקודת האמצע, אמצע
mid′riff *n.* סרעפת; איזור הבטן
mid′ship′man *n.* פרח קצונה (בצי)
mid′ships′ *adv.* באמצע האונייה
midst *n&prep.* אמצע; באמצע, בתוך
- in our midst בקרבנו, בתוכנו
- in the midst of בתוך, באמצע, בין
mid′stream′ *n.* אמצע הנהר; אמצע הפעולה
mid′sum′mer *n.* אמצע הקיץ
Midsummer Day 24 ביוני
midsummer madness שיא הטירוף
mid′way′ *adj.* במחצית הדרך
mid′week′ *n.* אמצע השבוע
Mid′west′ *n.* המערב התיכון (בארה״ב)
mid′wife′ *n.* מיילדת
midwifery *n.* מְיַילדוּת
mien (mēn) *n.* הבעה, מראה, הופעה, התנהגות
miff *v.* להרגיז, להעליב
might *n.* כוח, עוצמה רבה
- might is right הכוח הוא הצדק
- with might and main בכל הכוח
might (pt of may) *v.* להיות יכול/עשוי/עלול/אפשרי/צריך; היה יכול/עשוי וכ׳
- he might have known הוא יכול/צריך היה לדעת

might-have-been *n.* *אפשרות שהוחמצה; מי שעשוי היה להצליח יותר
mightily *adv.* בכוח; *מאוד, "נורא"
mightn't = might not
mighty *adj.* חזק; רב-כוח; גדול, אדיר
mighty *adv.* מאוד, "נורא"
mi'gnonette' (min'yənet'') *n.* ריכפה (צמח בעל פרחים ריחניים)
mi'graine *n.* מיגרנה; פולג, צילחה
mi'grant *n.* מהגר; ציפור נודדת
mi'grate *v.* להגר, לנדוד (בלהקות)
mi·gra'tion *n.* הגירה; נדידה
mi'grato'ry *adj.* נודד
mika'do (-kä-) *n.* מיקאדו, קיסר יפן
mike *n.* *מיקרופון
mila'dy *n.* גברת, לידי, גבירתי
mi'lage = mileage
milch cow פרה חולבת; אדם שקל לסחוט ממנו כסף או טובת-הנאה
mild (mīld) *adj.* עדין, רך, נעים, קל, לא חריף
- draw it mild לא להגזים
mild and bitter מזג של בירה
mil'dew (-dōō) *n.* קימחון, עובש, טחב
mildew *v.* להעביש, להיפגע בקימחון
mildly *adv.* ברכות; במקצת
- to put it mildly, אם ננקוט לשון המעטה, מבלי להגזים
mildness *n.* רכות, נועם, עדינות
mile *n.* מייל, מרחק רב
- I'm feeling miles better *אני מרגיש הרבה יותר טוב
- be miles out in *לטעות לחלוטין
- for miles (and miles) למרחקים רבים
- miles away *שקוע במחשבות
- no one within miles of her אין לה מתחרה, היא הטובה ביותר
mile'age (mī'lij) *n.* מרחק במילים; מספר המילים; קצובת נסיעה, קילומטראז'; *רווח, תועלת
mileom'eter (mīlom-) *n.* מד-דרך
milepost *n.* תמרור מייל (במרחק); ציון דרך, מאורע חשוב
miler *n.* רץ מייל (ספורטאי)
milestone *n.* ציון דרך; מאורע בולט
milieu (mēlū') *n.* סביבה, הווי
mil'itancy *n.* מלחמתיות, רוח-קרב
mil'itant *adj&n.* מלחמתי, מיליטנטי, שש לקרב; דוגל בשימוש בכוח
mil'itarism *n.* מיליטריזם, צבאנות
mil'itarist *n.* מיליטריסט
mil'itaris'tic *adj.* מיליטריסטי, צבאני
mil'itarize' *v.* לתת אופי צבאי ל-
mil'itary (-ter'i) *adj&n.* צבאי; הצבא
military age גיל גיוס
military attache נספח צבאי
military honors אותות כבוד צבאיים; מטחי כבוד
military police משטרה צבאית; מ"צ
military policeman שוטר צבאי
military service שירות צבאי
mil'itate' *v.* לפעול (נגד/לרעת)
militia (-lish'ə) *n.* מיליציה, משמר אזרחי, חיל מתנדבים
militiaman *n.* איש המיליציה

milk *n.* חָלָב
- come home with the milk לחזור הביתה עם שחר (לאחר ליל-בילויים)
- cry over spilt milk לבכות על חלב שנשפך, להצטער על דבר אבוד
- in milk (פרה) חולבת
- milk of human kindness לב אנושי, טוב-לב
milk *v.* לחלוב; לסחוט; לתת חלב
milk and water חלש, חלוש, רפה
milk-bar *n.* מילקבר, מזנון חלבי
milk chocolate שוקולד חלב
milk-churn *n.* כד חלב
milker *n.* חולב; (פרה) חולבת
milk float מכונית לחלוקת חלב
milking machine מכונת חליבה
milk loaf לחם לבן מתוק
milk'maid' *n.* חולבת, פועלת מחלבה
milk'man' *n.* חלבן, מחלק חלב
milk-powder *n.* אבקת חלב
milk pudding חביצת-חלב
milk round מסלול החלבן
milk run מסלול שגרתי
milk shake מילקשייק (חלב וגלידה)
milk'sop' *adj.* עדין, רכרוכי, חסר אומץ
milk-tooth *n.* שן-חלב
milk'weed' *n.* אסקלפיים (צמחי-בר בעלי נוזל חלבי)
milk-white *adj.* לבן כחלב, צחור
milky *adj.* חלבי, מכיל חלב; לא צלול
Milky Way שביל החלב
mill *n.* טחנה; בית חרושת; מטחנה
- be put through the mill להשתפשף, לעבור אימונים מפרכים/חוויה קשה
- paper mill בית חרושת לנייר
mill *v.* לטחון; לחתוך (פלדה) למוטות
- mill around/about להסתובב באי-סדר
- milled edge שפה משוננת (במטבע)
mill'board' *n.* קרטון עבה (לכריכה)
mill-dam *n.* סכר-טחנה
mille-feuille (mēl-fwē') *n.* עוגת נפוליאון
mil'lena'rian *n.* (נוצרי) מאמין בימות המשיח
millen'nial *adj.* של אלף שנה
millen'nium *n.* אלף שנה; (בנצרות) ימות המשיח (העתידים לבוא)
millennium bug תקלת מחשב שנת אלפיים
mil'lepede' *n.* מרבה-רגליים
mill'er *n.* טחן, טוחן, בעל טחנה
mil'let *n.* דוחן (סוג תבואה)
mill-girl *n.* פועלת בית-חרושת
mill-hand *n.* פועל בית-חרושת
mil'li- (תחילית) אלפית
mil'liard' *n.* מיליארד
mil'libar' *n.* מיליבר (יחידת לחץ אטמוספרי)
mil'ligram' *n.* מיליגראם
mil'lili'ter (-lē't-) *n.* מיליליטר
mil'lime'ter *n.* מילימטר
mil'liner *n.* כובען-נשים
millinery *n.* כובעניית-נשים
milling *adj.* מתרוצץ הנה והנה
mil'lion *n.* מיליון
- like a million (dollars) *מצוין

mil'lionaire' *n.* מיליונר
mil'lionth *adj.* מיליונית; המיליון
mil'lipede *n.* מרבה-רגליים
mill-pond *n.* בריכת-טחנה
- like a mill-pond (ים) שקט, רוגע
mill-race *n.* זרם טחנת מים
millstone *n.* אבן ריחיים; נטל, מעמסה
- a millstone round one's neck ריחיים על צווארו, נטל על שכמו
- nether millstone שֶׁכֶב
- upper millstone רֶכֶב
millwheel *n.* אופן הטחנה
millwright *n.* בנאי טחנות
mi·lom'eter *n.* מד-דרך
milord' *n.* לורד, אדוני הלורד
milt *n.* חלב-הדג (בדג זכר); טחול
mime *n.* מימוס; פנטומימה; חקיין
mime *v.* לחקות; להביע בפנטומימה
mim'e·ograph' *n&v.* מכונת שכפול, מימיאוגרף; לשכפל
mimet'ic *adj.* מחקה, אוהב לחקות
mim'ic *adj.* חיקויי, מדומה; של הסוואה
- mimic coloring צבע הסוואה (בחיה)
mimic *n&v.* חקיין; לחקות, לדמות ל-
mim'icry *n.* חיקוי; מימיקריה; הסוואה
mimo'sa *n.* מימוסה (צמח, פרח)
min. = minutes, minimum
min'aret' *n.* מינרט, צריח-מסגד
min'ato'ry *adj.* מאיים
mince *v.* לטחון, לקצוץ; להתנהג בעדינות מעושה; להלך בטפיפה
- mince matters/words לדבר בעדינות, למתוח ביקורת בלשון רכה
- not mince matters לדבר גלויות
mince *n.* בשר טחון; מלית-פירות
mincemeat *n.* מלית-פירות (לפשטידה)
- make mincemeat of להביס כליל; להפריך לחלוטין, לעשות עפר ואפר
mince pie פשטידת פירות
minc'er *n.* מטחנה (לבשר)
mincing *adj.* מצטעצע, עדין
mincing machine מטחנה (לבשר)
mind (mīnd) *n.* רוח, נפש; מוח, מחשבה; שכל, זיכרון; דיעה; כוונה, רצון
- be of one mind להיות תמימי דעים
- be of the same mind להחזיק באותה דיעה
- be of/in two minds לפסוח על שתי הסעיפים, להסס
- bear/keep in mind לזכור
- bend one's mind להשפיע על רוחו
- blow one's mind *לעורר הזיות
- cast one's mind back להיזכר
- come/spring to mind לעלות בדעתו
- from time out of mind מהעבר הרחוק
- give him a piece of one's mind לנזוף בו, לתת לו מנה הגונה, לומר דעתו עליו
- go out of one's mind לפרוח מזכרונו
- has a good mind to בדעתו ל-, יש לו חשק רב ל-, החליט ל-
- has half a mind to נוטה/שוקל ל-
- has in mind בדעתו, מתכוון
- has it on his mind הדבר מעיק עליו
- have a mind of one's own להיות בעל דיעה עצמאית
- in his right mind דעתו שפויה
- in one's mind's eye בעיני רוחו
- keep one's mind on- להתרכז ב-
- know one's own mind לדעת מה רצונו, לא לפקפק
- make up one's mind (to) להגיע לכלל החלטה, להחליט; להשלים, להסתגל למצב
- open (close) one's mind to להיות (בלתי) פתוח ל-
- out of one's mind יצא מדעתו
- out of sight - out of mind רחוק מן העין - רחוק מן הלב
- pass out of mind להישכח
- presence of mind צלילות דעת, תושייה, כושר לפעול במהירות
- put him in mind of it להזכיר לו זאת, זה מזכיר לו
- put/give one's mind לתת דעתו
- put/set his mind at rest להרגיעו
- set one's mind on להשתוקק ל-, לגמור אומר להשיג
- speak one's mind לומר גלויות
- take one's mind off להסיח דעתו
- the best minds of the age גאוני הדור
- to my mind לדעתי; לטעמי, לרוחי
mind (mīnd) *v.* להיזהר, לזכור, לשים לב; להשגיח, לטפל ב-; להיות איכפת לו
- I don't mind לא אכפת לי; איני מתנגד
- I wouldn't/shouldn't mind איני מתנגד, הייתי רוצה
- do you mind! *בבקשה! אל תרגיז!
- don't mind him אל תדאג לו; אל תשים לב אליו
- don't mind me *אל תתחשב בי, עשה כחפצך
- mind (you) שים לב, ראה (ביטוי סתמי)
- mind one's p's and q's להיות זהיר בלשונו ובמעשיו
- mind out להיזהר, לשים לב
- never mind אין דבר, לא נורא
- would you mind? do you mind? התרשה לי? האם תתנגד? התואיל ל-?
mind-bending *adj.* משפיע על הנפש; קשה להבינו, מעבר להשגה
mind-blowing *adj.* מעורר הזיות, מרגש
mind-boggling *adj.* *מדהים, מפליא
minded *adj.* נוטה, חפץ; בעל נפש-
- air-minded חובב-טיס
- evil-minded חורש רעה, רע-לב
minder *n.* משגיח, מטפל ב-
- baby-minder מטפלת בתינוקות
mind-expanding *adj.* *מחדד חושים
mindful *adj.* נותן דעתו, זוכר, יודע
mindless *adj.* חסר דיעה, טיפשי; לא משגיח ב-, לא זהיר, מתעלם מ-
mind reading קריאת מחשבות
mind-set *n.* דפוס חשיבה, דעה מגובשת
mine *pron.* שלי
mine *n.* מכרה; מוקש; בור לפצצה; זיקוקין-די-נור
- a mine of information מקור בלתי-נדלה של מידע
- plant mines להטמין/לזרוע מוקשים
mine *v.* לכרות, לחפור; למקש
- mined out שנוצלו מחצביו עד תום
mine detector מגלה מוקשים

mine disposal פירוק מוקשים
minefield *n.* שדה מוקשים; שטח מכרות
mine-layer *n.* מקשת, ספינת מיקוש
mine-laying *n.* מיקוש, הנחת מוקשים
miner *n.* כורה, חופר; מוקשאי, חבלן
min'eral *n&adj.* מחצב, מינרל; מינרלי
mineral kingdom עולם הדומם
min'eral'ogist *n.* מינרלוג
min'eral'ogy *n.* מינרלוגיה, תורת המינרלים, מדע המחצבים
mineral pitch אספלט
mineral water מים מינרליים
min'estro'ne (-ni) *n.* מינסטרוני (תבשיל איטלקי)
mine-sweeper *n.* שולת-מוקשים
mine-sweeping *n.* שליית מוקשים
mineworker *n.* כורה (פחם)
min'gle *v.* לערבב; להתערב, להתמזג
min'gy *n.* קמצן, כילי
min'i *n.* שמלת מיני; (תחילית) קטן
min'iature *n.* מיניאטורה, ציור זעיר, זוטה, זערורה, מיזערת
- in miniature בזעיר אנפין
miniature *adj.* זעיר-אנפין, מיניאטורי
min'iaturist (-ch-) *n.* צייר מיניאטורות
minibar *n.* מיניבר, ארונית משקאות
min'ibus' *n.* מיניבוס
minicab *n.* מונית
min'icompu'ter *n.* מיני-מחשב
min'im *n.* חצי תו (במוסיקה)
min'imal *adj.* מינימאלי, מזערי
min'imalist *n.* מינימליסט, דוגל בצמצום הפעילות; מתון פוליטית
min'imiza'tion *n.* מיזעור
min'imize' *v.* להקטין (למינימום), למזער; לייחס חשיבות מעטה
min'imum *n.* מינימום, מיעוט, מיזער
minimum wage שכר מינימום
mining *n.* כרייה, חציבת מינרלים
min'ion *n.* משרת מתרפס; חביב האדון
- minion of the law שוטר, סוהר
min'iscule' *adj.* זעיר, קטנטן
min'ise'ries (-rēz) *n.* סדרות קצרות
miniskirt *n.* חצאית מיני
min'ister *n.* שר; ציר; כומר
minister *v.* לשרת, להגיש עזרה
- minister to his needs לספק צרכיו
min'iste'rial *adj.* של שר, משרדי
ministering angel אחות מסורה, מלאך
min'istrant *n.* משרת, מספק צרכים
min'istra'tion *n.* שירות, טיפול
min'istry *n.* משרד; כהונת שר; כמורה
min'iver *n.* פרווה
mink *n.* מינק, חורפן; פרוות מינק
min'now (-ō) *n.* דגיג
mi'nor *adj.* קטן, צעיר, משני, טפל, לא רציני; מינורי; מינור, זעיר; קטין
- F minor פה מינור
- John minor ג'ון הצעיר
- minor key מפתח מינורי; רוח נכאה, טון נוגה
- minor planet אסטרואיד (כוכב)
- minor prophets תרי עשר (בתנ"ך)
minor'ity *n&adj.* מיעוט; קבוצת מיעוט; קטינות; של המיעוט באוכלוסיה
- minority government ממשלת מיעוט
- minority report (חוות) דעת מיעוט
minority leader מנהיג המיעוט
Min'otaur' *n.* מינוטור (שור-אדם)
min'ster *n.* כנסיית מינזר
min'strel *n.* בדרן, בדחן; זמר נודד
min'strelsy *n.* שירת זמרים נודדים
mint *n.* מינתה, נענה; מטבעה
- in mint condition כחדש, לא משומש
- mint of money כסף רב, הון תועפות
mint *v.* לטבוע, לצקת מטבע
- mint a phrase ליצור מטבע-לשון
- mint money לעשות כסף, לגרוף הון
min'u·end' (-yəwend) *n.* מְחוּסָר
min'uet' (-nū-) *n.* מינואט (ריקוד)
mi'nus *n&adj&prep.* מינוס; סימן החיסור, (-); שלילי; מתחת לאפס; פחות, חסר
min'uscule' *adj.* זעיר, קטנטן
min'ute (-nit) *n&v.* דקה; תקציר דיון, פרוטוקול; זכרון דברים; לערוך פרוטוקול
- in a minute בתוך דקה, מיד
- just/wait a minute רק רגע
- minutes פרוטוקול, תקציר דיון
- the minute (that) מיד כש-, אך
- to the minute בדיוק, "על השעון"
- up to the minute מעודכן; מודרני
mi'nute' *adj.* זעיר; מדוקדק, פרוטרוטי
minute book ספר פרוטוקולים
minute gun תותח-דקות (שיורים בו אחת לדקה לאות אבל)
minute hand מחוג הדקות
minutely *adv.* בדייקנות; בפרוטרוט; לחתיכות זעירות; במידה זעומה
minute steak אומצת-דקה (להכנה מהירה)
minu'tiae (-shēē') *n-pl.* פרטי-פרטים
minx *n.* חוצפנית
mir'acle *n.* נס, פלא
- work miracles לחולל נפלאות
miracle play מחזה-פלאים (על סיפורי הברית החדשה)
mirac'u·lous *adj.* על-טבעי, פלאי, ניסי
mirage' (-räzh) *n.* מיראז', מחזה-תעתועים; חזון-הבל; אשליה
mire *n&v.* בוץ; לשקוע בבוץ; להכניס לבוץ; ללכלך; לסבך; להסתבך
- drag him through the mire להכפיש שמו
- in the mire בבוץ עמוק, מסתבך
mir'ror *n.* מַרְאָה, ראי; בבואה
mirror *v.* לשקף בבואה
mirror finish משטח מבהיק
mirror image דמות ראי, דמות הפוכה
mirth *n.* שמחה, חדווה, צחוק
mirthful *adj.* שמח, עליז
mirthless *adj.* חסר שמחה
mi'ry *adj.* בוצי, מוכפש בבוץ
mis- (תחילית) לא-, אי-, רע
mis'adven'ture *n.* חוסר מזל; תאונה
mis'advise' (-z) *v.* לתת עצה רעה
mis'alli'ance *n.* זיווג לא מוצלח
mis'anthrope' *n.* מיזנתרופ, שונא אדם
mis'anthrop'ic *adj.* מיזנתרופי
misan'thropy *n.* מיזנתרופיה, שנאת

הבריות
mis'ap·plica'tion *n.* שימוש לרעה, שימוש לא הוגן
mis'apply' *v.* להשתמש לרעה, ליישם בצורה לא נכונה
mis'ap·pre·hend' *v.* להבין שלא כראוי, להבין בצורה מוטעית
mis'ap·pre·hen'sion *n.* אי-הבנה
mis'appro'priate' *v.* למעול ב-, להשתמש בצורה לא נכונה
mis'appro'pria'tion *n.* מעילה
mis'be·got'ten *adj.* לא חוקי, ממזר; לא נבון, חסר-ערך
mis'be·have' *v.* להתנהג בצורה לא נאותה, להתפרע
misbehaved *adj.* משתובב, מתפרע
mis'be·ha'vior *n.* התנהגות רעה
mis'be·lie'ver (-lēv'-) *n.* מאמין בהבל
mis'cal'cu·late' *v.* לטעות בחישוב
mis'cal'cu·la'tion *n.* חישוב מוטעה
miscall' (-kôl) *v.* לקרוא בשם לא נכון/לא הולם
mis·car'riage (-rij) *n.* הַפָּלָה; אי-הגעה ליעד; כישלון
miscarriage of justice עיוות דין
miscar'ry *v.* להפיל (עוּבָּר); לא להגיע ליעד; להיכשל
miscast' *v.* לשבץ/ללהק בתפקיד לא הולם; לטעות בחלוקת התפקידים
mis'cegena'tion *n.* נישואי תערובת
mis'cella'ne·ous *adj.* מגוון, מעורב, ממינים שונים, רבגוני
mis'cella'ny *n.* קובץ, אנתולוגיה
mischance' *n.* אסון, תאונה, מזל ביש
mis'chief' (-chēf) *n.* נזק, פגיעה; מעשה-קונדס; שובבות; שובב, "תכשיט"
- do a mischief להזיק, לפגוע
- get into mischief להשתובב
- make mischief לחרחר, לסכסך
- up to mischief זומם מעשה קונדס
mischief-maker *n.* חרחרן
mis'chievous (-chiv-) *adj.* מזיק, זדוני; שובבי, תעלולני
mis'conceive' (-sēv) *v.* לא להבין נכונה
mis'concep'tion *n.* תפיסה מוטעית
miscon'duct (-dukt) *n.* התנהגות רעה/מגונה, ניאוף; ניהול גרוע
mis'conduct' *v.* לנהל בצורה גרועה
- misconduct oneself להתנהג שלא כיאות; לנאוף
mis'construc'tion *n.* הבנה לא מדויקת, פירוש מוטעה
- open to misconstruction עלול להתפרש שלא כראוי
mis'construe' (-rōō') *v.* להבין/לפרש באופן מוטעה
miscount' *v.* לטעות בספירה
mis'count' *n.* טעות בספירה
mis'cre·ant *n.* רשע, נוכל, נבל
mis'cre·a'ted *adj.* מושחת צורה
miscue (-kū') *v.* לפספס בחבטה
misdate' *v.* לתארך מועד מוטעה
misdeal' *n&v.* (בקלפים) (לחלק) חלוקה מוטעית
misdeed' *n.* פשע
mis'de·mea'nor *n.* עבירה
mis'direct' *v.* להתעות, להטעות; לְמַעֵן שלא כראוי; לכוון לאפיק לא נכון
mis'direc'tion *n.* הנחייה מוטעית
misdo'ing (-dōō'-) *n.* פשע, עבירה
mise en scene (mēz'onsān') *n.* תפאורה, רקע, סביבה
mi'ser (-z-) *n.* קמצן
mis'erable (-z-) *adj.* אומלל, מסכן, דל
miserliness *n.* קמצנות
mi'serly (-z-) *adj.* קמצני
mis'ery (-z-) *n.* מצוקה, כאב, צער; *מדוכא
- put out of its misery לגאול אותו מייסוריו
misfea'sance (-zəns) *n.* עבירה, שימוש לרעה בסמכות, מעילה בתפקיד
misfire' *v.* להיתקע, לא לפלוט הקליע; לא להידלק; להחטיא המטרה; להיכשל
misfire *n.* החטאה; אִיוּר
mis'fit *n.* לבוש לא הולם; אדם לא מתאים (לתפקיד/לסביבה)
misfor'tune (-chən) *n.* מזל רע, צרה, תאונה, אסון
misgive' (-giv) *v.* לחשוש, לדאוג
misgiv'ing (-g-) *n.* חשש, דאגה, ספק
misgov'ern (-guv-) *v.* לשלוט בצורה גרועה, לנהל באופן רע
misgovernment *n.* ניהול כושל
misguid'ed (-gīd-) *adj.* מותעה, מוטעה, הולך שולל; טיפשי
mis'han'dle *v.* לטפל שלא כראוי
mis'hap' *n.* תאונה, פגיעה, תקרית
mis'hear' *v.* לא לשמוע נכונה
mis'hit' *v&n.* לפספס, לחבוט (בכדור) באופן רע; פספוס, חבטה גרועה, החטאה
mish'mash' *n.* "סלט", ערבוביה
Mish'nah (-nə) *n.* משנה
mis'inform' *v.* למסור מידע כוזב/לא מדויק, להטעות
mis'informa'tion *n.* מידע מוטעה
mis'inter'pret *v.* לא לפרש נכונה
mis'inter'pre·ta'tion *n.* פירוש לא נכון
mis'judge' *v.* לא להעריך נכונה; לטעות בשיפוט; להתגבש דיעה מוטעית לגבי
misjudgement *n.* שיפוט מוטעה
mis'lay' *v.* להניח (חפץ, בהיסח הדעת) ולשכוח היכן
mis'lead' *v.* להתעות, לרמות, להוליך שולל; להטות מדרך הישר
mis'led' = p of mislead
mis'man'age *v.* לנהל בצורה גרועה
mismanagement *n.* ניהול גרוע
mis'match' *v.* לא להתאים כראוי
mis'match' *n.* זיווג לא מתאים
mis'name' *v.* לקרוא בשם לא מתאים
mis'no'mer *n.* שם מטעה, שם לא הולם
misog'ynist *n.* שונא נשים
misog'yny *n.* שנאת נשים
mis'place' *v.* להניח לא במקומו; לשים (מבטחו/אהבתו) באדם הלא נכון
mis'print' *v.* לעשות טעות דפוס
mis'print' *n.* טעות דפוס
mis'pronounce' *v.* לבטא שלא כראוי
mis'pronun'cia'tion *n.* מבטא מוטעה
mis'quo·ta'tion *n.* ציטוט לא מדויק
mis'quote' *v.* לא לצטט נכונה

mis'read' *v.* לקרוא/לפרש שלא כהלכה
mis're·port' *v.* לדווח בצורה מסולפת
mis'rep're·sent' (-riz-) *v.* להציג בצורה מסולפת
mis'rep're·senta'tion (-riz-) *n.* תיאור מסולף, הצגה לא נכונה
mis'rule' *v&n.* (לנהל) שלטון רע
miss *n.* החטאה; הינצלות; כישלון; מפלה
- a miss is as good as a mile שגיאה קטנה ושגיאה גסה - היינו הך
- give it a miss להימנע מ-, לדלג על
- near miss קליעה כמעט למטרה
miss *v.* להחטיא; להחמיץ, לאחר, להפסיד; לחוש בחסרון-; להתגעגע
- he can't miss it לבטח ימצא זאת, זה לנגד עיניו
- miss an accident להינצל מתאונה
- miss one's footing למעוד, להחליק
- miss one's guess לא לנחש נכונה
- miss out (on) להשמיט; לפסוח על; להפסיד, להחמיץ
- miss the mark להחטיא את המטרה
- miss the point לא לתפוס העוקץ
- miss the train לאחר לרכבת
Miss *n.* גברת; נערה; מלכת יופי
mis'sal *n.* ספר תפילות, סידור נוצרי
mis'shap'en (-s-shāp') *adj.* מושחת צורה
mis'sile (-səl) *n.* טיל; קליע; חפץ מושלך, אבן, חץ
- missile base בסיס טילים
missing *adj.* חסר; נעדר
- missing link החוליה החסרה
- the missing הנעדרים
mis'sion *n.* משלחת; שליחות, משימה, מטלה; מיסיון; בית המיסיון
- mission in life ייעוד בחיים
mis'sionary (-ner'i) *n&adj.* מיסיונר; מיסיוני
mis'sis, mis'sus (-z) *n.* *גברת
mis'sive *n.* איגרת, מכתב ארוך
mis'spell' (-s-s-) *v.* לטעות באיות
misspelling *n.* טעות באיות
mis'spend' (-s-s-) *v.* לבזבז בלי טעם
mis'spent' (-s-s-) *adj.* מבוזבז בלי טעם
mis'state' (-s-s-) *v.* לא לציין נכונה, להציג (עובדה) באופן מסולף
misstatement *n.* אי דיוק, סילוף
mis'step' *n.* צעד מוטעה, משגה
mis'sy *n.* *צעירה, נערה; חביבה'לה
mist *n.* ערפל, דוק דמעות; טשטוש
- mists of the past נבכי העבר
mist *v.* לערפל; לכסות באדים
- mist over להתערפל, להתכסות דוק
mistake' *n.* שגיאה, טעות
- and no mistake ללא כל ספק
- by mistake בטעות
- there is no mistake about it אין מקום לספק, זה ברור
mistake *v.* לטעות; להבין שלא כהלכה
- I mistook him for his brother החלפתי אותו באחיו, טעיתי בו
- there's no mistaking אין מקום לטעות/לספק, ברור
mistaken *adj.* מוטעה; טועה; לא מובן נכונה; לא מתפרש כהלכה
Mis'ter *n.* מר, אדון
mis'time' *v.* לשגות בעתוי, לפעול שלא בשעה ההולמת
mistletoe (mis'əltō') *n.* דבקון (צמח טפיל)
mistook' = pt of mistake
mis'tral *n.* רוח קרה (בדרום צרפת)
mis'trans·late' *v.* לא לתרגם נכון
mis'trans·la'tion *n.* תרגום משובש
mis'treat' *v.* לנהוג בצורה רעה; להשחית; להתעלל ב-
mistreatment *n.* התעללות
mis'tress *n.* גברת, בעלת-בית; שולטת, מומחית; פילגש, אהובה; מוֹרָה
mis'tri'al *n.* משפט פסול/לא תקף
mis'trust' *v&n.* לא לבטוח ב-, לחשוד ב-; אי-אימון; חשדנות
mistrustful *n.* חשדני, לא סומך על
misty *n.* מעורפל; מכוסה דוק
misty-eyed *adj.* מכוסה דוק-דמעות
mis'un'derstand' *v.* לא להבין כראוי; לא לפרש כהלכה; לא להבינו
misunderstanding *n.* אי-הבנה
mis'un'derstood' *adj.* שלא הובן כהלכה
mis'use' (-ūz) *v.* להשתמש בצורה לא נאותה; להשתמש לרעה ב-
mis'use' (-ūs) *n.* שימוש לרעה
mite *n.* קטנטן, ילדון; מעט, פורתא; תרומה; פרוטה; אקרית (טפיל)
mi'ter *n.* מצנפת
miter joint חיבור ישר-זווית (שבו חוצה קו החיבור את זווית הפינה)
mit'igate' *v.* לשכך, להקל; להמתיק
mitigating circumstances נסיבות מקילות
mit'iga'tion *n.* שיכוך, הקלה; המתקה
mi·to'sis *n.* התפלגות תא, השתנצות
mi'tre = miter (-tər)
mitt *n.* כפפה, כסיה; *יד
mit'ten *n.* כפפה, כסיה
mix *v.* לערבב, לבלול, לערבל; להתערבב; למזג; להתמזג
- he mixes well הוא חברותי, מעורה
- mix it (up) *להתחיל לריב
- mix me a salad הכן לי סלט
- mix up לבלבל, לערבב; להחליף (באחר)
- mixed up מעורב, קשור, מסתבך; מבולבל
mix *n.* תערובת; ערבוב; עירבול, מיקס
- cake mix תערובת אפייה (להכנת עוגה)
mixed *adj.* מעורב; של שני המינים
mixed bag מיגוון (דברים)
mixed bathing רחצה מעורבת
mixed blessing אליה וקוץ בה
mixed doubles זוגות מעורבים (טניס)
mixed economy משק מעורב, יוזמה פרטית וממלכתית
mixed farming ניהול משק מעורב
mixed feelings רגשות מעורבים
mixed grill בשר צלוי וירקות וכו'
mixed marriage נישואי תערובת
mixed school בית-ספר מעורב
mixer *n.* מיקסר, עַרְבָּב, עַרְבָּל, מַבְלֵל, מערבב; מערבל; מערבל סרטים; מעורה

- bad mixer לא חברותי
- good mixer חברותי, מעורה בחברה
mix′ture *n.* תערובת; ערבוב
- mixture as before טיפול כבעבר
mix-up *n.* תסבוכת, מהומה
miz′zen *n.* מיפרש אחורי; תורן אחורי
mizzenmast *n.* תורן אחורי
miz′zle *v.* לטפטף (גשם דק), לזרזף
MK חבר כנסת, ח"כ
ml מיליליטר, מילים
mm = millimeters
Mme = madame גברת
mne•mon′ic (ni-) *adj.* מסייע לזכירה
mnemonics *n.* תורת השבחת הזיכרון
MO = Medical Officer
mo = moment *n.* *רגע
- half a mo *רגע, רק רגע
MO = money order
Mo′ab′ *n.* מואב
moan *n.* אנחה, יללה; טרוניה
moan *v.* להיאנח; לגנוח; להתלונן
moat *n.* תעלה (מסביב למבצר), חֵיל
moated *adj.* (מבצר) מוקף תעלה
mob *n.* אספסוף, המון; כנופית פושעים
- mob law חוק ההמון, חוק הרחוב
- mob orator מלהיב ההמון, דמגוג
mob *v.* להתנפל על, להקיף מכל עבר
mob′cap′ *n.* כובע אישה, שביס
mo′bile (-bēl) *adj.* נייד, מתנייע, נע, מתחלף; (פנים) מחליפי הבעה
mobile *n.* מובייל, מרצדה
mobile home קרוואן
mobile library ספרייה ניידת
mobile phone טלפון נייד
mo•bil′ity *n.* ניידות, קלות התנועה
mo′biliza′tion *n.* גיוס
mobilization order צו גיוס
mo′bilize′ *v.* לגייס; להתגייס
mob′ster *n.* בריון, גנגסטר
moc′casin *n.* מוקסין (נעל)
mo′cha (-kə) *n.* מוקה (קפה)
mock *v.* ללעוג; לצחוק; ללגלג על; לחקות; לבוז, לבטל, לשים לאל
mock *adj&n.* מדומה, חיקויי, מבוים
- make a mock of לעשות ללעג
- mock turtle מרק בטעם צב
mocker *n.* לגלגן, חקיין
- put the mockers *לקלקל, לשבש
mock′ery *n.* לעג, לגלוג, צחוק; מטרה ללעג; זיוף, "בדיחה"
- hold up to mockery לעשות ללעג
mock-heroic *adj.* לועג לסגנון ההרואי
mockingbird *n.* ציפור-שיר (חקיינית)
mock-up *n.* דגם-דמה; תבנית
mod *n.* *מודרני, מצוחצח
- mod con *מתקן מודרני, נוחיות
- mods בחינות לתואר ב"א
mo′dal *adj.* של אופן, צורתי, של מודוס
modal auxiliary פועל עזר
mod cons מיתקני נוחיות מודרניים
mode *n.* אופן, צורה; מודוס; תהליך; אופנה, סגנון; סולם-קולות
- mode of life אורח-חיים
mod′el *n.* דגם, תבנית; מודל; מופת, דוגמה; דוגמנית; דומה ל-, העתק
model *adj.* מופתי, מושלם, דוגמתי

model *v.* לשמש כדוגמן, לדגמן; להציג תלבושות; לכייר, לעצב, לעשות דגם, לדגם
- model oneself on לחקות, לנהוג כ-
modeled *adj.* חטוב, מעוצב
modeling *n.* דוגמנות; כִּיוּר
mo′dem′ *n.* מודם, חיבור מחשב וטלפון
mod′erate *adj&n.* מתון; ממוצע; בינוני
mod′erate′ *v.* למתן; לרכך; להפחית; לרסן; להתמתן; לשוך; לפחות
moderately *adv.* מתון-מתון
mod′era′tion *n.* מתינות, התאפקות, ריסון-עצמי; צמצום; הקלה, הפחתה
- in moderation באופן לא מופרז
- moderations בחינות לתואר ב"א
mod′era′to (-rä-) *adv.* מודראטו, בקצב איטי, במתינות, מדודות, מתונות
mod′era′tor *n.* מתווך, בורר; יושב-ראש; בוחן ראשי; מאט ניטרונים
mod′ern *adj.* חדיש, של הזמן החדש; לא-קדום; מתקדם; מודרני
mod′ernism *n.* מודרניזם, חדשנות; רוח הזמן החדש; נטייה לחידושים
mod′ernist *n.* מודרניסט, חדשן
mod′ernis′tic *adj.* חדשני
moder′nity *n.* מודרניות, חדישות
mod′erniza′tion *n.* מודרניזציה
mod′ernize′ *v.* לעשות למודרני, להתאים לשימוש מודרני
mod′est *adj.* צנוע; לא גדול; לא מפריז
mod′esty *adj.* צניעות, ענווה
- in all modesty מבלי להתפאר
mod′icum *n.* שמץ, מעט, קצת
mod′ifica′tion *n.* שינוי, מודיפיקציה, אופנייה
mod′ifi′er *n.* (בדקדוק) מגביל
mod′ify′ *v.* לשנות, להתאים, לסגל; למתן, לרכך; להגביל (בתואר)
mo′dish *adj.* אופנתי, מודרני
mo•diste′ (-dēst) *n.* תופרת, אופנתנית
mod′ular (-j′-) *adj.* מודולרי, מורכב ממודולים/מיחידות סטנדרטיות
mod′ulate′ (-j′-) *v.* לווסת, להתאים; לסלם, לערוך סילום/איפנון, לאפנן
mod′ula′tion (-j′-) *n.* ויסות, מודולציה, אפנון, כוונון צלילים, סילום
mod′ule (-j′o͞ol) *n.* מודול, יחידה סטנדרטית; מידה; חללית
- command module חללית האם
- lunar module חללית הירח (לנחיתה)
mo′dus op′eran′di שיטת פעולה
mo′dus viven′di אורח חיים, סובלנות הדדית, הסדר זמני, מודוס ויוונדי, עמק השווה
mog′gy *n.* *חתול
mo′gul *n.* עשיר מופלג, איל-הון
mo′hair *n.* מוהייר, אריג אנגורה
Mo•ham′medan *adj.* מוסלמי
Mohammedanism *n.* האיסלאם
moi′ety *n.* חצי, מחצית
moil *v.* לעמול, לעבוד קשה
moire (mwärā′) *n.* משי מימי
moist *adj.* לח, רטוב, לחלוחי
moist′en (-sən) *v.* ללחלח; להרטיב
mois′ture *n.* לחות, לחלוחיות

mois′turize′ (-′ch-) *v.* ללחלח
moke *n.* *חמור
mo′lar *n&adj.* (שן) טוחנת
molas′ses (-sēz) *n.* דבשה (נוזל דבשי), מולאסה
mold (mōld) *n.* דפוס, תבנית (לעיצוב כלי); טבע, תכונה, אופי; עובש; אדמה עשירה ברקבובית
mold (mōld) *v.* לעצב, לצור צורה, לגבש; להתכסות עובש, להתעפש
mol′der (mōl′-) *v.* להרקיב, להתפורר
molding *n.* עיצוב; מוצר מעוצב; כרכוב
Mol•do′va *n.* מולדובה
moldy *adj.* מעופש; מכוסה עובש; מעלה חלודה, מיושן; *רע, מזופת
mole *n.* שומה, כתם; חפרפרת, חולד; שובר-גלים, מזח
molec′u•lar *adj.* מוליקולרי
mol′ecule′ *n.* מוליקולה, פרודה
mole-hill *n.* תלולית (של חולד)
mole-skin *n.* פרוות חולד
molest′ *v.* להציק, להטריד (מינית)
mo′les•ta′tion *n.* הטרדה
moll *n.* *פרוצה, נערת פושע
mol′lifica′tion *n.* הרגעה, שיכוך
mol′lify′ *v.* להרגיע, לשכך
mol′lusc, mol′lusk *n.* רכיכה
mol′lycod′dle *n&v.* מפונק; לפנק
Mo′loch (-lok) *n.* מולך (אליל); תובע קורבנות אדם
Mol′otov′ cocktail בקבוק מולוטוב
molt (mōlt) *v&n.* להשיר; לנשור; נשירה
mol′ten (mōl-) *adj.* מותך, יצוק
molten image פסל מסכה (לפולחן)
mol′to *adv.* (במוסיקה) מולטו, מאוד
molyb′denum *n.* מוליבדנום (מתכת)
mom *n.* *אם, אמא
mo′ment *n.* רגע; שעה; חשיבות, מומנט
- at any moment בכל רגע; מיד
- at every moment בכל רגע, כל הזמן
- at odd moments ברגעים פנויים
- at the moment עתה, בשעה זו
- in a moment מיד, בתוך רגע
- just a moment רק רגע, הנה
- man of the moment איש השעה
- not for a moment כלל לא
- of (no) moment רב (חסר) חשיבות
- the (very) moment מיד כש-, אך
- this moment ברגע זה, זה עתה
mo′mentar′ily (-ter-) *adv.* לרגע
mo′mentary (-ter′i) *adj.* רגעי; נמשך מתמיד
momen′tous *adj.* חשוב ביותר, רציני
momen′tum *n.* תנופה, מומנטום, תנע
- gain momentum לקבל תנופה, להתעצם
mom′ma, mom′my *n.* *אמא
Mon = Monday יום שני
Mon′aco′ *n.* מונקו
mon′arch (-k) *n.* מונרך, מלך
monar′chic (-k-) *adj.* מלוכני
mon′archism (-k-) *n.* מלוכנות
mon′archist (-k-) *n.* מלוכן
mon′archy (-ki) *n.* מונרכיה, מלכות, ממלכה
mon′aster′y *n.* מנזר, בית-נזירים

monas′tic *adj.* של נזירים, של מנזרים
monas′ticism *n.* נזירות, חיי הנזיר
mon•au′ral *adj.* לאוזן אחת, לא סטריאופוני; בעל אוזן אחת
Mon′day (mun-) *n.* יום שני
- Mondays בימי ב׳ (בשבוע)
mon′etarism *n.* מונטריזם, ויסות כמות הכסף
mon′etary (-ter′i) *adj.* כספי, מוניטרי
mon′ey (muni) *n.* כסף
- bet any money להתערב על כל סכום
- coining money עושה כסף, מתעשר
- for my money לפי דעתי
- get/have one's money's worth לקבל תמורה מלאה לכספו
- good money *מחיר יקר
- in the money *עשיר, זוכה בכסף
- made of money עשיר מופלג
- make money לעשות/לגרוף כסף
- money down במזומנים
- money to burn כסף רב, הון תועפות
- put money into- להשקיע כסף ב-
- raise money לגייס כסף
- ready money מזומנים
- throw one's money around לבזבז על ימין ועל שמאל
money-back *adj.* ניתן להחזיר הכסף
moneybag *n.* ארנק, תיק כסף
- moneybags *גדוש בכסף, עשיר
money-box *n.* קופה; קופסת-צדקה
money-changer *n.* חלפן, שולחני
moneyed *adj.* עשיר, של בעלי ההון
money-grubber *n.* להוט אחרי כסף
money laundering הלבנת הון
money laws דיני ממונות
money-lender *n.* מלווה בריבית
moneyless *adj.* חסר-כסף, ללא פרוטה
money-maker *n.* עושה כסף, גורף הון
money-market *n.* שוק הכספים
money order המחאת כסף
money-spinner *n.* גורף רווחים
mon′ger (mung′g-) *n.* סוחר, עוסק, מפיץ
- gossip monger רכלן
Mon′gol *adj.* מונגולואיד; מונגולי
Mon•go′lia *n.* מונגוליה
Mon′golism *n.* מונגוליות
mon′goose *n.* נמייה הודית
mon′grel *n.* בן תערובת, מעורב-דם
mon′iker *n.* *שם, כינוי
mo′nism *n.* מוניזם, תורת האחדות בבריאה
mon′itor *n.* קשב-רדיו; מגלה רדיו-אקטיביות; משגוח, בודק; חניך תורן
monitor *v.* להקשיב לשידורים (זרים)
monitor screen מסך בקרה (באולפן)
monk (mungk) *n.* נזיר
mon′key (mung′ki) *n&v.* קוף; *שובב; 500 ליש״ט
- get one's monkey up *להתרגז
- have a monkey on one's back *להיות מכור לסמים; לנטור איבה
- make a monkey of לשים לצחוק
- monkey around (with) לשחק, להשתעשע

- put his monkey up *להרגיזו
monkey business רמאות, מונקי-ביזנס
monkey nut אגוז אדמה
monkey tricks רמאות, מונקי-ביזנס
monkey wrench מפתח אנגלי
monkish *adj.* של נזירים
mon'o *adj.* לא סטריאופוני, מכיוון אחד בלבד; (תחילית) אחד, מונו-
mon'o *n.* מונו, מחלת הנשיקה
mon'ochrome' (-k-) *n&adj.* ציור/תמונה חד-צבעית; (טלוויזיה) שחור-לבן
mon'ocle *n.* מונוקל, מישקף
monog'amous *adj.* נשוי לבן-זוג אחד
monog'amy *n.* מונוגמיה, נישואים לבן-זוג אחד בלבד
mon'ogram' *n.* מונוגרמה, משלבת
mon'ograph' *n.* מונוגרפיה, חיבור מעמיק בנושא מסוים
mon'olin'gual (-gwəl) *adj.* חד-לשוני
mon'olith' *n.* מונולית, מצבת-אבן
mon'olith'ic *adj.* מונוליתי, אחיד, שלם
mon'ologue' (-lôg) *n.* מונולוג, חד-שיח
mon'oma'nia *n.* מונומניה, שיגעון לדבר מסוים
mon'oma'niac' *n.* מונומן
mon'omor'phic *adj.* חד-צורתי
mon'onu'cle·o'sis (-nōō-) *n.* מונו, מחלת הנשיקה
mon'ophon'ic *adj.* חד-קולי
mon'ophthong' (-thông) *n.* מונופתונג, תנועה אחת
mon'oplane' *n.* מונופלן, מטוס חד-כנף
monop'olist *n.* מונופוליסט
monop'olis'tic *adj.* מונופוליסטי
monop'oliza'tion *n.* מונופוליזציה
monop'olize' *v.* לזכות במונופול, לשלוט על, להשתלט כליל על
monop'oly *n.* מונופול, שליטה
mon'orail' *n.* מונוריל, מסילת פס אחד
mon'osyllab'ic *adj.* חד הברתי; (תשובה) קצרה, גסה ("כן", "לא")
mon'osyl'lable *n.* מלה חד-הברתית
mon'othe·ism *n.* מונותיאיזם, אמונה באל אחד, אמונת הייחוד
mon'othe·ist *n.* מונותיאיסט
mon'otone' *n.* צליל חד-גוני
monot'onous *adj.* מונוטוני, חדגוני
monot'ony *n.* מונוטוניות, חד-גוניות
mon'otype' *n.* מונוטייפ, מסדרת אותיות
monox'ide *n.* תחמוצת חד-חמצנית
Monroe (mun'rō) (דוקטרינת) מונרו
Monsieur (məsyûr') *n.* מר, אדון
Monsignor (mōn'sēnyôr') *n.* מונסיניור (תואר לכומר)
mon·soon' (-sōōn) *n.* (תקופת) המונסון (רוחות/גשמים)
mon'ster *n.* מפלצת; ענק, גדול
- green-eyed monster קנאה
mon'strance *n.* כלי-זכוכית (ללחם הקודש)
mon·stros'ity *n.* מפלצת, זוועה
mon'strous *adj.* מפלצתי, ענקי; מזעזע; אבסורדי, מחפיר
mon·tage' (-täzh) *n.* מונטאז', מיצרף, תמונה מורכבת מחלקים
month (munth) *n.* חודש
- month in, month out בכל חודש, תמיד
- month of Sundays זמן רב, יובלות
- this day month בעוד חודש
monthly *adj&adv.* חודשי; פעם בחודש
monthly *n.* ירחון; וֶסת
mon'u·ment *n.* אנדרטה, מצבת-זיכרון; ספר/מפעל/מחקר בעל ערך נצחי
- ancient monument אתר היסטורי
mon'u·men'tal *adj.* מונומנטלי; עצום, כביר
monumental mason מקים מצבות
moo *n&v.* לגעות; געייה (של פרה)
mooch (mōōch) *v.* *לבקש, להוציא, לסחוט
- mooch around *לשוטט, להסתובב
moo-cow *n.* *פרה
mood (mōōd) *n.* מצב-רוח; דרך
- imperative mood דרך הציווי
- in the mood for במצב רוח מתאים
moodiness *n.* דכדוך, כעס
moody *adj.* מצוברח, מדוכדך; שוקע חליפות במצבי רוח שונים
moon (mōōn) *n.* ירח, לבנה; חודש
- cry/ask for the moon לבקש את הבלתי אפשרי
- dark of the moon שעת חושך, ללא אור ירח
- full moon ירח מלא
- full of the moon הירח במילואו
- new moon מולד הירח, זמן המולד
- once in a blue moon פעם ביובל
- over the moon ברקיע השביעי, שמח
- promise the moon להבטיח הרים וגבעות
moon *v.* להזות, לחלום בהקיץ, לערוג
- moon around/about להסתובב בלי מטרה, לשוטט; לבהות בעיניו
- moon away לבטל (זמן) ללא מטרה
moonbeam *n.* קרן ירח (קרן אור)
moon buggy, moon rover רכב ירח
mooncalf *n.* מפלצת; רפה-שכל
moon-faced *adj.* בעל פנים עגולות
moonless *adj.* חסר-ירח, חשוך
moonlight *n.* אור ירח
moonlight *v.* לעבוד עבודה נוספת
moonlight flit בריחה באישון ליל
moonlit *adj.* מואר באור ירח, סהור
moonscape *n.* נוף ירחי
moonshine *n.* משקה לא חוקי; אור ירח; שטויות
moonshot *n.* שיגור חללית לירח
moonstone *n.* אבן חן (לא יקרה)
moonstruck *adj.* סהרורי, מוכה ירח
moony *adj.* שקוע בהזיות, חולמני, מתבטל
moor *v.* לקשור, לרתק, להעגין (ספינה)
moor *n.* איזור צייד; אדמת בור
Moor *n.* מורי, בן-תערובת, ערבי-ברברי
moorcock *n.* תרנגול-בר
moorings *n-pl.* מעגן; כבלי קשירה, עוגנים; עקרונות מוסריים
Moorish *adj.* מוּרִי, של מוּרים
moorland *adj.* אדמת בור

moose *n.* מוז, צבי (שטוח-קרניים)
moot (mo͞ot) *v.* להעלות (נושא) לדיון
moot point נקודה שנויה במחלוקת
moot question בעייה שטרם הוכרעה
mop *n.* מקל-שטיפה, סחבה, סמרטוט; מגב; סבך שיער פרוע, "מברשת"
mop *v.* לשטוף, לנקות, לנגב
- mop and mow לעשות העוויות
- mop the floor with להביס כליל
- mop up לנקות; לחסל, לבער
mope *v.* לשקוע בייאוש, להתדכדך
- mope around להסתובב אחוז-ייאוש
mope *n.* דכדוך, מרה שחורה
mo'ped (-ped) *n.* אופניים בעלי מנוע
mop'pet *n.* *ילדה, בובה'לה
mop-up *n.* חיסול, ניקוי, ביעור
mo•quette' (-ket) *n.* אריג-שטיחים
moraine' *n.* מורינה, סחופת קרחון, גרור
mor'al *adj.* מוסרי; צדיק, טהר-מידות; בעל מוסר-השכל
- moral certainty ודאות כמעט גמורה
- moral lesson מוסר-השכל, לקח
- moral right זכות מוסרית
- moral sense חוש מוסרי
- moral support תמיכה מוסרית
- moral victory ניצחון מוסרי
moral *n.* מוסר, מוסר-השכל, פרק מאלף
- draw the moral ללמוד מוסר-השכל
- has no morals בז לערכי המוסר
- morals מידות, אורח חיים מוסרי
- of loose morals בעל מוסר מפוקפק
morale' (-ral) *n.* מוראל, הלך-רוח
mor'alism *n.* מוסרנות, מוסריות
mor'alist *n.* מוסרן, מטיף מוסר
mor'alis'tic *adj.* מוסרני, מוסרי
moral'ity *n.* מוסריות, טוהר מידות
morality play מחזה-מוסר (בעבר)
mor'alize' *v.* להטיף מוסר; לדון בערכי המוסר; להפיק מוסר-השכל מ-
morally *adv.* מבחינה מוסרית; קרוב לוודאי
morass' *n.* בצה, בוץ; תסבוכת, מצוקה
mor'ator'ium *n.* מורטוריום, תדחית
mor'bid *adj.* חולני; נגוע; מדוכא
morbid anatomy אנטומית רקמות חולות
mor•bid'ity *n.* חולניות; תחלואה
mor'dant *adj.* עוקץ, סרקאסטי
more *adj&adv&n.* יותר, עוד, נוסף
- and what is more יתר על כן
- far more הרבה יותר
- more and more יותר ויותר
- more often than not ברוב המקרים
- more or less פחות או יותר
- more's the pity! מה חבל!
- no more לא עוד, לא יותר; אף לא
- once more שוב, פעם נוספת
- see more of him לראותו לעיתים יותר תכופות; לראותו שוב
- some more/any more עוד
- the more I have the more I want ככל שיש לי, כן ארצה עוד
- the more fool you טיפש גדול אתה
more'ish (môr'ish) *adj.* *טעים, בטעם של עוד
morel'lo cherry דובדבן מריר
moreover (môrō'vər) *adv.* נוסף על כך, חוץ מזה, יתר על כן
mo'res (-rāz) *n-pl.* מנהגים
moresque' (-resk) *adj.* בסגנון מורי
mor'ganat'ic marriage נישואי אציל עם אשה פשוטה
morgue (môrg) *n.* חדר-מתים, מקום לשמירת גופות; ארכיון לקטעי עיתונות
Mori'ah (-'ə) *n.* הר המוריה
mor'ibund' *n.* גוסס, גווע, דועך
mor'ish *adj.* *טעים, בטעם של עוד
Mor'mon *n.* מורמוני
Mor'monism *n.* מורמוניזם (דת המורמונים)
morn *n.* בוקר, צפרא
mor'ning *n&adj.* בוקר; של בוקר
- in the morning of one's life באביב ימיו
- mornings בשעות הבוקר, לבקרים
morning after *כאב ראש (משתייה), חמרמורת
morning-after pill גלולת אחרי המשגל, גלולה למניעת הריון
morning coat מעיל-בוקר (דמוי פראק)
morning dress תלבושת בוקר רשמית
morning glory לפופית (מטפס)
morning prayer תפילת שחרית
morning room סלון בוקר
morning sickness בחילת-בוקר (של אשה בהריון)
morning star איילת השחר, נוגה
morning watch משמרת הבוקר
Moroc'can *n.* מרוקני
moroc'co *n.* עור-עיזים
Moroc'co *n.* מרוקו
mo'ron (-ron) *n.* מטומטם, רפה-שכל
moron'ic *adj.* מטומטם
morose' *adj.* כעוס, מר-נפש, זועף
mor'pheme *n.* מורפימה, צורן (הברה משמעית של מלה)
mor•phe'mics *n.* מורפולוגיה
mor'phe•us *n.* מורפיאוס, אל השינה
- in the arms of Morpheus ישן, אחוז בקורי-השינה
mor'phia *n.* מורפיום
mor'phine (-fēn) *n.* מורפיום
mor'phing *n.* מורפינג, שינוי תמונה בשלבים
mor'pholog'ical *adj.* מורפולוגי, צורתי
mor•phol'ogy *n.* מורפולוגיה, חקר הצורנים; תורת הצורות בביולוגיה
mor'ris *n.* מוריס, ריקוד-עם אנגלי
Morris chair כיסא נוח
mor'row (-ō) *n.* מחר, המחר; בוקר
Morse code כתב-מורס
mor'sel *n.* חתיכה, נגיסה; פירור, שמץ
mor'tal *n.* בן-תמותה; *אדם, טיפוס
mortal *adj.* אנושי; אָנוּש, קטלני, של מוות; *גדול, נורא, רב
- do every mortal effort לעשות כל מאמץ אפשרי
- mortal agony ייסורי גסיסה
- mortal combat מאבק עד מוות
- mortal danger סכנת מוות
- mortal enemy אויב בנפש
- mortal fear אימת מוות

- mortal hatred שנאת מוות

- mortal sin חטא מוות (בנצרות)

mor·tal′ity *n.* תמותה

mortality table טבלת תוחלת חיים

mortally *adv.* אֲנוּשוֹת; עד מאוד, עמוק

mor′tar *n.* מלט, טיח; מכתש, מדוכה; מרגמה

mortar *v.* לטייח במלט; להפגיז במרגמה

mortar-board *n.* לוח-מלט; כובע אקדמי

mort′gage (-rgij) *n&v.* משכנתה; למשכן

mort′gagee′ (-rgijē) *n.* מלווה כנגד משכנתה

mort′gager (-rgijər) *n.* ממשכן

mort′gagor (-rgijər) *n.* ממשכן

mor′tice = mortise (-tis)

mor·ti′cian (-tishən) *n.* קבלן-קבורה

mor′tifica′tion *n.* דאבון-לב, סבל; השפלה, פגיעה; סיגוף; מֶקֶק, נמק

mor′tify′ *v.* להשפיל, לפגוע, לענות; לסגף; להרקיב, להינגע במֶקֶק

- mortify the flesh להסתגף

mor′tise (-tis) *n.* גרז, שקע, חריץ

mortise *v.* לשגם, לחבר בגרז; לגרז

mortise lock מנעול גרז (שקוע בדלת)

mor′tuary (-chooer′i) *n.* חדר מתים

mortuary *adj.* של קבורה, של מוות

mo·sa′ic (-z-) *n.* מוזאיקה, פסיפס

Mosaic *adj.* של (תורת) משה

mo·selle′ (-zel) *n.* מוסל (יין)

Mo′ses (-zis) *n.* משה רבינו

mo′sey (-zi) *v.* ללכת, לפסוע בנחת

Mos′kow *n.* מוסקבה

Mos′lem (-z-) *n&adj.* מוסלמי

mosque (mosk) *n.* מסגד

mosqui′to (-kē′-) *n.* יתוש

mosquito net כילה (מעל למיטה)

moss (môs) *n.* טחב, איזוב

- a rolling stone gathers no moss המשנה מקומו תדיר אינו מצליח

moss-grown *adj.* מכוסה טחב

mossy *adj.* מכוסה טחב, אזובי

most (mōst) *adj&adv&n.* הרב ביותר, הכי (גדול), הכי הרבה; מרבית, כמעט כל; מאוד

- at (the very) most לכל היותר, מקסימום

- for the most part לרוב, בדרך כלל

- make the most of להפיק את מירב התועלת מן, למצות, לנצל

- most certainly קרוב לוודאי

- most of all הכי הרבה, בעיקר

mostly *adv.* בעיקר, ברוב המקרים

MoT מיבחן לכלי רכב, טסט

mote *n.* גרגיר אבק

mo·tel′ *n.* מוטל, מלונוע

mo·tet′ *n.* מוטט, שירה רב-קולית

moth (môth) *n.* עש

mothball *n.* כדור נפתלין

- in mothballs מאוחסן, לא בשימוש

moth-eaten *adj.* אכול-עש; שיצא מן האופנה, מיושן; משומש

moth′er (mudh′-) *n.* אם, אמא; אם-בית

- every mother's son הכל, עד אחד

- the mother of אבי ה-, גורם

mother *v.* ללדת; לאמץ; לטפל כאם

motherboard *n.* לוח אם (במחשב)

Mother Carey's chickens יסעורים, עופות-הסערה; פתיתי-שלג

mother city עיר ואם, מטרופולין

mother country מולדת; מטרופולין

Mother Goose rhyme שיר ילדים

motherhood *n.* אימהות

Mothering Sunday יום האם, יום א׳ הרביעי בלנט

mother-in-law *n.* חמות, חותנת

motherland *n.* מולדת

motherless *adj.* יתום, חסר אם

motherlike *adj.* אימהי

motherly *adj.* אימהי

Mother Nature אמא טבע, הטבע

mother-of-pearl *n.* אם-המרגליות, צדפת הפנינים

Mother's Day יום האם, יום א׳ השני במאי

mother ship אוניית אם

mother's ruin *ג׳ין (משקה)

mother superior נזירה ראשית

mother-to-be *n.* אם בעתיד, אשה בהריון, מצפה לילד

mother tongue שפת-אם

mother wit שכל טבעי

moth-proof *adj.* חסין-עש

moth-proof *v.* לחסן (אריג) נגד עש

mo·tif′ (-tēf) *n.* מוטיב, נושא, רעיון; תנע

mo′tion *n.* תנועה, ניע; הצעה (לדיון); פעולת מעיים, יציאה

- go through the motions לפעול כלאחר יד/כדי לצאת ידי חובה

- set in motion להפעיל, להניע

- slow motion הקרנה איטית

motion *v.* לסמן בתנועת יד, לרמוז

- motion him away לרמוז לו שיסתלק

motionless *adj.* ללא תנועה

motion picture סרט קולנוע

motion sickness בחילת נסיעה

mo′tivate′ *v.* להניע, לגרום, להמריץ

mo′tiva′tion *n.* מוטיבציה, הנעה, מניע, אתנע

mo′tive *n&adj.* מניע, גורם, מוטיב, תנע

motiveless *adj.* ללא מניע

mot juste (mōzhōōst′) ביטוי קולע

mot′ley *adj&n.* מעורב, מגוון; (בגד) רבגוני; תלבושת ליצן

- wear the motley לשחק תפקיד הליצן

mo′to·cross (-krôs) *n.* מירוץ מכשולים לאופנועים

mo′tor *n.* מנוע; מכונית; שריר מוטורי

motor *adj.* ממונע, מוטורי, מנועי; תנועתי; של מכוניות

motor *v.* לנסוע במכונית

motor-assisted *adj.* בעל מנוע-עזר

motorbike *n.* אופנוע קל, טילון

motorboat *n.* סירת מנוע

mo′torcade′ *n.* שיירת מכוניות

motorcar *n.* מכונית

motorcycle *n.* אופנוע

motorcyclist *n.* אופנוען

motor home קרון מגורים

motoring *n.* נסיעה במכונית
mo′torist *n.* נהג, בעל מכונית
mo′toriza′tion *n.* מינוע, מיכון
mo′torize′ *v.* למנע, למכן
motor lodge מוטל
motorman *n.* נהג חשמלית
motormouth *n.* *פטפטן, ברברן
motor racing מירוץ מכוניות
motor scooter קטנוע
motor vehicle רכב מנועי
motorway *n.* כביש מהיר
mot′tle *v.* לנמר, לגוון בכתמים
mottled *adj.* מנומר, רבגוני
mot′to *n.* מוטו, מימרה, פתגם, סיסמה
moujik (mōō′zhik) *n.* איכר (רוסי)
mould (mōld) *n.* דפוס, תבנית (לעיצוב כלי); טבע, תכונה, אופי; עובש; אדמה עשירה ברקבובית
mould (mōld) *v.* לעצב, לצור צורה, לגבש; להתכסות עובש, להתעפש
moul′der (mōl′-) *v.* להרקיב, להתפורר
moulding *n.* עיצוב; מוצר מעוצב; כרכוב
mouldy *adj.* מעופש; מכוסה עובש; מעלה חלודה, מיושן; *רע, מזופת
moult (mōlt) *v&n.* להשיר; לנשור; נשירה
mound *n.* תל, גבעונת, סוללה; ערימה
mount *v.* לעלות על (סוס); לעלות; לטפס; להעלות, להרכיב; לקבוע; להרביע
- mount a picture למסגר תמונה
- mount a play להפיק/להעלות מחזה
- mount an attack לערוך מתקפה
- mount an insect להכין חרק לתצוגה
- mount guard לשמור, לשמש כזקיף
- mount the throne לעלות על כס המלכות
- mount up לעלות, לגדול, להצטבר
- mounted police פרשי המשטרה
mount *n.* הר; בהמת-רכיבה; כן, מקבע, מרכב; מסגרת, משבצת
moun′tain (-tən) *n.* הר; כמות עצומה
- mountain high גבוה מאוד
- move mountains להפוך שמים וארץ, לעשות כל מאמץ
mountain ash חוזרר (עץ)
mountain bike אופני הרים
mountain chain/range רכס הרים
mount′aineer′ (-tən-) *n.* מטפס הרים
mountaineering *n.* טיפוס הרים
mountain goat יעל, עז הבר
mountain lion לביא ההרים
moun′tainous (-tən-) *adj.* הררי, עצום
mountain sickness מחלת הרים (עקב דלילות האוויר)
mountainside *n.* צלע ההר
mountaintop *n.* פסגת ההר
moun′tebank′ *n.* רמאי, משדל קונים בחלקת-לשונו; תוחב תרופות פלא
Moun′tie *n.* פרש משטרתי קנדי
mounting *n.* כן, בסיס, משבצת
mourn (môrn) *v.* להתאבל (על)
mourner *n.* אָבֵל, משתתף בלוויה
mournful *adj.* עצוב, מלא צער
mourning *n.* אֵבֶל; בגדי-אבל, שחורים
- go into mourning להתחיל במנהגי אבלות, ללבוש שחורים; לשקוע ביגון
- in deep mourning שרוי באבל עמוק; לבוש שחורים
mourning-band *n.* סרט-אבל
mouse (-s) *n.* עכבר; פחדן,ביישן
- play cat and mouse with him לשחק במשחק החתול והעכבר, להתאכזר
- poor as a church mouse עני מרוד
mouse (-z) *v.* ללכוד עכברים
mouse-colored *adj.* חום-אפרפר
mous′er (-z-) *n.* (חתול) לוכד עכברים
mousetrap *n.* מלכודת עכברים
mousetrap cheese גבינה ישנה/דוחה
moussaka (mōō′səkä′) *n.* מוסקה, חציל ובשר קצוץ וכ׳
mousse (mōōs) *n.* מוס; מקפא-קצפת
moustache (mus′tash) *n.* שפם
mous′y *n.* עכברי; פחדן; שקט; חום
mouth (-th) *n.* פה, פתח, כניסה, יציאה
- by word of mouth בעל פה, בדיבור
- down in the mouth עצוב, מדוכא
- keep one's mouth shut לנצור פיו
- laugh on wrong side of mouth להתאכזב, לעבור מצהלה לעצב
- look a gift horse in the mouth לחפש מומים בחטטנות יתירה
- put the mouth on him *להכשילו ע״י דברי התפעלות, לעשות לו עין-הרע
- put words in his mouth לשים מלים בפיו, לטעון שהלה אמר כך
- shut your mouth בלום פיך!
- stop his mouth להשתיקו
- take the words out of his mouth להוציא המלים מפיו
- well, shut my mouth! האומנם! (ביטוי הפתעה)
mouth (-dh) *v.* לבטא בראוותנות; להביע; למלמל; להכניס לפה; לגעת בפה
-mouthed (-dh-) *adj.* בעל פה-
- foul-mouthed מנבל פיו
mouthful *n.* מלוא הפה, כמות קטנה, לגימה; *הצהרה חשובה; מלה ארוכה
- say a mouthful *לומר דבר חשוב, לגלות את אמריקה
mouth-organ *n.* מפוחית-פה
mouthpiece *n.* פה; פומית; שופר, דובר מטעם, ביטאון; פרקליט-פושעים
mouth-to-mouth *adj.* (הנשמה) מפה לפה
mouthwash *n.* תשטיף פה
mouth-watering *adj.* עסיסי, טעים לחך
movable (mōōv′-) *adj&n.* נייד, בר-תנועה, מתנייע; מיטלטל; (חג) שתאריכו משתנה
- movables מיטלטלים, נכסי דניידי
move (mōōv) *v.* לנוע; להניע; לזוז; להזיז; לעבור; להעביר; לעבור דירה; להתקדם; להשפיע, לרגש; לגרום, לעורר; להציע; להעלות; לפעול
- move (a piece) (בשחמט) לעשות צעד
- move along להתקדם, לזוז
- move around/about להסתובב, לשוטט
- move away להרחיק, להעתיק ביתו
- move down להוריד, לרדת
- move for לבקש (רשמית)

- move house לעבור דירה
- move in להיכנס לדור (בבית חדש)
- move in on *להשתלט על, ליטול
- move in the high society להתחכך באנשי החברה הגבוהה
- move off לצאת לדרך
- move on (להורות) לזוז; לעבור הלאה
- move out לצאת מדירה
- move over לפנות מקום, לזוז
- move the bowels לרוקן המעיים
- move up לעלות; להעלות
- the spirit moves him השכינה שורה עליו, מתעורר בו הרצון
move (mōōv) *n.* תנועה, צעד; מסע, תור
- get a move on *לזוז, להזדרז
- make a move לעשות צעד, לזוז
- on the move בתנועה, מסתובב
movement *n.* תנועה; מנגנון; פעילות; פרק (בסימפוניה); עשיית צרכים
mover *n.* נע; מניע; מציע הצעה; מוביל, מעביר
- prime mover יוזם ראשי, הרוח החיה
movie (mōōv'i) *n.* סרט, קולנוע
movie star כוכב קולנוע
moving *adj.* נע; מניע; מעורר רגש
- moving spirit הרוח החיה
moving picture סרט, קולנוע
moving staircase מדרגות נעות
mow (mō) *v.* לקצור, לקצוץ, לכסוח
- mow down לקצור, להפיל חללים רבים
mow (mō) *n.* ערימת חציר, מחסן חציר
mow'er (mō'-) *n.* מכסחה
Mo'zambique' (-bēk') *n.* מוזמביק
moz'zarel'la (mots'ə-) *n.* מוצרלה (גבינה)
MP = Member of Parliament
mpg = miles per gallon
mph = miles per hour
Mr. (mis'tər) *n.* מר, אדון
Mrs. (mis'iz) *n.* גברת (נשואה)
Ms. (miz) *n.* גברת
MS = manuscript
M.Sc. = Master of Science
Mt = mount הר
much *adj&n&adv.* הרבה; הרבה יותר; בהרבה; מאוד; במידה רבה; כמעט
- a bit much *קצת יותר מדי, מוגזם
- as much כך; אותו דבר
- as much again שוב אותה כמות
- as much as כמות שווה, ממש כמו, כאילו, למעשה
- as much as I can do במיטב יכולתי
- for as much as הואיל ו-
- how much? כמה? מה המחיר?
- make much of להעריך, לייחס חשיבות; להפריז; להבין, לקלוט
- much as למרות ש-, חרף
- much less ובוודאי שלא
- much like/the same as כמעט כמו
- much more כל שכן, קל וחומר
- much of a muchness כמעט זהים
- much the same כמעט אותו הדבר
- much to my surprise להפתעתי הרבה
- not much *הרבה מאוד; בוודאי שלא
- not much of a גרוע, לא טוב
- not see much of him לא לראותו
- not up to much לא שווה, גרוע
- so much כל כך
- so much the better מוטב כך
- that/this much דבר זה; כמות זו
- think much of להעריכו, להחשיבו
- too much יותר מדי; קשה מדי
- very much הרבה מאוד; מאוד
- without so much as אפילו ללא-
mu'cilage *n.* ריר, דבק צמחים
muck *n.* לכלוך, זוהמה; זבל, דומן
- make a muck of לטנף; לשבש, לקלקל
muck *v.* לטנף; לזבל, לפזר דומן
- muck around/about *לשוטט, להתמזמז
- muck in לשתף פעולה; לעבוד בצוותא
- muck out לנקות (אורווה), לסלק זבל
- muck up *לטנף; לשבש, לקלקל
muck-heap *n.* ערימת-דומן
muck-rake *v.* לחטט, לחשוף שערוריות
muck-raker *n.* חטטן; מגלה שערוריות
mucky *adj.* מטונף, מלוכלך
mu'cous *adj.* רירי, רירני, מפריש ריר
- mucous membrane קרומית רירית
mu'cus *n.* ריר, ליח; הפרשה רירית
mud *n.* בוץ, רפש, יוון
- his name is mud הוכפש שמו
- throw mud להטיל בוץ, להשמיץ
mud bath אמבטיית-בוץ
mud'dle *n.* ערבוביה, מבוכה, בלבול
muddle *v.* לבלבל; לקלקל, לשבש
- muddle along להמשיך בדרך מבולבלת
- muddle through להיחלץ בדרך כלשהי, להצליח איכשהו להגיע למטרה
muddle-headed *adj.* מבולבל
mud'dy *adj.* בוצי, עכור, מרופש; מעורפל
muddy *v.* לרפש, ללכלך בבוץ
mudflap *n.* מגן בוץ (לאופן)
mud flat אדמה בוצית (שמי-הים מכסים אותה בשעות הגיאות)
mudguard *n.* כנף (מעל אופן הרכב)
mud'pack' *n.* מסיכת בוץ (לפנים)
mudslinger *n.* מטיל בוץ, מכפיש שם
mues'li (myōōs'-) *n.* מוזלי (דייסת בוקר)
mu·ez'zin (mūez-) *n.* מואזין
muff *n.* ידונית, גליל פרווה; לא יוצלח; פספוס, אי קליטת כדור
muff *v.* להיכשל, לפספס, לא לקלוט
muf'fin *n.* לחמנייה, עוגת-תה
muf'fle *v.* לעמעם קול; לעטוף, לכרבל
muffler *n.* עמם-פליטה; צעיף, סודר
muf'ti *n.* מופתי; תלבושת אזרחית
mug *n.* ספל; *פרצוף; טיפש, פתי
- mug's game פעולה שאין רווח בצידה
mug *v.* לשדוד, לגזול, להתקיף
- mug up *ללמוד היטב, לשנן
mugger *n.* שודד, ליסטים
mug'gins (-z) *n.* *טיפש
mug'gy *adj.* (מזג-אוויר) לח וחם
mugshot *n.* *תמונה (של פָּנִים)
mug'wump' *n.* מדינאי עצמאי, מתנפח
Mu·ham'mad (mōō-) *n.* מוחמד
Mu·ham'madan (mōō-) *adj.* מוסלמי
mulat'to *n.* מולאט (שאחד מהוריו כושי והשני לבן)
mul'ber'ry *n.* תות

mulch *n&v.* (לכסות ב-) רובד-גבבה (להגנה על שורשי צמחים)
mulct *v&n.* לקנוס; להונות, לסחוט; קנס
mule *n.* פרד; עקשן; נעל-בית; מטווייה
mu'leteer' *n.* נהג פרדות
mu'lish *adj.* עקשן
mull *v.* לחמם (יין); להשביח הטעם; לשקול
- mull over it להרהר בדבר
mull *n.* לשון יַבָּשָׁה, צוק חוף
mul'lah (-lə) *n.* מולה, מלומד מוסלמי
mul'lein (-lin) *n.* בוצין (צמח-בר)
mul'let *n.* מולית (דג-ים), קיפון, בורי
mul'ligataw'ny *n.* מוליגטוני (מרק)
mul'lion *n.* מחיצה אנכית (בחלון)
mullioned *adj.* בעל מחיצות אנכיות
mul'ti (תחילית) רב-, מולטי-
multi-access *n.* גישה בו-זמנית, גישה מכמה מסופים
multi-colored *adj.* רבגוני, ססגוני
mul'ticul'tural (-chərəl) *n.* רב-תרבותי
mul'tidis'ciplinary רב-תחומי
mul'tifa'rious *adj.* מגוון, רב-סוגים, רב-צדדי, שונים, רבים
mul'tiform' *adj.* רב-צורות
mul'tilat'eral *adj.* רב-צדדי, רב-שותפים
mul'tilin'gual (-gwəl) *adj.* רב-לשוני
mul'time'dia *n.* מולטימדיה, רב-תקשורתי
mul'timil'lionaire' *n.* מולטימיליונר
mul'tina'tional (-nash'ənəl) *adj&n.* רב-לאומי; חברה רב-לאומית
mul'tiple *adj.* מרובה, רב, הרבה
multiple *n.* כפולה
- common multiple כפולה משותפת
- multiple stores רשת חנויות
multiple-choice *adj.* לבחירת התשובה הנכונה
multiple sclerosis טרשת נפוצה
mul'tiplex' *adj.* מגוון, רב-חלקים
mul'tiplica'tion *n.* הכפלה, כפל
multiplication table לוח הכפל
mul'tiplic'ity *n.* ריבוי, מספר רב
mul'tiply' *v.* להכפיל; להגדיל; להרבות ב-; להתרבות
mul'tiproc'essing *n.* עיבוד בו-זמני, עיבוד נתונים רבים
multi-purpose *adj.* רב תכליתי
mul'tira'cial *adj.* רב-גזעי
mul'ti-stage' *adj.* רב-שלבי
mul'tistor'ey *adj.* רב-קומות
mul'titude' *n.* המון, מספר רב
- cover a multitude of sins לכסות פשעים רבים, להוות תירוץ טוב
- the multitude המון העם, הציבור
mul'titu'dinous *adj.* רב, עצום
multi-user *adj.* למשתמשים רבים, למשתמשים בו-זמנית
mul'tum in par'vo (mool-) מועט המחזיק את המרובה, הרבה בשטח קטן
mum *n.* שקט, דומייה; *אמא
- keep mum לשתוק, להחריש
- mum is the word! אף מלה! זה סודי!
mum'ble *v.* למלמל; ללעוס (כבפה חסר-שיניים)
mum'bo jum'bo נושא להערצה עיוורת; פולחן אווילי, הבלים, קש וגבבה
mum'mer *n.* פנטומימאי, שחקן
mum'mery *n.* הצגה, משחק, טקס דתי
mum'mifica'tion *n.* חניטה, חינוט
mum'mify' *v.* לחנוט
mum'my *n.* חנוט, מומיה; *אמא
mumps *n.* חזרת (מחלה)
munch *v.* ללעוס (בקול), לגרוס
mun·dane' *adj.* של העולם הזה, רגיל
mu·nic'ipal (mū-) *adj.* עירוני, של עיר
- municipal tax ארנונה
mu·nic'ipal'ity (mū-) *n.* עירייה
mu·nif'icence (mū-) *n.* רוחב-לב
mu·nif'icent (mū-) *adj.* רחב-לב, נדיב
mu'niments *n-pl.* מסמכים, שטרי-קניין
mu·ni'tion (mūnish'ən) *adj&v&n.* של תחמושת; לספק תחמושת
- munitions תחמושת
mu'ral *adj&n.* של קיר; ציור קיר, פרסקו, תמשיח
mur'der *n&v.* רֶצַח; לרצוח; "להרוס"
- cry blue murder לצעוק מרות
- get away with murder *לא לתת את הדין, לעשות כאוות נפשו
murderer *n.* רוצח
murderess *n.* רוצחת
mur'derous *adj.* רצחני, קטלני
murk *n.* אפילה, חושך; קדרות
murky *adj.* חשוך, קודר; (ערפל) כבד
mur'mur *n.* מלמול, המיה; רשרוש, איוושה; קול פכפוך; תרעומת, ריטון
murmur *v.* למלמל, לרשרש; לרטון
mur'phy *n.* *תפוח-אדמה
Murphy's Law חוק מרפי, אם דבר רע עלול לקרות - אזי הוא יקרה
mur'rain (-rin) *n.* מחלת בהמות; מגפה
mus'catel' *n.* מוסקט (יין, ענבים)
mus'cle (-səl) *n&v.* שריר; כוח
- muscle in *להידחק בכוח, להתמרפק
- not move a muscle לקפוא על מקומו
muscle-bound *adj.* קשוח-שרירים (כתוצאה מהפרזה באימונים)
muscled *adj.* בעל-שרירים
muscle-man *n.* איש שרירים
Mus'covite' *adj.* רוסי, תושב מוסקבה
mus'cu·lar *adj.* שרירי, חזק
muscular dystrophy ניוון שרירים
mus'cu·lature' *n.* מערכת השרירים
muse (-z) *n.* מוזה, השראה, בת השיר
muse (-z) *v.* לשקוע בהרהורים, להזות
mu·se'um (mūz-) *n.* מוזיאון
museum piece חפץ ראוי לתצוגה; *מיושן, שיצא מן האופנה
mush *n.* דייסה; בליל סמיך; רגשנות
mush'room *n&adj.* פטרייה; ארנה; צמיחה מהירה; כפיטרייה, גדל מהר
mushroom *v.* ללקוט פטריות; להתפתח מהר; להתפשט; להיתמר, להתאבך
mushroom cloud ענן פטרייה
mush'y *adj.* רמוי-דייסה, רך; רגשני
mu'sic (-z-) *n.* מוסיקה, נגינה
- set to music להלחין, לחבר מנגינה
mu'sical (-z-) *adj.* מוסיקלי

musical *n.* קומדיה מוסיקלית, מחזמר
musical box תיבת נגינה
musical chairs כיסאות מוסיקליים (מישחק מבדר)
musical comedy קומדיה מוסיקלית, מחזמר
musical director מנהל מוסיקלי
musical instrument כלי נגינה
music box תיבת נגינה
music center מערכת רדיו טייפ וכו׳
music hall מוסיקול; אולם בידור
mu·si′cian (mūzish′ən) *n.* מוסיקאי
mu′sicol′ogy (mūzikol′-) *n.* מוסיקולוגיה, תורת המוסיקה
music stand מעמד תווים
music stool שרפרף, כיסא פסנתר
musk *n.* מושק (חומר המשמש לבשמים ולרפואה)
musk deer מושק (חיה אסייתית)
mus′ket *n.* מוסקט (רובה ישן)
mus′keteer′ *n.* מוסקטר, חמוש במוסקט
mus′ketry *n.* רובאות
musk-melon *n.* סוג של מלון
musk-rat *n.* (פרוות) עכבר-המושק
musk rose ורד המושק
musk′y *adj.* בעל ריח מושק
Mus′lim (-z-) *n.* מוסלמי
mus′lin (-z-) *n.* מוסלין (בד עדין)
mus′quash = musk-rat (-kwosh)
muss *n.* אנדרלמוסיה, אי-סדר
muss *v.* לעשות אי-סדר, לפרוע
mus′sel *n.* צדפה שחורה
Mus′sulman *n.* מוסלמי
must *v.* להיות חייב/מוכרח/צריך
- he must be cold בטח קר לו
- must not אסור, אין רשות
must *n.* הכרח, דבר שחייבים לעשותו
must *n.* תירוש, מיץ ענבים
mus′tache (-tash) *n.* שפם
mus′tang (-tang) *n.* מוסטאנג, סוס פרא
mus′tard *n.* חרדל
- keen as mustard נלהב, להוט
mustard gas גאז החרדל
mustard plaster רטיית חרדל
mus′ter *v.* לאסוף, להזעיק; להתקבץ
- muster one's courage לאזור אומץ
muster *n.* מיפקד, מיסדר; רשימה שמית
- pass muster להשביע רצון, לעמוד בדרישה
mustn′t = must not (mus′ənt)
mus′ty *adj.* מעופש, עבש; מיושן
mu′tabil′ity *n.* השתנות
mu′table *adj.* משתנה, בר-שינוי
mu′tant *n.* מוטאנט, יצור שעבר מוטאציה
mu′tate′ *v.* לעבור מוטציה
mu·ta′tion (mū-) *n.* שינוי, מוטאציה, גלגול, היווצרות יצור מסוג חדש
mu·ta′tis mu·tan′dis (mū-mū-) עם השינויים הדרושים
mute *adj.* שותק, מחריש; (אות) לא מבוטאת
mute *n.* אילם; עמעמת, מעמעם צלילים
mute *v.* לעמעם, להחליש צליל
mute button כפתור השתקה

mu′tilate′ *v.* לקטוע, לכרות; להטיל מום; להשחית, לעוות, לקלקל
mu′tila′tion *n.* קטיעה; השחתה
mu′tineer′ *n.* מורד
mu′tinous *adj.* מורד, מרדני
mu′tiny *n&v.* מרד, התקוממות; למרוד
mutt *n.* *כלב, טיפש
mut′ter *n&v.* למלמל; לרטון; מלמול
mut′ton *n.* בשר כבש
- dead as mutton מת לגמרי
- mutton dressed as lamb מבוגרת המתגנדרת כצעירה
mutton-chops *n-pl.* זקן-לחיים
mutton-head *n.* טיפש, שוטה
mu′tual (-cho͞oəl) *adj.* הדדי; משותף
mutual fund קרן נאמנות, קרן הדדית, חברת השקעות
mu′tual′ity (-cho͞oal-) *n.* הדדיות
mutually *adv.* הדדית, זה את זה
- mutually exclusive מנוגדים זה לזה
mu′zak (-zak) *n.* מוסיקה מתמדת (במסעדות)
muz′zle *n.* חרטום החיה, זרבובית; זמם, מחסום; לוע
muzzle *v.* לחסום בזמם; להשתיק
muzzle-loader *n.* (תותח) נטען בלוע
muzzle velocity מהירות לוע (של קליע בצאתו מן הלוע)
muz′zy *adj.* מבולבל, מטושטש, מעורפל
MW = medium wave
my *pron&interj.* שלי; או! (קריאה)
- oh my! קריאת שמחה וכ׳
Myan′mar′ *n.* מייאנמאר (בורמה)
my·col′ogy *n.* תורת הפטריות
my′eli′tis *n.* דלקת חוט השדרה
my′na *n.* ציפור חקיינית
my·o′pia *n.* קוצר ראייה
my·op′ic *adj.* קצר ראייה
my′oso′tis *n.* זכריני (פרח)
myr′iad *n.* הרבה, מספר רב
myr′midon′ *n.* עבד, ממלא כל פקודה
myrrh (mûr) *n.* מור, שרף-בשמים
myr′tle *n.* הדס
my·self′ *pron.* אני, (ל-/ב-/את) עצמי
- I'm not myself איני כתמול שלשום
- by myself בעצמי, לבדי
myste′rious *adj.* מסתורי, נעלם
mys′tery *n.* מסתורין; תעלומה; פולחן מסתורי; מחזה נוצרי, מיסטריה
mys′tic *n&adj.* מיסטיקן, מקובל; מיסטי
mys′tical *adj.* מיסטי, סודי, מסתורי
mys′ticism *n.* מיסטיות, תורת הנסתר
mys′tifica′tion *n.* מיסטיפיקאציה
mys′tify′ *v.* להביך, לעטוף בסודיות
mystique′ (-tēk) *n.* סוד אמנותי; מיסטיות, מסתורין; תעלומה; מיסטיקה
myth *n.* מיתוס, אגדה; דבר בדוי
myth′ical *adj.* אגדי, של מיתוס; דמיוני
myth′olog′ical *adj.* מיתולוגי
mythol′ogist *n.* מיתולוג
mythol′ogy *n.* מיתולוגיה, חקר המיתוס; אגדות עמי-הקדם
myx′omato′sis *n.* מחלת שפנים קטלנית

N

N = noun, north, number
NA = North America
nab *v.* ללכוד, לאסור; לתפוס
Nab'lus *n.* שְׁכֶם
na'bob' *n.* עשיר, גביר
nacelle' *n.* בית-המנוע (במטוס)
na'cre (-kər) *n.* אם המרגלית, צדפה
na'dir *n.* נדיר, נבך; נקודת השפל
naff *v.* הסתלק! עוף!
naff *adj.* חסר טעם, חסר ערך
Naf'fy *n.* *שק"ם, קנטינה
nag *n.* *סוסון, סוס זקן; רטנן, נודניק
nag *v.* להציק; לרטון; לנדנד
nagger *n.* מציק; נודניק
nai'ad *n.* נימפת-המים
nail *n.* מסמר; ציפורן
- fight tooth and nail להילחם בציפורניו
- pay on the nail לשלם בו במקום
- right as nails נכון בהחלט
nail *v.* למסמר; לרתק; לפגוע (בירייה)
- nail a lie to the counter להוקיע שקר
- nail down למסמר; לאלצו לדבר, לדובב; לסכם, להסדיר; להבטיח
- nail up למסמר, לסגור במסמרים
nail-biting *adj.* מותח, גורם מתח
nailbrush *n.* מברשת ציפורניים
nail file שופין-ציפורניים
nail scissors מספרי-ציפורניים
nail varnish/polish לכת-ציפורניים
nain'sook *n.* ננסוק (אריג כותנה)
naive (näēv') *adj.* נאיבי, תמים, תם
naivete (nä'ēvətā') *n.* נאיביות
naivety (näēv'ti) *n.* נאיביות, תמימות
na'ked *adj.* ערום, חשוף, גלוי
- naked eye עין בלתי מזוינת
- naked truth אמת לאמיתה
nakedness עירום, מערומים
nam'by-pam'by *adj.* רגשני, נשי
name *n.* שם; בעל-שם, אישיות
- big name אישיות חשובה
- by name ששמו; בשמו; אישית
- by the name of המְכוּנֶה-, ששמו
- call him names לכנותו בכינויי גנאי
- enter one's name for להירשם ל-
- in name בשם, בתואר בלבד
- in the name of the law בשם החוק
- lend one's name to להסכים להשתתף ב-, לתת ברכתו
- make one's name לעשות לו שם
- name names להזכיר שמות (באישום)
- not a penny to one's name חסר כל
- take his name in vain לשאת שמו לשווא; *להזכיר שמו
- the name of the game שם המישחק, פה קבור הכלב, העיקר
- to one's name בבעלותו, שלו
- win a name for oneself לקנות שם לעצמו
- write under the name of להשתמש בשם (בדוי)
name *v.* לתת שם; לקרוא; לכנות; לְמַנּוֹת, לקבוע; לנקוב (שם, מחיר)
- be named after/for להיקרא על שם
- name the day לקבוע יום החתונה
name day יום השם (של הקדוש)
name-drop *v.* לזרוק שמות (של אישים)
name-dropping *n.* זריקת שמות
nameless *adj.* ללא שם, אלמוני; בלי לנקוב בשמו; בל-יתואר; נורא
namely *adv.* כלומר, דהיינו
name-part *n.* תפקיד ראשי (במחזה)
name-plate *n.* לוחית-שם, שלט
namesake *n.* בעל שם דומה
Namib'ia *n.* נמיביה
nan *n.* לחם הודי; *סבתא
nan'a *n.* *טיפש; סבתא
nan'cy *n&adj.* נשי; הומוסקסואל
nan•keen' *n.* אריג כותנה
nan'ny *n.* מטפלת
nanny goat עז, עיזה
nannying *adj.* *מפנק, דואג
nan'osec'ond *n.* מיליארדית השנייה
nap *n.* שינה קלה, נמנום; גבחת, הצד החלק באריג; נאפ (משחק קלפים)
- take a nap לנמנם, לחטוף תנומה
nap *v.* לנמנם; *לנחש, לשער תוצאה
- catch him napping לתפוס אותו בקלקלתו, למצוא אותו ישן
na'palm (-päm) *n.* נפאלם
nape *n.* מפרקת, עורף, אחורי הצוואר
na'pery *n.* מפות שולחן
nap hand עמדת זכייה, כדאיות להסתכן
naph'tha *n.* נפט
naph'thalene' *n.* נפתלין
nap'kin *n.* מפית (לסעודה); חיתול
napkin ring מחזיק מפית, טבעת מפית
Na'ples (-pəlz) *n.* נאפולי
Napo'le•on'ic *adj.* נפוליאוני
nap'per *n.* *ראש, גולגולת
nap'py *n.* *חיתול
nappy rash פריחה בעור התינוק
nar'cissism' *n.* נרקיסיות, אהבה עצמית
nar'cissist *n.* נרקיסיסט
nar'cissus *n.* נרקיס (צמח-בר)
nar'colep'sy *n.* התקפי תרדמת
narcosis *n.* נרקוזה
nar'co•ter'rorism *n.* טרור סמים
nar•cot'ic *adj&n.* נרקוטי, גורם לנרקוזה; מרדים, רדם (סם); נרקומן
nares (nar'ēz) *n-pl.* נחיריים
nar'ghile (-gəli) *n.* נרגילה
nark *n.* *מלשין, סוכן שתול
nark *v.* *להרגיז, להתמרמר, לרטון
nark, narc *n.* *שוטר לפשעי סמים
nark'y *adj.* *זועם, מעוצבן
nar'rate *v.* לספר, לתאר; להקריא
nar•ra'tion *n.* סיפור, תיאור; קריאה
nar'rative *n.* סיפור, תיאור, נראטיב
narrative *adj.* תיאורי, סיפורי, אפי
nar'ra•tor *n.* מְסַפֵּר, קורא
nar'row (-ō) *adj&n.* צר, מצומצם, מוגבל; מדוקדק, קפדני; צר-אופק
- in the narrow meaning במובן הצר
- narrow circle חוג (מכרים) צר
- narrow circumstances דלות, דוחק
- narrow majority רוב זעום/מצומצם
- narrow squeak הינצלות בנס

- narrows מיצר, רצועת מים
narrow *v.* להצר, לכווץ; להצטמצם
- narrow down להצר, להגביל
narrowcast *v&n.* לשדר לקהל יעד; שידור לקהל מצומצם
narrow gauge מסילת ברזל צרה
narrowly *adv.* בקושי, כמעט; במדוקדק
narrow-minded *adj.* צר-אופק
nar'thex' *n.* מבוא, אכסדרה בכנסייה
nar'whal (-wəl) *n.* לווייתן ארקטי
na'ry *adj.* *כלל לא, אף לא אחד
na'sal (-z-) *adj.* חוטמי, אפי, אנפפני
na'saliza'tion (-z-) *n.* אנפוף
na'salize' (-z-) *v.* לאנפף
nas'cent *adj.* מתהווה, מתחיל לצמוח, נולד, נוצר, בעל ניצני-
nastur'tium (-shəm) *n.* כובע הנזיר
nas'ty *adj.* מטונף; מגעיל, מכוער, נבזי; מרושע, רע; מסוכן, מאיים
- a nasty bit/piece of work *טיפוס דוחה
nasty-nice *adj.* פוגע בצורה מנומסת
na'tal *adj.* שמלידה, של לידה
natal'ity *n.* ילודה, שיעור הילודה
nata'tion *n.* (אמנות ה-) שחייה
na'tato'rial *adj.* של שחייה
natch *adv.* *בדרך הטבע, כמובן
na'tes (-tēz) *n-pl.* אחוריים, ישבן
na'tion *n.* אומה, עם
na'tional (nash'ən-) *adj&n.* לאומי; ארצי, כללי; אזרח, נתין
- National Guard משמר העם
- National Health Service שירות בריאות ממלכתי
- National Insurance ביטוח לאומי
- national anthem הימנון לאומי
- national debt חוב לאומי
- national government ממשלה לאומית
na'tionalism' (nash'ən-) *n.* לאומיות
na'tionalist (nash'ən-) *n&adj.* לאומי, לאומני
na'tionalis'tic (nashən-) *adj.* לאומני
na'tional'ity (nashən-) *n.* עם, אומה; לאומיות; אזרחות, נתינות
na'tionaliza'tion (nashən-) *n.* הלאמה
na'tionalize' (nash'ən-) *v.* להלאים
national monument אתר לאומי
national park פארק לאומי
national service שירות חובה
National Socialism נאציזם
National Trust (בבריטניה) חברה להגנת הטבע ולשימור אתרים
nationwide *adj.* כלל ארצי, כלל לאומי
na'tive *adj.* של מולדת; מקומי; גדל במקום; טבעי, מלידה; של ילידים
- go native לחיות כבני המקום
- native land ארץ מולדת
native *n.* יליד, בן המקום, תושב
Native American אינדיאני
native speaker דובר השפה מילדות
nativ'ity *n.* לידה; הולדת ישו
NATO (nā'tō) נאטו
nat'ter *v&n.* *לפטפט, לקשקש; לרטון; קשקוש
nat'ty *adj.* מסודר, נקי, מצוחצח-הופעה
nat'ural (-ch'-) *adj.* טבעי
- C natural דו בקר (לא דיאז)
- it comes natural to him הוא קולט זאת בקלות, זה טבוע בדמו
- natural child ילד לא-חוקי
- natural death מיתה טבעית
- natural forces איתני הטבע
- natural phenomena תופעות טבע
natural *n.* רפה-שכל; קליד לבן; סלקה, בקר; אדם הולם/מתאים
natural-born *adj.* מלידה, טיבעי
natural history ידיעת הטבע
nat'uralism' (-ch'-) *n.* טבעיות; נטורליזם, תיאור טבעי של המציאות, טבעתנות
nat'uralist (-ch'-) *n.* חוקר טבע; טבעתן
nat'uralis'tic (-ch'-) *adj.* נטורליסטי
nat'uraliza'tion (-ch'-) *n.* איזרוח; התאזרחות
nat'uralize' (-ch'-) *v.* לאזרח; להתאזרח; לאקלם, לסגל; לשאול (מלה)
natural law חוק הטבע; חוק עולמי
naturally *adj.* בדרך הטבע; כמובן
naturalness *n.* טבעיות
natural philosophy פיסיקה
natural resources אוצרות-טבע
natural science מדעי הטבע
natural selection ברירה טבעית
na'ture *n.* טבע; אופי; סוג; סגולות
- by nature באופי, בטבע, מלידה
- good nature טוב-לב
- human nature טבע האדם
- in the course of nature בדרך הטבע
- in the nature of things מחוייב המציאות
- in/of the nature of ברוח ה-, דומה ל-
- let nature take its course להניח למאורעות לזרום
- nature cure ריפוי טבעוני
- nature study לימוד הטבע
- nature worship פולחן הטבע
- pay one's debt to nature למות
- state of nature עירום
nature reserve שמורת טבע
na'turism' (-ch-) *n.* נודיזם
na'turist (-ch-) *n.* נודיסט
na'turopath' (-'chər-) *n.* מרפא טבעוני
na'turopath'ic (-'chər-) *adj.* של ריפוי טבעוני
na'turop'athy (-'chər-) *n.* ריפוי טבעוני
naught (nôt) *n.* אפס, אין
- bring to naught לנפץ, לשים קץ ל-
- care naught לא איכפת כלל
- come to naught להיכשל, לעלות בתוהו
- go for naught להיכשל, ברכה לבטלה
- set at naught לבטל, לשים לאל
naugh'ty *adj.* שובב, סורר, לא צייתן, רע, גס, לא הגון
nau'se·a (-ziə) *n.* בחילה, תיעוב
nau'se·ate' (-z-) *v.* לעורר בחילה
nauseating *adj.* מגעיל, מבחיל
nau'se·ous (-z-) *adj.* מבחיל
nau'tical *adj.* ימי, של מלחים
- nautical mile מיל ימי, 1852 מטר
nau'tilus *n.* נאוטילוס (רכיכה)
na'val *adj.* של ספינות-קרב, של צי, ימי
naval power מעצמה ימית

nave *n.* מרכז הכנסייה, מקום המושבים
na′vel *n.* טבור
navel orange תפוז טבורי, ואשינגטון
nav′igabil′ity *n.* עבירות (של נהר)
nav′igable *adj.* עביר (נהר וכ׳); בר-ניווט; כשיר להפלגה/לניווט
nav′igate′ *v.* לנווט; לנהוג בספינה/במטוס; להפליג, לטוס מעל
nav′iga′tion *n.* ניווט; שיט; תנועה
nav′iga′tor *n.* נווט; איש-ים
nav′vy *n.* פועל שחור
na′vy *n.* צי-מלחמה; חיל-הים; ימייה
- navy blue כחול כהה
nay *adv.* לא, יותר מכך, לא זו אף זו
- say him nay לומר לו לא
- the nays have it הרוב הצביע נגד
nay′say′ *v.* לומר לא, להכחיש
Naz′arene′ *n.* הנוצרי, איש נצרת
Naz′areth *n.* נצרת
Nazi (nät′si) *n.* נאצי
Na′zism′ (nät′s-) *n.* נאציזם
NB נ״ב, נכתב בצד, נזכרתי במשהו
NCO = noncommissioned officer
-nd, 2nd = second
ne·an′derthal′ (-thôl) *adj.* (אדם) ניאנדרטאלי
neap *n&adj.* (גיאות-ים) נמוכה
Ne′apol′itan *adj.* נפוליטני; (גלידה) רבגונית
near *adj&adv&prep.* קרוב, קרוב ל-; סמוך ל-; כמעט; שמאלי; קמצן
- as near as קרוב עד כדי-
- as near as makes no difference בהבדל זעום ביותר
- draw near להתקרב
- far and near בכל מקום
- near and dear קרובים, יקירים
- near at hand קרוב, בהישג יד
- near by בקרבת מקום, בסביבה
- near front wheel גלגל שמאלי קדמי
- near miss כמעט קליעה למטרה
- near relation שאר בשר (אב, בן)
- near the knuckle *על סף הגסות
- near thing מזל, הינצלות בנס
- near to tears קרוב לדמעות
- near upon/on כמעט, לפני
- nowhere near רחוק מ-, לגמרי לא
near *v.* להתקרב, להקריב, לקרוב
- near one's end לנטות למות
near′by′ *adv.* קרוב, בקרבת מקום
near′by′ *adj.* קרוב, במרחק קצר
Near East המזרח הקרוב
nearly *adv.* כמעט, בקירוב
- not nearly רחוק מ-, כלל לא
nearside *adj.* שמאלי
nearsighted *adj.* קצר-ראייה
neat *adj.* מסודר, נקי; פשוט, לעניין; נאה למראה; פיקחי; טוב, מצוין
- drink it neat לשתותו לא מהול
'neath = beneath *prep.* מתחת ל-
neb′bish *n.* *נעבעך, מסכן
neb′u·la *n.* ערפילית
neb′u·lar *adj.* של ערפיליות
neb′u·lize′ *v.* לרסס
neb′u·li′zer *n.* מרסס
neb′u·los′ity *n.* ערפול, אי-בהירות
neb′u·lous *adj.* מעורפל, מטושטש
nec′essar′ily (-ser-) *adv.* בהכרח
nec′essar′y (-seri) *adj&n.* הכרחי
- it's necessary for me אני חייב
- necessaries דברים חיוניים
- necessary evil רע הכרחי
neces′sitate′ *v.* להצריך, לדרוש
neces′sitous *adj.* עני, נצרך, נזקק
neces′sity *n.* צורך, נחיצות, הכרח; נצרכות, עוני, מצרך חיוני
- by/of necessity בהכרח, מאין ברירה
- make a virtue of necessity לנצל המצב לטובה, להציג חובה כמיצווה
- under the necessity חייב, מוכרח
neck *n.* צוואר; גרון; לשון-ים/יבשה
- get it in the neck לקבל מנה הגונה
- had the neck *היתה לו החוצפה
- neck and crop לגמרי, מלוא קומתו
- neck and neck (מירוץ) צמוד
- neck of the woods איזור, סביבה
- neck or nothing הימור על הכל
- risk one's neck לשים נפשו בכפו
- save one's neck להציל את עורו
- stick one's neck out להסתכן
- up to one's neck שקוע ראשו ורובו
- win by a neck לנצח בהפרש זעום
neck *v.* *להתגפף, להתעלס
neckband *n.* צווארון
neckcloth *n.* עניבה
-necked בעל צווארון
- low-necked (שמלה) עמוקת-מחשוף
neck′erchief (-chif) *n.* סודר-צוואר, צעיף
neck′lace (-lis) *n.* מחרוזת, ענק
neck′let *n.* מחרוזת, ענק
neckline *n.* קו הצוואר (בשמלה)
neck′tie′ (-tī) *n.* עניבה
necktie party *תלייה, משפט לינץ׳
neckwear *n.* עניבות, מלבושי-צוואר
necrol′ogy *n.* רשימת המתים; מודעת אבל
nec′roman′cer *n.* דורש אל המתים
nec′roman′cy *n.* דרישה אל המתים
nec′rophil′ia *n.* אהבת גוויות
nec′rophil′iac′ *n.* אוהב גוויות
necrop′olis *n.* בית-קברות
nec·rop′sy *n.* נתיחת גופה, אוטופסיה
necro′sis *n.* מות רקמות
nec′tar *n.* צוף; משקה טעים; נקטאר
nec′tarine′ (-rēn) *n.* אפרשזיף, נקטרינה
nee (nā) *adj.* לבית-, ששמה הקודם
need *n.* צורך; מצוקה, נצרכות, עוני
- have need of להיות זקוק ל-
- if need be אם יהיה צורך בכך
- in need of זקוק ל-
- when the need arises בעת הצורך
need *v.* להיות זקוק/צריך/חייב/חסר; להצריך, לדרוש
- I needn't have לא הייתי צריך ל-
need′ful *adj.* נחוץ, דרוש, הכרחי
- the needful כסף, פעולה נחוצה
nee′dle *n.* מחט; מסרגה; אובליסק
- eye of a needle קוף המחט
- get the needle להתעצבן
- look for a needle in a haystack לחפש מחט בערימת שחת

- sharp as a needle חריף, שנון
needle *v.* לתפור; לדקור; לקנטר, לעקוץ
- needle one's way לפלס דרכו בקושי
needless *adj.* מיותר
- needless to say למותר לציין, ברור
needlessly *adv.* ללא סיבה, סתם
needlewoman *n.* תופרת
needlework *n.* תפירה, מעשה-מחט
needn't = need not (nēdnt)
needs (-z) *adv.* בהכרח
- he must needs do it הוא חייב לעשות זאת (באירוניה)
needy *adj.* עני, נצרך, מעוט-יכולת
ne'er = never (nār)
ne'er-do-well בטלן, לא יוצלח
nefa'rious *adj.* רע, נפשע
neg. = negative
ne·gate' *v.* לשלול, לבטל, לאפס, לנטרל; לסתור, להפריך, להכחיש
ne·ga'tion *n.* שלילה, ביטול; סתירה
neg'ative *adj.* שלילי, נגטיבי
- negative pole קוטב שלילי; קתוד
- negative sign סימן המינוס
negative *n&v.* שלילה; מלת שלילה; נגטיב, תשליל; לשלול, לדחות; להפריך
- in the negative בשלילה, לאו, נגד
neg'ativism *n.* נגטיביזם, כפירה במוסכמות, עמדה שלילית
ne·glect' *v.* לזנוח, להזניח; לשכוח
neglect *n.* הזנחה, רשלנות; שכחה
neglectful *adj.* מזניח, רשלני
neg'ligee' (-zhā) *n.* חלוק-שינה; חלוק רחב; תלבושת חופשית
neg'ligence *n.* הזנחה, רשלנות
neg'ligent *adj.* רשלני, מתרשל
neg'ligible *adj.* זעום, אפסי, זניח
ne·go'tiable (-shəb-) *adj.* פתוח למשא ומתן; עביר (דרך); בר-המרה, סחיר
- negotiable instrument שטר-חליפין; מסמך סחיר
ne·go'tiate' (-'sh-) *v.* לנהל משא ומתן, לדון; להסדיר; לבצע; לעבור; להמיר
ne·go'tia'tion (-'sh-) *n.* משא ומתן, דיון; המרה
ne·go'tia'tor (-'sh-) *n.* מנהל מו"מ
Ne'gress *n.* כושית
Neg'ritude' *n.* כושיות, מעמד הכושי
Ne'gro *n.* כושי
Ne'groid *adj.* כושי
Ne'gus *n.* נגוס, קיסר אתיופיה
negus *n.* יין חם (מהול במים וסוכר)
neigh (nā) *v&n.* לצהול; צהלת-סוס
neigh'bor (nā'-) *n.* שכן
neighbor *v.* להימצא סמוך ל-; לגבול
neighborhood *n.* שכונה, סביבה
- in the neighborhood of בערך, כ-
neighborly *adj.* ידידותי, של שכנים
nei'ther (nē'dh-) *adj&pron.* אף אחד (משניהם) לא; וגם לא
- me neither אף אני לא
- neither you nor I לא אתה ולא אני
nel'ly *n.* *טיפש, איש נשי
- not on your nelly *לא ולא
nel'son *n.* אחיזה, לפיתה (בהיאבקות)
nelson touch גישה חכמה לבעיה
nem con' פה אחד, בהסכמה כללית

nem'esis *n.* נקמה, גמול, עונש; נוקם
ne'o- (תחילית) חדש, מודרני
ne'o·clas'sical *adj.* ניאוקלאסי
ne'o·colo'nialism *n.* ניאוקולוניאליזם
Ne'olith'ic *adj.* ניאוליתי, מתקופת האבן המאוחרת
ne·ol'ogism' *n.* ניאולוגיזם, מלה מחודשת, מלה חדשה
ne'on' *n.* ניאון (גאז)
ne'onate' *n.* תינוק, רך נולד
neon light/lamp נורת ניאון
neon sign שלט ניאון
ne'ophob'ia *n.* ניאופוביה, שנאת החדש
ne'ophyte' *n.* טירון, כומר מתחיל
ne'oplasm' (-z-) *n.* גידול
ne'oter'ic *adj.* חדיש, מודרני
Nepal' (-päl) *n.* נפאל
neph'ew (-ū) *n.* אחיין, בן אח, בן גיס
ne·phol'ogy *n.* תורת העננים
ne·phrit'ic *adj.* של כליות
ne·phri'tis *n.* דלקת הכליות
ne plus ul'tra שיא, הדרגה העליונה
nep'otism' *n.* פרוטקציה לקרובים
Nep'tune *n.* נפטון (כוכב-לכת)
nerd *n.* *טיפש, טמבל
ne're·id *n.* נימפת-הים
ner'va'tion *n.* מערך עורקי-העלה
nerve *n&v.* עָצָב; אומץ, תעוזה; חוצפה; עורק-העלה
- get on his nerves לעצבנו
- get up the nerve לאזור אומץ
- hit/touch a nerve לגעת בנקודה רגישה
- lost his nerve איבד הביטחון העצמי
- nerve oneself for להתאזר לקראת
- nerves עצבים; עצבנות, מתח
- strain every nerve לעשות כל מאמץ
- war of nerves מלחמת עצבים
- what a nerve! איזו חוצפה!
nerve cell תא עצב
nerve center מרכז עצבים, חרצוב
nerve gas גאז עצבים
nerveless *adj.* רפה-כוח; קר-רוח
nerve-racking *adj.* מורט עצבים
ner'vous *adj.* עצבני, מתוח; מתרגש; חושש; עצבי; (סגנון) נמרץ
nervous breakdown התמוטטות עצבים
nervous system מערכת העצבים
nervous wreck *לחוץ נפשית, עומד להתמוטט
nerv'y *adj.* חצוף, נועז; עצבני
nes'cient *adj.* בור, חסר-ידיעה
ness *n.* כֵּף, לשון-יַבָּשָׁה
nest *n.* קן; בית; מקלט; מקום מוסתר; מערכת (סירים) של זה בתוך זה
- foul one's own nest להכפיש ביתו
- nest of crime מאורת פשע
nest *v.* לקנן; לסדר זה בתוך זה
- go nesting לחפש (ביצי-) קינים
nest egg סכום משוריין (לעתיד)
nes'tle (-səl) *v.* לקנן, לשכון; להתרפק; להשעין; להחזיק כבעריסה
- nestle down להשתרע, לשכב בנוחות
- nestle up להתרפק, להתקרב
nest'ling *n.* גוזָל
Nes'tor *n.* יועץ; זקן, חכם

net *n&v.* רשת; מכמורת; מלכודת; ללכוד, להעלות ברשת; לכסות ברשת; לרַשֵת
- communication net רשת תקשורת
net *adj&v.* נטו, נקי; להרוויח נטו
- net price מחיר נטו (נמוך ביותר)
netball *n.* כדור רשת (מישחק)
neth'er (-dh-) *adj.* תחתון
- nether world/regions שאול
Neth'erlands (-dh-z) *n.* הולנד
nethermost *adj.* הנמוך ביותר
nett *v.* (להרוויח) נטו
net'ting *n.* התקנת רשתות; רשת
net'tle *n&v.* סרפד; להקניט, להרגיז
- grasp the nettle להוציא בידיו ערמונים מהאש; לטפל בנושא באומץ
nettlerash *n.* סרפדת, אבעבועה
network *n&v.* רשת, רשת תקשורת; לשדר ברשת; להקים רשת; לתקשר ברשת; ליצור קשרים
- spy network רשת ריגול
networker *n.* חבר ברשת מחשבים
neu'ral (noo-) *adj.* עצבי, של עצבים
neural'gia (nooral'jə) *n.* נויראלגיה, כאב עצבים
neural'gic (noo-) *adj.* נויראלגי
neu'rasthe'nia (noo'-) *n.* נויראסתיה, חלישות עצבים
neu'rasthen'ic (noo'-) *adj.* נויראסתני
neuri'tis (noo-) *n.* נויריטיס, דלקת עצבים
neurol'ogist (noo-) *n.* נוירולוג, רופא עצבים
neurol'ogy (noo-) *n.* נוירולוגיה
neu'ron (noo'ron) *n.* נוירון, תא עצב
neu'ropath' (noo'-) *n.* חולה עצבים
neuro'sis (noo-) *n.* נוירוזה, עצבת
neurot'ic (noo-) *adj&n.* נוירוטי
neu'ter (nōō'-) *n.* (בדקדוק) מין סתמי; מסורס
neuter *adj.* חסר מין, סתמי, נייטראלי
neuter *v.* לסרס
neu'tral (nōō'-) *adj.* נייטראלי, אדיש, סתמי
neutral *n.* מהלך-סרק; אדם נייטראלי
neutral'ity (noo-) *n.* נייטראליות
neu'traliza'tion (noo-) *n.* ניטרול; פירוז
neu'tralize' (noo'-) *v.* לנטרל; לפרז
neu'tron' (noo'-) *n.* נייטרון
nev'er *adv.* לעולם לא, אף פעם לא
- never fear! אל דאגה! אין פחד!
- never mind לא חשוב, אין דבר
- never so much as אפילו לא-
- on the never-never *בתשלומים
- this will never do לא בא בחשבון
- well, I never! לא יאומן!
never-ending *adj.* אינסופי, לא פוסק
nev'ermore' *adv.* לא עוד
never never land *ארץ החלומות
nev'ertheless' (-dh-) *adv.* בכל זאת
new (nōō) *adj.* חדש; טרי
- New Testament הברית החדשה
- New World העולם החדש, אמריקה
- New Year's Day 1 בינואר
- New Year's Eve 31 בדצמבר
- happy new year! שנה טובה!
- new blood דם חדש, כוח חדש
- new deal תכנית (ממשלתית) חדשה
- new from- שמקרוב בא
- new potatoes ביכורי התפודים
- new rich עני שהתעשר, נובוריש
- new to- לא מכיר, לא רגיל, חדש ב-
- new wave הגל החדש
- new-laid eggs ביצים טריות
newborn *adj.* (הרך) הנולד
newcomer *n.* בא מקרוב, פנים חדשות
new'el (nōō'-) *n.* עמוד מרכזי במדרגות לוליניות, עמוד מעקה (במדרגות)
new-fan'gled (nōō-ld) *adj.* חדש, מודרני, מיותר, חסר-ערך
new'foundland' (-nōō'fən-) *n.* ניופאונדלנד (כלב קנדי)
newly *adv.* לאחרונה; זה לא כבר; מחדש, בצורה חדשה
newly-weds *n-pl.* שזה עתה נישאו
newmarket *n.* נומרקט, מישחק קלפים
news (nōōz) *n.* חדשות, חדשה, ידיעה
- be in the news לעלות לכותרות
- break the news לבשר (בשורה רעה)
- pieces of news חדשות
- that's (no) news זו (לא) חדשה לגבי
news agency סוכנות ידיעות
newsagent *n.* מוכר עיתונים
newsboy *n.* מחלק/מוכר עיתונים
newsbrief *n.* חדשה, מבזק חדשות
newscast *n.* שידור חדשות
newscaster/-reader *n.* קריין-חדשות
news conference מסיבת עיתונאים
newsdealer *n.* מוכר עיתונים
newsflash *n.* מבזק חדשות
news hound כתב, עיתונאי נמרץ
newsletter *n.* עלון חדשות
newsman *n.* עיתונאי, כתב
news media כלי-התקשורת
newsmonger (nōōz'mung'gər) *n.* רכלן
newspaper *n.* עיתון
Newspeak *n.* ניוספיק, שפת תעמולה
newsprint *n.* נייר עיתונים
newsreader *n.* קריין חדשות
newsreel *n.* יומן קולנוע, סרט חדשות
newsroom *n.* חדר החדשות; אולם עיתונים
newssheet *n.* גליון חדשות
newsstand *n.* דוכן עיתונים
newsvendor *n.* מוכר עיתונים
newsworthy *adj.* ראוי לפרסום, מעניין
news'y (nōōz'i) *adj.* *גדוש חדשות
newt (nōōt) *n.* סלמנדרה, טריטון
Newto'nian (nōōt-) *adj.* של ניוטון
New York ניו יורק
New Zea'land *n.* ניו זילנד
next *adj&adv.* הבא, הקרוב, שלאחר מכן; אחר כך, בפעם הבאה
- next best השני במעלה; הברירה השנייה
- next of kin שאר בשר, קרוב
- next to קרוב ל-; כמעט; אחרי
- next to nothing בקושי משהו, כמעט אפס
- next week בשבוע שלאחר מכן
- next! הבא בתור!
- the next day למחרת

- what next? ומה עוד?
next world העולם הבא
nex'us *n.* קֶשֶׁר, רשת מקושרת
nib *n.* ציפורן-עט
nib'ble *v&n.* לכרסם; להסכים, לגלות עניין, לנטות לקבל; כרסום, נגיסה
nib'lick *n.* מקל גולף (בעל ראש כבד)
nibs (-z) *n.* *בוס, אדם מנופח
Nic'ara'gua (-rä'gwə) *n.* ניקרגואה
Nice (nēs) *n.* ניצה, ניס
nice *adj.* נאה, נחמד, טוב; עדין, דק; קפדן; *רע, מזופת
- nice and healthy בריא לגמרי
- nice and- *טוב בגלל-, בצורה מושלמת
- nice difference הבדל דק/עדין
- nice mess "ברוך", "דייסה"
- nice one/work *כל הכבוד
nicely *adv.* היטב, כיאות; בעדינות
- be doing nicely להתקדם יפה
ni'cety *n.* דיוק; עדינות; הבחנה דקה
- niceties פרטי פרטים; דברים נאים
- to a nicety בדייקנות, כחוט השערה
niche (nich) *n.* גומחה, נישה; מקום; ג'וב נוח
nick *n.* חתך, סדק, חריץ; *כלא
- in good nick במצב תקין
- in the nick of time ברגע הקריטי
- old nick השטן
nick *v.* לחתוך, לחרוץ, לשרוט; *לדרוש מחיר; לגנוב; לעצור; לתפוס
nick'el *n.* ניקל (מתכת, מטבע)
nick'elo'de·on *n.* *אוטומט תקליטים
nickel-plate *v.* לצפות בניקל
nick'er *n.* *לירה-שטרלינג
nick'nack' *n.* קישוט קטן, חפץ-נוי
nick'name *n&v.* כינוי; לכנות
nic'otine' (-tēn) *n.* ניקוטין
nicotine fit בולמוס-עישון
nid'ify' *v.* לבנות קן
niece (nēs) *n.* אחיינית, בת-גיס
niff *n.* *סירחון, ריח רע
nif'ty *adj.* *יפה, אפקטיבי; מסריח
Ni'ger *n.* ניז'ר
Ni·ge'ria *n.* ניגריה
nig'gard *n.* קמצן
niggardly *adj.* קמצן, קמצני
nig'ger *n.* *כושי
- nigger in the woodpile *דבר חשוד
nig'gle *v.* לחטט, לשים לב לקטנות, לחפש פגמים; להציק; לרטון
niggling *adj.* קטנוני; מנקר (במוח)
nigh (nī) *adv&prep.* קרוב
- draw nigh להתקרב
- well nigh כמעט, קרוב ל-
night *n.* לילה; חשיכה
- all night (long) במשך כל הלילה
- at/by night בלילה
- had a bad night נדדה שנתו
- had a good night ערבה שנתו
- have a night out לצאת לבלות בלילה
- he works nights הוא עובד בלילות
- it's my night off הערב אני חופשי
- make a night of it לבלות בלילה, לאחר בנשף
- night after night מדי לילה
- night and day יומם ולילה
night-bell *n.* פעמון-לילה
night bird עוף לילה; עובד לילה
night blindness עיוורון לילה
nightcap *n.* כובע-שינה; כוסית משקה (שלוגמים לפני השינה)
night clothes פיג'מה, בגדי לילה
nightclub *n.* מועדון לילה
nightdress, nightgown *n.* כתונת-לילה
nightfall *n.* רדת הלילה
night-hawk *n.* עובד בלילות
night'ie *n.* *כתונת-לילה
night'ingale' *n.* זמיר
nightjar *n.* עוף לילה
night life חיי הלילה (במועדונים)
night-light *n.* נורת-לילה
night-line *n.* חכת-לילה (לדייג)
night-long *adv.* במשך כל הלילה
nightly *adj&adv.* לילי; בכל לילה
night'mare' *n.* סיוט, חלום-בלהות
nightmarish *adj.* סיוטי
night owl עוף לילה; עובד בלילות
night porter שוער לילה (במלון)
nights *adv.* בלילות, בכל לילה
night safe כספת לילה
night school בית-ספר ערב
nightshade סולאנום (צמח)
night shift משמרת לילה
nightshirt *n.* חלוק שינה
night soil תוכן בורות-שפכין
nightspot *n.* *מועדון לילה
nightstick *n.* אלת-שוטר
night stop חניית לילה
night-time *n.* שעות הלילה
night-walker *n.* משוטט בלילות
night watch משמרת לילה
night watchman שומר לילה
nightwear *n.* בגדי שינה
nighty *n.* *כתונת-לילה
ni'hilism' (nī'il-) *n.* ניהיליזם, שלילת הערכים המקובלים, כפירה במוסכמות
ni'hilist (nī'il-) *n.* ניהיליסט, אפסן
ni'hilis'tic (nī'il-) *adj.* ניהיליסטי
Nikkei (nik'ā) *n.* ניקיי (מדד טוקיו)
nil *n.* אפס
Nile *n.* נהר הנילוס
Ni·lot'ic *adj.* של הנילוס
nim'ble *adj.* זריז; קל-תנועה; שנון, מהיר-מחשבה, מהיר-תפיסה
nim'bus *n.* ענן קודר, נימבוס, ענני-צעיף; הילה, עטרת-אור
nim'iny-pim'iny *adj.* מלאכותי, מעושה
Nim'rod' *n.* נמרוד, צייד
nin'compoop' (-po͞op) *n.* *טיפש
nine *adj&n.* תשעה, 9
- dressed up to the nines לבוש בהידור
- nine days' wonder פלא חולף
- nine times out of ten כמעט תמיד
ninefold *adj&adv.* פי תשעה
ninepin *n.* (בכעין כדורת) בובת-עץ (אחת מתשע שיש להפיל)
- go down like a ninepin ליפול
- ninepins משחק הדומה לכדורת
nine'teen' (nīnt-) *adj&n.* תשעה עשר, 19
nineteenth *adj&n.* (החלק) ה-19
ninetieth *adj&n.* (החלק) ה-90

nine′ty (nīn′ti) *adj&n.* תשעים, 90
- the nineties שנות ה-90
nin′ny *n.* *טיפש
ninth (nīnth) *adj.* (החלק) התשיעי
nip *n.* קור; צביטה; נשיכה; טעם חריף; יציאה מהירה, גיחה; לגימה
- nip and tuck (מירוץ) צמוד
nip *v.* לצבוט; לנשוך; לקלקל, להשחית; למהר, לצאת, להגיח, לקפוץ
- nip in להצר (בגד); "לחתוך" פנימה (רכב)
- nip off לגזור, לגזום
nip′per *n.* *ילד
- nippers צבת, מצבטיים, מלקחיים
nipping *adj.* צובט, עז, חד, שנון
nip′ple *n.* פטמה; פיית-סיכה
Nip′pon′ *n.* יפן
nip′py *adj.* צובט, קר; חריף, זריז
- look nippy להזדרז
nirva′na (-vä-) *n.* נירוונה
NIS ש"ח, שקל חדש
ni′si′ *conj.* אלא אם כן, על תנאי
- decree nisi צו על תנאי
Nis′sen hut צריף ניסן (דמוי מנהרה)
nit *n.* ביצת כינה, אנבה; *טיפש
ni′ter, ni′tre (-tər) *n.* מלחת
nit′pick′ *n.* לחפש פגמים, לחטט בקטנות
ni′trate *n.* חנקה, ניטראט
ni′tric *adj.* חנקני, מכיל חנקן
nitric acid חומצה חנקנית
ni′trogen *n.* חנקן
ni′troglyc′erin *n.* ניטרוגליצרין
ni′trous *adj.* חנקתי, חנקני
nit′ty-grit′ty *n.* פרט מעשי, העובדות לאשורן
nit′wit′ *n.* *טיפש
nit′wit′ted *adj.* חסר-דעה
nix *n&adv.* *לא, לאו, לא כלום
nix *v.* *לבטל, לדחות, לשלול
no *adj&adv.* לא; כלל לא; אין
- he is no fool אינו טיפש כלל
- in no time מיד, מהר מאוד
- it's no go זה לא "ילך", לא יצליח
- it's no good/use אין תועלת
- no one אף אחד, אין איש ש-
- no smoking אין לעשן, אסור לעשן
- no way בשום אופן לא
- the noes have it אומרי הלאו ניצחו
- there's no saying/knowing אין לומר, קשה לומר, אין לדעת
- whether or no בין שכן ובין שלא
No. = number
no-account *n.* *בטלן, לא יוצלח
Noah's ark (nō′əz) תיבת נוח
nob *n.* *ראש; אציל, מהחברה הגבוהה
nob′ble *v.* *להשיג ברמאות; לרכוש לבו, לשחד; לרמות
- nobble a racehorse "לטפל" בסוס-מירוץ (כדי להפחית סיכויי ניצחונו)
No•bel′ *n.* נובל (פרס)
no•bil′ity *n.* אצילות; אצולה
no′ble *n&adj.* אציל; אצילי, מרשים
- noble art איגרוף
- noble metals מתכות אצילות
nobleman/-woman *n.* אציל/אצילה
noble-minded *adj.* אציל, יפה-נפש
no•blesse′ *n.* אצולה, אצילות
noblesse oblige (-lēzh′) האצילות מחייבת
no′bly *adv.* בצורה אצילית/כאציל
no′bod′y *pron&n.* שום אדם (לא), אף אחד לא; אדם לא חשוב, קוטל קנים
- nobody home לא בסדר, לא שפוי; לא מקשיב, מהורהר
noc•tam′bu•list *n.* מוכה-ירח, סהרורי
noc•tur′nal *adj.* לילי, של הלילה
noc′turne′ *n.* נוקטורן, יצירה שקטה לפסנתר; ציור נוף לילי
noc′u•ous *adj.* מזיק, רע
nod *v.* להניע ראש (כאומר "כן"), להנהן; לסמן בראש, לנמנם בישיבה; להתכופף; לטעות
- Homer sometimes nods גם החכם טועה
nod *n.* נענוע ראש, הנהון בראש
- get the nod להיבחר
- on the nod *בהקפה; בהסכמה מידית
no′dal *adj.* של בליטה, קשרי
nodding acquaintance היכרות שטחית
nod′dle *n.* *ראש
node *n.* בליטה; מפרק (בצמח); קשר
nod′ular (-j′-) *adj.* של גושיש
nod′ule (-jōōl) *n.* גושיש, בליטה, קשריר
No•el′ *n.* חג המולד
no-fly zone איזור אסור לטיסות
nog *n.* נוג (משקה חריף)
nog′gin *n.* לגימה, כוסית משקה, *ראש
no′-go′ *adj.* *לא בר-ביצוע, לא "הולך"
no-go area שטח חסום במתרסים
no′how′ *adv.* *בשום פנים (לא); כלל לא; לא תקין, לא בקו הבריאות
noise (-z) *n.* רעש, קול, רחש
- big noise אדם חשוב, אישיות
- make a noise להתלונן, להקים רעש
- make a noise in the world להקים רעש בעולם, להתפרסם
- make encouraging noises להביע עידוד
noise *v.* להפיץ, לפרסם
- it's noised abroad מתהלכת שמועה
- noise around לפרסם ברבים
noi′some (-səm) *adj.* דוחה, מסריח
nois′y (-zi) *adj.* רועש, הומה, סואן
no′mad′ *n.* נומד, נווד
no•mad′ic *adj.* של נומדים, נע ונד
no man's land שטח הפקר
nom′ de plume′ פסידונים, שם בדוי
no′mencla′ture *n.* מינוח, כינון
nom′inal *adj.* נומינלי, להלכה; זעום, סמלי; נקוב; שמי, שֶׁמָנִי; על שם
- nominal clause משפט שמני
- nominal list רשימה שמית
- nominal price/sum מחיר/סכום סמלי
- nominal value ערך נומינלי/נקוב
nom′inate′ *v.* לְמַנּוֹת, לקבוע; להציע
nom′ina′tion *n.* מינוי, הצעת מועמד
nom′inative *adj&n.* (של) יחסת הנושא, נומינטיב, יחס הישר
nom′inee′ *n.* ממונה, מועמד
non- (תחילית) לא-, אינו-
no′nage *n.* קטינות, מעמד הקטין
no′nagena′rian *adj.* בשנות ה-90,

מתקרב לגיל 100
non'aggres'sion *n.* אי-התקפה
non'aligned' (-līnd) *adj.* (מדינה) בלתי מזדהה (עם מעצמות העל)
non-alignment *n.* אי-הזדהות
non-apearance *n.* אי-הופעה
nonce *n.* מיקרה מיוחד
- for the nonce לפי שעה, לזמן הנוכחי, להזדמנות זו
nonce word מלת-עראי, מלה חד-פעמית
non'chalance' (-shəläns) *n.* אדישות
non'chalant' (-shəlänt) *adj.* אדיש, קר-רוח, לא מתרגש
non'combat'ant *adj.* לא-קרבי
non'commis'sioned officer מש"ק
non'commit'tal *adj.* לא-מחייב, לא ברור
non'compli'ance *n.* אי-ציות
non com'pos men'tis לא שפוי
non'conduc'tor *n.* לא-מוליך
non'confor'mist *n&adj.* נונקונפורמיסט (בנצרות); לא צייתן, לא מסתגל למוסכמות
non'confor'mity *n.* נונקונפורמיזם
non'dair'y *adj.* לא מכיל חלב
non'de·script' *adj.* חסר פרט מאפיין, שקשה לתארו, רגיל
none (nun) *adv.* אף אחד (לא), אף לא מקצת, כלום לא, כלל לא
- have none of לא לסבול, לא להסכים
- none at all כלל לא
- none but- רק, שום אדם זולת-
- none of that! חדלו! הפסק!
- none of your stupidity אל תשתטה
- none other than- (הוא) ולא אחר
- none the better/worse for- כלל לא יותר טוב/רע כתוצאה מ-
- none the less בכל זאת
- none the wiser לא יודע, לא מודע
- none too- לא ביותר; לגמרי לא
non·en'tity *n.* לא קיים; דמיוני; אדם לא חשוב, אפס
none'such' (nun's-) *n.* משכמו ומעלה
none'theless' (nundh-) *adv.* בכל זאת
non'e·vent' *n.* לא-מאורע, מופע-נפל, ההר הוליד עכבר
non'exis'tence (-zis'-) *n.* אי-קיום
non'exis'tent (-zis'-) *adj.* לא קיים
non'fea'sance (-zəns) *n.* מחדל, אי עשייה
non'fic'tion *n.* ספרות לא-דמיונית
non'flam'mable *adj.* לא דליק
non'in'terfe'rence *n.* אי-התערבות
non'in'terven'tion *n.* אי-התערבות
non-iron *adj.* ללא גיהוץ
non'mem'ber *n.* לא-חבר
non'metal'lic *adj.* אל-מתכתי
non'mor'al *adj.* חסר ערך מוסרי
non-negotiable *adj.* לא סחיר
non'nu'cle·ar *adj.* לא גרעיני
no-no *n.* *דבר בלתי אפשרי
non'obser'vance (-z-) *n.* אי-קיום (חוק)
non'pareil' (-rel) *n.* אין כמוהו
non'pay'ment *n.* אי-תשלום
non·plus' *v.* להביך, לבלבל, להדהים
nonplused *adj.* מבולבל, מוכה תדהמה
non'pre·scrip'tion *adj.* ללא מירשם
non'prof'it *adj.* לא נושא רווחים
non-profit corporation מלכ"ר
non'prolif'era'tion *n.* אי-הפצה
non'res'ident (-z-) *n.* לא מתגורר במקום, לא אורח במלון
non'resis'tant (-zis'-) *adj.* לא עמיד, לא דוחה
non're·turn'able *adj.* שאין להחזירו
non'sense' *n.* שטויות, הבלים
- make nonsense לקלקל; לשים ללעג
non·sen'sical *adj.* שטותי, אבסורדי
non seq'uitur מסקנה שאינה נובעת מההנחות, תוצאה פרדוקסלית
non'skid' *adj.* בלתי-מחליק
non'slip' *adj.* מונע החלקה
non'smo'ker *n.* לא מעשן; מקום אסור בעישון
non'stan'dard *adj.* לא תקני
non'start'er *adj.* חסר סיכויי הצלחה
non'stick' *adj.* מונע הידבקות
non'stop' *adj.* ישיר, רצוף, ללא חנייה
non'support' *n.* אי תמיכה (במזונות)
non'-U' (-ū') *adj.* לא של המעמד הגבוה, המוני
non'u'nion (-ū'-) *adj.* (פועל) לא מאורגן; לא שייך לאיגוד מקצועי
non'ver'bal *adj.* לא מילולי
non'vi'olence *n.* התנגדות פאסיבית
non-white *n.* לא לבן
noo'dle *n.* איטרייה; טיפש; *ראש, מוח
nook *n.* פינה; מחבוא, מסתור
nook'ie, nook'y *n.* *פעילות מינית
noon (nōōn) *n.* צהריים
noonday, noontide *n.* צהריים
no one אף אחד לא, שום איש
noose *n.* לולאה, עניבת תלייה
noose *v.* ללכוד; לעשות לולאה
nope *interj.* לא!
nor *conj.* ואף לא, לא
- neither - nor - לא - ואף לא -
nor' = north
Nor'dic *adj.* נורדי, סקנדינבי
Nor'folk jacket (-fək) ז'קט רחב
norm *n.* נורמה, מִכסָה, תקן
nor'mal *adj.* נורמלי, תקין, רגיל
nor'malcy *n.* נורמליות
nor·mal'ity *n.* נורמליות
nor'maliza'tion *n.* נורמליזציה, נירמול
nor'malize' *v.* לעשות לנורמלי; לנרמל
nor'mally *adv.* באופן נורמלי, בדרך כלל, בתנאים רגילים
normal school מידרשה למורים
Nor'man *n.* נורמנדי
nor'mative *adj.* תיקני; לפי נורמה
Norse *adj&n.* נורווגי; נורווגית
north *n&adj&adv.* צפון; צפוני; צפונה
northbound *adj.* נוסע צפונה
north'east' *n&adj&adv.* צפון-מזרח; צפון-מזרחי; צפונה-מזרחה
north'east'er *n.* רוח צפון-מזרחית
north'east'erly *adj.* צפון-מזרחי
north'east'ern *adj.* צפון-מזרחי
north'east'ward *adv.* צפונה-מזרחה

north′erly (-dh-) *adj.* צפוני
north′ern (-dh-) *adj.* צפוני
north′erner (-dh-) *n.* צפוני
northern lights זוהר צפוני
northernmost *adj.* הצפוני ביותר
North Pole קוטב צפוני
northward *adv.* צפונה
north′west′ *n&adj&adv.* צפון-מערב; צפון-מערבי; צפונה-מערבה
north′west′er *n.* רוח צפון-מערבית
north′west′erly *adj.* צפון-מערבי
north′west′ern *n.* צפון-מערבי
north′west′ward *adv.* צפונה-מערבה
Nor′way *n.* נורווגיה
Nor•we′gian (-jən) *adj.* נורווגי; נורווגית

Nos. = numbers
nose (-z) *n.* אף; חוש ריח; חרטום
- bite his nose off לענות לו בכעס
- cut off nose to spite face להזיק אך לעצמו (בשעת ריתחה)
- follow one's nose להתקדם ישר, ללכת לפי החוש
- has his nose in תוחב אפו
- has his nose in a book שקוע בספר
- keep his nose to the grindstone להעבידו בפרך
- keep one's nose out of/clean לא להתערב; לא לתחוב אפו
- on the nose היישר, במדויק
- pay through the nose לשלם מחיר מופרז
- plain as the nose on one's face ברור מאוד, בולט לעין
- poke one's nose into לתחוב חוטמו ב-
- put his nose out of joint לדחוק רגליו, לתפוס מקומו; להביכו
- rub his nose in the dirt לזרות מלח על פצעיו, להזכיר לו שגיאותיו
- see beyond one's nose לראות לטווח רחוק
- snap his nose off לענות לו בכעס
- tell noses למנות מספר המצביעים
- turn up one's nose לעקם חוטמו
- under one's nose מתחת לחוטמו
nose *v.* לרחרח; להפנות חרטומו
- nose around/about לרחרח, לחפש
- nose down להפנות (החרטום) למטה
- nose in לנוע אט-אט קדימה
- nose into לתחוב חוטמו ב-
- nose its way להתקדם בזהירות
- nose out לגלות; לנצח בהפרש קטן
- nose over להתהפך
- nose up להפנות (החרטום) למעלה
nosebag *n.* שק-המזון (בצוואר-הסוס)
nosebleed *n.* דימום אף
nosecone *n.* ראש חץ; חרטום חללית
-nosed *adj.* בעל חוטם-
- snub-nosed בעל חוטם קצר וסולד
nosedive *n.* צלילת מטוס; נפילת מחיר
nosedive *v.* לצלול; ליפול, לצנוח
nose′gay′ (nōz′gā) *n.* צרור פרחים
nosering *n.* חח
nosewheel *n.* גלגל קדמי (במטוס)
nos′ey (nōz′i) *adj.* תוחב אפו
nosey parker תוחב אפו

nosh *n&v.* *אכילה; מזון; נישנוש; לאכול; לנשנש
no-show *n.* שהזמין מקום ולא הופיע
nosh-up *n.* *ארוחה הגונה
nos•tal′gia (-jə) *n.* נוסטאלגיה, געגועים
nos•tal′gic *adj.* נוסטאלגי
nos′tril *n.* נחיר
nos′trum *n.* תרופה; תרופה מפוקפקת
nosy = nosey
not *adv.* לא; אין
- "thanks", "not at all" "תודה", "על לא דבר"
- I think not אני חושב שלא
- I'm afraid not חוששני שלא
- as likely as not קרוב לוודאי
- not a man אף לא אחד
- not at all לגמרי לא
- not but what למרות ש-
- not half *מאוד, ועוד איך!
- not once or twice תכופות
- not only - but also לא רק - אלא גם
- not that לא ש-, איני אומר ש-
- not to say ואולי גם
no′ta be′ne (-be′ni) נ"ב, נכתב בצד
no′tabil′ity *n.* אישיות נכבדה
no′table *adj&n.* נכבד, מצוין, בולט
notably *adv.* בצורה בולטת; במיוחד
no′tarize′ *v.* לאשר ע"י נוטריון
no′tary (public) *n.* נוטריון
no•ta′tion *n.* סימון, תווייה, ציון
notch *n.* חריץ, חתך; דרגה, מדרגה; מעבר צר בין הרים
notch *v.* לחרוץ, לעשות חריץ ב-
- notch up לזכות, לרשום לזכותו
note *n.* הערה, הסבר; פתק; איגרת, מכתב; שטר; תו; נימה, צליל; סימן
- make a mental note לזכור
- person of note אישיות חשובה
- speak without notes לנאום בלי רשימות
- strike a false note לא לקלוע בדבריו, לפרוט על נימה לא נכונה
- strike a hopeful note להביע תקווה
- strike a warning note להזהיר
- strike the right note לקלוע בדבריו, לרכוש לב השומע, לפרוט על המיתר הנכון
- take note of לשים לב ל-
- take notes לרשום
- worthy of note ראוי לתשומת לב
note *v.* לשים לב; להפנות שימת לב; לציין; לרשום לפניו
- note down לרשום
notebook *n.* פנקס; מחברת; מחשב זעיר
- keep a notebook לרשום בפנקס
noted *adj.* ידוע, מפורסם, בעל-שם
notepad *n.* פינקס הערות
notepaper *n.* נייר מכתבים
noteworthy *adj.* ראוי לתשומת לב, חשוב
noth′ing (nuth-) *adv&n.* שום דבר (לא)
- can make nothing of לא מבין כלום
- care nothing לא איכפת כלל
- for nothing בחינם; לשווא
- go for nothing לא שווה כלום
- he has nothing on her אין לו הוכחה

שעברה עבירה; אינו עולה עליה (בחוכמה)

- he's nothing to her אינו שום דבר בעיניה, לא מתייחסת אליו

- in nothing flat *במהירות

- is 6 foot nothing גובהו 6 רגל בדיוק

- nothing but שום דבר לא - מלבד

- nothing for it but אין ברירה אלא

- nothing if not מאוד, ביותר

- nothing less than כמוהו כ-, ממש

- nothing like כלל לא; אין כמו

- nothing near כלל לא, רחוק מכך

- nothing of the kind כלל וכלל לא

- nothing to do with אין שום קשר

- sweet nothings מלות אהבה

- there's nothing in אין אמת ב-

- there's nothing to אין משהו מיוחד ב-, אין קושי ב-

- think nothing of לראות בזה דבר רגיל, לא לייחס לזאת חשיבות

- think nothing of it! בבקשה!

- to say nothing of שלא להזכיר, וכמו כן

nothingness *n.* אינות; ריקנות

no'tice (-tis) *n.* הודעה (מוקדמת), התראה, הודעת פיטורים; מודעה; תשומת-לב; סיקורת, ביקורת

- 2 days' notice הודעה יומיים מראש

- at short notice תוך זמן קצר

- bring to his notice להביא לתשומת ליבו

- came to his notice הובא לידיעתו

- sit up and take notice להתעורר, להתעניין, להיות מופתע

- take notice לשים לב

notice *v.* להבחין, לראות, לשים לב; לסקור, לכתוב ביקורת

noticeable *adj.* ניתן להבחין בו, ניכר

notice board לוח מודעות

no'tifi'able *adj.* שיש להודיע עליו

no'tifica'tion *n.* הודעה

no'tify' *v.* להודיע, להודיע על

no'tion *n.* מושג; דעה, רעיון, אמונה

- has half a notion to נוטה ל-

- notions סדקית, גלנטריה

- take a notion *לעלות על דעתו

notional *adj.* מושגי, דמיוני, תיאורטי

no'tori'ety *n.* פרסום, שם רע

notor'ious *adj.* ידוע (לשמצה)

not'withstand'ing (-widh-) *prep.* למרות, חרף

notwithstanding *adv.* בכל זאת

nou'gat (nōō'-) *n.* נוגאט (ממתק)

nought = naught (nôt) אפס, 0

noughts and crosses איקס מיקס דריקס, טיקטאקטו

noun *n.* שם עצם

nourish (nûr'-) *v.* להזין, לכלכל; לטייב, לדשן; לטפח (תקווה), לנטור

nourishment *n.* מזון

nous *n.* *שכל ישר

nouveau riche (nōō'vōrēsh') נובוריש, עשיר חדש

Nov. = November

no'va *n.* נובה, כוכב הבוהק לפתע

nov'el *adj.* חדש, מוזר

novel *n.* רומאן, סיפור

nov'elette' *n.* נובלה, רומאן

nov'elet'tish *adj.* טיפוסי לנובלות

nov'elist *n.* נובליסט, סופר

no·vel'la *n.* נובלה, רומאן קצר

nov'elty *n.* חידוש; דבר חדש/לא רגיל; חפץ זול, מציאה

Novem'ber *n.* נובמבר

nov'ice (-vis) *n.* טירון

no·vi'ciate (-vish'iit) *n.* טירונות

no·vi'tiate (-vish'iit) *n.* טירונות

now *adv.* עכשיו, עתה; ובכן, הלוא

- as of now עכשיו; מרגע זה

- by now עכשיו, עתה, בשעה זו

- for now בינתיים, לעת עתה

- from now on(wards) מכאן ואילך

- it's now 5 years עברו 5 שנים

- now (that)- לאחר ש-, מאחר ש-

- now - now/then - פעם (כך) ופעם (כך)

- now now, now then ובכן

- now what happened? ובכן מה קרה?

- up to now עד כה, עד עתה

now'adays' (-z) *adv.* כיום, בימינו

no'where' (-wār) *adv.* בשום מקום לא

- $2 goes nowhere בקושי אפשר לקנות משהו ב-2 דולרים

- finish/come in nowhere לא לסיים בין הראשונים (בתחרות)

- get nowhere לא להתקדם, לא להפיק תועלת, לא להצמיח שום טובה

- miles from nowhere "בסוף העולם"

- nowhere near רחוק מ-, כלל לא

- out of nowhere לפתע, מאי-שם

no-win *adj.* שלא ניתן להצליח בו

no'wise' (-z) *adv.* בשום פנים (לא)

nowt (nout) *n.* *שום דבר, לא כלום

nox'ious (-kshəs) *adj.* מזיק, רע

noz'zle *n.* פי צינור, זרבובית

nth (enth) *adj.* של הערך הגבוה ביותר

- for the nth time בפעם המי-יודע כמה

- to the nth degree/power בדרגה הגבוהה ביותר

nu'ance (-äns) *n.* ניואנס, שוני קל, גונית, בן-גון, גוונון

nub *n.* גושיש, גוש קטן; עיקר, תמצית

nu'bile (-bəl) *adj.* בשלה לנישואים

nu'cle·ar *adj.* גרעיני, של גרעין האטום

nuclear disarmament פירוק הנשק הגרעיני

nuclear family משפחה גרעינית, הורים וילדיהם

nuclear fission ביקוע הגרעין

nuclear physics פיסיקה גרעינית

nuclear power מעצמה גרעינית; כוח גרעיני

nuclear warfare לוחמה גרעינית

nu'cle·us *n.* גרעין

nude *adj&n.* ערום, מעורטל; עירום

- in the nude ערום, ללא בגדים

nude beach חוף נודיסטים

nudge *v&n.* לנגוע/לתקוע קלות במרפק; לנוע, להידחק; דחיקת מרפק

nu'dism' *n.* נודיזם, עירום

nu'dist *n.* נודיסט

nudist camp מחנה נודיסטים

nu'dity *n.* עירום, חשפנות

nu'gato'ry *adj.* חסר-ערך

nug'get *n.* גוש (של מתכת גולמית)

nui′sance (nōō′-) *n.* מיטרד; טרדן
- commit no nuisance! אל תשליך פסולת! לא להשתין פה!
- make a nuisance of oneself להטריד
- what a nuisance! איזה נודניק! איזה מצב-ביש!
nuke *v&n.* * (להפעיל) נשק גרעיני
null *adj.* אפסי, חסר-תוקף, בטל
- null and void בטל ומבוטל
nul′lifica′tion *n.* ביטול, איון
nul′lify′ *v.* לבטל, לאיין, לאפס
nul′lity *n.* ביטול, אפסות; חוסר-תוקף; ריקנות; ביטול נישואים
numb (num) *adj.* חסר תחושה, רדום; קופא (מפחד)
numb (num) *v.* לבטל התחושה, להרדים, לאבן
num′ber *n.* מיספר; גיליון (של כתב-עת); קטע, שיר; *נערה; בגד
- Number 10 לשכת/בית רה"מ באנגליה
- a number of מיספר, כמה
- any number of times *המון פעמים
- have his number לעמוד על טיבו
- his number is up הוא אבוד, יומו בא
- hot number *להיט, דבר פופולארי
- is one of our number הוא משלנו
- number one מיספר אחד, מצוין
- numbers חרוזים, משקל; תורת החשבון
- numbers of הרבה, מספר רב של
- opposite number עמית, קולגה
- take care of number one לדאוג לעצמו/לאינטרסים שלו
- times without number פעמים תכופות
- to the number of במספר, שמספרם
- we're 20 in number אנו 20 במספר
- win by force of numbers לנצח עקב עדיפות מספרית
- without/beyond number לאין ספור
number *v.* לְמנות, לספור, להגיע לסך-; להימנות, לכלול; למספר
- number off לקרוא מספרו (במסדר)
number cruncher *טוחן מספרים, מחשב חישובים
numberless *adj.* לאין ספור
number-plate *n.* לוחית מספר; לוחית זיהוי
Numbers *n.* במדבר (חומש)
numbers game *פעולת חישוב, לוטו, עיסוק במספרים
nu′merable *adj.* ספיר, שניתן לספרו
nu′meracy *n.* כישורים מתימטיים
nu′meral *n&adj.* ספרה; מספרי
nu′merate′ *v.* לְמנות, לספור
nu′mera′tion *n.* מיספור, ספירה, סיפרור, נומרציה
nu′mera′tor *n.* ממספר, נומרטור; מונה
nu·mer′ical (nōō-) *adj.* מספרי
nu′merol′ogy *n.* נומרולוגיה, תורת המספרים, גימטרייה
nu′merous *adj.* הרבה, רב
numerus clausus מכסה מוגבלת של חברים
nu′minous *adj.* אלוהי, מעורר יירא
nu′mismat′ics (-z-) *n.* נומיסמטיקה, מדע המטבעות והמדליות, מטבענות
nu·mis′matist (-nōōmiz′-) *n.* נומיסמט, חוקר מטבעות עתיקים, אספן מטבעות, מטבען
num′skull′ *n.* *טיפש, מטומטם
nun *n.* נזירה
nun′cio *n.* שליח האפיפיור, נונציוס
nun′nery *n.* מנזר
nup′tial *adj.* של נישואים
nuptials *n-pl.* כלולות, חתונה
nurse *n.* אחות (בבי"ח); מטפלת; טיפול המטפלת; מטפה, מגן
- male nurse אח, סניטר
- wet nurse מינקת
nurse *v.* להיניק; לינוק; לטפל (בחולה/במחלה); לטפח, לנטור; ללטף
- nurse a grudge לנטור טינה
nurseling = nursling
nursemaid *n.* מטפלת
nur′sery *n.* חדר-ילדים; פעוטון; משתלה
- day nursery פעוטון, גן
nursery governess גננת, מטפלת
nurseryman *n.* בעל משתלה
nursery rhyme שיר ילדים
nursery school גן ילדים
nursing *n.* מקצוע האחות
nursing home בית החלמה
nurs′ling *n.* תינוק; בן-טיפוחים
nur′ture *n.* חינוך, טיפוח, אימון
nurture *v.* לגדל, לכלכל, לטפח, לאמן
nut *n&v.* אגוז; אום; גושיש פחם; *מטורף; משוגע ל-; ראש; אשך
- can't for nuts *כלל לא יכול
- do one's nut *לכעוס
- go nutting לאסוף אגוזים
- hard nut to crack אגוז קשה
- nuts and bolts *דברים יסודיים, עובדות פשוטות; מנגנון המכונה
- off one's nut משוגע, יצא מדעתו
nut-brown *adj.* חום-כהה
nut′case *n.* *משוגע
nutcracker *n.* מפצח אגוזים
nuthouse *n.* *בית משוגעים
nut′meg′ *n.* מין תבלין
nu′tria *n.* (פרוות) נוטרייה
nu′trient *adj.* מזין
nu′triment *n.* מזון
nu·tri′tion (nōōtri-) *n.* מזון, אוכל; תזונה, הזנה
nu·tri′tious (nōōtrish′əs) *adj.* מזין
nu′tritive *adj.* מזין; תזונתי
nuts *adj.* *משוגע
- go nuts *להשתגע, לצאת מדעתו
- nuts about/over משוגע ל-
- nuts! *שטויות! לכל הרוחות!
nutshell *n.* קליפת האגוז
- in a nutshell בקצרה, בכמה מלים
nut′ter *n.* *משוגע, תמהוני
nut′ty *adj.* של אגוזים; *משוגע
nuz′zle *v.* לחכוך בחוטמו, לנגוע באף
NW = northwest
ny′lon′ *n.* ניילון
- nylons גרבי ניילון
nymph *n.* נימפה, יפהפייה; גולם
nymphet′ *n.* *ילדה מושכת, חתיכונת
nym′pho *n.* *נימפומנית, חולת תאווה
nym′phoma′nia *n.* נימפומניה
nym′phoma′niac′ *n.* נימפומנית

O

O אפס, 0; הו, אוי (קריאה)
o' = of של
oaf *n.* גולם, טיפש, מטומטם
oafish *adj.* כמו גולם
oak *n.* אלון
oak apple עפץ (ב"אלון העפצים")
oak′en *adj.* עשוי מעץ אלון
oa′kum *n.* חבלים ישנים, מוך-חבלים
OAP = old age pensioner
oar *n.* משוט
- pulls a good oar יודע לתפוס משוט
- put one's oar in "לתחוב אפו"
- rest on one's oars להפסיק לעבוד
oarlock *n.* בית-משוט, ציר משוט
oarsman (-z-) *n.* משוטאי, תופש משוט
oarsmanship *n.* שייטות, חתירה
oarswoman *n.* משוטאית
o·a′sis *n.* נווה מידבר, נאת מידבר, אואזיס; חווייה מרעננת
oat *n.* שיבולת-שועל
oatcake *n.* עוגת שיבולת-שועל
oath *n.* שבועה; קללה
- on my oath על דברתי, בהן צדקי
- on/under oath בשבועה
- put under oath לחייבו להישבע
- swear/take/make an oath להישבע
oatmeal *n.* קמח שיבולת-שועל
oats *n-pl.* שיבולת שועל; דייסת קוואקר
- be off one's oats לאבד התיאבון
- feel one's oats *להרגיש מלא-חיים
- sow one's wild oats לנהל חיי הוללות (בעודנו צעיר)
ob′bliga′to (-gä-) *n.* אובליגאטו, חובה
ob′duracy *n.* עקשנות
ob′durate *adj.* עקשן
obe′dience *n.* צייתנות, משמעת
- in obedience to בהתאם ל-
obe′dient *adj.* צייתן, ממושמע
- your obedient servant עבדך הנאמן
o·bei′sance (-bā′-) *n.* קידה עמוקה
- make/pay obeisance להרכין ראש
ob′elisk′ *n.* אובליסק, מצבת-מחט; צלבלב מוארך (סימן דפוס)
o·bese′ *adj.* שמן מאוד, בריא בשר
o·bes′ity *n.* שומן, שמנות מרובה
obey′ (-bā′) *v.* לציית, לעשות כנדרש
ob′fuscate′ *v.* לבלבל, להביך, לערפל
ob′fusca′tion *n.* בלבול, ערפול
o′bi *n.* חגורה, אבנט
ob′iter dic′tum הערה צדדית
obit′uar′y (-chooeri) *n.* הודעה על מוות; מודעת אבל
ob′ject′ *n.* דבר, חפץ, אובייקט; גוף, עצם; נשוא; מטרה, יעד; (בתחביר) מושא
- no object לא חשוב, לא גורם מעכב
- object of admiration נושא להערצה
- object of pity מעורר חמלה, מיסכן
object′ *v.* להתנגד, למחות, לערער
object glass עדשת העצם, עצמית
objec′tion *n.* התנגדות; אי-רצון; פגם
- take objection להתנגד
objectionable *adj.* דוחה, לא נעים
objec′tive *adj.* אובייקטיבי, חיצוני, ענייני; (בתחביר) של מושא
objective *n.* מטרה, יעד; אובייקטיב, עצמית, עדשת העצם
ob′jec·tiv′ity *n.* אובייקטיביות
object lens עדשת העצם, עצמית
object lesson שיעור הדגמה; לקח
objec′tor *n.* מתנגד
objet d'art (ob′zhā där′) חפץ אמנותי
ob′jurgate′ *v.* לנזוף, לגעור
ob′jurga′tion *n.* נזיפה, גערה
ob·late′ *adj.* פחוס, משוטח בקטבים
obla′tion *n.* קורבן (לה')
ob′ligate′ *v.* לחייב, לאלץ
- feel obligated לחוש חובה
ob′liga′tion *n.* חובה; חיוב; התחייבות; נדר
- place him under an obligation לחייבו, להטיל עליו חובה (מוסרית)
oblig′ato′ry *adj.* מחייב, הכרחי, כובל, של חובה
oblige′ *v.* לחייב, לאלץ; לעשות טובה
- much obliged to אסיר תודה ל-
- oblige him with להואיל לתת לו
obliging *adj.* אדיב, שש לעזור
oblique′ (-lēk) *adj.* משופע, אלכסוני; עקיף, לא ישיר
oblique angle זווית לא ישרה
oblique stroke קו נטוי, לוכסן
obliq′uity *n.* שיפוע; נטייה; סטייה
oblit′erate′ *v.* למחוק; להשמיד
oblit′era′tion *n.* מחיקה; השמדה
obliv′ion *n.* שכחה; השתכחות
- sink into oblivion להישכח
obliv′ious *adj.* לא חש ב-, שוכח
ob′long (-lông) *n&adj.* מלבן; מלבני
ob′loquy *n.* גנאי, שמצה; גידופים
obnox′ious (-kshəs) *adj.* דוחה, מגעיל
o′boe (-bō) *n.* אבוב (כלי נגינה)
o′bo·ist *n.* אבובן, מנגן באבוב
obscene′ *adj.* גס, של תועבה
obscen′ity *n.* ניבול פה; מעשה מגונה; גסות
obscu′rantism′ *n.* ערפול, טשטוש האמת; שנאת הקידמה
obscure′ *adj.* מעורפל, לא ברור, חשוך, אפל; לא מוכר, אלמוני
obscure *v.* להסתיר, לערפל, לטשטש
obscu′rity *n.* אי-בהירות; אלמוניות
ob′sequies (-kwēz) *n-pl.* טקסי-קבורה
obse′quious *adj.* מתרפס, להוט לשרת
obser′vable (-z-) *adj.* ניכר, ניתן להבחין בו; שראוי לשמרו/לקיימו
obser′vance (-z-) *n.* שמירה, הקפדה, קיום מיצוות; טקס, פעולה פולחנית
obser′vant (-z-) *adj.* שם לב, מבחין, מתבונן; שומר, מקיים, מקפיד
ob′serva′tion (-z-) *n.* שימת לב, התבוננות, השגחה; חוש הסתכלות; תצפית; הערה
- escape observation לעבור מבלי שיבחינו בו, לחמוק מהעין
- under observation תחת עין פקוחה; במעקב, בשמירה
observation car קרון תצפית

observation post עמדת תצפית
obser′vato′ry (-z-) *n.* מצפה כוכבים
observe′ (-z-) *v.* להתבונן, להבחין,
לראות; לשמור, לקיים, להקפיד; להעיר
- observe the 4th of july לחוג את ה-4
ביולי (מדי שנה)
- observe the Sabbath לשמור שבת
observer *n.* מתבונן; שומר; משקיף
observing *adj.* פקוח-עין, שם לב
obsess′ *v.* להציק, להטריד, להדאיג
obses′sion *n.* שיגיון; רעיון מטריד;
דיבוק, אובססיה, שיגעון לדבר אחד
obsessional *adj.* מציק; מוטרד
במחשבות
obses′sive *adj.* שיגיוני, אובססיבי
obsid′ian *n.* אבן וולקנית כהה
ob′soles′cence *n.* התיישנות
ob′soles′cent *adj.* מתיישן, הולך ונעלם
ob′solete′ *adj.* מיושן, לא עוד בשימוש
ob′stacle *n.* מכשול, אבן-נגף
obstacle race מירוץ מכשולים
obstet′ric(al) *adj.* של מיילדות/לידה
ob′stetri′cian (-rish′ən) *n.* מיילד
obstet′rics *n-pl.* מיילדות
ob′stinacy *n.* עקשנות
ob′stinate *adj.* עקשן
obstrep′erous *adj.* מרעיש; מתפרע
obstruct′ *v.* לחסום; להסתיר, להפריע;
להערים מכשולים, להקשות
- obstruct justice לשבש הליכי משפט
obstruc′tion *n.* מכשול; הפרעה, חבלה;
שיבוש; חסם
obstructionism *n.* הפרעה שיטתית
obstructionist *n.* מפריע, מחבל
obstruc′tive *adj.* מפריע, עוצר
obtain′ *v.* לקבל, לרכוש, להשיג; (לגבי
מנהג) להיות קיים/רווח/שולט
obtainable *adj.* ניתן לרכישה
obtrude′ *v.* להתפרץ, להידחק; לכפות
obtru′sive *adj.* מתפרץ, נדחק
obtuse′ *adj.* קהה; טיפש, מטומטם
obtuse angle זווית קהה
ob′verse *n.* פני המטבע, צד (המדליה)
העיקרי; החלק המיועד להצגה
ob′viate′ *v.* להסיר, לסלק, להיפטר מ-
- obviate a danger לקדם פני סכנה
ob′vious *adj.* ברור; פשוט
obviously *adv.* ברור, אין ספק ש-
oc′ari′na (-rē′-) *n.* אוקרינה (כלי נגינה)
occa′sion (-zhən) *n.* הזדמנות, מקרה;
אירוע; סיבה ישירה; עילה, צורך
- no occasion for- זמן לא מתאים ל-
- no occasion to- אין סיבה ל-,
אין צורך ל-
- occasions עיסוקים, עניינים
- on occasion לפעמים; בעת הצורך
- on one occasion פעם, במקרה מסוים
- on the occasion of לרגל, בשעת
- on this occasion בזמן/במקרה זה
- rise to the occasion להתמודד יפה עם
הבעיה; להפגין כישורים הולמים למצב
- sense of occasion חוש הבחנה בין
מקרים/מצבים מיוחדים
- take this occasion לנצל ההזדמנות
occasion *v.* לגרום, להמיט, להסב
occasional *adj.* מקרי, מדי פעם, לא
קבוע; שחובר או נועד למקרה מיוחד
occasionally *adv.* לפעמים
Oc′cident *n.* המערב, אירופה ואמריקה
oc′ciden′tal *n&adj.* מערבי
occlude′ *v.* לסתום, לסגור; לספוג
occult′ *adj.* סודי, ליודעי ח"ן בלבד,
על-טבעי, מאגי, מסתורי
- the occult תורת הנסתר
oc′cu·pancy *n.* דיור, מגורים, היאחזות
oc′cu·pant *n.* דייר, שכן, מתנחל
oc′cu·pa′tion *n.* כיבוש, השתלטות;
ישיבה, חזקה; עבודה, מקצוע; תעסוקה
- army of occupation צבא כיבוש
occupational *adj.* מקצועי, של עבודה
occupational hazard סיכון מקצועי
occupational therapy ריפוי בעיסוק
oc′cu·pi′er *n.* דייר, שכן; מתנחל
oc′cu·py′ *v.* לכבוש, להחזיק; לגור, לדור;
לתפוס, לגזול (זמן); להעסיק
- be occupied להיות עסוק/שקוע ב-
- occupied territory שטח כבוש
- occupy a position למלא משרה
- occupy the mind להעסיק את המוח
occur′ *v.* לקרות, להתרחש, להופיע
- it occurred to him חשב, חלף במוחו
occurrence *n.* מיקרה, מאורע, היקרות
- of rare occurrence נדיר
o′cean (-shən) *n.* אוקיינוס
- ocean lane נתיב ימי
- oceans of *המון, הרבה
ocean-going *adj.* להפלגה ימית
o′ce·an′ic (-sh-) *adj.* אוקיינוסי
o′ceanog′raphy (-shən-) *n.*
אוקיינוגרפיה, מחקר האוקיינוסים
oc′elot′ *n.* החתול המנומר
o′chre, o′cher (-kər) *n&adj.* אוכרה;
(חומר-צבע) חום-צהוב
o′clock′ (əklok′) *adv.* השעה, בשעה
- at 2 o'clock בשעה 2
Oct. = October
oc′tagon′ *n.* אוקטגון, מתומן, משומן
oc·tag′onal *adj.* מתומן-צלעות
oc′tane *n.* אוקטאן (ממרכיבי הבנזין)
oc′tave *n.* אוקטבה; שמיניה; 2 הבתים
הראשונים בסונטה)
oc·ta′vo *n.* אוקטבו, שמינית (גיליון)
oc·tet′ *n.* אוקטט, תמנית (8 נגנים)
Oc·to′ber *n.* אוקטובר
oc′togena′rian *n.* בן 80
oc′topus *n.* תמנון
oc′tosyllab′ic *adj.* בעל 8 הברות
oc′troi′ (-rwä′) *n.* אוקטרואה (מס)
oc′u·lar *adj.* של העיניים, של ראייה
ocular *n.* אוקולר, עינית, עדשת העין
oc′u·list *n.* אוקוליסט, רופא עיניים
OD *v&n.* (לקחת) מנת יתר (סם)
od′alisque′ (-lisk) *n.* שפחה, פילגש
odd *adj.* מוזר; בודד (מתוך סדרה); לא
קבוע, מזדמן; עודף, נשאר; ויותר
- 40-odd ארבעים ויותר
- odd man out מיותר, ללא בן-זוג; לא
מתערה בחברה, מתבדל
- odd number פרד, פרט, מספר לא-זוגי
- odd pieces חפצים שונים, שאריות
- odd shoe נעל אחת (כשהשנייה חסרה)
oddball *n.* *טיפוס מוזר

odd′ity *n.* מוזרות; דבר משונה
oddly *adv.* בצורה משונה
- oddly enough מוזר למדי
odd′ment *n.* שארית, שיור, חפץ נותר
odds *n-pl.* סיכויים, הסתברות; תנאי-הימור; אי-שוויון, יתרונות
- against all the odds כנגד כל הסיכויים
- at odds במחלוקת, חלוקים
- by all odds ללא ספק, לבטח
- give odds לתת מיקדם ("פור")
- it makes no odds לאו נפקא מינה
- lay odds להציע יתרון, להתערב, להמר
- odds and ends שאריות, חפצים שונים
- shorten the odds לשפר הסיכויים
- what's the odds? מאי נפקא מינה?
odds-on *adj.* בעל סיכויים (לנצח)
ode *n.* אודה, שיר-תהילה
o′dious *adj.* נתעב, דוחה, שנוא
o′dium *n.* שנאה, שמצה, שם רע
- expose to odium להוקיע ברבים
o·dom′eter *n.* מד-רחק
o′don·tol′ogy *n.* אודונטולוגיה, רפואת שיניים
o′dor *n.* ריח; צחנה; שם, אהדה
- in bad odor לא נושא חן (בעיני)
o′dorif′erous *adj.* ריחני
odorless *adj.* נטול-ריח
o′dorous *adj.* ריחני
od′yssey *n.* אודיסיאה, מסע הרפתקאות
oecumenical = ecumenical
Oed′ipus complex (ed-) תסביך אדיפוס
o'er = over (ôr)
oesophagus = esophagus
oestrogen = estrogen
oeuvre (ûv′rə) *n.* יצירות אמנות, עבודות
of (ev, ov) *prep.* מן; של, בעל-, על; ב-
- a quarter of seven רבע לשבע
- beloved of all אהוב על הכל
- fear of God יראת שמיים
- fool of a man טיפש, ממש טיפש
- how kind of him כמה נאה מצידו
- of an evening בערבים
- of itself מעצמו, לבד
- short of money דחוק בכסף
- the four of us ארבעתנו
- what of- מה בנוגע-
off (ôf) *prep.* מן, מעל, הלאה מ-, במרחק-
- I'm off smoking נגמלתי מעישון
- a street off the main road כביש המסתעף מהדרך הראשית
- off one's food חסר תיאבון
- off the coast מול/במרחק מה מהחוף
- off the subject סוטה מהנושא
off *adj&adv.* הלאה, במרחק, מכאן, מהמקום; מכובה, מנותק; בטל; ימני
- I'm off אני זז, אני הולך
- have it off להסיר זאת
- it's a bit off לא בסדר, לא יאה
- off and on מדי פעם, לא בקביעות
- off chance סיכוי קלוש, שמץ תקווה
- off with his head התיזו ראשו!
- off you go! קדימה! זוז! לך!
- right/straight off מיד, כהרף עין
- take time off לעשות פסק-זמן
- the fish is off הדג מקולקל
- the off season העונה המתה/החלשה
- the off wheel הגלגל הימני
- the runners are off הרצים יצאו לדרך
- this is one of my off days תפס אותי יום חלש
- voices/noises off קולות מאחורי הקלעים
- well off עשיר, מבוסס
- with shoes off בלא נעליים, יחף
- worse off במצב יותר גרוע
of′fal *n.* פסולת; חלקי הבהמה שאינם למאכל (לב, ראש)
off-beat *adj.* *לא רגיל, לא מקובל
off-day *n.* *יום חלש, יום ביש-מזל
offence′ = offense עבירה, פשע
offend′ *v.* להעליב; לעבור על, להפר
- offend against the law להפר חוק
- offend the eye להוות מפגע לעין, להרגיז, לגרום אי נוחות לצופה
offender *n.* עבריין, עובר על החוק
- old offender עבריין ותיק/מוּעָד
offense′ *n.* עבירה, פשע; עלבון, פגיעה; מטרד; פגע; התקפה
- cause/give offense לפגוע; להעליב
- take offense at להיפגע, להיעלב מ-
offenseless *adj.* לא מעליב
offen′sive *adj.* דוחה; פוגע; מיתקפי
- offensive language לשון גסה
offensive *n.* אופנסיבה, מיתקפה
- peace offensive מתקפת שלום
- take the offensive לפתוח במתקפה
offensiveness *n.* פגיעה; תוקפנות
of′fer *v.* להציע, להגיש; להביע רצון/נכונות; לנסות; להזדמן, לקרות
- as occasion offers לפי ההזדמנות
- offer a prayer להתפלל, להודות לאל
- offer a sacrifice להקריב קורבן
- offer battle להתגרות מלחמה
- offer itself להזדמן, לבוא, להיקרות
- offer one's hand לבקש את ידה; להושיט ידו לשלום
- offer resistance לגלות התנגדות
offer *n.* הצעה; נסיון; הבעת נכונות
- make me an offer נקוב הצעת מחיר
- on offer מוצע למכירה
offering *n.* הצעה; מתנה; תרומה; קורבן
- peace offering מתנת פיוס (לסולחה)
of′ferto′ry *n.* (בכנסייה) כספי תרומות; תפילת תרומות, איסוף תרומות
off-hand *adv&adj.* כלאחר יד, בלי שיקול דעת, מניה וביה; מיד; חסר-נימוס
off-handed *adj.* כלאחר יד
of′fice (-fis) *n.* משרד, לשכה; משרד ממשלתי; תפקיד, כהונה; חדר-שירות
- enter upon office להיכנס לתפקיד
- good offices שירותים, עזרה אדיבה
- hold office לכהן בתפקיד
- in (out of) office (לא) בשלטון
- office work עבודה משרדית
- perform the last offices לערוך טקס האשכבה
office-bearer *n.* מכהן בתפקיד
office block בניין משרדים
office boy נער שליח, חניך במשרד
office-holder *n.* מכהן בתפקיד

of'ficer *n.* קצין; פקיד, ממונה; שוטר
offi'cial (-fish'əl) *n.* פקיד
official *adj.* רישמי; פקידותי; סמכותי
officialdom *n.* פקידות; הפקידים
offi'cialese' (-fishəlēz') *n.* שפת פקידים
officially *adv.* רישמית, באופן רישמי
official receiver כונס נכסים
offi'ciate' (-fish'iāt) *v.* לשמש, לכהן, למלא תפקיד; לערוך טקס
offi'cious (-fish'əs) *adj.* להוט להציע שירותיו, משיא עצות, מתערב
off'ing (ôf-) *n.* אופק הים, מרחקי הים
- in the offing באופק, עומד להתרחש
off'ish (ôf-) *adj.* עומד מנגד, צונן
off-key *adj.* לא הוגן, לא יאה, משונה
off-limits *adj.* מחוץ לתחום
off-line *adj.* לא מקוון (מחשב)
off-load *v.* לפרוק, להוריד
off-peak *adj.* (עונת) שפל, לא שיא
off-print *n.* תדפיס
off-putting *adj.* מביך; דוחה, לא-נעים
off-scourings *n-pl.* פסולת; חלאה
off'set' (ôf-) *n.* אופסט (בהדפסה); קיזוז
offset *v.* לפצות, לקזז, לאזן
off'shoot' (ôf'shōōt) *n.* נצר, חוטר; ייחור; ענף
off-shore *adj.* מן החוף, מכיוון היבשה, לעבר הים; הרחק מהחוף; לחו"ל
off'side' (ôf-) *adj.* נבדל; ימני (בבריטניה)
off'spring' (ôf-) *n.* בן, צאצאים, שגר
off-stage *adj.* מאחורי הקלעים
off-street *adj.* ברחובות צדדיים
off-the-cuff *adj.* מהשרוול, מאולתר
off-the-peg/-rack *adj.* (בגד) מוכן
off-the-record *adj.* שלא לפרסום, לא לרישום בפרוטוקול
off-the-wall *adj.* מוזר, לא שגרתי
off-white *adj.* לבנבן, לא צחור לחלוטין, לבן-אפור, לבן-צהוב
oft = often (ôft)
of'ten (ôf'ən) *adv.* תכופות, פעמים רבות
- as often as כל אימת ש-
- as often as not ברוב המקרים
- every so often מדי פעם
- how often? באיזו תדירות?
- more often than not ברוב המקרים
- often as- למרות שלעיתים קרובות-
o'gle *v&n.* לנעוץ מבט, לקרוץ, ללטוש עין; קריצת-עין
o'gre (-gər) *n.* מפלצת, ענק אוכל-אדם
o'greish (-gərish) *adj.* מפלצתי
o'gress *n.* אישה-מפלצת
oh (ō) *interj.* או! הוי! (קריאה)
ohm (ōm) *n.* (בחשמל) אוהם, אום
o·ho' *interj.* אוהו! (קריאה)
oik *n.* *אדם דוחה, אידיוט
oil *n&v.* שֶמֶן; נפט; לשמן; למרוח שמן
- oil his palm לשחדו
- oil the wheels לשמן הגלגלים, לגלגל העניינים
- oils צבעי שמן
- pour oil on the flame להוסיף שמן למדורה, להחריף את המצב
- pour oil on troubled waters להשכין שלום, ליישב מחלוקת
- smells of (midnight) oil נושא סימני-שקדנות, עשו בו לילות כימים
- strike oil למצוא נפט; להתעשר לפתע
oil-bearing *adj.* (אדמה) מכילה נפט
oil-burner *n.* פתילייה; מנוע-נפט; ספינה מונעת בנפט
oil-cake *n.* כוספה (מזון-בהמות)
oil-can *n.* אסוך (לסיכת מכונות)
oil-cloth *n.* שעוונית; לינוליאום
oil-colors *n-pl.* צבעי-שמן
oiled *adj.* שתוי, בגילופין
oiler *n.* מיכלית; אסוך (לסיכה)
oil-field *adj.* שדה-נפט
oil-fired *adj.* (תנור) פועל על נפט
oilman *n.* שַמָן, מוכר שמנים
oil painting ציור שֶמֶן
- no oil painting לא יפהפה
oil-paper *n.* נייר-שֶמֶן
oil-rig *n.* מתקן-קידוח (לנפט, בים)
oil-skin *n.* מעיל גשם; בד חסין-מים
oil slick שכבת נפט על הים
oil tanker מיכלית, מכלית-נפט
oil well באר נפט
oily *adj.* שַמְנִי, שמנוני; רווי-שמן; מחליק-לשון, חנפן
oink *n&v.* נחירת-חזיר; לנחור
oint'ment *n.* משחה, משחת-עור
o·ka'pi (-kä-) *n.* אוקאפי (חיה)
o·kay', OK *adv&n.* אוקיי, בסדר, טוב, נכון; אישור
okay, OK *v.* לאשר, לתת אוקיי
o'kra *n.* במיה (ירק-מאכל)
old (ōld) *adj.* בן-, בגיל-; מבוגר; זקן, קשיש; ישן; ותיק; של העבר; משומש
- Old Glory הדגל האמריקאי
- Old Nick/Harry/Scratch השטן
- Old Testament התנ"ך
- Old World העולם הישן; אירופה
- an old one בדיחה ידועה
- any old thing *כל דבר שהוא
- grow/get old להזקין; להתיישן
- have a fine old time *לבלות, ליהנות
- of old שבעבר, מימי קדם
- of the old school מהאסכולה הישנה
- old age זיקנה
- old age pension קצבת זיקנה
- old and young מנער ועד זקן
- old as the hills ישן מאוד
- old boy תלמיד ביה"ס בעבר; חבר!
- old country מולדת, ארץ המוצא
- old fogy מיושן, מאובן-דיעות
- old friend ידיד ותיק
- old girl בוגרת ביה"ס; *קשישה
- old guard הגוורדיה הישנה
- old man *בעל; אב; קברניט; חבר!
- old master (יצירה של) צייר נודע
- old school tie עניבת ביה"ס; רגש סולידריות בין בוגרי בי"ס
- old wives' tale סיפורי סבתא
- old woman/lady *אישה, אם
- the old הזקנים, הישישים
old-clothesman *n.* סמרטוטר
old'en (ōld'-) *n.* ישן; של העבר
old-fashioned *adj.* מיושן; שמרני
old fashioned קוקטייל ויסקי
oldish *adj.* ישן במקצת

old-maidish *adj.* מתנהג כבתולה זקנה
old stager מנוסה (בפעילות מסוימת)
old′ster (ōld′-) *n.* זקן, קשיש
old-time *adj.* של העבר, עתיק, ישן
old timer ותיק; זקן
old-womanish *adj.* מתנהג כזקנה
old-world *adj.* של ימים עברו; אירופי
o′le·ag′inous *adj.* שַמְנִי, מפיק שמן
o′le·an′der *n.* הרדוף (שיח)
o′le·ograph′ *n.* תמונת שמן (מודפסת)
o′le·o·mar′garine (-jərin) *n.* מרגרינה (צמחית)
ol·fac′tory *adj.* של חוש הריח
ol′igarch′ (-k) *n.* אוליגרך
ol′igar′chy (-ki) *n.* אוליגרכיה, שלטון מיעוט רב-כוח
ol′igop′oly *n.* תחרות מוגבלת
ol′ive (-liv) *n&adj.* זית; זיתי, זיתני
- hold out an olive branch להראות נכונות לדון בהשכנת שלום
olive drab ירוק-זיתי (למדים)
olive oil שמן זית
Olym′piad′ *n.* אולימפיאדה
Olym′pian *adj.* אולימפי; כאליל יווני
Olympian calm שלווה אולימפית
Olym′pic *adj.* אולימפי
Olympics *n.* המשחקים האולימפיים
O·man′ *n.* עומן
om·buds′man (-z-) *n.* אומבודסמן
o·meg′a *n.* אומגה (אות)
om′elet, om′elette *n.* חביתה
o′men *n&v.* אות, סימן לבאות; לבשר
- bad omen מבשר רע
om′inous *adj.* מהווה סימן רע, מאיים
omis′sion *n.* השמטה; אי-עשייה, מחדל
omit′ *v.* להשמיט, לפסוח; לזנוח
- not omit to do it לעשות זאת
om′nibus′ *n.* קובץ, כתבי-סופר; אוטובוס
om′nidirec′tional (אנטנה) כל-כיוונית
om′nifar′ious (-fer-) *adj.* רב-גוני
om·nip′otence *n.* יכולת אינסופית
om·nip′otent *adj.* כל-יכול, כביר כוח
- the Omnipotent אלוהים
om′nipres′ent (-z-) *adj.* מלא עולם, שוכן בכל מקום
om·nis′cience (-nish′əns) *n.* ידיעת הכל
om·nis′cient (-nish′ənt) *adj.* יודע הכל
om·niv′orous *adj.* אוכל הכל, זולל הכל; קורא הכל, תולעת ספרים
on *prep.* על, ב-; לכיוון; על-יד; מ-
- (on) Monday ביום שני
- I have something on him יש לי מידע נגדו
- I've no money on me אין עמי כסף
- a drink on me משקה על חשבוני
- just on קרוב מאוד ל-, כמעט
- on a committee חבר בוועדה
- on seeing her, I- בראותי אותה-
- on time בזמן
on *adj&adv.* קדימה, הלאה; עליו; פועל, פתוח, דלוק; נמשך; מתרחש
- and so on וכן הלאה, וכו׳
- be on about לדון ב-, לקשקש
- be on at *לנדנד, לרטון כלפי
- be on to להיות מודע ל-, להבין
- on and off לסירוגים, מפעם לפעם
- on and on ללא הפוגה, בלי הפסק
- she had nothing on היתה ערומה
- with his hat on כשהוא חבוש כובע
- work on להמשיך לעבוד
once (wuns) *adv&conj.* פעם אחת; פעם, בעבר; ברגע ש-, אם אך-
- all at once פתאום
- at once מיד, ללא דיחוי; בעת ובעונה אחת, באותו זמן, בו-זמנית
- just the once, for once אך הפעם
- not/never once אף לא פעם
- once I see him ברגע שאראה אותו
- once a week אחת לשבוע, פעם בשבוע
- once and again לפעמים, מדי פעם
- once in a while לפעמים, מדי פעם
- once or twice פעם - פעמיים
- once upon a time פעם אחת (היה-)
once-over *n.* מבט חטוף/בוחן
on·col′ogy *n.* אונקולוגיה, טיפול בגידולים
on′coming (-kum-) *adj.* מתקרב, קָרֵב
oncoming *n.* התקרבות, ביאה, הגעה
one (wun) *adj&n.* אחד, 1; מסוים; ראשון, א׳; אדם, כל אחד
- I, for one אני למשל, לדידי
- a right one *טיפש
- as one man כאיש אחד
- be (at) one with להיות תמים דעים
- be made one להתחתן
- be one up להיות בעמדת יתרון
- by ones and twos מעט מעט, אחדים מדי פעם
- for one thing קודם כל, דבר ראשון
- he's a one! הוא נועז!
- in one גם יחד, בבת אחת; *במכה אחת
- it's all one היינו הך, אין הבדל
- like one dead כמו מת
- number one עצמו, האינטרסים שלו
- of one mind with תמים-דעים עם
- one and all כולם, כל אחד
- one and the same אותו ממש
- one by one אחד אחד
- one could see אפשר היה לראות
- one day יום אחד, באחד הימים, אי-פעם
- one half חצי
- one or two כמה, אחדים
- the book is a good one הספר טוב
- the one (that) זה ש-, האיש אשר
- the ones (that) אלו ש-, אלה אשר
- which one? איזה?
one-armed *adj.* בעל זרוע אחת, גידם
one-armed bandit מכונת הימורים
one-eyed *adj.* בעל עין אחת
one-horse *adj.* רתום לסוס אחד
- one-horse town עיר קטנה/משעממת
one-idea′d *adj.* שיגיוני, שוגה ברעיון
o·nei′roman′cy (-nī-) *n.* פתרון חלומות
one-legged *adj.* בעל רגל אחת
one-liner *n.* משפט קצר (וקולע)
one-man *adj.* של איש אחד
one-man band תזמורת בת אדם אחד
one-night stand מופע חד-פעמי
one-off *adj.* חד-פעמי
one-parent *adj.* חד-הורי

one-piece *adj.* (בגד ים) מחלק אחד
on′erous *adj.* מכביד, מעיק, כבד
oneself′ (wunself′) *pron.* (את/ל-) עצמו
one-sided *adj.* חד-צדדי; לא הוגן
one-step *n.* וָן-סטפ (ריקוד)
one-time *adj.* לשעבר, בעבר
one-to-one *adj.* אחד לאחד
one-track *adj.* בעל נתיב אחד
one-track mind מוח מוגבל (השוגה בנושא אחד)
one-up′manship (wun-) *n.* אמנות רכישת יתרון, הקדמת היריב
one-way *adj.* חד-סטרי; לכיוון אחד
on′go′ing *adj&n.* ממשיך; התקדמות
on′ion (un′yən) *n.* בָּצָל
- knows his onions חכם, בעל ניסיון
on-line *adj.* מקוון (מחשב)
on′look′er *n.* צופה, משקיף, מתבונן
o′nly *adj&adv&conj.* יחיד; אך ורק, בלבד, גרידא; רק, אלא ש-, דא עקא
- an only son בן יחיד
- one and only האחד והיחיד
- only just בקושי; לפני רגע, זה עתה
- only too- מאוד, ביותר, בהחלט
- the only היחיד; הכי טוב
o.n.o. = or near offer
on′omat′opoe′ia (-pē-) *n.* אונומטופיה (שימוש במלים המחקות צלילים)
on′rush′ *n.* הסתערות, נהירה, זרימה
on-screen *adj.* על הצג, על המסך
on′set′ *n.* התקפה; התחלה
on′shore′ *adj&adv.* לעבר החוף; קרוב לחוף
on′side′ *adj&adv.* לא בעמדת נבדל
on′slaught′ (-lôt) *n.* התקפה, הסתערות
on′stream′ *adv.* בייצור
on-the-job *adj.* תוך כדי עבודה
on′to (-tōō) *prep.* אל, על
on·tol′ogy *n.* חקר ההוויה
o′nus *n.* אחריות, נטל, משא; אשמה
- put the onus onto לטפול האשמה על
- the onus of proof rests with חובת ההוכחה רובצת על, עליו הראיה
on′ward *adj&adv.* מתקדם; קדימה
onwards *adv.* קדימה, הלאה; אילך
on′yx *n.* אנך, שוהם, קווארץ צבעוני
oo′dles (-lz) *n-pl.* *המון, הרבה
oof (ōōf) *n.* *כסף
oomph *n.* *מרץ, סקס-אפיל
oops *interj.* *אוף! אויה!
ooze *n.* בוץ (בקרקע הנהר)
ooze *v.* לטפטף, לזוב באיטיות
- ooze away לפוג, להימוג
- oozing life שותת דם עד מוות
oo′zy *adj.* בוצי, נוזל
op = operation, opera, opus
o·pac′ity *n.* אטימות, אי-שקיפות
o′pal *n.* לֶשֶׁם (אבן יקרה), אוֹפָּל
o′pales′cent *adj.* מַבהיק (בשלל-צבעים)
o·paque′ (-pāk) *adj.* אטום, לא שקוף
op art אמנות אופטית
op. cit. שם, במקום המצוטט
ope *v.* לפתוח
o′pen *adj.* פתוח; גלוי; כן, הוגן
- in open court בדלתיים פתוחות
- lay oneself open to לחשוף עצמו ל-
- open air תחת כיפת השמיים, חוץ
- open boat סירה פתוחה (ללא גג)
- open book כספר הפתוח, גלוי, ברור
- open car מכונית פתוחה (ללא גג)
- open check שיק לא משורטט
- open city עיר פרוזות
- open country שדה פתוח, שטח נרחב
- open door policy מדיניות הדלת הפתוחה, סחר חופשי
- open hands יד פתוחה, נדיבות
- open letter מכתב גלוי
- open mind ראש פתוח, רחב-אופק
- open question שאלה תלויה ועומדת
- open river נהר לא חסום בקרח
- open sandwich פרוסה מרוחה במשהו
- open season עונה מותרת בציד
- open secret סוד גלוי
- open sesame! שער - היפתח! (סיסמה)
- open shop מפעל פתוח (גם לפועלים לא-מאוגדים)
- open to פתוח ל-, לא מוגן מפני-
- open town עיר חופשית
- open university אוניברסיטה פתוחה
- open winter חורף מתון (שאינו מאלץ להסתגר בבית)
- the job is open המשרה פנויה
- with open arms בזרועות פתוחות
- with open eyes בעיניים פקוחות
open *v.* לפתוח; להיפתח; להתחיל
- open fire לפתוח באש
- open his eyes לפקוח את עיניו
- open one's eyes לפעור עיניים בתדהמה
- open one's heart לשפוך ליבו
- open one's mind לגלות דיעותיו
- open out להיפתח; לדבר בחופשיות; להיגלות לעין; לפתוח; לפתח
- open up לפתוח; להיפתח; לפתוח באש; להגביר מהירות; לאפשר את פיתוחו
open *n.* חוץ, תחת כיפת השמיים
- come out into the open לפרסם; להיגלות לציבור (דיעות)
open-air *adj.* בחוץ, תחת כיפת השמיים
open-and-shut *adj.* ברור, מפורש
open-armed *adj.* בזרועות פתוחות
open-cast *adj.* (פחם) ממרבץ עליון
open day יום פתוח (לביקורים)
open-ended *adj.* שמטרתו הסופית לא נקבעה מראש, שלא הוגבל בזמן
opener *n.* פותחן; פותח
open-eyed *adj&adv.* פעור-עיניים, נדהם; פקוח-עין, ער; בעיניים פקוחות
open-handed *adj.* שידו רחבה, נדיב
open-hearted *adj.* גלוי-לב; נדיב-לב
open-heart surgery ניתוח-לב פתוח
open house בית פתוח (למבקר)
opening *adj.* ראשון, פותח
opening *n.* פתיחה; פתח, פרצה; משרה פנויה; הזדמנות, סיכוי
opening night ערב בכורה (של הצגה)
opening time שעת הפתיחה
openly *adj.* גלויות, בפרהסיה
open market שוק פתוח, שוק חופשי
open-minded *adj.* רחב-אופק, נכון להקשיב; פתוח לדיעות חדשניות
open-mouthed *adj.* פעור פה

openness *n.* פתיחות
open-top *adj.* (מכונית) פתוחת גג
open-work *n.* מעשה-רשת
openwork stockings גרבי רשת
op′era *n.* אופרה
op′erable *adj.* נתיח, ניתן לניתוח
opera cloak שכמיית ערב
opera glasses משקפת תיאטרון
opera hat מגבע מתקפל
opera house בית האופרה
op′erate′ *v.* לפעול; להפעיל; לתפעל; לנתח
op′erat′ic *adj.* של אופרה
operating system מערכת הפעלה
operating table שולחן ניתוחים
operating theater חדר ניתוחים
op′era′tion *n.* פעולה; תפעול; מבצע (צבאי); ניתוח
- come into operation להתחיל לפעול
- in operation מופעל, בפעולה
- military operation מבצע צבאי
operational *adj.* מבצעי; תפעולי; אופרטיבי; בפעולה, מוכן לשימוש
operational research מחקר תפעולי
op′era′tive *n.* פועל, פועל מכונה
operative *adj.* תקף, בתוקף, פועל, משפיע; חשוב, משמעותי; ניתוחי, כירורגי
op′era′tor *n.* מפעיל, פועל; טלפונאי, מרכזנית; *אדם יעיל, מצליח
op′eret′ta *n.* אופרטה, אופרית
oph·thal′mia *n.* דלקת העין
oph·thal′mic *adj.* של העיניים
oph′thal·mol′ogist *n.* רופא עיניים
oph′thal·mol′ogy *n.* אופתלמולוגיה, תורת מחלות העיניים
oph·thal′moscope′ *n.* אופתלמוסקופ (מכשיר לבדיקת העין)
o′piate *n.* סם שינה, סם מרגיע
o·pine′ *v.* לחשוב ש-, להביע דיעה
opin′ion *n.* דיעה, השקפה; דעת-הקהל; חוות-דעת, עצה מקצועית
- act up to one's opinions לנהוג לפי השקפותיו
- be of the opinion that לסבור ש-
- high opinion הערכה, דיעה חיובית
- in my opinion לדעתי
- in the opinion of לדעת-
- public opinion דעת הקהל
opin′iona′ted *adj.* עקשן, דוגמאטי
opin′iona′tive *adj.* עקשן, דוגמאטי
opinion poll משאל דעת הקהל
o′pium *n.* אופיום
opium den מאורת סמים
opos′sum *n.* אופוסום (חיית-כיס)
oppo′nent *n.* יריב
op′portune′ *adj.* מתאים, ברגע הנכון, בעיתו
op′portu′nism′ *n.* אופורטוניזם, סתגלנות
op′portu′nist *n.* אופורטוניסט
op′portu′nity *n.* הזדמנות, שעה נוחה
oppose′ (-z) *v.* להתנגד; להעמיד מול
- as opposed to בניגוד ל-
- be opposed to להתנגד ל-
op′posite (-zit) *adj&n.* נגדי; ממול; הפוך; מנוגד; ניגוד, היפך

op′posi′tion (-zi-) *n.* התנגדות, ניגוד; עימות; אופוזיציה
- in opposition בניגוד, בעימות
oppress′ *v.* לדכא; לרדות; להעיק
- feel oppressed להיתקף דכדוך; לחוש מועקה
oppres′sion *n.* דיכוי; לחץ; מועקה
oppres′sive *adj.* מדכא, של דיכוי; מעיק
oppres′sor *n.* עריץ, רודן
oppro′brious *adj.* מעליב, פוגעני, מביש
oppro′brium *n.* עלבון, בושה, גידוף
ops = operations מבצעים צבאיים
opt *v.* לבחור, לברור, להעדיף
- opt out of לבחור שלא לקחת חלק ב-
op′tative *adj.* מביע משאלה
op′tic *adj.* אופטי, של הראייה, של העין
op′tical *adj.* אופטי, ראייתי, חזותי
optical art אמנות אופטית
optical illusion אילוזיה, תופעה אופטית
op·ti′cian (-tish′ən) *n.* אופטיקאי
op′tics *n-pl.* אופטיקה, תורת האור
op′timal *adj.* אופטימלי, נוח ביותר
op′timism′ *n.* אופטימיות
op′timist *n.* אופטימיסט
op′timis′tic *adj.* אופטימי
op′timize′ *v.* לעשותו מיטבי
op′timum *adj.* אופטימלי, מיטבי
op′tion *n.* אופציה; ברירה, בחירה
- had no option לא נותרה לו ברירה
- leave one's options open לא להתחייב, להשאיר אופציות פתוחות
- option of a fine ברירת קנס
optional *adj.* של בחירה, לא חובה
op·tom′etrist *n.* אופטומטראי, מומחה להתאמת משקפיים
op′u·lence *n.* עושר, שפע
op′u·lent *adj.* עשיר, שופע
o′pus *n.* אופוס, מיצור, קומפוזיציה
- magnum opus פאר יצירתו
or *conj.* או; או ש-, וָלא
- a day or two יום - יומיים
- or else וָלא, פן; אוי ואבוי לך!
- or so בערך, בסביבות
- somewhere or other איפשהו
or′acle *n.* אוראקל, הכוהן המשיב לשאלות; אורים ותומים, בר-סמכא
- work the oracle להשפיע מאחורי הקלעים, להצליח בדבר קשה
orac′u·lar *adj.* נבואי, כמו אוראקל; סתום, לא ברור
or′al *adj&n.* שבעל-פה; בפה; אוראלי, של הפה; בחינה בעל-פה
orally *adv.* על-פה; דרך הפה
or′ange (-rinj) *n&adj.* תפוז; כתום
or′angeade′ (-jād) *n.* מיץ תפוזים, אורנג'דה
orange peel קליפת התפוז
orang′utan′ *n.* אורנג-אוטנג (קוף)
o·rate′ *v.* לנאום
o·ra′tion *n.* נאום
- funeral oration הספד
or′ator *n.* נואם
or′ator′ical *adj.* של נואם; של נאום
or′ator′io′ *n.* אורטוריה
or′ato′ry *n.* בית תפילה (קתולי); תורת

הנאום, רטוריקה
orb *n.* גרם-שמיים; כדור מעוטר נושא צלב (סמל המלך); עין
or·bic'u·lar *adj.* עגול, טבעתי, כדורי
or'bit *n.* מסלול (של כוכב/לוויין); טווח פעולה, תחום השפעה; ארובת העין
- go into orbit להיכנס למסלול; להתלקח
or'bit *v.* לשגר/לנוע/להקיף במסלול
orbital *adj.* של מסלול, מסלולי
or'chard *n.* פרדס, מטע עצי-פרי
or'chestra (-ki-) *n.* תזמורת
or'chestral (-ki-) *adj.* תזמורתי
orchestra pit תא התזמורת
orchestra stalls המושבים הקדמיים
or'chestrate' (-ki-) *v.* לתזמר
or'chestra'tion (-ki-) *n.* תזמור
or'chid, or'chis (-k-) *n.* סחלב, אורכידיה
or·dain' *v.* להסמיך (כומר); לצוות, להורות; לגזור
or·deal' *n.* ניסיון, חוויה מרה; מבחן
or'der *n.* סדר; הוראה, צו; הזמנה; מין, סוג; מחלקה; פקודה; מעמד; מיסדר דתי; סמל המיסדר; סגנון באדריכלות; מיבנה/מערך צבאי
- (holy) orders כמורה (סמכות הכומר)
- be under orders לקבל הוראות
- by order of לפי הוראת-
- in close/open order ברווחים קטנים/גדולים (בין אנשים/מטוסים)
- in good order בסדר, בצורה מסודרת
- in order בסדר, במצב תקין
- in order of size מסודר לפי הגודל
- in order to/that כדי ל-/ש-
- in short order מהר, ללא דיחוי
- in working order פועל כהלכה
- it's in order to זה בסדר ל-
- keep (in) order לשמור על הסדר
- large/tall order משימה קשה
- made to order לפי הזמנה (בגד)
- on order בהזמנה (לגבי סחורה)
- on the order of בערך, בסדר גודל של
- order of the day סדר היום
- order to view כתב-הרשאה (לבדיקת בית העומד למכירה)
- order! אני קורא אותך לסדר!
- orders are orders פקודות יש לבצע
- out of order לא בסדר, לא פועל
- postal order המחאת דואר
- set/put in order לסדר, להסדיר
- take orders להתמנות לכומר
order *v.* לצוות, לפקוד, להורות על; להזמין (סחורה/מונית); לסדר, לנהל
- order around להציק בפקודות, לטרטר
- order him out להורות לו לצאת
- order one's affairs לסדר ענייניו
order book ספר הזמנות (לסחורה)
ordered *adj.* מסודר
order form טופס הזמנה
orderliness *n.* סדר
or'derly *adj.* מסודר; צייתן, ממושמע
orderly *n.* שַׁמָּשׁ, רץ; אח, סניטר
orderly officer קצין תורן
orderly room משרד המחנה
order paper רשימת הנושאים שעל סדר היום

or'dinal *adj&n.* סוֹדֵר; (מיספר) סידורי
or'dinance *n.* חוק, תקנה, צו
or'dinand' *n.* מועמד (לסמיכה) לכמורה
or'dinar'ily (-ner-) *adv.* בצורה רגילה, כרגיל; בדרך כלל
or'dinar'y (-neri) *adj.* רגיל
- in an ordinary way בדרך כלל
- in ordinary (רופא) קבוע, אישי
- out of the ordinary יוצא דופן
ordinary seaman ימאי רגיל
or'dinate *n.* אורדינאטה
or'dina'tion *n.* הסמכה לכמורה
ord'nance *n.* תותחים, ארטילריה; תחמושת, חימוש
Ordnance Corps חיל חימוש
or'dure (-jər) *n.* צואה, זבל
ore *n.* עפרה, מחצב
oreg'ano' *n.* אורגנו (תבלין)
or'gan *n.* איבר; כלי, מכשיר; ביטאון; עוגב, אורגן
- mouth organ מפוחית פה
- organs of public opinion מעצבי/מבטאי דעת הקהל, כלי-התקשורת
or'gandy *n.* אורגנדי (אריג עדין)
organ grinder מנגן בתיבת נגינה
or·gan'ic *adj.* אורגני, של החי, של האיברים; חיוני, בלתי נפרד
organic chemistry כימיה אורגנית
or'ganism' *n.* אורגניזם, יצור, בריה; מנגנון, מערכת משולבת
or'ganist *n.* עוגבאי, מנגן בעוגב
or'ganiza'tion *n.* ארגון; גוף מאורגן, הסתדרות; מנגנון
or'ganiza'tional (-'shənəl) *adj.* אירגוני
or'ganize' *v.* לארגן; לסדר; לאגד
organized *adj.* מאורגן
organizer *n.* מארגן, אורגניזטור
organ loft יציע העוגב
or'gasm' (-gaz'əm) *n.* אורגזמה, תרגושת, ריוויון
or'gias'tic *adj.* של אורגיה, מתהולל
or'gy *n.* אורגיה, נשף-חשק, זימה; סידרת בילויים
or'iel *n.* גבלית, חלון בולט
oriel window חלון הגבלית
or'ient *n&adj.* מזרח; אסיה; מזרחי
- orient sun השמש העולה
orient = orientate
or'ien'tal *adj&n.* אוריינטלי, מזרחי
or'ien'talist *adj.* אוריינטליסט, מזרחן
or'ientate' *v.* להפנות/לבנות לכיוון מזרח; לאכן, לאתר; להנחות, לכוון
- orientate oneself להתמזרח, להתמצא
or'ienta'tion *n.* אוריינטציה, התמצאות, התמזרחות; נטייה, מגמה
or'ienteer'ing *n.* התמצאות בשטח
or'ifice (-fis) *n.* פתח, פה, נחיר
or'iga'mi (-gä-) *n.* אוריגמי, קיפול נייר
or'igin *n.* מקור, מוצא
orig'inal *adj.* מקורי; ראשון
original *n.* מקור, אוריגינל; איש מוזר
orig'inal'ity *n.* מקוריות
originally *adv.* בדרך מקורית; בתחילה

original sin החטא הקדמון
orig'inate' *v.* ;להתחיל, לצמוח, לנבוע מ- ליצור, להמציא
originator *n.* מתחיל, יוצר, מחולל
or'iole' *n.* זהבן (ציפור-שיר)
or'ison (-z-) *n.* תפילה
or'lon' *n.* אורלון (בד סינתטי), זהורית
or'lop' *n.* הסיפון התחתון
or'molu' (-lōō) *n.* זהב מלאכותי
or'nament *n.* קישוט, תכשיט, עיטור
or'nament' *v.* לקשט, לעטר
or'namen'tal *adj.* מקשט, קישוטי, עיטורי
or'namen·ta'tion *n.* קישוט
or·nate' *adj.* מקושט, מליצי
or'nery *adj.* עקשן, רע-מזג*
or'nithol'ogist *n.* אורניתולוג, צפר
or'nithol'ogy *n.* אורניתולוגיה, חקר העופות, צפרות
or'otund' *adj.* מתנפח, יומרני; מרשים
- orotund voice קול חזק/מהדהד
or'phan *n&v.* יתום; לייתם
or'phanage *n.* בית-יתומים
or'rery *n.* פלנטאריום
or'ris *n.* איריס, אירוס
orrisroot *n.* שורש האירוס (בושם)
ortho- (תחילית) נכון, ישר
or'thodon'tics *n.* יישור שיניים
or'thodox' *adj.* ,אורתודוכסי, אדוק שמרני, חסיד, מאמין במוסכמות
or'thodox'y *n.* אורתודוכסיות
or'thograph'ic *adj.* אורתוגרפי, כתיבי
or·thog'raphy *n.* אורתוגרפיה, כתיב נכון
or·thope'dic *adj.* אורתופדי
orthopedics *n.* אורתופדיה, תיקון מומים (בעצמות)
or'tolan *n.* גיבתון (עוף-מאכל)
or'yx *n.* אוריקס, אנטילופה אפריקנית
Os'car *n.* אוסקר (פרס)
os'cillate' *v.* ;להיטלטל, להתנדנד; לנענע להסס, לפקפק
os'cilla'tion *n.* תנודה; היסוס
os'cilla'tor *n.* מַתנֵד, אוסילטור
oscil'lograph' *n.* רושם תנודות
oscil'loscope' *n.* אוסילוסקופ, מַשקֵף
os'cu·la'tion *n.* נשיקה, נישוק
o'sier (-zhər) *n.* סוג ערבה
os·mo'sis (oz-) *n.* אוסמוזה, פעפוע
os'prey *n.* עיט-הדגים (עוף)
os'se·ous *adj.* גרמי, מורכב מעצם
os'sifica'tion *n.* התגרמות, התקשות
os'sify' *v.* להקשות כעצם; להתאבן
os·ten'sible *adj.* ,נראה, שלכאורה למראית עין
ostensibly *adv.* למראית עין, כביכול
os'tenta'tion *n.* ,ראוותנות, התראוות התפארות, הפגנה
os'tenta'tious (-shəs) *adj.* ,ראוותני מתפאר
osteo- (תחילית) עצם
os'te·opath' *n.* רופא עצמות
os'te·op'athy *n.* ריפוי עצמות
os'tler (-sl-) *n.* סייס, מטפל בסוסים
os'tracism' *n.* נידוי; הגלייה
os'tracize' *v.* לנדות, להחרים; להגלות

os'trich *n.* יען, בת-יענה
oth'er (udh'-) *adj&adv.* ,אחר, שני נוסף, שונה; אחרת
- every other כל שני; כל השאר
- nobody other than -אין איש זולת
- one after the other זה אחרי זה
- other than ,בדרך שונה מ-, מלבד; זולת אלא
- other things being equal אילו היו שאר התנאים שווים
- some day or other ביום מן הימים
- some time or other בזמן מן הזמנים
- somehow or other בדרך כלשהי
- someone or other מאן דהו
otherwise *adv.* ,אחרת; וָלא; חוץ מזה בשאר המובנים
- or otherwise או לא, ואם לאו-
otherworldly *adj.* של עולם אחר, לא מעלמא הדין, מרחף בעולמות עליונים
o'tiose' *adj.* מיותר, לא משרת שום מטרה
o·ti'tis *n.* דלקת האוזן
OTT עובר כל גבול*
ot'ter *n.* (פרוות) לוטרה, כלב נהר
ot'toman *n.* ספה (בעלת ארגז)
ou'bliette' (ōō-) *n.* צינוק, בור
ouch *interj.* אוי! איי! (קריאת-כאב)
ought (ôt) *v.* להיות חייב/צריך
- there ought to be- צריך שיהיה
oughtn't = ought not (ôt'ənt)
oui'ja (wē'jə) *n.* לוח ספיריטואליסטים
ounce *n.* אונקייה; שמץ; מין נמר
our *pron.* שלנו
Our Lady מרים (אם ישו)
ours (-z) *pron.* שלנו
ourselves' (-selvz) *pron.* (את/ל-/ב-) עצמנו; אותנו
- (all) by ourselves לבדנו
oust *v.* לגרש, לסלק, לדחוק ממקומו
oust'er *n.* גירוש, הדחה
out *adj&adv.* ;החוצה; בחוץ; יצא רחוק; לגמרי, כליל; טועה; לא נכון; בקול
- all out במלוא הקיטור, בכל הכוחות
- be out for לבקש את, לשאוף ל-
- before the year is out לפני תום השנה
- feel/be out of it ,לא להיות מעורב בדבר לחוש עצבות עקב כך
- have an evening out לצאת בערב
- he is out הוא יצא, הוא לא בבית
- he's the best man out הוא האדם הטוב ביותר (עלי-אדמות)
- is out to בכוונתו ל-, מנסה ל-
- miniskirts are out חצאיות המיני יצאו מן האופנה
- my day out יום חופשה שלי
- out and about קם, מחלים, מסתובב
- out and away בהחלט, במידה רבה
- out and out לגמרי; מובהק, גמור
- out from under נחלץ, נפטר מכך*
- out loud בקול רם
- out of ,מחוץ ל-; מתוך; מן; מבין; חסר- ללא-, אזל
- out with it! דברי! אמור זאת!
- out you go! הסתלק! צא!
- the book is out הספר יצא לאור; הספר לא בספרייה

- the candle is out הנר לא דולק
- the contract is out פג תוקף החוזה
- the flower is out הפרח נפתח
- the out tray מגש "דואר יוצא"
- the party is out המפלגה לא בשלטון
- the secret is out נתגלה הסוד
- the tide is out גיאות-הים ירדה
- the workers are out הפועלים שובתים

out *v.* להוציא; לזרוק; לפרסם
- it will out זה יתפרסם

out *n.* חוץ; דרך למילוט; *תירוץ
- on the outs/at outs מסוכסכים

out'age *n.* הפסקת חשמל
out'back' *n.* האיזורים המרוחקים
out'bal'ance *v.* להכריע במשקל, להיות בעל משקל כבד מ-
out'bid' *v.* להציע מחיר גבוה מ-
out'board' *n&adj.* (סירה) בעלת מנוע חיצוני
outboard motor מנוע חיצוני (בסירה)
out'bound' *adj.* נוסע למדינה אחרת
out'brave' *v.* להילחם באומץ
out'break' (-brāk) *n.* התפרצות
out'buil'ding (-bil-) *n.* אגף, מבנה נוסף
out'burst' *n.* התפרצות
out'cast' *n&adj.* מנודה; חסר-בית; נע ונד
out'caste' *n.* מנודה, מגורש מהכת
out'class' *v.* לעלות (ברמתו) על-
out'come' (-kum) *n.* תוצאה, תולדה
out'crop' *n.* צמיחה, חלק הסלע הבולט מעל פני הקרקע, גב הסלע
out'cry' *n.* צריחה; זעקה, מחאה
out'da'ted *adj.* מיושן, שיצא משימוש
out'dis'tance *v.* לעבור, להותיר מאחור
out'do' (-dōō) *v.* לעלות (בביצוע) על-
- be outdone להיכשל, להפסיד
- outdo oneself לעלות על עצמו

out'door' (-dôr) *adj.* של חוץ, מתרחש בחוץ, לשימוש מחוץ לבית
out'doors' (-dôrz) *adv.* בחוץ, מחוץ לבית
out'draw' *v.* למשוך קהל גדול יותר מ-
out'er *adj.* חיצוני, קיצוני, מרוחק
- outer man האדם כלפי חוץ

outermost *adj.* הקיצוני, המרוחק ביותר
outer space החלל החיצון
out'face' *v.* להעז פנים כלפי, לעמוד באומץ מול; להיישיר מבט, להביך
out'fall' (-fôl) *n.* שפך, מוצא, פי-הנהר
out'field' (-fēld) *n.* השדה החיצון
outfielder *n.* שחקן שדה-חיצון
out'fight' *v.* להיטיב ללחום מ-
out'fit' *n.* ציוד; תלבושת; כלים; יחידה, קבוצה, צוות
outfit *v.* לספק, לצייד (בבגדים)
outfitter *n.* בעל חנות בגדים
out'flank' *v.* לאגף, לרכוש יתרון
out'flow' (-ō) *n.* זרימה, שטף
out'fox' *v.* להערים, להשיג יתרון
out'gen'eral *v.* לנצח, לגבור על (אויב)
out'go' *n.* הוצאה
outgoing *adj.* יוצא, פורש; מפליגה; חברותי, מעורה בחברה, ידידותי
outgoings *n-pl.* הוצאות
out'grow' (-ō) *v.* לגדול מהר מ-; לגבוה מ-; לנטוש, להיגמל מ-
- he outgrew his clothes בגדיו נעשו קטנים עליו

out'growth' (-ōth) *n.* תוצאה טבעית; צמיחה
out-Her'od *v.* להתאכזר ביותר
out'house' *n.* בית-שימוש חיצוני; אגף
out'ing *n.* טיול נופש; אימון, תרגול
out·land'ish *adj.* מוזר, משונה
out'last' *v.* לחיות/לארוך יותר
out'law' *n.* פושע; משולל הגנת החוק
outlaw *v.* להכריז כפושע/כלא-חוקי, להוציא אל מחוץ לחוק
outlawry *n.* הוצאה אל מחוץ לחוק
out'lay' *n&v.* הוצאה; בזבוז; שיקוע (במיפעל); להוציא
out'let' *n.* מוֹצָא, יציאה; פורקן; סוכנות, חנות; נקודת חשמל
out'line' *n.* מיתאר, קו מקיף; צורה כללית, מיתווה, תמצית, נקודות עיקריות
outline *v.* לתאר בקווים כלליים
out'live' (-liv) *v.* להאריך ימים מ-; לחיות אחרי (שהפשע נשכח)
out'look' *n.* מראה, מחזה, נוף; תחזית, סיכוי, תשקיף; השקפה
out'ly'ing *adj.* רחוק מהמרכז, נידח
out'maneu'ver (-nōō'-) *v.* להיטיב לתמרן מ-, לצאת וידו על העליונה
out'march' *v.* לגבור בצעידה על
out'match' *v.* להוות יריב עדיף, לעלות על, להתמודד בתנאים עדיפים
out'mo'ded *adj.* מיושן, לא באופנה
out'most' (-mōst) *adj.* הקיצוני, המרוחק ביותר
out'num'ber *v.* לעלות במספר על
out-of-court *adj.* מחוץ לבית המשפט
out-of-date *adj.* מיושן
out-of-door *adj.* בחוץ, שמחוץ לבית
out-of-doors *adv.* בחוץ, מחוץ לבית
out-of-pocket expenses הוצאות-מזומנים, מעות כיס
out-of-the-way *adj.* רחוק, בודד, נידח; לא ידוע, לא רגיל
out'pace' *v.* להתקדם מהר מ-
out'pa'tient (-shənt) *n.* חולה-חוץ, לא מאושפז
out'place'ment (-plās'mənt) *n.* מציאת תעסוקה חדשה
out'play' *v.* להיטיב לשחק מ-
out'point' *v.* לנצח בנקודות
out'port' *n.* נמל-חוץ (המרוחק מן המרכז המסחרי)
out'post' (-pōst) *n.* מוצב-חוץ, עמדת-תצפית מרוחקת; יישוב מרוחק
out'pour'ing (-pôr-) *n.* השתפכות (הלב)
out'pull' (-pool') *v.* למשוך קהל גדול מ-
out'put' (-poot) *n.* תפוקה, תוצרת; פלט
out'rage' *n.* שערורייה, פשע, זוועה; פגיעה, עלבון
outrage *v.* לפגוע; להתאכזר; לאנוס
out·ra'geous (-jəs) *adj.* מזעזע, אכזרי, מחפיר, מביש; פוגע
out'range' (-rānj) *v.* לקלוע לטווח יותר

רחוק, לכסות מרחק רב יותר
out'rank' *v.* לעלות בדרגתו על-
outre (ōōtrā') *adj.* מוזר, לא רגיל
out'ride' *v.* לרכוב טוב/מהר ה-
out'ri'der *n.* שוטר-אופנוען מלווה
out'rig'ger *n.* קורה צדדית (הבולטת מצד הסירה כדי לייצבה)
out'right' *adj.* ברור; גמור, מוחלט; ישר
out'right' *adv.* לגמרי; בבת-אחת, מיד, בו-במקום; גלויות
out'ri'val *v.* לעלות על (מתחרה)
out'run' *v.* לרוץ מהר/טוב מ-; לעבור על, להרחיק מעבר ל-
out'run'ner *n.* כלב מוביל
out'sail' *v.* לשוט מהר מ-
out'sell' *v.* למכור יותר/מהר מ-
out'set' *n.* התחלה, ראשית
out'shine' *v.* לזהור יותר, להאפיל
out'side' *n.* חוץ, הצד החיצוני
- at the outside לכל היותר
out'side' *adj.* חיצוני; שמבחוץ, של חוץ; מירבי, מכסימלי
- outside broadcast שידור חוץ
- outside chance סיכוי קלוש/קל
out'side' *adv&prep.* בחוץ; מחוץ ל-, מעבר ל-, מחוץ לגבולות-; למעלה מ-
- outside of מחוץ ל-, פרט ל-
out'si'der *n.* חיצוני, זר, לא חבר; בעל סיכויים קלושים
out'size' *adj.* גדול מהמידה הרגילה
out'skirts' *n-pl.* פרברים, פאתי עיר
out'smart' *v.* להחכים מ-, להערים על-
- outsmart oneself להתחכם ולהפסיד
out'spo'ken *adj.* גלוי, כן; מובע גלויות
out'spread' (-red) *adj.* (זרועות) פרושות
out'stand'ing *adj.* מצוין, בולט, ניכר; לפרעון, טרם נפרע; בטיפול; לא מוסדר
out'stare' *v.* להביך במבט
out'stay' *v.* להישאר זמן ארוך מ-
- outstay one's welcome להאריך שהותו יותר מדי, להכביד על מארחיו
out'stretch' *v.* למתוח, להושיט
outstretched *adj.* מתוח, פרוש, שרוע
out'strip' *v.* לחלוף על, לעבור
out'take' *n.* קטע שהוצא (בעריכה)
out'talk' (-t-tôk) *v.* להיטיב לדבר מ-
out'vie' (-vī') *v.* לגבור בהתמודדות, להיטיב להתחרות מ-
out'vote' *v.* לזכות בקולות רבים מ-
out'ward *adj.* חיצוני; כלפי חוץ
- outward bound מפליגה מנמל הבית
- outward man האדם כלפי חוץ
- to all outward appearances כלפי חוץ, למראית עין
out'ward(s) *adv.* החוצה, לחוץ
out'wardly *adv.* כלפי חוץ, למראית עין
out'wear' (-wār') *v.* להאריך ימים יותר מ-, להיות שימושי זמן רב מ-
out'weigh' (-wā') *v.* להיות רב-משקל מ-, לשקול יותר מ-; להכריע
out'wit' *v.* להערים על, לגבור על
out'work' (-wûrk) *n.* עבודת-חוץ; ביצורי חוץ
out'worn' *adj.* מיושן, בלה; נדוש, חבוט
ou'zel (ōō'-) *n.* קיכלי (ציפור-שיר)

ou'zo (ōō'-) *n.* אוזו (משקה יווני)
o'va = pl of ovum
o'val *adj.* סגלגל, אליפסי, ביצי
Oval Office המישרד הסגלגל
o·var'ian *adj.* של שחלה
o'vary *n.* שחלה
o·va'tion *n.* מחיאות כפיים, תשואות
ov'en (uv'-) *n.* תנור, כבשן
ovenproof *adj.* חסין חום, לשימוש בתנור
oven-ready *adj.* לבישול מיידי בתנור
ovenware *n.* כלי-תנור (חסיני-אש)
o'ver *prep.* על, מעל ל-, על-פני; יותר מ-; במשך, תוך כדי; מעבר ל-
- over Saturday עד לאחר שבת
- over and above נוסף על, מחוץ ל-; מעל ומעבר ל-
- over the telephone בטלפון
- over the years במרוצת השנים
over *adv.* למטה, לגמרי; לצד האחר; מחדש, שוב, יותר מדי; עודף, שארית
- (all) over again שוב, מחדש
- all over כולו, על פני כולו
- be over להיגמר, להסתיים
- begin/start over להתחיל מחדש
- boys of ten and over נערים מגיל עשר ומעלה
- get it over with להיפטר כבר מזה
- it's all over הכל נגמר
- not do it over well לא לעשות זאת הכי טוב, לעשות זאת גרוע
- not over בכלל לא, לא כל כך
- over against מול; לעומת, בהשוואה
- over and over again שוב ושוב
- over here כאן, פה
- over there שם
- over with קץ, תם, חסל
- over! עבור! (באלחוט)
- stay over till Sunday להישאר עד יום ראשון
- that's him all over זה אופייני לו, זה מה שמצפים ממנו
- think it over לשקול בכובד ראש
over- (תחילית) יותר מדי; נוסף, מעל; עליון
- overactive פעיל מדי
- overcoat מעיל עליון
- overlong ארוך מדי (בזמן)
over-abundance *n.* שפע רב
o'veract' *v.* לשחק (תפקיד) בהגזמה
o'verage' *adj.* מעל לגיל, מבוגר מדי
o'verall' (-ôl) *adj&adv.* כולל, מקיף, מקצה עד קצה; בדרך כלל
- dressed overall בהנפת כל הדגלים
o'verall' (-ôl) *n.* סרבל; בגד-עבודה
- overalls סרבל-עבודה
o'verarch' *v.* ליצור קשת מעל-
o'verarm' *adv.* בזרוע מונפת מעל לכתף
o'verawe' (-vərô') *v.* להטיל אימה על
o'verbal'ance *v.* לאבד שיווי המשקל, ליפול; להפיל; להכריע במשקל
o'verbear' (-bār) *v.* לגבור, לנצח, להשתלט
overbearing *adj.* שתלטני, שחצן
o'verbid' *v&n.* להציע מחיר גבוה מ-, להפריז בהצעה; הצעה גבוהה

o′verblown′ (-lōn) *adj.* אחרי פריחה; מוגזם, מנופח, בומבאסטי; יומרני
o′verboard′ *adv.* מעבר לספינה, המימה
- go overboard for להתלהב מ-
- throw overboard להשליך, לא לתמוך
o′verbook′ *v.* להנפיק יותר מדי כרטיסים
overbore = p of overbear
o′verbur′den *v.* להעמיס יותר מדי
- overburdened with כורע תחת משא
o′vercall′ (-kôl) *v.* להכריז יותר מדי (בברידג')
overcame = pt of overcome
o′vercap′italiza′tion *n.* הפרזה באומדן ההון
o′vercap′italize′ *v.* להפריז באומדן ההון; לממן יותר מהנדרש
o′vercast′ *adj.* מעונן, מועב, קודר; עצוב
overcast *n.* שמים מעוננים
o′vercharge′ *v.* לגבות מחיר מופרז; להעמיס/לטעון יותר מדי
o′vercharge′ *n.* מחיר מופרז
o′vercloud′ *v.* לקדור; להעיב
o′vercoat′ *n.* מעיל עליון
o′vercome′ (-kum) *v.* להתגבר, להכריע; להתיש, להחליש
o′vercom′pensa′tion *n.* פיצוי יתר
o′vercon′fident *adj.* בעל ביטחון מופרז
o′vercook′ *v.* לבשל בישול יתר, להקדיח
o′vercrop′ *v.* להפריז בזריעה, להפיק יבולים רבים, לדלדל הקרקע
o′vercrowd′ *v.* לדחוס, לצופף
o′verdo′ (-dōō′) *v.* להפריז; להגזים במשחק/בעשייה; לבשל יותר מדי
- overdo it להפריז, לעבור את הגבול
o′verdone′ (-dun′) *adj.* מבושל יותר מדי
o′verdose′ *n&v.* מנה גדושה (של סם); לתת/ליטול מנה גדושה
o′verdraft′ *n.* משיכת יתר, אוברדראפט
o′verdraw′ *v.* למשוך מעל היתרה; להגזים, להפריז
o′verdrawn′ *adj.* בעל משיכת יתר, במינוס
o′verdress′ *v.* להתגנדר (בלבוש)
o′verdrive′ *n.* הילוך מופלג
o′verdue′ (-doo) *adj.* שזמן פרעונו עבר; מאחר
o′vereat′ *v.* לאכול יותר מדי
o′veres′timate′ *v.* להפריז בהערכה
o′verexpose′ (-z′) *v.* לחשוף (לאור) יותר מדי
o′verflow′ (-ō) *n.* גלישה, שפע, בירוץ; עודף; אוברפלואו; צינור בירוץ
- overflow meeting אסיפה צדדית (לקהל עודף)
o′verflow′ (-ō) *v.* לגלוש, לעלות על גדותיו; להימלא, לשפוע
o′verfly′ *v.* לטוס מעל
o′vergrown′ (-ōn) *adj.* שגדל במהירות; מכוסה
o′vergrowth′ (-ōth) *n.* גידול יתר
o′verhand′ *adj.* ביד מונפת מעל לכתף
o′verhang′ *n.* בליטה, חלק בולט
o′verhang′ *v.* לבלוט; להיות תלוי ממעל; לאיים, לעמוד לקרות
o′verhaul′ *n.* שיפוץ, בדיקה, אוברול
o′verhaul′ *v.* לשפץ, לעשות אוברול; לבדוק; להשיג, להדביק
o′verhead′ (-hed) *adj&adv.* מעל לראש, בשמים, מורם, עילי; (הוצאות) כלליות
overhead(s) *n.* הוצאות כלליות, תקורה
o′verhear′ *v.* לשמוע (במקרה)
o′verjoy′ *v.* לשמח עד מאוד
overjoyed *adj.* שמח מאוד, עולץ
o′verkill′ *n.* קטל-יתר (מנשק גרעיני)
o′verland′ *adj.* יבשתי, בדרך היבשה
o′verlap′ *n.* חפיפה; שיעור הריעוף
o′verlap′ *v.* לחפוף; לרעף
o′verlay′ *n.* כיסוי, ציפוי; מפית שולחן
o′verlay′ *v.* לכסות, לצפות
o′verleaf′ *adv.* מעבר לדף
o′verleap′ *v.* לדלג, לקפוץ מעל
- overleap oneself להפריז, לשאוף יותר מדי
o′verlie′ (-lī′) *v.* לשכב על; לחנוק ע"י שכיבה
o′verload′ *n.* עומס יתר
o′verload′ *v.* להעמיס יותר מדי
o′verlook′ *v.* להשקיף; להיות נשקף על; להעלים עין, לוותר; להתעלם; להשגיח
o′verlord′ *n.* אדון (ביחס למשועבדיו)
o′verly *adv.* יותר מדי; ביותר
o′verman′ *v.* לאייש איוש יתר
o′vermas′ter *v.* להשתלט, להתגבר
o′vermuch′ *adj&adv.* יותר מדי, הרבה
o′vernight′ *adj&adv.* במשך הלילה; לשעות הלילה; בן לילה, לפתע
overnight bag/case תיק נסיעה
o′verpass′ *n.* גשר, צומת עילי
o′verpay′ *v.* לשלם יותר מדי
o′verplay′ *v.* לשחק בהגזמה
- overplay one's hand להפריז בערך כוחו, להסתכן מדי, להיכשל
o′verplus′ *n.* עודף, יתרה
o′verpop′u·late′ *v.* לאכלס מדי
o′verpow′er *v.* להשתלט, להכניע
overpowering *adj.* משתלט, עז, חזק
o′verprice′ *v.* לקבוע מחיר גבוה מדי
o′verprint′ *v.* להדפיס מעל ל-
overran = pt of overrun
o′verrate′ (-r-r-) *v.* להפריז בהערכה
o′verreach′ (-r-r-) *v.* להערים, לגבור על
- overreach oneself להיות שאפתני מדי, לקלקל לעצמו, להיכשל
o′verride′ (-r-r-) *v.* לבטל, לדחוק הצידה, להתעלם מ-, לרמוס
- overriding importance חשיבות עליונה
o′verrule′ (-r-r-) *v.* לבטל, לפסוק נגד
- objection overruled ההתנגדות נדחית
o′verrun′ (-r-r-) *n.* התפשטות, גלישה (בזמן)
o′verrun′ (-r-r-) *v.* להתפשט, לפלוש, להציף; לגלוש, לעבור על הזמן
o′verseas′ (-sēz) *adj&adv.* מעבר לים, בנכר
o′versee′ *v.* לפקח, להשגיח, לנהל
o′verse′er *n.* מפקח, משגיח
o′versexed′ (-sekst) *adj.* שטוף תאווה מינית

o′vershad′ow (-ō) *v.* להטיל צל על, להאפיל על, להמעיט מחשיבות
o′vershoe′ (-sho͞o) *n.* ערדל
o′vershoot′ (-sho͞ot) *v.* לירות מעבר ל-
- overshoot the mark להחטיא המטרה, להרחיק לכת
o′vershot′ wheel אופן טחנת-מים (המונע ע״י מים נופלים)
o′verside′ *adv.* על הצד, מעבר לצד
o′versight′ *n.* השמטה, שכחה, אי שימת לב; השגחה, פיקוח
o′versim′plify′ *v.* לפשט מדי
o′versize′ *adj.* גדול מדי
o′verskirt′ *n.* חצאית עליונה
o′versleep′ *v.* לישון יותר מדי
o′verspill′ *n.* תושבים עודפים (המתיישבים מחוץ לעיר מחוסר מקום)
o′verstate′ *v.* להפריז בהודעתו
overstatement *n.* הגזמה, הפרזה
o′verstay′ *v.* להאריך שהותו מדי
- overstay one's welcome להישאר יותר מדי, להכביד על מארחיו
o′versteer′ *v.* (לגבי הגה) לנטות לפנות בצורה חדה, "למשוך" הצידה
o′verstep′ *v.* לחרוג, לעבור (הגבול)
o′verstock′ *v.* לאגור מלאי רב מדי
o′verstrung′ *adj.* מתוח, עצבני
o′verstuff′ *v.* למלא יותר מדי
overstuffed *adj.* מרופד מדי
o′versubscribe′ *v.* לחתום יותר מדי
oversubscribed *adj.* שדרישתו עולה על ההיצע/ההנפקה
o•vert′ *adj.* גלוי, פומבי
o′vertake′ *v.* להשיג, לעקוף; לבוא עליו לפתע, לתקוף
o′vertax′ *v.* להטיל מס גבוה על; למתוח יותר מדי, לדרוש יותר מדי
over-the-top *adj.* מוגזם, צעקני, שערורייתי
o′verthrow′ (-ō) *n.* נפילה, מהפך, הרס
o′verthrow′ (-ō) *v.* להפיל, לשים קץ ל-
o′vertime′ *n.* שעות נוספות
o′vertone′ *n.* צליל עליון (מלווה)
- overtones צלילים, רמזים
o′vertook′ = pt of overtake
o′vertop′ *v.* להתרומם מעל; לעלות על, להיות טוב מ-
o′vertrump′ *v.* לשחק בקלף גבוה יותר
o′verture *n.* אוברטורה, פתיחה; גישוש, ניסיון הידברות
o′verturn′ *v.* להפוך, להפיל; לבטל
o′verview′ (-vū) *n.* סקירה כללית
o′verween′ing *adj.* יהיר, יומרני
o′verweight′ (-wāt) *n.* עודף מישקל
overweight *adj.* שוקל יותר מדי
overweight *v.* להכריע הכף, להניח משקל יתר
o′verwhelm′ (-welm) *v.* להציף, לכסות; להכריע, להכניע; לגבור; למחוץ
overwhelming *adj.* מכריע, מוחץ, גדול
o′verwork′ (-wûrk) *n.* עבודה רבה מדי
o′verwork′ (-wûrk) *v.* לעבוד/להעביד קשה מדי; להשתמש יותר מדי ב-, לדוש
o′verwrite′ (-rīt) *v.* לכתוב על; למחוק; לכתוב יותר מדי
o′verwrought′ (-vərôt) *adj.* מעובד מדי; מרוט-עצבים, נרגש; עייף, סחוט
o′viduct′ *n.* חצוצרת הרחם, צינור השחלה, צינור הביציות
o′vine′ *adj.* כמו כבש, של כבשים
o•vip′arous *adj.* מטיל ביצים
o′void *adj&n.* ביצי, דמוי-ביצה
ov′u•late′ *v.* לבייץ, ליצור ביציות
ov′u•la′tion *n.* ביוץ
o′vum (pl = o′va) *n.* ביצית; ביצה
ow *interj.* או! אוי! (קריאה)
owe (ō) *v.* להיות חייב; לייחס ל-
ow′ing (ō′-) *adj.* מגיע, חייב, לא נפרע
- owing to בגלל, מפני, עקב
owl *n.* ינשוף
owl′et *n.* ינשוף קטן, ינשופון
owlish *adj.* ינשופי, בעל פני ינשוף
own (ōn) *adj.* שלו, של עצמו
- be one's own man להיות עצמאי
- have one's own back לנקום
- of one's (very) own משלו, רק שלו
- on one's own לבדו; בלא עזרה; בלא תלות; יחיד ומיוחד, מצוין
- one's own שלו, של עצמו, שייך לו
- own brother אח (בן אביו ואמו)
- with my own eyes במו עיני
own *v.* להיות הבעלים של-, להחזיק; להודות ב-/כי, להכיר
- own a child להודות באבהותו
- own oneself להודות, לראות עצמו
- own up להודות באשמה
own′er (ōn′-) *n.* בעלים, בעל, אדון
owner driver בעל רכב פרטי
ownerless *adj.* חסר-בעלים, הפקר
owner occupier בעל בית, דר בדירתו שלו, לא דייר שכיר
ownership *n.* בעלות
own goal גול עצמי, שער עצמי
ox (pl = ox′en) *n.* שור
Ox′bridge′ *n.* אוקספורד וקימברידג׳
oxcart *n.* עגלה רתומה לשוורים
ox-eye *n.* עין-השור (צמחים)
ox-eyed *adj.* בעל עינים גדולות
ox′ford *n.* אוקספורד (נעל נמוכה)
Oxford group קבוצת אוקספורד (דוגלת בוידוי פומבי של עבירות)
ox′ide *n.* תחמוצת
ox′idiza′tion *n.* חמצון, התחמצנות
ox′idize′ *v.* לחמצן; להתחמצן; להחליד
Ox•o′nian *adj.* אוקספורדי
ox-tail *n.* זנב-שור (למרק)
ox′yacet′ylene *n.* תערובת חמצן ואצטילן (לריתוך), אוקסיאצטילין
ox′ygen *n.* חמצן
ox′ygenate′ *v.* לחמצן
ox′ygenize′ *v.* לחמצן
oxygen mask מסכת חמצן
oxygen tent אוהל חמצן
o′yez′ *interj.* הקשיבו! שקט!
oy′ster *n.* צדפה
oyster bar מזנון צדפות
oyster bed, -bank מושבת צדפות (בים)
oyster catcher שולה צדפות (עוף)
oz = ounce
o′zone *n.* אוזון; אויר צח/מרענן
ozone-friendly *adj.* ידידותי לאוזון
ozone layer שיכבת האוזון

P

P = page, penny, past
- mind one's p's and q's להיות זהיר בהליכותיו
pa (pä) *n.* *אבא
PA הרשות הפלשתינית
PA = public address
pab′u•lum *n.* מזון; מזון רוחני
pace *n.* קֶצֶב; קצב הליכה; צעד, פסיעה
- change of pace שינוי קצב, הפוגה
- go at a good pace להתקדם מהר
- go the pace להתקדם מהר; לבזבז כסף
- keep pace with להתקדם באותו קצב, להדביק; לא לפגר אחרי
- put him through his paces לבחון אותו, לעמוד על טיבו, לבדוק כישוריו
- set the pace לקבוע את הקצב
- show one's paces להראות יכולתו
pace *v.* לצעוד; לפסוע (על פני); לדהור קלילות; לקבוע המהירות
- pace off/out למדוד בצעדים
- pace up and down לפסוע אנה ואנה
pa′ce (pā′si) *prep.* במחילה מכבוד-
pace-maker *n.* קובע קצב; קוצב לב
pace-setter *n.* קובע קצב
pach′yderm′ (-k-) *n.* בעל עור עבה
pacif′ic *adj.* אוהב שלום, שליו, שקט
- Pacific Ocean האוקיאנוס השקט
pac′ifica′tion *n.* פיוס, השקטה
pac′ifi′er *n.* מרגיע רוחות; מוצץ
pac′ifism′ *n.* פציפיזם, אהבת השלום
pac′ifist *n.* פציפיסט, שוחר שלום
pac′ify′ *v.* להרגיע, להשכין שלום
pack *n.* חבילה; צרור; חפיסה; קבוצה, להקה; תחבושת; משחה, תמרוק
- pack of cigarettes חפיסת סיגריות
- pack of lies ערימת שקרים
- pack of wolves עדת זאבים
pack *v.* לארוז; להיארז; לדחוס; להצטופף; לשמר (בקופסאות); לעטוף, ללפף
- pack a gun לשאת רובה
- pack a jury להרכיב חבר מושבעים משוחד לטובתו
- pack a punch להשתמש בלשון בוטה; לדעת להנחית מהלומת אגרוף
- pack in למשוך קהל רב; *להפסיק לחדול, "עזוב את זה"
- pack it in/up
- pack off לסלק, לשלוח
- pack up *להפסיק לעבוד/לפעול
- send him packing לפטר אותו, לסלקו
pack′age *n.* חבילה; אריזה
package *v.* לארוז, לעשות חבילה
package deal עיסקת חבילה
package tour סיור מאורגן
packaging *n.* אריזה
pack animal בהמת-משא
pack drill טירטור בפקל צבאי
packed(-out) *adj.* מלא, דחוס, צפוף
packer *n.* אוֹרֵז, פועל אריזה
pack′et *n.* חבילה, חפיסה; *סכום נכבד
- catch/cop/stop a packet *להיפצע קשה; לספוג מכה; להסתבך בצרה
packet boat ספינת-דואר
packhorse *n.* סוס משא
pack ice גוש קרח צף
packing *n.* (חומרי) אריזה; אטימה, מילוי, ריפוד
packing case תיבת אריזה (גדולה)
packing needle מחט גדולה
pack′man *n.* רוכל
pack-saddle *n.* אוכף-משא (על חמור)
pack thread חוט אריזה (חזק)
pact *n.* חוזה, הסכם, ברית
pad *n.* פנקס, בלוק-כתיבה; כר, כרית; עקב; *מעון, חדר
- inking pad כרית-חותמות
pad *v.* לרפד, למלא; ללכת, לצעוד
- pad out לנפח, להאריך (מאמר)
- pad the bill לנפח את החשבון
padded cell תא מרופד (למשוגעים)
pad′ding *n.* ריפוד; ניפוח (מאמר)
pad′dle *n.* משוט; חתירה; בחשה, כף בחישה; רגל הברווז; מחבט, רחת
- double paddle משוט דו-כפי
paddle *v.* לחתור קלות; לשכשך במים; ללכת יחף במים; *לסטור
- paddle one's own canoe להיות עצמאי, להסתדר יפה לבד
paddle steamer אוניית גלגלים
paddle wheel גלגל משוטים
paddling pool בריכת ילדים (רדודה)
pad′dock *n.* מגרש-דשא (לסוסי-מירוץ)
pad′dy *n.* אוֹרֶז; כעס, התקף-זעם
Pad′dy *n.* *אירי
paddy wagon *מכונית אסירים
pad′lock′ *n&v.* מנעול; לנעול
padre (pä′drā) *n.* כומר
pa′gan *n&adj.* עובד אלילים, פגן, פרא
pa′ganism′ *n.* פגניות, עבודת אלילים
page *n.* עמוד, דף; משרת, נער; שוליה
page *v.* למספר עמודים, לעמד, לדפדף; לקרוא בשם, להכריז
pag′eant (-jənt) *n.* טקס, חיזיון, תהלוכה; מחזה היסטורי; הפגנת ראווה
pageantry *n.* מחזה מרהיב-עין
pa′ger *n.* איתורית, ביפר
pag′ina′tion *n.* עימוד, דיפוף
pago′da *n.* פגודה (מסגד בודהיסטי)
pah (pä) *interj.* פוי! (להבעת בחילה)
paid = p of pay
paid-up *adj.* ששולם במלואו, נפרע; *מסור לרעיון
pail *n.* דלי
pail′ful (-fool) *n.* מלוא הדלי
pain *n.* כאב, צער, סבל; עונש
- be at pains להתאמץ, להשתדל מאוד
- crying with pain צועק מכאבים
- feels no pain מבוסם, בגילופין
- for one's pains על (אף) מאמציו
- give a pain *להרגיז
- go to great pains להתאמץ מאוד
- he was in pain כאב לו
- on/under pain of צפוי לעונש-
- pain in the neck טרדן, נודניק
- pains צירי-לידה; מאמצים, טרחה
- spare no pains לעשות כל שביכולתו

- take (great) pains להתאמץ, להקפיד
pain *v.* לצער, להכאיב, לגרום סבל
pained *adj.* נעלב, נפגע; של כאב
pain′ful *adj.* כואב, מכאיב, מצער
painfully *adv.* למרבה הצער; בכאב
painkiller *n.* משכך כאבים
painless *adj.* ללא כאב; ללא מאמץ
painstaking *adj.* זהיר, מדקדק; שקדני
paint *n&v.* צֶבַע; לצבוע; לצייר; לתאר; למרוח
- coat of paint שכבת צבע
- not so black as painted לא כה רע
- paint in oils לצבוע בצבעי שמן
- paint it in להוסיף זאת לציור
- paint out לכסות בצבע, למחוק
- paint the town (red) לחגוג, להתהולל
- paints מערכת צבעים (של צייר)
- wet paint צבע לח! (אזהרה)
paint box קופסת-צבעים
paintbrush *n.* מברשת-צבע; מכחול
painter *n.* צַבָּע; צייר; כבל-החרטום
- cut the painter להינתק; לנתק הקשר
painting *n.* ציור; תמונה; צבעות
paintwork *n.* שכבת צבע, ציפוי
pair *n.* זוג; צמד; בן-זוג מקוזז בהצבעה
- by/in pairs בזוגות
- happy pair הזוג המאושר
- pair of scissors מספריים
- pair of trousers מכנסיים
pair *v.* לזווג; לסדר/להסתדר בזוגות; להזדווג; להתקזז בהצבעה
- pair off לסדר בזוגות; לצאת שניים שניים; לחתן; להתחתן
- pair up לערוך/להיערך בזוגות
pais′ley (-z-) *n.* פייזלי (אריג עדין)
pajam′as *n-pl.* פיג'מה
Pak′istan′ *n.* פקיסטן
pal *n&v.* ידיד, חבר; ברנש
- pal up with להתיידד עם
pal′ace (-lis) *n.* ארמון; אנשי הארמון
palace revolution הפיכת חצר
pal′adin *n.* אביר, לוחם, דוגל
pal′ankeen′ *n.* אפיריון
pal′anquin′ (-kēn′) *n.* אפיריון
pal′atable *adj.* טעים, ערב, נעים
pal′atal *adj&n.* הגה חיכי; של החך
palat′alize′ *v.* לבטא בחך, לחכך
pal′ate *n.* חך; חוש טעם
pala′tial *adj.* כמו ארמון, מפואר
palat′inate *n.* פלטינאט (רוזנות)
palav′er *n.* שיחות, משא ומתן; חנופה, פטפוט, קשקוש; *רעש, טרחה
palaver *v.* לפטפט, לקשקש, להחניף
pale *adj&v.* חיוור, חלש; להחוויר
- pale before/beside להחוויר לעומת
pale *n.* מוט; קרש (לבניית גדר), כלונס
- outside/beyond the pale מחוץ לחברה; עבר את הגבול, לא הוגן
paleface *n.* לבן (בפי האינדיאנים)
paleness *n.* חיוורון
pa′le·og′raphy *n.* פליאוגראפיה, מדע הכתבים העתיקים
pa′le·olith′ic *adj.* פליאוליתי, של תקופת האבן הקדומה
pa′le·on·tol′ogist *n.* פליאונטולוג
pa′le·on·tol′ogy *n.* פליאונטולוגיה,

חקר המאובנים
Pal′estine′ *n.* פלשתינה
Pal′estin′ian *n.* פלשתיני
pal′ette (-lit) *n.* לוח צְבָעִים
palette knife אולר ציירים, מורחת
pal′frey (pôl-) *n.* סוס רכיבה
pal′imo′ny *n.* דמי פרידה (מבן-זוג)
pal′impsest′ *n.* פלימפססט (קלף עהיק שעליו כתב-יד מחוק)
pal′indrome′ *n.* פלינדרום (משפט הנקרא ישר והפוך)
pa′ling *n.* גדר-מוטות, גדר קרשים
pal′isade′ *n.* גדר, משוכה; שורת צוקים
palisade *v.* לגדור, לבצר בגדרות
pa′lish *adj.* חוורוור
pall (pôl) *n.* ארון-מתים; כיסוי בד (על ארון המת); עטיפה, מעטה כבד
pall *v.* לעייף, לשעמם; להיעשות תפל
Palla′dian *n.* פלאדי (סגנון בנייה)
pall-bearer *n.* נושא ארון-המת
pal′let *n.* מזרן-קש; מיטה קשה; כף-יוצרים; לוח (להעברת) משאות
pal′liasse′ *n.* מזרן-קש
pal′liate′ *v.* להקל, לשכך; לרכך (פשע)
pal′lia′tion *n.* הקלה; מרגיע
pal′lia′tive *n&adj.* פליאטיב; מרגיע
pal′lid *adj.* חיוור, לבן
pal′lor *n.* חיוורון
pal′ly *adj.* ידידותי
palm (päm) *n.* כף-יד; דקל, תמר; עלה-דקל, כף-תמר, סמל הניצחון
- bear/carry off the palm לנצח
- has him in the palm of his hand שולט בו כליל
- yield the palm להודות בתבוסה
palm *v.* להסתיר בכף-היד; לגנוב
- palm off למכור/לתחוב במרמה
palmer *n.* צליין, עולה-רגל (שזכה בעלה-דקל); נזיר נודד
pal·met′to *n.* דקל קטן
palmist *n.* מנחש לפי כף-היד
palmistry *n.* חכמת-היד, כירומנטיה
palm oil שמן תמרים
Palm Sunday יום א' שלפני הפסחא
palm′top′ (päm′-) *n.* מחשב כף-יד
palmy (pä′mi) *adj.* משגשג, מצליח
- palmy days ימי שגשוג, תקופת זוהר
pal′pable *adj.* מוחשי, ממשי; ברור
pal′pate *v.* לבדוק, למשש
pal′pitate′ *v.* להלום (לב); לרעוד
pal′pita′tion *n.* הלמות-לב; רעד
palsied (pôl′zēd) *adj.* משותק
palsy (pôl′zi) *n.* שיתוק
pal′sy-wal′sy (-z-zi) *adj.* *ידידותי
pal′ter (pôl-) *v.* להונות; להקל-ראש
pal′try (pôl-) *adj.* חסר-ערך, זעום
pam′pas *n.* פאמפאס, ערבה
pam′per *v.* לפנק
pam′phlet *n.* פאמפלט, חוברת
pam′phleteer′ *n.* מחבר פמפלטים
pan *n.* מחבת; סיר; אסלה; כברה; אגן, שקע, בריכה; *פרצוף
- down the pan לא שווה, ירד לטמיון
- salt pan אגם מלח
pan *v.* לשטוף עפרה; לבקר קשות; לצלם פנורמה; לצלם גוף נע

- pan out להפיק זהב; להצליח
pan- (תחילית) פאן, כל- (פאן-ערבי)
pan'ace'a *n.* תרופת-כל
panache' (-nash) *n.* ביטחון, יומרה
Pan'ama' (-mä) *n.* פנמה
Pan'ama' hat (-mä) *n.* כובע קש
pan'atel'la *n.* סיגר ארוך
pancake *n.* לביבה, חמיטה, פנקייק
- flat as a pancake שטוח לגמרי
pancake *v.* לנחות נחיתה מאונכת
Pancake Day יום הלביבות (ערב לנט)
pancake landing נחיתת-חירום (כנ"ל)
pan'chro•mat'ic (-k-) *adj.* (סרט צילום) רגיש לכל הצבעים
pan'cre•as *n.* לבלב, פנקריאס, בלוטת הכרס
pan'cre•at'ic *adj.* של הלבלב
pan'da *n.* פנדה (חיה דמויית-דוב)
Panda car מכונית שיטור
Panda crossing מעבר חציה
pan•dem'ic *adj&n.* מקיף, (מחלה) תוקפת רבים, נפוצה באיזורים נרחבים
pan'demo'nium *n.* אנדרלמוסיה, רעש
pan'der *n.* סרסור, רועה-זונות
pander *v.* לשמש כסרסור; לעודד, לספק; לפנות ליצרים, לנצל חולשות
- pander to desires לספק תשוקות
pan'dit *n.* חכם (בהודו)
Pan•do'ra's box (-dôr'əz) *n.* תיבת פנדורה
pane *n.* שמשה, זגוגית-חלון
pan'egyr'ic *n.* הלל, שבח
pan'el *n.* פנל, ספין, שיפולת, לוח; רצועה, חתיכת בד; תמונה מוארכת; רשימה, צוות
- on a panel בצוות מושבעים
- on the panel (רופא) בשירות הרפואי
- panel game משחק צוות
panel *v.* לספון, לקשט בפנלים
panel beater פחח רכב
paneling *n.* פנלים, ספינים
panelist *n.* משתתף בצוות
pang *n.* כאב עז, ייסורים
pan'han'dle *n.* רצועת אדמה צרה (כידית-מחבת), אצבע (הגליל)
panhandle *v.* לבקש נדבות
pan'ic *n.* פאניקה, פחד; שפל, ירידה פתאומית (במסחר); *מצחיק
- at panic stations מבולבל, בלחץ
- push the panic button לפעול בפזיזות
panic *v.* להיתפס לבהלה; *להצחיק
panic button לחצן מצוקה
pan'icky *adj.* אחוז פאניקה
panic-stricken *adj.* אחוז פאניקה
pan•jan'drum *n.* יהיר, מתנפח
pan'nier *n.* סל-משאות, תרמיל; חישוק-מותניים (לניפוח חצאית)
- panniers שקיים (ע"ג בהמה)
pan'nikin *n.* ספלון-מתכת
pan'oplied (-lēd) *adj.* עוטה שריון
pan'oply *n.* טקס מרהיב; חליפת-שריון
pan'oram'a *n.* פנורמה, נוף
pan'oram'ic *adj.* פנורמי
pan-pipe *n.* חליל קנים
pan'sy (-zi) *n.* אמנון ותמר (צמח); *צעיר נשי; הומוסקסואל

pant *v.* להתנשם, לנשום ולנשוף; לדבר תוך התנשפות; להשתוקק
pant *n.* נשימה מהירה, נשימה כבדה
pan'taloon' (-lōōn) *n.* ליצן, מוקיון
pantaloons מכנסיים
pan•tech'nicon (-tek-) *n.* משאית-רהיטים
pan'the•ism' *n.* פאנתיאיזם, אמונה באחדות האל והטבע
pan'the•ist *n.* פאנתיאיסט
pan'the•is'tic *adj.* פאנתיאיסטי
pan'the•on *n.* מקדש-אלים, פנתיאון
pan'ther *n.* פנתר, פומה, נמר
pan'ties (-tēz) *n.* תחתונים
pan'tile *n.* רעף
pan'to *n.* *פנטומימה
pan'tograph' *n.* פנטוגרף, גלפכול
pan'tomime' *n.* פנטומימה
pan'try *n.* מזווה; חדר-כלי-אוכל
pants *n-pl.* מכנסיים; תחתונים
- ants in one's pants *קוצים בישבן
- fancy pants *נשי, מתנהג כבחורה
- get the lead out of the pants *להזדרז, להזיז הישבן
- in long pants *מבוגר, בשל
- in short pants *שטרם התבגר
- with one's pants down *כשמכנסיו למטה, לא מוכן
pan'ty hose גרבונים
pan'zer (-tsər) *adj.* משוריין
pap *n.* מזון-תינוקות, דייסה; פטמה; חומר קריאה קל
pa'pa (pä'-) *n.* *אבא
pa'pacy *n.* אפיפיורות
pa'pal *adj.* של אפיפיור
pa'paraz'zi (pä'pərä'tsi) *n-pl.* פפרצי (צלמים)
pa'paraz'zo (pä'pərä'tsō) *n.* פפרצו, צלם-אורב
papaw' *n.* פפיה (עץ)
papa'ya (-pī'ə) *n.* פפיה (עץ)
pa'per *n&adj.* נייר; עיתון; טפט, נייר-קיר; מבחן, שאלון; מסה, חיבור
- on paper על הנייר, להלכה, תיאורטית
- paper profit רווח על הנייר
- paper tiger נמר-של-נייר, אפס
- papers מסמכים, תעודות, ניירות
- send in one's papers להתפטר
paper *v.* להדביק טפטים (על קיר)
- paper over להסתיר, לכסות
- paper over the cracks להסתיר פגמים, לטאטא מתחת לשטיח
- paper the house לחלק כרטיסי-חינם
paperback *n.* כריכת-נייר, כריכה רכה
paperbacked *adj.* (ספר) רך-כריכה
paper boy *n.* מחלק עיתונים
paper chase מירוץ-נייר (שבו משאירים הרצים פיסות-נייר אחריהם)
paper clip מהדק
paper hanger מדביק טפטים
paper knife סכין (לפתיחת) מעטפות
paper-mill *n.* בית-חרושת לנייר
paper money שטרי כסף
paper route/round חלוקת עיתונים
paper tape סרט נייר (במיחשוב)
paper-thin *adj.* דק מאוד

paperweight *n.* אבן-אכף, משקולת
paper-work *n.* ניהול ניירת (משרדית)
papery *adj.* ניירי, דומה לנייר
papier-mache (pā'permәshā') *n.* עיסת-נייר, פפייה-משה
pa'pist *n.* קתולי
papis'tical *adj.* קתולי
papoose' *n.* תינוק; תרמיל (לתינוק)
pap'py *n.* *אבא
papri'ka (-rē'-) *n.* פפריקה, פלפלת
Papua New Guinea (pap'yәwә -) *n.* פפואה גינאה החדשה
papy'rus *n.* פפירוס, גומא, כתב-יד
par *n.* שווי; ערך נקוב; ערך ממוצע
- at par בערך הנקוב, בערך המקורי
- below par, not up to par לא בקו הבריאות, לא כתמול שלשום; מתחת לשווי
- on a par (with) שווה, באותה רמה
- par for the course *טיפוסי, רגיל
- par of exchange שער החליפין
- par value ערך נקוב
par, para = paragraph
par'able *n.* משל, פרבולה, אלגוריה
parab'ola *n.* (בהנדסה) פרבולה
par'abol'ical *adj.* משלי, במשלים
par'achute' (-shōōt) *n.* מצנח
parachute *v.* לצנוח; להצניח
parachutist *n.* צנחן
Par'aclete' *n.* רוח הקודש
parade' *n.* מסדר, מצעד, תהלוכה; תצוגה, הפגנה; טיילת
- make a parade of להפגין, להציג לראווה, לנסות להרשים
parade *v.* לערוך מסדר/מצעד; להיערך במסדר; להפגין; לנפנף ב-
parade ground מגרש-מסדרים
par'adigm (-dim) *n.* תבנית, דוגמה, פרדיגמה, לוח נטיות (בדקדוק)
par'adise' *n.* גן-עדן
- bird of paradise ציפור-עדן
par'adisi'ac(al) (-z-) *adj.* גן-עדני
par'adox' *n.* פרדוקס; חידה
par'adox'ical *adj.* פרדוקסאלי
par'affin *n.* פרפין
- liquid paraffin שמן פרפין (משלשל)
paraffin oil נפט, קרוסין
paraffin wax שעוות פרפין
par'agon' *n.* מופת, אדם מושלם
- paragon of virtue צדיק מושלם
par'agraph' *n&v.* פסקה, סעיף; סימן-פסקה; לחלק לפסקאות
Par'aguay' (-gwī) *n.* פרגוואי
par'akeet' *n.* תוכי ארך-זנב
par'ale'gal *n.* של משפטים
par'allel' *n&adj.* קו מקביל; הקבלה; מקביל, שווה
- draw a parallel לערוך השוואה
- parallel of latitude קו-רוחב
- without parallel אין דומה לו
parallel *v.* להקביל, להיות שווה ל-
parallel bars מקביליים
parallelism *n.* תקבולת, התאמה, הקבל
par'allel'ogram' *n.* מקבילית
par'alyse' (-z) *v.* לשתק
paral'ysis *n.* שיתוק; אפיסות-כוחות
par'alyt'ic *adj&n.* משותק; שתוי
- paralytic laughter צחוק רב (להתפקע)
par'alyze' *v.* לשתק
par'amed'ic *n.* חובש, פרמדיק
par'amed'ical *adj.* פרה-רפואי
param'eter *n.* פאראמטר
par'amil'itar'y (-teri) *adj.* דומה לכוח צבאי; קשור/מסייע לצבא
par'amount' *adj.* עליון, חשוב ביותר, ראשי, מעל לכל
par'amount'cy *n.* עליונות
par'amour' (-moor) *n.* מאהב
par'anoi'a *n.* פרנויה, שיגעון הרדיפה
par'anoi'ac' *adj&n.* חולה פאראנויה
par'anoid' *n.* חולה פאראנויה
par'anor'mal *adj.* מעבר לנורמלי
par'apet' *n.* מעקה, חומת-מגן; תל-חזה, סוללת-עפר
par'apherna'lia *n.* כלים, חפצים, אביזרים
par'aphrase' (-z) *n&v.* (לעשות) פרפרזה, גרסה חופשית, ניסוח מחדש, תעקיף
par'aple'gia *n.* שיתוק הרגליים
par'apsy·col'ogy (-sī-) *n.* פרפסיכולוגיה
par'as (-z) *n-pl.* צנחנים
par'asite' *n.* פרזיט, טפיל
par'asit'ic(al) *adj.* פרזיטי, טפילי
par'asol' *n.* שמשייה
par'athy'roid מיצד בלוטת-התריס
par'atroo'per *n.* צנחן
paratroops *n-pl.* צנחנים
par'aty'phoid *n.* פרטיפוס
par'boil' *v.* להרתיח עד כדי בישול חלקי, לחמם יותר מדי
par'cel *n&v.* חבילה; מגרש; חבורה
- parcel of land חלקת-אדמה
- parcel out לחלק לחלקות/למנות
- parcel up לצרור, לכרוך לחבילה
- part and parcel חלק בלתי נפרד
parcel post דואר חבילות
parch *v.* לייבש, להצחיח; לקלות
parched *adj.* יבש; צחיח, חרב; קלוי
parch'ment *n.* קלף; נייר קלף
pard *n.* *שותף
par'don *n.* סליחה, מחילה; חנינה
- pardon, I beg your pardon סליחה!
pardon *v.* לסלוח, למחול; לחון
- pardon (me) סלח לי
pardonable *adj.* סליח, בר-מחילה
pardoner *n.* מוכר איגרות-מחילה
pare *v.* לקצוץ, לגזוז; לקלף
- pare down לקצץ, להפחית
par'egor'ic *n.* תרופת הרגעה
par'ent *n.* הורה, אב, אם
- the parent of sins אם כל חטאת
par'entage *n.* הורות; מוצא
paren'tal *adj.* של הורים, הורי
parent company חברת-אם
paren'theses (-sēz) *n-pl.* סוגריים
paren'thesis *n.* סוגריים; מאמר מוסגר; (בתחביר) הסגר
par'enthet'ic *adj.* שבסוגריים
parenthood *n.* הורות
par'enting *n.* הורות

par′er *n.* מקלף, סכין-קילוף
par ex′cellence′ (-läns) *adv.* אין דומה לו, מצוין, פאר אקסלאנס
parfait (pärfā′) *n.* פרפה (גלידה)
par·he′lion *n.* שֶׁמֶש מדומה, דמות שמש
pari′ah (-′ə) *n.* מנודה (בהודו); מצורע
par′i-mu′tuel (-choōəl) *n.* הימור (שבו הזוכים מתחלקים בכספי המפסידים)
parings *n-pl.* קליפות; גזיזים
par′i pas′su (-soo) *adv.* באותו קצב, סימולטאנית
Par′is *n.* פריז
par′ish *n.* קהילה, איזור (ובו כומר וכנסייה משלו); כפר; שטח, תחום
- civil parish איזור/כפר בעל שלטון מקומי
- go on the parish לקבל תמיכה כספית מן הקהילה
parish clerk פקיד כנסיית-הקהילה
parish′ioner (-shən-) *n.* איש-הקהילה
parish-pump *adj.* של עניינים מקומיים
Paris′ian (-rizh′ən) *n.* בן-פריז
par′ity *n.* שוויון; רמה שווה
- parity of exchange שער חליפין רשמי
park *n.* פארק, גן ציבורי; חניון
- ball bark מגרש משחקים
- national park פארק לאומי
park *v.* להחנות; לחנות; להניח
- be parked לחנות
- park oneself לשבת, להתיישב
par′ka *n.* מעיל (מבורדס), אנורק; דובון
parking *n.* חניה, שטח חניה
- no parking חניה אסורה
parking light אור חניה (ברכב)
parking lot מגרש חניה
parking orbit מסלול זמני (של חללית לפני יציאתה לחלל)
parking ticket דו"ח חניה
Par′kinson's disease מחלת פרקינסון, רטטת
Parkinson's law חוק פרקינסון
parkland *n.* גן, פארק (מסביב לאחוזה)
parkway *n.* כביש, שדרה; תחנת רכבת
par′ky *adj&n.* *קריר; שומר פארק
par′lance *n.* ניב, לשון, עגה
par′lay *v&n.* להמר בסכום הזכייה; לעלות בערכו; הימור
par′ley *n.* משא ומתן, דו-שיח, דיון, כנס
parley *v.* לנהל מו"מ (להשכנת שלום)
par′liament (-ləm-) *n.* פארלמנט, בית-מחוקקים, כנסת, מורשון
- enter parliament להיבחר לפארלמנט
- open parliament לפתוח חגיגית את הפארלמנט
par′liamenta′rian (-ləm-) *n.* פרלמנטר, חבר פרלמנט מנוסה
par′liamen′tary (-ləm-) *adj.* פארלמנטרי, מורשוני
par′lor *n.* סלון, חדר-אורחים; חנות
- beauty parlor סלון-יופי
parlor car קרון הטרקלין
parlor game משחק בית
parlor maid עוזרת, מגישה
par′lous *adj.* מסוכן
Par′mesan′ (-z-) *n.* גבינת פרמה
paro′chial (-kiəl) *adj.* קהילתי; נתמך ע"י גוף דתי; צר-אופק, מוגבל
parochialism *n.* צרות-אופק
par′odist *n.* מחבר פרודיות
par′ody *n.* פרודיה, חיקוי
parody *v.* לחבר פרודיה על
parole′ *n.* דיברה, הבטחה (של אסיר שלא יברח); שחרור על תנאי
- break one's parole להפר הבטחתו
- no parole ללא שיחרור מוקדם, ללא אפשרות חנינה
- on parole משוחרר על תנאי
parole *v.* לשחרר על תנאי
parole board ועדת שיחרורים
par′oxysm′ (-ksiz′əm) *n.* עווית, התקף פתאומי
par·quet′ (-kā′) *n.* פארקט, מרצפת-עץ
parr *n.* סלמון צעיר
par′ricide′ *n.* רצח אב; רוצח אב, רוצח קרוב
par′rot *n&v.* תוכי; לחקות
parrot-cry *n.* ביטוי נדוש, ביטוי חוזר
parrot fashion כתוכי, מבלי להבין
par′ry *v.* להדוף, להתחמק מ-, לתמנע
parry *n.* הדיפה, התחמקות, תנועת הגנה, תימנוע
parse *v.* לנתח מלה/משפט
Par·see′ *n.* פרסי
par′simo′nious *adj.* קמצן
par′simo′ny *n.* קמצנות, חסכנות
par′sley *n.* פטרוסיליה
par′snip *n.* גזר לבן
par′son *n.* כומר (של קהילה)
par′sonage *n.* בית-הכומר
parson's nose אחורי העוף (בשר)
part *n.* חלק; איזור; פרק; תפקיד; צד בהסכם; פרטית, קול; שבילה, פסוקת
- for my part מצידי, לדידי
- for the most part לרוב, על-פי-רוב
- in part בחלקו, במידת-מה
- in these parts באיזורים אלה
- man of parts אדם בעל כשרונות
- on his part מצדו, ממנו, על ידיו
- on the part of Smith מצד סמית
- parts of speech חלקי-הדיבור
- play a big part למלא תפקיד חשוב
- play a part לשחק תפקיד; להעמיד פנים, לרמות
- spare parts חלקי-חילוף, חלפים
- take his part לצדד בו, לתמוך בו
- take in good part לקבל ברוח טובה
- take part להשתתף, ליטול חלק
- take part with him לתמוך בו
- the greater part of רוב, חלק-הארי
part *v.* להפריד; להיפרד; לחלק; לחצות; להיחצות
- part friends להיפרד כידידים
- part one's hair לעשות שבילה בשיער
- part with לוותר על, להיפרד מ-
part *adj&adv.* לא שלם, חלקי; בחלקו
par·take′ *v.* לאכול, להתכבד ב-; להשתתף ב-; לדבוק בו שמץ, לדמות
par·terre′ (-târ) *n.* משטח-פרחים ודשא; מושבים בתיאטרון, פארטר
part exchange עיסקת חליפין, טרייד אין
part-exchange *v.* לשלם בכסף ובסחורה

par'theno·gen'esis *n.* רביית-בתולים
Par'thian shot/shaft הערת-פרידה, מענה סופי (בשעת הפרידה)
par'tial *adj.* חלקי; משוחד, בעל דיעה מוקדמת; נושא פנים; אוהב, מחבב
par'tial'ity (-shi-) *n.* משוא-פנים, הפלייה; חיבה, אהבה, נטייה
partially *adv.* חלקית; באופן משוחד
par·tic'ipant *n.* משתתף
par·tic'ipate' *v.* להשתתף, לקחת חלק
par·tic'ipa'tion *n.* השתתפות
par'ticip'ial *adj.* (בדקדוק) בינוני פועל
par'ticip'le *n.* בינוני פועל
par'ticle *n.* גרגיר, חלקיק, שמץ; מלית, מלת-יחס, מלת חיבור; טפולה
parti-colored = party-colored
partic'u·lar *adj&n.* מיוחד, לא רגיל; מפורט; מדקדק, קפדן; איסטניס; פרט
- go into particulars להיכנס לפרטים
- in particular במיוחד, בפרט
- particulars פרטים, פרטי-פרטים
partic'u·lar'ity *n.* קפדנות, הקפדה; ייחוד, מיוחדות
partic'u·larize' *v.* לפרט (אחד-אחד)
particularly *adv.* במיוחד, בפרט
parting *n.* (שעת) פרידה; שבילה, פסוקת (בשיער)
- at the parting of the ways על פרשת דרכים
- parting kiss נשיקת פרידה
- parting shot הערה אחרונה, מענה סופי
par'tisan, par'tizan *n&adj.* פרטיזן, לוחם-גרילה; תומך, חסיד, מצדד
partisanship *n.* תמיכה, צידוד
parti'tion (-ti-) *n&v.* חלוקה; מחיצה, חיץ; לחלק; להפריד במחיצות, לחייץ
- partition off לחלק ע"י מחיצה
par'titive *n.* מלית חילוק, מלה המציינת חלק של דבר
partly *adv.* חלקית, בחלקו; במידת-מה
part'ner *n.* שותף; בן-זוג (לריקוד/במשחק); בעל, רעיה; חבר
- active partner שותף פעיל
- be partners with להיות חברו למשחק
- sleeping partner שותף רדום
partner *v.* לשמש כשותף ל-
- partner up להוות בן-זוג ל-; לזווג
partnership *n.* שותפות, שיתופה
par·took' = pt of partake
part owner שותף (בבעלות)
par'tridge *n.* חוגלה, קורא (עוף)
part-singing *n.* שירה רב-קולית
part-song *n.* זמר רב-קולי
part-time *adj.* חלקי, לא מלא (עבודה)
part-timer *n.* עובד חלקי
par·tu'rient *n.* יולדת
par'turi'tion (-ri-) *n.* לידה
part-way *adv.* בחלקו, בחלק מהדרך
par'ty *n&adj.* מפלגה; קבוצה; מסיבה; צד (בהסכם); שותף, מעורב; *אדם
- be party to ליטול חלק ב-, לתמוך
- firing party כיתת יורים
- give a party לערוך מסיבה
- party politics מדיניות מפלגתית
- party spirit רוח-צוות; דבקות במפלגה; מצב-רוח למסיבה
- throw a party *לערוך מסיבה
party *v.* לערוך/להשתתף במסיבה
party-colored *adj.* רבגוני, מגוון
party political תשדיר בחירות
party-poop *n.* *מקלקל מצב-רוח
party-spirited *adj.* מסור למפלגה
party wall קיר משותף
par'venu' (-nōō) *n.* נחות-מעמד שעלה לגדולה, פארווניו
pas'chal (-skəl) *adj.* של פסח, של הפסחא
pash'a *n.* פחה, באשה (תואר)
paso doble (pas'ədō'blā) פסו דובלה
pass *v.* לעבור; להעביר; לחלוף; לקרות; לעשות צרכיו; לתת, לאשר
- bring to pass לבצע, להביא לידי
- it passes belief לא יאומן
- pass a law להעביר/לאשר חוק
- pass a remark/comment להעיר הערה
- pass a test לעמוד במבחן
- pass an opinion להביע דיעה
- pass away למות; להסתלק; לחדול; לעבור, לחלוף
- pass blood להפריש דם (בצואה, בשתן)
- pass by לעבור (על פניו); להתעלם
- pass down למסור (לדורות הבאים)
- pass for/as להיחשב ל-
- pass forged money להפיץ כסף מזויף
- pass in review להעביר במסדר/במסקר; לחלוף כתסריט
- pass off לעבור, להסתיים, להיפסק; לרמות, לתחוב
- pass on למסור, להעביר; לעבור; לעבור על; לשקול, לשפוט; למות
- pass one's eye להעיף עין, להציץ
- pass one's understanding להיות מעל להשגתו, להיות נשגב מבינתו
- pass one's word לתת דברתו, להבטיח
- pass oneself off as- להתחזות כ-, להציג עצמו כ-
- pass out להתעלף; לחלק, להפיץ; לסיים (בי"ס); למות
- pass over לעבור על; להתעלם מ-
- pass round, be passed round לעבור, להתפשט, להיפוץ
- pass sentence להוציא פסק-דין
- pass the time להעביר הזמן, לבלות
- pass the time of day לנהל שיחה קלה
- pass through לעבור, להתנסות ב-
- pass under/by the name of להיות ידוע בשם-
- pass up להחמיץ, להזניח, לוותר
- pass water להטיל מימיו, להשתין
- that coin won't pass מטבע זה לא יתקבל (כסחיר/כהלך חוקי)
pass *n.* מעבר; הצלחה במבחן; מצב; תעודת מעבר; מסירת כדור; תנועת-יד
- a pretty/fine/sad pass מצב ביש
- hold the pass להגן (על רעיון)
- make a pass להסתער, להתקיף; "להתחיל", "להתעסק" עם
- pass degree ציון מעבר, "מספיק"
- sell the pass לבגוד (ברעיון)
pass = passive
passable *adj.* עביר; מניח את הדעת; בינוני, מספק, לא רע

pas′sage *n.* מעבר; נסיעה; קטע, פסקה; מסדרון; אישור חוק
- bird of passage ציפור נודדת; אדם העובר ממקום למקום
- book one's passage להזמין טיסה
- force a passage לפלס דרך
- passage at arms צחצוח חרבות, ריב
- passage of time מרוצת-הזמן
- passages חילופי דברים
- rough passage ים סוער, שעה טרופה
- work one's passage לעבוד (באוניה) תמורת נסיעה
passageway *n.* מעבר, פרוזדור
passbook *n.* פנקס בנק
passe (pasā′) *adj.* מיושן; אחרי תקופת הזוהר
pas′senger *n.* נוסע; *איש צוות לא-פעיל/שעבודתו לא יעילה
passe-partout (paspärtōō′) *n.* סרט-דביק (למסגור תמונה); פותחת, מפתח כללי
passer-by *n.* עובר-אורח
pas′sim *adv.* (מופיע) תכופות (בספר)
passing *n.* עבירה, צאת, יציאה; הסתלקות, מוות
- in passing דרך אגב
passing *adj.* עובר, חולף, שטחי, קצר
passing *adv.* מאוד, ביותר
passing bell פעמון המוות (באשכבה)
passing-out ceremony טקס סיום
pas′sion *n.* תאווה, להט; כעס, חימה
- fly into a passion להתפרץ, להתלקח
- the passion עינויי ישו ומותו, הפסיון של ישו
pas′sionate (-shən-) *adj.* מלא-תשוקה; נלהב, לוהט
passionately *adv.* בלהט; עד מאוד
passion-flower *n.* שעונית (צמח-נוי)
passion fruit פרי השעונית
passionless *adj.* חסר-רגש, חסר-להט
passion play מחזה-הייסורים (על ישו)
Passion Sunday יום א' החמישי (בתקופת לנט)
Passion Week השבוע הקדוש
pas′sive *adj&n.* פסיבי, סביל, בלתי-פעיל; נעדר-יוזמה, אדיש; נפעל
passive resistance התנגדות סבילה
passive voice בניין נפעל
pas·siv′ity *n.* פסיביות, סבילות
pas′sivize′ *v.* להפוך לבניין נפעל
passkey *n.* מפתח; פותחת (מפתח כללי)
passmark *n.* ציון עובר (בבחינה)
Pass′o′ver *n.* פסח, חג החירות
pass′port′ *n.* דרכון, פספורט
password *n.* סיסמה
past *adj.* שעבר, בעבר, שחלף, קודם
- for the past few days לאחרונה
- in years past לפני שנים (רבות)
past *n.* עבר, היסטוריה; זמן עבר
past *prep&adv.* אחרי, לאחר; מעבר ל (כוחו, אפשרותו), לא מסוגל ל-
- I wouldn't put it past him to לדעתי הוא מסוגל ל-
- go past לעבור, לחלוף
- past him/her אחריו/אחריה
- past it *כבר אינו מסוגל לכך
- run past לחלוף בריצה (על פניו)
pas′ta *n.* פסטה
paste (pāst) *n.* בצק; דבק; ממרח; משחה; חומר לייצור יהלומים
paste *v.* להדביק; להכות, להלום
- paste down להדביק
- paste up להדביק; להדביק נייר על; להדביק קטעי-נייר על גליונות
pasteboard *n.* קרטון
pas·tel′ *n.* פאסטל, עיפרון צבעוני; ציור פאסטל
pastel shade גוון עדין/רך
pas′tern *n.* מפרק הפרסה (החלק הצר מעל לפרסה)
paste-up *n.* קטעי נייר (מודבקים על גליונות לפני הדפסה)
pas′teuriza′tion (-tər-) *n.* פסטור
pas′teurize′ (-tər-) *v.* לפסטר, לחטא
pas·tiche′ (-tēsh) *n.* יצירה בנוסח מחבר אחר; יצירת טלאים (ממקורות שונים)
pas·tille′ (-tēl) *n.* טבלית (למציצה)
pas′time′ *n.* בידור, בילוי, משחק
pasting *n.* מכה, מהלומה, מכות
past master מומחה, בקי במקצוע
pas′tor *n.* כומר, רועה רוחני
pas′toral *adj.* פסטורלי, של רועים, אידילי, שליו; של כומר, של רבי
pastoral *n.* פסטורלה, שירת רועים, רועית
pastoral (letter) איגרת הבישוף
pastoral care סעד רוחני
pas′torale′ (-räl) *n.* רועית
pastoral land אדמת מרעה (מדושאת)
pastoral staff מטה הבישוף
pas′torate *n.* כהונת כומר; חבר כמרים
past participle עבר נשלם
past perfect עבר נשלם
pastra′mi (-trä-) *n.* פסטרמה, בשר מעושן
pa′stry *n.* בצק, עוגה, מאפה, קונדיטין
pastry-cook *n.* אופה עוגות
pas′turage (-′ch-) *n.* מרעה; אדמת-מרעה; זכות מרעה
pas′ture *n.* שדה-מרעה; אחו
- put out to pasture *להוציא לפנסיה, להביא לפרישה מעבודה
pasture *v.* לרעות
pas′ty *n.* פשטידה, כיסן-בשר
pa′sty *adj.* בצקי, חיוור, לבן
pasty-faced *adj.* חיוור-פנים
pat *adj&adv.* מיד, ללא דיחוי; מתאים
- come pat לבוא בעיתו, לקלוע
- have/know it pat לדעת על בוריו; לשלוף כמתוך השרוול
- stand pat להיות נחוש בדעתו
pat *n.* טפיחה; גושיש (שנוצר בטפיחות)
pat *v.* לטפוח; לחבוט קלות
- pat on the back לטפוח על השכם
pat′-a-cake′ *n.* מחיאות כפיים
pat-ball *n.* משחק (טניס) גרוע
patch *n.* טלאי; כתם; תחבושת; רטייה; חלקה, שטח קטן
- a bad patch תקופה קשה, עת מצוקה
- not a patch on נופל בהרבה מ-
patch *v.* להטליא; לשמש כטלאי

- patch up להטליא, לתקן, לסדר זמנית
patchiness *n.* טלאי על גבי טלאי
patch'ouli (-chōōli) *n.* פצ'ולי (בושם)
patch pocket כיס-טלאי, כיס חיצוני
patchwork *n.* מעשה טלאים
patch'y *adj.* טלוא, עשוי טלאי על גבי טלאי; לא מושלם; לא אחיד
pate *n.* *ראש
- -pated *בעל-ראש
pate (pätā') *n.* פשטידה, ממרח
pate de foie gras (-də fwä grä') ממרח כבד-אווז
patel'la *n.* פיקת-הברך
pat'ent *adj.* ברור, נהיר, גלוי; מוגן ע"י פטנט; מקורי, מתוחכם
patent *n&v.* פטנט; לקבל פטנט על-
pat'entee' *n.* בעל פטנט
patent leather עור מבריק (שחור)
patently *adv.* גלויות, בצורה ברורה
patent medicine רפואה פטנטית; תרופה מוגנת; "תרופת פלא"
Patent Office לשכת הפטנטים
pa'ter *n.* *אב
pa'terfamil'ias' ראש המשפחה
pater'nal *adj.* אבהי; (קרוב) מצד האב
pater'nalism' *n.* שלטון אבהי, פטרונות, פטרנאליזם, אבהותיות
pater'nalis'tic *adj.* של שלטון אבהי
pater'nity *n.* אבהות; מקור
paternity suit תביעה לקביעת אבהות
pat'ernos'ter *n.* אבינו (תפילה); חרוז במחרוזת-תפילה; מעלית
path *n.* שביל, נתיב, דרך; מסלול
- beat a path לכבוש דרך
- stand in his path לעמוד בדרכו
pathet'ic *adj.* פתטי, מעורר חמלה
pathetic fallacy אינוש, האנשה
path-finder *n.* סייר, מגלה נתיבים, חלוץ; מטוס מנחה
pathless *adj.* חסר-דרכים, לא סלול
path'ogen *n.* גורם מחלה
path'olog'ical *adj.* פאתולוגי; חולני
pathol'ogist *n.* פאתולוג
pathol'ogy *n.* פאתולוגיה, חקר התופעות החולניות (בגוף)
pa'thos' *n.* פאתוס, רגש, התלהבות
pathway *n.* דרך, שביל, נתיב
pa'tience (-shəns) *n.* סבלנות, אורך-רוח; פסיאנס (משחק קלפים)
- be out of patience with להיות חסר סבלנות כלפי-, לא לסבול עוד
- lost his patience פקעה סבלנותו
pa'tient (-shənt) *adj.* סבלני, ארך-רוח
patient *n.* חולה, פאציינט, מריע
pat'ina *n.* חלודת-נחושת/ארד; ברק-עתיקות; הופעה המקרינה ניסיון
pat'io' *n.* חצר מרוצפת, פאטיו, אכסדרה
patis'serie *n.* מזנון עוגות צרפתי
pat'ois (-twä) *n.* דיאלקט איזורי
pat'ri- (תחילית) אב
pa'trial *n.* בעל זכות לקבל אזרחות בריטית
pa'triarch' (-k) *n.* אב; פטריארך, ראש בית-אב; זקן נשוא-פנים; ראש כנסייה
pa'triar'chal (-k-) *adj.* פאריארכאלי, של הפטריארך, של שלטון הגברים
pa'triarch'ate (-k-) *n.* פטריארכאט, תחום הפטריארך
pa'triarch'y (-ki) *n.* פטריארכיה
patri'cian (-rish'ən) *n&adj.* אציל
pat'ricide' *n.* רצח אב; רוצח אביו
pat'rilin'e·al *adj.* מצד האב
pat'rimo'nial *adj.* שבירושה
pat'rimo'ny *n.* ירושה, עיזבון; נכס שהוקדש לכנסייה
pa'triot *n.* פטריוט, נאמן למולדת
pa'triot'ic *adj.* פטריוטי
pa'triotism' *n.* פטריוטיות
patrol' (-rōl) *n.* פטרול, משמר נייד, ניידת, סיור; סייר; צופים
patrol *v.* לפטרל, לסייר
patrol car ניידת משטרה
patrolman *n.* שוטר מקוף; סייר; מוסכאי נייד (למכוניות תקועות)
patrol wagon מכונית עצירים
pa'tron *n.* פטרון, אפוטרופוס, מצנט, תומך; לקוח קבוע
pat'ronage *n.* פטרונות, חסות, אדנות; תמיכה; חוג לקוחות; זכות מינוי
pa'troness *n.* פטרונה, מטרוניתא
pat'ronize' *v.* לשמש כפטרון; להיות לקוח; להתנשא, לנהוג בעליונות
patron saint הקדוש הפטרון
pat'ronym'ic *adj.* (שם) נגזר משם האב
pat'sy *n.* *קורבן, מרומה, פתי
pat'ten *n.* קבקב
pat'ter *v.* למלמל, לפלוט במהירות; לדפוק; לרוץ בהשמעת נקישות רגליים
patter *n.* ז'רגון, עגה; מלמול; נקישות צעדים, דפיקות
pat'tern *n.* דוגמה; מופת; דגם, הדגם; תבנית-קישוט; צורה, דרך
- behavior pattern דפוס התנהגות
- follow its usual pattern להתפתח כרגיל
pattern *v.* לקשט בדוגמה/בתבנית
- pattern oneself upon לנהוג כדוגמת, לחקות
patter song שיר מהיר-דיבור
pat'ty *n.* פשטידית
pau'city *n.* מחסור, צמצום, מיעוט
paunch *n.* כרס, בטן
paunchy *adj.* כרסתני
pau'per *n.* עני, אביון, נתמך
pau'perism' *n.* עוני
pau'periza'tion *n.* דלדול, התרוששות
pau'perize' *v.* לדלדל, לרושש
pause (-z) *n.* הפסקה, הפוגה, אתנחתה
- give him pause to לעורר ספק בלבו, להביאו שיתכוך בדעתו
pause *v.* להפסיק, לעצור לרגע
- pause on להתעכב על, להאריך
pave *v.* לסלול, לרצף
- pave the way for להכשיר הקרקע ל-
paved *adj.* מרוצף; רצוף, מלא
pavement *n.* מדרכה, מרצפת, מִרְצָף
pavement artist צייר מדרכות (בגיר)
pavil'ion *n.* ביתן; מבנה מקושט, פביליון, אפדן; אוהל
paving *n.* חומר ריצוף; מִרְצָף
paving stone מרצפת
paw *n.* כף-רגל (של טורף), כפה; כף-יד

paw *v.* לנגוע, למשש, לשרוט בטפריו; להקיש בפרסה; *לשלוח ידיים
paw'ky *adj.* ערמומי, פיקחי
pawl *n.* תפס, קרס-עצירה
pawn *n&v.* משכון, ערבון; (בשחמט) רגלי; כלי-משחק; למשכן; לסכן, להמר
- in pawn ממושכן
pawnbroker *n.* משכונאי
pawnshop *n.* בית-עבוט, מעבוט
paw'paw *n.* פפיה (עץ)
pax *n.* שלום
pay *v.* לשלם, לפרוע; להשתלם; להיות כדאי/מועיל; לגמול, לתת, להגיש
- it pays to כדאי ל-, משתלם ל-
- make it pay לעשותו משתלם/רנטבילי
- pay a debt לסלק חוב
- pay a visit/call לערוך ביקור
- pay as you go לשלם מיד
- pay back להחזיר; לגמול
- pay dearly לשלם ביוקר
- pay for לשלם; לתת את הדין על-
- pay into a bank להפקיד בבנק
- pay off לשלם; להחזיר; לתת דמי לא-יחרץ; לשלם ולפטר; להצליח; להשתלם
- pay one's dues להצליח לאחר עמל רב
- pay one's last respects ללוות המת בדרכו האחרונה
- pay one's respects לכבד (בביקור)
- pay one's way לשלם עם הקנייה, לא להיכנס לחובות; להיות כדאי
- pay out לשלם; לנקום; לרפות חבל
- pay the fiddler לשאת בהוצאות
- pay through the nose לשלם מחיר מופרז
- pay up להחזיר, לשלם כל המגיע
- put paid to לחסל, לשים קץ ל-
pay *n.* שכר, משכורת
- in the pay of מועסק/עובד אצל
payable *adj.* בר-פרעון; לתשלום
pay-as-you-earn ניכוי מס הכנסה במקור
payback *n.* החזר כספי, תגמול, רווח אחרי ההשקעה
paycheck *n.* שֵק משכורת; שכר
pay-day *n.* יום התשלום
pay dirt אדמת מחצב; מכרה זהב
PAYE = pay as you earn שיטת ניכוי מס הכנסה במקור
pay'ee' *n.* מקבל התשלום, זכאי לתשלום
pay envelope/packet מעטפת המשכורת
payer *n.* שַלָם; משלם
pay load המטען המשולם (במטוס); כמות חומר-נפץ בראש הטיל
paymaster *n.* שַלָם
payment *n.* תשלום, שכר; גמול; עונש
- payment in kind תשלום בשווה-כסף
pay'nim *n.* עובד-אלילים, פגן
pay-off *n.* הסדרת חשבונות, סילוק חוב; סוף, קלימאקס; שוחד
payo'la *n.* שוחד (מסחרי)
payout *n.* תשלום, פיצוי
pay phone/station טלפון ציבורי
pay-roll *n.* גליון שכר, רשימת מקבלי המשכורות; סך המשכורות

pay slip תלוש משכורת
PC = personal computer
PC = police constable
pdq *מהר מאוד, מהר למדי
PE חינוך גופני
pea *n.* אפונה
- as two peas כשתי טיפות מים
pea-brain *n.* *טיפש, קטן-מוח
peace *n.* שלום; שקט, שלווה; סדר
- at peace בשלום, בהרמוניה
- at peace with oneself שליו, רגוע
- keep the peace לשמור על השקט (במדינה)
- live in peace לחיות בשלום
- make one's peace with להשלים עם
- make peace with לעשות שלום עם
- peace of mind שלוות הנפש
peaceable *adj.* שקט, אוהב שלום
peace corps חיל שלום
peaceful *adj.* שקט, אוהב שלום
peacekeeping *n.* שמירת השלום (ע"י כוח זר)
peacemaker *n.* משלים, משכין שלום
peace offering מתנת פיוס (לסולחה)
peacetime *n.* ימי שלום
peach *n.* אפרסק; אדום-צהבהב; *דבר נפלא, נהדר; חתיכה
peach *v.* *להלשין
pea-chick *n.* טווסון, אפרוח-טווס
Peach Mel'ba אפרסק עם גלידה
pea'cock' *n.* טווס
peacock blue כחול-ירקרק
pea-flour *n.* קמח-אפונה
pea-fowl *n.* טווס, טווסת
pea green ירוק בהיר
pea-hen *n.* טווסת
pea-jacket *n.* מעיל ימאים (מצמר)
peak *n.* פסגה, שיא; מצחיה; שיער מחודד; ירכתי-ספינה
- off-peak (שעות) של ירידה בלחץ
- peak hours שעות השיא, שעות העומס
peak *v.* להגיע לשיא; לרזות, להימק
peaked *adj.* בעל פסגה; בעל מצחייה
peak load צריכת שיא (בחשמל)
pea'ky, peaked *adj.* חלש, חולה; רזה, כחוש
peal *n.* צלצול פעמונים; מערכת פעמונים; רעם; קול מתגלגל/מהדהד
- peals of laughter רעמי-צחוק
peal *v.* לצלצל; לרעום; להרעים
pea'nut' *n.* אגוז-אדמה, בוטן
peanut butter חמאת בוטנים
peanuts *n-pl.* *סכום זעום ביותר
pear (pār) *n.* אגס
pear drop סוכרייה דמויית-אגס
pearl (pûrl) *n.* פנינה; צדף הפנינים; "יהלום"; אדם יקר
- cast pearls before swine לתלות נזם זהב באף חזיר
pearl *v.* לדלות פנינים, לחפש פנינים
- go pearling לדלות פנינים
pearl-barley *n.* גריסי פנינה
pearl diver/fisher דולה פנינים
pearl fishery מקום דליית פנינים
pearlies *n-pl.* תלבושת רוכל (מעוטרת בכפתורי פנינים); *שיניים

pearl-oyster *n.* צדפת-הפנינים
pearly *adj.* פניני; מקושט בפנינים
Pearly Gates שערי השמים
pearly king רוכל מקושט בפנינים
pear'main (pār'-) *n.* תפוח פרמה
peasant (pez'-) *n.* איכר; בּוּר
peasantry *n.* האיכרים
pease (-z) *n.* אפונה
pea-shooter *n.* אקדח-אפונה (צעצוע)
pea soup מרק אפונה
pea souper *ערפל סמיך
peat *n.* כבול (משמש להסקה ולזיבול)
peat bog ביצת כבול, אדמת טורף
peaty *adj.* (בעל ריח) של כבול
peb'ble *n.* חלוק אבן, אבן חצץ
- not the only pebble on beach לא בן יחיד, יש רבים כמוהו
pebbledash *n.* מלט מעורב בחצץ
peb'bly *adj.* מכוסה חצץ; זרוע חלוקים
pe·can' *n.* אגוז פיקאן
pec'cadil'lo *n.* חטא קל
pec'cary *n.* פקארי (חזיר בר)
peck *v.* לנקר; לאכול/לנשוך במקור; לחטט; *לנשק חטופות
- peck at one's food *לאכול כאפרוח/בלי תיאבון
peck *n.* ניקור, נקירה; נשיקה חטופה; פק (כ-9 ליטר); כמות רבה
- peck of trouble חבילת צרות
peck'er *n.* *אף, חוטם; אומץ-לב
- keep one's pecker up להחזיק מעמד, להישאר עליז
pecking order סולם הדרגות, היראַרכיית הנקירות, שליטת החזק בחלש ממנו
peck'ish *adj.* *רָעֵב; עצבני
pec'tic *adj.* של פקטין, יוצר פקטין
pec'tin *n.* פקטין (חומר מקפא)
pec'toral *adj.* חזי, של החזה
pec'u·late' *v.* למעול
pec'u·la'tion *n.* מעילה
pe·cu'liar *adj.* מיוחד; בלעדי, אופייני רק ל-; מוזר, משונה; *חולה
pe·cu'liar'ity *n.* מוזרות; תכונה אופיינית; דבר משונה
peculiarly *adv.* במיוחד, באופן מוזר
Peculiar People ישראל, עם סגולה
pe·cu'niar'y (-eri) *adj.* כספי
ped'agog'ic(al) *adj.* פדגוגי, חינוכי
ped'agog'ics *n-pl.* פדגוגיה
ped'agogue' (-gôg) *n.* פדגוג, מחנך
ped'agog'y *n.* פדגוגיה, חינוך, הוראה
ped'al *n&adj.* דוושה; מופעל בדוושה
pedal *v.* לדווש; לנוע תוך דיווש
pedal *adj.* של הָרֶגֶל; של הדוושה
pedal bin פח אשפה בעל דוושה
pedal pusher *רוכב אופניים
pedal pushers מכנסי ברך
ped'ant *n.* פדנט, נוקדן, קפדן, מדקדק
pe·dan'tic *adj.* פדנטי, דקדקני
ped'antry *n.* פדנטיות, נוקדנות
ped'dle *v.* לרכול, לעסוק ברוכלות; למכור (רעיונות); להפיץ
peddler *n.* רוכל; סוחר סמים
ped'eras'ty *n.* מעשה סדום (בנער)
ped'estal *n.* בסיס, כן, מעמד
- knock him off his pedestal לנפץ תדמיתו המהוללת, להנמיך קומתו
- set him on a pedestal לסגוד לו
pedes'trian *n&adj.* הולך רגל; קשור בהליכה ברגל; חסר-מעוף, משעמם
pedestrian crossing מעבר-חציה
pedes'trianize' *v.* להגביל לשימוש הולכי רגל, להפוך למדרחוב
pedestrian precinct מידרחוב
pe'diatri'cian (-ri'shən) *n.* רופא ילדים
pe'diat'rics *n.* ריפוי ילדים
ped'icab' *n.* תלת-אופן ציבורי
ped'icel, ped'icle *n.* ניצב, עוקץ, גבעול הפרח; זיז דמוי-גבעול (בחרק)
ped'icure' *n.* פדיקור, טיפול ברגליים
ped'igree' *n.* אילן-היחס, שושלת; ייחוס; מוצא, מקור; (כלב) מיוחס, גזעי
ped'iment *n.* גמלון (בחזית בניין), משולש מעל לכניסה/לחלון
ped'lar *n.* רוכל
pe·dom'eter *n.* מד-צעד, פדומטר
pe'dophile' *n.* אוהב ילדים (סוטה), פדופיל
pe'dophil'ia *n.* תאוות ילדים
pee *n&v.* * (לעשות) פיפי; להשתין
peek *n&v.* הצצה; להעיף מבט
peek'aboo' *n.* "קוקו", משחק עם תינוק
peel *v&n.* לקלף; להתקלף; קליפה
- keep one's eyes peeled להשגיח בשבע עיניים, להיות דרוך
- peel off לקלף; להתקלף; להתפשט; להיפרד (מלהקת מטוסים)
peeler *n.* מקלף, מכונת קילוף; *שוטר
peelings *n-pl.* קליפות
peep *n.* הצצה, מבט חטוף; ציוץ; *צפירה
- have/take a peep להציץ
- peep of day שחר, נצנוצי בוקר
peep *v.* להציץ, להעיף מבט; להפציע, להופיע בהדרגה; לצייץ
peeper *n.* מציץ (בגניבה); *עין
peep-hole *n.* חור הצצה
peeping Tom מציצן
peep show פיפ-שו, הצגת תמונות (מין)
peer *n.* שווה-מעמד, שווה-דרגה, דומה, חבר; אציל
- life peer חבר בית הלורדים (למשך חייו)
- one's peer אדם כמוהו, אדם השווה לו
- peer of the realm אציל הזכאי לשבת בבית הלורדים
peer *v.* להתבונן, להתאמץ לראות
peer'age *n.* אצולה; ספר האצילים
- raise to the peerage להאציל
peer'ess *n.* אצילה
peer group קבוצת גילאים שווים; קבוצת בני אותו מעמד
peer'less *adj.* אין כמוהו, אין שני לו
peeve *v.* *להקניט, להרגיז, להציק
peeved *adj.* *רוגז, מוקנט
pee'vish *adj.* נרגז, כועס, עצבני
pee'wee *n.* קטן, ילד קטן
peg *n.* יתד, פין; וו-תלייה; אטב-כביסה; רגל (-עץ); פקק; כוסית-משקה
- off the peg (בגד) מוכן, לא בהזמנה
- peg to hang on בסיס (לתירוץ/טענה)
- square peg in a round hole אדם שאינו מתאים לתפקיד

- take him down a peg להנמיך קומתו, להשפילו
- tuning peg יתד-כוונון (בכינור)
peg *v.* לחזק ביתד; להדק באטב; להקפיא (שכר), להחזיק במצב יציב
- peg away at לעבוד בשקדנות על
- peg down לחזק ביתדות; להצמיד לקו-פעולה מסוים, להגביל לנוהלים
- peg out לסמן (חלקת אדמה) ביתדות; לתלות (כבסים) באטבים; *למות
peg leg *גל עץ; בעל רגל עץ
peignoir (pānwär′) *n.* חלוק-אשה
pe·jo′rative *adj.* מזלזל, שיש בו נימת גנאי; מידרדר, משתנה לרעה
peke *n.* פקינז (כלב סיני)
pe′kinese′ (-z) *n.* פקינז (כלב סיני)
pe′koe (-kō) *n.* תה משובח
pe·lag′ic *adj.* של לב-ים, של אוקיינוס
pelf *n.* *כסף, עושר
pel′ican *n.* פליקן, שקנאי
pellag′ra *n.* פלגרה, חספסת (מחלה)
pel′let *n.* כדורית; כדור; קליע; גלולה
pel′licle *n.* קרומית, קרום דק
pell′mell′ *adv.* באי-סדר, בבלגן
pellu′cid *adj.* צלול, זך, שקוף
pel′met *n.* וילונית (להסתרת כרכוב)
pelo′ta *n.* פלוטה (משחק כדור)
pelt *n.* פרווה, עור, שיער; שלח
- at full pelt במהירות רבה
pelt *v.* להשליך, לזרוק, לרגום; להמטיר
- it's pelting ניתך גשם עז
- pelt with questions להמטיר שאלות
pel′vic *adj.* של אגן-הירכיים
pel′vis *n.* אגן-הירכיים
pem′mican *n.* בשר מיובש
pen *n.* עט; סופר; סגנון כתיבה
- live by one's pen להתפרנס מכתיבה
- put pen to paper להתחיל לכתוב
- take up one's pen להתחיל לכתוב
pen *v.* לכתוב
pen *n&v.* גדרה, מכלאה; לול-תינוק
- pen up לכלוא במכלאה, לכנוס
- submarine pen מקלט-צוללות
pe′nal *adj.* של עונש, בר-עונש, פלילי; קשה, חמור, לא-נעים
penal code החוק הפלילי
penal colony/settlement ארץ גזירה
pe′naliza′tion *n.* הענשה, ענישה
pe′nalize′ *v.* להעניש, להטיל עונש
penal law חוק העונשין
penal offense עבירה פלילית
penal servitude עבודת פרך
pen′alty *n.* עונש, קנס; בעיטת-עונשין
- penalty of fame סבל המוניטין
- under penalty of צפוי לעונש
penalty area רחבת-העונשין
penalty clause פסקת הקנס (למפר חוזה)
penalty goal שער מבעיטת-עונשין
penalty kick בעיטת-עונשין, פנדל
penalty shootout הכרעה בבעיטות עונשין
penalty spot הנקודה הלבנה (במיגרש)
pen′ance *n.* עונש עצמי, סיגוף, תשובה
- do penance להסתגף, להיענש
pen-and-ink *adj.* משורטט בעט

pence = pl of penny
pen′chant *n.* חיבה, משיכה, נטייה
pen′cil (-səl) *n.* עיפרון
- eyebrow pencil עפרון גבות
pencil *v.* לכתוב; לסמן בעיפרון
pencil case קלמר
pencil sharpener מחדד עפרונות
pen′dant *n.* תליון; קישוט תלוי; דגל
pen′dent *adj.* תלוי; תלוי ועומד
pen′ding *prep.* עד ש-, עד ל-; במשך
- pending his return עד לשובו
pending *adj.* עומד להתרחש; מחכה להכרעה, תלוי ועומד
pen′dulous (-′j-) *adj.* תלוי (ברפיון), מתנודד, מדולדל
pen′dulum (-′j-) *n.* מטוטלת
- swing of the pendulum תנודות דעת-הקהל (מן הקצה אל הקצה)
pen′etrabil′ity *n.* חדירות
pen′etrable *adj.* חדיר
pen′etrate′ *v.* לחדור; לחלחל; לחדור לנבכי-; להבין, לקלוט
- penetrated with חדור-, מלא-, אחוז-
penetrating *adj.* חודר; מחלחל; שנון, מעמיק; (קול) חד, רם, ברור
pen′etra′tion *n.* חדירה; תפיסה, הבנה
pen′etra′tive *adj.* חודר; חריף, שנון
pen friend חבר לעט
pen′guin (-gwin) *n.* פינגווין
pen′icil′lin *n.* פניצילין
penin′sula *n.* חצי-אי
penin′sular *adj.* של חצי-אי
pe′nis *n.* איבר המין הגברי
pen′itence *n.* חרטה, חזרה בתשובה
pen′itent *adj&n.* מתחרט, חוזר בתשובה; מסתגף, מתענה
pen′iten′tial *adj.* של חרטה, של תשובה
pen′iten′tiary (-shəri) *n&adj.* בית-סוהר; של תשובה; של תיקון האסיר
penknife *n.* אולר
penman *n.* סופר, כתבן, תופס-עט
penmanship *n.* אמנות הכתיבה
pen name כינוי, שם בדוי, פסידונים
pen′nant *n.* דגל, נס
penniless *adj.* חסר-פרוטה, מרושש
pen′non *n.* דגל (של בי"ס/קבוצה); נס
pen′ny *n.* פני; סנט; פרוטה
- a penny for your thoughts! על מה אתה חושב?
- a pretty penny סכום נכבד
- in for a penny in for a pound דבר שמתחילים בו-צריך לסיימו
- penny wise and pound foolish חוסך פרוטות ומבזבז אלפים
- spend a penny *להשתין
- ten a penny עשרה בפרוטה, בזול
- the penny dropped ההערה הובנה, המסר נקלט
penny dreadful ספרות זולה
penny-halfpenny פני וחצי
penny pincher קמצן
pennyweight *n.* 1/20 של אונקיה
pennyworth *n.* במחיר פני, שווה פני
- good pennyworth מציאה, מיקח טוב
pe·nol′ogy *n.* תורת העונשין, תורת ניהול בתי-סוהר

pen pal חבר לעט
pen pusher *פקיד, לבלר
pen′sile *adj.* תלוי
pen′sion *n&v.* פנסיה, קצבה, גמלה
- old age pension קיצבת זקנה
- pension off להוציא לגמלאות
pension (pänsyōn′) *n.* פנסיון
- en pension מתאכסן, בפנסיון
pensionable *adj.* בר-קצבה, זכאי לקצבה
pensioner *n.* פנסיונר, גימלאי, קיצבאי
pen′sive *adj.* מהורהר, שקוע במחשבות
pen′stock′ *n.* שער-סכר
pen′tagon′ *n.* פנטגון, מחומש
pen•tag′onal *adj.* מחומש
pen′tagram′ *n.* כוכב מחומש
pen•tam′eter *n.* פנטמטר, טור בן 5 רגליים (בשירה)
Pen′tateuch′ (-to͝ok) *n.* תורה, חומש
pen•tath′lon *n.* קרב חמש
pen′tecost′ *n.* חג השבועות
pent′house′ *n.* פנטהאוז, דירת-גג; גנוגנת, גג משופע
pent-up *adj.* עצור, מסוגר
pe•nul′timate *adj.* שלפני האחרון; מלעילי
penum′bra *n.* פלג-צל, פנומברה
penu′rious *adj.* עני; קמצן
pen′u•ry *n.* עוני; קמצנות
pe′on *n.* פועל (העובד לפרעון חוב)
pe′onage *n.* שיעבוד, עבדות (כנ"ל)
pe′ony *n.* אדמונית (פרח)
peo′ple (pē′-) *n.* אנשים, בני-אדם; ההמון, עמך; עם, אומה
- go to the people ללכת אל העם, לערוך בחירות
- one's people קרובים, משפחה, הורים
people *v.* לאכלס, למלא באנשים
pep *n&v.* מרץ, זריזות, פעילות נמרצת
- pep up להמריץ, לדרבן, לעודד
pep′per *n&v.* פלפל; לפלפל, להוסיף/לזרות פלפל; לרגום, להמטיר
pepper-and-salt נקוד, שחור ולבן
pepper-box, -pot *n.* מבזק-פלפל
peppercorn *n.* גרגיר-פלפל; שכר-דירה סמלי
pepper-mill *n.* מטחנת-פילפל
peppermint *n.* נענע; (ממתק) מנתה
peppery *adj.* חריף, מפולפל; רגזן, כעסן
pep pill גלולת-מרץ
pep′sin *n.* פפסין, אנזים-עיכול
pep talk נאום מדרבן/מלהיב
pep′tic *adj.* עיכולי, של מערכת העיכול
peptic ulcer אולקוס, כיב קיבה
per *prep.* לכל- (אחד), ל-; ע"י, באמצעות
- as per usual כרגיל
- per day ליום, ביום אחד
- per meter לכל מטר, המטר
per′adven′ture *adv&n.* אולי; ייתכן
- if peradventure במקרה, פן, שמא
- without peradventure בלי ספק
peram′bu•late′ *v.* ללכת (דרך-, סביב-), לסייר; להסתובב; לשוטט
peram′bu•la′tion *n.* הליכה, הסתובבות
peram′bu•la′tor *n.* עגלת-תינוק

per an′num לשנה
per cap′ita לגולגולת, לנפש, לכל אדם
perceivable *adj.* מורגש
perceive′ (-sēv) *v.* להרגיש, להבחין, לראות
per cent′, percent′ אחוז, למאה, %
- 100 per cent מאה אחוז; לגמרי
percen′tage *n.* תאחוז, אחוז; חלק
- no percentage אין רווח, אין טעם
- play the percentages לשער מה עשוי לקרות ולפעול בהתאם
percen′tile *n.* פרצנטיל, מאון
percep′tibil′ity *n.* מוחשות, תפיסות
percep′tible *adj.* מורגש, מוחש, תפיס, ניכר
percep′tion *n.* הרגשה, תחושה; הבחנה, תפיסה, השגה; קיבול, פרצפציה
percep′tive *adj.* מהיר-תפיסה, מבחין
perch *n.* ענף (שהעוף נח עליו); עמדה רמה, מקום בטוח
- come off your perch אל תעשה רוח
- knock him off his perch לנפץ תדמיתו, להורידו מגדולתו
perch *v.* לנחות, להתיישב; להושיב, להעמיד, להציב
- perched שוכן, יושב, נמצא
perch *n.* פרץ' (5.5 יארדים); דקר (דג)
perchance′ *n.* אולי, ייתכן
- if perchance במקרה
percip′ient *adj.* מהיר-תפיסה, מבחין
per′colate′ *v.* לחלחל, לפעפע; לסנן; לחלוט (קפה) במסננת; להסתנן
per′cola′tion *n.* חלחול, סינון
per′cola′tor *n.* מסננת-קפה, חלחול
per con′tra בצד השני, בצד הנגדי
percuss′ *v.* להקיש קלות (בבדיקה)
percus′sion *n.* הקשה, דפיקה
percussion cap פיקת-הכדור
percussion instruments כלי-הקשה
percussionist *n.* נגן כלי-הקשה
percussion section נגני כלי-ההקשה
per di′em (-dē′-) *adv.* ליום
perdi′tion (-di-) *n.* גיהינום, תופת; הרס, אבדון
perdu′rable *adj.* נצחי, תמידי
per′egrina′tion *n.* מסע, נדידה
per′egrine (-grin) *n.* הבז הנודד
peremp′tory *adj.* תקיף, דורש צייתנות; שאין לערער עליו, החלטי, סופי
peren′nial *adj&n.* נמשך כל השנה; תמידי, נצחי; צמח רב-שנתי
per′fect (-fikt) *adj.* מושלם, שלם, מצוין, ללא פגם; מדויק
- perfect murder רצח מושלם (ללא עקבות)
- perfect nonsense שטות גמורה
- perfect stranger זר לגמרי
perfect′ *v.* לשכלל, לעשותו מושלם
- perfect oneself להשתלם
perfect binding כריכת הדבקה
perfec′tibil′ity *n.* אפשרות השכלול
perfec′tible *adj.* ניתן לשכלול
perfec′tion *n.* שלמות, מתום; שכלול; השתכללות, השתלמות
- to perfection בצורה מושלמת
perfectionist *n.* שואף לשלמות

per'fectly *adv.* באופן מושלם; לגמרי
perfect participle עבר נשלם
perfect tense (בדקדוק) זמן מושלם
perfer'vid *adj.* להוט, קנאי
perfid'ious *adj.* בוגד, מועל באמון
per'fidy *n.* בגידה, מעילה
per'forate' *v.* לנקב, לנקבב, לחרר
perforated *adj.* מנוקב, מחורר, נקבובי
per'fora'tion *n.* פרפורציה, ניקבוב
perforce' *adv.* בהכרח
perform' *v.* לעשות, לבצע; לשחק, להציג; לנגן; לערוך, לנהל; לפעול
- perform a promise לקיים הבטחה
- performing animal חיה מציגה (בקרקס)
performance *n.* עשייה; ביצוע; משחק; הצגה; קונצרט; מבצע; פעולה
- what a performance! איזו התנהגות מחפירה!
performer *n.* מְבַצֵעַ, נגן, שחקן
per'fume' *n.* בושם, ריח ניחוח
perfume' *v.* לבשם; להזליף מי-בושם
perfu'mer *n.* בַּשָׂם, מייצר בשמים
perfu'mery *n.* בשמות; מיבשמה
perfunc'torily *adv.* כלאחר יד
perfunc'tory *adj.* שטחי, חפוז, נעשה כלאחר יד/לצאת ידי חובה
perfuse' (-z) *v.* לרסס, לשפוך, להזרים
per'gola *n.* עריס, מקלעת שריגי גפן; פרגולה; מערכת עמודים לצמחים מטפסים
perhaps' *adv.* אולי, אפשר, ייתכן
per'iapt' *n.* קָמיע
peric'ope (-rik'əpi) *n.* קטע, פרשה
per'igee *n.* פריגיי (הנקודה הקרובה לכדור הארץ במסלול הגוף המקיפו)
per'ihe'lion *n.* פריהיליון (הנקודה הקרובה לשמש במסלול הכוכב המקיפה)
per'il *n.* סכנה, סיכון
- at one's peril על אחריותו
- in peril of one's life בסכנת נפשות
per'ilous *adj.* מסוכן
perim'eter *n.* פרימטר, היקף
per'ina'tal *adj.* סמוך מאוד ללידה
pe'riod *n.* תקופה; עונה; משך-זמן; שיעור; וֶסֶת; נקודה; מחזור; הקפה; (בתחביר) פריודה, מחזורת, משפט מלא
- of the period מהתקופה, מהעת ההיא
- period piece חפץ היסטורי/השייך לתקופה מסוימת; *מיושן
- period! נקודה! חסל! זהו זה!
- periods סגנון נמלץ/מסולסל
- put a period to לשים קץ ל-
pe'riod'ic(al) *adj.* תקופתי, מחזורי, עונתי, פריודי, עיתי
periodical *n.* כתב-עת, מגאזין, תקופון
pe'riodic'ity *n.* מחזוריות
periodic table המערכת המחזורית
per'ipatet'ic *adj.* נודד, מתהלך
periph'eral *adj&n.* היקפי, שולי, חיצוני; ציוד היקפי
periph'ery *n.* פריפריה, היקף; קו היקפי; גבול חיצוני; קבוצה שולית
- periphery of a town עיבורה של עיר
periph'rasis *n.* פריפראזה, דיבור עקיף, סחור-סחור; שימוש במלות-עזר

per'iphras'tic *adj.* של דיבור עקיף
per'iscope' *n.* פריסקופ (של צוללת)
per'ish *v.* למות, להישמד; להרוס, לקלקל; להתקלקל
- perish the thought! אל תעלה זאת על דעתך! חס וחלילה!
- perished with hunger "מת" מרעב
perishable *adj&n.* מתקלקל מהר
- perishables מזון המתקלקל מהר
perisher *n.* *אדם שנוא, "מזיק", "תכשיט"
perishing *adj&adv.* *ממית, ארור; מאוד
- perishing cold קור כלבים
per'istyle' *n.* מערכת עמודים המקיפה מיקדש; שטח מוקף עמודים
per'itone'um *n.* צֶפֶק
per'itoni'tis *n.* צפקת, דלקת-הצפק
per'iwig' *n.* פיאה נוכרית
per'iwin'kle *n.* פריווינקל; חלזון-ים, ליטורנה; וינקה (פרח)
per'jure (-jər) *v.* להישבע לשקר
- perjure oneself להישבע לשקר
perjurer *n.* נשבע לשקר, עד שקר
per'jury *n.* שבועת שקר; עדות שקר
perk *n.* *הטבה, הכנסה צדדית
perk *v.* לסנן; לחלחל; לחלוט במסננת
- perk up להיות עירני/פעיל/עליז; לגלות עניין; להרים ראש
perkiness *n.* עליזות; חוצפה
perky *adj.* עליז, מלא חיים; חצוף
perm *n&v.* (לעשות) סלסול תמידי (בשיער), לקרזל
per'mafrost' (-frôst) *n.* שכבת אדמה קפואה
per'manence *n.* תמידות, קבע
per'manency *n.* תמידות, קבע
per'manent *adj.* תמידי, קבוע, קיים
permanent (wave) סלסול תמידי
permanent injunction צו מניעה קבוע
permanently *adv.* לתמיד, לצמיתות
permanent way מסילת-ברזל
perman'ganate *n.* פרמנגנט, מלח מחטא
per'me•abil'ity *n.* חדירות, התפשטות
per'me•able *adj.* חדיר, ניתן לחלחול
per'me•ate' *v.* לחלחל, לפעפע, לחדור, להתפשט
per'me•a'tion *n.* חלחול, התפשטות
permis'sible *adj.* מותר, מורשה, כשר
permis'sion *n.* היתר, רשות, הסכמה
permis'sive *adj.* מתיר, מרשה; מתירני
permissiveness *n.* מתירנות
permissive society החברה המתירנית
permit' *v.* להתיר, להרשות; לאפשר
- permit of לאפשר, לתת מקום ל-
- weather permitting אם מזג-האוויר יאפשר -
per'mit *n.* רשיון, רשות, היתר
- building permit היתר בנייה
per'mu•ta'tion *n.* (במתימטיקה) תמורה
permute' *v.* להחליף, לשנות הסדר, לתמור
perni'cious (-nish'əs) *adj.* מזיק, משחית; ממאיר, רציני, קטלני

pernick′ety *adj.* מקפיד בקטנות, נקדן
per′noc·tate′ *v.* לבלות את הלילה
per′ora′tion *n.* החלק המסכם (בנאום)
per′oxide′ *n.* מי חמצן
peroxide blonde בלודינית צבועה
per′pendic′u·lar *adj&n.* ניצב, אנכי, מאונך; אנך
per′petrate′ *v.* לעשות, לבצע (עבירה)
per′petra′tion *n.* עשייה, ביצוע; עבירה
per′petra′tor *n.* מְבַצֵּעַ; עבריין
perpet′ual (-cho͞oəl) *adj.* נצחי, תמידי, עולמי; לא פוסק
perpetual check שח תמידי
perpetually *adv.* לנצח, לעד
perpetual motion תנועה נצחית
perpet′uate′ (-cho͞oāt) *v.* להנציח
perpet′ua′tion (-cho͞oā-) *n.* הנצחה
per′petu′ity *n.* נצח; קצבה תמידית
- in perpetuity לנצח, לצמיתות
perplex′ *v.* לבלבל, להביך; לסבך
perplexed *adj.* מבולבל, נבוך; מסובך
perplex′ity *n.* מבוכה, בלבול; תסבוכת
per′quisite (-zit) *n.* הטבה, הכנסה צדדית
per′ry *n.* משקה אגסים (תסוס)
per se (-sā′) כשלעצמו, במהותו
per′secute *v.* לרדוף; להציק, לענות
per′secu′tion *n.* רדיפה; הטרדה
per′secu′tor *n.* רודף, צר
per′seve′rance *n.* התמדה, שקדנות
per′severe′ *v.* להתמיד, לשקוד
persevering *adj.* מתמיד, שוקד
Per′sia (-zhə) *n.* פרס, אירן
Per′sian (-shən) *adj&n.* פרסי; פרסית
per′siflage′ (-fläzh) *n.* היתול, לגלוג
persim′mon *n.* אפרסמון
persist′ *v.* להתעקש, להתמיד; להמשיך; להימשך
persistence *n.* התעקשות; התמדה; קיום, הימשכות
persistent *adj.* עקשן; מתמיד; נמשך
persnick′ety *adj.* מקפיד בקטנות
per′son *n.* בן-אדם, איש; גוף
- find a friend in the person of למצוא ידיד ב-, להיווכח שהוא ידיד
- first/second/third person (בדקדוק) גוף ראשון/שני/שלישי
- in person אישית, באופן אישי
- offense against the person פגיעה גופנית, תקיפה
perso′na *n.* אדם, אישיות
persona (non) grata פרסונה (נון) גראטה, אישיות (בלתי) רצויה
per′sonable *adj.* יפה-תואר, נאה
per′sonage *n.* אישיות, אדם חשוב
per′sonal *adj.* אישי, פרטי; בכבודו ובעצמו; מיוחד; של הגוף, גופני
personal *n.* מודעה אישית
personal assistant מזכיר אישי
personal column הטור האישי (בעיתון)
personal computer = PC מחשב אישי
personal effects חפצים אישיים
personal estate מיטלטלין, נכסי דניידי
per′sonal′ity *n.* אישיות
- personalities הערות פוגעניות
personality cult פולחן אישיות
per′sonalize′ *v.* לאנש; לעבור לפסים אישיים; להדפיס שמו על
personally *adv.* אישית; באופן אישי
personal organizer יומן אישי
personal pronoun מלת-גוף
personal property מיטלטלין, נכסי דניידי
personal stereo ווקמן, דיסקמן
personal touch גישה אישית (לבעיה)
per′sonalty *n.* מיטלטלין, נכסי דניידי
per′sonate′ *v.* לגלם תפקיד; להתחזות
per′sona′tion *n.* גילום תפקיד; התחזות
person′ifica′tion *n.* האנשה, פרסוניפיקציה; התגלמות, סמל, מופת
person′ify′ *v.* להאניש, לאנש, לייחס תכונות-אנוש; לגלם, להוות סמל
per′sonnel′ *n.* פרסונל, חבר עובדים, סגל, אנשי צוות; מדור יחסי העובדים; כוח אדם
personnel carrier נגמ"ש
perspec′tive *n.* פרספקטיבה, שקף, תישקופת; מראה, מבט
- in perspective משורטט בהתאם לכללי הפרספקטיבה
- out of perspective משורטט שלא בהתאם לכללי הפרספקטיבה
- see it in the right perspective לראות זאת בפרספקטיבה הנכונה
per′spex′ *n.* פרספקס, חומר פלאסטי שקוף, תחליף-זכוכית
per′spica′cious (-shəs) *adj.* חד-תפיסה, מבין
per′spicac′ity *n.* חדות התפיסה, הבנה
per′spicu′ity *n.* בהירות-הביטוי
per′spic′uous (-ūəs) *adj.* בהיר, מנוסח ברורות
per′spira′tion *n.* הזעה; זיעה
perspire′ *v.* להזיע
persuadable *adj.* ניתן לשכנוע
persuade′ (-swād) *v.* לשכנע, להשפיע, לשדל, לפתות
- persuade out of להניא, לשדל לבל-
persua′sion (-swā′zhən) *n.* השפעה; (כושר) שכנוע; שידול; אמונה; כת; סוג, מין
- it's my persuasion אני משוכנע
persua′sive (-swā′-) *adj.* משכנע
pert *adj.* חצוף, חוצפני; עליז, מלא-חיים
pertain′ *v.* להיות שייך/קשור ל-
per′tina′cious (-shəs) *adj.* עקשן, מתמיד, דבק במטרה
per′tinac′ity *n.* עקשנות
per′tinence *n.* שייכות, רלוואנטיות
per′tinent *adj.* שייך, רלוואנטי, מתאים
perturb′ *v.* להדאיג; להביך, לגרום להתרגשות, לערער שלוות-נפשו
per′turba′tion *n.* דאגה, מבוכה; הפרעה
pertus′sis *n.* שעלת
Peru′ (-ro͞o′) *n.* פרו
peruke′ *n.* פיאה נוכרית
peru′sal (-z-) *n.* קריאה בעיון
peruse′ (-z) *v.* לקרוא (בעיון)
Peru′vian *adj&n.* של פרו; בן פרו
pervade′ *v.* לחדור, להתפשט, למלא
perva′sion (-zhən) *n.* חדירה,

התפשטות
perva′sive *adj.* חודר, מתפשט, פושה
perverse′ *adj.* עיקש, סוטה, נלוז; מנוגד, לא הגיוני, מסולף; רע
perver′sion (-zhən) *n.* סילוף, עיוות; נליזה, סטייה; שימוש שלילי בדבר
perver′sity *n.* עיקשות, סילוף, נליזה
pervert′ *v.* לסלף, לעוות; להשחית, להשפיע לרעה, להטות מדרך מישר
- pervert the course of justice להטות משפט, לעוות דין
per′vert′ *n.* סוטה, מושחת; מעוות
per′vious *adj.* חדיר, עביר, פתוח
pese′ta (-sā′-) *n.* פזטה (מטבע)
pes′ky *adj.* *מטריד, מציק, מייגע
pe′so (pā′-) *n.* פזו (מטבע)
pes′sary *n.* התקן תוך-רחמי; פתילה
pes′simism′ *n.* פסימיות, פסימיזם
pes′simist *n.* פסימיסט, ייאושן, רואה-שחורות
pes′simis′tic *adj.* פסימי
pest *n.* מזיק (לצמחים); טרדן, נודניק
pes′ter *v.* להטריד, לנדנד (בדרישות)
pest-house *n.* בי״ח לחולי-דבר
pes′ticide′ *n.* מדביר מזיקים
pes·tif′erous *adj.* מביא מחלה, מדביק; משחית, מזיק; מטריד, מציק
pes′tilence *n.* מגיפה (קטלנית)
pes′tilent *adj.* מגיפתי, קטלני, מזיק; *ארור, מטריד
pes′tilen′tial *adj.* מגיפתי, קטלני
pes′tle (-səl) *n&v.* (לכתוש ב-) עלי
pet *n&adj.* חיית שעשועים; אהוב, חביב; מפונק; הכי (אהוב/שנוא); התקף-כעס
- a perfect pet *חמוד, מקסים
- in a pet מצוברח; נתון בהתקף-כעס
- one's pet hate שנוא נפשו
- pet animal חיית מחמד
pet *v.* ללטף; לפנק; לנשק; *להתגפף
pet′al *adj.* עלה-כותרת (בפרח)
petaled *adj.* בעל עלי-כותרת
pe·tard′ *n.* פצצה
- hoist with one's own petard ליפול בעצמו למלכודת שטמן לזולתו
Pe′ter *n.* פטרוס (משליחי ישו)
- rob Peter to pay Paul לקחת מזה כדי לתת לזה
pe′ter *v.* לאזול, לגווע
- peter out לאזול, להיעלם, לדעוך
petit′ (-tē) *adj.* קטן, זעיר
petit bourgeois (-boorzhwä′) *n&adj.* בורגני זעיר
petite′ (-tēt) *adj.* קטנה, עדינה
petit four (pet′ifôr′) פטיפור (עוגייה)
peti′tion (-ti-) *n.* פטיציה, עצומה; בקשה, עתירה; תפילה
petition *v.* להגיש עצומה; לעתור; לבקש; להפציר
petitioner *n.* עותר; מבקש; תובע גט
petit mal′ (pətēm-) *n.* מחלת נפילה, כיפיון מיזערי
pet name כינוי חיבה, שם חיבה
pet′rel *n.* יסעור (עוף-ים)
- stormy petrel גורם סערה/תסיסה
pet′rifac′tion *n.* איבון; הלם; מאובן
pet′rify′ *v.* לאבן; להתאבן; להקשות; לשתק, להפיל אימה
pet′ro·chem′ical (-kem-) *adj.* פטרוכימיקל
pet′rol *n.* בנזין
pet′rola′tum *n.* וזלין
petrol bomb בקבוק תבערה
pe·tro′le·um *n.* נפט, פטרוליאום, שמן-אדמה
petroleum jelly וזלין
pe·trol′ogy *n.* פטרולוגיה, חקר האבנים
petrol station תחנת דלק
pet′ticoat′ *n.* תחתונית, שמלה תחתונה
petticoat government שלטון נשים
pet′tifog′ging *adj.* קטנוני, תחבולני
pettiness *n.* קטנוניות
pet′tish *adj.* כעסן, מהיר-חימה, רגזן; נפלט בעידנא דריתחא
pet′ty *adj.* קטן, זעיר, פעוט, פחות-ערך; זוטר; קטן-מוח, קטנוני
petty bourgeois בורגני זעיר
petty cash קופה קטנה
petty larceny גניבה פעוטה
petty officer מש״ק (בצי)
pet′ulance (-ch′-) *n.* רגזנות
pet′ulant (-ch′-) *adj.* רגזן, קצר-רוח
petu′nia *n.* פטוניה (צמח-נוי)
pew (pū) *n.* ספסל (בעל מיסעד), מושב
- take a pew קח כיסא, שב
pe′wit *n.* קיווית (עוף בִּיצָה)
pew′ter (pū′-) *n.* נתך עופרת ובדיל; כלי עופרת-ובדיל
pewter ware כלי עופרת-ובדיל
peyo′te (pāo′ti) *n.* מסקלין (סם)
pfen′nig (fen′ig) *n.* פניג (מטבע גרמני)
PG לילדים בהדרכת הורים
pha′eton *n.* פאטון, כרכרה קלה
phag′ocyte′ *n.* פגוציט, זוללן (תא דם)
phalan′ges = pl of phalanx (-jēz)
pha′lanx′ *n.* פלאנגה, גוש חיילים צפוף; ארגון, קבוצה; עצם באצבע
phal′lic *adj.* של איבר המין הגברי
phal′lus *n.* איבר המין הגברי
phan′tasm′ (-taz′əm) *n.* רוח, פרי הדמיון
phan·tas′mago′ria (-z-) *n.* פנטסמגוריה, חזון-תעתועים
phan·tas′mal (-z-) *adj.* דמיוני, של חזון-תעתועים
phan·tas′mic (-z-) *adj.* דמיוני, של חזון-תעתועים
phan′tasy = fantasy *n.* פנטסיה
phan′tom *n&adj.* רוח, שד; חזון-תעתועים, יצור דמיוני; כרוח רפאים
phantom pregnancy הריון מדומה
Pharaoh (fār′ō) *n.* פרעה
phar′isa′ic(al) *adj.* פרושי, צבוע
phar′isee *n.* פרוש (בבית השני); צבוע
phar′maceu′tical (-sū′-) *adj.* של רוקחות
phar′macist *n.* רוקח
phar′macol′ogist *n.* מומחה לתרופות
phar′macol′ogy *n.* תורת התרופות
phar′macopoe′ia (-pē′-) *n.* ספר הרוקחים, פרמקופיה, ספר התרופות
phar′macy *n.* בית מרקחת; רוקחות

pha′ros′ *n.* מגדלור
phar′yngi′tis *n.* דלקת הלוע
phar′ynx *n.* לוע
phase (-z) *n.* שלב (בהתפתחות); תקופה; פזה, צד; מופע; צורה (של הירח: חרמש, מילוא)
- in phase מחזק (זה את זה), משתלב
- out of phase מחליש (זה את זה)
phase *v.* לתכנן/לארגן בשלבים
- phase in להכניס בשלבים/בהדרגה
- phase out לבטל בשלבים/בהדרגה
PhD דוקטור לפילוסופיה
pheas′ant (fez′-) *n.* פסיון (עוף)
phe′no·bar′bital (-tôl) *n.* פנובארביטל (סם שינה)
phe′nol′ *n.* פנול, חומצה קארבולית
phe·nom′ *n.* *פנומן, גאון
phenom′ena = pl of phenomenon
phenom′enal *adj.* פנומנלי, לא-רגיל; של תופעות; נתפס ע״י החושים
phenomenally *adv.* בצורה לא-רגילה
phenom′enon′ *n.* פנומן; דבר לא רגיל, גאון; תופעה, דבר הנתפס ע״י החושים
phew (fū) *interj.* אוף! (מלת קריאה)
phi *n.* פיי (אות יוונית)
phi′al *n.* בקבוקון, צלוחית
philan′der *v.* לפלרטט, לחזר, להתעסק
philanderer *n.* מפלרטט
phil′anthrop′ic *adj.* פילנתרופי, נדבני
philan′thropist *n.* פילנתרופ, נדבן
philan′thropy *n.* פילנתרופיה, אהבת הבריות, צדקה, נדבנות
phil′atel′ic *adj.* בולאי, של בולים
philat′elist *n.* אספן-בולים, בולאי
philat′ely *n.* בולאות, איסוף בולים
-phile (סופית) אוהב
- Anglophile אוהב אנגלים
phil′har·mon′ic *adj.* פילהרמוני, מוסיקלי, שוחר מוסיקה
phil·hel′lene *adj&n.* אוהב יוון
phil′hel·len′ic *adj.* אוהב יוון
-phil′ia (סופית) אהבה
- necrophilia אהבת גוויות
philip′pic *n.* נאום-התקפה חריף
Phil′ippines′ (-pēnz′) *n.* הפיליפינים
Phil′istine′ (-tēn) *n&adj.* פלישתי; חסר-תרבות, גס, גשמן
philog′ynist *n.* אוהב נשים
phil′olog′ical *adj.* פילולוגי, בלשני
philol′ogist *n.* פילולוג, בלשן
philol′ogy *n.* פילולוגיה, בלשנות
philos′opher *n.* פילוסוף, הוגה-דיעות; קר-רוח, שקול
philosopher's stone אבן החכמים ״שהפכה מתכת לזהב״
phil′osoph′ical *adj.* פילוסופי, שליו
philos′ophize′ *v.* להתפלסף
philos′ophy *n.* פילוסופיה, חכמה; השקפת-עולם; קור-רוח, שלווה
- moral philosophy פילוסופית-המוסר
- natural philosophy פיסיקה
phil′ter *n.* שיקוי אהבה
phiz′og′, phiz *n.* *פנים, הבעה
phle·bi′tis *n.* דלקת הוורידים
phle·bot′omy *n.* הקזת דם
phlegm (flem) *n.* ליחה, כיח; איטיות, אדישות, כבדות
phleg·mat′ic *adj.* פלגמטי, איטי, אדיש
phlox *n.* שלהבית (פרח)
pho′bia *n.* פוביה, בַּעַת
- hydrophobia בעת-מים, כלבת
phoe′nix (fē′-) *n.* פניקס, חול (עוף)
phone *n&v.* *טלפון; לטלפן, לצלצל
phone *n.* צליל-דיבור, הגה
phone book מדריך טלפון
phonebooth *n.* תא טלפון
phone-in *n.* תוכנית בהשתתפות המאזינים, שידור שאלות טלפוניות
pho′neme *n.* פונמה, הגה, הברה, היחידה הקטנה ביותר במבנה הלשון
phone′mic *adj.* פונמי, של פונמות
phone′mics *n.* פונמיקה, חקר הפונמות
phone-tapping *n.* ציתות טלפוני
phonet′ic *adj.* פונטי, הברוני, הגאי
pho′neti′cian (-tish′ən) *n.* פונטיקן
phonet′ics *n.* פונטיקה, היברון, תורת ההיגוי
phonetic spelling כתיב פונטי
pho′ney, pho′ny *n&adj.* מזויף, כוזב
phon′ic *adj.* קולי, של הגה, אקוסטי
phon′ics *n.* אקוסטיקה; שימוש בפונטיקה בהוראת הקריאה
pho′nograph′ *n.* פטיפון, מקול
phonol′ogy *n.* פונולוגיה, תורת ההגאים הקוליים (בלשון מסוימת)
phoo′ey *interj.* פוי! אה! (קריאה)
phos′phate (-fāt) *n.* פוספט, זרחה
phos′phores′cence *n.* זרחורנות
phos′phores′cent *adj.* מפיץ אור (בלי חום), זורח
phos·phor′ic *adj.* זרחני, זרחתי
phos′phorus *n.* זרחן, פוספור
pho′to *n.* תצלום, צילום, תמונה
photocopier *n.* מכונת צילום
pho′tocop′y *n.* צילום (של מסמך)
photocopy *v.* לצלם (מסמכים)
photo-electric *adj.* פוטואלקטרי, חשמלורי
photo-electric cell תא פוטואלקטרי; עין אלקטרונית
photo finish סיום צמוד (של מירוץ, שבו רק המצלמה קובעת מי ניצח)
pho′tofit′ *n.* קלסתרון
pho′togen′ic *adj.* פוטוגני, נוח לצילום
pho′tograph′ *n.* תמונה, צילום, תצלום
- take a photograph לצלם
photograph *v.* לצלם
- photographs well מתקבל יפה בצילום
photog′rapher *n.* צלם
pho′tograph′ic *adj.* של צילום, מצולם
- photographic memory זיכרון תמונתי, בור סוד שאינו מאבד טיפה
photog′raphy *n.* צילום
pho′to·lithog′raphy *n.* פוטוליתוגרפיה, הדפס-אבן מבוסס על צילום
pho′tom′eter *n.* פוטומטר, מד-אור
pho′tomon·tage′ (-täzh) *n.* פוטומונטאז׳, מיצרף-תמונות
photo opportunity צילום מוזמן (לפרסומת)
pho′tosen′sitive *adj.* רגיש לאור

pho'tosen'sitize' *v.* לעשות רגיש לאור
pho'tostat' *n&v.* פוטוסטאט, מכונת צילום; צילום, העתק; לצלם (מסמך)
pho'tostat'ic *adj.* (מסמך) מצולם
pho'tosyn'thesis *n.* פוטוסינתיזה, הטמעת הפחמן
phr. = phrase
phra'sal (-z-) *adj&n.* ניבי, מורכב ממלים אחדות; פועל ניבי
phrase (-z) *n.* ניב, ביטוי, צירוף מלים; פראזה, פתגם; (במוסיקה) פסוק
- coin a phrase לטבוע מטבע-לשון
- to coin a phrase כמאמר הפתגם
- turn a phrase לומר משפט מוצלח
phrase *v.* לנסח, להביע במלים
phrase-book *n.* ניבון, מילון-ניבים
phra'se·ol'ogy (-z-) *n.* פרזיאולוגיה, ניסוח, בחירת המלים, הרכבת המשפט
phrasing *n.* ניסוח; פיסוק שיר
phre·net'ic *adj.* מטורף, משתולל, קנאי
phre·nol'ogist *n.* פרנולוג
phre·nol'ogy *n.* פרנולוגיה, קביעת האופי לפי צורת הגולגולת
phthi'sis (th-) *n.* שחפת הריאה
phut *n.* בום, קול התפוצצות (בלון)
- go phut *להתמוטט; לעלות בתוהו
phylac'tery *n.* תפילין, טוטפת
phyl'loxe'ra *n.* פילוקסרה (כנימה)
phy'lum *n.* מערכה (בממלכת החי)
phys'ic (-z-) *n&v.* (לתת) תרופה
phys'ical (-z-) *adj&n.* פיסי, גשמי; גופני; טבעי, לפי הטבע; פיסיקלי; בדיקה רפואית
physical education חינוך גופני
physical environment סביבה טבעית
physical examination בדיקה רפואית
physical exercise התעמלות, ספורט
physical geography גיאוגרפיה פיסית
physical jerks *התעמלות, ספורט
physically *adv.* גופנית; לפי הטבע
- physically impossible כלל לא אפשרי
physical sciences מדעי הטבע
physical training אימון גופני
physi'cian (-zish'ən) *n.* רופא
phys'icist (fiz-) *n.* פיסיקאי
phys'ics (fiz-) *n.* פיסיקה
phys'io' (-z-) *n.* *פיסיותרפיסט
phys'iog'nomy (-z-) *n.* חכמת הפרצוף; פרצוף, תווי-פנים; פני-השטח
phys'iolog'ical (-z-) *adj.* פיסיולוגי
phys'iol'ogist (-z-) *n.* פיסיולוג
phys'iol'ogy (-z-) *n.* פיסיולוגיה, חקר פעולות הגוף
phys'io·ther'apist (fiz-) *n.* פיסיותרפיסט
phys'io·ther'apy (fiz-) *n.* פיסיותרפיה, ריפוי באמצאים פיסיים
physique' (-zēk) *n.* מבנה גוף
pi *n.* פי (אות יוונית), (בגיאומטריה) יחס היקף המעגל לקוטר
pi'anis'simo' (pi-) *adv.* פיאניסימו, בשקט מוחלט
pian'ist *n.* פסנתרן
pian'o *n&adv.* פסנתר; פיאנו, בשקט
- upright piano פסנתר זקוף
piano accordion אקורדיון
pian'ofor'te (-fôr'ti) *n.* פסנתר
piano'la *n.* פיאנולה, פסנתר אוטומטי
piano-tuner *n.* מכוון פסנתרים
pias'ter *n.* פיאסטר, גרוש
piaz'za (piat'sə) *n.* מרפסת; רחבת-שוק; כיכר, פיאצה (באיטליה)
pic *n.* *תמונה, סרט קולנוע
pi'ca *n.* פייקה (יחידת מידה בדפוס)
pic'ador' *n.* פיקאדור (במלחמת-שוורים)
pic'aresque' (-resk) *adj.* פיקארסקי, מתאר חיי הרפתקנים ונוכלים
pic'ayune' (-kəūn') *n.* *חמישה סנט; חסר-ערך, נבזה, קטנוני
pic'calil'li *n.* פיקלילי (מחמצים)
pic'colo' *n.* פיקולו, חלילון
pick *v.* לבחור, לברור; לקטוף; לתלוש; לנקר; לאכול כציפור; לקרוע; לחטט
- pick a bone (clean) להסיר כל הבשר מהעצם (בכרסום)
- pick a fight with לחרחר ריב
- pick a guitar לפרוט על גיטרה (באצבע/במפרט)
- pick a hole in לעשות חור ב-
- pick a lock לפתוח מנעול (בגניבה)
- pick a winner לקלוע בניחוש
- pick and choose לברור ארוכות
- pick and steal לגנוב
- pick apart לקרוע לגזרים, לבקר
- pick at לאכול בלי תיאבון; לבצע באדישות; לחפש פגמים; להציק; למשוך
- pick him up לאסוף (במכונית); להכיר, להתיידד; לתפוס, לעצור
- pick off לקטוף; להרוג בצליפה אחד-אחד
- pick on לבחור ב-; להציק
- pick one's nose לחטט באף
- pick one's steps להתקדם בזהירות
- pick one's teeth לחצוץ את השיניים
- pick one's way להתקדם בזהירות
- pick oneself up לקום על רגליו
- pick out לבחור; להבחין, לראות; להבין; לנגן לפי שמיעה; להבליט לעין
- pick over לברור, לבדוק ולבחור; לדבר שוב ושוב על-
- pick pockets לכייס, לגנוב מכיסים
- pick to pieces לקרוע לגזרים, לחפש פגמים
- pick up להרים; לאסוף; להשתפר; להשיג, לרכוש; להתחיל שוב; לקלוט; להתאסף; לראות, להבחין; להתיידד; לעצור, לאסור; להחלים
- pick up a living להתפרנס בדוחק
- pick up a room לנקות/לסדר חדר
- pick up and leave לארוז חפציו ולהסתלק
- pick up health להחלים
- pick up speed לצבור/להגביר מהירות
- pick up the soil לעדור את האדמה
- pick up the tab לקבל על עצמו לשלם
- picks his words שוקל כל מלה
pick *n.* מעדר, מכוש; בחירה, ברירה; מיטב, מובחר; *מפרט
- take your pick קח כטוב בעיניך
- the pick of the bunch הטוב מכולם
pick'aback' *adv.* על הכתפיים

pick'anin'ny *n.* תינוק כושי
pick'ax' *n.* מעדר, מכוש
picked *adj.* מובחר
picker *n.* מלקט, מקושש, אוסף
pick'erel *n.* פיקרל (דג)
pick'et *n.* שומר, זקיף; משמר; משמר-שובתים; יתד, מוט, כלונס
picket *v.* לשמור; להציב שומרים (סביב-); לגדור בכלונסאות
picket fence גדר כלונסאות
picket line משמר שובתים
picking *n.* בחירה; גניבה
- pickings שאריות, רווחים משאריות, גניבות, הכנסות צדדיות
pick'le *n.* מי-מלח, ציר; מלפפון חמוץ, בצל כבוש; צרה; שובב, קונדס
- a nice/pretty pickle *מצב ביש
- have a rod in pickle for him לשמור באמתחתו עונש עבורו
- pickles כבושים, חמוצים, מחמצים
pickle *v.* לכבוש, להחמיץ, לשמר, לצמת
pickled *adj.* מצומת, כבוש; שתוי, שיכור
picklock *n.* פורץ מנעולים
pick-me-up *n.* (משקה) מחזק, מעודד
pickpocket *n.* כייס
pick-up *n.* תפיסה; ראש-מקול; טנדר, משאית קלה; תאוצה; *מכר מקרי
pickup truck טנדר
pick'y *adj.* בררן, קפדן
pic'nic *n&v.* פיקניק; לערוך פיקניק
- no picnic כלל לא קל
pic'nick'er *n.* משתתף בפיקניק
pic'ric acid חומצה פיקרית (משמשת כחומר-צביעה וכחומר נפץ)
pictor'ial *adj.* מצויר, מצולם, תמונתי
pictorial *n.* כתב-עת מצולם
pic'ture *n.* תמונה, תצלום; ציור; מראה מרהיב; שלמות, התגלמות; סרט
- a picture of health בריא למופת
- get the picture *להבין, לתפוס
- he's the picture of his father הוא דומה לאביו
- out of the picture לא בתמונה
- political picture תמונת-מצב פוליטית
- put him in the picture להכניסו לתמונה/לעניינים
- take his picture לצלם אותו
- the pictures הקולנוע
picture *v.* לצלם, לצייר; לתאר
- picture (to) oneself לראות בעיני-רוחו, לדמיין לעצמו; לראות עצמו כ-
picture book ספר תמונות
picture card קלף-תמונה
picture frame מסגרת תמונה
picture gallery גלרית-ציורים
picture hat כובע-נשים (רחב-אוגן)
picture-postcard *n&adj.* גלוית-דואר; יפה, ציורי
pic'turesque' (-chəresk) *adj.* ציורי, יפה, ראוי לציור; מוזר, יוצא-דופן, פיטורסקי
- picturesque language שפה ציורית
picture window חלון (בעל) נוף
pid'dle *n&v.* *להשתין, (לעשות) פיפי
pid'dling *adj.* חסר-ערך, קטנטן
pid'gin *n.* ז'רגון, תערובת-לשונות
- not my pidgin לא ענייני, לא עסקי
pie (pī) *n.* פשטידה
- easy as pie קל מאוד
- pie in the sky הרים וגבעות, חלום באספמיא
- sand pie עוגת-חול לחה (מעשה-ילד)
piebald *adj.* מנומר, בעל חברבורות
piece (pēs) *n.* חתיכה; חלק; קטע; כלי; יצירה; מטבע; כמות; דוגמה; *חתיכה; ברנש
- 20-piece band תזמורת בת 20 כלים
- a piece of the action *חלק ברווחים/בהתלהבות
- come to pieces להתפרק לחלקים
- go to pieces להישבר, להתמוטט
- in one piece *שלם, לא ניזוק
- in pieces לחתיכות, לרסיסים
- of a piece (with) מאותו מין, דומים; עולה בקנה אחד עם
- pay by the piece לשלם לפי הכמות/העבודה/בקבלנות/לפי יחידות
- piece by piece בחלקים, קמעה-קמעה
- piece of advice עצה
- piece of eight מטבע ספרדי (בעבר)
- piece of furniture רהיט
- piece of goods/work ברנש, טיפוס
- piece of land חלקת-אדמה
- piece of music קטע מוסיקלי
- piece of paper פיסת-נייר; גליון
- piece of work עבודה, יצירה
- pull/take to pieces לקרוע לגזרים, לקטול (בביקורת)
- say one's piece לומר דברו, לדקלם
- take to pieces להתפרק/לפרק לחלקים
- to pieces *ביותר, עד מאוד
piece *v.* לחבר, להרכיב מחתיכות
- piece out לצרף פרט לפרט, להשלים לתמונה כללית
- piece together לחבר, לאחות, לצרף
piece de resistance (pyes'dərəzistäns') המנה העיקרית; הדבר העיקרי
piece goods בדים בחתיכות
piece'meal' (pēs'-) *adj&adv.* קצת-קצת
piece-work *n.* עבודת קבלנות, קבלות
pie chart תרשים עוגה
pie-crust *n.* קרום הפשטידה
pied (pīd) *adj.* מנומר, חברבור
pied-a-terre (pied'ətār') דירה נוספת
pie-eyed *adj.* שתוי
pier (pir) *n.* מזח, רציף; עמוד-תומך
pierce (pirs) *v.* לדקור, לחדור, לנקב
- a cry pierced the air זעקה פילחה האוויר
- pierce one's way להבקיע דרכו
piercing *adj.* חודר, חד, עז
piercing *n.* פירסינג, ניקוב לעגילים
pier glass ראי גדול
Pierrot (pē'ərō') *n.* פיארו, ליצן
pieta (pi'ātä') *n.* פיאטה (תמונת מרים המחזיקה את גופת ישו)
pi'ety *n.* אדיקות, דתיות, חסידות
- filial piety כיבוד-אב-ואם
pi'e·zo'e·lec'tric *adj.* פיאזואלקטורי, מופעל ע"י חשמל גבישי
pif'fle *n&v.* (לדבר) שטויות *

pif'fling *adj.* חסר-ערך, פעוט
pig *n.* חזיר; ברזל יצוק; *שוטר
- bring pigs to the wrong market
להיכשל במשימה, להיכשל במכירה
- buy a pig in a poke לקנות חתול בשק
- make a pig of oneself להתנהג כחזיר, לזלול
- make a pig's ear of *לפשל
- pigs might fly אם יתחולל נס, "כשיצמחו שערות על כף ידי"
pig *v.* להמליט חזירים
- pig it לחיות כחזיר (בזוהמה)
- pig out *לזלול, לאכול כמו חזיר
pigboat *n.* *צוללת
pi'geon (pij'ən) *n.* יונה; פתי, טיפש
- not my pigeon לא עסקי, לא ענייני
- put the cat among the pigeons לגרום צרות, לפתוח תיבת פנדורה
pigeon-breasted/-chested *adj.* בעל חזה בולט, צר-חזה
pigeonhole *n.* תא-מסמכים, תאון
pigeonhole *v.* לשים בתא; לזכור; לדחות, להתעלם, לשכוח, לדחוף למגירה; למיין
pigeon-toed *adj.* בעל רגלי-יונה (הפונות כלפי פנים)
pig'gery *n.* חוות-חזירים; דיר-חזירים
piggish *adj.* חזירי, מטונף, זולל וסובא
piggy *n&adj.* חזירון, חזרזיר; זולל
piggy-back *adv.* על הכתפיים
piggy bank קופה, קופסת חסכונות
pig-headed *adj.* עקשן
pig iron יצקת, ברזל יצוק
pig'let *n.* חזרזיר, חזירון
pig'ment *n.* פיגמנט, ציבען
pig'men·ta'tion *n.* צביעה (בפיגמנט)
pig'my *n.* ננס, גמד
pig'nut' *n.* קְרָיָה (אגוז)
pigpen *n.* דיר חזירים
pigskin *n.* עור חזיר; כדורגל; *אוכף
pig-sticking *n.* ציד-חזירים (בחניתות), נחירת (דקירת) חזיר
pig'sty' *n.* דיר-חזירים
pig'swill, pig's wash *n.* פסולת, שיריים, מזון-חזירים
pigtail *n.* זנב-סוס, צמת-עורף
pike *n&v.* חנית, כידון; להכות בחנית
pike *n.* ראש גבעה; זאב-המים (דג); כביש-אגרה, דרכייה; מחסום-מכס; מכס
- come down the pike להופיע בשטח, להבחין בו
pikestaff *n.* קנה-החנית
- plain as a pikestaff ברור כשמש
pilaf' (-läf) *n.* פילאף (אורז עם בשר)
pilas'ter *n.* עמוד מרובע (בולט מקיר)
pilau' *n.* פילאף (אורז עם בשר)
pil'chard *n.* מליח קטן
pile *n.* ערימה; הון; בניין גבוה, גוש בניינים; סוללה; קורת-מסד; הצד השעיר והרך (בקטיפה/שטיח)
- piles טחורים
- piles of *המון, הרבה
pile *v.* לערום, לצבור, לגבב; להיערם
- pile arms להעמיד רובים במצובה
- pile in/out לנהור/להידחק פנימה/החוצה (באי-סדר)
- pile into a car להידחס למכונית
- pile it on *להגזים
- pile up לצבור; להיערם; להתנגש
pile driver תוקע קורות-מסד; מהלומה
pile-up *n.* התנגשות, תאונת שרשרת
pil'fer *v.* לגנוב, לסחוב, "להרים"
pil'ferage *n.* גניבה, סחיבה
pilferer *n.* גנב, גנבן, סחבן
pil'grim *n.* צליין, עולה-רגל, נוסע
pil'grimage *n.* עלייה לרגל, נסיעה
pilgrim fathers החלוצים (באמריקה)
pill *n.* גלולה; *כדור; טיפוס לא נעים
- bitter pill גלולה מרה
- on the pill לוקחת גלולות (נגד הריון)
- sugar the pill להמתיק את הגלולה
pil'lage *n&v.* ביזה; לבזוז, לשדוד
pillager *n.* בוזז
pil'lar *n.* עמוד; יד, מצבה; תומך
- driven from pillar to post נרדף ממקום למקום/מצרה לצרה
- pillar of smoke עמוד עשן (מיתמר)
pillar-box *n.* תיבת-דואר (ברחוב)
pillbox *n.* קופסית-גלולות; כובע דמוי-קופסה; מצד, מצדית, ביצור קטן
pil'lion *n.* מושב אחורי (באופנוע)
- ride pillion לרכוב במושב האחורי
pil'lock *n.* *טיפש, נקלה
pil'lory *n&v.* סד (לראש ולידיים); לכבול בסד; להוקיע חרפתו, לעשותו ללעג
pil'low (-ō) *n&v.* כר; להניח (ראשו) על כר; לשמש ככר
pillow-case, -slip *n.* ציפת-כר
pillow talk שיחה רומנטית במיטה
pill-popper *n.* *נוטל כדורים
pill'ule, pil'ule (-ūl) *n.* גלולה, טבלית
pi'lose' *adj.* שעיר, מכוסה שיער
pi'lot *n.* טייס; נווט; נתב-ספינות
- drop the pilot לסלק את היועץ
pilot *v.* לשמש כטייס; לנווט; להנחות
- pilot through להעביר (חוק)
pilot *adj.* ניסיוני, ניסויי, של בדיקה
pilot engine קטר-בודק (את המסילה)
pilot fish דג נווט (המלווה כרישים)
pilot light/burner להבית (להצתת התנור)
pilot light/lamp נורה (הדולקת כשהמכשיר פועל)
pilot officer סגן-משנה (בח"א)
pilot plant מפעל/מתקן ניסיוני
pilot study מחקר ניסויי
pimen'to *n.* פימנטו (מין פלפל)
pimp *n.* סרסור-זונות; מלשין, מודיע
pimp *v.* לספק זונות, לפעול כסרסור
pim'pernel *n.* מרגנית (צמח, פרח)
pimp'ing *adj.* קטן, חולני, קטנוני
pim'ple *n.* אבעבועה, חטט, פצעון
pim'ply, pimpled *adj.* מכוסה פצעונים
pin *n.* סיכה; סיכת-תכשיט; יתד, פין
- clean as a new pin נקי ביותר
- for two pins מבלי שיהיה צורך לשכנע, "כמו כלום"
- not care a pin/two pins *לא איכפת כלל
- pins *רגליים
- pins and needles קוצר-רוח, מתח, "על קוצים"; עקיצות (באיבר שנרדם)

- safety-pin סיכת-ביטחון, פריפה
pin *v.* להדק בסיכה; לנעוץ; לרתק
- pin back one's ears להקשיב היטב; לנזוף, לגעור; להכות, להביס
- pin down לרתק, להצמיד למקום; לגלות במדוייק, למנוע מלהתחמק
- pin it on him לטפול (האשמה) עליו
- pin one's hopes on him לתלות בו תקוותו, להשליך יהבו עליו
- pin up לתלות (בנעץ, תמונה)
PIN מספר סודי (בכספומט)
pin'afore' *n.* סינר
pin-ball machine פינבול, כדורון וגומות (מישחק שבו מנחים כדור לגומות)
pince-nez (pans'nā) *n.* מצבטיים, משקפי-חוטם, משקפי-צבט
pin'cer *n.* זרוע, צבת
- pincers מלקחיים, צבת
pincer movement תנועת מלקחיים
pincette' *n.* מלקט, מלקחית, פינצטה
pinch *v.* לצבוט; ללחוץ; לקמץ, לחמוך; לגנוב, לסחוב; לעצור, לאסור
- pinch and scrape לחסוך ולקמץ
- pinched for money דחוק בכסף
- pinched his finger אצבעו נצבטה
- pinched with סובל מ-, מיוסר-
- where the shoe pinches מקור הקושי, היכן שלוחץ, פה קבור הכלב
pinch *n.* צביטה; לחיצה; כאב; קושי, מצוקה; שמץ, קורטוב
- at a pinch בשעת הדחק, באין ברירה
- if it comes to the pinch בשעת הדחק
pinch'beck' *n&adj.* מסג-נחושת-ואבץ, זהב מלאכותי; מזויף
pinch-hit *v.* למלא מקום
pinchpenny *n.* קמצן
pincushion *n.* כרית-סיכות
pin-down *n.* הכנסת ילדים למוסד
pine *v.* להימק, לתשוש; לערוג, להשתוקק
pine *n.* אורן, צנובר; עץ אורן
pi'ne·al *adj.* איצטרובלי
pineapple *n.* אננס
pine cone איצטרובל, צנובר
pine needle מחט, עלה-אורן
pinewood *n.* יער-אורנים; עץ אורן
pine'y (pī'ni) *adj.* של אורנים
ping *n&v.* פינג, צלצול, שריקה; להרעיש
ping'-pong' *n.* טניס-שולחן
pinhead *n.* ראש סיכה; *טיפש
pin'ion *n&v.* כנף; נוצה, אברה; לקצוץ (נוצות-) כנף; לכבול, לכפות
pink *adj&n.* ורוד; ציפורן (פרח); שיא; שמאלי, שמאלני
- in the pink (of health) בריא
- pink elephant הזיות, "עורב לבן"
pink *v.* לדקור, לדקרר, לפגוע; לקשט בנקבים; לגזור שוליים
- pinking scissors/shears מספרי-שוליים (למניעת פרימת שולי-הבד)
pink *v.* (לגבי מנוע) להרעיש
pink eye דלקת הלחמית
pink'ie, pink'y *n.* זרת (אצבע)
pinkish *adj.* ורדרד
pin'ko *n.* (בפוליטיקה) שמאלני
pin money הוצאות קטנות, דמי-כיס
pin'nace (-nis) *n.* סירת-אונייה
pin'nacle *n.* צריח; צוק; שיא, פסגה
pinnacle *v.* לצייד בצריחים
pin'nate (-nāt) *adj.* (עלה) מנוצה
pinned *adj.* נתקע (בלי יכולת לזוז)
pin'ny *n.* *סינר
pinpoint *n.* חוד-סיכה, דבר זעיר
- pinpoint of light נקודת-אור
pinpoint *adj.* (מטרה) זעירה, מדוקת
pinpoint *v.* לתאר במדויק, לאתר, לקלוע בדייקנות (במטרה זעירה)
pin-prick *n.* עקיצה; דקירת-סיכה
pin'stripe' *n.* בד מפוספס/מקווקו; חליפת פסים
pint (pīnt) *n.* פיינט, 1/8 גאלון
pi'nta *n.* *פיינט חלב
pin-table = pinball machine
pint-size *adj.* קטן, חסר-ערך
pin-up *n.* תמונה (תלויה/נעוצה בקיר)
pin-up girl נערת-תמונה (כנ"ל)
pin wheel גלגילון-רוח (מנייר, מסתובב ברוח); זיקוקין-די-נור
piny (pī'ni) *adj.* של אורנים
pi'oneer' *n&v.* חלוץ; (בצבא) פַּלָּס; להיחלץ, לעבור כחלוץ; לסלול; ליזום
pi'ous *adj.* דתי, אדוק; מתחסד, צבוע
pip *n.* חרצן, גרעין; אות-זמן, צפצוף; נקודה (על קלף וכ'); כוכב-דרגה
- give him the pip להעכיר רוחו
- the pip מחלת-עופות; מצב-רוח רע
pip *v.* *לנצח, להביס; להיכשל; להכשיל; לקלוע, לפגוע
- pipped at the post נוצח ברגע האחרון
pipe *n.* צינור; מקטרת; מלוא המקטרת; קנה, חליל; משרוקית; שריקה; חבית
- pipes חמת-חלילים
- put it in your pipe and smoke it עליך לבלוע זאת על כורחך
pipe *v.* להזרים בצינורות; לשרוק; לנגן; לציין; לקשט שולי שמלה/עוגה
- pipe down לשתוק; להנמיך הטון
- pipe up להתחיל לזמר/לדבר/לנגן
pipe clay חומר-מיקטרות; חומר הלבנה
pipe cleaner מנקה מקטרות
piped music מוסיקה מתמדת שקטה
pipe dream חלום באספמיא
pipeful (-fool) *n.* מלוא-המקטרת
pipe-line *n.* צינור (להזרמת נפט/מידע), קו צינורות
- in the pipe-line בדרך, בטיפול
pipe opener אימון, חזרה
piper *n.* חלילן, מנגן בחמת-חלילים
- pay the piper לשאת בהוצאות
pipe rack כונן מקטרות
pipette' *n.* שפופרת, טפי, פיפטה
pipework *n.* צנרת
piping *n.* צנרת; צינורות; קישוט צינורי לשולי-בגד/עוגה; חילול; שריקה
piping *adj.* שורק, צווחני
- piping hot חם מאוד
- piping times ימי-רגיעה
pip'it *n.* ציפור קטנה
pip'pin *n.* סוגי תפוחי-עץ
pip-squeak *n.* *אפס, חדל-אישים

pi′quancy (pē′kən-) *n.* פיקאנטיות
pi′quant (pē′kənt) *adj.* חריף, פיקאנטי, חיכני
pique (pēk) *n&v.* היפגעות, עלבון, תרעומת; לפגוע, להרגיז; לעורר (סקרנות)
- pique oneself on להתגאות ב-
pique (pikā′) *n.* פיקה (אריג כותנה)
piquet′ (-ket) *n.* פיקט (משחק קלפים)
pi′racy *n.* פיראטיות, שוד-ים; גניבה
pi′rate (-rit) *n.* (ספינת) פיראט, שודד-ים; גונב (זכות-יוצרים וכ׳)
pi′rate (-rit) *v.* לגנוב (כנ״ל)
pi•rat′ical *adj.* פיראטי, של שודד-ים
pir′ouette′ (-ōōet′) *v&n.* (בבלט) להסתחרר; (לעשות) פירואט, סחרור (על הבוהן)
pis aller (pēz′alā′) *n.* מפלט אחרון, צעד נואש
pis′cato′rial *adj.* של דיג, חובב דיג
Pis′ces (-sēz) *n.* מזל דגים
pish *interj.* (קריאת בוז וכ׳)
piss *n&v.* *שתן; להשתין, להרטיב
- piss around *להתמזמז, להתבטל
- piss off *הסתלק! להמאיס, לשעמם
- pissed *שתוי, שיכור; מעוצבן, מדוכא
pissoir′ (-swär′) *n.* משתנה ציבורית
pista′chio′ (-tash′-) *n.* פיסטוק
pistachio green ירקרק
pis′til (-təl) *n.* עלי (בפרח)
pis′tol *n.* אקדח
- hold a pistol to his head להצמיד אקדח לרקתו, לאיים עליו
pistol-whip *v.* להכות באקדח
pis′ton *n.* בוכנה
piston engine מנוע-בוכנות
piston ring טבעת-הבוכנה
piston rod טלטל-הבוכנה
pit *n.* בור; מכרה; מלכודת; מוסך; בור-בדיקה במוסך; זירת-קרב לחיות; שקע; צלקת, גממית; מושבים אחוריים; מדור בבורסה
- dig a pit לכרות בור, להטמין מלכודת
- pit of despair תהום היאוש
- pit of the stomach השקע מתחת למפתח-הלב
- the pit הגיהינום
- the pits המקום/המצב הכי גרוע
pit *n&v.* גלעין; לגלען
pit *v.* לעשות גומות; לצלק; להציב מול
- pitted מצולק, גמום; מלא בורות; מתייצב מול
pi′ta (pē′tə) *n.* פיתה
pit′-a-pat′ *n.* תקתוק, נקישות, הלמות
- go pit-a-pat (לגבי לב) להלום
pitch *n.* זפת; מקום העסקים; גובה צליל, רמה, דרגה; זריקה, הטלה; מיגרש; טלטול (החרטום והירכתיים); שיפוע
- dark as pitch חושך מצריים
- queer his pitch לסכל תוכניתו
- sales pitch שיטת-מכירה
pitch *v.* להקים, להציב; להטיל, לזרוק; לקבוע (גובה-צליל/רמה); ליפול; להיטלטל (כנ״ל); לשפע; להשתפע; *לספר
- pitch in להירתם במרץ לעבודה; לתרום חלקו
- pitch into להסתער על, להתנפל על
- pitch upon לבחור (במקרה)
pitch-and-toss הטלת-מטבע (משחק)
pitch-blende *n.* עפרת-ראדיום
pitch-dark *adj.* חושך-מצריים
pitched *adj.* משופע
pitched battle קרב ערוך, מערכה עזה
pitch′er *n.* כד; (בבייסבול) מגיש
pitchfork *n&v.* קלשון; להעמיס בקלשון; לדחוף (נגד רצונו), לכוף
- raining pitchforks ניתך גשם עז
pitch pine סוג אורן
pit′e•ous *adj.* מעורר חמלה
pitfall *n.* פח, מלכודת, מהמורה
pith *n.* חומר ספוגי (בצמח); חוט השדרה; תמצית, עיקר, לשד; כוח, עוצמה
pithead *n.* פתח המכרה, כניסת-מכרה
pith helmet כובע קל (מהחומר הנ״ל)
pithiness *n.* תמציתיות
pith′y *adj.* תמציתי, מלא-תוכן
pitiable *adj.* מסכן, מעורר חמלה
pitiful *adj.* מעורר חמלה, בזוי; רחום
pitiless *adj.* אכזרי, חסר-חמלה
pitman *n.* כורה-פחם
pi′ton′ (pē-) *n.* יתד-מאחז (לטפסן)
pit pony סוסון מכרות (להובלת פחם)
pit prop סמוכת-מכרה (התומכת בתקרה)
pit′tance *n.* קצבה זעומה, סכום פעוט
pit′ter-pat′ter = pit-a-pat
pitu′itar′y (-teri) *n.* בלוטת יותרת-המוח
pit′y *n&v.* רחמים, חמלה; לרחם על
- felt pity for נכמרו רחמיו על
- for pity's sake למען השם, אנא
- it's a pity, what a pity חבל
- it's a thousand pities חבל
- out of pity מתוך רחמים
- take pity on לרחם על
piv′ot *n.* ציר; מרכז, מוקד
pivot *v.* לסוב על ציר; לקבוע על ציר
- pivot on להיות תלוי ב-
piv′otal *adj.* של ציר; מרכזי, חשוב
pix *n-pl.* *תמונות, סרטים
pix′el *n.* פיקסל, נקודה במסך
pix′ie, pix′y *n.* פיה, שדונת
pix′ila′ted *adj.* *מטורף, מופרע; שתוי
pizza (pēt′sə) *n.* פיצה
pizzazz′ *n.* *מרץ, חיות
piz′zeri′a (-rē′ə) *n.* פיצריה
piz′zica′to (pitsikä′-) *adv.* פיציקאטו, בפרוט
pk. = park פארק
pl. = plural, place
plac′ard *n.* כרזה, מודעה, פלאקאט
placard *v.* לפרסם ב-/להדביק מודעות
pla′cate *v.* לשכך, לפייס, להרגיע
pla′cato′ry *adj.* משכך, מרגיע
place *n.* מקום, איזור; מעמד; חובה; תפקיד; משרה; בית; אחד מ-3 הראשונים
- 3 decimal places 3 מקומות אחרי הנקודה
- all over the place בכל מקום; באי-סדר
- come to my place בוא לביתי
- give place to לפנות מקום ל-
- go places *להצליח

- high places החלונות הגבוהים
- in place במקום; יאה, נאות
- in place of במקום-
- it's not my place אין זה חובתי
- knows his place מודע למעמדו
- lay/set a place for לערוך מקום ליד השולחן (לסועד)
- make place for לפנות מקום ל-
- out of place לא במקום; לא הוגן
- pride of place מקום כבוד
- put/keep him in his place להעמידו במקומו
- take one's/its place לתפוס מקום
- take place לקרות, להתרחש
- take the place of לתפוס מקום של; למלא מקום-

place *v.* לשים, להניח; לסדר, לשכן; לְמַנּוֹת; להציב; להשקיע, להפקיד; למקם; לאתר; לזכור, לזהות; לסיים שני במירוץ
- be placed לסיים בין 3 הראשונים
- place an order with להזמין אצל
- place importance לייחס חשיבות

place bet הימור על אחד הראשונים
place'bo *n.* תרופת הרגעה; תרופת דמה
place card פתק-מקום (המראה מקומו של האורח ליד השולחן)
place kick בעיטה מהקרקע (בכדור)
placeman *n.* בעל משרה, פרוטקציונר
place mat מפית סועד
placement *n.* הנחה, שימה; הסדרת משרה
placen'ta *n.* שליה
placeseeker *n.* מחפש משרה (ממשלתית)
place setting עריכת שולחן (לסועד)
plac'id *adj.* שקט, שליו, רוגע, רגוע
placid'ity *n.* שקט, שלווה, רגיעה
plack'et *n.* כיס-חצאית, פתח-חצאית
pla'giarism' (-jər-) *n.* פלגיאט, גניבה ספרותית, גניבת רעיונות
pla'giarist (-jər-) *n.* פלגיאטור
pla'giarize' (-jər-) *v.* לגנוב (כנ"ל)
plague (plāg) *n&v.* דֶּבֶר, מגיפה; מכה; מטרד; טרדן; להציק; לענות
- plague of rats מכת עכברושים
- plague on him! ילך לעזאזל!

plague-spot *n.* כתם-דבר; איזור נגוע; מקור-השחיתות
pla'guey, pla'guy (-gi) *adj.* *מרגיז
plaice *n.* סנדל, דג משה רבינו
plaid (plad) *n.* רדיד-צמר צבעוני (סקוטי); אריג משובץ
plain *adj.* פשוט, ברור; מכוער; חלק
- in plain words בשפה פשוטה, גלויות
- plain as day ברור כשמש
- plain chocolate שוקולד דל-סוכר
- plain clothes (שוטר ב-) בגדי-אזרח
- plain dealing הגינות (בעסקים)
- plain flour קמח לא תופח
- plain meal ארוחה פשוטה/צנועה
- plain paper נייר חלק (לא מקווקו)
- plain sailing הפלגה שקטה; דרך-פעולה חלקה והסרת-תקלות
- to be plain with you אומר גלויות

plain *adv.* ברור, בפשטות
plain *n.* מישור, ערבה
plainchant *n.* שיר פשוט (בכנסייה)
plain-clothes *adj.* (בלש) בבגדי אזרח
plainly *adv.* ברור, בפשטות
plainsman (-z-) *n.* תושב-המישור
plainsong *n.* שיר פשוט (בכנסייה)
plain-spoken *adj.* דובר-גלויות, גלוי
plaint *n.* האשמה, תביעה, תלונה; קינה
plain'tiff *n.* תובע, מאשים
plain'tive *adj.* עצוב, נוגה, מתחנן
plait *n&v.* צמה, מקלעת; לקלוע
plan *n.* תוכנית; תרשים, שרטוט
- go according to plan להתנהל לפי התוכנית

plan *v.* לתכנן; לתרשם, לשרטט
- plan on לתכנן, להתכוון ל-; "לבנות על"

plan·chette' (-shet) *n.* לוח (בעל עיפרון "הרושם הודעות מהמתים")
plane *n.* מישור, משטח; רמה, דרגה; מקצועה; עץ דולב; מטוס
plane *v.* להקציע, להחליק; לדאות
- plane away לסלק (במקצועה), להחליק
- plane down לדאות, לגלוש באוויר

plane *adj.* מישורי, שטוח
plane geometry הנדסת המישור
planeload *n.* מלוא המטוס
plane sailing (חישוב מקום הספינה ב-) הפלגה מישורית
plan'et *n.* כוכב-לכת, פלאנטה
plan'eta'rium *n.* פלנטאריום (מתקן להמחשת תנועות הכוכבים)
plan'etar'y (-teri) *adj.* של כוכב-לכת
plan'gent *adj.* (קול) רוטט, עצוב, מהדהד
plan'ish *v.* לרקע, לשטח, לרדד
plank *n.* קרש; קורה, לוח; עיקרון במצע
- walk the plank ללכת על הקרש (הבולט מהאונייה, וליפול לים)

plank *v.* ללווח, לכסות בקרשים
- plank down לשלם מיד, להטיל הכסף

planking *n.* לוחות, רצפת-קרשים
plank'ton *n.* פלנקטון, יצורים זעירים החיים במים, מזון-הדגים
planned *adj.* מתוכנן
planner *n.* מתכנן
planning *n.* תיכנון
planning permission היתר-בנייה
plant *n.* צמח, שתיל; מתקן, ציוד; מפעל, בית-חרושת; *רמאות; סוכן שתול
plant *v.* לטעת, לזרוע; לשתול; להשריש; לתקוע, להנחית; לייסד; ליישב; *לשתול (סוכן, סחורה גנובה)
- plant oneself להתיישב/להיעמד בצורה איתנה
- plant out להעביר שתיל לאדמה

plan'tain (-tən) *n.* לחך, עשב רע; סוג בננה
plan'ta'tion *n.* מטע
planter *n.* מטען, בעל מטעים; מכונת-נטיעה; עציץ, אדנית
plaque (plak) *n.* לוח, טבלה; סימן; מישקע
plash *n.* חבטה במים, משק
plash *v.* לשקשק, לשכשך, לחבוט במים
plas'ma (-z-) *n.* פלאסמה (נוזל בדם)
plas'ter *n.* טיח, גבס; רטייה
- in plaster נתון בגבס (איבר נקוע)

- sticking plaster אספלנית דביקה
plaster *v.* לטייח, לכסות; להדביק אספלנית; לגבס; *לנצח, להביס
- plaster over לטייח, לכסות, לצפות
plasterboard *n.* לוח-טיח; לוח גבס
plaster cast פסל-גבס, תבנית-גבס; תחבושת-גבס
plastered *adj.* *שתוי, שיכור
plasterer *n.* טייח, סייד
plastering *n.* טיוח; *תבוסה
plaster of Paris גבס
plas'tic *adj&n.* (חומר) פלאסטי; גמיש, נוח לעיצוב/להשפעה, בר-שינוי; של כִּיוּר
- plastics פלאסטיקה
plastic arts האמנויות הפלאסטיות
plastic bomb פצצה פלאסטית
plas'ticine (-sēn) *n.* פלאסטלינה, כיורת
plas·tic'ity *n.* פלאסטיות, גמישות
plastic money *כרטיסי אשראי
plastic surgery ניתוח פלאסטי
plas'tron *n.* מגן-חזה (בסיף)
plat *n.* חלקת אדמה, מפת שטח
plat du jour (plä'doozhoor') *n.* מאכל-היום, המנה המיוחדת במסעדה
plate *n.* צלחת; מנה; כלי-שולחן (מזהב); צלחת-תרומות; ציפוי; לוחית-שם; פרס; מירוץ-סוסים; לוח, ריקוע; תמונה; גלופה
- give on a plate להגיש על מגש
- has too much on his plate עליו לטפל בעניינים רבים, עמוס עבודה
plate *v.* לכסות בלוחות-מתכת; לְצַפּוֹת
- silver-plated מוכסף, מצופה כסף
plat·eau' (-tō') *n.* רמה, מישור גבוה; דריכה במקום, אי-התקדמות, קיפאון
plateful (-fool) *n.* מלוא-הצלחת
plate glass זכוכית רקועה
platelayer *n.* מניח פסי-רכבת
plate'let (plāt'lət) *n.* תרומבוציט, טסית הדם, תא מסייע להקרשה
plate rack כונן-צלחות, סריג-כלים
plat'form' *n.* דוכן, בימה, פלאטפורמה; רציף; רחבה; מישורת; מצע מפלגתי
- platforms נעליים גבוהות-סוליה
plating *n.* ציפוי, ריקוע
plat'inum *n.* פלאטינה (מתכת יקרה)
platinum blonde בלונדית כסופת-שיער
plat'itude' *n.* שטחיות, שגרתיות; אמרה חבוטה, משפט בנאלי
plat'itu'dinous *adj.* שטחי, נדוש, חבוט
Pla'to *n.* אפלטון
platon'ic *adj.* אפלטוני, לא-חושני
platoon' (-tōōn) *n.* מחלקה (בצבא)
plat'ter *n.* צלחת, פינכה; *תקליט
plat'ypus *n.* ברווזן (יונק)
plau'dit *n.* תשואות, שבחים
plau'sibil'ity (-z-) *n.* מהימנות
plau'sible (-z-) *adj.* מתקבל על הדעת, סביר, הגיוני; אמין, מהימן; מוליך שולל
play *n.* שעשוע, משחק; מחזה; תור (במשחק); ריצוד; הימור; חופש; רפיון; מרחב-תימרון
- at play מְשַׂחֵק, שקוע במשחק
- bring into play להפעיל
- come into play להתחיל לפעול
- give play לרפות, לשחרר קמעה
- good as a play מעניין, מבדר
- in play (לגבי כדור) בצחוק, לא-ברצינות; במצב שמותר לשחק בו
- make a play for לפעול כדי להשיג
- out of play (לגבי כדור) במצב שאין לשחק בו
- play on words משחק-מלים
play *v.* להשתעשע, לשחק (ב-/נגד/על/כ-); להציג; לנגן, לשתף במשחק; לכוון, לירות, להתיז; להמחיז; להעמיד פנים
- play a waiting game לחכות ולראות מה יקרה (לפני נקיטת פעולה)
- play along להעמיד פנים כמסכים
- play around/about להשתעשע
- play at לשחק ב-/כ-, להשתעשע ב-
- play back להשמיע (ההקלטה) מרשמקול
- play down להמעיט את חשיבותו
- play for safety לשחק בזהירות, לא להסתכן, לשחק "על בטוח"
- play for time להשהות, להרוויח זמן
- play guns on להפגיז, לירות על
- play hard לשחק במרץ
- play him a trick "לסדר" אותו
- play him at fullback להציבו כמגן
- play him for *להתייחס אליו כ-
- play in לנגן בשעת כניסתו; לתרגל
- play it one's own way לפעול בדרך הנראית לו
- play off לסיים (תחרויות); לשחק משחק נוסף, לשחק בפלייאוף
- play off against להציב (זה מול זה) כדי לזכות ביתרון
- play on לפרוט על (גיטרה/רגשות)
- play one's cards right לנצל יפה את המצבים/ההזדמנויות
- play out לסיים; ללוות יציאתו בנגינה
- play safe לפעול בדרך הבטוחה, מה שבטוח - בטוח
- play the horses להמר (במירוצי-סוסים)
- play up להוסיף לחשיבותו, לנפח, להדגיש; להציק; לשחק במרץ
- play up to להחניף ל-
- play upon words לשחק במשחקי-מלים
- play water on להתיז מים על
- play with an idea להשתעשע ברעיון
- played out עייף, סחוט; מיושן
- plays the field יוצא עם כמה בנות
- the pitch plays well המגרש מתאים למשחק
playable *adj.* (מגרש) יפה למשחק
playact *v.* לשחק במחזה; להעמיד פנים
play-acting *n.* משחק, העמדת-פנים
play-back *n.* השמעת הקלטה מרשמקול; כפתור ההחזרה
playbill *n.* מודעת-הצגה
play-box *n.* ארגז-צעצועים
playboy *n.* פליבוי, רודף תענוגות
play-by-play *adj.* בליווי שידור חי; מפורט
player *n.* שחקן; נגן
player piano פסנתר אוטומטי
playfellow *n.* חבר למשחק
playful *adj.* עליז, מלא-שחוק, שובבני; במשובה, שלא ברצינות

playgoer *n.* שוחר תיאטרון
playground *n.* מגרש-משחקים
play-group *n.* גן-ילדים, גנון
playhouse *n.* תיאטרון; בית-משחקים
playing card קלף
playing field מגרש כדורגל
play'let *n.* מחזה קצר
playmaker *n.* רכז
playmate *n.* חבר למשחק
play-off *n.* מישחק חוזר (לאחר תיקו), פלייאוף, מישחק (ים) לקביעת האלוף
play-pen *n.* לול (לפעוטות)
playroom *n.* חדר-משחקים
play-school *n.* גנון, גן-ילדים
play-suit *n.* בגדי-משחק (לילד)
plaything *n.* צעצוע; כלי-משחק
playtime *n.* הפסקה, שעת-משחקים
playwright *n.* מחזאי
plaz'a *n.* כיכר, רחבת-שוק
plea *n.* בקשה, הפצרה; טענה, תירוץ; הצהרה, כתב-הגנה
plea bargain עיסקת טיעון
pleach *v.* לשלב ענפים; לסבוך, לשזור
plead *v.* להתחנן; לטעון; לתרץ; לסנגר, ללמד זכות; לענות על אשמה
- plead for לטעון מצד (בבי"ד)
- plead guilty להודות באשמה
- plead madness לטעון לאי-שפיות
- plead with להפציר ב-, לבקש מ-
pleader *n.* מבקש, פרקליט, טוען
- rabbinical pleader טוען רבני
pleading *n.* טענה, הצהרה, טיעון
pleas'ant (plez-) *adj.* נעים, נוח, טעים
pleas'antry (plez-) *n.* הלצה, הערה מבדחת; הומור, צחוק
please (-z) *v.* להצביע רצון, לגרום הנאה, להנות, לרצות
- as you please כטוב בעיניך; *מאוד
- if you please בבקשה, אנא, ברשותך; כמובן (באירוניה)
- please God אם ירצה השם
- please yourself! עשה כחפצך
- please! אנא, בבקשה, הואל נא
- pleased (with) שמח, מרוצה (מ-)
pleas'ing (-z-) *adj.* מהנה, נוח, נעים
pleas'urable (plezh-) *adj.* נעים, מהנה
pleasure (plezh'ər) *n.* הנאה, תענוג, תענוגות; רצון, חפץ
- at your pleasure כרצונך
- for pleasure כדי לבלות, להנאה
- may I have the pleasure of? התואיל ל-? לעונג יהיה לי ל-
- my pleasure התענוג שלי, היה נעים
- take pleasure לשמוח, להפיק הנאה
- with pleasure ברצון, בחפץ-לב
pleasure boat סירת-שעשועים
pleasure ground מגרש-משחקים
pleat *v&n.* לקפל; קיפול (בחצאית)
pleb, ple·be'ian (-bē'ən) *n&adj.* פלבי, נחות-מעמד, פשוט-עם; גס
plebe *n.* טירון
pleb'iscite' *n.* משאל-עם
plec'trum *n.* מַפרֵט (התקן-פריטה)
pled = p of plead
pledge *n.* משכון, ערבון; הבטחה, התחייבות; אות, סימן
- as a pledge of לאות, כשי-
- in pledge ממושכן, בעבוט
- pledge of friendship אות-ידידות
- sign/take the pledge להתחייב להתנזר ממשקאות חריפים
- under pledge of secrecy תוך הבטחת סודיות
pledge *v.* להבטיח, להתחייב; למשכן, לתת בעבוט; לשתות לחיי-
- pledge one's word לתת דברתו
- pledge oneself להתחייב
- pledged to secrecy מתחייב לשמור סוד
ple'nary *adj.* מלא, מוחלט, לא-מוגבל
plenary session ישיבת המליאה
plen'ipoten'tiary (-shəri) *n&adj.* שגריר, ציר; נציג מוסמך; (ייפוי-כוח) מלא
plen'itude' *n.* מלאות, שפע, רוב, גודש
plen'te·ous *adj.* מלא, שופע
plen'tiful *adj.* מלא, שופע, עשיר, רב
plen'ty *n&adv.* שפע, עושר, כמות רבה; הרבה, די והותר, מספיק, מאוד
- in plenty בשפע
- in plenty of time בעוד מועד
- live in plenty לחיות חיי רווחה
- plenty more עוד הרבה, עוד כמות
ple'num *n.* מליאה (של פרלמנט)
ple'onasm' (-naz'əm) *n.* יתור, פליאונאזם, גיבוב-מלים, שפת-יתר
pleth'ora *n.* שפע רב, גודש
pleu'risy (ploor-) *n.* דלקת האדר, דלקת עטיפת-הריאות
plex'us *n.* רשת עצבים וכלי-דם
pli'abil'ity *n.* גמישות, כפיפות
pli'able, pli'ant *adj.* גמיש, כפיף, נוח לעיצוב, קל להשפעה, צייתן
pli'ancy *n.* גמישות, כפיפות
pli'ers *n-pl.* מלקחיים, מלקחת, פלאייר
plight *n.* מצב, מצב חמור, צרה, תסבוכת
plight *v.* להבטיח, להתחייב
- plight one's honor/word לתת דברתו
- plight one's troth להבטיח נישואים
Plim'soll line קו פלימסול, קו השוקע (בספינה)
plimsolls *n-pl.* נעלי ספורט
plinth *n.* בסיס-עמוד, אדן
PLO אש"ף
plod *v.* ללכת בכבדות, להשתרך; לעמול
- plod along/away לעבוד ללא הפוגה
- plod one's way להתקדם בכבדות
plodder *n.* שקדן, איטי (אך מצליח)
plonk *v.* לפרוט, לנגן סתם; ליפול (בשקשוק) למים; לצנוח
plonk *n&adv.* (ב-) קול נפילה למים
plonk *n.* יין זול
plop *v.* ליפול; ליפול למים
plop *n&adv.* (ב-) קול נפילה למים
plo'sive *n&adj.* (הגה) פוצץ
plot *n.* חלקה, מגרש; מפה, תרשים; עלילת-סיפור; קשר, קנוניה
plot *v.* לתכנן; לתרשם, למפות; לקשור, לעשות קנוניה
- plot a curve ליצור עקומה מנקודות
- plot a moving aircraft לסמן במפה (בעזרת המכ"ם) את תנועת המטוס
- plot out לחלק (אדמה) לחלקות

plotter *n.* קושר קשר, חורש רעה
plo′ver *n.* חופמי (עוף)
plow, plough *n.* מחרשה; אדמה חרושה
- Plough דובה גדולה (קבוצת כוכבים)
- put one's hand to the plow להירתם לעבודה
- under the plow (אדמה) לגידולי-תבואה (ולא למרעה)
plow, plough *v.* לחרוש; להתאים לחרישה; להתקדם במאמץ; להכשיל, לפסול, לדחות
- plow a lonely furrow, לעבוד ללא עזרה, לפעול לבד
- plow back להשקיע שוב (רווחים בעסק)
- plow into להסתער על; להתנגש
- plow one's way לפלס דרך
- plow the sand לעשות עבודה מיותרת
- plow through the book לעבור על הספר בקריאה מאומצת
- plow under לחרוש ולהשמיד, לקבור
plowboy *n.* נער-המחרשה
plowman *n.* חורש
plowman's lunch ארוחת-פונדק צנועה
plowshare *n.* סכין-המחרשה
ploy *n.* תכסיס, תחבולה להשגת יתרון
pluck *v.* למרוט; לתלוש; לקטוף; לפרוט על מיתרים; לפסול, להכשיל; לרמות
- pluck at למשוך (באצבעותיו)
- pluck up (courage) לאזור אומץ
- pluck up/out לתלוש, למשוך, להוציא
pluck *n.* אומץ, תעוזה; משיכה; חלקי-בהמה (ריאות, כבד, לב)
plucky *adj.* אמיץ, נועז
plug *n.* פקק, מגופה; תקע; מצת; ברז-שריפה; חתיכת-טבק; פרסומת (למוצר)
- pull the plug (on) לנתק התקע; להפסיק האספקה; להרוס, לחסל; לחשוף מעשיו
- three-pin plug תקע משולש
plug *v.* לסתום, לפקוק; לפרסם (מוצר ברדיו); *לירות, להכות
- plug away at לעמול, לעבוד בשקדנות
- plug in לחבר לחשמל, להכניס התקע
- plug up לסתום, לפקוק
plughole *n.* פתח (הנסתם במגופה)
plug-ugly *n.* בריון
plum *n.* שזיף; *משהו טוב, ג׳וב מצוין
plum′age *n.* נוצות
plumb (-m) *n.* אנך, משקולת
plumb *v.* למדוד (עומק/קיר) באנך; לאנך; (לנסות) להבין; לחבר לצנרת
plumb *adj&adv.* מאונך; אנכית; *בדיוק, ממש; מוחלט, גמור, לגמרי
- out of plumb לא מאונך
- plumb in the middle בדיוק במרכז
- plumb stupid טיפש גמור
plum·ba′go *n.* עופרית (צמח תכול-פרחים); גרפיט
plumb bob אנך, משקולת
plumb′er (-mər) *n.* שרברב
plumber's helper/friend משאבת-כיור (מגומי, לניקוי סתימות), פומפה
plumb′ing (-ming) *n.* שרברבות; רשת צינורות-המים (והביוב, בבניין)
plumb line חוט-האנך

plum cake עוגת-צימוקים
plum duff חביצת-צימוקים
plume *n.* נוצה; תימרה דמויית נוצה
- dressed in borrowed plumes מתקשט בנוצות זרות
- plume of smoke עמוד עשן
plume *v.* להחליק נוצות; לנקות עצמו
- plume oneself on להתגאות על
plum′met *n.* אנך, משקולת; חוט-האנך
plummet *v.* ליפול, לצלול, לרדת
plum′my *adj.* *טוב, (ג׳וב) מצוין
- plummy voice קול רם/סנובי/מעושה
plump *adj&v.* שמנמן, מלא-בשר
- plump up למלא, לעגל; להשמין
plump *n&v&adv.* (בקול) נפילה, חבטה; פתאום, "טראח"; גלויות, בגסות
- a plump no לא באלף רבתי
- plump down להטיל ארצה; ליפול, לצנוח
- plump for לבחור, להצביע בעד
- tell him plump לומר לו בגלוי
plum pudding חביצת חג-המולד
plun′der *n&v.* שלל, ביזה; לשדוד, לבוז
plunge *v.* להטיל פתאום; להיזרק; ליפול; לצלול, לרדת; להמר, לבזבז
- plunge in לקפוץ פנימה; להתפרץ, להיכנס לפתע
- plunge into לצלול, לשקוע; להתחיל פתאום; לנעוץ
- plunge into darkness להמיש חושך
- the road plunged הכביש השתפע חדות
- the ship plunged הספינה טולטלה בעוז (כשחרטומה עולה ויורד)
plunge *n.* צלילה; קפיצה ממקפצה
- take the plunge להעז ולעשות הצעד
plung′er *n.* טובלן, בוכנת-משאבה; משאבת-כיור, "פומפה"; *מהמר
plunging *adj.* (קו-צוואר) עמוק-מחשוף
plunk = plonk
plu·per′fect (plo͞o-fikt) *n.* עבר נשלם
plu′ral *n&adj.* (של) רבים, צורת הריבוי
plu′ralism′ *n.* כהונה במשרות רבות; פלורליזם, עקרון החיים בצוותא
plu′ralist *n.* פלורליסט
plu·ral′ity (ploo-) *n.* ריבוי; רוב קולות; כהונה במשרות רבות; תפקיד נוסף
plu′ralize′ *v.* להפוך לצורת הריבוי
plus *n&adj&prep.* פלוס; סימן החיבור (+); חיובי; מעל לאפס; ועוד, וכן
- he's 7 plus הוא בן 7 ומשהו
- plus factor גורם שיש לברך עליו
plus fours מכנסי-גולף
plush *n.* פלוסין, קטיפה
plush, plushy *adj.* קטיפתי; מפואר
Plu′to *n.* פלוטו (כוכב-לכת)
plu·toc′racy (plo͞o-) *n.* שלטון העשירים, פלוטוקרטיה; מעמד העשירים
plu′tocrat′ *n.* פלוטוקרט, עשיר
plu′tocrat′ic *adj.* פלוטוקרטי
plu·to′nium (plo͞o-) *n.* פלוטוניום
plu′vial *adj.* גשום, של גשם
ply *v.* לנסוע במסלול קבוע (מונית, סירה); לעבוד ב-, להפעיל
- ply him with לספק לו, להציפו ב-

- ply one's needle לתפור
- ply one's trade לעסוק במלאכתו
- ply with questions להציק בשאלות
ply *n.* מידת-עובי (של חבל/קרש לפי מס׳ החוטים/השכבות שבו)
- 2-ply wool צמר דו-חוטי, צמר מס׳2
- 3-ply wood לביד, קרש תלת-שכבתי
plywood *n.* לביד, עץ-לבוד, דיקט
pm אחר הצהריים
PM = Prime Minister
pneu·mat′ic (nōōm-) *adj.* מלא אוויר; אווירי; מופעל ע״י לחץ-אוויר
pneumatic drill פטיש אוויר
pneu·mo′nia (noom-) *n.* דלקת ריאות
po *n.* *משתן, סיר-לילה
PO = post office, postal order
poach *v.* לשלוק ברותחים; להסיג גבול; לצוד ללא רשות הבעלים
- poach on his preserves להסיג גבולו, לדחוק רגליו, להיכנס לתחומו
- poached egg ביצה שלוקה/עלומה
poacher *n.* מסיג גבול; מחבת-שליקה
POB = Post Office Box
pock *n.* אבעבועה
pocked *adj.* מגומם, מצולק בגממיות
pock′et *n.* כיס; כסף; שקיק; כיס עפרה/נפט (בקרקע); קטן
- be in each other's pocket להיות תמיד ביחד
- burns a hole in his pocket להוט לבזבז כספו
- has him in his pocket מסובב אותו על אצבעו, שולט בו כליל
- has it in his pocket מונח בכיסו
- in pocket ברווח
- line one's pockets לעשות כסף
- out of pocket בהפסד, בחסרון-כיס
- pick pockets לכייס, לגנוב מכיסים
- pocket of resistance כיס-התנגדות
- pocket of unemployment כיס-אבטלה
- put his pride in his pocket מחל על כבודו, פעל למרות פחיתות-הכבוד
- puts his hand in his pocket נותן ביד רחבה
pocket *v.* לשלשל לכיס; לגלגל הכדור פנימה (בביליארד)
- pocket an insult לבלוע עלבון
- pocket one's pride למחול על כבודו
pocket-book *n.* ספר-כיס; ארנק; פנקס
pocketful (-fool) *n.* מלוא-הכיס
pocket-handkerchief *n&adj.* ממחטה; קטן
pocket money *n.* דמי-כיס
pockmark *n.* גממית, סימן-אבעבועה
pockmarked *adj.* סטיף, מגומם, מצולק
pod *n.* תרמיל; מכל-דלק (במטוס); חלק נתיק (בחללית)
- in pod *בהיריון
pod *v.* לתרמל; להוציא (אפונה) מתרמיל
podg′y *adj.* גוץ, שמן
podi′atrist *n.* רופא רגליים
podi′atry *n.* ריפוי רגליים
po′dium *n.* במה, דוכן, דוכן-מנצחים
po′em *n.* שיר, פואמה
po′esy *n.* שירה, פואסיה
po′et *n.* משורר, מחבר פיוטים, פייטן

po′etas′ter *n.* חרזן, כותב שירה דלה
po′etess *n.* משוררת
po·et′ic(al) *adj.* שירי, פיוטי, פואטי
poetic justice צדק אידיאלי
poetic license חירות המשורר
poet laureate משורר המלוכה
po′etry *n.* שירה, פיוט; פיוטיות
po-faced *adj.* בעל הבעה מטומטמת
po′go stick, עמוד קפיצה (דמוי צלב הפוך, שהילד מנתר בעזרתו)
pogrom′ *n.* פוגרום, פרעות
poignancy (poin′yənsi) *n.* חריפות
poignant (poin′yənt) *adj.* חריף, חד, עז
- poignant memories זיכרונות מרים
- poignant sorrow צער עמוק
poinset′tia *n.* פוינסטיה (צמח)
point *n.* נקודה; חוד, עוקץ; כף; צוק; עיקר; תכלית; כוונה; עניין; צד, אופי; גודל-אות; שקע-חשמלי
- at all points בכל הנקודות, לגמרי
- at the point of death על סף המוות
- at this/that point בנקודה זו, ברגע זה, במקום זה
- away from the point לא לעניין
- carry/gain one's point להצליח לשכנע הזולת
- case/example in point מקרה/דוגמה המתאימים לנושא, תקדים
- come/get to the point להגיע לעיקר, לדבר ״תכלית״
- diligence isn't my strong point ההתמדה אינה מתכונותי החזקות, איני שקדן
- give him points לתת לו מקדמה (״פור״) במשחק; לשחק טוב ממנו
- in point הולם, רלוואנטי
- in point of בעניין-, באשר ל-
- make a point of להקפיד, להתאמץ
- make one's point להוכיח טענתו
- not to put too fine a point on לדבר גלויות
- off the point לא רלוואנטי
- on the point of עומד ל-
- point by point פרט אחר פרט
- point of land לשון-יבשה
- score a point (off) לנצח בוויכוח, 0:1 לטובתו עקב תשובה קולעת
- see the point להבין, לתפוס הכוונה
- stretch a point לנהוג לפנים משורת הדין
- take his point להבין/לקבל דבריו
- that's (not) the point (לא) זה העניין, (לא) זה העיקר
- the dog made a point הכלב נעצר במחוות-ציד (בהצביעו בכיוון החיה)
- there's no point in אין טעם ל-
- to the point לעניין
- turning point נקודת-מפנה
- up to a point עד לנקודה מסויימת
- what's the point? מה הטעם ב-? לשם מה?
- when it came to the point ברגע המכריע, כשהגיעה העת לפעול
- win on points לנצח בנקודות
- you've got a point there יש משהו

בדבריך, אתה צודק

point *v.* להצביע, להורות; לכוון, להפנות; להדגיש; למלא, לטייח; לחדד

- point out לציין, להצביע על

- point the finger להפנות אצבע מאשימה

- point to להצביע על, להוות סימן

- point up להדגיש, להבליט

- the dog pointed הכלב נעצר במחוות-ציד (בהצביעו בכיוון החיה)

point-blank *adj&adv.* (בירייה) מטווח קרוב; חד וחלק; מפורשות

point duty הכוונת תנועה (ע"י שוטר)

pointed *adj.* מחודד; חד; מופגן, הפגנתי, מכוון; שנון, חריף

pointer *n.* מַחֲוֶה, חוטר; מחוון, מחוג; פוינטר, כלב-ציד; רמז

point'illism' *n.* ציור בנקודות

pointing *n.* מלט, טיח; טיוח

pointless *adj.* חסר-טעם, מיותר; חסר-מובן; שנסתיים בתיקו-אפס

point of no return נקודת האל-חזור; פרשת דרכים

point of order שאלה של נוהל

point of view נקודת-מבט

points *n-pl.* מסוט, פסי-מעבר; קצות הבהונות; גפי הסוס וזנבו

pointsman *n.* פועל-מסוט, עתק-רכבות

point-to-point מירוץ סוסים (ממקום למקום)

poise (-z) *v.* לאזן, לייצב, לתלות, להניח/להחזיק באופן מסוים

- poise oneself on לאזן גופו על

poise *n.* יציבות, איזון; שיקול-דעת; ביטחון עצמי; זקיפות הגוף/הראש

poised *adj.* מרחף, תלוי; מוכן; יציב

poi'son (-z-) *n&v.* רעל, ארס; להרעיל, לזהם, לאלח; להשחית

- poison his mind להרעיל נשמתו

- what's your poison? מה למזוג לך?

poison gas גאז מרעיל (קטלני)

poisonous *adj.* ארסי, רעלי; *רע, גרוע

poison pen letter מכתב ארסי

poke *v.* לדחוף, לתחוב, לתקוע; להכות

- poke a hole לעשות חור, לנקב

- poke around/about לחטט, לחפש

- poke one's nose לתחוב אפו

- poke the fire לחתות הגחלים באש

poke *n.* דחיפה, תחיבה, תקיעה; מכה

- a pig in a poke "חתול בשק"

- take a poke לכוון מכה

poke bonnet כובע-נשים (דמוי ברדס רחב-אוגן)

po'ker *n.* פוקר; מחתה, מוט-גחלים

poker face (בעל) פני פוקר

pokerwork *n.* מעשה-חריכה (קישוט)

po'key *n.* *בית סוהר

po'ky *adj.* קטן, מוגבל, צר

Po'lack' *adj.* *פולני

Po'land *n.* פולין

po'lar *adj.* של הקוטב; קוטבי, מנוגד

polar bear הדוב הלבן

polar'ity *n.* קוטביות, קיטוב

po'lariza'tion *n.* קיטוב

po'larize' *v.* לקטב, לבוא לידי קיטוב; לנטות, להיות מגמתו

Po'laroid' *n.* פולרואיד, חומר מכהה זכוכית

Polaroid Land Camera מצלמת-בזק

Polaroids *n-pl.* משקפי-שמש

pol'der (pōl-) *n.* פולדר (שטח מכוסה ים שיובש והוכשר לחקלאות)

pole *n.* קוטב; ניגוד; מוט, עמוד; תורן; יצול; מידת אורך (כ-5 מ')

- poles apart מנוגדים בתכלית, קיים פער ביניהם, כרחוק מזרח ממערב

- under bare poles במפרשים מקופלים

- up the pole מופרע; במבוכה, במצוקה

pole *v.* להניע סירה בעזרת מוט

Pole *n.* פולני

pole-ax *n&v.* גרזן-מלחמה; גרזן-שחיטה; להלום/לשחוט/לעלף בגרזן

pole'cat' (pōl'-) *n.* בואש (חיה)

polem'ic(al) *adj.* פולמוסי, וכחני

polem'ic(s) *n.* פולמוס, אמנות הוויכוח, פולמיקה

pole star כוכב הצפון, פולאריס

pole-vault *v.* לקפוץ קפיצת-מוט

pole vault/jump קפיצת-מוט

police' (-lēs) *n.* משטרה; שוטרים

police *v.* לפקח על, לשמור על הסדר

police constable שוטר (מן השורה)

police court בית-דין לעבירות קלות

police dog כלב-משטרה, כלב-גישוש

policeman, police officer שוטר

police office מטה משטרה

police state מדינת משטרה

police station תחנת משטרה

policewoman *n.* שוטרת

pol'icy *n.* מדיניות; חוכמה, התנהגות נבונה; פוליסה, תעודת-ביטוח

policy-holder *n.* בעל פוליסת-ביטוח

po'lio' *n.* שיתוק ילדים, פוליו

po'lio·my'eli'tis *n.* שיתוק ילדים

pol'ish *v.* להבריק, לצחצח, ללטש; לעדן, לשפר

- polish off לסיים, לחסל, *להרוג

- polish the apple להחניף, להשתדל למצוא חן בעיני

- polish up להבריק, לשפר, ללטש (ידיעות)

polish *n.* חומר-הברקה, משחה; צחצוח; ברק; עידון, ליטוש

Po'lish *n&adj.* פולני; פולנית

polished *adj.* מבריק, מלוטש

polisher *n.* לטש, מומחה לליטוש

polit'bu'ro *n.* פוליטביורו

polite' *adj.* מנומס, אדיב; מעודן

pol'itic *adj.* נבון, שקול, זהיר, מחוכם

polit'ical *adj.* מדיני, פוליטי

political asylum מקלט מדיני

political economy כלכלה מדינית

political geography גיאוגרפיה מדינית

polit'icalize' *v.* לשוות אופי פוליטי; לעסוק בפוליטיקה; להכניס פוליטיזציה

politically correct לא פוגע פוליטית, טקטי, לא גזעני, פוליטיקל קורקט

political science מדע המדינה

pol'iti'cian (-tish'ən) *n.* פוליטיקאי, מדינאי; פוליטיקן, תחבלן

polit'iciza'tion *n.* פוליטיזציה

polit'icize' *v.* לשוות אופי פוליטי; לעסוק בפוליטיקה; להכניס פוליטיזציה

pol′itick′ing *n.* פוליטיקניות
polit′ico′ *n.* פוליטיקן
pol′itics *n.* פוליטיקה, מדיניות; השקפות פוליטיות
- play politics לעסוק בפוליטיקניות, לחרחר, לסכסך, לחתור
pol′ity *n.* משטר, ממשל, שלטון; מדינה
po′lka *n.* פולקה (ריקוד צ׳כי)
polka dots דגם של עיגולים (על בד)
poll (pōl) *n.* הצבעה; מספר המצביעים; רשימת הבוחרים; תא; משאל; *ראש
- declare the poll לפרסם (רשמית) תוצאות ההצבעה
- go to the polls להשתתף בבחירות
- heavy poll השתתפות ערה בבחירות
- light poll השתתפות דלה בבחירות
- opinion poll משאל/סקר דעת הקהל
- polls קלפי
poll (pōl) *v.* לקבל (קולות); להצביע; למנות הקולות; לערוך משאל/סקר
poll (pol) *n.* תוכי
poll (pōl) *v.* לגזום צמרת-עץ; לגדוע קרניים
pol′lard *n&v.* לגזום צמרת-עץ; לגדוע קרניים; עץ גזום-צמרת
pol′len *n.* אבקה (הנוצרת בפרח)
pollen count שיעור אבקת-הפרחים באוויר (כגורם למחלות)
pol′linate′ *v.* להאביק, להפרות פרח
pol′lina′tion *n.* האבקה
polling *n.* הצבעה, בחירות; עריכת סקר
poll′ster (pōl-) *n.* עורך משאלים/סקר
poll tax מס גולגולת
pollu′tant *n.* חומר מזהם
pollute′ *v.* לזהם, לטמא, לחלל, להשחית
pollu′tion *n.* זיהום, חילול, השחתה
pol′lyan′na *n.* פוליאנה, אופטימיסט
po′lo *n.* פולו (הוקי על סוסים)
pol′onaise′ (-z) *n.* פולונז (ריקוד)
polo-neck *adj.* (אפודה) גבוהת-צווארון
polo′ny *adj.* נקניק-חזיר
pol′tergeist′ (pōl-gīst) *n.* שֵׁד
pol·troon′ (-rōōn) *n.* פחדן
pol′y *n.* פוליטכניון, טכניון
poly- (תחילית) רב-, בעל הרבה-
pol′yan′drous *adj.* נשואה לכמה גברים; רב-אבקנים
pol′yan′dry *n.* ריבוי בעלים
pol′yan′thus *n.* בכור אביב (פרח)
pol′yes′ter *n.* פוליאסטר (אריג)
pol′yeth′ylene′ *n.* פוליאתילן
polyg′amist *n.* פוליגמיסט
polyg′amous *adj.* פוליגמי
polyg′amy *n.* פוליגמיה, ריבוי נשים
pol′yglot′ *adj&n.* פוליגלוט, בלשן, שולט/כתוב בהרבה שפות; פוליגלוטה
pol′ygon′ *n.* פוליגון, רב-צלעון
pol′ygraph′ *n.* פוליגרף, גלאי שקר
pol′ymath′ *n.* ידען, מלומד
pol′ymer *n.* פולימר, מולקולה מורכבת
pol′ymor′phic *adj.* רב-צורות, רב-שלבי (בהתפתחות)
pol′ymor′phous *adj.* רב-צורות, רב-שלבי (בהתפתחות)
pol′yno′mial *n.* רב-איבר
pol′yp *n.* פוליפ, תפיחה בחלל-האף
pol′yphon′ic *adj.* פוליפוני, רב-קולי, ססקולי
polyph′ony *n.* פוליפוניה, רב-קוליות
pol′ypus *n.* פוליפ, תפיחה בחלל-האף
pol′ysty′rene *n.* קלקר
pol′ysyllab′ic *adj.* רב-הברתי
pol′ysyl′lable *n.* מלה רב-הברתית
pol′ytech′nic (-k-) *n.* פוליטכניון, טכניון
pol′ythe·ism′ *n.* פוליתיאיזם, אמונה באלהויות רבות
pol′ythe·is′tic *adj.* פוליתיאסטי
pol′ythene′ *n.* פוליאתילן (חומר פלאסטי)
pom *n.* *מהגר בריטי (באוסטרליה)
po·made′ *v&n.* (לבשם ב-) משחת-שיער
po·man′der *n.* מפיץ בושם
pom′egran′ate *n.* רימון
pom′elo′ *n.* פומלו (ממיני ההדרים)
Pom′era′nian *n.* פומרני (כלב שעיר)
pom′mel *n&v.* תַּפּוּס, חרטום האוכף; גולת-הניצב (של החרב); לחבוט
pom′my *n.* *מהגר בריטי (באוסטרליה)
pomp *n.* פאר, הוד, הדר
pom′pom′ *n.* פומפון, גולת-צמר, ציצה
pom′pon′ *n.* פומפון, גולת-צמר, ציצה
pom·pos′ity *n.* יהירות, התנפחות, עתק
pom′pous *adj.* יהיר, מתנפח
ponce *n.* סרסור, רועה-זונות
ponce *v.* לנהוג בצורה נשית/מרגיזה
pon′cho *n.* פונצ׳ו (גלימה)
pond *n.* בריכה
pon′der *v.* לחשוב, להרהר, לשקול ב-
ponderable *adj.* שקיל, ניתן להערכה
pon′derous *adj.* כבד, מגושם; משעמם
pone *n.* לחם-תירס
pong *n&v.* סרחון; להסריח
pon·gee′ *n.* פונג׳י (משי)
pon′iard *n&v.* (לדקור ב-) פיגיון
pon′tiff *n.* האפיפיור
pon·tif′ical *adj.* של האפיפיור; סמכותי, מתנשא, נוהג כאפיפיור
pontificals *n-pl.* בגדי-כמורה
pon·tif′icate *n.* כהונת האפיפיור
pon·tif′icate′ *v.* לנהוג כאפיפיור, להתנפח, להתנשא
pon·toon′ (-tōōn) *n.* פונטון, 21 (משחק קלפים); סירת-גשר; מתקן נחיתה במטוס-ים
pontoon bridge גשר צף, גשר סירות
po′ny *n.* פוני, סוסון; *העתקה (מתלמיד); 25 לי״ש; כוסית ליקר
pony-tail *n.* זנב-סוס (תסרוקת)
pony-trekking *n.* רכיבה על פונים
pooch (pōōch) *n.* *כלב
poo′dle *n.* פודל, צמרון (כלב)
poof, poove *n.* *הומוסקסואל
pooh (pōō) *interj.* פוי, פויה!
pooh-pooh (pōōpōō′) *v.* להתייחס בביטול/בבוז ל-
pool (pōōl) *n.* שלולית, בריכה; מעמקי-נהר
- pool of blood שלולית-דם
- swimming pool בריכת-שחייה
pool *n.* קרן משותפת, שירות מרכזי;

התארגנות של מפעלים; קופה כללית, פול,
חבור; פול (מין ביליארד)

- (football) pools טוטו כדורגל
- typing pool שירות כתבנות מרכזי

pool *v.* לצרף, להפקיד בקרן משותפת
poolroom *n.* אולם ביליארד
poop (pōōp) *n.* ירכתי-הספינה, אחרה
pooped (pōōpt) *adj.* *עייף, סחוט
poor *adj.* עני; מסכן; ביש-מזל; דל, עלוב

- in my poor opinion לעניות דעתי
- poor health בריאות לקויה
- the poor העניים

poor box קופת-צדקה
poorhouse *n.* בית-מחסה, מוסד לעניים
poor laws חוקי-הסעד (לעניים)
poorly *adj&adv.* חולה, לא חש בטוב;
בעוני; בצורה דלה/עלובה/גרועה

- poorly off דחוק (בכסף)
- thinks poorly of דעתו שלילית על-

poorness *n.* עוני; איכות גרועה
poor-spirited *adj.* פחדן, חסר-אומץ
poor white לבן מרושש (בארה"ב)
pop *v.* להשמיע ניפוץ; לצאת; להיכנס;
לשים בפתאומיות; לירות; להכות

- his eyes popped out עיניו יצאו
מחוריהן (מתדהמה)
- pop in/over "לקפוץ", לבקר חטופות
- pop maize לעשות פופקורן (מתירס)
- pop off להסתלק לפתע; למות
- pop out "לקפוץ"החוצה, לצאת לרגע
- pop the question להציע נישואים
- pop up להתרחש פתאום, לצוץ
- popping in and out נכנס ויוצא

pop *n.* קול ניפוץ (כפקק נחלץ); גזוז;
מוסיקת-פופ; *אבא, זקן

- go pop להשמיע קול ניפוץ
- in pop *בעבוט, ממושכן
- top of the pops תקליט-פופ רב-מכר

pop = popular עממי, פופולארי
pop art אמנות הפופ
pop concert קונצרט עממי
pop'corn' *n.* פופקורן, תירס קלוי
pope *n.* אפיפיור
po'pery *n.* קאתוליות, אפיפיורות
pop-eyed *adj.* פעור-עיניים (מתדהמה)
pop festival פסטיבל פופ
pop-gun *n.* אקדח-צעצוע, רובה-פקקים
pop'injay' *n.* שחצן, גנדרן
po'pish *adj.* קאתולי
pop'lar *n.* צפצפה (עץ-נוי)
pop'lin *n.* פופלין (אריג-כותנה)
pop music מוסיקת פופ
pop'o'ver *n.* פופאובר (עוגייה)
pop'pa *n.* אבא
pop'per *n.* לחצנית; מקלה-פופקורן
pop'pet *n.* *בובה'לה, מותק; שסתום
popping crease קו החובט (בקריקט)
pop'py *n.* פרג
poppycock *n.* *שטויות
popshop *n.* *בית-עבוט
Pop'sicle *n.* שלגון, ארטיק
pop'sy *n.* *נערה, חברה
pop'u·lace (-lis) *n.* ההמון הפשוט
pop'u·lar *adj.* עממי, פופולארי, אהוב,
אהוד; מקובל; נפוץ

- popular front חזית עממית
- popular music מוסיקה עממית
- popular prices מחירים עממיים

pop'u·lar'ity *n.* פופולאריות
pop'u·lariza'tion *n.* פופולריזציה,
הימון
pop'u·larize' *v.* להפוך לפופולארי;
לפשט, להסביר בצורה עממית; להפיץ
ברבים
pop'u·larly *adv.* בציבור, בדרך כלל
pop'u·late' *v.* לאכלס; ליישב
pop'u·la'tion *n.* אוכלוסיה; אוכלוסין
population explosion התפוצצות
האוכלוסין
pop'u·lism' *n.* פופוליזם, שימוש נלוז
ברגשות העם
pop'u·list *n.* פופוליסט
pop'u·lous *adj.* צפוף-אוכלוסין
pop-up *adj.* קופץ, מזדקר
por'celain (-lin) *n.* (כלי) חרסינה
porch *n.* אכסדרה, סטיו, מבוא מקורה;
מירפסת
por'cine *adj.* חזירי, דומה לחזיר
por'cu·pine' *n.* דרבן
porcupine anteater קיפוד נמלים
pore *n.* נקבובית; נקבובית-זיעה
pore *v.* להתעמק, לקרוא בעיון
pork *n.* בשר-חזיר
pork barrel הקצבה ממשלתית המוענקת
למטרות מדיניות
pork butcher קצב לבשר-חזיר
pork'er *n.* חזיר, חזיר מפוטם
pork pie פשטידת חזיר
porkpie hat מגבעת נמוכה
porky *adj.* שמן, בעל-בשר
porn *n.* *פורנוגרפיה
por'nograph'ic *adj.* פורנוגרפי, זימתי
por·nog'raphy *n.* פורנוגרפיה, זימה
po·ros'ity *n.* נקבוביות
po'rous *adj.* נקבובי, מחולחל
por'phyry *n.* פורפיר, בהט, סלע אדום
por'poise (-pəs) *n.* (סוג של) דולפין
por'ridge *n.* דייסה

- do porridge "לשבת" בכלא

por'ringer *n.* קערית-דייסה
port *n.* נמל; עיר-נמל; חוף-מבטחים

- any port in a storm היאחז בכל
קרש-הצלה להיחלץ מהמיצר
- port of call תחנה, מקום ביקור
- port of entry נמל כניסה

port *n.* כניסה, פתח (בצידון); אשנב;
כווה; שמאל (הספינה/המטוס); יציאה,
נקודת חיבור (במחשב)
port *v.* להפנות (הספינה) שמאלה
port *v&n.* לאחוז, לשאת (רובה)

- at the port (נשק) בנשיאה אלכסונית
- port arms! טול נשק (לבדיקת המפקד)

port *n.* יין פורט
por'tabil'ity *n.* ניידות
por'table *adj.* נישא, מיטלטל, נייד
por'tage *n.* הובלה; דמי הובלה
por'tal *n.* פתח, שער, כניסה מפוארת

- at the portals of- על סף-

port·cul'lis *n.* שער סורגים (עולה ויורד,
בכניסה למבצר)
porte co·chere' (-shār') *n.* כניסה
מקורה, אכסדרה

por·tend′ *v.* לבשר, להוות אות ל-
por′tent′ *n.* אות, סימן, סימן לבאות
por·ten′tous *adj.* מבשר, מנבא, מאיים; מרשים; לא רגיל, נפלא; יהיר
por′ter *n.* שוער; סַבָּל; סדרן-רכבת; פורטר (בירה)
por′terage *n.* סבלות; דמי-סבלות
porterhouse (steak) אומצת בשר-בקר
porter's lodge חדר-השוער
port·fo′lio′ *n.* תיק; תיק ממשלתי; משרת שר; רשימת ניירות-הערך
- minister without portfolio שר בלי תיק
porthole *n.* אשנב, אשקף, חלון
por′tico′ *n.* אכסדרה, סטיו, כניסה
por·tiere′ (-tyār′) *n.* וילון-פתח
por′tion *n.* חלק; מנה; מנת-חלקו
- marriage portion נדוניה
portion *v.* לחלק; לתת חלק
port′land cement מלט צהבהב
port′ly *adj.* שמנמן, חסון, מרשים
port·man′teau (-tō) *n.* מזוודה
portmanteau word מלה מורכבת
por′trait (-rit) *n.* דיוקן, תמונה, פורטרט
por′traitist (-rit-) *n.* דיוקנאי
por′traiture (-rich-) *n.* דיוקנאות, ציור פורטרטים
por·tray′ *v.* לתאר, לצייר, לשרטט דיוקן; לגלם תפקיד (במחזה)
por·tray′al *n.* תיאור, ציור
Por′tugal (-′ch-) *n.* פורטוגל
Por′tuguese′ (-chəgēz) *adj.* פורטוגלי; פורטוגזית
pose (pōz) *v.* לעמוד/להעמיד/לשבת בפוזה (לצילום); להעלות, להציג; להתנהג בצורה מלאכותית
- pose a problem לעורר בעיה
- pose as להתחזות כ-, להעמיד פני
- pose for לשמש כדוגמן (לצייר)
pose (pōz) *n.* פוזה; תנוחה; תעמיד; מצג; העמדת פנים
pos′er (pōz-) *n.* בעיה קשה; דוגמן
po·seur′ (-zûr′) *n.* מתנהג בצורה מעושה, מנסה להרשים
posh *adj.* *הדור, מפואר, מצוחצח
pos′it (-z-) *v.* להניח (הנחה)
posi′tion (-zi-) *n.* מקום; עמדה; מצב; תנוחה, תעמיד; מעמד; משרה, עבודה
- in a position to במצב המאפשר ל-
- in position במקומו הנכון; במקומו
- maneuver for position לתמרן לעמדה טובה
- out of position שלא במקומו הנכון
- take a position לנקוט עמדה
position *v.* להעמיד; להציב במקומו
positional *adj.* של מיקום, של מקום
pos′itive (-z-) *adj.* חיובי; מפורש, מוחלט; מושלם; מעשי, קונסטרוטיבי; בטוח בעצמו
- he's positive הוא בטוח/משוכנע
- positive advice עצה טובה/מעשית
- positive change שינוי ניכר
- positive fool טיפש גמור
- positive! כן, בהחלט, חיובי (תשובה)
positive *n.* (בצילום) פוזיטיב; ערך השיווי/הדימיון; מספר חיובי
positive discrimination אפליה לטובת המקופחים
positive electricity חשמל חיובי
positively *adv.* בהחלט; מפורשות
positiveness *n.* ביטחון
positive pole קוטב חיובי, אנוד
pos′itivism′ (-zi-) *n.* פוזיטיביזם (הכרת העולם על פי העובדות המדעיות)
pos′itivist (-zi-) *n.* פוזיטיביסט
pos′itron′ (-z-) *n.* פוזיטרון (חלקיק חיובי)
poss. = possessive, possible
pos′se (-si) *n.* קבוצה, פלוגה, יחידה
possess′ (-zes) *v.* להיות לו, להיות בעל-, להחזיק ב-; לשלוט, להשתלט, להשפיע
- is possessed of בעל-, יש לו
- possess one's soul in peace למשול ברוחו, להפגין שלווה
- what possessed him to do that? מה הניעו לעשות זאת?
possessed *adj.* אחוז-דיבוק; משוגע
- like one possessed כאחוז-דיבוק
posses′sion (-zesh′ən) *n.* בעלות; שליטה; חזקה; מושבה; אחיזת דיבוק
- come into possession of לזכות ב-, להיות בעל-
- in full possession of his senses שפוי לגמרי
- in one's possession ברשותו
- in possession מחזיק (ברכוש/בכדור)
- possession is 9/10 of the law המוציא מחבירו עליו הראיה
- possessions רכוש, נכסים
- take/enter into possession לתפוס; להשתלט
posses′sive (-zes-) *adj.* של בעלות, של קניין; קנאי לרכושו; דורש תשומת-לב
possessive adjective תואר הקניין
possessive case יחס הקניין
possessive pronoun כינוי הקניין
possessor *n.* בעלים, שיש לו-
pos′set *n.* חלב חם (מזוג ביין)
pos′sibil′ity *n.* אפשרות, ייתכנות
pos′sible *adj.* אפשרי; ייתכן; פוטנציאלי, שבכוח; בא בחשבון
- as soon as possible בהקדם האפשרי
- if possible אם הדבר אפשרי
possible *n.* אדם/דבר הבא בחשבון
possibly *adv.* אפשר, שבאפשרותו; אולי
- can('t) possibly (לא) יכול
pos′sum *n.* אופוסום (חיית-כיס)
- play possum להעמיד פני ישן
post (pōst) *n.* עמוד; מזוזה; קורת-השער
- starting/finishing post נקודת הזינוק/הסיום (במירוץ-סוסים)
post *v.* להדביק (מודעות), לפרסם
- posted missing היעדרותו מתפרסמת
post *n.* דואר; תיבת דואר; תחנת דואר
- by return of post בדואר חוזר
post *v.* למעון, לשלוח בדואר; לנסוע בסוסי-דואר; לנסוע במהירות
- keep him posted לעדכנו בידיעות
- post up לרשום (מיומן) בספר ראשי
post *n.* עמדה, מוצב; משרה, תפקיד; (בצבא) תרועת-חצוצרה

- at one's post במקום משמרתו
- last post תרועת-אשכבה; תקיעת-הערב
- trading post מקום-מסחר נידח
post *v.* (בצבא) להציב (ליחידה/זקיף)
post- (תחילית) שלאחר-, אחרי-, בתר
po'stage *n.* דמי-דואר
postage meter מכונת ביול
postage stamp בול-דואר
po'stal *adj.* של דואר; שנשלח בדואר
postal order המחאת דואר
postbag *n.* תרמיל הדוור; שק-דואר
postbox *n.* תיבת-דואר
postcard *n.* גלוית-דואר
post chaise כרכרת-דואר
postcode *n.* מיקוד
post'date' (pōst-) *v.* לרשום בתאריך מאוחר, לתארך באיחור
- postdate a check לרשום צ'ק דחוי
post'er (pōst-) *n.* מודעה; כרזה; מדביק מודעות
poste restante (pōst'restänt') *n.* דואר למכתבים שמורים
pos·te'rior *adj&n.* בא אחרי, מאוחר; אחורי; *ישבן
pos'te·rio'ri *n.* סוף, אחרון
- a posteriori בדיעבד, אפוסטריורי
pos·ter'ity *n.* צאצאים; הדורות הבאים
pos'tern *n.* כניסה צדדית/אחורית
post exchange חנות צבאית, שקם
post-free *adj&adv.* כולל דמי-משלוח; דמי-משלוח שולמו; פטור מדמי-דואר
post'grad'uate (pōst'graj'ōōit) *n.* (תלמיד/מחקר) שלאחר התואר הראשון
post-haste *adv.* במהירות, בחיפזון
post-horse *n.* (בעבר) סוס-דואר
post'humous (-chəm-) *adj.* לאחר המוות; נולד אחרי מות אביו
- posthumous book ספר שיצא לאור אחרי מות המחבר
post'ie (pōs'ti) *n.* *דוור, דוורית
postil'lion *n.* רוכב (על גבי סוס הרתום לכרכרה)
posting *n.* הצבה (ליחידה)
postman *n.* דוור, מחלק דואר
postmark *n&v.* (להחתים ב-) חותמת-דואר
postmaster *n.* מנהל משרד דואר
postmaster general מנכ"ל התקשורת
post meridiem = PM אחה"צ
postmistress *n.* מנהלת משרד דואר
post'mod'ern (pōst-) *adj.* פוסט-מודרני
post'mod'ernism (pōst-) *n.* פוסט-מודרניזם
post-mortem (בדיקה) שלאחר המוות
post-natal *adj.* שלאחר הלידה
post office משרד דואר, סניף דואר
post office box = POB תא דואר
post-operative *adj.* שלאחר ניתוח
postpaid *adj.* דמי-משלוח שולמו
post'pone' (pōst-) *v.* לדחות, להשהות
postponement *n.* דחייה, השהיה
post'pran'dial (pōst-) *adj.* שלאחר הארוחה
post'script' = P.S. (pōst-) *n.* נכתב בצידו, נ"ב; הערה נוספת

pos'tulant (-'ch-) *adj.* מועמד
pos'tulate' (-'ch-) *v.* להניח (הנחה)
pos'tulate (-'ch-) *n.* הנחה, דרישה, עיקרון-יסוד, אקסיומה, פוסטולאט
pos'ture *n.* צורת הגוף, אופן העמידה; פוזה, תעמיד, יציבה; מצב, עמדה
posture *v.* לעמוד/להעמיד בצורה מיוחדת/ראוותנית; להעמיד פנים
posturing *n.* גינוני ראווה, הצגות
postwar *adj.* שלאחר המלחמה, בתר-מלחמתי
postwoman *n.* דוורית, מחלקת דואר
po'sy (-zi) *n.* צרור פרחים
pot *n.* סיר, קדירה, כלי; קופה (בפוקר); גביע, פרס; חשיש
- a pot of money *המון כסף
- big pot אישיות, "תותח כבד"; כרסתן
- go to pot להיהרס, לרדת לטמיון
- pot calling kettle black כל הפוסל במומו פוסל, טול קורה מבין עיניך
- pots and pans כלי בישול
- take pot luck להתכבד בארוחה רגילה; לקחת בלא לברור הרבה
pot *v.* לשים בסיר; לשתול בעציץ; לירות, להרוג
- pot a baby להושיב פעוט על סיר
- pot away לירות בלי הרף
- pot the ball לגלגל כדור פנימה בביליארד
po'table *adj.* ראוי לשתייה
pot'ash' *n.* פוטש, אשלג, אשלגן פחמתי
potas'sium *n.* אשלגן
po·ta'tion *n.* שתייה, לגימה, טיפה מרה
pota'to *n.* תפוח-אדמה
- no small potato לא קטלא קניא
- sweet potato תפוד מתוק, בטטה
potato beetle חיפושית התפוד
potato chip טוגן תפוח-אדמה
pot-bellied *adj.* כרסתני; (כלי-קיבול) עגלגל, בולט
pot-belly *n.* כרס; כרסתן
pot-boiler *n.* יצירה גרועה
pot-bound *adj.* (שתיל) רווי-שורשים, ששרשיו מילאו העציץ
pot-boy *n.* עוזר, מלצר (במסבאה)
pot cheese גבינת קוטג'
poteen', potheen' *n.* ויסקי
po'tency *n.* כוח, עוצמה; פוטנציה
po'tent *n.* רב-כוח, חזק; משפיע, אפקטיבי, פועל; בעל כוח גברא
po'tentate' *n.* חזק, רב-השפעה; שליט
poten'tial *adj&n.* פוטנציאלי, שבכוח, כוחני, גנוז, אפשרי; פוטנציאל; יכולת
poten'tial'ity (-'sh-) *n.* פוטנציה, כוח גנוז, סגולות כמוסות
poten'tiate' (-'shiāt) *v.* לחזק, לאפשר
pot'ful' (-fool) *adj.* מלוא הסיר; המון
pot-head *n.* *מעשן חשיש
poth'er (-dh-) *n.* רעש, מהומה
pot-herb *n.* ירק (בעל עלי-) בישול
pot-hole *n.* בור, חור, גומה, מערה
pot-hook *n.* אנקול (להחזקת) סיר
pot-house *n&adj.* בית-מרזח; גס
pot-hunter *n.* צייד-גביעים, רודף-פרסים; יורה בכל הנקרה בדרכו
po'tion *n.* שיקוי, סם
pot-man *n.* עוזר, מלצר (במסבאה)

pot plant צֶמַח בעציץ
potpourri (pō'pərē') *n.* פופורי, ערברב, יצירת חרוסת; תערובת בשמים
pot roast (נתח) בשר-בקר מבושל
potroast *v.* לבשל (בשר-בקר)
pot'sherd' *n.* חרס, שבר
pot-shot *n.* ירייה מטווח קרוב; ירייה פשוטה, ירייה מקרית
pot'tage *n.* מרק סמיך
pot'ted *adj.* משומר (בכלי); נתון בעציץ; (ספר) מקוצר (בפשטות); *שיכור
pot'ter *n.* קדר
potter = putter *v.* להתבטל, להתמזמז
potter's wheel אובניים
pot'tery *n.* בית-מלאכה לְקַדָרוּת, בית-היוצר; קַדָרוּת; כלי-חרס
potting shed מחסן-כלים (לגינה)
pot'ty *adj.* *מופרע, מטורף; קטנטן, קל-ערך
- drive him potty להוציאו מדעתו
- potty about משוגע על, "מת" על
potty *n.* סיר-לילה, עביט (לפעוט)
potty-trained *adj.* עושה (צרכיו) בסיר
pouch *n.* כיס; תיק; שקית (מתחת לעין)
pouf, pouffe (pōōf) *n.* כר-ישיבה, דרגש; *הומוסקסואל
poul'terer (pōl-) *n.* סוחר-עופות
poul'tice (pōl'tis) *n.* רטייה (חמה)
poul'try (pōl-) *n.* עופות; עוף
pounce *v.* לעוט על, להסתער, להתנפל
pounce *n.* עיטה, הסתערות, התנפלות
pound *n.* ליטרה, ליברה; לירה; מקום-שמירה (למכוניות); מכלאה; חבטה
- 10-pound note שטר של 10 ליש"ט
pound *v.* להכות, לדפוק; להלום; לכתוש; לנפץ; לשעוט, לנוע בכבדות
- pound away לחבוט בלי הרף; להפגיז
- pound out להפיק (צלילים) בהקשות
- pound the pavement להסתובב בכל מקום
pound'age *n.* תשלום לפי משקל (בליטראות); עמלה (על כל ליש"ט)
-pound'er שמשקלו (בליטראות)
- 4-pounder (דג) שמשקלו 4 ליטראות
pounding *n.* *מכה, מפלה, תבוסה
pound of flesh ליטרת הבשר, דרישה סחטנית
pour (pôr) *v.* לשפוך, לצקת, למזוג; להישפך; ליזול; לזורם; להזרים; לפלוט
- it never rains but it pours צרות באות בחבילות
- pour cold water on לצנן התלהבותו, לרפות ידיו
- pour into/out of לנהור אל/מן
- pour it on להפליג בשבחים
- pour oil on the flames להוסיף שמן למדורה, להחמיר המצב
- pour oil on troubled waters להרגיע הרוחות, להשכין שלום
- pour out one's troubles לשפוך מרי-שיחו
- pour scorn on לשפוך בוז על
- rain is pouring down גשם ניתך
pouring *adj.* (יום) גשום
pout *v&n.* לשרבב/להבליט השפתיים (ברוגז); שרבוב/הבלטת השפתיים
pov'erty *n.* עוני, דלות, חסרון
poverty line קו העוני
poverty-stricken *adj.* מוכה-עוני
POW = prisoner of war
pow'der *n.* אבקה; אבק-שריפה
- keep one's powder dry להיות נכון לקרב, להיות מוכן לטפל ביריב
- take a powder *לברוח, להסתלק
powder *v.* לאבק; לפדר; לשחוק לאבק
powder blue כחול חיוור
powdered *adj.* מאובק, מיובש
powdered milk אבקת חלב
powder horn/flask כלי-קיבול לאבק-שריפה
powder keg חבית אבק-שריפה
powder magazine מחסן אבק-שריפה
powder puff כרית-פידור; *איש נשי
powder room שירותי-נשים, נוחיות
powdery *adj.* מאובק; אבקי
pow'er *n.* כוח, כושר, יכולת; עוצמה; סמכות; שליטה; חשמל; (במתימטיקה) חֶזקָה
- I have him in my power הוא בידי
- beyond one's power מעבר ליכלתו
- did a power of good *היה מצוין
- exceed one's powers לחרוג מסמכותו
- fall into his power ליפול בידיו
- have power over him לשלוט בו
- in power בשלטון, שולט
- more power to your elbow בהצלחה! תחזקנה ידיך!
- my powers are failing תש כוחי
- powers כוחות פיסיים/רוחניים
- powers of darkness כוחות-השחור
- the Great Powers המעצמות
- the powers that be *השלטונות
power *v.* לספק כוח, להניע
power *adj.* מנועי, מכאני; חשמלי
power base בסיס כוח (פוליטי)
power-boat *n.* סירת-מנוע
power cut/failure הפסקת חשמל
power-dive *n.* (לגבי מטוס) צלילת-עוצמה (במנועים פועלים)
power drill מקדחה חשמלית
powered *adj.* ממונע, בעל עוצמה
- oil-powered מופעל ע"י נפט
powerful *adj.* חזק, רב-עוצמה
power house תחנת כוח; אדם נמרץ
powerless *adj.* חסר-אונים, קצר-יד
power of attorney ייפוי-כוח
power plant *n.* תחנת כוח; מִתקן כוח
power point נקודת חשמל, שקע
power politics מדיניות הכוח
power station תחנת כוח
power steering היגוי כוח
pow'wow' *v&n.* (לנהל) אסיפה, דיון
pox *n.* אבעבועות; עגבת
- a pox on him! יקחהו אופל!
pp = pages, pianissimo
PR יחסי ציבור
prac'ticabil'ity *n.* מעשיות
prac'ticable *adj.* מעשי, שימושי
prac'tical *adj.* מעשי, פרקטי, תועלתי
- for all practical purposes למעשה
practical *n.* שיעור/מבחן מעשי

prac'tical'ity *n.* מעשיות, פרקטיות
practical joke מעשה קונדס
practically *adv.* למעשה; כמעט
practical nurse אחות מעשית
prac'tice (-tis) *n.* נוהג, מנהג, הרגל; ניסיון, התמחות; תרגול, חזרה, אימון; פראקטיקה; משרד; רפואה, פרקליטות; קליינטורה
- in practice באופן מעשי; מתאמן
- make a practice להפוך להרגל
- out of practice לא מתאמן
- practices תוכניות, תחבולות
- put into practice להוציא לפועל
- sharp practice הונאה (במסחר)
practice *v.* לתרגל, להתאמן; להתמחות; לנהוג; לעשות; לעסוק ב-; לנצל
- practice law להיות עורך-דין
- practice on לנצל
- practice one's religion לקיים דתו
- practice patience לנהוג סבלנות
- practice what one preaches להיות נאה דורש ונאה מקיים
practiced *adj.* מנוסה, מיומן
practicing *adj.* עוסק (במקצוע), פעיל
practise = practice
prac·ti'tioner (-tish'ənər) *n.* עוסק במקצוע (הרפואה/הפרקליטות)
- general practitioner רופא כללי
prag·mat'ic *adj.* פרגמטי, מעשי; דוגמטי
prag·mat'ics *n-pl.* בלשנות, שימוש השפה
prag'matism' *n.* פרגמטיות, מעשיות; דוגמטיזם; פדנטיות, נוקדנות
prag'matist *n.* פרגמטי
prai'rie *n.* ערבה, פרריה
prairie dog כלב הערבה (מכרסם)
praise (-z) *v.* להלל, לשבח
praise *n.* תהילה, שבחים
- in praise of- בשבח ה-
- praise be! תודה לאל!
- sing him praises להפליג בשבחו
praiseworthy *adj.* ראוי לתהילה
pra'line (prä'lēn) *n.* ממתק אגוזים, פרالין, מולייה
pram *n.* עגלת תינוק, עגלת ילדים
prance *v.* לפזז, לטפוף בעליצות/ביהירות; לקפץ (בהרמת רגליים קדמיות)
prance *n.* פיזוז, טפיפה, קיפוץ
prank *n&v.* מעשה קונדס; לקשט
prank'ster *n.* שובב, קונדס
prat *n.* *טיפש, מטומטם; עכוז
prate *v.* לפטפט, לקשקש
pratfall *n.* *נפילה על הישבן; כישלון מחפיר
prat'tle *v&n.* לפטפט, לקשקש; פטפוט
prattler *n.* פטפטן, קשקשן
prawn *n&v.* סרטן (למאכל)
- go prawning לדוג סרטנים
prax'is *n.* מנהג, מעשיות
pray *v.* להתפלל, לבקש; להתחנן
- past praying for במצב נואש
- pray! אנא! בבקשה!
pray'er *n.* מתפלל
prayer (prār) *n.* תפילה
- evening prayer תפילת ערבית, מעריב
prayer book ספר תפילות, סידור
prayer meeting תפילה בציבור
prayer rug/mat שטיחון תפילה
prayer shawl טלית
praying mantis גמל-שלמה (חרק)
pre (תחילית) לפני, קדם-, מראש
preach *v.* להטיף, לדרוש, לנאום
preacher *n.* מטיף, דרשן
preach'ify' *v.* להטיף מוסר, לדרוש
pre'am'ble *n.* מבוא, הקדמה
pre'arrange' (-rānj) *v.* לסדר מראש
prearrangement *n.* סידור מראש
preb'end *n.* קצבת-כומר, שכר-כומר
preb'endary *n.* כומר (מקבל קצבה)
pre·ca'rious *adj.* מסוכן, לא יציב, לא בטוח; תלוי במקרה; לא מבוסס
pre'cast' *adj.* (בטון) יצוק לגושים
pre·cau'tion *n.* (אמצעי) זהירות
pre·cau'tionar'y (-shəneri) *adj.* של זהירות
pre·cede' *v.* לבוא לפני, להקדים, לקדום; ללכת לפני
- preceded by כשלפניו, בראשו, אחרי
prec'edence *n.* זכות עדיפות, משפט הבכורה; קְדִימָה, ראשונות, עליונות
- give precedence לתת (זכות) קדימה
- order of precedence סדר עדיפויות, סדר המאורעות
- takes precedence עליון בחשיבות
prec'edent *n.* תקדים, בניין-אב
- set a precedent ליצור תקדים
preceding *adj.* קודם, שלפני כן
pre·cen'tor *n.* מנצח-מקהלה
pre'cept' *n.* מיצווה, הוראה, כלל
pre·cep'tor *n.* מורה
pre·ces'sion *n.* קדימה, שינוי כיוון, נקיפה
pre'cinct *n.* שטח, רחבה, חצר; איזור, סביבה; גבול, תחום
- shopping precinct איזור חנויות
- within the precincts of בין כותלי-
pre'cios'ity (presh'ios-) *n.* דקדקנות, נוקדנות, מלאכותיות
pre'cious (presh'əs) *adj&adv.* יקר, רב-ערך; דקדקן, נוקדן, מלאכותי; *גמור; מאוד
- precious few מעט מאוד, בקושי כמה
- precious liar שקרן מובהק
precious metal מתכת יקרה (זהב)
precious stone אבן יקרה, אבן חן
prec'ipice (-pis) *n.* צוק, מורד תלול; סף התהום, סכנה
pre·cip'itate' *v.* לזרז, להחיש; להטיל, להשליך; לעבות (לטיפות)
- precipitate a substance להפריד חומר (מוצק מנוזל); לשקע
pre·cip'itate *n.* מִשקָע; חומר מופרד
pre·cip'itate *adj.* נמהר, בבהילות
pre·cip'ita'tion *n.* חיפזון, פזיזות; הפרדה (של מוצק); מִשקָע; גשם, ברד וכ'
precip'itous *adj.* תלול, מפחיד בגובהו
precis (prāsē') *n&v.* תמצית, שיכתוב מקוצר; לתמצת

pre·cise′ *adj.* מדויק; דייקן; נוקדן
- at the precise moment בדיוק ברגע
precisely *adv.* בדיוק; בהחלט, כן
pre·ci′sion (-sizh′ən) *n.* דיוק
precision instrument מכשיר דיוק
precision landing נחיתה מדויקת
pre·clude′ *v.* למנוע, לעשות לבלתי אפשרי, להוריד מהפרק, לעצור
pre·clu′sion (-zhən) *n.* מניעה, עצירה
pre·co′cious (-shəs) *adj.* (ילד) מפותח מן הרגיל, מקדים בהתפתחותו
pre·coc′ity *n.* התפתחות מוקדמת
pre′cog·ni′tion (-ni-) *n.* ידיעה מראש, נבואה
pre′conceive′ (-sēv) *v.* לחשוב מראש, לעצב (דיעה) מראש
pre′concep′tion *n.* דיעה מוקדמת
pre′concert′ *v.* להסדיר מראש
pre′condi′tion (-di-) *n.* תנאי מוקדם
pre′cook′ *v.* לבשל מראש
pre·cur′sor *n.* מקדים, מבשר, בא לפני
pre·cur′sory *adj.* מקדים, מבשר
pre·da′cious (-shəs) *adj.* טורף
pre′date′ *v.* להתרחש לפני
pred′ator *n.* טורף, חיית-טרף
pred′ato′ry *adj.* טורף; שודד, עושק
pre′de·cease′ *v.* למות לפני
pre′deces′sor *n.* קודם, בא לפני
pre·des′tinate′ *v.* לגזור (מלמעלה)
pre·des′tina′tion *n.* גזירה, גורל-אנוש (שנחרץ מלמעלה)
pre·des′tine (-tin) *v.* לגזור, להועיד מראש
predestined *adj.* נגזר (מלמעלה); נועד, קבוע מראש, מחויב המציאות
pre′de·ter′mina′tion *n.* קביעה מראש
pre′de·ter′mine (-min) *v.* לקבוע מראש; להשפיע, להטות מראש
pre·dic′ament *n.* מצב ביש, מצב קשה
pred′icate′ *v.* לבסס (מדיניות, פעולה) על; לקבוע, להצהיר, לייחס ל-
pred′icate *n.* (בתחביר) נשוא
pred′ica′tive adjective תואר נשואי
pre·dict′ *v.* לנבא, לחזות, לצפות
pre·dic′tabil′ity *n.* אפשרות החיזוי
predictable *adj.* שניתן לנבאו, צפוי
pre·dic′tion *n.* נבואה, חיזוי
predictor *n.* מנבא, מכשיר חיזוי
pre′di·gest′ *v.* לעבד (מזון/ספר) להקלת עיכולו/קריאתו
pred′ilec′tion *n.* נטייה, חיבה
pre′dispose′ (-z) *v.* להשפיע, להטות, לעשותו רגיש (למחלה מסוימת)
- it predisposed him in her favor הדבר גרם שהיא תמצא חן בעיניו
pre′disposi′tion (-zi-) *n.* נטייה
pre·dom′inance *n.* עליונות, יתרון, רוב, שכיחות רבה
pre·dom′inant *adj.* עליון, בולט, שולט
predominantly *adv.* בעיקר, לרוב
pre·dom′inate′ *v.* לשלוט, לשרור; לבלוט, להיות רב-עוצמה/השפעה וכו׳
pre·em′inence *n.* עליונות, יתרון
pre·em′inent *adj.* עליון, בולט, דגול
preeminently *adv.* בראש ובראשונה
pre·empt′ *v.* לרכוש בדין-קדימה; לתפוס מקום; להשתלט על
pre·emp′tion *n.* דין-קדימה בקנייה; רכישה לפני הזולת; חזקה
pre·emp′tive *adj.* של דין-קדימה, של חזקה; של מנע
- preemptive attack מתקפת מנע
- preemptive bid (בברידג׳) הצעת-מנע (שמטרתה למנוע הצעות נוספות)
preen *v.* לנקות/להחליק נוצות במקור
- preen oneself להתייפות; להתפאר ב-; להפגין שביעות-רצון עצמית
pre′ex·ist′ (-gz-) *v.* לחיות בגלגול קודם, להיות קיים קודם לכן
preexistence *n.* גלגול קודם
preexistent *adj.* חי בגלגול קודם
pre′fab′ *n.* בית טרומי, בניין טרומי
pre·fab′ricate′ *v.* לייצר (חלקי בית טרומי) לשם הרכבה; להמציא, לפברק
prefabricated *adj.* טרומי
pre·fab′rica′tion *n.* ייצור טרומי
pref′ace (-fis) *n.* מבוא, הקדמה
preface *v.* לפתוח, לשמש כמבוא
pref′ato′ry *adj.* של הקדמה, פותח
pre′fect′ *n.* פרפקט, ראש-משטרה; ממונה, תלמיד אחראי; מושל, נציב
pre·fec′tural (-′ch-) *adj.* של פרפקט
pre·fec′ture *n.* פרפקטורה, כהונת הפרפקט; מחוז
pre·fer′ *v.* להעדיף, לבכר; למנות, לקדם בתפקיד; להגיש, להביא לפני
- prefer charges against להאשים
pref′erable *adj.* עדיף על, טוב מ-
preferably *adv.* מוטב, טוב, בהעדפה
pref′erence *n.* העדפה; מתן עדיפות; חיבה מיוחדת
- have a preference for להעדיף
- in preference to בהעדפת-, על פני-
preference shares מניות בכורה
pref′eren′tial *adj.* עדיף, מועדף
pre·fer′ment *n.* מינוי, קידום
preferred stock מניות בכורה
pre·fig′ure (-gyər) *v.* לתאר לעצמו, לדמיין מראש; לייצג, להוות אות
pre′fix *n.* תחילית; תואר (כגון מר); קידומת
pre·fix′ *v.* לטפול תחילית; להוסיף בראש (פרק)
preg′nancy *n.* הריון; פוריות; מלאות, שפע; משמעות
pregnancy test בדיקת-הריון
preg′nant *adj.* בהריון, הרה, מעוברת; רב-משמעות, עמוק; נושא פרי
- fall pregnant להיכנס להריון
- pregnant imagination דמיון עשיר
- pregnant with הרה-, חדור, מלא
pre′heat′ *v.* לחמם מראש
pre·hen′sile (-sil) *adj.* תופס, לופת
pre′histor′ic(al) *adj.* פרהיסטורי, קדם-היסטורי; *מיושן, ישן
pre·his′tory *n.* פרהיסטוריה
pre′judge′ *v.* לפסוק מראש, לגבש דיעה (שלילית) קודם לכן
prejudgement *n.* קביעת עמדה מראש
prej′udice (-dis) *n.* דיעה קדומה
- to the prejudice of תוך פגיעה ב-
- without prejudice to בלי לפגוע

בזכויות, בלי לגרוע מהזכויות

prejudice *v.* לפגוע, להזיק, להחליש; לשחד דעתו

prejudiced *adj.* משוחד, בעל דעה קדומה

prej'udi'cial (-di-) *adj.* מזיק, פוגע

prel'acy *n.* בישופות, כמורה בכירה

prel'ate *n.* בישוף, כומר בכיר

pre'lim *n.* *מבחן מוקדם

- prelims מבוא, תוכן, שער (בספר)

preliminaries *n-pl.* סידורים מוקדמים, פעולות הכנה

pre·lim'inar'y (-neri) *adj.* מוקדם, הקדמי, פותח, פרילימינארי, מיקדמי

- preliminary to קודם ל-, טרם

preliminary reading קריאה טרומית

pre·lit'erate *adj.* קדום, טרום-כתבי, שלא נרשמו קורותיו

prel'ude *n.* פתיחה; אקדמה, פרלוד

prelude *v.* לאקדם; להוות הקדמה ל-

pre·mar'ital *adj.* שלפני הנישואים

pre'mature' (-toor) *adj.* לפני זמנו, בטרם עת; נמהר, פזיז

premature baby/infant פג

pre'med' *n.* *תרופה לפני טיפול; קורס רפואה

pre·med'itate' *v.* לתכנן מראש

premeditated *adj.* מתוכנן, מכוון

pre·med'ita'tion כוונה/מחשבה מראש

pre'men'strual (-strəl) *adj.* קדם-וסתי

pre·mier' (-mēr) *n.* ראש ממשלה

premier *adj.* ראשון, עליון (בחשיבותו)

pre·miere' (-mēr) *n.* פרמיירה, הצגת בכורה

premiership *n.* ראשות ממשלה

prem'ise (-mis) *n&v.* (להניח) הנחה

- on the premise that בהנחה ש-

- premises שטח, חצר, חצרים, בניינים, משרדים; חלקו הראשון של הסכם

- to be eaten on the premises שיש לאכלו במקום, שאין לקחתו עמו

pre'mium *n.* פרמיה; תוספת; הטבה; בונוס, פרס; שכר לימוד

- at a premium מעל לערך הנקוב; רב-ערך, יקר, קשה להשיגו

- put a premium on לעודד, להמריץ

premium bond אג"ח נושאת פרסים

pre'moni'tion (-ni-) *n.* הרגשה מוקדמת

pre·mon'ito'ry *adj.* מזהיר, מבשר רע

pre'na'tal *adj.* לפני לידה, קדם-הולדת

pren'tice (-tis) *n.* שוליה, טירון

pre·oc'cu·pa'tion *n.* העסקת-הדעת, השתקעות, חוסר-ריכוז; רעיון מעסיק

preoccupied *adj.* שקוע, עסוק, מהורהר

pre·oc'cu·py' *v.* להעסיק הדעת, לשקוע ראשו ורובו

pre'or·dain' *v.* לגזור, לחרוץ מראש

pre'owned' (-ōnd) *adj.* משומש, מיד שנייה

prep *n.* *שיעורי-בית; מכינה, אולפן

prep *v.* להכין מראש; להתכונן

pre'pack' *v.* לארוז לפני המשלוח

pre·pack'age *v.* לארוז מראש

pre'paid' *adj.* ששולם (עבורו) מראש

prep'ara'tion *n.* הכנה, סידור; מרקחת, תכשיר; שיעורי-בית, שיעורי-הכנה

- in preparation בהכנה

pre·par'ative *adj.* מכין, מכשיר

pre·par'ato'ry *adj.* מכין, מכשיר

- preparatory to לפני, לקראת, כהכנה

preparatory school מכינה, אולפנא

pre·pare' *v.* להכין; להכשיר; להתכונן

- prepare oneself להתכונן, להיערך

prepared *adj.* מוכן, ערוך; מוכן מראש

preparedness *n.* נכונות, היערכות

pre'pay' *v.* לשלם מראש

prepayment *n.* תשלום מקדמה

pre'plan' *v.* לתכנן מראש

pre·pon'derance *n.* עליונות, עדיפות

pre·pon'derant *adj.* עליון, עדיף, רב-משקל, שולט, עיקרי, מכריע

pre·pon'derate' *v.* לעלות על, להכריע (במשקל), לעלות בחשיבותו על

pre'pone' *v.* להקדים התאריך

prep'osi'tion (-zi-) *n.* מלת-יחס

prepositional *adj.* של מלת-יחס

prepositional phrase בטוי המשמש כמלת-יחס ("על-יד"); מלת-יחס והעצם שלאחריה

pre'possess' (-zes) *v.* להעניק תחושה טובה, לרכוש לב, להרשים, להקסים

prepossessed *adj.* מתרשם לטובה, מוקסם

prepossessing *adj.* מרשים, מושך, מקסים

pre'posses'sion (-zesh'ən) *n.* נטייה, התרשמות חיובית

pre·pos'terous *adj.* מגוחך, אבסורדי

prep'py *n.* *תיכוניסט, נער "צפוני"

pre'pran'dial *adj.* לפני הארוחה

prep school מכינה, אולפנא

pre'puce *n.* עורלה

pre're·cord' *v.* להקליט (מראש)

pre'req'uisite (-zit) *adj&n.* תנאי מוקדם

pre·rog'ative *n.* זכות מיוחדת, פרורוגטיבה, עדיפות, זכות בכורה

pres = president, present

pres'age *n.* אות/רגש מבשר רע

pre'sage' *v.* לבשר, להוות אות

pres'byter (-z-) *n.* כומר (קשיש)

Pres'byte'rian (-z-) *adj&n.* פרסביטרי, של הכנסייה הפרסביטרית

pres'byter'y (-z-) *n.* מזרח הכנסייה; מעון הכומר; בית-דין (בכנסייה הפרסביטרית)

preschool *adj.* שלפני גיל בית-הספר

pre'science (-shiəns) *n.* ראיית הנולד

pre'scient (-shiənt) *adj.* רואה את הנולד

pre·scribe' *v.* לקבוע, לצוות, להמליץ

- prescribe a medicine לרשום תרופה

- prescribe punishment לקבוע עונש

prescribed *adj.* קבוע; (ספר) מומלץ

pre'script' *n&adj.* הוראה, צו; קבוע

pre·scrip'tion *n.* הוראה, צו; מרשם, תרופה; תביעת-חזקה (על נכס); התיישנות

prescription charge דמי-תרופות

pre·scrip'tive *adj.* קובע כללים; מושרש במנהג, מעוגן בחוק

pres'ence (-z-) *n.* נוכחות, הימצאות; הופעה, רושם; רוח, שכינה
- in his presence בנוכחותו
presence chamber חדר קבלה (מלכותי)
presence of mind צלילות דעת, תושייה
pres'ent (-z-) *adj.* נוכח, קיים; הווה
- in the present case במקרה דנן
- present to my mind חרות בזכרוני
pres'ent (-z-) *n.* (בדקדוק) הווה, בינוני
- at present עתה, בשעה זו
- for the present לפי שעה, לעת עתה
- live in the present לחיות את ההווה
- presents מיסמכים, תעודות
pres'ent (-z-) *n.* מתנה, שי, תשורה
- make him a present of it לתת לו זאת במתנה
pre·sent' (-z-) *v.* לתת, להעניק, להגיש; להציג (אדם/מחזה); להפגין, להראות
- it presents no difficulty אינו מהווה כל קושי
- present a gun at לכוון אקדח לעבר
- present arms! דגל שק!, הצג שק!
- present itself לעלות בדעתו; להזדמן
- present oneself להופיע, להתייצב
pre·sent' (-z-) *n.* דיגול נשק, הצדעה
- at the present בדיגול-נשק (הצדעה)
pre·sen'table (-z-) *adj.* נאה, יאה להופיע בו (בציבור); ראוי להציגו
pre'senta'tion (-z-) *n.* נתינה, מתן, הענקה; הגשה; הצגה; תנוחת העובר; מצג
presentation copy עותק-שי (של ספר)
present-day *adj.* מודרני, נוכחי
pre·sen'timent (-z-) *n.* תחושה מוקדמת, רגש מבשר רע
pres'ently (-z-) *adv.* בשעה זו, עתה; מיד, בקרוב
pre·sent'ment (-z-) *n.* הצהרה, הצגת מידע
present participle בינוני פועל
present perfect הווה נשלם
pre·ser'vable (-z-) *adj.* שמיר, בר-שימור
pres'erva'tion (-z-) *n.* שמירה; שימור
preservation order צו-שימור (לאתר היסטורי)
pre·ser'vative (-z-) *n.* חומר-שימור
pre·serve' (-z-) *v.* לשמור, להגן על; לשמר; לכבוש; להנציח
preserve *n.* שמורת-טבע; תחום פרטי
- preserves שימורים; ריבה
preserved *adj.* משומר, שמור
preserver *n.* שומר, מגן, מציל
pre'set' *v.* לקבוע/לכוון מראש
pre'shrunk' *adj.* בלתי-כוויץ
pre·side' (-z-) *v.* לשבת בראש, לנהל
- presiding judge אב בית הדין
pres'idency (-z-) *n.* נשיאות
pres'ident (-z-) *n.* נשיא
president elect הנשיא הנבחר
pres'iden'tial (-z-) *adj.* נשיאותי
presidential year שנת הבחירות לנשיאות (בארה"ב)
pre·sid'ium *n.* נשיאות, ועדה קבועה
press *n.* עיתונות; דפוס; מכבש; מסחט; מגהץ; גיהוץ; לחץ; לחיצה; ארון; המון, קהל
- correct the press להגיה (דפוס)
- freedom of the press חופש העיתונות
- get a good press לזכות בביקורת חיובית בעיתונות
- go to press להתחיל בהדפסה
- in the press בהדפסה, בדפוס
- press of events לחץ המאורעות
- press of sail מירב המפרשים
press *v.* ללחוץ; לסחוט; לגהץ; להתגהץ; לדחוק; להידחק; לגייס, לחטוף לצבא; להחרים
- hard pressed נתון בלחץ כבד
- press an argument home לטעון טענה מכרעת, להביא נימוק משכנע
- press an attack להתקיף, ללחוץ
- press for ללחוץ, לדרוש, לתבוע
- press heavily on להוות נטל על
- press home ללחוץ בלי הרף (ולנחול הצלחה)
- press into service לגייס (בשעת חירום)
- press it on him לתחוב לו בכוח
- press on/forward להמשיך, להתקדם
- press one's way לפלס דרך (בהמון)
- press the button ללחוץ על הכפתור
- press the flesh ללחוץ ידיים
- press the point לעמוד על הנקודה
- pressed for money דחוק בכסף
- time presses השעה דוחקת, אין זמן
press agency סוכנות ידיעות, יחצנות
press agent קצין עיתונות, יחצן
press baron איל-עיתונות
press box תא עיתונאים
press conference מסיבת עיתונאים
press cutting קטע עיתון, תגזיר
pressed *adj.* לחוץ, דחוק; כבוש
press gallery יציע עיתונאים
pressgang *n.* חוטפים, כנופיית-גיוס
pressgang *v.* לאלץ (לעשות על כרחו)
pres'sie (prez'i) *n.* *מתנה, שי
press immunity חיסיון עיתונאי
pressing *n.* (עותק של) תקליט
pressing *adj.* דוחק, לוחץ; מתעקש, מפציר
press lord איל-עיתונות
pressman *n.* עיתונאי; דַפָּס
pressmark *n.* מִספַר הספר (בספרייה)
press photographer צלם עיתונות
press release תמסיר (לעיתונות)
press-stud *n.* לחצנית
press-up *n.* שכיבת-סמיכה
pres'sure (-shər) *n.* לחץ; נטל, עול
- at high pressure במלוא הקיטור
- atmospheric pressure לחץ אטמוספרי
- bring pressure to bear on him להפעיל עליו לחץ
- put pressure on ללחוץ על
- under pressure בלחץ; מתוך כפייה
pressure *v.* ללחוץ
pressure cabin תא מווסת לחץ-אוויר
pressure cooker סיר-לחץ
pressure gauge מד-לחץ
pressure group קבוצת לחץ, שדולה
pressure point נקודת לחיצה (על עורק-דם)
pres'surize' (-sh'-) *v.* ללחוץ, לאלץ;

לווסת לחץ-האוויר
pres'tidig'ita'tion *n.* להטוטנות
pres·tige' (-tēzh) *n&adj.* פרסטיז'ה, יוקרה, מוניטין; יוקרתי, ראוותני
pres·tig'ious (-jəs) *adj.* יוקרתי
pres·tis'simo' *adv.* במהירות רבה
pres'to *adv.* פרסטו, במהירות
pre'stressed' (-st) *adj.* (בטון) מזויין
presumable *adj.* שניתן להניח, מסתבר
presumably *adv.* כפי הנראה
pre·sume' (-z-) *v.* להניח, לשער, לחשוב; להרשות לעצמו, להעז
- be presumed להיחשב, בבחינת
- presume on לנצל (לרעה)
presuming *adj.* מעז, נועז, מרשה לעצמו
pre·sump'tion (-z-) *n.* הנחה, השערה; חזקה; העזה, עזות, חוצפה
pre·sump'tive (-z-) *adj.* משוער, סביר
presumptive evidence ראיה נסיבתית
presumptive heir יורש על תנאי
pre·sump'tuous (-zump'chōōəs) *adj.* בעל ביטחון עצמי מופרז, שחצן, יהיר, חצוף
pre'suppose' (-z) *v.* להניח מראש; לרמז על, להעיד על, לדרוש מלכתחילה
pre'sup·posi'tion (-zi-) *n.* הנחה
pre-tax *adj.* לפני מס
pre-teen *adj.* למטה מגיל 13
pre'tence' = **pretense**
pre·tend' *v.* להעמיד פנים, להתחזות; להתיימר, לטעון; *לנסות, להעז
- pretend to the crown לטעון לכתר
pretend *adj.* *מדומה, כביכול
pretended *adj.* מדומה, לא אמיתי
pretender *n.* תובע, טוען לכתר, תבען
pre'tense' *n.* העמדת-פנים, התחזות, מסווה; יומרה, פרטנסיה, תביעה; אמתלה
pre'ten'sion *n.* פרטנסיה, יומרה, טענה, יומרנות
- make pretensions to לטעון ל-, להתיימר
pre·ten'tious (-shəs) *adj.* יומרני
pret'erit *n.* (בדקדוק) עבר
pre'termit' *v.* להשמיט, להפסיק
pre'ternat'ural (-ch'-) *adj.* על-טבעי
pre'test' *n.* מיבחן מוקדם
pre'text' *n.* תירוץ, אמתלה
pre'tor *n.* פרטור, שופט (ברומי)
pre'tri'al *n.* קדם-משפט
pret'tify' (prit-) *v.* לייפות, לקשט
prettily *adv.* בצורה נאה, יפה
pret'ty (prit'i) *adj.* יפה, נחמד, מקסים; "נהדר" (באירוניה)
- pretty fortune סכום הגון
- pretty mess תסבוכת, "דייסה"
- sitting pretty במצב נוח, מבוסס
pretty *adv.* די-, למדי; במידת-מה; מאוד
- pretty much/nearly כמעט
- pretty well לא רע, מצוין; כמעט
pretty-pretty *adj.* יפה מאוד
pretz'el *n.* כעך קלוע, שלובית
pre·vail' *v.* לנצח, לגבור; לשלוט, לשרור; להיות נפוץ/רווח
- prevail on/upon לשכנע

prevailing *adj.* רווח, נפוץ, שכיח
prev'alence *n.* קיום נפוץ, שכיחות
prev'alent *adj.* רווח, נפוץ, שכיח, שורר
pre·var'icate' *v.* לשקר, להסתיר האמת, לומר חצאי-אמת
pre·var'ica'tion *n.* הסתרת האמת
pre·vent' *v.* למנוע; לעכב, להניא
preventable *adj.* מָנִיעַ, שאפשר למנעו
pre·ven'tative *n.* תרופה מונעת
pre·ven'tion *n.* מניעה, עיכוב
pre·ven'tive *adj.* מונע, מיועד למנוע
preventive custody מעצר מנע
preventive detention מעצר מנע
preventive medicine רפואה מונעת
preventive officer פקיד מכס
pre'view (-vū) *n&v.* הצגה מוקדמת, מופע מוקדם; להעלות/לחזות בהצגה מוקדמת
pre'vious *adj.* קודם; נמהר, פזיז
- previous to לפני, טרם
previous conviction הרשעה קודמת
previously *adv.* לפני כן, קודם לכן
pre·vi'sion (-vizh'ən) *n.* ראייה מראש, נבואה
pre'war' (-wôr) *adj.* טרום-מלחמתי
prex *n.* *נשיא (של מכללה)
prey (prā) *n&v.* טרף; קורבן; לטרוף
- become/fall prey to להיטרף, להיות טרף לשיני; ליפול קורבן ל-, לסבול מ-
- easy prey טרף קל, קורבן
- prey to fears תקוף-פחדים
- prey upon לטרוף, לשדוד; לפשוט על
- prey upon one's mind לנקר במוחו, להעיק עליו, להציק לו
prez'zie (prez'i) *n.* *מתנה, שי
price *n.* מחיר; ערך, שווי; שער, תנאי-הימור
- above/beyond/without price יקר מאוד, אין ערוך לו
- at a price במחיר גבוה
- at any price בכל מחיר
- every man has his price ניתן לקנות (לשחד) כל אדם
- not at any price בשום תנאי לא
- of a price עולים אותו סכום
- put a price on לאמוד מחירו
- quote a price לנקוב מחיר
- set a price on his head לקבוע פרס על ראשו (ללוכד אותו)
- starting price שער ההימורים עם פתיחת המירוץ
- what price? *מה הסיכויים ל-, מה דעתך על? (בלעג)
price *v.* לקבוע מחיר; לסמן מחיר; לשאול למחירו
- price out of the market לתבוע מחיר מופרז (שאין הציבור יכול לשלמו)
price-cutting *n.* הורדת מחירים
priceless *adj.* יקר מאוד, אין ערוך לו; *מצחיק, מגוחך
price list מחירון, לוח מחירים
price ring קבוצת קובעי מחיר
price tag תווית מחיר; עלות, מחיר
price war מלחמת מחירים
pric'ey (prī'si) *adj.* *יקר
prick *n.* דקירה; כאב; חריר; *איבר

המין; ברנש רע, דוחה
- kick against the prick לצעוק חי וקיים; להתנגד לשווא (ולהיפגע מכך)
- prick of conscience נקיפת מצפון
prick *v.* לדקור, לנקב; לחוש דקירות
- my conscience pricks me מצפוני נוקף
- prick out/off לשתול (בעזרת דקר)
pricker *n.* דוקר; דקר; מרצע
pricking *n.* דקירה, דקרור
prick′le *n.* קוץ, חוד; דקרור, עקצוץ
prickle *v.* לחוש דקירות, לעקצץ
prickly *adj.* דוקרני, דוקר; רגיש, עצבני
prickly heat חררה, עקצוץ בעור
prickly pear צבר (פרי)
pric′y (prī′si) *adj.* יקר
pride *n&v.* גאווה; התנשאות; כבוד עצמי; תפארת, מקור-גאווה; שיא, פריחה
- a pride of lions להקת אריות
- false pride גאוות-שווא, התנפחות
- he is his father's pride הוא מקור-גאווה לאביו
- in the pride of youth באביב ימיו
- pride and joy נכס יקר
- pride of place מקום כבוד
- pride oneself on להתגאות ב-
- swallow one's pride למחול על כבודו, להרכין ראש
- take a pride in להתגאות ב-
prie-dieu′ (prēdyoo′) *n.* שולחן-תפילה (בעל שרפרף לכריעה)
priest (prēst) *n.* כומר; כוהן
priestcraft *n.* תחבלנות כמרים
priest′ess (prēst-) *n.* כוהנת
priesthood *n.* כמורה
priestlike *adj.* של כומר, כמו כומר
priestly *adj.* של כומר, כמו כומר
priest-ridden *adj.* נתון למרות כמרים
prig *n.* קפדן, דקדקן, צדיק בעיניו
priggish *adj.* קפדני, דקדקני
prim *adj.* מסודר, נקי, עדין, יפה-נפש
- prim and proper עדין, סולד מגסות
prim *v.* ללבוש ארשת צדקנית
pri′ma (-rē′-) *adj.* ראשי
prima ballerina רקדנית ראשית
pri′macy *n.* ראשונות; עליונות; מישרת ארכיבישוף
prima donna פרימדונה, זמרת ראשית
pri′ma fa′cie (-shi) *adj.* לכאורה, על פי התרשמות ראשונית
prima facie evidence הוכחה מספקת (אם לא תופרך)
pri′mal *adj.* קדמון, ראשוני, היולי; עיקרי, בעל חשיבות עליונה
pri′maries (-mərēz) *n-pl.* בחירות מקדימות
pri·mar′ily (-mer-) *adv.* בעיקר, קודם כל
pri′mary *adj.* מקורי, קדום, ראשון; עיקרי; בסיסי, יסודי
primary(election) בחירות מוקדמות (למינוי מועמדים)
primary accent/stress הטעמה ראשית
primary color צבע יסודי (אדום, צהוב, או כחול)
primary education חינוך יסודי
primary school בית-ספר יסודי

pri′mate *n.* ארכיבישוף; יונק עילאי (אדם, קוף-אדם, בבון), פרימאט
prime *n.* שלמות, פריחה, אביב, שחר; מיטב, עידית; מספר ראשוני
- cut off in his prime נקטף באיבו
- in the prime of life באביב ימיו
- past one's prime תקופת זהרו חלפה
- the prime of the year האביב
prime *adj.* ראשי, עיקרי; מעולה, מובחר, סוג א'; יסודי, ראשוני
- prime importance חשיבות עליונה
- prime time שעות השיא (בצפייה)
prime *v.* להפעיל; להכין (לשימוש); לתחל; לספק מראש; לכסות בצבע-יסוד
- prime the pump להכשיר המשאבה; להשקיע ב/לשמן גלגלי עסק לא פעיל
- primed by his lawyer הודרך ע"י פרקליטו
prime cost עלות הייצור
primed *adj.* *שתוי, שבע
prime meridian מצהר אפס
prime minister ראש ממשלה
prime number מספר ראשוני
prim′er *n.* ספר לימוד למתחיל
pri′mer, pri′ming *n.* צבע-יסוד; תחל
prime rate ריבית פריים
pri·me′val *adj.* היולי, קדמון
primeval forest יער-עד, יער-בראשית
prim′itive *adj.* פרימיטיבי, קדמון, ראשיתי, קמאי; פשוט; גס; מיושן
primitive *n.* (יצירת) אמן מלפני הרנסאנס; צייר בנוסח פשוט
pri′mogen′itor *n.* אב קדמון
pri′mogen′iture *n.* (משפט ה-) בכורה
pri·mor′dial *adj.* קדמון, היולי
primp *v.* לקשט; להתפרכס
prim′rose (-z) *n&adj.* רקפת; צהבהב
primrose path/way דרך התענוגות
prim′u·la *n.* בכור-אביב (פרח)
pri′mus *n&adj.* פרימוס; ראשון
pri′mus inter par′es (-ēz) ראשון בין שווים
prince *n.* נסיך, שליט, מלך
Prince Charming נסיך החלומות
prince consort בעל המלכה
princedom *n.* נסיכות
princely *adj.* של נסיך, כיאה לנסיך; אצילי, אדיב
Prince of Darkness השטן
Prince of Peace ישו, משיח
Prince of Wales יורש העצר
prince royal בן המלך הבכור
prin′cess *n.* נסיכה
prin′cipal *adj.* ראשי, עיקרי
principal *n.* מנהל; ראש מוסד; אחראי ראשי; נגן ראשי; קרן; קורת גג ראשית
principal boy בעל התפקיד הראשי בפנטומימה
prin′cipal′ity *n.* נסיכות
principally *adv.* בעיקר
prin′ciple *n.* עיקרון, פרינציפ, חוק
- first principles עיקרים, יסודות
- in principle עקרונית, להלכה
- live up to one's principles לדבוק בעקרונות (ולחיות לפיהם)
- man of principle איש עקרונות

- on principle עקרונית, מתוך מניעים מוסריים
principled *adj.* עקרוני
prink *n.* לקשט; להתגנדר
print *n.* דפוס; אותיות; הדפס; תמונה; עיתון; עקב, סימן
- in print בדפוס; הודפס, מצוי בחנויות
- leave its print להותיר רישומו על
- out of print אזל (ספר)
- print dress שמלה מבד מודפס
- rush into print לאוץ לפרסם (ספר)
- small print אותיות זעירות
print *v.* להדפיס; לכתוב באותיות דפוס; להידפס; לחרות; להותיר סימן
- print money להדפיס/להזרים כסף
- print out להוציא תדפיס
- printed wallpaper טפט-קיר מודפס
printable *adj.* דפיס, ניתן להדפסה
printed circuit מעגל מודפס
printed papers דברי דפוס, מידפס
printer *n.* מדפיס; בעל דפוס; מדפסת
printer's devil שוליית המדפיס
printing *n.* הדפסה; דפוס; מהדורה; אותיות דפוס
printing house/office/shop בית-דפוס
printing ink דיו-הדפסה, חרתה
printing machine/press מכבש-הדפוס
print-out *n.* תדפיס (של מחשב)
pri'or *adj.* קודם, קודם בחשיבותו
- prior to קודם ל-, לפני, טרם
prior *n.* ראש מיסדר
pri'oress *n.* מנהלת מיסדר
prio'ri *n.* תחילה, ראשון
- a priori שמלכתחילה, אפריורי
pri·or'itize' *v.* לתת עדיפות ל-
pri·or'ity *n.* עדיפות, (זכות) קדימה
- take priority over לזכות בעדיפות
- top priority עדיפות עליונה
pri'ory *n.* מנזר
prise (-z) *v.* לפתוח, לפרוץ, להוציא
prism (priz'əm) *n.* פריסמה, מנסרה
pris·mat'ic (-z-) *adj.* מנסרתי
prismatic colors צבעים מנסרתיים
pris'on (-z-) *n.* בית סוהר
prison-breaking *n.* בריחה מבית סוהר
prison camp מחנה שבויים
prisoner *n.* אסיר; עציר
prisoner of war שבוי מלחמה
prisons commissioner נציב בתי הסוהר
prison visitor מבקר אסירים (לעודדם)
pris'sy *adj.* קפדן (בצורה מרגיזה)
pris'tine (-tēn) *adj.* קדמוני, פרימיטיבי; מקורי, טהור, זך
prith'ee (-dh-) *interj.* אנא!
pri'vacy *n.* פרטיות, צנעה, חשאיות
- in privacy בחשאי; בבדידות
pri'vate *adj&n.* אישי; פרטי; סודי; טוראי
- in private בחשאי, לא בפומבי
- private person אדם פרטי; מתבודד
- privates איברי המין, מבושים
private account חשבון אישי/נפרד
private enterprise יוזמה פרטית
pri'vateer' *n.* (קברניט) ספינת מלחמה
private eye/detective בלש פרטי
private house בית-מגורים, דירה
private member חבר פרלמנט מן השורה (לא שר)
private member's bill הצעת חוק פרטית
private parts איברי המין, מבושים
private practice פרקטיקה פרטית
private school בית-ספר פרטי
private soldier טוראי
pri·va'tion *n.* מחסור, עוני, מצוקה, סבל; שלילה, מניעה
pri'vatiza'tion *n.* הפרטה
pri'vatize' *v.* להפריט
priv'et *n.* ליגוסטרום (שיח-נוי)
priv'ilege (-lij) *n.* פריבילגיה, זכות, יתרון; יחסנות; טובה, הנאה; חסינות; חיסיון
privileged *adj.* בעל פריבילגיות; מיוחס, יחסן; חסוי, סודי
- under-privileged מעוט יכולת, דל
privily *adv.* באורח פרטי; בחשאי
priv'y *adj.* פרטי; חשאי; בעל מידע סודי
- privy to בא בסוד ה-
privy *n.* בית שימוש; בעל עניין
Privy Council מועצת המלך
Privy Purse הוצאת פרטיות (של המלך)
prize *n.* פרס; נכס יקר; שלל, שלל-ספינה; "מציאה" (נחטפת)
prize *v.* להוקיר מאוד, להעריך ביותר
- prized יקר, יקר-ערך
prize *adj.* שוכה בפרס; ראוי לפרס; מיוחד במינו; מוענק כפרס
- prize idiot אידיוט מושלם
prize *v.* לפתוח, לפרוץ, להוציא
- prize out להוציא, לסחוט (מידע)
prize-fight *n.* קרב אגרוף (לשם כסף)
prize-fighter *n.* מתאגרף (כנ"ל)
prizeman *n.* זוכה בפרס
prize money כספי הפרס; תמורת השלל
prize-ring *n.* זירת אגרוף
prizewinner *n.* זוכה בפרס
pro *n&adv.* בעד, מחייב, תומך
- pro and con בעד ונגד
- pros and cons התומכים והשוללים; הנימוקים בעד ונגד
pro- (תחילית) תומך, מצדד; פועל במקום-
- proslavery תומך בעבדות
pro *n.* *מקצוען, שחקן מקצועי; זונה
PRO = public relations officer
pro'-am' *adj.* למקצוענים וחובבים
prob'abil'ity *n.* קרבה לוודאות; סיכוי; הסתברות; אפשרות, ייתכנות
- in all probability קרוב לוודאי
prob'able *adj.* קרוב לוודאי, כמעט ודאי; צפוי, קרוב לאמת, מסתבר
probable *n.* מועמד כמעט ודאי (לנצח)
probably *adv.* קרוב לוודאי
pro'bate' *n.* אישור צוואה
probate *v.* לאשר (תקפות ה-) צוואה
probate copy העתק צוואה מאושר
pro·ba'tion *n.* (תקופת) מבחן, ניסיון
- 2 years' probation (מאסר על תנאי) למשך שנתיים, בשתי שנות מבחן
- on probation בניסיון, למבחן

probational *adj.* של מבחן, לניסיון
probationary *adj.* של מבחן, לניסיון
probationer *n.* אחות מתמחה; עבריין ששוחרר לניסיון; מועמד לחברה דתית
probation officer קצין מבחן
probe *n.* חקירה, בדיקה; מַבְחֵן, מכשיר/מיתקן בדיקה; לוויין מחקר
probe *v.* לבדוק (במכשיר); לחקור, לחטט
pro′bity *n.* יושר, הגינות; שלמות, תום
prob′lem *n&adj.* בעיה, שאלה; אדם קשה; (מחזה) עוסק בבעיות החברה
- no problem אין בעיה
- that's your problem זב"ש, זו בעיה שלך
prob′lemat′ic *adj.* בעייתי, מפוקפק
problem child ילד בעייתי
pro bo′no pub′lico′ לטובת הכלל
probos′cis *n.* חדק (הפיל/החרק); *אף
proce′dural (-′j-) *adj.* נוהלי, דיוני, פרוצדורלי
proce′dure (-jər) *n.* נוהל, פרוצדורה, הליך, סדר דין
proceed′ *v.* להמשיך; להתקדם; להתחיל
- proceed against לנקוט הליך נגד
- proceed from לנבוע מ-, לצמוח מ-
- proceed to לעבור (הלאה) ל-; להמשיך ל- (תואר שני)
- proceed with your story המשך בסיפורך; התחל בסיפורך
proceed′ing *n.* התנהגות; פעולה; מעשה; הליך
- proceedings התרחשויות; פרוטוקול
- start proceedings לפתוח בהליכים
- way of proceeding דרך פעולה
pro′ceeds *n-pl.* הכנסה, תשואה
proc′ess′ *n.* תהליך; שיטה (בייצור); התקדמות; הזמנה לדין; זיז, בליטה
- in process מתקדם, בשלבי עשייה
- in process of בתהליך-; במשך-
- in process of time במרוצת הזמן
proc′ess′ *v.* לעבד (מזון/חומר/פילם); להכין, לבדוק
- process information לעבד נתונים
process′ *v.* לצעוד בסך
proces′sion *n.* תהלוכה, מצעד; * (בספורט) ניצחון קל, "טיול"
- funeral procession הלוויה
processional *adj&n.* של תהלוכה (דתית); מזמור תהלוכה
pro′cess′or *n.* מעבד
process server מחלק הזמנות לדין
pro′-choice′ *adj.* בעד הפלה מרצון
proclaim′ *v.* להכריז, להודיע על, להצהיר; להעיד על, לגלות, להוות אות
- proclaim war להכריז מלחמה
- was proclaimed king הוכרז למלך
proc′lama′tion *n.* הכרזה, הצהרה
pro·cliv′ity *n.* נטייה
pro·con′sul *n.* נציב; פרוקונסול
pro·con′sulate *n.* כהונת הפרוקונסול
pro·cras′tinate′ *v.* לדחות (למחר)
pro·cras′tina′tion *n.* דחייה, סחבת
pro′cre·ate′ *v.* להוליד; להתרבות
pro′cre·a′tion *n.* הולדה
proc′tor *n&v.* מפקח, משגיח; להשגיח
pro·cum′bent *adj.* אפיים ארצה, שוכב
procu′rable *adj.* בר-השגה, בר-רכישה
proc′u·ra′tor *n.* סוכן, מיופה-כוח
procure′ *v.* להשיג, לרכוש; לסרסר לזנות; לגרום, להביא ל-
procurement *n.* השגה, רכישה, רכש
procurer *n.* סרסור, רועה זונות
procuress *n.* סרסורית, מספקת זונות
prod *v&n.* לדחוף, לתקוע (אצבע/מרפק); להמריץ, לעורר; דחיפה; מקל, מַלְמָד
prod′igal *adj&n.* בזבזני; נדיב, שופע, פורה, עשיר; בזבזן
prod′igal′ity *n.* בזבזנות; שפע
prodigal son הסורר שחזר למוטב
prodi′gious (-dij′əs) *adj.* עצום, כביר; נפלא, מדהים
prod′igy *n.* פלא, דבר נפלא; עילוי
- child prodigy ילד פלא
produce′ *v.* להציג, להראות; להוציא, לשלוף; להצמיח; ללדת; לייצר; להפיק; ליצור; לגרום; לחולל
- produce a film להפיק סרט
- produce a line להמשיך/להאריך קו
- produce a play להעלות מחזה
- produce a sensation לעורר סנסציה
- produce eggs להטיל ביצים
- produce evidence להביא ראיות
- produce lambs להמליט טלאים
pro′duce *n.* תוצרת; יבול
produ′cer *n.* יצרן; מפיק
prod′uct *n.* תוצרת; מוצר, תוצר; פרי-יצירה; תוצאה, תולדה; מכפלה
produc′tion *n.* ייצור; יצירה; תפוקה; הפקה; הצגה
- production of a ticket הצגת כרטיס
production line קו ייצור
produc′tive *adj.* פרודוקטיבי, יוצר, פורה, יצרני; מועיל, מביא ברכה
- productive land אדמה פורייה
- productive of גורם, יוצר, מביא ל-
prod′uctiv′ity *n.* פרודוקטיביות, פוריות, פריון עבודה, יצרנות
pro′em′ *n.* מבוא, הקדמה
prof = professor
prof′ana′tion *n.* חילול (הקודש)
profane′ *v.* לחלל (הקודש); לטמא
profane *adj.* מחלל (הקודש), מגדף; גס; חילוני, לא מקודש
- profane art אמנות חילונית
profan′ity *n.* חילול הקודש, גסות
- profanities חירופים, נאצות
profess′ *v.* לטעון; להתיימר, להעמיד פנים; להאמין ב-; לעסוק ב-; ללמד
- profess Judaism להצהיר על אמונתו ביהדות
- profess a belief/an interest in לטעון שהוא מאמין/מתעניין ב-
- profess gaiety להפגין שמחה (מעושה)
- profess law להיות עורך-דין
- profess mathematics להיות מרצה למתימטיקה
professed *adj.* מוצהר, מושבע; מעמיד פנים, מזויף; מוסמך (למסדר דתי)
professedly *adv.* לטענתו, כמוצהר

profes'sion *n.* מקצוע; אנשי המקצוע (כגוף/ארגון); הצהרה, הודאה
professional *adj&n.* מקצועי; מקצוען
- turn professional להפוך למקצוען
professionalism *n.* מקצועיות; מקצוענות
profes'sionalize' (-fesh'ən-) *v.* למקצע
profes'sor *n.* פרופסור, מורה
prof'esso'rial *adj.* של פרופסור
professorship *n.* פרופסורה
prof'fer *v&n.* להציע; הצעה
profi'ciency (-fish'ən-) *n.* מומחיות
profi'cient (-fish'ənt) *adj.* מומחה, בקי
pro'file' *n.* פרופיל, צדודית, דיוקן
- low profile פרופיל נמוך, אי התבלטות
profile *v.* להציג בפרופיל; לשרטט דיוקן
prof'it *n.* רווח; תועלת, יתרון, טובה
- gross profit רווח ברוטו
- net profit רווח נטו
- read for profit/to one's profit לקרוא לשם רכישת השכלה
- sell at a profit למכור ברווח
profit *v.* להפיק רווח; להצמיח תועלת
- profit by/from להפיק תועלת מ-
- profited me nothing לא הועיל לי
profitable *adj.* רווחי; תועלתי, מועיל
profit and loss רווח והפסד
prof'iteer' *n&v.* רווחן, ספסר, מפקיע מחירים; להפקיע מחירים
profitless *adj.* חסר-תועלת
profit margin הפרש-הרווח, הבדל בין העלות ומחיר המכירה
profit sharing חלוקת רווחים
profit-taking מימוש רווחים
prof'ligacy *n.* הוללות; בזבזנות
prof'ligate *adj&n.* הולל, מופקר; בזבזן
pro for'ma למען הסדר; לצאת ידי חובה; (חשבון) פרופורמה
profound' *adj.* עמוק, מעמיק, עז, רב
- profound silence שקט מוחלט
- profound thinker עמקן
profoundly *adv.* עמוקות, מעומק הלב
profun'dity *n.* עומק, מחשבה עמוקה
profuse' *adj.* שופע, רב, נדיב, פזרני
profu'sion (-zhən) *n.* שפע, ריבוי
prog *n&v.* *מפקח; להאשים בעבירה
pro·gen'itor *n.* אב קדמון; אב, יוצר (שיטה חדשה)
pro·gen'iture *n.* הולדה, צאצא
prog'eny *n.* צאצאים, פרי-בטן
pro·ges'terone' *n.* פרוגסטרון (הורמון נקבי)
prog'nathous *adj.* (לסת) בולטת; לסתני
prog·no'sis *n.* פרוגנוזה, סכייה, סכות
prog·nos'tic *n&adj.* אות, מבשר, מנבא
prog·nos'ticate' *v.* לנבא, לצפות
prog·nos'tica'tion *n.* ניבוי
pro'gram' *n.* תוכנית; תוכנייה
program *v.* להתוות תוכנית; לתכנת
pro'grammat'ic *adj.* פרוגרמטי, תוכניתי
programme = program
programmed course קורס תוכניתי (שבו הלומד מתקדם שלב-שלב)
programmed learning לימוד עצמי בקורס תוכניתי
programme music מוסיקה תוכניתית
programme note תיאור קצר, הסבר קצר (בתוכנייה)
pro'gram'mer מתכנת, תוכניתן
prog'ress' *n.* התקדמות; קדמה
- in progress מתקדם, בעיצומו
- make progress להתקדם
progress' *v.* להתקדם
progres'sion *n.* התקדמות; טור
progres'sive *adj&n.* מתקדם, פרוגרסיבי; מודרני, בן-זמננו; הולך ומחמיר
- progressively better הולך ומשתפר
pro·hib'it *v.* לאסור; למנוע, לפסול
pro'hibi'tion (-bi-) *n.* איסור; צו-איסור; איסור מכירת משקאות חריפים
prohibitionist *n.* תומך באיסור מכירת משקאות חריפים
pro·hib'itive *adj.* אוסר, מונע
- prohibitive price מחיר מופרז
pro·hib'ito'ry *adj.* אוסר, מונע
proj'ect' *n.* תוכנית; מפעל; פרוייקט, מיזם
project' *v.* לתכנן; לבלוט; להבליט; להטיל, להשליך; להקרין; להציג תדמית
- project a map להטיל מפה, לעשות היטל/השלכה של מפה
- project a missile לשגר טיל
- project oneself ליצור תדמית חיובית
- project onto להטיל על (הזולת)
projected *adj.* מתוכנן
projec'tile (-til) *n&adj.* טיל, קליע; ניתן לשיגור, בר-שיגור
projecting *adj.* בולט
projec'tion *n.* תכנון; השלכה; הטלה; היטל, פרוייקציה; הקרנה; בליטה
projectionist *n.* מקרין, מטולן
projection room חדר הקרנה
projector *n.* מטול, מקרן, זרקור
pro·lapse' *v.* לצנוח, להישמט, לשקוע
pro'lapse' *n.* צניחה, שמיטה, שקיעה
prolapsed uterus רחם צנוחה
prole *n.* פועל, חבר הפרולטריון
pro'legom'ena *n.* הקדמה, מבוא
pro'leta'rian *adj&n.* פועל, פרוליטארי, חבר הפרוליטריון
pro'leta'riat *n.* פרולטריון
pro'-life' *adj.* נגד הפלות
pro·lif'erate' *v.* להתרבות במהירות
pro·lif'era'tion *n.* התרבות, התפשטות
- non-proliferation אי-הפצה (נשק)
pro·lif'ic *adj.* פורה, שופע; מתרבה
pro·lix' *adj.* משעמם, ארוך, ארכן
pro·lix'ity *n.* ארכנות, רוב מלים
pro·log' (-lôg) *n.* פרולוג, פתיחה
prologue = prolog
pro·long' (-lông) *v.* להאריך
pro'lon·ga'tion (-lông-) *n.* הארכה
prolonged *adj.* ארוך, ממושך
prom = promenade
prom'enade' *n.* טיול; נשף ריקודים;

טיילת; רחבת-טיול (בתיאטרון), מטולה
promenade *v.* לטייל, לקחת עמו לטיול
promenade concert קונצרט-טיול (שבו חלק מהקהל מאזין בעמידה)
promenade deck סיפון הטיילת
promenader *n.* שוחר קונצרטי-טיול
prom'inence *n.* התבלטות; בליטה
- bring into prominence להבליט
- come into prominence להתבלט
prom'inent *adj.* בולט; חשוב; ידוע
prom'iscu'ity *n.* ערבוב, אי-אבחנה; הפקרות, זנות, נאפופים
promis'cuous (-kūəs) *adj.* מעורבב, לא מבחין; (יחסי מין) מגוונים; מופקר, נאפופי
prom'ise (-mis) *n&v.* הבטחה; תקווה; להבטיח; לגרום לתקווה; לבשר
- I promise you אני מבטיח לך, אין ספק בכך
- as good as one's promise נאה דורש ונאה מקיים
- break a promise להפר הבטחה
- bring promise לעורר תקווה
- it promises to be a fine day בטח יהיה יום נאה
- promise well לעורר ציפיות
- show promise להיות מבטיח, לעורר תקוות, לגלות סימני הצלחה
promising *adj.* מבטיח, בעל עתיד מבטיח
prom'isso'ry *adj.* של הבטחה
promissory note שטר חוב
pro'mo *n.* פרומו, קדימון, פרסומת, בקרוב, קטעים מסרט, תשדיר
prom'onto'ry *n.* צוק, כֵּף, ראש יבשה
promote' *v.* לקדם (בדרגה); לסייע; לארגן; לייסד; לעודד, לעורר, לגרום
- promote a bill להגיש הצעת חוק
- promote a product לפרסם מוצר
- promote sales לקדם מכירות
promoter *n.* יוזם, יזם, מקדם
promo'tion *n.* קידום (בדרגה); סיוע; ארגון; ייסוד; עידוד; מוצר מתפרסם
- sales promotion קידום מכירות
prompt *adj.* מיידי, מוכן; זריז, מהיר
- at 12 prompt בשעה 12 בדיוק
prompt *v.* להניע, לדחוף; לעורר, לעודד; לעזור; ללחוש (לשחקן/לנואם)
- prompt a witness לרמוז לעד כיצד להמשיך
- prompt thoughts לעורר מחשבות
prompt *n.* לחישה לשחקן
prompt box תא הלחשן
prompt copy עותק (שבידי) הלחשן
prompter *n.* לחשן
promp'titude' *n.* זריזות, נכונות
promptly *adv.* מיד, מהר; בדיוק
prompt-note *n.* תזכורת לתשלום
prom'ulgate' *v.* לפרסם רשמית; להפיץ
prom'ulga'tion *n.* פרסום, הפצה
prone *adj.* (שוכב) על בטנו, אפיים ארצה; נוטה ל-, מועד ל-
prong *n.* שן (של קלשון); חוד (של קרן); לדקור/להפוך/להעמיס בקלשון
- 2-pronged attack התקפה בשני ראשים
pro'nom'inal *adj.* של כינוי-השם

pro'noun' *n.* כינוי-השם, כינוי
pronounce' *v.* לבטא; להודיע, להצהיר, להכריז; להביע דיעה; לפסוק
- pronounce for לפסוק לטובת
- pronounce oneself לחוות דעתו
pronounceable *adj.* בר-ביטוי
pronounced *adj.* מוגדר, מוצהר; מובהק, ניכר, בולט
pronouncement *n.* הודעה, הצהרה
pron'to *adv.* *מהר, תכף ומיד
pronun'ciamen'to *n.* הודעה, מיצהר
pronun'cia'tion *n.* מיבטא
proof (proōf) *n.* הוכחה; ראיה; מבחן; טיוטת הגהה; עוצמת-כוהל
- 20 per cent under proof 20 אחוזים מתחת לעוצמה התקנית
- capable of proof בר-הוכחה, יכיח
- put to the proof להעמיד במבחן
- stand the proof לעמוד במבחן
proof *adj.* חסין, מחוסן, עמיד; אטים; של עוצמה (כוהלית)
proof *v.* לחסן, לאטם; להגיה
proofread *v.* להגיה
proofreader *n.* מַגִּיהַּ
proof sheet עלה-הגהה
proof spirit כוהל תקני
prop *n.* משענת, סמוכה, עמוד; תומך
- clothes prop עמוד (לחבל-) כביסה
- prop and stay תומך ומעודד
prop *v.* לתמוך, להשעין
- prop a door open with a chair להחזיק הדלת פתוחה בעזרת כיסא
- prop against להשעין על
- prop up להמוך
prop = propeller, property מדחף; אבזר במה
prop'agan'da *n.* תעמולה, פרופגנדה
prop'agan'dist *n.* תעמלן, תועמלן
prop'agan'dize *v.* לנהל תעמולה
prop'agate' *v.* להפרות; להפיץ; להעביר; להתפשט; להתרבות
prop'aga'tion *n.* הפצה; התפשטות
propagator *n.* מפיץ
pro'pane *n.* פרופן (גאז)
propel' *v.* לדחוף, להניע קדימה
propel'lant *adj&n.* דוחף, הודף; חומר הדף (להפלטת כדור, להזנקת טיל)
propellent = propellant
propel'ler *n.* מדחף, פרופלור
propelling pencil עיפרון מכאני
propen'sity *n.* נטייה, תכונה מיוחדת
prop'er *adj.* נכון, מתאים; יאה; נאה; הגון; מושלם; כהוגן; ממש, גופא
- Haifa proper חיפה גופא (לא הפרוורים)
- a proper fool טיפש גמור
- proper time שעה מדויקת
- proper to שייך ל-, מיוחד ל-
proper fraction שבר אמיתי (פשוט)
properly *adv.* היטב, כהלכה; כהוגן
- properly speaking למען הדיוק
proper noun/name שם-עצם פרטי
propertied *adj.* בעל נכסים
prop'erty *n.* נכס; קניין; רכוש, מקרקעין; אחוזה; בעלות; תכונה, סגולה; אבזר במה
- common/public property נחלת הכלל

- man of property עתיר-נכסים
- real property מקרקעין, נדל"ן
property man/master אבזרן
proph'ecy *n.* נבואה
proph'esy' *v.* לנבא; להתנבא
proph'et *n.* נביא, חוזה; חלוץ-רעיון
- Prophets נביאים (בתנ"ך)
- prophet of doom רואה-שחורות
proph'etess *n.* נביאה
prophet'ic *adj.* נביאי; נבואי, חזוני
pro'phylac'tic *adj&n.* תמנעי, מונע
מחלה, פרופילקטי; אמצעי מניעה, כובעון
pro'phylax'is *n.* טיפול מונע
pro•pin'quity *n.* קרבה, דמיון
propi'tiate' (-pish-) *v.* לפייס
propit'ia'tion (-pish-) *n.* פיוס
propit'iato'ry (-pish-) *adj.* מפייס
propi'tious (-pish'əs) *adj.* מתאים, נוח,
נעים; (סימן) טוב, של רצון טוב
prop'jet' *n.* מדחף סילון-טורבינה
propo'nent *n.* תומך, חסיד; מציע
propor'tion *n.* פרופורציה, יחס; חלק,
שיעור, אחוז; (במתימטיקה) מתכונת
- in proportion בפרופורציה נכונה
- in proportion to לפי, ביחס ל-
- out of (all) proportion ללא כל
פרופורציה
- proportions מידות, ממדים, גודל
- sense of proportion חוש פרופורציה
proportion *v.* לתאם, להתאים
proportional *adj.* פרופורציונלי, יחסי,
מתכונתי
proportionally *adv.* יחסית
proportional representation ייצוג
יחסי, בחירות יחסיות
propor'tionate *adj.* פרופורציוני
propo'sal (-z-) *n.* הצעה; תוכנית;
הצעת נישואים
propose' (-z) *v.* להציע; להתכוון, לתכנן;
להציע נישואים
- propose a toast/his health לשתות
לחיין, להרים כוסית
prop'osi'tion (-zi-) *n.* הצעה; תוכנית;
בעיה; הנחה; (בהנדסה) משפט; טענה;
הצעה מגונה
- tough proposition אגוז קשה
proposition *v.* *להציע הצעה מגונה
propound' *v.* להציע, להעלות, להביא
- propound a riddle לחוד חידה
propri'etar'y (-teri) *adj.* של בעלים,
קנייני; מתאדן, כמו אדון
proprietary medicine רפואה פטנטית
proprietary name שם מסחרי (מוגן)
propri'etor *n.* בעל, בעלים, אדון
propri'eto'rial *adj.* של בעלות/בעלים
propri'etress *n.* בעלה (בעלת-המלון)
propri'ety *n.* הגינות, קורקטיות, נימוס;
התאמה, נכונות
- proprieties כללי התנהגות
propul'sion *n.* דחיפה, כוח הנעה
- jet propulsion הינע סילון
propul'sive *adj.* דוחף, מניע קדימה
pro'pylene' *n.* פרופילן (גאז)
pro ra'ta באופן יחסי, בפרופורציה
pro•rate' *v.* להקצות באופן יחסי
pro'roga'tion *n.* נעילת ישיבה, דחייה
pro•rogue' (-rōg') *v.* לנעול ישיבה,
לדחות (המשך הדיון (למועד אחר)
pro•sa'ic (-z-) *adj.* פרוזאי, יבש, פשוט
pro•sce'nium *n.* קדמת הבימה
pro•scribe' *v.* לאסור, להחרים; להכריז
כמסוכן; להוציא אל מחוץ לחוק
pro•scrip'tion *n.* איסור, החרמה
prose (-z) *n.* פרוזה, סיפורת
pros'ecute' *v.* להעמיד לדין, לתבוע;
לעסוק, לנהל, להמשיך, להתמיד ב-
- prosecute an inquiry לנהל חקירה
pros'ecu'tion *n.* תביעה; המשכה
- in the prosecution of בעיסוקו כ-,
במסגרת (תפקידו)
pros'ecu'tor *n.* תובע
pros'elyte' *n&v.* גר; מומר; עריק
פוליטי; לגייר; להתגייר; להפוך עורו
pros'elytize' *v.* לגייר; לעשות נפשות
pros'ody *n.* תורת המשקל, פרוסודיה
pros'pect' *n.* תקווה, סיכוי, אפשרות
סבירה; נוף; מראה, מחזה; (מועמד) צפוי;
לקוח אפשרי
- I don't like the prospect of אני נרתע
מפני הרעיון (הסיכוי) ש-
- in prospect צפוי, בעתיד הקרוב
prospect *v.* לחפש (זהב, נפט)
prospec'tive *adj.* צפוי, עתידי, אפשרי,
(מועמד) כמעט ודאי
pros'pec'tor *n.* מחפש (זהב, נפט)
prospec'tus *n.* פרוספקט, תוכנייה,
תסביר, תשקיף
pros'per *v.* להצליח, לשגשג, להתפתח
pros•per'ity *n.* הצלחה, שגשוג, שפע
pros'perous *adj.* מצליח, משגשג; עשיר
pros'tate' *n.* ערמונית, פרוסטאטה
pros•the'sis *n.* קביעת איברים תותבים;
פרותיזה, איבר תותב
pros'titute' *n&v.* זונה; לזנות; למכור
(כישרון/כבוד) בעד בצע-כסף
- prostitute herself למכור גופה
pros'titu'tion *n.* זנות
pros'trate' *adj.* משתטח, אפיים ארצה;
מנוצח, חסר-אונים
- prostrate with grief הלום-יגון
prostrate *v.* להפיל, להכניע; להכריע
- prostrate oneself להשתחוות; להשתטח;
להתרפס
pros•tra'tion *n.* אפיסת-כוחות;
חוסר-אונים; השתחוויה; השתטחות
pros'y (prō'zi) *adj.* פרוזאי, משעמם
pro•tag'onist *n.* שחקן ראשי, גיבור;
תומך (ברעיון), נושא דגל
pro•te'an *adj.* לובש צורות שונות
protect' *v.* להגן על, לשמור; לבטח
protected *adj.* מוגן
protec'tion *n.* הגנה, שמירה; מגן;
ביטוח; פרוטקשן, דמי-סחיטה,
דמי-חסות
protectionism *n.* מדיניות-מגן
protectionist *n.* חסיד מדיניות-מגן
protection racket אירגון פרוטקשן
protec'tive *adj.* מגן, הגנתי
protective coloring/coloration צבע
מגן, צבע הסוואה
protective custody מעצר הגנתי
protective foods מזון בריאות

protective tariff מכס-מגן
protector *n.* מגן, שומר
protec′torate *n.* ארץ-חסות
pro′tege (-təzhā) *n.* בן-חסות
pro′tegee (-təzhā) *n.* בת-חסות
pro′tein (-tēn) *n.* פרוטאין, חלבון
pro tem′(pore) (-ri) *adv.* זמנית
pro′test′ *n.* מחאה; פרוטסט, העדה
- enter a protest להגיש מחאה
- under protest באי-רצון, מתוך מחאה
- without protest בדומייה
protest′ *v.* למחות (על); לטעון בתוקף, להצהיר
Prot′estant *n&adj.* פרוטסטנט
Protestantism *n.* פרוטסטנטיות
prot′esta′tion *n.* הצהרה; מחאה
protest movement תנועת מחאה
pro′to- ראשון, אב-, קדם-
- prototype אב-טיפוס
pro′tocol′ *n.* פרוטוקול, תקנון-נוהג, זכרון-דברים, דו"ח
pro′ton′ *n.* פרוטון (חלקיק באטום)
pro′toplasm′ (-plaz′əm) *n.* פרוטופלאסמה, אבחומר
pro′totype′ *n.* אב-טיפוס, פרוטוטיפוס
pro′tozo′a *n-pl.* אבחיים, פרוטוזואה, חד-תאיים
pro′tozo′on *n.* אבחי, פרוטוזואון, קידומית
pro·tract′ *v.* להאריך, למתוח
protracted *adj.* ארוך, ממושך
pro·trac′tion *n.* הארכה, הימשכות
pro·trac′tor *adj.* מדזווית
pro·trude′ *v.* לבלוט; להבליט
pro·tru′sion (-zhən) *n.* הבלטה; היבלטות; בליטה
pro·tru′sive *adj.* בולט
pro·tu′berance *n.* בליטה; תפיחה
pro·tu′berant *adj.* בולט
proud *adj.* גא, גאה; יהיר, שחצן; נפלא, מרשים
- do proud למלא גאווה, לחלוק כבוד
- proud sight מחזה נהדר, מראה נפלא
proud flesh תפיחת בשר (מסביב לפצע)
provable *adj.* שאפשר להוכיחו, יכיח
prove (proōv) *v.* להוכיח; לבחון, לנסות; להראות; להימצא, להתברר
- it goes to prove זה מעיד/מוכיח
- prove a will לאמת (תקפות) צוואה
- proved true אומת, נמצא נכון
- the book proved(to be)very good הספר (כך נתברר) טוב מאוד
prov′en (proōv-) *adj.* מוכח, בדוק
- not proven לא הוכחה (אשמה)
prov′enance *n.* מוֹצָא, מקור
prov′ender *n.* מספוא; *מזון
prov′erb *n.* פתגם, מימרה; משל, שם דבר
- Proverbs משלי (בתנ"ך)
prover′bial *adj.* פתגמי; ידוע, מפורסם
provide′ *v.* לספק, לתת, להעניק; להפריש; לקבוע
- provide against לנקוט צעדים לקראת/נגד; לאסור
- provide for לפרנס, לקיים, לדאוג ל-; להכין ל-; לספק; להתיר, לאפשר
- the law provides החוק קובע (ש-)
provided *conj.* בתנאי ש-, רק אם-
prov′idence *n.* ההשגחה, אלוהים; מזל משמיים; דאגה, חיסכון; זהירות
prov′ident *adj.* דואג לעתיד, חסכני
provident fund קופת תגמולים
prov′iden′tial *adj.* השגחי; בר-מזל
provider *n.* מפרנס; סַפָּק
providing *conj.* בתנאי ש-, רק אם-
prov′ince *n.* מחוז, איזור; פרובינציה, מושבה; תחום, שטח
- the provinces ערי-השדה
provin′cial *adj&n.* פרובינציאלי, קרתני, כפרי, מוגבל, צר-אופק
provincialism *n.* קרתנות
proving ground שדה-ניסויים
provi′sion (-vizh′ən) *n.* הספקה; ציוד, הכנות, דאגה; אספקה; הפרשה; מזון; תנאי; הוראה
- make provision לנקוט אמצעים, לדאוג; לעשות הכנות, להתכונן
- with the provision that בתנאי ש-
provision *v.* לצייד, לספק מזון
provi′sional (-vizh′ən-) *adj.* זמני, ארעי, פרוביזורי
provisionally *adv.* זמנית, לפי שעה
provi′so (-z-) *n.* תנאי, סייג
- with the proviso that בתנאי ש-
provi′sory (-z-) *adj.* כפוף לתנאי, מכיל תנאי; פרוביזורי, זמני
prov′oca′tion *n.* פרובוקציה, התגרות; עוקבה; שיסוי, הקנטה, גירוי
provoc′ative *adj.* מעורר; מגרה; פרובוקטיבי
provoke′ *v.* להרגיז, להתגרות ב-; לעורר, לגרום; לגרות
- provoke into להביא לידי, לאלץ
provoking *adj.* מרגיז
pro′vost *n.* ראש מכללה; ראש עיר
provost marshal מפקד משטרה צבאית
prow *n.* חרטום (הספינה)
prow′ess *n.* גבורה, אומץ; כישרון יוצא מן הכלל
prowl *v.* לשחר לטרף; לחפש, להסתובב
prowl *n.* חיפוש, סיבוב, שוטטות
- on the prowl משחר לטרף
prowl car מכונית שיטור, ניידת
prowler *n.* משוטט; גנב
prox *adj.* בחודש הבא, לחודש הבא
prox′imal *adj.* קרוב, מקורב, סמוך
prox′imate *adj.* הקרוב ביותר, סמוך
prox·im′ity *n.* קרבה, סמיכות
- in the proximity of קרוב ל-
proximity fuse מרעום קרבה (המפעיל את הפגז בקרבת המטרה)
prox′imo′ *adj.* שבחודש הבא
prox′y *n.* ייפוי כוח, הרשאה; בא-כוח
- by proxy באמצעות בא-כוח
prude *n.* מתחסד, מצטנע, אנין-נפש
pru′dence *n.* זהירות, פיקחות
pru′dent *adj.* זהיר, פיקח, שוקל צעדיו
pru·den′tial (proō-) *adj.* זהיר, פיקחי
pru′dery *n.* הצטנעות, אנינות-נפש
pru′dish *adj.* מצטנע, מפריז בצניעות, מזדעזע (כביכול) מניבול-פה
prune *n.* שזיף מיובש; *טיפש

- full of prunes *טיפש
prune *v.* לגזום, לקצץ, לחתוך, לסלק
- prune away/back/down לגזום, לסלק
pruners *n-pl.* מזמרה, מספרי-גיזום
pruning *n.* גיזום, קיצוץ
pruning knife/hook מזמרה
pru′rience *n.* תאוותנות
pru′riency *n.* תאוותנות
pru′rient *n.* תאוותני, שטוף זימה
pru·ri′tus (proo-) *n.* עקצוץ, גירוי
Prus′sian (-shən) *adj.* פרוסי
prussian blue כחול עז
prus′sic acid חומצה פרוסית/קטלנית
pry *v.* להציץ, לחטט בעסקי הזולת
- pry about להתבונן בסקרנות
- pry off/open לפתוח, לפרוץ, להסיר
- pry out להוציא, לסחוט (מידע)
ps = postscript, public school
psalm (säm) *n.* מזמור (בתהילים)
psalm′ist (säm-) *n.* מחבר מזמורים; דוד המלך, מחבר תהילים
psal′modize′ (säm-) *v.* לתהלל
psal′mody (säm-) *n.* (קריאת) פרקי תהילים, זמרת מזמורים, תהלילה
Psalms *n-pl.* תהילים (בתנ"ך)
Psal′ter (sôl-) *n.* ספר תהילים, תהילימון (לזמרה)
psal′tery (sôl-) *n.* נֵבֶל (קדום)
pse·phol′ogy (si-) *n.* מדע הבחירות, חקר הנטיות בקרב המצביעים
pseud (sōōd) *n.* *מזוייף, מתיימר
pseu′do (sōō′-) *adj.* פסידו-, מדומה, מזויף, כביכול
pseu′donym (sōō′-) *n.* שם בדוי, פסידונים, כינוי ספרותי
pseu·don′ymous (sōō-) *adj.* בשם בדוי
pshaw *interj.* אוף! (קריאה)
psit′taco′sis (s-) *n.* פסיטקוסיס (מחלת עופות)
psori′asis (s-) *n.* ספחת, מחלת עור
psyche (sī′ki) *n&v.* נפש האדם, פְּסִיכֶה
- psyche out *להבין, לחדור לנשמת-; להשתגע
- psyched up *דרוך, מוכן
psy′chedel′ic (sīk-) *adj&n.* פסיכֶדלי, (סם) משפיע על הנפש/החושים
psy′chiat′ric (sīk-) *adj.* פסיכיאטרי
psychi′atrist (sikī′-) *n.* פסיכיאטר
psychi′atry (sikī′-) *n.* פסיכיאטרייה, חקר מחלות הנפש
psy′chic (sī′k-) *n.* בעל כוח על-טבעי, מדיום, דורש אל המתים
psy′chic(al) (sī′k-) *adj.* פסיכי, נפשי, רוחני; על-טבעי, על-פיסי
psychical research חקר התופעות העל-טבעיות
psy′cho (sī′kō) *n.* פסיכי, מופרע; (תחילית) פסיכו-, נפשי
psy′cho·anal′ysis (sīk-) *n.* פסיכואנליזה
psy′cho·an′alyst (sīk-) *n.* פסיכואנליטיקאי
psy′cho·an′alyt′ic (sīk-) *adj.* פסיכואנליטי
psy′cho·an′alyze′ (sīk-) *v.* לטפל בשיטה פסיכואנליטית
psy′cho·bab′ble (sī′k-) *n.* עגה פסיכולוגית
psy′cho·dra′ma (sīk-) *n.* פסיכודרמה
psy′cholog′ical (sīk-) *adj.* פסיכולוגי
psychological moment רגע פסיכולוגי/מכריע/גורלי; שעה נוחה
psychological warfare מלחמה פסיכולוגית
psychol′ogist (sīk-) *n.* פסיכולוג
psychol′ogy (sīk-) *n.* פסיכולוגיה, תורת הנפש; אופי, מנטליות
psy′chomet′ric (sīk-) *adj.* פסיכומטרי
psy′chopath′ (sī′k-) *n.* פסיכופת
psy′chopath′ic (sīk-) *adj.* פסיכופתי
psy·cho′sis (sīk-) *n.* פסיכוזה, הפרעה נפשית
psy′cho·somat′ic (sīk-) *adj.* פסיכוסומטי, קשור בגוף ובנפש
psy′cho·ther′apy (sīk-) *n.* פסיכותרפיה
psy·chot′ic (sīk-) *adj.* פסיכוטי; מופרע
pt = part, payment, pint, point
PT = physical training
pto = please turn over
Ptol′ema′ic system (t-) שיטת תלמי (שלפיה הארץ במרכז היקום)
pto′maine (t-) *n.* פטומאין (רעל)
pub *n.* מסבאה, פאב; פונדק
pub-crawl *n&v.* * (לעשות) סיבוב במסבאות (ללגימת כוסית)
pu′berty *n.* בגרות מינית, התבגרות
pu·bes′cent (pū-) *adj.* מתבגר, שהגיע לבגרות
pu′bic *adj.* של הערווה
pu′bis *n.* אגן הירכיים הקידמי
pub′lic *adj.* ציבורי, כללי; פומבי
- go public להפוך לחברה ציבורית
- make public לפרסם, להודיע לכל
public *n.* ציבור, קהל
- an admiring public קהל-מעריצים
- in public בפומבי, בפרהסיה
public-address system מערכת רמקולים, מערכת כריזה
pub′lican *n.* בעל בית-מרזח
public assistance תמיכה סוציאלית
pub′lica′tion *n.* פרסום, הוצאה לאור; ספר, כתב-עת
public bar באר עממי, מזנון זול
public company חברה ציבורית
public complaints commissioner נציב תלונות הציבור
public convenience שירותים
public enemy אויב העם, פושע
public health בריאות הציבור
public house מסבאה, פאב; פונדק
public interest טובת הציבור
pub′licist *n.* פובליציסט, עיתונאי, סופר; סוכן פרסום
pub·lic′ity *n.* פרסום; פרסומת; פומבי
publicity agent סוכן פרסום, יחצן
pub′licize′ *v.* לפרסם
public nuisance מטרד ציבורי; עבירה ציבורית
public opinion דעת הקהל
public opinion poll משאל דעת הקהל
public ownership בעלות המדינה

public peace שלום הציבור
public property רכוש ציבורי
public prosecutor תובע כללי, תובע מטעם המדינה
public purse קופת המדינה
public relations יחסי ציבור
public relations officer קצין יחסי ציבור
public school (בארה"ב) בית-ספר ציבורי; (בבריטניה) בית-ספר פרטי
public sector המיגזר הציבורי
public servant עובד מדינה
public service שירות המדינה
public spirit נפש ציבורית, נכונות לשרת את הציבור
public-spirited *adj.* בעל נפש ציבורית
public transport תובלה ציבורית
public utility חברה לאספקת שירות ציבורי
public works עבודות ציבוריות
public works department מע"צ
pub'lish *v.* להוציא לאור; לפרסם
publisher *n.* מוציא לאור, מו"ל
publishing *n.* הוצאה לאור
puce *n&adj.* חום-סגול, חום-ארגמן
puck *n.* דיסקוס-גומי (בהוקי-קרח); שֵׁד, קונדס
puck'er *v&n.* לכווץ (שפתיים/גבות); לקמט; להתקמט; קמט
puck'ish *adj.* שדוני, שובבני, קונדסי
pud (pood) *n.* *חביצה, פודינג
pud'ding (pood-) *n.* חביצה, פודינג, רפרפת; פשטידה; *עיסה, בוץ
pudding face פרצוף גדול ושמן
pudding head *טיפש
pudding stone תלכיד, קונגלומראט
pud'dle *n.* שלולית; טיט, תערובת (למניעת חלחול מים)
puddle *v.* לערבב; ליצור תערובת (כנ"ל); לגבול ברזל מותך
puddler *n.* גבל-ברזל
pu'dency *n.* ביישנות, צניעות
pu·den'da (pū-) *n-pl.* איברי המין החיצוניים
pudg'y *adj.* גוץ, עבה, שמן
pueb'lo (pweb-) *n.* כפר אינדיאני
pu'erile (pyoor'il) *adj.* ילדותי, שטותי
pu'eril'ity (pyoor-) *n.* ילדותיות; שטות
pu·er'peral (pū-) *adj.* של לידה
puff *n.* נשיפה, שאיפה; נשימה; פליטה (של עשן); דבר קל/מוכי/תפוח; שבח מופלג; עוגה ממולאת, פחזנית
- out of puff חסר-נשימה, מתנשף
- puff sleeve שרוול מנופח
puff *v.* לנשוף; להתנשם; לנפח; לעשן; לפלוט (עשן); לנוע בהתנשפות
- puff (away) at a pipe לעשן/למצוץ מקטרת (בלי הרף)
- puff a book להפליג בשבח הספר
- puff and blow/pant להתנשם
- puff out לנפח (שיער); לכבות בנשיפה
- puff up לנפח; להתנפח; לתפוח
- puffed up מנופח, חדור גאווה
puff adder נחש ארסי מתנפח
puff-ball *n.* פטריה דמוית כדור
puff box קופסת פידור

puffed *adj.* חסר-נשימה, מתנשם
puff'er *n.* דג-הכדור; *קטר
puff'ery *n.* האדרה, שבחים, ניפוח
puf'fin *n.* פרטרקולה (עוף-ים)
puff pastry בצק עלים
puff'y *adj.* נפוח, שמן; חסר-נשימה
pug *n.* פג (כלב דמוי-בולדוג); חמר, חומר; עקבות חיה; *מתאגרף
pug *v.* לגבול; למלא בחומר (לאטימה)
pu'gilism *n.* אגרוף, התאגרפות
pu'gilist *n.* אגרופן, מתאגרף
pu'gilis'tic *adj.* של אגרוף
pug mill מגבלת-חומר
pug·na'cious (-shəs) *adj.* אוהב מדון, שש לקרב
pug·nac'ity *n.* אהבת מדון
pug nose אף סולד/קצר/רחב
pug-nosed *adj.* בעל אף סולד
puis'sance (pwis-) *n.* דילוג משוכות (של סוסים); כוח, עוצמה
puis'sant (pwis-) *adj.* חזק, כביר כוח
puke *v&n.* *להקיא; הקאה
pul'chritude' (-k-) *n.* יופי
pul'chritu'dinous (-k-) *adj.* יפה
pule *v.* לייבב, לבכות
pull (pool) *v.* למשוך, לגרור; להוציא; לקטוף; לחתור; לפספס; *לשדוד, לגנוב
- pull (in) crowds למשוך קהל
- pull (out) a tooth לעקור שן
- pull a gun on לשלוף ולכוון אקדח
- pull a muscle למתוח שריר
- pull a proof להדפיס טיוטת-הגהה
- pull about למשוך לכאן ולכאן; לטרטר
- pull ahead of לחלוף על פני-, לנסוע לפניו
- pull all the stops out לעשות מאמץ עליון
- pull an oar לתפוש משוט
- pull apart לקרוע לגזרים (בביקורת)
- pull at למשוך ב-; למצוץ (מקטרת); ללגום (לגימה ארוכה) מ-
- pull away להשתחרר; להתרחק, להותיר מאחור; להתחיל לנוע
- pull back לסגת; לרסן ההוצאות
- pull down להרוס; להחליש, לערער הבריאות; לדכא; להרוויח (כסף); להפיל
- pull for לקוות להצלחת-, לתמוך
- pull in להיכנס לתחנה; להתקרב ולעצור; לאסור, לעצור
- pull in money להרוויח, לעשות כסף
- pull off להצליח; לזכות; לנוע לשולי-הכביש
- pull on/off ללבוש/לחלוץ (גרב/מגף)
- pull one's weight למלא מכסת עבודתו, לעשות מלאכתו; לנצל משקלו בחתירה
- pull oneself in להכניס הכרס; להזדקף
- pull out לצאת; להוציא; להגיח; לתלוש; לנטוש, למשוך ידו
- pull over לנוע לצד הכביש
- pull round להתאושש; להשיב לאיתנו
- pull strings/wires למשוך בחוטים
- pull the trigger ללחוץ על ההדק
- pull through להצליח, להתגבר, להתאושש; להשיב לאיתנו; להעביר, לעזור
- pull to pieces לקרוע לגזרים

- pull together לפעול בצוותא; לרסן עצמו; לקחת (עצמו/העסק) בידיים
- pull up לעצור; להדביק, להשיג; לשפר מצבו; לגעור, לנזוף
- pull votes למשוך קולות (מצביעים)
- the boat pulls 4 oars הסירה היא בעלת 4 משוטים
pull *n.* משיכה; עלייה, טיפוס; פרוטקציה, השפעה; שַׁיִט; פספוס, החטאה; טיוטת-הגהה; ידית-משיכה
- a pull at a bottle לגימה מבקבוק
- a pull at a pipe מציצה ממקטרת
- long pull זמן רב, מרחק רב
pull-back *n.* נסיגה
pul'let (pool-) *n.* פרגית
pul'ley (pool-) *n.* גלגילה, גלגלת
pulley block בית הגלגלת
pull-in *n.* מזנון (לנהגים) בצד הדרך
Pull'man (pool-) *n.* קרון שינה; קרון בעל מושבים ושירות נוחים
pull-on *adj.* (בגד) נלבש במשיכה
pull-out *n.* דף תליש; נטישה, יציאה
pullover *n.* מפשול, אפודה, פולובר
pull-through *n.* משחולת
pul'lu·late' *v.* להתרבות, לשרוץ
pull-up *n.* מזנון (לנהגים) בצד הדרך
pul'monar'y (-neri) *adj.* של הריאות
pulp *n.* ציפה, בשר-הפרי; כתש; דייסה; מחית; סחיט
- beat to a pulp "לרסק עצמותיו"
- pulp literature ספרות זולה
- reduce to a pulp לכתוש, לרכך; להכות מכה קשה
pulp *v.* להוציא ציפת הפרי; לכתוש, לעשות לעיסה (לייצור נייר)
pul'pit *n.* דוכן (למטיף בכנסייה)
- the pulpit מקצוע ההטפה; הכמורה
pulpy *adj.* בשרי, מכיל ציפה
pul'sar' *n.* פולסאר (כוכב לא-נראה)
pul'sate' *v.* לדפוק; להלום; לרעוד
pulsating *adj.* מרגש, עוצר נשימה
pul·sa'tion *n.* פעימה, הלמות-לב
pulse *n.* דופק; פעימה; קטנית
- stir his pulses לרגש, להפעים
- take/feel his pulse למשש הדופק
pulse *v.* לדפוק, להלום; לזורם, לרחוש; לשגר פעימות
pul'veriza'tion *n.* כתישה, הריסה
pul'verize' *v.* לטחון, לכתוש, לשחוק; לנפץ, להרוס; לחבוט; להישחק
pu'ma *n.* פומה, אריה אמריקני
pum'ice (-is) *n.* אבן ספוג (לניקוי)
pum'mel *v.* להכות, לחבוט, להלום
pump *n.* משאבה; שאיבה
- all hands to the pump! תנו כתף!
- give his hand a pump ללחוץ ידו בכוח, לטלטלה מעלה ומטה
pump *v.* לשאוב; לנענע כמשאבה; לקלוח; להזרים (כסף); ללחוץ ידיים
- pump away להפעיל משאבה
- pump him full of lead למלא גופו בעופרת, לנקבו בכדורים
- pump into להחדיר (רעיונות) ל-
- pump iron *להרים משקולות
- pump out of לשאוב (מידע) מ-
- pump up a tyre לנפח צמיג

pump *n.* נעל קלה (לריקודים)
pum'pernick'el *n.* פומפרניקל, לחם שיפון גס
pumping station תחנת שאיבה
pump'kin *n.* דלעת
pump-priming *n.* הכשרת המשאבה; שימון גלגלי העסק
pump room חדר שתייה (של מי-מעיינות-מרפא)
pun *n&v.* משחק מלים היתולי; לשון נופל על לצון; לשחק במלים
punch *v.* להלום, להכות, לחבוט; לנקב; להכות במקב
- punch in להחתים הכרטיס עם הכניסה; לתקוע (המסמר) פנימה
- punch out להחתים הכרטיס עם היציאה; לחלץ (בורג)
punch *n.* מכת-אגרוף; עוצמה; אפקטיביות; מקב; מקביים; מנקב; מטבעת; חולץ ברגים
- beat to the punch להקדים ולהלום (ביריב); לנקוט צעדים לפני הזולת
- not pull one's punches להכות, להתקיף, לא לטמון ידו בצלחת
- roll with the punch להירתע הצידה (להחלשת עוצמת המכה)
- take a punch *לכוון מכה
punch *n.* פונש (משקה ממותק)
Punch *n.* פאנץ' (דמות במחזה)
- pleased as Punch מדושן עונג
punch ball שק אגרוף (לאימונים)
punch bowl קערת-פונש
punch-drunk *adj.* ספוג-מהלומות, הלום-חבטות, מטושטש
punched card כרטיס ניקוב (למחשב)
punched tape סרט ניקוב (למחשב)
punching bag שק אגרוף (לאימונים)
punch line עוקץ, שורת המחץ
punch-up *n.* *תגרה, התכתשות
punch'y *adj.* ספוג-מהלומות, הלום-חבטות, מטושטש; חזק, בעל עוצמה
punc·til'io' *n.* דקדקנות, קטנוניות, הקפדה בקטנות, שמירת כללי הנימוס
punc·til'ious *adj.* דקדקני, זהיר
punc'tual *adj.* דייקני, מדייק
punc'tual'ity (-choo͞al-) *n.* דיוק
punc'tuate' (-choo͞at) *v.* לפסק, להטיל סימני פיסוק; לשסע, לקטוע, לפרוץ ב-
punc'tua'tion (-choo͞a'-) *n.* פיסוק; (הטלת) סימני-פיסוק
punctuation marks סימני-פיסוק
punc'ture *n.* נקב; נקר, פאנצ'ר, תקר
puncture *v.* לנקב; להתהוות בו נקר; להוציא האוויר, לתקר; לנפץ (תדמיתו)
pun'dit *n.* חכם, מלומד
pun'gency *n.* חריפות; עוקצנות
pun'gent *adj.* חריף; עוקץ, חד
Pu'nic *adj.* פוני, של קרתגו
pun'ish *v.* להעניש; להלום, להפליא מכותיו; לזלול
punishable *adj.* עניש, בר-עונשין
punishing *adj&n.* מייגע, מפרך; הולם, חובט; נזק; תבוסה
punishment *n.* עונש; נזק, טיפול גס
pu'nitive *adj.* מעניש; קשה, (מס) כבד

punitive expedition כוח-עונשין, חיל-משלוח לדיכוי מרידות
punk *n&adj.* עץ רקוב (להצתה); *פושע, חדל-אישים; הבלים; פאנק (מוסיקת רוק); הומו; רקוב, מזופת
pun'kah (-kə) *n.* מניפה (תלויה בתקרה)
pun'net *n.* סל-פירות (מידה)
pun'ster *n.* מְשַׂחֵק במלים
punt *n&v.* סירה שטוחה (מלבנית); לשוט/להשיט בסירה שטוחה
punt *v.* להמר, להתערב
punt *v&n.* לבעוט בכדור (בעודו באוויר); בעיטת יעף
punter *n.* משיט סירה; מהמר
pu'ny *adj.* חלש, קטן
pup *n&v.* כלבלב, גור; יהיר; להמליט
- in pup (כלבה) בהריון, מעוברת
- sell a pup לרמות, לתחוב דבר חסר-ערך; למכור יין ונמצא חומץ
pu'pa *n.* גולם (גלגול של חרק)
pu'pal *adj.* (בשלב) של התגלמות
pu'pate *v.* להתגלם, להתגלגל לגולם
pu'pil (-pəl) *n.* תלמיד; אישון העין
pu'pillage *n.* מעמד התלמיד, התמחות בעריכת דין
pup'pet *n.* בובה, מריונטה
- string puppet בובת-חוטים (הנמשכת בחוטים)
pup'peteer' *n.* שחקן-בובות, מופיע עם בובה
puppet government ממשלת בובות
puppet show מחזה בובות (בבובטרון)
puppet state מדינת חסות
pup'py *n.* כלבלב, גור; שחצן, טיפש
puppy fat *שׁוּמָן נעורים
puppy love אהבת נער
pup tent אוהל סיירים
pur'blind' (-blīnd) *n.* כמעט עיוור; חסר-שכל
purchasable *adj.* ניתן לקנותו, מכיר
pur'chase (-chəs) *n.* קנייה, רכישה; מצרך שנקנה; מאחז, אחיזה; ערך (בשנות-החכרה)
- not worth an hour's purchase על סף המוות, אין תקווה לחייו
purchase *v.* לקנות; לרכוש
purchaser *n.* קונה, לקוח
purchase tax מס קנייה
purchasing power כוח קנייה
pur'dah (-də) *n.* (שיטת ה-) פרגוד להסתרת נשים מעיני גברים
pure *adj.* טהור; נקי; כליל; מוחלט; גרידא
- by pure chance רק במקרה
- pure and simple מוחלט, גרידא, פשוט
- pure science מדע טהור/תיאורטי
- pure wickedness רשעות לשמה
pureblooded *adj.* טהר-גזע
purebred *adj.* גזעי, טהר-גזע
puree (pyoorā') *n.* מחית, פיורה
purely *adv.* אך ורק, גרידא, לחלוטין
pur·ga'tion *n.* טיהור, הרקת מעיים
pur'gative *adj&n.* מטהר; (סם) משלשל
pur'gato'rial *adj.* מטהר, מצרף
pur'gato'ry *n.* מקום-טיהור, כור-מצרף, גיהינום; סבל זמני
purge *v.* לנקות, לטהר, לצרוף; לערוך טיהורים; לכפר; לשלשל
purge *n.* סם משלשל; טיהור
pu'rifica'tion *n.* טיהור, צריפה
purifier *n.* מטהר
pu'rify' *v.* לטהר, לנקות
pu'rism' *n.* פוריזם, טהרנות
pu'rist *n.* פוריסטן, טהרן
pu'ritan *n&adj.* פוריטני, דוגל בצניעות ופשטות; איש-מוסר
pu'ritan'ical *adj.* פוריטני
pu'ritanism' *n.* פוריטניות
pu'rity, pureness *n.* טוהר
purl *n&v&adj.* (לסרוג) עין הפוכה; סריגת שמאל; (עין) הפוכה
purl *n&v.* פכפוך; לזרום בפכפוך
purl'er *n.* נפילה; מכה, מהלומה
pur'lieu (-lōō) *n.* קצה, פאתי עיר
pur'lin *n.* קורה אופקית (של גג)
pur'loin *v.* לגנוב
pur'ple *adj&n.* סגול, ארגמן; סמוק; מחלצות ארגמן, בגדי חשמן; מלכות
- born in the purple בן למשפחה מלכותית
- raise to the purple להעלות לדרגת חשמן
purple heart גלולה (דמויית לב)
Purple Heart מדליה לפצועי מלחמה
purple patch/passage קטע נמלץ
purplish *adj.* סגלגל (צבע), ארגמני
pur'port' *n.* משמעות כללית, כוונה
purport' *v.* לטעון (כביכול), להתכוון, להתיימר, להיראות
pur'pose (-pəs) *n.* כוונה, מטרה, תכלית; החלטיות, דבקות במטרה
- of set purpose בכוונה
- on purpose בכוונה, במזיד
- on purpose to בכוונה ל-, כדי
- to good/some purpose לתועלת/לתכלית רבה/כלשהי
- to no/little purpose לתועלת אפסית, ללא (שום) תועלת
- to the purpose לעניין, רלוואנטי
purpose *v.* להתכוון, להיות בדעתו
purpose-built *adj.* מתוכנן במיוחד, בנוי/מורכב למטרה מסוימת
purposeful *adj.* תכליתי; רב-משמעות
purposeless *adj.* חסר-תכלית/-משמעות
purposely *adv.* בכוונה, במזיד
pur'posive *adj.* תכליתי; החלטי
purr *v&n.* לנהום (כחתול) בהנאה; לטרטר; נהימה, ריטון-הנאה; טרטור
purse *n.* ארנק; כסף; קרן, קופה; סכום-כסף, פרס
- beyond/within one's purse (לא) יכול להרשות לעצמו לקנות זאת
- hold the purse strings לשלוט בהוצאות הכספיות
- line one's purse למלא ארנקו (בשוחד)
- loosen/tighten his purse strings להוציא ביד רחבה/קמוצה יותר
- make up a purse לאסוף כסף
- public purse קופת המדינה
purse *v.* לכווץ (השפתיים)

purs'er *n.* גזבר-אונייה; ממונה על החדרים וכ'
purse-snatcher *n.* חטפן-ארנקים
pursu'ance *n.* ביצוע; המשך
- in pursuance of תוך ביצוע, בהמשך
pursu'ant *adj.* ממשיך, רודף
- pursuant to בהתאם ל-, בעקבות
pursue' (-soo') *v.* לרדוף אחרי; להמשיך; להתמיד, לשקוד
pursuer *n.* רודף
pursuit' (-soot) *n.* רדיפה, מרדף; פעילות, עיסוק, מקצוע
- hot pursuit רדיפה נמרצת בסמוך לעקבותיו
pursuit plane מטוס רדיפה
pur'sy *adj.* מתנשף, בעל גוף
pu'rulence *n.* מוגלה
pu'rulent *adj.* מוגלתי
pur·vey' (-vā') *v.* לספק
purveyance *n.* אספקה, הספקת מזון
purveyor *n.* סַפָּק
pur'view (-vū) *n.* תחום פעילות, גבול, היקף
pus *n.* מוגלה
push (poosh) *v.* לדחוף; לדחוק ב-; ללחוץ; לאלץ; לשכנע (להכיר בערכו); למכור/לדחוף סמים
- is pushing 40 *מתקרב לגיל 40
- push ahead/along/forward/on להמשיך
- push along להסתלק, ללכת
- push around/about להציק, לטרטר; להשפיל
- push back להדוף, לכפות נסיגה
- push for ללחוץ, לדרוש בתוקף
- push goods לשכנע לקנות הסחורה
- push in להפריע, לשסע
- push off *להסתלק, להתחפף
- push on למהר; להמריץ, להטיל על
- push one's luck להסתכן ביותר
- push one's way להידחק, לפלס דרך
- push oneself להידחק, להידחף; לגלות יוזמה, להבליט עצמו; לאלץ עצמו
- push oneself forward להידחק, להבליט עצמו
- push out לסלק, להיפטר מ-
- push out/off לדחוף (הסירה) לנהר
- push over/down להפיל
- push through להעביר, לעזור לעבור, להעביר במאמץ; לנבוט, לבצבץ
- push up להעלות (מחיר), לייקר
push *n.* דחיפה; לחץ; התקפת מחץ; מאמץ עליון; סיוע; דחף, יוזמה
- at a push באין ברירה, בשעת הדחק
- give the push *לפטר, לסלק
- got the push *פוטר מעבודתו, הועף
- when it comes to the push בשעת מבחן, בהתעורר צורך מיוחד
- when push comes to shove כשצריך לפעול
push-bike *n.* אופניים, אופני-דיווש
push button לחיץ, מתג, כפתור
push-button *adj.* של לחיצים/כפתורים
push-button war מלחמת כפתורים, מלחמת טילים ארוכי-טווח
push-cart *n.* עגלה, עגלת-יד
push-chair *n.* עגלת-ילדים
pushed *adj.* לחוץ, דחוק, נתון בקשיים
- pushed for money דחוק בכסף
pusher *n.* נדחק, נדחף; סוחר סמים
pushful *adj.* נדחק, נדחף, מבליט עצמו, כופה עצמו על הזולת
pushing *adj.* נדחק, נדחף, מבליט עצמו, כופה עצמו על הזולת
push-over *n.* דבר קל, משחק ילדים; פתי, טרף קל, מושפע/מובס בקלות
push-up *n.* שכיבת-סמיכה
pushy *adj.* דעתן, נדחק, אגרסיבי
pu'sillanim'ity *n.* פחדנות
pu'sillan'imous *adj.* פחדן
puss (poos) *n.* חתול; *נערה; פָּנִים
puss'y (poos-) *n.* חתול; *מישגל; נקבה
pussy-cat *n.* חתול; נערה
pussyfoot *v.* להתגנב, להסתובב בגניבה; לחשוש לפעול, לחשוש להביע דיעה
pus'tular (-'ch-) *adj.* מוגלתי
pus'tule (-chool) *n.* תפיחה, סמטה, מוגלית
put (poot) *v.* לשים; להניח; להכניס; להטיל; לסמן, לכתוב; להביע; להציע
- is put upon מנצלים אותו
- put a play on להעלות מחזה
- put a price on לנחש/לנקוב מחיר
- put a question להציג שאלה
- put a stop to לשים קץ ל-, לחסל
- put about לשנות כיוון; להפיץ שמועות; להטריד, להדאיג
- put across להעביר; להסביר יפה; לבצע בהצלחה; *לרמות, לתחוב
- put ahead להקדים, לגרום שיקדים
- put aside לחסוך; להניח; להתעלם
- put at 20 להעריך ב-20 (גיל, מחיר)
- put away להניח (במקומו); לחסוך; לנטוש (רעיון); *לחסל, לזלול, להמית
- put back לחזור; להחזיר; לעכב, לעצור התקדמות; לדחות (פגישה)
- put by לחסוך (לעתיד)
- put down להניח; לרשום; לדכא, להשתיק; לארוז, לאחסן; להנחית; ללחוץ
- put down as/for לחשוב (אותו ל-)
- put down to לייחס ל-; לזקוף ל-
- put forth להפעיל, להשתמש ב-; להוציא, להצמיח
- put forward להציע, להעלות; להקדים; לקדם; להבליט (עצמו)
- put forward/on לקדם (מחוגי-השעון)
- put her away לגרש (אישה); להכניסה (למוסד/לכלא)
- put him down להוריד נוסע; להשפיל
- put him in his place להעמידו במקומו
- put him on לשתפו (במשחק); *לרמות
- put him out להרגיז, להביך, לגרום אי-נעימות, להוציאו מכליו; לגרש
- put him through it להעבירו במבחן קשה; לענותו
- put him up לארח, לאכסן
- put him wise לגלות לו
- put in לומר, לשסע; להעביר, לבלות; לבחור ב-; למנות; לטעת
- put in a blow להנחית מכה
- put in for לפנות רשמית; להמליץ
- put in his hands להפקיד בידיו

להישאר במקומו - stay put
הדיפת כדור-ברזל **put** *n.*
ידוע כ-, מקובל **pu'tative** *adj.*
*השפלה, ביטול, "שטיפה" **put-down** *n.*
התחמקות, דחייה, תירוץ **put-off** *n.*
העמדת-פנים, משחק, רמאות **put-on** *n.*
ריקבון **pu'trefac'tion** *n.*
מרקיב **pu'trefac'tive** *adj.*
להרקיב **pu'trefy'** *v.*
רקב, צחנה **pu·tres'cence** (pū-) *n.*
מרקיב, מסריח **pu·tres'cent** (pū-) *adj.*
רקוב, מסריח; *רע, מחורבן **pu'trid** *adj.*
פוטש, הפיכת נפל **putsch** (pooch) *n.*
(בגולף) לחבוט קלות בכדור; חבטה קלה **putt** *v&n.*
הוא גלגל הכדור לגומה ב-3 חבטות קלות - he 3-putted the hole
חותלת, מוק, מוקיים **put'tee** *n.*
מקל גולף שטוח-ראש **putt'er** *n.*
להתבטל **put'ter** *v.*
ערוגת-הגומה (בגולף) **putting green**
מקל גולף (לחבטה קלה) **putting iron**
מֶרֶק, טיט שמשות; לקבוע (שמשה) במֶרֶק; למלא במֶרֶק **put'ty** *n&v.*
כחומר ביד היוצר, נתון לשליטתו - putty in his hands
מעשה מתוכנן, רמאות **put-up job**
מרומה, מנוצל **put-upon** *adj.*
חידה, תעלומה; בעיה; משחק הרכבה, פאזל; מבוכה **puz'zle** *n.*
להפליא; להביך; להתמיה **puzzle** *v.*
"לשבור ראשו" - puzzle one's brain
לפתור, לפענח - puzzle out
להתעמק ב- - puzzle over/about
נבוך **puzzled** *adj.*
מבוכה, פליאה **puzzlement** *n.*
חידה, בעיה קשה **puzzler** *n.*
פי וי סי **PVC**
לשבוע **p. w. = per week**
חנות צבאית, שקם **PX = post exchange**
ננס, גמד; זעיר **pyg'my** *n&adj.*
של פיג'מה **pyjam'a** (pəj-) *adj&n.*
מכנסי-פיג'מה - pyjama bottoms
פיג'מה; מכנסי מוסלמי - pyjamas
עמוד-חשמל; מגדל-הנחייה (למטוסים); שער **py'lon** *n.*
מחלת חניכיים **py'orrhe'a** (pīərē'ə) *n.*
פירמידה, חדודית **pyr'amid'** *n.*
לבנות כפירמידה; לעלות, להתייקר **pyramid** *v.*
מדורה (לשריפת מת) **pyre** *n.*
פיירקס, זכוכית חסינת-אש **py'rex'** *n.*
קדחת, פירכסיה **py·rex'ia** *n.*
סולפיד, תרכובת של גופרית עם מתכת **pyri'tes** (-tēz) *n.*
פירומניה, שיגעון-ההצתות **py'roma'nia** *n.*
פירומן, גחמון **py'roma'niac'** *n.*
של פירוטכניקה **py'rotech'nic** (-k-) *adj.*
פירוטכניקה, הפרחת זיקוקין-די-נור; מפגן מבריק **pyrotechnics** *n.*
(ניצחון) פירוס **Pyr'rhic** (-rik) *adj.*
פיתון (נחש חונק) **py'thon** *n.*
כלי ללחם הקדוש **pyx** *n.*

- put in/into להכניס; להיכנס; להקדיש, להשקיע (זמן/כסף)
- put into execution להוציא לפועל
- put it להביע, לומר, לנסח
- put it about *להתעסק עם גברים
- put it on *להפריז; להשמין; להתנפח, להתנהג ביומרנות; להפקיע מחירים
- put it there! נלחץ ידיים!הוסכם!
- put off לדחות; להתחמק, לפטור; להיפטר; להפריע, להניא; להגעיל
- put off clothes לפשוט בגדים
- put off from להפליג מ-, לצאת מ-
- put on להעמיד פנים; ללבוש; להוסיף; להוסיף מישקל; להעסיק, להפעיל
- put on flesh להשמין
- put on the light להדליק את האור
- put on trial להעמיד לדין
- put on/upon him להכביד עליו
- put one's finger on לשים את האצבע על, לזהות
- put one's foot in one's mouth לעשות שגיאה מביכה
- put one's mind to לתת דעתו על
- put one's thoughts together לרכז מחשבותיו
- put one's trust in לשים מבטחו ב-
- put oneself into it לשקוע ראשו ורובו ב-, להיכנס בעובי הקורה
- put out לכבות; להוציא; לנקע (עצם); לייצר; להפליג (מנמל); להתעסק עמו
- put out $10,000 at 10% להלוות 10000 דולר בריבית של 10 אחוז
- put out a newspaper להוציא עיתון
- put out a statement לפרסם הודעה
- put over לנוע הצידה; להעביר בהצלחה; להסביר יפה; לדחות (לעתיד); לרמות, לתחוב
- put right/straight לתקן
- put the arm/bite on לבקש כסף
- put the make on לחזר אחרי, להתחיל עם
- put the shot להדוף כדור-ברזל
- put through להעביר; להשלים, לסיים; לקשר בטלפון, לצלצל
- put to להציג (שאלה) ל-
- put to a vote להעמיד להצבעה
- put to bed להשכיב לישון; להשלים העריכה לדפוס
- put to good use לנצל לטובה
- put to the sword הומת בחרב
- put to use להשתמש, להפעיל
- put together לבנות, להרכיב; לצרף
- put up להקים; להרים; לייקר; להתאכסן; לספק; לארוז; להפגין; להראות; להכין, לערוך; לאכסן; לאחסן; להניח בצד
- put up a notice לתלות מודעה
- put up an animal להבריח חיה ממקום המחסה
- put up for להציג מועמדות ל-
- put up for sale להציע למכירה
- put up her hair לעשות תיסרוקת
- put up money לממן, לשלם
- put up to להסית, להדיח; להודיע, להורות
- put up with לשאת, לסבול, להשלים עם

Q

Q = question
Qa′tar (kä′tər) *n.* קטאר
QC = Queen's Counsel פרקליט בכיר
QED זאת ביקשנו להוכיח
QM = quarter-master
qr. = quarter
qt., qty. = quantity
qt = quiet
- on the q.t. בחשאי, בסוד
qu = question
qua (kwä) *prep.* בתור שכזה, כשלעצמו
quack *v&n.* לגעגע (כברווז); געגוע
quack *n&adj.* רמאי, מתחזה; שווא
quack doctor רופא אליל, רופא שווא
quack′ery *n.* רמאות, התחזות
quack-quack *n.* *ברווז
quad = quadrangle, quadruplet
Quad′rages′ima (kwod-) *n.* יום א׳ הראשון (בתקופת לנט)
quad′ran′gle (kwod-) *n.* מרובע, ריבוע; רחבה מרובעת (במכללה)
quad•ran′gu•lar (kwod-) *adj.* מרובע, ריבועי
quad′rant (kwod-) *n.* קוודראנט, רביע, רבע מעגל; רובע, מודד זוויות
quad′raphon′ic (kwod-) *adj.* של 4 ערוצים
quad′rate (kwod-) *adj&n.* רבוע; ריבוע
quad•rat′ic (kwod-) *adj.* ריבועי
quadratic equation משוואה ריבועית
quad′ri- (kwod-) (תחילית) ארבע-
quad′rilat′eral (kwod-) *adj&n.* (מצולע) מרובע
quad•rille′ (kwod-) *n.* קדריל, ריקוד ריבועי
quad•ril′lion (kwod-) *n.* קוודריליון (בארה״ב:10 בחזקת 15; באנגליה:10 בחזקת 24)
quad′riple′gic (kwod-) *n.* משותק בידיו וברגליו
quad•roon′ (kwodrōōn′) *n.* קוודרון, בן מולאט ולבן
quad′ruped′ (kwod-) *n.* הולך-על-ארבע
quad•ru′ple (kwod-) *v.* לרבע, לכפול/להיכפל ב-4
quadruple *adj&n.* מרובע, כפול 4
quad•rup′let (kwod-) *n.* אחד מרביעייה
- quadruplets רביעייה
quad•ru′plicate (kwod-) *adj&n.* מועתק 4 פעמים; פי ארבעה
- in quadruplicate ב-4 העתקים
quad•ru′plicate′ (kwod-) *v.* לכפול ב-4, לרבע
quaff *v.* ללגום, לשתות, לגמוע
quag′mire′ *n.* אדמת בוץ; בִּיצָה; בוץ
quail *n.* שליו (עוף)
quail *v.* לחרוד, להירתע, לגלות פחד
quaint *adj.* מוזר, יוצא-דופן, מעניין
quake *v&n.* לרעוד; רעדה; *רעידת אדמה
- earthquake רעידת אדמה
Qua′ker *n.* קוויקר (בן כת נוצרית)
qual′ifica′tion (kwol-) *n.* קווליפיקציה, כישור, כשירות, הכשרה; תעודה; הסתייגות, הגבלה
- qualifications כישורים, סגולות
qualified *adj.* מוגבל, מסויג; מותנה; מוכשר, כשיר; מוסמך
qualifier *n.* כשיר, עונה על הדרישות; (בדקדוק) מגביל, מגדיר
qual′ify′ (kwol-) *v.* להכשיר; להסמיך; לרכוש הכשרה; להגיע (לגמר); להגיע לרמה הדרושה; להגביל
- qualify as להגדיר כ-, לתאר כ-
- qualify for/to להיות כשיר ל-
qualifying *adj.* של כשירות
qual′ita′tive (kwol-) *adj.* איכותי
qual′ity (kwol-) *n.* איכות, טיב; תכונה מיוחדת, סגולה
- man of quality איש החברה הגבוהה
- the quality העילית, מסלתה ומשמנה
quality control בקרת איכות
quality of life איכות חיים
qualm (kwäm) *n.* נקיפת מצפון, פקפוק; בחילה; חולשה
quan′dary (kwon-) *n.* מבוכה, תהייה
quan′tifi′able (kwon-) *adj.* בר-כימוי
quan′tifica′tion (kwon-) *n.* כימוי; כימות
quan′tify′ (kwon-) *v.* למדוד הכמות, לכמת
quan′tita′tive (kwon-) *adj.* כמותי
quan′tity (kwon-) *n.* כמות; כמות רבה
- an unknown quantity נעלם
- in quantities בכמויות, הרבה
quantity surveyor שמאי כמויות
quan′tum (kwon-) *n.* קוואנט, כמות
quantum jump/leap קפיצת ענק
quantum theory תורת הקוואנטים
quar′antine′ (kwôr′əntēn) *n&v.* הסגר (רפואי), בידוד; להחזיק בהסגר
quar′rel (kwôr-) *n.* ריב, סכסוך, מחלוקת, קטטה; סיבה לתלונה
- fight his quarrel לריב את ריבו
- make up a quarrel להתפייס
- pick a quarrel לחפש עילה לריב
quarrel *v.* לריב; לחלוק על; להתלונן
quarrelsome *adj.* איש-ריב, מהיר-חימה
quar′ry (kwôr-) *n&v.* חיה נרדפת, דבר נרדף; מחצבה; לחצוב; לחפש, לנבור
quarryman *n.* פועל-מחצבה
quart (kwôrt) *n.* קווארט, רבע גאלון
- put a quart into a pint pot לנסות את הבלתי אפשרי
quar′ter (kwôr′-) *n.* רבע; רביעית (מידה); רבעון; רבע שנה/חודש; רבע דולר; רובע, שכונה; מקום; כיוון; מקור; ירכתיים, אחרה
- a bad quarter of an hour שעה של אי-נעימות
- a quarter of six רבע לשש
- ask for quarter לבקש רחמים
- at close quarters מקום צפוף; פנים אל פנים; בסמיכות מקום

- close quarters מגע, קרב-מגע
- from all quarters מכל העברים
- give no quarter להילחם עד חורמה
- married quarters שיכון-חיילים
- quarter of beef נתח בשר עם רגל
- quarters מקום מגורים; עמדות קרב
- the quarter מירוץ רבע מיל
quarter *v.* לרבע, לחלק ל-4; לשכן
quarterback *n.* רכז; (בראגבי) רץ
quarter day יום התשלום התלת-חודשי
quarter-deck *n.* (סיפון-) המפקדים
quarter-final *n.* רבע הגמר
quartering *n.* חלוקה ל-4; אכסון
quarter-light *n.* חלון משולש (במכונית)
quarterly *adj&adv&n.* אחת לרבע שנה; תלת-חודשי; רבעון
quarter-master *n.* אפסנאי; הגאי
quarter-master-general *n.* אפסנאי ראשי
quar′tern (kwôr-) *n.* רבע פיינט; כיכר לחם (בן 4 ליטראות)
quarter note (במוסיקה) רבע תו
quarter plate לוח צילום (של כ-4 על 3 אינצ׳ים)
quarter sessions מושב תלת-חודשי (של בי״ד)
quarter-staff *n.* (בעבר) מוט מלחמה
quar·tet′, quar·tette′ (kwôr-) *n.* קוורטט, רבעית, רביעייה
quar′to (kwôr-) *n.* קווארטו
quartz (kwôrts) *n.* קוורץ (מינרל)
quartz watch שעון קווארץ
qua′sar′ (-z-) *n.* קוויזאר (גרם שמיימי)
quash (kwôsh) *v.* לבטל; לדכא
qua′si′- כאילו, מדומה, דומה ל-, מעין; בחציו
- quasi-judicial מעין שיפוטי
- quasi-success הצלחה מדומה
quat′ercen′tenar′y (kwot-neri) *n.* יובל ה-400 שנה
quat′rain (kwot-) *n.* שיר מרובע
qua′ver *v.* לרעוד; לזמר/לדבר בקול רועד; רעד; שמינית תו
quavery *adj.* רועד
quay (kē) *n.* מזח, רציף, מיגשה
quayside *n.* השטח הגובל ברציף
quean *n.* נערה חצופה, לא צנועה
quea′sy (-zi) *adj.* מבחיל; חש בחילה; עדין, רגיש, אנין; קפדן, ברורן
queen *n.* מלכה; *הומוסקסואל
- beauty queen מלכת יופי
- queen bee מלכת הדבורים; אישה שמכרכרים סביבה
- queen of hearts מלכה (קלף)
queen *v.* (בשחמט) להכתיר (רגלי)
- queen it לנהוג כמלכה, להתנשא
queen consort אשת המלך
queen dowager אלמנת המלך
queenly *adj.* של מלכה, יאה למלכה
queen mother המלכה האם
Queen's Bench בית המשפט העליון
Queen's Counsel פרקליט בכיר
queen's evidence עד המלך
queer *adj&n.* משונה, מוזר; לא בקו הבריאות; *מופרע, מטורף; הומוסקסואל
- feels queer לא חש בטוב
- in queer street *שקוע בחובות; בצרה
queer *v.* לשבש, לקלקל
- queer his pitch לשבש תוכניותיו
quell *v.* לדכא, להכניע, לשכך
quench *v.* לכבות; להרוות; לצנן; לשים קץ ל-
- quench one's thirst להשקיט צימאונו
quenchless *adj.* שלא ניתן לכבותו
quern *n.* מטחנת-יד
quer′ulous *adj.* מתלונן, נרגן
que′ry *n.* שאלה; ספק; סימן שאלה
query *v.* לשאול; לחקור; להטיל סימן שאלה; להביע ספקות לגבי
quest *n&v.* חיפוש; חקירה; לחפש
- in quest of בחיפוש אחר-, מחפש
ques′tion (-′chən) *n.* שאלה; בעיה; ספק
- beg the question להתחמק מן הבעייה, להסתמך על דבר שטרם הוכח
- beside the question לא רלוואנטי
- beyond/past question מעל לכל ספק
- call in question להעלות ספקות לגבי-, להתנגד ל-
- come into question לעלות על הפרק
- explosive question בעייה הטעונה חומר נפץ
- in question הנדון, שדנים בו; בספק, שנוי במחלוקת
- leading question שאלה מנחה (הרומזת על התשובה הרצויה)
- loaded question שאלה המפילה בפח
- out of the question לא בא בחשבון
- pop the question להציע נישואים
- put questions להציג שאלות
- put the question להצביע על ההצעה
- question of the hour בעיית השעה
- question! אל תסטה מהנושא!
- there's no question אין ספק ש-; לא ייתכן ש-; לא דנים ב-
- without question בלי ספק
question *v.* לשאול; להטיל ספק ב-
questionable *adj.* מפוקפק; מוטל בספק
questioning *n.* שאלות; תישאול
question mark סימן שאלה, (?)
question master מנחה חידון
ques′tionnaire′ (-chən-) *n.* שאלון
question time שעת (תשובות ל-) שאילתות
quetzal′ (ketsäl′) *n.* קוטצאל (עוף ארך-זנב; מטבע בגווטמאלה)
queue (kū) *n&v.* תור; שורה; טור מכוניות; צמה (של גבר); לעמוד בתור
- jump the queue להידחף לראש התור
- queue (up) for לעמוד בתור ל-
queue-jump *v.* להידחף קדימה בתור
quib′ble *n&v.* התחמקות, התפלפלות; להתחמק (מתשובה); להתפלפל; להתווכח
quibbler *n.* מתחמק, מתפלפל, קטנוני
quiche (kēsh) *n.* קיש (פשטידה)
quick *adj.* מהיר; מהיר-תפיסה; זריז
- a quick child ילד פיקח
- a quick one כוסית, לגימה חטופה
- quick buck *רווח קל/מהיר
- quick march קדימה צעד!

- quick on the draw מהיר שליפה
quick *adv.* מהר, חיש, במהירות
quick *n.* בשר, בשר-הציפורניים
- cut/sting/touch to the quick לפגוע קשות, להעליבו עד עמקי נשמתו
- the quick (האנשים) החיים
quick-change *adj.* מחליף תלבושת חיש
quick'en *v.* למהר, להחיש; להחיות, לעורר; לגלות סימני חיים
quick-eyed *adj.* מהיר-מבט
quick-fire *adj.* (מענה) מהיר
quick fix פתרון חפוז
quick-freeze *v.* להקפיא במהירות
quick'ie *n.* *יצירה חטופה, סרטון
quicklime *n.* סיד חי
quickly *adv.* מהר, חיש, מיד, במהירות
quicksand *n.* חול טובעני
quickset hedge גדר-שיחים, גדר חיה
quicksilver *n.* כספית
quickstep *n.* קוויקסטפ (ריקוד מהיר)
quick-tempered *adj.* מהיר-חימה, מתלקח
quick time (בצבא) קצב צעידה (כ-120 צעדים בדקה)
quick-witted *adj.* מהיר-תפיסה
quid *n.* חתיכת טבק-לעיסה; *לירה שטרלינג
- quids in *ברווח
quid pro quo' דבר תמורת דבר
qui·es'cence *n.* שֶׁקֶט, מנוחה, אי-פעילות
qui·es'cent *adj.* שָׁקֵט, נח, ללא תנועה
qui'et *adj.* שָׁקֵט, חרישי, רגוע; חבוי
- keep quiet לשמור בסוד; לשתוק
- on the quiet בחשאי, בסוד
quiet *n.* שֶׁקֶט, שלווה; רגיעה
quiet *v.* להשתיק; להרגיע; להירגע; לשתוק, להחשות
qui'eten *v.* להשתיק; להחריש
qui'etism' *n.* שתקנות, קבלת הדברים בדומייה; שאננות, רגיעה
qui'etist *n.* שתקן, מתנזר מתאוות
qui'etude' *n.* שֶׁקֶט, שלווה, דממה
qui·e'tus *n.* מוות; אי-פעילות
- give a quietus להמית
quiff *n.* בלורית, תלתל (על המצח)
quill *n.* נוצה (ארוכה); דרבון
quill pen קולמוס, עט-נוצה
quilt *n.* שמיכה, כסת, שמיכת-פוך
quilted *adj.* ממולא, מרופד, כסתני
quin, quint *n.* *אחד מחמישייה
quince *n.* חַבּוּשׁ
qui'nine *n.* כינין (תרופה למלריה)
Quin'quages'ima *n.* יום א' לפני לנט
quin·quen'nial *adj.* אחת לחמש שנים
quin'sy (-zi) *n.* דלקת שקדים
quin'tal *n.* קווינטאל, 100 ק"ג
quintes'sence *n.* מופת, דוגמה מושלמת, התגלמות; תמצית, עיקר
quin'tessen'tial *adj.* תמציתי, מובהק
quintet', quintette' *n.* קווינטט, חמשית, חמישייה
quintup'let *n.* אחד מחמישייה
- quintuplets חמישייה
quip *n.* פלפול, חידוד, הערה עוקצנית
quip *v.* להשתמש בחידודים; לעקוץ, להתבדח

quire *n.* 24 גליונות נייר, קוורה
quirk *n.* פלפול; הרגל משונה, תכונה מוזרה; מקרה מוזר; תחבולה
quirk'ish *adj.* מוזר, משונה
quirk'y *adj.* מוזר, משונה
quis'ling (-z-) *n.* קוויזלינג, בוגד
quit *v.* לנטוש, לעזוב; לחדול, להפסיק; להתפטר; להתנהג
- notice to quit הוראה לפנות דירה; הודעת פיטורים
quit *adj.* חופשי, משוחרר, נפטר מ-
quite *adv.* לגמרי, בהחלט; מאוד; די-, למדי; במידה מסוימת; פחות או יותר
- not quite לאו דווקא
- quite (so)! בהחלט!אמנם כן!
- quite a boy/girl בחור כארז/נערה לא רגילה
- quite a few די הרבה, לא מעט
- quite a number מיספר ניכר
- quite a year ago לפחות לפני שנה
- quite something משהו לא רגיל
- quite the thing באופנה, הדבר הנכון
quits *adj.* שווה ל-, לא חייב ל-, מקוזז
- call it quits להסכים שחילוקי הדעות יושבו; לחדול, לנטוש זאת
- double or quits כפליים או אפס
- is quits with him פרע חובו ל-; נקם נקמתו; הסדיר חשבונותיו עמו
quit'tance *n.* (כתב) פטור
- give him his quittance להורות לו לצאת
quitter *n.* נוטש; אומר נואש
quiv'er *n.* אשפת חיצים, תלי; רעד
quiver *v.* לרעוד, להזדעזע; להרעיד
qui vive? (kēvēv') מי שם?
- on the qui vive על המשמר, עירני
quixot'ic *adj.* דון-קישוטי, אבירי
quiz *n.* חידון, תחרות שאלות; מיבחן
quiz *v.* לשאול, לבחון; לערוך חידון
quizmaster *n.* מנחה-חידון
quiz show חידון שעשועים
quiz'zical *adj.* קומי, מצחיק; תוהה; נבוך; בּוֹחֵן; לעגני, מקנטר
quod *n.* *בית-סוהר, חד-גדיא
quoit *n.* טבעת (שמטילים על יתד במשחק הטבעות)
- quoits משחק הטבעות (כנ"ל)
quon'dam *adj.* בעבר, לשעבר, לא עתה
Quon'set *n.* צריף גדול (דמוי מנהרה)
quor'ate *adj.* בעל מניין חוקי
quo'rum *n.* קוורום, מנין חוקי
quo'ta *n.* מִיכסָה, כמות מוגבלת
quo'table *adj.* בר-ציטוט, שראוי לצטטו
quo·ta'tion *n.* ציטוט, ציטטה, מובאה; מחיר; הצעת מחיר
quotation marks מרכאות (כפולות)
quote *v&n.* לצטט; לומר, להזכיר (כחיזוק לדבריו); לנקוב (מחיר)
- he said (quote) "I go" (unquote) הוא אמר (ציטוט) "אני הולך" (סוף ציטוט)
- in quotes *במרכאות
quoth (kwōth) *v.* אמר
quoth I אמרתי
quo·tid'ian *adj.* יומי, יומיומי
quo'tient (-shənt) *n.* מנה (בחילוק)
qv = quod vide עיין, ראה, ר'

R

R = river, Rabbi, road
- the 3 R's קריאה, כתיבה, וחשבון
rab'bi' *n.* רבי, רב
rab'binate *n.* רבנות
rabbin'ical *adj.* רבני
- rabbinical pleader טוען רבני
rab'bit *n&v.* ארנב; פרוות-שפן; *שחקן גרוע; לצוד ארנבות; *לדבר, לקטר
rabbit burrow נקיק-ארנב
rabbit hutch כלוב ארנבות, ארנבייה
rabbit punch מכת עורף (באגרוף)
rabbit warren חלקת ארנבות, שטח זרוע נקיקי ארנבות; מבוך סמטאות
rab'ble *n.* אספסוף; ההמון הפשוט
rabble-rousing *adj.* מלהיב המונים, דמגוגי
Rab'elai'sian (-zhən) *adj.* ראבליאני, (הומור) גס
rab'id *adj.* (כלב) שוטה, נגוע-כלבת; קיצוני, קנאי, פנאטי, לוהט
ra'bies (-bēz) *n.* כלבת
rac·coon' (-ko͞on) *n.* ראקון, דביבון
race *n.* מירוץ; ריצה; זרם חזק; תנועה; מרוצת הזמן/החיים
- his race (of life) is nearly run חלפו ימי חלדו, יום מותו קרב
- race against time מירוץ נגד השעון
- races (סדרת) מירוצי סוסים
race *v.* לרוץ; להשתתף/לשתף במירוץ; להתחרות; להעביר במהירות
- race by/along לחלוף מהר
- the engine raced המנוע פעל במהירות (במצב סרק)
race *n.* גזע, מין, זן; מוצא
- human race הגזע האנושי
- race relations יחסים בין-גזעיים
race card תוכניית מירוצי הסוסים
race-course *n.* מסלול-מירוץ
race-horse *n.* סוס-מירוץ
raceme' *n.* אשכול-פרחים
race meeting מרוצי סוסים
racer *n.* סוס מירוץ; מכונית מירוץ
race-track *n.* מסלול-מירוץ
raceway *n.* מסלול מירוץ; תעלה
rachi'tis (-k-) *n.* רככת (מחלה)
ra'cial *adj.* גזעי, גזעני
racialism, ra'cism' *n.* גזענות
racialist, ra'cist *n.* גזען
racily *adv.* נמרצות, בצורה חיה
racing *adj.* של מירוצים, חובב מירוצים
racing car מכונית מרוץ
racing driver נהג מכונית מרוץ
rack *n.* כונן, מדף, סריג, מקלב; איבוס; פס שיניים; ענן נישא
- on the rack (בעבר) על מיתקן העינויים; סובל מאוד, מתענה
- rack and ruin הרס, עיי חרבות
rack *v.* לענות, לייסר, ללחוץ; לדרוש שכר דירה מופרז
- rack up points לצבור נקודות
- racked by/with מתייסר ב-
rack'et *n.* רעש, מהומה, פעילות, התרוצצות; רמאות; סחיטה; עסק, מקצוע; מחבט, רחת
- on the racket מבלה, מתהולל
- rackets ראקטס (משחק דמוי-טניס)
- stand the racket לעמוד במבחן; לקבל עליו האחריות, לשאת בהוצאות
racket *v.* לבלות יפה, להתהולל
rack'eteer' *n.* סחטן, מאפיונר
racketeering *n.* סחטנות, עסקי סחיטה, "פרוטקשן"; רמאות
rack railway רכבת משוננת-פסים
rack rent שכר-דירה מופרז
rac'on·teur' (-tûr') *n.* מְסַפֵּר
racoon = raccoon
rac'quet (-kət) *n.* מחבט, רחת
ra'cy *adj.* מלא חיים, נמרץ, מבדר; מקורי; חריף
ra'dar' *n.* ראדאר, מכ"ם
radar trap מכמונת מהירות
ra'dial *adj.* ראדיאלי, טבורי; מוקדי, מרכזי, של רדיוס
radial tyre צמיג ראדיאלי
ra'diance *n.* קרינה, זוהר, קרינות
ra'diant *adj.* קורן; מקרין; זורח, זוהר
ra'diate' *v.* לקרון; להקרין, להפיץ; להתפשט, להתפזר, לצאת ממוקד
ra'dia'tion *n.* קרינה; רדיואקטיביות
radiation sickness מחלת קרינה
ra'dia'tor *n.* רדיאטור; מקרן, מצנן
rad'ical *adj.* רדיקאלי, קיצוני, שורשי
radical *n.* רדיקאל, תובע תיקונים יסודיים; שורש; קבוצת אטומים; שורשון
radical chic אופנתיות שמאלנית, התחברות לקבוצות מעוט
radicalism *n.* רדיקאליות, יסודיות
rad'icalize *v.* לעשות לרדיקאלי
rad'icle *n.* שורשון
ra'dii' = pl of radius (-diī)
ra'dio' *n.* רדיו; אלחוט
- on the radio ברדיו, משדר
radio *v.* לשדר ברדיו/באלחוט
ra'dio·ac'tive *adj.* רדיואקטיבי
ra'dio·ac·tiv'ity *n.* רדיואקטיביות
radio beacon תחנת איתות (למטוסים)
radio beam אותות רדיו (מהתחנה)
ra'dio·car'bon *n.* פחם רדיואקטיבי
radiocarbon dating תיארוך בפחם רדיואקטיבי
radio cassette player רדיוטייפ
radio frequency תדר גלי-רדיו
ra'dio·gram' *n.* רדיוגראמה, מברק; רדיו-פטיפון; צילום-רנטגן
ra'dio·graph' *n.* צילום רנטגן
ra'diog'rapher *n.* עובד רנטגן
ra'diog'raphy *n.* צילומי רנטגן, רדיוגרפיה
ra'dio·i'sotope' *n.* רדיו-איזוטופ, איזוטופ רדיואקטיבי
radio link משדר משולב (המקשר שידורים ממקומות שונים)
ra'dio'lo·ca'tion *n.* ראדאר
ra'diol'ogist *n.* רדיולוג
ra'diol'ogy *n.* טיפול בהקרנה, רדיולוגיה
radio set מקלט, רדיו

ra'dio·tel'ephone' *n.* רדיוטלפון, טלפון אלחוטי
radio telescope רדיו-טלסקופ
ra'dio·ther'apist *n.* מטפל בהקרנה
ra'dio·ther'apy *n.* רדיותרפיה, ריפוי בהקרנה
rad'ish *n.* צנון; צנונית
ra'dium *n.* ראדיום, אורית
ra'dius *n.* רדיוס, מחוג; עצם אמת-היד
ra'don' *n.* ראדון (גז)
RAF = Royal Air Force
raf'fia *n.* רפיה, לכש
raf'fish *adj.* פראי, הולל, מביש
raf'fle *n.* הגרלה, מכירת-הגרלה
raffle *v.* למכור בהגרלה, להגריל
raft *n.* רפסודה, דוברה; המון, הרבה
raft *v.* לרפסד, לשוט/להשיט/לחצות ברפסודה
raft'er *n.* קורת-רעפים, קורת-גג
raftered *adj.* (אולם, גג) בעל קורות-גג, חסר-תקרה
rafting *n.* רפטינג (ספורט שייט)
raftsman, rafter *n.* רפסודאי
rag *n.* סמרטוט, מטלית; חתיכה, פירור; עיתון זול; קרנבל; תעלול
- like a red rag to a bull מבעיר חימה, כמטלית אדומה לשור
- like a wet rag *כמו סמרטוט, סחוט
- rags בלואים, סחבות
rag *v.* להקניט, לקנטר; לשחק, להרעיש; לעשות מעשי-קונדס
rag'amuf'fin *n.* זאטוט לבוש-סחבות
rag-and-bone man *סמרטוטר
rag-bag *n.* שקית (לשמירת) סמרטוטים; תערובת, בליל, ערב-רב; *מרושל-לבוש
rag day יום הקרנבל (של סטודנטים)
rag doll בובת סמרטוטים
rage *n.* זעם, חימה; סערה; תשוקה, התענינות עזה; אופנה
- all the rage (המלה האחרונה) באופנה
rage *v.* לזעום, להיתקף חימה; לסעור; להשתולל
- battles raged קרבות השתוללו
- rage out לעמוד מזעפו
rag'ged *adj.* קרוע, מרופט; בסחבות; מדובלל; מחוספס; לא מהוקצע; חסר-שלמות
- run him ragged להלאותו, להתישו
rag'lan *n&adj.* ראגלאן, (מעיל, שרוול) חסר תפרי-כתף
ragout (ragōō') *n.* ראגו, תבשיל בשר וירקות, תרביך
rag paper נייר-סמרטוטים (משובח)
rags-to-riches *adj.* שהפך מעני לעשיר
rag'tag' *n.* אספסוף
ragtag and bobtail האספסוף
rag'time' *n.* רגטיים (מוסיקה מסונקפת)
rag trade *הלבשה, ענף הביגוד
rag week שבוע הסטודנט, שבוע הקרנבל
rah (rä) *interj.* הידד!
raid *n&v.* פשיטה; התקפה; הסתערות; הפצצה; שוד; לפשוט על, להתקיף
raider *n.* מתקיף; מפציץ
rail *n.* מעקה; מתלה; פס; רכבת
- by rail ברכבת
- off the rails ירד מן הפסים

rail *v.* לגדור; להקים מעקה (סביב)
rail *v.* לרגון, להתמרמר; להטיח טענות
rail car קרון רכבת (ממונע)
railhead *n.* קצה מסילת-ברזל
railing *n.* תלונות, הטחת טענות
railings *n-pl.* מעקה, גדר
rail'lery *n.* קנטור, לגלוג, התבדחות
railroad *n&v.* רכבת; להעביר ברכבת; לאלץ, ללחוץ; להשליך לכלא
- railroad a bill להעביר חוק בחיפזון
railway *n.* רכבת
rai'ment *n.* בגד, לבוש
rain *n.* גשם, מטר
- looks like rain נראה שירד גשם
- rain of questions מטר שאלות
- rain or shine בין שירד גשם ובין לאו, באש ובמים
- right as rain בקו הבריאות
- the rains עונת הגשמים
rain *v.* לרדת גשם, ליפול; להמטיר
- it never rains but it pours הצרות באות בחבילות
- it's raining, it rains יורד גשם
- rain down להמטיר, להציף; לזלוג
- rain off/out לחדול (הגשם)
- rained out בוטל בגלל הגשם
rainbow *n.* קשת (בשמיים)
rain check כרטיס למשחק חוזר (במקרה גשם); הזמנה מעוותדת
raincoat *n.* מעיל גשם
raindrop *n.* טיפת גשם
rainfall *n.* כמות הגשמים, משקעים
rain forest יער עבות, יער טרופי
rain gauge מדגשם
rainless *adj.* חסר-גשם
rainmaker *n.* *מצליחן (בעסקים)
rainproof *adj.* חסין-גשם
rainstorm *n.* סופת-גשמים
rainwater *n.* מי-גשמים
rainy *adj.* גשום
- for a rainy day (לחסוך) לקראת ימים קשים, לעת הצורך
raise (-z) *v.* להרים, להעלות; לעורר; לגרום; לגדל; להקים; להסיר; לגייס
- raise Cain/hell/the roof להרעיש/להפוך עולמות
- raise a dust להקים רעש
- raise a hand להושיט יד, לנקוף אצבע
- raise a laugh לעורר צחוק
- raise a point להעלות נקודה/נושא
- raise a voice/hand להרים קול/יד
- raise an embargo להסיר אמברגו
- raise children לגדל ילדים
- raise from the dead להשיב לתחייה
- raise havoc with לעשות שמות ב-
- raise his spirits לרומם את רוחו
- raise land לראות יבשה (מספינה)
- raise money לגייס כסף
- raise one's eyes לשאת עיניו, להסתכל למעלה
- raise one's glass להרים כוס
- raise the devil/heck לעורר מהומה
- raise to the power of להעלות בחזקת-
raise *n.* העלאה (במשכורת)
raised *adj.* מורם, מוגבה, בולט
-raiser *n.* מְגַדֵּל, גורם ל-

- fire-raiser מבעיר שריפות (בזדון)
rai′sin (-z-) *n.* צימוק
raison d'etre (rā′zōndet′rə) סיבת-קיום, תכלית חייו
raj (räj) *n.* ראג׳, שלטון
ra′ja (rä′-) *n.* ראג׳ה, מושל
rake *v.* לגרוף; לאסוף; לסרוק; להמטיר אש-מקלעים לאורך-
- is raking it in *עושה כסף
- rake around/over לחפש, לחטט
- rake in *לגרוף, לעשות (הון)
- rake out/up לחשוף, לחטט ולמצוא
- rake over the coals לנזוף
- rake up an old quarrel לעורר ריב שנשכח, לגרד פצעים שהגלידו
rake *v&n.* לנטות/להטות לאחור; להשתפע; לשפע; שיעור השיפוע, נטייה
rake *n.* מופקר, רודף תענוגות, ריקא
rake *n.* מגרפה; מגוב
rake-off *n.* עמלה, תגמול, חלק ברווח
ra′kish *adj.* מופקר, מתהולל; עליז, שובבני; (ספינה) בנויה לשם מהירות
- at a rakish angle נטוי הצידה
ral′lentan′do *n.* האטה
ral′ly *v.* ללכד; להתלכד; לקבץ; להיערך מחדש; לאזור כוח; להתאושש
- rally round לבוא לעזרת-
rally *n.* כנס, אסיפה, מיפגן; ליכוד; התאוששות; מירוץ מכוניות; חילופי-כדור
rally *v.* להקניט, לקנטר, ללגלג
ram *n.* אַיִל; איל-ברזל; ספינת-כר; מיתקן דחיפה/הלימה; משאבה; מזל טלה
ram *v.* לנגח; לדחוף; לבטוש; לתקוע
- ram home להחדיר למוחו
- ram it down his throat לחזור ולשנן לו, לכפות עליו רעיון
RAM זיכרון גישה אקראית
Ram′adan′ (-dän) *n.* רמדאן, חודש הצום
ram′ble *v.* לטייל, להסתובב; לדבר/לכתוב בבלבול; להשתרג, להתפשט
ramble *n.* טיול, סיור, סיבוב
rambler *n&adj.* טייל; (ורד) מטפס, מתפשט
rambling *adj.* מבולבל, חסר-קשר; לא-מתוכנן; מפותל
ram•bunc′tious (-shəs) *adj.* רעשני, פראי
ram′ekin *n.* צלחת מאפה; גבינה-עם-ביצים
ram′ifica′tion *n.* הסתעפות; ענף
ram′ify′ *v.* להסתעף, להתענף
ram jet מנוע סילון (דוחס אוויר)
ramp *n.* כבש, מישור משופע; סוללה, רמפה; *סחיטה, דרישת מחיר מופרז
ramp *n&v.* השתוללות; להשתולל, להתפרע
ram′page′ *n&v.* השתוללות; להשתולל
- go on the rampage להשתולל
ram•pa′geous (-jəs) *adj.* משתולל, מרעיש
ram′pant *adj.* משתולל, נפוץ; שופע, פורה, מתפשט; קם על רגלו האחורית
- the crime is rampant הפשע משתולל
ram′part′ *n.* סוללה, דייק; הגנה, מגן
ram-raid *n.* פריצה לחלון ראווה, פריצה בעזרת רכב
ram′rod′ *n.* מדוך (לדחיקת פגז בלוע); חוטר-ניקוי
- stiff as a ramrod זקוף; קפדן
ram′shack′le *adj.* רעוע, מט ליפול
ran = pt of run
ranch *n.* חווה
rancher *n.* חוואי, בוקר, פועל-חווה
ranch house בית חד-קומתי
ranch wagon מכונית סטיישן
ran′cid *adj.* מקולקל, מעופש, מבאיש
ran•cid′ity *n.* קלקול, ריקבון
ran′cor *n.* שנאה, התמרמרות
ran′corous *adj.* שונא, מתמרמר, לא-סולח
rand *n.* רנד (מטבע בדרום אפריקה)
R and D מחקר ופיתוח, מו״פ
ran′dom *adj&n.* אקראי, מקרי, בלי מטרה, סתם
- at random באקראי, בלי תכנון, לתומו
ran′domize′ *v.* לבחור באקראי
random sample מדגם מקרי (במשאל)
ran′dy *adj.* שטוף תאווה; מתפרע
ranee, rani (ränē′) *n.* נסיכה
rang = pt of ring
range (rānj) *n.* רכס, שורה; אחו; מטווח; טווח; תחום, גבולות; מקום מחייה; מיגוון; תנור
- at short range מטווח קרוב
- beyond/out of range מחוץ לטווח
- mountain range רכס הרים
- range of colors קשת של צבעים
- range of voice מגבול הקול
- within range בטווח ראייה/שמיעה
range *v.* לסדר בשורה; להגיע לטווח-; לנוע בין; להשתרע; לשוטט; לערוך, להציב
- ages ranging from 3 to 6 גילים הנעים בין 3 ל-6
- range cattle להחזיק חוות בקר
- range over להקיף, להשתרע על פני
- range through לטייל, לשוטט ב-
range finder מד-טווח
ran′ger (rān′-) *n.* שומר-יערות; איש-חוק, שוטר; איש קומנדו; צופה
ra′ngy *adj.* גבוה ורזה
rank *n.* דרגה; מעמד חברתי; שורה
- break ranks לצאת מן השורות, להיווצר אי-סדר, להתבלבל
- keep ranks להישאר בשורות
- of the first rank מהשורה הראשונה, בין המצוינים
- pull one's rank לנצל לרעה את דרגתו
- rank and file החוגרים, החיילים; האנשים מן השורה, ההמון הפשוט
- reduce to the ranks לשלול דרגתו
- rise from the ranks לעלות לקצונה מדרגת טוראי
- taxi rank שורת מוניות (בתחנה)
- the ranks, other ranks חוגרים
rank *v.* לסדר בשורה; לכלול בין, לסווג, להימנות, לדרג; לעלות בדרגה על
- rank high לתפוס מקום נכבד
rank *adj.* מכוסה עשבים; פורה, עבות,

גדל פרא; מסריח, דוחה; גמור; גס
- rank liar שקרן מובהק
ranker *n.* שעלה לקצונה (מטוראי)
ranking *adj.* בעל הדרגה הגבוהה ביותר
ranking *n.* דירוג, סיווג
ran'kle *v.* לכרסם בלב, להותיר צלקת עמוקה בזיכרון
ran'sack' *v.* לשדוד, לבזוז; לחפש ביסודיות, לחטט
ran'som *n.* כופר; שחרור תמורת כופר
- hold him to ransom להחזיקו במאסר ולדרוש כופר תמורת שחרורו
- king's ransom סכום הגון, הון רב
ransom *v.* לשחרר תמורת כופר
rant *v&n.* לדבר גבוהה-גבוהה, להשתמש במליצות ריקות; לדקלם; עתק
- rant and rave לצעוק ולגעוש
rap *v.* לדפוק, להקיש; לנזוף, לגעור; לגנות; לדבר בחופשיות ובקלילות; לבצע מוסיקת ראפ
- rap out לפלוט (פקודה, קללה); להביע בנקישות
rap *n.* דפיקה, נקישה; אשמה, אחריות
- beat the rap *לחמוק מעונש
- not give a rap *לא איכפת כלל
- rap on the knuckles נזיפה, גערה
- rap, rap music ראפ (מוסיקה קיצבית)
- take a rap *לספוג מכה
- take the rap *להיענש, להינזף
rapa'cious (-shəs) *adj.* עוֹשֵׁק, גוזל, רודף-בצע; טורף
rapac'ity *n.* עוֹשֶׁק, חמס, אהבת-בצע
rape *v&n.* לאנוס; לחטוף, לשדוד; להרוס; אונס; חטיפה; שוד; הרס
rape *n.* גפת, פסולת ענבים; צמח מפיק שמן והמשמש למספוא
rap'id *adj&n.* מהיר; תלול; אשד, זרם נהר
- shoot the rapids לשוט במורד האשד
rapid-fire *adj.* של אש שוטפת; (בדיחות) נפלטות בצרורות/ברציפות
rapid'ity *n.* מהירות, שטף
rapid transit תחבורה מהירה
ra'pier *n.* סַיִף
rapier thrust מענה חד, הערה שנונה
rap'ine (-pin) *n.* ביזה, שוד
ra'pist *n.* אנס; גזלן
rap'per *n.* מבצע מוסיקת ראפ, ראפר
rap·port' (-pôr) *n.* יחסי-קרבה, הבנה
rap'por'teur' (-tûr') *n.* מכין דו"ח ועדה
rap·pro'chement' (-shmän') *n.* פיוס, התיידדות מחדש
rap·scal'lion *n.* נָבָל
rap sheet דו"ח מעצר
rapt *adj.* שקוע, מרותק, מתלהב
- rapt attention תשומת-לב רבה
rap'ture *n.* התלהבות, תרגושת גיל
- went into raptures התלהב, לבו הוצף גיל, לא ידע נפשו מרוב אושר
rap'turous (-ch-) *adj.* נלהב, מלהיב
rare *adj.* נדיר; מצוין; דליל, קלוש; נא, מבושל בחלקו
- rare old *לא רגיל, מיוחד במינו
rare'bit (rār'-) *n.* טוסט-גבינה
rare earth עפרה נדירה
ra'refac'tion *n.* הקלשה; עידון
ra'refy' *v.* לדלל, להקליש; לעדן, לטהר

- she moves in rarefied circles היא מתחככת באנשי החברה הגבוהה
rarely *adv.* לעיתים נדירות; בצורה בלתי רגילה
ra'ring *adj.* *להוט, משתוקק
ra'rity *n.* נדירות; דבר נדיר
ras'cal *n.* נָבָל; *שובב, מזיק, תכשיט
ras·cal'ity *n.* מעשה-נבלה
rascally *adj.* נבזה, שפל
rash *adj.* פזיז, נמהר, לא שקול
rash *n.* פריחה אדומה (בעור); הופעה פתאומית, הצפה, בצבוץ
- come out in a rash להתכסות פריחה
rash'er *n.* פרוסת בשר מטוגנת
rasp *n.* משוף, פצירה גסה; צרימה
rasp *v.* לשייף; לגרד; לצרום, לחרוק
- rasp away/off לשייף, להסיר בשיוף
- rasp his nerves למרוט עצביו
- rasp out לפלוט בקול מחוספס
rasp'ber'ry (raz'beri) *n.* פטל, תות-סנה; *קול נפיחה (מלמטה/מהפה); תנועה מגונה
- blow a raspberry at *להפליץ על
rat *n.* חולדה, עכברוש; פחדן, מפר שביתה, בוגד
- like a drowned rat רטוב עד לשד עצמותיו
- rats! שטויות!
- smell a rat לחוש שמשהו לא בסדר
rat *v.* להפר הבטחה, לסגת; להתחמק
- go ratting לצאת ללכוד חולדות
- rat out on לנטוש, לבגוד ב-
ratable = rateable
rat'-a-tat' *n.* נקישות, הקשה
ratbag *n.* *אדם דוחה, חלאה
ratch'et *n.* גלגל משונן, מחגר
ratchet wheel גלגל מחגר
rate *n.* שיעור; מחיר; מהירות, קצב; מס, ארנונה; סוג
- at a fast rate במהירות גבוהה
- at any rate בכל אופן, בכל מקרה
- at that/this rate בקצב כזה; אם העניינים יתנהלו כך; אם כך הדבר
- bank rate ריבית בנקאית
- birth/death rate ילודה/תמותה
- first-rate מעולה, משובח
- interest rate שער הריבית
- rate of exchange שער החליפין
- second-rate בינוני, סוג ב'
rate *v.* לאמוד, לקבוע שומה; לדרג; להעריך, להחשיב, לכלול; לנזוף
rateable *adj.* ניתן להערכה; חייב במס
rateable value ערך לצרכי שומה
rate-cap *v.* לקבוע תיקרת מס
rate-payer *n.* משלם מיסים
rath'er (-dh-) *adv.* למדי, די-, במידת-מה, קמעה; מוטב ש-; אדרבה
- I'd rather הייתי מעדיף
- or, rather ליתר דיוק
- rather than מאשר-, יותר מש-
rather *interj.* בהחלט! אדרבה! כן!
rat'ifica'tion *n.* אישור, אישרור
rat'ify' *v.* לאשר (רשמית), לאשרר
ra'ting *n.* שומה, אומדן; דרגה; דירוג, סיווג; רייטינג, מידרוג, פופולריות (של תוכנית)

- ratings חוגרים, חיילים
rating *n.* נזיפה, תוכחה
ra'tio (-shō) *n.* יחס, פרופורציה
rat'ioc'ina'tion *n.* חשיבה שיטתית
ra'tion (rash'ən) *n.* מנה, מנת מזון
- iron ration מנת ברזל, מנת חירום
- short rations מנות מזון מקוצצות
ration *v.* להקציב; להטיל פיקוח, להנהיג קיצוב
- ration out לחלק, לספק מנות
ra'tional (rash'ən-) *adj.* רציונאלי, נבון, שכלי; הגיוני, סביר; ממושכל
ra'tionale' (rash'ənal') *n.* בסיס הגיוני
ra'tionalism' (rash'ən-) *n.* רציונאליזם, שכלתנות
ra'tionalist (rash'ən-) *n.* שכלתן
ra'tionalis'tic (rash'ən-) *adj.* שכלתני, רציונאליסטי
ra'tional'ity (rash'ən-) *n.* רציונאליות, הגיוניות
ra'tionaliza'tion (rash'ən-) *n.* שִׁיכלון, רציונליזאציה
ra'tionalize' (rash'ən-) *v.* לשכלן, להסביר על דרך ההגיון; לארגן מחדש, לייעל
ration book/card פנקס מזון
rat'lin *n.* שלב, חווק (בסולם חבלים)
rat race מירוץ בלתי פוסק לקידום; רמיסת הזולת
rat-run *n.* *מסלול עוקף פקקים
rattan' *n.* דקל בעל חוטר גמיש; מקל-הליכה; מעשה-קליעה (מדקל זה)
rat'-tat' *n.* נקישה, הקשה
rat'ter *n.* תופס עכברושים
rat'tle *v.* לדפוק, להקיש, לתקתק; לקשקש; לטרטר; למתוח, לעצבן
- my bones rattled רעדתי (מקור)
- rattle off לדקלם במהירות
- rattle on/away לפטפט, לדבר בשטף
- rattle through להעביר/לבצע מהר
rattle *n.* נקישות, תקתוק; קשקוש; פטפוט; רעשן
- death rattle חרחורי-גסיסה
rattle-brain *n.* קשקשן, נבוב-מוח
rattle-pate *n.* קשקשן, טיפש
rattlesnake, rattler *n.* נחש ארסי (המקשקש בזנבו)
rattletrap *n.* מכונית טרטרנית
rattling *adj&adv.* *מהיר, מצוין; מאוד
rat'trap' *n.* מלכודת עכברים; מצב ביש
rat'ty *adj.* שורץ עכברושים; מתרגז
rau'cous *adj.* צרוד, צורמני, מחוספס
raunch'y *adj.* שטוף-תאווה
rav'age *v.* להרוס, להשמיד; לשדוד
ravage *n.* הרס, חורבן
rave *v.* לדבר בטירוף, להטיח צעקות; לזעוף, לגעוש, להשתולל
- rave about לדבר בהתלהבות על
- rave itself out לעמוד מזעפו
- rave oneself hoarse להצטרד מצעקות
rave *n&adj.* *שבח מופלג; מסיבה עליזה
- in a rave *מלא התלהבות
- rave notices ביקורות נלהבות
rav'el *v.* להיפרד, להיפרם; להתיר (קצה חבל); לסבך; להסתבך (לפקעת)
ra'ven *n&adj.* עורב; שחור-מבריק
rav'en *v.* לזולל, לטרוף; לשחר לטרף
raven-haired *adj.* שחור-שיער
rav'ening *adj.* עז, פראי, מסוכן, רָעֵב
rav'enous *adj.* רעב, זוללני, להוט
ra'ver *n.* *הולל, מבלה במסיבות
rave-up *n.* *מסיבת-הוללות
ravine' (-vēn) *n.* גיא, עמק צר
ra'ving *adj&adv&n.* מטורף, צועק כמשוגע; *מאוד; מטריף, משגע
- raving mad משתולל כמשוגע
- ravings דברי טרוף, קשקושים
rav'io'li *n.* ראביולי, כיסני-בשר
rav'ish *v.* לאנוס; לחטוף; להקסים
- ravished by מוקסם, מלא התפעלות
ravishing *adj.* מרהיב עין, כובש לב
ravishment *n.* אונס; חטיפה; הקסמה
raw *adj.* חי, לא מבושל; גולמי, טבעי; חסר-ניסיון; כואב, משופשף-עור; גס
- raw deal יחס גס, עוול
- raw materials חומרי גלם
- raw recruit טירון, "בשר טרי"
- raw spirit כוהל לא מהול
- raw weather מזג אוויר קר ולח
- raw wound פצע טרי, פצע פתוח
raw *n.* פצע, מקום רגיש (בעור)
- in the raw במצבו הטבעי; ערום
- touch on the raw לפגוע במקום רגיש, להזכיר נושא עדין ביותר
raw-boned *adj.* רזה, דל-בשר
raw'hide' *n.* שְׁלַח, עור גולמי; שוט, מגלב
ray *n.* קרן (אור); דג-ים שטוח
- ray of hope זיק תקווה, שביב תקווה
ray'on' *n.* זהורית, משי מלאכותי
raze *v.* להרוס, להחריב עד היסוד
razed *adj.* מגולח
ra'zor *n.* סכין גילוח, תער
- electric razor מכונת גילוח
- razor's edge מצב קריטי
- safety razor מכשיר גילוח, מגלח
razorback *n.* סוג לווייתן; חזיר יער
razor-backed *adj.* בעל גב מחודד
razor-sharp *adj.* חד מאוד
raz'zle(-daz'zle) *n.* שמחה, הילולה; רעש, "סאמאתוכה"
- go on the razzle להתהולל
razz'matazz' *n.* *הילולה; רעש; חנטריש
RC. = Roman Catholic, Red Cross
-rd, 3rd = third
rd = road
re (rā) *n.* רה (צליל)
re (rē) *prep.* בנושא-, בעניין-
re- (תחילית) מחדש, שוב; לְשַׁ-
- rewrite/revaluate לשכתב/לשערך
're = are, we're = we are
reach *v.* להגיע ל-; להשיג; להושיט יד; להביא, לתת; להשתרע
- reach down להוריד (ממדף, ממתלה)
- reach for להושיט יד; להשתרע עד
- reach for the sky ידיים למעלה!
- reach out a hand להושיט יד
reach *n.* קטע (נהר) ישר (לא מפותל); הושטת-יד; הישג-יד; השגה

- a long reach (הושטת) יד ארוכה
- beyond/out of reach מחוץ להישג ידו, רחוק מ-, מעבר להשגתו, נשגב
- within (easy) reach קרוב ל-, סמוך ל-; בתחום השגתו
reachable *adj.* בר-השגה
reach-me-downs *בגדים משומשים; בגדים זולים, בגדים מוכנים
re·act' *v.* להגיב (על); לענות; להשפיע
- react against להגיב בשלילה, להתקומם כנגד, לפעול בניגוד
- react on לפעול על, להשפיע על
- react to להגיב על, להיות מושפע
re·ac'tion *n.* תגובה; נסיגה, שינוי גמור; ריאקציה; התנגדות לקדמה, נסגנות
re·ac'tionar'y (-shəneri) *n&adj.* ריאקציונר, חשוך; נסגן, נסגני
re·ac'tivate' *v.* להפעיל שוב, לשפעל
re·ac'tiva'tion *n.* שיפעול
re·ac'tive *adj.* מגיב, הֶיגֵבִי
re·ac'tor *n.* מגיב, תגובן, כור אטומי, מגוב, ריאקטור
read (rēd) *v.* לקרוא; להקריא; להיקרא; להבין; ללמוד; להורות; לפרש
- be read as להתפרש כ-
- read a dream לפתור חלום
- read a lesson/lecture לנזוף
- read between the lines לקרוא בין השיטין
- read for ללמוד לקראת (תואר)
- read him like a book לקרוא אותו כספר, להבינו היטב
- read him to sleep להרדימו בקריאה
- read his mind לקרוא מחשבותיו
- read his palm לקרוא בכף ידו
- read into להסיק (בטעות), לפרש
- read my lips התבונן בשפתיי, אני מבטיח
- read out לקרוא; להקריא; לסלק, לגרש
- read over/through לקרוא (מחזה) בעת חזרה (בלי תנועות)
- read the time לקרוא את השעון
- read up on לקרוא, ללמוד על
- take it as read להניח שזה בסדר, להסכים שאין צורך לדון בכך
- the 2 books read differently שני הספרים גרסו אחרת
- the thermometer read 38 המדחום הראה על 38
- this book reads well הספר הזה יפה לקריאה
read (rēd) *n.* קריאה
- a good read (ספר) יפה לקריאה; שעה של קריאה מהנה
read = p of read (red)
- widely-read (ספר) נקרא, נפוץ ביותר; שקרא הרבה, שמילא כרסו
read'abil'ity *n.* קריאות
readable *adj.* קריא, נוח לקריאה
re'address' *v.* לְמַעֵן מחדש
read'er *n.* קורא; מַגִיהַּ; מקראה, ספר לימוד למתחילים; מרצה
- lay reader קורא התפילות (בכנסייה)
- publisher's reader קורא כתבי-יד
readership *n.* מספר קוראים, תפוצת-קריאה; כהונת מרצה
read'ily (red'-) *adv.* ברצון, בחפץ-לב, מיד; בלי פקפוק; בלא שום קושי
read'iness (red'-) *n.* נכונות, רצון; מהירות, מידיות
- in readiness for ערוך, מוכן ל-
read'ing *n.* קריאה; השכלה; נוסחה, גרסה, פירוש; מידה (במדחום)
- 2nd reading קריאה שנייה (בכנסת)
reading desk עמוד קריאה
reading glasses משקפי-קריאה
reading lamp מנורת קריאה
reading room חדר קריאה
re'adjust' *v.* לסדר מחדש, להתקין מחדש; להתאים מחדש
readjustment *n.* סידור מחדש
re'admit' *v.* להכניס שוב
read'out' *n.* הצגת נתונים (של מחשב)
ready (red'i) *adj.* נכון, מוכן, ערוך; נוטה, רוצה; מהיר, מיידי; בהישג-יד
- at the ready מוכן לירייה
- make ready להכין; להיערך
- ready cut חתוך מראש, מוכן בחתיכות
- ready tongue לשון מהירה, דברנות
- ready, steady, go! מוכנים, היכון, רוץ
- too ready with/to להוט
ready *v.* להכין; להתכונן
ready-made *adj&n.* (בגד) מוכן, לא בהזמנה; שגרתי, סטנדרטי, לא מקורי
ready money/cash מזומנים
ready reckoner ספר טבלאות, לוחות חישוב
ready-to-wear (בגד) מוכן
re'affirm' *v.* לאשר מחדש
re'affor'est *v.* לייער מחדש
re'affor'esta'tion *n.* ייעור מחדש
re·a'gent *n.* חומר מגיב (בכימייה)
re'al *adj&adv.* מציאותי, ממשי, אמיתי, מעשי, ריאלי; *באמת, מאוד
- for real *ברצינות
real (rääl') *n.* ריאל (מטבע)
real estate/property מקרקעין
real estate agent סוכן מקרקעין
re'align' (-līn') *v.* לערוך מחדש
re'alism' *n.* ריאליזם; מעשיות
re'alist *n.* ריאליסט; אדם מעשי
re'alis'tic *adj.* ריאליסטי; מציאותי
re·al'ity *n.* ריאליות; מציאות; ריאליטי
- in reality למעשה, באמת
realizable *adj.* בר-ביצוע, ממיש
re'aliza'tion *n.* הבנה; המחשה; הגשמה; התגשמות; מימוש
re'alize' *v.* להבין, לתפוס במלואו; להמחיש, להגשים; לממש; למכור; להתממש
- realize a profit on a house לצאת ברווח ממכירת בית
real-life *adj.* אמיתי, לא דמיוני
real live *אמיתי, ממש
really *adv.* באמת; ברצינות
realm (relm) *n.* ממלכה; עולם; תחום
real money טבין ותקילין
real'politik (rääl'politēk) *n.* ריאלפוליטיק, מדיניות ריאלית
real time זמן אמת
re'altor *n.* סוכן מקרקעין
re'alty *n.* מקרקעין, נדל"ן

ream *n.* חבילה, 500 גליונות נייר
- write reams of- *לכתוב המון-
ream′er *n.* מַקְדֵּד; מסחטה
re·an′imate′ *v.* להשיב לתחייה, להזרים כוח חדש, לעודד
reap *v.* לקצור, לאסוף; לזכות ב-
- reap a profit לצאת ברווח
reaper *n.* מקצרה; קוצר
reaper and binder מאלמת
reaphook *n.* חרמש
re′appear′ *v.* להופיע שנית
re′appear′ance *n.* הופעה מחדש
re′apprais′al (-z-) *n.* בדיקה מחדש, הערכה מחדש; שיערוך
re′appraise′ (-z) *v.* להעריך מחדש, לשערך
rear *n&adj.* אחור; עורף; אחוריים; אחורי
- bring up the rear להיות אחרון
rear *v.* לגדל; להקים, לבנות, להציב; להרים; להתרומם
rear admiral סגן-אדמירל
rear end צד אחורי; אחוריים
rearguard *n.* יחידה עורפית (להגנה), מאסף
rearguard action קרב תוך נסיגה, קרב מאסף
re·arm′ *v.* לחמש/להתחמש מחדש
re·ar′mament *n.* חימוש מחדש
rearmost *adj.* האחורי ביותר
re′arrange′ (-rānj′) *v.* לסדר מחדש/אחרת
rear-view mirror מראה פנימית (במכונית)
rearward *adj&n.* (הכיוון ה-) אחורי
- to rearward of במרחק-מה מאחורי-
rearwards *adv.* אחורנית
rea′son (-z-) *n.* סיבה, טעם; שכל, תבונה, כושר חשיבה; היגיון, שכל ישר
- bring him to reason לשכנעו לפעול בהיגיון
- by reason of בגלל, מסיבת
- do anything within reason לעשות כל שביכולתו (בגבולות ההיגיון)
- in reason בהיגיון, לפי השכל הישר
- it stands to reason that סביר ש-
- listen to/hear reason להטות אוזן קשבת לקול ההיגיון
- lose all reason לאבד השכל הישר
- lose one's reason לצאת מדעתו
- past all reason לא הגיוני כלל
- see reason לראות את הצד ההגיוני
- with reason בצדק
reason *v.* לחשוב; לטעון, לנמק
- reason into לשכנע (שיפעל בהיגיון)
- reason out לפתור לאחר בחינת הנימוקים, לשבת על המדוכה
- reason out of לשכנע שיתנער, להניא
- reason with him לדבר על ליבו
reasonable *adj.* הגיוני; סביר; נבון
- reasonable doubt ספק סביר
reasoned *adj.* שקול, שלאחר מחשבה
reasoning *n.* דרך-חשיבה, הסקת מסקנה
reasonless *adj.* חסר-היגיון
reassurance *n.* הרגעה, הבטחה
re′assure′ (-shoor) *v.* להרגיע, לסלק פחדיו, להבטיח מחדש
re·bar′bative *adj.* דוחה, לא נעים
re′bate′ *n&v.* הנחה, הפחתה; צמצום; החזר חלק מהסכום; להחזיר חלק מהתשלום
reb′el *n&adj.* מורד, מתקומם
re·bel′ *v.* למרוד, להתקומם
re·bel′lion *n.* מרד, התקוממות
re·bel′lious *adj.* מורד, מרדני
re′bind′ (-bīnd) *v.* לכרוך מחדש
re′birth′ *n.* תחייה, רנסאנס
re′boot′ (-bōōt) *v.* לתחל (מחשב) מחדש
re′born′ *adj.* (כאילו) נולד מחדש
re·bound′ *v.* לנתר לאחור, להיהדף, להיתקל ולחזור
- rebound upon לפגוע ב-, לפעול כבומראנג על
re′bound′ *n.* קפיצה לאחור, ריבאונד; כדור ניתר
- marry on the rebound להתחתן "דווקא" עם אחר (כתגובה לאהבה נכזבת)
re′bound′ *adj.* שנכרך מחדש
re·buff′ *v&n.* לדחות, לא להיענות; דחייה
- suffer a rebuff להיתקל בלאו מוחלט
re′build′ (-bild) *v.* לבנות מחדש
re′built′ (-bilt) *adj.* שנבנה מחדש, משופץ
re·buke′ *v&n.* לנזוף, לגעור; נזיפה
- administer a rebuke לנזוף
re′bus *n.* רבוס, חידת ציורים
re·but′ *v.* לסתור, להפריך, להזם
re·but′tal *n.* סתירה, הפרכה
re·cal′citrance *n.* מרדנות, עקשנות
re·cal′citrancy *n.* מרדנות, עקשנות
re·cal′citrant *adj.* מרדן, לא מקבל מרות, עקשן
re·call′ (-kôl) *v.* לזכור; להחזיר, לקרוא בחזרה, לבטל (הוראה)
recall *n.* זיכרון, זכירה; החזרה, ביטול; אות-השיבה, תרועת-החזרה
- beyond/past recall שאין לבטלו; אין להשיב
re·cant′ *v.* לוותר על, להתכחש, להתנכר, לכפור, לנטוש אמונה
re′can·ta′tion *n.* הצהרת-ויתור
re′cap′ *v&n.* (לסכם ב-) ראשי פרקים
re′cap′ *v.* לגפר, לחדש צמיג
re′capit′ulate (-ch′-) *v.* לחזור על עיקרי הדברים, לסכם
re′capit′ula′tion (-ch′-) *n.* סיכום, חזרה על ראשי פרקים
re′cap′ture *v.* לכבוש בחזרה; ללכוד מחדש; לזכור, להיזכר ב-; להזכיר
re′cast′ *v.* לעצב/לצקת מחדש; לשכתב; ללהק (שחקנים) מחדש
rec′ce (rek′i) *n.* *סיור
recd. = received
re·cede′ *v.* להיסוג; לסגת; לרדת; להתרחק; להשתפע אחורנית
- receding chin סנטר משופע (לאחור)
re′ceipt′ (-sēt′) *n.* קבלה; מירשם, מתכון, רצפט
- make out a receipt לכתוב קבלה

- on receipt of עם קבלת-
- receipts הכנסות, תקבולים
- we are in receipt of קיבלנו (מכתבך)
receipt *v.* לכתוב קבלה, לאשר שנפרע
receipt book פנקס קבלות
receivable *adj&n.* ראוי להתקבל; שטל"ק
re·ceive' (-sēv') *v.* לקבל; לספוג; לקבל פני אורחים, לארח; לקלוט
- be received להתקבל (כחבר)
- on the receiving end מקבל, קולט
received *adj.* מקובל
receiver *n.* סוחר-גניבות; אוזנית, שפופרת; מַקְלֵט; כונס נכסים, מפרק
- official receiver כונס נכסים
receivership *n.* תפקיד כונס נכסים
receiving *n.* תקבול; קניית סחורה גנובה
receiving line שורת מקבלי אורחים
receiving set מַקְלֵט
re·cen'sion *n.* רוויזיה, רצנזיה, עריכה, סיקורת; נוסח מתוקן
re'cent *adj.* חדש, שאירע לאחרונה
re'cently *adv.* לאחרונה, זה לא כבר
re·cep'tacle *n.* כלי-קיבול
re·cep'tion *n.* קבלה; קבלת פנים; מסיבה; חדר-קבלה; קליטה
reception center מרכז קליטה
reception clerk פקיד-קבלה
reception desk דלפק-קבלה
receptionist *n.* פקיד-קבלה
reception room חדר-אורחים, סלון
re·cep'tive *adj.* פתוח (לרעיונות)
re'cep·tiv'ity *n.* פתיחות
re·cep'tor *n.* קולטן, רצפטור
re'cess' *n.* חופשה, הפסקה; פגרה; גומחה; מגרעה; מקום עמוק, נבך
re·cess' *v.* לצאת לחופשה; להניח בגומחה; לשקע
re·ces'sion *n.* נסיגה, ירידה, שפל, מיתון
recessional *n&adj.* הימנון סיום (בכנסייה); של פגרה
re·ces'sive *adj.* נכנע, נסגני; רצסיבי
re'charge' *v.* לטעון (סוללה) מחדש
rechargeable *adj.* נטען
recherche (rəshär'shā) *adj.* מובחר, נדיר, משונה, נברר בקפדנות
re·cid'ivism' *n.* הישנות, חזרה; רצידיב
re·cid'ivist *n.* חוזר לסורו, פושע ללא תקנה; רצידיביסט
rec'ipe' (-sipi) *n.* מרשם, מתכון
re·cip'ient *n.* מקבל
re·cip'rocal *adj.* הדדי, משותף
re·cip'rocate' *v.* להחזיר, להשיב, לגמול טובה; לנוע הלוך ושוב (כטלטל)
reciprocating engine מנוע בוכנות
rec'iproca'tion *n.* הדדיות
rec'iproc'ity *n.* הדדיות; הקלות הדדיות (במסחר)
re·ci'tal *n.* רסיטאל, מיפע, מופע-יחיד; סיפור, תיאור השתלשלות
rec'ita'tion *n.* קריאה; קטע; תיאור, סיפור; דקלום, חזרה
rec'itative' (-tēv) *n.* רציטאטיב, קטע מדוקלם (המשובץ באופרה)
re·cite' *v.* לספר, לקרוא, לדקלם; למנות; לענות על שאלות המורה

reck *v.* לדאוג, לחשוש, לשים לב
- reck nothing of לא איכפת, בז ל-
reck'less *adj.* פזיז, נמהר; לא איכפתי
reckless driving נהיגה מסוכנת
reck'on *v.* לחשוב, להעריך, לכלול בין; לשער, לסבור; לחשב
- reckon in לכלול, לקחת בחשבון
- reckon on לסמוך על, לבטוח ב-
- reckon up לחשב, לסכם
- reckon with "לטפל" ב-, להיות לו עסק עם; להתחשב ב-
- reckon without לא להביא בחשבון
- to be reckoned with שאין להתעלם ממנו, שיש להביאו בחשבון
reckoner *n.* מְחַשֵׁב, טבלת חישובים
reckoning *n.* חישוב, חישובים; חשבון; חישוב מקום הספינה
- day of reckoning יום הדין
- out in one's reckoning טועה בחשבון
re·claim' *v.* להחזיר למוטב; לדרוש בחזרה; להכשיר (קרקע/חומרים) לשימוש
rec'lama'tion *n.* החזרה למוטב; דרישה, תביעה; הכשרה לשימוש
re·cline' *v.* לשכב, לנוח, להישען; להניח, להשעין
recliner *n.* כיסא מנוחה, כיסא נוח
rec'luse *n.* מתבודד, חי כנזיר
rec'ogni'tion (-ni-) *n.* הכרה; היכר; זיהוי; (שי-) הוקרה
- change out of all recognition להשתנות עד כדי כך שאין להכירו
recognizable *adj.* שניתן להכירו
re·cog'nizance *n.* התחייבות; ערבות
- enter into recognizances לחתום על התחייבות
- on one's own recognizance בלא ערבות; על-פי הבטחתו
rec'ognize' *v.* לזהות; להכיר; להודות
recognized *adj.* מוּכָּר, מאושר
re·coil' *v.* להירתע, לרתוע, לסגת, לקפוץ אחורנית
- recoil on לפעול כבומראנג על
recoil *n.* נסיגה; רתיעה, רתע
rec'ollect' *v.* לזכור, להיזכר ב-
rec'ollec'tion *n.* זכירה, זיכרון
- to the best of my recollection למיטב זיכרוני
re·com'bina'tion *n.* צירוף מחדש (של גֶנים)
rec'ommend' *v.* להמליץ על; להציע, לייעץ; לעשותו חביב/מושך
- recommend to להפקיד בידי
rec'ommenda'tion *n.* המלצה; הצעה; תכונה חיובית, סגולה
re'commit' *v.* להחזיר לוועדה
rec'ompense' *n.* פיצוי, תשלום, תמורה
recompense *v.* לפצות, לשלם, לגמול
reconcilable *adj.* ניתן לפיוס
rec'oncile' *v.* לפייס, לפשר, ליישב; להתאים, למצוא מכנה משותף, לגשר
- reconcile to להשלים עם (מצב)
rec'oncil'ia'tion *n.* פיוס
rec'ondite' *adj.* עמוק, נסתר, ליודעי חן
re'condi'tion (-di-) *v.* לחדש, לשפץ
re·con'naissance (-nəs-) *n.* סיור; סקר

rec'onnoi'ter *v.* לסייר (בשטח אויב)
re'consid'er *v.* לשקול מחדש
re'con'stitute' *v.* להרכיב מחדש; להמס (אבקת חלב)
re'construct' *v.* לבנות שוב; לשחזר
re'construc'tion *n.* שחזור, קימום; תחזורת
re•cord' *v.* לרשום; להקליט; (לגבי מחוון/מדחום) להראות (שיעור)
rec'ord *n.* רשימה, דו"ח; פרוטוקול; שם, רקורד, עבר; עדות; רשומה; שיא; תקליט
- bear record to להעיד על
- beat a record לשבור שיא
- criminal record עבר פלילי
- for the record לידיעת הציבור, באופן רשמי
- get the record straight להעמיד דברים על דיוקם
- go/be on record להודיע בגלוי
- matter of record עובדה ידועה, רשום
- military record עבר צבאי
- off the record שלא לפרסום
- on record רשום, ידוע
- put/place on record לרשום, לכתוב
rec'ord *adj.* של שיא
- a record number מספר שיא
record-breaking *adj.* שובר-שיא
record changer מחלף-תקליטים
recorded delivery דואר רשום
re•cord'er *n.* חלילית; שופט; רשמקול
re•cord'ing *n.* הקלטה
record jacket/sleeve עטיפת תקליט
record library ספריית תקליטים
record player פטיפון, מקול
re•count' *v.* לספר, לתת דו"ח
re'count' *v.* לְמנות מחדש (קולות)
re'count' *n.* ספירה חוזרת
re•coup' (-kōōp') *v.* לקבל חזרה; לְפַצות
re•course' (-kôrs) *n.* עֵזֶר, מִיפלָט
- have recourse to לבקש עזרה מ-, לפנות ל-, להיזקק ל-
re•cov'er (-kuv-) *v.* להשיב, להחזיר לעצמו, לקבל חזרה; להחלים, להתאושש
- recover consciousness לשוב להכרתו
- recover one's strength להתחזק, לשוב לאיתנו
- recover oneself לשלוט בעצמו
re'cov'er (-kuv-) *v.* לכסות מחדש
recoverable *adj.* שאפשר לקבלו בחזרה
recovery *n.* השבה, החזרה; החלמה
- recovery of expenses החזר הוצאות
recovery room חדר התאוששות
rec're•ant *n.* פחדן, בוגד
re'cre•ate' *v.* ליצור מחדש
rec're•ate' *v.* לשעשע; להשתעשע
rec're•a'tion *n.* שעשועים, בילוי
recreational *adj.* משעשע, מבדר
recreation ground מגרש משחקים
recreation room חדר משחקים
re•crim'inate' *v.* להטיח אשמה נגדית
re•crim'ina'tion *n.* האשמה נגדית, החזרת אשמה; הטחת אשמות הדדיות
re•crim'inato'ry *adj.* של אשמה נגדית
re'cru•des'cence (-krōō-) *n.* התפרצות מחדש
re•cruit' (-krōōt) *n.* מגויס, טירון, חבר חדש
recruit *v.* לגייס; להשיג, לצרף (חבר חדש); להקים; להחלים, לשוב לאיתנו
recruitment *n.* גיוס
rec'tal *adj.* של החלחולת, של הרקטום
rec'tan'gle *n.* מלבן
rec•tan'gu•lar *adj.* מלבני
rec'tifica'tion *n.* תיקון; זיקוק חוזר; יישור זרם, רקטיפיקציה
rec'tifi'er *n.* מְתַקֵן; (בחשמל) מיישר
rec'tify' *v.* לתקן; לזקק; ליישר (זרם)
rec'tilin'e•ar *adj.* של קו ישר, בקו ישר; בעל קווים ישרים
rec'titude' *n.* יושר, הגינות, מוסריות
rec'to *adj&n.* ימין-הספר, עמוד ימני
rec'tor *n.* רקטור; נשיא מכללה; כומר קהילה
rectory *n.* בית הכומר
rec'tum *n.* רקטום, חלחולת, פי-הטבעת
re•cum'bent *adj.* שוכב, בתנוחת שכיבה
re•cu'perate' *v.* לשוב/להשיב לאיתנו; להחלים, להבריא, להחליף כוח
re•cu'pera'tion *n.* החלמה, הבראה
re•cu'pera'tive *adj.* של החלמה
re•cur' *v.* לשוב, לחזור ולהישנות, להופיע שוב
- let's recur to your idea הבה נחזור לרעיון שלך
- recurs to his mind עולה בדעתו
recurrence *n.* הישנות; תופעה חוזרת
recurrent *adj.* חוזר (ונשנה); (הוצאות) שוטפות, חוזרות
recurring decimal שבר מחזורי
re•curve' *v.* לכפוף לאחור, לקמר
recurved *adj.* כפוף, מעוקם, קמור
rec'u•sancy (-z-) *n.* מרדנות
rec'u•sant (-z-) *n.* מרדן, לא מציית
re'cy'cle *v.* למחזר
red *adj&n.* אדום; רוסי, קומוניסט; חובה; גרעון, אוברדרפט
- in the red שקוע בחובות, בגירעון
- out of the red נחלץ מהחובות
- paint the town red להתהולל
- red hands ידיים מגואלות בדם
- see red להשתולל מזעם, להתלקח
- turn red להסמיק, להאדים
re•dact' *v.* לערוך, להכין לדפוס
red alert כוננות שיא
red blood cell כדורית דם אדומה
red-blooded *adj.* חזק, גברי, נמרץ
redbreast *n.* אדום-החזה (ציפור)
redbrick *n.* אוניברסיטה (באנגליה)
redcap *n.* סבל-רכבת; שוטר צבאי
red carpet שטיח אדום (לאורח נכבד)
red cent "קליפת השום"
redcoat *n.* (בעבר) חייל בריטי
Red Crescent הסהר האדום
Red Cross הצלב האדום
red'cur'rant *n.* דמדמנית
red'den *v.* להסמיק, להאדים
red'dish *adj.* אדמדם
red duster *דגל אוניות הסוחר
re•dec'orate' *v.* לחדש דקורצית-פנים
re•deem' *v.* לפדות; לגאול; לקיים, לבצע; לְפַצות, לכפר על
- redeem from sin לגאול (נפש) מחטא

- redeem one's honor להחזיר את כבודו
redeemable *adj.* שאפשר לפדותו
Redeemer *n.* ישו הנוצרי
redeeming feature סגולה חיובית (המכפרת על פגמים אחרים)
re·demp′tion *n.* פדיון; גאולה; ישועה; הצלה; קיום; כפרה; פיצוי
- beyond/past redemption ללא תקנה
re·demp′tive *adj.* פודה, של גאולה
red ensign דגל אוניות-הסוחר
re′deploy′ *v.* לפרוס/לארגן מחדש
redeployment *n.* פריסה מחדש, רה-ארגון
red flag דגל המהפכה; המנון השמאל
red-handed *adj.* (נתפס) בעת ביצוע הפשע
redhead *n.* אדום-שיער
red herring דבר שכוונתו להסיח הדעת מהנושא, מסיח דעת
red-hot *adj.* לוהט, נלהב; זועם; חדש, טרי
re′di′al *v.* לחייג שוב
re′did′ = pt of redo
re′diffu′sion (-zhən) *n.* שידור תוכניות במקומות ציבוריים
Red Indian אינדיאני
re′direct′ *v.* לְמָעֵן שוב; לכוון מחדש
re′distrib′ute *v.* לחלק מחדש
red lead תחמוצת עופרת
red-letter day יום חג, יום מאושר
red light אור אדום, נורה אדומה
- saw the red light נדלקה אצלו נורה אדומה, עמד על חומרת המצב
red-light district רובע הזונות
red meat בשר בקר, בשר כבש
redneck *n.* פועל לבן (באמריקה)
re′do′ (-dōō′) *v.* לעשות מחדש, לצבוע מחדש
red′olent *adj.* מדיף ריח, אפוף, מזכיר
- redolent of mystery אפוף מסתורין
re′done′ = pp of redo (-dun′)
re·doub′le (-dub-) *v.* להכפיל; להגביר; להתעצם, להתגבר, לגדול
re·doubt′ (-dout) *n.* ביצור, מעוז
re·doubt′able (-dout-) *adj.* נורא, מפיל אימה
re·dound′ *v.* להגדיל, לתרום, להוסיף
red-pencil *v.* לצנזר; לתקן
red pepper פלפלת, פלפל אדום
re·dress′ *v.* לתקן (עוולה), לְפַצּוֹת
- redress the balance להשיב האיזון
re′dress′ *n.* תיקון, פיצוי
redskin *n.* אינדיאני
red tape ביורוקרטיה, סחבת משרדית
re·duce′ *v.* להקטין, להפחית; לרזות, לרדת במשקל; להפוך; לפרק; לכבוש
- hunger reduced him to stealing הרעב אילצו לגנוב
- reduce 3/9 (to 1/3) לצמצם 3/9
- reduce to להביא לידי; להחליף; לפשט
- reduce to an absurdity לחשוף האבסורד שבו
- reduce to ashes להפוך לאפר
- reduce to tears להביא לידי דמעות
- reduce to writing להעלות על הנייר
- reduced to silence הושתק
reduced circumstances עוני, ירידה מנכסים
re·du′cible *adj.* שניתן להקטינו
re·duc′tio′ ad ab·sur′dum הפרכת הנחה (בהוכחת האבסורד שבה)
re·duc′tion *n.* הקטנה, הפחתה; הנחה; צילום מוקטן, העתק מוקטן
re·dun′dancy *n.* שפע, גודש, עודף; ייתור, פליאונזם; פיטורים
redundancy pay פיצויי פיטורים
re·dun′dant *adj.* שופע; גדוש, עודף, מיותר; יתיר; מיותר, מפוטר
re·du′plicate′ *v.* להכפיל, לחזור על
re·du′plica′tion *n.* הכפלה
redwing *n.* קיכלי (אדום-כנף)
redwood *n.* סֶקוֹיָה; עץ אדום (מחטני)
re·ech′o (-ek-) *v.* לחזור ולהדהד
reed *n.* קנה-סוף, אגמון; לשונית; כלי-נשיפה בעל לשונית
- broken reed משענת קנה רצוץ
- reeds קנים מיובשים (לסכך)
re′ed′ucate′ (-ej′-) *v.* לחנך מחדש
reedy *adj.* זרוע קנים, מלא קנים
- reedy voice קול צייצני, קול דק
reef *n.* שונית, שרטון; קצה המפרש (חלק מתקפל במפרש להקטנת שטחו)
- take in a reef לקצר המפרש, להתקדם בזהירות
reef *v.* לגולל/לקפל חלק המפרש
reef′er *n.* מעיל ימאים; סיגרית חשיש
reef knot קשר מרובע/שטוח/כפול
reek *n.* סרחון, צחנה; עשן
reek *v.* לעשן, לפלוט עשן; להסריח, להדיף צחנה, לעורר רושם של-
- reek with להיות מכוסה/שטוף-
- reeks of corruption אפוף שחיתות
reel *n.* סליל; אשווה; סליל-סרט
- off the reel בשטף, ללא הפסק
reel *v.* לגלגל, לגלול, לכרוך סביב-
- reel off להוציא (חוט מאשווה) בגלגול; לדקלם בשטף, לצטט ברציפות
- reel up למשות (דג) ע"י גלגול סליל-החכה
reel *v.* להתנודד; להסתחרר; להסתובב
reel *n.* ריל (ריקוד סקוטי)
re′elect′ *v.* לבחור שוב (לכהונה שנייה)
re′enact′ *v.* לשחזר; לחוקק מחדש
re′en′try *n.* חזרה (לכדור הארץ)
reeve *n.* ראש מועצה עירונית; (בעבר) שופט מחוזי ראשי
ref = referee, reference, referred
re′face′ *v.* לְצַפּוֹת, לשים שכבה חדשה
re·fash′ion (-fash′ən) *v.* לעצב שוב
re·fec′tion *n.* ארוחה קלה; מזון, משקה
re·fec′tory *n.* חדר-אוכל
re·fer′ *v.* להתייחס; לייחס; לאזכר; לפנות; להפנות; לעיין; להעביר
- refer to drawer נא לפנות למושך, אין כיסוי לשיק
- referring to בהתייחס ל-, בעניין-
ref′erable *adj.* ניתן לייחסו ל-
ref′eree′ *n&v.* שופט; בורר; לשפוט
ref′erence *n.* הערה, התייחסות, אזכור; עיון; מראה-מקום; אפנייה; סימוכין; הפנייה; המלצה; ממליץ
- in/with reference to בקשר ל-

- make reference to להתייחס ל-, לאזכר, להעיר; לעיין, לפנות ל-
- within his terms of reference בתחום הנושא שהוא מטפל/מעיין בו
- without reference to בלי קשר עם
reference book ספר עיון, ספר עזר, ספר יַעַן
reference library ספריית-עיון
reference mark סימן הערה (בספר)
ref'eren'dum *n.* משאל עם
re·fer'ral *n.* הפניה
re'fill' *v.* למלא מחדש
re'fill' *n.* מילוי, מילוי לעט
re·fine' *v.* לזקק, לטהר; לצחצח
- refine upon לשכלל, ללטש; לעלות על
refined *adj.* מזוקק; טהור; מעודן
refinement *n.* זיקוק; עידון; שכלול
- refinements שכלולים, תוספות
refiner *n.* מזקק, מכונת זיקוק
re·fi'nery *n.* בית-זיקוק
re·fit' *v.* לשפץ, להכין להפלגה; לעבור טיפול (לגבי אוניה)
re'fit' *n.* תיקון; שיפוץ, טיפול
re·fla'tion *n.* ביטול הדפלציה, השבת המחיר לרמה רצויה
re·flect' *v.* להחזיר, להטיל חזרה (אור); לשקף, לבטא; להרהר, לחשוב
- reflect credit להוסיף לשמו הטוב, להנחיל לו כבוד
- reflect on לשקול; להטיל דופי
reflecting telescope טלסקופ מחזירור
re·flec'tion *n.* החזרה; בבואה; מחשבה; רעיון, הערה; דופי; אשמה; פגיעה
- cast reflections להטיל דופי
- on reflection לאחר שיקול
re·flec'tive *adj.* שוקל, מעמיק לחשוב
re·flec'tor *n.* רפלקטור, מחזירור, מחזר
reflector stud מחזירור-כביש, עין-חתול
re'flex' *n.* רפלקס, תגובה; החזר
- reflex angle זווית קמורה
re'flex'ive (-siv) *n.* רפלקסיבי, חוזר אל עצמו
reflexive verb פועל חוזר, התפעל
re'float' *v.* להשיט/לשוט מחדש
ref'lu·ent (-lōō-) *adj.* זורם לאחור
re'flux' *n.* זרימה לאחור, שפל
re'foot' *v.* לחדש רגל (הגרב) בסריגה
re·for'est *v.* לייער מחדש
re·for'esta'tion *n.* ייעור מחדש
re·form' *v.* לתקן; לשפר; להשתפר; להחזיר למוטב; לשדד מערכות
re·form' *n.* רפורמה, תיקון, תקנה
re'form' *v.* ליצור מחדש, לגבש מחדש; להסתדר/להיערך מחדש
ref'orma'tion *n.* רפורמציה; שינוי ערכין; תנועת תיקונים דתית
re·for'mative *adj.* מְתַקֵּן
re·for'mato'ry *adj.* מְתַקֵּן
reformatory *n.* מוסד לעבריינים
reformed *adj.* שחזר לדרך הישר, רפורמי
reformer *n.* רפורמטור, מְתַקֵּן
re·form'ist *adj.* רפורמיסטי
Reform Judaism יהדות רפורמית
reform school מוסד לעבריינים
re·fract' *v.* לשבור (קרני אור)
refracting telescope רפרקטור
re·frac'tion *n.* רפרקציה, השתברות, שבירת-אור
re·frac'tory *adj.* עקשן, מרדני; (מחלה) קשת-ריפוי; (מתכת) שקשה להתיכה/לעבדה
refractory brick לבנת-כבשן
re·frain' *v.* להימנע, לעצור עצמו
refrain *n.* חיזורת, פזמון חוזר
re·fresh' *v.* לרענן; להתרענן; לאכול, ללגום
- refresh one's memory לרענן זכרונו
refresher *n.* תוספת, תשלום נוסף לפרקליט; משקה, לגימה
refresher course קורס השתלמות
refreshing *adj.* מרענן, נדיר, מעניין
refreshment *n.* ריענון, אוכל, משקה
refreshment room מזנון
re·frig'erant *n.* (חומר) מקרר
re·frig'erate' *v.* לקרר, להחזיק בקירור; להקפיא
re·frig'era'tion *n.* קירור
re·frig'era'tor *n.* מקרר
re'fu'el *v.* לתדלק
ref'uge *n.* מחסה, מפלט; אי-תנועה
- take refuge למצוא מחסה
ref'u·gee' (-fū-) *n.* פליט
refugee camp מחנה פליטים
re·ful'gence *n.* נוגה, זיו, זוהר
re·ful'gent *adj.* זוהר, קורן, מבריק
re·fund' *v.* לשלם בחזרה, להחזיר הכסף
re'fund' *n.* החזר (של תשלום)
re·fur'bish *v.* לצחצח, ללטש
re·fus'al (-fūz'-) *n.* סירוב, דחייה
- first refusal אופציה, זכות-קדימה, זכות סירוב ראשונה
re·fuse' (-z) *v.* לסרב; לדחות; לסרב לתת, לא להעניק; לסרב לקבל
ref'use *n.* אשפה, זבל
refuse collector פועל ניקיון
refuse dump מזבלה עירונית
re·fuse'nik (-fūz'-) *n.* מסורב-עלייה
re·fu'table *adj.* שאפשר להפריכו
ref'u·ta'tion (-fū-) *n.* הפרכה, סתירה
re·fute' *v.* להפריך, לסתור
re·gain' *v.* לרכוש מחדש; להגיע בשנית
- regain one's footing/balance להתייצב על רגליו (לאחר מעידה)
- regain one's health לשוב לאיתנו
re'gal *adj.* מלכותי, יאה למלך; מפואר
re·gale' *v.* לשמח, להנות, לענג
re·ga'lia *n-pl.* אותות המלכות, סמלי המעמד, סמלי השלטון, מחלצות
re·gard' *n.* כבוד, הוקרה; שימת-לב, התחשבות; מבט
- have regard for להתחשב ב-
- hold in high regard להוקיר מאוד
- in this regard בעניין זה
- in/with regard to בנוגע ל-
- pay regard to להקדיש תשומת לב ל-
- regards איחולים, דרישות שלום
- with kind regards בברכה
regard *v.* להסתכל; להתייחס; להעריך; להקדיש תשומת-לב; לנגוע ל-
- as regards ביחס ל-, אשר ל-
- is regarded מתייחסים אליו (ב-)

- regard him as להתייחס אליו כ-
regardful *adj.* מתחשב, מכבד
regarding *prep.* בנוגע ל-, ביחס ל-
regardless *adj&adv.* לא מתחשב, מתעלם; בלי תשומת-לב; יקרה אשר יקרה
re·gat′ta *n.* מירוץ סירות
re′gency *n.* עֶצֶר, כהונת העוצר
re·gen′erate *adj.* נולד מחדש, מתחדש
re·gen′erate′ *v.* לתקן (במוסריות); להשתפר; להפיח חיים; להתחדש, לצמוח מחדש
re·gen′era′tion *n.* חידוש, תחייה
re′gent *n&adj.* עוֹצֵר, רגנט; חבר-הנהלה
reg′gae (reg′ā) *n.* רגאיי (מוסיקה)
reg′icide′ *n.* הריגת מלך; הורג מלך
regime′ (-zhēm′) *n.* שלטון, משטר
reg′imen *n.* משטר בריאות, תוכנית מסודרת (לאכילה ושינה)
reg′iment *n.* חטיבה; עוצבה; גדוד; להקה
reg′iment′ *v.* לארגן; למשטר; למשמע
reg′imen′tal *adj.* חטיבתי; גדודי
regimentals *n-pl.* מדים, מדי החטיבה
reg′imen·ta′tion *n.* ארגון, משטור
Re·gi′na *n.* מלכה; המדינה
re′gion (-jən) *n.* איזור
- in the region of בסביבות, בערך
- lower regions גיהינום, שאול
regional *adj.* אזורי
reg′ister *n.* רשימה; פינקס; מישלב, מיגבול; וַסָּת, מונה; סגנון, לשון
- cash register קופה רושמת
register *v.* לרשום; להראות, להורות; להביע (בפרצוף); לשלוח בדואר רשום; להירשם; *להרשים, להזיז לו
registered mail/post דואר רשום
registered nurse אחות מוסמכת
reg′istrar′ *n.* רשם
reg′istra′tion *n.* הרשמה; רישום; מירשם
- vehicle registration document רשיון רכב
registration book יומן מכונית
registration number מספר הרישוי
reg′istry *n.* משרד רישום, מרשמה; ארכיב; הרשמה; מירשם
registry office משרד רשם-נישואים
Re′gius professor פרופסור מלכותי
reg′nal *adj.* מלכותי, של שלטון
reg′nant *adj.* מולך; שולט
- queen regnant מלכה (מולכת)
re·gress′ *v.* להיסוג (למצב נחשל)
re·gres′sion *n.* תסוגה, נסיגה, רגרס
re·gres′sive *adj.* רגרסיבי, נסוג
re·gret′ *v&n.* להצטער; להצטער על אובדן-, להיות חסר; להתחרט; צער
- (much) to my regret לצערי (הרב)
- has no regrets אינו מצטער
- it is to be regretted חבל
- regrets צער, התנצלויות (על דחייה)
regretful *adj.* דואב; מביע צער
regrettable *adj.* מצער
regrettably *adv.* למרבה הצער
re′group′ (-gro͞op′) *v.* לערוך/להיערך

מחדש (בקבוצות)
reg′u·lar *adj.* קבוע; רגיל; סדיר; וסית; מוכר, מוסמך, מקובל; סימטרי; *מושלם
- keep regular hours לשמור על שעות קבועות, לנהל אורח חיים סדיר
- regular behavior התנהגות מקובלת
- regular guy *בחור טוב, ברנש חביב
- regular rascal *נבל מושלם
regular *n.* חיל סדיר; לקוח קבוע
regular army צבא סדיר, צבא הקבע
regular clergy נזירים, נזורה
reg′u·lar′ity *n.* קביעות, סדירות
reg′u·lariza′tion *n.* הסדרה
reg′u·larize′ *v.* להסדיר, לתקנן
regularly *adv.* בקביעות, סימטרית
regular verb פועל שלם (שנטיותיו רגילות)
reg′u·late′ *v.* להסדיר, להביא למצב קבוע/תקין, לכוון, לכוונן, לווסת
- regulate a watch לתקן שעון (לבל יפגר/ימהר)
- regulated family משפחה מסודרת
reg′u·la′tion *n&adj.* תקנה, חוק, כלל, תקנון; הסדרה, תיקון, ויסות; תקנוני, רשמי
reg′u·la′tor *n.* רגולטור, וַסָּת
reg′u·lato′ry *adj.* מווסת; של תקנה
reg′u·lo′ *n.* דרגת חום (בתנור)
re·gur′gitate′ *v.* להקיא, להעלות גרה; לזרום בחזרה
re·gur′gita′tion *n.* העלאה בגרה
re′hab′ *n.* *שיקום, טיהור שם
re′habil′itate′ *v.* לשפץ; לשקם; לטהר שמו, להחזירו לתפקידו
re′habil′ita′tion *n.* ריהביליטציה, טיהור שם; שיקום, קימום
re·hash′ *v.* לעבד, להשתמש שנית ב-
re′hash′ *n.* חומר (ספרותי) מעובד
re′hear′ *v.* לשמוע/לדון מחדש
re·hears′al (-hûrs′-) *n.* חזרה, תשנון
re′hearse′ (-hûrs′) *v.* לחזור, להתאמן, לערוך חזרה; לספר, לתאר
re′house′ (-z) *v.* לשכן בבית חדש
Reich (rīk) *n.* רייך, גרמניה
re′ify′ *v.* להמחיש
reign (rān) *n.* (תקופת) שלטון
reign *v.* למלוך; לשלוט; לשרור
reign of terror משטר טרור
re′imburse′ *v.* להחזיר, לשלם בחזרה
reimbursement *n.* החזר (הוצאות)
rein (rān) *n&v.* מושכה, רסן
- draw rein לעצור, להאיט, לרסן
- give (free) rein to להתיר הרסן, לתת פורקן ל-, לקרוא דרור ל-
- keep a tight rein לרסן בתקיפות
- rein back/in/up לרסן, לבלום, להאיט
- rein of government הגה השלטון
- take the reins לאחוז ברסן השלטון
re′incar′nate *v.* להלביש גוף חדש (לנשמה), להתגלגל
re′incar′nate *adj.* מגולגל
re′incar·na′tion *n.* גלגול
rein′deer′ (rān-) *n.* אַיַּל הצפון
re′inforce′ *v.* לחזק; לתגבר
reinforced concrete בטון מזוין
reinforcement *n.* חיזוק; תגבורת

re'instate' *v.* להשיב על כנו, להחזירו (לתפקידו הקודם)
reinstatement *n.* החזרה (כנ"ל)
reinsurance *n.* ביטוח משנה
re'insure' (-shoor') *v.* לבטח בביטוח משנה
re'is'sue (-ish'o͞o) *v&n.* להוציא (לאור) מחדש, להדפיס מחדש; הדפסה חדשה
re·it'erate' *v.* לחזור על, לומר שוב
re·it'era'tion *n.* חזרה, שינון
re·ject' *v.* לדחות; לזרוק; לפסול
re'ject' *n.* פסול-שירות; מוצר פגום
re·jec'tion *n.* דחייה, סירוב, פסילה
rejection slip הודעת דחייה (ממו"ל)
re'jig' *v.* לצייד במיכון חדש
re·joice' *v.* לשמוח; להימלא גיל; לשמח
- rejoices in the name of- שמו-
rejoicing *n.* שמחה; חגיגה, הילולה
re·join' *v.* לענות; להשיב על (אשמה/תביעה); לשוב/להסתפח ליחידתו
re'join' *v.* לחבר מחדש; להתאחד שוב
re·join'der *n.* תשובה, מענה
re·ju'venate' *v.* להשיב נעורים, להצעיר, לרענן
re·ju'vena'tion *n.* חידוש נעורים
re·kin'dle *v.* להצית/להידלק מחדש
re·laid' = p of relay
re·lapse' *v.* להידרדר שוב, לחזור, לשקוע בשנית
re'lapse' *n.* הידרדרות, חזרה
re·late' *v.* לספר; לקשר, למצוא קשר
- relate to להתייחס ל-, לנגוע ל-; לקשר ל-; להסתדר (יפה) עם
related *adj.* קרוב; קרוב-משפחה
re·la'tion *n.* קרוב (-משפחה); יחס, קרבה, קשר, הקשר; סיפור
- bears no relation to לא עומד בשום פרופורציה ל-
- have relations with לקיים יחסים
- in/with relation to בקשר ל-
- out of all relation בלי שום יחס
- relations יחסים, קשרים
relationship *n.* קרבה (משפחתית); קשר
rel'ative *n.* קרוב-משפחה, קרוב
relative *adj.* יחסי, לא-מוחלט; קשור, שייך, נוגע ל-
- relative to באשר ל-; יחסית ל-
relative adverb תואר הזיקה (של פועל הפותח משפט זיקה, כגון:"היכן ש-")
relative clause משפט זיקה
relatively *adv.* באופן יחסי, יחסית
relative pronoun כינוי זיקה
rel'ativism' *n.* רלטיביות, יחסיות
rel'ativ'ity *n.* (תורת ה-) יחסות
re·lax' *v.* להירגע, להיות נינוח; לרפות; להרגיע; להרפות; לשחרר; להתבדר
re'lax·a'tion *n.* רגיעה, נינוחות; הרפייה; שחרור, פורקן; בידור
relaxed *adj.* רגוע, נינוח
relaxing *adj.* מרגיע; (אקלים) מדכא מרץ, גורם לעצלות
re'lay' *n.* משמרת; קבוצת-החלפה; ממסר, תווך; שידור מועבר; מירוץ שליחים
- work by relays לעבוד במשמרות
re'lay' *v.* להעביר (שידור)
re'lay' *v.* להניח (כבל) מחדש
relay race מירוץ שליחים
relay station תחנת שידור
re·lease' *v.* לשחרר; להתיר לפרסום, להוציא לשוק (סרט/תקליט); לפטור
release *n.* שחרור; כתב שחרור; סרט/תקליט חדש; פטור; תמסיר; מַתֵּר
- carriage release מתר-הגרר
- on general release מוקרן בקולנוע
- press release תמסיר (לעיתונות)
rel'egate' *v.* להעביר, למסור; להוריד (בדרגה/לליגה נמוכה)
rel'ega'tion *n.* העברה; הורדה
re·lent' *v.* להתרכך לבו, לגלות רחמים, לפוג עקשנותו; לשכוך
relentless *adj.* אכזרי, קשוח, קשה
rel'evance *n.* רלוואנטיות, שייכות
rel'evancy *n.* רלוואנטיות, שייכות
rel'evant *adj.* רלוואנטי, שייך, נוגע, אירייני, קשור
re·li'abil'ity *n.* מהימנות, אמינות
re·li'able *adj.* מהימן, אמין, מוסמך
re·li'ance *n.* ביטחון, אמון; מִבטָח; הסתמכות
- place reliance on לסמוך על, לבטוח ב-
re·li'ant *adj.* סומך, בוטח ב-
rel'ic *n.* שריד (מהעבר); מזכרת-קודש
- relics עצמות-מת; שיורי-גופה
rel'ict *n&adj.* אלמנה; שריד, לא נכחד
re·lief' (-lēf') *n.* הקלה, הרגעה; שחרור; סעד, עזרה; מחליף, ממלא מקום; הנחה; גיוון
- light relief שינוי/גיוון קליל
- on relief מקבל סעד ממשלתי
- relief of a town שחרור עיר
- sigh of relief אנחת-רווחה
- to my relief נגולה אבן מעל לבי
relief *n.* תבליט, רליף; בהירות
- high relief תבליט עמוק/בולט
- low relief תבליט רדוד/שטוח
- stand out in bold/strong relief לבלוט ברורות
relief fund קרן סעד
relief map מפת-תבליט
relief road כביש צדדי (להקלת עומס)
relief works עבודות דחק
re·lieve' (-lēv') *v.* להקל, להרגיע; להגיש סיוע; להחליף; לחלץ; לשחרר; לגוון
- relieve (him) of לשחרר מ-, להסיר נטל, להקל על; לפטר, לשלח; *לגנוב, לסחוב
- relieve a guard להחליף משמר
- relieve one's feelings להתפרקן
- relieve oneself לעשות את צרכיו
relieved *adj.* רגוע, נושם לרווחה
relieving officer פקיד סעד
re·li'gion (-lij'ən) *n.* דת, אמונה; פולחן; דבר שמקפידים לקיימו; חיי נזירות
re·li'gious (-lij'əs) *adj&n.* דתי, אדוק; קפדן, מחמיר; נזיר, נזירים
- religious care הקפדה יתירה
- religious council מועצה דתית
religious house מנזר
religious liberty חופש הדת
religiously *adv.* בדביקות, ברצינות

re′line′ *v.* לבטן בבטנה חדשה
re·lin′quish *v.* לוותר על, לנטוש; להרפות מן
rel′iquar′y (-kweri) *n.* ארגז שרידים, כלי למזכרות-קודש
rel′ish *n.* עונג, הנאה; טעם מיוחד; תבלין, מחמצים, נותן טעם
- has no relish for לא נהנה, לא מתלהב מ-
relish *v.* ליהנות, להתענג על
re′live′ (-liv) *v.* לחיות מחדש; לחוות שנית
re′load′ *v.* לטעון (רובה) מחדש
re·lo′cate *v.* להקים במקום חדש, לעקור ל-, לעבור ל-
re′lo·ca′tion *n.* עקירה, פינוי
re·luc′tance *n.* אי-רצון, אי-נטייה
re·luc′tant *adj.* לא רוצה, לא מתלהב
reluctantly *adv.* באי-רצון; לדאבוני
re·ly′ *v.* לסמוך על-
- rely on לסמוך על, לבטוח ב-
re′made′ = p of remake
re·main′ *v.* להישאר
- it remains to be seen נחיה ונראה
re·main′der *n.* שארית, יתרה
- the remainder השאר, היתר
remainder *v.* למכור (שאריות) בזול
remains *n-pl.* שיירים, שרידים; הריסות, חורבה; גופה, עצמות-מת
re′make′ *v.* לעשות מחדש, להפיק שוב
re′make′ *n.* עשייה מחדש, הפקה חוזרת
re·mand′ *v&n.* להחזיק במעצר (עד תום ההליכים); המשך המעצר
remand center בית מעצר
remand home בית-מעצר
re·mark′ *v&n.* להעיר, לומר; להבחין, לראות; הערה; הבחנה, תשומת-לב
- can't escape remark ניכר, בולט
- pass a remark להשמיע הערה
- remark on להעיר על, לדבר על
- worthy of remark ראוי לתשומת-לב
remarkable *adj.* מצוין, נפלא; לא-רגיל
re′mar′ry *v.* להתחתן שוב
re·me′diable *adj.* רפיא; בר-תיקון
re·me′dial *adj.* רפואי, מְרַפֵּא; של פיצויים; של חינוך מיוחד, מְתַקֵּן
rem′edy *n.* תרופה, רפואה; תיקון, תקנה; פיצוי, סעד
- beyond remedy ללא תקנה, חסר-מרפא
- evil past remedy רעה חולה
remedy *v.* לתקן, למצוא תקנה ל-
re·mem′ber *v.* לזכור; לתת שי/תשר
- remember her in one's will להזכירה בצוואתו
- remember him in one's prayers להתפלל בעבורו
- remember me to her מסור לה ד"ש
re·mem′brance *n.* זיכרון; מזכרת
- in remembrance of לזכר
- remembrances ברכות, ד"ש
Remembrance Day יום הזיכרון
re′mil′itariza′tion *n.* חימוש מחדש
re′mil′itarize′ *v.* לחמש מחדש, לבצר מחדש
re·mind′ (-mīnd) *v.* להזכיר
- he reminds me of- הוא מזכיר לי, הוא דומה ל-
reminder *n.* תזכורת
rem′inisce′ (-nis) *v.* להעלות זכרונות, להחליף חוויות מן העבר
reminiscence *n.* זיכרון; היזכרות
- reminiscences זיכרונות
reminiscent *adj.* מזכיר, דומה ל-; זוכר, נזכר; מפליג בזכרונות העבר
re·mise′ (-z) *v.* לוותר על תביעה
re·miss′ *adj.* רשלני, מזניח, לא אחראי
re·mis′sible *adj.* בר-מחילה
re·mis′sion *n.* מחילה; ויתור; הפוגה; הקלה; פטור; שחרור; הפחתת מאסר
re·mit′ *v.* למחול; לשלוח, להעביר; לפטור, לשחרר; להפסיק זמנית; להפחית
- kindly remit הואל-נא לשלוח
- remit a debt למחול על חוב
- remit efforts להפחית מאמצים
- remit to להעביר (תיק לבי"ד)
remit *n.* ביטול; הקלה; סמכות ועדה
re·mit′tal *n.* מחילה; ויתור; פטור
re·mit′tance *n.* העברת כסף; תשלום
re·mit′tent *adj.* מרפה, שוכך זמנית
rem′nant *n.* שיור, שארית, שריד
remnant sale מכירת שאריות בד
re′mod′el *v.* לעצב מחדש
re′mold′ (-mōld) *v.* לעצב מחדש
re·mon′strance *n.* מחאה, תוכחה
re·mon′strate *v.* למחות, להוכיח
re·morse′ *n.* חרטה, צער, מוסר-כליות
- without remorse בלי רחמנות
remorseful *adj.* אכול חרטה
remorseless *adj.* אכזרי, נטול-מצפון
re·mote′ *adj.* רחוק; נידח; מתבדל, שומר על מרחק
- has not the remotest idea אין לו כל מושג
- remote chance סיכוי קלוש/דל
remote control פיקוח מרחוק; שלט-רחוק
remotely *adv.* במידה מועטה; מרחוק
- not remotely לגמרי לא
- remotely related קרוב (משפחה) רחוק
re·mould′ (-mōld) *v.* לעצב מחדש
re′mount′ *v.* לעלות שנית; לרכוב שוב; לספק סוסים רעננים; למסגר מחדש
re′mount′ *n.* סוס רענן; אספקת סוסים
removable *adj.* שניתן לסלקו
re·mov′al (-mōōv′-) *n.* הורדה, הסרה; סילוק; פיטורים; העברת דירה
removal van משאית-העברה
re·move′ (-mōōv′) *v.* להוריד, להסיר; לסלק; להעביר; להוציא; לפטר; לחסל; לעבור דירה
- remove one's shoes לחלוץ נעליו
remove *n.* דרגה, שלב; עלייה לכיתה
- only one remove from- כפשע בינו ובין-
removed *adj.* רחוק; מרוחק בדור
- first cousin once removed בן דודן
- twice removed ראשון בשלישי
remover *n.* מעביר רהיטים; מסיר
- paint remover מסיר כתמי-צבע
re·mu′nerate′ *v.* לשלם; לְפַצּוֹת
re·mu′nera′tion *n.* תשלום; פיצוי
re·mu′nera′tive *adj.* משתלם, רווחי
ren′aissance′ (-nəsäns′) *n.* תחייה;

רנסאנס
re′nal *adj.* של (איזור) הכליות
re·name′ *v.* לתת שם חדש
re·nas′cence *n.* תחייה, רנסאנס
re·nas′cent *adj.* נולד מחדש, מחודש
rend *v.* לקרוע; לתלוש בכוח; להיקרע
- a cry rent the air זעקה פילחה האוויר
ren′der *v.* לעשות, להפוך, להביא למצב;
לבצע; לתת, למסור, לגמול; לטייח
- account rendered חשבון שהוגש
- render an account לשלוח חשבון
- render down להמס ולזכך (שומן)
- render helpless להותיר חסר-אונים
- render into לתרגם ל-
- render thanks להודות (לה')
- render up למסור, להסגיר
rendering *n.* (אופן) ביצוע; תרגום
rendezvous (rän′dəvo͞o′) *n&v.* פגישה,
מקום מפגש, קביעת פגישה; להיפגש
ren·di′tion (-di-) *n.* (אופן) ביצוע,
תרגום
ren′egade *n&v.* בוגד, מומר; עריק;
להמיר דת; לערוק
re·nege′ (-g) *v.* להפר הבטחה, להתכחש;
(בקלפים) להפר הכללים
renegue = renege
re·new′ (-no͞o′) *v.* לחדש; לחזור שוב על;
להתחדש
renewable *adj.* בר-חידוש, ניתן לחידוש
renewal *n.* חידוש
ren′net *n.* מסו (חומר המקריש את
חלבון-החלב)
re·nounce′ *v.* לוותר על; להתנכר,
להתכחש ל-; לנטוש; לנער חוצנו מן
- renounce the world לפרוש מהבלי
העולם הזה, לחיות כנזיר
ren′ovate′ *v.* לשפץ, לחדש
ren′ova′tion *n.* שיפוץ, חידוש
re·nown′ *n.* מוניטין, שם טוב, פרסום
renowned *adj.* מפורסם
rent *n.* שכר דירה; דמי שכירות; רנטה,
מלוג; קֶרַע
- for rent להשכרה
- free of rent ללא שכ"ד, חינם
rent *v.* לשכור; להשכיר; לחכור; להחכיר
- rent at $100 להישכר תמורת 100 דולר
- rent out להשכיר
rent = p of rend
rentable *adj.* בר-השכרה, בר-שכירות
rent-a-crowd *שכירת קהל
rent′al *n.* (הכנסה מ-) דמי שכירות
rent boy זונה ממין זכר
rent-collector *n.* גובה דמי-שכירות
rent control תקנת שכירות
rent-controlled *adj.* בשכ"ד מוגן
renter *n.* שוכר, משכיר (סרטים)
rent-free *adj.* פטור משכר-דירה
rentier (ron′tyā) *n.* בעל השקעות,
מתקיים מהשכרת דירות, לא עובד
rent roll רשימת חייבי שכירות
rent strike סירוב לשלם שכ"ד
re·nun′cia′tion *n.* ויתור, התנכרות,
התכחשות; נטישה; פרישות
re·o′pen *v.* לפתוח מחדש; להיפתח שנית
re·or′ganiza′tion *n.* ריאורגניזציה,
שרגון, רה-ארגון

re·or′ganize′ *v.* לארגן/להתארגן מחדש,
לשרגן; לערוך/להיערך מחדש
re·or′ient *v.* לכוון מחדש
rep, repp *n.* רפ, אריג-ריפוד
rep = repertory, republican
rep = reprobate *n.* *רשע, מופקר
re·paid′ = p of repay
re′paint′ *n.* צביעה מחדש
re·paint′ *v.* לצבוע מחדש
re·pair′ *v.* לתקן; להיות בר-תיקון
- repair to ללכת ל-, לבקר, לנהור אל
repair *n.* תיקון
- in good/bad repair במצב (לא) תקין
- under repair בתיקון
re·pair′able *adj.* ניתן לתיקון
re·pair′er *n.* מְתַקֵּן
rep′arable *adj.* ניתן לתיקון
rep′ara′tion *n.* פיצוי; תיקון, שיפוץ
- reparations שילומים
rep′artee′ *n.* תשובה שנונה, מענה מהיר;
צחצוח-מלים מבדח
re·past′ *n.* ארוחה, סעודה
re·pa′triate′ *v.* להחזיר למולדתו
re·pa′tria′tion *n.* חזרה לארץ-מולדת
re·pay′ *v.* להחזיר, לשלם בחזרה, לפרוע,
לגמול
repayable *adj.* שיש לפרעו, שניתן
להחזירו, בר-סילוק
repayment *n.* החזר, פרעון, גמול
re·peal′ *v&n.* לבטל (חוק); ביטול
re·peat′ *v.* לחזור (על); לחזור ולומר;
לגלות; לדקלם; להשאיר טעם בפה
- not bear repeating (ניבול פה) שאין
להעלותו על השפתיים
- repeat a year להישאר שנה (בכיתה)
- repeat an article לספק שנית מצרך
- repeat itself לחזור על עצמו
- repeat oneself לעשות (זאת) שוב
- the figures 52 repeat הספרות 52
חוזרות (בשבר מחזורי)
repeat *n.* חזרה, שידור חוזר; ביצוע חוזר;
(במוסיקה) סימן חזרה
- repeat order הזמנה חוזרת (דומה)
repeated *adj.* נשנה, חוזר
repeatedly *adv.* תכופות, שוב ושוב
repeater *n.* רובה אוטומאטי/מִיטָעֵן;
מהדר (טלפוני)
repeating clock אורלוגין מצלצל
repeat order הזמנה חוזרת
re·pel′ *v.* להדוף; לדחות; להגעיל
re·pel′lent *adj&n.* דוחה, מעורר
שאט-נפש; אטים; חומר דוחה (יתושים)
- water repellent אטים-מים
re·pent′ *v.* להתחרט, להימלא חרטה
repentance *n.* חרטה, צער
repentant *adj.* מתחרט, בעל תשובה
re′percus′sion *n.* הד; תהודה, גלים;
תגובות; רתיעה, הטלה לאחור
rep′ertoire′ (-twär) *n.* רפרטואר
rep′erto′ry *n.* רפרטואר, מלאי, אוסף;
מבחר; אוצר בלום
repertory theater תיאטרון בעל
רפרטואר (של הצגות)
rep′eti′tion (-ti-) *n.* חזרה, הישנות;
שינון על-פה; קטע ללימוד
rep′eti′tious (-tish′əs) *adj.* חוזר,

- represent to לומר, להציג בפני-
re·pre·sent′ (-z-) *v.* להציג שנית
rep′re·sen·ta′tion (-z-) *n.* ייצוג; תיאור; הצגה, משחק, ביצוע; נציגות; מצג
- make representations להגיש מחאה
representational *adj.* (ציור) תיאורי
rep′re·sen′tative (-z-) *adj.* ייצוגי; מייצג; טיפוסי; יציג
representative *n.* נציג, נבחר; בא-כוח; דוגמה
- house of representatives בית הנבחרים
representative government ממשלה נבחרת
re·press′ *v.* לדכא (התקוממות); להדחיק; לרסן; לכבוש (יצר)
repressed *adj.* מדוכא; מודחק
re·pres′sion *n.* דיכוי, רדיפות; הדחקה
re·pres′sive *adj.* מדכא; תקיף, נוגש
re·prieve′ (-rēv′) *n.* דחייה (של הוצאה להורג); המתקה; פסק-זמן
reprieve *v.* לדחות; להמתיק; להקל
rep′rimand′ *v.* לנזוף; להוכיח
reprimand *n.* נזיפה רשמית; תוכחה
re′print′ *v.* להדפיס/להידפס שוב
re′print′ *n.* הדפסה חדשה
re·pri′sal (-z-) *n.* פעולת תגמול
re·prise′ (-rēz′) *n.* רפריזה, שנאי
re·proach′ *v&n.* להאשים, לנזוף, לגנות, להוכיח; האשמה; גערה; תוכחה; חרפה
- above/beyond reproach ללא דופי
- reproach oneself להאשים עצמו, להצטער, להתחרט
reproachful *adj.* מאשים, מוכיח
rep′robate′ *v&n&adj.* לגנות בכל פה; להתייחס בשלילה; מופקר, מושחת
rep′roba′tion *n.* גינוי; הסתייגות
re·proc′ess′ *v.* לעבד מחדש
re′produce′ *v.* להוליד; להתרבות; ליצור/להצמיח מחדש; לשחזר; לשעתק; להעתיק; לראות/להשמיע שוב
reproducer *n.* מוליד; משעתק
re′produ′cible *adj.* בר-העתקה
re′produc′tion *n.* הולדה; רבייה; העתקה, רפרודוקציה, שעתוק; שחזור
re′produc′tive *adj.* של העתקה, של שחזור; של רבייה
reproductive organs איברי-המין
re·proof′ (-ro͞of′) *n.* גערה, גינוי, תוכחה
re′proof′ (-ro͞of′) *v.* לחסן שנית, לאטם מחדש
re·prove′ (-pro͞ov′) *v.* לגעור, להוכיח
reproving *adj.* גוער, מגנה, מוכיח
rep′tile (-til) *n.* זוחל
rep·til′ian *adj&n.* של זוחל, דומה לזוחל, כמו צב/לטאה; זוחל
re·pub′lic *n.* רפובליקה, קהילייה
- republic of letters עולם הסופרים
re·pub′lican *adj&n.* רפובליקני
republicanism *n.* רפובליקניות
re·pu′diate′ *v.* להתכחש, להתכנר, לנער חוצנו מ-; לדחות; להכחיש; לסרב להכיר
- repudiate a debt להשתמט מחוב
- repudiate a son לנער חוצנו מבנו
- repudiate an offer לדחות הצעה

משעמם, נשנה
re·pet′itive *adj.* חוזר, משעמם, נשנה
re·phrase′ (-z) *v.* לנסח שוב
re·pine′ *v.* להתלונן, לרטון, לרגון
re·place′ *v.* להחזיר למקומו; למלא מקום-, לבוא במקום-, להחליף
replaceable *adj.* שניתן להחליפו, חליף
replacement *n.* החזרה למקום; החלפה; תחליף; ממלא מקום
re·plant′ *v.* לשנטע, לנטוע מחדש
re′plan·ta′tion *n.* נטיעה מחדש
re′play′ *v.* לערוך משחק חוזר; לנגן שנית
re′play′ *n.* מישחק חוזר; הקרנה חוזרת; הילוך חוזר; השמעה חוזרת
re·plen′ish *v.* לחדש המלאי, למלא שנית
replenishment *n.* חידוש המלאי
re·plete′ *adj.* מלא, גדוש, דחוס; שָׂבֵעַ
re·ple′tion *n.* מלאות; שובע
re·plev′in *n.* שחרור סחורה מעוקלת
rep′lica *n.* העתק, רפליקה, רפרודוקציה
rep′licate′ *v.* לחזור על; לעשות העתק
rep′lica′tion *n.* תשובה; הד; רפרודוקציה, שיעתוק, שיכפול
re·ply′ *v&n.* לענות, להשיב; תשובה
- reply for לענות בשם
reply-paid *adj.* דמי-תשובה שולמו
re·point′ *v.* לטייח שנית
re·port′ *n.* דו"ח, דיווח; כתבה, ידיעה; תעודה; שמועה, רכילות; קול-נפץ
- of evil report ידוע לשמצה
- of good report בעל שם טוב
- report has it אומרים ש-
report *v.* להודיע; לדווח; לכתוב (בעיתון); לרשום; להתלונן על; להתייצב
- it is reported that נמסר ש-
- report (oneself) to להתייצב בפני
- report back לדווח, להחזיר דיווח
- report for work להתייצב לעבודה
- report progress לדווח על התקדמות העניינים
re·port′age *n.* דיווח; רפורטאז'ה, כתבה; כתיבה עיתונאית
report card תעודה (מבית-ספר)
reportedly *adv.* כפי שנמסר
reported speech דיבור עקיף
reporter *n.* כַּתָּב, עיתונאי; רשמן
re·pose′ (-z) *v.* לנוח, לשכב; להניח; להשעין; לנוח (בקבר), להיטמן
- repose in לשים (מבטחו) ב-, להשליך יהבו על, לתלות תקוותו ב-
- repose on להסתמך/להתבסס על
repose *n.* מנוחה, שינה; רגיעה; שלווה
reposeful *adj.* שָׁקֵט, שליו
re·pos′ito′ry (-z-) *n.* מחסן, מאגר, בית-קיבול; איש-סוד; קבר
re′possess′ (-zes) *v.* להחזיר לרשותו; לרכוש מחדש
re′pot′ *v.* להעביר לעציץ אחר
rep′re·hend′ *v.* לנזוף ב-, לגנות
rep′re·hen′sible *adj.* ראוי לגינוי
rep′re·hen′sion *n.* נזיפה, גינוי
rep′re·sent′ (-z-) *v.* לייצג; לסמל; לתאר; להציג
- represent Othello לגלם את אותלו
- represent oneself להציג עצמו; להתחזות

re·pu'dia'tion *n.* התכחשות, שלילת כל קשר, התנערות; דחייה; הכחשה
re·pug'nance *n.* שאט-נפש; התנגדות
re·pug'nant *adj.* דוחה, מעורר גועל
re·pulse' *v.* להדוף; לדחות, לסרב
repulse *n.* הדיפה; דחייה, סירוב
re·pul'sion *n.* שאט-נפש; דחייה
re·pul'sive *adj.* דוחה
rep'u·table *adj.* מכובד; בעל מוניטין
rep'u·ta'tion *n.* שם, מוניטין, כבוד, פירסום
- live up to one's reputation לחיות הלכה למעשה ברמה (הגבוהה) שמצפים ממנו
- of bad reputation ידוע לשמצה
re·pute' *n&v.* שם, מוניטין, תהילה
- I know him by repute שמעתי עליו
- he is reputed as הוא ידוע כ-
- of repute שמו הולך לפניו
reputed *adj.* ידוע כ-, מפורסם, נחשב ל-
- reputed wife ידועה בציבור
reputedly *adv.* כפי שאומרים
re·quest' *n.* בקשה, משאלה, דרישה
- at his request לפי בקשתו
- by request לפי בקשה (מיוחדת)
- grant his request למלא בקשתו
- in request מבוקש, פופולארי
- on request לפי בקשה, עם הבקשה
request *v.* לבקש, לדרוש
request stop תחנה (שהאוטובוס עוצר בה לפי בקשה/איתות ביד)
req'uiem *n.* רקוויאם, תפילת אשכבה
re·quire' *v.* לדרוש, לתבוע; להיות זקוק ל-, להצריך, לחייב
requirement *n.* דרישה, צורך
- meet his requirements לעשות כדרישתו; לענות על צרכיו
req'uisite (-zit) *adj&n.* נחוץ, דרוש; צורך, חפץ דרוש, אביזר, תקשיט
req'uisi'tion (-zi-) *n&v.* דרישה; צו-החרמה, עיקול; לדרוש; להחרים
- in/under requisition דרוש, נחוץ
re·qui'tal *n.* גמול, החזרה, נקמה
- in requital of תמורת-
re·quite' *v.* לגמול, להחזיר, לנקום
re·read' *v.* לקרוא שוב
rer'edos' *n.* קיר מעוטר (מאחורי מזבח-הכנסייה)
re-·route' (-rōōt') *v.* לשלוח בנתיב אחר
re·run' *v.* להציג שנית, להקרין שוב
re'run' *n.* הצגה חוזרת, הקרנה חוזרת
re·sat' = p of resit
re·sched'ule (-skej'ool) *v.* לשנות את לוח הזמנים; לתכנן מחדש
re·scind' *v.* לבטל
re·scis'sion (-zhən) *n.* ביטול
re'script' *n.* צו, פקודה; פסיקת-האפיפיור
res'cue (-kū) *v&n.* להציל; הצלה
- come to his rescue לבוא לעזרתו
rescuer *n.* מציל, משחרר
re·search' (-sûrch') *n&v.* מחקר, חקירה; לערוך מחקר של, לחקור
research and development מחקר ופיתוח, מו"פ
researcher *n.* חוקר, תחקירן
research work עבודת מחקר
re'seat' *v.* לספק מושב חדש; להטליא אחורי המכנסיים; להושיב (עצמו) מחדש
re·sect' *v.* לחתוך, לקצץ
re·sell' *v.* למכור שוב (לאחר קנייה)
re·sem'blance (-z-) *n.* דימיון
re·sem'ble (-z-) *v.* להיות דומה ל-
re·sent' (-z-) *v.* להתרעם, להתמרמר
resentful *adj.* כועס, מתרעם, נעלב
resentment *n.* כעס, תרעומת, עלבון
res'erva'tion (-z-) *n.* הסתייגות; שמורה; הזמנת מקום מראש; סידורים; שמירה
- Indian reservation שמורת-אינדיאנים
- Reservation of the Sacrament הפרשה מלחם-הקודש
- central reservation שטח הפרדה (בכביש), רצועה מכוסה דשא
- without reservation ללא סייג
re·serve' (-z-) *v.* לשמור; להזמין מראש; להניח בצד, להפריש
- reserve judgment לדחות פסק-דין
reserve *n.* רזרבה, מלאי; מילואים; שמורה; איפוק, שתקנות; שחקן מילואים
- gold reserve רזרבות הזהב
- hold in reserve לשמור לעת הצורך
- nature reserve שמורת-טבע
- reserve price מחיר מינימום
- reserves חיל מילואים, עתודות
- without reserve בלי הסתייגות; כליל, ללא סייג; בלא להעלים דבר
reserved *adj.* מאופק, עצור, שתקני; שמור
- all rights reserved כל הזכויות שמורות
- reserved seat מקום/מושב שמור
reser'vist (-z-) *n.* איש-מילואים
res'ervoir' (-zərvär) *n.* בריכה, מאגר; כלי קיבול, מכל; מלאי, אוצר
re'set' *v.* לאפס, להתחיל מחדש; להחזיר/לשבץ/לקבוע שוב במקומו; לסדר שנית; להשחיז מחדש
re'set' *n.* החזרה, סידור מחדש
re·set'tle *v.* ליישב/להתנחל מחדש
resettlement *n.* התיישבות חדשה
re·shape' *v.* לעצב מחדש
re·ship' *v.* לשגר שוב (מישלוח)
re'shuf'fle *v&n.* לטרוף (הקלפים) מחדש; לעשות חילופי-גברי; חלוקה מחדש
re·side' (-z-) *v.* לגור, לדור, לחיות
- reside with/in להימצא בידי-, להיות נתון בידי-
res'idence (-z-) *n.* מגורים; בית
- in residence דר במקום (במכללה)
- take up residence להשתקע (בדירה)
res'idency (-z-) *n.* בית-הנציב; בית, מגורים; תקופת התמחות (של רופא)
res'ident (-z-) *n&adj.* רופא הגר בבי"ח; סוכן זר; תושב; דר במקום; נציב; מקומי
res'iden'tial (-z-) *adj.* של מגורים
residential qualification ישיבה במקום (תנאי שהמצביע בבחירות חייב למלא)
re·sid'ual (-zij'ōōəl) *adj&n.* נשאר, נותר

re·sid′uar′y (-zij′ōōeri) *adj.* של שארית, של עודף
residuary legatee יורש השארית
res′idue (-zidōō) *n.* שארית; משקע; שארית העיזבון
re·sign′ (-zīn′) *v.* להתפטר, לוותר על; להיכנע
- resign him to- להפקידו בידי-
- resign oneself to לסבול בדומייה, להשלים עם (מר גורלו); להפקיד רוחו בידי-
res′igna′tion (-z-) *n.* (מכתב) התפטרות; ויתור; השלמה, הכנעה
resigned *adj.* משלים, סובל בדומייה
re·sil′ience (-z-) *n.* גמישות; עליזות
re·sil′iency (-z-) *n.* גמישות; עליזות
re·sil′ient (-z-) *adj.* גמיש, חוזר לצורתו המקורית; עליז, מתאושש מהר
res′in (-z-) *n.* שְׂרָף
res′ina′ted (-z-) *adj.* מעורבב בשרף
res′inous (-z-) *adj.* דומה לשרף
re·sist′ (-zist) *v.* להתנגד; לעמוד בפני; להימנע, להתאפק, לוותר על
- can't resist לא יכול להימנע מ-
resistance *n.* התנגדות; מחתרת
- line of least resistance קו-פעולה המעורר התנגדות מעטה, הדרך הקלה ביותר
resistance movement תנועת התנגדות
resistant *adj.* מתנגד; חסין
resister *n.* מתנגד
resistible *adj.* שניתן לעמוד בפניו
resistless *adj.* שאין לעמוד בפניו
resistor *n.* (בחשמל) נַגָד
re′sit′ *v.* להיבחן שוב
re′sit′ *n.* בחינה נוספת, מועד ב׳
re·sold′ = p of resell (-sōld′)
re′sole′ *v.* להתקין סוליה חדשה
res′olute′ (-z-) *adj.* החלטי, תקיף
res′olu′tion (-z-) *n.* החלטיות, תקיפות; החלטה; פתרון, הסדרה; הפרדה, התפרקות; רזולוציה
- New Year resolution נדר ה-1 בינואר (שאדם נודר)
- good resolutions החלטות לעשות מעשים טובים
- resolution of doubts הסרת ספקות
re·solv′able (-z-) *adj.* פריק; פתיר
re·solve′ (-z-) *v.* להחליט; לגמור אומר; לפתור, להסדיר, ליישב; להפיג
- resolve into להפריד; להתפרק ל-
- resolve light להפריד אור (במינסרה)
- resolved that הוחלט ש-
resolve *n.* החלטיות; החלטה נחושה
res′onance (-z-) *n.* תהודה, רזונאנס
res′onant (-z-) *adj.* מהדהד, מצלצל, מלא
res′onate′ (-z-) *v.* לתהד, ליצור תהודה
resonator *n.* מהוד, מגביר תהודה, הֲדָן
re·sort′ (-z-) *n.* מקום-ביקור; מקום נופש; שימוש, הזדקקות; מפלט, פנייה ל-
- as a last resort כאמצעי אחרון
- have resort to להשתמש ב-, לנקוט שיטה של, להזדקק ל-
- resort to force שימוש בכוח
resort *v.* להשתמש ב-, לפנות ל-; לנקוט שיטה של; לבקר, להיכנס, ללכת
- resort to lying להיאחז בשקרים
re·sound′ (-z-) *v.* להדהד, לצלצל; להתפשט, להינשא בפי כל
resounding *adj.* מהדהד; (הצלחה) כבירה
re·source′ (-sôrs) *n.* אמצעי, מיפלט, בידור, מקור-נחמה; תושייה, יכולת
- as a last resource כאמצעי אחרון
- inner resources כוחות פנימיים
- leave him to his own resources להניחו לבלות זמנו כאוות-נפשו
- resources משאבים, עושר, מקורות, אוצרות, עתודות
resourceful *adj.* רב-תושייה
re·spect′ *n.* כבוד; הוקרה; תשומת-לב, התחשבות; נקודה, יחס, פרט; פָּן, היבט
- in all respects מכל הבחינות
- in respect of מבחינת-, בנוגע ל-; בתמורה, כתשלום
- in respect to מבחינת-, בנוגע ל-
- in some respect מכמה בחינות
- pay one's last respects להשתתף בהלוויה/בטקס קבורה
- pay one's respects לערוך ביקור
- pay respect להקדיש תשומת-לב
- send him my respects דרוש בשלומו
- show respect for לכבד, לחלוק כבוד
- with respect to בקשר ל-, בעניין
- without respect to בלי להתחשב ב-
respect *v.* לכבד, לחלוק כבוד
- respects himself בעל כבוד עצמי
re·spec′tabil′ity *n.* מכובדות, כבוד; דבר המכבד את בעליו
re·spec′table *adj.* מכובד, הגון; ראוי להערכה; נאה, די הרבה
- respectable income הכנסה נאה
respecter *n.* מכבד, חולק כבוד
respectful *adj.* רוחש כבוד
- yours respectfully שלך, בכבוד רב
respecting *prep.* בנוגע ל-, בעניין-
re·spec′tive *adj.* שלו, המתאים לו, השייך לו, המיוחד לו
respectively *adv.* בהתאמה, לפי הסדר הנ״ל
res′pira′tion *n.* נשימה; הנשמה
- artificial respiration הנשמה מלאכותית
res′pira′tor *n.* מסכת-גז; מנשמה
res′pirator′y *adj.* של הנשימה
respiratory system מערכת הנשימה
re·spire′ *v.* לנשום, לשאוף ולנשוף
res′pite (-pit) *n&v.* הפוגה, הפסקה, מנוחה; דחייה; להעניק ארכה
re·splen′dence *n.* זוֹהַר
re·splen′dency *n.* זוֹהַר
re·splen′dent *adj.* זוֹהֵר, זורח; מצוחצח
re·spond′ *v.* לענות, להשיב; להגיב
re·spon′dent *n.* נתבע; משיב
respondent liability אחריות שילוחית
re·sponse′ *n.* תשובה; תגובה; היענות
- in response to בתשובה ל-
re·spon′sibil′ity *n.* אחריות
- on one's own responsibility על אחריותו, על דעת עצמו, מבלי שיתבקש
re·spon′sible *adj.* אחראי; רב-אחריות

responsible criticism ביקורת מתונה
responsible to him אחראי כלפיו
re·spon'sion *n.* מבחן ראשון לב"א
re·spon'sive *adj.* נענה מהר, עונה בחום/בהבנה, מגיב בחיוב
rest *n.* מנוחה, נופש; הפסקה; משען, מסעד; דמימה; הפסק, שהי; מקום נופש
at rest במנוחה; שליו; מת
come to rest לעצור, להיעצר
lay to rest לקבור, לטמון גופו
parade rest עמידת נוח (של מיסדר)
set his fears/mind at rest להרגיעו, לסלק חששותיו
rest *v.* לנוח, לפוש; לשכב; לתת/להמציא מנוחה; להניח, להשעין; לסיים; לעצור; להישאר
- I'll not rest לא אנוח ולא אשקוט
- his eyes rested on מבטו נפל על
- it rests with him to זה תלוי בו, הדבר בידיו, הוא אחראי ל-
- rest a case לסיים טיעונים (במשפט)
- rest against להשעין/להישען על
- rest assured הֱיֵה בטוח ש-
- rest in peace ינוח בשלום על משכבו
- rest on one's oars לפוש מעבודה
- rest on/upon להתבסס על, להישען על; להיות תלוי ב-; להיות פרוש/מוטל על
- the field rests השדה בשנת שמיטה
rest *n.* השאר, השארית, העודף
- for the rest ובנוגע לשאר
re'stage' *v.* להעלות (מחזה) מחדש
re'start' *v.* להתחיל מחדש
re'state' *v.* לומר שוב, לנסח מחדש
restatement *n.* הודעה נוספת
res'taurant (-tər-) *n.* מסעדה
restaurant car קרון-מזנון
res'taurateur' (-tərətûr') *n.* בעל מסעדה
rest center מרכז נופש
rest cure ריפוי במנוחה
restful *adj.* שקט, מרגיע, נינוח
rest home בית מרגוע, בית החלמה; בית אבות
rest house אכסניית נוסעים
resting place קבר
res'titu'tion *n.* השבה, החזרה; פיצוי; הישבון
res'tive *adj.* עצבני, לא שקט; לא מציית, סורר, מרדני
restless *adj.* לא-שקט, עצבני; קצר-רוח
re'stock' *v.* לספק מלאי חדש
res'tora'tion *n.* החזרה, השבה; בינוי, חידוש, שיקום, קימום; דגם משוחזר
Restoration *n.* הרסטוראציה (באנגליה ב-1660)
re·stor'ative *n&adj.* תרופה; (מזון) מבריא, מחזק, מאושש
re·store' *v.* להחזיר, להשיב; להחזיר לקדמותו; להשיב לאיתנו; לשחזר, לשקם
restorer *n.* משחזר (עתיקות)
re·strain' *v.* לרסן, לעצור, להבליג
restrained *adj.* מרוסן, מאופק, שקט
re·straint' *n.* ריסון, איפוק; כליאה; הגבלה, כבל, מעצור
- under restraint בבית-חולי-רוח
- without restraint בצורה חופשית
re·strict' *v.* להגביל, לצמצם, לתחום
restricted *adj.* מוגבל, מצומצם
restricted area איזור מוגבל לזרים; איזור מהירות מוגבלת
re·stric'tion *n.* הגבלה, צמצום
re·stric'tive *adj.* מגביל, מצמצם
restrictive practice הסכם עסקי מגביל
rest room חדר-שירותים
re'struc'ture *v.* לבנות/לארגן מחדש
re·sult' (-z-) *n.* תוצאה; *ניצחון
- as a result כתוצאה; לפיכך
- without result לשווא, בלי הצלחה
result *v.* לנבוע, לקרות; לבוא כתוצאה; להסתיים
- result from לנבוע מ-, להיגרם ע"י
- result in לגרום, להסתיים ב-
re·sul'tant (-z-) *adj&n.* נובע, מתרחש כתוצאה; תוצאה
re·sume' (-z-) *v.* לחדש, להמשיך, להתחיל שוב; לתפוס בשנית (את מקומו)
resume (rez'oomā') *n.* תקציר, תמצית; תולדות-חיים (תיאור קצר)
re·sump'tion (-z-) *n.* חידוש, המשך
re'sur'face (-fis) *v.* לצפות (כביש) מחדש; (לגבי צוללת) לצוף, לעלות למעלה
re·sur'gence *n.* תחייה, התעוררות
re·sur'gent *adj.* קם לתחייה, מתעורר
res'urrect' (-z-) *v.* להחיות, להחזיר לשימוש; להוציא מהקבר; לחפור ולהוציא
res'urrec'tion (-z-) *n.* החיאה, חידוש, התחדשות; תחיית המתים
Resurrection *n.* תחיית-ישו
re·sus'citate' *v.* להחיות; לשוב להכרה
re·sus'cita'tion *n.* החייאה
ret *v.* לרכך, להשרות במים
re'tail *n&adj&adv.* קמעונות; קמעוני; בקמעונות
retail *v.* למכור בקמעונות
- retails at נמכר ב-, מחירו לצרכן
re'tail' *v.* לחזור על, להפיץ רכילות
re'tail'er *n.* קמעונאי, חנווני
retail price index מדד מחירים קמעוני
re·tain' *v.* לשמור; להחזיק, לא לאבד
- retain a lawyer לשכור עורך-דין
- retain a memory of לזכור
retainer *n.* שכר טרחה; משרת; מחזיק, תומך; פלטת שיניים
retaining fee שכר עורך-דין
retaining wall קיר עוצר
re'take' *v.* לקחת בחזרה; לצלם שוב; ללכוד בשנית
re'take' *n.* צילום שני
re'ta'ken = pp of retake
re·tal'iate' *v.* לגמול, להחזיר, לנקום
re·tal'ia'tion *n.* גמול, נקמה
re·tal'ia'tive *adj.* גומל, נוקם
re·tal'iato'ry *adj.* גומל, נוקם
re·tard' *v.* להאט, לעכב, לעצור
re'tar·da'tion *n.* האטה, עיכוב; פיגור
retarded *adj.* מפגר
retch *v.* לנסות להקיא (בלי הצלחה)
retd = returned, retired
re'tell' *v.* לספר שוב (בצורה שונה)
re·ten'tion *n.* שמירה, החזקה; זיכרון
- retention of urine עצירת שתן
re·ten'tive *adj.* שומר, מחזיק; זוכר;

(בור סוד) שאינו מאבד טיפה
re′think′ *v.* לשקול שנית, להרהר בכך
re′think′ *n.* שיקול-דעת נוסף
re′thought′ = p of rethink (-thôt)
ret′icence *n.* שתקנות, מיעוט הדיבור
ret′icent *adj.* שתקן, ממעט בדיבור
re·tic′u·late′ *v.* לְרַשֵׁת; להתרשת
re·tic′u·late *adj.* מרושת; מכוסה
משבצות, עשוי מעשה-תשבץ
re·tic′u·la′tion *n.* מעשה רשת
ret′icule′ *n.* ארנק, ארנקון
ret′ina *n.* רשתית-העין
ret′inal *adj.* של רשתית העין
ret′ini′tis *n.* דלקת הרשתית
ret′inue′ (-nōō) *n.* פמליה, מלווים
re·tire′ *v.* ללכת, להסתלק, לפרוש; לסגת;
להתפטר, לצאת לגמלאות; לפטר
- retire from the world להתבודד
- retire into oneself להסתגר
- retire to bed ללכת לישון
retire *n.* אות נסיגה
retired *adj.* בדימוס, שהתפטר, פורש;
שקט, שליו, בודד
retired list רשימת קצינים בדימוס
retired pay פנסיה, גמלאות
re·ti′ree′ *n.* פורש, פנסיונר
retirement *n.* פרישה; נסיגה; התבודדות
retirement age גיל פרישה
retirement pension קיצבת זיקנה
retiring *adj.* מסתגר; של פרישה
retiring age גיל פרישה
re′told′ = p of retell (-tōld)
re′took′= pt of retake
re·tort′ *v&n.* לענות, להשיב, להחזיר;
לגמול; תשובה, מענה; אביק, רטורטה
re·touch′ (-tuch) *n&v.* ריטוש, הגהת
תצלום; לרטש, להגיה, לשפר (ציור)
re·trace′ *v.* לחזור על, לשחזר במוחו
- retrace one's steps לשוב על עקבותיו
re·tract′ *v.* לחזור בו, לבטל; לסגת;
להכניס, למשוך לאחור
retractable *adj.* שנמשך פנימה, נסיג;
בר-ביטול
re·trac′tile (-til) *adj.* נמשך פנימה
re·trac′tion *n.* חזרה, ביטול; נסיגה;
משיכה פנימה
re·train′ *v.* לאמן שוב, להסב מיקצוע
re′tread′ (-red) *n.* צמיג מגופר
re′tread′ (-red) *v.* לגפר, לחדש (צמיג)
re·treat′ *v.* לסגת; להסתלק, להימלט;
להשתפע לאחור
retreat *n.* (אות) נסיגה; תסוגה; מפלט,
חוף מבטחים; מקום-מנוחה; התבודדות;
חשבון-נפש
- beat a retreat לסגת, להסתלק
- in full retreat נסוג, נס, נמלט
- make good one's retreat לבצע נסיגה
מוצלחת
re·trench′ *v.* לחסוך, לקמץ; להצטמצם
retrenchment *n.* קיצוץ, קימוץ
re′tri′al *n.* משפט חוזר
ret′ribu′tion *n.* עונש, גמול
re·trib′u·tive *n.* של ענישה, מעניש
retrievable *adj.* בר-הצלה; בר-תקנה;
שניתן לאחזר אותו
re′triev′al (-rēv-) *n.* חזרה; השבה;
תיקון; איחזור
- beyond/past retrieval ללא תקנה
retrieval system (שיטה של) שליפת
מידע (בעת הצורך), איחזור מידע
re′trieve′ (-rēv) *v.* להחזיר, להשיב
לעצמו; למצוא; לשלוף מידע, לאחזר;
להציל; לתקן; לְפַצּוֹת; (לגבי כלב) להחזיר
ציד
- retrieve one's fortunes להחזיר לעצמו
את הונו
retriever *n.* מחזיר-ציד (כלב)
retro- (תחילית) לאחור, למפרע
ret′ro·ac′tive *adj.* רטרואקטיבי, מפרעי
retroactively *adv.* רטרואקטיבית,
למפרע, מפרעית
ret′rocede′ *v.* לחזור; להחזיר
ret′ro·fit′ *v.* להשביח, לפתח
ret′roflex′ *adj.* כפוף לאחור
ret′rograde′ *adj.* נסוג אחורה, מידרדר
retrograde *v.* להידרדר, להחמיר
ret′rogress′ *v.* להיסוג אחורה, להידרדר,
ללכת ולהחמיר
ret′rogres′sion *n.* נסיגה, הידרדרות
ret′rogres′sive *adj.* נסיג, הולך ורע
ret′ro·rock′et *n.* טיל-האטה
ret′rospect′ *n.* מבט לאחור
- in retrospect במבט לאחור
ret′rospec′tion *n.* מבט אל העבר,
שקיעה בחוויות העבר
ret′rospec′tive *adj.* של העבר, של
זכרונות, רטרוספקטיבי, רטרואקטיבי
ret′rousse′ (-rōōsā′) *adj.* (אף) סולד
ret′rover′sion (-zhən) *n.* פנייה לאחור
re′try′ *v.* לשפוט מחדש
retsi′na (retsē′nə) *n.* רצינה (יין יווני)
re·turn′ *v.* לחזור; להחזיר; לענות;
להודיע רשמית; להצהיר על; לתת; לבחור
לפרלמנט
- return a compliment להחזיר מחמאה
- return a favor לגמול טובה
- return details לתת פרטים, לפרט
- return him guilty לפסוק שהוא אשם
- return interest לתת תשואה
- return thanks להודות, לברך
- return to dust לשוב אל עפר, למות
return *n&adj.* חזרה; החזרה; רווח,
תשואה; דוח; הצהרה; גמול
- by return בדואר חוזר
- day return כרטיס הלוך ושוב
- elections return תוצאות הבחירות
- in return בתמורה; בתגובה
- many happy returns (of the day)
ברכות ליום הולדתך!
- returns מחזור, פדיון; סיכומים
- tax return דו"ח מסים; החזר מס
returnable *adj.* שאפשר/שיש להחזירו
re·turn′ee′ *n.* חוזר (הביתה)
return fare דמי נסיעה חזרה
return half תלוש הנסיעה חזרה
returning officer פקיד בחירות
return match משחק גומלין
return ticket כרטיס הלוך ושוב
return visit ביקור גומלין
re′type′ *v.* להדפיס מחדש
re′u′nifica′tion *n.* איחוד (שטחים)
מחדש

re'u'nify' *v.* לאחד (שטחים) מחדש
re·u'nion *n.* איחוד מחדש; כנס, מפגש
re'u·nite' (-ū-) *v.* לאחד/להתאחד מחדש
re'use' (-z) *v.* להכניס לשימוש חוזר
rev *n&v.* סיבוב
- rev up להגביר הסיבובים (במנוע)
Rev = Reverend
re'val'u·a'tion (-lū-) *n.* שיערוך; ייסוף
re'val'ue (-lū) *v.* לשערך
re'vamp' *v.* להתקין פנת חדשה; לחדש; לשפר
rev counter מונה סיבובים
re·veal' *v.* להראות, לגלות, לחשוף
revealing *adj.* חושף, חושפני
rev'eille (-vəli) *n.* תרועת השכמה
rev'el *v.* להתהולל, לשמוח
- revel in להתענג על, ליהנות מ-
revel *n.* הילולה, שמחה
rev'ela'tion *n.* גילוי; חשיפה; גילוי-שכינה, התגלות
Revelation *n.* החיזיון (הספר האחרון בברית החדשה)
reveler *n.* מתהולל, חוגג
rev'elry *n.* הילולה, שמחה
re·venge' *v&n.* לנקום; נקמה, נקמנות
- be revenged on לנקום, להינקם
- give him his revenge להתמודד במשחק גומלין (ולתת לו הזדמנות לנצח)
- out of revenge מתוך נקמה
- revenge oneself on לנקום, להינקם
- take revenge לנקום, לקחת נקם
revengeful *adj.* נקמני, אכול נקמה
rev'enue' (-nōō) *n.* הכנסה
revenue stamp בול הכנסה
re·ver'berant *adj.* מהדהד
re·ver'berate' *v.* להדהד, להרעים
re·ver'bera'tion *n.* הדהוד, הד
re·vere' *v.* להעריץ, לרחוש כבוד רב
rev'erence *n&v.* יראת כבוד, הערצה; אות כבוד, קידה, מיכרוע; לכבד, להעריץ
- His Reverence הוד קדושתו
- show reverence for להעריץ
rev'erend *adj.* נכבד, ראוי להערצה
Reverend *n.* כומר, איש-דת
- Right Reverend בישוף
rev'erent *adj.* מעריץ, רוחש כבוד
rev'eren'tial *adj.* מלא יראת-הכבוד
rev'erie *n.* חלום בהקיץ; הזיות, הרהורים; קטע מוסיקלי שקט
re·vers' (-vir') *n.* דש, בטנת הדש
re·vers'al *n.* היפך, היפוך, הפיכה; ביטול
re·verse' *adj.* הפוך, אחורי, מנוגד
- in reverse order בסדר הפוך, מהסוף להתחלה
reverse *v.* להפוך; לנוע/להסיע לאחור; להסתובב אחורה; לשנות, לבטל
- reverse arms להפוך הנשק
- reverse the charges לחייב בגוביינה (את מקבל שיחת-הטלפון)
reverse *n.* היפך; צד נגדי; רוורס, הילוך אחורי; מפלה, מכה
- in reverse לאחור, אחורנית
- the reverse ההיפך; הצד השני
reverse discrimination אפליה הפוכה (נגד לבנים)
reverse gear הילוך אחורי
re·ver'sibil'ity *n.* הפיכות
re·vers'ible *adj.* הפיך, ניתן להפכו
- irreversible בלתי הפיך
reversing light אור הילוך אחורי
re·ver'sion (-zhən) *n.* חזרה (לבעלים קודמים/לסורו); זכות-בעלות (על עיזבון)
reversionary *adj.* של זכות-בעלות
re·vert' *v.* לחזור (למצב קודם/לבעלים קודמים)
- revert to the state (לגבי נכסים) לעבור לבעלות המדינה
- revert to type לחזור לתכונתו המקורית, לגלות האופי הטבוע בו
- reverted to bad habits חזר לסורו
- reverting to נחזור ל- (רישא)
re·ver'tible *adj.* בר-חזרה
rev'ery = reverie
re·vet'ment *n.* קיר תומך, ציפוי-בטון
re·view' (-vū') *v.* לבחון, לשקול שוב; להעביר בדמיון; לערוך מיסקר; לסקור; לסקר
- review for לכתוב סיקורות ב-
review *n.* בחינה, שיקול; מיסקר; סיקור; סקירה; סיקורת, ביקורת, תסקיר; כתב-עת
- come under review להיבחן מחדש
- hold a review לערוך מיסקר
review copy עותק ביקורת (של ספר)
reviewer *n.* מבקר, כותב ביקורות
re·vile' *v.* לגדף, להשמיץ, לגנות
re·vise' (-z) *v.* לשנות (דעתו); לתקן, לשפר (ציון), ללמוד שנית; לעיין מחדש; להגיה
revise *n.* עלה-הגהה מתוקן
Revised Version הנוסח המתוקן (של התנ"ך באנגלית)
reviser *n.* מַגִּיהַ, מְתַקֵּן
re·vi'sion (-vizh'ən) *n.* שינוי, שיפור; עיון מחדש; רביזיה, בקרה, תיקון, עריכה; מהדורה
revisionism *n.* רביזיוניזם
revisionist *n.* רביזיוניסט
re·vis'it (-z-) *v.* לבקר שנית
re·vi'taliza'tion *n.* החייאה, תחייה
re·vi'talize' *v.* להשיב לתחייה
re·vi'val *n.* תחייה, התעוררות; חידוש; כנס להגברת התודעה הדתית
revivalist *n.* מארגן כינוסי דת
Revival of Learning הרנסאנס
re·vive' *v.* לקום לתחייה; להשיב לחיים; לחדש; להתחדש; להתאושש; להתעורר
- revive a play להעלות מחדש מחזה ישן
re·viv'ify' *v.* להחיות, לעורר לחיים
rev'ocable *adj.* שניתן לבטלו
rev'oca'tion *n.* ביטול; שלילה
re·voke' *v&n.* לבטל; לשלול; (בקלפים) להפר כללי המשחק; ביטול
re·volt' (-vōlt) *n.* מרד, התקוממות
- in revolt בשאט-נפש; מתקומם
revolt *v.* למרוד, להתקומם; לזעזע, לעורר שאט-נפש; להזדעזע
revolting *adj.* מגעיל, מבחיל
rev'olute' *adj.* (עלה) גלול לאחור
rev'olu'tion *n.* מהפכה; מהפך; סיבוב, הקפה; מחזור
revolutionary *adj&n.* מהפכני;

מהפכן
rev′olu′tionize′ *v.* להחדיר רעיונות מהפכניים; לשנות מן הקצה אל הקצה
re•volve′ *v.* לסובב; להסתובב; להקיף
- revolve around להתמקד/להתרכז ב-
- revolve around/about להקיף
- revolve in one's mind לגלגל במוחו
re•volv′er *n.* אקדח
revolving-door *adj.* כדלת סובבת, נכנס ויוצא
revolving door דלת מסתובבת
re•vue′ (-vū′) *n.* רביו, הצגה סאטירית
re•vul′sion *n.* בחילה, שאט-נפש; זעזוע; שינוי פתאומי
re•ward′ (-wôrd) *n&v.* פרס, גמול; פיצוי, שכר; לגמול, לשלם, לְפַצות
rewarding *adj.* כדאי, ראוי לעשותו
re′wind′ (-wīnd′) *v.* לגלגל (סרט) אחורה
re′wire′ *v.* לחדש חוטי חשמל
re′word′ (-wûrd′) *v.* לנסח מחדש
re′work′ (-wûrk′) *v.* לעבד שוב; לשנות
re′write′ (-rīt) *v.* לכתוב מחדש, לשכתב
re′write′ (-rīt) *n.* כתיבה מחדש, שכתוב
re′writ′ten = pp of rewrite (-rit′ən)
re′wrote′ = pt of rewrite (-rōt)
Rex *n.* המלך; המדינה
rh = right hand
rhap′sodize′ (r-) *v.* להתלהב, לדבר בלהט, להפליג בשבחים, לגמור את ההלל
rhap′sody (r-) *n.* רפסודיה; התלהבות
- go into rhapsody להתלהב, להתפעל
rhe′a (r-) *n.* יען דרום-אמריקני
Rhen′ish (r-) *n.* יין הריין, הוק
rhe′ostat′ (r-) *n.* ריאוסטט, מכוון זרם
rhe′sus (r-) *n.* רזוס (קוף)
rhet′oric (r-) *n.* רטוריקה, אמנות הנאום; דברנות; לשון נמלצת
rhe•tor′ical (r-) *adj.* רטורי, נמלץ, מזויף
rhetorical question שאלה רטורית
rhet′ori′cian (r-rish′ən) *n.* מומחה לרטוריקה, רטוריקן
rheum (rōōm) *n.* ריר נזלתי, ליחה
rheu•mat′ic (rōō-) *adj&n.* של שיגרון, שיגרוני; חולה שיגרון
- rheumatics שיגרון, רימטיזם
rheumatic fever קדחת השיגרון
rheu′matism′ (rōō′-) *n.* שיגרון
rheu′matoid′ (rōō′-) *adj.* שיגרוני
rheumatoid arthritis דלקת פרקים כרונית
rheu′my (rōō-) *adj.* נזלתי, מפריש ריר
Rh factor גורם אר אייטש (בדם)
rhi′nal (r-) *adj.* אפי, חוטמי, נחירי
Rhine (r-) *n.* ריין (נהר בגרמניה)
rhinestone *n.* קווארץ, אבן-צור מגובשת; יהלום מלאכותי
Rhine wine יין הריין, הוק
rhi•ni′tis (r-) *n.* דלקת האף
rhi•noc′eros, rhi′no (r-) *n.* קרנף
rhi′zome (r-) *n.* קנה-שורש, גבעול תת-קרקעי
Rhodes (rōdz) *n.* רודוס
rho′doden′dron (r-) *n.* רודודנדרון (פרח)

rhomb (rom) *n.* רומבוס, מעוין
rhom′boid (r-) *n&adj.* רומבואיד (מקבילית); דמוי-מעוין
rhom′bus (r-) *n.* רומבוס, מעוין
rhu′barb′ (rōō-) *n.* ריבס (צמח-מאכל); *המולה, ריב, ויכוח
rhyme (r-) *n.* חרוז; חריזה
- nursery rhyme שיר ילדים
- rhyme or reason היגיון, טעם, סיבה
- write in rhyme לכתוב בחרוזים
rhyme *v.* לחרוז; לכתוב שירה; להתחרז
rhymed *adj.* חרוז, מחורז
rhyme′ster (rīm′s-) *n.* חרזן
rhyming couplet צמד חרוזים
rhyming slang עגה חרזנית
rhythm (ridh′əm) *n.* קֶצֶב, מיקצב, מישקל, ריתמוס; מחזור קבוע
rhyth′mic(al) (ridh′-) *adj.* קצוב, ריתמי, קיצבי, מיקצבי
rhythm method פרישות בתקופת הביוץ, אי קיום יחסים
rial (rēäl′) *n.* ריאל (מטבע אירני)
rib *n.* צלע; עורק-עלה; פס בולט (באריג, בחול); קנה-מטרייה; לוח-חיזוק (בסירה)
- dig/poke in the ribs לתקוע אצבע/מרפק בצלעותיו; לעורר תשומת-לבו
rib *v.* להתקין צלעות; לחזק בלוחות; לסמן פסים; לקנטר, ללעוג
rib′ald *adj.* גס, של ניבול פה
rib′aldry *n.* גסות, ניבול פה
rib′and *n.* סרט
ribbed *adj.* מפוספס (בפסים בולטים)
ribbing *n.* צלעות, פסים בולטים; קינטור
rib′bon *n.* סרט; רצועה; סרט-דיו
- ribbons מושכות; קרעים, גזרים
ribbon development רצועת מבנים (לאורך כביש)
rib cage בית החזה
ri′bofla′vin *n.* ריבופלווין (ויטמין)
rib-tickler *n.* בדיחה, משהו משעשע
rice *n.* אוֹרֶז
- ground rice אורז טחון
- polished rice אורז מקולף
rice paper *n.* נייר אורז; נייר אכיל
rice pudding חביצת-אורז
rich *adj.* עשיר; מפואר; מלא, עמוק
- rich and poor כעשיר כעני
- rich field קרקע פורייה
- rich in עשיר ב-, שופע
- rich voice קול מלא/עמוק
- strike it rich לגלות מיכרה זהב
- that's rich! זה כביר! זה מגוחך!
- the rich העשירים
riches *n-pl.* עושר; שפע
richly *adv.* בשפע; בהידור
- richly deserves ראוי בהחלט ל-
richness *n.* עושר; פאר; פוריות
Rich′ter scale סולם ריכטר
rick *n&v.* גדיש; ערימת-חציר; לערום
rick *v.* לנקוע; למתוח (שריר)
rick′ets *n.* רַכֶּכֶת (התרככות העצמות)
rick′ety *adj.* רעוע, חלש, רופף
rick′sha (-shô) *n.* ריקשה
rick′shaw (-shô) *n.* ריקשה
ric′ochet′ (-shā′) *n&v.* נתז, נתיר;

קליע חוזר; פגיעת נתז; ניתור; לנתר; להינתז
rid *v.* לשחרר, לחלץ; לטהר
- get/be rid of להיפטר מ-, להשתחרר
rid′dance *n.* היפטרות
- good riddance ברוך שפטרני!
rid′den = pp of ride נרדף, נשלט בידי, נתון לחסדי; סובל מ-, מלא
- guilt-ridden חדור רגשות אשמה
rid′dle *n&v.* חידה, תעלומה; לפתור
riddle *n&v.* כברה, נפה גדולה; לכבור, לנפות; לנקב; להפריך, לנפץ
- riddle a grate לנענע סבכה (באח)
- riddle with לעשותו ככברה, לנקב
ride *v.* לרכוב; לנסוע; לעבור ברכיבה; לשוט, לצוף; להרכיב; להציק
- let it ride להניח לזאת
- ride a race להתחרות במירוץ סוסים
- ride at anchor לעגון
- ride down להדביק ברכיבה; לרמוס
- ride for a fall לרכוב בצורה מסוכנת, לדהור כמשוגע; לנהוג בפזיזות
- ride herd on לפקח, להשגיח על
- ride high ליהנות מפופולאריות
- ride out (a storm) לעבור את הסערה, להיחלץ ממשבר; לצאת בשלום
- ride the clutch להחזיק את הרגל על דוושת המצמד
- ride the wind לרחף באוויר
- ride to hounds לצאת לציד
- ride up לסוט ממקומו למעלה (בגד)
- rides 60 kg משקל הרוכב 60 ק"ג
- the course rides hard המסלול קשה
ride *n.* רכיבה; נסיעה; שביל; בהמת-רכיבה
- along for the ride משתתף למען הכיף בלבד, טפיל
- go for a ride לצאת לרכיבה
- take for a ride להונות, לרמות; לחטוף ולרצוח
rider *n.* רוכב, רוכב, פרש; תוספת, נספח
riderless *adj.* ללא פרש
ridge *n.* רכס, קו-פסגה, ראש, קצה; קו-פרשת-מים; תלם, חריץ
ridge *v.* לתלם, לחרוש (קמטים)
ridge-pole *n.* קורה עליונה (באוהל)
ridge tile רעף עליון (לראש הגג)
rid′icule′ *n&v.* צחוק, לעג; ללעוג ל-
- hold up to ridicule ללעוג ל-
- lay oneself open to ridicule לשים עצמו לצחוק
ridic′u·lous *adj.* מגוחך; אבסורדי
riding *n&adj.* (של) רכיבה; פרשות; מחוז
riding breeches מכנסי-רכיבה
riding habit חליפת רכיבה (של אישה)
riding light פנס-עגינה (של ספינה)
riding master מדריך רכיבה
Ries′ling (rēs′-) *n.* יין ריסלינג
rife *adj.* נפוץ, רווח; מלא, זרוע
riff *n.* קטע חוזר (במוסיקת-ג'ז), ריף
rif′fle *v&n.* לטרוף קלפים; לעלעל, לדפדף; (להעלות) אדווה; טריפת קלפים
riff′raff′ *n.* האספסוף, חלאת אדם
ri′fle *n&v.* רובה; לחרוץ חריקים (בקדח-הרובה); לשדוד, לחפש, לרוקן
- rifles רובאים, קלעים
rifleman *n.* רובאי
rifle range מטווח רובים; טווח רובה
rifle shot טווח רובה; קַלָּע, צַלָּף
ri′fling *n.* חריצת חריקים, חירוק
rift *n.* סדק; קרע
rift valley בקעה עמוקה, גיא עמוק
rig *v.* לצייד (ספינה) במעטה, לערוך החיבל; להיערך (להפלגה); לרמות; לזייף, לסדר
- rig out לספק בגדים, להלביש
- rig the market לגרום לעליות/לירידות בשוק המניות
- rig up להרכיב, לבנות, להקים
rig *n.* מעטה, צורת החיבל; ציוד, מיתקן; משאית; *תלבושת, בגדים
rigger *n.* מותח חיבלים; מכונאי מטוס
rig′ging *n.* חיבל, מעטה (של ספינה)
right *adj.* ימני, ימיני; נכון, צודק, ישר, הוגן; מתאים, עדיף; בריא, תקין
- a right one *טיפש, מטומטם
- all right בסדר גמור, או קיי
- get it right להבין זאת כהלכה
- get on the right side of- לזכות באהדת-
- give one's right arm לשלם כל מחיר
- he was right in- הוא צדק כאשר-
- his right hand יד ימינו, עוזרו
- keep on the right side of law לשמור חוק
- on the right side of 30 פחות מבן 30
- put one's right hand to work להירתם לעבודה במרץ
- put/set right לסדר, לתקן; לרפא
- right angle זווית ישרה
- right enough משביע רצון, לא רע, טוב למדי; כמצופה
- right in the mind בסדר, שפוי
- right side צד ימין/חיצוני (בבגד)
- right you are! right oh! בסדר, או קיי
right *adv.* ימינה; ישר, היישר; בדיוק, ממש; מיד; אל נכון, כהלכה; לגמרי
- eyes right! לימין - שור!
- right along במשך כל הזמן; הלאה
- right and left מכל העברים, על ימין ועל שמאל, בכל מקום
- right away/off מיד
- right now ברגע זה ממש, עתה
- right on *נכון, מדויק
- right out גלויות, במפורש
- right through כליל, מא' ועד ת'
- right to- עד ל-, כל הדרך עד-
- right, left, and center מכל עבר
- serves him right מגיע לו
- too right נכון מאוד, מסכים!
right *n.* ימין; יד ימין; צדק; יושר; זכות
- all rights reserved כל הזכויות שמורות
- as of right מכוח הצדק
- by right of בזכות-, מכוח-, בגלל-
- by rights בצדק, על פי דין
- dead to rights *אשם בהחלט, נסתתמו טענותיו
- in one's own right בזכות עצמו
- is in the right הצדק עמו
- keep to the right להיצמד לימין
- put/set to rights לתקן; לרפא; להשליט סדר

- right of common זכות לשימוש בשטח
- right of primogeniture זכות בכורה
- right of way זכות קדימה; זכות מעבר
- stand on one's rights לעמוד על זכויותיו
- the rights and the wrongs העובדות לאשורן, כל הבחינות
- within one's rights בגדר זכויותיו
right *v.* ליישר, לסדר, לתקן; לזקף
- right itself להתיישר; להסתדר
right-about face/turn פנייה לאחור
- send to the rightabout לפטר, לסלק
right-angled *adj.* ישר-זווית
right-down *adj&adv.* גמור, מובהק; לגמרי, מאוד
right′eous (rī′chəs) *adj.* צדיק; צודק
- the righteous הצדיקים
rightful *adj.* חוקי; הוגן
- rightful owner בעלים חוקיים
right-hand, right-handed *adj.* ימני
right-hander *n.* ימני, לא איטר; מכת (יד-) ימין
right-hand man יד-ימינו, עוזר
rightism *n.* ימניות (בפוליטיקה)
rightist *n.* ימני, איש-הימין
rightly *adv.* בצדק; נכון; *לבטח
right-minded *adj.* מאמין בצדק, הוגן, נוהג לפי הדין
righto (rīt′ō) *interj.* בסדר, טוב
rightward *adj.* ימני
rightwards *adv.* ימינה
right wing אגף ימני; קיצוני ימני
right winger קיצוני ימני; ימני
rig′id *adj.* קשה, קשוח; קפדן; מאובן
- shake him rigid להקפיא דמו
rigid′ity *n.* קשיות, קשיחות; קפדנות
rig′marole′ *n.* פטפוט, סיפור מבולבל
rig′or *n.* חומרה, הקפדה, קשיחות; קפדנות, דייקנות; תנאים קשים
- the rigor of the law חומר הדין
rig′or mor′tis התקשות המת
rig′orous *adj.* קשה; קפדני, מחמיר
rig-out *n.* *תלבושת, בגדים
rile *v.* *להרגיז
rill *n.* פלג קטן, פלגלג
rim *n&v.* שפה, קצה, זר, מסגרת, שוליים; חישוק; לעטר; לעשות שפה סביב
rime *v&n.* (לכסות ב-) כפור
rime = rhyme חרוז
rimless *adj.* (משקפיים) חסרי-מסגרת
rimmed *adj.* ממוסגר, מוקף
rind (rīnd) *n.* קליפה
rin′derpest′ *n.* דֶבֶר-בהמות
ring *n.* טבעת; מעגל; קבוצה, חוג; כנופיה; זירה; זירת-אגרוף; הימור
- engagement ring טבעת אירוסין
- make/run rings round him לעלות עליו בהרבה; לפעול מהר ממנו
- the ring סוכני-הימורים
- throw one's hat into the ring ליטול חלק בהתמודדות
ring *v.* להקיף; להטיל טבעת (במשחק); לשים טבעת על; לנוע/לרוץ במעגל
- ring a bull לשים חח באף השור
ring *v.* לצלצל; לטלפן; להשמיע; להדהד
- his ears rang צללו אוזניו
- his story rings hollow סיפורו יוצר רושם שאין בו אמת (מצלצל כשקר)
- it rings a bell זה מזכיר משהו
- it rings true/false מתקבל הרושם שהדבר נכון/אמיתי/לא נכון/מזויף
- ring back להחזיר צלצול
- ring in/out ללוות בצלצול פעמונים את כניסת/צאת (השנה)
- ring off לסיים שיחת טלפון
- ring out לצלצל, להדהד; להחתים הכרטיס בסיום העבודה
- ring the bell להצליח
- ring the changes לגוון, להכניס שינויים; לצלצל בפעמונים בצורות שונות
- ring the curtain down לצלצל להורדת המסך; לסיים
- ring the curtain up לצלצל להעלאת המסך; להתחיל
- ring the knell of- לבשר את קץ-
- ring up לטלפן; לרשום (בקופה)
ring *n.* צלצול; נעימה; צליל
- give a ring להתקשר, לטלפן
- ring of truth נעימה (נימה) של אמת
ring-a-rosy *n.* עוגה-עוגה (מישחק ילדים)
ring binder כורכן טבעות, קלסר
ringbolt *n.* בורג (בעל) טבעת (בראשו)
ringer *n.* פעמונר; רמאי, כפיל
- dead ringer *כשתי טיפות מים
ring finger קמיצה
ring-leader *n.* מנהיג, ראש כנופיה
ring′let *n.* תלתל
ring main/circuit מעגל חשמלי
ring-master *n.* מנהל מופעי-קרקס
ring-pull *n.* טבעת משיכה (בפחית)
ring road כביש טבעת, כביש עוקף, מעקף
ringside *n&adj.* (מקום) קרוב לזירה
ringside seat מושב קדמי; עמדה קרובה לזירת האירוע
ringworm *n.* גזזת (מחלת עור)
rink *n.* חלקלקה; רחבת גלגיליות
rinse *v.* לשטוף, להדיח
- rinse down לבלוע (בעזרת משקה)
- rinse out/off לשטוף
rinse *n.* שטיפה; נוזל לצביעת שיער
ri′ot *n.* מהומה, התפרעות; רעש, הילולה; גילוי, התפרצות (רגשות); הצלחה
- is a riot קוצר הצלחה כבירה
- riot of color שלל צבעים
- run riot להשתולל; לגדול פרא
riot *v.* להקים מהומות, להשתולל
- riot in לשקוע ב-, להתענג על
Riot Act חוק איסור מהומות
- read him the riot act להזהירו לבל ישתולל, לנזוף בו קשות
rioter *n.* פרוע, מתהולל, משתולל
ri′otous *adj.* פרוע, הולל; רעשני
riot police משטרת מהומות
rip *v.* לקרוע; להיקרע; לפרום; לנסר; לשוט/לנסוע מהר, "לקרוע הכביש"
- let rip *להתיר הרסן, להשתלח
- let things rip להניח להם להשתולל
- rip into לנזוף; להתנפל על, להתקיף
- rip off לקרוע, להסיר (בגד) במהירות; *לגנוב; לדרוש מחיר מופקע

- rip up לקרוע לגזרים
rip *n.* קֶרַע; שיבולת-מים; קטע גועש; סוס בלה; *מופקר, הולל
RIP = rest in peace "ינוח בשלום על משכבו"
ripa'rian *adj.* של חוף, של גדות
riparian rights זכויות (על) חוף
rip cord *n.* חבל שחרור (לפתיחת מצנח/לשחרור אוויר מכדור-פורח)
ripe *adj.* בשל; ראוי לאכילה; מפותח, מנוסה; מבוגר; *גס
- of ripe age מבוגר, מנוסה
- of riper years בגיל מתקדם
- ripe for מוכן ל-, מתאים ל-
- the time is ripe הזמן בשל, הגיעה השעה
rip'en (rīp'-) *v.* להבשיל
rip-off *n.* *גניבה; הפקעת מחיר
riposte' (-pōst') *n&v.* מכת-סיף חוזרת; תשובה שנונה; להחזיר, לענות
rip'ping *adj.* *נהדר, נפלא
rip'ple *n&v.* אדווה, גלים קלים, רחש; להעלות אדווה; ליצור גלים; להתפכפך
- ripple of applause תשואות
rip-roaring *adj.* *מלהיב; רעשני
rip-saw *n.* מסור גס
rip-tide *n.* גיאות גועשת
rise (-z) *v.* לקום; לעלות; להתרומם; לסיים ישיבה; להתעורר; לתפוח; להתגבר; להופיע, להיראות
- his spirits rose מצב רוחו עלה
- houses have risen צצו בתים
- rise above להתעלות מעל ל-
- rise again/from the dead לקום לתחייה
- rise to the occasion להתמודד יפה עם הבעיה, להוכיח את עצמו
- rise up/against להתקומם, למרוד
- the river rises in- מוצא הנהר ב-
- the storm is rising הסערה מתגברת
rise *n.* גבעונת; שיפוע, מַעֲלֶה; עלייה; העלאה; מוצא, מקור; עליית דגים
- get a rise out of him להצליח להרגיזו
- give rise to לעורר, לגרום
- rise and fall עלייה ונפילה
- rise of day עלות היום
riser *n.* קם ממיטתו; גובה מדרגה
- early riser משכים קום
ris'ibil'ity (-z-) *n.* נטייה לצחוק
ris'ible (-z-) *adj.* מצחיק; של צחוק
rising *n.* מרד, התקוממות; עלייה
rising *adj&prep.* עולה, שכוכבו דורך
- rising 30 מתקרב לגיל 30
rising damp רטיבות העולה בקירות
rising generation הדור העולה/הצעיר
risk *n.* סכנה, סיכון; אחריות; מבוטח
- at one's own risk על אחריותו
- at the risk of תוך סיכון
- calculated risk סיכון מחושב
- poor risk אדם/חפץ שחבל לבטחו
- run/take a risk להסתכן
risk *v.* לסכן, לחשוף לסכנה, להסתכן
risk capital הון סיכון
risky *adj.* מסוכן, הרה-סכנות
risot'to (-zô-) *n.* תבשיל אורז
risque' (riskā') *adj.* גס, נועז
ris'sole *n.* קציצה

rite *n.* טקס, מנהג
rit'ual (-ch-) *n&adj.* טקס, תהליך פולחני, מערכת מנהגים; של טקסים, דתי, ריטואלי
ritualism *n.* טקסיות, פולחן
ritualist *n.* מומחה לטקסים דתיים
rit'ualis'tic (-ch'-) *adj.* פולחני
ritually clean כשר
ritz'y *adj.* *מפואר, יקר
ri'val *n&adj.* מתחרה, יריב
rival *v.* להתחרות ב-, להשתוות אל
rivalry *n.* התחרות, תחרות
rive *v.* לשבור, לבקע, לקרוע
riv'en = pp of rive שבור, קרוע
riv'er *n.* נהר
- rivers of blood נהרי-נחלי-דם
- sell down the river לרמות, למעול באימון
river basin אגן-נהר
river-bed *n.* אפיק-נהר, קרקע נהר
riverside *n&adj.* גדה, שפת נהר; שעל שפת-הנהר
riv'et *n.* מסמרת, פין
rivet *v.* לסמרר, לחבר במסמרות; לרכז, לנעוץ (מבט), לרתק (תשומת-לב)
- rivet on למקד (תשומת-לב) על
riveter *n.* מסמרר
riveting *adj.* מעניין, מרתק
riv'ier'a *n.* ריביירה, חוף נופש
riv'u-let *n.* נחל קטן, פלג, פלגלג
riyal' (rēyäl') *n.* ריאל (מטבע)
rm. = ream, room
RN = Registered Nurse
roach *n.* מין קרפיון; מקק, תיקן; *בדל סיגרית-חשיש
road *n.* כביש, דרך; מעגן; מסילת ברזל
- by road ברכב, במכונית
- down the road בעתיד, לעתיד
- get out of the road *אל תפריע
- get the show on the road להתחיל בעבודה, לפתוח בתוכנית
- middle of the road מחצית הדרך, שביל הזהב
- no royal road to- הדרך ל- אינה סוגה בשושנים, יש לעמול כדי ל-
- on the road נוסע, בסיור; בסיבוב הופעות; בדרך ל-, לפני-
- one for the road *לגימה אחרונה לפני יציאה
- rules of the road כללי נהיגה
- take the road להתחיל במסע
- take to the road לצאת לנדודים
- the road to הדרך ל-, האמצעי ל-
road accident תאונת דרכים
road-bed *n.* תשתית, יסוד הכביש
road-block *n.* מחסום-כביש, בריקדה
road gang עובדי כבישים
road hog חזיר דרכים, "מלך הכביש"
road-holding *n.* אחיזת כביש (של רכב)
road-house *n.* פונדק, מסעדה, מועדון (לנוסעים)
road'ie *n.* *עוזר להקה
road junction מסעף
roadless *adj.* חסר כבישים
roadman, -mender פועל כביש
road manager מנהל להקה ניידת

road map מפת דרכים
road metal חצץ
road pricing היטל כבישים
roads, roadstead (-sted) *n.* מעגן
road safety בטיחות בדרכים
road sense חוש למניעת תאונה
road show הצגה ניידת
roadside *n&adj.* שולי הכביש; בצד הדרך
roadside explosive charge מיטען צד
road sign תמרור דרכים
road′ster *n.* מכונית פתוחה
road test מיבחן נהיגה; מיבחן רכב
roadway *n.* כביש
road works "עובדים בכביש" (שלט)
roadworthy *adj.* כשיר לתנועה
roam *v.* לשוטט, לנדוד, לנוד
roan *n&adj.* חום-לבן, (סוס) מעורב-צבעים; עור כבש (לכריכה)
roar *v.* לשאוג; להרעיש; לזעוק
- roar down להחריש (נואם) בצעקות
- roar out לשאוג, להשמיע בקול רם
- roar past לחלוף ברעש (כגון רכב)
- roar with laughter להתפקע מצחוק
- roared himself hoarse ניחר גרונו מצעקות, צרח עד שנצטרד
roar *n.* שאגה, רעש, רעם, שאון
- set in a roar לעורר רעמי צחוק
roaring *adj&adv.* *מצוין, כביר; מאוד
- do a roaring business לעשות חיל בעסקים, למכור סחורתו במהירות
- roaring drunk שיכור כלוט
- roaring success הצלחה עצומה
roast *v.* לצלות, לקלות; להיצלות; לחמם; לבקר קשות;
- a fire fit to roast an ox אש גדולה
- roast in the sun להתחמם בשמש
roast *adj&n.* צלוי; צלי; צלייה; פיקניק
roaster *n.* תנור-צלייה, אסכלה; מקלה-קפה; בשר-צלי
roasting *adj&n.* חם מאוד, לוהט
- give a roasting לנזוף קשות; למתוח ביקורת חריפה; לשים ללעג
rob *v.* לשדוד, לגזול
- rob the cradle להתחתן עם צעיר/צעירה
robber *n.* שודד, גזלן
robbery *n.* שוד, גֶּזֶל
- daylight robbery שוד לאור היום, הפקעת מחירים
robe *n.* גלימה; חלוק; כסות
robe *v.* להלביש, לעטות גלימה
rob′in (redbreast) *n.* אדום-החזה
ro′bot *n.* רובוט; בובה
ro·bot′ics *n-pl.* רובוטיקה, תורת הרובוטים
robust′ *adj.* חסון; בריא; גס
roc *n.* רוק (עוף גדול)
rock *n.* אבן; סלע; ממתק; רוקנרול, רוק
- Rock of Israel צור ישראל
- between a rock and a hard place בין הפטיש והסדן, בדילמה
- firm as a rock קשה כסלע; איתן; ראוי לאימון
- has rocks in his head *מטומטם
- on the rocks על שרטון; לפני משבר; במצוקה כספית; עם קוביות-קרח
- see rocks ahead להבחין במשבר קרב
rock *v.* לנענע, לנדנד; לזעזע; להתנועע; לרקוד רוקנרול
- rock the boat לטלטל את הסירה; להקשות על עבודת הצוות, להפריע להתקדמות
- rock to sleep להרדים בנענועים
rock and roll רוקנרול
rock bottom נקודת שפל; נמוך ביותר
rock-bound *adj.* מוקף-סלעים, סלעי
rock cake עוגה קשה
rock-climbing *n.* טיפוס סלעים (ספורט)
rock crystal בדולח-סלע, קווארץ
rock′er *n.* כסנוע; לוח מקושת (שעליו מתנועע הכסנוע); מוסיקאי רוק
- off one's rocker יצא מדעתו
rock′ery *n.* גן טרשים
rock′et *n.* טיל; זיקוקית, רקטה
- give a rocket *לגעור קשות
rocket *v.* לעלות, להרקיע שחקים; לנוע במהירות, לדהור
rocket base בסיס טילים
rocket launcher משגר טילים
rocket range שדה טילים (לניסויים)
rock′etry *n.* טילאות, מדע הטילים
rockfall *n.* מפולת סלעים
rock garden גן טרשים
rocking chair כסנוע
rocking horse סוס עץ, סוס מתנדנד
rock 'n' roll רוקנרול (ריקוד)
rock salt מלח (גבישי)
rocky *adj.* סלעי, מסולע, מלא טרשים; קשה כסלע; *רעוע, מתנועע
roco′co *adj.* רוקוקו, מצועצע ביותר
rod *n.* מוט, קנה, מקל; עונש; הכאה; רוד (כ-5 מטר); *אקדח
- has a rod in pickle for- שומר באמתחתו עונש עבור-
- make a rod for one's own back להזמין צרות לעצמו
- spare the rod & spoil the child חושך שבטו שונא בנו
rode = pt of ride
ro′dent *n.* מכרסם
ro′de·o *n.* רודיאו, איסוף בקר, מופע בוקרים (רכיבה על סוסים וכו')
rod′omontade′ *n.* התרברבות
roe (rō) *n.* איילה; ביצי דגים
roebuck *n.* אַיָּל
roe deer איילה
roent′gen (ren′tgən) *n.* רנטגן
ro·ga′tion *n.* תפילה (שמזמרים בכנסייה ערב חג עליית ישו)
Rogation week שבוע התפילה (הנ"ל)
rog′er *interj.* בסדר! קלטתי! (באלחוט)
rogue (rōg) *n&adj.* נוכל, נבל; שובב, קונדס; (פיל) מתבודד; (בעבר) נווד
roguery *n.* נוכלות; מעשה קונדס
rogues' gallery אלבום פושעים
ro′guish (-gish) *adj.* נוכל; שובבני
roil *v.* לעכור (נוזל); להרגיז, להציק
roi′ster *v.* להתהולל, להקים רעש
role *n.* תפקיד

role model איש למופת, מודל לחיקוי
role-play *v.* לשחק תפקיד של דמות אחרת
roll (rōl) *n.* גליל; גלילה, רולאדה; לחמנייה; רשימת שמות; מגילה; פינקס; גלגול, טלטול; רעש, רעם; שטרות כסף
- call the roll להקריא השמות
- on a roll *בסידרת הצלחות
- roll of honor מגילת החללים
- strike off the rolls למחוק שמו מרשימת החברים
roll *v.* לגלגל; להתגלגל; להתנודד; להתנועע; להיטלטל; לגלול; לכבוש (במכבש) ; להיכבש; להדהד, להרעים
- keep the ball rolling לגלגל את השיחה; להמשיך את פעילות העסק
- roll a drunk *לשדוד שיכור
- roll about להסתובב; להתגלגל מצחוק
- roll around להסתובב; לנקוף (שנה)
- roll back להדוף; להוריד (מחירים)
- roll by/on לעבור, לחלוף
- roll dice להטיל קוביות
- roll dough לגלגל בצק (במערוך)
- roll flat לשטח, לרקע, לכבוש
- roll in לבוא, לנהור, לזרום פנימה; לעטוף ב-
- roll in mud להתפלש בבוץ
- roll on להתגלגל; לחלוף; לזרום; לגרוב/להיגרב בגלילה (גרבונים)
- roll on! בוא! התקרב! (מופנה לזמן)
- roll one's r's לגלגל את הריש
- roll oneself up להצטנף
- roll out לרקע (במערוך); לערגל; לשטח, לרדד; להרעים, להשמיע; לייצר; לקום ממיטה; להציג למכירה
- roll over לדחות תשלום; לדון מחדש בתנאים; להשקיע מחדש; *להעיף
- roll up לבוא, להצטרף, להגיע; לגלול; לקפל; להפשיל; לאגוף
- roll up one's sleeves להפשיל שרוולים
- roll up to להתקרב ולעצור (כרכרה)
- rolled into one הכל ביחד
roll bar מגן-גלגולים (לוח מתכת בגג מכונית להגנת הנוסעים)
roll call מיפקד, מיסדר נוכחות
rolled *adj.* מעורגל, מצופה שכבה דקה
roll'er (rōl'-) *n.* מכבש; מעגילה; מוט גלילי; גליל-תלתול; גל, מִשְׁבָּר
- road roller מכבש
roller bandage גליל תחבושת
roller blind וילון מתגלגל
roller coaster רכבת (בגן שעשועים)
roller-skate *v.* להחליק על גלגיליות
roller skate גלגילית, סקט
roller towel מגבת גלולה (על מתקן)
rol'licking *adj.* עליז, שמח, קולני
rolling *adj.* (שטח) גלי, עולה ויורד
- rolling in money מתגולל בכסף, עשיר מופלג
rolling mill מערגולת; מיפעל עירגול
rolling pin מערוך
rolling stock מערכת קרונות וקטרים
rolling stone נע ונד, נווד
roll-on *n&adj.* גרבון (הנגרב בגלילה); מחוך גמיש; (דאודורנט) בעל כדור מסתובב
roll-on roll-off (ספינה) שהרכב נכנס לתוכה ויוצא ממנה
roll-top desk שולחן כתיבה בעל מכסה (המחליק בתוך מסילות)
ro'ly-po'ly *n&adj.* פשטידה מגולגלת; שמנמן
ROM זיכרון קריאה בלבד
Ro•ma'ic *adj&n.* יוונית מודרנית
ro'maine' *n.* רומיין, (סוג של) חסה
Ro'man *adj&n.* רומאי, רומי; קתולי; רומאן (אות רגילה/זקופה)
- Roman nose אף נשרי, אף קשתי
Roman arch קשת רומית
Roman candle נר רומאי (זיקוקין די-נור)
Roman Catholic קתולי
Roman Catholic Church הכנסייה הרומית
ro•mance' *n.* רומאן; עלילת אהבה; הרפתקה; פרשת אהבים; רומאנסה; גוזמה
romance *v.* לנהל רומאן; לדמיין; להגזים, לתבל בשקרים
Romance *adj.* (לשון) רומנית
Ro'manesque' (-sk) *adj.* (סגנון) רומי
Ro•ma'nia *n.* רומניה
Ro•ma'nian *n.* רומני; רומנית
Roman law החוק הרומי
Roman numerals ספרות רומיות
ro•man'tic *adj&n.* רומנטי, רגשי, דמיוני; רומנטיקן
ro•man'ticism' *n.* רומנטיקה, רומנטיזם
ro•man'ticist *n.* רומנטיקן
ro•man'ticize' *v.* לאפוף באווירה רומנטית; להגזים
Rom'any *n&adj.* צועני; שפת-הצוענים
Rome *n.* רומא
Ro'mish *adj.* קתולי
romp *v.* להשתובב, להרעיש, לשחק
- romp home לנצח בקלות (במירוץ)
- romp through לעבור (מבחן) בקלות
romp *n.* השתובבות; מישחק עליז; שובב
romp'er, rompers *n.* מיצרפת-ילדים
ron'deau (-dō) *n.* רונדו (שיר קצר)
ron'do *n.* רונדו (יצירה מוסיקלית)
ront'gen (rent'gən) *n.* רנטגן
rood (rōōd) *n.* צלב (בכנסייה); רוד (יחידת שטח, רבע אקר)
rood-screen *n.* מחיצת הצלב
roof (rōōf) *n&v.* גג; קורת-גג; להתקין גג; לכסות
- go through the roof *להרקיע שחקים (מחיר)
- hit/raise the roof להפוך עולמות
- live under the same roof לדור בכפיפה אחת עם
- roof in/over לכסות בגג
- roof of the mouth חיך
roof garden גינת-גג
roofing *n.* חומרי-גג
roofless *adj.* חסר קורת-גג; חסר גג
roof rack גגון (במכונית)
rooftop *n.* גג
- shout it from the rooftops להוציא כביסה מלוכלכת, לפרסם זאת ברבים

rooftree *n.* קורת הגג; בית
rook *n.* סוג עורב; (בשחמט) צריח
rook *n&v.* רמאי, קלפן (המציג יריביו ככלי ריק); לרמות; להפקיע מחירים
rook′ery *n.* קיני עורבים, מושבת עורבים; מושבת פינגווינים/כלבי-ים; רובע מגורים מוזנח
rook′ie *n.* *טירון, "בשר טרי"
room *n&v.* חדר; מקום; לגור, לדור
- 4-roomed house בית בן 4 חדרים
- make room for לְפַנוֹת מקום ל-
- no room for doubt אין מקום לספק
- room in להתגורר במקום עבודתו
- rooms דירה
room and board לינה וארוחות
roomer *n.* דייר (בחדר שכור)
rooming house בית-חדרים (להשכרה)
room′mate′ (-m-m-) *n.* חבר לחדר
room service שירות חדרים
room′y *adj.* מרווח, רחב
roost (ro͞ost) *n&v.* מוט, ענף; לול; (לגבי עוף) לישון על מוט
- at roost נח על גבי מוט
- come home to roost (לגבי פשע) לפעול כבומראנג, לחזור אל ראשו
- rule the roost למשול בכיפה
roo′ster *n.* תרנגול
root (ro͞ot) *n.* שורש; מקור; בסיס, יסוד
- cube root שורש מעוקב
- get to the root of לרדת לשורש ה-
- pull up one's roots לעקור מביתו
- put down roots להשריש, להתערות
- root and branch כליל, עד תום
- root cause סיבת הסיבות
- root of all evil שורש הרע
- square root שורש מרובע
- strike/take root להכות שורש
root *v.* להשריש, להכות שורש; לשתול; לרתק, לְאַבֵּן; לנבור, לחטט
- root around/about לנבור, לחפש
- root for לעודד (קבוצתו), להריע
- root out לשרש, לעקור; למצוא
- root up לעקור על שורשיו
root beer שיכר שורשים
root-bound *adj.* רווי-שורשים (שהמקום צר מהכילם); מושרש במקום
root canal (טיפול) שורש
root crop ירק שורשי (כגון גזר)
rooted *adj.* מושרש; מאובן, מרותק, קפוא
roo′tle *v.* לנבור, לחטט
rootless *adj.* חסר-שורשים, לא מעורה
rope *n.* חבל; מחרוזת; תלייה
- at the end of one's rope בקצה כוחותיו/סבלנותו, אובד עצות
- give him rope לתת לו חופש פעולה
- money for old rope רווח קל, כסף קל
- on the ropes נכשל, חסר-אונים
- the rope תלייה
- the ropes חבלי הזירה; כללים, מנהגים, עניינים, תהליך
rope *v.* לקשור, לכבול; להיקשר; להשתלשל בחבל; לפלצר
- rope in לשדל, לשכנע (שיתן יד)
- rope off להפריד, לסגור, להקיף בחבל
rope-dancer *n.* שוור, מהלך על חבל

rope ladder סולם חבלים
rope-walk *n.* בית מלאכה לחבלים
rope-walker *n.* מהלך על גבי חבל
ropeway *n.* רכבל-דליים (מערכת דליים הנעים על גבי כבל)
ro′pey, ro′py *adj.* *מאיכות ירודה
rope-yard *n.* ביח"ר לקליעת חבלים
rope-yarn *n.* חומר לקליעת חבלים
roque′fort (rōk′f-) *n.* גבינת רוקפור
Ror′schach test (-shäk) *n.* בּוֹחַן רורשך (ניתוח האופי ע"י כתמי דיו)
ro′sary (-z-) *n.* גן-שושנים; ספר תפילה (קתולי); תפילה; מחרוזות-תפילה
rose (-z) *n.* שושנה; ורד; דבר דמוי-ורד, ראש מזלף, משפך; צרור סרטים
- bed of roses מקום נעים, גן עדן
- gather life's roses לרדוף תענוגות
- no rose without a thorn אין שושנה בלי חוחים
- not all roses לא מושלם, אליה וקוץ בה
- see with rose-colored glasses לראות ורודות, להיות אופטימי
- under the rose בחשאי
rose *adj.* ורוד
ro′se′ (-zā′) *n.* יין-רוז'ה
rose = pt of rise (-z)
ro′se·ate (-z-) *adj.* ורוד, שושני
rose-bed *n.* ערוגת ורדים
rose-bud *n.* ניצת ורד
rose bush שיח ורדים, מטע ורדים
rosed *adj.* דמוי-ורד, בעל משפך
rose hip פרי הוורד
rose-leaf *n.* עלה-ורד
rose′mar′y (rōz′māri) *n.* רוזמרין (שיח-נוי)
rose of Jericho שושנת יריחו
rose-red *adj.* אדום כשושנה
rose-tinted *adj.* ורוד; אופטימי
ro·sette′ (-zet) *n.* רוזטה, שושנת; תוברה, טבעת-רצועות; צרור סרטים; תגליף שושנה
rose-water *n.* מי-ורדים
rose window חלון-שושנה (עגול)
rosewood *n.* (סוג) עץ קשה
ros′in (-z-) *n&v.* שְׂרָף (למשיחת מיתרי-כינור); למשוח בשרף
ros′ter *n.* לוח תורנויות
ros′trum *n.* במה, דוכן-נואמים
rosy (rōz′i) *adj.* ורוד (לחי, עתיד)
rot *v.* להרקיב; להימק; *לדבר שטויות
- rot away להרקיב
- rot off להרקיב ולנשור
rot *n.* רקב, ריקבון; נמק; רצף-כשלונות, סדרת מפלות; *שטויות
- dry rot ריקבון, ריקבון כמוס
ro′ta *n.* לוח תורנויות, רשימת תורנים
Ro·ta′rian *n.* חבר מועדון רוטרי
ro′tary *adj.* סיבובי, רוטציוני, מסתובב
rotary *n.* אי-תנועה, כיכר, סובה
Rotary Club מועדון רוטרי
rotary press מכונה סיבובית (בדפוס)
ro′tate *v.* להסתובב; לסובב; להחליף (במחזוריות); להנהיג רוטאציה
ro·ta′tion *n.* סיבוב; מחזוריות; רוטאציה
- in rotation חליפות, במחזוריות

rotation of crops מחזור-זרעים
ro'tato'ry *adj.* סיבובי, רוטאציוני
rote *n.* שינון, שגרה
- by rote בעל-פה, בצורה מכאנית
rot'gut' *n.* משקה חריף (מזיק לקיבה)
ro·tis'serie *n.* שפוד מסתובב; מסעדת צלי
ro'togravure' *n.* רוטוגרוויר, מכונה סיבובית מחורטת; הדפס רוטוגרוויר
ro'tor *n.* רוטאטור, חלק מסתובב; מערכת מדחפים; רוטור, חוגה
rot'ten *adj.* רקוב, מקולקל; *רע, גרוע, מזופת; עייף, סחוט
- rotten to the core מושחת עד היסוד
rot'ter *n.* *נָבָל, חדל-אישים
Rott'wei'ler (-wī-) *n.* רוטווילר (כלב)
ro·tund' *adj.* עגלגל, שמנמן; (קול) מלא, עשיר, עמוק; (סגנון) נמלץ
ro·tun'da *n.* רוטונדה, בניין עגול
ro·tun'dity *n.* עגלגלות; מלאות
rou'ble (ro͞o'-) *n.* רובל (מטבע רוסי)
roue (ro͞oā') *n.* מופקר, נואף
rouge (ro͞ozh) *n&v.* אודם, פודרה, צבע; לפדר
rough (ruf) *adj.* קשה; מחוספס; גס; לא חלק; סוער, גועש; מתפרע; צורמני; לא מעובד; לא מלוטש
- give the rough side of tongue להצליף בלשונו, לדבר קשות
- it's rough on him איתרע מזלו
- rough and ready טוב למדי, פשוט, לא הכי נוח
- rough luck מזל ביש
- rough paper נייר-טיוטה/-שרבוט
- rough time שעה קשה, שעת מצוקה
- rough tongue לשון קשה/חריפה
- rough voice קול מחוספס/צורמני
rough *adv.* קשה, בצורה נוקשה, גַסּוּת
- cut up rough *להתרגז
- live/sleep rough לחיות/לישון תחת כיפת השמיים
- play it rough לשחק בנוקשות
rough *n.* מצב קשה; מצוקה; משטח לא חלק/מלא עשבים; בריון; טיוטה
- in the rough במצב לא מתוגמר
- take the rough with the smooth לקבל את הרע כשם שמקבלים את הטוב
rough *v.* לחספס; לפרוע (שיער); לערוך שרטוט ראשוני
- rough it לחיות בתנאים קשים
- rough up לנהוג בגסות; להתנפל על; לחספס, לפרוע
rough'age (ruf'-) *n.* מזון גס
rough-and-tumble *adj&n.* פרוע, אלים, קולני; מאבק פרוע
rough-cast *n&v.* טיח גס (מכיל חצץ וחלוקי-אבנים); לְצַפּוֹת בטיח גס
rough copy טיוטה
rough-dry *v.* לייבש ללא גיהוץ
rough'en (ruf'-) *v.* לחספס; להתחספס
rough-hewn *adj.* מסותת/חטוב בגסות
roughhouse *n&v.* תגרה קולנית, מהומה; להתכתש, להקים מהומה
rough justice יחס לא הוגן
roughly *adv.* בערך; באופן גס, גַסּוּת
- roughly speaking בהשערה גסה, בערך

rough-neck *n.* בריון; עובד בצוות קידוח
roughness *n.* חספוס; מקום מחוספס
rough ride שעה/חוויה קשה
rough-rider *n.* מאלף סוסי-פרא
roughshod *adj&adv.* מסומר-פרסות
- ride roughshod over לרמוס; לנהוג בגסות/בזלזול; להתעלם, לבוז
rough-spoken *adj.* בעל לשון קשה
rough stuff אלימות, התפרעות
rou·lette' (ro͞olet') *n.* רולטה
round *adj.* עגול; מעוגל; עגלגל, שמנמן; שלם, מלא; פשוט, גלוי, כן
- in round figures/numbers במספרים עגולים, בקירוב
- round dance ריקוד מעגלי; ריקוד סיבובי, ואלס, פולקה
- round dozen תריסר שלם
- round pace קצב מהיר/נמרץ
- round peg in a square hole אדם שאינו מתאים לתפקיד
- round sum סכום נכבד
- round tone צליל מלא/נעים
round *adv.* בסיבוב; מסביב, בהיקף, בחזרה; מזה לזה; בסביבה; לביתו
- all round מסביב, בכל היקפו
- all the year round במשך כל השנה
- come round! בוא אלי, "קפוץ אלי"
- come/be round again לחזור, לבוא
- go round להסתובב; להלך (שמועה); להספיק לכל; לבקר; להקיף
- go round and round להסתחרר
- hand round לחלק, להעביר לכולם
- it's the other way round להיפך!
- look round לראות, להזין עיניו
- right round בהיקף מלא
- round about בסביבה; בסביבות, בערך
- taking it all round אם נשקול את העניין מכל הבחינות
- turn round לסובב; להסתובב
round *prep.* סביב-, מסביב ל-, סביב ה-; בסביבות, בקירוב
- round the bend *מטורף
- round the clock ביום ובלילה
round *n.* עיגול; מחזור, סיבוב; מערכה; סדרה; מקוף; פרוסה; ירייה; קנון; שלב, חווק
- daily round עיסוקים יומיומיים
- go the rounds לעבור מפה לפה
- in the round מוצג במרכז, שאפשר לחזות בו מכל הצדדים
- make rounds לערוך סיבוב ביקורים
- milk round מסלול החלבן
- round of drinks משקה לכל המסובים
- rounds סיורים, סיבוב, ביקורת
round *v.* לעגל; להתעגל; להקיף
- round down לעגל כלפי מטה
- round off לעגל (מספר); לסיים כראוי, לקנח ב-
- round on לפנות נגד, להתקיף
- round out לעגל, להתעגל; להשלים
- round up לעגל כלפי מעלה; לקבץ, לאסוף; ללכוד (פושעים)
- round upon להתנפל על, להסתער על
round = around
roundabout *adj.* עקיף, סחור-סחור
roundabout *n.* סחרחרה, קרוסלה;

אי-תנועה, כיכר, סובה
round-backed *adj.* גיבן, גבנוני
round brackets סוגריים עגולים
roun′del *n.* דיסקית-עיטור; עיגול
roun′delay′ *n.* רונדלי (שיר קצר)
roun′ders *n-pl.* מעגלים (משחק הדומה לבייסבול); הקפות
round-eyed *adj.* פעור-עיניים
round-hand *n.* כתב-יד עגול
round-house *n.* מוסך-קטרים; (בעבר) תא (בספינה); בית-סוהר
roundish *adj.* עגלגל
roundly *adv.* כליל, לגמרי; במלים קשות, בחריפות, נמרצות
roundness *n.* עגילות, עוגל
round robin עצומה (מעגלית); תחרות, טורניר; אסיפה, דיון
round-shot *n.* כדור תותח, פגז
round-shouldered *adj.* כפוף-גו
roundsman *n.* שליח, מחלק-סחורה, מקבל הזמנות
round table שולחן עגול
round-the-clock ביום ובלילה
round-trip *adj.* (כרטיס) הלוך ושוב
round trip נסיעה הלוך ושוב
round-up *n.* איסוף; מצוד, לכידה
roup (ro͞op) *n.* מחלת עופות
rouse (-z) *v.* להעיר; להקים; לעורר; להלהיב; להרגיז; להתעורר
- rouse to anger להרגיז, לעורר זעם
rousing *adj.* מלהיב; נלהב, חם; רם
- rousing cheers תשואות רמות
roust *v.* לעורר; *לטרטר
roust′about *adj.* פועל שחור, פועל נמל
rout *n.* תבוסה מלאה, מנוסת בהלה; מהומה; מסיבה; התקהלות קולנית
- put to rout להביס, להכות קשות
rout *v.* להביס; להניס
- rout out לחשוף; לגרש; להוציא
route (ro͞ot) *n.* דרך, נתיב, מסלול
- en route בדרך
route *v.* להעביר בנתיב מסוים, לנתב; לתכנן נתיב
route march מסע אימונים
rou·tine′ (ro͞otēn′) *n&adj.* שגרה, רוטינה; קטע בימתי; שגרתי, רגיל
roux (ro͞o) *n.* תערובת שומן וקמח
rove *v.* לשוטט, לתור, לנוע
rover *n.* משוטט; צופה בכיר
roving commission היתר תנועה (לחוקר המרבה בנסיעות)
roving eye לטישת עיניים (לאישה), התעסקות
row (rō) *n.* שורה, טור; שיט, חתירה; רחוב
- hard row to hoe משימה קשה
- hoe one's own row לשאת לבדו בעול
- in a row בטור; *ברצף, בזה אחר זה
row (rō) *v.* לחתור; לשוט; לתפוש משוט; להשיט
- row a race להשתתף בתחרות חתירה
- rowed out עייף ממאמץ החתירה
row (rou) *n&v.* מריבה, ויכוח קולני; רעש; לריב, להתקוטט; לנזוף, לגעור
- get into a row לספוג נזיפה
- kick up a row לעורר מהומה, לצעוק

row′an *n.* חוזרר
row-boat *n.* סירת-משוטים
row club מועדון משוטאים
row′dy *n&adj.* פרחח; פרחחי, קולני, מתפרע, גס
rowdyism *n.* פרחחות, התפרעות
row′el *n.* גלגילון-דרבן, דרבן
row′er (rō-) *n.* חותר, תופש משוט
rowhouse *n.* בית (בשורת בתים)
rowing *n.* שיוט, חתירה
rowing boat סירת משוטים
rowlock *n.* בית-משוט, ציר-משוט
roy′al *adj&n.* מלכותי; מפואר; ממלכתי; ממשפחת המלוכה
- His Royal Highness הוד מלכותו
- right royally כיאה למלך
- royal road to דרך המלך ל-, שיטה להשיג בלי טרחה
royal blue כחול סגלגל
royal commission ועדת חקירה ממלכתית
roy′alist *adj&n.* מלוכני
royal jelly מזון מְלָכוֹת (בתוך דבש)
Royal Society אגודה לקידום המדע
roy′alty *n.* משפחת המלוכה; מלכות; תמלוג, חלק ברווחים
roz′zer *n.* *שוטר
RPG אר-פי-ג׳י (שפה/טיל)
rpm = revolutions per minute סיבובים לדקה
RSVP הואל-נא לענות (להזמנה)
rt. ימין, רדיו-טלפון
rub *v&n.* לשפשף, לחכוך; למרוח, למשוח; להשתפשף; שפשוף
- rub against להשתפשף ב-
- rub along להצליח איכשהו, להסתדר בדוחק
- rub along together לחיות בצוותא
- rub away/off להסיר בשפשוף; להשתחק
- rub down לייבש בשפשוף; לקרצף; לשפשף, להחליק, ללטש; לעסות
- rub dry לייבש בשפשוף
- rub him up the wrong way להרגיזו
- rub in למרוח (פנימה) תוך שפשוף; לשנן, לחזור על, להחדיר
- rub it in לזרות מלח על הפצעים
- rub one's hands לחכוך ידיו בהנאה
- rub out למחוק; להימחק; *לחסל, לרצוח
- rub shoulders/elbows with להתחכך ב-, לפגוש, להתרועע עם
- rub up לצחצח, למרק, ללטש; לרענן (ידיעות)
- rub up against לפגוש, להיתקל ב-
- there's the rub פה טמון הקושי, כאן מקור הצרה, פה קבור הכלב
rub′-a-dub′ *n.* קול תיפוף
rub′ber *n&v.* משפשף; גומי; מחק; מטלית-ניקוי; *כובעון; לצפות בגומי
- rubbers ערדליים, נעלי-גומי
rubber *n.* סדרה, 3 משחקים רצופים; 2 נצחונות בסדרה; משחק מכריע
rubber band גומייה
rubber bullet כדור גומי
rubber check שיק בלי כיסוי

rub'berize' *v.* לצפות בגומי
rubberneck *n&v.* סקרן, תייר, להוט לראות; לשרבב צוואר; להסתכל; לטייל, לסייר
rubber sheath כובעון
rubber stamp חותמת גומי
rubber-stamp *v.* להוות חותמת-גומי, לאשר בלי שיקול דעת
rubber tree עץ הגומי
rubbery *adj.* כמו גומי
rubbing *n.* מעשה-שפשוף (שפשוף גיר וכ׳ על נייר המונח על תבליט)
rubbing alcohol כוהל (לשימוש חיצוני)
rub'bish *n&interj.* אשפה, זבל; שטויות
rubbish bin פח אשפה
rubbishy *adj.* שטותי, חסר-ערך
rub'ble *n.* חצץ, שברי אבן
rub down שפשוף נמרץ, ניגוב, קרצוף
ru·bel'la (rōō-) *n.* אדמת
Ru'bicon' *n.* רוביקון (נהר)
- cross/pass the Rubicon לחצות את הרוביקון, לעשות צעד גורלי/שאין ממנו חזרה
ru'bicund *adj.* אדום, סמוק-פנים
ru'ble *n.* רובל (מטבע רוסי)
ru'bric *n.* הוראה, הנחייה; כותרת
rub-up *n.* ליטוש, צחצוח
ru'by *n&adj.* אודם (אבן יקרה); אדום
ruche (rōōsh) *n.* סרט קישוט, שנץ
ruck *v&n.* לקמט; להתקמט; קמט
- ruck up להתקמט
ruck *n.* ההמון הפשוט; חיי שגרה; חבורת שחקנים המתגודדים על כדור
ruck'sack' *n.* תרמיל גב
ruck'us *n.* מהומה, רעש
ruc'tion *n.* מהומה, רעש
rud'der *n.* סנפיר הזנב (של ספינה); הגה; עיקרון מנחה
rud'dle *n&v.* אוכרה אדומה (לסימון כבשים); לסמן באוכרה אדומה
rud'dy *adj&n.* אדום, סמוק, אדמדם; ארור, לכל הרוחות
rude *adj.* גס, לא מנומס; חצוף; פתאומי; חריף; פשוט, פרימיטיבי, גולמי, טבעי
- in rude health בריא לגמרי, איתן
- rude awakening יקיצה מרה, אכזבה
- rude shock הלם רציני
rudely *adv.* בגסות, בפשטות
ru'dimen'tary *adj.* יסודי, אלמנטרי; שהחל לצמוח, שלא התפתח
ru'diments *n-pl.* יסודות, עיקרים; ניצנים (שלא התפתחו), סימנים
rue (rōō) *v.* להתחרט, להצטער, להיעצב
- rue it להצטער על כך
rue *n.* פיגם (צמח רפואי)
rue'ful (rōō'-) *adj.* עצוב, מלא יגון
ruff *n.* צווארון מסולסל; טבעת נוצות; (בקלפים) טראמפ
ruf'fian *n.* בריון, חוליגן, פרחח
ruffianism *n.* בריונות, חוליגניות
ruffianly *adj.* בריוני, חוליגני
ruf'fle *v.* להרגיז; להתרגז; לקמט; לפרוע (שיער/נוצות); להעלות אדווה
ruffle *n.* פריעה (כנ״ל); שוליים מקובצים (בבגד); קפל מסולסל; אדווה
rug *n.* שטיח; מעטה-צמר
- pull the rug from under להפוך הקערה על פיה, להשמיט הקרקע מתחת
rug'by *n.* רגבי
rugby league רגבי של 13 שחקנים
rugby union רגבי של 15 שחקנים
rug'ged *adj.* קשה, מוצק; גס, מחוספס; חרוש-קמטים; מסולע, מטורש
rug'ger *n.* *רגבי
ru'in *n.* הרס, חורבן; מקור-ההרס; ממיט האסון; חורבה, בית חרב
- bring to ruin להמיט הרס על
- fall into ruin להיהרס, להיחרב
- in ruins הרוס (לגמרי)
- ruins הריסות; התמוטטות
ruin *v.* להרוס; להחריב; להשחית
ru'ina'tion *n.* הרס, חורבן
ruined *adj.* הרוס, שאיבד כל רכושו
ru'inous *adj.* הרסני, ממיט אסון; הרוס
rule *n.* כלל, חוק, תקנה; מנהג, הרגל קבוע; שלטון; סרגל
- according to/by rule לפי הכללים
- as a rule בדרך כלל
- bend/stretch the rules להגמיש הכללים, לנהוג לפנים משורת הדין
- rule of thumb שיטת פעולה המבוססת על הניסיון
- rules of evidence דיני הראיות
- work to rule לעבוד לפי הספר, להאט קצב העבודה
rule *v.* לשלוט, למלוך; לפסוק, להחליט, לקבוע; לסרגל (קווים ישרים)
- prices rule high המחירים גבוהים
- rule off למתוח קו, להפריד בקו
- rule out להוציא מכלל חשבון, להוריד מהפרק, לפסול, למנוע, לדחות
- rule with an iron hand לשלוט ביד ברזל
- ruled by fear פועל מתוך פחד
- ruled paper נייר שורות
rule book תקנון, ספר כללים
ru'ler *n.* שליט, מלך; סרגל
ru'ling *n.* פסק-דין, קביעה; הלכה
ruling *adj.* שולט, שורר
- ruling passion תשוקה שולטת, דיבוק
rum *n&adj.* רום, משקה חריף; *משונה; קשה
rum'ba *n.* רומבה (ריקוד)
rum'ble *v.* לרעום; להרעים; להרעיש, לנוע ברעש; *לגלות, להבין, לפענח
- his stomach rumbles קיבתו מקרקרת
rumble *n.* רעם, רעש; מושב אחורי; *תגרת רחוב
rum'bling *n.* שמועה, רינון; ריטון
rum·bus'tious (-chəs) *adj.* קולני, מרעיש
ru'minant *adj&n.* מעלה גירה
ru'minate' *n.* להעלות גירה; להרהר, לשקול בדעתו
ru'mina'tion *n.* העלאת גירה; שיקול
ru'mina'tive *adj.* מהרהר; מהורהר; שוקל
rum'mage *v&n.* לחפש, לפשפש; (לערוך) חיפוש יסודי; חפצים, בגדים ישנים

rummage sale מכירת חפצים משומשים
rum'my *adj&n.* רמי (משחק קלפים); *מוזר
ru'mor *n&v.* שמועה; להפיץ שמועה
- rumor has it מתהלכת שמועה
rumored *adj.* ידוע מפי השמועה
rumor-monger (-g-) *n.* מפיץ שמועות
rump *n.* עכוז; ישבן; שריד (של ארגון)
rum'ple *v.* לקמט; לפרוע (שיער)
rum'pus *n.* מהומה, רעש, ריב
- kick up a rumpus לעורר מהומה
rumpus room חדר משחקים
rum-runner *n.* מבריח משקאות חריפים
run *v.* לרוץ; לברוח; לנוע; לחלוף; לנסוע;
לשוט; להעביר; לנהל; לפעול; להפעיל;
לזרום; לשפוך; להפוך; להיעשות;
להימשך; להימס; להתפשט
- also ran נכשל במירוץ
- can't run to a car לא יכול להגיע
למכונית, אין לו כסף לקנות מכונית
- feelings ran high הרוחות נשתלהבו
- he ran third הגיע שלישי (במירוץ)
- he runs a car יש לו מכונית
- his blood ran cold דמו קפא
- his mind keeps running on girls הוא
חושב על בחורות תמיד
- his nose was running חוטמו זב
- is run out עייף, חסר-נשימה
- is running out of time זמנו אוזל
- ran up a bill צבר חשבון (בקניות)
- run a horse לשתף סוס במירוץ
- run a life/hotel לנהל חיים/מלון
- run a pen through למתוח קו על
- run a race לקיים/להשתתף במירוץ
- run a risk להסתכן
- run a temperature/fever לקבל חום
- run across להיתקל ב-, לפגוש
- run afoul/foul of להתנגש, להסתבך
- run after לרדוף אחרי
- run against להתמודד עם; לפעול נגד;
להיתקל לפתע ב-
- run along! הסתלק! התחפף!
- run an engine להפעיל מנוע
- run arms להבריח נשק
- run around לצאת בחברת-, להסתובב
- run at להתנפל על
- run away לברוח; לגנוב ולהסתלק
- run away with לעלות, לכלות הכסף;
לצאת מכלל שליטה; לנצח בקלות
- run away with the idea להיחפז להניח,
להיות נמהר במסקנתו
- run back לרדת (מניות); לגלגל לאחור
- run back over לסקור, לעבור שוב
- run candidates למנות מועמדים
- run down להיעצר (שעון), לאזול
(סוללה); להוריד העומס, להפחית פעילות
- run for it לברוח, להימלט
- run for president לרוץ לנשיאות
- run him a bath למלא לו אמבטיה
- run him clean off his legs להריצו עד
לאפיסת כוחות
- run him close להגיע כמעט לרמתו
- run him down לדרוס; לרדוף ולתפוס;
לבקרו קשות; להמעיט בערכו
- run him hard להשתוות אליו כמעט
- run him off להבריחו
- run in לבקר חטופות; להשגיר, להריץ
(מנוע); לאסור, לעצור
- run into לנעוץ; להינעץ; להתנגש ב-;
להיכנס, להסתבך ב-; להתערבב
- run into debt להיכנס/להכניס לחובות
- run into him להיתקל בו, לפגוש
- run into hundreds להגיע למאות
- run into trouble להסתבך בצרה
- run it down להתנגש; לחפש ולמצוא
- run messages לעשות שליחויות
- run off לברוח; להפעיל מ-; לנקז, לרוקן;
להדפיס, לכתוב; לצטט בשטף
- run off a race לערוך מירוץ נוסף
- run off him לא להשפיע עליו
- run off one's feet להיות עסוק ביותר,
"ליפול מהרגליים" מעומס העבודה
- run on להמשיך; להימשך; לעבור, לחלוף;
לחבר, לצרף (אותיות); לפטפט
- run on/upon להתגלגל (שיחה/מחשבה)
- run one's eyes להעביר מבטו
- run out לאזול, להיגמר; לבלוט, להזדקר;
*לגרש
- run out a rope לגלגל/למשוך חבל
- run out on *לזנוח, לנטוש
- run over לגלוש; לדרוס; לסקור, לחזור
על; להעביר (מבטו) על
- run over/round לערוך ביקור חטוף
- run short לאזול, להיגמר; לעמוד על סף
מחסור ב-
- run the chance/danger להסתכן
- run the show לפקח על העניינים
- run the streets לשחק ברחובות
- run through לדקור, לנעוץ; להינעץ;
לבזבז, לכלות; לרפרף; לעבור; להעביר
- run to להגיע ל-, להספיק ל-; לנטות ל-,
להיות מגמתו ל-
- run to earth למצוא לאחר חיפוש
- run to his help לאוץ לעזרתו
- run up לבנות/לתפור מהר; לגרום
לעליית-; לצבור מהירות
- run up a flag להניף דגל
- run up against להיתקל ב-, לפגוש
- run upon להיתקל ב-, לפגוש
- run well להתנהל כשורה
- run wild להתפרע; לגדול פרא
- runs in the family אופייני למשפחה
- tears ran דמעות זלגו
- the play ran המחזה הוצג (ברציפות)
- the road runs הרחוב נמשך/עובר
- the stocking ran נוצרה רכבת בגרב
- the story runs סיפור המעשה הוא-
run *n.* ריצה; נסיעה; מסלול; מרחק;
מגמה, נטייה; (בספורט) נקודה; פלג, יובל;
ירידה, נפילה; סדרה, רציפות; שטח
לבעלי-חיים
- a run for one's money תמורה
לכספו/למאמציו; תחרות קשה למשהו
- at a run בריצה
- common run הטיפוס הרגיל/השכיח
- go for a run לצאת לריצה
- in the long run בסופו של דבר
- in the short run לטווח קצר, לעתיד
הקרוב
- make a run for it לעשות "ויברח"
- on the run במנוסה; ממהר; מתרוצץ
- run in a stocking רכבת בגרב

- run of cards הקלפים שבידי השחקן
- run of salmon להקת סלמונים
- run on gold התנפלות/בהלה לזהב
- run on the bank הסתערות הקהל על הבנק (למשיכת כספם)
- the run of a place חופש השימוש במקום, רשות לבקר במקום

run-about *n.* מכונית; סירה; מתרוצץ
run-around *n.* התחמקות, רמאות
- got the run-around נדחה בהלוך ושוב

runaway *adj&n.* בורח, נמלט; פליט
- runaway marriage נישואי זוג בורחים (מהוריהם)
- runaway prices מחירים דוהרים

run-down *n.* ירידה, צמצום; דוח מפורט
run-down *adj.* עייף, ירוד; רעוע
rune *n.* כתב-סתרים; מלות-קסם
rung *n.* שלב (בסולם), חווק; מדרגה; דרגה, רמה; פס-חיזוק (בכיסא), פסקית
rung = pp of ring
run-in *n.* *ריב, סכסוך; תקופת-הכנה
run'nel *n.* יובַל, פלגלג; תעלה
run'ner *n.* רץ; אצן; שליח; שטיח; מפה; פס-המחליקיים; מבריח; גבעול משתרג
- blockade-runner חומק ממצור
- gun-runner מבריח נשק

runner bean שעועית ירוקה
runner-up *n.* שני (בתחרות)
running *n.* ריצה, מירוץ
- in the running בעל סיכויים לזכות
- make/take up the running לקבוע המהירות; להוביל
- out of the running אפסו סיכוייו

running *adj&adv.* רץ, בריצה; זורם; זב, נוזל; רצוף, לא חדל; (הוצאה/עלות) שוטפת
- 5 days running 5 ימים רצופים
- in running order פועל כהלכה
- per running meter למטר רץ
- running commentary שידור חי
- running fight קרב (תוך) מנוסה
- running fire מטר אש/שאלות
- running hand כתב-יד רצוף/מחובר
- running kick בעיטה תוך כדי ריצה
- running water מים זורמים, מי ברז
- take a running jump! הסתלק!

running board מדרגה (במכונית ישנה)
running head/title כותרת המשכית (בכל עמוד בספר)
running mate שותף למירוץ
running repairs תיקונים שוטפים
running sore פצע מוגלתי
running start התחלה נאה, זינוק טוב
run'ny *adj.* *נוזל, ניגר
run-off *n.* מירוץ קובע (לאחר תיקו)
run-of-the-mill *adj.* רגיל, בינוני
run-on *adj.* מצורף, נספח, רצוף, המשכי
runs *n-pl.* *שלשול
runt *n.* ננס, לא מפותח
run-through *n.* חזרה, תשנון
run-up *n.* ריצת-צבירה (לפני קפיצה); תקופת הכנה/פעילות (לבחירות)
run'way' *n.* מסלול המראה, מימראה
ru·pee' (rōō-) *n.* רופיה (מטבע)
ru·pi'ah (rōōpē'ə) *n.* רופיה (מטבע אינדונזי)

rup'ture *n.* שֶבֶר, קֶרַע, התפקעות; בֶּקע
rupture *v.* להיקרע, להתפקע; לנתק
- rupture oneself לקבל שבר

ru'ral *adj.* כפרי, של כפר
Ru'rita'nia *n.* רוריטניה (ארץ דמיונית רווית הרפתקאות ותככים)
ruse *n.* תכסיס, תחבולה
rush *v.* למהר, לרוץ בבהילות; להסתער; לכבוש בסערה; להחיש, להעביר
- rush for- לגבות מחיר מופרז עבור-
- rush him להאיץ בו, לדחוק בו
- rush into print לאוץ לפרסם
- rush off his feet להעביד בפרך
- rush one's fences לפעול בפזיזות
- rush out לייצר בכמויות גדולות
- rush something לעשות דבר בחופזה
- rush through להשלים מהר, להעביר במהירות
- rush to a conclusion להיחפז להסיק

rush *n.* מהירות, חיפזון, מהומה; הסתערות; בהלה; זינוק
- bum's rush השלכה החוצה
- gold rush בהלה לזהב
- rush hour שעת העומס, שעת הדוחק
- rushes טיוטת-סרט (לפני העריכה)

rush *n.* קנה-סוף, אגמון
rush-light *n.* נר אגמון
rush'y *adj.* שופע קני-סוף
rusk *n.* צנים
rus'set *adj&n.* חום-זהבהב; תפוח חורפי
Rus'sia (rush'ə) *n.* רוסיה
Rus'sian (rush'ən) *adj&n.* רוסי; רוסית
Russian roulette רולטה רוסית
Rus'so- של רוסיה
rust *n&v.* חלודה; חילדון; להחליד
- rust away/out להחליד כליל

rus'tic *adj&n.* פשוט, גס, מחוספס, לא מהוקצע; כפרי, קרתני; איכר
rus'ticate' *v.* לחיות בכפר; להרחיק זמנית; להשעות; לסתת בחספוס/בזיזים
rus'tica'tion *n.* חיי כפר; הרחקה, השעייה; חספוס; זיז, בליטה
rus·tic'ity *n.* כפריות
rus'tle (-səl) *v&n.* לרשרש; לנוע ברשרוש; *לגנוב, לסחוב; רשרוש
- rustle up *להכין, לארגן, לספק

rustler *n.* גונב בקר
rustless *adj.* לא חליד
rustling *n.* רשרוש; גניבת בקר
rustproof *adj.* חסין-חלודה
rustproof *v.* לחסן כנגד חלודה
rusty *adj.* חלוד; לא מלוטש, טעון רענון; דהוי
rut *n&v.* חריץ, עקבות אופן; (חיי) שגרה; להותיר חריצים (באדמה)
- get into a rut להיכנס לשגרה

rut *n&v.* עונת הייחום; להתייחם
ruth (rōōth) *n.* רחמים; צער
ruthless *adj.* אכזרי, חסר-רחמים
rut'ting *adj&n.* מיוחם; התייחמות
Rwan'da (rooän'də) *n.* רואנדה
rye (rī) *n.* שיפון; ויסקי שיפון; לחם שיפון
rye bread לחם קיבר, לחם שיפון

S

S = South, Sunday, Saturday
Sab′bata′rian *n.* שומר שבת, שבתיין
Sab′bath *n.* שבת; יום ראשון
- break the Sabbath לחלל את השבת
sabbat′ical *adj.* שבתי, כמו שבת
sabbatical year שנת שבתון
sa′ber *n&v.* חרב כבדה (כפופת-להב), סיף; לדקור/להכות בחרב
saber-rattling *n&adj.* צחצוח חרבות, איומי-קרב; מלחמתי, שש לקרב
sa′ble *n&adj.* צובל (טורף קטן); פרוות-צובל; שיער-צובל; שחור, קודר
- sables בגדי אבל, שחורים
sab′ot (-bō) *n.* נעל עץ, קבקב
sab′otage′ (-tazh) *n&v.* סבוטאז׳, מעשה-חבלה; לחבל (בעבודה)
sab′oteur′ (-tûr′) *n.* מחבל
sa′bra (sä′-) *n.* צבר, יליד ישראל
sabre = saber
sac *n.* כיס, שלפוחית, שק
sac′charin (-k-) *n.* סאכארין
sac′charine′ (-kərēn) *adj.* סאכאריני, סוכרי, מתקתק, מתוק מדי
sac′erdo′tal *adj.* כוהני, של אנשי-דת
sacerdotalism *n.* שלטון אנשי-דת
sachet (sashā′) *n.* שקית בושם; אבקה ריחנית, עלים ריחניים
sack *n&v.* שק; סל-נייר; פיטורים; *מיטה; לפטר
- give the sack לפטר, לסלק מהעבודה
- got the sack *פוטר, הועף מעבודה
- left holding the sack *נותר נושא באחריות, נשאר עם הלשון בחוץ, נדפק
- sack out/in *לשכב לישון
sack *v&n.* לשדוד, לבזוז; ביזה; הֶרֶג
sack *n.* סק, יין לבן
sack′but′ *n.* טרומבון קדום
sackcloth *n.* לבוש שק, אריג שק
sackcloth and ashes שק ואפר
sack dress שמלת שק
sack′ful′ (-fool) *n.* מלוא השק
sacking *n.* אריג שק
sack race מירוץ שקים (כשהרגליים נתונות בשק)
sa′cral *adj.* דתי, של דת, פולחני
sac′rament *n.* סאקרמנט, טקס נוצרי, פולחן; לחם הקודש
sac′ramen′tal *adj.* פולחני, קדוש
sa′cred *adj.* קדוש, של הדת, דתי; מוקדש ל-; רציני, חגיגי
- sacred promise הבטחה חגיגית
sacred cow "פרה קדושה"
sacred music מוסיקה דתית/כנסייתית
sacredness *n.* קדושה
sacred writings כתבי הקודש
sac′rifice′ *n&v.* קורבן, הקרבה עצמית; ויתור, אובדן; להקריב; למכור בהפסד
- make a sacrifice להקריב (למענו)
- sell at a sacrifice למכור בהפסד
sac′rifi′cial (-fish′əl) *adj.* של קורבן
sac′rilege (-lij) *n.* חילול קודש
sac′rile′gious (-lij′əs) *adj.* של חילול קודש
sac′ristan *n.* שַמָש-כנסייה
sac′risty *n.* חדר תשמישי-קדושה
sac′ro·il′iac′ *n.* איזור העצה
sac′ro·sanct′ *adj.* קדוש ביותר
sac′rum *n.* עצם העצה
sad *adj.* עצוב, מצער; עגום, מביש, רע
- sad color צבע כהה/קודר/משעמם
- sad to say מצער לומר, לדאבוני
sad′den *v.* להעציב; להיעצב
sad′dle *n.* אוכף; גב-בהמה; מושב-אופניים; אוכף-הרים
- in the saddle בעמדת שליטה, מפקח
- saddle of mutton נתח בשר-כבש
saddle *v.* לאכף, לשים אוכף על
- saddle on להטיל (האשמה) על
- saddle up לאכף, לחבוש סוס
- saddle with להעמיס, להטיל, לחייב
- saddled with debts שקוע בחובות
saddlebag *n.* אמתחת; כיס-המושב
- saddle-bags שַקַיִים, בית פגים
saddle horse סוס רכיבה
saddler *n.* אוכפן, עושה אוכפים
saddlery *n.* אוכפים, כלי-רתמה; בית מלאכה לאוכפים; ייצור אוכפים
saddle shoe נעל מאוכפת
saddle-sore *adj.* סובל מחככי-רכיבה
saddle stitch תפר קישוט (בשוליים); הידוק (חוברת) בסיכות-חיבור
Sad′du·cee′ *n.* צדוקי
sa′dism′ *n.* סאדיזם, אכזריות
sa′dist *n.* סאדיסט
sadis′tic *adj.* סאדיסטי
sadly *adv.* בעצב; לרוע המזל
- sadly mistaken טועה מאוד (לצערי)
sadness *n.* עצבות
sa′do·mas′ochism′ (-kisəm) *n.* סאדומזוכיזם
sa′do·mas′ochist (-kist) *n.* סאדומזוכיסט
sad sack *לא יוצלח, בטלן
sae מעטפה מבוילת וממוענת
safa′ri (-fä′-) *n.* סאפארי, משלחת-ציד; טיול מאורגן (באפריקה); שיירת סאפארי
safari park פארק סאפארי
safe *adj.* בטוח; מוגן; לא-ניזוק, שלם; זהיר; לא מסוכן; ודאי
- on the safe side נוקט זהירות רבה
- play it safe לשחק בזהירות
- safe and sound בריא ושלם
- safe seat מקום בטוח (לכנסת)
safe *n.* כספת; ארון איוורור (למזון)
safe-breaker, -cracker *n.* פורץ קופות, מפצח כספות
safe-conduct *n.* חסינות רשמית, רשות מעבר (בשטח אויב); רשיון מעבר
safe deposit הפקדה בכספת; בית-כספות
safe-deposit box כספת (בבנק)
safeguard *n&v.* אמצעי-הגנה, אמצעי-בטיחות, מחסה; להגן, לשמור
safe house מקום מיפגש, מיקלט
safe-keeping *n.* שמירה בטוחה
safe′ty (sāf′-) *n.* ביטחון; בטיחות

- play for safety לשחק בזהירות
- road safety בטיחות בדרכים
- safety first קודם כל - זהירות

safety belt חגורת בטיחות
safety bolt בריח-ביטחון
safety catch נצרה
safety curtain מסך (חסין-אש)
safety factor מרווח ביטחון
safety glass זכוכית ביטחון
safety island/zone אי-תנועה
safety lamp פנס-בטיחות
safety net רשת ביטחון
safety pin סיכת ביטחון, פריפה
safety razor מַגְלֵחַ, מכונת גילוח
safety valve שסתום ביטחון; אמצעי-התפרקות (כגון ספורט)
saf'flow'er *n.* חריע
saf'fron *n.* זעפרן, כרכום; תַּפּוּז, כתום
sag *v&n.* לשקוע, לרדת, לצנוח, ליפול; לתלות ברפיון; שקיעה, ירידה

- his spirit sagged נפלה רוחו

sa'ga (sä'-) *n.* סאגה, הגדה, סיפור
saga'cious (-shəs) *adj.* נבון, חכם, חריף
sagac'ity *n.* תבונה, חוכמה, חריפות
sage *adj&n.* חכם, מלומד, עתיר-ניסיון
sage *n.* מַרְוָה; ירוק-אפור
sagebrush *n.* לענה (צמח-בר)
sag'gy *n.* צנוח, נפול, שקוע
Sag'itta'rius *n.* מזל קֶשֶׁת
sag'ittate' *adj.* חיצי, דמוי-חץ
sa'go *n.* סאגו, עמילן מדקל-הסאגו
sago palm *n.* סאגו (סוג דקל)
sa'hib (sä'-) *n.* אדון (בהודו)
said = p of say (sed)

- the said האמור, הנ"ל

sail *n.* מיפרש; מיפרשית; ספינה; ספינות; שיוט, הפלגה; זרוע טחנת-רוח

- in full sail כשכל מיפרשיה פרושים
- make sail לפרוש מיפרשים, להפליג
- take in sail לקפל (חלק מ-) המיפרשים; למתן שאיפותיו/פעילותו
- take the wind out of his sails להוציא הרוח ממיפרשיו
- under sail שטה במיפרשים פרושים

sail *v.* לשוט; להשיט; להפליג; לחצות (ים); לנוע, לרחף, לעוף; לעבור/להשיג בקלות

- go sailing לצאת לשייט
- sail for London להפליג ללונדון
- sail in להירתם במרץ (לעבודה)
- sail into him להתנפל עליו

sailboard *n.* גלשן-מיפרש
sail-boat *n.* מיפרשית, סירת מיפרשים
sailcloth *n.* אריג מיפרשים
sailing *n.* הפלגה; שיט-מיפרשית
sailing boat מיפרשית, סירת מיפרשים
sailing master נווט-יכטה
sailing ship מיפרשית
sailing vessel מיפרשית
sailor *n.* מַלָּח, ימאי, יורד-ים

- bad sailor סובל ממחלת-ים
- good sailor אינו סובל ממחלת-ים

sailorly *adj.* כְּמַלָּח, מצוחצח
sailor suit חליפת ימאים
sail plane דאון
saint *n.* קדוש; צדיק; "מלאך"
Saint Bernard סיינט ברנארד (כלב)
sainted *adj.* קדוש, שהפך לקדוש, המנוח
sainthood *n.* קדושה, מעמד הקדוש
saintlike *adj.* קדוש, דומה לקדוש
saintliness *n.* קדושה, חסידות
saintly *adj.* קדוש, כיאה לקדוש
saint's day יום הקדוש
saith = says (seth) אומר
sake *n.* תועלת; טובה; מטרה

- for heaven's/mercy's sake! למען השם!
- for my sake למעני
- for the sake of למען, בשביל, לטובת

sake, saki (sä'ki) *n.* סאקי (משקה יפני)
salaam' (-läm) *n&v.* שלום, סלאם; קידה עמוקה; לברך לשלום; לקוד
sal'able (sāl'-) *adj.* מָכִיר, ראוי למכירה
sala'cious (-shəs) *adj.* שטוף-זימה, תאוותני; גס, של ניבול-פה
salac'ity *n.* תאוותנות; גסות
sal'ad *n.* סאלאט; תערובת; ירק
salad cream רוטב סאלאט סמיך
salad days נעורים, חוסר ניסיון
salad dressing מיונית, רוטב-סאלאט
sal'aman'der *n.* סלמנדרה
sala'mi (-lä'-) *n.* סאלאמי (נקניק)
salaried *adj.* מקבל משכורת
sal'ary *n.* משכורת, שכר
sale *n.* מכירה, מֶכֶר; מכירה פומבית; מכירה כללית

- for sale למכירה, מוצע למכירה
- no sale! לא! בהחלט לא!
- on sale למכירה; במכירה כללית
- sale of work מכירת עבודות-בית וכ' (שהכנסתה קודש לצדקה)
- sale or return מכירה על-תנאי

saleable *adj.* מָכִיר, ראוי למכירה
sales chat דברי-שידול, שכנוע
sales clerk מוכר, זבן
sales department מחלקת מכירות
sales girl/lady מוכרת, זבנית
salesman *n.* סוכן מכירות, זבן
salesmanship *n.* זבנות; כושר שיכנוע
salesperson *n.* סוכן/סוכנת מכירות
sales resistance התנגדות הקונה לקנייה (שאיש המכירות מנסה לשבור)
salesroom *n.* אולם מכירות
sales slip/check קבלה, תלוש קבלה
sales talk שידול הקונה, דברי שכנוע
sales tax מס מֶכֶר
saleswoman *n.* סוכנת מכירות, זבנית
sa'lience *n.* בליטה; חשיבות
sa'lient *adj&n.* בולט; חשוב; ניכר; זווית בולטת; ראש-חץ, טריז (בקו-האויב)
salif'erous *adj.* מלחי; מפיק מלח
sa'line *adj&n.* מלחי, מלוח, מכיל מלח; תמיסת מלח; מעיין מים מלוחים
salin'ity *n.* מליחות
sal'inom'eter *n.* מד-מליחות
Salis'bur'y steak (sôlz'beri) *n.* פשטידית סולזברי (מבשר טחון, ביצים וכ')
sali'va *n.* רוק
sal'ivar'y (-veri) *adj.* של רוק, ריריr

salivary glands בלוטות הרוק
sal'ivate' *v.* להפריש רוק, לריר
sal'low (-ō) *adj&v&n.* צהוב; חולני; להצהיב; סוג של ערבה
sal'ly *n.* גיחה, הבקעה; התפרצות (של רגשות); הערה שנונה; טיול, הרפתקה
sally *v.* לערוך גיחה, לפרוץ
- sally forth/out לצאת למסע/לטיול
Sal'ly Lunn' סלי לאן (עוגייה)
salm'on (sam'-) *n.* סלמון, אלתית; ורוד-צהבהב
sal'monel'la *n.* סלמונלה, הרעלת מזון
salmon pink ורוד-צהבהב עז
salmon trout טרוטה
salon' *n.* סלון, טרקלין, חדר-אורחים; כנס אנשי רוח; בית אופנה
- beauty salon סלון-יופי
saloon' (-lōōn) *n.* מסבאה, בַּאר; אולם; מכונית
- dancing saloon אולם ריקודים
saloon bar מיזנון משקאות (בבאר)
saloon car מכונית, מכונית נוסעים
sal'sify' *n.* זקן-תיש (צמח)
salt (sôlt) *n.* מֶלַח, מלחייה; מוסיף טעם (לחיים); ימאי ותיק
- (not) worth one's salt (לא) ראוי למשכורתו, (לא) כדאי להחזיקו
- back to salt mines *חזרה לעבודה
- common salt מלח בישול
- eat salt with להתארח אצל
- not made of salt לא עשוי מסוכר, לא מודאג ממזג אוויר גשום
- put salt on the tail of ללכוד
- rub salt into his wounds לזרות מלח על פצעיו
- salt of the earth מלח הארץ, סולת האדם, עידית האנושות
- salts מלח שלשול, סם משלשל
- table salt מלח שולחן, מלח דק
salt *v.* למלוח, להמליח, להוסיף מלח; לזרות מלח; לתבל (סיפור); לרמות
- salt a mine להוסיף מחצב עשיר למיכרה (לשם הטעייה)
- salt away לחסוך (כסף)
- salt down לשמר במלח
- salt out לשקע (חומר בתרחיף) ע"י הוספת מלח
salt *adj.* מלוח, מָלֵחַ
salt-cellar *n.* מלחייה, מבזק-מלח
salt-pan *n.* בריכת-מלח
salt'pe'ter (sôlt-) *n.* מלחת
saltshaker *n.* מלחייה, מיבזקת-מלח
saltwater *adj.* של מים מלוחים
salt-works *n-pl.* מיפעל מלח
salty *adj.* מלוח, חריף, ממולח; *של הים
salu'brious *adj.* מבריא, יפה לבריאות
salu'brity *n.* בריאות
sal'u·tar'y (-teri) *adj.* טוב, מועיל, בריא
sal'u·ta'tion *n.* ברכה, אות-שלום; פתיחה, פנייה (במכתב)
salu'tato'ry *adj.* מביע ברכה
salute' *v.* להצדיע, לברך לשלום, לקדם פניו בברכה
salute *n.* הצדעה, הבעת כבוד, מטח-כבוד, סאלוט, סילוד; ברכת שלום; דיגול נשק;
- take the salute לקבל את המיסדר
פצצת-רעש
sal'vage *n.* הצלת-רכוש; חילוץ ספינה; שכר הצלה; רכוש ניצל; ניצולת, שיירים
salvage *v.* להציל
sal·va'tion *n.* הצלה, ישועה, גאולה
Salvation Army צבא-הישע
salvationist *n.* איש צבא-הישע
salve (sav) *n&v.* מישחה, תרופה; מזור; להרגיע, להשקיט, לשכך
salve (salv) *v.* להציל
sal'ver *n.* מגש, טס
sal'via *n.* מרווה (פרח)
sal'vo *n.* מטח; התפרצות; תשואות
sal volat'ile (-tili) *n.* תמיסת פחמת אמוניום, מלח הרחה (להשיב להכרה)
SAM טיל קרקע אוויר
Samar'itan *n.* שומרוני
- Good Samaritan צדיק, איש חסד
sam'ba *n.* סאמבה (ריקוד)
same *adj&adv&pron.* זהה, שווה, אותו, אותו הדבר, הנ"ל; באופן דומה
- at the same time באותה שעה, בו-זמנית; בבת אחת; יחד עם זאת, ברם
- it amounts to the same thing היינו הך, אין שוני, התוצאה דומה
- it's all the same היינו הך
- not the same without someone *לא הכי נעים, מאחר שאחד חסר
- on that same day באותו יום (ממש)
- one and the same אותו איש עצמו
- same here *גם לי, גם אני; כנ"ל
- same to you! ברכות גם לך!
- the same book (את) אותו הספר
- the very same man אותו אדם ממש
sameness *n.* דימיון, זהות; חדגוניות
samo'sa סמוסה (כיסן הודי מתובל)
sam'ovar' *n.* סמובר, מיחם
sam'pan' *n.* סירה סינית
sam'ple *n.* דוגמה, דגם, מידגם
sample *v.* לבדוק מידגם, לטעום, לנסות
sam'pler *n.* דוגמת מעשה-ריקמה
sam'urai' (-moorī) *n.* סמוראי (אציל צבאי יפני)
san'ative *adj.* מרפא, בעל כוח לרפא
san'ator'ium *n.* סנאטוריום, בית-מרפא
sanc'tifica'tion *n.* קידוש
sanc'tify' *v.* לקדש; לטהר מחטא
- sanctified by custom מקודש במינהג
sanc'timo'nious *adj.* מתחסד, דתי צבוע
sanc'tion *n.* אישור, רשות; עידוד; מניע לשמירת חוק; סנקציה, עונש; עיצומים
sanction *v.* לאשר, להרשות, לעודד
sanc'tity *n.* קדושה; דבר קדוש/חשוב
sanc'tuary (-chooəri) *n.* מקום קדוש; מקום תפילה; מיקלט; מחסה; שמורת-חיות; בית המיקדש; קודש הקודשים
sanc'tum *n.* מקום קדוש; *חדר פרטי
sanctum sanc·to'rum קודש קודשים
Sanc'tus *n.* "קדוש קדוש" (תפילה)
sand *n.* חול; חוף-הים
- build on sand לבנות בחול (לחינם)
- sands חולות; החול בשעון-חול
sand *v.* לשפשף בחול; לכסות בחול

san′dal *n.* סנדל
sandaled *adj.* מסונדל, נעול סנדלים
sandalwood *n.* אלמוג (עץ); חום
sandbag *n&v.* שק-חול; לבצר בשקי-חול; לכפות, להכריח
sandbank *n.* תל--חול, שרטון
sandbar *n.* שרטון
sandblast *n&v.* זרם חול עז; לנקות/לחתוך/לחרות בזרם חול
sandbox *n.* ארגז חול (לפעוטות)
sandboy *n.* נער המשחק בחול
- happy as a sandboy עליז, מאושר
sandcastle *n.* ארמון חול (מעשה-ילד)
sand dune דיונה, חולית
sand′er *n.* מכונת ליטוש
sand fly זבוב החול
sandglass *n.* שעון חול
sanding machine מכונת ליטוש
sand-lot *adj&n.* (מיגרש) של חובבים
sand′man′ *n.* שר השינה
sandpaper *n&v.* נייר-זכוכית, נייר-שמיר; לשפשף בנייר-שמיר
sand′pi′per *n.* ביצנית, עוף-בִּיצָה
sandpit *n.* ארגז-חול, בור-חול
sandshoe *n.* נעל טניס, נעל-ים
sandstone *n.* אבן-חול
sandstorm *n.* סופת-חול
sand trap גומת-מיכשול (בגולף)
sand′wich *n&v.* כריך, סנדוויץ; עוגת-רבדים; להרביד, לדחוק, להכניס
sandwich boards לוחות פירסום (הצמודים לאדם מלפניו ומאחוריו)
sandwich course קורס תיאוריה (בעסקים)
sandwich man נושא לוחות (כנ"ל)
sandy *adj&n.* חולי, מלא חול, מכיל חול; צהוב-אדמדם; *ג'ינג'י
sane *adj.* שפוי, הגיוני, שקול
San′forize′ *v.* לעשות לבלתי-כוויץ
sang = pt of sing
sangfroid (sänfrwä′) *n.* קור-רוח
sangria (sangrē′ə) *n.* סנגרייה (משקה ספרדי)
san′guinar′y (-gwineri) *adj.* עקוב מדם; צמא-דם, אכזרי; (לשון) רווית קללות
san′guine (-gwin) *adj.* אופטימי, מלא-תיקווה, בעל מרה אדומה; אדום, סמוק
san′ita′rium *n.* סנטוריום, בית-מרפא
san′itar′y (-teri) *adj.* נקי, סניטארי, תברואני, היגייני
sanitary napkin/towel תחבושת היגיינית, פד
san′ita′tion *n.* סניטאציה, תברואנות
san′itize′ *v.* לעשות היגייני; לחטא, לצנזר
san′ity *n.* שפיות, שיקול-דעת
sank = pt of sink
sans (sanz) *prep.* בלי, בלא
San′skrit *n.* סאנסקריט (השפה ההודית העתיקה)
sans ser′if אות-דפוס חסרת-תגים
San′ta Claus (-z) *n.* סאנטה קלאוס
sap *n.* מוֹהַל, לשד-הצמח; כוח, און, חיות, מרץ; *טיפש, פתי
sap *n.* חפירה, מחתרת; חפץ להכות בו
sap *v.* להחליש, להתיש, להרוס, לחתור תחת-, לערער אושיות-
sap-head *n.* פתח-המחתרת, קצה החפירה
sa′pience *n.* חוכמה
sa′pient *adj.* חכם; "חכם בלילה"
sapless *adj.* חסר-חיות, חסר-מרץ, יבש
sap′ling *n.* עץ צעיר; נער, עלם
sap′per *n.* חַפָּר, חייל בחיל-ההנדסה; חבלן, חודר למחנה האויב
Sap′phic (saf′-) *adj.* של סאפו; לסבית
sap′phire (saf′-) *n.* ספיר; כחול עז
sap′py *adj.* מלא חיות, נמרץ; *טיפש
sap′wood′ *n.* שיכבת העץ החיצונית
Sar′acen *n.* ערבי, מוסלמי
sar′casm′ (-kaz′əm) *n.* סרקאזם
sar·cas′tic *adj.* סרקאסטי, עוקצני
sar·co′ma *n.* סרקומה (גידול)
sar·coph′agus *n.* סרקופאג, גלוסקמה
sar·dine′ (-dēn′) *n.* סרדין, טרית
- like sardines כמו סרדינים, דחוסים
sar·don′ic *adj.* בז, ציני, לגלגני
sarge *n.* סרג'נט, סַמָּל
sa′ri (sä′-) *n.* סארי, שימלה הודית
sar′ky *adj.* *סארקאסטי
sar′nie *כריך, סנדוויץ'
sarong′ *n.* סארונג, לבוש מלאיי
sar′saparil′la *n.* סארספארילה (משקה)
sar·tor′ial *adj.* של ביגדי גברים, של חייטות
sash *n.* אבנט; מסגרת השמשה
sa·shay′ (sa-) *v.* לנוע בקלילות
sash line חוט חלון זחיח (שבקצהו משקולת להחזקת החלון)
sash window חלון זחיח (עולה ויורד)
sass *n&v.* *חוצפה; להתחצף כלפי-
sas′sy *adj.* *חצוף
sat = p of sit
Sat = Saturday
Sa′tan *n.* השטן
satan′ic *adj.* שטני, רע, אכזרי
Sa′tanism′ *n.* פולחן השטן
satch′el *n.* ילקוט
sate *v.* לפטם, להלעיט, להשביע
sateen′ *n.* סאטין, אריג כותנה מבריק
sat′ellite′ *n.* לוויין, ירח; חסיד, כרוך אחרי; גרורה, ארץ חסות
- communications satellite לוויין-תקשורת
satellite dish צלחת (אנטנה)
satellite town עיר-לוויין, עיר-בת
sa′tiable (-shəbəl) *adj.* שניתן להשביעו
sa′tiate′ (-′sh-) *v.* להשביע, לפטם
sati′ety *n.* שובע, שביעות, תקוצה
sat′in *n&adj.* סטין; (אריג) משי
satinwood *n.* סטין, עץ משובח (חלק)
sat′iny *adj.* חלק, משיי, מבריק
sat′ire *n.* סאטירה
satir′ical *adj.* סאטירי
sat′irist *n.* סאטיריקן, כותב סאטירות
sat′irize′ *v.* לתקוף בסאטירה, ללגלג
sat′isfac′tion *n.* שביעות רצון, סיפוק; מילוי צורך; קיום; פיצוי, תגמול, נקם
- demand satisfaction לתבוע פיצוי
- take satisfaction לשאוב סיפוק

- to one's satisfaction לשביעות רצונו
sat'isfac'tory *adj.* מספק, מניח את הדעת, משביע רצון
satisfied *adj.* מרוצה; משוכנע
sat'isfy' *v.* לספק; למלא, לענות על; להשביע רצון; לפצות; לשכנע; להשביע; לקיים
- satisfy the examiners לעמוד בבחינה, לקבל "מספיק"
satisfying *adj.* משביע; מספק
sa'trap' *n.* אחשדרפן (בפרס)
sat'urate' (-ch'-) *v.* להרוות; להספיג
saturated *adj.* רווי, ספוג; מילא כרסו
sat'ura'tion (-ch'-) *n.* רוויה; הספגה; בהירות צבע
saturation bombing הפצצה כבדה
saturation point נקודת רוויה
Sat'urday *n.* שבת
Saturdays *adv.* בימי-שבת, בשבתות
Sat'urn *n.* שבתאי (כוכב לכת)
sat'urna'lia *n.* הילולה, הוללות
sat'urnine' *adj.* זועף, רציני, קודר
sat'yr (-tər) *n.* סאטיר, אל היער והפריצות; שטוף-תאווה, הולל, פרוץ
sauce *n.* רוטב; תבלין; רסק, מחית; *חוצפה
- hit the sauce *נתן בכוס עינו
- sauce for the goose מה שטוב לזה טוב לזה
sauce *v.* להתחצף כלפי; לתבל
sauce-boat *n.* קערית רוטב
saucepan *n.* סיר, קלחת, אילפס
sau'cer *n.* תחתית (לספל); צלחת
saucer-eyed *adj.* פעור-עיניים
sau'cy *adj.* חצוף; *נאה, נוצץ
Sau'di *adj.* של ערב הסעודית
Sau'di Ara'bia *n.* ערב הסעודית
sauer'kraut' (sour'krout) *n.* כרוב כבוש
sau'na *n.* סאונה, מרחץ-אדים
saun'ter *v.* להלך בנחת, לפסוע לאט
saunter *n.* טיול-הנאה, הליכה בנחת
sau'rian *adj&n.* דמוי-לטאה; זוחל
sau'sage *n.* נקניק, נקניקית
sausage dog *כלב גרמני, תחש
sausage meat בשר קצוץ (לנקניקים)
sausage roll גליל-נקניקית
saute (sôtā') *v&adj&n.* לטגן חטופות; (מטוגן) טיגון קצר, מוקפץ
sauteed, sauted *adj.* מוקפץ
sauternes' (-tûrn') *n.* סוטרן (יין)
sav'age *n&adj.* פרא, פרימיטיבי; פראי, אכזר, עז, גס; זועם, רותח
savage *v.* (לגבי חיה) לתקוף, לנשוך
savagery *n.* פראות, אכזריות
savan'na *n.* סוואנה, ערבה
savant' (-vänt) *n.* מלומד, חכם
save *v.* להציל; לשמור; לחסוך; לגאול
- save appearances להפגין הופעה מכובדת
- save from sin לגאול מחטא
- save him trouble לחסוך לו טירחה
- save on לחסוך, להוציא מעט על-
- save one's breath לשתוק, להחריש
- save one's skin להינצל, למלט נפשו
- save the day לנחול ניצחון, להציל
- save up לחסוך (לעתיד)
save *n.* הצלת שער (ע"י השוער)
save *prep.* חוץ מ-, פרט ל-
save-as-you-earn חיסכון מהשכר
sav'eloy' *n.* נקניק חזיר
saver *n.* מציל; גואל; חוסך; חסכן
saving *n.* חיסכון; הצלה
- savings חסכונות
saving *adj.* מפצה, מאזן; מגביל
saving *prep.* חוץ מ-, פרט ל-
- saving your presence במחילה מכבודך
saving clause פיסקת הסתייגות
saving grace סגולה מפצה (פגמים)
sa'vior *n.* מציל; מושיע; ישו
sav'oir-faire' (sav'wärfar') *n.* טאקט, חוש מידה, התנהגות בטעם ובנימוס
sa'vor *n.* טעם, ריח, אופי, סממן, עניין
savor *v.* ליהנות, להתענג, לטעום לאט
- savors of בעל טעם של, מדיף ריח
sa'vory *n.* צתרה (צמח-תבלין)
savory *adj&n.* טעים, מְתֻאְבָּן; טוב, נעים; מלוח; חריף; פרפרת מלוחה
savoy' *n.* סבוי (כרוב)
sav'vy *v&n.* *להבין; הבנה, תבונה; יֶדַע
saw *n.* מסור; פיתגם, מימרה
saw *v.* לנסר; להינסר; להניע כמסור
- saw off לנסר, להסיר בנסירה
- saw up לנסר לגזרים
- saw wood *לנחור
- sawed-off shotgun רובה קטום-קנה
saw = pt of see
sawbones *n.* *מנתח, רופא
sawbuck *n.* שטר בן 10 דולרים
sawdust *n.* נסורת
saw-horse *n.* שולחן-נסירה, כן-נסירה
saw-mill *n.* מנסרה
saw'yer (-yər) *n.* נַסָּר
sax *n.* *סאקסופון
sax'horn' *n.* קרן סאקס (כלי-נשיפה)
Sax'on *n.* סאקסוני, אנגלו-סאקסי
sax'ophone' *n.* סאקסופון
sax'opho'nist *n.* נגן סאקסופון
say *v&adv.* לומר; לדבר, להגיד, להביע; להעריך, לשער, לחשוב; נניח, לדוגמה
- I cannot say איני יודע
- I say שמע! האומנם?! (ביטוי סתמי)
- I wouldn't say no לא אתנגד, כן
- I'd say הייתי אומר ש-, נראה לי
- I'll be there, say, 5.30 אהיה שם, נניח, ("בוא נאמר") ב-5;30
- I'll say *בטח, כמובן
- It says נאמר, רשום, כתוב
- It's said that אומרים ש-
- how say you? (למושבעים) מה החלטתם?
- let's say נניח
- not to say שלא לומר, ואפילו
- nothing to say for it אין מה לומר על כך, אין להצדיק זאת
- say a good word for לומר מלה טובה על, ללמד זכות על
- say much/something for זה אומר משהו על, זה מראה את ערכו הרב
- say on! המשך! הוסף לדבר!

- say out לומר גלויות
- say the word לומר כן, לתת האות
- say to oneself לומר בליבו, לחשוב
- say uncle להיכנע, להרים ידיים
- say what you like תגיד מה שתגיד
- says I/he *אמרתי/אמר
- says you *כך אתה אומר, מה פיתאום?
- that is to say כלומר, הווי אומר
- there's no saying אין לדעת/להעריך
- they say אומרים, השמועה אומרת
- what do you say? מה דעתך?
- when all is said and done אחרי ככלות הכל
- you can say that again נכון מאוד!
- you don't say! מה אתה סח!
- you said it! *בטח! בהחלט!
say *n.* דיעה, הבעת דיעה; זכות דיבור
- has a say הוא קובע, יש מישקל למלתו
- say one's say לומר את דברו
saying *n.* פיתגם, מימרה
say-so *n.* אמירה, דיבור; צו; סמכות
scab *n.* גלד, קרום-פצע; גרדת; *מפר-שביתה, עובד לא מאורגן
scab'bard *n.* נדן
scab'by *n.* מכוסה-גלדים; מוכה-שחין
sca'bies (-bēz) *n.* גרדת, גרבת
sca'bious *adj.* של גרדת; מוכה שחין
sca'brous *adj.* מחוספס, דוקרני; לא צנוע, גס; מסובך, קשה
scads *n-pl.* *הרבה, מספר רב
scaf'fold *n.* פיגום; גרדום
- go to the scaffold לעלות לגרדום
scaffolding *n.* מערכת פיגומים
scag *n.* *הרואין
sca'lar *n&adj.* סְקָלָר; בַּר-כִּיוּל
scal'awag' (-'əwag) *n.* *נבל, נבזה
scald (skôld) *v&n.* לכוות, להכוות; לנקות ברותחים; לחמם עד לרתיחה; לחלוט, למלוג; כוויה
scalding *adj.* צורב; מתקיף, חריף
- scalding tears דמעות רותחות
scale *n&v.* כף-המאזניים; לשקול
- (pair of) scales מאזניים
- hold the scales even לשפוט בצדק
- tip/turn the scales להכריע את הכף, לחרוץ את גורל (הקרב); לשקול
scale *n.* קשקשת; קליפה; אבנית; אבן-שיניים
- remove scales from his eyes לפקוח את עיניו
- scales קשקשים
scale *v.* להסיר קשקשים, לְקַשְקֵש; לכסות באבנית
- scale off לקלף; להתקלף
scale *n.* סולם, סקאלה; סרגל; קנה-מידה; לוח-חלוקה (מכויל); שיעור, מידה
- decimal scale השיטה העשרונית
- drawn to scale משורטט בקנה-מידה אחיד
- on a large scale בקנה-מידה גדול
- social scale סולם-החברה
scale *v.* לטפס; לעלות; לשרטט לפי קנה-מידה
- scale down להקטין בשיעור קבוע
- scale up להגדיל בשיעור קבוע

scale insect כנימת-מגן
sca'lene *n.* משולש שונה-צלעות
scaling ladder סולם-טיפוס
scal'lion *n.* בצל ירוק צעיר
scal'lop *n.* צדפה (מתולמת-קשוות); שוליים מסולסלים; דוגמה מתולמת
scallop *v.* לבשל בקשוות-צדפה; לבשל ברוטב; לתלם שוליים; לקשט בחריצים
scal'lywag' *n.* *נבל, נבזה
scalp *n.* קרקפת, עור הגולגולת
- call for his scalp לתבוע ראשו
- out for scalps יוצא לצוד ראשים
scalp *v.* לקרקף; לספסר (בכרטיסים)
scal'pel *n.* איזמל-ניתוחים
sca'ly *adj.* קשקשי; מתקלף
scam *v&n.* *להונות, למעול; תרמית; סיפור, שמועה
scamp *n.* נבל, חדל-אישים; מזיק
scamp *v.* לעשות בשטחיות/בחיפזון
scam'per *v&n.* לרוץ, לנוס; ריצה, מנוסה
scam'pi *n-pl.* סרטנים
scan *v.* לבחון, לבדוק; לסרוק; לרפרף; לנתח (שיר); להיות בנוי במיקצב
scan *n.* מבט בוחן; סריקה
scan'dal *n.* שערורייה, סקאנדאל; רכילות
scan'dalize' *v.* לעורר שערורייה, לשערר; לפגוע ברגשות, לזעזע
scandalmonger *n.* שערורן
scan'dalous *adj.* שערורייתי, מביש; רכלן
scandal sheet עיתון שערוריות
Scan'dina'via *n.* סקנדינביה
Scan'dina'vian *n&adj.* סקנדינבי
scan'ner *n.* סורק; בּוֹחֵן, בודק
scanning *n.* סריקה
scan'sion *n.* ניתוח (של חרוז/שיר)
scant *adj.* מועט, זעום, מצומצם, בקושי
- scant of חסר-, מספיק בקושי
scant *v.* לקמץ, לצמצם, לקצץ
scan'ties (-tēz) *n-pl.* תחתוני אישה
scantily *adv.* בצמצום, בקושי
scant'ling *n.* קורה קטנה; קורטוב
scan'ty *adj.* מועט, זעום, מספיק בקושי
-scape נוף, מראה
- landscape/seascape נוף יבשתי/ימי
scapegoat *n.* שעיר לעזאזל
scapegrace *n.* שלומיאל, בן-בליעל
scap'u·la *n.* עצם השכם
scar *n&v.* צלקת; סימן; לצלק, להותיר צלקת; לסטך; להצטלק
- face scarred with sorrow פנים חרושי-צער
scar'ab *n.* חיפושית-פרעה; חרפושית, חיפושית-זבל, זיבלית
scarce (skārs) *adj&adv.* מצומצם; נדיר, יקר-המציאות; בקושי, כמעט שלא
- make oneself scarce להסתלק
scarcely *adv.* בקושי, כמעט שלא; אך
- scarcely ever לעיתים נדירות
- scarcely had I come in, when- אך נכנסתי והנה-
scar'city (skār-) *n.* חוסר, נדירות
scare *v&n.* להפחיד; להיבהל; בהלה
- give a scare להפחיד
- scare away/off להבריח; להרתיע

- scare stiff להפחיד עד מאוד
- scare up להשיג; להכין בבהילות
scare *adj.* מפחיד, גורם פחד
scarecrow *n.* דחליל
scared *adj.* נבהל, אחוז פחד
- scared out of his wits פוחד פחד-מוות
scaredy-cat (skûr'di-) *n.* *פחדן
scare headline כותרת רעשנית
scaremonger *n.* זורע בהלה, תבהלן
scarf *n.* צעיף, סודר, רדיד
scarf *v.* *לזלול, לאכול בלהיטות
scarf pin סיכת צעיף
scar'ify' *v.* לתחח; לפורר; למתוח ביקורת חריפה; לחתוך בעור
scar'lati'na (-tē'-) *n.* שָׁנִית (מחלה)
scar'let *n.&adj.* שָׁנִי; אדום
scarlet fever שָׁנִית (מחלה)
scarlet hat כובע החשמן
scarlet runner שעועית אדומת-פרחים
scarlet woman פרוצה, יצאנית
scarp *n.* מתלול; שורת-צוקים
scar'per *v.* *לברוח
scary *adj.* *מפחיד; פוחד
scat *v.* *להסתלק, להתחפף
scathe (skādh) *v.&n.* לפגוע, להזיק; נזק
scath'ing (skādh'-) *adj.* פוגע, קטלני
scat'ter *v.* לפזר, להפיץ; להתפזר
scatter *n.* פיזור; כמות מעטה
scatterbrain *n.* מפוזר, פזור-נפש
scatterbrained *adj.* מפוזר, פזור-נפש
scattered *adj.* מפוזר, פזור
scattering *n.* כמות מעטה/פזורה
scattershot *adj.* אקראי, מקרי
scat'ty *adj.* *מפוזר; מטורף
scav'enge (-vinj) *v.* לנקות; לחטט באשפה, לחפש מזון; לנקות רחובות
scav'enger *n.* פועל-ניקיון, מנקה רחובות; חיה ניזונה מנבלות
scena'rio' *n.* תסריט, תרחיש, סצינאריו
scena'rist *n.* תסריטאי
scene *n.* מקום-אירוע, זירה; מראה, נוף; מחזה; תפאורה; סצינה; עלילה; תמונה; פרק-רגשות
- come on the scene לעלות על הבמה
- make a scene לעשות סצינה, להתפרץ
- make the scene להיות נוכח, להשתתף
- on the scene בשדה-פעילות (מסוים)
- political scene הבמה הפוליטית
- quit the scene למות; להיפרד
- steal the scene לגנוב את ההצגה
scene-painter *n.* תפאורן
sce'nery *n.* תפאורה; מראה-נוף
scene-shifter *n.* מחליף תפאורות
sce'nic *adj.* של נוף; של תפאורה
scent *v.* להריח; לחשוד, להרגיש; לבשם
scent *n.* ריח; בושם; חוש-ריח; חשד, תחושה; עקבות
- false scent עקבות מטעים
- on the scent בעקבות, בדרך הנכונה
- throw him off the scent להטעותו
scented *adj.* מדיף ריח (נעים)
scentless *adj.* נטול-ריח
scep'ter *n.* שרביט
scep'tic = skeptic (sk-)
sch. = school, scholar
sched'ule (skej'ool) *n.&v.* רשימה; מחירון; לוח-זמנים; תוכנית; לתכנן; לרשום בלוח-זמנים
- according to schedule בזמן, לא באיחור
- behind schedule באיחור, בפיגור
- on schedule בזמן, לא באיחור
scheduled *adj.* רשום, לפי לוח-זמנים
sche'ma (sk-) *n.* סכימה, שרטוט
sche·mat'ic (sk-) *adj.* סכימאתי, משורטט בקווים כלליים; מתורשם
sche'matize' (sk-) *v.* לתאר בקווים כלליים
scheme (sk-) *n.&v.* תוכנית, שיטה, סכימה; תחבולה, מזימה; לתכנן, לתחבל, לזום
schemer *n.* תחבולן
scher'zo (sker'tsō) *n.* סקרצו
schism (siz'əm) *n.* פילוג, שסע
schismat'ic (siz-) *adj.* פלגני; פלגן, בעל מחלוקת
schist (shist) *n.* צפחה (אבן פצילה)
schiz'o (skits-) *n.* *סכיזופרני
schiz'oid (skits-) *adj.* סכיזופרני
schiz'ophre'nia (skits-) *n.* סכיזופרניה, שסעת, פיצול האישיות
schiz'ophren'ic (skits-) *adj.&n.* סכיזופרני
schlemiel' (shləmēl') *n.* שלומיאל
schlep (shlep) *v.&n.* לסחוב, לגרור; בטלן, "שלפר"; מסע מעייף, מרחק רב
schlock (shlok) *adj.* *מאיכות גרועה, זבל
schmaltz (shmältz) *n.* שמאלץ, סנטימנטאליות; שוּמָן
schmooze (shmōōz) *v.* לשוחח, לפטפט
schnapps (sh-) *n.* שנפס, משקה חריף
schnitz'el (shnits-) *n.* שניצל, כתיתה
schnor'kel (sn-) *n.* שנורקל
schol'ar (sk-) *n.* מלומד; מלגאי; תלמיד; *יודע קרוא וכתוב; משכיל
scholarly *adj.* מלומד, ידעני
scholarship *n.* למדנות, ידענות; מלגה
scholas'tic (sk-) *adj.* לימודי, של הוראה; סכולאסטי, דוגמאטי, פדאנטי, נוקדני
scholas'ticism' (sk-) *n.* סכולאסטיקה, פילוסופיית ימי-הביניים
school (skōōl) *n.* בית-ספר; מיכללה, אוניברסיטה; שעות-לימוד; פאקולטה; אסכולה
- of the old school מהאסכולה הישנה
- school of experience כור-ניסיון
- school of thought אסכולה
school *v.* לחנך, לאמן, לרסן
school *n.* להקת דגים
school age גיל בית-ספר
schoolbag *n.* ילקוט בית-ספר
school board מועצה חינוכית
school book ספר לימוד
schoolboy *n.* תלמיד
school-days ימי הלימודים
schoolfellow *n.* חבר לבית-ספר
schoolgirl *n.* תלמידה
schoolhouse *n.* בניין בית-הספר
schooling *n.* חינוך, השכלה
school leaver *n.* בוגר בית ספר

schoolman *n.* מורה (לסכולסטיקה)
schoolmarm (skōōl′märm′) *n.* מוֹרָה
schoolmaster *n.* מוֹרֶה
schoolmastering *n.* הוראה
schoolmate *n.* חבר לבית-ספר
schoolmistress *n.* מוֹרָה
school report תעודה (מבי"ס)
schoolroom *n.* כיתת בית-ספר
schoolteacher *n.* מורה
schooltime *n.* שעות הלימוד
schoolwork *n.* שיעורים
schoon′er (skōō′n-) *n.* מיפרשית; כוס גבוהה
schwa (shwä) *n.* שְׁוָא
sci·at′ic *adj.* של הירך
sci·at′ica *n.* נשית
sci′ence *n.* מדע; תורה; ידע, מומחיות
- applied science מדע שימושי
- natural sciences מדעי הטבע
- social sciences מדעי החברה
science fiction מדע בידיוני
science park אתר למחקר מדעי
sci′entif′ic *adj.* מדעי, שיטתי
sci′entist *n.* מדען
sci-fi (sī′fī′) *n.* מדע בידיוני
scil′icet′ *adv.* כלומר, הווי אומר
scim′itar *n.* חרב כפופת-להב
scintil′la *n.* שביב, זיק; שמץ, קורטוב
scin′tillate′ *v.* לנצנץ; להבריק
scin′tilla′tion *n.* נצנוץ, הברקה
sci′olism′ *n.* ידע מדומה/שיטחי
sci′on *n.* חוטר, נצר
scis′sors (-zərs) *n-pl.* מספריים
- pair of scissors מספריים
scissors-and-paste (מאמר) שחובר מפרי-עטם של אחרים
scissors kick בעיטת מספריים (בשחייה)
sclero′sis *n.* טרשת, סקלרוסיס
scoff *v.* ללגלג, להתייחס בבוז ל-; *לזלול, לאכול בלהיטות
scoff *n.* לעג; מטרה ללעג; *אוכל
scoffer *n.* לגלגן
scold (skōld) *v&n.* לגעור; לצעוק; צעקנית
scolding *n.* גערה, נזיפה; "שטיפה"
sco′lio′sis *n.* עקמת עמוד השדרה
scol′lop = scallop צדפה
sconce *n.* פמוט-קיר, נברשת; גולגולת
scone *n.* עוגייה, רקיק, אפיפית, ביסקוויט
scoop (skōōp) *n.* יעה; כף; תרווד; גריפה; רווח הגון; סקופ עיתונאי
scoop *v.* לגרוף, להעלות בכף; להקדים; לזכות; לפרסם סקופ
- scoop a hole לעשות חור (בעזרת כף)
- scoop up/out להעלות בגריפה
scoopful *n.* מלוא הכף, מלוא היעה
scoot (skōōt) *v.* לרוץ; לברוח
scoo′ter *n.* קטנוע; קורקינט, גלגיליים
scope *n.* תחום, שטח; מרחב, כר-פעולה, אפשרות-פיתוח; מכשיר-ראייה
- outside the scope of מעבר לתחום
Sco′pus, Mount הר הצופים
scor·bu′tic *adj.* חולה-צפדינה
scorch *v.* לחרוך; לשרוף; להישרף; לדהות; להצחיח; *לדהור (בכביש)
scorch *n.* מקום חרוך; דהירה (בכביש)
scorched earth אדמה חרוכה
scorcher *n.* *דוהר; חם, חזק; יום לוהט
scorching *adj.* צורב, חם; רותח
score *n.* תוצאה, נקודת זכייה; נקד; שער; חתך, חריץ; סימן; חוב, חשבון; תכליל, פרטיטורה; עשרים
- keep the score לרשום את הנקודות
- know the score להבין המצב לאשורו
- make a score off him לענות לו תשובה ניצחת
- on more scores than one מסיבות שונות
- on the score of על בסיס-, בשל-
- on this/that score בשל כך
- run up a score להיכנס לחוב
- scores of המון, מספר רב
- settle a score להסדיר חשבון
score *v.* לזכות (ב-); להשיג; להעניק נקודות; לרשום הנקודות; לחרץ; לסמן; לבקר, לגנות
- score a victory לנחול ניצחון
- score for לתזמר, לעבד ל-
- score high לזכות בציון גבוה
- score off להביס (במענה שנון)
- score points לנצח, להרשים יותר
- score through/out למחוק
- score up against לזקוף לחובתו
score-board *n.* לוח הנקודות (בספורט)
score-book *n.* פינקס נקודות
score-card *n.* כרטיס ניקוד
score-keeper *n.* רושם הנקודות
scoreless *adj.* ללא שערים; בתיקו אפס
scoreline *n.* תוצאה, סך הנקודות
scorer *n.* כובש שערים; רושם נקודות
sco′ria *n.* לבה קרושה; סיגים
scorn *v.* לבוז, ללעוג; לדחות בבוז
scorn *n.* בוז, לעג; קורבן לעג
- laugh to scorn לשים ללעג וקלס
- pour scorn on לשפוך בוז על
scornful *adj.* מלא-בוז, לעגני
Scor′pio *n.* מזל עקרב
scor′pion *n.* עקרב
scorpion grass זיכריני (צמח)
scot *n.* מס
- pay scot and lot לשלם כפי יכולתו
Scot, Scots *n.* סקוטי
scotch *v.* לחסל, לשים קץ ל-; לפצוע
Scotch *adj&n.* סקוטי; סקוטש, ויסקי
Scotch broth מרק בשר וירקות וכ׳
Scotch egg ביצה קשה ונקניק מטוגנים
Scotchman, Scotsman *n.* סקוטי
Scotch mist ערפל כבד
Scotch tape נייר דבק (מצלופן)
Scotch terrier כלב סקוטי
Scotch whisky ויסקי סקוטי
Scotchwoman *n.* סקוטית
scot-free *adj.* פטור; בלי פגע, שלם
Scot′land *n.* סקוטלנד
Scot′tish *adj.* סקוטי; *קמצן
scoun′drel *n.* נוכל, נבל
scoundrelly *adj.* שפל, נבזה
scour *v.* לשפשף, לנקות, לצחצח; ליצור (תעלה) אגב סחף; לחפש; לסרוק
- scour after לרדוף אחרי

- scour away/off/out להסיר בשפשוף
- scour down לשפשף; לנקות
scour *n.* שפשוף, ניקוי, צחצוח
scour'er *n.* מנקה, כרית שיפשוף
scourge (skûrj) *n.* שוט, מגלב; מכה, פורענות, מקור-סבל, שוט (איוב ט')
scourge *v.* להלקות; להכות; לייסר
scout *n.* צופה; סייר; גשש; חולץ מכוניות תקועות; סיור; תצפית; שרת
- boy scout צופה
- good scout אדם טוב
- talent scout צייד כישרונות
scout *v.* לדחות בבוז, לפטור בלעג
- scout around לסייר, לחפש, לסרוק
- scout out לגלות (אגב סיור)
scoutmaster מדריך צופים
scow *n.* אַרְבָּה, סירת הובלה
scowl *v.* להזעיף פנים
scowl *n.* מבט זועף, הבעה מאיימת
scrab'ble *v.* לשרבט, לקשקש; לחטט, לגרד, לזחול; לחטוף; להיאבק
scrabble *n.* שירבוט; טיפוס; היאבקות; חטיפה; חיטוט, גירוד; שבץ-נא
scrag *n.* כחוש, צנום, שחיף; צוואר-כבש
scrag *v.* לחנוק; לסובב הצוואר; ללפות הצוואר
scrag end נתח גרמי מצוואר הכבש
scrag'gly *adj.* מדובלל, לא מסודר, פרוע
scrag'gy *adj.* כחוש, צנום
scram *interj.* הסתלק! עוף! התחפף!
scram'ble *v.* לטפס (בזחילה); לערבב; לערבל; לדחוף, להידחק; להיאבק
- scramble a message לערבל הודעה
- scramble eggs לטרוף ביצים; לטגן חביתה
scramble *n.* טיפוס, תנועה בשטח קשה; מירוץ-מכשולים; הידחקות
scrambler *n.* מערבל, מבלבל שדר
scrap *n.* חתיכה; קורטוב; גרוטה; פסולת; גזר-עיתון, תגזיר; מריבה
- not a scrap of אף לא שמץ-
- scrap of paper פיסת-נייר
- scraps שיירי-אוכל, שיריים; שאריות
scrap *v.* לזרוק (כגרוטה); לריב
scrap-book *n.* ספר תגזירים
scrape *v.* לגרד, לשפשף; להסיר, לנקות; לקרצף; לשרוט
- bow and scrape להתרפס
- scrape a living להתפרנס בדוחק
- scrape along/by להתקיים בקושי
- scrape an acquaintance with להידחק, להתחכך, להשתדל להכיר, לכפות היכרותו
- scrape away להסיר בשיפשוף
- scrape out a hole לכרות בור
- scrape the bottom of the barrel להשתמש באיכות הזולה ביותר
- scrape through לעבור (מיבחן) בקושי
- scrape together/up לקבץ, לאסוף
scrape *n.* גירוד, שיפשוף; שריטה; צרה, תסבוכת, מצב ביש
scra'per *n.* מַגְרֵד; גרוד-בוץ, מגרדת
scrap heap ערימת פסולת
- put on the scrap heap להשליך ככלי אין חפץ בו
scra'pings *n-pl.* גרודת, גרודה

scrap-iron *n.* גרוטות-ברזל
scrap paper נייר טיוטה; פסולת נייר
scrap'py *adj.* עשוי טלאים-טלאים, לא בנוי כהלכה; *אוהב מדון, שש לריב
scrapyard *n.* מיגרש גרוטאות
scratch *v.* לגרד; להתגרד; לשרוט; לשפשף; למחוק (מרשימה); לשרבט (פתק)
- scratch a living להתפרנס בדוחק
- scratch about לחטט
- scratch along להתקיים איכשהו
- scratch my back שמור לי (ואשמור לך)
- scratch off/out למחוק, למתוח קו
- scratch one's head לגרד פדחתו, לגלות סימני מבוכה, לחכוך בדעתו
- scratch the surface לטפל בשיטחיות
- scratch together/up לאסוף, "לגרד"
scratch *n.* גירוד; שריטה; חיכוך; צרימה; קו-הזינוק; נמחק מתחרות; *כסף
- scratch of the pen שירבוט מספר מלים; חתימה; משיכת קולמוס
- start from scratch להתחיל מאפס/מההתחלה/בלא הכנה
- up to scratch למצב תקין, ברמה הנאותה, מוכן כהלכה
- without a scratch בלא פגע
scratch *adj.* חסר-יתרון, מתחיל מאפס; חטוף, חפוז, מאולתר
scratch-pad *n.* פינקס שירבוטים
scratch paper נייר טיוטה
scratch race מירוץ שווה-תנאים
scratchy *adj.* מקושקש, משורבט; צורמני, חורק; מגרד, מעקצץ, דוקרני
scrawl *v&n.* לקשקש, לשרבט, לכתוב חטופות; קישקוש, שירבוט
scraw'ny *adj.* רזה, צנום, גל-עצמות
scream *v.* לצעוק, לזעוק, לצרוח, ליילל
- scream for help לשווע לעזרה
- scream one's head off לצווח
- the wind screamed הרוח יללה
scream *n.* צעקה, זעקה, צריחה; יללה; דבר מצחיק, אדם משעשע
screaming *adj.* צורח; מצחיק ביותר
- screamingly funny מצחיק ביותר
scree *n.* שברי-אבן (בצלע-הר)
screech *v&n.* לצרוח, לצווח; לחרוק; להחריק; צווחה; חריקה
- screeching halt עצירה חרקנית
screed *n.* נאום ארוך, מכתב משעמם
screen *n.* מחיצה; מסך; מגן; מסווה; מירקע, אקרן, בד, קולנוע; כברה; רשת
screen *v.* להסתיר; להגן; למסך; לסוכך; לְרַשֵּׁת; לסנן; לבדוק בקפדנות, לסרוק; להסריט, להקרין
- screen off לחייץ, להפריד במחיצה
- screen out לסנן, לסלק (במיבחן); לעצור (קרני-אור)
- screens well מתקבל יפה על האקרן
screening *n.* הקרנה, העלאה על הבד; סריקה
screen play תסריט
screen test מיבחן בד
screenwriter *n.* כותב תסריטים
screw (skrōō) *n.* בורג; הברגה; מדחף; לחץ; שקיק טבק/תה; *קמצן; משכורת; סוהר; סוס בלה; מישגל

- female screw בורג נקבה (פנימי)
- male screw בורג זכר (חיצוני)
- put the screw on להפעיל לחץ על
- turn of the screw הברגה; לחץ
screw *v.* להבריג; להיברג; לסובב; לגלגל; ללחוץ; לסחוט; *לסדר; לבעול
- has his head screwed on right נוהג בהיגיון, ראשו על כתפיו
- screw around *להתמזמז, להתבטל
- screw up להדק בברגים; *לבלבל, לשבש, לפשל
- screw up one's eyes לכווץ עיניו
- screw up one's face לעוות פניו
screw-ball *n.* *מטורף
screw cap מיכסה בורגי; פתח בורגי
screwdriver *n.* מברג
screwed *adj.* *שיכור, שתוי
screw top מיכסה בורגי; פתח בורגי
screw-up *n.* *פשלה, בלגן
screwy *adj.* *מוזר, מטורף, מגוחך
scrib′ble *v&n.* לשרבט, לרשום קישקושים; שירבוט, קישקוש
scribbler *n.* סופר, מחבר גרוע
scribbling block בלוק שירבוטים
scribe *n.* סופר, לבלר, כתבן; חכם
scribe *v.* לחרות, לחקוק, לפתח
scri′ber *n.* חֶרֶט, מַכְתֵּב
scrim′mage *n.* תיגרה, מריבה; מישחק
scrimmage *v.* להתקוטט, לריב
scrimp *v.* לקמץ, לחסוך
scrim′shank′ *v.* *להשתמט
scrim′shaw′ *n.* תגליף, גילוף (בשנהב)
scrip *n.* תעודת בעלות, ניירות, מיסמכים; שטר כסף זמני
script *n.* כתב-יד, כתב; עותק-קריאה
scripted *adj.* נקרא מן הכתב
scrip′tural (-′ch-) *adj.* תנכי, מיקראי
Scrip′ture *n.* התנ"ך, כתבי הקודש
scriptwriter *n.* תסריטאי
scriv′ener *n.* סופר, כתבן, לבלר
scrof′u·la *n.* חזירית (מחלה)
scrof′u·lous *adj.* סובל מחזירית
scroll (skrōl) *n.* מגילה; קישוט שבלולי
scroll *v.* לגלגל, לגלול, לגולל
scrollwork *n.* מעשה-שבלול (עיטור)
scrooge *n.* קמצן
scro′tum *n.* כיס האשכים, מאשכה
scrounge *v.* *לחפש, לבקש; לשנורר
scrounger *n.* *קבצן, שנורר
scrub *n&adj.* בתה, צמחייה נמוכה; (עץ) ננסי; עלוב, גמוד
scrub *v&n.* לשפשף; לנקות, לשטוף; לבטל; שיפשוף; שטיפה
scrub′ber *n.* מיברשת; *שטופת-מין, זונה
scrub brush מיברשת קשה
scrub′by *adj.* קטן, גמוד, קל-ערך; עלוב; מכוסה שיחים; מכוסה זיפים
scruff *n.* עורף, אחורי הצוואר
scruf′fy *adj.* *מלוכלך, מוזנח
scrum′, scrum′mage *n&v.* (ברגבי) היערכות דחוסה של שחקנים; תיגרה; להידחס
scrum′cap′ *n.* קסדת-רגבי
scrum-half *n.* (ברגבי) רץ
scrump *v.* *לגנוב (פירות מפרדס)
scrump′tious (-shəs) *adj.* מצוין, טעים
scrunch *v&n.* למעוך; ללעוס, לגרוס; להישחק; מעיכה; גריסה
scru′ple *n.* היסוס, פיקפוק; נקיפת מצפון; 20 גרעינים (מישקל)
- without scruple ללא בלא נקיפת-מצפון, ללא ניד עפעף
scruple *v.* להסס, לייסרו מצפונו
scru′pu·lous *adj.* בעל מצפון, איש מוסר; קפדני, דייקן, מדוקדק
scru′tineer′ *n.* בודק, פקיד-קלפי
scru′tinize′ *v.* לבחון, לבדוק
scru′tiny *n.* בדיקה קפדנית, בחינה יסודית; ספירה חוזרת של קולות
scu′ba (skōō′-) *n.* מכשיר נשימה תת-מימי, סקובה
scud *v&n.* להחליק, לשוט במהירות; תנועה מהירה; עננים חולפים; מטר
scuff *v&n.* לדשדש, לשרוך רגליו; לשחוק; להתדשדש; להשתחק; שפשוף
scuf′fle *n&v.* תיגרה, התכתשות; להתכתש
scuffmark *n.* סימן שחיקה, שיפשוף
scull *n&v.* משוט; סירת משוטים; חתירה; לחתור
sculler *n.* תופש משוט, משוטאי
scul′lery *n.* חדר-שטיפה, חדר-כלים
scullery maid עוזרת-מיטבח
scul′lion *n.* (בעבר) עוזר מיטבח
sculpt *v.* לפסל, לגלף, לחקוק
sculp′tor *n.* פַּסָל, גלף
sculp′tress *n.* פסלת, גלפת
sculp′tural (-′ch-) *adj.* פיסולי
sculp′ture *n&v.* פֶּסֶל, תגליף; פיסול; פסלות; לפסל, לגלף, לחקוק
scum *n.* קופי, קֶפֶה, קרום, דוק-זוהמה; שֶׁפֶל
- scum of the earth חלאת אדם
scum′bag′ *n.* *חלאת-אדם, נמושה
scum′my *adj.* מכוסה דוק-זוהמה
scup′per *n&v.* פתח-הרקה (בצידון הספינה); להטביע ספינה; *להרוס, לחסל
scurf *n.* קשקשים, עור נושר
scurfy *adj.* מכוסה קשקשים
scurril′ity *n.* לשון גסה; גידופים
scur′rilous *adj.* גס, מלא גידופים
scur′ry *v&n.* לרוץ, למהר; ריצה, נקישות צעדים, ענן-אבק, משב-שלג
scur′vy *adj&n.* שפל, נבזה; צפדינה (מחלה)
scut *n.* זנבנב, זנב קצר וזקוף
scutch *v.* לנפץ (פישתן)
scutch′eon (-chən) *n.* מגן מעוטר
scut′tle *n.* כלי לפחם; פתח (באונייה); ריצה, מנוסה, בריחה
scuttle *v.* להטביע ספינה; להרוס
- scuttle away/off לרוץ, לברוח
scuttlebutt *n.* מיתקן שתייה; רכילות, שמועה
scuz′zy *adj.* *מלוכלך; מרופט
Scyl′la and Charyb′dis (-kərib′-) סקילה וקריבדה (2 מיפלצות), (בין) הפטיש והסדן
scythe (sīdh) *n&v.* (לקצור ב-) חרמש
SE = south-east

sea *n.* ים, אוקיינוס; גל, נחשול
- at sea בים; נבוך, אובד עצות
- beyond the sea מעבר לים
- by sea באונייה, בדרך הים
- follow the sea להיות ליורד-ים
- go to sea להיות לימאי
- half seas over *שיכור, שתוי
- not the only fish in the sea לא בן יחיד, יש רבים כמותו
- on the sea על חוף הים
- put to sea להפליג, לצאת לים
- sea of flames ים להבות
sea anemone שושנת-ים
sea animal בעל-חיים ימי
sea bathing רחיצה בים
seabed *n.* קרקע הים
sea-bird *n.* עוף-ים
seaboard *n.* חוף הים, שפת הים
sea-boat *n.* כלי-שיט, ספינה
sea-borne *adj.* ימי, מובל באוניות
sea breeze רוח ימית
sea captain קברניט, רב-חובל
sea change שינוי גמור/פיתאומי
sea cow פרת-ים
sea dog כלב-ים; מלח ותיק
seafaring *adj.* של הפלגה, ימי
seafish *n.* דג-ים
sea fog ערפל ימי (הבא מן הים)
seafood *n.* מאכלי-ים (דגים וכ׳)
sea-front *n.* חזית הים (של עיר)
sea-girt *adj.* מוקף ים
sea-god *n.* אל הים
sea-going *adj.* של הפלגה, ימי
sea green ירוק-כחלחל
seagull *n.* שחף
sea-horse *n.* סוסון-הים
sea island סוג כותנה
seal *n&v.* כלב-ים; לצוד כלבי-ים
seal *n.* חותמת; חותָם; אות, סימן; ערובה, אישור; אֶטֶם
- given under my hand and seal נכתב ונחתם על ידי
- seal of secrecy חותם הסודיות
- set the seal לתת גושפנקה
seal *v.* לחתום, לשים חותמת; לסגור, לאטום; להשלים, לסיים
- seal his fate לחרוץ גורלו
- seal in לכלוא, לשמור בפנים
- seal off an area לסגור שטח
- seal up לאטום, לסגור
seal′ant *n.* חומר איטום
sealed orders הוראות כמוסות (במעטפה חתומה)
sea legs רגליים יציבות, הליכה יציבה על גבי ספינה מיטלטלת
sealer *n.* אוטם, סוגר; צייד כלבי-ים; ספינת-צייד
sealing *n.* צֵיד כלבי-ים
sealing wax שעוות-חותם
sea lion ארי-הים
seal ring טבעת חותם
sealskin *n.* פרוות כלב-ים
seam *n.* תפר, קו-תפר; קו-חיבור; קמט; חריץ; מַשְׁק; שיכבת מירבץ
seam *v.* לחבר, לתפור; לחרץ, לתלם
seaman *n.* יורד-ים; ימאי פשוט

seamanlike *adj.* כמלח, אופייני לימאי
seamanship *n.* ימאות; כושר ניווט
seamark *n.* קו חוף; סימנוף ימי
sea mile מיל ימי
seamless *adj.* ללא תפר, מחתיכה אחת
seam′stress *n.* תופרת
seam′y *adj.* גרוע, פחות נעים
- seamy side of life הצד המכוער בחיים, העולם התחתון וכ׳
seance (sā′äns) *n.* ישיבה, פגישה; סיאנס (של ספיריטואליסטים)
seaplane *n.* מטוס-ים
seaport *n.* עיר נמל
sea power מעצמה ימית; כוח ימי
seaquake *n.* רעידת אדמה תת-ימית
sear *adj.* יבש, קמול, נובל
sear *v.* לצרוב, לכוות, לחרוך, לייבש; להקמיל; להקשיח (לב), לחשל
search (sûrch) *v&n.* לחפש, לבדוק בקפידה; לחדור; חיפוש; חקירה; חדירה
- in search of בחיפוש אחר-
- search him לערוך חיפוש על גופו
- search me! איני יודע!
- search out לגלות לאחר חיפוש
- searched his soul עשה חשבון-נפש
searcher *n.* מחפש, בודק
searching *adj.* בוחן, חודר, מקיף
searchlight *n.* זרקור
search party קבוצת מחפשים
search warrant צו-חיפוש
searing *n.* צורב; מרגש
searing iron מצרב
sea rover שודד-ים; ספינת שודדים
seascape *n.* נוף ימי
sea-shell *n.* קונכייה, קשוות-צדפה
seashore *n.* חוף-ים
seasick *n.* סובל ממחלת-ים
seasickness *n.* מחלת-ים
seaside *n.* שפת-ים
sea′son (-zən) *n.* עונה, תקופה, זמן; כרטיס מנוי
- a word in season דבר בעיתו
- for a season לשעה קלה
- in and out of season בכל עת
- in season בעונה; בעיתו; בעונת הייחום; בעונת הציד
- out of season לא בעונה
- season's greetings איחולי חג שמח
season *v.* לתבל, להוסיף תבלין; לאקלם, להרגיל; להקשיח, "לשפשף" בניסיון
- season wood לייבש עץ (לשם שימוש)
seasonable *adj.* עונתי; בעיתו, בזמן המתאים
seasonal *adj.* עונתי
seasoned *adj.* מתובל; (חייל) משופשף
seasoning *n.* תבלין; תיבול
season ticket כרטיס מנוי; כרטיס עונתי
seat *n.* מושב; כיסא; מקום; בית; מרכז; אחוריים; צורת רכיבה
- by the seat of one's pants מתוך ניסיון, לאחר דגירה; באינסטינקט
- have/take a seat! שב נא!
- in the driver's seat ליד ההגה
- keep one's seat להישאר במקומו
- seat of learning בית מדרש
- take a back seat לתפוס מושב אחורי;

להמעיט בחשיבות עצמו
- win a seat לזכות במושב, להיבחר
seat *v.* להושיב, להכיל מושבים; לתקן המושב; לקבוע
- please be seated נא לשבת
- seat oneself לשבת, להתיישב
- seats 900 מכיל 900 מקומות ישיבה
seat belt חגורת בטיחות
-seater מושבי, בעל מושבים
- 2-seater דו-מושבי
seating *n.* סידור מקומות ישיבה
seating room מקומות ישיבה
sea urchin קיפוד-ים
sea-wall *n.* קיר-ים, שובר-גלים
seaward(s) *adj&adv.* כלפי הים, ימה
sea-water *n.* מי-ים
seaway *n.* נתיב ימי; התקדמות, הפלגה
seaweed *n.* אצה, אצת-ים
seaworthy *adj.* ראוי להפלגה
se·ba'ceous (-shəs) *adj.* שומני
sec = second, secretary
se'cant *n.* סקאנס
sec'ateurs' (-tûrz) *n.* מזמרה
se·cede' *v.* לפרוש, להיפרד, להתפלג
se·ces'sion *n.* פרישה, התבדלות
secessionist *n.* פורש
se·clude' *v.* לבודד, להפריד; להסתגר
secluded *adj.* בודד, מבודד, שקט
se·clu'sion (-zhən) *n.* בידוד; התבודדות; הסתגרות; מקום מבודד
se·clu'sive *adj.* מתבודד, מסתגר
sec'ond *adj&adv.* שֵׁנִי; נוסף, אחר; שֵׁנִית
- came off second best נחל תבוסה
- in the second place שנית, ב'
- on second thought לאחר הירהור שני, לאחר שחכך בדעתו
- second best שני במעלה
- second floor קומה ב'
- second nature טבע שני, הרגל
- second teeth שיני קבע
- second to none אין טוב ממנו
sec'ond *n.* שנייה, רגע; שני; עוזר, נושא-כלים; תמיכה; ציון בינוני
- seconds סחורה מסוג ב'; מנה נוספת
sec'ond *v.* לתמוך, לצדד ב-; להצביע בעד; לעזור, לשמש כעוזר
se·cond' *v.* להעביר (זמנית) לתפקיד
Second Advent שיבת ישו (ביום הדין)
sec'ondar'y (-deri) *adj.* שני, מישני, שניוני, תיניוני, סקונדארי; צדדי; תיכון
secondary education חינוך תיכון
secondary school בי"ס תיכון, חטיבת ביניים
secondary stress טעם מישני, מתג
second ballot בחירות חוזרות, הצבעה שנייה
second chamber בית עליון
second-class *adj&adv&n.* מדרגה שנייה, סוג ב', נחות; מחלקה שנייה; ציון בינוני
- go second class לנסוע במחלקה שנייה
Second Coming ביאת ישו השנייה, שיבת ישו (ביום הדין)
second-degree *adj.* ממדרגה שנייה
seconder *n.* תומך, מצדד

second-generation *adj.* של דור שני
second-guess *v.* *לנחש, לנבא, לשפוט בראייה לאחור
second-hand *adj.* משומש, (סחורה) יד שנייה; מכלי שני, לא מהמקור
second hand מחוג השניות
second-in-command סְגַן מפקד
second lieutenant סְגַן מישנה
secondly *adv.* שנית, ב'
se·cond'ment *n.* העברה זמנית
second name שם משפחה
second nature טבע שני
second person גוף שני, נוכח
second-rate *adj.* בינוני, נחות
second sight ראיית העתיד, נבואה
second-string *adj.* בינוני, שחקן ספסל
second wind התאוששות; נשימה רגילה; מרץ חדש
se'crecy *n.* סודיות; שמירת סודות
- swear to secrecy להשביעו לשמור בסוד
se'cret *adj.* סודי, חשאי, נסתר, כמוס; שקט, מבודד
secret *n.* סוד; תעלומה, מיסתורין
- in secret בסוד, בסתר, בחשאי; במיסתור
- in the secret בין בעלי-הסוד
- keep a secret לשמור סוד
- let him into a secret להמתיק סוד עמו
- open secret סוד גלוי
secret agent סוכן חשאי, מרגל
sec'retaire' *n.* מיכתבה
sec'reta'rial *adj.* של מזכיר
sec'reta'riat' *n.* מזכירות
sec'retar'y (-teri) *n.* מזכיר; שר
secretary-general מזכיר כללי
Secretary of State שר החוץ, מזכיר המדינה
se·crete' *v.* להפריש, לייצר; להסתיר
se·cre'tion *n.* הפרשה; הסתרה
se'cre·tive *adj.* סודי, שתקן, לא-גלוי
secret police משטרה חשאית
secret service השירות החשאי
sect *n.* כת, כיתה, פלג, סקטה
sec·ta'rian *adj&n.* כיתתי, צר-אופק, מפלגתי, קנאי
sectarianism *n.* כיתתיות, מפלגתיות
sec'tion *n.* קטע; חלק; איזור; פלח; פרק, חֲתָך; חיתוך; כיתה; מחלקה
- Cesarean section ניתוח קיסרי
section *v.* לחתוך, לחלק לקטעים
sectional *adj.* מתפרק, מורכב מחלקים; מקומי, אזורי; עדתי; של חתך
sectionalism *n.* נאמנות לאינטרסים מקומיים, עדתיות
section gang/crew פלוגת קטע (המאחזקת קטע של פסי-רכבת)
section mark סימן סעיף, סימן פיסקה
sec'tor *n.* גיזרה; מיגזר, סקטור, ענף, תחום
sec'u·lar *n.* חילוני; לא חי במינזר
secularism *n.* חילוניות, שיחרור מהדת
secularist *n.* חילוני
sec'u·lariza'tion *n.* חילון
sec'u·larize' *v.* לחלן, להפוך לחילוני
se·cure' *adj.* בטוח, מוגן; חסר-דאגה; ודאי, מובטח; סגור, נעול; חזק, איתן
secure *v.* להשיג, לרכוש; להבטיח,

- see oneself לראות עצמו כ-
- see out ללוות החוצה; להישאר עד הסוף
- see over לבדוק, לבחון, לבקר
- see reason לראות את הצד ההגיוני
- see stars "לראות כוכבים" (ממכה)
- see the back/last of להיפטר מ-, לגמור עם
- see the light of day להיוולד
- see the point להבין העוקץ/הנקודה
- see the sights לבקר, לסייר
- see things לראות מחזות-שווא
- see through לראות מבעד, לקרוא בין השיטין, לא ללכת שולל; להספיק
- see to לדאוג ל-, לטפל ב-
- see visions לחזות, לראות עתידות
- see you, be seeing you להתראות
- seeing is believing כשראה - אאמין, אינו דומה ראייה לשמיעה
- you see אתה מבין (ביטוי סתמי)
see *n.* כהונת הבישוף; מחוז הבישוף
- Holy See הכס הקדוש, אפיפיורות
seed *n&adj.* זרע; גרעין; צאצאים; מקור; שחקן מוצב; זעיר; לזריעה
- go/run to seed להפסיק לפרוח; להידרדר, להפוך למוזנח
- in seed נושא זרעים
- seed pearls פנינים זעירות
- seeds of trouble זרע הפורענות
seed *v.* לזרוע; להוציא זרעים; לגרען; להציב שחקן (מול), לדרג
seed-bed *n.* מנבטה; קרקע נוחה
seed-cake *n.* עוגת-זרעונים
seed-corn *n.* זרעי-תבואה
seeded *adj.* מדורג (שחקן טניס)
seedless *adj.* חסר-זרעים
seed′ling *n.* שתיל
seedpearl *n.* פנינה זעירה
seedsman *n.* סוחר זרעים; זורע
seedtime *n.* עונת הזריעה, זריע
seedy *adj.* זרעי, מלא זרעים; מרופט, מוזנח; *חולה, לא בקו-הבריאות
seeing that לאור העובדה, מכיוון ש-
seek *v.* לחפש, לבקש; לדרוש; לנסות
- not far to seek אין צורך לחפש רחוק (אחר הסיבה), ברור
- seek advice לבקש עצה, להיוועץ
- seek after לדרוש, לחזור אחרי
- seek for לבקש, לרדוף אחרי
- seek out לחפש (ולמצוא)
seem *v.* להיראות, ליצור רושם, להופיע
- he seems to- כנראה שהוא-
- it seems, it would seem כנראה
seeming *adj.* נראה, יוצר רושם, מדומה
seemingly *adv.* כנראה, לכאורה
seem′ly *adj.* יאה, נאה; מכובד, הוגן
seen = pp of see
seep *v.* לנטוף, לדלוף, לחלחל, לחדור
seep′age *n.* טיפטוף, דליפה, חילחול
seer *n.* חוזה, נביא
seer′suck′er *n.* אריג מפוספס
see′saw′ *n.* נדנדת-קרש (עולה ויורדת); התנדנדות; תנועת התקדמות ונסיגה
seesaw *v.* להתנדנד, להיטלטל
seethe (-dh) *v.* לרתוח; לתסוס; לגעוש
see-through *adj.* שקוף, נראה
seg′ment *n.* קטע; פלח; (בהנדסה)

לאבטח; לסגור, לנעול
securities authority רשות ניירות ערך
se•cu′rity *n.* ביטחון; הגנה; אבטחה; בטיחות; ערבון, משכון; ערובה; בטוחה
- securities ניירות-ערך, אג"ח
security blanket איפול ביטחוני; פריט הרגעה לילד
Security Council מועצת הביטחון
security forces כוחות הביטחון
security guard איש ביטחון, מאבטח
security risk סכנה ביטחונית (אדם)
se•dan′ *n.* מכונית נוסעים; אפריון
sedan chair אפריון
se•date′ *adj.* שליו, שקט, רציני
sedate *v.* להרגיע, להשקיט
se•da′tion *n.* הרגעה; מצב רגוע
sed′ative *adj&n.* מרגיע; תרופת-הרגעה
sed′entar′y (-teri) *adj.* של ישיבה, מצריך ישיבה, במיושב; לא נודד; לא פעיל
sedge *n.* כריך (צמח-ביצות)
sedgy *adj.* מכוסה כריכים (כנ"ל)
sed′iment *n.* מישקע; סחופת
sed′imen′tary *adj.* של מישקע, של סחופת
sedimentary rocks סלעי מישקע
sed′imenta′tion *n.* היווצרות מישקע
sedimentation rate שקיעת דם
se•di′tion (-di-) *n.* הסתה, חירחור, שיסוי
se•di′tious (-dish′əs) *adj.* מסית, מחרחר, מדיח
se•duce′ *v.* לפתות, לשדל; להדיח; להקסים
seducer *n.* מפתה, פתאי; מדיח
se•duc′tion *n.* פיתוי; הדחה, הסתה
se•duc′tive *adj.* מפתה, מושך; מדיח
sed′ulous (-j′-) *adj.* מתמיד, שקדני
see *v.* לראות; להבין; ללמוד, למצוא; לחוות, להתנסות; לדאוג ש-; לְלַוות
- I don't see my way (clear) to איני מוצא לנכון ל-, איני רואה הצדקה
- I'll have to see עלי לברר זאת
- I'll see you dead first לא באלף רבתי
- as I see it כפי שאני רואה זאת
- as far as I can see למיטב הבנתי
- he'll never see 30 again הוא עבר את גיל ה-30
- let me see רגע אחד, תן לחשוב
- see a doctor לבקר אצל רופא
- see a lot of him לראותו הרבה
- see about; לטפל ב-, לדאוג ל-; לשקול ב-; להימלך ב-, להיוועץ בנוגע ל-
- see after לדאוג ל-, להשגיח על
- see for oneself לראות במו עיניו
- see here! ראה נא! שמע!
- see him home ללוותו הביתה
- see him through לתמוך בו עד תום
- see into להבין, לרדת לנבכי-
- see it through לטפל בזה עד תום
- see life לראות עולם, לחוות חוויות
- see nothing of him לא לראותו
- see off ללוות (עד היציאה); לעמוד איתן ב-
- see one's way clear to למצוא הדרך ל-, להיות חופשי ל-

מיקטע
segment *v.* לחלק לקטעים; להתחלק
seg'menta'tion *n.* חלוקה; התחלקות; פילוח
seg'regate' *v.* להפריד, לבודד
segregated *adj.* מופרד, נבדל
seg'rega'tion *n.* הפרדה גיזעית, הבדלה
segue (seg'wā) *v&n.* לעבור ללא הפסקה, מעבר רצוף משיר לשיר
seigneur (sēnyûr') *n.* אדון, סיניור, אציל פיאודלי
seine (sān) *n.* רשת, מכמורת
seis'mic (sīz'-) *adj.* רעשי, סיסמי
seis'mograph' (sīz'-) *n.* סיסמוגרף, מד-רעש
seismol'ogist (sīz-) *n.* סיסמולוג
seismol'ogy (sīz-) *n.* סיסמולוגיה, מדע רעידות האדמה
seize (sēz) *v.* לתפוס; להשתלט על; לאחוז, להחזיק; לעקל; לתקוף
- seize on לנצל בהתלהבות, לקפוץ על
- seize up להיתקע, להיעצר
- seized with pain תקוף כאב
sei'zure (sē'zhər) *n.* תפיסה, השתלטות; עיקול; התקף-לב, שבץ
sel'dom *adv.* לעיתים נדירות
- seldom if ever בקושי פעם ביובל
se•lect' *v.* לבחור, לברור
select *adj.* מובחר; אקסקלוסיבי, בלעדי
select committee ועדה מיוחדת
se•lec'tion *n.* בחירה, סלקציה; מיבחר
- natural selection הברירה הטיבעית
selection committee ועדה בוחרת
se•lec'tive *adj.* של בחירה, סלקטיבי; לא כללי, ברירני; (רדיו) קולט ברורות
selective service שירות חובה
se•lec'tiv'ity *n.* סלקטיביות
selector *n.* בורר, מרכיב קבוצה
se•len'ium *n.* סלניום (יסוד כימי)
sel'enol'ogy *n.* מדע הירח
self *n.* אני, עצמי; עצמיות, אישיות; האינדיבידואום, טובת עצמו
- not his old self לא כתמול שילשום
- one's better self האדם הטוב שבו
- thinks of self דואג לעצמו
- to self לעצמי, לחתום מטה
self- עצמי, את עצמו, מעצמו
self-abandon *n.* התרת רסן, התמסרות כללית לדחף
self-abasement *n.* השפלה עצמית
self-abnegation *n.* הקרבה עצמית
self-absorbed *adj.* שקוע בעצמו
self-absorption *n.* השתקעות בעצמו, אהבה עצמית
self-abuse *n.* אוננות
self-acting *adj.* אוטומאטי
self-activating *adj.* מופעל מאליו
self-addressed *adj.* ממוען לשולח
self-appointed *adj.* שמינה עצמו
self-assembly *n.* הרכבה עצמית
self-assertion *n.* הבלטה עצמית; הידחפות; עמידה על זכויות
self-assertive *adj.* מתבלט
self-assurance *n.* ביטחון עצמי
self-assured *adj.* בעל ביטחון עצמי
self-begotten/-born *adj.* נוצר מעצמו, לא נוצר חיצונית
self-catering *n.* שירות עצמי, הכנה ארוחות עצמית
self-centered *adj.* מרוכז בעצמו
self-collected *adj.* קר-רוח, מיושב
self-colored *adj.* חד-צבעי, חד-גוני
self-command *n.* שליטה עצמית, ריסון
self-complacent *adj.* שבע רצון מעצמו, מדושן-עונג
self-confessed *adj.* לפי דבריו, מוצהר
self-confidence *n.* ביטחון עצמי
self-confident *adj.* בעל ביטחון עצמי
self-congratulation *n.* שביעות רצון עצמית
self-conscious *adj.* מודע לעצמו;ביישן, נבוך, מתוח
self-contained *adj.* שולט בעצמו, מסתגר, מאופק; שלם, לא משותף, עצמאי
self-contradictory *adj.* סותר עצמו
self-control *n.* שליטה עצמית, איפוק
self-criticism *n.* ביקורת עצמית
self-deception *n.* הונאה עצמית
self-defeating *adj.* נדון מראש לכישלון
self-defense *n.* הגנה עצמית
self-denial *n.* הקרבה עצמית, הינזרות
self-denying *adj.* מקריב עצמו, מתנזר
self-destruct *adj.* משמיד עצמו
self-determination *n.* הגדרה עצמית (של עם); קביעה עצמית של אורח חיים
self-discipline *n.* משמעת עצמית, מישטר עצמי (של אדם)
self-discovery *n.* גילוי עצמי, חשבון נפש פנימי
self-doubt *n.* חוסר ביטחון עצמי
self-drive *adj.* (רכב) לנהיגה עצמית
self-educated *adj.* בעל חינוך עצמי
self-effacing *adj.* מצטנע, לא מתבלט
self-employed *adj.* עצמאי, לא שכיר
self-esteem *n.* הערכה עצמית, גאווה
self-evident *adj.* ברור, מובן מאליו
self-examination *n.* ביקורת עצמית
self-explanatory *adj.* מסביר עצמו, ברור
self-expression *n.* ביטוי עצמי
self-fertile *adj.* מפרה עצמו
self-fulfillment *n.* הגשמה עצמית
self-government *n.* שלטון עצמי, אוטונומיה
self-help *n.* עזרה עצמית, אי-תלות
selfhood *n.* אישיות, ישות נפרדת
self-image *n.* דימוי עצמי
self-importance *n.* חשיבות עצמית
self-important *adj.* מחשיב עצמו, גאה
self-imposed *adj.* שהטיל על עצמו, שקיבל עליו
self-indulgence *n.* התמכרות לתאוות
self-indulgent *adj.* מתמכר לתאוות
self-interest *n.* תועלת אישית, אינטרס עצמי, אנוכיות
self-interested *adj.* אנוכיי
selfish *adj.* אנוכיי
self-knowledge *n.* הכרת עצמו
selfless *adj.* דואג לזולת, לא אנוכיי
self-loading *adj.* נטען מעצמו (רובה)
self-locking *adj.* ננעל אוטומאטית

self-made (man) *adj.* (אדם) שבנה את עצמו, שעלה בכוחות עצמו

self-mastery *n.* שליטה עצמית, איפוק

self-opinionated *adj.* דבק בדעותיו, עקשן, איתן באמונתו (המוטעית)

self-pity *n.* חמלה עצמית

self-portrait *n.* דיוקן עצמי

self-possessed *n.* קר-רוח, מיושב

self-possession *n.* קור-רוח, יישוב הדעת, שלווה, ביטחון עצמי

- lost his self-possession אבדו עשתונותיו, איבד את קור-רוחו

self-preservation *n.* שמירה עצמית

self-raising flour קמח תופח

self-regard *n.* הערכה עצמית, יהירות, אנוכיות

self-reliance *n.* הסתמכות עצמית, ביטחון עצמי, אי-תלות בזולת

self-reliant *adj.* בטוח בעצמו

self-respect *n.* כבוד עצמי

self-respecting *adj.* בעל כבוד עצמי

self-restraint *n.* ריסון, שליטה עצמית

self-righteous *adj.* מאמין בצדקנותו

self-rising flour קמח תופח

self-rule *n.* שילטון עצמי

self-sacrifice *n.* הקרבה עצמית

self'same' *adj.* אותו ממש, זהה

self-satisfaction *n.* שביעות-רצון עצמית

self-satisfied *adj.* שבע רצון מעצמו, מדושן עונג

self-sealing *adj.* (תקר) נאטם אוטומאטית

self-seeker *adj.* דורש טובת עצמו, אנוכי

self-seeking *adj.* אנוכיי

self-service *n.* שירות עצמי

self-serving *adj.* דורש טובת עצמו

self-sown *adj.* שנזרע מאליו

self-starter *n.* (רכב בעל) מתנע

self-styled *adj.* מכנה את עצמו, בעל תואר עצמי, מתחזה כ-

self-sufficiency *n.* עצמאות, סיפוק צרכים עצמית, אי-תלות; ביטחון מופרז

self-sufficient *adj.* עצמאי, לא-תלוי

self-sufficing *adj.* עצמאי, לא-תלוי

self-supporting *adj.* מחזיק עצמו, מפרנס עצמו

self-taught *adj.* שלמד בעצמו

self-will *n.* עקשנות, קשיות-עורף

self-willed *adj.* עקשן

self-winding *adj.* (שעון) מכנן עצמו, אוטומאטי

sell *v.* למכור; להימכר; לסחור; לגרום למכירת-, למשוך קונים; *לרמות

- be sold out להימכר, לאזול, להיחטף

- has been sold סידרו אותו, רימוהו

- is sold on it מכור לדבר, משוכנע בכך, מאמין בו, "נדלק עליו"

- it sells badly אין קופצים עליו

- it sells well יש לו קונים/שוק

- sell a pup לרמות, לתחוב דבר חסר-ערך; למכור יין ונמצא חומץ

- sell an excuse "למכור" תירוץ

- sell down the river לבגוד, להסגיר

- sell off למכור, להיפטר מהסחורה

- sell one's life dearly לגבות מחיר גבוה תמורת חייו, "תמות נפשי עם פלישתים"

- sell one's soul למכור נשמתו

- sell oneself להרשים, להציג עצמו בצורה משכנעת; למכור עצמו/כבודו

- sell out למכור הכול; למכור חלקו בעסק; לבגוד, להתכחש

- sell the pass לבגוד, למעול באימון

- sell up למכור נכסיו, לחסל העסק

sell *n.* מכירה; *אכזבה, רמאות, סידור

- hard sell מכירת לחץ (על הקונה)

- soft sell מכירה בשיכנוע עדין

sell-by date תאריך אחרון לשיווק; לא מָכִיר; כבר לא מושך

seller *n.* מוכר; סחורה מבוקשת/נמכרת

sellers' market שוק המוכרים

selling point סגולה, יתרון

selling price המחיר לצרכן

sell-off *n.* הפרטת חברה ממשלתית; מכירה כללית

sell'otape' *n&v.* (להדביק ב-) צלוטייפ

sell-out *n.* בגידה, הפרת-אמון; מישחק שכל כרטיסיו נמכרו

selt'zer (-sər) *n.* מי סודה

sel'vage, sel'vedge (-vij) *n.* שולי-בגד, שפת-האריג (מתוגמרת למניעת התפרמות)

selves = pl of self (selvz)

se•man'tic *adj.* סמאנטי, משמעותי

se•man'tics *n.* סמאנטיקה, חקר משמעות המלים, תורת הסימנים

sem'aphore' *n.* סמאפור, תמרור-רכבת; איתות בדגלים, סימון בזרועות

semaphore *v.* לאותת בדגלים

sem'blance *n.* דמיון, מראה, רושם, חזות

se'men *n.* זרע

se•mes'ter *n.* סמסטר, מחצית שנת לימודים

sem'i (תחילית) חצי-, חלקי-

sem'i *n.* *בית משותף-קיר; סמיטריילר; חצי-גמר

sem'ian'nu•al (-nū-) *adj.* חצי-שנתי

sem'ibreve' *n.* תו שלם, 4 רבעים

sem'icir'cle *n.* חצי-עיגול

sem'icir'cu•lar *adj.* חצי-עיגולי

sem'ico'lon *n.* נקודה ופסיק, (;)

sem'iconduc'tor *n.* חצי-מוליך (חומר)

sem'icon'scious (-shəs) *adj.* בהכרה חלקית

sem'ide•tached' (-tacht') *adj&n.* (בית) בעל קיר משותף, חצי וילה

sem'ifi'nal *n.* חצי-גמר

sem'ifi'nalist *n.* מתחרה בחצי-גמר

sem'inal *adj.* של זרע; מקורי, בעל ניצנים, מצמיח, מוליד

sem'inar' *n.* סמינר, קורס

sem'ina'rian *n.* תלמיד מיכללת-כמרים

sem'inarist *n.* תלמיד מיכללת-כמרים

sem'inar'y (-neri) *n.* סמינר, בית-מדרש; מיכללת-כמרים

sem'ioffi'cial (-fish'əl) *adj.* חצי-רישמי

sem'iol'ogy *n.* סמיולוגיה, חקר הסימנים (של שפה)

sem'ipre'cious (-presh'əs) *adj.* (אבן) יקרה למחצה

semi-professional *adj.* חצי מיקצועני

sem′iqua′ver *n.* 1/16 של תו, טזית
Sem′ite *n&adj.* שמי
Semit′ic *adj.* שמי, יהודי
sem′itone′ *n.* חצי טון (הבדל צלילים)
sem′itrail′er *n.* סמיטריילר, מיגרר
sem′itrop′ical *adj.* סובטרופי
sem′ivow′el *n.* חצי-תנועה
sem′iweek′ly *n&adj&adv.* (עיתון) חצי-שבועי; פעמיים בשבוע
sem′oli′na (-lē-) *n.* סולת
semp′stress *n.* תופרת
Sen. = Senior, Senator
sen′ate *n.* סנאט; בית מחוקקים עליון
sen′ator *n.* סנאטור, חבר-סנאט
sen′ato′rial *adj.* של סנאט, של סנאטור
send *v.* לשלוח, לשגר; לזרוק; לגרום, להביא, לעורר; *להקסים, לענג
- heaven send מי יתן, יהי רצון
- send away לשלוח; לפטר
- send away for להזמין (סחורה) בדואר
- send down להוריד; לגרש מאוניברסיטה; להשליך לכלא
- send flying להפיל, להטיל, להעיף
- send for להזמין, לקרוא, להזעיק
- send forth להוציא, להצמיח
- send in להגיש, לשלוח למוקד/למרכז
- send mad/crazy להוציאו מדעתו
- send off ללוות (עד התחנה); לשלוח, לשגר; להוציא שחקן מהמיגרש
- send off for להזמין (סחורה) בדואר
- send on למען ולשגר (מיכתב) הלאה; לשגר מראש
- send one's name in להציג עצמו, למסור שמו למשרת
- send out להפיץ, לשלוח (ממוקד); להוציא, להצמיח; לקבל, להזמין
- send packing לשלח בבושת פנים
- send up להעלות; להטיל למעלה; לחקות, לעשות פארודיה; להשליך לכלא
- send word לשלוח הודעה
sender *n.* שולח, משגר
send-off *n.* שילוח, שיגור; ליווי; איחולי הצלחה למתחיל
send-up *n.* פארודיה, חיקוי
Sen′e·gal (-gôl) *n.* סנגל
se·nes′cence *n.* הזדקנות
se·nes′cent *adj.* מזדקן
se′nile *adj.* סנילי, של זיקנה
se·nil′ity *n.* סניליות, זיקנה
se′nior *n&adj.* קשיש; בכיר; גדול; מבוגר; ותיק; האב; תלמיד שנה ד'
senior citizen קשיש, בגיל הפרישה, גימלאי
se′nior′ity *n.* קשישות, בגרות; ותק; בכירות בדרגה
sen′na *n.* קסיה (תרופה)
senor (senyôr′) *n.* אדון, סניור
senora (senyôr′ə) *n.* גברת, סניורה
senorita (sen′yərē′tə) *n.* עלמה, סניוריטה
sen′sate′ *adj.* מסוגל לחוש
sen·sa′tion *n.* הרגשה, תחושה, חישה; סנסאציה; התרגשות, תירגושת
sensational *adj.* תחושתי; סנסאציוני; מכה גלים, מעורר עניין; *כביר, מצוין
sensationalism *n.* רדיפת-סנסאציות

sense *n.* חוש; הרגשה, תחושה; הכרה, תבונה, חוכמה; משמעות, מובן
- bring him to his senses לפקוח עיניו
- business sense חוש מיסחרי
- in a sense במובן מסוים, בחלקו
- in one's senses שפוי, צלול-דיעה
- in the broad sense במובן הרחב
- in the strict sense במובן הצר
- lose one's senses לצאת מדעתו
- make sense להתקבל על הדעת; להיות משמעי/הגיוני
- make sense of להבין, למצוא משמעות
- out of one's senses יצא מדעתו
- sense of a meeting הדיעה הכללית בקרב המשתתפים, הנטייה באסיפה
- sense of locality חוש התמצאות
- senses חמשת החושים; צלילות הדעת
- talk sense לדבר בהיגיון
- there's no sense in- אין טעם ב-
- under a sense of wrong חש שנעשה עוול
sense *v.* לחוש, להרגיש; לגלות
senseless *adj.* חסר-הכרה, מעולף; חסר-טעם, אבסורדי, טיפשי
sense of humor חוש הומור
sense organ איבר חישה (כגון עין)
sen′sibil′ity *n.* רגישות, עדינות-הטעם; דקות-ההבחנה; מוּדעות
sen′sible *adj.* הגיוני, נבון; מעשי, פראקטי; ניכר, משמעותי; מודע, חש
sen′sitive *adj.* רגיש; פגיע, מהיר להיעלב; עדין; כמוס, ביטחוני
sen′sitiv′ity *n.* רגישות
sen′sitize′ *v.* לעשות לרגיש
sen′sor *n.* (מכשיר) מגלה, חיישן, חישן
sen′sory *adj.* חושי, של החושים
sen′sual (-shōōəl) *adj.* חושני, של תענוגות, תאוותני; חושי
sensualism *n.* חושניות; סנסואליזם
sensualist *n.* שטוף-תאווה
sen′sual′ity (-shōōal′-) *n.* תאוותנות, שקיעה בתענוגות
sen′suous (-shōōəs) *adj.* חושי, מהנה, פועל על החושים
sent = p of send
sen′tence *n&v.* פסק-דין, עונש; (בתחביר) מישפט; לדון, לגזור דין
- pass sentence לגזור דין
- under sentence of death נדון למוות
sen·ten′tious (-shəs) *adj.* נמלץ, מנופח, מפגין חוכמתו; גדוש אימרות-מוסר, פיתגמי
sen′tience (-shəns) *n.* כושר חישה
sen′tient (-shənt) *adj.* מרגיש, חש
sen′timent *n.* סנטימנט, רגש; רגשיות; דיעה, השקפה, נקודת-מבט; ביטוי
sen′timen′tal *adj.* סנטימנטאלי, ריגשי
sentimentalism *n.* סנטימנטאליזם, סנטימנטאליות, רגשנות
sentimentalist *n.* רגשני
sen′timental′ity *n.* רגשנות
sen′timen′talize′ *v.* להיות רגשני, להשתפך; להעניק ציביון סנטימנטאלי
sen′tinel *n.* זקיף, שומר
- stand sentinel לעמוד על המישמר
sen′try *n.* זקיף, שומר

- on sentry-go שומר, עומד על המשמר
sentry box תא-השומר, ביתן-הזקיף
sep′al *n.* עלה-גביע
sep′arabil′ity *n.* היפרדות, נתיקות
sep′arable *adj.* בר-הפרדה, פריד, נתיק
sep′arate *adj&n.* נפרד, נבדל; שונה; לחוד
- keep separate from להפריד מן
- live separate לחיות בנפרד (מאשתו)
- separates פריטי לבוש נפרדים (להתאמה עם בגד שונה)
sep′arate′ *v.* להפריד, להבדיל; לחלק; להתפלג; להיפרד; לפרוש, ללכת
sep′ara′tion *n.* הפרדה, הבדלה; פירוד, ניתוק; הבדל, רווח
- separation of Church and State הפרדת הדת מהמדינה
separation allowance קצובת-פירוד (לנשי-ימאים וכ׳)
separation fence גדר הפרדה
separation order צו הפרדה (לזוג)
sep′aratism′ *n.* בדלנות, ספאראטיזם
sep′aratist *n.* בדלן
sep′ara′tor *n.* מפרדה (להפרדת שמנת)
se′pia *n.* חום-כהה, דיו חומה
sep′sis *n.* אלח, אלח-הדם
Sept. = September
Sep•tem′ber *n.* ספטמבר
sep′tenar′y (-neri) *adj.* של 7 (שנים)
sep•ten′nial *adj.* חל פעם ב-7 שנים; אחת בשמיטה
sep•tet′ *n.* שבעית, (יצירה ל-) 7 כלים
sep′tic *adj.* אלוח, מזוהם; רקוב
sep′tice′mia *n.* הרעלת-דם
septic tank בור שפכין
sep′tuagena′rian (-cho͞oəj-) *n.* בן 70 (עד 80)
Sep′tuages′ima (-cho͞oəj-) *n.* יום א׳ השלישי לפני לנט
Sep′tuagint (-cho͞oəj-) *n.*, תרגום השבעים, ספטואגינטה
sep′ulcher (-k-) *n.* קבר
- Holy Sepulcher קבר ישו
- whited sepulcher צבוע
se•pul′chral (-k-) *adj.* של קבר, של קבורה; קודר, עצוב
sep′ulture *n.* קבורה, הטמנה בקבר
se•qua′cious (-shəs) *adj.* עקבי, הגיוני
se′quel *n.* תוצאה, תולדה; עלילת-המשך
se′quence *n.* רצף, המשך, סידרה; עוקב, מעקובת, סקוונצה; סֵדֶר
- in sequence בסדר עוקב, זה אחר זה
- sequence of disasters שורת אסונות
- sequence of events סדר המאורעות
se′quencer *n.* סקוונסר, מסדר מעקובת, התקן לרצף נכון
se′quencing *n.* סידור, עריכה בסדר, סידרור
se′quent *adj.* עוקב, בא כתוצאה
se•quen′tial *adj.* עוקב, רצוף, רציף; בא אחרי; סקוונציאלי, סידרתי
se•ques′ter *v.* להפריד, לבודד, להרחיק; לפרוש; לעקל, לתפוס
sequestered *adj.* מבודד, שקט
se′questrate′ *v.* לעקל, להחרים
se′questra′tion *n.* עיקול, החרמה

se′quin *n.* דיסקית-עיטור, נצנצים
se•quoi′a *n.* סקוויה (עץ)
se•ra′glio′ (-ral′yō) *n.* הרמון, ארמון
ser′aph *n.* שָׂרָף, מלאך
se•raph′ic *adj.* של מלאך, מלאכי, יפהפה
Ser′bia *n.* סרביה
sere *adj.* יבש, קמול
ser′enade′ *n&v.* סרנאדה, רמשית; לנגן סרנאדה
ser′endip′ity *n.* הצלחה בגילויים, כושר לגלות תגליות (בעזרת המזל)
serene′ *adj.* שָׁקֵט, שליו, רגוע; בהיר
- His Serene Highness הוד רוממותו
seren′ity *n.* שלווה; בהירות
serf *n.* איכר צמית, עבד, משועבד
serfdom *n.* עבדות, מעמד איכר צמית
serge *n.* סרג׳ (אריג צמר)
ser′geant (sär′jənt) *n.* סַמָּל
sergeant at arms קצין טקסים, ממונה על הסדר
sergeant major רב-סמל
se′rial *adj.* סידורי, סודר, של סידרה; ערוך בהמשכים; טורני
serial *n.* סידרה, סידרון, עלילת-המשכים
se′rializa′tion *n.* פירסום בהמשכים
se′rialize′ *v.* לפרסם בהמשכים
serial killer רוצח סדרתי
serial number מיספר סידורי
serial rights זכות לפירסום בהמשכים
se′ria′tim *adv.* בזה אחר זה, אחד-אחד
ser′icul′ture *n.* ייצור משי
se′ries (-rēz) *n.* סידרה, סריה, מערכה, שורה; סידרה טלוויזיונית
- concert series סידרת קונצרטים
- in series (בחשמל) ערוכים בסידרה
- series of mistakes שורת טעויות
ser′if *n.* תג (על אות); אות מתויגת
se′rio•com′ic *adj.* רציני-קומי
se′rious *adj.* רציני; חמור
seriously *adv.* ברצינות, בצורה רצינית
- take seriously להתייחס ברצינות
seriousness *n.* רצינות; חומרת-המצב
- in all seriousness בכל הרצינות
ser′mon *n.* דרשה, הטפת-מוסר
ser′monize′ *v.* לדרוש; להטיף מוסר
se′rous *adj.* של נסיוב; מימי
ser′pent *n.* נחש; רשע, נוכל; השטן
ser′pentine′ *adj.* נחשי, מתפתל
ser′ra•ted *adj.* משונן, מחוספס-שפה
ser′ried (-rēd) *adj.* דחוס, צפוף, צמוד
se′rum *n.* נסיוב
ser′vant *n.* משרת; פועל-בית; עוזרת
- civil servant עובד מדינה
- domestic servant עוזרת-בית
- public servant עובד ציבורי
- your humble servant עבדך הנאמן
serve *v.* לשרת; לשמש; לעבוד; לספק, לתת; להגיש לשולחן; להתייחס כלפי-; להמציא; להגיש כדור; להרביע
- as occasion serves בהזדמנות מתאימה
- if memory serves למיטב זיכרוני
- serve (with) a summons לשלוח הזמנה מישפטית
- serve 8 years לשבת 8 שנים בכלא
- serve God לעבוד אלוהים
- serve a sentence לרצות עונש מאסר

- serve as/for לשמש כ-, למלא תפקיד של
- serve dinner לערוך השולחן לארוחה
- serve fairly להתייחס בהגינות
- serve on a jury להשתתף בצוות מושבעים
- serve one's needs לענות על צרכיו
- serve one's time להשלים תקופתו
- serve out לחלק; לשלם, לגמול; למלא התקופה, לעבוד עד תום-
- serve the purpose לשרת את המטרה
- serve time לשבת בכלא
- serve under לשרת תחת פיקודו של
- serve up להכין ולהגיש (אוכל)
- serves him right מגיע לו
serve *n.* (בטניס) חבטת פתיחה
server *n.* מגיש; משרת; (בטניס) פותח; עוזר הכומר; כלי-הגשה, מגש
ser'vice (-vis) *n.* שירות; תפקיד; עזרה; שימוש; מערכת-כלים, סט; תפילה, טקס דתי; (בטניס) חבטת-פתיחה; מסירת הזמנה; המצאה; הרבעה
- at your service לשירותך
- bus service שירות אוטובוסים
- can I be of service to you? האוכל לעזור לך?
- go into service להיות לעוזרת-בית
- has seen good service שירת נאמנה
- he did us a great service הוא עשה לנו טובה גדולה
- see (active) service לשרת בשירות פעיל
- the (fighting) services זרועות-הצבא
service *adj.* לשירות העובדים (בלבד)
service *v.* לתת שירות (לרכב)
serviceable *adj.* שמיש, שימושי, יעיל; (בגד) חזק, מאריך ימים
service area תחנת שירות, תחנת דלק; איזור שידורי התחנה
service book ספר תפילה
service charge דמי שירות
service dress מדי-שירות
service flat דירת-שירות (ששוכרה מקבל גם שירות)
service line קו (גבול) ההגשה
serviceman *n.* חייל, איש-צבא
service rifle רובה צבאי
service road כביש מקומי (המסתעף מדרך ראשית)
service station תחנת-דלק (עם שירות)
servicewoman *n.* חיילת
ser'viette' *n.* מפית, מפיונת
ser'vile *adj.* מתרפס, כעבד נרצע, עבדותי; של עבדים
servil'ity *n.* התרפסות, עבדות
ser'ving *n.* מנה; הגשת מסמכים
ser'vitor *n.* משרת
ser'vitude' *n.* שיעבוד, עבדות; זיקת הנאה
ser'vo *n.* מנגנון עזר
ser'vo·mech'anism' (-mek-) *n.* מנגנון עזר (המספק כוח למכונה)
ses'ame (-səmi) *n.* שומשום
- open sesame! שער - היפתח! (סיסמה)
ses'qui- פעם וחצי, אחד וחצי
ses'quicen·ten'nial *n.* יובל ה-150
ses'quipe·da'lian *adj.* רבת-הברות
ses'sion *n.* מושב; ישיבה; עונת-לימודים, זמן; שעות-הלימוד; פגישה
- sessions ישיבות בית-דין
set *v.* להניח, לשים; להציב; לקבוע; לעורר, לגרום; לערוך; לסדר; להכין; להטיל על; לכוון; להקריש; לגבש; לשבץ; לנטות; לזרום
- all set ערוך, מוכן ומזומן
- get set היערך, להתכונן לפעולה
- her star has set כוכבה דעך
- is set upon נחוש בדעתו (להשיג)
- public opinion set דעת הקהל נטתה ל-
- set a bone לקבוע עצם (שבורה)
- set a clock לכוון שעון
- set a day/price לקבוע יום/מחיר
- set a dye לייצב צבע (לבל ידהה)
- set a hen להדגיר תרנגולת
- set a match to להדליק גפרור
- set a saw להשחיז ולסכסך שיני מסור
- set about להתחיל ב-, לטפל ב-; לתקוף, להכות; להפיץ (שמועות)
- set against להציב מול, להעמיד מול; לסכסך; לקזז, לאזן
- set at לתקוף, להסתער על
- set at ease להרגיע, לסלק חששות
- set back להרחיק; לעכב, לעצור; להחזיר לאחור; *לעלות (סכום הגון)
- set beside להשוות ל-
- set by לשים בצד, להפריש, להקציב
- set diamonds לשבץ יהלומים
- set down להניח ארצה; להוריד (ממכונית) לכתוב, לרשום, לייחס ל-
- set down as לתאר כ-, לראותו כ-
- set eggs להדגיר ביצים; להקריש ביצים
- set forth לצאת לדרך; להודיע, לפרסם, לרשום; לפרוש, להסביר
- set hair לעשות תיסרוקת (מקורזלת)
- set her cap for him ניסתה לכבוש את ליבו
- set him a task להטיל עליו משימה
- set him off לעוררו ל-, להביאו ל-
- set him on his way ללוותו כיברת-דרך
- set him over- למנותו מפקד על-
- set him right להעלותו על דרך הישר; לאוששו אותו, להשיבו לאיתנו
- set him up להשיבו לאיתנו, לאוששו; לסדרו, לציידו, לספק צרכיו
- set in להתחיל, להגיע; להתמקם (ריקבון/זוהמה); לזרום, לנשוב
- set in order לסדר, להכניס סדר
- set it going להפעילו, להניעו
- set it off לפוצץ, להפעיל; לגרום, לעורר; לקזז; להבליט (יופי); להפריד
- set it to- לקרבו ל-, להגיעו ל-
- set light/fire to להדליק, להבעיר
- set off לצאת לדרך; לפתוח ב-
- set on להתקדם; להתקיף, לשסות
- set on its feet להעמידו על רגליו
- set one's jaw/teeth להדק שיניו, להיות נחוש-החלטה; להקשות עורפו
- set one's seal לחתום, להטביע חותמו
- set oneself to להחליט, להירתם ל-
- set out לערוך, לסדר; להציג; להצהיר, לפרסם; לצאת, להפליג; להתחיל
- set pen to paper להתחיל לכתוב
- set right/to rights לתקן
- set sail להפליג, לצאת לדרך

- set store by/on להעריך, להחשיב
- set the ax to לגדוע, להרוס
- set the scene להעלות המסך על, לתאר המקום; להוביל, להכשיר את הקרקע
- set the table לערוך השולחן
- set things straight להעמיד דברים על דיוקם
- set to להתחיל בלהיטות, להתחיל לאכול; להירתם לעבודה; לפתוח בריב
- set up להרכיב; להקים; להציב; לייסד; לגרום, ליצור; לסדר (בדפוס)
- set up a cry לפלוט צעקה
- set up as להתחיל לעסוק ב-; להתיימר, להציג עצמו כ-
- set up type לסדר אותיות-דפוס
- set upon להתנפל על; לשסות
- the current set המים זרמו
- the dress sets well הבגד מונח טוב (על הגוף)
- the setter set הכלב הצביע (בזרבוביתו) על הציד
- the sun set השמש שקעה
- the tree set העץ עשה פרי
- the wind set from הרוח נשבה מ-
- well set up מצויד כראוי, שסיפקו צרכיו; בנוי היטב, חטוב-גוף

set *adj.* קבוע; יציב; קבוע מראש; עקשני; נחוש-דיעה; מוכן, ערוך
- deep-set eyes עיניים שקועות
- set books ספרים לקריאה (למיבחן)
- set fair (מזג-אוויר) נאה
- set in one's ways בעל הרגלים קבועים
- set opinion דיעה מאובנת
- set phrase ביטוי שיגרתי
- set procedure תהליך קבוע מראש
- set smile חיוך נצחי (שלא מש מפיו)
- set to go מוכן ללכת

set *n.* מערכה; סט; אנשים, חוג; קבוצה; מיבנה, תנוחה; כיוון; נטייה; התקרשות; מקלט; שתיל; אתר-הסרטה; תיסרוקת; מרצפת
- make a dead set at לחבור יחד על, להתאחד בהתקפה; לנסות לכבוש ליבו
- set of a dog הצבעת כלב (על ציד)
- set of a dress התאמת בגד (לגוף)
- set of sun שקיעת-החמה

set-aside *n.* הקצאה, הפרשה
setback *n.* עצירה, עיכוב; מפלה, תבוסה
setoff *n.* קישוט; פיצוי; קיזוז; יציאה (למסע); תביעה נגדית
set piece *n.* מעשה-אמנות, מלאכת-מחשבת; זיקוקין-די-נור
setscrew *n.* בורג הידוק
set-square *n.* משולש-שירטוט
sett *n.* מרצפת
set-tee′ *n.* ספה
set′ter *n.* קובע, מניח; סַדָּר; כלב-ציד
- bone-setter קובע עצמות (שבורות)

set theory תורת-הקבוצות (במתימאטיקה)
set′ting *n.* רקע, סביבה; תפאורה; מיסגרת, מישבצת; לחן; מערכת כלי-אוכל
setting lotion נוזל לעיצוב שיער
setting-up exercises התעמלות בוקר
set′tle *v.* לסדר; לקבוע; להניח; להסדיר; ליישב; להתיישב; להתנחל; לרדת; לנחות; להרגיע; לשכון; להחליט; לשלם; לשקוע; להשקיע
- marry and settle down להתחתן ולהתחיל לנהל אורח-חיים מסודר
- settle a dispute ליישב מחלוקת
- settle down להתרווח; להתיישב; להשתקע; להשקיט; להירגע; להתרגל; להתבסס
- settle down to להתרכז ב-
- settle for להסתפק ב-, להשלים עם
- settle in לשכן; להסתדר; להשתקע
- settle into להתרגל ל-, להסתגל ל-
- settle on/upon להחליט, לבחור; להעביר רכוש ל-, להעניק
- settle one's affairs להסדיר ענייניו
- settle oneself להתיישב; להתרווח
- settle out of court ליישב (סיכסוך) מחוץ לכותלי בית-המישפט
- settle the dust להרביץ האבק
- settle up להסדיר, לשלם (חשבון)
- settle wine להצליל יין
- settle with ליישב החשבון עם
- that settles it זה חורץ גורלו

settle *n.* ספסל גבה-מיסעד
settled *adj.* יציב, קבוע; מיושב, מאוכלס; מסודר, נפרע
settlement *n.* התיישבות; התנחלות; יישוב; הסדרה; סידור; הסדר; פירעון; שקיעה; הענקה, העברת-רכוש; מרכז קהילתי
- settlement of wine הצללת יין

settlement house מרכז קהילתי
settler *n.* מתיישב, מתנחל
set-to *n.* קטטה, תיגרה, התכתשות
set-up *n.* מיבנה, צורת אירגון; מישחק קל (שתוצאתו ידועה); מלכודת, הפללה
sev′en *n&adj.* שבע, 7
sevenfold *adj&adv.* שבעתיים, פי 7
sev′enteen′ *adj&n.* שבע-עשרה, 17
sev′enteenth′ *n&adj.* (החלק) ה-17
sev′enth *adj&n.* שביעי; שביעית
- Seventh Day שבת
- in the seventh heaven ברקיע השביעי, מאושר, שטוף-גיל

seventhly *adv.* שביעית, במקום השביעי
sev′entieth *n&adj.* (החלק) ה-70
sev′enty *n.* שבעים, 70
- the seventies שנות ה-70

seven-year itch גירוי השנה השביעית, משבר השנה השביעית (לאחר הנישואים)
sev′er *v.* לחתוך, לנתק; להינתק
sev′eral *adj&pron.* כמה, מיספר, אחדים; נפרד, לחוד; שונים
- went their several ways הלכו כל אחד לדרכו

severally *adv.* בנפרד, אחד-אחד
sev′erance *n.* ניתוק; הינתקות
severance pay פיצויי פיטורים
severe′ *adj.* חמור, קשה, רציני; נוקשה, מקפיד; חריף, נוקב; פשוט
- severe competition תחרות קשה
- severe face פנים חמורי-סבר
- severe pain/cold כאב/קור עז
- severe style סיגנון פשוט

sever′ity *n.* חומרה, רצינות; נוקשות

- severities תנאים קשים, סבל
sew (sō) *v.* לתפור
- sew up לתפור, לסגור בתפירה; לסגור, לסיים; לסדר; להשתלט על
- sew up a deal לסגור עיסקה
- sewed up סגור; תפור; מוכרע
sew'age (sōō'-) *n.* שופכין, מי-ביוב
sewage farm/works מיפעל לטיהור מי שפכים
sew'er (sō'-) *n.* חייט, תופר
sew'er (sōō'-) *n.* צינור-ביוב, תעלה
sew'erage (sōō'-) *n.* רשת תיעול, מערכת ביוב
sewing *n.* תפירה
sewing machine מכונת-תפירה
sewn = pp of sew (sōn)
sex *n.* מין, סקס; יחסי-מין, זוויג
- have sex with לקיים יחסים עם
- the fair/gentle sex המין היפה
sex *v.* לברר מינו
sex abuse התעללות מינית
sex'agena'rian *adj&n.* בן 60 (עד 70)
Sex'ages'ima *n.* יום א' השני לפני לנט
sex appeal משיכה מינית, סקסאפיל
sexed *adj.* מיני
- over-sexed שטוף תאווה מינית
sexism *n.* סקסיזם, עליונות הגבר
sexist *n&adj.* סקסיסט, בז למין הנשי
sexless *adj.* חסר-מין, לא סקסי
sex life חיי מין
sex object אובייקט מיני, מושך מבחינה מינית
sex·ol'ogist *n.* סקסולוג
sex·ol'ogy *n.* סקסולוגיה, מדע המיניות
sex'ploi'ta'tion *n.* *ניצול המין, מיסחור מין
sex'pot' *n.* אישה סקסית
sex symbol סמל מין (אדם)
sex'tant *n.* סקסטאנט (מכשיר למדידת זוויות בין גופים שמימיים)
sex·tet' *n.* שיתית, (יצירה ל-) 6 כלים
sex'ton *n.* שַמָש (בכנסייה)
sex·tup'let *n.* אחד משישייה (תינוק)
- sextuplets שישייה
sex'ual (sek'shōōəl) *adj.* מיני, סקסואלי, זוויגי
sexual harassment הטרדה מינית
sexual intercourse מגע מיני
sex'ual'ity (sek'shōōal'-) *n.* מיניות
sexy *adj.* מיני, סקסי, מגרה
Seychelles' (sāshelz') *n.* איי סיישל
SF = science fiction
Sgt. סַמָל, סרג'נט
sh *interj.* ששש-, הס, שקט
shabbiness *n.* מראה מרופט; שפלות
shab'by *adj.* מרופט, בלוי, קרוע; לבוש בלואים; דל, עלוב, לא-הוגן
- shabby treatment יחס שפל
shabby-genteel *adj.* עני-מנומס, דל-הופעה השומר על גינוני-נימוס
shack *n&v.* צריף, סוכה, ביתן, ביקתה
- shack up with להתגורר, לדור עם
shack'le *n&v.* אזק; חית-המנעול; לכבול
- shackles כבלים; אזיקים

shad *n.* עלוזה (דג-מאכל)
shad'dock *n.* פומלו (ממיני ההדרים)
shade *n.* צל; עוצמת-צבע, גוון, ניואנס; אהיל; רוח, שד; מעט, משהו
- eye-shade מיצחייה, מחפה-עיניים
- put in the shade להעיב על, להאפיל על, להעמיד בצל, לגמד
- shade of doubt ספק-מה
- shades חשיכה, דימדומים; *מישקפי-שמש
- shades of *זה מזכיר לי
- the shades מישכן הרוחות, שאול
shade *v.* לפרוש צל, להצל, לחפות, לסוך, להאפיל; להשתנות (גוונו) בהדרגה
- shade in (בציור) להכהות, לקווקוו
shade tree עץ-צל, עץ המטיל צל
shading *n.* שוני קל, גוון, וואריאציה; (בציור) הצללה, השחרה
shad'ow (-ō) *n.* צל; רוח, הבל, תעתועים; תחושת-מועקה, אות מאיים; שמץ
- a shadow of doubt צל של ספק
- a shadow of one's former self צל של עצמו, כחוש, גל-עצמות
- afraid of one's own shadow מוג לב
- cast a shadow להטיל צל, להצל
- one's shadow כצל שלו, לא מש ממנו
- shadows צללים, דימדומים
- worn to a shadow הפך לצל, סחוט
shadow *adj.* של מילואים, להפעלה בעת הצורך
- shadow factory מיפעל צללים (העובר לפסי-ייצור צבאיים בעיתות-מילחמה)
shadow *v.* להטיל צל; לבלוש, לעקוב
shadowbox *v.* להתאגרף נגד רוח, להכות ביריב מדומה
shadow cabinet ממשלת צללים
shadowy *adj.* מוצל, מטיל צל; מעורפל, לא ברור; שרוי בצל
sha'dy *adj.* פורש צל, מצל; מוצל; צללי; מעורפל, מפוקפק; לא-הגון
shaft *n.* מוט, חנית; חץ; ידית, קת; יצול; (במכונה) גל; עמוד; פיר, חלל; מעבר; ארובה; קנה-נוצה
- get the shaft *לקבל "חזוק"
- shaft of light קרן-אור
- shaft of wit חץ שנון
shaft *v.* *לסדר כהוגן, לתת "חזוק"
shag *n&v.* טאבאק גס; סיב גס; שיער סבוך; לרדוף אחרי; *לקיים יחסים
shagged *adj.* *עייף, סחוט
shagginess *n.* גסות, חיספוס
shag'gy *adj.* גס, מחוספס; עבות, סבוך, שעיר; פרוע-שיער
shaggy-dog story בדיחה ארוכה (חסרת-עוקץ)
shagreen' *n.* שאגרין, עור מחוספס
shah (shä) *n.* שח, מלך איראן (בעבר)
shake *v.* לנענע; להתנענע; לרעוד; לנער; לזעזע; להחליש
- (let's) shake! הבה נלחץ ידיים
- shake down להתרגל; להטיס טיסת-מיבחן; *לשכב, ללון; לסחוט כספים; לחפש
- shake his faith לערער אמונתו
- shake in one's boots/shoes לרעוד מפחד

- shake it up *להודרז
- shake off להיפטר מ-, להשתחרר מ-
- shake one's fists לנופף אגרופיו
- shake one's head להניד בראשו
- shake out לפרוש, לנער; להתפזר
- shake up לנער; לנענע; לארגן מחדש; להדאיג
shake *n.* נענוע; זעזוע; רעד; *רגע קט; יחס, טיפול; מילקשייק
- in two shakes מיד, כהרף-עין
- no great shakes *לא מי-יודע-מה
- the shakes *צמרמורת, רטט
shake-down *n.* טיסת-מיבחן; *מיטה מאולתרת; סחיטת כספים; חיפוש
shake-out *n.* שידוד מערכות, רה-אירגון, מהפך
shaker *n.* מנענע; מבזק-מלח; מנער
Shakespeare (shāk'spir') *n.* שקספיר
Shake'spear'ean (shākspir'iən) *adj.* שקספירי
shake-up *n.* חילופי-גברי; רה-אירגון
shakiness *n.* חוסר-יציבות, רעיעות
shaking *n.* נענוע; זעזוע
shak'o *n.* שאקו, כובע צבאי
sha'ky *adj.* חלש, לא יציב, רעוע, רועד
shale *n.* ציפחה, אבן פצלתית
shall (shal) *v.* (פועל עזר לציון עתיד)
- I shall do it אעשה זאת
- you shall do it עליך לעשות זאת
shal'lop *n.* סירה קלה
shallot' *n.* בצלצל, בצל-פרא
shal'low (-ō) *adj.* רדוד, לא-עמוק, שיטחי, חסר-עמקות, לא-רציני
shallow *v.* להירדד, להיעשות רדוד
shallows *n-pl.* מים רדודים, שטח רדוד
shalom' (-lōm) *interj.* שלום! (ברכה)
shalt = shall
sham *v.* להעמיד פנים, להתחזות; לזייף
sham *n&adj.* העמדת-פנים, התחזות, שקר, בלוף; מעמיד פנים; מזויף, מדומה
sha'man *n.* שאמאן, רופא אליל
sham'ble *v&n.* ללכת בכבדות, להשתרך; גרירת רגליים, השתרכות
- make a shambles לבלבל, לבלגן
- shambles שדה-קטל; מקום הפוך, אי-סדר, תוהו ובוהו
sham•bol'ic *adj.* *מבולגן
shame *n.* בושה, חרפה, קלון
- bring shame on להמיט קלון על
- cry shame on לומר התבייש לך
- feel shame להתבייש, להימלא בושה
- for shame! התבייש לך!
- put to shame להמיט חרפה על; להאפיל על, לעלות על
- shame on you! התבייש לך!
- shame! בושה! בוז!
- what a shame! חבל! מצער מאוד
shame *v.* לבייש, להמיט קלון על; להעמיד בצל, לעלות על
- shame him into volunteering לאלצו להתנדב תוך איום בהכלמה
shamefaced *adj.* מבויש, נבוך, נכלם
shameful *adj.* מביש, מגונה, מחפיר
shameless *adj.* חסר-בושה, חצוף
sham'my *n.* יעל, עור-יעל
sham•poo' *n&v.* שמפו; חפיפת-ראש; לחפוף הראש; לנקות (שטיח) בשמפו
sham'rock' *n.* תילתן (סמל אירלנד)
sha'mus (shä'-) *n.* *שוטר; בלש פרטי
shan'dy *n.* מזג-שיכר (עם לימונאדה)
shandy gaff מזג-שיכר (כנ"ל)
Shang•hai' (-hī) *n.* שנחאי
shang•hai' (-hī) *v.* לעלף ולחטוף; לאלץ בתחבולה, להערים
shan'gri-la' (-lä) *n.* גן-עדן
shank *n.* שוק, נתח-רגל; קנה, חלק צר בכלי, קנה-המסמר (-המפתח וכ')
- go on shank's mare ללכת רגלי
shan't = shall not (shant)
shan'tung' *n.* שנטון, בד משי
shan'ty *n.* צריף, ביקתה; שיר ימאים
shantytown *n.* מישכנות-עוני, סלאמס
shape *n.* צורה; דמות; מצב; אימום
- give shape להלביש צורה, לגלם
- in good shape במצב טוב, תקין, בכושר; משביע רצון
- in shape בכושר; במראה, בהופעה
- in the shape of בדמות-, בצורת-
- knock into shape לעצב, לתת צורה, לתגמר
- knock out of shape לעוות צורתו
- not in any shape or form בשום צורה שהיא (לא)
- out of shape לא בכושר
- put into shape לגבש, לעצב, לערוך בצורה מסודרת
- take shape ללבוש צורה, להתגבש; למצוא את ביטויו ב-
shape *v.* לעצב, לצור צורה; לגבש; להתגבש; ללבוש צורה
- is shaping well מתפתח יפה
- shape his future לעצב את עתידו
- shape one's course לכוון דרכו, לשים פעמיו
- shape up ללבוש צורה, להתפתח
shapeable *adj.* בר-עיצוב; נאה
shaped *adj.* בצורת-, דמוי-; (בגד) צמוד
shapeless *adj.* נטול-צורה, אמורפי
shapely *adj.* (גוף) חטוב, נאה
shard *n.* חרס, שבר
share *n.* חֵלֶק; מנה; מניה; סכין-מחרשה
- go shares להתחלק שווה בשווה
- has no share in אין לו חלק/יד ב-
- have a share להשתתף, ליטול חלק
- ordinary shares מניות רגילות
- preference shares מניות בכורה
- take share להשתתף, ליטול חלק
share *v.* לחלק; להתחלק; להשתתף, לקחת חלק; לתת חלק
- share and share alike להתחלק שווה בשווה
- share in להשתתף, להיות שותף ב-
- share out לחלק
- share with לשתף (בחוויה), לספר
share certificate תעודת-מניה
share-cropper *n.* אריס, עובד אדמה
shareholder *n.* בעל מניות
share index מדד מניות
share-out *n.* חלוקה
shareware *n.* תוכנה לבדיקה, תוכנה לתשלום עתידי
shari'ah (-rē'ə) *n.* שַרִיעָה (החוק

המוסלמי)
shark *n.* כריש; רמאי, נוכל; עשקן, מלווה בריבית קצוצה
sharkskin *n.* אריג חלק ונוצץ
sharp *adj.* חד; מחודד; חריף; ברור; תלול; פיקח, ערמומי; עז; מהיר, נמרץ
- C sharp דו נסק, דו דיאז
- sharp (piece of) work עבודה נאה
- sharp as a tack מבריק; מצוחצח
- sharp lookout שמירה עירנית
- sharp practice תרמית, עסק מפוקפק
- sharp rise עלייה תלולה (במחירים)
- sharp turn תפנית חדה
- sharp words דברים כדורבנות
sharp *adv.* בצורה חדה; לפתע; בדיוק; (לזייף) בחצי-טון, בדיאז
- at 12 sharp בשעה 12 בדיוק
- look sharp! הזדרז! היזהר!
sharp *n.* דיאז, נסק; רמאי
sharp′en *v.* לחדד, להשחיז; להתחדד
sharp end *חרטום הספינה; זירת הפעולה הישירה
sharpener *n.* מחדד, משחז
sharper *n.* רמאי, נוכל
sharp-eyed *adj.* חד-עין, חד-מבט
sharp′ish *adj&adv.* חד למדי; מהר
sharp-looking *adj.* בעל הופעה נאה
sharp-set *adj.* רעב
sharpshooter *n.* צלף
sharp-sighted *adj.* חד-עין
sharp-tongued *adj.* חד-לשון
sharp-witted *adj.* חד-מוח, חריף-שכל
shat′ter *v.* לנפץ; להתנפץ; להרוס
shattered *adj.* הרוס, סחוט; מזועזע
shatter-proof *adj.* חסין שבירה
shave *v.* לגלח; להתגלח; להקציע; לשפשף, לחלוף קרוב ל-; להפחית
- shave off לקלף, לשבב, לשפות
shave *n.* גילוח, תיגלחת
- close/narrow shave הינצלות בנס
shaven (pp of shave) *adj.* מגולח
- cleanshaven מגולח למישעי
shaver *n.* מגלח, מכונת-גילוח; *נער
shaving *n.* גילוח
- shavings נסורת, שבבים
shaving brush מיברשת גילוח
shaving cream משחת גילוח
Sha′vuoth′ (shävoo-ot′) *n.* שבועות (חג)
shawl *n.* סודר, צעיף, רדיד
- praying shawl טלית
shay *n.* כירכרה, מרכבה
she *pron&n.* היא; נקבה
- she-goat/-bear עז/דובה
sheaf *n.* אלומה; חבילה, צרור
shear *v.* לגזוז; לספר; לחתוך; לשלול, להציגו ככלי ריק
- shorn of שאיבד, שניטל ממנו
shears *n-pl.* מיספריים; מגזזה; מזמרה
sheath *n.* נדן, נרתיק; בגד צמוד; כובעון
sheathe (shēdh) *v.* לשים בנדן; לנרתק; לְצַפּוֹת
- sheathe the sword להחזיר החרב לנדנה, להפסיק הלחימה
sheathing (-dh-) *n.* ציפוי לוחות
sheath knife סכין מנורתקת

sheaves = pl of sheaf (shēvz)
she·bang′ *n.* *דבר, עניין, עסק, מצב
shebeen′ *n.* בית-מרזח (לא-חוקי)
shed *v.* לשפוך; להשיר; להסיר, לפשוט; לדחות (מים); להפיץ; להקרין
- shed blood להקיז דם; לשפוך דם
- shed light on לשפוך אור על
- shed tears לשפוך דמעות
shed *n.* צריף, ביקתה; מחסן; דיר
she'd = she had/would (shēd)
sheen *n.* ברק; זוהר
sheep *n.* כבש; צאן
- a wolf in sheep's clothing זאב בעור כבש
- cast/make sheep's eyes at לנעוץ מבטי אהבה, ללטוש עיני-אוהב
- the sheep and the goats הטובים והרעים
sheep-dip *n.* טבילת חיטוי לכבשים
sheep dog כלב רועים
sheep-fold *n.* דיר, מיכלאה
sheepish *adj.* נבוך, מבויש, מפוחד
sheep run מקום מירעה (לצאן)
sheepskin *n.* עור-כבש; דיפלומה
sheer *adj.* מוחלט, גמור, אך ורק; טהור; שקוף, דק; תלול, מאונך
- sheer nonsense שטות גמורה
sheer *adv.* בצורה תלולה; לגמרי
sheer *v.* לשנות כיוון, לפנות הצידה; לסטות ממסלול
- sheer off להתרחק; להסתלק
sheet *n.* סדין; גיליון; לוח; שיכבה; ריקוע-מתכת; מישטח נרחב; חבל מיפרש; עיתון
- in sheets (גשם) ניתך בעוז; (ספר) בגיליונות, טרם נכרך
- white as a sheet חיוור מאוד
sheet anchor עוגן הצלה
sheeting *n.* בד-סדינים; ריקועים
sheet lightning ברק רחב (לא זיגזגי)
sheet metal ריקוע מתכת
sheet music מוסיקה בגיליונות
sheik, sheikh (shēk) *n.* שיך (ערבי)
sheikhdom *n.* איזור השיך
shei′la (shē′-) *n.* *נערה
shek′el *n.* שקל, כסף
shel′drake′ *n.* ברווז בר
shelf *n.* מדף; בליטה, זיז
- on the shelf כאבן שאין לה הופכין, לא עובד; שאין מבקשים את ידה
shelf life חיי מדף (של פריט)
shelf room מקום על המדף
shell *n.* קליפה; קונכייה; קשווה; שלד-בניין; פגז; תרמיל, כדור; סירה
- come out of one's shell להגיח מקליפתו, להתערות בחברה
- retire into one's shell להיחבא אל הכלים, להסתגר בד׳ אמותיו
shell *v.* לקלף; להתקלף; להוציא מהקליפה; להפציץ, להרעיש
- easy as shelling peas קל ביותר
- shell out לשלם, לפרוע
she'll = she will/shall (shēl)
shellac′ *n&v.* לכה; (לצפות ב-) *להביס
shellack′ing *n.* *מכה, תבוסה, מפלה

shellfire *n.* אש ארטילרית
shellfish *n.* רכיכה (עוטה קונכייה); סרטן
shell-proof *adj.* חסין-פגזים
shell-shock *n.* הלם-קרב
shell suit אימונית (אטימה)
shel'ter *n.* מחסה; מיקלט; ביתן; דיור
- bus shelter תחנת אוטובוס (מקורה)
- take shelter למצוא מחסה
shelter *v.* לסוכך, להגן על; להעניק מיקלט; לפרוש חסותו על; לתפוס מחסה
sheltered *adj.* מוגן, מְסוּכָּך
shelve *v.* למדף, לערוך על מדף; לדחות (לעתיד); לפטר; להשתפע בהדרגה
shelves = pl of shelf (shelvz)
shelving *n.* מדפים; חומר-מדפים
she·nan'igan *n.* מעשה-קונדס, תעלול
shep'herd (-pərd) *n.* רועה צאן
- Good Shepherd ישו
shepherd *v.* לרעות; להוביל
shepherdess *n.* רועת-צאן
shepherd's pie בשר קצוץ עם מחית תפוחי-אדמה
shepherd's plaid דגם משבצות (בבד)
shepherd's purse ילקוט (צמח-בר)
sheq'el (-k-) *n.* שקל
Sher'aton *adj.* שראטוני (סיגנון ריהוט)
sher'bet *n.* שרבט, גלידת-פירות, משקה-פירות; אבקת-שתייה
sherd *n.* חרס, שבר
sher'iff *n.* שריף
sher'ry *n.* שרי (יין)
she's = she is, she has (shēz)
shib'boleth' *n.* שיבולת, סיסמה; ניב מיושן, מנהג עתיק; מאפיין קבוצתי
shied = p of shy
shield (shēld) *n.* מגן; שלט-גיבורים; תג שוטר
shield *v.* להגן על, לשמור, לחפות על
shift *n.* שינוי, העתקת-מקום, העברה, תזוזה; משמרת; תחבולה, תכסיס; שימלה; מחליף הילוכים
- make shift להסתדר (איכשהו)
- night shift משמרת לילה
shift *v.* להעביר, להזיז, לשנות כיוון; לנוע, לזוז; להחליף הילוכים; להחליף בגדים
- shift for oneself להסתדר לבד
- shift off להיפטר, להסיר האחריות
shiftiness *n.* ערמומיות
shift key מקש האותיות הגדולות
shiftless *adj.* נטול-תושייה; עצלן; לא-יוצלח
shift stick ידית הילוכים
shift work עבודה במישמרות
shift'y *adj.* ערמומי, תחבלני
Shi'ite (shē'īt) *n.* שיעי (מוסלמי)
shil'ling *n.* שילינג
shil'ly-shal'ly *v.* להסס, לא להחליט
shim'mer *v&n.* לנצנץ (רכות); ניצנוץ
shim'my *v&n.* *לרטוט; תחתונית
shin *n&v.* שוק; לטפס, לעלות על
shin-bone *n.* שוקה (מעצמות השוק)
shin'dig' *n.* *מסיבה עליזה; ריב, מהומה
shin'dy *n.* *ריב, מהומה, ויכוח קולני
shine *v.* לזרוח; להקרין; להזהיר, להבריק; להצטיין; לצחצח
- shine up to *לנסות להתיידד עם
shine *n.* זוֹהַר; ברק; ציחצוח
- come rain or shine בין שירד גשם ובין לאו, יקרה אשר יקרה, בכל מזג-אוויר
- take a shine to לחבב, "להידלק על"
shi'ner *n.* דבר זוהר; "פנס" (בעין)
shin'gle *n.* רעף, לוחית ציפוי; שלט; חלוקי-אבנים; תיספורת קצרה
- hang up one's shingle לפתוח מישרד
shingle *v.* לרעף; לעשות תיספורת קצרה
shingles *n-pl.* שלבקת חוגרת
shingly *adj.* (חוף) זרוע חלוקי-אבנים
shin-guard/-pad *n.* מגן שוק
shining *adj.* מבריק, מזהיר; מצוין
shin'ny *v.* לטפס
shi'ny *adj.* מבריק
ship *n.* אונייה, ספינה; *מטוס
- give up the ship לוותר, להרים ידיים
- on board ship/on ship board באונייה, על אונייה
- take ship להפליג
- when my ship comes in לכשאתעשר
ship *v.* להעביר באונייה, לשגר (ברכבת, בדואר); לשרת באונייה
- ship oars להכניס המשוטים לסירה
- ship off לשלוח, להעביר
- ship out להפליג
- ship water להיות מוצף מים
ship biscuit מציית-מלחים
shipboard *adj.* על סיפון האונייה
ship-breaker סוחר ספינות ישנות
ship-broker *n.* סוכן חברת הובלה ימית; סוכן ביטוח ימי; סוחר ספינות
shipbuilding *n.* בניית אוניות
ship canal תעלת-אוניות
ship chandler ספק אבזרי-ספינות
shipload *n.* מיטען אונייה
ship'mate' *n.* מַלָּח חבר, חבר לספינה
shipment *n.* מישלוח; הטענה, מיטען
ship-owner *n.* בעל אונייה
shipper *n.* סוכן-מישלוחים, מוביל
shipping *n.* צי, אוני, כלי-השיט; מישלוח
shipping agent סוכן הובלה ימית
shipping office מישרד הובלה ימית
ship'shape' *adj.* מסודר, מטופח, מצוחצח
ship's papers תעודות האונייה
ship'way' *n.* מיבנה משופע לבניית האונייה ולהשקתה
ship'wreck' (-rek) *n&v.* אסון-אונייה, טביעת-אונייה; להיטרף בים, להרוס, לנפץ
ship'wright' (-rīt) *n.* בונה-אוניות
ship'yard' *n.* מספנה, מבדוק
shire *n.* מחוז
- Shires אזורי המרכז (באנגליה)
shire horse סוס-משא
shirk *v.* להשתמט, להתחמק
shirker *n.* שתמטן
shirr *v.* לעשות קיבוצים, לכווץ בד
shirt *n.* חולצה, כותונת
- give the shirt off one's back לתת כל אשר לו
- lose one's shirt לאבד כל רכושו
- put one's shirt on a horse לשים כל

כספו בהימור על סוס
- stuffed shirt *טיפוס מנופח
shirtfront *n.* חזית-החולצה
shirting *n.* אריג-כותונות
shirtsleeve *n&adj.* שרוול-החולצה; פשוט; חסר-רישמיות; בלי מעיל
shirttail *n.* שולי-החולצה
shirtwaist(er) *n.* חולצת-אישה
shirt'y *adj.* *מרוגז
shish kebab' קבאב
shit *n&interj&v.* *צואה, חרא; עשיית צרכים; חשיש; שטויות; לחרבן
- not worth a shit *לא שווה כלום
- shit on him *להודיע עליו
- shit oneself *לעשות במכנסיים (מפחד)
- shits *שילשול
shiv'er *v&n.* לרעוד; רעד, צמרמורת
- the shivers *צמרמורת, חלחלה
shiver *n&v.* רסיס; לשבור/להתנפץ לרסיסים
shivery *adj&adj.* רועד; קר, חודר עצמות
shoal *n&v.* שירטון, מקום רדוד; להירדד
- shoals סכנות חבויות, מהמורות
shoal *n.* להקת-דגים; המון, מיספר רב
shoal *v.* להתלהק, ליצור להקות
shock *n.* הלם; זעזוע; מכת-חשמל; בולם-זעזועים; ערימת עומרים, אלומות
- shock of hair גוש שיער סבוך
shock *v.* לזעזע; להדהים; לחשמל
shock absorber בולם-זעזועים
shocker *adj.* מזעזע, רע, לא-מוסרי
shock-headed *adj.* סבוך-שיער
shocking *adj&adv.* מזעזע, רע, גרוע; מאוד
- shocking pink ורוד עז/זוהר
shockingly *adv.* *מאוד, נורא
shock-proof *adj.* חסין-זעזועים
shock tactics טאקטיקת-הלם
shock therapy ריפוי בהלם
shock treatment טיפול בהלם
shock troops יחידות-מחץ
shod (p of shoe) *adj.* נעול
shod'dy *adj.* זול, דל-איכות, מזויף; שפל
shoddy *n.* אריג זול; בגד מצמר משומש
shoe (shōō) *n&v.* נעל; פרסה; סנדל-הבלם; לנעול; להנעיל; לפרזל
- as an old shoe נוח, נעים; צנוע, חביב, פשוט
- if the shoe fits- אם סבור אתה שהכוונה אליך-
- in his shoes בנעליו, במקומו, במצבו
- step into his shoes להיכנס לנעליו
- the shoe is on the other foot נתחלפו היוצרות, התהפך הסדר
- where the shoe pinches היכן שכואב, פה קבור הכלב, מקור-הקושי
shoeblack *n.* מצחצח נעליים
shoebox *n.* קופסת נעליים, מקום צר
shoehorn *n&v.* כף נעליים; לדחוק פנימה
shoelace *n.* שרוך נעל
shoeleather *n.* עור נעליים
shoemaker *n.* סנדלר, תופר נעליים
shoemaking *n.* סנדלרות
shoeshine *n.* ציחצוח נעליים
shoestring *n&adj.* שרוך נעל, סכום זעום; ארוך, דק, זעום
- on a shoestring באמצעים דלים
shoe-tree *n.* אימום נעל
sho'far *n.* שופר
shone = p of shine
shoo *v&interj.* *להבריח, לגרש; קישטא!
shoo-in *n.* *מנצח ודאי, זוכה
shook = pt of shake
shoot (shōōt) *v.* לירות; לפגוע; לצוד; לפלוט; להטיל; לחלוף, לבעוט לשער; לעבור; לנוע ביעף; לצמוח; לנבוט
- shoot a bolt להבריח; למשוך בריח
- shoot a film להסריט סרט
- shoot a game of- לשחק ב-
- shoot a look לנעוץ מבט
- shoot ahead לפרוץ קדימה
- shoot away לירות בלי הרף, לקטוע (איבר) בירייה
- shoot dice להטיל קוביות
- shoot down להפיל (מטוס); לשלול, לדחות בתוקף
- shoot for/at לחתור ל-, לקבוע יעד
- shoot from the hip לירות מהמותן, להגיב מהר
- shoot him dead לירות למוות
- shoot off לקטוע (איבר) בירויות; לירות באוויר
- shoot off one's mouth/face להתיר הרסן מפיו, לדבר שטויות, לפטפט
- shoot one's bolt/wad לעשות ככל שביכולתו
- shoot oneself in the foot לירות לעצמו ברגל
- shoot out לפלוט, להשליך; לקלוח; להכריע (סיכסוך) בקרב-יריות
- shoot questions להמטיר שאלות
- shoot rubbish לשפוך פסולת
- shoot square/straight לפעול בהגינות
- shoot the works להמר על כל כספו, לעשות מאמץ עליון
- shoot to kill לירות כדי להרוג
- shoot up לזנק, לעלות, להתרומם, לגדול; לירות בלי הבחנה, להשליט טרור
- shoot! קדימה! דבר! פתח פיך!
shoot *n.* חוטר, נצר; ירי; ציד; איזור-ציד; מגלש; אשד; שיגור-חללית
- the whole shoot *כל הדבר, הכל
shooter *n.* יורה
shooting *n&adj.* ירי; זכות ציד, צַיָד
- a shooting pain כאב דוקר
- the whole shooting match כל הדבר, כל העסק
shooting box ביקתת ציידים
shooting gallery אולם קליעה
shooting iron *נשק, אקדח
shooting range מיטווח
shooting star מטאור, כוכב נופל
shooting stick מקל-כיסא, מקל-הליכה ההופך למושב כשנועצים אותו באדמה
shooting war מלחמה חמה
shoot-out *n.* קרב, חילופי-יריות
- penalty shoot-out הכרעה בבעיטות עונשין

shop *n.* חנות; בית-מלאכה; מיקצוע, עסק
- all over the shop באי-סדר, בכל מקום, בכל הכיוונים
- came to the wrong shop טעה בכתובת, לא פנה לאדם הנכון
- set up shop לפתוח עסק
- shop hours שעות המכירה
- shut up shop לנעול העסקים
- talk shop לדבר על עבודתו
shop *v.* לערוך קניות; לחפש בחנויות; *להלשין, להודיע
- shop around לסייר בחנויות; להשוות מחירים, לערוך הקבלות; לחפש
shop'ahol'ic *n.* *קונה כפייתי
shop assistant זבן, מוכר
shopboy *n.* זבן, מוכר
shop floor חדר הסדנאות; אולם הפועלים
shop front חזית החנות
shopgirl *n.* זבנית, מוכרת
shopkeeper *n.* חנווני, בעל חנות
shoplift *v.* לגנוב מחנויות, "להרים"
shoplifter *n.* גנב-חנויות, גנבן
shoplifting *n.* גניבה מחנויות
shoppe *n.* חנות
shopper *n.* קונה, מבקר בחנויות
shopping *n.* קניות, עריכת קניות
- window shopping הסתכלות בחלונות ראווה
shopping bag שקית קניות
shopping basket סל קניות
shopping cart עגלת קניות
shopping center מרכז קניות
shopping mall קניון, מרכז קניות
shop-soiled *adj.* פגום, מלוכלך, בלוי (לגבי חפץ המונח זמן רב בחנות)
shop steward נציג הפועלים
shopwalker *n.* מדריך לקוחות (בחנות)
shop window חלון ראווה
shopworn *adj.* פגום, מלוכלך, בלוי (משמירה בחנות); ישן, שחוק, דהוי, נדוש
shore *n.* חוף, יבשה; מיתמך, סמוכה
- on shore ליבשה, על החוף
shore *v.* לתמוך
shore leave חופשת-חוף (של מלחים)
shorn = pp of shear
short *adj.* קצר; נמוך; חסר, לא מספיק, קטן, פחות; תמציתי; גס, קצר-רוח; קצר-מועד; פריך
- at short range מטווח קרוב
- for short לשם קיצור
- in short בקיצור
- in short order על רגל אחת, מיד
- in short supply בכמות מצומצמת
- in the short run לטווח קצר, לעתיד הקרוב
- little/nothing short of לא פחות מ-, כמעט
- make short work of לחסל מהר
- on short time עובד פחות מהרגיל
- short and sweet קצר ולעניין
- short drink כוסית-משקה
- short for קיצור של, צורה מקוצרת
- short haul מרחק קצר
- short of; לא מגיע ל-, על סף-, חסר; לפני; דחוק ב-; פחות מ-; פרט ל-
- short of breath חסר-נשימה, מתנשם
- short of money דחוק בכסף
- short on- *חסר-, נטול-, נעדר-
- short pastry בצק פריך
- short temper רגזנות, קוצר-רוח
- short vowel תנועה קצרה
- the short end החלק הגרוע ביותר
- was short with her דיבר איתה קצרות, פטר אותה בלשון בוטה
- win by a short head לנצח בהפרש זעום
short *adv.* פתאום, לפתע; בקצרה
- be taken/caught short להיתקף לפתע בכאב בטן, לחוש צורך לעשות צרכיו
- fall short of לא להספיק, לא להגיע ל-, לאכזב
- go short of להיות דחוק ב-, לסבול מחוסר-
- pull up short לעצור פתאום
- run short לאזול, להיגמר; לעמוד על סף מחסור ב-
- sell short; למעט בערכו, לא להעריך כוחו; למכור (מניות) לפני רכישתן
- stop short לעצור לפתע
- take him up short להפסיקו, לשסעו
short *n.* *סרטון; קצר חשמלי; לגימה
- shorts שורטס, (מיכנסיים) קצרים
short *v.* *לגרום לקֶצֶר; לרמות
short'age *n.* מחסור, חוסר, גרעון
short bond אג"ח קצרת מועד
shortbread *n.* עוגת-חמאה
shortcake *n.* עוגת-פירות (עם קצפת)
short-change *v&n.* להחזיר עודף חסר, לרמות במתן העודף; עודף חסר
short-circuit *n&v.* קֶצֶר; לגרום לקצר; לקרות קצר; לקצר, לפשט
shortcoming *n.* פגם, ליקוי, חיסרון
short cut קפנדריה, קיצור דרך
short-dated *adj.* קצר-מועד
short'en *v.* לקצר; להתקצר
short'ening *n.* שומן לבצק פריך
shortfall *n.* גירעון, דפיציט
short fuse *מהירות-חימה, "פיוז קצר"
short'hand' *n.* קצרנות
short-handed *adj.* חסר-עובדים (במכסה הדרושה)
shorthand typist קצרנית-כתבנית
short-haul *adj.* של מרחק קצר
shorthorn *n.* בקר קצר-קרניים
short'ie *n.* *גוץ, נמוך-קומה
shortish *adj.* נמוך במקצת
short list רשימת מועמדים (מנופה)
short-list *v.* לכלול ברשימה מנופה
short-lived *adj.* קצר-ימים
shortly *adv.* מיד, תכף; בקרוב, במהרה; בקיצור, קצרות; בגסות
short-order *adj.* (מזון) מהיר-הכנה
short-range *adj.* לטווח קצר
short sight קוצר ראייה
shortsighted *adj.* קצר-ראות
short-spoken *adj.* קצר-מלים
short story סיפור קצר
short-tempered *adj.* רגזני, לא מושל ברוחו, קצר-רוח
short-term *adj.* קצר-מועד
short time עבודה חלקית (פחות מהרגיל)

short wave גל קצר
short-winded *adj.* קצר-נשימה
shorty *n&adj.* גוץ, נמוך-קומה; קצר
shot *n.* ירייה; קלע; ניסיון, פגיעה, ניחוש, קליעה, בעיטה; שיגור חללית; קליע; כדור; כדור-ברזל; צילום; סיכוי; *זריקה; תזריק; כוסית
- call one's shot *לנבא
- foul shot בעיטת עונשין
- have a shot at לנסות
- lead shot רסס, כדורי עופרת
- like a shot במהירות רבה, כחץ מקשת; בחפץ לב
- long shot ניסיון דל-סיכויים; צילום מרחוק; בעל סיכויים קלושים
- pay one's shot לשלם חשבונו (בבאר)
- shot in the arm זריקת עידוד
shot *adj.* מגוון, ארוג בגוונים שונים; *הרוס, סחוט
- be shot of it להיפטר מזאת
- shot silk משי המשנה גונו
- shot through מגוון, מתובל, שזור
shot = p of shoot
shot-gun *n.* רובה-ציד
shotgun wedding *חתונה כפויה, חתונה חפוזה
shot put הדיפת כדור-ברזל
should (shood) *v.* צריך, חייב, עליו ל-
- I said that I should go אמרתי שאלך (עתיד פשוט בדיבור עקיף)
- I should have come if- הייתי בא אילו-
- I should think not! בוודאי שלא!
- you should אתה חייב, עליך ל-
- you shouldn't אל לך, בל
should = pt of shall
shoul'der (shōl'-) *n.* כתף, שכם; כתף-הר, כתף-בקבוק; שולי-הכביש
- broad shoulders כתפיים רחבות
- put one's shoulder to the wheel להטות שכמו, להירתם לעבודה במרץ
- rub shoulders with להתחכך ב-, להימצא בחברת-
- shoulder to shoulder שכם אל שכם, יד-ביד, בשיתוף פעולה
- straight from the shoulder גלויות
shoulder *v.* לכתף, לטעון על הכתף; לשאת על כתפיו, ליטול על עצמו
- shoulder arms! הכתף נשק!
- shoulder one's way לפלס דרך בכתפיו
shoulder blade עצם השיכמה
shoulder flash תג יחידה
shoulder pad כרית כתף
shoulder strap כותפת, כתפה, כתפייה
shouldn't = should not
shout *v.* לצעוק, לזעוק, לצרוח
- shout down להחריש (נואם) בצעקות
- shout oneself hoarse לצעוק עד כדי הצטרדות
shout *n.* צעקה, זעקה, צריחה
- your shout *תורך להזמין משקה
shouting *n.* צעקות
- all over bar the shouting המיבצע הוכתר בהצלחה/נסתיים
- within shouting distance בטווח שמיעה
shove (shuv) *v&n.* לדחוף; דחיפה
- shove around להציק, לטרטר
- shove off להתרחק מהחוף; *להסתלק
- shove over לזוז, להזיז עצמו
shov'el (shuv-) *n.* יעה, את, כף
shovel *v.* להעביר/לגרוף ביעה/בכף
shovel-board = shuffle board
shovelful (-fool) *n.* מלוא היעה
show (shō) *v.* להראות, להציג, לגלות; להדריך, להנחות; להוכיח, להעיד על; להסביר; להיראות, להופיע; לסיים שלישי
- has nothing to show for it אין לו שום רווח מכך
- it goes to show דבר זה מוכיח
- show case להראות עילה
- show him over/around להראות לו את הסביבה, לקחתו לביקור
- show in/out ללוותו פנימה/החוצה
- show itself להיראות, להיות ניכר
- show mercy/pity לרחם, לחמול
- show off להתפאר, לחשוף לראווה, לנסות להרשים, לנפנף ב-; להבליט
- show one's hand/cards לגלות קלפיו
- show one's teeth ללבוש ארשת-זעף
- show oneself להיות נוכח, להשתתף
- show oneself brave להוכיח אומץ-ליבו
- show round להראות הסביבה
- show the way לתת דוגמה
- show through להיראות
- show up להוקיע, לחשוף פרצופו, לגלות האמת; להיראות; להופיע; *להביך
show *n.* ראווה; גילוי; העמדת-פנים; הצגה; תצוגה, תערוכה; מיפגן; רושם, גנדרנות; *ביצוע, עסק, עניין; הזדמנות
- for show למען הרושם
- give the show away לגלות מה מסתתר מאחורי זה
- good show מלאכה נאה, ביצוע מוצלח
- good show! כל הכבוד!
- on show מוצג לראווה
- poor show ביצוע עלוב
- put on a show להציג הצגה
- run the show לנהל את העניינים
- show of force מיפגן כוח
- show of hands הצבעה בהרמת ידיים
- steal the show לגנוב את ההצגה
show biz עסקי שעשועים
show-boat *n.* ספינת-תיאטרון
show business עסקי שעשועים
showcase *n&v.* תיבת-תצוגה (מזכוכית); להציג בצורה מושכת
showdown *n.* הצהרת-כוונות, עימות גלוי/מכריע/ישיר; גילוי הקלפים
show'er *n.* מטר, מימטר, גשם; מקלחת, מקלח; מסיבת-מתנות; *חבורה מטונפת
- shower of questions מטר-שאלות
shower *v.* לרדת גשם; להמטיר, להרעיף; להתקלח
shower bath מקלחת, התקלחות
showery *adj.* של מימטרים
show-girl *n.* נערת-להקה
showground *n.* אתר תערוכה
showiness *n.* ראוותנות
showing *n.* תצוגה; הצגה, הופעה; ביצוע; הכרת העובדות, הבנת המצב
- poor showing הופעה עלובה, אי-הצלחה
show jumping דילוג-משוכות (של

(סוסים)
showman *n.* מנהל מופעי-בידור, מפיק הצגות; שחקן תיאטרלי
showmanship *n.* שחקנות
shown = pp of show (shōn)
show-off *n.* רודף רושם, ראוותן
showpiece *n.* מוצג מופתי
showplace *n.* מקום ראווה, אתר-תיירות
showroom *n.* חדר תצוגה
show-stopper *n.* מופע מצליח
show trial משפט ראווה
show-window *n.* חלון-ראווה
showy *adj.* ראוותני, צעקני, מצועצע
shrank = pt of shrink
shrap′nel *n.* שראפנל, פציצים, רסיסים
shred *n.* קֶרַע, פיסה, קטע; שמץ, קורט
- tear to shreds לקרוע לגזרים
shred *v.* לקרוע לגזרים, לחתוך, לגרוס
shred′der *n.* מכשיר קיצוץ; מגרסת נייר
shrew (shrōō) *n.* מירשעת, כלבתא; חַדָּף (בע"ח דומה לעכבר)
shrewd (shrōōd) *adj.* פיקח, ממולח, מחושב
shrewish *adj.* מרושע, חד-לשון
shrew-mouse חַדָּף (יונק דומה לעכבר)
shriek (shrēk) *v&n.* לצרוח, לצעוק; צריחה
- shriek with laughter לגעות בצחוק
shrift *n.* וידוי
- give short shrift להקדיש תשומת-לב מעטה, להתייחס בזילזול
shrike *n.* חנקן (ציפור)
shrill *adj.* צורחני, צווח, חד
shrimp *n.* סרטן, שרימפ, חסילון; ננס, גורץ
shrine *n&v.* קבר; ארון עצמות-מת; מיקדש, מקום-פולחן; לשמור במקום קדוש
shrink *v&n.* לכווץ; להתכווץ; להצטמק; התכווצות; *פסיכיאטר
- shrink from להירתע מ-, להימנע מ-
shrink′age *n.* התכווצות, ירידה
shrinking violet נחבא אל הכלים
shrink-wrap *v.* לעטוף בניילון צמוד, לניילן
shrive *v.* לשמוע וידוי (של חוטא) ולמחול
shriv′el *v.* לצמק; להצטמק; להתייבש
shroud *n.* תכריכים; מעטה; רכסה, חבל-תורן; חבל-מצנח
shroud *v.* לכסות, לעטוף, לאפוף
shrove = pt of shrive
Shrove Tuesday ערב תקופת לנט
shrub *n.* שיח
shrub′bery *n.* חלקת-שיחים, שיחים
shrug *v&n.* למשוך בכתפיו; משיכת כתפיים
- shrug off לבטל במשיכת כתפיים
- shrug one's shoulders למשוך בכתפיו
shrunk = pp of shrink
shrunk′en *adj.* מְכוּוָץ, מצומק
shuck *n&v.* קליפה, קשווה; לקלף
- shuck away/off להסיר, לפשוט (בגד)
shucks *interj.* *שטויות! חבל! אוף!
shud′der *v&n.* לרעוד, להתחלחל, להזדעזע; רעד, חלחלה, צמרמורת

shuf′fle *v.* לערבב, לטרוף; לגבב; להשתרך; לסדר/לארגן מחדש; להשתמט, להתחמק, לעשות בשטחיות
- shuffle off לפשוט, להסיר; להיפטר
- shuffle on ללבוש תוך פיזור-נפש
- shuffle one's feet להשתרך, לשרוך/לגרור רגליו
- shuffle the cards לטרוף הקלפים
shuffle *n.* עירבוב; השתרכות, גרירת רגליים; חילופי-גברי; הולכת-שולל
shuffleboard *n.* מישחק דיסקיות (שמזיזים אותן על לוח ממוספר)
shuffler *n.* מערבב; גורר רגליו
shuf′ty (shoof′-) *n.* *מבט חטוף
shun *v.* להימנע, להתרחק, להינזר מ-
'shun = attention! הקשב!
shunt *v&n.* לעתק, לעבור למסילה צדדית; להעביר, להסיט; לשים בצד; עיתוק; מעקף; *התנגשות
shunter *n.* עַתָּק, מעביר קרונות
shush *v&interj.* להסות; לשתוק; שקט!
shut *v.* לסגור; להיסגר; לנעול; לסתום
- be shut of him *להיפטר ממנו
- shut down לשבות ממלאכה; להשבית
- shut her dress in the door שמלתה נתפסה בדלת
- shut in לכלוא; להקיף, לסגור מסביב
- shut off לנתק, להפסיק, לסגור
- shut one's eyes לעצום עיניים; להעלים עין
- shut oneself away להסתגר, להתבודד
- shut out למנוע כניסתו, לחסום
- shut the door on לנעול דלת בפני, לסתום פתח בפני, להוציא מכלל חשבון
- shut up לסגור, לנעול; לכלוא; לשמור במקום בטוח; *לשתוק; להשתיק
- shut up! *בלום פיך!
- shut your face/trap! *בלום פיך!
shut-down *n.* השבתה
shut-eye *n.* *תנומה, שינה
shut-in *n&adj.* מרותק (לבית/למוסד)
shut′ter *n&v.* תריס; להגיף תריסים
- put up the shutters לנעול העסק
- shuttered מוגף, מותרס
shut′tle *n.* בוכייר; תנועת הלוך ושוב; מסע דילוגים; מעבורת
- space shuttle מעבורת חלל
shuttle *v.* לנוע/להעביר הלוך ושוב
shuttlecock *n.* כדור-נוצות (במישחק הנוצית)
shuttle service שירות הלוך ושוב
shy *adj.* ביישן, פחדן; חשדן; זהיר; *חסר
- once bitten, twice shy הנכווה ברותחין נזהר בצוננין
- shy of מהסס ל-, זהיר ב-
- shy of money *דחוק בכסף
shy *v.* להירתע, להתחלחל, להיסוג; לפנות הצידה; להטיל, להשליך
- shy away/off להתחמק, להירתע
shy *n.* הטלה, השלכה, זריקה; *ניסיון
- have a shy at לנסות כוחו ב-
shy′ster *n.* פרקליט חסר-מצפון, נוכל
si (sē) *n.* סי (צליל)

Si′amese′ *adj&n.* סיאמי; חתול
סיאמי
Siamese cat חתול סיאמי
Siamese twins תאומי סיאם
sib *n.* אח, אחות, קרוב, שאר בשר
Si′be′ria *n.* סיביר
sib′ilant *n&adj.* עיצור שורק; שורקני
sib′ling *n.* אח, אחות, אחאים
sib′yl *n.* סיבילה, נביאה
sib′ylline′ *adj.* של סיבילה, נבואי
sic *adv.* כך, כך כתוב, טעות סופר
sic, sick *v.* לשסות, להתקיף
Sic′ily *n.* סיציליה
sick *adj&v&n.* חולה, חולני; חש
בחילה; מבחיל; מדוכדך; חש אי-נוחות;
מתגעגע; *הקאה, קיא
- I'm sick (and tired) of it נמאס לי מזה
- be sick להקיא
- fall sick ליפול למשכב
- feel sick לחוש בחילה
- go/report sick להתייצב למיסדר חולים
- it makes me sick זה מגעיל אותי
- look sick להיראות חולה, להחוויר
לעומת, ליפול בהרבה מ-
- on the sick list *חולה
- sick at heart עצוב, שבור-לב
- sick jokes בדיחות זוועה
- sick up להקיא
- take sick ליפול למשכב
- the sick החולים

sick-bay *n.* חדר-חולים, מירפאה
sickbed *n.* מיטת חולי, ערש דווי
sick benefit דמי מחלה
sick-berth *n.* חדר חולים, מירפאה
sick call מיסדר חולים
sick′en *v.* להבחיל, לעורר קבס; להיתקף
בחילה; לחלות
- he sickened of נמאס לו מ-

sickening *adj.* מגעיל, קבסתני
sick headache כאב ראש, מיגרנה
sickish *adj.* לא חש בטוב; תקוף-בחילה
sick′le *n.* מגל
sick leave חופשת מחלה
sick′ly *adj.* חולני, חלוש; חיוור; חוורוור;
מעורר בחילה; אווילי, טיפשי
sickness *n.* מחלה; בחילה; הקאה
sickness benefit דמי מחלה
sick parade מיסדר חולים
sick pay דמי מחלה
sick-room *n.* חדר-חולה
sid′dur *n.* סידור, סידור תפילה
side *n.* צד; צלע (של משולש/הר); בחינה,
אספקט; קבוצת ספורט
- at one's side לצידו, לידו
- be on his side לצדד בו
- by the side of ליד, לעומת, בהשוואה
- from every side מכל עבר
- from side to side מצד לצד
- let the side down לאכזב קבוצתו
- offside בעמדת נבדל, אופסייד
- on all sides מכל העברים
- on my mother's side מצד אמי,
ממשפחת אמי
- on one's bad side לא אהוד עליו
- on one's good side חביב עליו
- on side לא בעמדת נבדל
- on the high side גבוה
- on the right/wrong side of 40
מעל/מתחת לגיל 40
- on the side (הכנסה/עבודה) צדדית,
מהצד; בחשאי; נוסף על כך
- put on one side להניח בצד, לשמור
לעתיד; לדחות
- put on side להתנשא, להתנפח
- side by side זה ליד זה, צד בצד
- side glance מבט מלוכסן
- split/burst/hold/one's sides להתפקע
מצחוק
- take sides לצדד, לתמוך

side *adj.* צדדי; משני, של לוואי
side *v.* לתמוך, לצדד
- side against לחבור מול, להתנגד
- side with לצדד ב-

side-arms *n-pl.* נשק חגור
sideboard *n.* מיזנון, תרכוס
sideboards *n-pl.* פאות-לחיים
sideburns *n-pl.* פאות-לחיים
side-car *n.* סירה (של אופנוע)
-sided מצולע, בעל צדדים
- one-sided חד-צדדי

side dish מנה נוספת, תוספת
side door דלת צדדית
side drum תוף-צד
side effect השפעה צדדית
side-face *adv.* בפרופיל, בצדודית
side issue בעייה מישנית
side-kick *n.* חבר, עוזר
sidelight *n.* פנס צדדי (ברכב); אור צדדי;
חלון צדדי; מידע נוסף
side-line *n.* עבודה צדדית, עיסוק נוסף;
סחורה מישנית; קו צד (במיגרש)
- on the side-lines מחוץ לגבולות
המיגרש, על הספסל

sidelong *adv&adj.* הצידה; מהצד;
אלכסונית; מְצוּדד
side-on *adj.* צידי, בצד הרכב
side order הזמנת תוספת (במיסעדה)
si·de′re·al *adj.* כוכבי, סידרי
sidereal month חודש סידרי (כ-27 יום)
side-road *n.* דרך צדדית, כביש מסתעף
side-saddle *n&v.* אוכף-אישה, אוכף
צד; (לרכוב) רכיבת-צד (כדרך הנשים)
side-show *n.* הצגה צדדית; דבר טפל
side-slip *n&v.* החלקה הצידה, גלישה
קשתית; להחליק הצידה
sidesman *n.* גבאי-כנסייה
side-splitting *adj.* מצחיק ביותר
sidestep *v&n.* לפסוע הצידה, לרתוע
לצד, להתחמק; פסיעה הצידה,
התחמקות
side street רחוב צדדי
side-stroke *n.* שחיית-צד
side-swipe *v&n.* לפגוע בצד; פגיעה
בצד; הערת-אגב פוגענית
side table שולחן צד (צמוד לקיר)
side-track *v.* לעתק, להעביר למסילה
צדדית; להטות, להסיח הדעת מהנושא
side-track *n.* מסילה צדדית; סטייה
side-view *n.* מראה מן הצד
sidewalk *n.* מדרכה
sideward *adj&adv.* מלוכסן, מְצוּדָד;
לצד

sidewards *adv.* הצידה, במלוכסן
sideways *adv&adj.* הצידה, לצד, מהצד
side-wheeler *n.* אוניית גלגלים
side-whiskers *n.* זקן-לחיים
side wind רוח צד
side′wind′er (sīd′-) *n.* מהלומה מהצד; סוג נחש ארסי
sid′ing (sīd-) *n.* מסילת-עיתוק; לוחות ציפוי (על קיר)
si′dle *v.* ללכת במצודד, להתקדם בחשאי, לנוע בהססנות
SIDS סינדרום מוות בעריסה
siege (sēj) *n.* מצור
- lay siege to להטיל מצור, לכתר
- raise a siege להסיר מצור
sien′na (sien′-) *n.* סיאנה (חומר צביעה)
sier′ra (sier′-) *n.* רכס, שרשרת הרים
Sier′ra Le·one′ (-ōn′) *n.* סיירה לאון
sies′ta (sies′-) *n.* סיאסטה, שנת-צהריים
sieve (siv) *n&v.* כברה, נפה; לנפות, לסנן
- head like a sieve זיכרון חלש
sift *v.* לנפות, לסנן, לכבור; לבזוק; לבדוק; להפריד; לברור; להסתנן
- sift through לבדוק ע״י סינון
sifter *n.* נפה, כברה
sigh (sī) *n&v.* אנחה; להיאנח; ליילל
- heave a sigh לפלוט אנחה
- sigh for להתגעגע, להיכסף ל-
- sigh of relief אנחת רווחה
sight *n.* מראה, מחזה, נוף; ראייה; טווח-ראייה; נקודת-ראות; כיוון; כוונת; מראה מגוחך; *הרבה
- a sight better *טוב בהרבה
- a sight for sore eyes מחזה משיב נפש
- a sight to see מחזה מרהיב עין
- at the sight of למראה-
- at/on sight עם ראייתו, מיד; (לתשלום) עם דרישה ראשונה, עם הצגתו
- has near sight קצר-ראייה
- have a sight of לראות
- he looks a sight! איך שהוא נראה! (מלוכלך, מגוחך וכו׳, "צורה לו")
- in my sight לדעתי, אליבא דידי
- in one's sights על הכוונת שלו
- in sight בטווח ראייה, באופק
- in the sight of מנקודת ראות
- is within sight of יכול לראות
- keep sight of לשמור בטווח-ראייה
- know by sight להכיר מראייה בלבד (לא היכרות אישית)
- lost his sight נתעוור
- lower one's sights להיות פחות שאפתני
- not by a long sight כלל לא
- out of my sight! הסתלק מידי!
- out of sight מחוץ לשדה-ראייה; *גבוה, מרקיע שחקים; כביר, נפלא
- play at sight לנגן ישר מהתווים
- set one's sights לכוון (מאמציו)
- sight unseen בלי לראות
- sights מקומות-סיור, אתרי-תיירות
- take a sight לכוון
sight *v.* לראות; לצפות; לכוון; לכוונן; להתקין כוונת
sight draft מימשך בנקאי לתשלום עם ההצגה
sighted *adj.* פיקח, לא עיוור
- nearsighted קצר-ראייה
sighting *n.* טיווח; ראייה
sightless *adj.* עיוור
sightly *adj.* נעים למראה
sightread *v.* לנגן ישר מהתווים
sightseeing *n.* סיור, ביקור, תיור
sightseer *n.* מבקר, תייר
sign (sīn) *n.* סימן; אות; מופת; שלט; רמז; תנועה; מזל (בגלגל-המזלות)
- Indian sign עין רעה, קללה
- sign and countersign מלים וסיסמאות
- sign of the cross סימן הצלב
- sign of the times מאותות הזמן
- sign of the zodiac מזל (בגלגל-המזלות)
- traffic sign, road sign תמרור
sign *v.* לחתום; לסמן, לרמוז; לאותת; להחתים
- sign away/over להעביר (ע״י חתימה)
- sign in לחתום בבואו
- sign off לסיים, לחתום
- sign on לחתום; להחתים; להתגייס; לחתום בבואו; להתחיל במישדר
- sign out לחתום בצאתו
- sign up לחתום; להחתים; לגייס; להירשם
sig′nal *n.* אות, סימן, רמז; איתות; תמרור, רמזור; קליטה (של מקלט)
signal *v.* לאותת; לתת אות; לסמן
signal *adj.* בולט, יוצא דופן, מרשים
signal box מיגדל איתות (לרכבות)
Signal Corps חיל קשר
signaler *n.* אַתָּת, קַשָּׁר
sig′nalize′ *v.* להבליט, לציין, לסמן
signally *adv.* בצורה בולטת/מרשימה
signalman *n.* אַתָּת, קַשָּׁר
signal tower מיגדל-איתות (לרכבות)
sig′nato′ry *n.* חותם, חתום
sig′nature *n.* חתימה; אות; גיליון מקופל (בדפוס)
- key signature סימן מפתח (במוסיקה)
signature tune אות המישדר
sign-board *n.* שֶׁלֶט
signee′ (sī′nē′) *n.* החתום, חותם
signer *n.* חוֹתֵם, חתום
sig′net *n.* חוֹתָם, חותמת
signet ring טבעת-חותם
signif′icance *n.* משמעות; חשיבות
signif′icant *adj.* משמעותי, ניכר, בולט, חשוב; משמעי, בעל משמעות
significant other בעל, אישה
sig′nifica′tion *n.* משמעות, הוראה
sig′nify′ *v.* לציין; לסמן; לרמוז; להורות על; להודיע, להביע; להיות חשוב/משמעותי
- doesn't signify לא חשוב, לא משנה
sign language שפת סימנים
signor (sēnyôr′) *n.* סיניור, אדון
signora (sēnyôr′ə) *n.* גברת
signorina (sēn′yərē′nə) *n.* עלמה
sign-painter *n.* צייר-שלטים
signpost *n&v.* תמרור, עמוד-ציון; להציב תמרור; לציין, להראות
signposted *adj.* מתומרר, משולט
Sikh (sēk) *n.* סיקי, של הסיקים (בהודו)

si'lage *n.* תחמיץ (השמור בסילו)
si'lence *n.* שֶקֶט, דומייה; שתיקה
- in silence בשקט, בדומייה
- reduce to silence להשתיק (בטענה ניצחת)
silence *v.* להשתיק; להסות; לשתק
silencer *n.* עמעם; מַשתֵק; עמם-פליטה
si'lent *adj.* שָקֵט, שותק, מחריש; אילם; חרישי; פוסח על, לא מזכיר
- keep silent לשתוק, להחריש
- silent film סרט אילם
- silent letter אות אילמת/עלומה
- silent majority הרוב הדומם
silent *n.* *סרט אילם
silent partner שותף רדום
sil'houette' (-lōōet') *n&v.* צללית, סילואט; מראה, עיצוב; להראות בצללית
- silhouetted against נראה כצללית (על רקע בהיר)
sil'ica *n.* סיליקה, צורן דו-חמצני
sil'icate *n.* סיליקאט, מלח חומצה צורנית
sil'icon *n.* צורן (יסוד כימי), סיליקון
sil'icone' *n.* סיליקון (תרכובת לייצור חומרים פלאסטיים/שמנים)
Silicon Valley עמק הסיליקון, מרכז תעשית היי-טק
sil'ico'sis *n.* צורנת, אַבֶּקֶת-ריאות
silk *n.* משי, חוט-משי; אריג-משי; פרקליט-המלך
- silk and satins שש ומשי, מחלצות
- take silk להתמנות לפרקליט-המלך
silk *adj.* משיי, עדין כמשי
silken *adj.* משיי, רך, עדין, עשוי משי
silk hat צילינדר, מיגבע
silk screen שיכפול בבד-משי
silkworm *n.* תולעת-המשי
silky *adj.* משיי, רך, עדין כמשי
sill *n.* אדן-חלון; סף
sil'labub' *n.* מזג יין וחלב, סילבוב
sil'ly *adj&n.* טיפשי, מגוחך; רפה-שכל; המום, הלום-חבטה; טיפש
- silly billy טיפש
silly season עונת הרכילות, עונת חדשות דלות
si'lo *n.* סילו, מיגדל-החמצה, בור-החמצה; בסיס-טילים תת-קרקעי
silt *n&v.* סחופת, גרופת, אדמת-סחף
- silt up לסתום/להיסתם בסחופת
sil'van *adj.* יערי, של יער
sil'ver *n.* כסף (מתכת); מטבעות כסף, מצלצלים; כלי-כסף
- table silver כלי שולחן מכסף
- with a silver spoon (נולד) עם כפית של כסף (בפיו), בעושר
silver *adj.* כספי, עשוי כסף, כסוף, מוכסף; צלול, מצלצל; שני במעלה
- silver tongue פה מפיק מרגליות
silver *v.* להכסיף; להלבין; להאפיר
silver-fish *n.* דג-הכסף (חרק מזיק)
silver-gray *adj.* אפור-כסוף
silver medal מדליית כסף
sil'vern *adj.* כסוף, עשוי כסף, כספי; צלול
silver paper/foil נייר כסף, נייר אלומיניום
silver plate כלי מיכסף; מיכסף
silver screen מסך הכסף, מירקע, אקרן
silverside *n.* נתח בשר-בקר משובח
silversmith *n.* כַּסָף, צורף כסף
silver-tongued *adj.* פה מפיק מרגליות
silverware *n.* כלי-כסף
silver wedding חתונת הכסף (25 שנה)
silvery *adj.* כסוף, ככסף, מוכסף; מצלצל
sil'vicul'ture *n.* גידול עצים
sim'ian *adj&n.* קופי, כמו קוף; קוף
sim'ilar *adj.* דומה, בעל דימיון ל-
- similar triangles משולשים דומים
sim'ilar'ity *n.* דימיון, נקודת-דימיון
similarly *adv.* באופן דומה, במקביל
sim'ile (-məli) *n.* דימוי, השוואה מליצית (כגון: רץ כצבי)
simil'itude' *n.* דמות, צורה; דימוי, משל; דימיון, השוואה
sim'mer *v.* להזיד, (להוסיף) לרתוח; להרתיח; לתסוס, לעמוד לפרוץ ב-
- simmer down להירגע; להפחית ברתיחה
- simmer with anger לרתוח מזעם
simmer *n.* רתיחה, רתיחה ממושכת
sim'ony *n.* מסחר במינויי-דת
simoom' (-mōōm') *n.* סימום (רוח מידברית)
simp *n.* *פתי, רפה-שכל
sim'per *v&n.* (לחייך) חיוך אווילי; חיוך מאולץ
sim'ple *adj.* פשוט; רגיל; ישר, תם; טיפש, פתי
- simple life חיי פשטות, חיי צנע
simple *n.* עשב מרפא
simple fraction שבר פשוט
simple fracture שבר פשוט בעצם
simple-hearted *adj.* גלוי-לב, תמים
simple interest ריבית פשוטה
simple-minded *adj.* טיפשי; תם, תמים
simple sentence (בתחביר) משפט פשוט
sim'pleton (-pəltən) *n.* פתי
simplic'ity *n.* פשטות, תמימות
- simplicity itself קל מאוד, פשוט
sim'plifica'tion *n.* פישוט
sim'plify' *v.* לפשט
sim•plis'tic *adj.* פשטני בצורה מעושה
sim'ply *adv.* פשוט, בפשטות; אך ורק; גרידא; ממש, לגמרי
sim'u•la'crum *n.* דימיון, דמות, צֶלֶם
sim'u•late' *v.* להעמיד פנים, ללבוש ארשת של; לחקות, לזייף
simulated *adj.* מזויף, מלאכותי
sim'u•la'tion *n.* העמדת פנים; חיקוי; סימולאציה, הדמייה
sim'u•la'tor *n.* סימולאטור, מַדמֶה, מיתקן-דמה
si'mulcast' *n.* שידור סימולטאני
si'multane'ity *n.* סימולטאניות
si'multa'ne•ous *adj.* סימולטאני, מתרחש בעת ובעונה אחת, בו-זמני
simultaneously *adv.* סימולטאנית, בו-זמנית
sin *n&v.* חטא, עבירה, פשע; לחטוא
- deadly sin חטא-מוות, אב-חטא (בנצרות)
- live in sin לחיות כבעל ואישה
Si'nai (-nī) *n.* סיני

since *adv&prep&conj.* מאז, מהיום ההוא, לאחר מכן; לפני זמן רב; אחרי-, מ-
- how long since? לפני כמה זמן?
- long since לפני זמן רב
- since then מאז, מני אז
- since yesterday מאתמול

since *conj.* מכיוון ש-, הואיל ו-
sincere′ *adj.* ישר, אמיתי, רציני, כן
sincerely *adv.* בכנות, ברצינות
- yours sincerely שלך בנאמנות

sincer′ity *n.* כנות, הגינות, יושר
sine *n.* סינוס (בטריגונומטריה)
si′ne (sī′ni) *prep.* בלי, ללא
si′necure *n.* סינקורה, מישרה בעלת הכנסה נאה (שאינה כרוכה באחריות)
sine die (sī′ni dī′i) *adv.* בלי לקבוע תאריך
sine qua non′ (sī′ni kwä-) *n.* תנאי יסודי, דבר נחוץ, שאין בלעדיו
sin′ew (-nū) *n.* גיד; שרירים, כוח פיזי, מרץ; מקור-עוצמה
- sinews of war כסף (למימון מלחמה)

sin′ewy (-nūi) *adj.* מכיל גידים, מגויד; חזק, שרירי
sin′ful *adj.* חוטא, *ראוי לגינוי
sing *v.* לשיר, לזמר; לשרוק, לזמזם; להלל בזמרה; *להלשין, להודיע
- my ears were singing צללו אוזני
- sing along לשיר עם, ללוות בשיר
- sing another tune לזמר זמירות חדשות, לשנות הטון
- sing away להוסיף לשיר, לזמזם בלי הרף; לסלק (דאגות) בזימרה
- sing his praises לזמר שבחיו
- sing out לצעוק; לשיר בקול
- sing small להנמיך הטון
- sing to sleep ליישן בשיר (ערש)
- sing up לשיר בקול רם

sing. = singular
singable *adj.* שניתן לשיר אותו
sing-along *n.* שירה בציבור
Sin′gapore′ *n.* סינגפור
singe *v&n.* לחרוך; להיחרך; להבהב; חריכה
singer *n.* זַמָר, משורר; ציפור-שיר
singer-songwriter *n.* זַמָר משורר
singing *n.* שירה, זימרה; שריקה
sin′gle *adj.* יחיד, אחד, בודד; ליחיד; פנוי, רווק; נפרד
- every single כל אחד ואחד
- single bed מיטת יחיד
- single flower פרח חד-דורי, פרח בעל דור אחד של עלי-כותרת
- single life חיי רווקות
- single ticket כרטיס לכיוון אחד
- singles משחק יחידים (בטניס)

single *n&v.* משחק יחידים; כרטיס לכיוון אחד; חדר ליחיד; דולר אחד; תקליט קצר
- single out לברור, לבחור דווקא ב-

single-breasted *adj.* (מעיל) בעל שורת כפתורים אחת
single combat דו-קרב, פנים-אל-פנים
single cream שמנת רזה
single-decker *n.* אוטובוס חד-קומתי
single-handed *adj&adv.* בודד; לבד, בלי עזרה, בכוחות עצמו
single-hearted *adj.* ישר, כן
single-minded *adj.* דבק במטרה אחת
singleness *n.* יְחִידוּת; התרכזות
- singleness of purpose דבקות במטרה

single-parent *adj.* חד-הורי
singles bar בר לפנויים ופנויות
single-stick *n.* היאבקות במקל
sin′glet *n.* גופייה
sin′gleton (-lt-) *n.* קלף בודד (מסידרת קלפים בידי שחקן)
single-track *adj.* חד-נתיבי; צר-אופק
singly *adv.* בנפרד, אחד אחד, יחידי; בכוחות עצמו, לבד
sing′song′ (-sông) *n.* קול חדגוני, טון עולה ויורד; מסיבת-שירה
sin′gu·lar *adj&n.* יחיד, יוצא מן הכלל, לא רגיל; מוזר, משונה; לשון יחיד
sin′gu·lar′ity *n.* ייחוד; ייחודיות; מוזרות
sin′gu·larize′ *v.* לייחד
singularly *adv.* בצורה לא רגילה; במיוחד, מאוד
Sin′halese′ *n.* ציילוני
sin′ister *adj.* מבשר רע, מאיים, מרושע
- bar sinister סימן ממזרות

sin′istral *adj.* שמאלי, לצד שמאל
sink *v.* לשקוע; להשקיע; לצלול; לטבוע; להטביע; ליפול, לצנוח, לרדת; להוריד; להניח באדמה; לשכוח; לסלק
- is sinking fast גווע, גוסס
- sink a well לחפור באר
- sink down לרדת, לשקוע, לדעוך
- sink his plans לשבש תוכניותיו
- sink in להיספג, לחדור, להיקלט
- sink into לנעוץ ב-; לשקוע ב-
- sink money להשקיע כסף
- sink or swim להמר על הכול; להיכשל או להצליח

sink *n.* כִּיוֹר; בור שופכין; מאורה, חממת-פושעים, מערת-פריצים
sinker *n.* משקולת (לחכה/למכמורת); סופגנייה
sinking feeling תחושה רעה (בבטן)
sinking fund קרן לסילוק חוב
sinless *adj.* חף, נקי מחטא
sinner *n.* חוטא, עבריין
Sinn Fein (shin fān′) שין פיין, מפלגה לאומית אירית
Si′no- של סין, סיני
Si·nol′ogist *n.* סינולוג
Si·nol′ogy *n.* סינולוגיה, מדע סין
sin′u·os′ity (-nū-) *n.* התפתלות
sin′uous (-nūəs) *adj.* מתפתל, נחשי
si′nus *n.* סינוס, גת, חלל בעצם
si′nusi′tis *n.* דלקת הגיתים, סינוסיטיס
sip *v&n.* ללגום, לטעום מעט; לגימה
si′phon *n&v.* סיפון, גישתה; לשאוב/להוציא בסיפון
- siphon off לשאוב, להעביר, להוציא

sir *n&adj.* אדון; אדוני; סר (תואר)
- Dear Sir אדון נכבד, א.נ., נכבדי

sirdar′ *n.* סירדר, מפקד
sire *n&v.* אב; מוליד; אב קדמון; הוד מלכותך; להוליד, להיות הורה של

si′ren *n.* סירנה, צופר; יפהפיה קטלנית
sir′loin′ *n.* בשר-מותניים, בשר-ורד
siroc′co *n.* סירוקו (רוח חמה)
sir′rah (-rə) *n.* בן-אדם (בבוז)
sir′up *n.* סירופ, שירוב
sis *n.* *אחות
si′sal *n.* סיסל, סיב-אגבות
sissified *adj.* נשי, מתנהג כילדה
sis′sify′ *v.* להפוך (גבר) לנשי
sis′sy *n&adj.* נשי, מתנהג כילדה
sis′ter *n.* אחות
sisterhood *n.* קירבת-אחיות; מיסדר נשים צדקניות
sis′ter-in-law′ *n.* גיסה
sisterly *adj.* של אחות, אוהב, מסור
sister ship אונייה-אחות
sit *v.* לשבת; להתיישב; להושיב; לדון; לשכון, להיות מונח; לעמוד לבחינה; לדגור
- make him sit up להפתיעו, לעניין אותו
- sit around לשבת בחיבוק ידיים
- sit back להתיישב, להתרווח; לנוח, לא לעשות דבר; להימצא במרחק
- sit by לשבת בחיבוק ידיים; לשבת ליד-, לטפל ב-
- sit down לשבת, להתיישב; להושיב
- sit down under לקבל בדומייה
- sit for לשבת לפני (צייר, בפוזה); לגשת לבחינה; לייצג (בפרלמנט)
- sit in לפלוש ולתפוס (בניין)
- sit in for למלא מקומו בישיבה
- sit in on להשתתף (כמשקיף), לנכוח
- sit on להיות חבר (בגוף, בצוות); לשבת, לדון, לחקור; *לדחות, לא לטפל
- sit on him *להשתיקו, לדכאו, לרסנו
- sit out a dance לא להשתתף בריקוד
- sit out/through לשבת עד תום-
- sit tight לשבת איתן במושבו
- sit under להיות נוכח (בהרצאה)
- sit up לשבת, להתיישב; להרים; לשבת זקוף; לאחר לשכב לישון; להידהם
- sit up and take notice להתעורר, להתעניין; להיבהל, להידהם
- sit with להתיישב עם, להתקבל על
- sits his horse well יושב יפה על-גבי הסוס
- sitting pretty במצב מצוין
- the coat sits well הבגד מונח טוב
sitar′ *n.* סיטאר (כלי-מיתרים)
sit′com′ *n.* קומדיית מצבים, סיטקום
sit-down *n.* ישיבה; שביתת שבת
sit-down meal ארוחת-ישיבה
sit down strike שביתת-שבת
site *n&v.* מקום, אתר, אתר-בנייה; למקם
sit-in *n.* פלישה (לבניין, לאות מחאה)
sitter *n.* יושב (להצטייר), דוגמן; ציד קל, מישחק ילדים; דוגרת; שמרטף
sitting *n.* ישיבה; מושב; הסבה לסעודה; דגירה; מידגר-ביצים
sitting *adj.* מכהן
sitting duck/target מטרה קלה, טרף קל
sitting member בעל מושב (בכנסת)
sitting room סאלון, חדר אורחים
sitting tenant דייר (הגר בדירה)

si′tu (sī′tōō) *n.* מקום, מצב
- in situ במקומו (המקורי)
sit′uate′ (sich′ōōāt) *v.* למקם
situated *adj.* ממוקם, שוכן, נמצא; במצב, בתנאים
sit′ua′tion (sichōōa′-) *n.* מצב, סיטואציה; עמדה, סביבה, רקע; מישרה, עבודה
situation comedy קומדיית מצבים, סיטקום
sit-up *n.* כפיפת בטן (תרגיל)
sit-upon *n.* *ישבן, אחוריים
six *n&adj.* שש, 6
- at sixes and sevens מבולבל, מבולגן
- six bits 75 סנט
sixfold *n.* פי שישה, ששתיים
six-footer *n.* גבוה 6 רגליים
six-pack *n.* חצי-תריסר (בקבוקים)
sixpence *n.* 6 פנים
sixpenny *n.* ששוויו 6 פנים
six-shooter, sixgun *n.* אקדח תופי (בעל 6 כדורים)
six′teen′ *n.* שש עשרה, 16
sixteenth *n&adj.* ה-16; 1/16
sixteenth note 1/16 של תו, טזית
sixth *n.* שישי; שישית
sixth form השישית, הכיתה השישית
sixthly *adv.* שישית, ו׳
sixth sense החוש השישי, אינטואיציה
six′tieth *adj&n.* ה-60; 1/60
six′ty *n&adj.* שישים, 60
- like sixty במהירות רבה, בעוצמה
- sixty-four dollar question השאלה המרכזית, שאלת השאלות
- the sixties שנות ה-60
sizable = sizeable
size *n.* גודל, שיעור; מידה; דבק זגוגי
- of a size מאותו גודל
- of some size גדול למדי
- size 38 shoes נעליים מספר 38
- that's the size of it *כך הם פני הדברים
size *v.* לסדר לפי גודל; להדביק, לזגג בדבק
- size up להעריך, לגבש דעה לגבי-
sizeable *adj.* גדול למדי, ניכר
sized *adj.* בעל מידה, ששיעורו-
- small-sized קטן-ממדים
siz′zle *v&n.* לרחוש, לתסוס, ללהוט; רחישה, תסיסה
sizzler *n.* *יום חם, יום לוהט
skate *n.* גלגילית, סקט; תריסנית (דג)
- put one's skates on למהר, להזדרז
- skates מחליקיים; גלגיליות
skate *v.* להחליק (על קרח)
- skate on thin ice להלך על גבי חבל דק, לשוחח על נושא רגיש
- skate over/round לטפל בשיטחיות
skateboard *n.* סקטבורד, לוח גלגיליות
skater *n.* מחליקן
skating *n.* החלקה (על קרח)
skating rink חלקלקה, רחבת-החלקה
ske·dad′dle *v.* להסתלק, לברוח
skeet *n.* אימוני קליעה (באוויר)
skein (skān) *n.* פקעת-חוטים, סליל-חוטים; להקת-אווזים
skel′etal *adj.* שלדי, דומה לשלד

skel'eton *n&adj.* שלד; מסגרת; שלד-אדם, כחוש; מצומצם, מינימלי
- skeleton in the closet סוד משפחתי (שמתביישים בו)
skeleton crew צוות מצומצם
skel'etonize' *v.* להפוך לשלד
skeleton key פותחת, פותח-כל
skep'tic *n.* ספקן, סקפטיקן
skep'tical *adj.* ספקני, סקפטי
skep'ticism' *n.* ספקנות, סקפטיציזם
sketch *n.* סקיצה, מיתווה; תיאור; שירטוט קל; מירשם; רשומת
sketch *v.* לשרטט, לתוות, לתאר
- sketch out/in לשרטט באופן כללי
sketchbook/-pad/-block פינקס שירטוטים
sketcher *n.* תּוֹוֶה, רושם סקיצות
sketchily *adv.* בקווים כוללים, חטופות
sketch map מפה כללית (לא מפורטת)
sketchy *adj.* גס, כללי; שיטחי, לא מהוקצע
skew (skū) *adj.* נוטה לצד, מלוכסן, עקום
- on the skew במלוכסן, בהטייה
skew *v.* לסטות הצידה; לפזול
skewbald *adj.* (סוס) חברבר, טלוא
skew'er (skū-) *n&v.* שפוד; לשפד
skew-eyed *adj.* פוזל, פוזלני
skew-whiff *adj.* נוטה לצד, מלוכסן
ski (skē) *n&v.* סקי, מיגלש; לגלוש, להחליק על שלג
ski-bob *n.* אופני-סקי
skid *v&n.* להחליק; החלקה; בלם, מעצור; קורת החלקה (להעברת חפץ)
- on the skids מידרדר, דועך
- put the skids on לבלום, לעצור, לסכל; להאיץ, לזרז
skid lid *n.* קסדת-מגן
skidpan *n.* חלקלקת אימונים (לרכב)
skid row *משכנות עוני
skier *n.* גלשן, גלש, מיגלשן
skiff *n.* סירה קלה, סירת יחיד
skif'fle *n.* סקיפל (ג'אז ושירי-עם)
skiing *n.* גלישה, סקי
ski jump קפיצת סקי
ski lift רכבל-גלשנים
skill *n.* מומחיות, מיומנות, זריזות, כושר, מוכשרות, אומנות
skilled *adj.* מומחה, מיומן; דורש מומחיות
skil'let *n.* מחבת
skillful *adj.* מומחה, מיומן, זריז
skim *v&n.* לקפות, להסיר שיכבה צפה (בכף/במקפה); לרחף; להרחיף; לזרוק; קופי, קרום, דוק
- birds skimmed the waves ציפורים חלפו ברחף מעל לגלים
- skim a stone over the water לזרוק/להקפיץ/להחליק אבן על פני המים
- skim through לרפרף, לקרוא חטופות
skimmer *n.* מְקָפָּה, כף-קיפוי; עוף-ים
skim milk חלב רזה (מקופה)
skimmings *n.* קְפָה, קיפוי, קופי, דוק
skimp *v.* לקמץ, לנהוג בחסכנות, לחוס
skimpiness *n.* עין רעה, קמצנות
skimpy *adj.* מועט, מצומצם, לא-מספיק
skin *n.* עור; קליפה; קרום; נאד, חמת; מישטח חיצוני, מסגרת
- by the skin of one's teeth בעור-שיניו, בקושי
- get under his skin להרגיזו; להקסימו, להלהיבו
- in a whole skin בלי פגע, שלם
- no skin off his nose *לא עיסקו, לא עניינו, לא יזיק לו
- thick skin עור עבה, "עור של פיל"
- thin skin עור דק, רגישות
- under the skin מתחת לחזות חיצונית
skin *v.* לפשוט עור; לשרוט; *לרמות, לעשוק, להציגו ככלי ריק
- keep one's eyes skinned, לפקוח עיניים, להיזהר
- skin alive *להביס, להרוג
- skin over להגליד, להעלות קרום
skin-deep *adj.* לא-עמוק, שיטחי
skin diving צלילת-עור, צלילה בלי חליפת-אמודאי
skin flick *סרט סקס
skin'flint' קמצן, כילי
skinful *n.* *לגימה יתירה (של יין)
skin game מישחק רמאות, הונאה
skin graft השתלת עור
skinhead *n.* פירחח מגולח-ראש
skinned *adj.* בעל עור
- thick-skinned עבה-עור, לא רגיש
skinny *adj.* רזה, דל-בשר; קמצן
skinny *n.* *מידע
skint *adj.* *חסר פרוטה לפורטה
skin-tight *adj.* (בגד) צמוד, הדוק
skip *v.* לקפוץ, לנתר, לכרכר; לדלג; לפסוח, להשמיט; להיעצר
- skip it! שכח מזה! הניח לזאת!
- skip off/out להסתלק, לברוח
- skip rope לדלג בחבל-קפיצה
skip *n.* קפיצה, דילוג; ראש קבוצת כדורת; מעלית-מיכרה; כלוב; דלי
ski plane מטוס-מיגלשיים
ski pole מוט סקי
skip'per *n.* קברניט; ראש קבוצה
skipper *v.* לשמש ראש קבוצה, להוביל
skipping rope חבל קפיצה, דלגית
skirl *n.* קול חד, קול צורחני
skir'mish *n&v.* התנגשות, קרב צדדי, תיגרה; ציחצוח-מלים; להתכתש
skirmisher *n.* סייר, לוחם
skirt *n.* חצאית, שימלנית; שפה, שוליים; פרוור; *אישה, חתיכה
- a bit of skirt *אישה, חתיכה
skirt *v.* לעבור מסביב, להקיף, לסבוב; להתחמק
skirting board פאנל, ספין, לוח (לאורך הקירות), שיפולת
ski run מדרון גלישה
ski stick מוט סקי
skit *n.* פארודיה, מערכון, מהתלה
skit'ter *v.* לרוץ, לרפרף, לרחף, להגליש
skit'tish *adj.* קלת-דעת, שובבנית; (לגבי סוס) עצבני, פחדן
skit'tle *n.* בובה, יתד (בכדורת)
- life is not all beer & skittles החיים אינם פיקניק, אדם לעמל יולד

- skittles סוג כדורת
skive *v.* להימנע מעבודה
skiv′vy *n&v.* *שיפחה, משרתת; *לשרת
- skivvies *גופייה ותחתוני גבר
sku′a *n.* סקואה (עוף-ים)
skulk *v.* להסתתר; לנוע בגניבה, לארוב
skull *n.* גולגולת; ראש, מוח
- has a thick skull מטומטם
- skull and cross-bones גולגולת וצלב-עצמות, סמל המוות
skull-cap *n.* כיפה
skull′dug′gery *n.* רמאות, תככים
skunk *n.* בואש (חיה); נבזה, חלאת-אדם
skunk *v.* להנחיל תבוסה, לנצח
sky *n.* שמיים, רקיע; אקלים
- out of the clear (blue) sky כרעם ביום בהיר
- praise to the skies להפליג בשבחו
- the sky's the limit לאין שיעור; השמיים הם הגבול
- under the open sky תחת כיפת השמיים
sky *v.* לחבוט (בכדור) אל על/לשחקים
sky blue תכלת, גון-השמיים
skycap *n.* סַבָּל (בשדה תעופה)
skydiving *n.* צניחה חופשית
sky-high *adv.* לגובה רב; לרסיסים
skyjack *v.* לחטוף (מטוס)
skylark *n.* עפרוני השדה, זרעית השדה
skylark *v.* להשתובב, להתהולל
skylight *n.* צוהר, אשנב-גג
skyline *n.* קו רקיע, אופק טבעי
sky pilot *כומר, איש-דת
sky-rocket *v.* להאמיר, להרקיע שחקים
skyscraper *n.* גורד שחקים
skywards *adv.* השמיימה, לשחקים
sky-writing *n.* רישומים ברקיע (בעזרת שובל-עשן ממטוס)
slab *n.* לוח, לוח-אבן; טבלה; פרוסה
slack *adj.* רפה, רפוי, חלש; קלוש; רשלני, איטי, חסר-מרץ, נרפה, עצלן
- at slack water כשהמים שקטים, לא בשעות הגיאות/השפל
- keep a slack rein לרפות הרסן
- slack season עונת שפל (במיסחר)
slack *v.* להתעצל, להתרשל, להתבטל
- slack off לרפות; להירפות; להאט
- slack up להאט
slack *n.* ריפיון, קלישות; אבק-פחם
- slacks מכנסיים, מכנסי יום-יום
- take up the slack למתוח החבל, להגביר הייצור
slack′en *v.* להאט, להחליש; להקליש; לרפות; להירפות
slack′er *n.* עצלן, שתמטן
slag *n.* סיגים, פסולת-מתכת; *מכוערת, זונה
slag-heap *n.* ערימת סיגים
slain = pp of slay
slake *v.* להשקיט, להשביע, להרוות, להפיג, לשכך; לכבות (סיד)
slaked lime סיד כבוי
sla′lom (slä′-) *n.* סלאלום, סקי זיגזאגי
slam *v.* לטרוק; להיטרק; לדחוף בעוצמה; להטיח; לתקוף בחריפות
- slam the door in his face לטרוק הדלת בפניו
slam *n.* טריקה; ביקורת חריפה
- grand/small slam (בברידג') זכייה גדולה/קטנה (12/13 לקיחות)
slam-bang *adj.* *חזק, מלהיב, נמרץ
slam dunk הטבעת כוח
slammer *n.* *בית סוהר, חד גדיא
slan′der *n.* דיבה, השמצה, לעז, שם רע
slander *v.* להוציא דיבה, להשמיץ
slanderer *n.* מוציא דיבה, רכלן
slan′derous *adj.* מוציא דיבה; של דיבה
slang *n.* סלנג, עגה, דיבור המוני
slang *v.* לגדף, לתקוף בגסות
slanging match החלפת גידופים
slangy *adj.* סלנגי; המוני, גס
slant *v.* לשפע; להשתפע; להטות; לנטות; לעוות, להציג במגמתיות
slant *n.* שיפוע; השקפה, נקודת-ראות
- at a slant בשיפוע
slanted *adj.* מגמתי, נוטה ל-
slantwise *adv.* במשופע, אלכסונית
slap *n&v.* סטירה; לסטור, לטפוח; להטיח
- slap down להטיח, להטיל בחבטה; לדכא, להשתיק; לשלול, לדחות
- slap in the face סטירת לחי
- slap on the back לטפוח על השכם
- slap on the wrist נהיגה ביד רכה
- slap together להכין בחופזה
slap *adv.* ישר, היישר, פתאום
slap and tickle *מיזמוזים
slap-bang *adv.* היישר, פתאום, בעוז
slap′dash′ *adj.* נמהר, פזיז
slap-happy *adj.* פזיז; לא דואג, עליז; טיפש; הלום-חבטות
slapstick *n.* סלפסטיק, קומדיה שטותית
slap-up *adj.* *מצוין, ממדרגה ראשונה
slash *v.* לחתוך, לפצוע, לשרוט, לקרוע; לקצץ, להוריד; להצליף, להכות; לתקוף, למתוח ביקורת, לקטול
- slash taxes לקצץ במיסים
- slashed skirt חצאית מאושנבת (בעלת פתחים שהביטנה נראית דרכם)
slash *n.* חתך, פצע, שריטה; לוכסן, קו נטוי, (/), *השתנה, הטלת מים
slat *n.* פס, לוח עץ דק, פסיס
slate *n.* ציפחה, רעף; לוח ציפחה; אפור-כחול; רשימת מועמדים
- wipe the slate clean לפתוח דף חדש
slate *v.* לרעף, להציע מועמדות; להועיד, לתכנן; לגנות, לתקוף, לקטול
- slated מיועד, מוצע, נקבע
slate club מועדון-תרומות, גמ"ח
slate pencil חרט ציפחה
slath′er (-dh-) *v.* למרוח בשפע
slating *n.* ריעוף; ביקורת קשה
slat′ted *adj.* בעל פסים, עשוי לוחות
slat′tern *adj.* מרושלת-לבוש
sla′ty *adj.* דומה לציפחה, אפור-כחול
slaugh′ter (slô′) *n&v.* טֶבַח, קֶטֶל, שחיטה; תבוסה; לשחוט, לקטול, לערוך טבח
slaughter-house בית-מטבחיים
Slav (släv) *n&adj.* סלאבי
slave *n&v.* עבד, שיפחה; משועבד, מכור

- slave away לעבוד בפרך, לעמול
slave-bangle *n.* צמיד, צמיד-זרוע
slave driver מפקח על עבדים; מעביד בפרך, נוגש, רודה
slave labor עבודת-עבד, עבודת-פרך
sla'ver *n.* סוחר עבדים; ספינת עבדים
slav'er *n&v.* ריר; לריר, לזוב; להתלהב
sla'very *n.* עבדות; עבודה מפרכת
slave ship ספינת עבדים
Slave States מדינות העבדות, מדינות הדרום באה"ב (בעבר)
slave trade/traffic סחר עבדים
sla'vey *n.* משרתת, עוזרת-בית
Slav'ic, Slavon'ic *adj.* סלאבי
sla'vish *adj.* כעבד, מתרפס, שפל
slavish translation תרגום נאמן מדי למקור/חסר מעוף/חסר מקוריות
slaw *n.* סלאט כרוב
slay *v.* להרוג, לקטול, להמית, לרצוח
slayer *n.* הורג, רוצח
slea'zy *adj.* מוזנח, זול, מלוכלך
sled *n.* מזחלת, מגררה, שלגית
sled *v.* לנסוע/להעביר במזחלת; לגלוש/להחליק במזחלת
sledding *n.* גלישה, נסיעה; התקדמות
sledge(-hammer) קורנס, פטיש כבד
sledge = sled *n&v.* (לנסוע ב-) מזחלת
sleek *adj.* חלק, מבריק; מטופח, מצוחצח
sleek *v.* להחליק; להבריק; לצחצח
sleep *n.* שינה, תרדמה; הפרשת עיניים
- get to sleep להצליח להירדם
- go to sleep להירדם
- had his sleep out ישן כל צרכו
- lose sleep לנדוד שנתו
- put to sleep ליישן, להשכיב לישון
- the big sleep שנת-עולם, מוות
sleep *v.* לישון, להירדם; להלין, לספק מקומות לינה
- let sleeping dogs lie - שינה לרשעים הנאה להם והנאה לעולם
- not sleep a wink לא לעצום עין
- sleep around "לקפוץ ממיטה למיטה"
- sleep away לבלות (זמן) בשינה
- sleep in ללון במקום עבודתו; לאחר קום
- sleep it off להפיג שכרות בשינה
- sleep like a log לישון כמו אבן
- sleep off לסלק (כאב-ראש) בשינה
- sleep on להמשיך לישון, להוסיף לישון
- sleep on it להלין, לדחות החלטה למחר, לשקול במשך הלילה
- sleep out ללון שלא במקום עבודתו; לישון תחת כיפת השמיים/בחוץ
- sleep the clock round לישון 12 שעות רצופות
- sleep through it לישון בעת שהדבר קורה, לא להתעורר (מהרעש)
- sleep with לשכב עם, לשכב את
sleeper *n.* ישנן, ישן; קרון-שינה; אדן, קורה; מיטה; עגיל זמני; הצלחה פתאומית; פיג'מת תינוק; מרגל
- sound sleeper עמוק-שינה, בעל שינה עמוקה
sleeping bag שק-שינה

sleeping car קרון-שינה
sleeping draught שיקוי שינה
sleeping partner שותף רדום
sleeping pill גלולת-שינה
sleeping policeman פסי האטה (בכביש)
sleeping sickness מחלת השינה
sleepless *adj.* ללא שינה, נדוד-שינה
sleepwalker *adj.* סהרורי
sleepwalking *n.* סהרוריות
sleepy *adj.* רדום, ישנוני, מנומנם; שקט
- sleepy fruit פרי בשל מדי/רקוב
sleepy-head *adj.* מנומנם, חולמני
sleet *n&v.* (לרדת) שלג מעורב בגשם
sleety *adj.* של שלג מעורב בגשם
sleeve *n.* שרוול; שרוול-רוח; מעטפת-תקליט; נרתיק-ספר; גליל, תותב
- keep it up one's sleeve לשמור זאת באמתחתו/בציקלונו
- roll up one's sleeves להפשיל שרוולים, להירתם לעבודה
sleeved *adj.* משורוול, בעל שרוולים
- short-sleeved קצר-שרוולים
sleeveless *adj.* חסר-שרוולים
sleeve notes תוכן התקליט
sleigh (slā) *n&v.* מזחלת, מגררה, שלגית; להעביר/לנוע במזחלת
sleight of hand (slīt) להטוטנות
slen'der *adj.* רזה, דק; עדין; דל, מצומצם, לא מספיק, זעום, פעוט
slen'derize' *v.* לרזות, להכחיש
slept = p of sleep
sleuth (slōōth) *n.* *בלש; כלב-גישוש
slew (slōō) *v.* לסובב; להסתובב, לעשות תפנית
slew *n.* *הרבה, המון
slew = pt of slay
slewed (slōōd) *adj.* *שתוי, מבוסם
slice *n.* פלח, פרוסה; חלק, נתח, מנה; כף-הגשה; פיספוס, חבטה גרועה
slice *v.* לפרוס, לבצוע, לחתוך, לפלח; לחבוט חבטה גרועה (בכדור)
- any way you slice it *בכל דרך שתראה זאת
slice of life סיפור מהחיים, תיאור חוויה יומיומית
slicer *n.* מחתכה, מבצעה, מפרסה
slick *adj&adv&v.* חלק; חלקלק; פיקחי, ערמומי; היישר, ישר, כליל; *מצוין
- slick down להחליק, להבריק (שיער)
slick *n.* שיכבת נפט (על הים); כתב-עת מצולם
slick'er *n.* ערמומי, נוכל; מעיל-גשם
slid = p of slide
slide *v.* לגלוש; להחליק; לחמוק
- let things slide להניח לדברים להתגלגל/להידרדר
- slide around/over לחלוף, לעקוף, להשתמט
- slide into לשקוע ב-, לעבור אט-אט למצב-
slide *n.* גלישה, החלקה; ירידה, מפולת; מיגלש; שקופית; חלק זחיח; זכוכית העצם (במיקרוסקופ)
- hair slide סיכת-שיער

slide rule סרגל-חישוב, גררה
sliding door דלת זחיחה, דלת זזה
sliding scale סולם נע (למשכורת, מיסים וכ׳)
sliding seat מושב זחיח
slight *adj.* דק, שברירי; חלש; קטן, זעום; קל, לא רציני
- not in the slightest כלל לא
slight *v.* לפגוע, להעליב, להקל בכבוד
slight *n.* פגיעה, עלבון, הקלה בכבוד
slightly *adv.* מעט, קצת, משהו, קימעה
slim *adj.* דק, רזה; קטן, מצומצם, דל, קלוש
slim *v.* לרזות, להרזות, להכחיש
slime *n.* בוץ, רפש; הפרשה רירית
slimeball *n.* *טינופת, חלאת-אדם
slim'line' *adj.* רזה, לא משמין
slimmer *n.* עושה דיאטה, מרזה
sli'my *adj.* מטונף, מכוסה רפש; חלק, רירי; מתרפס, מחניף; מעורר שאט-נפש
sling *v.* להטיל, לזרוק; לקלוע בקלע; לתלות (ברצועה/במענב)
- sling hash *לעבוד כמלצר
- sling mud להטיל בוץ ב-, להשמיץ
- sling one's hook *להסתלק
sling *n.* הטלה; קליעה; קלע, מיקלעת; מענב; רצועת-רובה; מתלה-זרוע
sling-back *n.* נעל בעלת רצועת עקב
slinger *n.* קלע; יורה, מטיל, משליך
slings and arrows התקפות
slingshot *n.* מקלעת, קלע
slink *v.* להתגנב, לחמוק
slinky *adj.* מתגנב, חמקמק; צמוד, הדוק, דק וחטוב
slip *v.* להחליק, ליפול, למעוד; לחמוק, לחלוף; להידרדר; להגניב; לשחרר; להשתחרר
- let slip להחמיץ, לתת לחמוק; לפלוט (סוד)
- slip a calf (לגבי פרה) להפיל עגל
- slip a cog *לעשות טעות
- slip a disc לסבול מחוליה מוזחת
- slip away לחמוק, להסתלק
- slip by/past לחלוף, לחמוק, לעבור
- slip off להחליק; לפשוט, להסיר; לחמוק
- slip on/into ללבוש (בזריזות)
- slip one's mind לפרוח מראשו, להישכח
- slip over on him "לסדר אותו"
- slip the memory לפרוח מהזיכרון
- slip through one's fingers לחמוק בין אצבעותיו
- slip up לשגות, להיכשל, לעשות טעות
slip *n.* החלקה, נפילה, מעידה; תחתונית, חמוקית; ציפית; בגד קל; כבש-ספינות; שחקן-קריקט
- give the slip לחמוק, להימלט
- pillow slip ציפית-כר
- slip of the pen פליטת-קולמוס
- slip of the tongue/lip פליטת-פה
- slips עמדות שחקני הקריקט; אחורי-הקלעים
slip *n.* פתק, פיסת-נייר; תלוש; ייחור, נצר; חומר-ציפוי (בקדרות)
- slip of a boy נער רזה
slip-carriage *n.* קרון-רכבת נתיק
slip-case *n.* קופסת-ספר
slip-cover כיסוי (מבד, לרהיט)
slip-knot *n.* לולאה זחיחה, קשר מתהדק; עניבה המותרת במשיכה
slip-on *adj.* (בגד) מתלבש בנקל/מהר
slipover *n.* מיפשול, אפודה
slipped disk חוליה מוזחת, דיסקוס
slip'per *n.* נעל-בית; (במנוע) זחלן
slippered *adj.* נועל נעלי-בית
slip'pery *adj.* חלק, חלקלק, מועד להחלקה; נוכל, חמקמק
- slippery slope מידרון מסוכן
slip'py *adj.* חלקלק; ערמומי
- look slippy! הזדרז!
slip road כביש-גישה, רחוב צדדי
slip'shod' *adj.* רשלני, מרושל, מוזנח
slip-stream *n.* סילון-אוויר (ממנוע/מדחף)
slip-up *n.* מישגה, טעות, פליטת-פה
slipway *n.* כבש-ספינות, מיגלש
slit *n&v.* חתך, חריץ, סדק; לחתוך, לעשות חריץ; להיחתך
slith'er (-dh-) *v.* להחליק, לגלוש
slithery *adj.* חלק, חלקלק
sliv'er *n.* פרוסה, חתיכה; קיסם, רסיס
sliver *v.* לפרוס; לנפץ; לשבב; להישבר
sliv'ovitz *n.* סליבוביץ, בראנדי-שזיפים
slob *n.* *מטונף, מרושל, גס
slob'ber *v.* לריר, להזיל רוק
- slobber over להשתפך; להרעיף נשיקות (רטובות)
slobber *n.* רוק, ריר; השתפכות
sloe (slō) *n.* שזיף בר
sloe-eyed *adj.* בעל עיני שזיף, שעיניו שחורות כחולות
sloe gin ג׳ין שזיפים
slog *v.* לעמול, לעבוד בפרך; להתמיד; להתקדם בכבדות; לחבוט בעוצמה
- slog away להתנהל בכבדות; לעמול
slog *n.* חבטה עזה; עבודה מפרכת
slo'gan *n.* סיסמה
slogger *n.* חובט חבטה עזה
sloop (slōōp) *n.* ספינה חד-תורנית; משחתת
slop *v.* לשפוך; להישפך; להרטיב; להתיז; ללכלך; לבוסס בבוץ/בשלולית
- slop about להסתובב בצורה מרושלת
- slop out לסלק השופכין (מחדר)
- slop over להשתפך ברגשנות
slop *n.* מזון נוזלי
- slops פסולת-מזון; מים דלוחים; צואה, שתן; בגדים זולים; כלי-מיטה
slop basin/bowl משירית, קערת כל-בו
slope *n.* שיפוע; מידרון; הכתפה
- at the slope (נשק) מוכתף
slope *v.* לשפע; להשתפע, לנטות
- slope arms להכתיף נשק
- slope off *להסתלק, לחמוק
slop pail דלי-שופכין
slop'py *adj.* רטוב, מלוכלך; מרושל, לא קפדני; רפוי; אווילי, משתפך
slop-shop חנות לבגדים זולים
slosh *v.* להתפלש, להשתכשך; לנענע; לנער; להתנענע; להתיז; *לחבוט
sloshed *adv.* *שתוי, בגילופין
slot *n.* חריץ, פתח צר; מקום מתאים (בתוך מערכת), נישה, משבצת; עקבות

חיה
slot *v.* לחרץ; לשים בחריץ; למצוא מקום
(מתאים, כנ"ל) ל-, לשבץ
sloth (slōth) *n.* עצלות; עצלן (בע"ח)
slothful *adj.* עצל, בטלן
slot machine מכונת מכירה אוטומאטית
slouch *n.* הליכה מרושלת, עמידה
שמוטת-כתפיים, תנוחה עצלנית; *בטלן
slouch *v.* ללכת/לעמוד/לשבת ברשלנות
(כנ"ל)
slouch hat מגבעת רכת-אוגן
slough (slou) *n.* בִּצָּה; מצב ביש
- slough of despond דיכאון עמוק
slough (sluf) *n&v.* נֶשֶל, עור (נחש)
נשול
- slough off להשיל, להיפטר, לנטוש
Slo•va'kia (-vä-) *n.* סלובקיה
slov'en (sluv-) *n.* רשלן
Slo•ve'nia *n.* סלובניה
slovenly *adj.* רשלני, מרושל-לבוש
slow (slō) *adj&adv.* איטי, מתמהמה;
כבד; קשה-תפיסה; משעמם; (שעון)
מפגר; לאט, אט
- go slow להאט הקצב; לשבות
שביתת-האטה
- slow and sure לאט אבל בטוח
- slow burn כעס גואה, התרתחות
- slow off the mark קשה-תפיסה
- slow on the uptake קשה-תפיסה
- slow surface מישטח מאט תנועה
(שכדור מתגלגל עליו באיטיות)
- slow to anger קשה לכעוס
slow *v.* להאט
- slow down/up להאט
slow-coach *n.* איטי, מיושן-דעות
slow-down *n.* האטה; השבתת-האטה
slowly *adv.* לאט, אט-אט, מתון-מתון
slow march צעידת אבל (צבאית)
slow motion הילוך איטי, הקרנה איטית,
של סרט אט-נועי
slow-poke *n.* איטי, כבד-תנועה
slow-witted *adj.* קשה-תפיסה
slow-worm *n.* קמטן (זוחל דמוי-נחש)
sludge *n.* בוץ, בוצה, רפש; שופכין; שמן
(מנוע) מלוכלך
slue (slo͞o) *v.* לסובב; להסתובב
slug *n.* שבלול, חילזון חסר-קונכייה;
אסימון; כדור, קליע; שורת-סְדָר
slug *v.* ללגום; *לחבוט בעוצמה
- slug it out להילחם עד הסוף
slug'gard *adj.* עצלן; איטי
slug'gish *n.* עצל, איטי, נרפה
sluice (slo͞os) *n&v.* סכר; תעלת-מים;
זרם, שטיפה; להזרים; לשטוף; להציף
- sluice out לפרוץ בזרם
sluice gate שער-סכר
sluice valve מגוף סכר
sluice-way תעלת מים
slum *n.* משכנות עוני; מקום מלוכלך
- slums משכנות עוני, סלאמס
slum *v.* לבקר במשכנות עוני
- slum it לחיות חיי עוני
slum'ber *n&v.* שינה; לישון, לנום
- slumber away לבלות (זמן) בשינה
slumberer *n.* ישנן
slum'berous *adj.* רדום; מרדים; שקט

slum'my *adj.* של רובעי-עוני; מלוכלך
slump *v&n.* ליפול; לצנוח; להתמוטט;
נפילה; ירידה תלולה; תקופת שפל
slung = p of sling
slunk = p of slink
slur *v.* להדביק (מלים), להבליע; לבטא
שלא-בבירור; לנגן לגאטו; לסמן חליק;
להשמיץ, להטיל דופי
- slur over לנגוע בריפרוף, לטשטש
slur *n.* דיבור לא ברור; חליק,
קשת-קישור; השמצה, דופי, רבב
slurp *v.* ללעוס/ללגום ברעש
slur'ry (slûr'i) *adj.* תערובת דלילה; מלט
slush *n.* שלג מימי; בוץ, רפש; רגשנות,
ספרות משתפכת
slush fund קרן צדדית, שוחד פוליטי
slushy *adj.* בוצי, מרופש; *משתפך
slut *n.* זונה, פרוצה; רשלנית, לכלכנית
slut'tish *adj.* כזונה; מרושלת, מלוכלכת
sly *adj.* ערמומי, שובבני, קונדסי
- on the sly בחשאי, בגניבה
- sly dog הולל בחשאי
slyboots *n.* *שובב, קונדס
smack *n.* סטירה; (קול) חבטה; נשיקה
מצלצלת; שיקשוק שפתיים
- have a smack at לנסות כוחו ב-
- smack in the eye מכה קשה, אכזבה
- smack of the whip צליף-השוט
smack *v.* לסטור; להטיל בחבטה
- smack one's lips לשקשק בשפתיו
בהנאה, לצקצק בשפתיים
smack *adv.* היישר, פתאום, בעוצמה
smack *n&v.* (להדיף) ריח;
טעם-לוואי; שמץ, פורתא, עקבות
- smacks of corruption מדיף ריח
שחיתות
smack *n.* מיפרשית-דיג; *סם קשה
smack-dab *adv.* ישר, היישר
smack'er *n.* *נשיקה מצלצלת; דולר
smacking *n.* סטירה, סטירות מצלצלות
smacking *adj.* נמרץ, חריף, עז
small (smôl) *adj.* קטן; מצומצם, מועט;
מעט; קטנוני; קל-ערך
- feel small לחוש בושה/השפלה
- in a small way בלי יומרות, בפשטות,
בצינעה
- on the small side קטן מדי
- small beer בירה חלשה; קוטל קנים
- small eater מתון באכילה
- small man איש נמוך; אדם קטנוני
- small shopkeeper חנווני זעיר
- small wonder לא פלא, מובן מאליו
small *n.* החלק הצר (של הגב)
- smalls חפצי-ביגוד (ממחטות, לבנים)
small arms נשק קל
small change כסף קטן, מצלצלים,
פרוטרוט; שיחה קלה
small claims court בית משפט לתביעות
קטנות
small fry דגי-רקק; איש קל-ערך
small holder חקלאי זעיר
small holding חלקת-אדמה (ששטחה
פחות מ-50 אקרים)
small hours השעות הקטנות של הלילה
small intestines המעיים הדקים
small-minded *adj.* צר-אופק, קטן-מוח

smallpox *n.* אבעבועות
small print אותיות זעירות
small-scale *adj.* של קנה-מידה קטן
small screen טלוויזיה, המסך הקטן
small talk שיחה קלה
small-time *adj.* מוגבל, מצומצם; חסר-חשיבות, קל-ערך
smar'my *adj.* *מתרפס, מחניף
smart *adj.* פיקח, מבריק; מצוחצח, מטופח; נוצץ; אופנתי; מהיר, נמרץ, עז; קשה, מכאיב, חמור
- look smart! הזדרז!
- play it smart לפעול בחוכמה
- smart blow מכה חזקה
- smart set החוג הנוצץ
smart *v.* לכאוב; להכאיב; להתייסר
- smart for לסבול, לשלם בעד
smart *n.* כאב עז
smart aleck "חכם גדול", "ידען"
smart-ass *n.* "חכם גדול"
smart card כרטיס אשראי, כרטיס בנק, כרטיס חכם
smart'en *v.* לייפות, ללטש; להצטחצח
smart money קנס; שכר מומחה
smarty *n.* "חכם גדול"
smarty-pants, -boots *n.* "חכם גדול"
smash *v.* לנפץ; להתנפץ; לשבור; לרסק; להתרסק; להרוס; להביס; לפשוט את הרגל; (בטניס) להנחית
- smash into להתנגש בעוצמה ב-
- smash one's fist against לחבוט באגרופו בכוח ב-(שולחן)
smash *n.* ניפוץ, התנפצות; התנגשות; מכה, חבטה; התמוטטות; פשיטת רגל; הנחתה; *להיט
- go smash להיהרס
smash-and-grab (שוד תכשיטים) תוך ניפוץ חלון-ראווה
smashed *adj.* *שתוי, בגילופין
smasher *n.* מהלומה; מהמם, יפה, "פצצה"
smash hit *להיט; הצלחה כבירה
smashing *adj.* *מצוין, נפלא, כביר, פיצוץ
smash-up *n.* התנגשות; התמוטטות
smat'ter *v&n.* (לדבר אגב) ידע מוגבל, מעט
smat'tering *n.* ידיעה שיטחית
smear *v.* למרוח; ללכלך; להכפיש, להשמיץ; לטשטש, למחוק; להתמחק
- smeared with blood מגואל בדם
smear *n.* כתם; הכפשת שם, השמצה
smear campaign מסע הכפשה (פוליטי)
smear test מישטח (בדיקה)
smear word כינוי גנאי
smell *v.* להריח, לרחרח; להדיף ריח; לחוש ב-; להסריח, להצחין
- smell a rat לחוש שמשהו לא כשורה
- smell out לגלות בריחרוח; למלא צחנה
- smell round לרחרח, לחפש מידע
- smell up להדיף צחנה
- smells of the lamp ניכר שהושקע בו עמל רב, עשו לילות כימים בהכנתו
smell *n.* ריח, חוש-הריח; ריחרוח; צחנה
- take a smell להריח
smelling bottle בקבוקון הרחה
smelling salts מלחי הרחה (חריפי-ריח, כדי לעורר מעילפון)
smelly *adj.* מסריח, מדיף צחנה
smelt *v.* להתיך, לצרוף, לזקק
smelt *n.* אוסמרוס (דג-מאכל קטן)
smelt = p of smell
smelt'er *n.* כור היתוך, מצרפה
smid'gen *n.* קורטוב, כמות זעומה
smi'lax' *n.* קיסוסית (צמח מטפס)
smile *v&n.* לחייך, להביע בחיוך; חיוך
- smile on/upon להאיר פנים ל-
- was all smiles אורו פניו, שמח
smirch *v.* ללכלך, להכתים, להכפיש שם
smirch *n.* ליכלוך, כתם, דופי
smirk *v&n.* (לחייך) חיוך מעושה; חיוך אווילי, חיוך שחצני
smite *v.* להכות, לחבוט, להלום; להשמיד, להביס; לייסר
- smitten by conscience נקוף-מצפון
- smitten with her charms שבוי בקסמיה
- smitten with terror אחוז אימה
smith *n.* נַפָּח, חרש-ברזל
smith'ereens' (-dh-z) *n.* רסיסים
smith'y *n.* נפחייה, מפחה
smit'ten = pp of smite
smock *n.* מעפורת, סרבל, חלוק
smock'ing *n.* קישוט קפלים, קיבוצים תפורים
smog *n.* ערפיח, ערפל ועשן
smoke *n.* עשן; עישון; *סיגריה, סיגאר
- end up in smoke להיגמר בלא כלום
- go up in smoke להתנדף כעשן
- the Smoke *עיר גדולה, לונדון
- there's no smoke without fire אין עשן בלא אש, יש רגליים לדבר
smoke *v.* לפלוט עשן; להעלות עשן; לעשן (סיגריה/דגים); לפייח
- smoke oneself sick לחלות מרוב עישון
- smoke out לעשן (צמחים), להדביר בעשן; לגרש (ממחבוא), לְגַלות
- the pipe smokes poorly המיקטרת אינה נוחה לעישון
smoke bomb פצצת-עשן
smoke detector גלאי עשן
smoke-dried *adj.* (דג) מעושן
smokeless *adj.* ללא עשן
smoker *n.* מעשן, עשנן; קרון-עישון (למעשנים); מסיבת גברים
smoke-screen *n.* מסך-עשן
smoke-stack *n.* ארובה, מעשנה
smoking *n&adj.* עישון; מותר בעישון
smoking car קרון-עישון (למעשנים)
smoking gun/pistol עדות מפלילה, הוכחה ניצחת, "אקדח מעשן"
smoking jacket מיקטורן ביתי
smoking room חדר עישון
smoky *adj.* עָשֵן, מעלה עשן, עשון
smol'der (smōl'-) *v&n.* לבעור בלא להבה; לבעור בקירבו; אש חסרת-להבה, בעירה סמויה
smoldering *adj.* בוער בחשאי, עצור
smooch (smo͞och) *v&n.* *להתנשק, להתגפף; נשיקה
smooth (smo͞odh) *adj.* חלק; חסר בליטות; יציב; שקט; ללא טלטולים;

עָרֵב, נעים; חלקלק
- in smooth water נחלץ מצרה, על מי-מנוחות
- make smooth ליישר, לסלק מיכשולים
- smooth paste עיסה בלולה היטב/חסרת גושישים

smooth *v&n.* להחליק, לגהץ; החלקה
- smooth away להסיר, לסלק (קמטים)
- smooth down להחליק; להרגיע; להירגע
- smooth his path לסלול דרכו, להקל התקדמותו
- smooth over ליישר (ההדורים), לזער

smooth-bore *adj.* חסר-חריק, חלק-קדח

smooth-faced *adj.* חלק-פנים; צבוע

smoo′thie, smoo′thy (-dhi) *adj.* חלק-הליכות, בעל גינונים נאים; צבוע

smoothing-iron *n.* מגהץ

smoothing-plane *n.* מקצועה

smoothly *adv.* באופן חלק, בלי תקלות

smooth-spoken *adj.* חֲלַק-לשון

smooth-tongued *adj.* חֲלַק-לשון

smor′gasbord′ *n.* מיסעדת שירות עצמי, ארוחה מגוונת

smote = p of smite

smoth′er (smudh′-) *v.* להחניק; להיחנק; לדכא, לכבוש, לעצור (זעם); לכסות; לכבות
- smother with love להרעיף אהבה

smother *n.* הצפה, אפיפה

smoulder = smolder

smudge *v&n.* ללכלך, להכתים; כתם, סימן-ליכלוך; מדורה, עשן סמיך

smudgy *adj.* מלוכלך, מוכתם

smug *adj.* שבע-רצון מעצמו, מדושן-עונג

smug′gle *v.* להבריח, להגניב

smuggler *n.* מבריח

smut *n.* גרגיר פיח, כתם, רבב; שידפון; ניבול-פה

smut *v.* לפייח, להכתים, ללכלך

smut′ty *adj.* מלוכלך, גס

snack *n.* ארוחה חפוזה; חטיף

snack *v.* לאכול חפוזות, לחטוף משהו

snack bar מיזנון מהיר, מיזנון חטיפים

snaf′fle *n.* מתג (בפי הסוס)

snaffle *v.* לרסן במתג; *לגנוב, לסחוב

snafu′ (snafōō′) *adj.* *מבולגן, תוהו ובוהו

snag *n.* זיז מסוכן, עצם חד, מיכשול סמוי, מקור סכנה

snag *v.* להיתפס/להסתבך בזיז; לחטוף
- snag a profit *לעשות רווח מהיר

snail *n.* חילזון, שבלול
- snail's pace צעדי צב

snail mail *דואר רגיל (איטי)

snake *n.* נחש; קפיץ (לפתיחת סתימות)
- see snakes לשקוע בהזיות
- snake in the grass נחש מתחת לקש

snake *v.* להתפתל כנחש, להתנחש

snakebite *n.* הכשת נחש

snake charmer קוסם נחשים

snake oil *תרופת שווא

snake pit מאורת נחשים

snaky *adj.* נחשי, מתפתל; ארסי

snap *v.* לחטוף בשניים; לסגור לסתות; לנשוך, להכיש; להקיש; לשבור; להישבר; להיקרע; לדבר קצרות/בכעס; לצלם בחטף
- his nerves snapped עצביו התמוטטו
- snap a whip להצליף בשוט
- snap at לחטוף, לקפוץ על, לקבל בלהיטות; לענות בגסות, לשסע במלים
- snap his head off לשסעו בגסות, לענות בקוצר-רוח
- snap it up/snap to it! הזדרז!
- snap one's fingers להכות באצבע צרידה; לזלזל, להפגין בוז
- snap out לדבר בכעס, לנבוח
- snap out of it להתאושש, לצאת מזה
- snap up לחטוף (מציאה)

snap *n.* חטיפה; נשיכה; נקישה; שבירה; ניתוק; צליף; מרץ, חיות; רקיק, עוגייה; סנאפ (מישחק קלפים); לחצנית; תמונת-בזק; *משימה קלה
- cold snap גל קור, תקופת קור

snap *adj&adv.* מהיר, חפוז, ללא התראה; בקול פיצפוץ, פתע

snap′drag′on *n.* לוע-הארי (צמח)

snap fastener לחצנית

snap′per *n.* לוטיינוס (דג)

snap′pish *adj.* עונה בגסות, חד-לשון, קצר-רוח, עצבני, גס

snap′py *adj.* מלא חיים, נמרץ; אופנתי
- look snappy הזדרז!
- make it snappy הזדרז!

snapshot *n.* תמונת-בזק

snare *n.* מלכודת; מיתר תוף-צד

snare *v.* ללכוד; להעלות בחכתו

snare drum תוף צד (במערכת תופים)

snarl *v&n.* לנהום, לרטון; לחשוף שיניו; נהימה, ריטון

snarl *v&n.* לסבך; להסתבך; תיסבוכת; פקק-תנועה

snarl-up *n.* תיסבוכת, פקק-תנועה

snatch *v.* לחטוף, לתפוס, לנסות לחטוף

snatch *n&adj.* חטיפה; תפיסה, מאמץ להשיג; קֶטַע, חֵלֶק; חטוף
- in snatches קטעים-קטעים
- make a snatch at לנסות לחטוף

snatcher *n.* חוטף

snaz′zy *adj.* נאה, מטופח, מצוחצח

sneak *v.* להתחמק, לחמוק, להתגנב; *לגנוב, לסחוב; להלשין
- sneak up להתגנב, לבוא כגנב

sneak *n.* חמקן, גנב; נבזה, שפל; לא צפוי, מפתיע; *מלשין

sneaker *n.* מתחמק, שתמטן
- sneakers נעלי התעמלות, נעלי טניס

sneaking *adj.* חשאי, כמוס; מתגנב ללב

sneak preview הקרנה מוקדמת

sneak thief גנב, גנבן, סחבן

sneaky *adj.* מתגנב, חשאי, רמאי

sneer *v.* ללגלג, ללעוג, לגחך, לבוז

sneer *n.* ליגלוג, לעג, הבעת בוז

sneeze *v&n.* להתעטש; התעטשות
- not to be sneezed at שאין לזלזל בו, ראוי להערכה

snick *n&v.* חתך, חריץ; סטייה קלה (של כדור); לעשות חתך קטן; להסיט

snick′er *n&v.* לצחוק בציניות, לצחוק בקרבו; לצהול; צחוק כבוש; צהלת-סוס

snide *adj.* לגלגני, פוגעני
sniff *v.* לרחרח; לשאוף באף; לחטום
- sniff at לזלזל, לדחות בבוז
- sniff out לרחרח, לגלות
sniff *n.* ריחרוח; שאיפה באף
sniffer *n.* *אף; מריח; מסניף
snif′fle *v&n.* לשאוף בחוטם, להעלות ריר האף (שוב ושוב); שאיפה בחוטם
- sniffles *נזלת
snif′fy *adj.* מעקם חוטמו, בז; מסריח
snif′ter *n.* כוסית משקה, כוסית יי״ש
snig′ger = snicker
snip *v.* לגזור, לחתוך במיספריים
snip *n.* גזירה, גזיזה; חתיכה, פיסה; *מציאה, מיקח טוב; ברנש, טיפוס גס
snipe *n.* חרטומן (עוף בצה); חרטומנים
snipe *v.* לצלוף, לפגוע ממארב
sniper *n.* צלף
snip′pet *n.* חתיכה, קטע, גזר
snipping *n.* חתיכה, קטע, פיסה
snip′py *adj.* מורכב מחתיכות; *גס
snips *n-pl.* מיספריים, מיספרי-פח
snit *n.* *רוגז, כעס
snitch *v.* *לגנוב, לסחוב; להלשין
snitch *n.* *גנב, מלשין; אף, חוטם
sniv′el *v.* לבכות, להתלונן, לרגון; לזוב מאפו; לחטום
sniveling *adj.* מתלונן; זב-חוטם
snob *n.* סנוב, יהיר, שחצן
snob′bery *n.* סנוביות
snob′bish, snob′by *adj.* סנובי
snog *n&v.* *נשיקה, גיפופים; להתנשק
snood (snōōd) *n.* רשת-שיער, שביס
snook *n.* תנועת בוז
- cock a snook להביע בוז (בכף-יד פרושה, כשהבוהן נוגעת באף)
snook′er *n.* סנוקר (מישחק ביליארד)
snooker *v.* להכניס למצב ביש
snoop (snōōp) *v&n.* לחטט, לרחרח, לתחוב חוטמו, לחפש הפרות חוק; חטטן, בלש
snooper *n.* חטטן, תוחב אפו
snoot (snōōt) *n.* *אף, חוטם; פרצוף
snoo′ty *adj.* שחצן, יהיר, סנובי
snooze *v&n.* (לחטוף) תנומה קלה
snore *v&n.* לנחור; נחירה
snorer *n.* נחרן
snor′kel *n&v.* שנורקל, מכשיר נשימה לצוללים; לשחות עם שנורקל
snort *v.* לנחור, לנחרר, לחרחר; לפלוט בנחירה; לפרוץ בצחוק; להסניף (קוקאין)
snort *n.* נחירה, חירחור; לגימה, גמיעת-משקה; שנורקל
snorter *n.* נחרן; סערה; *עצום, כביר, קשה במיוחד, חזק, נפלא וכו׳
snot *n.* *ריר-אף, ליחת-חוטם
snot′ty *adj.* *זב-חוטם; מנופח, סנוב
snotty-nosed *adj.* *מתנשא, מנופח, סנוב
snout *n.* חוטם, אף; זרבובית; *טאבאק; סיגרייה
snow (-ō) *n&v.* שלג; אבקת-קוקאין; (לגבי שלג) לרדת; *לשכנע, להרשים
- it's snowing יורד שלג
- snow in לבוא בכמויות, להציף
- snowed in/up כלוא/חסום בשלג
- snowed under כורע תחת, מוצף
snowball *n.* כדור-שלג
- snowball's chance in hell סיכוי אפסי
snowball *v.* להטיל כדורי-שלג; להתגלגל ככדור-שלג, לגדול במהירות
snowbank *n.* תל-שלג
snow-berry *n.* שיח לבן-גרגירים
snow-blind *adj.* מוכה עיוורון-שלג
snow-blindness *n.* עיוורון-שלג, הסתנוורות (מחמת) שלג
snow-bound *adj.* חסום-שלג, תקוע בשלג
snow-capped *adj.* (פיסגת-הר) מכוסה שלג
snow-clad *adj.* עוטה שלג, מושלג
snowdrift *n.* ערימת שלג, תל-שלג
snowdrop *n.* שלגייה (צמח-פקעת)
snowfall *n.* ירידת שלג, שליגה; כמות מישקעי-שלג
snowfield *n.* מישור מכוסה שלגי-עד
snowflake *n.* פתית-שלג
snow job גוזמה, הבאי, הבל
snow-line *n.* קו-השלג (שמעלה הימנו אין השלג נמס לעולם)
snowman *n.* בובת-שלג, איש-שלג
snow′mo·bile′ (snō′-bēl′) *n.* רכב שלג
snowplow *n.* דחפור-שלג, מפלסת
snowshoe *n.* נעל-שלג (להליכה בשלג)
snowstorm *n.* סופת-שלג
snow-white *adj.* לבן כשלג, צח, צחור
snowy *adj.* מושלג, מכוסה שלג; לבן כשלג
- snowy weather מזג-אוויר שלוג
Snr = senior
snub *v&n.* להתייחס בזילזול; לדחות בגסות, להתעלם מ-; זילזול; השפלה
snub *adj.* (אף) סולד, קצר, פחוס
snub-nosed *adj.* בעל אף סולד; (אקדח) קצר-קנה
snuff *v.* למחוט, לסלק מוחט הנר, לחתוך קצה הפתילה (השרוף)
- snuff it *למות
- snuff out לכבות; לשים קץ ל-; למות
snuff *n.* טאבאק-ריחה, אבקת הרחה
- up to snuff *פיקח, ממולח, לא ילדותי; בקו הבריאות; ברמה טובה
snuff = sniff *n&v.* לרחרח, לשאוף באף; ריחרוח, שאיפה באף
snuff-box *n.* קופסת-טבק, טבקייה
snuff-colored *adj.* חום-צהוב (כטבק)
snuff′er *n.* התקן לכיבוי נרות (דמוי-פעמון)
- snuffers מיספרי-מוחט (לסילוק קצה הפתילה השרוף)
snuf′fle *v.* לשאוף בחוטם, להעלות ריר האף; לחטום, לאנפף
snuffle *n.* שאיפה בחוטם, חיטום, אינפוף; צביעות
snug *adj.* חם, נוח, נעים; בטוח, מוגן; נקי, מסודר; צמוד, מהודק לגוף
- snug income הכנסה מספקת
snug *n.* חדר קטן (במיסבאה)
snug-fitting *adj.* צמוד, מהודק לגוף
snug′gery *n.* מקום נוח, חדר נעים
snug′gle *v.* להתרפק, לשכב בנוחות, להצטנף, להתקרב; לחבק, לקרב

so *adv&conj.* כך, ככה; כה, כל כך; כן, כמו כן; מאוד; ובכן; על כן, לכן
- a month or so חודש בערך
- and so on/forth וכו', וכד', וגו'
- if so אם כך, אם (אמנם) כן
- is that so? האומנם?
- it so happened that אינה הגורל, רצה המיקרה, יצא ש-
- not so - as לא כל כך, לא עד כדי
- not so much as אפילו לא
- or so בערך, פחות או יותר
- so as to כך ש-, כדי ש-, באופן ש-
- so be it יהי כן, בסדר
- so far as I know למיטב ידיעתי
- so far from במקום ש-, לא זו בלבד שלא-, אדרבה, רחוק מ-
- so long as כל זמן ש-, כל עוד
- so long! שלום! להתראות!
- so much לגמרי, כליל, גרידא
- so much for him זה הכל לגביו
- so much so that עד כדי כך ש-
- so much the better מוטב כך
- so much/many כך וכך, מיספר מוגבל
- so that כך ש-; כדי ש-
- so to say/speak אם להתבטא כך, "הייתי אומר"
- so what? ובכן מה? אז מה?
so, soh (sō) *n.* סול (צליל)
So. = South
soak *v.* לשרות; להישרות; להספיג; להטביל; לגבות מחיר מופרז, לסחוט
- soak in להיקלט, להיות מובן
- soak oneself in להשקיע עצמו ב-
- soak out לסלק (ליכלוך) בשרייה
- soak through לחלחל, לחדור בעד
- soak up לספוג (נוזלים, מכות)
- soaking wet רטוב עד העצמות
soak *n.* שרייה, הספגה; *שיכור, שתיין
soaked *adj.* רטוב לגמרי; רווי, מלא, ספוג, אפוף; *שתוי, בגילופין
- soaked to the skin רטוב עד העצמות
soaker *n.* *גשם כבד, מבול; שיכור
so-and-so *n.* פלוני, זה וזה; *רשע, גס
soap *n&v.* סבון; לסבן; *להחניף
- no soap *ללא הצלחה, ללא הועיל
soapbox *n.* דוכן נואם (מאולתר)
soapbox orator נואם רחוב
soap bubble בועת סבון
soap flakes פתיתי סבון
soap opera אופרת סבון (סידרה המשכית של מחזה סנטימנטלי)
soap-suds *n-pl.* קצף סבון, מי-סבון
soapy *adj.* סבוני, מכיל סבון; חלק-לשון, מחניף; מלודרמאטי
soar *v.* להמריא, להרקיע שחקים; לרחף במרומים, לדאות; לעלות, לנסוק
soaring *adj.* רם, מתנשא, מרקיע
- soaring imagination דימיון מפליג
soaring flight דאייה
sob *v&n.* להתייפח, לייבב; התייפחות
- sob one's heart out להתייפח מרה
- sob out לספר אגב התייפחות
- sob to sleep להירדם תוך בכי
so'ber *adj.* פיכח, צלול-דעת, לא שתוי; רציני, מיושב; שקט, מאופק
sober *v.* לפכח; לצלל דעת; להתפכח
- sober down/up לפכח; להתפכח
sober-minded *adj.* מפוכח, צלול
sobri'ety *n.* פיכחון, צלילות-דעת
so'briquet' (-kā) *n.* כינוי, שם-לוואי
sob story סיפור סוחט דמעות
sob stuff ספרות סוחטת דמעות
Soc. = Society, Socialist
so-called *adj.* הַמְכוּנֶה, הנקרא; כביכול, במרכאות, המפוקפק
soc'cer (sok'ər) *n.* כדורגל
so'ciabil'ity (-shəb-) *n.* חברותיות
so'ciable (-shəb-) *adj&n.* חברותי, איש חברה; מסיבה
so'cial *adj&n.* חברתי, סוציאלי; ידידותי, של רעים; של מעמד חברתי; מסיבה
- social evening ערב בין רעים
- social set בני אותו מעמד חברתי
social climber טפסן חברתי, שואף להתקדם בחברה
social club מועדון חברים
social democrat סוציאל-דמוקראט
socialism *n.* סוציאליזם, שתפנות
socialist *n&adj.* סוציאליסט; סוציאליסטי
so'cialite' (-shəl-) *n.* איש החוג הנוצץ
so'cializa'tion (-shəl-) *n.* חיברות, הַחְבָּרָה
so'cialize' (-shəl-) *v.* לחברת, להלאים; להקנות ערכי חברה; להתרועע
socialized medicine רפואה ציבורית
social science/studies מדעי החברה
social security ביטוח לאומי; עזרה סוציאלית
social service עבודה סוציאלית; שירותים ציבוריים, שירותי רווחה
social welfare עבודה סוציאלית, רווחה חברתית
social work עבודה סוציאלית
social worker עובד סוציאלי
soci'etal *adj.* של חֶבְרָה
soci'ety חֶבְרָה; החברה הגבוהה, החוג הנוצץ; חוג, מועדון
- in the society of בחוג-, בחברת-
society occasion אירוע בחוג הנוצץ
so'cio (-shō) סוציו-, של חברה
so'cio•e'conom'ic (-shō-) *adj.* חברתי-כלכלי
so'ciolog'ical *adj.* סוציולוגי
so'ciol'ogist *n.* סוציולוג
so'ciol'ogy *n.* סוציולוגיה
sock *n.* גרב, מידרס; *מכה, מהלומה
- blow one's socks off להדהים
- pull one's socks up לסדר עצמו, לשנס מותניו
- put a sock in it! *הס! חדל לקשקש!
- take a sock at לכוון מכה לעבר
sock *v.* להכות, להלום; להטיל, להשליך
- sock away לחסוך, להשקיע
- sock it to him! תן לו מנה הגונה!
sock *adv.* *היישר, בדיוק, בעוצמה
sock'et *n.* בית, בית-נורה; שקע, חלל, חור, ארובת-העין
Soc'rates (-tēz) *n.* סוקראטס
Socrat'ic *adj.* סוקראטי
sod *n.* עשבה, אדמת-עשב; פיסת עשבה

sod *n&v.* *ברנש, טיפש, "חזיר"; סדומי
- not care a sod לא איכפת כלל
- sod it! לעזאזל! לכל הרוחות!
- sod off! הסתלק! עוף מפה!
- under the sod מת, בקבר
so′da *n.* סודה; גזוז; מי-סודה
- baking soda סודת-אפייה
- washing soda סודת-כביסה
soda biscuit/cracker אפיפית חלבית
soda fountain דלפק-משקאות
soda jerk מוכר גזוז
so·dal′ity *n.* אחווה, אגודה, חברה
soda pop משקה תוסס, גזוז
soda water מי-סודה
sod′den *adj.* רווי, ספוג, לח, רטוב; בצקי, לא אפוי; שתוי, מטומטם
so′dium *n.* נתרן (מתכת)
sodium carbonate נתרן פחמתי, סודת כביסה
sodium chloride מלח-הבישול
sod′omite′ *n.* עושה מעשה-סדום
sod′omy *n.* מעשה-סדום
Sod's Law = Murphy's Law
so·ev′er *adv.* כלשהו, (מי) שלא יהיה
- howsoever איך שלא יהיה
- in any way soever בכל דרך שהיא
so′fa *n.* ספה
soft (sôft) *adj.* רך; חלק; עדין; נעים, נוח; שקט, חרישי; רפה; *מטורף, מאוהב
- soft C סי רכה (המבוטאת כ-אס)
- soft G ג'י רכה (המבוטאת כ-ג'יי)
- soft answer מענה רך, תשובה מתונה
- soft breeze בריזה קלה, רוח קלה
- soft drink משקה קל (לא חריף)
- soft goods בדים, אריגים
- soft heart לב רך, לב רחום
- soft in the head רפה-שכל
- soft job ג'וב קל/מכניס
- soft light אור נעים (לא מסנוור)
- soft on- ידו רכה כלפי-
- soft tongue לשון רכה, רכות
- soft water מים רכים
soft-back/-cover *adj.* רך-כריכה
softball *n.* כדור-בסיס רך (מישחק)
soft-boiled egg ביצה רכה
soft-centered בעל מילוי רך; רך-לבב, רגיש
soft coal פחם ביטומני
soft currency מטבע רך, כסף לא יציב
soft drugs סמים רכים (לא קשים)
soft′en (sôf′ən) *v.* לרכך; להתרכך
- soften up לרכך (בהרעשה)
softener *n.* חומר מרכך, מרכך מים
softer sex המין החלש, המין היפה
soft-footed *adj.* פוסע בעדינות, טפוף-צעד
soft fruit פרי רך (חסר גלעין)
soft furnishings כלי-בד, וילונות, רָפֶד
soft-headed *adj.* רפה-שכל, אידיוטי
soft-hearted *n.* רך-לבב, רחום
soft′ie (sôf′ti) *n.* רכרוכי, טיפש
softish *adj.* רכרך, רך כלשהו
soft landing נחיתה רכה (של חללית)
soft line קו רך, מתינות
softly *adv.* ברוך, בנחת
softness *n.* רכות, עדינות
soft option ברירה הכרוכה במעט עבודה
soft palate החיך הרך, וילון
soft pedal דוושת העימעום (בפסנתר)
soft-pedal *v.* להמעיט ערכו, לבטל חשיבותו, לטשטש, לעמעם, למתן
soft sell מכירה בשיכנוע עדין
soft soap סבון נוזלי; חנופה
soft-soap *v.* להחניף
soft solder לחם (מתכת-הלחמה) רך
soft-spoken *adj.* רך-לשון, נעים-דיבור
soft touch *טרף קל, פראייר
software *n.* תוכנה
soft-witted *adj.* רפה-שכל
softwood *n.* עץ רך
softy *n.* רכרוכי; טיפש, פתי
sogginess *n.* רטיבות
sog′gy *adj.* רטוב, ספוג מים; חסר-חיים
soigne (swänyā′) *adj.* מסודר, מטופח, מצוחצח, לבוש בקפידה
soil *n.* אדמה, קרקע; ליכלוך; צואה
- good/poor soil עידית/זיבורית
- native soil מולדת, מכורה
soil *v.* ללכלך, לזהם; להתלכלך
- soil his reputation להכפיש שמו
soiled *adj.* מלוכלך, מזוהם, מגואל
soiree (swärā′) *n.* מסיבה, נשף
so′journ (-jûrn) *v&n.* להתגורר זמנית, לשהות; התגוררות; שהייה
sol (sōl) *n.* סול (צליל); השמש, החמה
sol′ace (-lis) *n&v.* נחמה, מקור-נחמה, עידוד, הקלת סבל; לנחם, למצוא נחמה
so′lar *adj.* סולארי, שמשי, של השמש
solar cell תא סולארי, תא-שמש, מיתקן להפקת חשמל מאנרגיית השמש
solar eclipse ליקוי חמה
solar energy אנרגיה סולארית
solar heater דוד שמש
solar′ium *n.* חדר-שמש, חדר-זכוכית
solar panel קולט שמש (בחללית)
solar plexus מקלעת חלל הבטן
solar power אנרגיית השמש
solar system מערכת השמש
solar year שנת החמה, שנה שמשית
so·la′tium (-′shiəm) *n.* פיצוי, דבר נחמה
sold = p of sell (sōld)
sol′der (sod′-) *n.* לְחָם, מתכת-הלחמה
solder *v.* להלחים, להדביק בלְחָם
soldering iron מַלְחֵם
sol′dier (sōl′jər) *n.* חייל, איש-צבא
- private soldier טוראי
- soldier in the cause of לוחם למען
- soldier of fortune שכיר-חרב
soldier *v.* לשרת בצבא
- soldier on להמשיך חרף הקשיים
soldiering *n.* חיי המשרת בצבא
soldier-like *adj.* כמו חיל, אמיץ
soldierly *adj.* אמיץ, בן-חיל
soldiery *n.* חיילים, אנשי-צבא
sole *n.* סוליה; כף הרגל
sole *v.* להתקין סוליה, לתפור סוליה
sole *n.* סנדל, דג-משה-רבינו, סול
sole *adj.* יחיד; בלעדי, בלבדי
sol′ecism′ *n.* טעות-לשון, שגיאה דיקדוקית; הפרת כללי התנהגות, מישגה

-soled (נעל) בעלת סוליה
- rubber-soled בעלת סולית גומי
solely *adv.* אך ורק, בלבד, גרידא
sol′emn (-m) *adj.* טקסי, חגיגי; קדוש, מעורר כבוד; רציני; חמור-סבר
- solemn duty חובה קדושה
- solemn warning אזהרה חמורה
solem′nity *n.* חגיגיות; טקס חגיגי; קדושה; רצינות
sol′emniza′tion *n.* חגיגה, עריכת טקס; הרצנה
sol′emnize′ *v.* לחוג, לטקס, לערוך טקס; להעניק צביון חגיגי, להרצין
solemnly *adv.* חגיגית, ברצינות, בהן צדק
sol-fa *n.* סול-פה (שימוש בהברות דו-רה וכ׳ לייצוג צלילים)
sol•feg′gio (-fej′ō) *n.* סולפג׳, סולמיזציה
solic′it *v.* לבקש; לחזור אחרי, להפציר; (לגבי זונה) להציע גופה, לשדל; להזמין
solic′ita′tion *n.* בקשה, חיזור, הפצרה; שידול לקוח
solic′itor *n.* מבקש, מחזר (אחרי לקוחות/בוחרים); עורך-דין (זוטר)
solicitor general פרקליט המדינה
solic′itous *adj.* דואג ל-, חרד ל-; להוט, חפץ, משתוקק
solic′itude′ *n.* דאגה, חרדה; השתוקקות
sol′id *adj.* מוצק, קשה; מלא, לא חלול; חזק, איתן; מבוסס; רציני, שקול; סולידי; אחיד; תלת-ממדי
- 2 solid hours שעתיים תמימות
- solid argument טיעון/נימוק מבוסס
- solid backing תמיכה מאוחדת
- solid for/on/against תמימי-דעים/פה אחד/כאיש אחד בעד/נגד
- solid gold זהב טהור
- solid line of people שורה רצופה של אנשים (ללא רווחים ביניהם)
- solid word מלה אחידה (חסרת-מקף)
solid *n.* חומר מוצק; מזון מוצק; גוף תלת-ממדי
sol′idar′ity *n.* סולידאריות
solid geometry הנדסת המרחב
solid′ifica′tion *n.* מיצוק, גיבוש
solid′ify′ *v.* למצק, לעשות למוצק; לגבש; להתמצק
solid′ity *n.* מוצקות, איתנות, יציבות
solid-state *adj.* פועל על סגולות חומר מוצק
sol′idus *n.* קו נטוי, לוכסן
solil′oquize′ *v.* לשאת מונולוג, לנאום לעצמו, להרהר בקול
solil′oquy *n.* מונולוג, חד-שיח; הירהור בקול
sol′itaire′ *n.* פסיאנס, מישחק קלפים ליחיד; תכשיט בעל יהלום
sol′itary *adj&n.* בודד, מתבודד, גלמוד; מבודד, נידח; אחד ויחיד
solitary *n.* נזיר; מתבודד; *צינוק
solitary confinement השלכה לצינוק
sol′itude′ *n.* בדידות; מקום נידח
sol′miza′tion *n.* סולמיזציה
so′lo *n.* סולו, יצירה ליחיד; מיבצע יחיד; מישחק קלפים דמוי-ויסט
solo *adj&adv.* של סולו; ללא ליווי
solo *v.* לבצע (טיסת) סולו
so′lo•ist *n.* סוליסט, סולן
Sol′omon *n.* שלמה (המלך)
So′lon *n.* סולון, מחוקק חכם
sol′stice (-tis) *n.* זמן ההיפוך, מיפנה השמש, סולסטיס
- summer solstice היפוך הקיץ (ב-21/6)
- winter solstice היפוך החורף (ב-22/12)
sol′u•bil′ity *n.* מסיסות; פתירה
sol′u•ble *adj.* מסיס, עשוי להימס; פתיר
solu′tion *n.* פיתרון, פתירה; תשובה; תמיסה; המסה
solvable *adj.* פתיר, ניתן לפתרו
solve *v.* לפתור, לפענח
sol′vency *n.* כושר פירעון; מסיסות
sol′vent *adj.* בעל כושר פירעון; מסיס; ממוגג, ממס; חומר ממס
solvent abuse שאיפת חומר נדיף, הרחת דבק
So•ma′lia (-mä′-) *n.* סומליה
som′ber *adj.* קודר, אפל; עצוב, מדוכדך
sombrer′o (-rār′ō) *n.* סומברררו (מיגבעת)
some (sum) *adj&adv&pron.* קצת, מעט; כמה, אחדים; מסוים, איזה-שהוא; בערך; *מצוין, כהלכה
- and then some ועוד, ויותר מכך
- for some time לזמן-מה; לפרק זמן ניכר
- go some way ללכת כיברת דרך
- some 20 or 30 כעשרים-שלושים
- some 30 years ago לפני כ-30 שנה
- some friend he is! גם כן ידיד! אוי לי מידיד כזה!
- some of these days באחד הימים
- some other time בזמן אחר
- some place or other היכן שהוא
- some say אומרים, הפיתגם אומר-
somebody *pron.* מישהו; אישיות
someday *adv.* באחד הימים, בעתיד
somehow *pron.* איכשהו, בדרך כלשהי; מסיבה כלשהי, לא ברור למה
- somehow or other איכשהו
someone *pron.* מישהו
someplace *adv.* *איפשהו, היכן שהוא
som′ersault′ (sum-) *v&n.* (לעשות) סאלטה, קפיצת התהפכות; גילגול באוויר
something *pron&adv.* משהו; משהו/מישהו חשוב
- has something going for him יש לו משהו מיוחד, בעל קשרים
- made something of himself עשה מעצמו משהו, הצליח
- make something of it *להתחיל לריב על כך, לעשות מזה "עסק"
- or something או משהו דומה
- see something of him לראותו מדי פעם
- something of a במידה מסוימת, במידת-מה, משהו, מעין
- something to do with קשור ל-
- that's something else again זה משהו אחר
- that's something! זה משהו! אין זה דבר של מה-בכך
- there is something in it יש בזה משהו, יש דברים בגו

sometime *adv&adj.* באחד הימים,
פעם (בעבר/בעתיד); לשעבר, בעבר
- sometime actor שחקן לשעבר
sometimes *adv.* לפעמים, לעתים
someway *adv.* איכשהו
somewhat *adv.* משהו, במשהו,
במידת-מה, קצת
- more than somewhat במידה רבה
- somewhat of a- משהו, מעין;
במידת-מה, במידה מסוימת
somewhere *adv.* במקום כלשהו, היכן
שהוא, איפשהו, אנשהו, אישהו, אישם
som•nam′bu•lism′ *n.* סהרוריות
som•nam′bu•list *n.* סהרורי
som•nif′erous *adj.* מרדים, גורם שינה
som′nolence *n.* רדימות, נטייה לשינה
som′nolent *adj.* רדים, מנומנם; מרדים
son (sun) *n.* בן
- favorite son מועמד לנשיאות
- son of a bitch בן-כלבה, בן-זונה*
- son of the soil בן-אדמה, איש-אדמה
- the Son ישו הנוצרי
so′nar *n.* סונאר (מיתקן תת-מימי)
sona′ta (-nä-) *n.* סונאטה (במוסיקה)
son et lumiere (sonālōō′myûr) *n.* חיזיון
אור-קולי
song (sông) *n.* שיר; שירה; מנגינה
- burst into song לפצוח בשיר
- for a song בזיל הזול
- nothing to make a song about דבר
קל ערך, לא צריך להתלהב ממנו
- on song ממש מצויין*
- song and dance שטויות, הבלים
songbird *n.* ציפור-שיר
song-book *n.* ספר שירים
Song of Songs שיר השירים
song′ster (sông-) *n.* זַמָּר; משורר;
ציפור-שיר
song′stress (sông-) *n.* זמרת; משוררת;
ציפור-שיר
son′ic *adj.* קולי, של גלי/מהירות הקול
sonic boom/bang בום על-קולי
son′-in-law′ (sun′-) *n.* חתן, בעל הבת
son′net *n.* סוֹנֶטָה, שיר-זהב
son′ny (sun′i) *n.* ילד, ילדי, בני*
sonor′ity *n.* צוללות, בהירות הצליל
sonor′ous *adj.* מצלצל, עמוק, רם, מלא;
רב-רושם
son′sy *adj.* נאה, שמנמונת, עליזה
soon (sōōn) *adv.* מיד, בקרוב, בתוך זמן
קצר, מהר; במהרה, בהקדם, מוקדם
- I'd just as soon הייתי מוכן/חפץ באותה
מידה ל-, הייתי מעדיף
- I'd sooner die than marry her אעדיף
למות מאשר להתחתן עמה
- as soon as מיד לאחר ש-, ברגע ש-, אך
- as soon as not בחפץ לב
- as soon as possible בהקדם האפשרי
- at the soonest לכל המוקדם
- no sooner had I seen her than- אך
ראיתיה והנה/וכבר-
- no sooner said than done הדבר נעשה
תוך-כדי-דיבור/מיד
- soon after- מיד לאחר-
- sooner or later במוקדם או במאוחר
- the sooner the better מוטב מהר ככל
האפשר
- too soon מהר מדיי, מוקדם מדיי
soot *n&v.* פיח; לפייח, לכסות בפיח
sooth (sōōdh) *n.* אמת
- in sooth באמת, באמונה
soothe (sōōdh) *v.* להרגיע, לשכך
soothsayer *n.* מגיד עתידות
soot′y *adj.* מפויח, שחור כפיח
sop *v.* להטביל, לשרות, להספיג, להרוות
- sop up לספוג, לקלוט נוזלים, לנגב
sop *n.* חתיכת לחם שרויה; מזון ספוג
נוזלים; שוחד; מינחת פיוס
- sop to Cerberus שוחד, מתנת-פיוס
soph′ism′ *n.* סופיזם, פלפלנות כוזבת
soph′ist *n.* סופיסט, פלפלן, חכמן
sophis′ticate *adj.* מתוחכם, רב-ניסיון
sophis′ticate′ *v.* להתפלפל; לסבך
sophis′tica′ted *adj.* מתוחכם, מסובך,
מורכב; חריף, מפולפל; בקי
בארחות-חיים
sophis′tica′tion *n.* סופיסטיקציה
soph′istry *n.* פלפלנות; סופיזם, הטעאה
soph′omore′ *n.* תלמיד השנה השנייה
sop′orif′ic *adj&n.* (חומר) מרדים
sop′ping *adj&adv.* (רטוב) לגמרי
sop′py *adj.* רטוב מאוד; טיפשי, רגשני
sopran′o *n.* סופראנו (קול)
sor′bet = sherbet גלידת-פירות
sor′cerer *n.* מכשף, קוסם, מג
sor′ceress *n.* מכשפה, קוסמת
sor′cery *n.* כישוף; מעשה-כשפים
sor′did *adj.* מלוכלך, מטונף; נבזה, שפל;
גס, אנוכיי
sore *adj&adv.* כואב; מכאיב, מצער;
עצוב, עגום; נפגע; (באופן) חמור, קשה
- I'm sore כואב לי, גופי כואב
- feel/get sore להיפגע, לכעוס
- sight for sore eyes מחזה משיב נפש
- sore spot נקודה עדינה, נושא כאוב
- sore subject נושא רגיש/כאוב
sore *n.* פצע, דלקת; נושא כאוב
sorehead *n.* נוח לכעוס, רגזן
sorely *adv.* באופן חמור, מאוד, ביותר
sore point נושא כאוב
sor′ghum (-g-) *n.* דורה, עסיס-דורה
soror′ity *n.* מועדון סטודנטיות
sor′rel *n.* חומעה (צמח), חמציץ
sorrel *n.* (סוס) חום-אדמדם
sor′row (-ō) *n&v.* צער, עצב; צרה;
מקור-צער, גורם סבל; להצטער, להתאבל
sorrowful *adj.* עצוב, מצטער; מצער
sor′ry *adj.* מצטער; עצוב; מתחרט, עלוב,
אומלל, מעורר חמלה
- I'm sorry אני מצטער, צר לי
- feel/be sorry for him לרחם עליו
- sorry condition מצב עלוב
- sorry! אני מצטער! סליחה?
sort *n.* מין, סוג; אדם, ברנש, טיפוס
- after a sort במידה מסוימת
- it takes all sorts קיימים כל מיני*
טיפוסים
- of a sort/of sorts מסוג נחות
- out of sorts לא חש בטוב; מצוברח
- sort of במידת-מה, משהו, כעין*
sort *v.* למיין, לסווג; לברור
- sort ill/well with (לא)

להלום/להתאים/לעלות בקנה אחד עם

- sort out למיין; לברור; לפתור, לסדר, להסדיר, לטפל ב-

sorter *n.* מַיָּן, ממיין, מְסַוֵּג

sor'tie *n.* גיחה, יציאה, התקפה

sort-out *n.* סידור, טיפול

SOS אס או אס! הצילו! קריאת עזרה

so-so *adj&adv.* ככה-ככה, לא הכי טוב

sot *n.* שיכור, שתיין, מטומטם

sot'tish *adj.* שיכור, מטומטם מיין

sot'to vo'ce (-vō'chi) *adv.* בחצי קול, בלחש

sou (so͞o) *n.* סו, מטבע פחות-ערך

- hasn't a sou חסר כל, מרושש

sou·brette' (so͞obret') *n.* שובבנית

soubriquet = sobriquet

souffle (so͞oflā') *n.* תפיחה, תפיחית, סופלה, מאפה-ביצים וגבינה

sough (sou) *n&v.* רישרוש; לרשרש

sought = p of seek (sôt)

sought-after *adj.* מבוקש, נדרש

soul (sōl) *n.* נפש, נשמה, רוח; איש; התגלמות, מופת; לב, רגש עמוק; שירי נשמה

- 70 souls 70 נפש, 70 איש

- dear soul נשמה יקרה, "מלאך"

- has no soul חסר-לב, אנוכיי

- his novels lack soul סיפוריו נטולי "נשמה"

- sell one's soul למכור את נשמתו

- the life and soul of הרוח החיה ב-

- the soul of integrity התגלמות התום

- upon my soul! חי נפשי!

soul *adj.* *כושי, של כושים

- soul brother/sister כושי/כושית

soul-destroying *adj.* מדכא-רוח, משעמם

soulful *adj.* מלא-רגש, מביע רגש

soulless *adj.* נטול-רגש, חסר-לב

soulmate *n.* ידיד נפש

soul music מוסיקה כושית, שירי נשמה

soul-searching *n.* חשבון הנפש

soul-stirring *adj.* מלהיב, מרגש

sound *n.* קול, צליל, נימה; הגה

- consonant sound עיצור, צליל עיצורי

- vowel sound תנועה, צליל תנועי

- within the sound of בטווח קול

sound *v.* להישמע; ליצור רושם; לצלצל; להשמיע; לתקוע; לבדוק; להאזין; לבטא; לפרסם

- it sounds- זה מצלצל/נשמע כ-

- sound a chest לבדוק את בית-החזה

- sound a trumpet/horn לחצצר/לצפור

- sound off לבטא בקול, להטיח נגד

sound *v.* למדוד עומק (המים, בגשוש), לבדוק (ע"י כדור פורח)

- sound out למשש הדופק, לעמוד על טיבו, לתהות על קנקנו

sound *adj&adv.* בריא, שלם; חסון, חזק; הגיוני, שפוי; שקול; מבוסס; יעיל

- sound asleep ישן שינה עמוקה

- sound character אופי הוגן

- sound investment השקעה בטוחה

- sound mind דעה שפויה

- sound thrashing מכה הגונה, תבוסה

sound *n.* מיצר, מיצר-ים

sound archives ארכיון מישדרים

sound barrier מחסום הקול

sound bite קטע קצר מראיון

sound box תיבת-תהודה

sound effects אפקטים קוליים

sound film סרט קול

sounding balloon כדור פורח (לבדיקות באטמוספירה)

sounding board לוח-תהודה (מאחורי הנואם); אמצעי להפצת רעיונות

sounding line גשוש, חבל-מדידה

sounding rod גשוש, מוט-מדידה

soundings *n-pl.* בדיקות-עומק; מידות עומק; קירבת החוף

soundless *adj.* חסר-קול; עמוק, תהומי

soundproof *adj&v.* אטים-קול; לאטם, לעשות בלתי-חדיר לקול

sound recording הקלטת קול

sound system מערכת קול/צלילים

sound track פסקול; רצועת הקול

sound waves גלי קול

soup (so͞op) *n&v.* מרק

- from soup to nuts *מא' ועד ת'

- in the soup בצרה, בבוץ, בתיסבוכת

- soup up להגביר עוצמת מנוע, להתקין מדחס-גידוש; לעשותו מעניין

soupcon (so͞opsōn') *n.* שמץ, משהו

soup kitchen בית-תמחוי

soupy (so͞o'pi) *adj.* כמו מרק; רגשני

sour *adj.* חמוץ; רוגז, חמוץ-פנים

- go/turn sour להחמיץ; לאכזב

sour *v.* להחמיץ; להפוך מר-נפש

- sour on לשנות דעתו לגבי, להתנגד

sour *n.* ויסקי עם לימון וסוכר

source (sôrs) *n.* מָקוֹר; מוֹצָא, ראשית

- sources מקורות, צינורות-מידע; חומר מקורי (למחקר)

sour cream שמנת חמוצה

sourdough *n.* מחמצת, שאור; מחפש זהב

sour'ish *adj.* חמצמץ

sour'puss (-poos) *n.* *חמוץ-פנים

sou'saphone' (so͞oz-) *n.* סוזאפון (כלי נשיפה)

souse *v.* לשרות, להרטיב, לטבול, להרוות, להספיג; לכבוש, לשמר (דג)

soused *adj.* *שיכור, מבוסם

soutane (so͞otän') *n.* גלימת-כומר

south *n&adj&adv.* דרום; דרומי; דרומה

South Africa דרום אפריקה

south'bound' *adj.* נוסע דרומה, מדרים

south'east' *n&adj&adv.* דרום-מזרח; דרום-מזרחי; דרומה-מזרחה

south'east'er *n.* רוח דרום-מזרחית

south'east'erly *adj.* דרום-מזרחי

south'east'ern *adj.* דרום-מזרחי

south'east'ward *adv.* דרומה-מזרחה

south'erly (sudh-) *adj.* דרומי

south'ern (sudh-) *adj.* דרומי

south'erner (sudh-) *n.* דרומי

southern lights זוהר דרומי

southernmost *adj.* הדרומי ביותר

south'paw' *n.* ספורטאי שמאלי; *איטר

south pole קוטב דרומי

south'ward *adv.* דרומה

south'west' *n&adj&adv.* דרום-מערב; דרום-מערבי; דרומה-מערבה

south'west'er *n.* רוח דרום-מערבית

south'west'erly *adj.* דרום-מערבי

south'west'ern *n.* דרום-מערבי

south'west'ward *adv.* דרומה-מערבה

sou'venir' (sōōvənēr') *n.* מזכרת

sou'west'er *n.* כובע חסין-מים

sov'ereign (-rən) *n.* שליט, מלך; סוברן, מטבע-זהב

sovereign *adj.* ריבוני, עצמאי, סוברני; נפלא, מצוין, (תרופת) פלא

sovereignty *n.* סוברניות, ריבונות

so'viet' *n&adj.* מועצת-פועלים; סובייט; סובייטי, של ברית-המועצות

so'vietize' *v.* לעשות לסובייטי

sow (sō) *v.* לזרוע; לפזר, להפיץ

- sow hate לזרוע שינאה

sow (sou) *n.* חזירה

sox = socks גרביים

soy *n.* סויה, פולי-סויה

soy bean פול-סויה

soy sauce רוטב-סויה, סויה תסוסה

soz'zled (-ld) *adj.* *שיכור כלוט

spa (spä) *n.* אתר-מרפא; מעיין מים מינראליים; ספא

space *n.* חלל, מרחב; רווח, מרחק, מירווח; מקום; פרק-זמן, תקופה

- open space שטח פנוי/לא בנוי

space *v.* לְרַוֵּחַ, לסדר ברווחים

- space out לפזר, לשים רווחים בין

space age עידן החלל

space bar מקש-הרווחים, מבהן

spacecraft *n.* חללית

spaced out *מסומם

space heater מיתקן חימום, תנור

space helmet/suit קסדת/חליפת חלל

spaceman *n.* איש חלל

space probe חללית מחקר

spaceship *n.* חללית, ספינת חלל

space shuttle מעבורת חלל

space station תחנת חלל

space vehicle רכב חלל

space walk הליכה בחלל, פעילות מחוץ לחללית

spacey *adj.* מרווח, רחב

spacing *n.* רִיווּחַ (בין שורות)

- single/double spacing הדפסה בריווח רגיל/כפול

spa'cious (-shəs) *adj.* מְרוּוָח, רחב

spade *n.* את-חפירה; (בקלפים) עלה, פיק; *שחור, כושי

- call a spade a spade לדבר ברורות

spade *v.* לחפור/לעבוד באת

spadeful *n.* מלוא האת

spade-work *n.* עבודת הכנה מפרכת

spaghet'ti (-g-) *n.* ספאגטי, אטריות

spaghetti junction מחלף רב-מפלסי

spaghetti western מערבון ספאגטי

Spain *n.* ספרד

spake = pt of speak (ארכאי)

spam *n.* ספאם, בשר חזיר מתובל; לוף

span *n.* סיט, זרת (כ-23 ס"מ); מימתח; מרחק (בין ירכתי-גשר/עמודי-מיקמרת); אורך, משך, תקופה; צמד

span *v.* לגשר, לעבור/להימתח מעל, לחצות; לכסות, להקיף, להשתרע; לזרת

span'gle *n.* דיסקית-עיטור, נצנצים

spangle *v.* לקשט בנצנצים; לנצנץ

Span'iard *n.* ספרדי

span'iel *n.* ספאנייל (כלב נמוך)

Span'ish *adj&n.* ספרדי; ספרדית

spank *v.* לסטור על הישבן, להכות; לפסוע/להפליג במהירות

spanking *n.* סטירות/מכות על הישבן

spanking *adj&adv.* מהיר, זריז; מצוין, כביר, חזק; מאוד; כליל

span'ner *n.* מפתח-ברגים

- throw a spanner in the works לתקוע מקל בגלגליו, לסכל תוכניתו

span roof גג דו-שיפועי

spar *n.* קורה, מוט-מיפרש; פצלת

spar *v.* להתאגרף, להתאמן; לחבוט מהלומות קלות; להתנצח, להתפלמס

spare *v.* לחוס על, לחמול, לא לפגוע; לחסוך; לקמץ; לוותר; להואיל לתת

- be spared להישאר בחיים
- can be spared אפשר לוותר עליו
- can you spare me 10 minutes? התוכל להקדיש לי 10 דקות?
- nothing was spared לא חסכו מאמצים
- spare his feelings להתחשב ברגשותיו
- spare his life לחוס על חייו
- spare me the details אל תיכנס לפרטים
- spare oneself לחסוך לעצמו (טירדה)
- to spare שארית, עודף

spare *adj.* נוסף, רזרבי, לעת הצורך; פנוי, מיותר; רזה, צנום; זעום, דל

- go spare *להתרגז, להתרתח
- spare time פנאי, שעה פנויה
- spare wheel גלגל רזרבי

spare *n.* תחליף, חלף; צמיג רזרבי

sparely *adv.* בצימצום, בדוחק

spare parts חלפים, חלקי חילוף

spare-part surgery *השתלת איברים

spare-rib *n.* צלע-חזיר

spare tyre צמיג רזרבי; *מותניים עבים, "צמיגים"

sparing *adj.* חסכני, מקמץ

spark *n.* ניצוץ, רשף, גץ; זיק, שביב; שמץ; ברנש עליז

- Sparks חשמלאי, מפעיל רדיו

spark *v.* לפלוט ניצוצות, לרשוף; להצית, לעורר, לדרבן

- spark off להוביל ל-, לגרום, לעורר

spar'kle *v.* לנצנץ, להבריק; לתסוס, לבעבע

- sparkle with wit להבריק בפיקחות

sparkle *n.* ניצוץ; ניצנוץ; הברקה

sparkler *n.* זיקוק-ניצוצות; *יהלום

sparkling *adj.* מבריק; תוסס, מבעבע

spark plug מצת (במנוע)

sparring *n.* התאגרפות; ציחצוח-מלים

sparring partner יריב-אימונים

spar'row (-ō) *n.* דרור (ציפור)

sparse *adj.* דליל, קלוש, לא צפוף

spar'sity *n.* דלילות, קלישות

Spar'tan *adj.* ספרטאני, גיבור, צנוע, חי בפשטות; פשוט, קשה

spasm (spaz'əm) *n.* עווית, התכווצות, התקף; התפרצות

spas·mod′ic (-z-) *adj.* עוויתי; לא-סדיר, לא-רצוף, פתאומי
spas′tic *n&adj.* חולה-עוויתות; *טיפש
spat *n.* מחפה, כסוי-רגל, בית-קרסול
spat *n&v.* ביצי-צדפות; לשרוץ
spat *n&v.* (לתת) סטירה קלה; ריב קל
spat = p of spit
spatch′cock′ *n&v.* עוף שבושל עם קטילתו; *להכניס, להוסיף מלים/קטעים
spate *n.* שטף, מספר רב, מבול
- in spate (נהר) זורם בשטף
spa′tial *adj.* מרחבי
spat′ter *v&n.* להתיז, להזות, לפזר, לטפטף; להינתז; התזה, הזאה; טיפטוף
spat′ula (-ch′-) *n.* מרית, כף-מריחה
spav′in *n.* תפיחת קרסול (בסוס)
spavined *adj.* צולע, סובל מקרסול נפוח
spawn *v.* לשרוץ; להוליד, להטיל ביצים
- spawn guesses להוליד ניחושים
spawn *n.* ביצי-דגים, פקעת-ביצים; תפטיר-פטריות
spay *v.* לעקר, לסרס
speak *v.* לדבר, לומר; להביע, לבטא; לנאום; להשמיע קול/צליל
- generally speaking באופן כללי, מבחינה כללית, במובן הכולל של המלה
- not to speak of שלא לדבר על, נוסף על
- nothing to speak of לא ראוי להזכירו, לא משהו מיוחד
- on speaking terms ביחסי דיבור, מדברים זה עם זה, מכירים זה את זה
- speak a piece לצטט קטע מהזיכרון
- speak for לדבר בשמו, לשמש לו דובר; להעיד על-, להוות עדות על-
- speak for oneself לדבר בשם עצמו
- speak out להתבטא בחופשיות/בגלוי
- speak to him לנזוף בו; לדבר ללבו, לעניינו, למשכו, לרתקו
- speak to the subject לדבר לעניין, להיצמד לנושא
- speak up לדבר בקול, להרים קולו
- speak volumes להעיד כמאה עדים
- speak well for להוות עדות בשבחו
- speaks for itself מדבר בעדו, ברור
- spoken for (סחורה) מוזמנת/שמורה
speak-easy *n.* חנות-משקאות מחתרתית
speaker *n.* נואם, דברן; דובר; יושב-ראש הפרלמנט; רמקול
speakership *n.* כהונת היושב-ראש
speaking *adj.* מדבר, דיבורי, קולי
- speaking likeness דימיון מרשים/רב-הבעה
speaking tube צינור דיבור (בספינה)
spear *n&v.* חנית; עלה מחודד; לדקור בחנית, לנעוץ, לשפוד; לנוע במהירות
spearhead *n.* כיתת-חוד, ראש-מחץ, חלוץ, ראש חנית
spearhead *v.* להוביל התקפה, להיחלץ ראשון
spearman *n.* חניתאי, נושא-חנית
spearmint *n.* נענה; גומי-לעיסה
spec *n.* ספקולציה, הימור, סיכון
- on spec (קניית מניות) בספקולציה
spe′cial (spesh′əl) *adj.* מיוחד, לא-רגיל, יוצא-דופן, ספציאלי
- special effects פעלולים (בסרט)
special *n.* רכבת מיוחדת; מונית ספיישל; שוטר מיוחד; הוצאה מיוחדת
- on special מיצרך השבוע (בחנות)
special delivery משלוח מיוחד (בדואר)
spe′cialism′ (spesh′əliz′əm) *n.* התמחות, מומחיות
specialist *n.* מומחה, ספציאליסט; רופא מומחה, מומחן
spe′cial′ity (spesh′ial′-) *n.* מומחיות, התמחות; ייחוד, מיוחדות, ספציאליות
spe′cializa′tion (spesh′əl-) *n.* התמחות, התמקצעות
spe′cialize′ (spesh′əl-) *v.* להתמחות, להתמקצע, להתרכז
specialized *adj.* מיוחד, של מומחיות
special license רשיון נישואים מיוחד
specially *adv.* במיוחד; באופן מיוחד
special pleading טיעון לא הוגן
special school בי״ס לחינוך מיוחד
spe′cialty (spesh′əl-) *n.* מומחיות, התמחות; ייחוד, מיוחדות, ספציאליות
spe′cie (-shi) *n.* מטבעות, מצלצלים
spe′cies (-shēz) *n.* מין, סוג; זן
- human species המין האנושי
spe·cif′ic *adj.* מדויק, מפורט; מיוחד, ספציפי; סגולי, פרטי, אופייני
specific *n.* תרופה מיוחדת
- specifics פרטים, דברים ספציפיים
specifically *adv.* מפורשות, ספציפית, במיוחד, בייחוד
spec′ifica′tion *n.* פירוט, ציון, תיאור; מיפרט, הוראות, ספציפיקציה
specific gravity מישקל סגולי
spec′ific′ity *n.* ספציפיות, ייחוד
spec′ify′ *v.* לפרט, לציין, לתאר; לכלול במיפרט
spec′imen *n.* דוגמה, מידגם (לבדיקה); פרט; דבר טיפוסי; דבר מגוחך; ברנש
- specimen page דף לדוגמה
spe′cious (-shəs) *adj.* נכון לכאורה, צודק למראית עין, הוגן כביכול, מזוייף
speck *n.* כתם זעיר, נקודה; שמץ
specked *adj.* מנומר, מנוקד, נקוד
speck′le *n.* נקודה, כתם זעיר
speckled *adj.* מנומר, נקוד
specs *n-pl.* *משקפיים
spec′tacle *n&adj.* מראה, מחזה, הצגה, מיפגן; של משקפיים
- make a spectacle of oneself להופיע בצורה נלעגת, להשתטות
- rose-colored spectacles משקפיים ורודים, ראייה אופטמית
- spectacles משקפיים
spectacled *adj.* ממושקף
spec·tac′u·lar *adj&n.* מרהיב-עין, מרתק, שובה-עין, ראוותני; הצגה, מחזה
spec′tate′ *v.* לצפות
spec′ta′tor *n.* צופה (בתחרות)
spectator sport ספורט לצופים
spec′ter *n.* רוח-רפאים, צל-בלהות
spec′tral *adj.* כמו רוח, של רפאים, מטיל אימה; ספקטראלי, של ספקטרום
spec′troscope′ *n.* ספקטרוסקופ
spec′trum *n.* ספקטרום, תחזית

- wide spectrum קשת רחבה, מיגוון
spec'u·late' *v.* לשקול, להרהר; לעיין, להתבונן; לספסר, לעסוק בספקולציות
spec'u·la'tion *n.* שיקול-דעת, הירהור, התבוננות; ספסרות, ספקולציה
spec'u·la'tive *adj.* עיוני, הסתכלותי; ספסרי, ספקולטיבי
speculator *n.* ספקולאנט, ספסר
sped = p of speed
speech *n.* דיבור; מיבטא, ניב; שפה, לשון; נאום, הרצאה
speech day יום הנאומים, יום חלוקת-התעודות
speech'ify' *v.* לנאום, "לקשקש"
speechless *adj.* נאלם, נטול-דיבור, דבקה לשונו לחיכו
speech therapy ריפוי עילגות
speech-writer *n.* כותב נאומים
speed *n.* מהירות; הילוך; *קוקאין
- at speed מהר, במהירות גבוהה
- low speed הילוך נמוך (ברכב)
- more haste - less speed מחיפזון ייצא רזון
speed *v.* למהר, לאוץ, לנוע/לנסוע במהירות; לחלוף; לשלח, לשגר
- God speed you! דרך צלחה!
- speed up לאוץ; להגביר תאוצה
speed-boat *n.* סירת-מנוע מהירה
speed bump פס האטה (בכביש)
speed-cop *n.* *שוטר-תנועה
speeder *n.* נוהג במהירות מופרזת
speedily *adv.* מהר, במהירות רבה
speed-indicator *n.* מד-מהירות
speeding *n.* נהיגה במהירות מופרזת
speed limit גבול המהירות המותרת
speed merchant *נוהג במהירות מופרזת, עבריין-תנועה
spee'do *n.* *מד-מהירות, ספידומטר
speedom'eter *n.* מד-מהירות, מד-אוץ
speed trap מכמונת מהירות, מארב משטרתי לעברייני תנועה
speed-up *n.* תאוצה, הגברת הקצב
speedway *n.* כביש מהיר; מסלול-מירוץ
speed'well' *n.* בירוניקה (צמח-נוי)
speedy *adj.* מהיר
spe'le·ol'ogist *n.* חוקר מערות
spe'le·ol'ogy *n.* חקר מערות; סיורי מערות
spell *n.* כישוף; מלות-קסם; הקסמה
- cast a spell on להקסים
- under a spell אחוז בחבלי-קסם
spell *n.* תקופה, פרק-זמן, תור, תורנות, משך-פעילות; התקף-מחלה
spell *v.* להחליף; למלא מקום
spell *v.* לאיית; לכתוב נכון; ליצור מלה; להביא ל-, להיות פירושו
- smoking spells death for him אם ימשיך לעשן - ימות
- spell out להסביר, לפרט; לקרוא באיטיות; לאיית, לאבגד
spellbind *v.* לרתק, להקסים
spellbinder *n.* נואם מרתק
spellbound *adj.* מרותק, מוקסם
spell-check *n.* בדיקת איות
speller *n.* מאיית, מאבגד
spelling *n.* איות, כתיב
spelling bee תחרות איות
spelt *n.* זן של חיטה
spelt = p of spell
spend *v.* להוציא, לשלם, לבזבז; לְכַלות, לצרוך; לְבַלות, להעביר
- spend an hour לבלות/להעביר שעה
- spend itself להתבזבז, לאזול
- spend money להוציא כסף, לבזבז
spender *n.* בזבזן, פזרן
spending money דמי-כיס, מעות-כיס
spendthrift *n.* בזבזן, פזרן
spent *adj.* עייף, סחוט; מנוצל, משומש
spent = p of spend
sperm *n.* זרע, תא-זרע, זרעון
sper'macet'i *n.* חֵלֶב לוויתן-הזרע
sper'matozo'a *n-pl.* תאי-זרע
sper'matozo'on *n.* תא-זרע, זרעון, חיזרע
sperm bank בנק זרע
sper'micide' *n.* קוטל זרע
sperm whale לוויתן-הזרע
spew (spū) *v.* להקיא; לפלוט; להיפלט
sphag'num *n.* ספאגנום, סוגי טחב
sphere *n.* כדור, גלובוס; כוכב; שמיים, גלגל; חוג, סביבה, היקף, סְפִירָה
- music of the spheres מוסיקת-הגלגלים, מוסיקת גרמי-השמיים
- sphere of influence תחום-השפעה
spher'ical *adj.* כדורי, עגול
sphe'roid *n.* ספירואיד, כדור אליפטי
sphinc'ter *n.* שריר פי-הטבעת
sphinx *n.* ספינקס; אדם-חידה
spic *n.* *מקסיקני, דובר ספרדית
spice *n&v.* תבלין; סממן, עקבות; לתבל
spiciness *n.* תבלין, תיבול
spick and span חדש, מצוחצח, מבריק
spi'cy *adj.* מתובל, של תבלין; פיקאנטי
spi'der *n.* עכביש; מחבת
spiderweb *n.* קורי עכביש
spi'derwort' *n.* יהודי נודד (צמח)
spidery *adj.* עכבישי; (כתב-יד) ארוך ודק, כרגלי עכביש
spied = p of spy
spiel (spēl) *n&v.* *נאום ארוך, שיחת-שיכנוע, סיפור; לדבר בשטף, לנאום, לספר
spiff'y *adj.* *מצויין, נאה
spig'ot *n.* מגופה, פקק; ברז
spike *n.* יתד, מסמר, חוד; נקודת-תפנית (בגראף); שיבולת
spike *v.* לתקוע יתדות; למסמר, לסמרר; לסכל; למהול במשקה חריף
spike heel עקב גבוה
spike'nard' (spīk'n-) *n.* נרד (צמח)
spi'ky *adj.* מחודד, בעל חודים; דוקרני; קשה לרצותו
spill *v.* לשפוך; להישפך; (לגבי סוס) להפיל רוכב; *לספר, להלשין; לגלות
- spill blood לשפוך דם
- spill over לגלוש, לעבור על גדותיו
spill *n.* שפיכה; נפילה; פיסת-נייר מגולגלת; גזר-עץ, קיסם
spillover *n.* עודף, גודש
spillway *n.* מיגלש, תעלה, מיברץ
spilt = p of spill

spin *v.* לטוות, לארוג, לשזור; לסובב; להסתובב, להסתחרר

- spin a coin לסובב/להעיף מטבע
- spin a top לסובב סביבון
- spin a yarn/story לספר סיפור
- spin along לנוע במהירות
- spin out להאריך (ככל האפשר)
- spin round לפנות לאחור, להסתובב

spin *n.* סיבוב, סיחרור; נפילה, צלילה; נסיעה קצרה; הטייה, הטעיה, ספין (תקשורתי)

- take a spin לעשות "סיבוב" ברכב

spin′ach (-ich) *n.* תרד (ירק-גינה)

spi′nal *adj.* של עמוד השידרה

spinal column עמוד-שידרה

spinal cord חוט-השידרה

spin′dle *n.* כוש, כישור, פלך; ציר, סרן

spindle-legged *adj.* בעל רגליים דקות וארוכות

spindle shanks איש ארך-רגליים

spin′dly *adj.* דק, צנום, ארוך

spin doctor *דובר פוליטי, פרשן תקשורת אוהד, מומחה לספינים

spin drier מייבש כבסים, תוף מסתובב (במכונת-כביסה)

spin-dry *v.* לייבש כבסים (כנ"ל)

spine *n.* עמוד-השידרה; גב-הספר; קוץ, דרבן, מחט, עוקץ

spine-chilling *adj.* מסמר שיער, מפחיד

spineless *adj.* חסר שידרה; נטול אופי, הפכפך, לא יציב

spin′et *n.* צ'מבלו קטן, פסנתר

spine-tingling *adj.* מרגש, מלהיב

spin′naker *n.* מיפרש משולש, ספינאקר

spinner *n.* טווה; כדור מסובב; חץ מסתובב (על לוח ספרות)

spin′ney *n.* חורשה

spinning jenny מכונת טווייה

spinning top סביבון

spinning wheel גלגל-טווייה

spin-off *n.* מוצר-לוואי; תוצאה צדדית

spin′ster *n.* רווקה, בתולה זקנה

spinsterhood *n.* רַוָקוּת, בתולים מזוקנים

spi′ny *adj.* קוצני, מחטני, דוקרני

spi′ral *adj&n.* ספיראלי, בורגי, לולייני; סליל, תנועה בורגית

spiral *v.* להסתלסל, להתחלזן, לעלות

spire *n.* צריח, מיבנה חרוטי, מיגדל-מחט

spir′it *n.* נפש, נשמה, רוח; שד; אדם; כוונה, נטייה; מרץ, חיות; נאמנות; יי"ש; כוהל, ספירט

- in spirit בליבו, בנפשו, ברוחו
- in the spirit בנפשו, ברוחו
- low spirits דיכדוך, מצב-רוח ירוד
- out of spirits מדוכדך, מצוברח
- spirit of the age רוח הזמן
- spirits תמיסה כוהלית; יי"ש, משקה חריף; מצב-רוח
- the spirit of the law רוח-החוק

spirit *v.* לעורר, להמריץ, לעודד

- spirit away/off לסלק בחשאי, להבריח

spirited *adj.* מלא-חיים, נמרץ; אמיץ

- low-spirited במצב-רוח ירוד

spirit lamp מנורת ספירט

spiritless *adj.* חסר-חיים, נטול-מרץ; מדוכדך, מצוברח

spirit level פלס-מים

spirit rapper דורש אל המתים, מדיום

spirit rapping העלאת רוח מת

spir′itu·al (-cho͞oəl) *adj.* רוחני, נפשי; דתי; קדוש; על-טבעי

- lords spiritual בישופים

spiritual *n.* ספיריטואל, שיר כושי

spiritualism *n.* ספירטואליזם, ספיריטיזם, דרישה אל המתים

spiritualist *n.* ספירטואליסט

spir′itu·alis′tic (-cho͞o-) *adj.* ספיריטואליסטי

spir′itu·al′ity (-cho͞o-) *n.* רוחניות

spir′itu·aliza′tion (-cho͞o-) *n.* טיהור, צריפה מגשמיות

spir′itu·alize′ (-cho͞o-) *v.* לטהר, לצרוף מגשמיות; לתת צביון רוחני

spir′ituel′ (-cho͞oel′) *n.* עדינה, חיננית, אצילית

spir′ituelle′ (-cho͞oel′) *n.* עדינה, חיננית, אצילית

spir′ituous (-cho͞oəs) *adj.* כוהלי

spi′rograph′ *n.* רושם נשימות

spirt = spurt לפרוץ; התפרצות

spit *n.* שפוד; לְשׁוֹן-יַבָּשָׁה; עומק האת

spit *v.* לירוק; לפלוט; להטיח קללות; להשמיע קול-יריקה; לטפטף, לרעוף; לשפד, לשפוד, לדקור

- spit it out דבר! שפוך מליך!
- spit out לירוק; לפלוט
- spit up לירוק; לפלוט; להקיא

spit *n.* רוק; יריקה; דימיון, זהות

- spit and image of/dead spit of העתק מדויק, כשתי טיפות מים
- spit and polish ציחצוח והברקה

spite *n.* רוע-לב; טינה, איבה

- in spite of למרות, חרף
- out of spite מרוע-לב, להכעיס

spite *v.* להכעיס, להרגיז במתכוון

spiteful *adj.* רע-לב, רוצה להרע

spit′fire′ *n.* רתחן, חמום-מוח, מתלקח

spitting distance מרחק יריקה, מרחק קצר

spitting image העתק מדויק, כפיל

spit′tle *n.* רוק

spittoon′ (-to͞on′) *n.* מרקקה, רקקית

spiv *n.* *טיפוס מפוקפק, נוכל, פאראזיט

spivvy *adj.* *פאראזיטי, טפילי, מפוקפק

splash *v.* לשכשך; להתיז, להזליף, להרטיב; להינתז; להשתכשך, להתפלש

- splash a story להבליט כתבה (בעיתון)
- splash down לנחות במים
- splash out/about לבזבז (כסף)

splash *n.* התזה, קול שיכשוך; כתם; הבלטה, סנסציה; תוספת מי-סודה

- make a splash להרשים, לרתק תשומת-לב

splash *adv.* בקול התזה, בחבטה במים

splash-down *n.* נחיתת חללית בים

splash guard מגן בוץ

splashy *adj.* בולט, מושך תשומת-לב

splat *n.* פיסת עץ (לקישוט); קול חבטה

splat′ter *v.* להתיז

splay *v.* להרחיב; לשפע, להטות, ללכסן; להתרחב וללכת

splay *n.* התרחבות, התפשקות, שיפוע; מישטח משופע (בפתח/בחלון)
splay *adj.* מתרחב והולך, מופנה הצידה
- splay feet רגליים שטוחות
splayfoot *n.* רגל שטוחה
splayfooted *adj.* שטוח-רגליים
spleen *n.* טחול; דיכדוך; כעס, זעם
- vent one's spleen לפרוק זעמו על
splen'dent *adj.* מבריק; רב-רושם
splen'did *adj.* מצוין, נפלא; מפואר, מרשים
splen·dif'erous *adj.* *מצוין, מפואר
splen'dor *n.* פאר, הדר, הוד
sple·net'ic *adj.* רתחן; מרושע; של הטחול
splice *v&n.* לחבר, לאחות, לשזור זה בזה, לשלב, להדביק; חיבור, איחוי
- get spliced *להתחתן
- splice the main brace *ללגום/לחלק כוסית-משקה (בתום יום עבודה)
splicer *n.* מחבר, אביזר-חיבור
spliff *n.* *סיגריית חשיש
splint *n.* קישושת, גשיש, לוח-יישור (לעצם שבורה)
splin'ter *n.* קיסם, שבב, רסיס
splinter *v.* לשבור/להישבר לשבבים, להתפלג, להתפצל
splinter group פלג, סיעה פורשת
splinter-proof *adj.* חסין-רסיסים
splintery *adj.* מלא רסיסים; פציל
split *v.* לפלג, לפצל, לסדוק; לבקע; לחלק; לרסק; להתחלק; להיקרע; להיפרם
- he split with her הוא נפרד ממנה
- let's split *נסתלק, נלך
- split on *להלשין על
- split one's sides להתפקע (מצחוק)
- split the ticket להצביע עבור כמה מועמדים
- split the vote למשוך קולות ממועמד אחר
- split up לחלק, לפצל; להתפצל
split *n.* פילוג, פיצול; סדק, בקע; קרע; גלידת-בננה; חצי בקבוק משקה
- splits פישוק רגליים רחב (כשהגוף שוקע עד הקרקע), שפגאט
split *adj.* מפוצל, משוסע
split ends קצוות מפוצלים (בשיער)
split infinitive (as: to hardly know) מקור מפוצל
split-level house בית בעל קומות-ביניים, בית בעל חצאי-מיפלסים
split peas אפונה יבשה (מפוצלת)
split personality שסעת, פיצול האישיות, סכיזופרניה
split pin פין מפציל (ממתכת)
split ring טבעת-מפתחות
split second חלקיק שנייה, כבזק
split shift משמרת מפוצלת
splitting *adj.* (כאב-ראש) חריף, עז
splodge, splotch *n.* כתם, מריחה
splosh *n.* קול שיכשוך; *כסף
splurge *v&n.* לבזבז; לעשות רושם, להפגין בראוותנות; הפגנת ראווה
splut'ter *n.* התזה, קול שיכשוך; מילמול, גימגום
splutter *v.* להתיז, לפלוט, להטיח;

למלמל, לגמגם
spoil *v.* לקלקל; להתקלקל; להשחית, להרוס; לפנק; לבוז, לשדוד
- spoil for להשתוקק ל-; לגרום שימאס ב-/שלא יהיה מרוצה מן
- spoil him of his money לחמוס כספו
- spoiling for a fight שש לריב
- spoilt child בן תפנוקים
spoil *n.* שלל, ביזה; חפורת, עפר חפור
- spoils טובות הנאה, מישרות פוליטיות, פרוסה מעוגת השילטון
spoil'age *n.* קילקול; דבר שהושחת
spoiler *n.* ספוילר, מחזק אחיזת כביש; מונע העתקות; מרתק
spoil-sport *n.* משבית שימחה
spoilt = p of spoil מקולקל; מפונק; פסול
spoke *n.* חישור, זרוע-אופן; שלב, חווק
- put a spoke in his wheel לתקוע מקל בגלגליו, לסכל תוכניותיו
spoke = pt of speak
spoken *adj.* מובע, מבוטא; בעל-פה
spo'ken = pp of speak
spokeshave *n.* מעצד (כעין מקצועה)
spokesman *n.* דובר
spokesperson *n.* דובר; דוברת
spo'lia'tion *n.* שוד, ביזה; השחתה
spon'dee *n.* (בשירה) רגל בעלת שתי הברות ארוכות או מוטעמות
sponge (spunj) *n.* ספוג; נצלן, טפיל
- pass the sponge over למחוק, לשכוח
- throw in the sponge להודות במפלה
sponge *v.* לנקות/לנגב בספוג; לספוג; לסחוט, לנצל
- sponge down/off לשטוף בספוג
- sponge on him לחיות על חשבונו, להיטפל אליו כעלוקה, לנצלו
- sponge out למחוק בספוג; למחוק מליבו
- sponge up לספוג, לנגב בספוג
sponge bag נרתיק לכלי-רחצה
sponge bath רחיצת-ספוג (קלה)
sponge cake עוגה ספוגית, לובנן
sponger *n.* טפיל, נצלן, עלוקה
spongy *adj.* ספוגי
spon'sor *n.* אחראי; פטרון, סנדק; בעל-חסות (לתוכנית-רדיו)
sponsor *v.* ליטול תחת חסותו
sponsorship *n.* אחריות, חסות
spon'tane'ity *n.* ספונטאניות
spon·ta'ne·ous *adj.* ספונטאני
spoof (spo͞of) *v&n.* לרמות, להתל, לסדר; רמאות, מתיחה; פארודיה
spook (spo͞ok) *n&v.* *רוח, שד; מרגל; להפחיד
spoo'ky *adj.* *מפחיד; מלא-רוחות
spool (spo͞ol) *n.* אשווה, מזרבה, סליל, גליל
spoon (spo͞on) *n&v.* כף, כפית; להעביר בכף; *לתנות אהבים
- spoon up/out לחלק/לצקת בכף
spoo'nerism' *n.* שיבוש-הברות (כגון "אמר גומר" במקום "גמר אומר")
spoon-feed *v.* להאכיל בכף; להגיש לפה, להסביר בשיטה קלה להבנה
spoonful *n.* מלוא הכף, כף
spoo'ny *adj.* *רגשני, משתפך, מאוהב

spoor *n.* עיקבות-חיה
sporad'ic *adj.* ספוראדי, לא-סדיר, מופיע מפעם לפעם
spore *n.* נבג
spor'ran *n.* כיס (של חצאית סקוטית)
sport *n.* ספורט; שעשוע, צחוק, שחוק; אדם הוגן/ספורטיבי; יצור משונה
- in sport בצחוק, לא ברצינות
- make sport of לצחוק על-, ללעוג ל-
- sport of fortune כדור-מישחק בידי הגורל
- sport of kings מירוצי-סוסים
- sports ספורט; תחרויות אתלטיקה; של ספורט, ספורטיבי
sport *v.* להשתעשע, לשחק; להתהדר ב-, להתפאר ב-, להציג לראווה
sporting *adj.* הוגן, בעל רוח ספורטיבית; שוחר ספורט
sporting blood העזה, הרפתקנות
sporting chance סיכוי-מה
spor'tive *adj.* עליז, שובבני
sports car מכונית ספורט
sportscast *n.* שידור ספורט
sports jacket מותניית ספורט
sportsman *n.* ספורטאי; שוחר ספורט; ספורטיבי, הוגן
sportsmanlike *adj.* ספורטיבי, הוגן
sportsmanship *n.* ספורטיביות
sportswear *n.* ביגדי ספורט
sportswriter *n.* כתב ספורט
sport'y *adj.* * (בגד) מהודר, צעקני
spot *n.* נקודה; מקום; כתם; חטטית; מישרה; רבב מוסרי; מקום בשידור; מעט, קורטוב, טיפה; זרקור
- change one's spots לשנות אורח חייו, להפוך עורו
- hit the high spots להתרכז בראשי הפרקים; לסייר במקומות החשובים
- hit the spot לקלוע למטרה
- in a spot בצרה, במצב ביש
- on the spot מיד; לאלתר; על המקום, במקום; *בצרה, במצב ביש
- put him on the spot להעמידו במצב קשה; להוציא עליו גזר-דין מוות
- soft spot חולשה, חיבה
- tender spot מקום רגיש, נושא עדין
- weak spot נקודת תורפה, עקב אכילס
spot *v.* להכיר, לזהות; להבחין; להכתים; להתלכלך; למקם, לאתר; להציב; להסיר כתם; לתת יתרון (ליריב)
- spot out/up להסיר כתמים
- spotting with rain מטפטף גשם
spot *adj&adv.* מיידי, נעשה במקום; מזירת האירוע; לתשלום עם הקנייה; בדיוק
- spot on time *בדיוק בזמן
spot-check *n&v.* (לערוך) בדיקת מידגם, בדיקה מיקרית
spotless *adj.* נקי, ללא דופי
spotlight *n&v.* זרקור; מוקד ההתעניינות; להפנות הזרקור אל
spot-on *adj&adv.* *מדויק; בדיוק
spotted *adj.* מנומר, מנוקד, חברבור
spotted dick/dog פשטידת דמדמניות
spotted fever קדחת אבבית
spotter *n.* צופה, מזהה, מאכן, מאתר
spot'ty *adj.* מנוקד, מנומר; זרוע פצעונים; מטולא; לא אחיד, משתנה
spou'sal (-z-) *adj.* של נישואים
spouse *n.* בן-זוג, בעל, אישה
spout *v.* לפרוץ, לקלוח; לפלוט; לדקלם
spout *n.* זרבובית, צינור; מרזב; פרץ, זרם
- up the spout *ממושכן; אבוד, הרוס, בקשיים; בהריון
sprain *v.* לנקע (מיפרק), לסובב
sprain *n.* נקע, סיבוב, תפיחה
sprang = pt of spring
sprat *n.* סלתנית (דג-מאכל)
sprawl *v.* להשתרע; לשבת/לשכב בפישוט איברים/בריפיון
- sprawl out להשתרע; להתפשט
sprawl *n.* השתרעות; תנוחת ריפיון; איזור (מיבנים) לא מסודר
spray *n&v.* תרסיס, ספריי; מרסס; טיפות זעירות; לרסס, לזלף
spray *n.* ענף קטן (בעל עלים ופרחים); קישוט דמוי-ענף
sprayer *n.* מרסס
spray gun מרסס, מכשיר ריסוס
spread (spred) *v.* לפרוש, לשטוח, לפשוט; למרוח; להפיץ; לפזר; לפרוס; להשתרע; להתפשט, להתרחב
- spread butter למרוח חמאה
- spread it on thick להחניף
- spread oneself לפזר ביד רחבה, לנסות להרשים; להתרווח; להרחיב הדיבור
- spread out לפרוש
- spread over 5 years פרוש על פני 5 שנים
- spread rumors להפיץ שמועות
- spread the table לערוך השולחן
spread *n.* התפשטות, גידול; תפוצה; רוחב; מוטה; שטח; פרישה; מפה; כיסוי; קטע ארוך (בעיתון); ארוחה, סעודה; מימרח
- spread of wings מוטת-כנפיים
spreadable *adj.* פריש, ניתן לפרישה
spread-eagle *adj&v.* (נשר) פרוש-כנפיים; מתנשא; להשתרע; לפשוט איברים
spread-eagled *adj.* שרוע בפישוט איברים
spreader *n.* מַמְרֵחַ, כף מריחה
spread-over *n.* הסדרת שעות עבודה
spreadsheet *n.* גיליון אלקטרוני; טבלת מספרים
spree *n.* הילולה, עשיית חיים, סביאה
- shopping spree בולמוס קניות, הילולת קניות; ביזבוז כספים
sprig *n.* ענף, זלזל, שריג; נצר; צעיר, עלם; מסמר
sprigged *adj.* מעוטר בדגמי ענפים
spright'ly (sprīt'-) *adj.* עליז, מלא-חיים
spring *v.* לקפוץ, לנתר; להיווצר, להיוולד; להופיע; לנבוע, לבוא, לצמוח; לצוץ; לסדוק; להיסדק; להביא לפתע; להפעיל; *לשחרר מהכלא
- spring a leak להתחיל לדלוף
- spring a mine להפעיל מוקש
- spring a surprise on להפתיע

- spring from להיות צאצא-, לצאת מחלציו לצאת מ-, לנבוע מ-;
- spring into life להתעורר לחיים
- spring it on him להודיע לו זאת באופן בלתי צפוי; להפתיעו בכך
- spring open להיפתח בתנופה
- spring up לצמוח, לצוץ, לעלות
spring *n.* קפיצה, ניתור; מַעְיָן; מָקוֹר; מוֹצָא; קפיץ; קפיציות; גמישות; אביב
spring *adj.* אביבי; קפיצי
spring-balance *n.* מאזני-קפיץ
spring-board *n.* מקפצה; קרש-קפיצה
spring'bok' *n.* צבי דרום אפריקני
spring chicken פרגית; *צעירה, צעיר
spring-clean *v.* לנקות באורח יסודי
spring-cleaning *n.* ניקוי יסודי
springer spaniel כלב ספאנייל
springless *adj.* חסר-קפיצים
springlike *adj.* אביבי
spring roll אגרול (חטיף סיני)
springtail *n.* קפזנב, קפציץ (חרק)
springtide *n.* עונת האביב
spring tide גיאות מְרַבִּית
springtime *n.* עונת האביב
springy *adj.* קפיצי, גמיש
sprin'kle *v.* להתיז, להזליף, להמטיר; לפזר; לבזוק; לטפטף
sprinkle *n.* גשם קל; מעט, קומץ
sprinkler *n.* מזלף; ממטרה; צנרת-כיבוי אוטומאטית
sprinkling *adj.* מעט, קומץ (מפוזר)
sprint *n.* מאוץ, מאוץ-סיום; ריצה
sprint *v.* לרוץ במירב המהירות
sprinter *n.* אצן, גמאן
sprit *n.* מוט-תורן (המחובר למיפרש)
sprite *n.* פייה, רוח, שד
spritsail *n.* מיפרש מוט-התורן
spritz'er *n.* ספריצר, יין וסודה
sprock'et *n.* שן (של אופן משונן)
sprocket wheel גלגל-שרשרת, גלגל-שיניים, אופן משונן
sprout *v.* לנבוט, להוציא ניצנים; לגדול, ללבלב; לגדל, להצמיח
- sprout up לצמוח, לבצבץ
sprout *n.* נבט, נצר; *צעיר, בחור
spruce *adj&v.* נקי, מסודר, מצוחצח, מטופח; לסדר הופעתו
- spruce up להצטחצח, להתהדר; לצחצח
spruce *n.* אשוחית (עץ מחטני)
sprung *adj.* קפיצי, בעל קפיצים
sprung = pp of spring
spry *adj.* מלא-חיים, פעיל, קל-תנועה
- look spry להזדרז
spud *n.* את צר-כף (לניכוש עשבים); *תפוח-אדמה
spue = spew (spū) *v.* להקיא
spume *n.* קצף
spun = p of spin
spun glass חוטי-זכוכית
spunk *n.* *אומץ, אומץ-לב
spunky *adj.* אמיץ
spun silk משי זול, משי שיירים
spur *n.* דרבן; תמריץ; גורם מזרז; שלוחה; בליטה ברגל עוף, פריש
- on the spur of the moment לפי דחף הרגע, בלא הכנה, לפתע
- win one's spurs לזכות לשם ולכבוד
spur *v.* לדרבן; לדהור, לרכוב מהר
- spur on לדרבן, להאיץ ב-
spu'rious *adj.* מזויף, מלאכותי
spurn *v.* לדחות בבוז, לסרב ביוהרה
spurt *n.* התפרצות; זרם, סילון; פליטה; מאמץ מוגבר/פתאומי
spurt *v.* לפרוץ, לזרום, לקלוח; להיפלט, לעשות מאמץ מוגבר
sput'ter *v.* למלמל, לגמגם בהתרגשות; להתיז, לירוק, לפלוט קולות ניפוץ
- sputter out לדעוך בהשמעת פיצפוצים
sputter *n.* גימגום; קול התזה
spu'tum *n.* רוק, כיח
spy *n.* מרגל, סוכן שתול
spy *v.* לראות, להבחין; לסייר; לרגל
- spy on/into לבלוש, להתחקות בחשאי
- spy out לתור, לסייר; לגלות בחשאי
spyglass *n.* מישקפת, טלסקופ
spyhole *n.* חור הצצה
sq = square
Sqn. Ldr. = Squadron Leader
squab (skwob) *n.* גוזל, עוף רך; מושב מרופד
squab'ble (skwob-) *v&n.* לריב, להתקוטט; ריב קולני, מהומה
squad (skwod) *n.* יחידה, כיתה, חוליה
- flying squad ניידת משטרה
squad car מכונית משטרה
squad'die (skwod-) *n.* *טירון, טוראי
squad'ron (skwod-) *n.* גדוד, יחידה; טייסת, שייטת, אסקדרון
squadron leader מפקד טייסת
squal'id (skwol-) *adj.* מיסכן; מטונף
squall (skwôl) *v&n.* לצרוח; צריחה; סופת גשם, סופת שלג
squally *adj.* סגרירי, סוער, סופתי
squal'or (skwol-) *n.* ליכלוך, זוהמה
squan'der (skwon-) *v.* לבזבז
squanderer *n.* בזבזן, פזרן
squandermania *n.* תאוות-הביזבוז
square *n.* ריבוע; משבצת; מטפחת; זוויתון; רחבה, כיכר; בלוק-בניינים; חזקה שנייה; מערך חיילים ריבועי; שמרן
- L-square זוויתון-אל
- T-square זוויתון-טי
- on the square הוגן, בהגינות
- out of square לא בזווית ישרה
- square one נקודת המוצא
square *adj.* מרובע, רבוע; ישר-זווית; הוגן, כן; מוסדר; מאוזן; מסולק; בשוויון נקודות; *מיושן, לא באופנה
- all square הכול מוסדר, אין חוב עוד
- get square להסדיר החשבון; לנקום
- square meal ארוחה משביעה
- square refusal סירוב מוחלט, דחייה בשתי ידיים
square *adv.* בזווית ישרה, ישר, היישר; בהגינות, בכנות
square *v.* לרבע; ליישר (שיפוע); לשבץ; לאזן, להסדיר, לסלק; לשחד
- 3 squared = 9 3 בריבוע = 9
- square a debt לסלק חוב
- square an account להסדיר חשבון
- square away לסדר; להיערך לקרב

- square off לעמוד עמידת מתאגרף; לסמן במשבצות
- square one's shoulders לעמוד איתן, לאזור אומץ, לנהוג כגבר
- square up ליישר, לאנך; לשלם, להסדיר
- square up to להתייצב איתן מול; לעמוד עמידת מתאגרף כנגד
- square with להתאים ל-, לעלות בקנה אחד עם

square-bashing *n.* אימונים, תרגיל-צעידה
square brackets אריחיים (סוגריים)
square-built *adj.* רחב-כתפיים
square dance ריקוד מרובע (שבו 4 זוגות יוצרים ריבוע)
square-eyed *adj.* *מכור לטלוויזיה
square game מישחק הוגן; מישחק מרובע (שבו השחקנים ערוכים בריבוע)
square knot קשר מרובע, קשר שטוח
squarely *adv.* בהגינות, בכנות; בניצב, בזווית ישרה; היישר מול
square measure מידת-שטח (כגון מ"ר)
square-rigged *adj.* (ספינה) מרובעת-מיפרשים; שמיפרשיה נמתחים בניצב לתורן
square root שורש מרובע (של מספר)
square shooter אדם הוגן
square-shouldered *adj.* רחב-כתפיים
square-toed *adj.* (נעל) בעלת חרטום מלבני, מרובעת-חרטום; שמרני, קפדני
square-toes *n.* שמרן, קפדן
squash (skwosh) *v.* למעוך; להימעך; לדחוס; להידחס; להידחק; להשתיק; לדכא
squash *n.* (קול) מעיכה; דוחק, קהל צפוף; סקווש; משקה פירות; דלעת; קישוא; קרא
squash rackets סקווש (מישחק)
squashy *adj.* מעיך; רטוב ורך
squat (skwot) *v.* לשבת ישיבה שפופה; להושיב על העקבים; לפלוש, לתפוס קרקע; לגחון; לרבוץ; *לשבת
squat *n.* ישיבה שפופה; *בית לפולשים
squat *adj.* נמוך; גוץ; שפוף
squatter *n.* פולש; תופס קרקע, מתנחל
squatter's rights חזקת הפולש
squaw *n.* אישה אינדיאנית
squawk *v.* לצרוח; לקרקר; *להתלונן
squawk *n.* צריחה; קירקור; *תלונה
squawk box *רמקול, אינטרקום
squeak *v&n.* לחרוק; לצייץ; לצווח; להלשין; חריקה; ציוץ; צווחה
- narrow squeak הינצלות בנס
- squeak by לעבור/לנצח בקושי
- squeak out להביע בקול צייצני
- squeak through *לעבור בקושי

squeaker *n.* *מלשין
squeaky *adj.* חורק; צווחני; צייצני
- squeaky clean *נקי מאוד

squeal *v&n.* לצרוח; לחרוק; להלשין; צריחה; קול חרקני
squealer *n.* *מלשין
squeam'ish *adj.* עדין-נפש, איסטניס; רגיש, פגיע; קפדני, נוקדני
squee'gee *n&v.* מגב, מגב-שמשות; מגב-גליל (בצילום); לנגב במגב
squeeze *v.* לסחוט; לדחוק; ללחוץ; לדחוס; לצבוט; להיסחט, להידחק
- squeeze in להידחק פנימה
- squeeze money לסחוט כספים
- squeeze one's way להידחק
- squeezed by taxes כורע תחת נטל המיסים
- squeezed his fingers אצבעותיו נצבטו

squeeze *n.* סחיטה; לחיצה; דוחק; צפיפות; לחץ, מצוקה; מיסוי גבוה; הגבלת אשראי
- squeeze of lemon קורטוב מיץ לימון
- tight squeeze היחלצות בנס/בקושי; דוחק רב

squeeze bottle מזלח, מרסס
squeeze-box *אקורדיון
squeezer *n.* מסחט
squelch *n&v.* לדכא, להשתיק; לרמוס; לבוסס; (להשמיע) קול פסיעה בבוץ
squib *n.* זיקוק-די-נור; מאמר התקפה
- damp squib דבר שהחטיא מטרתו

squid *n.* סוג של דיונון
squidg'y *adj.* *רך, רטוב, כעיסה
squif'fy *adj.* *שתוי, בגילופין
squig'gle *n.* קו קטן, קו מתפתל
squill *n.* חצב
squint *v.* לפזול; להציץ; לעצום כמעט עיניו, לצמצם עיניים; להביט אלכסונית
squint *n.* פזילה; הצצה
- have a squint להציץ, לחטוף מבט

squint-eyed *adj.* פוזלני; עוין, רע
squi'rar'chy (-ki) *n.* מעמד בעלי האחוזות
squire *n.* שופט שלום; בעל אחוזה; נושא כלים; אביר, בן-לוויה
squire *v.* לשמש בן-לוויה ל- (אישה)
squirm *v&n.* לעוות גופו, להתפתל (במבוכה); התפתלות
squir'rel (skwûr'əl) *n&v.* סנאי; לאגור
squirt *v.* להתיז, להזליף; להזריק; לפרוץ בזרם דק
squirt *n.* קילוח, סילון; מזרק; *מנופח, "עושה רוח"
squirter *n.* מתיז קילוחים; אסוך
squish *n&v.* (להשמיע) קול מעיכה
Sr = senior, sir, sister
Sri Lan'ka סרי לנקה
SS = steamship
SSE = south-south-east
SSW = south-south-west
-st, 1st = first
St = Saint, street
stab *v&n.* לדקור, לנעוץ, לתחוב; דקירה; פצע; *ניסיון
- make a stab at *לנסות כוחו ב-
- stab in the back לנעוץ סכין בגב
- stab of regret ייסורי חרטה

stabber *n.* דוקר, סכינאי
stabbing *adj.* דוקר, (כאב) דוקרני
stabil'ity *n.* יציבות
sta'biliza'tion *n.* ייצוב, סטאביליזאציה
sta'bilize' *v.* לייצב, להקנות יציבות
stabilizer *n.* מייצב
sta'ble *adj.* יציב, קבוע; החלטי
stable *n.* אורווה; צוות (סוסי-מירוץ)

stable *v.* להכניס/לשמור באורווה
stable boy/lad/man אורוון
stablemate *n.* מאותו מקור/ארגון
stabling *n.* מקום באורווה
stacca'to (-kä-) *adv.* סאקאטו, נתוקות
stack *n.* ערימה; גדיש; מצובת-רובים; מדפי-ספרים; ארובה; ארובות; מאגר נתונים
- blow one's stack להתפרץ בזעם
- stacks of *המון, הרבה
stack *v.* לערום; לסוור; לחוג באוויר לפני נחיתה
- stack the cards לסדר הקלפים שלא כהוגן, להבטיח יתרון מראש
- stack up להתנהל, להתקדם; להשתוות ל-, להידמות; ליצור תור ממתין
sta'dium *n.* איצטדיון
staff *n.* מקל, מטה, שרביט; מוט; משען; חֲמֵשָׁה, מחמושת; סגל, חבר עובדים
- 10 staff 10 אנשי סגל
- staff of life (מטה-) לחם
staff *v.* לספק עובדים, לאייש בסגל
- well staffed מצויד כראוי בעובדים
staffer *n.* חבר צוות; עובד, פועל
staff officer קצין מטה
staffroom *n.* חדר הסגל, סגל
staff sergeant סמל ראשון
stag *n&adj.* צבי; ספסר מניות; לגברים בלבד; גדוש מין
stage *n.* במה, בימה; זירה, מוקד פעילות; שלב, תקופה; כירכרה; תחנה; מרחק בין תחנות; מיבנה-מדפים
- 3-stage תלת-שלבי
- at an early stage בשלב מוקדם
- at this stage of the game בשלב זה, בנקודה זו
- be/go on the stage להיות שחקן
- by easy stages תוך חניות מרובות; לאט, בהדרגה
- hold the stage לגנוב את ההצגה, לרתק תשומת לב; למשוך צופים
- set the stage להכשיר את הקרקע
- stage left/right שמאל/ימין השחקן
- the stage אמנות המישחק, התיאטרון
stage *v.* לביים, להציג לקהל; לארגן, לערוך, לבצע; להתאים להמחזה
stage-coach *n.* כירכרת-נוסעים
stage-craft *n.* אמנות הבמה, מחזאות
stage direction הוראות הביום
stage door כניסה אחורית (בבימה)
stage fright פחד במה, אימתא דציבורא
stagehand *n.* עובד במה
stage-manage *v.* לביים, לערוך, לארגן
stage manager מנהל במה, במאי
stage name שם במה
sta'ger *n.* בעל-ניסיון
stage-struck *adj.* משתוקק להיות שחקן, נגוע בחיידק המישחק
stage whisper לחישה בקול רם, לחישה באוזני כול
stagey (stā'ji) *adj.* תיאטרלי, מלאכותי
stag'fla'tion *n.* סטגפלציה, סטגנציה ואינפלציה
stag'ger *v.* להתנודד, לנוע בחוסר-יציבות; לזעזע, לטלטל; לסדר (אירועים) בזמנים שונים
- stagger to one's feet לעמוד בחוסר-יציבות, להתנודד
- stagger work shifts לפזר משמרות-עבודה, לסדר משמרות לסירוגין
- staggered to hear נדהם לשמוע
stagger *n.* התנודדות, התמוטטות
- staggers סחרחורת
staggering *adj.* מזעזע; ממוטט; מדהים
staging *n.* ביום, המחזה; פיגום, מערכת פיגומים; נסיעה בכרכרות; היערכות
staging area שטח היערכות
staging post תחנת-ביניים
stag'nancy *n.* קיפאון, חוסר תנועה
stag'nant *adj.* לא זורם, עומד, מעופש; קופא על השמרים, לא פעיל, לא מתפתח
stag'nate *v.* לעמוד, לא לזרום, לחדול לנוע; להבאיש; לדרוך במקום
stag·na'tion *n.* קפיאה; דריכה במקום
stag party/night מסיבת גברים
sta'gy *adj.* תיאטרלי, מלאכותי
staid *adj.* רציני, מתון, מיושב
stain *v&n.* להכתים, לגוון; לצבוע, להיכתם; כתם; דופי; צבע
- blood-stained מגואל בדם
stained glass זכוכית ציבעונית
stainless *adj.* חסר-כתם; ללא דופי
stainless steel פלדת אלחלד
stair *n.* מדרגה
- above stairs למעלה, בחדרי האדונים
- below stairs למטה, במרתף
- flight of stairs מערכת מדרגות (בין 2 מישטחים)
- stairs מדרגות, מערכת מדרגות
stair carpet שטיח מדרגות
staircase (-s) *n.* מערכת מדרגות
stairway *n.* מערכת מדרגות
stairwell *n.* (חלל) חדר המדרגות, פיר
stake *n.* יתד, כלונס, מוט; עמוד השריפה; מיתת שריפה; סכום הימור; השקעה; אינטרס, עניין
- at stake מוטל על כף המאזניים, בסכנה, לשבט או לחסד
- go to the stake לעלות על המוקד; לאכול את פרי-מעלליו
- pull up stakes לעקור למקום אחר
- stakes מירוץ-סוסים; תחרות; פרס
stake *v.* להמר, לסכן, להתערב; לתמוך/לחזק במוטות
- stake one's life לחרף נפשו
- stake out להציב (בלשים) במעקב
- stake out/off לתחום (שטח) ביתדות
- stake to לשלם בעד, לכבד ב-, לרכוש
stake-holder *n.* מחזיק דמי ההימורים; אפיטרופוס, נאמן זמני
stakeout *n.* מעקב, פיקוח צמוד
stalac'tite *n.* סטאלאקטיט, נטיף, אבן טיפין עילית
stalag'mite *n.* סטאלאגמיט, זקיף, אבן טיפין תחתית
stale *adj.* ישן, לא-טרי, מקולקל; מסריח; משעמם, נדוש, תפל; שעבר זמנו
- get/become stale לרדת בכושר (מרוב מאמץ), להתנוון
stale *v.* להתיישן; להסריח; להימאס
stale'mate' (stāl'māt) *n.* (בשחמט) פאט, תיקו; קיפאון, מבוי סתום

stalemate *v.* להביא לידי קיפאון
staleness *n.* יושן, אי-טריות
stalk (stôk) *v.* לעקוב אחרי, לצוד, להתקרב ממארב; לנוע חרש; לפסוע בגאווה
- pestilence stalked through- מגיפה פשטה ב-
stalk *n.* גיבעול
stalker *n.* צייד (העוקב אחרי טרפו)
stalking horse סוס מחפה (על הצייד); אמתלה, אמצעי הסוואה
stall (stôl) *n.* תא (לסוס), אורווה, רפת; תאון; דוכן, דלפק, ביתן; מושב-כומר (בכנסייה); כובעון-אצבע; איבוד שליטה (במטוס)
- stalls שורות קידמיות בתיאטרון
stall *v.* להכניס/לשמור באורווה; (לגבי מנוע) לְכַבּוֹת; לְכַבּוֹת; לעצור; להיתקע; לאבד השליטה (במטוס)
stall *v.* לדחות; לעכב; להשהות; להתחמק, להשתמט
stall-fed *adj.* אבוס, מפוטם (באורווה)
stallholder *n.* בעל דוכן-מכירה
stal'lion *n.* סוס-הרבעה
stal'wart (stôl-) *n&adj.* חזק, חסון, מוצק, איתן, שרירי; חסיד, תומך
sta'men *n.* אבקן
stam'ina *n.* כושר עמידה, סבולת, כוח נפשי
stam'mer *v&n.* לגמגם; גימגום
stammerer *n.* גמגמן, מגמגם
stamp *v.* לרמוס, לדרוך; לפסוע בכוח; לבטוש; לבייל; להחתים, להטביע
- stamp him as לציינו כ-, לייחדו כ-
- stamp one's foot לרקוע ברגליו
- stamp out לבער, לדכא, לשים קץ ל-; להטביע, לצור צורה, לעצב, ליצור
- stamped on one's memory נחרת בזיכרונו
stamp *n.* בול; תו-קנייה; חותמת, חותם; סימן; בטישה, דריסה; סוג, מין
- bears the stamp of נושא את חותם, ניכר בו ציביון-
- leave its stamp להותיר רישומו
- of the same stamp as his father טיפוס דומה לאביו, כרעיה דאבוה
- postage stamp בול-דואר
- trading stamp בול קנייה, תו קנייה
stamp album אלבום בולים
stamp collector אספן בולים
stamp duty מס בולים, דמי ביול
stamped *adj.* מוחתם, מבויל
stam·pede' *n&v.* מנוסת בהלה; ריצה מבוהלת; להניס/לנוס בבהלה
- be stampeded into, לפעול מתוך בהילות, לעשות צעד נמהר
stamping ground מקום התקבצות, אתר ביקורים
stance *n.* צורת-עמידה; עמדה, השקפה, נקודת-מבט
stanch *v.* לעצור, לחסום, להפסיק
stanch *adj.* נאמן, מסור, איתן, חזק
stan'chion (-shən) *n.* עמוד, מוט, כלונס; מיסגרת לצוואר בהמה, מחסום-צוואר
stand *v.* לעמוד; להעמיד; לקום; להתייצב; להתנשא (לגובה); להישאר כמות שהוא; להיות, להימצא; לשאת, לסבול; לכבד; להזמין; לרוץ, להיות מועמד; להיות במצב-/במעמד-
- as it stands כמות שהוא, ללא שינוי
- can't stand her לא סובל אותה
- it stands to reason סביר ש-
- let it stand השאר זאת כמות שהוא
- no standing אין עצירה, אין חנייה
- stand and deliver עצור ומסור את חפציך (הוראת השודד)
- stand aside לזוז הצידה; לעמוד באפס-מעשה, לשבת בחיבוק ידיים
- stand back לסגת, לזוז אחורה; להימצא במרחק-מה
- stand by להיות נוכח; לעמוד מהצד באפס-מעשה; לעמוד הכן לפעולה
- stand by one's promise לקיים הבטחתו
- stand clear of להתרחק מ-
- stand corrected לקבל את התיקונים
- stand down להסיר מועמדות; לרדת מדוכן העדים; לשחרר מתפקיד
- stand fast/firm לעמוד איתן
- stand for לייצג, לסמל, להיות פירושו; לדגול ב-; *לסבול, לשאת
- stand for president לרוץ לנשיאות
- stand in for him למלא מקומו
- stand in well with him להיות חביב עליו
- stand in with להצטרף, להשתתף
- stand off להשעות, לפטר זמנית; להתרחק, לשמור מרחק; לעצור, להרחיק
- stand on להיות מבוסס על; לעמוד על, לדרוש בתוקף
- stand on me *סמוך עלי
- stand out לבלוט, להיות ניכר; לעמוד איתן, לא להיכנע
- stand out from להתרחק מ- (החוף)
- stand over לפקח על; להידחות
- stand pat להיות נחוש בדעתו
- stand prepared להיערך, להתכונן
- stand still לעמוד דום, לא לזוז
- stand to להיות בכוננות (צבאית)
- stand treat לשלם בעד כיבוד/בידור
- stand trial לעמוד לדין
- stand up לקום; להתקבל כנכון; *לא לבוא לפגישה
- stand up for להגן על, לתמוך
- stand up to להחזיק מעמד, לעמוד בפני, להיות חסין כנגד
- stand up with *לשמש שושבין
- stand with להיות ביחסים (טובים) עם
- stands 150 feet מתנשא לגובה 150 רגל
- stands a chance יש לו סיכוי
- stands first מדורג ראשון, מוביל
- stands on his own feet עומד על רגליו, עצמאי
- stands to gain עשוי לזכות
- stands to lose עלול להפסיד
- still stands עומד בעינו, עדיין בתוקף
- the decision stands ההחלטה תקפה
stand *n.* עמידה, עצירה; עמדה; הגנה, הדיפה; תחנת-מוניות; דוכן, שולחנון; יציע; כַּן, מַעֲמָד; יבול
- come to a stand לעצור
- make a stand לעמוד איתן (מול)

- one-night stand הופעה חד-פעמית
- stands מושבי הצופים (באיצטדיון)
- take a stand לנקוט עמדה, להביע השקפה; לתפוס מקומו, לעמוד
- take the stand לעלות לדוכן העדים
stan'dard *n.* סטנדארד, תקן, מתכונת; קנה-מידה; רמה; דגל; מעמד, כן, בסיס; כיתה; שיח זקוף; עמוד
- below standard מתחת לרמה, תת-תיקני
- gold standard בסיס הזהב (למטבע)
- high standard רמה גבוהה
- standard of revolt נס-המרד
- up to standard ברמה הנאותה
standard *adj.* סטנדארטי, תיקני, מתוקנן; רגיל, מקובל; נכון; טוב; משובח; זקוף
standard-bearer *n.* נושא הדגל
stan'dardiza'tion *n.* תיקנון, תקינה
stan'dardize' *v.* לתקנן, לערוך לפי סטנדארד, לקבוע תקן, לדגם
standardized *adj.* מתוקנן
standard lamp מנורת עמוד
standard of living רמת-חיים
standard time זמן תיקני
stand-by *n&adj.* מצב הכן, כוננות; ניתן לסמוך עליו; לעת הצורך, למקרה חירום
stand-in *n.* ממלא מקום, מחליף
standing *n.* מעמד, עמדה; משך-זמן
- of long standing ישן, רב-ימים
- of standing מכובד, רם-מעלה
standing *adj.* עומד, זקוף; קבוע; מתמיד
- standing joke בדיחה מתמדת, דבר מצחיק
- standing ovation תשואות בקימה
standing army צבא קבוע, צבא קבע
standing committee ועדה מתמדת
standing corn קמה
standing jump קפיצה (הנעשית) מהמקום
standing order פקודת-קבע
standing room מקום בעמידה
stand'off' (-ôf) *n.* תיקו; התנשאות
stand'off'ish (-ôf-) *adj.* צונן, שומר דיסטאנץ, לא-ידידותי, פורמאלי
standout *adj.* בולט, מצוין
standpipe *n.* צינור מים, צינור שריפה
standpoint *n.* נקודת מבט, בחינה
standstill *n&adj.* עמידה, עצירה; חוסר-תנועה; קיפאון; (הסכם) הקפאה
- bring to a standstill לעצור
stand-up *adj.* זקוף, עומד; נעשה בעמידה; פראי, אלים
stand-up comedian קומיקן-בדיחות (המצחיק בבדיחות ולא במישחק)
stand-up comedy הצגת יחיד, מופע סטנד-אפ
stank = pt of stink
stan'za *n.* (בשירה) בית, סטאנצה
sta'ple *n.* סיכת-הידוק, כליב; חית-מנעול; מסמר כפוף (דמוי-חית)
staple *v.* להדק בכליב
staple *n.* מוצר עיקרי, סחורה ראשית; מרכיב עיקרי; מיצרך; חוט, סיב

staple *adj.* עיקרי, ראשי
staple gun אקדח כליבים
stapler *n.* מכונת-הידוק, מכלב, שדכן
stapling machine מכונת-הידוק
star *n.* כוכב; מזל; כוכבית, (*); עיטור
- 3-star hotel מלון בעל 3 כוכבים
- Star of David מגן דוד
- Stars and Stripes דגל ארה"ב
- all-star (הצגה) עם גדולי-הכוכבים
- born under an unlucky star נולד בלי מזל
- gets stars in his eyes מתלהב, ראשו בעננים
- his star set כוכבו דעך, ירד מגדולתו
- my stars! *חי נפשי!
- see stars לראות כוכבים (ממכה)
- shooting star מטיאור, כוכב נופל
- star turn כוכב המופע, מסמר התוכנית
- thank one's lucky stars לברך "ברכת הגומל", להודות לאל
star *v.* לעטר בכוכבים; לסמן בכוכבית; לכּכב
star'board (-bərd) *n&v.* ימין הספינה, ימין המטוס; להפנות ימינה
starch *n&v.* עמילן, מזון עמילני; נוקשות, קשיחות, קפדנות; לעמלן
- take the starch out of *להתיש
star chamber בית-דין חשאי
starchy *adj.* עמילני, קשוח, מקפיד
star-crossed *adj.* חסר-מזל, ביש-גדא
star'dom *n.* מעמד הכוכב (בקולנוע)
stardust *n.* הזיה, אבק פורח
stare *v.* לנעוץ מבט; לפעור עיניו
- make him stare להדהימו
- stare down/out לגרום שיסב עיניו בכוח מבטו, לנצח בִּקְרַב-מבטים
- stare into silence להשתיק במבט חודר
- staring in the face קרוב מאוד, מתחת לחוטמו; בלתי נמנע, ודאי
stare *n.* מבט, לטישת-עיניים
- vacant stare מבט בוהה
starfish *n.* כוכב-ים
star-gazer *n.* *אסטרונום; אסטרולוג
star-gazing *n.* הזיה, חולמנות
staring *adj.* בולט, רועש, צעקני, מסנוור
stark *adj&adv.* מוחלט, גמור; קשה, נוקשה
- stark naked ערום כביום היוולדו
- stark staring mad מטורף לגמרי
- stark truth האמת לאמיתה
star'kers (-z) *adj.* *ערום לגמרי
starless *adj.* בלי כוכבים
star'let *n.* כוכבת, כוכבנית
starlight *n.* אור הכוכבים
star'ling *n.* זרזיר (ציפור-שיר)
starlit *adj.* מואר באור הכוכבים
starred *adj.* ככוב, מכוכב, זרוע כוכבים; מסומן בכוכבית
starry *adj.* מכוכב; מנצנץ, מבריק
starry-eyed *adj.* תמים, הוזה, חדור תיקוות-שווא, נלהב, נאיבי
Star-Spangled Banner ההימנון הלאומי, דגל הלאום (של ארה"ב)
star-studded *adj.* משובץ כוכבים
start *v.* להתחיל; לפתוח ב-; לקפוץ, להזדעזע; לצאת לדרך; לפרוץ; לזרום;

לרופף; להתרופף; לעורר; לגרום; להקים, לייסד; להתניע; להפעיל
- it started him thinking הדבר עוררו לחשוב
- start a fire להבעיר אש
- start all over להתחיל שוב מא׳
- start an animal להחריד חיה מריבצה
- start an engine להפעיל מנוע
- start back לצאת לדרך חזרה
- start for לצאת/ללכת לכיוון
- start in להתחיל
- start on להתחיל ב-, לפתוח ב-
- start out/off לצאת לדרך; להתחיל
- start something *לעשות צרות
- start up להתחיל; להפעיל; להתניע; לקפוץ (בפחד); לצמוח, לצוץ פתאום
- to start with ראשית כל, קודם כל, א׳; בהתחלה, בשלב הראשון

start *n.* התחלה; ראשית; קפיצה, זעזוע; יציאה לדרך; זינוק; יתרון
- a good start עמדת-זינוק טובה (לקריירה)
- for a start *קודם כל, א׳
- get a start לרכוש עמדת יתרון
- give a start להפתיע, לזעזע
- head start יתרון, פור
- twenty-foot start פור של 20 רגל

starter *n.* מתחיל במירוץ, יוצא לדרך; מריץ, מזניק; מתחיל; פותח; מתנע
- for starters *ראשית כל, א׳
- starters *מנה ראשונה (בארוחה)

starting *adj.* מחריד, מזעזע

starting block אבן-הזינוק

starting gate שער-הזינוק (במירוץ)

starting point נקודת הזינוק

starting post עמדת-זינוק

starting price שער ההימורים עם פתיחת הזינוק

start′le *v.* להחריד, להקפיץ, לזעזע

startling *adj.* מדהים, מזעזע

start-up *n.* התחלה, פתיחה, חנוכה, התנעה, סטארט-אפ; תחילי

star turn כוכב הערב, מסמר המופע

star·va′tion *n.* רעב, מיתת רעב
- starvation wages משכורות רעב

starve *v.* לרעוב, למות מרעב; להרעיב
- be starved of- לרעוב ל-, לסבול מחוסר-
- starving for love צמא-אהבה

starve′ling (stärv′l-) *n.* רזה, גל-עצמות, מזה-רעב

stash *v.* לאגור, לצבור, לגנוז

stash *n.* מקום מחבוא, סליק

sta′sis *n.* קיפאון, אי פעילות

stat *n.* סטטיסטיקה, *טרמוסטט

state *n.* מצב, מעמד, תנאים; מדינה; פאר, הדר; בילבול, באלאגאן
- get into a state *להתרגש
- lie in state להיות מונח לפני הקהל (לגבי ארון-מת)
- robes of state מחלצות
- state of affairs/things מצב העניינים
- state of mind מצב רוח
- state of play מצב (הנקודות ב-) מישחק
- the States ארצות הברית

state *adj.* ממלכתי, של המדינה, מדיני; טיקסי, רישמי
- in a bad state of repair טעון תיקון, מקולקל
- state secrets סודות מדינה
- state visit/call ביקור ממלכתי

state *v.* לומר, להביע, לבטא, להצהיר; לקבוע; לציין

state commission of inquiry ועדת חקירה ממלכתית

state comptroller מבקר המדינה

state controller מבקר המדינה

statecraft *n.* מדינאות, חוכמת השילטון

stated *adj.* קבוע; אמור, נקוב, מוצהר

State Department משרד החוץ

statehood *n.* מעמד מדינה

statehouse *n.* בית-מחוקקים

stateless *adj.* חסר-אזרחות, נטול-נתינות

stateliness *n.* פאר, רושם

stately *adj.* מפואר, מרשים, אצילי, מעורר כבוד

stately home אחוזת אציל (עתיקה)

statement *n.* הצהרה; גילוי-דעת; הודעה; הבעה, התבטאות; דו״ח, חשבון; מאזן; כְּתָב

state of the art השלב הנוכחי; של טכניקה מודרנית

state prosecutor פרקליט המדינה

State Registered Nurse אחות מוסמכת

stateroom *n.* תא, תא-שינה; אולם

state's evidence עדות (עד-) המדינה
- turn state's evidence להפוך לעד המדינה

stateside *adj&adv.* של/ב-/אל ארצות הברית

statesman *n.* מדינאי

statesmanlike *adj.* מדינאי, נבון, רחב-אופקים

statesmanship *n.* מדינאות

statewide *adj.* ברחבי המדינה

stat′ic *adj&n.* סטאטי, נייח, לא דינאמי; קפוא, לא נע; הפרעות חשמל

static electricity חשמל סטאטי

statics *n.* סטאטיקה

sta′tion *n&v.* תחנה; עמדה; מעמד; בסיס צבאי; חווה; להציב, למקם
- keep station (לגבי אונייה) לשמור על מקומה (במערך-אוניות)
- marry beneath one's station להינשא לאדם ממעמד נחות יותר

sta′tionar′y (-shəneri) *adj.* יציב, נייח, עומד, קבוע

stationary bicycle אופני כושר

station break הפסקת תחנה (לשידור שם התחנה)

sta′tioner (-shənər) *n.* מוכר מכשירי כתיבה

sta′tioner′y (-shəneri) *n.* מכשירי-כתיבה, נייר מיכתבים

station house תחנת משטרה

station-master *n.* מנהל תחנת-רכבת

stations of the Cross תחנות הייסורים (תמונות של ייסורי ישו)

station wagon מכונית סטיישן

sta′tist *n.* סטטיסטיקן; תומך בריכוזיות הממשל

statis′tic *n.* מיספר סטאטיסטי

statis′tical *adj.* סטאטיסטי
stat′isti′cian (-tish′ən) *n.* סטאטיסטיקן, מומחה לסטאטיסטיקה
statis′tics *n.* סטאטיסטיקה
stat′uar′y (-chōōeri) *n&adj.* פסלים; פסלות, פיסול; פסלי, של פסלים
stat′ue (stach′ōō) *n.* פֶּסֶל
stat′uesque′ (-chōōesk′) *adj.* כפסל, נאה, חטוב, מעורר כבוד, לא נע
stat′uette′ (-chōōet′) *n.* פיסלון
stat′ure (stach′ər) *n.* קומה, גובה; רמה מוסרית, שיעור קומה
sta′tus *n.* סטאטוס, מִיצָב, מֵיצָב; עמדה, מעמד (רם); מצב, פני הדברים
sta′tus quo′ סאטוס קוו, המצב הקיים
sta′tus quo an′te (-ti) המצב הקודם
stat′ute (stach′ōōt) *n.* חוק
statute-barred *adj.* שאין לאכוף אותו, מנוע עקב התיישנות
statute book ספר החוקים
statute law החוק, מיכלול החוקים
statute of limitations חוק ההתיישנות
stat′uto′ry (-ch′-) *adj.* מעוגן בחוק, חוקי
statutory rape יחסים עם קטין
staunch *v.* לעצור, לחסום, להפסיק
staunch *adj.* נאמן, מסור, איתן, חזק
stave *n.* לימוד, לוח-חבית; חֲמִשָּׁה, מחמושת; בית, סטאנצה
stave *v.* לשבור; להיפרץ, להימעך
- stave in לפרוץ; לשבור; להיפרץ
- stave off לדחות, להרחיק, להדוף
stay *v.* להישאר; להתארח, לשהות; לחכות; להמשיך עד הסוף; להתמיד; לדחות, לעכב, לעצור
- come to stay להישאר לתמיד
- stay in להישאר בבית, להירתק
- stay on להישאר
- stay one's hand למשוך ידו, לעצור
- stay one's stomach/thirst לשבור זמנית רעבונו/להשקיט צימאונו
- stay out להמשיך בשביתה
- stay put להישאר במקומו
- stay up להישאר ער, לאחר לישון
- stay! עצור! רגע!
stay *n.* שהייה; דחייה, עיכוב
stay *n.* חבל-תורן; עוזר; תומך; משען
- her husband's stay עזר כנגדו
- stays מחוך
stay *v.* לתמוך (בחבל); להשעין
stay-at-home יושב-אוהל, אוהב בית
stayer *n.* בעל סבולת
staying power סבולת, כושר עמידה
stay of proceedings עיכוב הליכים
St Bernard סיינט ברנארד (כלב)
std = standard
stead (sted) *n.* מקום
- in his stead במקומו, תחתיו
- stood him in good stead הועיל לו
stead′fast′ (sted-) *adj.* מסור, נאמן; איתן, קבוע, יציב
steadiness *n.* יציבות, קביעות, התמדה
stead′y (sted′i) *adj.* יציב, קבוע, לא משתנה, מתמיד; איתן, חזק; רציני
- steady hand יד יציבה (לא רועדת)
steady *v.* לייצב, לחזק; להתייצב
- steady on! זהירות! שים לבך!
steady *interj.* זהירות! שים לבך!
steady *n.* *חבר קבוע, חברה קבועה
steady-going *adj.* מתון, מפוכח
steak (stāk) *n.* סטייק, אומצה
steakhouse *n.* סטייקיה
steal *v.* לגנוב; לנוע בגניבה; להתגנב
- steal a kiss להחטיף נשיקה
- steal a look לשלוח מבט גנוב
- steal away להתגנב, להסתלק
- steal the show/scene/spotlight לגנוב את ההצגה
steal *n.* *"מציאה", מיקח מצוין
stealth (stelth) *n.* סֵתֶר, התגנבות
- by stealth בגניבה, באין רואים
stealthy *adj.* מתגנב, חשאי
steam *n.* אדים; (כוח) קיטור, הבל
- get up steam להתרגש; להתרתח; להתחיל לנוע; להגביר לחץ הקיטור
- let/work/blow off steam להתפרק, לשחרר מרץ; לתת פורקן
- run out of steam להתמצות, לאזול כוחו
- under one's own steam בכוחות עצמו
steam *v.* להעלות אדים, לקטור, להבהיל; לאדות (בשר); לנוע בכוח קיטור
- steam ahead להתקדם במלוא הקיטור
- steam open לרכך/לפתוח באדים
- steam up להתכסות באדים
- steamed up *מתרגש, זועם, רותח
steamboat *n.* סירת-קיטור
steam-boiler *n.* דוד-קיטור
steam coal פחם לדודי-קיטור
steam engine קטר-רכבת
steamer *n.* אוניית-קיטור; סיר-לחץ
steam hammer פטיש-קיטור
steam heat חימום בקיטור
steam iron מגהץ-אדים
steam-roller *n&v.* מכבש-קיטור; כוח מדכא; לכבוש, למחוץ, לרמוס
steamship *n.* אוניית-קיטור
steam shovel מחפר
steamy *adj.* אדי, ספוג/מכוסה אדים; *ארוטי, תאוותני
steed *n.* סוס
steel *n.* פלדה; חרב; כוח
- give him a taste of one's steel לדקרו בחרב
- has a mind like a steel trap בעל מוח חריף, בור סוד שאינו מאבד טיפה
steel *v.* לפלד, להקשיח, להקשות, לחשל
- steel one's heart להכביד את ליבו
- steel oneself להתחזק, להקשיח עצמו
steel band תיזמורת כלי-הקשה
steel-clad *adj.* עוטה שריון-פלדה
steel-plated *adj.* מצופה-פלדה, משוריין
steel wool צמר פלדה
steelworker פועל במיפעל-פלדה
steelworks *n.* מיפעל-פלדה
steely *adj.* פלדי, מפולד, קשוח
steel′yard′ *n.* מאזניים, פלס
steen′bok′ *n.* סוג של אנטילופה
steep *adj.* תלול; *מוגזם, לא הגיוני
- steep rise עלייה תלולה (במחירים)
steep *v.* לשרות, להרוות, להספיג
- steeped in מלא/רווי/אפוף/שקוע ב-

steepen *v.* להתחיל; להשתפע חדות
steepish *adj.* תלול למדי
stee'ple *n.* צריח-כנסייה
steeplechase *n.* מירוץ-מיכשולים (ל-3 ק"מ); מירוץ סוסים
steeplejack *n.* מְתַקֵן צריחים; טפסן-ארובות
steer *v.* לנווט, להטות, להפנות, לנהוג, לכוון (הספינה); להתנווט
- steer clear of *להתרחק, להימנע
- steer for לעשות דרכו ל-
steer *n.* שור צעיר, בן-בקר
- bum steer עצה רעה, מידע מטעה
steer'age *n.* ירכתי הספינה; מחלקה זולה; מדור אונייה
steerage-way *n.* מהירות מינימאלית (של ספינה, הדרושה כדי לנווטה)
steering *n.* ניווט, היגוי
steering column צינור ההגה
steering committee ועדה מתמדת
steering gear מנגנון ההגה
steering wheel הגה
steersman (-z-) *n.* הגאי
stein (stīn) *n.* ספל (בירה) ענק
stele *n.* אסטלה, מצבה, עמוד-זיכרון
stel'lar *adj.* כוכבי, של הכוכבים
stem *n.* גיבעול; פטוטרת; קנה-הגביע; זרוע-המיקטרת; שורש-מלה; קורת-החרטום; שושלת
- from stem to stern מקצה אל קצה
stem *v.* לנבוע מ-; לעצור, להפסיק, לסכור, לחסום; להדוף; להסיר גיבעול
- stems from נובע מ-, מקורו ב-
stemmed *adj.* בעל גיבעול
- long-stemmed ארך-גיבעול, ארך-קנה
stem'ware *n.* גביעי-קנה
stench *n.* סירחון, צחנה
sten'cil (-səl) *n&v.* סטנסיל; שעווית; לשכפל בסטנסיל
Sten gun תת-מקלע סטן
stenog'rapher *n.* קצרן, סטנוגראף
stenog'raphy *n.* קצרנות
steno'sis *n.* היצרות
sten'oty'pist *n.* כתבנית-קצרנית
sten·to'rian *adj.* (קול) רם, חזק
step *n.* צעד; פסיעה; מרחק-מה; מדרגה; שלב; דרגה; מַעֲלָה
- get one's step לקבל דרגה
- in step צועד בקצב אחיד, בצעידה אחידה; שוחה עם הזרם
- keep step לצעוד בקצב אחיד
- long step צעד גדול, התקדמות רבה
- mind the step היזהר מן המדרגה
- out of step שלא בקצב אחיד, חורג מן המיסגרת
- pair of steps סולם
- retrace one's steps לשוב על עקבותיו
- step by step צעד-צעד, בהדרגה
- steps סולם (רחב-שלבים)
- take steps לנקוט צעדים
- turn one's steps לשים פעמיו ל-
- watch one's steps לנהוג בזהירות
step *v.* ללכת; לעשות צעד, לפסוע; לדרוך
- step all over לרמוס, לנצל
- step aside לזוז הצידה; לפנות מקומו
- step down להתפטר; להאיט; לרדת
- step in להיכנס; להתערב
- step into להיכנס, להתחיל
- step it לרקוד
- step it out לרקוד בעליזות
- step off למדוד (מרחק) בצעדים
- step on it להזדרז, להחיש צעדיו
- step out למדוד (מרחק) בצעדים; להחיש צעדיו; *ליהנות מהחיים, להתהולל
- step out of line לעבור את הגבול, להתנהג שלא כראוי
- step this way היכנס נא לכאן!
- step up להגדיל, להעלות, להגביר, להאיץ; לעלות; לגשת, להתקרב
step- (תחילית) חורג
stepbrother *n.* אח חורג
stepchild *n.* בן חורג, בת חורגת
stepdaughter *n.* בת חורגת
stepfather *n.* אב חורג
step-ladder *n.* סולם (רחב-שלבים)
stepmother *n.* אם חורגת
stepparent *n.* הורה חורג
steppe *n.* ערבה
stepping-stone *n.* אבן-חצייה (לעובר במים); קרש-קפיצה, אמצעי
stepsister *n.* אחות חורגת
stepson *n.* בן חורג
step-up *n.* עלייה, גידול, הסלמה
ster'e·o' *n&adj.* מערכת סטריאופונית; סטריאו, סטריאופוני; תלת-ממדי
ster'e·om'etry *n.* סטריאומטריה, הנדסת המרחב
ster'e·ophon'ic *adj.* סטריאופוני, מפיק קולות משני רמקולים
ster'e·oscope' *n.* סטריאוסקופ, מישקפיים תלת-ממדיים
ster'e·oscop'ic *adj.* סטריאוסקופי
ster'e·otype' *n.* (בדפוס) סטריאוטיפ, אִימָה; דוגמה, דבר טיפוסי; דימוי כללי; דבר נדוש
stereotype *v.* להדפיס מסטריאוטיפ; להטפיס; לקבוע כטיפוסי; להפוך לנדוש
ster'e·oty'pic *adj.* סטריאוטיפי, טיפוסי
ster'ile (-rəl) *adj.* סטרילי, מעוקר, מחוטא; עקר; לא פורייה; סרק, חסר-מעוף
steril'ity *n.* עקרות
ster'iliza'tion *n.* סטריליזציה, עיקור
ster'ilize' *v.* לעקר, לחטא
ster'ling *n.* שטרלינג (מטבע)
sterling *adj.* אמיתי, תיקני; מעולה, מצוין
sterling area גוש השטרלינג
stern *adj.* קשה, קשוח; חמור; קפדני
stern *n.* ירכתי-הספינה, אחרה; *אחוריים
ster'num *n.* עצם-החזה
ster'oid *n.* סטרואיד
ster'torous *adj.* נחרני, קולני בנשימתו
stet *v.* (בהגהה) להתעלם מהתיקון, לא למחוק, לא לתקן, להשאיר כך
steth'oscope' *n.* סטתוסקופ, מַסְכֵּת, אבוב-רופאים
stet'son *n.* כובע (קאובוי) רחב-אוגן
ste'vedore' *n.* סוור, פורק מיטענים
stew (stōō) *v.* לבשל; להתבשל; להיות במתח

- stew in one's own juice לאכול את הדייסה שהוּא עצמו בישל

stew *n.* תבשיל, נזיד-בשר; בית-בושת

- in a stew נבוך, עצבני, מודאג

stew'ard (sto͞o'-) *n.* דייל, כַּלְכָּל; בן משק-הבית, מנהל-אחוזה; מארגן, מסדר תחרות

stew'ardess (sto͞o'-) *n.* דיילת, כַּלְכֶּלֶת

stewardship *n.* ניהול משק-בית

stewed *adj.* מבושל; *שתוי, מבוסם

stick *n.* מקל; מקל-הליכה; ענף; קנה; חתיכה; *טיפוס משעמם

- dry old stick אדם משעמם, "עץ יבש"
- give the stick להלקות
- out in the sticks רחוק ממרכז העניינים
- stick of rock ממתק
- sticks (of furniture) רהיטים פשוטים
- take stick לספוג עונש
- the big stick הכוח (כגורם מרתיע)
- the sticks איזורים כפריים
- up sticks *לעקור למקום אחר

stick *v.* לתמוך (שריג) במקל

stick *v.* לנעוץ, לתקוע; לתחוב; לדקור; להדביק; להידבק; להינעץ; להיתקע; לשים, להניח; לסבול, לשאת

- be stuck להיתקע (במקום)
- can't stick him *לא סובל אותו
- is stuck with relatives נתקע עם קרוביו (אינו יכול להיפטר מהם)
- stick 'em up ידיים למעלה!
- stick a pig לנחור (לדקור) חזיר
- stick around להישאר בסביבה, לחכות
- stick at להתמיד ב-, לשקוד על; להירתע מ-, להרפות ידיו
- stick by לדבוק ב-, להיות נאמן
- stick down להדביק; *לרשום; לשים, להניח
- stick in one's craw להרגיז
- stick it on לגבות מחיר מופרז
- stick it out *להחזיק מעמד עד תום
- stick one's chin/neck out לסכן עצמו
- stick out לבלוט, להזדקר; להמשיך עד תום; להוציא, לשרבב (לשון)
- stick out for לעמוד בתוקף על
- stick to לדבוק ב-, להיות נאמן ל-; להיות צמוד ל-; להתמיד ב-
- stick together לשמור אמונים; להיות בצוותא
- stick up להזדקר; להרים; לשדוד
- stick up for להגן, לתמוך ב-
- stick with לשמור אמונים ל-, לא לנטוש; לתחוב, לרמות
- sticks at nothing לא בוחל בשום אמצעי, לא נרתע ממאומה
- sticks in the throat עומד כעצם בגרון; קשה לעכל/לקבל/לבטא/זאת
- sticks out a mile *בולט מאוד
- sticks to the ribs (מזון) משביע

stick'abil'ity *n.* *סבולת, התמדה

stick'er *n.* מדבקה, תווית דביקה; מתמיד; (אדם) נצמד, נדבק

sticking plaster איספלנית דביקה

sticking point אבן נגף

stick-in-the-mud נחשל, מאובן-דעות

stick'ler *n.* קפדן, עומד בתוקף על

stick-on *adj.* (תווית) להדבקה, דביקה

stickpin *n.* סיכת-עניבה

stick shift מוט הילוכים

stick-up *n.* שוד מזוין

stick'y *adj.* דביק; בוצי; קשה, לא נעים; מתנגד, מערים קשיים, לא עוזר

- has sticky fingers *גנב
- sticky end סוף מר, מוות קשה
- sticky wicket מצב ביש

stiff *adj.* קשה, קשוח, לא גמיש; צונן, מסויג; מפרך, מאמץ; כואב; חזק; עז

- it's stiff to- לא סביר ל-, מוגזם ל-
- stiff back גב "תפוס"/כואב
- stiff collar צווארון קשה/מעומלן
- stiff price מחיר מופרז
- stiff smile חיוך צונן/לא ידידותי
- stiff whisky ויסקי חזק

stiff *adv.* מאוד, כליל, עד מוות

- bore stiff לשעמם עד מוות

stiff *n.* *גופה, גוויה

- big stiff טיפש מטופש

stiffen *v.* להקשות; להתקשות; להתקשח

stiffener *n.* מקשה; מקשיח

stiffening *n.* חומר מקשה

stiff-necked *adj.* קשה-עורף

sti'fle *v.* לחנוק; להיחנק; לדכא; לעצור, לכבוש, לאפק

stifling *adj.* מחניק; מעיק

stig'ma *n.* אות-קלון, תחושת-בושה, סטיגמה; כתם, רבב; (בפרח) צלקת

stig'mata *n-pl.* פצעי ישו

stig'matize' *v.* להשמיץ, להכפיש שמו

stile *n.* מדרגות-גדר, אמצעי-מעבר (לעבור מעל גדר)

- help a lame dog over a stile לעזור לאדם הנתון במצוקה

stilet'to *n.* פגיון; *נעל גבוהת-עקב

stiletto heel עקב גבוה וצר

still *adj.* שָׁקֵט; דומם; לא-נע; לא-תוסס

- keep still לא לנוע, לא לזוז
- still small voice קול המצפון
- still wine יין לא-תוסס

still *v.* להשקיט, להרגיע, לשכך

still *n.* דממה, דומייה, שֶׁקֶט; תמונה (מתוך סרט, בעיתון); מזקקה

- in the still of- בדומיית ה-

still *adv.* עדיין, עוד; אף-על-פי-כן, למרות זאת; ברם

- still and all *בכל זאת
- still colder עוד יותר קר

still-birth *n.* לידת ולד מת

still-born *adj.* נולד מת

still life ציור עצמים דוממים

stillness *n.* דום; דומייה, שֶׁקֶט

still-room *n.* מזקקה; מזווה, מחסן

stilly *adj.* שָׁקֵט, דומֵם

stilt *n.* קב, כלונס-הליכה

stilt'ed *adj.* מאולץ, מלאכותי, מנופח

Stil'ton *n.* גבינת סטילטון

stim'u·lant *adj&n.* מעורר, מדרבן; סם פעילות; משקה מגרה; תמריץ

stim'u·late' *v.* לעורר, לדחוף, לדרבן, לגרות, להמריץ

stimulating *adj.* מעורר, מדרבן, ממריץ

stim'u·la'tion *n.* דירבון, המרצה

stim'u·li' = pl of stimulus

stim'u·lus *n.* גורם ממריץ, דחיפה

sti'my = stymie לעצור, לסכל
sting *v.* לעקוץ; לכאוב; להכאיב; לייסר; לעורר, לדרבן; לרמות
- sting for *לסחוט, "לסדר" בסכום של-
sting *n.* עוקץ; סיב צורבני; עקיצה; כאב חד
- sting in its tail אליה וקוץ בה
- sting of remorse מוסר כליות
- sting of the tongue ארסיות-הלשון
stinger *n.* עוקץ; מכה חדה//כואבת
stingless *adj.* נטול עוקץ
sting-ray *n.* טריגון (דג ארסי)
stin'gy (-ji) *adj.* קמצן
stink *v&n.* להסריח, להצחין; *להגעיל, להבחיל; סירחון; שערורייה
- her name stinks היא ידועה לשימצה
- raise a stink להקים שערורייה
- stink out למלא בצחנה; להספיג סירחון; להבריח בסירחון/בעשן
- stinks *כימייה
- the play stinks *ההצגה רעה/מחורבנת
stink bomb פיצצת סירחון
stinker *n.* מסריח; *אדם שפל, נבזה, מלשין; דבר קשה/סתום; מיכתב חריף
stinking *adj.* מסריח; *רע, מזופת
- cry stinking fish לגנות מרכולתו
- stinking rich *עשיר מופלג
stint *v.* לקמץ, לחסוך, לצמצם
stint *n.* קימוץ; מיכסת עבודה; תפקיד
- without stint ללא הגבלה, בלי לחסוך מאמץ; ביד נדיבה, בעין יפה
sti'pend *n.* סטיפנדיה, מילגה; משכורת (של איש-דת)
sti·pen'diar'y (-dieri) *adj&n.* מקבל סטיפנדיה, מילגאי; מקבל משכורת; שופט
stip'ple *v.* לצייר בנקודות, לנקדד, לנמר
stip'u·late' *v.* להתנות, לקבוע תנאי, לדרוש (בסעיף בחוזה)
stip'u·la'tion *n.* תנאי; קביעת תנאי; תְּנָיָה
stir *v.* לנוע, לזוז; להניע; להניד; לבחוש, לערבב; לעורר, לרגש; להתעורר; להסתובב; *לחרחר
- rumors were stirring התהלכו שמועות
- stir a finger לנקוף אצבע
- stir an eyelid להניד עפעף
- stir his hair לפרוע שערותיו
- stir oneself להזיז עצמו, לפעול
- stir the blood להלהיב
- stir the fire לחתות האש
- stir up לעורר, להלהיב; להמריץ, לדרבן; לגרום; לחרחר
stir *n.* ניע, תנועה; בחישה; התרגשות, רעש, מהומה; *בית סוהר, כלא
stir-fry *v.* לטגן אגב בחישה
stirrer *n.* *חרחרן, סכסכן, תככן
stirring *adj.* מרגש, מלהיב, מעורר
stir'rup (stûr-) *n.* מישוורת, ארכוף, רכובה; עצם בתוך האוזן
stirrup cup *n.* כוס פרידה (ליוצא לדרך)
stitch *n.* תפר, תך; (בסריגה) עין; תפירה; *כאב חד (במותן); *בגדים
- in stitches מתפתל מצחוק
- not a stitch on ערום לחלוטין
stitch *v.* לתפור, להכליב, לכלב
- stitch up לתפור; *לסגור; להפליל
sti'ver *n.* סטייבר, פרוטה
- not care a stiver לא אכפת כלל
stoat *n.* סוג של סמור (טורף)
stock *n.* מלאי, סחורה; גזע-עץ; בול-עץ; כן, בסיס; קת; משק-החי; מניות; אג"ח; חומר-גלם; תמצית-מרק; כַּנָּה; שושלת, מוֹצָא; מנתור (פרח)
- fat stock בקר-שחיטה
- in stock במלאי, ניתן לקנותו
- on the stocks בשלבי בנייה
- out of stock אזל (מן המלאי)
- stocks כבש בנייה, מיבדוק; ארכוף, סד
- stocks and stones עצמים דוממים
- take stock לספור המלאי; לערוך חשבון, להעריך, לשקול; להאמין
- take stock of him לעמוד על טיבו
stock *v.* לשמור במלאי, לצייד, לאגור
- stock up לאחסן, לאגור; להצטייד
- well stocked מצויד היטב
stock *adj.* רגיל, שיגרתי, קבוע; מוחזק במלאי; ממוצע; נדוש
stock·ade' *n&v.* גדר-כלונסאות, קיר-הגנה; כלא; להגן, לבצר (בקיר-הגנה)
stockbreeder *n.* מגדל בקר
stockbroker *n.* סוכן מניות, ברוקר
stockcar *n.* קרון-בקר; מכונית-מירוץ
stock company להקת-רפרטואר (קבוע); חברת מניות
stock cube קוביית-מרק
stock exchange בורסה
stock-farmer *n.* מגדל בקר
stockfish *n.* דג מיובש
stockholder *n.* בעל מניות
stockily *adv.* בצורה חסונה
stock'inet' *n.* אריג גמיש, בד לבנים
stock'ing *n.* גרב (ניילון); גמישון
- in one's stocking feet בגרביים, לא נועל נעליים
stocking cap כובע גרב
stockinged *adj.* בגרביים, מגורב
stocking filler/stuffer שי קטן
stock in trade סחורה; מלאי-העסק; דבר אופייני, תכונה מיוחדת
stock'ist *n.* מחזיק במלאי
stock'job'ber *n.* סוחר מניות
stock-list *n.* רשימת המלאי; לוח שערי המניות
stockman *n.* מנהל חווה; מנהל המלאי
stock market בורסה, שוק המניות
stockpile *n&v.* מאגר-מלאי; לאגור מלאי (לשעת חירום)
stockpot *n.* סיר לתמצית מרק, קלחת
stock-room *n.* מחסן סחורה
stock-still *adv.* ללא כל תנועה
stocktaking *n.* ספירת מלאי; הערכת מצב
stock'y *adj.* חסון, נמוך, מוצק
stockyard *n.* מיכלא-בקר
stodge *n.* *מזון סמיך, אוכל כבד; ספר משעמם
stodg'y *adj.* סמיך, כבד, קשה; משעמם; חסר-מרץ, חסר-מעוף
sto'ic *n&adj.* סטואיקן; סטואי, כובש יצריו, מושל ברוחו, אדיש לרגשות
sto'ical *adj.* סטואי, סובל בדומייה

sto'icism' *n.* סטואיות, כיבוש היצר
stoke *v.* לספק פחם, להוסיף דלק
- stoke up לחתות (אש), לספק פחם
stoke-hole/-hold *n.* מַסָּקָה, חדר-הסקה
sto'ker *n.* מסיק, מיתקן הסקה
stole *n.* צעיף, סודר, רדיד
stole = pt of steal
sto'len = pp of steal
stol'id *adj.* נטול-הבעה, לא מפגין רגשות
stolid'ity *n.* אי-רגישות
stom'ach (stum'ək) *n&v.* קיבה; בטן; תיאבון; לאכול, לבלוע, לעכל; לסבול
- can't stomach it לא סובל זאת
- has no stomach for אין לו תיאבון/חשק ל-
- turn his stomach לעורר בו בחילה
stomach-ache *n.* כאב-בטן
stomachful *n.* מלוא הכרס, זרא
stomach pump משאבת-קיבה
stomp *v&n.* לדרוך, לרקוע, לפסוע/לרקוד בצעדים כבדים; מחול-רקיעה
stone *n.* אבן; גלעין; אבן-חן, יהלום; מצבה; ברד; סטון (14 ליטראות)
- leave no stone unturned לעשות כל מאמץ, לנסות כל דרך
- precious stone אבן יקרה
- rolling stone נע ונד, נווד
- stone's throw כמטחווי-אבן, קרוב
- throw stones להטיל דופי, להשמיץ
- up against a stone wall עומד מול קיר אטום
stone *v.* לסקול, לרגום; לגלען, להוציא הגלעינים
stone- לגמרי, לחלוטין, גמור, מובהק
Stone Age תקופת האבן
stone-blind *adj.* עיוור לחלוטין
stonebreaker *n.* מנפץ אבנים (לחצץ)
stone-cold *adj.* קר כקרח; לגמרי
stonecutter *n.* סתת, מקציע אבנים
stoned *adj.* מגולען; *שיכור, מסומם
stone-dead *adj.* מת, ללא רוח חיים
stone-deaf *adj.* חירש גמור
stone fruit פרי גלעיני
stone-ground *adj.* טחון באבן-ריחיים
stoneless *adj.* חסר גלעין, מגולען
stone mason סתת
stone-pit *n.* מחצבה
stone-wall *v.* (בפרלמנט) להאריך בנאומים, לעכב ההתקדמות; לשחק באיטיות
stoneware *n.* כלי-חרס
stonework *n.* סתתות; מעשה-אבן
stonily *adv.* בקרירות, באופן צונן
sto'ny *adj.* אבני, מטורש, מסולע; קשה, קשוח; קר, צונן; חסר-כל, חסר פרוטה
- stony broke *חסר-פרוטה, חסר-כל
- stony heart לב אבן
stood = p of stand
stooge *n.* מוקיון, שוטה הבימה, קורבן הקומיקן; בובה, עבד נרצע; "לקקן"
stooge *v.* לשמש כמוקיון, לספוג הלעג; לנוע/לטוס אילך ואילך
stool (stōōl) *n.* שרפרף; הדום; צואה
- fall between two stools ליפול בין הכיסאות, לצאת קירח מכאן ומכאן
stoo'lie *n.* *מלשין, מודיע משטרתי
stool-pigeon *n.* יונת-פיתיון; מלשין, מודיע משטרתי
stoop (stōōp) *v.* לכופף; להתכופף; לרכון; לעמוד שחוח; לעוט (על טרפו)
- stoop to לרדת ל- (שפל המדרגה)
stoop *n.* קומה כפופה; עמידה שחוחה; מרפסת-כניסה, אכסדרה
stop *v.* לעצור; לחדול; למנוע; לעכב; לשים קץ ל-; להפסיק; לסתום, לחסום; להישאר, לשהות
- I stopped eating הפסקתי לאכול
- I stopped to eat עצרתי כדי לאכול
- stop a check לעכב/לבטל המחאה
- stop a tone לסתם צליל
- stop a tooth לסתום שן
- stop at nothing לא להירתע ממאומה, לקחת כל סיכון, לא לבחול בשום אמצעי
- stop by/round לעצור לביקור קצר
- stop dead/cold לעצור לפתע
- stop down להקטין פתח הצמצם (בצילום)
- stop off/over לעצור, לעשות חניה
- stop one's ears לאטום אוזניו
- stop out לנכות (ממשכורת)
- stop short לעצור לפתע; להימנע מ-; לא להרחיק לכת עד כדי-
- stop up לחסום; לאחר לישון
stop *n.* עצירה; מניעה, עיכוב; קץ; הפסקה; סתימה; תחנה; מסתם צלילים; סימן-פיסוק; הגה פוצץ; וסת-אור (במצלמה); מעצר; פקק, מגופה
- come to a stop לעצור, להיעצר
- pull all the stops out לעשות כל המאמצים; לעורר כל הרגשות
- put a stop to לשים קץ ל-
stopcock *n.* ברז, וסת-מים, שסתום
stopgap *n.* תחליף ארעי, ממלא מקום
stop-go *n.* תקופת שינויים כלכליים (של אינפלציה ודפלציה לסירוגין)
stop light/lamp פנס בלימה
stop-over *n.* שהייה, חניית ביניים
stoppable *adj.* שניתן לעצרו
stop'page *n.* עצירה; בלימה; עיכוב; שביתה; מעצור; סתימה (בצינור)
stopper *n.* פקק, מגופה
- put the stopper on להפסיק
stopping *n.* סתימה (בשן)
stop press חדשות הרגע האחרון
stop-watch *n.* שעון-עצר, סטופר
stor'age *n.* אחסנה; מחסן; דמי אחסנה
storage heater אוגר חום
store *v.* לאגור, לצבור; לאחסן, לשמור במחסן; להחזיק במלאי; לצייד
- store up/away לאגור, לצבור
store *n.* חנות; מחסן; מאגר, מלאי; אספקה; כמות רבה
- has a store of יש לו מלאי של
- in store צפוי, עתיד לקרות
- keep in store להכין, לשמור באמתחת
- set great store by להעריך, להוקיר
- set no store by לזלזל, לבטל
- stores סחורה; מלאי; מחסן; חנות כל-בו
store card כרטיס אשראי ללקוח
store-house *n.* מחסן, אוצר

storekeeper *n.* חנווני; אחראי מחסן
storeroom *n.* מחסן
sto'rey *n.* קומה, דיוטה, מיפלס
- the upper storey *הראש, המוח
sto'ried (-rid) *adj.* מסופר, נושא לסיפורים, מפורסם; בעל קומות, קומתי
- 2-storied דו-קומת, בעל 2 קומות
stork *n.* חסידה
storm *n.* סערה, סופה; התפרצות, געש, סערת-רגשות
- cause a storm לעורר סערה/תסיסה
- ride out a storm לצאת בשלום (ממשבר)
- storm in a teacup סערה בצלוחית-מים, רוב מהומה על לא מאומה
- storm of arrows מטר חיצים
- take by storm לכבוש בסערה
storm *v.* לסעור, לגעוש; לכבוש בסערה; להסתער; להשתולל; להתפרץ בזעם
storm-beaten *adj.* מוכה-סערות
storm-bound *adj.* תקוע מחמת סערות
storm center מוקד הסערה, מרכז-הצרה
storm cloud ענן קודר, ענן-סופה; אות פורענות
storm lantern פנס-רוח
storm-proof *adj.* חסין-סערות
storm signal אות סערה (קרבה)
storm-tossed *adj.* מטולטל-סערות
storm trooper איש פלוגות הסער
storm troops פלוגות סער
stormy *adj.* סוער, גועש, מתפרץ
stormy petrel יסעור (עוף-ים); גורם סערה/תסיסה
sto'ry *n.* סיפור; מעשה; עלילה; כתבה; סיפור-בדים; קומה, דיוטה
- old story דבר שכיח
- tall story גוזמה, סיפור מפוקפק
- tell stories "לספר סיפורים", לשקר
- the same old story שוב אותו סיפור/תירוץ
- the story goes אומרים ש-
- to make a long story short בקיצור
story-book *adj.* כמו באגדות-ילדים
story line עלילה
story-teller *n.* מספר סיפורים; שקרן
stoup (stoop) *n.* קוּבַּעַת, קערת מים קדושים; כד, כלי-שתייה
stout *adj.* שמן, שמנמן; חזק, חסון; נועז, אמיץ; החלטי, תקיף, נאמן, עיקש
- stout resistance התנגדות עיקשת
- stout stick מקל חזק/לא שביר
- stout supporter חסיד נאמן
stout *n.* שיכר חריף
stout-hearted *adj.* אמיץ-לב, תקיף
stove *n.* תנור, כיריים, כירה
stove = p of stave
stove-pipe *n.* מעשנה, ארובת-תנור; *מיגבע, צילינדר
stow (stō) *v.* לארוז; לטעון (מיטען); לאחסן; לסדר (חפצים, במיזוודה)
- stow away לארוז, לסדר, לאחסן; להסתתר (כנוסע סמוי)
- stow it! בלום פיך!
stow'age (stō-) *n.* אריזה, אחסנה, סידור; ספנה, מקום המיטען; דמי אחסנה
stowaway *n.* נוסע סמוי

Strad *n.* סטרדיבאריוס (כינור)
strad'dle *v.* לפשק רגליים; לשבת בפישוק רגליים על-, לטרטן; לפגוע מסביב למטרה
Strad'iva'rius *n.* סטרדיבאריוס (כינור)
strafe *v.* להפציץ; להוכיח, לייסר
strag'gle *v.* לפגר, להשתרך, להשתרג; לסטות; להתפשט/לצמוח באי-סדר
straggler *n.* מפגר, משתרך
strag'gly *adj.* מפוזר, סבוך, משתרג
straight (strāt) *adj.* ישר; מסודר; זקוף; ניצב; הוגן, כן, גלוי; טהור; סטרייט, לא הומו
- keep straight ללכת בדרך הישר
- put straight להכניס סדר ב-
- put the record straight לתאר אל נכון
- set things straight להעמיד דברים על נכונותם
- straight angle זווית שטוחה (בת 180 מעלות)
- straight face פני פוקר
- straight fight התמודדות בין שניים (בבחירות), דו-קרב
- straight hair שיער חלק
- straight tip עצה ממקור מהימן
- straight whisky ויסקי טהור
straight *adv.* ישר, היישר, ישירות; מיד, ללא דיחוי; גלויות
- go straight ללכת בדרך הישר
- go straight to the point לגשת מיד לעניין, לא ללכת סחור-סחור
- hit straight לפגוע בדיוק במטרה
- sit up straight לשבת בזקיפות
- straight away/off מיד, ללא דיחוי
- straight from the shoulder גלויות
- straight out גלויות, ללא היסוס
- straight up *באמת, אמנם כן
- tell straight לומר גלויות
straight *n.* יושר, יַשרוּת; קטע ישר (במסלול מירוצים)
- on the straight and narrow שומר חוק, הולך בדרך הישר
straightaway *adv.* מיד, ללא דיחוי
straightedge *n.* סרגל
straighten *v.* ליישר, לסדר; להתיישר
- straighten out לסדר; להכניס סדר, ליישר הדורים, לתקן טעות; להזדקף
- straighten up להזדקף; לסדר
straight'for'ward (strāt-) *adj.* ישר, הוגן, כן, גלוי, לא חמקמק; קל, פשוט, ברור
straightjacket = strait-jacket
straightness *n.* יושר, יַשרוּת
straightway *adv.* מיד, ללא דיחוי
strain *v.* למתוח, למשוך; לאמץ; להתאמץ; להפריז במאמצים; לעוות, להוציא מידי פשוטו; לסנן
- strain a muscle למתוח שריר
- strain against ללחוץ בחוזקה על
- strain at למתוח, למשוך; לעשות מאמץ עליון; להסס
- strain every nerve לעשות כל שביכלתו, לעשות מאמץ עליון
- strain off לסנן, להעביר במסננת
- strain one's authority לחרוג מסמכותו
- strain one's eyes לאמץ עיניו

- strain the heart לאמץ הלב יתר על המידה, להזיק ללב
- strain the truth לאנוס את האמת
- strain to one's bosom לאמץ לחיקו

strain *n.* מתיחה; מתח; לחץ; מאמץ-יתר; נקיעה, נקע
- is under a strain שרוי בלחץ

strain *n.* לחן, נעימה; צליל, נימה, טון; רוח, מגמה, אופי, סיגנון; סוג; זן; מוֹצָא, גזע; תכונה תורשתית

strained *adj.* מאולץ, לא-טיבעי, מתוח
- strained face פנים מתוחים
- strained meaning פירוש דחוק
- strained relations יחסים מתוחים

strainer *n.* מסננת

strait *n.* מיצר, רצועת-ים; מצוקה
- straits מצרים; מצוקה, קשיים

strait *adj.* צר, קשה

strait′en *v.* להצר; להביא במצוקה

straitened *adj.* קשה, במצוקה

strait-jacket *n.* מעיל משוגעים; דבר כובל, מונע התפתחות, מגביל תנועה

strait-jacket *v.* להגביל בצורה חמורה

strait-laced *adj.* קפדני, פוריטאני, מוסרי

strand *n.* גדיל, חוט, שערה; קווצה; חוט-השתלשלות (בסיפור); חוף, גדה

strand *v.* לעלות/להעלות על שירטון; לעלות לחוף; להיתקע

stranded *adj.* נטוש, עזוב לאנחות

strange (strānj) *adj&adv.* מוזר, משונה; זר, נוכרי; לא רגיל; לא מוכר
- felt strange הרגיש לא טוב, חש אי-נעימות
- strange to say מוזר, אבל-, מעניין-

stran′ger (strān′-) *n.* זר, נוכרי
- no stranger to מנוסה ב-, מכיר
- you are quite a stranger זה זמן רב שלא ראינוך

stran′gle *v.* לחנוק (למוות)

strangle-hold *n.* לפיתת-חנק

stran′gu·late′ *v.* לשנק, לחסום זרם הדם

stran′gu·la′tion *n.* שינוק; חניקה

strap *n.* רצועה, סרט
- give the strap להלקות (ברצועת-עור)

strap *v.* לקשור, להדק ברצועה; לחבוש; להלקות ברצועה
- strap up לקשור; לחבוש

strap-hanger *n.* נוסע בעמידה

strap-hanging *n.* נסיעה בעמידה

strapless *adj.* (שימלה) חסרת-כתפיות

strapped *adj.* חסר, דחוק ב-

strap′ping *adj.* חזק, חסון, גבוה

stra′ta = pl of stratum

strat′agem *n.* תחבולה, תכסיס

strate′gic(al) *adj.* אסטרטגי, תכסיסי

strate′gics *n.* אסטרטגיה

strat′egist *n.* אסטרטג

strat′egy *n.* אסטרטגיה, תכסיסנות; תכסיס, תחבולה

strat′ifica′tion *n.* ריבוד, עריכה בשכבות, הרבדה; התרבדות

strat′ify′ *v.* לרבד, לערוך בשכבות; להתרבד

strat′osphere′ *n.* סטראטוספירה

stra′tum *n.* שיכבה, רובד, מעמד חברתי

straw *n&adj.* קש, תבן; גיבעול; קשית, קש-מציצה; קש וגבבא; עשוי קש
- draw the short straw לעלות בגורל
- make bricks without straw לעשות לבינים ללא תבן
- man of straw אפס, "עושה רוח", נמר של נייר
- not care a straw לא איכפת כלל
- straw in the wind רמז לבאות

strawberry *n&adj.* תות שדה, תות גינה; אדמדם

strawberry mark כתם אדמדם (בעור)

strawboard *n.* קרטון (עשוי קש)

straw boss מפקח מישנה

straw-colored *adj.* קשי, צהוב בהיר

straw man איש קש

straw poll/vote מישאל, סקר

stray *v.* לתעות; לסטות

stray *adj&n.* תועה; בודד; מיקרי; נראה פה ושם; ילד תועה
- waifs and strays ילדים חסרי-בית

stray bullet כדור תועה

streak *n.* קו, רצועה, פס; עקבות; נטייה; תכונה; תקופה, שעה; סידרה
- like a streak of lightning במהירות הבזק
- losing streak תקופת כישלונות
- streak of bad luck תקופה של חוסר מזל
- winning streak סידרת ניצחונות

streak *v.* לנוע במהירות, לרוץ; לפספס, לסמן בפסים; לרוץ ערום

streaker *n.* רץ ערום ברחובות

streaky *adj.* מפוספס, בעל פסים

stream *n.* נחל, פלג; זרם, תנועה, שטף
- down stream במורד הנהר
- go with the stream לשחות עם הזרם
- on stream מייצר, פועל
- stream of consciousness זרם התודעה, שטף המחשבות
- up stream במעלה הנהר

stream *v.* לזרום, לשטוף, להינגר; לנהור; להתנופף; לגלוש

streamer *n.* נס, דיגלון; סרט

streamer headline כותרת ענק

stream′let *n.* פלג, יובל, פלגלג

streamline *v.* לעשות זָרים, להחליק; לפשט, לייעל

streamlined *adj.* זָרים, נוח לזרימה, חלק; יעיל, שוטף

stream of consciousness זרם התודעה

street *n.* רחוב, דרך
- be on the streets לעסוק בזנות
- not in the same street as לא מגיע לרמתו
- on/in the street ברחוב, מובטל; חופשי
- streets ahead of עולה בהרבה על
- up my street בתחום שלי, בשטח שלי

street Arab ילד רחוב, זאטוט רחוב

streetcar *n.* חשמלית

street door דלת (הפונה ל-) רחוב

street-girl *n.* נערת רחוב, יצאנית

street light/lamp פנס רחוב

street value מחיר הרחוב (של סם)

street-walker *n.* יצאנית

streetwise *adj.* מכיר את חיי העיר
strength *n.* חוזק, עוצמה, כוח, גבורה;
תוקף; כוח מיספרי; מַצָּבָה, תקן
- below strength מתחת לתקן
- from strength to strength מחיל אל
חיל
- in strength במיספר רב (של אנשים)
- on the strength בתקן
- on the strength of בתוקף-, מכוח-, על
סמך-, על יסוד-
strength'en *v.* לחזק; להתחזק
stren'u·ous (-ūəs) *n.* דורש מאמץ;
מאמץ, קשה; נמרץ, פעיל
strep'tococ'cus *n.* סטרפטוקוקוס, נקד
שרשרת (בקטריות)
strep'to·my'cin *n.* סטרפטומיצין
stress *n.* לחץ; מתיחות, מצוקה; דגש,
חשיבות, מישקל; נגינה, טעם
- lay stress on לשים דגש על
- under financial stress במצוקה כספית
- under the stress of- בלחץ ה-
stress *v.* ללחוץ; להדגיש, להטעים
stressed out *מותש, מולחץ
stressful *adj.* של לחץ, מלחיץ
stress mark סימן הטעם, נגינה; מתג
stretch *v.* למתוח; להימתח; למשוך;
להימשך; להושיט; להשתרע, להתפשט;
להגמיש; להתמתח
- fully stretched מפעיל כל כוחותיו
- stretch a law להגמיש חוק, לנהוג לפנים
משורת הדין
- stretch a muscle למתוח שריר
- stretch a point לנהוג בגמישות
- stretch it a bit *להגזים
- stretch one's neck לשרבב צווארו
- stretch out להתמתח, לחלץ עצמותיו;
להשתרע; לפשוט, לשלוח; להושיט (יד)
- stretch over להימשך על פני, לארוך
- stretch the rules להגמיש הכללים,
לנהוג לפנים משורת הדין
stretch *n.* מתיחה, חילוץ עצמות;
מתיחות, גמישות; מישטח, מישור;
קטע-מסלול; רצף, משך-זמן; *תקופת
מאסר
- 3 hours at a stretch 3 שעות רצופות
- at full stretch עובד במלוא הקיטור
- stretch of the imagination הפלגת
הדימיון
stretch *adj.* גמיש, מתיח
stretchable *adj.* מתיח, גמיש
stretcher *n.* אלונקה; מותח
stretcher-bearer *n.* אלונקאי
stretcher party כיתת אלונקאים
stretch marks סימני-עור
stretchy *adj.* גמיש, מתיח, אלסטי
strew (strōō) *v.* לפזר, לכסות, לבזוק
- strewn מפוזר על פני, זרוע
strewth, struth (strōōth) *interj.* לעזאזל
stri'a'ted *adj.* מפוספס, מתולם, מחורץ
stri·a'tion *n.* קו, חריץ; תילום
strick'en (= pp of strike) *adj.* מוכה,
הלום (-יגון), אחוז, חדור; נגוע
- stricken in years זקן מופלג
strict *adj.* קפדן, מחמיר; חמור; מפורש,
ברור; מדויק; שלם, גמור, מוחלט
- in strict secrecy בסוד גמור
- in the strict sense במובן הצר
strictly *adv.* במפורש, בקפדנות
- strictly speaking במובן הצר של המלה
stric'ture *n.* ביקורת, תוכחה, נזיפה;
(ברפואה) היצרות (צינור בגוף)
stride *v.* לפסוע, לצעוד; לחצות בפסיעה
גסה; לשבת בפישוק רגליים
stride *n.* פסיעה גסה; צעד ארוך
- hit one's stride לרוץ במירב המהירות;
להשתדל ביותר
- make great strides להתקדם יפה
- strides התקדמות, שיפור; *מכנסיים
- take it in his stride לעשות זאת בלא
מאמץ מיוחד, לקבל כדבר רגיל
stri'dence, stri'dency *n.* צרימה
stri'dent *adj.* צורמני, צרצרני
strid'ulate' (-j'-) *v.* לצרצר
strid'ula'tion (-j'-) *n.* צירצור
strife *n.* סיכסוך, חיכוך, ריב, מריבה
strike *n.* שביתה; התקפה, הפצצה; גילוי,
מציאה, הצלחה, מזל
- go on strike לפתוח בשביתה
- has two strikes against him *במצב
ביש, במצוקה
- lightning strike שביתת פתע
- lucky strike הצלחה פתאומית, מזל
- oil strike גילוי נפט
strike *v.* להכות, לחבוט, להלום; לפגוע;
להתקיף; להסתער; להרשים; לעלות
בדעתו; לחשב; להגיע ל-; למצוא, לגלות;
לשבות; לפנות
- be struck dumb להיאלם דום
- how does she strike you? כיצד היא
מרשימה אותך? איך היא מוצאת חן
בעיניך?
- it struck me that- צץ בראשי ש-
- strike (up)on להיתקל; לצוץ בראשו
- strike a coin לטבוע מטבע
- strike a flag להוריד דגל
- strike a match להדליק גפרור
- strike a note of לנקוט נימה של
- strike a pose לעשות תנוחה (מסוימת)
- strike all of a heap להדהים
- strike cuttings לשתול ייחורים
- strike down להפיל, להשכיב
- strike home לנעוץ פנימה; לחדור עמוק
- strike it rich להתעשר לפתע
- strike off למחוק, לסלק מרשימה;
להדפיס; לפנות, ללכת; להתיז, לערוף
- strike oil לגלות נפט; להאיר לו מזלו
- strike one's colors להיכנע
- strike out לצאת; לפנות, ללכת; לשחות
נמרצות; להכות, לחבוט; למחוק
- strike out on one's own להיות עצמאי
- strike root להכות שורש
- strike tents לפרק אוהלים
- strike terror להפיל אימה
- strike the road למצוא את הדרך
- strike through למחוק
- strike up להתחיל, לפצוח (בזמר)
- strike up a friendship להתיידד
- the clock struck השעון צילצל
- the hour has struck הגיעה השעה
הגורלית
- the place strikes cold נוצר רושם
שהמקום קר

strike-bound *adj.* מושבת
strikebreaker *n.* מפר שביתה
strikebreaking *n.* הפרת שביתה
strike fund קרן שביתה
strike leader מנהיג שובתים
strike pay דמי שביתה
striker *n.* שובת; חלוץ (בכדורגל)
striking *adj.* מרשים, שובה לב; מַכֶּה
- within striking distance קרוב מאוד
striking force כוח פשיטה
string *n.* חוט, שרוך, פתיל; מיתר; מחרוזת; סידרה, מערכת, שורה; סיב
- harp on the same string לפרוט על אותה נימה, לדוש בנושא
- have him on a string למשול בו, לעשות בו כרצונו
- no strings attached בלא תנאים מגבילים
- play second string לנגן כינור שני, לעמוד בצילו
- pull strings למשוך בחוטים
- string of curses צרור קללות
- strings כלי-מיתרים
string *v.* לקשור; לתלות; למתוח מיתרים; לחרוז (פנינים/מלים)
- highly strung רגיש ביותר, פגיע
- string along לרמות, להוליך שולל; לשתף פעולה; להילוות, להיצמד
- string out לפרוש (ברווחים) בשורה; למתוח, להאריך
- string up לקשור בחוט, לתלות; *להוציא להורג בתלייה
- strung out מכור לסמים, מסומם
- strung up מתוח, עצבני, מתרגש
string band תיזמורת כלי-מיתרים
string bean שעועית ירוקה; *רזה וגבוה
stringed instrument כלי-מיתרים
strin'gency *n.* חוּמרָה, קפדנות; מחסור
strin'gent *adj.* מחמיר, חמור, קפדני; מצומצם, מוגבל, דחוק בכסף
stringer *n.* *חורז, כתב, עיתונאי
string orchestra תיזמורת כלי-מיתרים
stringy (-ngi) *adj.* חוטי, חוטני, סיבי
strip *v.* לפשוט; להפשיט; להתפשט; להסיר, לקלף; לפרק; לגזול; לרוקן
- strip a bolt לקלקל חריצי הבורג
- strip a cow לחלוב פרה עד תום
- strip down a car לפרק מכונית
- strip off להסיר; להתפשט
- stripped of his rank נשללה דרגתו
strip *n.* רצועה, סרט, פס; תילבושת-שחקנים; סטריפטיז, התערטלות
strip cartoon סיפור מצויר (בעיתון)
strip club מועדון חשפנות
stripe *n.* רצועה, פס; סרט-דרגה; הלקאה, הצלפה, מכת-שוט
stripe *v.* לפספס
striped *adj.* מנומר, מפוספס
strip lighting תאורה בשפופרות-ניאון
strip'ling *n.* נער, עלם, בחור
strip'per *n.* חשפנית
strip search חיפוש בלא בגדים
strip show סטריפטיז, חשפנות
strip-tease *n.* סטריפטיז, חשפנות
stri'py *adj.* מנומר, מפוספס
strive *v.* לחתור, לשאוף, להיאבק, להילחם; להתאמץ, להשתדל, לנסות
striver *n.* חותר, נלחם; מתאמץ
strobe light אור הבזק; אור מהבהב
stro'boscope' *n.* חינוע, סטרובוסקופ
strode = pp of stride
stroke *n.* מכה, חבטה; הצלפה; שבץ, אירוע מוחי; שחייה, חתירה; משוטאי אחורי; לטיפה; משיכת-קולמוס, תנועת-מיכחול; צילצול-שעון
- at the stroke of 7 בשעה 7
- hasn't done a stroke of work ישב בטל
- off one's stroke לא כתמול שלשום
- on the stroke בדיוק, בשעה שנקבעה
- stroke of business עיסקה טובה
- stroke of genius הברקה גאונית
- stroke of luck הארת-מזל
stroke *v.* ללטף; לתפוס משוט אחורי; להכות, לחבוט
- stroke down להרגיע
- stroke the wrong way להרגיז
stroll (strōl) *v&n.* לטייל בנחת, לפסוע לאיטו; הליכה בנחת
stroller *n.* עגלת-ילדים; מטייל
strolling *adj.* מסייר, עורך מופעים
strong (-rông) *adj.* חזק, חסון, איתן; תקיף; עז; עולה, מאמיר; מסריח
- 1000 strong 1000 במיספר, אלף איש
- go it strong *להרחיק לכת, להגזים
- still going strong לא נס ליחו
- strong argument טענה ניצחת
- strong drink משקה חריף
- strong form צורה מודגשת (במיבטא)
- strong point נקודה חזקה, צד חזק
- strong verb פועל יוצא-דופן
strongarm *adj.* אלים, בריוני
strongbox *n.* כספת
stronghold *n.* מיבצר, מעוז
strongly *adv.* באורח תקיף, נמרצות
strongman *n.* מנהיג חזק
strong-minded *adj.* תקיף בדעתו
strong room חדר מבוצר, כספת
stron'tium *n.* סטרונציום (יסוד מתכתי)
strop *n&v.* (להשחיז ב-) רצועת השחזה
strop'py *adj.* *עקשן, מרדני
strove = pt of strive
struck = p of strike
struc'tural (-'ch-) *adj.* מיבני, של בניין; סטרוקטורלי, תבניתי
struc'ture *n&v.* מיבנה, בניין; לבנות; לגבש
stru'del *n.* כרוכית, שטרודל
strug'gle *v.* להיאבק; להתאמץ; לנסות להיחלץ; להתחבט; להתקדם בקושי
- struggle for להיאבק למען, לחתור
struggle *n.* מאבק, מלחמה; מאמץ
strum *n&v.* לפרוט, לנגן בעלמא/בצורה גרועה; פריטה גרועה
strum'pet *n.* יצאנית
strung = p of string
strut *v.* ללכת ביהירות, לטפוף בחשיבות עצמית
strut *n.* הילוך גאוותני; סמוך, סמוכה, יתד תומך

strych′nine (-k-) *n.* סטריכנין
stub *n.* חֲבוּר, זנב, בדל, קצה, שארית
stub *v.* להיתקל; ללחוץ
- stub one's foot להיתקל ברגלו
- stub out לכבות (סיגריה) במעיכה
stub′ble *n.* שֶׁלֶף, גיבעולים שנשארו אחרי הקציר; זיפי-זקן, שלפי-זקן
stub′bly *adj.* זיפי, מכוסה שֶׁלֶף
stub′born *adj.* עקשן, קשה לטיפול
stub′by *adj.* קצר ועבה
stuc′co *n.* טיח-קישוט, טיח-קירות
stuck (= p of stick) *adj.* תקוע; נתקע; דבוק
- get stuck in קדימה! להתחיל במרץ
- is stuck on her מאוהב בה
stuck-up *adj.* מתנפח, מתנשא, שחצן, סנוב
stud *n.* כפתור (דו-ראשי); יתד, מסמר-קישוט, נעץ; עגיל; סוס-הרבעה; מערכת סוסים
stud *v.* לשבץ, לקשט, לפזר
stud-book *n.* ספר היוחסין
stu′dent *n.* תלמיד, סטודנט; חוקר
stud farm חוות-סוסים
stud horse סוס הרבעה
stud′ied (-did) *adj.* מכוּוָן, מתוכנן, מחושב
stu′dio′ *n.* סטודיו, אולפן
- studios אולפני-הסרטה
studio apartment/flat דירת-חדר
studio audience צופי-אולפן
studio couch ספה-מיטה
stu′dious *adj.* שקדן, מתמיד, שוחר-תורה; מכוּוָן, מחושב, קפדני
stud′y *n.* לימודים, מדרש, מחקר; נושא לעיון; חדר-עבודה; שירטוט; סקיצה
study *v.* ללמוד, לעיין, לשנן; לבדוק, לבחון, להתבונן; לדאוג, לתת הדעת
- study one's needs לדאוג לצרכיו
stuff *n.* חומר; אריג-צמר; דברים, חפצים; שטויות
- do one's stuff להראות כוחו, להפגין יכולתו, לעשות המוטל עליו
- doctor's stuff רפואות, תרופות
- knows his stuff בקי במלאכתו
- stuff and nonsense הבלים, שטויות
- stuff of life תמצית החיים
- that's the stuff (to give them)! *כך צריך! כך יאה להם!
- the stuff he is made of החומר שממנו הוא קורץ
stuff *v.* למלא, לדחוס, לדחוק; לפטם; לזלול; לפחלץ; לסתום
- get stuffed! לך לעזאזל!
- stuff a ballot box לזייף קולות
- stuff a chicken למלא עוף (במלית)
- stuff a person לרמותו, למלא ראשו בדברי הבל
- stuff oneself לזלול, למלא כרסו
- stuff up לסתום
- stuffed up nose אף סתום
stuffed *adj.* גדוש; ממולא; מפוחלץ
stuffed animal אדר
stuffed shirt *טיפוס מתנפח
stuffing *n.* מלית, חומר מילוי
- knock the stuffing out of him

להתישו; ליטול ביטחונו העצמי
stuffy *adj.* מחניק, לא מאוורר; צר-אופק; משעמם; שמרני; כעסן, רגזן
stul′tifica′tion *n.* עשייה לצחוק
stul′tify′ *v.* לעשות למגוחך, להציג כחסר-תועלת, לשים ללעג, לסכל, לבטל
stum′ble *v&n.* להיכשל, למעוד; לגמגם; לנוע בחוסר-יציבות; מעידה
- stumble across/on להיתקל ב-, לפגוש
- stumble into crime להיכשל בדבר-פשע
stumbling block מיכשול, אבן נגף
stump *n.* כּוֹרֶת, גֶדֶם, גזע, איבר כרות; בדל, זנב, שורש; רגל-עץ; צעד כבד
- on the stump עוסק בתעמולת בחירות
- stir one's stumps ללכת, למהר
- up a stump *נבוך, מבולבל
stump *v.* לצעוד בכבדות; לשאת נאומי בחירות; להביך, להציג שאלה קשה
- it stumps me אני נבוך, לא אבין
- stump up לשלם, לפרוע
stump′er *n.* שאלה קשה
stump speeches נאומי בחירות
stump′y *adj.* קצר ועבה
stun *v.* להמם (במהלומה בראש); להדהים, לזעזע
stung = p of sting
stun gun רובה הלם
stunk = p of stink
stun′ner *n.* *אדם מקסים, דבר נפלא
stunning *adj.* מקסים, נפלא
stunt *v.* לעצור (צמיחה/התפתחות); לגמד, לעכב, לצמצם
stunt *n.* מיבצע (מסוכן); מעשה נועז; להטוט פירסומת; להטוט טיסה; מעשה ראווה
stunted *adj.* מפגר, מגומד, שלא התפתח
stunt flying אווירובטיקה
stunt man כפיל (למיבצעים מסוכנים)
stu′pefac′tion *n.* טימטום, עירפול מחשבה, טישטוש חושים; תדהמה
stu′pefy′ *v.* לטמטם, לערפל המחשבה; להכות בתדהמה
stu·pen′dous (stōō-) *adj.* מדהים, נפלא, ענק, כביר, עצום
stu′pid *adj&n.* טיפשי, אווילי, מגוחך; מטומטם; מעורפל-חושים; *טיפשון
stu·pid′ity (stōō-) *n.* טיפשות, טימטום
stu′por *n.* טימטום, קהות-חושים
stur′dy *adj.* חזק, חסון, נמרץ, בריא
- sturdy opposition התנגדות עיקשת
stur′geon (-jən) *n.* חידקן (דג)
stut′ter *v&n.* לגמגם; גימגום
sty *n.* דיר-חזירים; שעורה, דלקת בעפעף
Styg′ian *adj.* חשוך, קודר, אפל
style *n.* סיגנון, נוסח; אופנה; עיצוב; סוג, מין; תואר, כינוי; חֶרֶט, מִכְתָּב; עמוד-העלי
- every style of pen כל סוגי העטים
- high style האופנה האחרונה
- in style בהידור, לפי צו-האופנה
- live in style לחיות ברמה גבוהה
style *v.* לתכנן, לעצב; לכנות, לקרוא
styleless *adj.* נטול סיגנון
sty′lish *adj.* אופנתי, מהודר
sty′list *n.* מסגנן, סגנן; מעצב (אופנה)
- hair stylist מעצב שיער
sty·lis′tic *adj.* של סיגנון, סיגנוני

stylistics *n.* תורת הסיגנון
sty'liza'tion *n.* סיגנון, סטיליזציה
sty'lize *v.* לסגנן, לעצב בסיגנון מיוחד
sty'lus *n.* חֶרֶט, מַכְתֵּב; מחט-מקול
sty'mie *v.* לעצור, לסכל, לתסכל
styp'tic *adj.* עוצר דימום
sty'rofoam' *n.* קלקר
Styx *n.* סטיקס, נהר-השאול
- cross the Styx למות
su'able *adj.* בר-תביעה
sua'sion (swā'zhən) *n.* שיכנוע
suave (swäv) *adj.* מנומס, אדיב, נעים
suav'ity (swäv'-) *n.* נימוסיות, נעימות
sub- (תחילית) תחת, למטה, מתחת ל-; תת, -מישנה
- subeditor עורך-מישנה
- substandard תת-תיקני
sub *n.* *צוללת; מיקדמה; עורך-מישנה; ממלא-מקום; קצין זוטר; סגן-מישנה; דמי-חבר
sub *v.* *לקבל/לתת מיקדמה; למלא מקום; לערוך עריכת-מישנה
sub•al'tern (-bôl'-) *n.* קצין זוטר
sub-aq'ua *adj.* תת-מימי
sub•a'que•ous *adj.* תת-מימי, רפה
sub'atom'ic *adj.* תת-אטומי
sub'commit'tee *n.* ועדת-מישנה
sub'com'pact' *n.* מיני-קומפקט (מכונית)
sub•con'scious (-shəs) *n&adj.* תת-הכרה, תת-ידע; תת-הכרתי
sub•con'tinent *n.* תת-יבשת
sub•con'tract' *n.* חוזה-מישנה
sub'contract' *v.* להעסיק קבלן-מישנה
sub'contrac'tor *n.* קבלן-מישנה
sub'cul'ture *n.* תת-תרבות
sub'cu•ta'ne•ous (-kū-) *adj.* תת-עורי, שמתחת לעור
sub'divide' *v.* לחלק לתת-חלקות; להתחלק חלוקת-מישנה
sub'divi'sion (-vizh'ən) *n.* תת-חלקה; חלוקת-מישנה
subdue' (-dōō') *v.* להכניע, לכבוש, להתגבר על, לדכא; לעדן, לרכך, להחליש; לעמעם
subdued *adj.* עמום; עצור, מאופק
sub•ed'it *v.* לשמש עורך-מישנה
sub•ed'itor *n.* עורך-מישנה
sub'group' (-grōōp) *n.* תת-קבוצה
sub'head'ing (-hed-) *n.* כותרת-מישנה, תת-כותרת
sub•hu'man *adj.* תת-אנושי
sub'ject (-jikt) *n.* נתין, אזרח; חומר; נושא; עניין; מיקצוע, ענף; הֶגֶלֶם; חיית-ניסוי; אדם; (בתחביר) נושא
- nervous subject טיפוס עצבני
- subject for ridicule מטרה ללעג
- subject of much criticism מטרה לחיצי ביקורת
sub'ject (-jikt) *adj.* כפוף; נשלט; נוטה; מותנה
- subject to כפוף/מותנה/תלוי ב-
- subject to allergy נוטה לאלרגיה
- subject to his approval מותנה באישורו, טעון אישורו
- subject to the law כפוף לחוק
subject' *v.* להכניע, להשתלט על; לחשוף, להעביר; לגרום לניסיון/חוויה
- subject to suffering לענות
- subjected to heat נתון בחום
subjec'tion *n.* הכנעה, שיעבוד, דיכוי
subjec'tive *adj.* סובייקטיבי; דימיוני; אישי; נושאי
subjective case יחסת הנושא
sub'jec•tiv'ity *n.* סובייקטיביות, נושאיות, יחס אישי
subject matter נושא, תוכן
subjoin' *v.* להוסיף (הערה) בסוף
sub judice (soob'jōō'dikā') סוב יודיצה, בשלב בירור מישפטי
sub'jugate' *v.* לכבוש, להכניע, לשעבד
sub'juga'tion *n.* כיבוש, הכנעה
subjunc'tive *adj&n.* דרך המישאלה/התנאי
sub•lease' *v.* להשכיר שכירות מישנה
sub'lease' *n.* שכירות-מישנה
sub•let' *v.* להשכיר לדייר-מישנה; להעביר לקבלן-מישנה
sub'lieu•ten'ant (-lōō-) *n.* סֶגֶן-מישנה
sub'limate' *v.* להפוך מוצק לגאז, לצרוף, לזכך, לטהר, לעדן (דחפים מיניים)
sub'limate *n.* סובלימאט, מוצק מזוכך
sub'lima'tion *n.* סובלימציה, המראה, הפיכת מוצק לגאז; זיכוך, עידון
sublime' *adj&n.* נעלה, נשגב, שמיימי, אצילי; *מדהים, נורא, גמור
- the sublime הנעלה, הנשגב
sub•lim'inal *adj.* תת-הכרתי
subliminal advertising פרסומת סמוייה
sublim'ity *n.* עילאות, אצילות
sub'machine' gun (-məshēn') תת-מקלע
sub'marine' (-rēn) *adj.* תת-ימי
submarine *n.* צוללת
submarine pen מחסה-צוללות
submariner *n.* צוללן
submerge' *v.* לשקע; לכסות במים; להסתיר; לשקוע; לצלול
submerged tenth העשירון התחתון
submergence *n.* שיקוע; שקיעה; צלילה
submer'sible *adj.* בר-צלילה, שקיע
submer'sion (-zhən) *n.* שיקוע; שקיעה; צלילה
submis'sion *n.* כניעה; הכנעה; צייתנות; טענה, הצהרה; הגשה, מסירה
submis'sive *adj.* נכנע, מקבל מרות
submit' *v.* להיכנע, לא להתנגד, להשלים; להגיש, למסור, להציע; לטעון
- submit oneself להיכנע, לקבל מרות
- submit to להשלים עם, לעבור
sub•nor'mal *adj.* תת-נורמלי
sub•or'bital *adj.* תת-הקפי, תת-מסלולי
subor'dinate *adj&n.* נחות; נמוך, כפוף, טפל, מישני; זוטר
subor'dinate' *v.* להכניע, לשעבד, להעמיד בדרגה נחותה, לייחס חשיבות מישנית
subordinate clause מישפט טפל
subor'dina'tion *n.* שיעבוד, נחיתות
subor'dina'tive *adj.* משעבד, מנמיך
suborn' *v.* להסית לדבר-עבירה, להדיח

sub'or•na'tion *n.* הסתה לדבר-עבירה
subpe'na (səp-) *n&v.* (להוציא) כתב-הזמנה לבית-דין; זימון; לְזַמֵּן
sub'plot' *n.* עלילה טפלה, עלילה מישנית
sub'rogate' *v.* להחליף, להעביר זכויות לצד ג'
sub ro'sa (-zə) בחשאי, בסוד
sub'routine' (-rōōtēn') *n.* תת-שיגרה
subscribe' *v.* לחתום; לתרום, להיות מנוי; להבטיח, להתחייב
- subscribe oneself לחתום שמו
- subscribe to לתמוך ב-, להסכים
subscriber *n.* חותם; מנוי
subscrip'tion *n.* חתימה; תרומה; (דמי-) מינוי; דמי-חבר; תמיכה, הסכמה; התחייבות
sub'sec'tion *n.* סעיף מישנה
sub'sequent *adj.* שבא לאחר מכן, מאוחר
- subsequent to אחרי-, לאחר-
subsequently *adv.* לאחר מכן
subserve' *v.* להיות לעזר, להועיל
subser'vience *n.* התרפסות
subser'vient *adj.* מתרפס, כפוף; מועיל; משמש אמצעי להשגת מטרה
subside' *v.* לשקוע; לרדת; להירגע, לשכוך
- subside into a chair לצנוח לתוך כיסא
subsidence *n.* שקיעה, ירידה, רגיעה
subsid'iar'y (-dieri) *adj&n.* עוזר, מסייע; מישני, טפל; חברת-בת
subsidiary company חברת-בת
sub'sidiza'tion *n.* סיבסוד
sub'sidize' *v.* לסבסד
sub'sidy *n.* סובסידיה, סעד כספי
subsist' *v.* להתקיים, לחיות על
subsistence *n.* קיום; פרנסה, מחיה; חיים מן היד אל הפה, פרנסה דחוקה
subsistence crop יבול-צריכה
subsistence level רמת קיום דחוקה
sub'soil' *n.* תשתית, שיכבה תת-קרקעית
sub•son'ic *adj.* (מהירות) תת-קולית
sub'stance *n.* חומר; ישות; ממשות; תוכן; תמצית; מוצקות, חוזק; רכוש, ממון
- in substance בעצם, ביסודו של דבר
- man of substance בעל רכוש
substance abuse שימוש רע בסמים
sub•stan'dard *adj.* תת-תיקני
substan'tial *adj.* חזק, איתן; מוצק; ניכר, גדול, חשוב; יסודי, עיקרי, ממשי; ריאלי, מהותי; אמיד
- in substantial agreement תמימי דעים באופן עקרוני
- substantial meal ארוחה דשנה
- substantial success הצלחה ניכרת
substantially *adv.* באורח יסודי, יפה
substan'tiate' (-'sh-) *v.* להוכיח, לאמת
substan'tia'tion (-'sh-) *n.* הוכחה, אימות
sub'stanti'val *adj.* של שם עצם
sub'stantive *adj&n.* ישותי, עצמאי, ממשי, קיים; (בדיקדוק) שם עצם
substantive rank דרגת-קבע
sub'sta'tion *n.* תחנת-מישנה
sub'stitute' *n.* תחליף, ממלא מקום
substitute *v.* להחליף, למלא מקום; להשתמש בתחליף; לתחלף
sub'stitu'tion *n.* מילוי מקום, תחליף; תיחלוף
sub'stra'ta = pl of substratum
sub'stra'tum *n.* יסוד, בסיס, תשתית; רובד תחתי; תת שיכבה
sub'struc'ture *n.* תת-מיבנה, בסיס תומך, יסוד
subsume' *v.* לכלול, להכליל בסוג
sub•ten'ant *n.* דייר-מישנה
subtend' *v.* (בהנדסה) להימצא מול (כגון צלע מול זווית)
sub'terfuge' *n.* תחבולה, תכסיס, התחמקות, השתמטות; אמתלה, תואנה
sub'terra'ne•an *adj.* תת-קרקעי
sub'ti'tle *n&v.* כותרת מישנית (של ספר); כתובית; להוסיף כתוביות
- subtitles תרגום בגוף הסרט
sub'tle (sut'əl) *adj.* עדין, דק, רך, סובטילי; חריף, שנון; מורכב, מתוחכם
- subtle smile חיוך מיסתורי
sub'tlety (sut'əlti) *n.* עדינות, דַקוּת; חריפות, שנינות; מורכבות; הבחנה דקה
sub•to'pia *n.* איזור שיכונים
sub'to'tal *n.* סיכום ביניים
subtract' *v.* לחסר, לנכות, להפחית
subtrac'tion *n.* חיסור
sub•trop'ical *adj.* סובטרופי
sub'urb' *n.* פרוור, עיבורה של עיר
subur'ban *adj.* של פרוורים; חסר-מעוף
subur'banite' *n.* תושב פרוור
subur'bia *n.* פרוורים, אורח החיים של תושבי הפרוורים
subven'tion *n.* מענק, סעד כספי
subver'sion (-zhən) *n.* חתירה, חתרנות, עירעור
subver'sive *adj.* חתרני, הרסני, מערער
subvert' *v.* לחתור תחת, לערער
sub'way' *n.* (רכבת) תחתית; מינהרת-חציה
sub'-ze'ro *adj.* מתחת לאפס
succeed' *v.* להצליח; לעלות יפה; לבוא אחרי, לבוא תחת-; לָרֶשֶׁת; למלוך אחרי
- succeed to לרשת, לנחול
success' *n.* הצלחה; (אדם/דבר) מצליח
successful *adj.* מצליח, עושה חיל
succes'sion *n.* רציפות, ביאת זה אחר זה; שורה, סידרה; (זכות) ירושה
- in succession בזה אחר זה
- succession of misfortunes שורת אסונות
succes'sive *adj.* זה אחר זה, רצופים
succes'sor *n.* יורש, בא בעקבותיו
succinct' *adj.* תמציתי, מובע בקיצור
suc'cor *n.* עזרה, סיוע בעת מצוקה
succor *v.* לעזור, לסייע
suc'cu•bus *n.* שֵׁדָה (מתנה אהבים)
suc'cu•lence *n.* עסיסיות
suc'cu•lent *adj.* עסיסי; (צמח) בשרני
succumb' (-m) *v.* להיכנע, לא לעמוד בפני; למות
- succumb to one's wounds למות מפצעיו
such *adj&adv&pron.* כמו, דומה; כה, כל כך, עד כדי כך; כזה, כאלה

- and such וכיוצא בזה, וכדומה
- as such בתור שכזה, כשלעצמו, ככזה
- some such thing כגון דא, מעין זה
- such a fool! טיפש כזה!
- such and such כזה וכזה, כך וכך
- such as כמו, כגון; כל כך, עד כדי
- such as it is חרף ערכו הדל
- such that כך ש-
suchlike *adj.* *כדומה, מסוג זה
suck *v.* לינוק; למצוץ; לבלוע; לסחוף
- suck a lozenge למצוץ טבלית
- suck dry למצוץ עד תום
- suck in/up לספוג, לקלוט; לשטות ב-
- suck up to להתחנף ל-
suck *n.* יניקה, מציצה
- give suck to להיניק, להניק
suck′er *n.* יונק, מוצץ; שלוחת-שורש; איבר-מציצה, איבר-הצמדה; מתלה גומי (מוצמד בוואקום); סוכרייה על מקל; *מטומטם, פרייאר
sucking pig חזרזיר, חזירון יונק
suck′le *v.* להיניק, להניק
suck′ling *n.* תינוק, יונק
su′crose *n.* סוכר
suc′tion *n.* מציצה, יניקה; שאיבה, ספיגה; הצמדת-וואקום
suction pump משאבת-יניקה
Su·dan′ (sōō-) *n.* סודן
sud′den *adj.* פתאומי, לא-צפוי
- all of a sudden פתאום, לפתע
suddenly *adv.* פתאום, לפתע
suds *n-pl.* קצף-סבון, בועות-סבון
sud′sy (-zi) *adj.* מלא קצף, סבוני
sue (sōō) *v.* לתבוע, להגיש תביעה משפטית; לבקש, להתחנן
suede (swād) *n.* זמש (עור רך)
su′et *n.* חֵלֶב-כליות
su′ety *adj.* מכיל חֵלֶב-כליות; חֶלְבִּי
Su·ez′ Canal (sōō-) *n.* תעלת סואץ
suf′fer *v.* לסבול; להתענות; להיפגע, להינזק; להרשות, להניח
- can't suffer him לא סובל אותו
- suffer defeat לנחול מפלה
- suffer from backaches לסבול מכאבי-גב
sufferable *adj.* נסבל, שאפשר לשאתו
sufferance *n.* רְשות, היתר
- on sufferance ברשות (מסויגת)
sufferer *n.* סובל (ממחלה)
suffering *n.* סבל, ייסורים
suffice′ *v.* להספיק; להיות די; למלא צרכים, להשביע רצון, לספק
- suffice it to say אסתפק באומרי
suffic′iency (-fish′ənsi) *n.* כמות מספקת
suffic′ient (-fish′ənt) *adj.* מספיק, די
suf′fix *n.* סופית, סיומת (טפולה)
suf′focate′ *v.* לחנוק; להיחנק
suf′foca′tion *n.* חניקה; היחנקות
suf′fragan *n.* עוזר-בישוף
suf′frage *n.* זכות-הצבעה, זכות-בחירה; הצבעת-הסכמה
suf′fragette′ *n.* סופראז'יסטית, תועמלנית למען זכויות-נשים
suffuse′ (-z) *v.* להתפשט על-פני, לכסות
- a face suffused with happiness פנים קורנים מאושר
suffu′sion (-zhən) *n.* התפשטות, כיסוי
sug′ar (shoog′-) *n.* סוכר; *מותק
sugar *v.* להוסיף סוכר, לסכרר, להמתיק
- sugar the pill להמתיק את הגלולה
sugar beet סלק-סוכר
sugar-cane *n.* קנה-סוכר
sugar-coated *adj.* מסוכר, מצופה בסוכר, ממותק; מקושט, מוסווה
sugar daddy *מאהב זקן, אשמאי זקן
sugarless *adj.* נטול-סוכר
sugarloaf *n.* חרוט-סוכר; כובע חרוטי
sugar refinery בית-זיקוק לסוכר
sugar tongs מלקחי-סוכר
sugary *adj.* סוכרי, מכיל סוכר; מתקתק
suggest′ (səgjest′) *v.* להציע; להמליץ; להעלות במחשבה, להזכיר, לתת סימנים, לרמוז
- suggest itself לצוץ במוחו (רעיון)
suggestible *adj.* בר-הַשָּׁאָה, מושפע
sugges′tion (səgjes′chən) *n.* הצעה; רמז, סימן קל, שמץ; סוגסטיה, הַשָּׁאָה
sugges′tive (səgjest′-) *adj.* מרמז, מעורר מחשבות; מגונה, גס, לא-צנוע
su′ici′dal *adj.* של התאבדות; ממיט אסון על עצמו
su′icide′ *n.* התאבדות; מתאבד
- suicide bomber מתאבד (בפיגוע)
sui gen′eris (sōōī-) *adj.* מסוגו, יחיד במינו
sui ju′ris (sōōī-) *adj.* בגיר, ברשות עצמו
suit (sōōt) *n.* חליפה; תביעה; משפט; בקשה, הפצרה; חיזור; (בקלפים) סידרה
- bring a suit לתבוע לדין
- press one's suit לבקש/לחזר נמרצות
suit *v.* להתאים, להלום, להיות נוח/טוב ל-; לתאם; להשביע רצון
- suit oneself לעשות כאוות-נפשו
- suited to מתאים ל-, ראוי ל-
- suits his health יפה לבריאותו
- suits the action to the word אומר ועושה
- that color suits you הצבע מחמיא לך
suit′abil′ity (sōōt-) *n.* התאמה
suit′able (sōōt′-) *adj.* מתאים, הולם, טוב
suit′case (sōōt′-) *n.* מיזוודה
suite (swēt) *n.* מערכת חדרים, מדור, מערכת רהיטים; דירה; פמליה, סגל; סוויטה
suit′ing (sōōt′-) *n.* אריג-חליפות
suit′or (sōōt′-) *n.* מחזר; מגיש תביעה
sul′fa *n.* סולפה, סם-רפואה
sul′fate (-fāt) *n.* סולפאט, גופרה
sul′fide *n.* סולפיד, תרכובת-גופרית
sul·fon′amide′ *n.* סולפונאמיד, סם סולפה
sul′fur *n.* גופרית
sul′furate′ *v.* לגפר
sul·fu′re·ous *adj.* גופריתי
sul·fu′ric *adj.* גופריתני, גופרתי
sulfuric acid חומצה גופריתנית
sul′furous *adj.* גופריתי
sulk *v&n.* לזעוף, לשתוק מתוך רוגז
- be in the sulks לזעוף, למאן לדבר
sulk′y *adj.* זועף, רוגז, שותק; רגזן
sulky *n.* כירכרת-מירוץ (דו-אופנית)

sul′len *adj.* קודר; עצוב; זועף בדומייה
sul′ly *v.* ללכלך, לטנף
- sully his name להכפיש שמו
sul′pha = sulfa
sul′phur = sulfur
sul′tan *n.* סולטאן (שליט מוסלמי)
sul·tan′a *n.* סולטאנה (בת/אשת/אם
הסולטאן); צימוק-סולטאנה
(חסר-חרצנים)
sul′tanate′ *n.* סולטאנות
sul′try *adj.* חם, מחניק, מעיק; לוהט,
אחוז-תאווה
sum *n&v.* סכום; סיכום; סך הכל;
חישוב, חשבון; לסכם
- do sums לחשב, לעשות תרגילי-חשבון
- in sum בקיצור, בקצרה
- sum him up לגבש דעה עליו
- sum of money סכום כסף
- sum total סך הכל
- sum up לסכם
su′mach (-mak) *n.* סוג של אוג
summarily *adv.* בקיצור, בקצרה
sum′marize′ *v.* לסכם, לתמצת
sum′mary *adj.* קצר, תמציתי, מתומצת;
מזורז, מהיר, מיידי, ללא דיחוי
summary *n.* תמצית, קיצור, סיכום
summary conviction הרשעה מהירה,
פס״ד ללא חבר מושבעים
sum′mat *n.* *משהו, דבר
summa′tion *n.* חיבור, סיכום, תמצית
sum′mer *n&adj.* קיץ; תקופת
השיגשוג; קייצי
- of 10 summers בן 10
summer *v.* לבלות את הקיץ;
להחזיק (משק-החי) בקיץ
summerhouse *n.* ביתן-קיץ
summer school קורס קיץ
summertime *n.* עונת הקיץ
summer time שעון קיץ
summer-weight *adj.* (בגד) קייצי
sum′mery *adj.* קייצי
summing up דברי סיכום
sum′mit *n.* שיא, פיסגה
summit meeting ועידת פיסגה
sum′mon *v.* לזמן, לכנס; לקרוא;
להזמין (לדין); לדרוש; להורות להופיע
- summon to surrender לדרוש להיכנע
- summon up strength לאזור כוח
sum′mons (-z) *n&v.* הזמנה,
צו-הופעה; תביעה, דרישה; לשלוח
צו-הופעה
su′mo (sōō-) *n.* סומו, היאבקות יפנית
sump *n.* עוקה; עוקת-שמן; בור-ניקוז
sump′ter *n.* בהמת-משא
sump′tuar′y (-chōōeri) *adj.* מגביל
הוצאות
sump′tuous (-chōōəs) *adj.* מפואר, יקר;
נדיב
sun *n.* שֶׁמֶשׁ; אור-שמש, חום-שמש
- a place in the sun מקום נוח, תנאים
נוחים
- get up with the sun להשכים קום עם
הנץ החמה
- under the sun תחת השמש, על הארץ
sun *v.* לחשוף (עצמו) לקרני השמש;
לחמם/להתחמם בשמש

Sun. = Sunday יום ראשון
sunbaked *adj.* חרוך-שמש, קשה-שמש
sun bath השתזפות, אמבט-שמש,
רחץ-שמש
sunbeam *n.* קרן-שמש; זאטוט עליז
sunbed *n.* כיסא-/מיטת שיזוף
sunblind *n.* צילון, גגונת, סוכך, גגון
sunblock *n.* קרם הגנה נגד שמש
sun-bonnet *n.* כובע-שמש
sunburn *n.* השתזפות; כוויית-שמש
sunburnt *adj.* שזוף; צרוב-שמש
sunburst *n.* הפצעת קרני-השמש
sun′dae (-di) *n.* גלידת-פירות
Sun′day *n.* יום ראשון
- Sunday clothes בגדי שבת
- in one's Sunday best בבגדי שבת
Sunday painter צייר מתחיל
Sunday school ביה״ס של ימי א׳
sundeck *n.* סיפון עליון; גג שיזוף
sun′der *v.* להפריד, לחלק; לנתק
sun′dew′ (-dōō) *n.* טללית (צמח אוכל
חרקים)
sundial *n.* שעון-שמש
sundown *n.* שקיעת-החמה
sundowner *n.* *לגימת-ערב
sundrenched *adj.* ספוג-שמש,
מוכה-שמש
sun dress שמלה קייצית
sundried *adj.* מיובש בשמש
sun′dries (-drēz) *n-pl.* שונות, פרטים
שונים
sun′dry *adj.* שונים, כמה, אחדים
- all and sundry הכל, כל אדם
sunfast *adj.* לא דוהה בשמש
sunfish *n.* דג-השמש (דג כדורי)
sunflower *n.* חמנית (צמח-תרבות)
sung = p of sing
sunglasses *n-pl.* מישקפי-שמש
sun god אל-השמש
sun helmet כובע-שמש
sunk = p of sink
sunk′en *adj.* שקוע, טבוע; מועמק, נמוך
- sunken cheeks לחיים שקועות
- sunken ship אונייה טבועה
sun-kissed *adj.* שחומם בשמש
sun-lamp *n.* מנורה כחולה (לריפוי)
sunless *adj.* חסר-שמש, נטול-אור
sunlight *n.* אור-שמש
sunlit *adj.* שטוף-שמש, מוצף שמש
sun lounge אולם שטוף-שמש
Sun′ni (soon′i) *adj&n.* סוני (מוסלמי)
sun′ny *adj.* שטוף-שמש; בהיר, לא מעונן;
עליז, שמח
sunny-side up ביצת-עין
sun parlor חדר מוצף שמש
sun porch מירפסת-זכוכית
sun-ray *n.* קרן אולטרה סגולית
sunray lamp מנורה כחולה (לריפוי)
sunrise *n.* זריחת השמש, הנץ החמה
sunrise industry תעשייה מבטיחה
sun-roof *n.* גג שטוח, גג פתוח
sunscreen *n.* מישחת שיזוף
(להגנה מפני השמש)
sunset *n.* שקיעת השמש
sunshade *n.* שמשייה; גגונת, גגון
sunshine *n.* אור-שמש; מקום מוצף

שמש; אושר, שימחה
- ray of sunshine קרן-אור; אדם עליז
sunshine roof גג זחיח (במכונית)
sunspot *n.* כתם-שמש; *אתר-נופש שטוף-שמש
sunstroke *n.* מכת-שמש
sun'tan' *n.* שיזוף, השתזפות
suntanned *adj.* שזוף, שחום-עור
sun-trap *n.* מקום מוצף שמש
sun-up *n.* זריחת השמש, הנץ החמה
sun visor סך שמש (ברכב)
sun worship פולחן השמש; אהבת ההשתזפות
sup *v&n.* ללגום, לגמוע; לאכול ארוחת-ערב; לגימה, טעימת משקה
- sup on/off לאכול ארוחת ערב של-
su'per *n.* ניצב, סטאטיסט; רב-פקד; מפקח
super *adj.* *נפלא, מצוין, כביר
super- (תחילית) על, סוּפֶּר-, ביותר
superable *adj.* שניתן להכניעו
su'perabun'dance *n.* שפע רב
su'perabun'dant *adj.* שופע, משופע
su'peran'nu·ate' (-nū-) *v.* להוציא לגימלאות, לפטר
superannuated *adj.* זקן מדי לעבודה, מיושן; יצא מכלל שימוש, יצא מן האופנה
su'peran'nu·a'tion (-nū-) *n.* יציאה/הוצאה לגימלאות; פנסיה
su·perb' (soo-) *adj.* נפלא, מצוין
su'percar'go *n.* ממונה על המיטען
su'percharge' *v.* לגדש, לדחוס
supercharged *adj.* מצויד במדחס-גידוש; נמרץ, מלא-חיים
supercharger *n.* מדחס-גידוש
su'percil'ious *adj.* יהיר, מתנשא
su'percompu'ter *n.* מחשב-על
su'perconduc'tive *adj.* מוליך-על
su'perconduc'tor *n.* מוליך-על
su'perdu'per *adj.* *נפלא, נהדר
su'pere'go *adj.* האני העליון
su'perer'oga'tion *n.* עשייה מעבר לנדרש
su'pere·rog'ato'ry *adj.* לפנים משורת הדין, מעבר לנדרש
su'perfi'cial (-fish'əl) *adj.* שיטחי, לא עמוק
su'perfi'cial'ity (-fishial'-) *n.* שיטחיות
su'perfi'cies (-fish'ēz) *n.* שטח, פני השטח; הופעה חיצונית
su'perfine' *adj.* עדין מאוד, דק ביותר
su'perflu'ity *n.* שפע, עודף
super'fluous (soopûr'flōōəs) *adj.* שופע, עודף; למעלה מהדרוש, מיותר
superglue *n.* דבק חזק
supergrass *n.* *מודיע משטרתי
superhighway *n.* כביש מהיר ביותר; העברת מידע מהירה
su'perhu'man *adj.* על-אנושי
su'perimpose' (-z) *v.* להניח על-, לשים על-
su'perintend' *v.* לפקח על-, להשגיח על-
superintendence *n.* פיקוח, השגחה
superintendent *n.* מפקח, משגיח, ממונה; (במישטרה) רב-פקד
- chief superintendent סגן-ניצב

supe'rior *adj.* עליון; גבוה, רם; נעלה, משובח, טוב; רב, עדיף; יהיר, מתנשא
- rise superior to לא להיות מושפע מ-, לא להיכנע ל-, לעמוד מעל ל-
- superior to עולה על; טוב מ-; מעל ל-, מחוסן בפני, לא מושפע מ-
superior *n.* ממונה, גבוה בדרגה/במעמד
- Father Superior ראש מינזר
- has no superior אין טוב הימנו
- one's superiors הממונים עליו
supe'rior'ity *n.* עליונות; עדיפות
superiority complex תסביך עליונות
super'lative *adj.* עילאי, מופלג, של הדרגה הגבוהה ביותר
superlative *n.* (בדיקדוק) ערך-ההפלגה
- talk in superlatives לדבר בסופרלאטיבים, להגזים
su'perman' *n.* אדם עליון, סופרמן
su'permar'ket *n.* סופרמארקט, מרכול
su'permod'el *n.* דוגמנית צמרת
su·per'nal (sōō-) *adj.* שמיימי
su'pernat'ural (-ch'-) *adj.* על טיבעי
su'pernor'mal *adj.* על-נורמאלי
su'perno'va *n.* סופרנובה, התפוצצות כוכב
su'pernu'merar'y (-reri) *adj&n.* נוסף, מיותר, מעל לרגיל; ניצב, סטאטיסט
su'perpow'er *n.* מעצמת-על
su'perscrip'tion *n.* כתובת עליונה, כותרת; כתובת, מען
su'persede' *v.* להחליף, ליטול מקום, לבוא במקום; להכניס לשימוש אגב שיפור
su'perses'seion *n.* החלפה (כנ"ל)
su'person'ic *adj.* על-קולי
su'perstar' *n.* כוכב מזהיר, כוכב-על
su'persti'tion (-stish'ən) *n.* אמונה טפלה
su'persti'tious (-stish'əs) *adj.* של אמונות תפלות; חדור אמונות תפלות
superstore *n.* מרכול ענק
su'perstruc'ture *n.* עילית, מיבנה עליון; מיבנה-על
su'pertax' *n.* מס יסף, תוספת מס
su'pervene' *v.* לבוא לפתע; להתרחש פתאום, להתערב, להפריע, לגרום לשינוי
su'pervise' (-z) *v.* לפקח, להשגיח על
su'pervi'sion (-vizh'ən) *n.* פיקוח, ניהול
su'pervi'sor (-z-) *n.* מפקח, מנהל
supervisor of banks המפקח על הבנקים
su'pervi'sory (-z-) *adj.* מפקח, ניהולי
su·pine' (sōō-) *adj.* אפרקדן, על הגב; עצלן, איטי, נטול-מרץ
sup'per *n.* ארוחת-ערב
supplant' *v.* להחליף, לבוא במקום; להדיח ולתפוס מקום-
sup'ple *adj.* רך, גמיש, כפיף
- supple intellect תבונה דקה/מהירה
sup'plement *n.* תוספת, נספח; מוסף
supplement *v.* להוסיף, להשלים
sup'plemen'tary *adj.* נוסף, משלים
supplementary angles זוויות צמודות, זוויות משלימות
supplementary benefit הטבת-סעד

sup′pliant *adj&n.* מבקש, מתחנן, מתפלל
sup′plicant *adj&n.* מבקש, מתחנן, מתפלל
sup′plicate′ *v.* לבקש, להתחנן
sup′plica′tion *n.* בקשה, התחננות, תפילה
supplier *n.* סַפָּק; חברת הספקה
supply′ *v.* לספק, לצייד, לתת, להמציא
- supply a need לספק צורך
- supply the place of למלא מקום
- supply with an answer לתת תשובה
supply *n.* הספקה; אספקה; מלאי
- in short supply מצומצם, חסר
- on supply כממלא מקום
- supplies אספקה, תיספוקת; הקצבות
- supply and demand היצע וביקוש
supply line קו אספקה
supply-side *n.* של הקלת המיסוי, עידוד ההשקעות והיצור
supply teacher ממלא מקום (מורה)
support′ *v.* לתמוך, לשאת; לדגול; לסייע, לאשר; לחזק, לעודד; לפרנס
- can't support it לא סובל זאת
- support a party לתמוך במיפלגה
- support a theater לתמוך בתיאטרון, לבקר בקביעות בהצגות
- supported by נשען על, מתבסס על
support *n.* תמיכה; סעד, סיוע; אישור, חיזוק; פרנסה; תומך; מפרנס
- in support of בעד, למען, בתמיכה
- means of support אמצעי מחייה
- the team gets a lot of support לקבוצה אוהדים רבים
supportable *adj.* נסבל, ניתן לשאתו
supporter *n.* תומך; דוגל, שוחר
supporting *adj.* תומך, מסייע; של סיוע; מישני; מְלַוֶּה
supporting program סירטון, סרט לוואי
supporting role תפקיד מישני (במחזה)
suppor′tive *adj.* תומך, מסייע, מעודד
support price סובסידיה
suppose′ (-z) *v.* לשער, להאמין, להניח; לחשוב; לרמז על; לדרוש הנחה
- I suppose not אני משער שלא
- is not supposed to- אסור לו, אל לו
- is supposed to- עליו/חובתו/מצפים ממנו ל-
- suppose- מה דעתך ש-; הבה; נניח ש-
supposed *adj.* משוער, מדומה, מקובל
supposedly *adv.* לפי ההנחה, כנראה
supposing *conj.* אם, בהנחה ש-
supposi′tion (-zish′ən) *n.* הנחה; השערה
suppos′ito′ry (-z-) *n.* נר, פתילה (לפי-הטבעת)
suppress′ *v.* לדכא; לאפק, לעצור, להדחיק; להסתיר
- suppress a revolt לדכא מרד
- suppress a smile לאפק חיוך
- suppress a story/newspaper למנוע הפצת סיפור/עיתון
- suppress evidence להעלים עדות
suppres′sion *n.* דיכוי; הסתרה; הדחקה
suppres′sive *adj.* מדכא, עוצר
suppres′sor *n.* מַדַכֵּא (מונע הפרעות)
sup′pu·rate′ *v.* להתמגל, להפריש מוגלה
sup′pu·ra′tion *n.* התמגלות
su′pra- (תחילית) על-, מעל ל-
su′prana′tional (-nash′ən-) *adj.* על-לאומי
suprem′acist *n.* דוגל בעליונות
suprem′acy *n.* עליונות
supreme′ *adj.* עליון, עילאי, נעלה, סופי
- supreme happiness אושר עילאי
- supreme sacrifice הקרבת החיים
Supreme Being ההשגחה העליונה, האל
Supreme Court בית המישפט העליון
supre′mo *n.* שליט, מנהל, בוס
Supt. = Superintendent
sur·cease′ *v&n.* לסיים; סיום, הפסקה
sur′charge′ *v.* לתבוע תשלום נוסף; להעמיס יותר מדי
surcharge *n.* תוספת תשלום; סכום נוסף; קנס; ציון מחיר חדש (על בול)
sur′coat′ *n.* מעיל עליון
surd *n.* מיספר אי-ראציונאלי
sure (shoor) *adj&adv.* בטוח; משוכנע; ודאי; מהימן, בדוק; בטח, בוודאי, בלי ספק
- be sure to come! השתדל לבוא!
- feel sure להיות בטוח/משוכנע
- for sure בלי ספק, אמנם כן
- make sure לוודא, להבטיח, לשריין
- sure friend ידיד נאמן
- sure of oneself בטוח בעצמו
- sure remedy תרופה בדוקה
- sure thing *וודאות; ללא ספק
- to be sure אין ספק
sure-enough *adj.* אמיתי, לא מזויף
sure-fire *adj.* שהצלחתו ודאית
sure-footed *adj.* יציב-רגל, לא מועד
surely *adv.* ללא ספק, בוודאי, בהחלט; כמובן; בביטחה, בביטחון
surety (shoor′əti) *n.* עָרֵב; ערבון, ערבות
- of a surety בוודאי, ללא ספק
- stand surety for לערוב ל-
surf *n.* גלים; קצף-גלים, מישברים
surf *v.* לגלוש
- surf ride לגלוש (על גלים)
- surf the net לגלוש באינטרנט
sur′face (-fis) *n.* שטח, פני-שטח, מישטח; פני-המים; פיאה (בקוביה)
- on the surface על פני-השטח; למראית עין, כלפי חוץ
surface *adj.* שיטחי, חיצוני, לא עמוק
- go surface להישלח בדואר רגיל
- surface worker פועל-קרקע (במיכרה)
surface *v.* לְצַפּוֹת; לסלול, ליישר; לעלות על פני המים; להופיע; להגיח; לצוץ
surface mail דואר רגיל (יבשה/ים)
surface noise רעש החיכוך (בתקליט)
surface-to-air *adj.* (טיל) קרקע-אוויר
surf-board *n.* קרש גלישה (על גלים)
surf-boat *n.* סירת-גלים
sur′feit (-fit) *n&v.* שפע; שובע, זלילה; זרא; להלעיט, לפטם; לזלול
surfer *n.* גולש; גלשן, גלש-מים
surfing *n.* גלישה; גלשנות
surf riding גלישה על מים

surge *v.* לנוע כגלים, להתנחשל, לגעוש; לזרום, לנהור; להתפרץ
surge *n.* תנועה גלית; נחשול; התפרצות
- surge of love פרץ-אהבה
sur′geon (-jən) *n.* מנתח; קצין-רפואה
sur′gery *n.* כירורגיה, מנתחות, מדע הניתוח; ניתוח; מירפאה
sur′gical *adj.* כירורגי, של ניתוח
surgical shoe נעל אורטופדית
Su′rina′me (-nä′mə) *n.* סורינאם
sur′ly *adj.* סר וזעף, גס, לא-ידידותי
surmise′ (-z) *n.* ניחוש, השערה
surmise *v.* לנחש, לשער
surmount′ *v.* להתגבר על, לנצח; לעבור מעל; להיות בראש/מעל
- surmounted by בראשו נישא
surmountable *adj.* ניתן להתגבר עליו
sur′name′ *n.* שם משפחה
surpass′ *v.* לעלות על, להצטיין
- surpass all expectation לעלות על כל הציפיות
- surpass him in- לעלות עליו ב-
- surpasses understanding נשגב מבינה
surpassing *adj.* מצוין, אין כמוהו
surpassingly *adv.* מאוד, ביותר
sur′plice (-lis) *n.* גלימה
surpliced *adj.* עוטה גלימה
sur′plus′ *n.* עוֹדֶף, מוֹתָר, יתרה
surplus *adj.* עוֹדֶף, מיותר, יָתֵר
surprise′ (-z) *n.* הפתעה; תדהמה
- surprise attack התקפת-פתע
- take by surprise להפתיע; ללכוד בהתקפת-פתע
- to my surprise להפתעתי
surprise *v.* להפתיע; להדהים; לתקוף לפתע, להסתער פתאום
- surprise him into a confession להפתיעו ולגרום שיודה (תוך מבוכה)
surprised *adj.* מופתע, נדהם
surprising *adj.* מפתיע
surre′al *adj.* סוריאליסטי, לא מציאותי
surre′alism′ *n.* סוריאליזם, על-מציאותיות
surre′alist *n.* סוריאליסט
surre′alis′tic *adj.* סוריאליסטי
surren′der *v.* להיכנע; לוותר; לנטוש; להסגיר, למסור
- surrender a policy להפדות פוליסה
- surrender one's seat לוותר על מושבו (בכנסת)
- surrender oneself להיכנע
- surrender to bail להופיע אחר הערבות, לבוא אחר שחרור ערבות
surrender *n.* כניעה, הסגרה; מכירה
sur′repti′tious (sûrəptish′əs) *adj.* חשאי, מתגנב
- surreptitious look מבט גנוב
surreptitiously *adv.* בגניבה
sur′rey (sûr′i) *n.* כירכרה, מרכבה
sur′rogate (sûr′-) *n&adj.* סגן, ממלא-מקום; תחליף, סורוגאט; פונדקאית
surrogate mother אם פונדקאית
surround′ *v.* להקיף, לכתר, לאפוף
- surrounded מוקף, מכותר; אפוף
surround *n.* (ציפוי) שולי-הריצפה
surrounding *adj.* סובב, מקיף, קרוב
surroundings *n-pl.* סביבה
sur′tax′ *n.* מס יסף, תוספת מס
surveil′lance (-vāl′-) *n.* פיקוח, השגחה; מעקב
survey′ (-vā′) *v.* לסקור; להשקיף; לבחון, לבדוק; למדוד, למפות
survey *n.* סקירה; סקר; תסקיר; בדיקה; מדידה; תרשים, שירטוט, מפה
surveyor *n.* סוקר; מודד; בודק; מעריך, שמאי; מפקח, משגיח
survi′val *n.* הישרדות, הישארות בחיים, נשארות, שרידות; שריד
- survival of the fittest ברירה טיבעית, הישרדות המתאימים ביותר
survival kit זווד-הצלה; ערכת הישרדות
survive′ *v.* לשרוד, להוסיף להתקיים; להישאר בחיים
- survived his sons חי אחרי מות בניו, בניו מתו על פניו
survivor *n.* שריד, ניצול, נשאר בחיים; שאיר, שְׁאָר
sus = suss
suscep′tibil′ity *n.* רגישות, פגיעות; קבלת השפעה, התרשמות בנקל
- wound his susceptibilities לפגוע ברגשותיו
suscep′tible *adj.* רגיש; מושפע/מתרשם בנקל; מתאהב מהר; ניתן ל-, בר-, מסוגל
- susceptible of improvement ניתן לשפרו
su′shi (sōō′shi) *n.* סושי (מאכל)
suspect′ *v.* לחשוד; לסבור, להאמין, לחשוש; להטיל ספק ב-, לפקפק
- I suspect חוששני, סבורני
- suspect him of murder לחשדו ברצח
sus′pect′ *adj&n.* חשוד; מפוקפק
suspend′ *v.* לתלות; לעכב, לדחות ביצוע, להתלות; להפסיק, לחדול; להשהות; להשעות
- suspend a license לשלול זמנית רישיון
- suspend a player להשעות שחקן
- suspended in a liquid מרחף בתוך נוזל (כגון חלקיקים)
suspended animation חוסר-הכרה, אי-מתן אות חיים
suspended sentence פס"ד מאסר על תנאי
suspender belt חגורת-גרביים
suspenders *n-pl.* כתפות, בירית
suspense′ *n.* ציפייה, מתח, דריכות, התרגשות; חוסר ודאות, אי-הכרעה
suspen′sion *n.* תליה; עיכוב, דחיית ביצוע, התליה; הפסקה; השעיה; (במכונאות) מיתלה; תרחיף (בנוזל)
suspension bridge גשר תלוי
suspi′cion (-pish′ən) *n.* חשד; חשדנות; חשש; שמץ, משהו, עקבות
- above suspicion נקי מחשד, ללא דופי
- under suspicion of חשוד ב-
suspi′cious (-pish′əs) *adj.* חשוד; מפוקפק; מעורר חשד; חשדני, חושד
suss *v&n.* *לחשוד; לחקור; להבין; לידע; חשוד; חשד
- on suss *בחשד ש-, חשוד ב-
- sussed *מוּדָע, מכיר היטב

sustain′ *v.* לשאת, לתמוך; לסבול; להאריך; לחזק; לקיים, להחזיק; לאשר, לאמת
- faith sustained me האמונה עודדה אותי
- sustain a blow לספוג מהלומה
- sustain a defeat לנחול תבוסה
- sustain a note להאריך צליל
- sustain damage לסבול נזק
- sustain findings לאשר מימצאים
- sustain pressure לעמוד בפני לחץ
- sustained attempt ניסיון ממושך
- sustaining meal ארוחה מזינה
- the objection was sustained ההתנגדות נתקבלה/אושרה (ע״י השופט)
sus′tenance *n.* מזון; מחיה; תמיכה
sut′tee *n.* שריפת אלמנה; אלמנה מוקדת (בעבר בהודו)
su′ture *n&v.* תֶּפֶר-פֶּצַע; קו-החיבור; לתפור (פצע)
su′zerain′ *n.* מושל; מדינה שלטת
su′zerain′ty *n.* שילטון
svelte *adj.* דקת-גו, חטובה
SW = southwest
swab (swob) *n.* סחבה, מטלית, חומר ספוגי; ליחה (לבדיקה), מישטח; *אדם מגושם
swab *v.* לשטוף, לנקות, לנגב; להוציא ליחה (לבדיקה)
swad′dle (swod-) *v.* לחתל, לעטוף ברצועות-בד
- swaddling clothes/bands חיתולים; מיגבלות, אמצעים כובלים
swag *n.* *שלל, ביזה
swag′ger *v&n.* ללכת ביהירות; לדבר בהתנשאות; ״להשוויץ״; יהירות, התנשאות
swaggerer *n.* גאוותן, ״שוויצר״
swain *n.* צעיר, בן-כפר; מאהב, מעריץ
swal′low (swol′ō) *v.* לבלוע; לבלוע רוקו; להאמין בלא פיקפוק
- swallow a lie לבלוע/להאמין ל-/שקר
- swallow an insult לספוג עלבון בדומייה
- swallow one's pride למחול על כבודו
- swallow one's words לחזור בו מדבריו; להבליע מליו
- swallow the bait לבלוע הפיתיון, ליפול בפח
- swallow up לבלוע, לכלות עד תום
swallow *n.* בליעה, לגימה; סנונית
- one swallow doesn't make a summer סנונית אחת אינה מבשרת את האביב
swallow dive צלילת ברבור
swallowtailed *adj.* בעל זנב ממוזלג
swam = pt of swim
swa′mi (swä-) *n.* חכם הודי
swamp (swomp) *n&v.* בִּיצָה, אדמת בוץ; להציף, למלא במים; להכריע, להעמיס
- swamped with requests מוצף בקשות
- swamped with work עמוס עבודה
swampy *adj.* בִּיצָתִי, בוצי, טובעני
swan (swon) *n&v.* ברבור
- swan off *לנסוע, לטייל
swan dive צלילת-ברבור
swank *v.* *להתרברב, ״להשוויץ״
swank *n.* *התרברבות; ״שוויצר״
swanky *adj.* *מתגנדר, מתרברב; מרשים
swan's-down *n.* פלומת-ברבור, אריג רך
swan song שירת-הברבור
swap (swop) *v&n.* *להחליף; חליפין
swap meet שוק אספנים; שוק פישפשים
sward (swôrd) *n.* דשא, חלקה מדושאת
swarf (swôrf) *n.* שבבים, שבבי מתכת
swarm (swôrm) *n.* נחיל, עדה, להקה נודדת; קהל, המון
swarm *v.* לשרוץ; לנוע בנחיל; לנהור; להתאסף; לטפס בידיו ורגליו
- swarms with people שורץ באנשים
swarth′y (swôr′dhi) *adj.* כהה, שחום-עור
swash (swosh) *v&n.* להתיז; לשכשך; להתרברב; שיכשוך; רברבן
swash′buck′ler (swosh-) *n.* הרפתקן, שחצן, פוחז, נועז
swashbuckling *adj.* הרפתקני, שחצני
swas′tika (swos′-) *n.* צלב-קרס
swat (swot) *v&n.* להצליף, לחבוט, לקטול (זבוב); מכה, חבטה; מצלף
swatch (swoch) *n.* פיסת-אריג (לדוגמה)
swath (swoth) *n.* עומר, אלומה קצורה; נתיב (בעקבות המקצרה)
- cut a wide swath להרשים ביותר
swathe (swodh) *v.* לעטוף, לחבוש; להקיף, לאפוף
swat′ter (swot-) *n.* מצלף (-זבובים)
sway *v.* לנדנד; להתנדנד, להתנועע; לנטות; להטות; להשפיע; למשול, לשלוט
sway *n.* התנדנדות, טילטול; השפעה; שליטה, שילטון
swayback *n.* שקיעת הגב
swaybacked *adj.* (סוס) קעור-גב
swear (swer) *v.* להישבע; להצהיר בתוקף; להשביע; לקלל, לחרף, לנבל פיו
- swear (in) a witness להשביע עד
- swear a charge להאשים בשבועה
- swear blind *לטעון בכל תוקף
- swear by להישבע ב-/בשם-; להאמין באמונה שלמה ב-, לתת אמון ב-
- swear him in להשביעו לתפקיד
- swear off להישבע להינזר מ-
- swear out a warrant להשיג צו-מאסר בשבועה
- swear to it להישבע על כך
- swear to silence להשביעו לשתוק
swear-word *n.* קללה, נאצה, גידוף
sweat (swet) *n.* זיעה, הזעה; לחות, טיפות; עבודה מפרכת
- by the sweat of one's brow בזיעת אפיו
- cold sweat זיעה קרה, חרדה
- get into a sweat להתכסות זיעה, להימלא פחד, להיכנס למתח
- no sweat *אין בעיה! אל פחד!
- old sweat חייל משופשף, אדם מנוסה
sweat *v.* להזיע; לגרום להזעה; להעביד/לעבוד קשה; לפלוט טיפות
- sweat blood *לעמול, לעבוד קשה
- sweat bullets *להזיע כמו סוס
- sweat it out לעסוק בהתעלמות קשה;

לסבול אי-נוחות עד לסיום
- sweat out לרפא (הצטננות) בהזעה;
*להמתין בחרדה
sweat-band *n.* רצועה לספיגת זיעה
sweated *adj.* שטוף-זיעה; מיוצר בזיעת
אפיים; מנוצל; הופק בניצול פועלים
sweated labor עבודה נצלנית
sweat′er (swet′-) *n.* אפודה, מיזע,
סוודר
sweat gland בלוטת-זיעה
sweatpants *n-pl.* מכנסי טריינינג
sweat-shirt *n.* סווצ׳ר, מיזע
sweat-shop *n.* מיפעל נצלני
sweatsuit *n.* חליפת טריינינג, אימונית
sweaty *adj.* מזיע, שטוף-זיעה;
ספוג-זיעה; חם, גורם הזעה
swede *n.* סוג של לפת
Swede *n.* שוודי
Swe′den *n.* שוודיה
Swe′dish *adj&n.* שוודי; שוודית
(שפה)
sweep *n.* טיאטוא; גריפה; תנועה חדה,
תנופה; תחום, שטח; היקף; טווח; מרחב;
מנקה ארובות; כנף טחנת-רוח; משוט;
יציאה, הסתערות
- sweep of a sword תנופת-חרב
- sweep of desert שטח מידברי
- sweep of hair קווצת-שיער גולשת
הצידה
- sweeps הימורים (במירוץ-סוסים)
sweep *v.* לטאטא, לנקות; לגרוף, לסחוף;
לבער, לטהר; לשטוף; לחלוף; לעבור על
פני; להניע בתנופה; להימשך; להשתרע;
לסרוק; לסקור, לבחון
- hills sweep along the coast גבעות
נמשכות לאורך החוף
- his eyes swept the newspaper עיניו
סקרו את העיתון
- sweep a curtsey להחוות קידה
- sweep a minefield לסרוק
שדה-מוקשים
- sweep away לטאטא, לסלק; לסחוף
- sweep off/up לסלק בתנופה, לחטוף
- sweep up לנקות, לטאטא
- swept all before him נחל הצלחה
סוחפת
- the lady swept from the room הגברת
יצאה מן החדר בהילוך גאה
- the party swept the country המיפלגה
זכתה בניצחון סוחף במדינה
sweeper *n.* מטאטא, מנקה;
מנקה-שטיחים; (בכדורגל) שחקן מחפה
(מאחור)
sweeping *adj.* סוחף; מקיף, כולל, כללי,
כוללני; מרחיק לכת; ללא הגבלה
sweepings *n-pl.* אשפה, פסולת
sweep-stake *n.* הימורים
(במירוץ-סוסים)
sweet *adj.* מתוק; ערב; נעים, נוח; ריחני;
מושך; טרי, רענן; טהור; חמוד
- at one's own sweet will כרצונו
החופשי, כאוות נפשו
- is sweet on her מאוהב בה
- short and sweet קצר ועניני
- sweet singer זמר נעים-קול
- sweet talk חנופה, דברי חלקות
- sweet tooth אהבת ממתקים
- sweet water מים מתוקים, מי-שתייה
sweet *n.* סוכרייה, ממתק; מיני-מתיקה;
ליפתן; מנה אחרונה
- my sweet יקירי, יקירתי; מותק
- sweets תענוגות, תרגימה, מעדנים
sweet-and-sour *adj.* מתוק-חמצמץ
sweetbread *n.* לבלב-עגל (לאכילה)
sweet-briar *n.* סוג של ורד
sweet corn תירס מתוק
sweeten *v.* להמתיק; להנעים; לעדן
sweetener *n.* מַמְתֵק, חומר ממתיק;
*שוחד
sweetening *n.* מְמַתֵק, חומר ממתיק
sweetheart *n.* אהוב, אהובה; "מותק"
sweet′ie *n.* *אהוב, "חמוד", "מותק"
sweetish *adj.* מתקתק
sweetmeat *n.* מַמְתָק; פרי משומר בסוכר
sweetness *n.* מתיקות
sweet pea טופח, אפונה ריחנית
sweet pepper פילפל ירוק (לא חריף)
sweet potato תפו״א מתוק, בטאטה
sweet-scented *adj.* ריחני
sweetshop *n.* חנות ממתקים
sweet-talk *v.* לשכנע בדברי חלקות
swell *v.* להתנפח, לתפוח; לגדול; להרחיב;
לנפח; להתמלא גאווה
- happiness swelled his heart אושר
הציף את ליבו
- swell up להתנפח, לתפוח
swell *n.* התנפחות; תפיחה; מלאות,
עגלגלות; גאות המים ושקיעתם;
התעצמות קול
swell *adj.* *מצוין, כביר; מהודר, מפואר
swelled head "ראש נפוח", יהירות
swelling *n.* התנפחות, תפיחה; גידול
swel′ter *v.* להזיע, לסבול מחום
sweltering *adj.* חם, מעיק, מחניק
swept = p of sweep
swept-back *adj.* (כנפי מטוס) משוכות
לאחור; (שיער) מסורק הצידה
swerve *v&n.* לסטות; לעשות תפנית;
סטייה; תפנית
swift *adj.* מהיר; מיידי; קצר, חטוף
- swift to- מהיר ל-, ממהר ל-, קל ל-
swift *n.* סיס (ציפור)
swig *v.* *לשתות, ללגום בשקיקה
swig *n.* *לגימה ארוכה
swill *v&n.* לשטוף; *ללגום; שטיפה;
פסולת-מזון, מאכל-חזירים
- swill out/down לשטוף; שטיפה
swim *v&n.* לשחות; לצלוח בשחייה;
להשחות; לצוף; להציף; שחייה
- clouds swimming in the sky עננים
שטים בשמים
- go for a swim ללכת לשחות
- her eyes swam with tears עיניה הוצפו
דמעות
- in the swim מעורה, הולך בתלם
- my head swims ראשי עלי סחרחר
- swim a race להשתתף במישחה
- swim against the current לשחות נגד
הזרם
- swim with the tide לשחות עם הזרם,
ללכת בתלם
swimmer *n.* שחיין

swimming *n.* שחייה
swimming bath/pool בריכת-שחייה
swimming costume בגד-ים
swimmingly *adv.* בקלות, היטב, יפה
swimming trunks בגד-ים, מיכנסי-ים
swim-suit *n.* בגד-ים
swin′dle *n&v.* לרמות, להונות, להוליך שולל; רמאות; תרמית; זיוף
swindler *n.* רמאי, מוליך שולל, נוכל
swine *n.* חזיר; חזירים
swineherd *n.* רועה-חזירים
swing *v.* לנדנד; להתנדנד; לנענע; להתנועע; להניע/לנוע בתנופה/בקשת; לנופף; לצעוד קלילות, לטפוף; לרקוד/לנגן סווינג
- swing one's weight להטיל מלוא כובד מישקלו
- swing round להסתובב אחורה
- the door swung to הדלת נטרקה בתנופה
- the gate swung shut השער נסגר בתנופה
- you'll swing for it *יתלו אותך בשל כך
swing *n.* נענוע; טילטול; התנדנדות; תנופה; טווח תנועה קשתית; טפיפה; נדנדה; סווינג; שינוי, תפנית
- goes with a swing מתקדם יפה; (לחן) קל-מיקצב, ריתמי
- in full swing בתנופה רבה, פעיל
- ride on a swing להתנדנד בנדנדה
- swing of public opinion תנודת דעת-הקהל
swingeing (swin′jing) *adj.* גדול, ענק
swing′er (-ng-) *n.* עליז, חופשי, מתירני
swing′ing (-ng-) *adj.* *עליז, מלא-חיים; משוחרר; מודרני
swing shift משמרת ערב
swing-wing *adj.* (מטוס) בעל כנפיים מסתובבות
swi′nish *adj.* חזירי, מתועב, גס
swipe *v.* להכות, לחבוט; *לגנוב, לחטוף
swipe *n.* מכה, חבטה, מהלומה
swirl *v.* להסתובב, להתערבל; לערבל
- swirl away לסחוף במערבולת
swirl *n.* הסתובבות; מערבולת; שיבולת; דבר גלי/מסולסל
swish *v&n.* להצליף, להשמיע שריקה, לחלוף ברעש; לרשרש; רישרוש; צליף
swish *adj.* *מפואר, הדור, יוקרתי
Swiss *adj.* שווייצי, שווייצרי
Swiss chard סלק
Swiss cheese גבינה שוויצרית
Swiss roll רולאדה (עוגה)
switch *n.* מפסק, מַתֵּק, מתג; כפתור; מסוט; מעתק; שבט, מקל; תלתל (בפיאה נוכרית); שינוי; העברה
- asleep at the switch מחמיץ שעת-כושר
switch *v.* להסיט, לעתק; להכות, להצליף; להחליף, לשנות; לחטוף; להניע בתנופה
- switch off לְכַבּוֹת, לנתק, להפסיק
- switch on להדליק, להפעיל
- switch over לעבור/להעביר (לתחנה אחרת); לערוק (למיפלגה יריבה)
switchback *n.* רכבת (בגן-שעשועים); מסלול רב-פניות; דרך עולה ויורדת
switchblade אולר קפיצי
switchboard *n.* מרכזייה, רכזת, לוח בקרה
switched-on *adj.* *ער, נלהב, שמח; מודרני, מעורה בחיים; מסומם; דלוק
switching *n.* החלפה; מיתוג
switchman *n.* עתק-רכבות, פועל-מסוט
Switz′erland *n.* שוויצריה, שוויץ
swiv′el *n.* סביבול, חח; כן בעל ציר
swivel *v.* להסתובב על סביבול
swivel chair כיסא מסתובב
swiz *n.* אכזבה מרה, רמאות
swiz′zle *n.* משקה מעורבב, תמזיג
swizzle stick קנה-עירבוב (למשקאות)
swob = swab
swol′len (-swōl′-) *adj.* נפוח, מנופח, יהיר
swollen = pp of swell
swollen head "ראש נפוח", יהירות
swoon (swo͞on) *v&n.* להתעלף; התעלפות
swoop (swo͞op) *v&n.* לעוט, לנחות, להסתער; עיטה; הסתערות, פשיטה; חטיפה
- at one fell swoop בחטף, בבת אחת
- swoop up לחטוף; לסלק פתאום
swop (= swap) *v&n.* להחליף; החלפה
sword (sôrd) *n.* חֶרֶב
- at swords' points מצחצחים חרבות
- draw one's sword לשלוף חרבו
- put to the sword להחרים לפי חרב
sword cane מקל-חרב (מקל-הליכה ובתוכו חרב)
sword-cut *n.* פצע-חרב, צלקת-סיף
sword dance מחול חרבות
swordfish *n.* דג-החרב
sword-play *n.* סיוף, הסתייפות; התנצחות, ציחצוח-חרבות; ציחצוח מלים
swordsman *n.* סַיָּף; נושא חרב
swordsmanship *n.* סייפות
sword stick = sword cane
swore = pt of swear
sworn (= pp of swear) *adj.* מושבע, מובהק, גמור, מוחלט
swot *n&v.* שקדן, דגרן, מתמיד; עבודה קשה; לשקוד על לימודיו
- swot up לשקוד, לשנן לימודיו
swum = pp of swim
swung = p of swung
syb′arite′ *n.* רודף תענוגות; אוהב חיי מותרות
syb′arit′ic *adj.* של חיי מותרות
syc′amore′ *n.* שיקמה (עץ)
syc′ophancy *n.* התרפסות, חנופה
syc′ophant *n.* מתרפס, חנפן
syc′ophan′tic *adj.* מתרפס, חנפני
syl′labar′y (-beri) *n.* רשימת סימנים; אלף-בית הברתי
syllab′ic *adj.* הברתי, של הברה
syllab′icate′ *v.* לחלק להברות
syllab′ica′tion *n.* חלוקה להברות
syllab′ifica′tion *n.* חלוקה להברות
syllab′ify′ *v.* לחלק להברות
syl′lable *n.* הברה; שמץ, פירור
- closed syllable הברה סגורה
- not a syllable of doubt אף לא צל של

ספק
open syllable הברה פתוחה
syllabled *adj.* הברתי
2-syllabled word מלה דו-הברתית
syl'labub' *n.* מזג יין וחלב
syl'labus *n.* תוכנית לימודים, רשימת נושאים, תמצית
syl'logism' *n.* סילוגיזם, היקש
syl'logis'tic *adj.* סילוגיסטי, היקשי
sylph *n.* עלמה דקת-גו, יעלת-חן; סילפה, נערת-האוויר
sylph-like *adj.* חיננית, דקת-גו
syl'van *adj.* יערי, שבתוך היער
sym'bio'sis *n.* סימביוזה, חיי שיתוף, חיים הרמוניים
sym'bol *n.* סמל, סימן, סימבול
symbol'ic(al) *adj.* סימלי, סימבולי
sym'bolism' *n.* סימבוליזם, סימליות, הבעה בסמלים
sym'bolist *n.* סימבוליקן
sym'boliza'tion *n.* סימבוליזציה
sym'bolize' *v.* לסמל, לייצג/לבטא/להביע בסמלים/בסימבולים
symmet'ric(al) *adj.* סימטרי, הרמוני, מתואם
sym'metry *n.* סימטרייה, תוֹאַם, מיתאם, תאימות, התאמה
sym'pathet'ic *adj.* מביע אהדה, משתתף ברגשות הזולת, סימפאתי
sym'pathize' *v.* לאהוד, לראות בעין יפה, להביע אהדה; להשתתף ברגשות
sympathizer *n.* אוהד, חסיד
sym'pathy *n.* סימפתיה, אהדה, השתתפות ברגשות; תנחומים; רחמים
come out in sympathy לשבות שביתת-אהדה
felt sympathy נכמרו רחמיו
- has sympathy with her views אוהד את השקפותיה, תמים-דעים עמה
- in sympathy with רואה בחיוב, אוהד
my sympathies lie with אהדתי נתונה ל-
- you have my sympathy אני משתתף בצערך
symphon'ic *adj.* סימפוני
sym'phony *n.* סימפוניה
sympo'sium (-'z-) *n.* סימפוזיון
symp'tom *n.* סימפטום, תסמין, סימן-היכר, תופעת-תורפה
symp'tomat'ic *adj.* סימפטומאטי, מסמן
syn'agogue' (-gog) *n.* בית-כנסת
sync *n.* סינכרוניזציה, תיאום זמנים
- in sync מתואם בזמן, מסונכרן
- out of sync לא מתואם בזמן
syn'chromesh' (-k-) *n.* שילוב סינכרוני (של הילוכים)
syn'chronism' (-k-) *n.* סינכרוניזם, תזמונת, התרחשות בו-זמנית; לוחות כרונולוגיים
syn'chroniza'tion (-k-) *n.* סינכרוניזציה; סינכרון, תיאום בו-זמני
syn'chronize' (-k-) *v.* לסנכרן, לתאם; להתרחש בו-זמנית
- synchronize a motion picture לסנכרן/לתאם הקול והתמונה של/סרט קולנוע
- synchronize marchers לתאם פסיעות הצועדים
- synchronize watches לכוון שעונים לאותה שעה
syn'chronous (-k-) *adj.* סינכרוני, בו-זמני, סימולאטני, מתרחש בעת ובעונה אחת
syn'chrotron' (-k-) *n.* סינכרוטרון, מאיץ חלקיקים
syn'cline' *n.* סינקלינה, קער
syn'copate' *v.* (במוסיקה) לשנות המיקצב, לנגן בסינקופה, לסנקף
syncopated *adj.* (במוסיקה) מסונקף
syn'copa'tion *n.* סינקופה, שינוי מיקצב; הטעמה מכוונת של פעימות חלשות
syn'cope (-kəpi) *n.* סינקופה, השמטת הגה/אות באמצע המלה; איבוד-ההכרה, התעלפות
syn'dic *n.* נציג; חבר-ועדה; שופט
syn'dicalism' *n.* סינדיקאליזם, ניהול המיפעלים ע"י איגודים מיקצועיים
syn'dicalist *n.* סינדיקאליסט
syn'dicate *n.* סינדיקאט, איגוד בעלי-עסקים; ארגון לאספקת כתבות לעיתון
syn'dicate' *v.* למכור/לפרסם ע"י סינדיקאט; לאגד; להתאגד
syn'dica'tion *n.* התאגדות
syn'drome *n.* תיסמונת, סינדרום
syn'od *n.* סינוד, כנס גדולי הכנסייה
syn'onym *n.* סינונים, מלה נרדפת
synon'ymous *adj.* סינונימי, נרדף, קרוב במשמעותו
synon'ymy *n.* נִרדָפוּת, זהות מלים
synop'sis *n.* תמצית, סיכום מרוכז
synop'tic *adj.* תמציתי, סינופטי
synoptic chart מפה סינופטית (של מזג-האוויר במקומות שונים)
syntac'tic *adj.* תחבירי
syn'tax' *n.* תחביר
syn'thesis *n.* סינתזה; תירכובת, תיצרופת
syn'thesize' *v.* לסנתז, לערוך סינתזה
syn'thesi'zer *n.* סינתיסייזר
synthet'ic *adj.* סינתטי; מלאכותי
- synthetic smile חיוך מלאכותי
syph'ilis *n.* עגבת, סיפיליס
syph'ilit'ic *adj.* חולה עגבת
sy'phon *n.* סיפון, גישתה
Syr'ia *n.* סוריה
Syr'ian *adj&n.* סורי
syrin'ga *n.* לילך (שיח-נוי)
syringe' *n&v.* מזרק; חוקן; להזריק
syr'up *n.* סירופ, שירוב
syrupy *adj.* מתוק, סירופי
sys'tem *n.* סיסטמה; מערכת, שיטה; שיטתיות; תוכנית; גוף, מערוכת; מחשב
- nervous system מערכת העצבים
sys'temat'ic *adj.* שיטתי, סיסטמאטי
systematics *n.* סיסטמאטיקה, מיון
sys'tematiza'tion *n.* שיווט
sys'tematize' *v.* לשווט, לסדר בשיטה
system'ic *adj.* סיסטמי, מערכתי
systems analyst מנתח מערכות
systol'ic *adj.* (לחץ דם) סיסטולי

T

T דמוי-טי, בצורת טי
- T-shirt חולצת-טי (קצרת-שרוולים)
- to a T בדיוק, בצורה מושלמת
TA = Tel Aviv
ta (tä) *interj.* תודה*
tab *n.* תווית, פיתקה; מתלה, לולאה; חשבון (לתשלום); טבלר, טאבולאטור
- keep a tab on להשגיח, לשים לב ל-
- pick up the tab לקבל על עצמו לשלם
tab'ard *n.* מעיל קצר (של אביר)
tab'by *n.* חתול חברבר; חתולה
tab'ernac'le *n.* המישכן, אוהל-מועד; בית-תפילה; תיבת לחם-הקודש (הנוצרי)
- Feast of Tabernacles חג הסוכות
ta'ble *n.* שולחן; שולחן ערוך; סעודה; מזון; מסובים; לוח; טבלה; לוח הכפל; רמה
- Tables of the Law לוחות הברית
- at table סועד, בשעת הסעודה
- lay on the table לדחות למועד מאוחר יותר
- on the table על שולחן הדיונים
- set the table לערוך השולחן
- table of contents תוכן העניינים
- turn the tables להפוך הקערה על פיה, לצאת וידו על העליונה
- under the table מבוסם, בגילופין;* מתחת לשולחן, בחשאי, בתורת שוחד
table *v.* להניח (הצעה) על השולחן; לדחות לעתיד; ללווח, לערוך בלוחות
tab'leau (-lō) *n.* תמונה (על במה) של אנשים דוממים; סיטואציה דראמאטית
tablecloth *n.* מפת-שולחן
table-d'hote (tä'bəldōt') (ארוחה) במחיר קבוע
table-knife *n.* סכין-שולחן
table-land *n.* רמה, מישור גבוה, טבלה
table linen מפות שולחן
table manners נימוסי-שולחן
table-mat *n.* תחתית (לצלחת חמה)
table napkin מפית שולחן (לסעודה)
tablespoon *n.* כף גדולה, כף-מרק
tablespoonful *n.* כף, מלוא הכף
tab'let *n.* טבלית, גלולה; טבלה; לוח; לוחית; טבלת-זיכרון; פינקס; דפדפת
table talk שיחת-סעודה (ליד השולחן)
table tennis טניס שולחן, פינג-פונג
tableware *n.* כלי-שולחן
tab'loid *n.* עיתון עממי (מצולם)
taboo' *n&adj.* טאבו, חרם, איסור, הקדש; אסור במגע/בביטוי/בשימוש; קדוש
taboo *v.* לאסור, להחרים, להקדיש
ta'bor *n.* תוף קטן
tab'oret' *n.* שרפרף, כיסא נמוך
Ta'bor, Mount *n.* הר תבור
tab'u·lar *adj.* מְלוּוָח, ערוך בטבלאות
tab'u·la ra'sa (-rä'zə) *n.* דף חדש, לוח נקי
tab'u·late' *v.* לְלַוֵּחַ, לערוך בטבלה
tab'u·la'tion *n.* לִיוּוּחַ
tab'u·la'tor *n.* טבלר, טבולאטור, מְלַוַּחַת
tach'o (tak'ō) *n.* מד מהירות*
tacho'meter (-kom'-) *n.* מד מהירות
tac'it *adj.* ללא מלים, מובן, מרומז, לא כתוב; שותק, שבשתיקה
- tacit understanding הסכמה אילמת
tac'iturn' *adj.* שתקני, ממעט במלים
tac'itur'nity *n.* שתקנות
tack *n.* נעץ, מסמר שטוח-ראש; מיכלב, תפר ארעי; כיוון הספינה (לפי זווית מיפרשיה); פקימה; דרך, קו-פעולה
- go sit on a tack חדל לקשקש!*
- hard tack מציות, מרקועים
- on the right tack בדרך הנכונה
- on the wrong tack בדרך המוטעית
- thumb tack נעץ
tack *v.* לחבר בנעץ; לצרף, להכליב; להפליג בזיגזגים; לפקום; לשנות כיוון
- tack down לחבר בנעץ; להכליב
- tack on להוסיף, לחבר, לצרף
tackiness *n.* דביקות; *מוזנחות
tacking stitch מיכלב, תפר-מכליב
tack'le *n.* ציוד, כלים; חיבל; גלגילות; תיקול, בלימה, הפלה ארצה
- flying tackle הפלה אגב זינוק באוויר
tackle *v.* לטפל ב-; לבלום, להפיל, לתקל; לתפוס, לעצור
- tackle him about it לשוחח עמו על כך גלויות/בתקיפות
- tackle the matter לטפל בעניין; לתקוף/לגשת אל הנושא
tack'y *adj.* דביק, לח; *מרושל, מוזנח
tact *n.* טאקט, נימוס, תבונה בהתנהגות
tactful *adj.* טאקטי, מנומס
tac'tic *n.* טאקטיקה, תכסיס; אמצעי להשגת מטרה
tactical *adj.* טאקטי, תכסיסי, תחבולני
tac·ti'cian (-tish'ən) *n.* תכסיסן
tac'tics *n-pl.* טאקטיקה, תכסיסים
tac'tile (-til) *adj.* מישושי, של חוש המישוש
tactless *adj.* חסר-נימוס, נעדר-טאקט
tac'tual (-cho͞oəl) *adj.* מישושי, של חוש המישוש
tad *n.* ילד; כמות זעירה, מעט*
tad'pole' *n.* ראשן
taf'feta *n.* טאפטה (אריג-משי)
taff'rail' *n.* מעקה-הירכתיים
taf'fy *n.* טופי (סוכריות)
Taf'fy *n.* וולשי, יליד ויילס
tag *n.* תווית, מדבקה; חוד-השחלה, קצוות-שרוך; ביטוי, קלישה; תלתל; שוליים מדובללים; תופסת (מישחק)
- question tag (as: "isn't it?") תוספת שאלה (כגון "אתה בא, לא כן?")
- tag end קצה, סוף
tag *v.* הדביק תווית; לצרף, לספח
- tag along הצטרף; לעקוב; להזדנב
tail *n.* זנב; שובל; קצה; *בלש; מרגל; נערה, תחיכה; ישבן; בעילה
- cow's tail מפגר, אחרון
- on his tail מאחוריו, נצמד אליו
- tail of the eye זווית העין
- tails מעיל מזונב; אחורי המטבע
- turn tail הפוך עורף, לנוס

wag the tail לכשכש בזנב
with his tail between his legs מובס,
כשזנבו מקופל, חפוי-ראש
with his tail up במצב-רוח מרומם
ail *v.* לעקוב, לבלוש; להזדנב, להשתרך;
לקשור הקצוות; לזנב, לקצץ
tail away/off לפחות וללכת, להיעלם
ail *adj.* אחורי, בא מאחור
ailback *n.* שורת מכוניות (בפקק תנועה)
ailboard *n.* דופן אחורי (במשאית)
ailcoat *n.* מעיל מזונב, מעיל-ערב
ailed *adj.* מזונב, בעל זנב
long-tailed ארך-זנב
ail end קצה, סוף, שלהי
ailgate *n.* דופן אחורי (במשאית)
ailgate *v.* להיצמד מאחור (לרכב)
ailless *adj.* חסר-זנב
ail-light *n.* אור אחורי, פנס אחורי
ail'or *n&v.* חייט, תופר; לחייט,
לתפור, לעסוק בחייטות; לעבד, להתאים
ailor-made *adj.* מעשה-חייט, תפור
במיוחד ללקוח; מתאים, הולם
ailpiece *n.* תוספת, נספח; עיטורת
(בסוף פרק), קישוט בתחתית-עמוד
ailspin *n.* צלילה לולינית, נפילה
go into a tailspin *ליפול ברוחו, לשקוע
ביאוש
tailwind *n.* רוח אחורית
taint *n.* כתם, רבב, דופי; ריקבון, אילוח;
עקבות (של שיגעון)
taint *v.* להכתים, להכפיש; לזהם,
להרקיב; להשחית
taintless *adj.* ללא דופי, טהור
Tai'wan' (tī'wän') *n.* טייוון
Tajik'istan' *n.* טג'יקיסטן
take *v.* לקחת, ליטול; לקבל; לאחוז;
לתפוס; לכבוש; ללכוד; לעשות; לקנות;
לבחור; לקטול; להפחית; להבין, להסיק;
לחשוב; להאמין, להניח
- I take it that אני מבין ש-
- be taken ill לחלות, ליפול למשכב
- has what it takes *יש לו הנתונים ל-
- it takes strength to דרוש כוח ל-
- not able to take it לא יכול (לסבול)
יותר, נשבר
- she takes well תמונותיה מוצלחות
- she took it out on him היא שפכה
כעסה עליו, היא פרקה זעמה עליו
- take 2 from 5 להפחית 2 מ-5
- take 3 hours לארוך 3 שעות, לקחת 3
שעות, להצריך 3 שעות
- take a back seat לתפוס מושב אחורי;
להמעיט בחשיבות עצמו
- take a bath לעשות אמבטיה; לאבד הון
- take a beating לספוג מכות
- take a letter לכתוב מיכתב בהכתבה
- take a newspaper לקנות עיתון (מסוים)
בקביעות, לחתום על עיתון
- take a picture/photograph לצלם
- take a powder *לברוח, להסתלק
- take a walk לטייל, להלך
- take a wife לקחת אישה, להתחתן
- take after לדמות ל-, להיראות כמו-;
לרדוף אחרי
- take an apartment לשכור דירה
- take an oath להישבע
- take away לגרוע, להפחית; לקחת, לסלק
- take back לקחת בחזרה, לקבל בחזרה
- take by surprise להפתיע
- take by the throat ללפות הגרון
- take coffee להתכבד בקפה
- take criticism לשאת/לעמוד בביקורת
- take down להוריד; לרשום; לפרק;
לגמד קומתו; להוציא הרוח ממיפרשיו
- take effect להיכנס לתוקף, לחול; לפעול,
להשפיע
- take from לגרוע מ-, להפחית מ-
- take him for לחשוב אותו ל-, לראות
אותו כ-; לטעות בו
- take him in להכניסו, לארחו; לרמותו,
לסדר אותו
- take him up לשמש לו פטרון, לסייע
- take in לקבל (עבודה) בבית; להבין,
לעכל; לספוג בחושיו; לכלול, להקיף
- take in a dress להצר/לקצר שמלה
- take in a lie להאמין ל/לבלוע שקר
- take in sail לגלול/לקפל המיפרשים
- take it להבין זאת; לקבל זאת; לסבול
זאת
- take it from me! האמן לי!
- take it or leave it קבל זאת או משוך
ידך; (מחיר) סופי
- take it out of him להותירו חסר אונים,
למצות כוחו, להתישו
- take it out on לפרוק זעמו על
- take it seriously לקחת זאת ברצינות
- take it up with להעלות זאת בפני
- take measures לנקוט אמצעים
- take my word! האמן לי! על דברתי!
- take notes לרשום
- take off לרוץ; לפשוט; להוריד, לסלק;
להפחית; לזנק; להמריא; לחקות
- take off from work לקחת חופשה
מהעבודה
- take offense להיעלב, להיפגע
- take on להעביד, להעסיק; ליטול על
עצמו; לקבל (תכונה); להתמודד מול;
לצאת מול; להתקבל (בציבור/באופנה);
להתרגש; לכעוס; להעמיס
- take on the look of ללבוש צורת-
- take one's eyes from לגרוע עיניו מ-,
להסיר מבטו מן
- take one's fancy לשבות דימיונו
- take one's time לא למהר, להתמזמז
- take out להוציא; לסלק; להסיר; להשיג,
לקבל; לרוץ; לפתוח בריצה
- take over לקבל לידיו, להתחיל לנהל
- take part להשתתף, ליטול חלק
- take part with him לתמוך בו
- take place לקרות, להתרחש
- take pride in להתגאות ב-
- take root להכות שורש
- take sick לחלות
- take the cake *להיות ראשון; לעבור כל
גבול
- take the place of לתפוס מקום של;
למלא מקום-
- take the train לנסוע ברכבת
- take time לקחת זמן, לגזול זמן
- take to לחבב, להימשך ל-; לברוח ל-,
למצוא מחסה; להתחיל ב-, לעסוק
- take turns להתחלף, לעשות חליפות

- take up להרים; להתחיל להתעניין ב-; להמשיך; להתחיל שוב; לאסוף; לספוג, לקלוט; להמס, למוסס
- take up room/time לתפוס מקום/זמן
- take up with להתיידד עם
- take your eyes off me הסבי עינייך מנגדי
- taken up with מתעניין ב-, שקוע ב-
- the book took הספר נקלט/הצליח
- the bottle takes a liter - הבקבוק קיבולו ליטר אחד
- the color took הצבע נקלט/נספג
- the fish took הדג בלע הפיתיון
- the shop takes 500 NIS a day הכנסות החנות הן 500 ש"ח ליום
- the verb takes a direct object הפועל מתקשר עם מושא ישיר
- took it for yes הבין זאת כ"הן"
- was taken by/with her כבשה ליבו
take *n.* מיקח, קבלה; הכנסה, שלל, רווח; צילום (בהסרטה)
- is on the take *רודף בצע
takeaway *n.* טייק-אווי, (חנות מזון) לקנות וללכת
take-home pay משכורת נטו
take-off *n.* המראה, זינוק; נקודת-הזינוק; חיקוי, קריקטורה
take-out *n.* טייק-אווי, (חנות מזון) לקנות וללכת
take-over *n.* שליטה, השתלטות; קבלת הפיקוד, העברת הניהול
take-up *n.* היענות, קבלה, הסכמה
taking *adj.* מושך, שובה-לב
taking *n.* לקיחה, גניבה
takings *n-pl.* הכנסות, רווחים
talc *n.* טאלק (מינראל פריך)
tal′cum powder אבקת טאלק
tale *n.* סיפור, מעשייה; בדותה, שקר
- tell tales לספר סיפורים, להלעיז
talebearer *n.* רכלן, מפיץ שמועות
tal′ent *n.* (בעל) כישרון; בעלי כישרונות; כיכר, מטבע עתיק; *חתיכה
talented *adj.* בעל כישרון, מחונן
talent scout צייד-כישרונות
taleteller *n.* רכלן, מפיץ שמועות
tal′isman *n.* קמיע, טליסמה
talk (tôk) *n.* דיבור; שיחה; הרצאה
- have a talk לשוחח, לדון
- it's just talk אלו דברי-הבל
- small talk שיחה קלה
- talk nineteen to the dozen לדבר בלי הרף
- talk of the town שיחת-היום
talk *v.* לדבר; לשוחח; לשוחח על; להביע, לבטא
- talk about לדבר על; לרכל על
- talk away לדבר בלי הרף
- talk back לענות בגסות
- talk big להתרברב
- talk down a plane לשדר הוראות נחיתה לטייס, להנחית מטוס
- talk down to לדבר בהתנשאות
- talk him down להשתיקו, להחרישו
- talk him into לשדלו בדברים
- talk him out of לדבר על ליבו לבל-, להניאו מ-
- talk him over לשכנעו, לשדלו
- talk him round לשכנעו, לשדלו
- talk him through להסביר לו באריכות
- talk it over לדון בכך
- talk one's way out of להיחלץ (מצרה) בעזרת פיו/בחלקת-לשונו
- talk out ליישב (מחלוקת) בשיחות; למצות עד תום; לשפוך ליבו
- talk out a law לסכל חוק בנאומים ארוכים
- talk round לדבר סחור-סחור
- talk to לדבר עם; לגעור, לנזוף
- talk to oneself לומר בליבו, לחשוב
- talk up לדבר בקול, לומר גלויות; ללמד זכות על
talk′ative (tôk-) *adj.* דברני, פטפטן
talker *n.* דברן, מרבה מלים
talk′ie (tôk′i) *n.* סרט קולנוע
talking *n.* דיבור, שיחה
talking head *מגיש, שדרן
talking point נושא השיחה; נקודה משכנעת (בדיון)
talking-to *n.* נזיפה, גערה
- a good talking-to "מנה הגונה"
talk show טוק שואו, תוכנית ראיונות
tall (tôl) *adj.* גבוה; מוגזם, מופרז
- talk tall להתגאות, להתפאר
tallboy *n.* שידה, ארון מגירות
tallish *adj.* גבוה למדי
tal′lith *n.* טלית
tall order משימה קשה, דרישה קשת-ביצוע
tal′low (-ō) *n.* חֵלֶב, חֵלֶב-נרות
tall story גוזמה, סיפור מפוקפק
tall tale גוזמה, סיפור מפוקפק
tal′ly *n.* תווית, פתק-זיהוי; חישוב, חשבון; מספר הנקודות; מקל מחורץ
tally *v.* לתאם; להתאים; לחשב; לספור
tal′ly-ho′ *interj.* טאלי-הו! (קריאת ציידים)
tallyman *n.* מונה נקודות (במשחק)
Tal′mud *n.* תלמוד, תורה שבעל-פה
Tal·mu′dic *adj.* תלמודי
Tal′mudist *adj.* תלמודאי
tal′on *n.* טופר, ציפורן עוף דורס
ta′lus *n.* שפיע, גל-אבנים לרגלי צוק
tam *n.* כומתה סקוטית
ta′mable *adj.* ניתן לאילוף
tamale (-mä′li) *n.* טאמאלי (מאכל מקסיקני)
tam′arind′ *n.* תומר הודי, תמרהינדי
tam′arisk′ *n.* אשל (עץ, שיח)
tam′bour (-boor) *n.* חישוקי-רקימה (להחזקת האריג); תריס, מיכסה לרהיט; תוף
tam′bourine′ (-bərēn′) *n.* טנבור, תוף-מרים
tame *adj.* מאולף, מבויית; צייתן, נכנע; חסר-מרץ; משעמם, לא מרתק
tame *v.* לאלף, לביית
tameable *adj.* ניתן לאילוף
tamer *n.* מאלף (חיות)
Tam′many (Hall) *n.* טאמאני הול, אירגון פוליטי רב השפעה, אירגון מושחת
tam′my *n.* כומתה סקוטית
tam-o′-shan′ter כומתה סקוטית

tamp *v.* לדחוס (בחבטות קלות); לסתום
tam'per *v.* לטפל ב-, להתעסק, להתערב
- tamper with a document לטפל ב-/לזייף מיסמך
tam'pon' *n.* טמפון
tan *v.* לשזוף; להשתזף; להשחים; לעבד עור, לעפץ, לברסק; להלקות, להצליף
tan *n&adj.* שיזוף; שיזפון; שזוף, חום-צהבהב, שחום
tan = tangent
tan'dem *n.* אופניים דו-מושביים
- in tandem זה מאחורי זה; בשיתוף
tandem *adv.* זה מאחורי זה
tang *n.* טעם חריף, ריח חריף; נימה
tan'gent *n.* משיק; טנגנס
- go/fly off at a tangent לסטות לפתע; לעשות תפנית
tan·gen'tial *adj.* משיק, נוגע; סוטה
tan'gerine (-rēn) *n.* מנדרינה
tan'gibil'ity *n.* מוחשיות, ממשות
tan'gible *adj.* מִשיש, ניתן למישוש; מוחשי; ממשי; ברור, מוגדר, ריאלי
tan'gle *n.* תסבוכת, פקעת, פלונטר; ריב
tangle *v.* לסבך; להסתבך
- tangle with להסתבך עם, לריב עם
tan'go *n&v.* טאנגו; לרקוד טאנגו
tan'gram *n.* טאנגראם (מישחק)
tank *n&v.* טנק; מְכָל, דוד
- tanked up שתוי, שיכור, מבוסם
tan'kard *n.* קנקן, ספל-בירה
tank car קרון-מְכָל, מְכָלִית
tank'er *n.* מְכָלִית; משאית-מְכָל
tank top חולצה חסרת שרוולים
tan'ner *n.* בורסקי, מעבד עורות
tannery *n.* בורסקי, מיפעל עורות
tan'nic acid, tan'nin *n.* טאנין, דיבעון, עפץ, חומר לעיבוד עורות
tan'ning *n.* בורסקאות; שיזוף; הלקאה
tan'talize' *v.* להתעלל, לגרום לייסורי טאנטאלוס, לעורר תיקוות-שווא
tan'talus *n.* מעמד לבקבוקי-משקה
tan'tamount' *adj.* כמוהו כ-, דינו כ-, שקול כנגד, שווה-ערך ל-, בבחינת-
tan'trum *n.* השתוללות זעם
Tan'zani'a (-nē'ə) *n.* טנזניה
tap *n.* ברז; פקק; מגופה; ציתות
- on tap מהחבית; מוכן ומזומן, זמין
tap *v.* לברז; להתקין מגופה; להוציא, לסחוט; לצותת, לחבר קו-ציתות
- tap out להפסיד כספו בהימורים
tap *n&v.* נקישה, דפיקה; להקיש, לטפוח
- taps תרועת כיבוי אורות (במחנה)
tap dance סטפס, ריקוד נקישות (ברגל)
tape *n.* רצועה, שרוך; סרט; רשמקול; טייפ; סרט-מידה, מגלול, מטר
- breast the tape לנצח במירוץ
- red tape ביורוקרטיה, סחבת מישרדית
tape *v.* לקשור, לשרוך; לחבוש; להקליט
- have him taped *להבינו היטב
tape measure סרט-מידה, מגלול, מטר
ta'per *n&adj.* נר דקיק; היצרות, הפחתה הדרגתית בעובי; הולך וצר, מיותד
taper *v.* להתחדד, להשתחז וללכת, לרדת בהדרגה בעובי; להצר, לטרז
- taper off להתחדד; לפחות (וללכת)
tape-record *v.* להקליט (על סרט)
tape recorder רשמקול
tap'estry *n&v.* שטיח, מרבד; ציפוי-רהיט; לקשט בשטיחים, לצפות במרבדים
tapeworm *n.* שרשור, תולעת טפילה
tap'io'ca *n.* טאפיוקה (מזון עמילני)
ta'pir (-pər) *n.* טפיר (יונק)
tap'pet *n.* דחיף (במנוע)
tap'room' *n.* מיסבאה, באר
tap-root *n.* שורש ראשי
tap'ster *n.* מוזג, מגיש משקאות
tap water מי ברז
tar *n&v.* זֶפֶת; מַלָּח, ימאי; לזפת
- tar and feather לצקת זפת (על אדם) ולכסותו בנוצות (כעונש)
- tarred with the same brush לוקה באותם החסרונות
tar'antel'la *n.* טאראנטלה (מחול)
taran'tula (-'ch-) *n.* עכשוב, עַקְרַבּוּת
tar·boosh' (-bōōsh') *n.* תרבוש (כובע מוסלמי)
tardiness *n.* איחור, איטיות, השתהות
tar'dy *adj.* מאחר; איטי, משתהה
tare *n.* טארה (מישקל האריזה); עשב שוטה
tar'get (-g-) *n&v.* מטרה, יעד; לכוון אל
tar'iff *n.* תעריף; תעריפון; מכס-מגן
tariff wall מכס מגן
tar'mac *n&v.* טארמאק, תערובת זפת וחצץ; מסלול המראה; לרבד בטארמאק
tar'macad'am *n.* תערובת זפת וחצץ
tarn *n.* אגם-הרים קטן
tar'nish *v.* לעמם, להכהות; להכתים; ללכלך; לפוג זוהרו, לכהות
- tarnish his name להכתים שמו
tarnish *n.* כהות; עימום, הכהייה; כתם
tar·pau'lin *n.* טארפולין, צדרה (בד אטים-מים משוח בזפת), ברזנט
tar'pon *n.* טרפון (דג-ים גדול)
tar'ragon' *n.* טרגון, סוג של לענה
tar'ry *v.* לשהות, להתעכב; להישאר, לדור; להשתהות, להתמהמה
tar'ry (tär'i) *n.* מרוח בזפת, מזופת
tar'sal *n&adj.* של שורש-הרגל; עצם-הקרסול
tar'sus *n.* שורש-הרגל, מיפרק כף הרגל
tart *n.* חריף, חמוץ, מר; עוקצני
tart *n&v.* פשטידת-פירות; עוגת-פירות; *זונה, יצאנית
- tart up לקשט בצורה צעקנית
tar'tan *n.* טארטאן (אריג סקוטי)
tar'tar *n.* אבן-שיניים; מישקע-יין; חמום-מזג, פרא אדם, טאטארי
- catch a tartar לתפוס טאטארי, לשקוע בבוץ, להסתבך באופן לא-צפוי
- cream of tartar מישקע יין (מעובד, המשמש כמרכיב באבקת-אפייה)
tar·tar'ic acid חומצת טארטאר
tartar sauce סאלאט ירקות ומיונית
tartness *n.* חריפות; עוקצנות
task *n.* משימה, מטלה, עבודה
- take to task לנזוף, לגעור
task *v.* להטיל משימה; להכביד, לאמץ

task force כוח משימה
taskmaster *n.* מטיל משימות, מפקח קפדן
tas′sel *n.* ציצית, ציצה, מלל, גדיל
tasseled *adj.* מצויץ, בעל ציצה
taste (tāst) *n.* טעם, חוש הטעם; טעימה, לגימה; טעם טוב, תבונה; חיבה, נטייה
- add salt to taste להוסיף מלח לפי הטעם
- bad/poor taste חוסר-טעם
- left a bad taste in the mouth הותיר טעם מר בפה
- to my taste לטעמי, לרוחי
taste *v.* לטעום; להיות טעמו (מר/מתוק וכו׳); להתנסות, לחוות
- taste power לטעום את טעם השררה
- tastes bitter טעמו מר
taste buds תאי הטעם (שבלשון)
tasteful *adj.* טעים, בעל טעם טוב
tasteless *adj.* חסר-טעם, תפל
taster *n.* טעמן, טועם (יינות)
tastily *adv.* בטוב-טעם
tasty *adj.* טעים, עָרֵב, מעניין
tat *v.* לרקום, לעשות תחרה
tat *n.* בד מרופט, אריג גס
ta-ta (tatä′) *interj&n.* *שלום!
- go ta-tas לצאת לטיול
tat′ter *n.* קֶרַע, חתיכה מדובללת
- tatters סחבות, בלואים, קרעים
tatter *v.* לקרוע; לרפט; להיקרע
tat′terdemal′ion *n.* לבוש בלואים
tattered *adj.* מרופט; לבוש בלואים
tat′ting *n.* תחרה, מלמלה
tat′tle *v.* לפטפט; לרכל; להלשין
tattle *n.* פיטפוט; רכילות
tattler *n.* פטפטן; רכלן
tattletale *n.* פטפטן; רכלן
tat·too′ *n.* כתובת קעקע; תיפוף, תרועה, כיבוי אורות; מיפגן, מיצעד לילי
- tattoo of rain תיקתוק טיפות גשם
tattoo *v.* לחרות כתובת קעקע, לקעקע
tattooist *n.* חורת כתובות-קעקע
tat′ty *adj.* מוזנח, מרופט
taught = p of teach (tôt)
taunt *n.* ליגלוג, קינטור, התגרות
taunt *v.* ללגלג, ללעוג, להקניט, לבוז
Tau′rus *n.* מזל שור
taut *adj.* מתוח; מסודר, נקי
tau′tolog′ical *adj.* של ייתור לשון
tau·tol′ogy *n.* טבטולוגיה, ייתור לשון, פליאונזם
tav′ern *n.* פונדק; מיסבאה
taw *n.* גוּלָה, גולת-מישחק
taw′dry *adj.* חסר טעם, צעקני, זול
taw′ny *adj.* חום-צהוב, שחמחם-צהוב
tax *n.* מס, היטל; מעמסה, מאמץ רב
tax *v.* למסות, להטיל מס; להכביד, לדרוש יותר מדי; לתבוע (מחיר); להאשים; לנזוף
- tax his patience להפקיע סבלנותו
- tax one's brain "לשבור את ראשו"
tax′abil′ity *n.* אפשרות המיסוי
tax′able *adj.* חייב מס, טעון מס
tax·a′tion *n.* מיסוי, גביית מיסים
tax betterments הטבות מס
tax brackets מדרגות המס
tax break הנחה ממס
tax charge היטל מס
tax collector גובה מיסים
tax commissioner נציב מס הכנסה
tax credit זיכוי מס
tax deduction ניכוי מס
tax-free *adv.* פטור ממס
tax haven מיקלט מס (מדינה)
tax′i *n&v.* מונית; (לגבי מטוס) לנוע/להסיע על מסלול ההמראה
taxi-cab *n.* מונית
tax′ider′mist *n.* מתקין פוחלצים
tax′ider′my *n.* פיחלוץ, התקנת אדרים
tax′ime′ter *n.* מונה, טאקסימטר
taxi rank/stand תחנת מוניות
taxman *n.* *איש מס הכנסה
tax·on′omy *n.* תורת המיון
tax payer משלם מיסים
tax refund החזר מס
tax return הצהרת הכנסה, דו״ח מס; חשבון, החזר מס
tax shelter מיקלט מס, אמצעי להפחתת מס
Tay-Sachs (tā′saks′) *n.* טיי סאקס (מחלה)
T.B. = tuberculosis שחפת
T-bone אומצת-טי (אומצה המכילה עצם דמויית-טי)
tea *n.* תה; כוס תה; ארוחת-מינחה
tea-bag *n.* שקית-תה
tea break הפסקת-תה
tea caddy קופסת-תה
tea cake עוגת תה
teacart *n.* שולחן-תה, עגלת-תה
teach *v.* ללמד, לחנך, להורות
teach′abil′ity *n.* למידות
teach′able *adj.* למיד, בר-לימוד
teach′er *n.* מורה, מדריך
teachers college סמינר למורים
tea chest תיבת תה
teach-in *n.* דיון בנושא אקטואלי
teaching *n.* הוראה, הדרכה; תורה
- teachings תורה, דוקטרינה
teaching hospital בית-ספר רפואי
teaching machine מכונת-הוראה, מחשב-לימוד
tea cloth מפת-שולחן; מטלית-ניגוב
tea cosy מטמן, כיסוי-תיון
teacup *n.* ספל-תה
- storm in a teacup סערה בצלוחית-מים
teacupful *n.* מלוא-הספל
tea dance ריקוד מינחה
tea garden גן-תה, מטע תה
tea gown שימלת-מינחה
teahouse *n.* בית-תה
teak *n.* טיק, שנא (עץ)
teakettle *n.* קומקום, קומקום-תה
teal *n.* שרשיר (ברווז); כחול-ירוק
tea lady מְחַלֶּקֶת תה (במשרד)
tea-leaf *n.* עלה-תה; *גנב
team *n.* קבוצה (בתחרות); צוות; צמד, מערכת סוסים רתומים, עגלה
team *v.* לרתום; להעביר בעגלה
- team up לחבור יחדיו, לשתף פעולה
team *adj.* קבוצתי; של עבודת צוות
- team effort מאמץ קבוצתי
team-mate *n.* חבר לקבוצה

team spirit רוח צוות, רוח קבוצתית
team′ster *n.* עגלון; נהג משאית
teamwork *n.* עבודת-צוות, מאמץ משותף
tea party מסיבת-תה, מסיבת-מינחה
teapot *n.* תיון, קומקומון-תה
tear (tār) *v.* לקרוע; לפצוע; לתלוש; לשסע; להיקרע; לרוץ בחיפזון
- cannot tear his eyes away לא יכול להסיר מבטו/לגרוע עיניו מן
- tear at לתלוש; לקרוע בפראות
- tear down להרוס, להחריב, לקעקע
- tear into להתקיף, להתנפל, להסתער
- tear it לשים קץ לתיקוות, לתסכל
- tear off a letter *לשרבט מיכתב במהירות
- tear oneself away לנתק עצמו
- tear out לתלוש, לקרוע
- tear to shreds לקרוע לגזרים
- tear up/apart לקרוע לגזרים
- that's torn it *זה קילקל העניינים
- was torn between- ליבו נקרע בין-
tear (tār) *n.* קֶרַע; קריעה; *הילולה
tear (tir) *n.* דימעה
- broke into tears פרץ בבכי
- in tears בוכה, מזיל דמעות
- shed tears להזיל דמעות
- tears דמעות, בכי
- without tears ללא מאמץ, בקלות
tear′away′ (tār-) *adj.* *תוקפן, פירחח
tear-drop *n.* דימעה, אגל-דמע
tearful *adj.* בוכה, דומעני
tear gas גאז מדמיע
tearing *adj.* קורע; מכאיב; פראי; *מצויין
tear-jerker *n.* * (סרט) סוחט דמעות
tearless *adj.* חסר דמעות
tear-off *adj.* תליש, ניתן לתלישה
tearoom *n.* מיזנון-תה, בית-קפה
tease (-z) *v.* להרגיז, להציק, לקנטר; להפריד לסיבים, לסרוק, להתפיח בהברשה
tease *n.* קנטרן, לגלגן
tea′sel, tea′zle (-zəl) *n.* קרדה, צמח קוצני לסריקת אריג
teaser *n.* קנטרן; *בעייה קשה; טיזר, גרִיָן, קדימון פירסומת
tea set, tea service מערכת תה
teaspoon *n.* כפית, כפית תה
teaspoonful *n.* מלוא הכפית
tea strainer מיסננת-תה
teat *n.* פיטמה, דד
tea table שולחן-תה, שולחנון-תה
tea-time *n.* שעת התה, שעת מינחה
tea towel מטלית-ניגוב
tea tray מגש-תה
tea trolley שולחן-תה, עגלת-תה
tea urn מיחם-תה
tea wagon שולחן-תה, עגלת-תה
tec = detective *בלש
tech (tek) *n.* בי״ס טכני, טכניון
tech′ie (tek′i) *n.* *מומחה לטכנולוגיה
tech′nical (-k′-) *adj.* טכני, מעשי
technical hitch תקלה טכנית
tech′nical′ity (tek-) *n.* טכניות, נקודה טכנית
technical knockout נוק-אאוט טכני
technical offense עבירה טכנית
tech•ni′cian (teknish′ən) *n.* טכנאי
tech′nicol′or (tek′nicul-) *n.* טכניקולור
technique′ (teknēk′) *n.* טכניקה
tech′no (tek′-) *n.* טקנו (מוסיקה); שימוש בכלים אלקטרונים
tech•noc′racy (tek-) *n.* טכנוקרטיה
tech′nocrat′ (tek-) *n.* טכנוקראט
tech′nolog′ical (tek-) *adj.* טכנולוגי
tech•nol′ogist (tek-) *n.* טכנולוג
tech•nol′ogy (tek-) *n.* טכנולוגיה
tech′y *adj.* רגזן, כעסן
tec•ton′ic *adj.* טקטוני, של מיבנים
ted *v.* לפזר, לייבש קש
ted′dy bear דובון (צעצוע)
Te De′um טה דאום (מיזמור נוצרי)
te′dious *adj.* משעמם, מעייף, חדגוני
te′dium *n.* שיעמום, חדגוניות
tee *n&v.* (בגולף) תלולית, גבשושית; להניח הכדור על התלולית
- tee off לחבוט בכדור מהתלולית; להרגיז; להתקיף
- tee up להכין (הכדור לחבטה) על התלולית; להכין, לארגן, לסדר
- teed off עצבני, כועס
- to a tee בדיוק, באופן מושלם
teem *v.* לשפוע; לשרוץ, לרחוש; להיות מלא ב-; לרדת, להינתך
- teeming with רוחש, מלא ב-
- the rain teemed down הגשם ניתך
teen′age′ *adj.* של גיל-הָעֶשׂרֵה
teenager *n.* בגיל העשרה, נער, נערה
teens *n-pl.* שנות הָעֶשׂרֵה
teen′sy (-zi) *n.* זעיר, קטנטן
tee′ny *n.* זעיר, קטנטן
tee′ny-bop′per *n.* *מעריצת פופ
teeny weeny זעיר, קטנטן
tee shirt חולצת-טי (קצרת-שרוול)
tee′ter *v.* להתנדנד, להתנודד
teeter-totter *n.* נדנדה
teeth = pl of tooth שיניים
teethe (tēdh) *v.* להצמיח שיניים
teething troubles כאבי שיניים (של תינוק בעת צמיחתן); חבלי לידה
tee′to′tal *adj.* מתנזר (ממשקאות חריפים); לגמרי, כליל
teetotaler *n.* מתנזר (כנ״ל)
tee′to′tum *n.* סביבון-קובייה
tef′lon′ *n.* טפלון
teg′u•ment *n.* קליפה, עור, כיסוי
Tel. = telephone טלפון
tele- (תחילית) רחוק, למרחק, -רחק
tele (tel′i) *n.* *טלוויזיה
tel′e•bank′ing *n.* בנקאות טלפונית
tel′ecast′ *n&v.* שידור טלוויזיה; לשדר בטלוויזיה
tel′ecommu′nica′tion *n.* טלקומוניקציה, בזק, תיקשורת-רחק
tel′e•commute′ *v.* לעבוד דרך תקשורת
tel′e•coms′ (-z) *n.* טלקומוניקציה
tel′e•con′ference *n.* שיחת ועידה
tel′e•fax′ *n.* טלפקס
tel′ege′nic *adj.* פוטוגני בטלוויזיה
tel′egram′ *n.* מיברק

tel′egraph′ *n.* מיברקה, טלגראף
- bush telegraph העברת הודעות למרחקים ע״י אותות-עשן/תיפוף
telegraph *v.* להבריק, לטלגרף
teleg′rapher *n.* מיברקן, טלגרפאי
tel′egraphese′ (-z) *n.* סיגנון טלגרפי
tel′egraph′ic *adj.* טלגרפי
teleg′raphist *n.* מיברקן, טלגרפאי
telegraph pole עמוד טלגראף/טלפון
telegraph wire חוט טלגראף/טלפון
teleg′raphy *n.* טלגראפיה, טילגרוף
tel′e·kine′sis *n.* טלקינסיס, הזזת חפצים מרחוק
tel′emar′keting *n.* שיווק טלפוני
tel′emes′sage *n.* טלמסר
tel′eme′ter *n.* טלמטר, מד-רוחק, מכשיר המשדר מימצאים ממרחקים
telem′etry *n.* טלמטריה, מדידת-רוחק
tel′e·olog′ical *adj.* טלאולוגי
tel′e·ol′ogist *n.* טלאולוג
tel′e·ol′ogy *n.* טלאולוגיה, תכליתיות, תורת התכלית
tel′epath′ic *adj.* טלפאתי
telep′athist *n.* טלפאת
telep′athy *n.* טלפאתיה
tel′ephone′ *n.* טלפון; מכשיר טלפון
- on the telephone בטלפון, מצלצל
- over the telephone (מדבר) בטלפון
telephone *v.* לטלפן, לצלצל, להתקשר
telephone booth/box תא-טלפון
telephone directory/book מדריך טלפון
telephone exchange מירכזת
telephone operator טַלְפָן, טלפונאי
tel′ephon′ic *adj.* טלפוני
teleph′onist *n.* טלפונאי, טלפן
teleph′ony *n.* טלפונאות
tel′epho′to *adj.* של צילום-רחק
tel′epho′tograph′ *n.* תמונת-רחק
tel′epho′tograph′ic *adj.* של צילום-רחק
tel′ephotog′raphy *n.* צילום-רחק
telephoto lens עדשת צילום-רחק
tel′eprin′ter *n.* טלפרינטר, מדפס-רחק
tel′epromp′ter *n.* טלפרומפטר, מיתקן הקראה לקריין-טלוויזיה
tel′e·sales′ (-sālz′) *n-pl.* מכירות בטלפון
tel′escope′ *n.* טלסקופ, מקרבת
telescope *v.* לקצר; להתקצר; להימעך; להישחל זה בתוך זה
tel′escop′ic *adj.* טלסקופי; מתקצר
tel′etext′ *n.* טלטקסט, העברת טקסט בטלוויזיה
tel′ethon′ *n.* טלתרום
tel′etype′writ′er (-tīp′rīt-) *n.* טלפרינטר
tel′e·view′er (-vū′-) *n.* צופה טלוויזיה
tel′evise′ (-z) *v.* לשדר בטלוויזיה
tel′evi′sion (-vizh′ən) *n.* טלוויזיה
- on television בטלוויזיה
television set מקלט טלוויזיה
tel′evi′sual (-vizh′o͞oəl) *adj.* של טלוויזיה, טלוויזיוני
tel′e·work′ (-wûrk′) *v.* לעבוד דרך תקשורת
tel′ex′ *n&v.* טלקס; להעביר בטלקס

tell *v.* לומר, לספר, להגיד; לדעת, להבחין; לגלות; להכיר; להורות, לצוות; לתת אותותיו; להשפיע; לְמנות, לספור
- I can't tell you how glad I am אין מלים בפי לתאר את שימחתי
- I tell you! אני אומר לך! על דיברתי!
- I told you! אמרתי לך! הזהרתיך!
- all told בסך הכל
- do tell! האומנם?
- it is telling on him הדבר נותן בו את אותותיו/משפיע לרעה עליו
- tell a thing or two *להוכיח, לנזוף, לתת מנה
- tell against לפעול נגדו, להילקח בחשבון לרעתו
- tell him from- להבחין בינו ובין-
- tell him where to get off לנזוף בו, לתת לו מנה
- tell me another! ספר לסבתא!
- tell off לנזוף, לגעור; למנות ולהקצות (למשימה), להפריש
- tell on להתיש, לעייף; *להלשין על
- tell the time לקרוא את השעון
- tell them apart להבחין ביניהם
- tell you what אגיד לך משהו, שמע!
- there's no telling אין לדעת
- you never can tell אין לדעת
- you tell 'em *תן להם (מנה) !
- you're telling me? אתה מספר לי?
teller *n.* מונה (קולות); קופאי, כספר, טלר
telling *adj.* מרשים, אפקטיבי
telling-off *n.* *נזיפה, גערה
telltale *n.* רכלן, מגלה סוד
telltale *adj.* מגלה, מרמז, מעיד
tel′ly *n.* *טלוויזיה
tel′pher *n.* רכבל-משא (במחצבה)
tel′star′ *n.* לוויין תיקשורת
temer′ity *n.* העזה, פזיזות, נמהרות
temp *n&v.* *עובד זמני; טמפרטורה; בתקופתו של; לעבוד כעובד זמני
tem′per *n.* מצב-רוח, הלך-נפש; מזג, אופי; קשיות, קשיחות-מתכת
- fly into a temper להתרתח, להתלקח
- get into a temper להתרתח, להתלקח
- hold/keep one's temper לשמור על שלוות-נפשו, להתאפק
- in a (bad) temper במצב-רוח רע, כועס
- lose one's temper לאבד שלוות-נפשו, לאבד עשתונותיו
- out of temper כועס, זועם
temper *v.* לרכך, לרפות; לְמתן; למהול, לערבב; להקל, להמתיק
- temper justice with pity לגלות רחמים בדין
- temper steel לרפות פלדה
tem′pera *n.* טמפרה (צבע מעורבב בחלמון-ביצה ומים); ציור טמפרה
tem′perament *n.* טמפראמנט, מזג, טבע
tem′peramen′tal *adj.* מיזגי, טיבעי; הפכפך, סוער, נתון למצבי-רוח
tem′perance *n.* מתינות, איפוק, ריסון; כיבוש היצר; הינזרות ממשקאות חריפים
temperance hotel בית-מלון שאין מגישים בו משקאות חריפים
tem′perate *adj.* מתון, מרוסן, מאופק;

(אקלים/איזור) ממוזג
tem′perature *n.* חום, טמפראטורה
- has a temperature יש לו חום
- ran a temperature קיבל חום
- take his temperature למדוד חומו
tempered *adj.* בעל מזג
- hot-tempered חם-מזג, חמום-מוח
tem′pest *n.* סערה, סופה; המולה, מהומה
- tempest in a teapot סערה בכוס מים
tem·pes′tuous (-chōōəs) *adj.* סוער, גועש
tem′plate *n.* מד-חיתוכים (לוח בעל נקבים וחריצים לחיתוכי מתכת וכו')
tem′ple *n.* מיקדש; בית-כנסת; כנסייה; רקה, צדע
- the Temple בית המיקדש
tem′po *n.* טמפו, קֶצֶב, מיפעם, זימנה
tem′poral *adj.* זמני, מוגבל בזמן; חילוני, של חולין; של העולם הזה
temporal conjunction מלת-חיבור זמנית (כגון "כאשר", "בשעה ש-")
tem′poral′ity *n.* זמניות
- temporalities נכסי חולין
tem′porar′ily (-rer-) *adv.* זמנית, ארעית
tem′porar′y (-reri) *adj.* זמני, ארעי
temporary order הוראת שעה
tem′poriza′tion *n.* דחייה, השתמטות
tem′porize′ *v.* לדחות (פעולה/החלטה), להשתמט מתשובה (כדי להרוויח זמן)
tempt *v.* לפתות, לשדל; להשפיע, למשוך
- be tempted to להתפתות ל-, לחפוץ ל-
- tempt Providence להסתכן
- tempt fate להתגרות בגורל, להסתכן
temp·ta′tion *n.* פיתוי, משיכה
tempting *adj.* מפתה, מושך
tempt′ress *n.* אישה מפתה/מגרה
ten *n&adj.* עשר, 10
- count to ten להמתין, להירגע
- ten a penny לא יקר, זול
- ten to one קרוב לוודאי
- upper ten העשירון העליון, האצולה
ten′abil′ity *n.* עמידות (כנגד התקפה)
ten′able *adj.* עמיד, בר-הגנה, שאין לפצחו/להפריכו; שניתן להחזיק בו
- post tenable for 2 years מישרה שניתן להחזיק בה במשך שנתיים
te·na′cious (-shəs) *adj.* מחזיק, תופס בחוזקה, לא מרפה; עקשן, לא מוותר, החלטי; דביק, מידבק
- tenacious memory זיכרון מצוין, בור-סוד שאינו מאבד טיפה
te·nac′ity *n.* החזקה; לפיתה; עקשנות
ten′ancy *n.* אריסות; (תקופת) שכירות, חכירה
ten′ant *n.* אריס; שוכר, חוכר; דייר
tenant *v.* לשכור, לחכור
tenant farmer אריס
ten′antry *n.* כלל האריסים
tench *n.* סוג של קרפיון
Ten Commandments עשרת הדיברות
tend *v.* לנטות, להיות בעל מגמה/נטייה/כיוון/שאיפה ל-
- tend to לנטות ל-
tend *v.* לפקח, להשגיח; לנהל, לטפל ב-; לשרת לקוחות
- tend a machine להפעיל מכונה
- tend to להשגיח על, לטפל ב-
- tend to your own affairs *התעסק בעניינים שלך!
ten′dency *n.* נטייה, מגמה, כיוון
ten·den′tious (-shəs) *adj.* מגמתי, בעל נטייה
ten′der *adj.* עדין; רגיש; רך; שביר; כואב
- tender age/years גיל רך
- tender beef בשר-בקר רך/לעיס
- tender touch מגע רך
tender *v.* להציע, להגיש, להגיש הצעה
- tender money לשלם
- tender resignation להגיש התפטרות
tender *n.* מיכרז, הצעה למיכרז
- legal tender מטבע חוקי, הילך חוקי
tender *n.* מטפל, מפקח, משגיח; טנדר, קרון-משא; סירת-אספקה; סירת-שירות, שמשת
tenderfoot *n.* מתחיל, טירון; משתקע חדש (במערב ארה"ב)
tenderhearted *adj.* רחמן, רגשן
ten′derize′ *v.* לרכך (בשר)
ten′derloin′ *n.* בשר-אחוריים
tenderness *n.* עדינות, רוך
ten′don *n.* (באנטומיה) מיתר, גיד
ten′dril *n.* קנוקנת; תלתלון
ten′ebrous *adj.* קודר, חשוך
ten′ement *n.* דירה, בית; בית-משותף; בית-דירות; אחוזה; חֲזָקָה
ten′et *n.* עיקר, אמונה, דוקטרינה
tenfold *adv.* פי עשרה, עשר פעמים
ten-gallon hat כובע קאובוי
ten′ner *n.* *עשירייה, 10 ליש"ט
ten′nis *n.* טניס
tennis court מיגרש טניס
tennis elbow דלקת המרפק
ten′on *n.* מַחְבָּר, שגם
ten′or *n.* טנור (קול/כלי-נגינה); מגמה, כיוון, נטייה, רוח-הדברים
- the tenor of his life אורח-חייו, שיגרת-חייו, מגמת-חייו
tenpence *n.* עשרה פֶּנִים
tenpin *n.* בובת-עץ (במישחק הכדורת)
tenpin bowling כדורת (מישחק)
tenpins *n-pl.* כדורת (מישחק)
tense *adj.* מתוח, דרוך, נרגש
tense *v.* למתוח; להימתח
- tensed up מתוח, במתיחות
tense *n.* (בדיקדוק) זמן
- present tense הווה, זמן בינוני
ten′sile *adj.* מתיח, של מתיחות
tensile strength כוח המתיחות, התנגדות (החבל) למשיכה, עמידות בפני קריעה
ten′sion *n.* מתיחה; לחץ-משיכה; מתיחות; התרגשות; מתח (חשמלי)
ten′sity *n.* מתיחות
tent *n&v.* אוהל; לשכון באוהל
- oxygen tent אוהל-חמצן
ten′tacle *n.* זרוע (של תמנון)
- tentacles of crime זרועות הפשע
ten′tative *adj.* ניסיוני, זמני; הססני
ten′ter *n.* מַתֵּחַ (למתיחת בדים)
tenterhook *n.* וו, אנקול, הדק-ממתח

- on tenterhooks מתוח, דרוך, מודאג
tenth *adj&n.* עשירי; עשירית, מעשר
tent peg יתד-אוהל
te·nu′ity *n.* דקות, עדינות; דלילות
ten′uous (-nūəs) *adj.* דק, עדין; דליל, קלוש; חלש, לא משכנע
ten′ure (-nyər) *n.* חזקה; אחיזה, החזקה; תקופה, קדנציה; קביעות (בעבודה)
te′pee′ *n.* טיפי, אוהל חרוטי
tep′id *adj.* פושר, לא חם
te·pid′ity *n.* פושרות
tequi′la (-kē′lə) *n.* טאקילה (משקה)
ter′cen·ten′ary *n.* יובל ה-300
ter′giversate′ *v.* לשנות עמדותו; לבגוד בעקרונות; לערוק; להיות הפכפך; להתחמק
ter′giversa′tion *n.* הפכפכנות
term *n.* מלה; ביטוי, מונח, מושג; תקופה, מועד; זמן, עונת-לימודים; מיתנה, תנאי; (באלגברה) איבר
- bring to terms לאלץ לקבל התנאים
- come to terms להגיע לידי הסכם; להשלים, לקבל
- getting near its term תאריך סיומו קרוב
- in no uncertain terms חד וחלק
- in terms of במונחי-, מבחינת, בקשר
- in the long term לטווח ארוך
- make terms להגיע לידי הסכם
- not on speaking terms לא מדברים זה עם זה
- on friendly terms ביחסי ידידות
- on one's own terms בהתאם לרצונו, לפי דרכו
- short-term קצר-מועד
- terms תנאים, מיתנים; מונחים; יחסים
- terms of reference תחום הסמכות (של הוועדה שדנה בנושא)
- think in terms of לשקול (פעולה)
term *v.* לקרוא, לכנות
ter′magant *n.* אשת-מריבות, קולנית
ter′minable *adj.* בר-סיום, לא תמידי
ter′minal *adj.* עונתי; סופי; קרוב לסיום; נגמר במוות, סופני; ממאיר
terminal *n.* מסוף; טרמינאל; תחנה סופית; נקודת-חיבור
ter′minate′ *v.* לסיים; להסתיים
ter′mina′tion *n.* סיום; תוצאה; סיומת
- bring to a termination להביא לידי סיום
- put a termination to לשים קץ ל-
ter′minolog′ical *adj.* של מינוח
ter′minol′ogy *n.* מינוח, טרמינולוגיה
ter′minus *n.* מסוף, תחנה סופית
ter′mite′ *n.* טרמיט, נמלה לבנה
term paper עבודת גמר
tern *n.* שחפית (עוף-ים)
ter′nary *adj.* משולש, של שלושה
terp′sichore′an (-sik-) *adj.* ריקודי
ter′race (-ris) *n.* טראסה, מידרג; מדרגה (ביציע-הצופים); מירפסת פתוחה; שורת בתים
terrace *v.* למדרג, לבנות טראסות
terraced *adj.* ממודרג, דמוי-טראסות
ter′ra cot′ta כלי-חרס; חום-תַּפוּז

ter′ra fir′ma יבשה, קרקע מוצקה
terrain′ *n.* שטח, פני-הקרקע
ter′ra incog′nita ארץ לא נודעת
ter′rapin′ *n.* צב-מים
terres′trial *adj.* יבשתי, ארצי; של העולם הזה; שוכן יבשה
ter′rible *adj.* איום, נורא; מזעזע; *נורא, גרוע ביותר, מזופת
terribly *adv.* *נורא, מאוד מאוד
ter′rier *n.* שפלן, טרייר (כלב נמוך)
terrif′ic *adj.* איום, נורא; *מצוין, גדול, עצום, כביר, משגע
terrifically *adv.* *נורא, מאוד, ביותר
ter′rify′ *v.* להפחיד, למלא אימה
ter′rito′rial *adj&n.* טריטוריאלי, ארצי, של ארץ מסוימת; חייל טריטוריאלי
Territorial Army צבא טריטוריאלי, אירגון אנשי הגנה
territorial waters מי-חופין
ter′rito′ry *n.* טריטוריה, חבל-ארץ; שטח-אדמה; תחום
ter′ror *n.* פחד, אימה; טרור; מטיל אימה, זורע בהלה; *מזיק, טרדן, שובב
- strike terror להטיל אימה
ter′rorism′ *n.* טרוריזם, אימתנות
ter′rorist *n.* טרוריסט, מחבל
ter′rorize′ *v.* להפחיד, להשליט טרור
terror-stricken *adj.* אחוז-אימה
terror-struck *adj.* אחוז-אימה
ter′ry *n.* אריג-מגבות
terse *adj.* תמציתי, קצר; ממעט במלים
ter′tian (-′shən) *adj.* (קדחת) תוקפת אחת ליומיים
ter′tiar′y (-′shieri) *adj.* שלישי; שלישוני; חמור, בדרגה ג' (כגון כוויות)
Tertiary period עידן השלישון
ter′ylene′ *n.* טרילין (אריג)
tes′sellate′ *v.* לשבץ בפסיפס, לרצף במוזאיקה, לפספס
tessellated *adj.* מפוספס, רצוף פסיפס
test *n.* מיבחן, בּוֹחַן, בדיקה, טסט; ניסיון; אבן-בוחן, קריטריון
- (with)stand the test of time לעמוד במיבחן הזמן
- put to the test להעמיד למיבחן
test *v.* לבחון, לבדוק, לנסות
- test out as (במיבחן) לגלות סגולות של
- testing times ימי ניסיון, עת קשה
tes′tament *n.* צוואה
- New Testament הברית החדשה
- Old Testament ספר התנ"ך
tes′tamen′tary *adj.* של צוואה
tes′tate′ *adj.* שכתב צוואה, המנוח
tes′ta′tor *n.* בעל צוואה
tes′ta′trix *n.* בעלת צוואה
test ban איסור ניסויים גרעיניים
test case מישפט לדוגמה, מישפט מיבחן, מישפט העשוי לשמש תקדים
test drive נסיעת-מיבחן
tester *n.* בּוֹחֵן; מַבְדֵק, מַבְחֵן
tes′tes = pl of testis (-tēz)
test flight טיסת מיבחן
tes′ticle *n.* אשך
tes′tify′ *v.* להעיד (על); להצהיר
testily *adv.* בקוצר רוח, בכעס

tes′timo′nial *n.* מיכתב-המלצה; תעודת-הוקרה, שי-פרידה, מתנת-הוקרה; עדות; הצהרה
tes′timo′ny *n.* עדות; הצהרה; הודעה; הוכחה, ראייה
- bear testimony להעיד
tes′tis *n.* אשך
test match משחק מיבחן (בקריקט)
tes·tos′terone′ *n.* טסטוסטרון, הורמון זכרי
test pilot טייס- (טיסות) מיבחן
test tube מבחנה
test-tube baby תינוק-מבחנה
tes′ty *adj.* רגזני, קצר-רוח
tet′anus *n.* צפדת, טטאנוס
tetch′y *adj.* רגזני, נוח לכעוס, רגיש
tete-a-tete (tāt′ ə tāt′) *n&adv.* שיחה אינטימית; פנים אל פנים, בארבע עיניים
teth′er (-dh′-) *n.* אפסר, רצועה, חבל
- at the end of one's tether סבלנותו פוקעת, אינו יכול לסבול עוד
tether *v.* לקשור (בהמה) ברצועה
tet′rahe′dron *n.* ארבעון, טטראדר, פירמידה משולשת
tetral′ogy *n.* טטרלוגיה, סידרה של ארבע יצירות-אמנות
Teu·ton′ic (too-) *adj.* טבטוני, גרמני
text *n.* טקסט, מלים, פְּנִים, גירסה; מָקוֹר; תמליל; ספר-לימוד; מובאה
textbook *n&adj.* ספר-לימוד; קלאסי, מדוייק
tex′tile *n&adj.* (של) טקסטיל, אריג
tex′tual (-chōōəl) *adj.* של טקסט, של נוסח
tex′ture *n.* מיבנה, מטווה, טווי, מישוז, מירקם, ארג, מַאֲרָג, מַסֶכֶת
texture *v.* לארוג
- coarse-textured בעל אריגה גסה
-th (סופית) לציון מיספר סידורי
- 7th (החלק) השביעי; שביעית
Th. = Thursday יום חמישי
Thai (tī) *n.* תאילנדי; תאילנדית (שפה)
Thai′land (tī-) *n.* תאילנד
thalas′sic *adj.* של הים, ימי
thalid′omide′ *n.* תאלידומיד (תרופה)
thalidomide baby תינוק תאלידומיד (בעל מום)
than (dh-) *conj&prep.* מ-, יותר מן, מאשר
- more than יותר מאשר, מאוד
- no --- other than שום --- זולת-
- no other than בכבודו ובעצמו
thane *n.* תין, אציל, בארון (בעבר)
thank *v.* להודות, להביע תודה
- I'll thank you אודה לך, אבקשך
- has only himself to thank for- הוא עצמו אשם ב-/אחראי ל-
- thank goodness/heaven תודה לאל
- thank you תודה!
thankful *adj.* אסיר-תודה; מביע תודה
thankless *adj.* כפוי-תודה; חסר-הערכה, שאין מביעים תודה עליו
thank offering קורבן תודה
thanks *n-pl&interj.* תודות; הודיות, ברכות; רוב תודות! תודה!
- small thanks to (באירוניה) "תודה רבה ל-"
- thanks to הודות ל-, בגלל
thanksgiving *n.* הודיה, הבעת תודה
Thanksgiving Day יום ההודיה (החל ביום ה' בשבוע הרביעי בנובמבר)
thankyou *n.* תודה, הבעת תודה
that (dh-) *adj.* זה, הזה, זאת; ההוא; אותו; כזה
- after that אחר כך, לאחר מכן
- and (all) that "והכל", וכו'
- at that בנקודה זו, אז; נוסף על כך, וחוץ מזה, כמו כן
- at that point בנקודה זו, אז
- just like that בקלות, כמו כלום
- like that כך, באופן זה
- that is כלומר, דהיינו
- that is to say כלומר, במלים אחרות
- that's more like it זה כבר יותר טוב
- that's that! זהו זהו! נקודה!
that *adv.* כה, כל כך, עד כדי כך
- I'm not that rich איני עשיר עד כדי כך
that *conj&pron.* אשר, ש-; כדי ש-
- Oh, that- מי יתן! הלוואי ש-
- so that כך ש-, כדי ש-
thatch *n.* סכך, כיסוי קש; *סבך-שיער
thatch *v.* לכסות בסכך, לסוך
thaw *v&n.* להפשיר, להימס, למוג; להתרכך; לרכך (קשיחות); הפשרה
the (dhə, dhē) *adj.* ה-, הא-היידוע
- $6 the dozen תריסר בשישה דולרים
- pay by the hour לשלם לפי שעות
- the impossible הבלתי-אפשרי
- the rich/the poor העשירים/העניים
the *adv.* ככל ש-, במידה ש-
- the sooner the better יפה שעה אחת קודם
the′ater *n.* תיאטרון; זירה, שדה-התרחשות; אולם הרצאות; חדר-ניתוחים
- operating theater חדר-ניתוחים
- theater of war זירת מילחמה
theatergoer *n.* מבקר בהצגות, שוחר תיאטרון
theater sister אחות מפקחת בחדר ניתוח
the·at′rical *adj.* תיאטרוני, תיאטרלי, דרמאתי, מבוים, מזויף
the·at′rical′ity *n.* תיאטרליות
theatricals *n-pl.* הצגות חובבים
thee (dh-) *pron.* אותך
theft *n.* גניבה
thegn = thane (thān)
their (dhār) *adj.* שלהם
theirs (dhārz) *pron.* שלהם
- a friend of theirs ידידם
the′ism′ *n.* תיאיזם, אמונה באל
the′ist *n.* תיאיסט, מאמין באל
the·is′tic *adj.* תיאיסטי, מאמין באל
them (dh-) *pron.* אותם; להם; *הם
the·mat′ic *adj.* תימאטי, נושאי
theme *n.* תימה, נושא; לחן חוזר
theme park גן שעשועים, פארק נושאי
theme tune/song לחן חוזר (בסרט); אות המישדר
themselves (dhəmselvz′) *pron.* (את-/ל-/ב-/מ-) עצמם
- by themselves לבדם, בעצמם

- came to themselves התאוששו
- were not themselves לא היו כתמול שילשום, חל בהם שינוי
- were themselves נהגו בטבעיות

then (dh-) *adv&adj&n.* אז; אחר כך, אחרי כן; אזי, אם כן; לכן, איפוא; חוץ מזה
- and then some ועוד כהנה וכהנה
- and then- וחוץ מזה-
- before then לפני כן
- but then ואולם, ברם, מאידך גיסא
- by then אז
- now and then מפעם לפעם
- now then ובכן
- since then מאז, מני אז
- sometimes...then... פעם - ופעם -
- the then king המלך בעת ההיא
- then and there בו במקום, מיד

thence (dhens) *adv.* מאז; משם; לכן, מכאן ש-
thenceforth *adv.* מאז; אחרי כן
thence′for′ward (dhens′-) *adv.* מאז; אחרי כן
the′ocen′tric *adj.* שאלוהים במרכזו
the•oc′racy *n.* תיאוקראטיה, שילטון הדת
the′ocrat′ic *adj.* תיאוקראטי
the•od′olite′ *n.* תיאודוליט, מד-זוויות (מכשיר של מודדי קרקעות)
the′olo′gian (-jən) *n.* תיאולוג
the′olog′ical *adj.* תיאולוגי
the•ol′ogy *n.* תיאולוגיה, תורת האלוהות
the′orem *n.* משפט, כלל, תיאורמה
the′oret′ic(al) *adj.* תיאורטי, מופשט, עיוני, היפותיטי
theoretically *adv.* להלכה, תיאורטית
the′oreti′cian (-tish′ən) *n.* תיאורטיקן
the′orist *n.* תיאורטיקן
the′orize′ *v.* ליצור תיאוריה
the′ory *n.* תיאוריה, תורה, הנחה, דעה
- in theory להלכה, תיאורטית

the•os′ophist *n.* תיאוסוף
the•os′ophy *n.* תיאוסופיה, חוכמת האלוהים, הכרת האלוהות
ther′apeu′tic(al) (-pū-) *adj.* רפואי
ther′apeu′tics (-pū-) *n.* תורת הריפוי
ther′apist *n.* מְרַפֵּא, מומחה-ריפוי
ther′apy *n.* תראפיה, ריפוי
there (dhār) *adv.* שם, לשם, שמה; כאן, בנקודה זו; הִנֵּה
- I agree with you there בנקודה זו אני מסכים אתך
- I have been there before *בסרט הזה כבר הייתי
- get there להצליח, להשיג המטרה
- hello there! הלו! שמע נא!
- here and there פה ושם
- there and then בו במקום
- there is/there was יש, ישנו/היה
- there you are הִנֵּה! הרי לך!
- there! הִנֵּה!
- there, there לא נורא! (להרגעה)
- there's a good girl את ילדה טובה

there′abouts′ (dhār-) *adv.* בערך, פחות או יותר; בסביבה, בקירבת מקום
there•af′ter (dhār-) *adv.* לאחר מכן
there•at′ (dhār-) *adv.* באותו מקום/זמן, אז; לכן, לפיכך
there•by′ (dhār-) *adv.* על ידי זה, אגב כך; בקשר לזה, בהקשר זה
there′fore′ (dhār′-) *adv.* לכן, לפיכך
there•in′ (dhār-) *adv.* בזה; בדבר זה; בו; בפרט זה, בנקודה זו
there′in•af′ter (dhār-) *adv.* להלן
there•of′ (dhāruv′) *adv.* מזה, מכך
there•on′ (dhārôn′) *adv.* על כך, על זאת; מיד לאחר מכן
there•to (dhārtōō′) *adv.* נוסף על כך, כמו כן; לזה, אל זאת, לכך
there′tofore′ (dhār′-) *adv.* עד אז
there•un′der (dhār-) *adv.* מתחת לזה
there′upon′ (dhār′-) *adv.* כתוצאה מכך, לכן; מיד לאחר מכן, בו בזמן
there•with′ (dhārwidh′) *adv.* עם זאת; מיד לאחר מכן
therm *n.* תרם (יחידת חום)
ther′mal *adj.* תרמי, של חום, חומני
thermal *n.* זרם אוויר חם
thermal springs מעיינות חמים
ther′mion *n.* תרמיון, חלקיק טעון חשמל
ther′mion′ic *adj.* תרמיוני
thermionic tube/valve שפופרת תרמיונית
ther′mo•dy•nam′ics *n.* תרמודינמיקה
thermom′eter *n.* מדחום
ther′mo•nu′cle•ar *adj.* תרמוגרעיני
thermonuclear warfare מלחמה גרעינית
ther′moplas′tic *adj.* תרמופלאסטי, מתרכך בחום
ther′mos *n.* שמרחום, תרמוס
ther′mo•set′ting *adj.* (חומר פלאסטי) מתקשה לצמיתות (לאחר חימום)
ther′mostat′ *n.* וסת-חום, תרמוסטאט
ther′mostat′ic *adj.* תרמוסטאטי
thesau′rus *n.* אוצר מלים, מילון למלים נרדפות
these = pl of this (dhēz) אלה, אלו
the′ses = pl of thesis (-sēz)
the′sis *n.* תיזה, הנחת-יסוד; מסה, מחקר, עבודה
- doctoral thesis עבודת דוקטור, דוקטוראט

thes′pian *adj.* דרמאתי, של תיאטרון
thews (thōōz) *n-pl.* שרירים; כוח
they (dhā) *pron.* הם, הן; אנשים
- they say אומרים ש-

they'd = they had/would (dhād)
they'll = they will/shall (dhāl)
they're = they are (dhār)
they've = they have (dhāv)
thi′amin(e) (-min) *n.* תיאמין, ויטמין בי 1
thick *adj&adv.* עבה; סמיך; צפוף, דחוס; עכור, לא צלול; עמום; מלא, שופע; מטומטם; ידידותי; *מוגזם
- 3-feet thick בעובי 3 רגליים
- a bit thick מוגזם; בלתי נסבל
- as thick as thieves בידידות גמורה
- as thick as two short planks *טיפש

גמור, גולם, בול-עץ
- give him a thick ear להכותו על אוזנו
- lay it thick לשפוע, להרעיף
- they're thick *הם ידידים בלב ונפש
- thick accent מיבטא ברור/בולט
- thick and fast במהירות, בשפע
- thick beard/forest זקן/יער עבות
- thick with שופע/מלא/מכוסה ב-
thick *n.* עובי, עבי, מעבה; זירת הפעילות המרכזית
- in the thick of במרכז-, בעבי-, בעיצומו של
- through thick and thin באש ובמים, בשעות היפות והרעות, בכל הנסיבות
thick'en *v.* לעבות; להתעבות; להרביך, להסמיך; לסבך; להסתבך
thickening *n.* עיבוי; רביכה, בְּלִילָה
thick'et *n.* סבך, חורש שיחים
thick-headed *adj.* מטומטם, קשה-תפיסה
thickness *n.* עובי; שיכבה, רובד
thick-set *adj.* חסון, מוצק, רחב-גוף; צפוף, מסודר בצפיפות
thick-skinned *adj.* עב-עור, נטול-רגש, קהה-רגש, בעל עור של פיל
thick-skulled *adj.* טיפש
thick-witted *adj.* מטומטם, קשה-תפיסה
thief (thēf) *n.* גנב
thieve (thēv) *v.* לגנוב
thiev'ery (thēv'-) *n.* גניבה
thieves = pl of thief (thēvz)
thievish *adj.* גנבני, כגנב
thigh (thī) *n.* ירך
thighbone *n.* עצם-הירך, קולית
thill *n.* יצול
thim'ble *n.* אצבעון
thimbleful *n.* מלוא האצבעון, קורטוב
thin *adj&adv.* דק; רזה, כחוש; דליל, קלוש; דל, חלש, קטן, זעום; שקוף, מיימי
- out of thin air יש מאין
- thin excuse תירוץ חלש/לא משכנע
- thin gravy רוטב-בשר מיימי/דליל
- thin on the ground מצומצם, חסר
- thin on top מקריח
- thin time עת קשה, שעת מצוקה
- thin wine יין חלש
thin *v.* להרזות; להקליש; לדלל, לקלש
- thin out/down להרזות; לדלל
thine (dh-) *pron&adj.* שלך
thing *n.* דבר, חפץ; מעשה, עניין; נושא; יצור; רעיון; בגד
- all things considered בהתחשב בכל
- do one's own thing *לפעול לפי נטיותיו
- do things to *לעשות משהו ל-, להשפיע על
- first thing מוקדם, לפני הכל
- for one thing ראשית כל
- has a thing for/about *יש לו שיגעון ל-/נרתע מפני-
- make a good thing of להפיק תועלת מן
- make a thing of לעשות "עניין" מ-
- near thing הינצלות בנס
- poor thing מיסכן, יצור אומלל
- see things לראות חזיונות-שווא

- take things as they are לקבל את הדברים כמות שהם
- taking one thing with another בהתחשב בכל הדברים
- the thing האופנה האחרונה
- the thing is הבעיה היא, העיקר הוא
- things בגדים; כלים, אביזרים; חפצים
thing'amabob' *n.* *איך-קוראים-לו, ששמו פרח מזיכרוני
thing'amajig' *n.* *איך-קוראים-לו, ששמו פרח מזיכרוני
thing'ummy *n.* איך-קוראים-לו, מה-שמו
think *v.* לחשוב, להרהר, להגות; לסבור, להאמין; לזכור; להיזכר; לצפּות
- I think not חושבני שלא
- I thought as much כך חשבתי
- can't think of לא יכול לזכור את
- can't think why/how- לא מבין/לא יודע מדוע/איך-
- come to think of it בהירהור שני, אמנם
- he can think on his feet הוא מהיר-מחשבה
- think about לחשוב על, להרהר ב-
- think again לחשוב מחדש, לשנות דעתו
- think aloud להרהר בקול רם
- think back to להיזכר ב-
- think big לחשוב בגדול
- think highly/much/well/a lot of להחשיב ביותר, להעריך
- think little/poorly of לזלזל ב-, להיות בעל דעה שלילית על-
- think nothing of לראות זאת כדבר קל/רגיל, להמעיט ערכו
- think nothing of it "על לא דבר"
- think of לחשוב על, לשקול; להעלות על הדעת; לזכור, להיזכר
- think oneself לחשוב עצמו ל-
- think out/through לשקול היטב, לחשוב בכובד-ראש; להחליט לאחר עיון בדבר
- think over לשקול שוב, להקדיש מחשבה
- think twice לחשוב פעמיים
- think up להמציא, לתכנן, לזום
- wouldn't think of לא יעלה על דעתו ל-
think *n.* מחשבה, הירהור
- he has another think coming הוא יצטרך להרהר שנית בכך
thinkable *adj.* מתקבל על הדעת
thinker *n.* הוגה דעות, מעמיק לחשוב
thinking *n.* חשיבה, מחשבה, דעה
- hard thinking מחשבה עמוקה
- put on one's thinking cap לחשוב בהתעמקות, לשקול בכובד-ראש
- way of thinking דרך-מחשבה
thinking *adj.* חושב, הוגה
think tank צוות-חשיבה
thinner *n.* חומר מדלל (כטרפנטין), טינר
thin-skinned *adj.* דק-קליפה; רגיש, פגיע
third *adj&n.* שלישי; ג'; שליש; טרצה
third age הגיל השלישי, זיקנה
third class מחלקה שלישית
third degree הדרגה השלישית, חקירת-עינויים
third-degree burn כוויה חמורה,

כוויה מדרגה ג'
thirdly *adv.* שלישית, ג'
third party צד שלישי, צד ג'
third person גוף שלישי, נסתר
third rail (בחשמלית) פס שלישי
third-rate *adj.* מסוג ג', דל-איכות
Third World העולם השלישי, גוש המדינות הבלתי מזדהות
thirst *n.* צָמָא, צימאון; ערגה, תשוקה
thirst *v.* לִצְמוא; להשתוקק
thirst'y *adj.* צָמֵא; תאב; מצמיא
thir'teen' *adj&n.* שלוש עשרה, 13
thirteenth *adj&n.* (החלק) השלושה עשר
thir'tieth *adj&n.* (החלק) השלושים
thir'ty *adj&n.* שלושים, 30
- the thirties שנות ה-30
this (dh-) *pron&adj&adv.* זה, זאת; כך, כה
- like this כך, בדרך זו
- talking about this and that משוחח על דא ועל הא
- this day week היום בעוד שבוע
- this late/far כה מאוחר/רחוק
- this much כדי כך
this'tle (-səl) *n.* דרדר, קוץ
thistle-down *n.* מוך הדרדר
thith'er (-dhər) *n.* שמה, לשם
tho = though (dhō)
thole *n.* יתד-משוט, בית-משוט
tholepin *n.* יתד-משוט, בית-משוט
thong (thông) *n.* רצועת-עור, ערקה; סנדל-אצבע
tho'rax' *n.* חזה
thorn *n.* קוץ; דרדר
- thorn in one's flesh כצנינים בעיניו, כעצם בגרון
thorny *adj.* קוצני, דוקרני; קשה, מטריד
thorough (thûr'ō) *adj.* מוחלט, גמור, מובהק; יסודי, קפדני
- thorough search חיפוש יסודי
thoroughbred *n&adj.* (כלב) גיזעי; מתורבת, מחונך, מנומס
thoroughfare *n.* רחוב, כביש, מעבר
- no thoroughfare אין כניסה
thorough-going *adj.* מוחלט, גמור; יסודי
thoroughly *adv.* ביסודיות; כליל
those (dhōz) *adj&pron.* ההם, אותם, אלו
thou (dh-) *pron.* אתה, את
though (dhō) *conj&adv.* למרות, חרף; בכל זאת, אף על פי כן
thought (thôt) *n.* מחשבה; הירהור; חשיבה; תשומת-לב; כוונה; רעיון; מעט, משהו
- a thought too much קצת יותר מדי
- give some thought להקדיש מחשבה
- has no thought of- אין בדעתו ל-
- on second thought לאחר הירהור שני
- take thought לדאוג ל-, לתת הדעת
thought = p of think
thoughtful *adj.* שקוע במחשבה, מהורהר; דואג, זהיר, מתחשב
thoughtless *adj.* חסר-מחשבה; לא מתחשב בזולת; לא זהיר; פזיז, נמהר;

אנוכיי
thought-out *adj.* מחושב, נעשה במחשבה
thought-provoking מעורר מחשבה
thoughtreader *n.* קורא מחשבות
thou'sand (-z-) *adj&n.* אלף, 1000
- one in a thousand אחד מני אלף
thousandfold *adj.* פי אלף, אלף מונים
thousandth *adj&n.* האלף; אלפית
thrall (thrôl) *n.* עבד, משועבד
thralldom *n.* עבדות, שיעבוד
thrash *v.* להכות, לחבוט, להצליף; להביס; להניע; לפרפר; להתחבט
- thrash out לדון ביסודיות, להבהיר, להגיע ל- (פיתרון) לאחר שקלא וטריא
- thrash over להפוך ב- (בעיה)
thrashing *n.* חבטה, הצלפה; תבוסה
thread (thred) *n.* חוט, משיחה, פתיל; חוט מקשר (בסיפור); תבריג, תיברוגת
- thread of light קרן אור
thread *v.* להשחיל (חוט/חרוזים); לתברג, לחרץ תיברוגת; לפספס
- the river threads הנהר מתפתל
- thread a film לשים סרט במטולנוע
- thread one's way לפלס דרכו
threadbare *adj.* בלה, מרופט; לבוש קרעים; נדוש, חבוט
threadlike *adj.* חוטי, ארוך, דק
threat (thret) *n.* אִיוּם, סכנה; אות מבשר רעות
threat'en (thret-) *v.* לאיים על, להשמיע איומים; לסכן; לבשר, להוות אות
three *adj&n.* שלוש, שלושה, 3
- three sheets to the wind *שתוי
three-cornered *adj.* משולש-פינות; של 3 מתמודדים
three-D תלת-ממדי
three-decker *n.* אונייה תלת-סיפונית; כריך תלת-רובדי
three-dimensional *adj.* תלת-ממדי
three-figure *adj.* תלת-סיפרתי
threefold *adj&adv.* פי שלושה
three-halfpence *n.* פני וחצי
three-lane *adj.* (כביש) תלת-נתיבי
three-legged race מירוץ תלת-רגלי (של 2 רצים הקשורים זה לזה ברגל)
three-line whip צו להיות נוכח בהצבעה
threepence *n.* שלושה פֶּנים
three-piece *adj.* של 3 חלקים
three-ply *adj.* תלת-רובדי; תלת-חוטי
three-point landing נחיתה בו-זמנית על 3 גלגלים
three-quarter *adj&n.* של שלושה רבעים; מגן (בראגבי)
three-ring circus בילבול, המולה, שאון, באלאגאן
three R's קריאה, כתיבה, וחשבון
three'score' *n.* שישים (20 כפול 3)
threesome *n.* שלישייה, 3 אנשים
three-storeyed *adj.* תלת-קומתי
three-wheeled *adj.* בעל 3 אופנים
three-wheeler *n.* רכב תלת-אופני
thren'ody *n.* קינה, שיר-אבל
thresh *v.* לדוש, לחבוט שיבולים
thresh = thrash
thresher *n.* דַּיָּשׁ; מכונת-דישה; כריש

ארך-זנב
threshing floor גורן
threshing machine מכונת דישה
thresh'old (-ōld) *n.* סף, מיפתן; גבול, קצה
- on the threshold of- על סף ה-
- pain threshold סף הכאב
threw = pt of throw (thrōō)
thrice *adv.* פי שלושה, שלושתיים
thrift *n.* חסכנות, קימוץ
thriftless *adj.* בזבזני, לא חסכני
thrift store/shop חנות יד שנייה
thrifty *adj.* חסכני, מקמץ; משגשג, פורח
thrill *n.* רטט, התרגשות, חוייה עזה
thrill *v.* להרטיט, לרעוד, להתרגש; להזדעזע; להתחלחל; לזעזע; למתוח
thriller *n.* מרטיט; סיפור/סרט מתח, מותחן
thrive *v.* להצליח, ללבלב, לשגשג
throat *n.* גרון, גרגרת; צוואר
- at each other's throats בריב עז
- cut one's own throat להתאבד; להיהרס, להמיט אסון על עצמו
- fly at/jump down his throat להתנפל עליו לפתע
- force/ram/shove down his throat לכפות עליו (דעתו), לאלצו להסכים
- lie in one's throat לשקר בגסות
- stick in one's throat להיתקע בגרון
- throat of a bottle צוואר-בקבוק
-throated *adj.* בעל גרון
- white-throated לבן-גרון
throaty *adj.* גרוני, צרוד
throb *v.* לדפוק, לפעום, להלום
throb *n.* דפיקה, פעימה, הלמות, תיקתוק
throe (thrō) *n.* ייסורים, עווית-כאב
- in the throes of נאבק עם, שקוע ב-
- throes חבלי-לידה; ייסורי גסיסה
throm'bocyte' *n.* תרומבוציט, טסית הדם, תא מסייע להקרשה
throm·bo'sis *n.* תרומבוזה, פקקת, תקריש
throne *n.* כיסא כבוד; כס מלכות
- ascend the throne לעלות על כיסא המלוכה
- come to the throne להיות למלך
throng *n&v.* קהל, המון; להתקהל, להצטופף; למלא עד אפס מקום; לנהור
thros'tle (-səl) *n.* קיכלי, טרד
throt'tle *n&v.* משנק (במנוע); לחנוק, להחניק; לשנק, להשניק
- throttle back/down להפחית המהירות
through (thrōō) *prep.* דרך, בעד, מבעד; בתוך, ב-; בין; באמצעות, ע"י; עקב, בגלל; במשך
- Monday through Saturday מיום שני עד שבת (ועד בכלל)
- be through it לסיים זאת
- go through- לעבור, להתנסות, לחוות; לעבור על, לבדוק
- read through לקרוא (ספר) מתחילתו ועד סופו
- travel through Europe לטייל ברחבי אירופה
through *adv.* מצד לצד, מא' עד ת'; עד לסיום; כליל, לחלוטין
- I'm through with it סיימתי זאת; די לי בכך, עייפתי מזה
- all through כל הזמן
- are you through? סיימת?
- get through לסיים בהצלחה
- put through לקשר טלפונית
- see it through לדאוג לכך עד הסוף
- through and through לחלוטין, כליל
- wet through רטוב עד לשד עצמותיו
through *adj.* ישיר, ללא תחנות ביניים; גמור, סיים
- through street רחוב בעל מעבר חופשי
- through ticket כרטיס ישיר
through·out' (thrōō-) *prep&adv.* בכל-, ברחבי-; במשך, בכל תקופת-; כולו, בכל מקום, מא' עד ת'
throughput *n.* הספק-פלט (במחשב)
throughway *n.* כביש מהיר
throve = pt of thrive
throw (-ō) *v.* לזרוק, להטיל, להשליך; להפיל ארצה; לשזור; להמליט; לעצב (על האובניים); *להביך, להדהים
- threw himself at her head חיזר אחריה נמרצות
- threw its skin (הנחש) השיל עורו
- throw a blow להנחית מכה
- throw a curve *לשקר, להוליך שולל; להדהים
- throw a fit להתפרץ בזעם
- throw a game להפסיד מישחק במתכוון
- throw a look לשלוח מבט
- throw a party לערוך מסיבה
- throw around/about להשליך מסביב, לפזר
- throw away להשליך, לזרוק; לאבד, לבזבז; להחמיץ (הזדמנות)
- throw back לעכב; לגלות תכונות תורשתיות
- throw back on לאלץ לחזור ל-; להיות תלוי ב-, להשתמש ב-
- throw cold water on לשפוך צוננים על, לקרר התלהבות, לקצץ כנפיו
- throw down להפיל
- throw down the gauntlet/glove לזרוק את הכפפה, להזמין לדו-קרב
- throw him out להשליכו החוצה; להסיח דעתו, להוציאו מריכוזו
- throw in להוסיף חינם; לזרוק פנימה
- throw in one's hand למשוך ידו
- throw in the towel/sponge להיכנע, לוותר
- throw into confusion להביך, לבלבל
- throw it in his face/teeth להטיח בפניו, להזכיר נשכחות
- throw light on לשפוך אור על
- throw off לפשוט במהירות; להיפטר מ-, להשתחרר מ-, לחבר/להלחין בקלות
- throw on ללבוש במהירות
- throw one's weight around להשתלט על סביבתו, להתנפח, לעשות רוח
- throw oneself at לחזר נמרצות אחרי; להטיל עצמו על, להסתער על
- throw oneself at his feet להפיל עצמו לפני רגליו, לקבל מרותו
- throw oneself down להשתטח מלוא

קומתו
- throw oneself into להירתם במרץ לעבודה, להטיל עצמו למערכה
- throw oneself on להשליך יהבו על-, להפקיד עצמו בידי-
- throw open לפתוח לקהל הרחב; לפתוח בתנופה
- throw out לדחות; לזרוק; לפלוט, לומר דרך אגב; להוסיף (אגף/מיבנה)
- throw over לנטוש, לסיים יחסים
- throw punches להחליף מהלומות
- throw together לחבר/להכין בחיפזון; להפגיש
- throw up לוותר, להתפטר; להצמיח, להוציא מקרבו; לבנות בחיפזון; להקיא
- throw up one's hands להרים ידיים, לוותר, להתייאש
- throwing the hammer זריקת-פטיש
throw *n.* זריקה, הטלה, השלכה; מרחק ההטלה; צעיף, רדיד; כיסוי
- stone's throw הטלת-אבן, קרוב מאוד
throwaway *n.* עלון-פירסומת
throwaway *adj.* לשימוש חד-פעמי; (הערה) מובעת כלאחר יד
throw-back *n.* גילוי תכונה תורשתית
throw-in *n.* זריקת-חוץ (בכדורגל)
throw rug שטיחון
thru = through
thrum *v.* לפרוט (על גיטרה) בחדגוניות/ברשלנות; להקיש, לדפוק, לתופף
thrush *n.* קיכלי, טרד; פטרת הפה
thrust *v.* לדחוף; לדחוק; לתחוב, לנעוץ, לתקוע; להידחק
- be thrust upon להיכפות על
- thrust one's way לפלס דרכו בכוח
- thrust oneself forward להידחק קדימה
thrust *n.* דחיפה; תחיבה, נעיצה; לחץ; מכה, מהלומה; התקפה; עקיצה
thruster *n.* מרפקן, נדחק קדימה; טיל ויסות (בחללית)
thru'way' *n.* כביש מהיר
thud *n.* קול עמום, קול חבטה
thud *v.* להשמיע חבטה עמומה
thug *n.* בריון, אַלָּם, פושע
thug'gery *n.* בריונות, אלימות
thumb (-m) *n.* אגודל, בוהן
- all thumbs "בעל ידיים שמאליות"
- rule of thumb כלל המבוסס על הניסיון
- thumbs up! מצוין! נהדר! (קריאה)
- turn thumbs down לדחות, לסרב
- under his thumb תחת השפעתו המוחלטת, נתון למרותו
thumb *v.* לדפדף, להפוך דפים, ללכלך באגודל; לבקש/לקבל הסעה
- thumb a ride *לנסוע בטרמפ
- thumb one's nose להביע בוז (בניפנוף אצבעות, כשהבוהן צמודה לאף)
thumb index מַפְתֵּחַ בוהן (בצד הספר)
thumbnail *n&adj.* ציפורן האגודל; קטן, זעיר; קצר
thumbnail sketch סקירה קצרה, סקיצה חטופה
thumbscrew *n.* מלחצי-בוהן (כלי-עינויים); בורג-כנפיים (שטוח-ראש)

thumbtack *n.* נעץ
thump *v.* להכות, להלום, לחבוט
- thump along לפסוע בכבדות
thump *n.* מכה, מהלומה, חבטה
thump *adv.* בקול חבטה
thump'ing *adj.* *מאוד, כביר, עצום
thun'der *n.* רעם; רעש; זעם
- by thunder! חי נפשי!
- steal his thunder להקדימו, לגנוב שיטותיו, לסכל תוכניתו להרשים
- thunder of applause רעם מחיאות-כפיים
- why, in thunder- למה, לעזאזל-
thunder *v.* לרעום; להרעים בקולו
- thunder at לצאת בשצף-קצף נגד
thunderbolt *n.* חזיז, ברק; רעם ביום בהיר; אסון פיתאומי, מיקרה מזעזע
thunderclap *n.* נפץ-רעם; מהלומה
thundercloud *n.* ענן-רעם, ענן-ברק
Thunderer *n.* יופיטר (אליל)
thundering *adj.* מאוד, כביר, עצום
thun'derous *adj.* רועם, מרעים, מרעיש
thunderstorm *n.* סופת-רעמים
thunderstruck *adj.* הלום-רעם; המום
thundery *adj.* מלווה רעמים, מבשר רעם
thu'rible *n.* מַחְתָּה, מִקְטָר
Thurs. = Thursday יום חמישי
Thurs'day (-z-) *n.* יום חמישי
- Thursdays בימי חמישי
thus (dh-) *adv.* כך, ככה, באופן זה; לכן, לפיכך
- thus and so כך וכך, בדרך זו
- thus far עד כה
thwack *v&n.* לחבוט; חבטה
thwart (thwôrt) *v&n.* לסכל, להניא, להכשיל, למנוע הביצוע; ספסל-משוטאי
thy (dhī) *adj.* שלך
thyme (t-) *n.* קורנית (צמח)
thy'roid gland בלוטת-התריס
thy·self' (dh-) *pron.* אתה בעצמך
ti (tē) *n.* סי (צליל)
tiar'a *n.* כתר, נזר, עטרה, טיארה
Ti·be'rias *n.* טבריה
Tibet' *n.* טיבט
Tibet'an *adj&n.* טיבטי; טיבטית (שפה)
tib'ia *n.* שוקה, עצם השוק הפנימית
tic *n.* טיק, התכווצות-שרירים (בפנים)
tick *n.* טיקטוק, תיקתוק; סימן-בדיקה, סימן-אימות (וי), *רגע
tick *v.* לטקטק, לתקתק; לסמן, לאמת
- tick away לטקטק בלי הרף
- tick off לסמן, לאמת; *לנזוף; להרגיז
- tick over לפעול בהילוך סרק, להמשיך בקצב איטי
- what makes him tick מה מריץ אותו
tick *n.* קרצית; "עלוקה"; אריג-כיסוי; ציפה; אשראי, הקפה
tick'er *n.* טיקר (רושם (חדשות) על סרט-נייר); *לב, שעון
ticker-tape סרט-נייר; פיסות-נייר
tick'et *n.* כרטיס; תווית; פתק; תעודה; דו"ח-תנועה; רשימת-מועמדים
- got the ticket *סולק מהצבא
- just the ticket הדבר הנכון/הנחוץ
- split ticket רשימה מפוצלת (של

מועמדים מכמה מפלגות)
- straight ticket רשימת מועמדי המיפלגה
ticket *v.* לשים פתק על; לייעד
ticket collector כרטיסן
ticket of leave שיחרור מוגבל
tick′ing *n.* אריג-ציפות (לכלי-מיטה)
ticking off *נזיפה
tick′le *n&v.* לדגדג, לעקצץ; לגרות;
לחוש גירוי; לשעשע, להצחיק; דיגדוג
- tickle him pink/to death לשעשעו עד
מאוד, להצחיקו
tick′ler *n.* בעיה קשה, מצב מיוחד
ticklish *adj.* רגיש לדיגדוג, נוח לצחוק;
עדין, דורש טאקט/זהירות
tick-tack-toe *n.* טיקטאקטו, אפסים
ואיקסים, איקס-מיקס-דריקס (מישחק)
tick′tock′ *n.* תיקתוק, טיק-טאק
ti′dal *adj.* של גיאות ושפל
tidal wave גל הרסני, נחשול מסוכן; גל
גואה (של התלהבות/מחאה)
tid′bit′ *n.* מנה יפה; ידיעה, רכילות
tid′dler *n.* *דגיג; תינוק, פעוט
tid′dly *adj.* *קטן, זעיר; בגילופין
tiddlywinks *n.* מישחק-דיסקיות (שבו
מקפיצים אסימונים לתוך גביע)
tide *n.* גיאות ושפל, מועדי הים; זרם;
נטייה, מגמה
- rising tide גל גואה
- swim against the tide לשחות נגד הזרם
- turn of the tide מיפנה, תפנית
- turn the tide לחולל מיפנה
tide *v.* לזרום, לגאות
- tide over להתגבר; לסייע להיחלץ, לעזור
בתקופה קשה
tidemark *n.* קו-גיאות; *כתם ליכלוך
tidewater *n.* מי-גיאות, מי-שיטפון;
איזור חופי נמוך
tideway *n.* תעלת מי-גיאות
tidily *adv.* באופן מסודר/נקי
ti′dings *n-pl.* חדשות, בשורות
ti′dy *adj.* נקי, מסודר; הגון, נכבד, גדול
tidy *v.* לנקות, לסדר
- tidy up לנקות, לסדר
tidy *n.* ציפית; כלי לפסולת, תיבה
tie (tī) *n.* עניבה; חבל, שרוך; מוט-חיבור;
אדן; קשר; דבר כובל; תיקו; שיוויון;
קשת (מעל תווים)
- ties of friendship קשרי ידידות
tie *v.* לקשור, לחבר, להדק; להיקשר;
לעשות לולאה; לסיים בתיקו; להשתוות;
לחבר (תווים) בקשת
- fit to be tied *מאוד; זועם
- tie down לכבול; לקשור, להגביל חופש
- tie his hands לכבול ידיו
- tie in לחבר, לקשר; להשתלב
- tie into להתנפל על, להתקיף
- tie on לקשור בשרוך
- tie the knot *להתחתן
- tie up לקשור; לקשר; לעכב (תנועה);
להגביל; להשקיע בחשבון סגור
- tie up a deal לסיים/לסכם עיסקה
- tied up קשור, כבול, טרוד, עסוק
tiebreak *n.* שובר שיוויון; חבטות הכרעה
tie-clip *n.* סיכת עניבה
tied *adj.* כבול, קשור, מוגבל בתנאים
tied cottage/house בית המעביד

(למגורי האריס)
tie-dye *n.* צביעת קשרים (כשחלקים
מהאריג נקשרים למניעת צביעתם)
tie-in *n.* קשר, הקשר; חפץ-לוואי; מכירה
צמודה
tie-on *adj.* קשור, מהודק בשרוך
tiepin *n.* סיכת עניבה
tier (tir) *n.* שורה, נידבך, מדרגה
- triple-tiered בעל 3 שורות (מושבים)
tie-up *n.* קיפאון, שיתוק; *קשר, הקשר
tiff *n.* מריבה קלה, ריב קל
ti′ger (-g-) *n.* נמר, טיגריס
- paper tiger נמר של נייר
- ride the tiger *לנהל אורח-חיים מסוכן
tigerish *adj.* נמרי, עז כנמר, אכזרי
tiger lily שושן מנומר (פרח)
tight *adj.* הדוק, מהודק; מתוח; צמוד;
לחוץ; צר; דחוס, דחוק; אטים; חסר,
מצומצם, קשה להשיג; *שתוי
- jobs are tight קשה להשיג עבודה
- tight boat סירה אטימת-מים
- tight control פיקוח חמור
- tight corner/spot מצב ביש
- tight feeling הרגשת מועקה
- tight market שוק דחוק
- tight race מירוץ צמוד
- tight rope חבל מתוח
- tight schedule לוח-זמנים עמוס
- tight squeeze דחוק, צפוף
tight *adv.* במהודק, בחוזקה, היטב
- sit tight לשבת איתן במושבו; לדבוק
בעמדתו; להימנע מפעולה
- sleep tight לישון שינה עמוקה
tighten *v.* להדק; להיהדק; למתוח,
לחזק
- tighten up להדק; להחמיר
tight-fisted *adj.* קמצן, קמוץ-יד
tight-fitting *adj.* (בגד) צמוד
tight-laced *adj.* קפדני, פוריטאני,
מוסרי
tight-lipped *adj.* חתום-פה, שתקני
tight-rope *n.* חבל מתוח (של לוליין)
tight-rope walker לוליין, מהלך על גבי
חבל
tights *n-pl.* מיכנסי-גוף, מיכנסי-באלט,
מיכנסי-לוליין; גמישונים, גרבונים
tight′wad′ (-wod) *n.* *קמצן
ti′gress *n.* נמרה, נקבת-הטיגריס
Ti′gris *n.* חידקל (נהר)
tike = tyke *n.* ילדון, זאטוט
tila′pia *n.* טילאפיה (דג מים מתוקים)
til′de (-də) *n.* טילדה, סימן מעל לאות,
זרקא
tile *n.* רעף; אריח, מרצפת;
טבלת-מישחק
- has a tile loose *מופרע, לא-שפוי
- on the tiles *מתהולל
tile *v.* לרעף; לכסות ברעפים/באריחים;
לרצף
ti′ler *adj.* רעפן, רַצָּף
till *prep&conj.* עד, עד ל-, עד ש-
till *v.* לעבד אדמה, לחרוש
till *n.* מגירת-קופה, מגירת-כסף
- rob the till למעול, לשלוח יד
til′lage *n.* עיבוד אדמה; אדמה חרושה
til′ler *n.* עובד אדמה, איכר;

ידית-הסנפיר, ידית-ההגה (בסירה)
tilt *v.* להטות; להרכין; להרים קצה אחד; לנטות; לשפע; להשתפע
- tilt at לתקוף, להתנפל על; (בעבר) להסתער בחנית נטויה
- tilt at windmills להילחם בטחנות-רוח
tilt *n.* שיפוע, ליכסון, הטיה; נטייה; הסתערות, התקפה
- full tilt במהירות רבה, בעוצמה
tilth *n.* ניר, אדמה חרושה
tilt-yard *n.* שדה מילחמת-חניתות
tim'bal *n.* תונפן, תוף הכיור
tim'ber *n.* עצים, עצה, עצי-בנייה, עצי-נגרות; קורה; תכונות, סגולות
tim'ber'! זהירות! עץ כרות נופל!
timbered *adj.* עשוי עץ; מכוסה עצים
timber line קו העצים (שמעבר לו העצים אינם גדלים)
tim'bre (-bər) *n.* טמבר, גון הקול, נעימה
tim'brel *n.* טנבורית, תוף מרים
time *n.* זמן, עת, תקופה, שעה; פעם; קצב, מיפעם, מישקל
- 2 times 4 = 8 שתי פעמים ארבע שווה לשמונה
- 3 times larger גדול פי שלושה
- against time נגד השעון, מהר
- ahead of one's time מתקדם בדעותיו, מקדים את תקופתו, נאור, חלוץ
- ahead of time מוקדם, בטרם עת
- all the time כל הזמן
- at one time פעם, בעבר
- at the same time בו-זמנית, בעת ובעונה אחת; יחד עם זאת, ברם
- at the time אז, באותה שעה
- behind time מפגר, מאחר
- big time *שעה נפלאה, בילוי מהנה
- do time לשבת בכלא
- each/every time בכל פעם
- easy time חיים קלים/נוחים
- every time I turn around *כל רגע
- for a time לזמן-מה
- get double time לקבל שכר כפול
- had the time of his life נהנה עד מאוד
- half the time *ברוב המקרים
- have a (good) time לעשות חיים
- have a time לעבור שעה קשה
- his time is drawing near יומו קרוב
- in no time כהרף עין, מהר
- in one's time בימיו, בזמנו, בעבר
- in time בבוא היום, במרוצת הזמן; בזמן, לא באיחור; בקצב הנכון
- keep time (בצעדה) לשמור על הקצב; (לגבי שעון) לדייק
- last time בפעם האחרונה
- live on borrowed time לחיות על זמן שאול, לחיות יותר מהצפוי
- make good time להתקדם במהירות
- many a time תכופות, לא אחת
- march with the times לצעוד עם הזמן
- near her time עומדת ללדת
- not before time לא במהרה, בעיתו
- on time במועד, בשעה המדוייקת
- on/in one's own time מחוץ לשעות העבודה
- once upon a time פעם אחת (היה-)
- one at a time אחד אחד
- out of time לא בקצב
- pass one's time להעביר זמנו
- play for time לשחק על הזמן, לדחות הכרעה לשעת-כושר
- pressed for time דחוק בזמן
- serve time לשבת בבית-סוהר
- take one's time לא למהר
- take up time לתפוס זמן, למלא זמן
- tell the time לקרוא את השעון
- time and a half תשלום של פעם וחצי (לשעות נוספות)
- time is up תם הזמן
- time out of mind לפני זמן רב
- time was when היו זמנים כש-
- times ימים, זמנים; פעמים; כפול
- took time לקח זמן, ארך זמן
- two at a time שניים שניים, בזוגות
- waltz time קצב הוואלס (3 רבעים)
- what is the time? מה השעה?
- work part time לעבוד עבודה חלקית
time *v.* לעתת, לקבוע העיתוי; לתזמן/לרשום הזמן; לכוון (זמן/קצב)
- well timed בעיתוי נכון
time bomb פצצת-זמן
time capsule ארגז חפצים (לגילוי בעתיד)
time card כרטיס נוכחות (לעובד)
time clock שעון נוכחות (לעובד)
time-consuming *adj.* גוזל זמן
time-expired *adj.* (חייל) שסיים שירותו
time exposure (בצילום) חשיפה ריגעית (לאור); תמונה (מחשיפה כזו)
time-frame *n.* מסגרת הזמן
time fuse מרעום זמן, שעון-השהייה
time-honored *adj.* מכובד מדור-דור, עתיק-יומין
timekeeper *n.* שופט-זמן (בתחרות); רשם-נוכחות (של עובדים); שעון
time-lapse *adj.* (הסרטה של צמח גדל) בקפיצות בזמן
timeless *adj.* ניצחי
time limit הגבלת-זמן; מועד סופי
timeliness *n.* עיתוי נכון, דייקנות
timely *adj.* בעיתו, בשעה הנכונה
time off הפסקה, מנוחה
time out *n.* פסק-זמן
timepiece *n.* שעון
ti'mer *n.* שעון, קוצב זמן, שעון-עצר
timesaving *adj.* חוסך זמן
timescale *n.* פרק זמן
timeserver *n.* סתגלן, אופורטוניסט, מתיישר לפי הקו של השליטים
time-sharing *n.* טיפול בו-זמני של כמה תוכניות (במחשב), שיתוף זמנים
time sheet גיליון נוכחות (לעובד)
time signal אות הזמן (ברדיו)
time signature ציון הקצב (בחמשה)
time switch מתג זמן (אוטומאטי)
timetable *n.* לוח זמנים; מערכת שעות
timetable *v.* לערוך לפי לוח זמנים
time-work *n.* עבודה (משולמת) לפי זמן
timeworn *adj.* בלה, אכול-שנים
time zone איזור שעה (רצועה ברוחב 15 מעלות בין קווי-האורך)
tim'id *adj.* ביישן, פחדן, רך-לבב

timid′ity *n.* ביישנות, פחדנות
timing *n.* עיתוי, תיזמון; תיאום קצב
tim′orous *adj.* פחדן, חסר-אומץ
tim′othy *n.* איטן (צמח-בר)
tim′pani *n.* מערכת תונפנים (תופים)
tim′panist *n.* תונפנאי
tin *n.* בדיל; פח; פחית; קופסה; *כסף
- little tin god *מתנפח, מחשיב עצמו; זוכה בכבוד/בהערצה ללא הצדקה
tin *v.* לשמר בפחיות, לצפות בבדיל
tinc′ture *n.* טינקטורה, תמיסת-כהל, תשרית; גוון, שמץ, קורטוב
tincture *v.* לצבוע, לגוון; לתבל
tin′der *n.* חומר דליק/מתלקח
tinderbox *n.* קופסת-הצתה; מצב מסוכן, "חבית חומר-נפץ"
tine *n.* שן, חוד, זיז
tin′foil′ *n.* נייר כסף, נייר אלומיניום
ting *v&n.* (לצלצל) צילצול רם
ting′aling′ *n.* צילצול פעמון
tinge *v&n.* לצבוע, לגוון, לתבל, להוסיף נופך; גוון; סימן, רמז, שמץ
tin′gle *v.* לחוש דקירות קלות; לרטוט
tingle *n.* תחושת דקירות קלות
tin hat *קסדה, קובע
tin′ker *n.* פחח, מתקן כלים; תיקון שלומיאלי; *שובב; בטלן
- not worth a tinker's damn לא שווה כלום
tinker *v.* לתקן כלי-בית; לטפל באופן חובבני; להתבטל, להתמזמז
tin′kle *v.* לצלצל, להקיש, לקשקש
tinkle *n.* צילצול, נקישות, קישקוש
tin′nitus *n.* צלצול באוזניים
tin′ny *adj.* של בדיל, מכיל בדיל; (צליל) מתכתי; *זול, חסר-ערך
tin opener פותחן-קופסאות
tin pan alley מלחיני המוסיקה העממית ונגניה; תעשיית המוסיקה העממית
tin plate ריקועי מתכת מצופים פח
tinpot *adj.* *זול, עלוב, נחות
tin′sel *n.* פיסות מתכת נוצצות; נצנצים; קישוט צעקני; ברק מזויף
tinsel *v.* לקשט בנצנצים
tinsmith *n.* פחח, חרש-פחים
tint *n&v.* צבע, גוון קל; לגוון; להוסיף צבע; לצבוע (שיער)
tin-tack *n.* נעץ-בדיל
tin′tinnab′u·la′tion *n.* צילצול
ti′ny *adj.* זעיר, קטנטן
tip *n&v.* קצה, חוד, עוקץ, בדל; פִּיָּה; להוסיף קצה/חוד ל-
- on the tip of one's tongue על קצה לשונו
- the tip of the iceberg קצה הקרחון
tip *v.* להטות; לנטות; לשפע; להפוך; להפיל; לשפוך; להשליך (פסולת)
- tip one's hat להרים הכובע (בברכה)
- tip over ליפול; להפיל; להפוך
- tip the scales/balance להטות את הכף
- tip up להטות, להרים הקצה; לנטות
tip *n.* שיפוע; מיזבלה
tip *n.* דמי-שתייה, טיפ, תשר; עצה, הצעת מומחה; רמז
- straight tip מידע ממקור מהימן
tip *v.* להעניק תשר; לתת עצה/רמז; לראות כמועמד/כמנצח
- tip off להזהיר, לספק מידע; לרמוז
- tip the wink להזהיר, לתת מידע
tip *v&n.* לחבוט קלות; חבטה קלה
tip-and-run (שוד של) פגע וברח
tip-off *n.* רמז, אזהרה, מידע
tipped *adj.* בעל קצה-; שקיבל טיפ
tip′pet *n.* סודר, צעיף, רדיד
tip′ple *v&n.* לשתות, לחבב הטיפה המרה, להשתכר; משקה חריף
tippler *n.* שתיין
tip′staff′ *n.* שמש בית-המישפט
tip′ster *n.* מספק מידע (למהמרים)
tip′sy *adj.* שתוי, מבוסם
tip′toe′ (-tō) *v&n.* להלך על קצות הבהונות
- on tiptoe על קצות הבהונות; נרגש
tip-top *adj&adv.* *מעולה, מצוין, נפלא
tip-up seat *n.* כיסא מתקפל, כיסא בעל מושב מזדקף (כבתיאטרון)
ti·rade′ *n.* תוכחה, נאום-ביקורת חריף, טירדה, נאום חוצב להבות-אש
tire *v.* לעייף; להתעייף; לשעמם
- tire out להלאות, לעייף
tire = tyre *n.* צמיג
tired *adj.* עייף, לאה, יגע
- tired of עייף מ-, נמאס לו מ-
- tired out עייף מאוד, אזל כוחו
tireless *adj.* לא יודע ליאות, מתמיד
tiresome *adj.* מעייף, מרגיז, משעמם
ti′ring room חדר-הלבשה (בתיאטרון)
ti′ro *n.* טירון, מתחיל
tis′sue (tish′ōō) *n.* ריקמה; ממחטת נייר, נייר משי, טישו; אריג; מירקם, מַסֶכֶת, סידרה
- tissue of lies מסכת שקרים
tissue paper נייר דק, נייר עטיפה
tit *n.* ירגזי (ציפור-שיר); *שד, פיטמה, "ציץ"; טיפש
- get on one's tits *להרגיז
- tit for tat עין תחת עין, תגמול
ti′tan *n.* טיטאן, ענק
ti·tan′ic *adj.* ענק, כביר, עצום, טיטאני
ti·ta′nium *n.* טיטאניום (יסוד כימי)
tit′bit′ *n.* מנה יפה; ידיעה מעניינת
tit′chy *קטנטן, זעום
tit′fer *n.* *כובע
tithe (tīdh) *n&v.* מעשר, עשירית; לעשר
Ti′tian (tish′ən) *adj.* (שיער) ערמוני
tit′illate′ *v.* לדגדג, לגרות
tit′illa′tion *n.* דיגדוג, גירוי
tit′ivate′ *v.* לקשט, לפרכס; להתגנדר
ti′tle *n.* תואר, כינוי-כבוד; שם, כותרת; זכות, בעלות, חֲזָקָה; אליפות
- a title to- זכות-בעלות על-
- title fight קרב אליפות
- titles רשימת משתתפים (בהכנת סרט)
titled *adj.* בעל תואר (אצולה)
title deed שטר קניין
titleholder *n.* מחזיק התואר, אלוף
title page שער (הספר), עמוד השער
title role תפקיד השם (במחזה, כגון הדמות המגלמת את האמלט)
tit′mouse′ *n.* ירגזי (ציפור-שיר)

tit'ter *v&n.* לצחקק, לגחך; ציחקוק, צחוק כבוש
tit'tle *n.* חלקיק, כמות זעומה
tittle-tattle *n&v.* רכילות, פיטפוט, קישקוש; לרכל, לפטפט
tit'ty *n.* *שַד, פיטמה, "ציצי"
tit'ular (tich'-) *adj.* תוארי, נומינאלי, של שם, חסר-סמכות; בעל תואר
titular character שחקן ראשי (הדמות המגלמת את תפקיד השם, כגון האמלט)
tiz'zy *n.* *התרגשות, מתח, מבוכה
T-junction *n.* צומת-טי, הצטלבות-טי
TNT *n.* ט.נ.ט., חומר-נפץ
to (too, tōō, tə) *prep.* אל-, ל-, לעבר-; עד ל-; לעומת, בהשוואה ל-; יחד עם; לכל-; כדי
- 2 to 1 1:2 (בתחרות)
- as to אשר ל-, בנוגע ל-
- dance to music לרקוד לצלילי המוסיקה
- slow to anger קשה לכעוס
- to a man עד אחד, הכל
- to and fro הנה והנה, אילך ואילך
- to me לדידי, לגביי
- to-ing and fro-ing התרוצצות
to (tōō) *adv.* למצב קודם, למצב סגור
- slam the door to לטרוק הדלת
toad *n.* קרפדה; שפל, נבזה
toadstool *n.* סוג של פיטרייה
toad'y *n&v.* חנפן, מתרפס; להתרפס
toast *n.* לחם קלוי, טוסט; הרמת כוס, שתיית לחיים; חתן-המסיבה
toast *v.* לקלות (פת); לצנום; לחמם; להרים כוס, לשתות לחיים
toaster *n.* מצנם, מקלה, טוסטר
toasting fork מזלג-קלייה (ארוך)
toast-master *n.* מנחה-המסיבה
toas'ty *adj.* חמים, נעים
tobac'co *n.* טבק, עלי טבק
tobac'conist *n.* טבקאי, מוכר טבק
to-be *adj.* עתידי, לעתיד
tobog'gan *n&v.* מיזחלת-שלג, שלגית; לגלוש (בשלגית), להחליק; לרדת
to'by *n.* ספל-שתייה (בדמות איש שמן)
tocca'ta (-kä'-) *n.* טוקאטה
toc'sin *n.* פעמון אזעקה; אות אזעקה
tod *n.* טוד (12.7 ק"ג)
- on one's tod *לבד, לבדו
today' *adv&n.* היום; בזמן הזה
- today week היום בעוד שבוע
tod'dle *v.* להתנודד, ללכת בחוסר יציבות, להתקדם בצעדים קצרים
- toddle off/over *ללכת
toddler *n.* תינוק (הלומד ללכת)
tod'dy *n.* טודי (מזג של ויסקי ומים חמים); משקה-תמרים
to-do (tədōō') *n.* המולה, התרגשות
toe (tō) *n.* בוהן, אצבע-הרגל; חרטום-הנעל; קצה-הגרב
- on one's toes ער, ערוך לפעולה
toe *v.* לנגוע בבהונות הרגל
- toe the line/mark לרכון בקו-הזינוק; לציית להוראות; ללכת בתלם
toe-cap *n.* חרטום-הנעל
toe-hold *n.* מאחז לרגל (למטפסים); דריסת רגל
toe-nail *n.* ציפורן הבוהן/הרגל

toff *v&n.* *להתלבש בהידור; גנדרן
tof'fee, tof'fy *n.* טופי, סוכרייה
- can't for toffee *לא יכול כלל
toffee-nosed *adj.* סנוב
tog *v&n.* ללבוש; להלביש
- togs *בגדים
to'ga *n.* טוגה, גלימה
togeth'er (-gedh-) *adv.* יחד, ביחד; בעת ובעונה אחת, בו-זמנית; בלי הרף, ברציפות
- 7 days together 7 ימים רצופים
- come together להיפגש; להתרחש בעת ובעונה אחת
- live together לחיות כבעל ואישה
- near together קרובים זה לזה
- put together יחד; להרכיב
- together with ביחד עם; וכן
togetherness *n.* אחווה, אחדות; "יחד"
tog'gle *n.* כפתור-עץ, כפתור מוארך
toggle switch מתג חשמלי
To'go *n.* טוגו
toil *n.* עמל, עבודה מפרכת; רשת
- toils רשת, מלכודת
toil *v.* לעמול, להתייגע, לטרוח הרבה; להתנהל בכבדות, לנוע בליאות
toi'let *n.* רחצה, התלבשות, התייפות; סידור-שיער, הופעה; שירותים; אסלה
- make one's toilet להתרחץ ולהתמרק
toilet paper/tissue נייר טואלט
toilet powder פודרה, אבקת-תמרוקים
toilet roll גליל נייר-טואלט
toi'letry *n.* אביזר-תמרוקים
toilet table שולחן-טואלט
toilet-train *v.* ללמד (פעוט) לעשות צרכיו באסלה
toilet water מי-קולון
toilsome *adj.* מעייף, מייגע
to-ing and fro-ing התרוצצות (הנה והנה)
To·kay' *n.* טוקאי (יין)
to'ken *n&adj.* אות, סימן; מזכרת, עדות; אסימון; תו-קנייה, תלוש; סימלי
- by the same token באורח דומה
- in token of לאות-, להוכחת-
- token fee תשלום סימלי
tokenism *n.* סמליות, ייצוג סמלי
token money אסימון (עובר לסוחר)
token payment תשלום קטן (ע"ח החוב)
token strike שביתת-אזהרה (קצרה)
token vote הקצבה סימלית
told = p of tell (tōld)
tol'erable *adj.* נסבל, טוב למדיי
tolerably *adv.* די, בשיעור מסוים
tol'erance *n.* סובלנות; סבולת, תיסבולת; כוח-סבל
tol'erant *adj.* סובלני
tol'erate' *v.* לסבול, לשאת; להתיר, להרשות, לאפשר
tol'era'tion *n.* סובלנות
toll (tōl) *n.* מס, אגרה, היטל, אגרת-דרכים, מס-עגינה; מחיר; קציר-דמים; צילצול
- took a heavy toll of lives תבע קרבנות-אדם רבים
toll *v.* לצלצל; להודיע (בצילצול)

toll bar מחסום-אגרה (כנ"ל)
toll call שיחה בין-עירונית
toll-gate *n.* שער-אגרה (כנ"ל)
toll-house *n.* בית גובה-האגרה, דרכייה
toll road כביש אגרה
tom *n.* זכר, חתול זכר
Tom, Dick, and Harry מישהו, פלוני אלמוני
tom'ahawk' *n.* טומאהוק, גרזן קל
toma'to *n.* עגבנייה
tomb (tōōm) *n.* קבר
tom·bo'la *n.* טומבולה (מישחק הגרלה)
tom'boy' *n.* נערה נמרצת, שובבנית, מעדיפה מישחקי-נערים
tom'boy'ish *adj.* שובבה, נמרצת
tombstone *n.* מַצֵּבָה
tom'cat' *n.* חתול (זכר)
tome *n.* כרך עבה, ספר כבד
tom'fool' (-fōōl') *n&adj.* טיפש; אווילי
tom'foo'lery *n.* טיפשות, שטות
Tom'my *n.* *טוראי בריטי
Tom'my gun טומיגאן, תת-מקלע
tom'my-rot' *n.* שטויות, הבלים
tomor'row (-ō) *adv&n.* מחר; העתיד
- tomorrow week מחר בעוד שבוע
- tomorrow's world עולם המחר
tom'tit' *n.* ירגזי (ציפור-שיר)
tom'tom' *n.* טאם-טאם, תוף אפריקאי
ton (tun) *n.* טונה; 100 מיל בשעה
- short ton טונה אמריקאית (כ-907 ק"ג)
- tons of *המון, כמות עצומה
to'nal *adj.* צלילי, טוני, טונאלי
to·nal'ity *n.* צליליות, טונאליות
tone *n.* טון, צליל; נימה; אווירה, רוח; אופי, ציביון; גוון; תיפקוד תקין (של הגוף); גמישות
- tone of voice טון-דיבור, נימה
tone *v.* לשוות צליל/גוון מיוחד ל-
- tone down לרכך; להנמיך הטון; להחליש; לעדן, למתן
- tone in with להתאים, להשתלב עם
- tone up להגביר, לחזק, להמריץ
toned *adj.* בעל צליל (או גוון) של-
tone-deaf *adj.* חירש לצלילים, מזייף
tone language שפת צליל (שבה וואריאציות בצליל משנות את המשמעות)
toneless *adj.* חסר-גוון, חסר-רוח, יבש
tonepad *n.* טונפד, תקשורת צליל
tone poem פואימה סימפונית
tong *v.* לאחוז במלקחיים
tongs *n-pl.* מלקחיים
tongue (tung) *n.* לשון; שפה
- bite one's tongue off להצטער על דבריו
- couldn't find his tongue נאלם
- give tongue להרים קול
- has a ready tongue מהיר-תשובה
- keep a civil tongue לדבר בנימוס
- lost his tongue דבקה לשונו לחיכו
- set tongues wagging הפך לשיחת היום
- the cat got his tongue שתק
- tongue of flame לשון-אש
- tongue of land לשון-יבשה
tongued *adj.* בעל לשון
- fork-tongued ממוזלג-לשון
tongue lashing הצלפת-לשון, נזיפה

tongue-tied *adj.* נטול-דיבור, שתקן
tongue twister מלה קשת-ביטוי, ביטוי קשה-הגייה, "שובר שיניים"
ton'ic *n&adj.* טוניק, אַתָּן, סם חיזוק; יָסֵד, טון יסודי; מחזק, מרענן
tonic sol-fa טוניק סול-פה (שיטה בלימוד זימרה)
tonic water מי-כינין (שמוסיפים למשקה חריף)
tonight' *adv&n.* הלילה, בלילה זה
ton'nage (tun-) *n.* טונאז', תפוסת-ספינה; דמי-הובלה; טונאז' כולל
tonne (tun) *n.* טונה, טון, (1000 ק"ג)
ton'sil (-səl) *n.* שקד (בלוטה)
ton'sillec'tomy *n.* ניתוח שקדים
ton'silli'tis *n.* דלקת-שקדים
ton·so'rial *adj.* של סַפָּר, של תיספורת
ton'sure (-shər) *n&v.* גילוח הראש (לנזיר); גלחת (בראש); לגלח הקרקפת
ton'tine (-tēn) *n.* טונטינה (חברי קרן שהאחרון שבהם הנותר בחיים זוכה בה)
ton-up *adj.* נוהג במהירות גבוהה
too *adv.* יותר מדיי; ביותר; גם כן, כמו כן; גם, אף
- I'll come, too גם אני אבוא
- all too soon מהר מדיי
- had one too many לגם כוסית יתירה
- not too sorry לא מצטער ביותר
- only too- מאוד, בהחלט, ביותר
- too much/too many יותר מדיי
took = pt of take
tool (tōōl) *n&v.* מכשיר, כלי; כלי-עבודה; אמצעי; כלי-שרת; לעצב; לקשט, לעטר
- down tools לשבות, להפסיק לעבוד
- tool along לנסוע; לנהוג
- tool up לצייד (מיפעל) בכלים
toolmaker *n.* מכשירן, מתקן מכשירים
toolmaking *n.* מכשירנות
toot (tōōt) *n&v.* צפירה; שריקה; לצפור
tooth (tōōth) *n.* שן; חוד, זיז
- armed to the teeth חמוש מכף רגל ועד ראש
- by the skin of one's teeth (להימלט) בעור שיניו, (להיחלץ) בנס
- cast it in his teeth לגעור בו
- fight tooth and nail להילחם בציפורניו
- get one's teeth into להתמסר במרץ ל-
- in the teeth of למרות, חרף
- lie in one's teeth לשקר בגסות
- long in the tooth זקן, ישיש
- pull his teeth, לעקור שיניו, ליטול עוקצו, להותירו חסר-אונים
- show one's teeth לחשוף שיניו, לאיים
- sink one's teeth into לשקוע ראשו ורובו ב-, לתת כל מעייניו ב-
- sweet tooth לקקנות
- teeth שיניים, כוח אפקטיבי
toothache *n.* כאב-שיניים
toothbrush *n.* מיברשת-שיניים
tooth-comb *n.* מסרק צפוף-שיניים
toothed *adj.* בעל שיניים, משונן
toothless *adj.* חסר-שיניים
toothpaste *n.* מישחת-שיניים
toothpick *n.* קיסם-שיניים, מחצצה
toothpowder *n.* אבקת שיניים

toothsome *adj.* טעים, ערב
toothy *adj.* (חיוך) חושף שיניים
too'tle *v&n.* *לצפור (ממושכות); ללכת בנחת, לנהוג באיטיות; צפירה
toots, toot'sy *n.* *מותק, חביב; רגל; בוהן
top *n.* ראש; שיא, פיסגה; חלק עליון, צמרת; מִכסֶה; סביבון
- at the top of בראש ה-
- at the top of voice ברום קולו
- come to the top לזכות בשם, לקצור הצלחה, להגיע לפיסגה; לעלות לכותרות
- from top to bottom מא' ועד ת'
- from top to toe מכף רגל ועד ראש
- get back into top gear לחזור למיטבו
- go over the top לפעול במהירות
- in top (gear) בהילוך הגבוה ביותר
- off the top of one's head ללא מחשבה תחילה, ללא הכנה מראש
- on top למעלה; ידו על העליונה
- on top of מעל ל-, על-גבי; בראש
- on top of that נוסף על כך
- on top of the world ברקיע השביעי
- over the top מעבר ליעד; עבר כל גבול
- sleep like a top לישון כמו אבן
- to the top of one's bent עד לקצה גבול יכולתו; כאוות-נפשו המלאה
- top of the table ראש השולחן (מקום-כבוד); לוח השולחן
- top of the tree שיא הקריירה
top *v.* להגיע לפיסגה; לשמש חלק עליון ל-; לעלות על, להיות טוב מ-; לקטום העלים העליונים
- to top it all ומעל כל זאת
- top $1000 לעבור את אלף הדולרים
- top off להשלים, לסיים, לגמור
- top out לחגוג סיום, לחנוך
- top the bill לשחק בתפקיד הראשי
- top up למלא (כוסית/כלי), להוסיף
- topped by/with בראשו, עליו
top *adj.* ראשי, עליון, ראשון, מירבי
- top dog *מנצח, ידו על העליונה
- top people אנשי הצמרת
- top speed מהירות מירבית
to'paz' *n.* פיטדה, טופאז
top boot נעל גבוהה, נעל רכיבה
top brass *קצונה גבוהה
topcoat *n.* מעיל עליון; ציפוי עליון
top drawer * (מן) המעמד העליון
top-dress *v.* לזבל, לפזר דשן; לרצף
top-dressing *n.* זיבול; ריצוף
tope *v.* לשתות לשוכרה
to'pee', to'pi *n.* כובע-שמש
top-flight *adj.* מהשורה הראשונה, מצוין
top-gallant *n.* תורן רם, מיפרש רם
top hat מיגבע, צילינדר
top-heavy *adj.* כבד למעלה, עלול ליפול
to'piar'y (-pieri) *n.* גננות-נוי, גיזום צורות
top'ic *n.* נושא, נושא לשיחה
top'ical *adj.* מקומי; מענייני דיומא, מבעיות השעה, אקטואלי
top'ical'ity *n.* נושא אקטואלי
topknot *n.* ציצת-קודקוד, בלורית
topless *adj.* חשופת-שדיים, ללא חזייה
top-level *adj.* עליון, רם מעלה
topmast *n.* תורן עילי
topmost *adj.* גבוה ביותר, עליון
top-notch *adj.* *מצוין, מעולה
top'ograph'ical *adj.* טופוגרפי
topog'raphy *n.* טופוגרפיה, תורת פני הקרקע
top'per *n.* *מיגבע, צילינדר
top'ping *n.* ציפוי עליון, קישוט
topping *adj.* *מצוין, משובח
top'ple *v.* ליפול, להתמוטט; להפיל
- topple over להתמוטט, לקרוס
top-ranking *adj.* מהשורה הראשונה
tops *adj&adv.* *הטוב ביותר; לכל היותר
topsail *n.* מיפרש עילי
top secret סודי ביותר
topside *n.* צידון, חלק עליון (בספינה); נתח מובחר (של בשר)
topsoil *n.* שיכבה עליונה (בקרקע)
topspin *n.* סיבוב הכדור קדימה
top'sy-tur'vy *n&adj.* תוהו ובוהו, אנדרלמוסיה; הפוך
toque (tōk) *n.* כובע-אישה (חסר-תיתורה)
tor *n.* גיבעה (מסולעת)
To'ra, To'rah (-rə) *n.* תורה
torch *n.* לפיד, אבוקה; מבער; פנס-יד
- carry a torch for להיות מאוהב ב-
- hand on the torch למסור (התורה) לדור הבא; לשמור על הגחלת
- put to the torch להשמיד באש
- torch of knowledge אור הדעת
torch *v.* להדליק (לפיד)
torchbearer *n.* לפידאי, נושא לפיד
torchlight *n.* אור-לפיד
torch singer זמרת שירי-אהבה נוגים
tore = pt of tear
tor'e·ador' *n.* טוריאדור, לוחם שוורים
tor'ment' *n.* כְּאֵב, סֵבֶל, ייסורים; גורם סבל, מרגיז
tor·ment'' *v.* להכאיב, לייסר, לענות
tor·men'tor *n.* מייסר, מענה
torn = pp of tear
tor·na'do *n.* טורנאדו, סופה עזה
tor·pe'do *n.* טורפדו, פגז תת-מימי
torpedo *v.* לטרפד; להשמיד; לסכל
torpedo boat *n.* טרפדת, סירת-טורפדו
tor'pid *adj.* איטי, עצלתני; רדום, ישן; לא-פעיל; חסר-תחושה, לא נע
tor'por, tor·pid'ity *n.* איטיות, עצלנות; אי-פעילות; חוסר-תחושה
torque (tôrk) *n.* ענק, קולר; אצעדה; (במכניקה) מומנט הסיבוב
tor'rent *n.* זרם, שטף; מטר, מבול
torren'tial *adj.* זורם, שוטף; ניתך
tor'rid *adj.* חם, לוהט, צחיח; נלהב
torrid'ity *n.* חום, להט, צחיחות
tor'sion *n.* פיתול, עיקום
tor'so *n.* טורסו, גוף נטול ראש וגפיים; מיפעל שלא הושלם
tort *n.* עוול, עוולה, נזק
- torts נזיקין
tor·til'la (-tē'yə) *n.* מצה עגולה
tor'tious (-shəs) *adj.* של נזיקין
tor'toise (-təs) *n.* צב

tortoise shell שיריון הצב
tor'tuous (-'chōōəs) *adj.* מתפתל, רב-עיקולים, עקום; לא ישר, סחור-סחור
tor'ture *n.* סבל, ייסורים, כְּאֵב; עינוי
torture *v.* לענות, לגרום ייסורים
torturer *n.* מענה, מכאיב
Tor'y *n&adj.* טורי, שמרן, קונסרבטיבי
Toryism *n.* שמרנות
tosh *n.* *שטויות, הבלים
toss (tôs) *v.* לזרוק, להטיל; להפיל; לטלטל; להיטלטל; להתנפנף; לבחוש
- toss a coin להטיל מטבע (באוויר)
- toss about להתהפך (על מישכבו)
- toss off ליצור במחי-יד, לשרבט; לגמוא בגמיעה אחת
- toss one's head לטלטל ראשו לאחור
- toss up/for להטיל מטבע (באוויר)
toss *n.* זריקה; הטלה; הטלת מטבע; הגרלה; טילטול
- take a toss ליפול מסוס
toss-up *n.* הטלת-מטבע; אפשרות שקולה
tot *n&v.* פעוט, תינוק; כוסית משקה
- tiny tot פעוט, תינוק
- tot up לסכם, לחבר
- tot up to להסתכם ב-
to'tal *adj.* טוטאלי, מקיף, כוללני; שלם, גמור, מוחלט
- total eclipse ליקוי מלא
- total loss אובדן מוחלט, אובדן גמור
- total war מלחמה טוטאלית
total *n.* סך הכל, סיכום
- in total בסך הכל
total *v.* לסכם; להסתכם ב-; להגיע ל-; להרוס (מכונית) לגמרי
to·tal'ita'rian *adj.* טוטליטארי, רודני
totalitarianism *n.* טוטליטאריות
to·tal'ity *n.* שלמות; סך הכל
to'taliza'tor *n.* מכונת-סיכום (בהימורים, המראה את סכומי הזכיות)
to'tally *adv.* לגמרי, כליל
total recall זיכרון מושלם
tote *v.* לשאת (נשק)
tote = totalizator
tote bag סל קניות
to'tem *n.* טוטם, אליל השבט, עצם נערץ, חיה פולחנית
totem pole עמוד טוטם
to'to *n.* סך הכל
- in toto בסך הכל, בשלמותו
tot'ter *v.* לפסוע בחוסר-יציבות; להתנדנד; להתמוטט, למעוד
tottery *adj.* לא-יציב, מתנדנד
tou'can' (tōō'-) *n.* טוקאן (עוף)
touch (tuch) *v.* לנגוע; למשש; להגיע ל-; להקיש/ללחוץ קלות; להשתוות אל; לעסוק/לדון ב-; לנגוע ללב; לקלקל; לפגוע ב-; להעביר מיכחול
- there's nothing to touch- אין כמו-
- touch at לעגון ב-, לעצור ב-
- touch bottom לנגוע בקרקע-הים; לרדת פלאים, להגיע לשפל המדרגה
- touch down לנחות; להניח (כדור הרגבי) מעבר לשער, לבצע טאץ'-דאון
- touch for *לסחוט (הלוואה), לשנורר
- touch off לגרום, להפעיל, לפוצץ, להצית
- touch on/upon לנגוע ב-, להתייחס בקיצור (לנושא)
- touch port להגיע לנמל
- touch the spot *להוות הדבר הנכון/הנחוץ, לקלוע למטרה
- touch up לשפר, לשפץ, לתקן, לתגמר
- touch wood הקש בעץ, בלי עין הרע
- touched his heart נגע ללִיבו
- touched with gray (שיער) מכסיף
- you'll never touch him לעולם לא תשתווה אליו, אתה נופל ממנו
touch *n.* מגע, נגיעה; (חוש ה-) מישוש; התקף קל; מכה קלה; שיפוץ; קורטוב; נימה, סיגנון; העברת מיכחול; מגוע; (בכדורגל) חוץ
- at a touch בנגיעה קלה ביותר
- common touch מגע עם הקהל
- get/put in touch with ליצור קשר עם
- keep in touch לשמור על קשר
- lose touch לאבד הקשר
- near touch הינצלות בנס
- out of touch with מנותק מ-
- put the touch on *לשנורר מ-
- touch of genius אותות-גאוניות
- touch of irony נימה אירונית
- touch of the flu התקף שפעת קל
touchable *adj.* בר-נגיעה, משיש
touch-and-go (מצב) עדיין; מסוכן, לא בטוח, תלוי באוויר
touchdown *n.* (ברגבי) שער, טאץ'-דאון; נחיתה
touche (tōōsha') *interj.* תשובה יפה! 0:1 לטובתך!
touched *adj.* נרגש, נסער; מופרע
touching *adj.* מרגש, נוגע ללב
touching *prep.* בנוגע ל-, ביחס ל-
touch-line *n.* קו-צד, קו-חוץ (במיגרש)
touchpaper *n.* נייר הצתה
touchstone *n.* אבן-בוחן, קריטריון
touch-type *n&v.* כתבנות עיוורת, דרך העילום; לתקתק בעל-פה
touch'y (tuch'i) *adj.* פגיע, רגיש, עדין
tough (tuf) *adj&n&v.* חזק; קשה; קשוח; קשה לחיתוך, צמיג; עקשני; גס; פראי; אלים
- be tough on לנהוג בתקיפות כלפי-
- tough customer איש קשה
- tough it (out) *לעמוד בכך
- tough luck מזל ביש
toughen *v.* להקשות; להתקשות; להקשיח
toughie (tuf'i) *n.* *אַלָם, איש-זרוע
toupee (tōōpā') *n.* פיאה נוכרית
tour (toor) *n.* טיול; סיור; תיור; סיבוב-הופעות; שירות בחו"ל
- conducted tours טיולים מאורגנים
- guided tour סיור מודרך
- on tour עורך סיבוב-הופעות
tour *v.* לטייל, לסייר
tour de force מעשה גבורה
tour'ism' (toor'-) *n.* תיירות
tour'ist (toor'-) *n&adj.* תייר; לתיירים
tourist class מחלקה שנייה, מחלקת תיירים

tour′isty (toor′-) *adj.* של תיירים
tour′nament (toor′-) *n.* תחרות, סידרת מישחקים, טורניר; התמודדות-אבירים
tourney = tournament (toor′-)
tourniquet (toor′nikət) *n.* חַסָם, חוסם-עורקים
tour operator סוכן טיולים
tou′sle (-zəl) *v.* לפרוע (שיער)
tout *v.* לשדל קונים, להציע סחורה; למכור מידע (על מירוצים); לספסר; לשבח, לפרסם; לכנות
tout *n.* משדל לקוחות, מציע מרכולתו
- ticket tout ספסר-כרטיסים
tout ensemble (tōōt änsän′bəl) *n.* מיכלול הפרטים; אפקט כללי
tow (tō) *v.* לגרור, למשוך, לסחוב
tow *n.* גרירה, משיכה, סחיבה; נעורת פישתים (לקליעת חבלים)
- on tow, in tow נגרר, בגרירה
toward, towards (tôrd(z)) *prep.* אל, לעבר, כלפי, לקראת, לגבי; לשם, למען; זמן קצר לפני
- toward morning לפנות בוקר
tow-colored *adj.* (שיער) בהיר
tow′el *n&v.* מגבת, אלונטית; לנגב
- throw in the towel להיכנע, לוותר
towel horse מקלב-מגבות
toweling *n.* אריג-מגבות
towel rack מתלה-מגבות
towel rail מתלה-מגבות
tow′er *n.* מיגדל, מצודה, צריח
- tower of strength מיבטח עוז (אדם)
- water tower מיגדל מים
tower *v.* להתנשא, להתרומם
- tower over להיות משכמו ומעלה
tower block בניין רב-קומות
towering *adj.* רם, מתנשא; גדול
- towering rage חימה שפוכה
tow-headed *adj.* בהיר-שיער, פרוע-שיער
tow-line *n.* כבל-גרירה
town *n.* עיר, כרך
- down town למרכז המיסחרי בעיר
- go to town להתהולל, להתפרק, לבזבז; לפעול בכישרון וביעילות
- man about town אוהב לבלות
- on the town מבלה, מבקר במועדונים
- paint the town red לחגוג, להתהולל
- town and gown אזרחים ואקדמאים
town clerk מזכיר העיר
town council מועצת העירייה
town councillor חבר מועצת העירייה
town crier כרוז העיר
tow′nee *n.* עירוני, בן-כרך
town gas גאז ביתי (לבית ולתעשייה)
town hall בניין העירייה
town house בית עירוני; בית בעיר
townscape *n.* נוף-עיר (ציור)
townsfolk *n.* תושבי העיר, עירוניים
township *n.* עיר, עיירה, מחוז
townsman *n.* תושב עיר, בן-כרך
townspeople *n.* תושבי עיר, עירוניים
townswoman *n.* תושבת עיר
tow-path *n.* שביל-גרירה (לאורך נהר)
tow-rope *n.* כבל-גרירה

tox•e′mia *n.* רעלת-דם; רעלת-היריון
tox′ic *adj.* רעיל, טוקסי, רעלי, רעלני
tox•ic′ity *n.* רעילות
tox′icol′ogist *n.* טוקסיקולוג
tox′icol′ogy *n.* טוקסיקולוגיה, תורת הרעל
tox′ico′sis *n.* רעלת
tox′in *n.* טוקסין, רעלן
toy *n&adj.* צעצוע; (כלב-שעשועים) קטן
toy *v.* לשחק; להשתעשע
- toy with an idea להשתעשע ברעיון
toyboy *n.* *מאהב צעיר
toyshop *n.* חנות-צעצועים
trace *n.* עקב, עקבות; סימן, זֵכֶר; רושם; קורטוב; נימה; מושכה, ריתמה
- kick over/jump the traces לשלח מפניו רסן, לסרב לקבל מרות
- traces עקבות, סימנים
trace *v.* לעקוב, לעלות על עקבות; לגלות; למצוא; לחקור; לשרטט; להעקיב, להעתיק בגיליון שקוף; לכתוב אט-אט
- trace back להתחקות על שורשי-; לגלות את המקור; להתייחס, להשתלשל
- trace out לשרטט; לנתב (מסלול)
traceable *adj.* בר מעקב, בר התחקות
trace element יסוד קורט (הנמצא בחי/בצומח בכמויות זעומות)
tracer *n.* עוקב, חוקר; כדור נותב, קליע בעל שובל-עשן
tra′cery *n.* עיטורים, מעשה-אבן; קישוט, מירקם
tra′che•a (-k-) *n.* קנה-הנשימה, גרגרת
tracho′ma (-k-) *n.* גרענת, טראכומה
tracing *n.* עיקוב, מעקב; התחקות; העתקה (של מפה) בנייר שקוף
tracing paper נייר שקוף (להעתקה)
track *n.* עקבות, סימנים; מסלול, נתיב, דרך, מסילה; פסי-רכבת; זחל, שרשרת
- beaten track דרך כבושה/סלולה
- cover (up) one's tracks לטשטש עקבותיו
- follow in the same track ללכת בדרכו/בעקבותיו
- in one's tracks בו במקום, על עמדו
- keep track of לעקוב אחרי-
- lose track לאבד הקשר/המגע
- make tracks *להסתלק, לעשות ויברח
- make tracks for לשים פעמיו אל-
- off the track סוטה מהמסלול; חורג מהנושא; נוקט קו מוטעה
- on his track בעיקבותיו
- one-track mind מוח מוגבל (שוגה בדבר אחד)
- single-track mind מוח צר-אופק
- the right track הדרך הנכונה
- the wrong track הדרך הלא נכונה
- track and field אתלטיקה קלה, אירועי ספורט (הליכה, ריצה, קפיצה, והטלה)
- track event תחרות ריצה, מירוץ
- tracks עקבות, טביעות-נעל; הגבול בין רובעי העניים והעשירים
- wrong side of the tracks משכנות-העוני
track *v.* לעקוב; ללכת בעקבות; להותיר עקבות; לצלם תוך תנועה

- track down למצוא, לגלות לאחר מעקב
trackball *n.* טרקבול, מזיז סמן
tracked *adj.* זחלי, נע על זחלים
tracker *n.* גשש, צייד, עוקב אחרי חיות
tracker dog כלב-גישוש
track events תחרויות מסלול (ריצה)
tracking station תחנת-מעקב (לחלליות)
tracklayer, trackman *n.* פועל מסילה
trackless *adj.* חסר-שבילים; ללא מסילה
track record עבר, פועַל, הישגים
track shoe נעל ריצה
tracksuit *n.* בגד-אימונים, אימונית
tract *n.* חיבור, חוברת, קונטרס; איזור, שטח, מרחב; מערכת (בגוף)
- urinary tract מערכת איברי-השתן
trac'tabil'ity *n.* צייתנות, נוחות
trac'table *adj.* צייתן, ממושמע, מקבל מרות, נוח; חשיל, בר-עיצוב
trac'tate' *n.* מַסֶכֶת, מסה, מחקר
trac'tion *n.* גרירה; (כוח-) משיכה
traction engine קטר-גרירה
trac'tor *n.* טרקטור
trad *adj.* (ג'אז) מסורתי
trade *n.* סחר; עסק, מיקצוע; עבודה, מלאכה; אומנות; סחר-חליפין
- the trade יצרני משקאות, סוחרי משקאות; אנשי העסק, אנשי המיקצוע
- trades = trade winds
trade *v.* לסחור; להחליף; לקנות
- trade in להחליף (משומש בחדש); לתת כחלק מהתשלום
- trade off להחליף, לקזז, להתפשר על
- trade on לנצל, להשתמש לרעה
trade deficit גירעון מיסחרי
trade discount הנחת סחר
trade fair יריד מיסחרי
trade gap פער מיסחרי, גירעון מיסחרי
trade-in *n.* עיסקת-חליפין; טרייד-אין; החלפת משומש בחדש (כחלק מהתשלום)
trademark *n.* סימן מיסחרי; סימן היכר
trade name שם מיסחרי
trade-off *n.* איזון, קיזוז; פשרה
trade price מחיר סיטוני
trader *n.* סוחר; אוניית-סוחר
trade route נתיב מיסחרי
trade school בית ספר מיקצועי
trade secret סוד מקצועי
tradesfolk *n.* סוחרים, חנוונים
tradesman *n.* סוחר, חנווני
tradespeople *n.* סוחרים, חנוונים
trade union איגוד מיקצועי
trade unionism התאגדות מיקצועית
trade unionist חבר איגוד מיקצועי
trade winds רוחות טרופיות (הנושבות בקביעות לעבר קו המשווה)
trading estate איזור תעשייה
trading post חנות-סְפָר
trading stamp בול-קנייה, תווית-שי
tradi'tion (-di-) *n.* מסורת, מסורה
traditional *adj.* מסורתי
traditionalism *n.* מסורתיות
traditionalist *n.* שומר מסורת
traduce' *v.* להוציא דיבה, להשמיץ
traducer *n.* מוציא דיבה, משמיץ

traf'fic *n&v.* תעבורה, תחבורה, תנועה; סחר; עסקים; לסחור ב-
traf'fica'tor *n.* נורת-איתות
traffic circle אי-תנועה, כיכר, סובה
traffic court בית מישפט לתעבורה
traffic indicator נורת-איתות
traffic island אי תנועה
traffic jam פקק תנועה
traf'ficker *n.* סוחר, עוסק בסחר
traffic light/signal רמזור
traffic offense עבירת תנועה
traffic police officer שוטר תנועה
traffic regulations תקנות תעבורה
traffic sign תמרור
traffic warden פקח תנועה/חניה
trage'dian *n.* טראגיקון, שחקן טראגדיות, מחבר טראגדיות
trage'dienne' *n.* טראגיקונית
trag'edy *n.* טראגדיה, חזיון תוגה
trag'ic *adj.* טראגי, מעציב, נוגה
trag'icom'edy *n.* טראגיקומדיה
trag'icom'ic *adj.* טראגיקומי
trail *n.* עקב, עקבות, סימנים, שובל; נתיב, שביל
- blaze a trail לפלס דרך; להיות חלוץ
- hot on his trail עומד להדביקו
trail *v.* לגרור, למשוך; לעקוב; ללכת בעיקבות; להיגרר, להשתרך; לפגר
- trail along/behind להשתרך (אחרי)
- trail off לדעוך, להימוג, לגווע
- trail one's coat לחרחר ריב
- vines trailed over the wall גפנים השתרגו/התפשטו על הקיר
trail-blazer *n.* חלוץ, ממציא
trail'er *n.* קרון-מגורים; גרור, נגררת, נגרר, מיגרר; קטעי-סרט; רוגלית, צמח מטפס/מתפשט
train *n.* רכבת; שיירה, תהלוכה; פמליה; שובל, שולים; סידרה
- bring in its train להביא בעיקבותיו
- in train בהכנה
- train of events שורת אירועים
- train of thought חוט-מחשבה
train *v.* לאמן, לאלף, לחנך; לתרגל; להכשיר; להתאמן
- train for להתאמן לקראת; להכשיר
- train hair/a plant לגדל שיער/צמח בכיוון רצוי, לכוון גידול
- train on/upon לכוון לעבר-
- train up לחנך
trainable *adj.* בר-אימון
trainbearer *n.* נושא שובל-שימלה
trained *adj.* מאומן, מוסמך, מכושר
trainee' *n.* מתאמן, רוכש הכשרה, מתמחה; טירון, חניך, שוליה
trainer *n.* מדריך, מאלף; מטוס-אימון; נעל ספורט
train ferry מעבורת-רכבות
training *n.* הכשרה; אימונים; תירגול
- go into training להתאמן
- in/out of training (לא) בכושר
training college סמינר למורים
training ship אוניית-אימונים
training shoe נעל ספורט
trainload *n.* מיטען הרכבת, נוסעי הרכבת

trainman *n.* פועל-רכבת
traipse *v.* לשוטט, להשתרך בליאות
trait *n.* תכונה, סגולה, מאפיין
trai′tor *n.* בוגד
trai′torous *adj.* בוגדני
trai′tress *n.* בוגדת
trajec′tory *n.* מסלול, נתיב (של טיל)
tram *n.* חשמלית, קרון-פחם (במיכרה)
tramcar *n.* חשמלית
tramline *n.* מסילת-חשמלית; מסלול-החשמלית
- tramlines קווי אורך (בצידי מיגרש); *עקרונות קשוחים
tram′mel *v&n.* לכבול, לעצור, להכביד
- trammels כבלים, מעצור
tramp *v.* לצעוד בכבדות; ללכת, לשוטט, לעבור ברגליו; לדרוך, לרמוס
tramp *n.* פסיעות כבדות; פעמי-רגל; טיול רגלי; קבצן נודד; יצאנית
tram′ple *v.* לדרוך, לרמוס; לפגוע
- trample down לרמוס; לדכא
trample *n.* רמיסה; מירמס
tram′poline′ (-lēn) *n.* טרמפולינה, קַפֶּצֶת, רשת-קפיצה
tramp steamer אוניית-משא משוטטת (חסרת נתיב קבוע)
tramway *n.* פסי חשמלית, מערכת חשמליות
trance *n.* טראנס, חרגון, היפנוט
tranche (tränsh) *n.* חלק, נתח; הכנסה ממניות
tran′ny *n.* *טראנזיסטור
tran′quil *adj.* שָקֵט, שליו, רגוע
tran·quil′ity *n.* שֶקֶט, שלווה, מרגוע
tran′quilize′ *v.* להשקיט, להרגיע
tranquilizer *n.* סם הרגעה, משאנן
trans- (תחילית) טראנס-, מעבר ל-
trans·act′ *v.* להוציא לפועל, לבצע, לנהל
trans·ac′tion *n.* ביצוע; עסק, עיסקה, טראנסאקציה; דו"ח, פרוטוקול
transaction permit היתר עיסקא
trans·al′pine *adj.* מעבר להרי האלפים
trans′atlan′tic *adj.* טראנסאטלאנטי
trans·ceiv′er (-sē′-) *n.* מקמ"ש, מַקְלֵט-מַשדֵר
tran·scend′ *v.* להתעלות מעל, לעלות על, לעבור; להישגב מ-
tran·scend′ence *n.* טראנסצנדנטיות, עליונות
tran·scend′ency *n.* טראנסצנדנטיות, עליונות
tran·scend′ent *adj.* טראנסצנדנטי, עילאי, נעלה, נשגב מבינת אנוש
tran′scen·den′tal *adj.* מעבר להכרה, טראנסצנדנטאלי, מופלא; *מעורפל
transcendentalism *n.* טראנסצנדנטאליות
trans′con·tinen′tal *adj.* טראנס-יבשתי, עובר-יבשת
tran·scribe′ *v.* להעתיק, לתעתק; לשכתב; להקליט; לערוך תסדיר
tran′script′ *n.* תעתיק, העתק
tran·scrip′tion *n.* תיעתוק, תעתיק, טראנסקריפציה; הקלטה; תסדיר
tran′sept′ *n.* אגף-רוחבי, קטע העֶרֶב (של כנסייה מצולבת)
trans·fer′ *v.* להעביר; למסור; לעבור
trans′fer *n.* העברה; טרנספר; מסירה; כרטיס-מעבר; שטר-העברה; דוגמה מועתקת
trans·fer′abil′ity *n.* עֲבִירוּת
trans′ferable *adj.* עביר
trans′ference *n.* העברה
transfer fee דמי העברה (לשחקן)
trans·fig′u·ra′tion *n.* שינוי צורה; חג ההשתנות (ב-6 באוגוסט)
trans·fig′ure (-gyər) *v.* לשנות צורה; להלביש ארשת-הוד, לעלות
trans·fix′ *v.* לדקור, לשפד; לסמר, לנעוץ; לשתק, לאבן, להקפיא (דם)
trans·form′ *v.* לשנות, להפוך
trans·form′able *adj.* בר-שינוי, הפיך
trans·forma′tion *n.* שינוי, היפוך
trans·form′er *n.* טרנספורמטור, שנאי
trans·fuse′ (-z) *v.* לערות (דם)
trans·fu′sion (-zhən) *n.* עירוי
trans·gress′ *v.* להפר (חוק/זכויות), לעבור על; לחרוג
trans·gres′sion *n.* הפרה; עבירה; חריגה
trans·gres′sor *n.* מפר, עבריין
tran·ship′ = transship
tran′sience (-′shəns) *n.* ארעיות
tran′sient (-′shənt) *adj&n.* ארעי, ריגעי, חולף, חטוף; מתאכסן זמני
tran·sis′tor (-zis-) *n.* טראנזיסטור
tran·sis′torize′ (-zis-) *v.* לצייד בטראנזיסטורים
tran′sit *n.* העברה, מעבר, טרנזיט
- in transit בדרך, בעת ההעברה
transit camp מחנה מעבר
tran·si′tion (-zi-) *n.* מעבר, שינוי
- period of transition תקופת-מעבר
transitional *adj.* חולף, של מעבר
transitional government ממשלת מעבר
tran′sitive verb פועל יוצא
tran′sito′ry *adj.* ארעי, ריגעי, חולף
transit visa אשרת מעבר
Trans·jor′dan *n.* עבר-הירדן
trans·la′table *adj.* בר-תירגום
trans·late′ *v.* לתרגם; להיתרגם; לפרש, להסביר; להעביר, להעתיק; להעלות לשמים
trans·la′tion *n.* תרגום, תירגום
trans·la′tor *n.* מתרגם
trans·lit′erate′ *v.* לתעתק
trans·lit′era′tion *n.* תעתיק
trans·lu′cence *n.* שקיפות עמומה
trans·lu′cent *adj.* שקוף עמומות
trans′mi·gra′tion *n.* גילגול נשמה
trans·mis′sion *n.* העברה; מסירה; שידור; מימסרה
trans·mit′ *v.* להעביר; למסור; להוליך; לשדר; לשגר; להנחיל
- his face transmitted his anger פניו הסגירו את זעמו
trans·mit′ter *n.* מעביר; מַשדֵר
trans·mog′rifica′tion *n.* שינוי גמור
trans·mog′rify′ *v.* לשנות כליל
trans·mu′table *adj.* בר-שינוי, הפיך
trans′mu·ta′tion *n.* שינוי, היפוך

trans•mute′ *v.* לשנות, להפוך
trans′o•ce•an′ic (-shi-) *adj.* טראנס-אוקיינוסי, חוצה-אוקיינוס
tran′som *n.* משקוף; חווק, קורת-רוחב; אשנב (מעל לדלת)
trans•par′ency *n.* שקיפות; שקופית
trans•par′ent *adj.* שקוף, חדיר לאור; ברור, פשוט; נהיר
- transparent lie שקר שקוף/מובהק
tran•spira′tion *n.* הזעה, הפרשה, אידוי, פליטה, דיות
tran•spire′ *v.* להזיע, להפריש, לפלוט, לדיית; להתגלות, להתברר; לקרות, להתרחש
trans•plant′ *n.* השתלה; שתיל; שֶתֶל
transplant *v.* להשתיל, לשטנע; להעביר (תושבים); להישתל; להיקלט
trans′plan•ta′tion *n.* השתלה, שיתול
trans•po′lar *adj.* טראנס-קוטבי
tran•spon′der *n.* טרנספונדר, מַשדֵר-משיב
trans•port′ *v.* להוביל, להעביר; לשגר; להגלות, לגרש; להלהיב, למלא גיל
trans′port′ *n.* תובלה, העברה, מישלוח; אמצעי-הובלה; רכב; מטוס-/ספינת-תובלה
- in a transport מלא-, אחוז-, נסחף
trans•port′able *adj.* בר-הובלה, יביל
trans′porta′tion *n.* הובלה, העברה; כלי-תובלה; הגליה, גירוש
trans′port′ cafe מיזנון דרכים
trans′port′er *n.* מוביל, רכב-תובלה
transporter bridge גשר תלוי (להעברת כלי-רכב), גשר נע
transporter crane עגורן נע (על מסילה)
trans′pose′ (-z) *v.* לשנות סדר, להחליף מקומות, להפוך; (במוסיקה) להשיא
trans′posi′tion (-zi-) *n.* חילוף, שינוי סדר; (במוסיקה) הֶשֵׂא
trans•sex′ual (-sek′shwəl) *n.* טרנסקסואל, ששינה את מינו, מנותח-מין
trans•ship′ (-s-sh-) *v.* לשטען
transshipment *n.* שיטעון
trans•verse′ *adj.* רוחבי, מונח לרוחב
trans•vest′ism′ *n.* נטייה להתלבש בבגדי המין האחר
trans•ves′tite *n.* לובש בגדי המין האחר, אוהבת מלבושי גברים
trap *n.* מלכודת; מארב; סיפון, גישתה; מרכבה; יורה-מטרה; כלוב-גיחה
- keep your trap shut! בלום פיך!
- traps חפצים אישיים, מיטען
trap *v.* ללכוד; לחסום, לסכור (זרם)
trapdoor *n.* דלת-ריצפה, דלת-תיקרה
trapeze′ *n.* טרפז; מתח נע
trape′zium *n.* מרובע; טרפז
trap′ezoid′ *n.* מרובע; טרפז
trap′per *n.* צַיָּד
trap′pings *n-pl.* קישוטים, עיטורים
Trap′pist *n.* טראפיסט, שתקן (נזיר)
trapse = traipse (trāps)
trap-shooting *n.* קליעה למטרה עפה
trash *n.* זבל, פסולת, אשפה; הבלים, שטויות; נקלה, שפל-אנשים
trash *v.* להרוס; להתקיף; לקלקל; לזלזל, לקטול (בביקורת)
trash can פח אשפה
trash′y *adj.* חסר-ערך, ריק מתוכן
trau′ma *n.* טראומה, חבלה, פגיעה, פצע
traumat′ic *adj.* טראומאתי, של פצע
trau′matize′ *v.* לגרום לטראומה
travail′ *n&v.* עָמָל; צירי-לידה; לעמול
trav′el *v.* לנסוע; לשוטט, לסייר, לטייל; לנוע, לנדוד; *לנהוג במהירות
- travel in/for לעבוד כסוכן-נוסע
- travel light לנסוע במיטען קל
- travel over לעבור על פני, לבחון
travel *n.* נסיעה, מסע; סיור, טיול; תנועה; מחזור, שיעור התנועה
travel agency סוכנות נסיעות
travel agent סוכן נסיעות
travel bureau סוכנות נסיעות
traveled *adj.* שהרבה לנסוע, מנוסה-תיורים; שהרבו לנסוע עליו/לבקרו
traveler *n.* נוסע; סוכן-נוסע
traveler's check המחאת-נוסעים
traveling *adj.* של נסיעה, של נסיעות
traveling bag תיק נסיעות
traveling fellowship מענק נסיעה (להשתלמות)
traveling salesman סוכן-נוסע
trav′elog(ue)′ (-lôg) *n.* שיחה על (רישמי-) מסע; סרט-מסע
travel sickness מחלת-נסיעה; שילשול
travel-worn *adj.* (רכב) מרופט נסיעות
traverse′ *v.* לעבור, לחצות; לבחון; לצדד (תותח); להפר, להתנגד; לכפור
trav′erse *n.* חצייה; טיפוס במצודד (על הרים); מעקול (בחפירה)
traverse′ *adj.* רוחבי, חוֹצֶה
traverse rod מוט (למשיכת) וילונות
trav′esty *n&v.* פארודיה, חיקוי, סילוף, קאריקטורה; לשים ללעג, לחקות
trawl *v.* לדוג במיכמורת; לכמור
trawl *n.* מיכמורת, רשת-דייגים
trawl′er *n.* ספינת מיכמורת
trawl line חבל רב-פיתיונים (המתוח בתוך המים)
tray *n.* מגש, טס
- in tray מגש דואר נכנס
- out tray מגש דואר יוצא
treach′erous (trech′-) *adj.* בוגדני; מסוכן, שאין לבטוח בו
treach′ery (trech′-) *n.* בגידה
trea′cle *n.* דיבשה, נוזל דיבשי
trea′cly *adj.* דביק; דיבשי, מתקתק
tread (tred) *v.* לדרוך, לצעוד, ללכת; לבטוש, לרמוס
- tread a path לכבוש שביל
- tread on air לרחף ברקיע השביעי
- tread on his heels ללכת בעיקבותיו
- tread on his toes/corns לדרוך על יבלותיו, לפגוע בו
- tread out לכבות (אש) בדריכה
- tread the boards להיות שחקן-במה
- tread water לשחות זקוף
tread *n.* דריכה; צעד; הילוך, מידרך; פני-מדרגה; מחרץ-הצמיג
tread′le (tred-) *n&v.* דוושה; לדווש
tread-mill *n.* מיתקן דיווש, חגורת דוושות אינסופית; עבודה חדגונית

trea′son (-z-) *n.* בגידה
treasonable *adj.* בוגדני, בגדר בגידה
trea′sonous (-z-) *adj.* בוגד
trea′sure (trezh′ər) *n.* אוצר; מטמון; יקיר; להעריך, להוקיר
- treasure up לאצור, להטמין, לשמור
treasure house בית-גנזים, אוצר
treasure hunt חיפוש אוצר; מחפשים את המטמון (מישחק)
treas′urer (trezh′-) *n.* גזבר
treasure trove אוצר, מטמון (שאין בעליו ידועים)
treas′ury (trezh′-) *n.* בית-אוצר, קוּפָּה (ציבורית); טימיון; אוצר בלום
- Treasury משרד האוצר
treasury note שטר-האוצר
treat *v.* לנהוג ב-, להתייחס ל-; לטפל ב-; לעסוק; להזמין, לכבד; לעבד
- treat a patient/a disease לטפל בחולה/במחלה
- treat of לדון ב-, לעסוק ב-
- treat oneself to לכבד עצמו ב-
- treat to a meal לכבד בארוחה
- treat with לשאת ולתת עם
- treat with a chemical לעבד בתכשיר כימי
treat *n.* תענוג, מקור-הנאה; טיול; הזמנה, כיבוד, תיקרובת
- it's my treat תורי להזמין/לכבד
- stand treat לשלם עבור כולם
treat′able *adj.* ניתנת לטיפול (מחלה)
trea′tise (-tis) *n.* מחקר, מסה
treatment *n.* טיפול; יחס, התנהגות
trea′ty *n.* חוזה, הסכם, ברית, אמנה
- in treaty with נושא ונותן עם
treaty port נמל פתוח
treb′le *n.* דיסקאנט, סופראנו
treble *adj&n.* פי שלושה, שלושתיים
treble *v.* לשלש, להכפיל ב-3; להישלש
treble clef מפתח סול
tree *n.* עץ; שיח; קורה
- at the top of the tree בצמרת
- clothes tree מקלב, קולב-עמוד
- family tree אילן-היחס
- shoe tree אימום
- up a tree במצב ביש, בבוץ
tree *v.* להבריח (חיה) אל עץ
tree fern שרך-עץ (שרך גדול)
tree house בית (בתוך) עץ (לילדים)
treeless *adj.* נטול-עצים, קירח
tree line = timber line
treetop *n.* צמרת
tree trunk גזע העץ
tre′foil′ *n.* תילתן, קישוט תילתני
trek *n&v.* מסע ארוך; לנסוע לאט
trel′lis *n&v.* סורג, סבכה, מסגרת כלונסאות (למטפסים); לתמוך בסורג
trem′ble *v.* לרעוד; להזדעזע; לחרוד
tremble *n.* רעדה, רעד; חרדה
- all of a tremble אחוז רעדה
tre·men′dous *adj.* גדול, עצום, כביר; נפלא, מצוין
trem′olo′ *n.* (במוסיקה) טרמולו, רעדוד
trem′or *n.* רעד, רעידה, זעזוע
trem′u·lous *adj.* רועד; נפחד, נבהל
trench *n&v.* חפירה, תעלה; לחפור חפירה/תעלה; להתחפר; לבצר בחפירות
- trench on להסיג גבול
tren′chancy *n.* נִמרָצוּת, שנינות
tren′chant *adj.* נמרץ, עז, שנון, חריף
- trenchant repartee תשובה ניצחת
trench coat מעיל גשם
trench′er *n.* לוח, מגש; כובע (אקדמי) מרובע
trencherman *n.* אכלן, זללן
trend *n.* כיוון, נטייה, מגמה
- set the trend ליצור סיגנון חדש
trend *v.* לנטות, לפנות, להימשך
trend-setter *n.* חלוץ-אופנה, אופנתן, יוצר סיגנון חדש
trend′y *adj.* אופנתי
tre·pan′, tre·phine′ *n&v.* מסור-מנתחים; לנסר עצמות
trep′ida′tion *n.* פחד, מתח; רעדה
tres′pass *v&n.* להסיג גבול, לחדור לתחום הזולת; הסגת גבול; עבירה
- trespass upon his generosity לנצל את רוחב-ליבו
tress *n.* תלתל, קווצת-שיער, מחלפה
- tresses שער-אישה (גולש)
tres′tle (-səl) *n.* חמור, כן-שולחן, חצובת-שולחן; גשר-מיתמכים
trestle table שולחן-חמור (לוח מונח על חמורים כנ"ל)
trews (trōōz) *n.* מיכנסי טארטאן הדוקים
tri- תלת-, שלוש-, 3
tri′ad *n.* שלישייה, החוט המשולש
tri′al *n.* מישפט, שפיטה; מיבחן, בחינה; ניסיון, ניסוי; מצוקה; מקור-סבל
- give a trial לנסות, לבחון
- on trial לניסיון; בבדיקה; בדין
- put on trial להעמיד לדין
- put to trial לנסות, לבחון
- stand trial לעמוד לדין
- trial and error ניסוי וטעייה
trial balance מאזן-בוחן
trial balloon כדור-גישוש
trial flight טיסת-מיבחן
trial marriage נישואי-מיבחן
trial period תקופת-ניסיון
trial run הרצה ניסיונית, נסיעת מיבחן
tri′an′gle *n.* משולש
- eternal triangle המשולש הניצחי
tri·an′gu·lar *n.* משולש
tri·an′gu·la′tion *n.* טריאנגולציה, חלוקת שטח למשולשים (למדידה)
tri·ath′lon *n.* קרב שלוש
tri′bal *adj.* שיבטי
tri′balism′ *n.* שיבטיות
tribe *n.* שבט, מישפחה; קבוצה, חוג
- the cat tribe מישפחת החתולים
tribesman *n.* בן-שבט
trib′u·la′tion *n.* סבל, מצוקה, תלאה
tri·bu′nal *n.* בית-דין, מועצת-שופטים; טריבונאל; ועדה
trib′une *n.* טריבון, מנהיג; דוכן, במה
trib′u·tar′y (-teri) *n.* פלג, יוּבַל, זרוע-נהר; משלם מס; מדינה משועבדת
tributary *adj.* (יוּבַל) נשפך אל נהר
trib′ute *n.* מס; שי; מחוות-הוקרה
- lay under tribute להטיל מס
- pay tribute להביע הערכה, לחלוק כבוד

trice *v&n.* למשוך ולהדק (מיפרש) בחבל
- in a trice כהרף עין
tri′ceps′ *n.* שריר תלת-ראשי
trichol′ogy (-k-) *n.* טיפול בשיער
trick *n.* תכסיס, תחבולה; טריק, להטוט; תעלול; הרגל אופייני; (בקלפים) לקיחה/סיבוב; (בימאות) תורנות-הגה; *חמוד; לקוח
- a trick worth two of that דרך טובה יותר לעשות זאת
- dirty trick מעשה מביש, מעשה שפל
- do/turn the trick להשיג המטרה
- how's tricks *מה נשמע? מה המצב?
- not miss a trick לדעת כל המתרחש
- play tricks לעשות מעשי-קונדס
- tricks of the trade סודות המיקצוע
- up to his tricks *מכיר את הקונצים שלו
trick *adj.* תחבלני, מטעה; חלש, קורס
- trick knee ברך חלשה/לא יציבה
trick *v.* לרמות, להוליך שולל
- trick him into- לשדלו במירמה ל-
- trick him out of his money ליטול ממנו את כספו במירמה
- trick out/up לקשט, לגנדר
trick cyclist להטוטן אופניים; פסיכיאטר
trick′ery *n.* רמאות, הולכת-שולל
trick′le *v.* לטפטף; לזוב, לזרום
trickle *n.* טיפטוף; זרם
trick′ster *n.* רמאי, נוכל
trick′y *adj.* ערמומי, תחבלני; עדין, מסובך, מטעה, טומן קשיים
tri′col′or (-kul-) *n.* דגל תלת-גוני; דגל צרפת
tri′cot (trē′kō) *n.* טריקו (אריג)
tri′cycle *n.* תלת-אופן
tri′dent *n.* קילשון תלת-שיני
tried (p of try) *adj.* בדוק, מנוסה
tried-and-true *adj.* בדוק ומנוסה
tri·en′nial *adj.* תלת-שנתי
tri′er *n.* מנסה, נסיין, בוחן
tri′fle *n.* דבר קל-ערך, דבר פעוט; סכום זעום; קצת, משהו; עוגה
- a trifle annoyed קצת מוטרד
trifle *v.* לשחק, להשתעשע, לזלזל
- trifle away לבזבז
- trifle with לזלזל ב-; להקל ראש ב-
tri′fler *n.* מְשַׂחֵק, משתעשע; מקל ראש
tri′fling *adj.* חסר-ערך, פעוט, זעום
trig *adj.* נקי, מסודר, מטופח
trig′ger *n&v.* הדק; לעורר, להפעיל
- quick on the trigger שולף במהירות, יורה מהר; אומר ועושה
- trigger off לגרום, לעורר, להפעיל
trigger-happy *adj.* שש ללחוץ על ההדק, לא מרוסן
trig′onom′etry *n.* טריגונומטריה
trike *n.* תלת-אופן
tri·lat′eral *adj.* תלת-צדדי
tril′by (hat) *n.* כובע לֶבֶד
tri·lin′gual (-ngwəl) *adj.* תלת-לשוני
trill *n.* סילסול-קול, טריל, טירלול
trill *v.* לסלסל (קול), לטרלל
tril′lion *n.* טריליון
tri·lo′bate′ *adj.* (עלה) תלת-אונתי
tril′ogy *n.* טרילוגיה (3 יצירות הקשורות ברעיון אחד)
trim *v.* לסדר, לגזוז, לגזום; לקשט, לעטר; לשנות עמדותיו, להתיישר לפי הקו; *להביס; לנזוף
- trim a boat לאזן/לשפע סירה
- trim a sail לכוון/לתאם מיפרש
- trim a wick להיטיב את הנר
- trim one's sails להתאים עצמו למצב
- trim the costs להפחית המחירים
trim *adj.* מסודר, מטופח, נקי
trim *n.* סידור, גיזום; סדר, מצב תקין, כשירות; הופעה, לבוש; אבזרי פנים המכונית; קישוט, עיטור; שופע (הספינה)
- in fighting trim ערוך לקרב
- in (good) trim במצב תקין, כשיר
- out of trim שלא במצב תקין
tri·mes′ter *n.* טרימסטר, רבע שנה
trim′mer *n.* מסדר, גוזם; משנה עמדותיו, סתגלן, אופורטוניסט
trimming *n.* סידור, גיזום; קישוט; גזומת, נסורת; קישוטי-ארוחה
Trin′idad′ and Toba′go *n.* טרינידד וטובאגו
trin′ity *n.* שלישייה; שילוש
- The Trinity השילוש הקדוש, שְׁלֹשָׁה
Trinity Sunday יום א' שלאחר חג השבועות (הנוצרי), יום א' של שילוש
trin′ket *n.* תכשיט (פחות-ערך)
tri′o (trē′-) *n.* טריו, שלישייה, שלשית
tri′olet *n.* טריולט (שיר בן 8 שורות)
trip *v.* למעוד, להיכשל; להכשיל; להפיל; ללכת/לרוץ בצעדים קלילים
- trip a spring להפעיל/לשחרר קפיץ
- trip out *להפליג ב"טריפ" של סמים
- trip over a word לגמגם מלה
- trip up לטעות; להכשיל; להפיל בפח
trip *n.* מעידה; נפילה; הכשלה; טעות; מסע, טיול; התקן-הפעלה; *טריפ, הפלגת-הזיה
- trip of the tongue פליטת-פה
tri·par′tite *adj.* תלת-צדדי; בעל 3 חלקים
tripe *n.* כותל-קיבה; *שטויות, הבלים
trip′le *adj.* משולש; פי 3; בן 3 חלקים
triple *v.* לשלש; להישלש
triple crown כתר-האפיפיור
triple jump (בספורט) קפיצה משולשת
trip′let *n.* שלישייה, מישלוש
- triplets שלישייה (שנולדה)
triple time מיקצב משולש
trip′lex′ *n&adj.* דירה תלת-מיפלסית; זכוכית לא-שבירה; משולש
trip′licate′ *v.* לשלש, להכפיל ב-3
trip′licate *adj&n.* (העתק) משולש; שְׁלָשׁ
- in triplicate ב-3 העתקים
tri′pod′ *n.* חצובה, תלת-רגל
tri′pos′ *n.* מיבחן לתואר ב"א
trip′per *n.* טַיָּל; מפליג בטריפ-סמים
trip′ping *adj.* קַל, קליל, זריז, מהיר
trip′tych (-k) *n.* טריפטיכון, תמונה משולשת, ציור מתקפל (המורכב מ-3 לוחות)
trip wire חוט-הפעלה (של מלכודת)
tri′reme *n.* טרירמה, ספינת-קרב

tri·sect′ *v.* לחלק (קטע) ל-3, לשלש
triste (trēst) *adj.* עצוב, קודר
trite *adj.* נדוש, חבוט, מיושן
trit′urate′ (trich′-) *v.* לטחון, לכתוש; ללעוס
tri′umph *n.* ניצחון; הצלחה מלאה; שימחת-ניצחון
triumph *v.* לנחול ניצחון; לצהול
- triumph over לצהול בניצחונו על
tri·um′phal *adj.* של ניצחון, חגיגי
triumphal arch שער ניצחון
tri·um′phant *adj.* מנצח; חוגג ניצחון
tri·um′virate *n.* טריאומווירט; שלישיית-שליטים
tri′une (-ūn) *n.* שלושה (אלוהויות) באחד (באמונה הנוצרית)
triv′et *n.* חצובה (לסיר)
- as right as a trivet תקין, בריא
triv′ia *n-pl.* קְטַנוֹת, דברים חסרי-ערך; טריוויה (מישחק)
triv′ial *adj.* קל-ערך, פעוט, חסר-חשיבות; רגיל, שיגרתי, פשוט, שיטחי
triv′ial′ity *n.* דבר פעוט/נטול חשיבות; חוסר חשיבות
- trivialities קטנות, הבלים
triv′ialize′ *v.* להמעיט בחשיבות
tro·cha′ic (-k-) *adj.* של טרוכיאוס
tro′chee (-k-) *adj.* טרוכיאוס, עולה, קצב דו-הברתי
trod = p of tread
trod′den = pp of tread
trog′lodyte′ *n.* שוכן-מערות
troi′ka *n.* טרואיקה, שלישייה שלטת
Tro′jan *n.* טרויאני, אמיץ
- work like a Trojan לעבוד בפרך
Trojan horse סוס טרויאני, גוף חתרני
troll (trōl) *v.* לדוג בחכה, לחכות מְסִירָה; לשיר זה אחר זה/במעגל
troll *n.* טרול; ענק; גמד
trol′ley *n.* עגלת-יד; שולחן-תה; קרונית-יד; גלגילון-מגע (בחשמלית)
- off one's trolley *מטורף
trolley (car) חשמלית
trolley bus טרוליבוס, אוטובוס חשמלי
trol′lop *n.* יצאנית, מופקרת; מרושלת
trom·bone′ *n.* טרומבון (כלי-נשיפה)
trom·bo′nist *n.* טרומבונאי
troop (trōōp) *n.* קבוצה, להקה; יחידה, פלוגה
- troops חיילים, אנשי-צבא
troop *v.* לצעוד בקבוצה, לנהור
- troop the color לשאת הדגל במיסדר
troop carrier (מטוס/ספינה) מוביל צבא, נושא גייסות
troo′per *n.* שוטר; פרש; שיריונאי
- swear like a trooper לקלל בשטף
troopship *n.* (אונייה) נושאת חיילים/גייסות
trope *n.* ביטוי ציורי, דימוי
tro′phy *n.* פְּרָס; מזכרת-ציד (כגון ראש אריה); שלל
trop′ic *n.* טרופיק, מהפך, חוג
- tropics האיזור הטרופי (החם)
trop′ical *adj.* טרופי, חם
Tropic of Cancer חוג הסרטן
Tropic of Capricorn חוג הגדי

trot *v.* לרהוט, לרוץ; לדהרר, להרהיט, להריץ; להוליך/להעביר מהר
- trot along למהר, להזדרז; להסתלק
- trot out *להראות, להפגין, להציג
trot *n.* רהיטה, ריצה, דיהרור; צעדים מהירים
- be on the trot *לסבול משילשול
- have the trots *לסבול משילשול
- on the trot בזה אחר זה; ברציפות; בתנועה, רץ ממקום למקום
troth *n.* נאמנות, כנות; אמת
- in troth באמת, באמונה
- plight one's troth להבטיח נישואים
trot′ter *n.* רהטן, סוס מהיר-הליכה; רגל חזיר (למאכל)
trou′badour′ (trōō′bədôr) *n.* טרובאדור, פייטן נודד
troub′le (trub′-) *v.* להציק, להדאיג, להרגיז; להטריח; להכאיב; להעלות אדווה
- I'll trouble you to- אבקשך ל-
- can I trouble you-? התואיל ל-?
- don't trouble אל תטרח, אין צורך
- fish in troubled waters לדוג במים עכורים
- troubled מודאג, מוטרד
trouble *n.* צרה, צרות, דאגה, קושי; טירחה; אי-נעימות; אי-שקט; מיחוש, מחלה; תקלה
- ask/look for trouble להזמין צרות
- borrow trouble להזמין צרות
- get into trouble להסתבך בצרות; לסבך; להכניס להריון
- go to/take the trouble לטרוח
- heart trouble מיחוש-לב
- in trouble בצרות, הסתבך
- put to trouble להטריח
- what's the trouble? מה הבעיה?
trouble-maker *n.* עושה-צרות
trouble-shooter *n.* מיישר-הדורים, מתווך; מגלה תקלות, מתקן פגמים
troublesome *adj.* מרגיז, מדאיג
trouble spot מוקד (של) צרות
troub′lous (trub′) *adj.* של מצוקה
trough (trôf) *n.* איבוס, שוקת; מישארת, עריבה; תעלה, מרזב; שקע, אוכף
trounce *v.* להכות, להלקות; להביס
troupe (trōōp) *n.* להקה, קבוצה
troup′er (trōōp-) *n.* חבר-להקה; נאמן, חרוץ, שקדן; בחור-כארז
trou′ser (-z-) *adj.* של מיכנסיים
trouser-leg *n.* מיכנס
trou′sers (-z-) *n-pl.* מיכנסיים
- pair of trousers זוג מיכנסיים
- wear the trousers ללבוש את המיכנסיים, להיות השליט בבית
trouser suit חליפת מיכנסיים (של אישה)
trousseau (trōō′sō) *n.* חפצי-הכלה (בגדים, לבנים וכו׳)
trout *n.* טרוטה (דג); זקנה בלה
trow (-ō) *v.* לחשוב, להאמין, לסבור
trow′el *n.* כף-סיידים, מרית; כף-גננים (להוצאת שתילים)
troy weight מישקל טרוי (לשקילת זהב וכסף)

tru′ancy *n.* היעדרות, שתמטנות
tru′ant *n.* נעדר (מבי"ס), שתמטן
- play truant להיעדר, לברוח (מבי"ס)
truce *n.* הפוגה, הפסקת-אש
truck *n&v.* משאית; קרון-משא; עגלת-יד; חליפין; ירקות-שיווק; להוביל במשאית
- has no truck with אין לו עסק עם, מנער חוצנו מן
trucker *n.* נהג משאית; חברת תובלה
truck farm משק ירקות-שיווק
trucking *n.* הובלה במשאיות
truck′le *v.* להיכנע, להתרפס
truckle bed מיטה תחתית, מיטה זחיחה
truckload *n.* מיטען משאית; *כמות רבה
- by the truckload *בכמויות
truck stop מיזנון דרכים
truck system תשלום בשווה-כסף
truc′u·lence *n.* אכזריות; עזות
truc′u·lency *n.* אכזריות; עזות
truc′u·lent *adj.* אכזרי, פראי, עז, חריף; נוקב; מאיים, שש לקרב
trudge *v&n.* ללכת בכבדות, להשתרך, לפסוע בליאות; הליכה מייגעת
true (trōō) *adj&n.* נכון, אמיתי, כן, נאמן; מקורי; מדויק, מהימן; ודאי, בטוח; קבוע היטב, מותקן כהלכה
- come true להתגשם, להתאמת, להתממש
- in true מותאם, מותקן בדייקנות
- it rings true מתקבל הרושם שזה נכון
- out of true לא מותאם, לא במקום
- run true to form לפעול כצפוי
- true heir יורש חוקי
- true to life אמיתי, נאמן למציאות
- true to type נאמן לטיפוס מסוגו, פועל בצורה אופיינית לסוגו
- true to- נאמן ל-, מקיים
true *adv&v.* באמת, נאמנה; בדיוק
- breed true (לגבי צמח/בהמה) להיות נאמן למוצא
- true up לכוון/להתאים בדייקנות
true bill כתב אישום
true blue מסור, נאמן, אמיתי; שמרן
true-born *adj.* מבטן ומלידה, כשר, חוקי
true-hearted *adj.* ישר-לב, נאמן
true-life *adj.* אמיתי, עובדתי
true-love *n.* אהוב, אהובה
true north צפון אמיתי (לא לפי המצפן)
truf′fle *n.* כמהה (פיטרייה), שמרקע; ממתק
trug *n.* סל-גננים (לפרחים)
tru′ism *n.* אמיתה, אמת ברורה
tru′ly *adv.* באמת; בלב תמים; אליבא דאמת; נכונה; בדייקנות
- yours truly שלך בנאמנות
trump *n.* קלף-ניצחון; חצוצרה; בֶּן-חַיִל, חברה'מן, אדם מצוין
- holds all the trumps כל הקלפים בידיו
- last trump תרועת יום-הדין
- trump card קלף הניצחון, הקלף האחרון
- turn up trumps להתגלות כידידותי/כמועיל (דווקא); לשחק לו מזלו
trump *v.* לנצח, לזכות, לשחק בקלף הניצחון
- trump up להמציא, לבדות
trump′ery *adj.* צעקני, חסר-ערך
trum′pet *n.* חצוצרה; תקיעת חצוצרה; דבר דמוי חצוצרה; שאגת הפיל
- blow one's own trumpet להלל עצמו
trumpet *v.* לחצצר; להריע; להכריז, לפרסם
trumpeter *n.* חצוצרן
trun′cate *v.* לקטום, לקצץ
trun′cheon (-chən) *n.* אַלָּה, מקל
trun′dle *v.* לגלגל; להתגלגל; לדחוף
trundle bed מיטה תחתית, מיטה זחיחה
trunk *n.* גזע; גופה, עיקר-השלד; מיזוודת-נוסעים; תא-המיטען; חדק-הפיל
- trunks מיכנסיים קצרים; בגד-ים
trunk call שיחת-חוץ (טלפונית)
trunk line קו-ראשי (ברכבת); קו-טלפון בינעירוני
trunk road כביש ראשי
truss *v.* לקשור, לאגוד, לצרור; לעקוד (צלי), לכפת; לתמוך (גג)
- truss up לקשור, לכבול; לאגוד
truss *n.* מיתמך, שלד תומך; חגורת-שבר/-בקע; חבילה, צרור, אגד
trust *n.* ביטחון, אמון; פיקדון, שמירה; נאמנות, אפיטרופסות; טראסט, מונופול
- brains trust טראסט מוחות
- it is my trust that אני מאמין ש-
- leave in trust with להפקיד בידי-
- on trust בהקפה, באשראי
- put/place trust in לבטוח ב-
- take on trust לקבל, להאמין
trust *v.* לבטוח ב-, לסמוך על; להאמין ל-; לאפשר, להרשות; למכור בהקפה
- I trust אני בטוח/משוכנע/מקווה
- trust in לבטוח ב-, להאמין ל-
- trust to לסמוך על; להפקיד בידי
trus·tee′ *n.* נאמן, ממונה, מפקח
trusteeship *n.* (שטח) נאמנות
trusteeship fund קרן נאמנות
trustful *adj.* מאמין, בוטח, לא חשדני
trust fund קרן נאמנות
trusting *adj.* מאמין, בוטח, לא חשדני
trust money כספי נאמנות
trustworthy *adj.* ראוי לאמון, אמין
trusty *adj&n.* מהימן, שניתן לסמוך עליו; אסיר מהימן (בעל זכויות)
truth (trōōth) *n.* אמת, אמיתה; כנות, יושר; עיקרון, יסוד, עובדה
- in truth לאמיתו של דבר, למעשה
- naked truth אמת לאמיתה
- tell the truth לומר את האמת
- to tell the truth, I hate her האמת היא שאני שונא אותה
truthful *adj.* אמיתי, אמין, דובר אמת
try *v.* לנסות; לבדוק, לבחון; לשפוט, לדון; לאמץ, להלאות, למתוח; לצער, להרגיז
- try a fall with להתמודד עם
- try for לנסות לזכות, להתמודד על
- try for size לבדוק התאמתו
- try his nerves למרוט עצביו
- try his patience למתוח סבלנותו
- try on למדוד (בגד); לעשות ניסיון מחוצף, להרחיק לכת בהתנהגותו

- try one's best לעשות כל שביכולתו
- try one's hand לנסות כוחו ב-
- try out לנסות, לבחון
- try out for להתמודד על (מקום)
- try the eyes לעייף/לאמץ העיניים
try *n.* ניסיון; בדיקה; (ברגבי) זכייה
- have a try לנסות, לעשות ניסיון
trying *adj.* קשה, מרגיז; מַלְאֶה, מְאַמֵּץ
try-on *n.* ניסיון מחוצף
try-out *n.* מיבחן התאמה (לתפקיד)
tryst *n.* פגישה, מקום מיפגש
tsar *n.* צאר (ברוסיה)
tsetse (tset′si) *n.* טסה-טסה (זבוב)
T-shirt *n.* חולצת טי (קצרת שרוול)
tsp = teaspoonful כפית, מלוא הכפית
T-square *n.* סרגל-טי, סרגל שירטוט
TU = Trade Union איגוד מקצועי
Tu. = Tuesday יום שלישי
tub *n.* גיגית, קערה, עביט; *אמבט, אמבטיה; גורץ, שמן; סירה איטית
tub *v.* לעשות אמבטיה, להתאמבט
tu′ba *n.* טובה (כלי-נשיפה)
tub′by *adj.* דמוי-גיגית; גורץ, שמן
tube *n.* אבוב, שפופרת, צינור, קנה; נורת-רדיו; מינהרה, רכבת תחתית
- bronchial tubes סימפונות
- down the tube למצב קריסה, ירד לטמיון
- inner tube אבוב, פנימון, פנימית
- toothpaste tube שפופרת מישחת-שיניים
tubeless *adj.* (צמיג) חסר-פנימון
tu′ber *n.* פקעת, גיבעול מעובה (טמון באדמה, כגון תפוח-אדמה)
tu·ber′cu·lar (tōō-) *adj.* שחפני
tu·ber′cu·lo′sis (tōō-) *n.* שחפת
tu·ber′cu·lous (tōō-) *adj.* שחפני
tubful *n.* מלוא-הגיגית
tu′bing *n.* צינורות, חומר צינורות
tub-thumper *n.* דמאגוג, נואם מלהיב
tu′bu·lar *adj.* צינורי; בעל צינורות
tuck *v.* להכניס, לתחוב; לקפל, לחפות; לתפור חפתים
- tuck away לשמור, להסתיר; *לזלול
- tuck in לזלול, לאכול בתיאבון; לכסות היטב בשמיכה
- tuck up להתכרבל; להפשיל; לקפל
tuck *n.* קפל, חפת; *אוֹכֶל, ממתקים
tuck′er *n.* סודר, רדיד, צעיף
- best bib and tucker ביגדי חג
tucker *v.* *לעייף
tuck-in *n.* *ארוחה הגונה
tuck shop חנות-ממתקים
Tues′day (tōōz′-) *n.* יום שלישי
- Tuesdays בימי ג' (בשבוע)
tuft *n.* ציצה, צרור (שערות/נוצות)
tufted *adj.* מצויץ, בעל ציצת-שערות
tug *v.* למשוך; לסחוב, לגרור
tug *n.* משיכה, גרירה; ספינת-גרר
- tug of war משיכת-חבל (תחרות)
tug-boat *n.* ספינת-גרר
tug of love *מאבק על ילד
tu·i′tion (tōōish′ən) *n.* הוראה, לימוד; שכר לימוד; שיעורים
tu′lip *n.* ציבעוני (צמח, פרח)
tulle (tōōl) *n.* טול, אריג משי דק

tum′ble *v.* ליפול; להפיל; למעוד, להיכשל; להתגלגל; לנוע באי-סדר; לפרוע (שיער), לבלבל
- prices tumbled המחירים ירדו
- tumble down להתמוטט, לקרוס תחתיו
- tumble in bed להתהפך על מישכבו
- tumble over ליפול, להתהפך
- tumble to *לתפוס, לקלוט, להבין
tumble *n.* נפילה, מעידה; אנדרלמוסיה
tumble-down *adj.* רעוע, נוטה ליפול
tumble-dry *v.* לייבש במכונת כביסה
tumble-dryer/-drier *n.* מייבש כביסה
tum′bler *n.* כוס; לוליין, אקרובאט; מנוף-המנעול (שמסובבים במפתח); מייבש כביסה
tumble-weed *n.* סוג של שיח ערבה (הנתלש ומתגלגל ברוח), ירבוז
tum′brel, tum′bril *n.* עֲגָלָה, עגלת-אסירים
tu·mes′cence (tōō-) *n.* תפיחות, נפיחות
tu·mes′cent (tōō-) *adj.* תופח, נפוח
tu′mid *adj.* נפוח; (סיגנון) מנופח
tu·mid′ity (tōō-) *n.* נפיחות, תפיחות
tum′my *n.* *בטן
tu′mor *n.* גידול (בגוף), שאת
tu′mult *n.* רעש, המולה; מבוכה, ריגוש
tu·mul′tuous (tōōmul′chōōəs) *adj.* רועש, קולני; נרגש, סוער
tu′mu·lus *n.* גל, תל (על קבר)
tun *n.* חבית; טאן (252 גאלונים)
tu′na *n.* טוּנָה, טונוס, אטונס (דג)
tun′dra *n.* טונדרה, ערבה ארקטית
tune *n.* לחן, מנגינה, נעימה; הרמוניה
- call the tune להחליט עבור הכל, למשול בכיפה
- change one's tune לשנות טון דיבורו, לזמר זמירות חדשות
- in tune בהרמוניה, משתלב; מְכוּוָנָן
- out of tune לא בהרמוניה; מזייף, לא מכוונן
- sing another tune לזמר זמירות חדשות
- to the tune of בסך, טבין ותקילין
tune *v.* לכוון, לכוונן, לתאם
- tune an engine לתאם/לכוון מנוע
- tune in לכוון (רדיו לגל מסוים); להיות מודע לרחשי הציבור
- tune oneself to להסתגל ל- (סביבה)
- tune up לכוונן כלי נגינה
tuneful *adj.* נעים לאוזן, מלודי
tuneless *adj.* לא-מוסיקלי, צורמני
tu′ner *n.* כַּוּנָן, מומחה לכיוונון
tune-up *n.* כיוונון, תיאום (מנוע)
tung oil שמן טאנג (להברקה)
tung′sten *n.* טונגסטן, וולפראם (מתכת)
tu′nic *n.* טוניקה (כותונת); מותנייה צבאית; מעיל קצר; לסוטה
tuning fork *n.* מזלג-קול, קולן, מצלל
Tuni′sia (tōōnē′zhə) *n.* טוניס
Tuni′sian (-nē′zhən) *adj.* טוניסאי
tun′nel *n.* מינהרה, ניקבה, מחילה
tunnel *v.* לחפור מינהרה
tun′neler *n.* חופר מנהרות
tunnel vision ראיית מנהרה, ראייה צרת אופק
tun′ny *n.* טוּנָה, טונוס, אטונס (דג)
tup *n.* אַיִל

tup'pence *n.* *שני פֶּנים
tup'penny *n.* *שני פֶּנים
tu quo'que (too kwō'kwā) אף אתה (עשית) כך!
tur'ban *n.* טורבאן, מיצנפת, תרבוש; כובע-נשים (צר-אוגן)
turbaned *adj.* חבוש טורבאן, מתורבש
tur'bid *adj.* בוצי, עכור, לא-צלול; מבולבל, מופרע; (עשן) סמיך, כבד
tur·bid'ity *n.* עכירות, דליחות
tur'bine *n.* טורבינה
tur'bo·jet' *n.* (מטוס-סילון בעל) מנוע טורבינה
tur'bo·prop' *n.* (מטוס בעל-) טורבינה המפעילה מדחף
tur'bot *n.* שיבוט (דג שטוח)
tur'bu·lence *n.* תסיסה, התפרעות, רעש
tur'bu·lent *adj.* תוסס, רוגש; נסער, פרוע, נטול-רסן
turd *n.* *חרה, צואה, גלל, רעי
tureen' *n.* מגס, קערת-שולחן עמוקה
turf *n.* טורף, כבול; עשבה, אדמת-עשב, דשא; שטח (עמדה) הנשמר בקנאות
- the turf (מסלול) מירוצי-סוסים
turf *v.* לכסות (חלקת-אדמה) בעשבה
- turf out *לזרוק, להשליך
turf accountant סוכן הימורים
tur'gid *adj.* נפוח; (סיגנון) נמלץ, מנופח
tur·gid'ity *n.* נפיחות, תפיחות
Turk *n.* טורקי; *שובב, תכשיט
Tur'key *n.* טורקיה
tur'key *n.* תרנגול-הודו; *כישלון
- cold turkey גמילה פתאומית (מסם); מיחוש-ראש; אמת מרה
- talk turkey לדבר גלויות/לעניין
Tur'kish *adj&n.* טורקי; טורקית (שפה)
Turkish bath מרחץ טורקי, מרחץ זיעה
Turkish delight חלקום (ממתק)
Turkish towel מגבת טורקית (גסה)
Turkmen'istan' *n.* טורקמניסטן
tur'meric *n.* כרכום (צמח-בר), כורכום
tur'moil *n.* מבוכה, מהומה, אי-שקט
turn *v.* לסובב; להסתובב; להפנות; לפנות; לנטות; להפוך; להתהפך; להיות, להיעשות; לשנות; להשתנות; לכוון; להגיע; לעבור; ליצור, לעצב (במחרטה)
- about turn! לאחור - פנה!
- has turned 60 הגיע לגיל 60
- his stomach turned נתקף בחילה
- it turned out נתברר, נמצא, נסתיים
- it's just turned 7 השעה כבר 7
- not know which way to turn להיות אובד עצות
- not turn a hair לא להניד עפעף
- not turn a hand לא לנקוף אצבע
- the milk turned החלב החמיץ
- turn (to the) right לפנות ימינה
- turn a blind eye להעלים עין
- turn a charge להדוף הסתערות
- turn a circle ליצור/לרשום מעגל
- turn a collar להפוך צווארון
- turn a corner לפנות בסיבוב
- turn a deaf ear לאטום אוזנו
- turn a gun on לכוון אקדח לעבר-
- turn a phrase לטבוע ביטוי נאה
- turn a profit להרוויח
- turn about/around להסתובב, לפנות לאחור
- turn against להפוך עורף; להשניא
- turn away להסתלק, לסור מ-; להסב עיניו מ-; להשיב פניו ריקם, לגרש
- turn back לחזור, לשוב על עקבותיו; להחזיר; לקפל
- turn color להשתנות צבעו
- turn down לדחות, לא להיענות; להקטין, להנמיך; לקפל
- turn him adrift לשלחו לנוע ולנוד
- turn him from להניאו מ-
- turn him up *להבחיל, לגרום לבחילה
- turn his head לסחרר ראשו (מהצלחה)
- turn in לקפל; להחזיר, להשיב; למסור, לתת; להסגיר; *ללכת לישון
- turn in on oneself להתבודד, לנתק מגע עם הזולת
- turn in one's grave להתהפך בקברו
- turn inside out להפוך (הפנים כלפי חוץ)
- turn into להפוך ל-, להיעשות ל-
- turn into English לתרגם לאנגלית
- turn loose לשחרר, להתיר הרסן
- turn off לשנות כיוון, לפנות (בצומת); לסגור; לְכַבּוֹת; *לאבד עניין
- turn on לפתוח; להדליק; להפעיל; להיות תלוי ב-; *לענג, להלהיב
- turn on/upon להתקיף, להתנפל על
- turn one's ankle לעקם קרסולו
- turn one's attention להפנות תשומת-ליבו
- turn one's back להפנות עורף
- turn one's coat להפוך את עורו
- turn one's eyes להפנות מבטו
- turn one's hand to ליטול על עצמו, לטפל ב-
- turn out לסגור; לְכַבּוֹת; להפוך; לרוקן; לנקות; לגרש, לפטר; להתאסף; להופיע; להפיק, לייצר; להתגלות; להיווכח, להתברר; להסתבר; *לקום מהמיטה
- turn out the guard לקרוא למישמר להתייצב
- turn over להפוך; להתהפך; (לגבי מנוע) להתחיל לפעול
- turn over $1000 (לגבי מחזור/פדיון) להסתכם ב-1000 דולרים
- turn over in mind להרהר, לשקול
- turn over to למסור, להעביר; להסגיר ל-
- turn pages לדפדף, לעלעל
- turn round להסתובב; לסובב; להקיף
- turn soil לחרוש, לתחח האדמה
- turn the corner לעבור את המשבר
- turn the trick להשיג המטרה
- turn thief להפוך לגנב
- turn to לפנות אל; לעיין ב- (ספר); להירתם לעבודה
- turn to account להפיק תועלת
- turn up להופיע, להגיע; להתגלות, להימצא; למצוא, לגלות; לחשוף, לקפל, להפשיל; להגביר; לקרות
- turn up one's nose לעקם חוטמו
- turn wood לחרוט עץ (במחרטה)
- turn yellow/brown להצהיב/להשחים
- turned the milk (החום) קלקל החלב
turn *n.* סיבוב; פנייה; מיפנה; תור, סדר;

הזדמנות; תורנות; מעשה; פעולה; מטרה; צורך; מופע; קטע; נטייה; *הלם, זעזוע; התקף; כישרון; טיול, הליכה

- a good turn טובה, מיצווה
- at every turn על כל צעד ושעל
- by turns חליפות, לסירוגין
- call the turn לנבא
- done to a turn מבושל כדבעי
- in turn לפי תור, בזה אחר זה
- it'll serve my turn הדבר יענה על דרישותיי
- it's my turn to- תורי ל-
- on the turn על סף שינוי; (לגבי חלב) עומד להחמיץ
- out of turn שלא בסדר הנכון, שלא לפי התור; לא בעיתו; לא בחוכמה
- take a turn להשתנות מצבו; לעשות סיבוב, ללכת ולבוא
- take turns להתחלף, לעשות חליפות
- turn and turn about חליפות, בזה אחר זה
- turn of the century סוף המאה

turnabout *n.* תפנית, שינוי-כיוון
turnaround *n.* הכנה (של אונייה/מטוס) להפלגה/לטיסה בחזרה; תפנית
turncoat *n.* עריק מפלגתי, בוגד
turncock *n.* ממונה על אספקת-המים; ברז
turn-down *adj.* מתקפל
turned *adj.* הפוך; מעוצב; מובע
- nicely-turned מובע יפה
- turned out לבוש; מצויד

turn'er *n.* חרט, פועל מחרטה
turning *n.* פנייה, מיסעף
turning point נקודת-מיפנה
tur'nip *n.* לפת (ירק)
turnkey *n.* שומר המפתחות, סוהר
turnkey *adj.* מוכן לפעולה
turn-off *n.* כביש צדדי (מסתעף); *דבר דוחה/לא מעניין
turn-on *n.* *מדליק (מינית)
turn-out *n.* נוכחים, צופים; תילבושת; ציוד; פינוי, ניקוי; שביתה; קטע רחב (בכביש); תפוקה
turn-over *n.* שינוי, הפיכה; מחזור, פדיון; תחלופה; עובדים מוחלפים; קיפולית (עוגה)
turn'pike' *n.* כביש מהיר; כביש אגרה
turn-round *n.* הכנה (של אונייה/מטוס) להפלגה/לטיסה בחזרה; תפנית
turn'spit' *n.* מסובב שפודים
turn'stile' *n.* שער מסתובב
turntable *n.* מישטח מסתובב (לקטרי-רכבת); דיסקה מסתובבת (במקול)
turn-up *n.* חפת, קפל (בשולי-המיכנס); הפתעה, אירוע לא-צפוי
- turn-up for the book הפתעה

tur'pentine' *n.* טרפנטין, שמן האלה
tur'pitude' *n.* רישעות, שיפלות
turps *n.* טרפנטין
tur'quoise (-z) *n.* טורקיז, פרוזג, נופך
tur'ret (tûr'-) *n.* צריח
tur'tle *n.* צב, צב-ים
- turn turtle (לגבי ספינה) להתהפך

turtle-dove *n.* תור, יונת-בר
turtle-neck *n.* אפודה גבוהת-צווארון; צווארון גולף
tush *interj.* די! (הבעת קוצר-רוח)
tush (toosh) *n.* *ישבן
tusk *n.* ניב; שן-הפיל, שנהב
tusk'er *n.* פיל; חזיר-בר
tus'sah (-sə) *n.* משי גס
tus'sle *v&n.* להיאבק, להילחם; תיגרה
tus'sock *n.* גבשושית-דשא
tut *interj.* נו-נו! אוי! (הבעת קוצר-רוח)
tutee' (tōōtē') *n.* חניך, תלמיד
tu'telage *n.* אפיטרופסות, חסות, פטרונות; פיקוח, הדרכה
tu'telar *adj.* אפיטרופסי, מפקח, משגיח
tu'telar'y (-leri) *adj.* אפיטרופסי, מפקח, משגיח
tu'tor *n.* מורה פרטי; חונך, מדריך
tutor *v.* לשמש כמורה פרטי, לאמן, לאלף
tu·to'rial (tōō-) *adj&n.* של מורה, של הוראה, לימודי; שיעור
tut'ti (tōō'ti) *adv.* כל כלי הנגינה ביחד
tut'ti-frut'ti (tōō-frōō-) *n.* טוטי-פרוטי, גלידת פירות
tut'-tut' אוף! (הבעת קוצר-רוח); נו-נו, לא, אסור!
tu'tu' *n.* חצאית-באלט
tux *n.* *טוקסידו, סמוקינג
tux·e'do *n.* טוקסידו, חליפה מהודרת
TV = television טלוויזיה
twad'dle (twod-) *n&v.* שטויות, פיטפוט, קישקוש; לדבר שטויות, לקשקש
twain *n.* שניים
twang *n.* צליל (של מיתר); אינפוף
twang *v.* להשמיע צליל; לאנפף
'twas = it was (twoz)
tweak *v.* לצבוט, למשוך, למרוט; לשפץ, לתקן קלות
tweak *n.* צביטה, משיכה, מריטה
twee *adj.* *חמוד, מעושה, מלוקק
tweed *n.* טוויד (אריג צמר רך)
- tweeds בגדי-טוויד

tweedy *adj.* של טוויד, לובש בגדי טוויד; לא רישמי, פשוט
'tween = between
tweet *n&v.* ציוץ; לצייץ
tweet'er *n.* רמקול (לתדירות גבוהה)
twee'zers *n-pl.* מַלְקֵט, מלקטת; מלקחית; פינצטה
twelfth *adj&n.* (החלק) השנים-עשר
Twelfth day היום השנים-עשר (יום חג, החל ב-6 בינואר)
Twelfth night ערב היום השנים-עשר
twelve *adj&n.* שנים-עשר, תריסר
- the Twelve 12 השליחים (של ישו)

twelvemonth *n.* שנה, 12 חודש
twen'tieth *adj&n.* (החלק) העשרים
twen'ty *n.* עשרים, 20
- the twenties שנות העשרים

twenty-one *n.* 21 (משחק קלפים)
twenty-twenty *adj.* (ראייה) תקינה
twerp *n.* *טיפוס דוחה, דל-אישים
twice *adv.* פעמיים, כפליים, פי שניים
- think twice לחשוב פעמיים

twice-told *adj.* שסופר כבר, ידוע
twid'dle *v.* להשתעשע; לסובב, לגלגל
- twiddle one's thumbs להתבטל

twiddle *n.* סיבוב; גילגול
twig *n.* ענפנף, זלזל, זרד, שריג
twig *v.* *להבין, לתפוס, לראות
twiggy *adj.* רב-זלזולים, בעל ענפנפים
twi'light' *n.* דימדומי-ערב, ניצנוצי-שחר; בין-הערביים; תקופת-שקיעה
twilight zone איזור דימדומים
twill *n.* אריג מלוכסן-קווים
twilled *adj.* מלוכסן
twin *adj&n.* תאום; תאומי, זהה
- twin town עיר תאומה
- twins תאומים
twin *v.* ללדת תאומים; לקשר/לזווג עיר תאומה
twin beds זוג מיטות
twine *n.* חוט, פתיל, משיחה
twine *v.* לשזור, לפתל; לכרוך; להשתרג
twinge *n&v.* כאב עז, ייסורים; לחוש כאב
twin'kle *v&n.* לנצנץ, לזהור, לרצד; למצמץ; ניצנוץ, זוהר; מיצמוץ
twinkling *n.* ניצנוץ; רגע קט
- in the twinkling of an eye כהרף עין
twin set מערכת חולצה ואפודה
twirl *v&n.* לסובב; להסתובב; לגלגל; לסלסל; סיבוב; הסתובבות
twirp *n.* *נבזה, טיפוס דוחה
twist *v.* לשזור, לפתל; לכרוך, לקלוע; לסובב; לגלגל; להתפתל; לעקם; לעוות; לסלף; לרקוד טוויסט
- twist his arm לעקם זרועו (מאחורי גבו); ללחוץ עליו; לכופף זרועו
- twist his words לסלף דבריו
- twist off לתלוש בסיבוב; לפתוח (מיכסה) בסיבוב
- twist round one's little finger לסובבו על אצבעו הקטנה
twist *n.* שזירה, פיתול, קליעה; פתיל, חבל; סיבוב, עיקול; עיוות; חלה קלועה; טוויסט
- round the twist *משוגע, מטורף
- sadistic twist נטייה סאדיסטית
- twist of paper שקית-נייר גלולת-קצוות
- twist of tobacco גלולית-טבק
twister *n.* רמאי, עקמן; בעיה קשה; טורנאדו, סופה; רקדן טוויסט
twisty *adj.* עקלתון, פתלתול, עקלקל
twit *v.* להקניט, ללגלג, לצחוק על
twit *n.* ליגלוג; נזיפה; *טיפש
twitch *v.* להניע, להרעיד; לזוע, לפרפר; להתעוות; למשוך, לחטוף
twitch *n.* עווית, טיק, זיע; משיכה
twit'ter *v.* לציֵיץ; לדבר בהתרגשות
twitter *n.* ציוץ; התרגשות
- all of a twitter נרגש
twixt = betwixt *prep.* בין
two (tōō) *adj&n.* שניים, שתיים, 2, דו
- by twos, in twos שניים - שניים
- in two (לחתוך) לשניים, לשני חלקים
- one or two כמה, מספר מועט
- put two and two together להסיק מראיית העובדות, לצרף אחד לאחד ולפתור הבעיה
- that makes two of us *כמוני כמוך, זה נכון גם לגביי
- two cents *דבר חסר-ערך, סכום זעום; דעה, השקפה
two-bit *adj.* *חסר-ערך, זול
two-dimensional *adj.* דו-ממדי
two-edged *adj.* בעל שני להבים, בעל פיפיות; דו-משמעי, תרתי משמע
two-edged sword חרב פיפיות
two-faced *adj.* דו-פרצופי
twofold *adj&adv.* פעמיים, כפליים
two-handed *adj.* דו-ידי; בעל שתי ידיות; מצריך שתי ידיים
twopence *n.* שני פֶּנים
- not care twopence לא איכפת כלל
twopenny *adj.* שמחירו 2 פֶּנים; דל-ערך
twopenny-halfpenny *adj.* דל-ערך
two-piece *adj&n.* (חליפה/בגד-ים) בן שני חלקים
two-ply *adj.* דו-חוטי, דו-רובדי
two-seater *n.* דו-מושבי
twosome *n.* זוג, צמד, שניים
two-step *n.* טו-סטפ (ריקוד)
two-time *v.* לבגוד (באהובתו), לרמות
two-tone *adj.* דו-גוני, בעל 2 גוונים
two-way *adj.* דו-סיטרי; (מַקלֵט) קולט ומשדר אותות
ty·coon' (-kōōn') *n.* איל-הון, תעשיין עשיר
ty'ing (see tie) קושר, כובל
tyke *n.* זאטוט, "מזיק"; כלב
tym'panum *n.* תוף האוזן; אוזן תיכונית
type *n.* טיפוס, סוג, מין; דוגמה, צורה, תבנית; אותיות, סְדָר
- in type מסודר להדפסה
- true to type אופייני לטיפוס מסוגו
type *v.* להדפיס, לתקתק; לסווג, לקבוע סוג (דם); לייצג, לסמל
typecast *v.* להטיל תפקיד (על שחקן), לשבץ בתפקיד אופייני לאישיותו
typescript *n.* חומר מודפס
typesetter *n.* סַדָר, מסדר אותיות
typewriter *n.* מכונת-כתיבה
typewritten *adj.* מודפס במכונת-כתיבה
ty'phoid *n.* טיפוס-המעיים/-הבטן
ty·phoon' (-fōōn') *n.* טייפון, סערה עזה
ty'phus *n.* טיפוס-הבהרות
typ'ical *adj.* טיפוסי, אופייני
typically *adv.* בדרך אופיינית
typ'ify' *v.* לייצג, לסמל, לאפיין, להיות טיפוסי ל-
typing *n.* הדפסה, כתבנות
typing pool שירות כתבנות מרכזי
ty'pist *n.* כתבנית, כתבן
ty'po *n.* *טעות דפוס, דפס
ty·pog'rapher *n.* טיפוגראף, דפס
ty'pograph'ic *adj.* טיפוגראפי, דפוסי
ty·pog'raphy *n.* טיפוגרפיה, הדפסה, דפסות
tyran'nical *adj.* רודני, עריצי, טיראני
tyr'annize' *v.* לרדות, למשול בעריצות
tyr'annous *adj.* רודני, עריצי, טיראני
tyr'anny *n.* רודנות, עריצות
ty'rant *n.* רודן, עריץ, טיראן
tyre *n.* צמיג
Tyre *n.* צור (עיר)
ty'ro *n.* טירון, מתחיל, ירוק
tzar (zär) *n.* צאר (ברוסיה)
tzetze (tset'si) *n.* טסה-טסה (זבוב)

U

U (סרט) לכל הגילים
- U-turn פניית-פרסה (בכביש)
U = upper class
u·biq′uitous (ū-) *adj.* נמצא בכל מקום
u·biq′uity (ū-) *n.* נוכחות בכל מקום
U-boat *n.* צוללת גרמנית
ud′der *n.* עטין
UFO עב"מ (עצם בלתי מזוהה)
U·gan′da (ū-) *n.* אוגנדה
ugh (ug) *interj.* אוף! (קריאת סלידה)
ug′lify′ *v.* לכער, להשחית היופי
ugliness *n.* כיעור
ug′ly *adj.* מכוער, דוחה; מאיים, מבשר-רע, קודר
- in an ugly mood במצב-רוח רע
- ugly customer טיפוס רע
ugly duckling הברווזון המכוער
UHF = ultra-high frequency
UK = United Kingdom בריטניה
u′kase′ *n.* צו רישמי
U·kraine′ (ū-) *n.* אוקראינה
u′kule′le (-lā′li) *n.* גיטארה האוואית
ul′cer *n.* כיב, אולקוס; פצע; שחיתות
ul′cerate′ *v.* לגרום/להתפתח כיב/פצע
ul′cera′tion *n.* כיוב, התכייבות
ul′cerous *adj.* כיבי
ul′lage *n.* כמות האוויר בבקבוק
ul′na *n.* קנה, עצם אמת-היד, גומד
ul′ster *n.* מעיל אלסטר (ארוך)
ult. *adj.* של החודש שעבר
ul·te′rior *adj.* כמוס, נסתר, חבוי; מרוחק, רחוק; שלאחר מכן
ul′timate *adj.* סופי, אחרון, קיצוני, מרוחק; יסודי; שאין מעבר לו, מוחלט; אולטימטיבי
ultimately *adv.* בסופו של דבר
ul′tima′tum *n.* אולטימאטום, אתראה
ul′timo′ *adj.* של החודש שעבר
ul′tra *adj.* קיצוני, ביותר, אולטרה
ultra-high frequency תדר אולטרה-גבוה
ul′tramarine′ (-rēn′) *adj&n.* כחול-עז
ul′tramod′ern *n.* מודרני ביותר
ul′tramon·tane′ *adj.* שמעבר להרים; דוגל בסמכות עליונה של האפיפיור
ul′tramun′dane *adj.* שמעבר לעולם הזה, לא מעלמא הדין
ul′traor′thodox′ *n.* אדוק ביותר, חרדי
ul′trason′ic *adj.* על-קולי, על-שימעי
ul′trasound′ *n.* אולטרה-סאונד (בדיקה)
ul′travi′olet *adj.* אולטרה-סגול
ultraviolet rays קרני אולטרה
ul′tra vi′res (-rēz) מעבר לסמכות
ul′u·late′ *v.* לקונן, ליילל, לייבב
ul′u·la′tion *n.* יללה, יילול, ייבוב
um′ber *n&adj.* חום, חום-אדמדם
- burnt umber חום-אדמדם
um·bil′ical cord *n.* חבל הטבור
um′brage *n.* פגיעה, עלבון
- take umbrage להיפגע, להיעלב
um·brel′la *n&adj.* מיטריה, סוכך; חיפוי, הגנה; כולל, מקיף
ump *n.* *שופט (במישחק)
um′pi·rage *n.* בוררות
um′pire *n.* שופט (במישחק); בורר
umpire *v.* לשפוט; לשמש כבורר
ump′teen′ *adj&n.* *הרבה, המון
- for the umpteenth time בפעם האלף
un- (תחילית) לא-, אי-, חסר-, נטול-
′un = one (ən)
- a good ′un טוב
UN = United Nations או"ם
un′abashed′ (-basht′) *adj.* לא נבוך
un′aba′ted *adj.* ללא הפוגה, לא רוגע
un·a′ble *adj.* לא יכול, לא מסוגל
un′abridged′ (-brijd′) *adj.* לא מקוצר
un′accept′able *adj.* לא רצוי; לא קביל
un′accom′panied′ (-kum′pənēd) *adj.* בלי ליווי
un′account′able *adj.* נטול-הסבר, מוזר
un′account′ed for *adj.* לא מוסבר
un′accus′tomed (-təmd) *adj.* לא מורגל, לא רגיל, מוזר
un′acquaint′ed *adj.* לא מכיר, לא מיודע
un′addressed′ (-drest) *adj.* לא ממוען
un′adopt′ed *adj.* לא מאומץ
un′adult′era′ted *adj.* לא מהול, טהור
- unadulterated nonsense טיפשות גמורה
un′advised′ (-vīzd′) *adj.* לא נבון, נמהר, פזיז
un′affect′ed *adj.* טיבעי, לא מזויף, לא מאולץ, אמיתי; לא מושפע מ-
un′afraid′ *adj.* לא פוחד, לא חושש
un·aid′ed *adj.* ללא עזרה, ללא סיוע
un′alloyed′ *adj.* לא מהול, טהור
un·al′terable (-ôl′-) *adj.* שאין לשנותו
un·al′tered (-ôl′tərd) *adj.* ללא שינוי
un′ambig′u·ous (-gūəs) *adj.* לא מעורפל, ברור
un′-Amer′ican *adj.* לא אמריקני, אנטי-אמריקני
u′nanim′ity *n.* הסכמה מלאה, פה אחד, תמימות דעים
u·nan′imous (ū-) *adj.* תמימי דעים, פה אחד
un′announced′ (-nounst′) *adj.* מופיע באורח בלתי צפוי, בלא הודעה על בואו
un·an′swerable (-sər-) *adj.* ללא מענה; שאין להפריכו
un′appeal′ing *adj.* לא מושך, דוחה
un′ap′peti′zing *adj.* לא מעורר תיאבון
un′appre′ciative (-′shət-) *adj.* לא מעריך
un′approach′able *adj.* לא נגיש; מגלה יחס צונן; שאין דומה לו
un·arg′u·able (-gū-) *adj.* שאין לחלוק עליו
un·armed′ (-ärmd′) *adj.* לא חמוש, ללא נשק; חסר אמצעי הגנה
un·asked′ (-askt′) *adj.* שלא נתבקש
- unasked-for advice עצה שלא נתבקשה
un·assail′able *adj.* שאין להכחישו, שאין להפריכו; שאין להתקיפו

un'assist'ed *adj.* ללא עזרה
un'assu'ming *adj.* צנוע, לא מתבלט
un'attached' (-tacht') *adj.* עצמאי, לא קשור; לא נשוי, לא מאורס
un'attain'able *adj.* לא בר השגה
un'attend'ed *adj.* ללא ליווי; לבד, בגפו; ללא השגחה; ללא נוכחים
un'attrac'tive *adj.* לא מושך, דוחה
un'authen'tic *adj.* לא אמיתי
un•auth'orized' (-rīzd) *adj.* לא מוסמך, לא מאושר
un'avail'able *adj.* לא זמין
un'avail'ing *adj.* עקר, חסר-תועלת
un'avoid'able *adj.* בלתי-נמנע, מחויב המציאות
un'aware' (-awār') *adj.* לא מודע
unawares *adv.* בהיסח הדעת, בלי משים
- take him unawares להפתיעו
un•backed' (-bakt') *adj.* חסר תמיכה
un•bal'ance *v.* להוציאו משיווי מישקלו
unbalanced *adj.* לא מאוזן, לא שפוי
un•bar' *v.* להסיר הבריח; לפתוח
un•bear'able (-bār'-) *adj.* בלתי נסבל
un'beat'able *adj.* בלתי מנוצח, מצוין
un•beat'en *adj.* בלתי מנוצח
un'be•com'ing (-kum'-) *adj.* לא יאה, לא נאות; לא הולם, לא מתאים
un'be•fit'ting *adj.* לא יאה, לא הולם
un'be•known' (-binōn'-) *adj.* לא ידוע, בלי ידיעת-
un'be•lief' (-lēf') *n.* חוסר אמונה
un'be•liev'able (-lēv'-) *adj.* לא יאומן
un'be•liev'er (-lēv'-) *adj.* לא מאמין, כופר
un'be•liev'ing (-lēv'-) *adj.* לא מאמין, מפקפק
un•belt' *v.* להסיר את החגורה
un•bend' *v.* ליישר; לרכך, לרפות, להפיג; להגמיש, להתרכך (בהתנהגות)
un•bend'ing *adj.* קשוח, נוקשה, תקיף
un•bi'ased (-əst) *adj.* לא משוחד, הוגן, בלי משוא פנים
un•bid'den *adj.* שלא נתבקש, לא מצווה; לא מוזמן, לא קרוא; ספונטאני
un•bind' (-bīnd') *v.* להתיר, לשחרר
un•blem'ished (-misht) *adj.* ללא דופי
un•blink'ing *adj.* לא מניד עפעף, קר רוח, לא מהסס
un•blush'ing *adj.* חסר-בושה, מחפיר
un•born' *adj.* שטרם נולד, עתידי
un•bos'om (-booz'-) *v.* לשפוך שיחו, לגלות
un'bound' *adj.* לא כרוך; לא קשור
un•bound'ed *adj.* בלתי מוגבל, בלי מיצרים, אינסופי
un•bowed' (-boud) *adj.* בלתי מנוצח, לא כפוף, לא מורכן
un'break'able (-brāk-) *adj.* בלתי שביר
un•bridge'able (-brij'-) *adj.* לא ניתן לגישור
un•bri'dled (-dəld) *adj.* לא מרוסן
un•bro'ken *adj.* שלם, רצוף, לא משוסע; (שיא) שטרם נשבר
- unbroken horse סוס לא מאולף
un•buck'le *v.* להתיר האבזם
un'build' (-bild) *v.* להרוס, לנתץ
un'built' (-bilt) *adj.* שלא נבנה עדיין/עליו
un•bur'den *v.* לפרוק משא מ-; לשפוך נפשו, לגלות
- unburden one's heart לשפוך ליבו
un'bus'inesslike' (-biz'nəs-) *adj.* לא מעשי, לא מיקצועי
un•but'toned (-tənd) *adj.* לא מכופתר; לא רישמי, פתוח
un•called'-for' (-kôld'-) *adj.* לא-נחוץ, מיותר, גס
un•can'ny *adj.* לא-טיבעי, מוזר
un•cared'-for' (-kārd'-) *adj.* מוזנח
un'ca'ring *adj.* לא דואג, לא איכפתי
un•ceas'ing *adj.* לא פוסק, מתמיד
un'cer•emo'nious *adj.* לא רישמי, בלי טקסים, בלי גינונים; בחוסר נימוס
un•cer'tain (-tən) *adj.* לא בטוח, לא ודאי, מפוקפק; מפקפק; הפכפך, לא יציב
- of uncertain age (אישה) שגילה לא ברור, לא צעירה
un•cer'tainty (-tən-) *n.* חוסר ביטחון, אי-ודאות, פיקפוק; הפכפכנות
un•chal'lenged (-linjd) *adj.* שלא קראו תיגר עליו, שאין לו מתחרה
un'change'able (-chānj-) *adj.* לא משתנה
un'changed' (-chānjd) *adj.* ללא שינוי
un'char'acteris'tic (-kar-) *adj.* לא אופייני
un•char'itable *adj.* לא אדיב, לא סלחני, קשה, קשוח, קפדן, מחמיר
un•chart'ed *adj.* לא ממופה, לא מצוין במפה, שלא נחקר
un•chaste' (-chāst') *adj.* לא טהור, לא צנוע
un•checked' (-chekt') *adj.* לא מרוסן, לא נעצר; לא מבוקר, לא נבדק
un•chris'tian (-kris'chən) *adj.* לא נוצרי; לא אדיב; לא נוח
un•cir'cumcised' (-sīzd) *adj.* ערל, שלא נימול
un•civ'il *adj.* לא מנומס, גס
un'civ'ilized' (-līzd) *adj.* לא מתורבת
un•clad' *adj.* לא לבוש, ערום, מעורטל
un•claimed' (-klāmd') *adj.* שאין לו דורשים
un'clas'sified' (-fīd) *adj.* בלתי מסווג, בלמ"ס
un'cle *n.* דוד; *משכונאי
- say/cry uncle להיכנע, להרים ידיים
un•clean' *adj.* לא נקי; טמא, טרף
un•clear' *adj.* לא ברור, מעורפל
Uncle Sam הדוד סם, ארצות הברית
Uncle Tom הדוד תום, עבד כושי נאמן
un'cloak' *v.* לחשוף, לפשוט מעיל
un•cloud'ed *adj.* בהיר, לא מועב
un'co *adj&n.* משונה, יוצא דופן, מאוד, זר; חדשות
un•col'ored (-kul'ərd) *adj.* פשוט, לא מיופה, ללא כחל ושרק
un'combed' (-kōmd) *adj.* לא מסורק
un•com'fortable (-kum'-) *adj.* לא נוח
un'commit'ted *adj.* לא מתחייב, לא מחויב, עצמאי, חופשי, בלתי תלוי
un•com'mon *adj.* לא רגיל

uncommonly *adv.* בצורה בלתי רגילה; *מאוד, ביותר
un'commu'nica'tive *adj.* לא מְתַקְשֵׁר, לא מדבר, ממעט במילים, מסתגר
un'compet'itive *adj.* לא תחרותי
un'complain'ing *adj.* לא מתלונן
un'com'plimen'tary *adj.* לא מחמיא
un·com'promi'sing (-z-) *adj.* תקיף, לא ותרני, בלתי מתפשר
un'concealed' (-sēld) *adj.* לא מוסתר
un'concern' *n.* חוסר-עניין; אי-דאגה
unconcerned *adj.* לא מודאג, אדיש; לא מתעניין, לא נוטל חלק ב-
un'condi'tional (-dish'ən-) *adj.* ללא תנאים
un'condi'tioned (-dish'ənd) *adj.* לא מותנה
un'conge'nial *adj.* לא נעים, לא חביב
un'connec'ted *adj.* לא מחובר, מנותק
un·con'scionable (-'shən-) *adj.* לא הגיוני, לא סביר, מופרז; לא מצפוני
un·con'scious (-shəs) *adj&n.* לא מודע; חסר-הכרה; לא חש; לא מכוון
- the unconscious התת-מודע
unconsciousness *n.* חוסר הכרה
un'consid'ered (-dərd) *adj.* לא מחושב, לא שקול; לא נחשב, קל-ערך
un'con'stitu'tional (-shənəl) *adj.* לא לפי החוקה
un'contam'ina'ted *adj.* לא מזוהם
un'contes'ted *adj.* שאין חולקים עליו
un'control'lable *adj.* שאין שולטים בו
un'con'trover'sial (-shəl) *adj.* שאינו שנוי במחלוקת
un'conven'tional (-shənəl) *adj.* לא שגרתי, לא מוסכם, לא מקובל, יוצא דופן
un'convinc'ing *adj.* לא משכנע
un'cooked' (-kookt) *adj.* לא מבושל
un'co·op'erative *adj.* שאינו משתף פעולה
un'co·or'dina'ted *adj.* לא מתואם
un·cork' *v.* לחלוץ פקק, לפקק
un'corrob'ora'ted *adj.* לא מאומת
un'count'able *adj.* לא ספיר; עצום
un'count'ed *adj.* לא ספיר, לאין ספור
un·coup'le (-kup'-) *v.* להתיר, לנתק
un·couth' (-kōōth') *adj.* לא מנומס, גס
un·cov'er (-kuv'-) *v.* להסיר המיכסה; לגלות, לחשוף
un·crit'ical *adj.* לא ביקורתי
un·crossed' (-krôst') *adj.* לא משורטט
un·crown' *v.* להסיר את הכתר
- the uncrowned king המלך הבלתי מוכתר
un·crush'able *adj.* לא מתקמט, לא קמיט; חזק, שאין להכניעו
unc'tion *n.* משיחה, יציקת-שמן; רצינות, התלהבות; העמדת פנים
- extreme unction משיחת הגוסס
unc'tuous (-chōōəs) *adj.* חלקלק, שמני; מפריז באדיבות, מנומס מדיי, מעושה
un'cul'tured (-chərd) *adj.* לא מתורבת
un·cut' *adj.* לא חתוך; לא מקוצר; לא מלוטש
un·da'ted *adj.* חסר תאריך
un·daunt'ed *adj.* עשוי לבלי חת

un'de·ceive' (-sēv') *v.* להעמידו על טעותו, לפקוח עיניו
un'de·ci'ded *adj.* מהסס, מפקפק, חוכך בדעתו; לא מוכרע, תיקו
un'de·clared' (-lārd') *adj.* לא מוצהר
un'de·feat'ed *adj.* בלתי מנוצח
un'de·fend'ed *adj.* חסר-הגנה
un'de·fined' (-fīnd) *adj.* לא מוגדר
un'deliv'ered (-vərd) *adj.* לא נמסר, לא שוחרר, שטרם ילדה, שטרם נולד
un'de·mand'ing *adj.* לא דורש, קל לספקו
un'dem'ocrat'ic *adj.* לא דמוקרטי
un'de·mon'strative *adj.* עצור, מאופק
un'de·ni'able *adj.* שאין להכחישו, שאין לערער עליו, לא מוטל בספק
un'der *adv.* מטה, למטה, מתחת
- go under להיכשל; לשקוע
- keep under לדכא, לרסן
under *prep.* מתחת ל-; תחת-; למטה מ-; פחות מ-; לרגלי-, ב-; בתהליך-; לפי, בהתאם ל-; בימי-
- under age קטין, צעיר מדיי
- under control בפיקוח, בשליטה
- under repair בתיקון
- under rice (אדמה) זרועה אורז
- under sentence of נידון ל-
under- (תחילית) כפוף, תת-; מעט מדיי
un'derachieve' (-chēv) *v.* לבצע פחות מהצפוי
un'deract' *v.* לשחק בשיטחיות, לא להבליט התפקיד
un'derarm' *adj&adv.* ביד מונפת מתחת לגובה הכתף; של בית-השחי, שחיי
un'derbel'ly *n.* שיפולי-בטן; "בטן רכה", עקב אכילס, נקודת תורפה
un'derbid' *v.* להציע פחות מ-
un'derbred' *adj.* חסר-נימוס, גס
un'derbrush' *n.* שיחים, סבך
un'dercar'riage (-rij) *n.* מערכת נחיתה (של מטוס); שילדה, תושבת
un'dercharge' *v.* לתבוע מחיר נמוך מדיי
un'dercharge' *n.* מחיר נמוך מדיי
un'derclothes' (-klōz) *n.* בגדים תחתוניים, לבנים
un'derclo'thing (-dh-) *n.* בגדים תחתוניים, לבנים
un'dercoat' *n.* שיכבה תחתית, צבע יסוד
un'dercov'er (-kuv'-) *adj.* חשאי, סודי, בגניבה
- undercover agent סוכן מושתל
un'dercur'rent (-kûr-) *n.* זרם תחתי; נימה מוסתרת, מגמה סמויה
un'dercut' *v.* להציע (שירות/סחורה) במחיר נמוך מ-; לערער, להחליש, לקצץ
undercut *n.* נתח בשר-אחוריים
un'derde·vel'oped (-əpt) *adj.* לא מפותח דיו
un'derdog' (-dôg) *n.* מקופח, מפסיד, מנוצח
un'derdone' (-dun') *adj.* לא מבושל כדבעי
un'deremployed' (-ploid) *adj.* לא מועסק במלוא
un'deres'timate' *v.* לא להעריך כראוי,

לזלזל ב-; לאמוד בסכום נמוך
un'deres'timate *n.* הערכה נמוכה מדיי
un'derex·pose' (-z) *v.* לחשוף (צילום) לזמן קצר מדיי
un'derex·po'sure (-zhər) *n.* חשיפה קצרה מדיי
un'derfed' *adj.* חסר תזונה מספקת
un'derfeed' *v.* להזין למטה מהדרוש
underfloor *adj.* מתחת לריצפה (הסקה)
un'derfoot' *adj.* מתחת לרגליים
un'dergar'ment *n.* בגד תחתון
un'dergo' *v.* להתנסות ב-, לחוות; לשאת, לסבול, לעבור
undergone = pp of undergo
un'dergrad' *n.* *סטודנט
un'dergrad'uate (-j'ōōit) *n.* סטודנט, תלמיד אוניברסיטה, לומד לתואר ב"א
un'derground' *adj&adv.* תת-קרקעי; התחתי; מחתרתי; מתחת לאדמה
- go underground לרדת למחתרת
underground *n.* מחתרת; רכבת תחתית
un'dergrowth' (-grōth) *n.* שיחים, סבך
un'derhand' *adv&adj.* ביד מונפת מתחת לגובה הכתף; חשאי, ערמומי
un'derhand'ed *adj.* חשאי, ערמומי
un'derhung' *adj.* (לסת תחתונה) בולטת
un'derlay' *v.* להניח מתחת/כבסיס
un'derlay' *n.* רובד מונח מתחת
un'derlie' (-lī') *v.* להיות מונח ביסוד-, להוות בסיס ל-; להסתתר מאחורי-
un'derline' *v.* למתוח קו תחת-; להדגיש, להבליט
un'derline' *n.* קו תחתי
un'derling *n.* כפוף, משועבד, נחות
un'derly'ing *adj.* מונח ביסוד, בסיסי, מסתתר מאחורי, ראשוני
un'dermanned' (-mand') *adj.* מאוייש למטה מהדרוש
un'dermen'tioned (-shənd) *adj.* דלהלן, דלקמן
un'dermine' *v.* לערער, להרוס בהדרגה; לחתור תחת-
un'derneath' *adv&prep.* מתחת (ל-)
un'dernour'ish (-nûr'-) *v.* להזין למטה מהדרוש
undernourished *adj.* דל-תזונה
undernourishment *n.* תת-תזונה
un'derpants' *n-pl.* תחתונים
un'derpass' *n.* מעבר תחתי
un'derpay' *v.* לשלם מעט מדיי
underpayment *n.* תשלום זעום
un'derpin' *v.* לתמוך, להניח מיתמך, להשעין; לחזק; להוות בסיס ל-
un'derplay' *v.* לשחק בשיטחיות; לא להדגיש ביותר, לא להבליט
- underplay one's hand לפעול בזהירות, להסתיר כוונותיו
un'derpop'u·la'ted *adj.* דל-אוכלוסין
un'derpriv'ileged (-lijd) *adj.* דל-זכויות, מקופח
un'derproduc'tion *n.* תפוקת-חסר
un'derproof' (-ōōf') *adj.* מכיל מעט מדיי כוהל
un'derquote' *v.* להציע מחיר נמוך מ-
un'derrate' (-r-r-) *v.* לא להעריך כראוי
un'derscore' *v.* למתוח קו תחת-; להדגיש, להבליט
un'dersec'retar'y (-teri) *n.* תת-מזכיר
un'dersell' *v.* למכור במחיר נמוך מ-
un'dersexed' (-sekst') *adj.* דל-תשוקה מינית
un'dersher'iff *n.* סגן-שריף
un'dershirt' *n.* גופייה
un'dershoot' (-ōōt') *v.* לנחות לפני המסלול/המטרה
un'dershot' *adj.* (לגבי אופן-טחנה) מופעל בזרם שמתחתיו; (לסת) בולטת
un'derside' *n.* צד תחתון, פאה תחתית
un'dersign' *v.* לחתום למטה
- the undersigned החתום מטה
un'dersized' (-sīzd') *adj.* קטן מהרגיל, גמוד
un'derskirt' *n.* תחתונית
un'derslung' *adj.* (שילדה) תת-סרנית
un'derstaffed' (-staft') *adj.* בעל סגל-עובדים קטן מדיי
un'derstand' *v.* להבין, לתפוס; להסיק, ללמוד
- give to understand לתת להבין
- make oneself understood להסביר עצמו, להבהיר דבריו
- understand each other להבין זה את זה
- understand me! שיהיה לך ברור!
understandable *adj.* שיש להבינו, מובן
understanding *adj.* מבין, מגלה הבנה
understanding *n.* הבנה, תבונה, השגה; הסכם
- beyond my understanding נשגב מבינתי
- come to an understanding להגיע להסכם
- on the understanding that מתוך הבנה ש-
un'derstate' *v.* להביע בלשון מאופקת; להפחית מחשיבות; לייפות האמת
understatement *n.* לשון המעטה; התבטאות מאופקת; אנדרסטייטמנט
understock *v.* לספק מלאי קטן מהדרוש
un'derstood' *adj.* מובן
understood = p of understand
un'derstrap'per *n.* כפוף, נחות-דרגה
un'derstud'y *n&v.* מחליף, ממלא מקום השחקן; להחליף, לגלם תפקיד (במקום-)
un'dertake' *v.* ליטול על עצמו, להתחייב; להבטיח, לערוב ש-
un'derta'ken = pp of undertake
un'derta'ker *n.* עורך הלוויות, מסדר אשכבות; קברן
un'derta'king *n.* משימה, מיפעל, מיבצע; התחייבות, הבטחה; עריכת הלוויות
underthings *n.* *בגדים תחתונים
un'dertone' *n.* טון נמוך, נימה מאופקת; צליל מוסתר; גוון קל
un'dertook' = pt of undertake
un'dertow' (-tō) *n.* זרם תחתי (של גל חוזר)
un'derused' (-ūzd) *adj.* לא מנוצל באופן מלא
un'derval'u·a'tion (-lū-) *n.*

הערכת-חסר
un'derval'ue (-lū) *v.* להעריך מתחת לערך האמיתי, לא לאמוד כראוי
un'dervest' *n.* גופייה
un'derwat'er (-wôt'-) *adj&adv.* תת-מימי; מתחת למים
un'derwear' (-wār) *n.* בגדים תחתונים, לבנים
un'derweight' (-wāt) *adj.* מתחת למישקל (הנחוץ)
un'derwent' = pt of undergo
un'derwhelm' (-welm) *v.* *לא להרשים
un'derworld' (-wûrld) *n.* העולם התחתון
un'derwrite' (-rīt') *v.* להתחייב לרכוש עודפי המניות; להתחייב לממן, לְבַטֵחַ, לשמש כחתם, לערוב
un'derwrit'er (-rīt-) *n.* חַתָּם, סוכן ביטוח, מממן
un'de•scend'ed *adj.* (אשך) טמיר
un'de•served' (-zûrvd) *adj.* שלא מגיע לו
un'de•signed' (-zīnd') *adj.* לא מְכוּוָן
un'de•sir'able (-zīr'-) *adj.* בלתי רצוי
un'de•tect'able *adj.* שלא ניתן לגלותו
un'de•terred' (-tûrd') *adj.* לא נרתע
un'de•vel'oped (-əpt) *adj.* לא מפותח
un•did' = pt of undo
un'dies (-dēz) *n-pl.* תחתונים
un'dig'nified' (-fīd) *adj.* בלתי מכובד
un'dip'lomat'ic *adj.* לא דיפלומטי, לא טקטי
un'discharged' (-chärjd') *adj.* (חוב) לא מסולק
un'dis'ciplined (-plind) *adj.* לא ממושמע
un'disclosed' (-klōzd) *adj.* שלא נגלה
un'discrim'ina'ting *adj.* לא מבחין, חסר טעם בשיפוט
un•disguised' (-gīzd) *adj.* גלוי, לא מוסווה
un'dispu'ted *adj.* שאין חולקים עליו
un'distin'guished (-gwisht) *adj.* לא מבריק, לא מצוין
un'disturbed' (-tûrbd) *adj.* בלי הפרעה
un'divi'ded *adj.* שלם, לא חלקי
un•do' (-dōō') *v.* להתיר, לפתוח, לשחרר; להרוס, לחסל; לקלקל
- undo a package להתיר חבילה
un•dock' *v.* לנתק מחללית
un•do'ing (-dōō'-) *n.* חיסול, הרס, חורבן
- drink will prove his undoing השתייה תחסל אותו
un'domes'tica'ted *adj.* לא מאולף, לא מבוית; לא עוסק במשק-בית
un•done' (= pp of undo) (-dun') *adj.* מותר, לא קשור; לא מושלם; הרוס
- I am undone! עולמי חרב עליי!
- come undone להינתק
un•doubt'ed (-dout-) *adj.* לא מוטל בספק, ודאי
undoubtedly *adv.* ללא ספק, בוודאי
un•dreamt' (-dremt') *adj.* שלא נחלם
- undreamt-of בל-יתואר, למעלה מכוח הדימיון

un•dress' *v&n.* לפשוט, להסיר בגדים; להתפשט; עירום; תילבושת פשוטה
undressed *adj.* ערום, מעורטל
- get undressed להתפשט
- undressed wound פצע לא חבוש
un'drink'able *adj.* (מים) לא לשתייה
un•due' (-dōō') *adj.* יותר מדיי, מופרז, מרחיק לֶכֶת; לא הוגן
- undue debt חוב שטרם חל מועד פרעונו
un'dulate' (-'j-) *v.* לנוע כגל, להתנחשל, לעלות ולרדת
undulating *adj.* גלי, עולה ויורד
un'dula'tion (-'j-) *n.* גליות, התנחשלות
un•du'ly *adv.* יותר מדי, ביותר
un•dy'ing *adj.* ניצחי, אלמותי
un•earned' (-ûrnd') *adj.* שזכה בו ללא עמל; שאינו ראוי לו
- unearned income הכנסה שלא מיגיעה
- unearned increment עליית ערך הנכס ללא השקעה או מאמץ
un•earth' (-ûrth') *v.* לחפור; לחשוף
unearthly *adj.* על-טיבעי, לא מעלמא הדין; מיסתורי, מפחיד; לא נוח, מגוחך
- unearthly hour *שעה לא נוחה
un•ease' (-z) *n.* אי-נוחות, עצבנות
un•eas'y (-z-) *adj.* לא-נוח, לא שליו, מודאג, עצבני
un•eat'en *adj.* (אוכל) שלא נאכל
un'e•conom'ic *adj.* בזבזני
un•ed'ify'ing *adj.* לא מאלף, מבזה
un•ed'uca'ted (-j'-) *adj.* לא מחונך
un'em•ploy'able *adj.* שאי-אפשר להעסיקו
un'em•ployed' (-ploid') *adj.* חסר-עבודה, מובטל
- the unemployed המובטלים
un'em•ploy'ment *n.* אבטלה, חוסר-תעסוקה
unemployment pay דמי אבטלה
un•end'ing *adj.* אינסופי, ניצחי
un'endu'rable *adj.* בלתי נסבל
un'enforce'able (-fôrs'-) *adj.* לא ניתן לאכיפה, בלתי אכיף
un'enjoy'able *adj.* לא מהנה
un'en•light'ened (-ənd) *adj.* בּוּר, לא מחונך; לא יודע, טועה; בעל דעה קדומה
un'enthu'sias'tic (-'z-) *adj.* לא מתלהב
un•en'viable *adj.* שאין לקנא בו
un•e'qual *adj.* לא שווה, לא זהה; לא אחיד; לא מתאים, לא מסוגל ל-
unequaled *adj.* שאין שני לו, מצוין
un'e•quiv'ocal *adj.* חד-משמעי, ברור
un•err'ing *adj.* לא טועה, מדויק
UNESCO *n.* אונסקו
un'escort'ed *adj.* בלא ליווי
un•eth'ical *adj.* לא אתי, בלתי מוסרי
un•e'ven *adj.* לא חלק, לא ישר; לא קבוע, לא קיצבי; לא אחיד; לא זוגי
un'e•vent'ful *adj.* נטול-אירועים, רגיל, משעמם
un'examp'led (-igzamp'əld) *adj.* ללא אח ורע, חסר-תקדים, בלתי-רגיל
un'excep'tionable (-iksep'shən-) *adj.* ללא דופי, מצוין
un'excep'tional (-shənəl) *adj.* לא בלתי רגיל

un'exci'ting *adj.* לא מלהיב, משעמם
un'ex·pect'ed *adj.* לא צפוי
un'explained' (-plānd) *adj.* לא מוסבר
un·ex'purga'ted *adj.* לא מצונזר, שלם
un·fail'ing *adj.* נאמן; לא-פוסק, תמידי, לא כלה, בלתי-נדלה
unfailingly *adj.* תמיד, לעולם
un·fair' *adj.* לא הוגן, לא צודק
un·faith'ful *adj.* לא נאמן, בוגדני
un·fal'tering (-fôl-) *adj.* לא הססני, בטוח
un'famil'iar *adj.* לא מוכר; לא מכיר, לא מתמצא ב-, זר
un'fash'ionable (-fash'ən-) *adj.* לא אופנתי
un'fas'ten (-sən) *v.* להתיר, לנתק
un·fath'omable (-dh-) *adj.* עמוק, תהומי, סתום, בלתי מובן
un'fath'omed (-dhəmd) *adj.* לא מובן, שאין לרדת לעומקו; (פשע) שלא פוענח
un·fa'vorable *adj.* לא-נוח; לא בעין-יפה, ביקורתי; שלילי
un'fazed' (-fāzd) *adj.* *לא מוטרד, אדיש
un'feas'ible (-z-) *adj.* לא בר ביצוע
un·feel'ing *adj.* חסר-לב, אכזרי
un·feigned' (-fānd') *adj.* לא-מעושה, כן
un·fet'ter *v.* לשחרר, להתיר כבלים
un'fil'ial *adj.* לא יאה לבן
un'fin'ished (-nisht) *adj.* לא גמור
un·fit' *adj.* לא מתאים, לא כשיר, פסול
unfit *v.* לשלול כושרו, להפוך לבלתי מתאים
un·flag'ging *adj.* בלתי פוסק, מתמיד
un·flap'pable *adj.* *קר-רוח, שליו
un·fledged' (-lejd') *adj.* חסר-ניסיון; שטרם הצמיח נוצות
un·flinch'ing *adj.* ללא חת, החלטי
un'fo'cussed (-kəst) *adj.* לא ממוקד
un·fold' (-fōld') *v.* לפתוח, לגולל, לפרוש; לגלות, להבהיר; להתגלות, להתבהר
- unfold a story לגולל סיפור
un'fore'see'able (-fôrsē') *adj.* שלא נראה לעין
un'fore·seen' (-fôrs-) *adj.* בלתי-צפוי
un'forget'table (-g-) *adj.* בלתי נשכח
un'forgiv'able *adj.* בלתי נסלח
un'forgiv'ing *adj.* שאינו סולח
un'formed' (-fôrmd) *adj.* לא מעוצב, לא מגובש
un·for'tunate (-'ch-) *adj&n.* חסר-מזל; לא מוצלח; אומלל
- unfortunate remark הערה אומללה
unfortunately *adv.* לרוע המזל
un·found'ed *adj.* נטול-יסוד, חסר-שחר
un'freeze' *v.* להפשיר; לשחרר ההקפאה
un'fre·quent'ed *adj.* לא מבוקר, שמבקרים בו לעיתים נדירות
un·friend'ly (-frend-) *adj.* עוין; לא נוח
un·frock' *v.* להדיח (כומר) מכמורה
un·fruit'ful (-ro͞ot'-) *adj.* לא נושא פרי
un'fulfilled' (-foolfild) *adj.* שלא הוגשם, שלא קויים
un·furl' *v.* לגולל, לפתוח, לפרוש
un·fur'nished (-nisht) *adj.* לא מרוהט

un·gain'ly *adj.* חסר-חן, מגושם
un·gen'erous *adj.* קמצן; לא הוגן
un·gird' (-g-) *v.* להתיר, לפתח
un·god'ly *adj.* לא ירא-אלוהים, כופר; *מרגיז, מזעזע, לא נוח
un·gov'ernable (-guv'-) *adj.* שאין לשלוט בו
un·gra'cious (-shəs) *adj.* לא מנומס
un'grammat'ical *adj.* לא דיקדוקי
un·grate'ful (-grāt'f-) *adj.* כפוי-טובה; (מלאכה/משימה) לא נעימה
un·grudg'ing *adj.* נדיב, רחב-לב; מפרגן
un·guard'ed (-gärd'-) *adj.* לא-זהיר; נטול-שמירה
un'guent (-gwənt) *n.* מישחה
un·hal'lowed (-lōd) *adj.* לא מקודש; מרושע
un·hand' *v.* לסלק ידיו מ-, להרפות
unhappily *adv.* לרוע המזל, לדאבוני
unhappiness *n.* אומללות
un·hap'py *adj.* עצוב, נוגה; ביש-מזל; לא מתאים, לא טאקטי
- unhappy mistake טעות אומללה
un'harmed' (-härmd) *adj.* ללא פגע
un·health'y (-hel'-) *adj.* לא בריא, חולני; מזיק לבריאות; מסוכן
un·heard' (-hûrd') *adj.* לא נשמע; שלא דנו בו (בבית-מישפט)
- went unheard לא מצא אוזן קשבת
unheard-of *adj.* שלא נשמע כמוהו
un'heed'ed *adj.* שלא שמים לב אליו
un·hinge' *v.* להסיר מהצירים; לשגע, להוציא מדעתו
unhinged *adj.* מופרע, לא שפוי
un'hitch' *v.* להתיר, לשחרר
un·ho'ly *adj.* לא קדוש; רשע, מרושע; *נורא
- unholy racket *רעש נוראי
un·hook' *v.* להסיר מאונקל; להתיר, לפתות, לשחרר (לחצנית)
un·hoped' (-hōpt') *adj.* לא צפוי, לא מיוחל
unhoped-for *adj.* לא צפוי; לא מיוחל
un·horse' *v.* להפיל מעל-גבי הסוס
un'hur'ried (-hûr'id) *adj.* לא ממהר
un'hurt' *adj.* בלא פגע, לא ניזוק
un'hy'gien'ic *adj.* לא היגייני
u'ni- (תחילית) חד-
UNICEF יוניצף
u'nicorn' *n.* קרש, חדקרן (סוס בעל קרן אחת)
un'i·den'tifi'able *adj.* שלא ניתן לזהותו
un'iden'tified' (-fīd) *adj.* בלתי מזוהה
unidentified flying object עצם בלתי מזוהה, עב״מ
u'nifica'tion *n.* איחוד
u'nified' (-fīd) *adj.* אחיד, מאוחד
u'niform' *adj.* אחיד, קבוע, בלתי-משתנה, מואחד, שווה-צורה
uniform *n.* מדים
- in uniform לבוש מדים; בצבא
- uniforms מדים
uniformed *adj.* לבוש מדים
u'niform'ity *n.* אחידות, חד-צורתיות
u'nify' *v.* לאחד, להעניק צורה אחידה

u'nilat'eral *adj.* חד-צדדי
unilateral disarmament פירוק נשק חד-צדדי
un'imag'inable *adj.* שלא ניתן להעלותו בדימיון
un'imag'ina'tive *adj.* נטול דימיון, משעמם
un'impaired' (-pārd) *adj.* לא ניזוק, לא נפגם
un'impeach'able *adj.* שאין לפקפק בו, שאין להטיל בו דופי
un'impor'tant *adj.* לא חשוב
un'impressed' (-prest) *adj.* שלא התרשם
un'impres'sive *adj.* לא מרשים
un'informed' (-fôrmd') *adj.* בּוּר, נטול-ידע; חסר-מידע, ללא ידיעה מספקת
un'inhab'itable *adj.* לא בר-יישוב
un'inhib'ited *adj.* לא מרוסן
un'inspired' (-pīrd') *adj.* נטול-השראה
un'inspi'ring *adj.* לא מעורר השראה
un'intel'ligent *adj.* לא נבון
un'intel'ligible *adj.* שאינו מובן
un'intend'ed *adj.* לא מְכוּוָן
un'inten'tional (-shənəl) *adj.* לא מְכוּוָן
unintentionally *adv.* לא בכוונה, בשוגג
un·in'terest'ed *adj.* לא מעוניין, אדיש
un·in'terrupt'ed *adj.* רצוף, מתמיד
un'invi'ted *adj.* שלא הוזמן
un'invi'ting *adj.* לא מושך, דוחה
u'nion *n.* איגוד; איחוד; אחדות; נישואים; הרמוניה; מְחַבֵּר-צינורות
- the Union ארצות הברית
- trade union איגוד מיקצועי
unionism *n.* עקרונות האיגוד המיקצועי
unionist *n.* חבר איגוד מיקצועי; דוגל בהתאגדות מיקצועית
u'nionize' *v.* לאגד; להתאגד
Union Jack/Flag הדגל הבריטי
union suit מיצרפת
u·nique' (ūnēk') *adj.* יחיד במינו, יחיד ומיוחד; בלתי רגיל; אין מושלו
uniqueness *n.* מיוחדות
u'nisex' *adj.* (בגד) חד-מיני, לשני המינים
u'nisex'ual (-kshōōəl) *adj.* חד-מיני
u'nison *n.* אוניסון; זהות בגובה-קולות; הרמוניה, התאמה; תיאום
- answer in unison לענות כאיש אחד
u'nit *n.* יחידה; רהיט; מיתקן
- X-ray unit יחידת (צוות-) רנטגן
- army unit יחידה צבאית
- housing unit יחידת דיור
- unit of time יחידת זמן
u'nita'rian *adj.* אוניטארי, מאמין באל אחד, כופר באמונת השילוש
unitarianism *n.* אוניטאריות
u·nite' (ū-) *v.* לאחד; להתאחד; לחבר; להתחבר; ללכד; להתלכד; להתחתן
united *adj.* מאוחד; מלוכד; מחובר
United Arab Emirates אמירויות ערביות מאוחדות
United Kingdom בריטניה
United Nations האומות המאוחדות
United States ארצות-הברית
unit furniture ריהוט (עשוי) יחידות
unit trust חברת השקעות
u'nity *n.* איחוד; אחידות; אחדות; שלמות; הרמוניה, התאמה; אחד, 1
Univ. = University אוניברסיטה
u'niver'sal *adj.* אוניברסאלי, עולמי; כללי, מקיף
universal agent מיופה כוח כללי
universal donor תורם דם בעל סוג או
u'niversal'ity *n.* אוניברסאליות
universal joint מיפרק אוניברסאלי
universally *adv.* בכל מקום; ללא יוצא מן הכלל
universal suffrage זכות הצבעה לכל
u'niverse' *n.* עולם, יקום, תבל
u'niver'sity *n.* אוניברסיטה
un·just' *adj.* לא צודק; בלתי הוגן
un'jus'tifi'able *adj.* לא מוצדק
un'jus'tified (-fīd) *adj.* לא מוצדק
un·kempt' *adj.* לא נקי; לא מסורק
un·kind' (-kīnd') *adj.* לא טוב-לב, אכזרי
unkindly *adv.* בצורה פוגעת
- took it unkindly נפגע מכך
un·know'ing (-nō'-) *adj.* לא יודע, לא מכיר
unknowingly *adv.* בלי ידיעה/כוונה
un·known' (-nōn') *adj&n.* לא ידוע; אלמוני; נעלם
un'la'dylike' *adj.* שלא כיאה לגברת
un·law'ful *adj.* בלתי-חוקי
un'lead'ed (-led'-) *adj.* נטול-עופרת
un·learn' (-lûrn') *v.* להשכיח מלב, להזניח
unlearned *adj.* לא מלומד, בּוּר; שלא נלמד; חסר-חינוך
un·leash' *v.* להתיר, לשחרר
- unleash one's anger לפרוק זעמו
un·leav'ened (-lev'ənd) *adj.* ללא שאור
unleavened bread מצה
un·less' *conj.* אלא אם כן, אם לא, עד שלא
un·let'tered (-tərd) *adj.* לא מחונך, בּוּר, אנאלפביתי
un'lib'era'ted *adj.* לא משוחרר
un·like' *adj&prep.* לא דומה, שונה; שלא בדומה ל-
- it's unlike him to- אין זה אופייני/טיפוסי לו ל-
un·like'able (-līk'-) *adj.* לא חביב
unlikelihood *n.* אי-הסתברות
unlikely *adj.* לא עשוי, לא עלול, לא צפוי, לא נראה, לא סביר, מפוקפק
un'lim'ited *adj.* בלתי מוגבל, עצום
un'lined' (-līnd) *adj.* חסר ביטנה
un·list'ed *adj.* לא רשום (בבורסה)
un'lit' *adj.* לא מואר, לא הוצת
un·lived'-in (-livd'in-) *adj.* שאין גרים בו
un·load' *v.* לפרוק; להיפטר מ-, למכור; להוציא (תחמושת מרובה)
- unload one's anger לפרוק זעמו
un·lock' *v.* לפתוח (מנעול)
un·looked'-for' (-lookt'-) *adj.* לא-צפוי
un·loose' *v.* לשחרר, לרפות, להתיר
un·loo'sen *v.* לשחרר, לרפות, להתיר

un'loved' (-luvd) *adj.* לא אהוב
un'love'ly (-luv'li) *adj.* לא מושך, דוחה
un'lov'ing (-luv-) *adj.* לא אוהב
un·luck'y *adj.* ביש-מזל
un·made' *adj.* (מיטה) לא מוצעת
un·make' *v.* לבטל; להפוך; להדיח (מלך); להרוס, להשמיד
un·man' *v.* לערער רוחו, לדכדך
un·man'ageable (-ijəbəl) *adj.* קשה לטיפול
un·man'ly *adj.* חלש, פחדני, נשי
un·manned' (-mand') *adj.* לא מאויש
un·man'nerly *adj.* לא-מנומס, גס
un'marked' (-märkt) *adj.* לא מסומן; לא מבחינים בו
un·mar'ried (-rid) *adj.* רווק, לא נשוי
un·mask' *v.* לחשוף, לגלות, להסיר המסווה, לקרוע המסיכה מעל פניו
un·matched' (-macht') *adj.* שאין מושלו
un·mean'ing *adj.* נטול-משמעות
un'meant' (-ment) *adj.* שלא התכוונו אליו
un·meas'ured (-mezh'ərd) *adj.* חסר מידה, לא-מרוסן; לאין שיעור, מפליג
un·men'tionable (-shən-) *adj.* שאין להעלותו על דל-שפתיו, מביש, מחפיר
unmentionables *n-pl.* תחתונים
un·mer'ciful *adj.* חסר רחמים, אכזרי
un·mer'ited *adj.* לא ראוי/זכאי לו
un'met' *adj.* (מטרה) שלא הוגשמה
un·mind'ful (-mīnd'-) *adj.* שוכח, לא מתחשב ב-, לא זהיר; נמהר, פזיז
un'mista'kable *adj.* שאין לטעות בו, ברור, מובהק
un·mit'iga'ted *adj.* מוחלט, גמור, מושבע; שלא נחלש, שלא פג
un·moved' (-mōōvd') *adj.* לא-מושפע, שליו, אדיש
un'mu'sical *adj.* לא מוסיקלי, לא ערב לאוזן
un'named' (un-nāmd') *adj.* חסר שם, אלמוני
un·nat'ural (-ch'-) *adj.* לא טיבעי; בלתי-רגיל; לא-אנושי, מיפלצתי; מעושה
un·nec'essar'y (-seri) *adj.* מיותר, לא נחוץ
un·nerve' (-n-n-) *v.* לשלול ביטחונו העצמי, לערער שלוותו, ליטול אומץ ליבו
un·no'ticed (un-nō'tist) *adj.* בלא שיבחינו בו
un·num'bered (un-num'bərd) *adj.* לא ממוספר; שלא ייספר מרוב
UNO (אירגון האו"ם)
un'obser'vant (-z-) *adj.* לא מבחין; לא שומר
un'observed' (-zûrvd) *adj.* בלא שיבחינו בו
un'obtain'able *adj.* שלא ניתן להשיגו
un'obtru'sive *adj.* לא בולט, לא מתבלט
un'oc'cu·pied (-pīd) *adj.* לא מועסק, פנוי
un'offi'cial (-fish'əl) *adj.* לא-רישמי
un'o'pened (-ō'pənd) *adj.* לא פתוח
un'opposed' (-pōzd) *adj.* בלא שיתנגדו לו
un'or'ganized (-nīzd) *adj.* בלתי מאורגן
un·or'thodox' *adj.* לא-דתי; לא שיגרתי, חורג מהמקובל
un·pack' *v.* לרוקן (מיזוודה); להוציא (מהאריזה); לפרוק משא
un'paid' *adj.* שלא שולם
un'pal'atable *adj.* לא טעים; שקשה לעכלו
un·par'alleled' (-leld) *adj.* שאין כמוהו, שאין דומה לו
un'par'donable בלתי נסלח
un'par·liament'ary (-ləm-) *adj.* לא פרלאמנטארי
un'pa'triot'ic *adj.* לא פטריוטי
un'paved' (-pāvd) *adj.* לא סלול
un'per'son *adj.* לא-איש, אדם שאין מכירים בקיומו
un'perturb'ed *adj.* לא מודאג, לא נבוך
un·pick' *v.* להוציא תפרים מ-
un·placed' (-plāst') *adj.* לא בין שלושת הראשונים (בתחרות)
un·play'able *adj.* (מיגרש) לא מתאים למישחקים; (תקליט) לא בר-נגן
un·pleas'ant (-plez'-) *adj.* לא-נעים; חפץ לריב, של מריבה
unpleasantness *n.* אי-נעימות; ריב
un'plug' *v.* להוציא השקע, לחלץ הפקק
un·plumbed' (-plumd') *adj.* שאין לרדת לעומקו
un'polished' (-lisht) *adj.* לא מצוחצח, גס
un'pollu'ted *adj.* לא מזוהם
un·pop'u·lar *adj.* לא פופולארי
un·prac'tical *adj.* לא מעשי; לא מיומן
un·prac'ticed (-tist) *adj.* חסר-ניסיון, לא מיומן
un·prec'edent'ed *adj.* חסר-תקדים
un'predict'able *adj.* לא ניתן לנבאו
un·prej'udiced (-dist) *adj.* משוחרר מדעה קדומה, לא-משוחד
un'pre·pared' (-pārd) *adj.* לא מוכן, לא ערוך
un'pre·ten'tious (-shəs) *adj.* חסר-יומרות, צנוע, לא מתבלט
un·prin'cipled (-pəld) *adj.* בלתי-מוסרי, נטול-עקרונות; חסר-מצפון
un·print'able *adj.* לא ראוי לדפוס, גס
un·priv'ileged (-lijd) *adj.* משולל-זכויות, מקופח
un'produc'tive *adj.* לא פרודוקטיבי, לא מועיל
un'profes'sional (-shən-) *adj.* לא-מיקצועי
un'prof'itable *adj.* לא ריווחי
un·prompt'ed *adj.* ספונטאני
un'protect'ed *adj.* לא מוגן
un'provi'ded *adj.* לא מצויד; ללא אמצעי-מחייה
un'provoked' (-vōkt') *adj.* ללא פרובוקציה
un'pun'ished (-nisht) *adj.* בלא עונש
un'put·down'able (-poot-) *adj.* *מרתק
un·qual'ified' (-kwol'ifīd) *adj.* לא

מוגבל, לא מסויג, מוחלט; לא כשיר, לא מוסמך
un·ques′tionable (-chən-) *adj.* שאינו מוטל בספק, ודאי
unquestionably *adv.* בלי ספק, בוודאי
un·ques′tioned (-chənd) *adj.* שאין עליו עוררין
un·ques′tioning (-chən-) *adj.* ללא פיקפוק
un·qui′et *adj.* לא שקט; לא-נוח
un·quote′ *adv.* "סוף ציטוט"
un·rav′el *v.* להתיר, לפרום, לדבלל; לפתור; להבהיר, לפענח; להיפרם
un′read′ (-red) *adj.* לא משכיל
un·read′able *adj.* בלתי-קריא
un·re′al *adj.* לא-אמיתי, לא-ריאלי
un′re·al′ity *n.* חוסר מציאות
un·rea′sonable (-z-) *adj.* לא הגיוני, לא סביר, מופרז
un·rea′soning (-z-) *adj.* לא הגיוני, לא נשלט ע"י השכל, ללא מחשבה
un′rec′ogni′zable *adj.* שאי אפשר להכירו
un′rec′ognized′ (-nīzd) *adj.* לא מוּכָּר
un′re·cord′ed *adj.* לא רשום
un′reel′ *v.* להתיר (אשווה); לגולל אחורה
un′re·fined′ (-fīnd) *adj.* לא מזוקק; לא מעודן
un′re·hearsed′ (-hûrst) *adj.* שלא ערכו בו חזרה
un′re·la′ted *adj.* לא קשור; לא קרוב
un′relent′ing *adj.* קשוח, קשה, תקיף; בלתי-פוסק, לא פג, לא פוחת
un′re·li′able *adj.* שאין לסמוך עליו
un′re·lieved′ (-lēvd′) *adj.* ללא הקלה, ללא גיוון, מתמיד, שלם, מלא
un′re·mark′able *adj.* לא מצויין, לא מעניין
un′re·marked′ (-märkt) *adj.* בלי שיעירו עליו; בלא שיבחינו בו
un′re·mit′ting *adj.* לא חדל, מתמיד
un′re·peat′able *adj.* שאין לחזור עליו; גס ביותר
un′re·pen′tant *adj.* לא חוזר בתשובה, קשוח לב
un′rep′re·sent′ed (-z-) *adj.* לא מיוצג
un′re·qui′ted *adj.* בלי גמול, ללא שכר
- unrequited love אהבה לא הדדית
un′re·served′ (-zûrvd′) *adj.* בלתי מסויג, לא מוגבל, שלם; גלוי, לא מאופק
unreservedly *adv.* ללא סייג
un′re·solved′ (-zolvd) *adj.* לא נחוש בדעתו; לא נפתר
un′re·spon′sive *adj.* לא עונה, לא מגיב
un·rest′ *n.* אי-שקט, תסיסה
un′re·strained′ (-rānd′) *adj.* לא מאופק, לא מרוסן
un′re·strict′ed *adj.* לא מוגבל
un′re·ward′ed (-wôrd-) *adj.* לא זכה לגמול, לא פוּצָּה
un·rip′ *v.* לקרוע, לפרום
un·ripe′ *adj.* לא בשל
un·ri′valed (-vəld) *adj.* שאין שני לו
un·roll′ (-rōl′) *v.* לגולל, לפרוש; להיפתח
un·ruf′fled (-fəld) *adj.* שָׁקֵט, שליו

un·ru′ly *adj.* שאין לשלוט בו; פרוע
un·sad′dle *v.* להוריד האוכף; להפיל (רוכב) מגב הבהמה
un′safe′ *adj.* לא בטוח
un·said′ (-sed) *adj.* לא אמור, לא מדובר
- better left unsaid יפה לו שתיקה
un′sale′able (-sāl′-) *adj.* לא מְכִיר
un′sat′isfac′tory *adj.* לא מניח את הדעת, לא מספק
un′sat′isfied′ (-fīd) *adj.* לא שבע רצון
un′sat′isfy′ing *adj.* לא משביע רצון
un·sa′vory *adj.* לא נעים, דוחה, בלתי מוסרי
un·say′ *v.* לחזור בו, לבטל
un·scathed′ (-skādhd′) *adj.* לא נפגע, שלם, ללא פגע
un′scent′ed *adj.* לא מְבוּשָּׂם
un′sched′uled (-skej′oold) *adj.* לא רשום (בלו"ז)
un·schooled′ (-sko͞old′) *adj.* לא מחונך, חסר הדרכה; לא נרכש, טיבעי
un′sci′entif′ic *adj.* לא מדעי
un·scram′ble *v.* לפענח, להבהיר
un·screw′ (-skro͞o′) *v.* להוציא הברגים, לנתק; לפתוח (מיכסה) בסיבוב
un·script′ed *adj.* (שידור) לא מהכתב
un·scru′pu·lous *adj.* חסר-מצפון, ללא מוסר-כליות, נעדר עקרונות-מוסר
un′sealed′ (-sēld) *adj.* לא אטום; בלתי חתום
un′sea′sonable (-′z-) *adj.* לא עונתי; לא בעיתו
un·sea′soned (-zənd) *adj.* לא מתובל
un·seat′ *v.* להפיל (רוכב); להדיח מכיסאו
un′seed′ed *adj.* לא מדורג (בספורט)
un·see′ing *adj.* לא מבחין, עיוור
un·seem′ly *adj.* לא יאה, לא נאות
un·seen′ *adj&n.* לא נראה; (במיבחן) קטע שיש לתרגמו
- the unseen עולם הרוחות
un′self·con′scious (-shəs) *adj.* לא נבוך, טבעי
un′self′ish *adj.* לא אנוכיי
un′sen′timen′tal *adj.* לא סנטימנטלי
un·ser′viceable (-səbl) *adj.* לא-שמיש
un·set′tle *v.* לבלבל, להדאיג; לשלול היציבות, ליטול שלווה; להזיק לבריאות
unsettled *adj.* לא מיושב, הפכפך
un·sex′ *v.* לשלול סגולות מיניות
un′sha′ded *adj.* לא מוצל; חסר אהיל
un·shak′able (-shāk′-) *adj.* איתן, לא מעורער
un′sha′ken *adj.* לא מזועזע, יציב
un′sha′ven *adj.* לא מגולח
un·shod′ *adj.* יחף; לא-מפורזל
un·sight′ly (-sīt-) *adj.* לא נעים למראה, דוחה, מכוער
un′signed′ (-sīnd) *adj.* לא חתום
un·skilled′ (-skild′) *adj.* לא מיומן, לא מיקצועי
un·so′ciable (-shəbl) *adj.* לא חברותי
un·so′cial *adj.* לא חברתי
un′sold′ (-sōld) *adj.* לא נמכר
un′solic′ited *adj.* מבלי שנתבקש,

בהתנדבות

un'solved' (-solvd) *adj.* שלא פוענח

un'sophis'tica'ted *adj.* לא מתוחכם, תמים, פשוט, נאיבי; חסר-ניסיון

un·sound' *adj.* לא בקו-הבריאות, רעוע; חסר-יסוד; (שינה) לא-עמוקה

- of unsound mind לא שפוי בדעתו

un·spa'ring *adj.* חסר-רחמים, קשוח-לב; נדיב, רחב-יד, מפזר, לא מקמץ

un·speak'able *adj.* שאין להביעו, בל-יתואר

un'spec'ified' (-fīd) *adj.* לא מצוין, לא מפורט

un'spec·tec'u·lar *adj.* לא מרהיב עין

un'spoiled' (-spoild) *adj.* לא מקולקל; לא מפונק

un'spo'ken *adj.* לא מובע במלים

un'sport'ing *adj.* לא ספורטיבי; לא הוגן

un·spot'ted *adj.* ללא רבב, טהור

un·sta'ble *adj.* לא יציב, רעוע

un'sta'ted *adj.* לא נאמר, לא הוצהר

un'stead'y (-sted'i) *v&adj.* (לעשותו) לא יציב; הפכפך

un'stint'ing *adj.* מפרגן, לא חוסך

un·stop' *v.* לחלוץ מגופה, לפתוח, לשחרר סתימה

un'stop'pable *adj.* שלא ניתן לעצרו

un'strap' *v.* להתיר, לפתוח הרצועה

un'struc'tured (-chərd) *adj.* לא מיבני

un·strung' *adj.* נטול-מיתרים, רפה-מיתרים; חלש, לא שולט בעצביו

un·stuck' *adj.* לא דבוק; פתוח

- come unstuck להשתבש, לא להצליח

un·stud'ied (-did) *adj.* טיבעי, לא מעושה, ספונטאני

un'substan'tia'ted (-'sh-) *adj.* שלא הוכח; שלא אומת

un'sub'tle (-sut'əl) *adj.* לא עדין; לא מתוחכם; מסורבל

un'success'ful *adj.* לא מוצלח

un'suit'able (-so͞ot'-) *adj.* לא מתאים, לא הולם

un'suit'ed (-so͞ot'əd) *adj.* לא מתאים

un·sul'lied (-lid) *adj.* ללא רבב, טהור

un·sung' *adj.* לא מהולל, שלא שרו לכבודו

un'support'able *adj.* בלתי נסבל

un'support'ed *adj.* לא נתמך

un'sure' (-shoor) *adj.* לא בטוח

un'surpassed' (-päst) *adj.* שאין כמוהו, עליון

un'surpri'sing (-'z-) *adj.* לא מפתיע

un'suspect'ed *adj.* לא חשוד

un'suspect'ing *adj.* לא חושד

un'sweet'ened (-tənd) *adj.* לא ממותק

un·swerv'ing *adj.* איתן, נאמן; ישר

un'sym'pathet'ic *adj.* לא מביע אהדה

un'sys'temat'ic *adj.* לא שיטתי

un'tamed' (-tāmd) *adj.* לא מאולף, פראי

un·tan'gle *v.* להתיר הסבך, להחליק, ליישר; להבהיר

un·tapped' (-tapt') *adj.* לא מנוצל, שלא שאבו ממנו

un·ten'able *adj.* לא בר-הגנה, רופף, מופרך

un'test'ed *adj.* לא נוסה, לא נבדק

un·think'able *adj.* שאין להעלותו על הדעת, לא בא בחשבון

un·think'ing *adj.* ללא שיקול דעת; אי-זהיר, נמהר; לא מתחשב

un·thought'-of' (-thôt'ov) *adj.* שלא חשבו עליו, לא-צפוי כלל, שלא העלוהו בדמיון

un·ti'dy *adj.* לא מסודר, הפוך; לא נקי, מרושל

un·tie' (-tī') *v.* להתיר, לשחרר, לחלץ

un·til' *prep&conj.* עד, עד ל-, עד ש-

- not until לא לפני

un·time'ly (-tīm'li) *adj.* לא בעיתו; טרם זמנו, מוקדם

un·tinged' (-tinjd') *adj.* לא מתובל, לא מגוון

- not untinged with בעל סממנים של

un·ti'ring *adj.* שאינו יודע ליאות

un'to = to (-to͞o) *prep.* ל-, אל

un·told' (-tōld') *adj.* שלא סופר; עצום, לאין שיעור, מופלג

un·touch'able (-tuch'-) *adj.* טמא (בהודו)

un'touched' (-tucht) *adj.* שלא נגעו בו

un·toward' (-tôrd') *adj.* לא-נעים, לא-נוח; ביש-מזל; לא יאה, לא נאות

un'trace'able (-trās'-) *adj.* שלא ניתן למעקב

un'trained' (-trānd) *adj.* לא מתורגל, לא מאולף

un'trans·la'table *adj.* לא בר תירגום

un'treat'ed *adj.* חסר טיפול; לא מעובד, גולמי

un'tried' (-trīd) *adj.* שלא נוסה

un'troub'led (-trub'əld) *adj.* לא מודאג

un'true' (-tro͞o) *adj.* לא אמיתי, לא נכון; לא נאמן

un'trust'wor'thy (-wûrdhi) *adj.* שאין לבטוח בו, לא אמין

un·truth' (-tro͞oth) *n.* שקר, היעדר-אמת

untruthful *adj.* כזבני, משקר

un·tu'tored (-tərd) *adj.* חסר-הדרכה, לא-מחונך, בור

un'us'able (-ūz-) *adj.* לא שימושי

un·used' (-ūzd') *adj.* חדש, לא משומש; לא בשימוש, שלא השתמשו בו

- unused to לא מורגל ב-, לא רגיל ל-

un·u'sual (-ūzho͞oəl) *adj.* בלתי רגיל

unusually *adv.* במידה בלתי רגילה

un·ut'terable *adj.* שאין להביעו במלים, בל-יתואר; *נורא, גמור, שלם

un·var'nished (-nisht) *adj.* לא מיופה, פשוט

- unvarnished truth האמת הערומה

un'va'rying (-ri-ing) *adj.* לא משתנה

un·veil' (-vāl') *v.* לגלות, לחשוף; להסיר הלוט/הצעיף; להציג (מוצר) לראשונה

un·versed' (-vûrst') *adj.* לא מנוסה, לא בקי

un·voiced' (-voist') *adj.* שלא הובע במלים

un'waged' (-wājd) *adj.* לא מקבל שכר, מובטל

un'want'ed (-wont'əd) *adj.* לא רצוי
un•war'ranted (-wôr-) *adj.* לא-מוצדק; נטול יסוד
un'wa'ry *adj.* לא זהיר, לא חשדני
un'washed' (-wôsht) *adj.* לא רחוץ
un'wa'vering *adj.* לא מהסס
un'wel'come (-kəm) *adj.* לא רצוי; לא נעים
un•well' *adj.* חולה; בתקופת הווסת
un'whole'some (-hōl'səm) *adj.* מזיק, לא יפה לבריאות; דוחה
un•wiel'dy (-wēl'-) *adj.* מסורבל, כבד
un'will'ing *adj.* לא רוצה, לא להוט
unwillingly *adv.* בחוסר רצון
un•wind' (-wīnd') *v.* לפתוח, להתיר (אשווה), לגולל; להיפתח; להתבהר; *להירגע
un'wise' (-z) *adj.* לא נבון, טיפשי
un•wit'ting *adj.* לא מְכוּוָן; לא יודע
un•wont'ed *adj.* בלתי רגיל, נדיר
un'work'able (-wûrk-) *adj.* לא מעשי, לא בר ביצוע
un'world'ly (-wûrld'-) *adj.* לא גשמי, לא מעלמא הדין
un'wor'thy (-wûr'dhi) *adj.* לא ראוי, לא כדאי
un'wrap' (-'rap') *v.* להסיר העטיפה/האריזה
un•writ'ten (-rit'-) *adj.* לא כתוב, לא בכתב
- unwritten law החוק הבלתי כתוב
un'yield'ing (-yēld-) *adj.* לא נכנע, קשוח
un•zip' *v.* לפתוח רוכסן
up *adv&adj.* למעלה, אל על; למצב זקוף; ער; עומד; לגמרי, כליל; תם, נגמר
- bring him up to date לעדכנו
- it's up to you הדבר תלוי בך; עליך ל-, חובתך ל-
- something is up משהו "מתבשל" כאן
- speak up! הרם קולך! דבר בקול!
- the score is 3 up התוצאה היא 3:3
- time is up הזמן תם
- up against ניצב בפני (קשיים)
- up against it *בקשיים גדולים
- up and about/doing קם, מסתובב
- up and down מעלה ומטה; אילך ואילך
- up before עומד לפני (שופט)
- up for discussion עומד לדיון
- up for murder עומד לדין באשמת רצח
- up for sale מוצע למכירה
- up on, up in בקי ב-
- up the pole מופרע; במבוכה, במצוקה
- up the spout *ממושכן; אבוד, הרוס, בקשיים; בהריון
- up to עד, עד ל-, עד כדי-; טוב כדי-, מסוגל ל-; עומד ל-, על סף-
- up to date עדכני, מעודכן
- up to his tricks *מכיר את הקונצים שלו
- up to mischief זומם מעשה-קונדס
- up to no good חורש רעה
- up to now עד כה
- up to the mark ברמה הנאותה
- up to the minute מעודכן ביותר
- up with you! קום! עמוד!
- what are you up to? מה אתה זומם

לעשות?
- what's up? מה קרה? מה העניינים?
up *prep.* במעלה-, מול הזרם; בהמשך-; לעבר פנים- (הארץ)
- paddle up a river לחתור במעלה הנהר
up *n.* עלייה, מעלה; תנועה אל על
- on the up and up הוגן, ישר; משתפר, מצליח
- ups and downs עליות וירידות, הצלחות וכישלונות
up *v.* להעלות; לייקר; להגביר; להרים (שולי בגד); לקום (לפתע)
- the lovers upped and eloped האוהבים (קמו ו) ברחו
- up production להגביר התפוקה
- up sticks *לעקור למקום אחר
up- (תחילית) כלפי מעלה
up-and-coming מוכשר, מבטיח
up-beat *n.* פעמה רפה/אחרונה
upbeat *adj.* אופטימי, עליז
up•braid' *v.* לגעור, לנזוף
upbringing *n.* גידול-בנים, חינוך
up'chuck' *v.* *להקיא
upcoming *adj.* הבא, הקרוב
upcountry *n&adv&adj.* פנים-הארץ; אל פנים-הארץ; לא בן-תרבות
up•date' *v&n.* לעדכן; עידכון
up•end' *v.* להעמיד/לעמוד על קצהו; להפיל
up-front חזיתי, גלוי, כן; משולם מראש
up'grade' *v&n.* לקדם בדרגה; לשפר, להשביח; לשדרג; עלייה, מַעֲלֶה; שיפור
- on the upgrade משתפר; מתקדם
up•heav'al *n.* התפרצות (הר-געש); מהפכה, מהפך; מהומה
up•held' = p of uphold
up•hill' *adj&adv.* קשה, מייגע, מפרך; עולה, משופע; במעלה ההר
up•hold' (-hōld') *v.* לתמוך; לקיים, לאשר; לראות בחיוב, לעודד
- uphold a decision לאשר החלטה
- uphold a tradition לקיים מסורת
up•hol'ster (-hōl'-) *v.* לרפד
- well upholstered (אדם) שמן *
upholsterer *n.* רַפָּד
upholstery *n.* רפדות; ריפוד
up'keep' *n.* (עלות ה-) אחזקה, תחזוקה
up'land *n&adj.* רמה; של רמה
up•lift' *v.* לרומם; להעלות; לעודד
up'lift' *n.* התרוממות-הרוח; הרמה; העלאה; עידוד
up'mar'ket *adv.* לכיוון השוק היקר
upmarket *adj.* משובח; ללקוחות עשירים
up'most' (-mōst) *adj.* עליון
upon' = on *prep.* על, על גבי; בשעת-
- once upon a time פעם אחת (היה)
- upon my arrival בהגיעי
- upon my word בהן צידקי
up'per *adj.* עליון; שוכן בפנים הארץ
- gained the upper hand ידו היתה על העליונה
- keep a stiff upper lip לשמור על הבעה קפואה, לא לגלות סימני פחד וכו'
- upper storey המוח

- upper ten העשירון העליון
upper *n.* פנת, פנתה, עור עליון בנעל; *סם משכר
- on one's uppers בלוי-נעליים, מרופט-סוליות; חסר פרוטה לפורטה
upper case אותיות גדולות (בדפוס)
upper class המעמד הגבוה
upper crust *העשירים
upper-cut *n.* סנוקרת (מכת-מגל מלמטה למעלה)
upper house/chamber הבית העליון
uppermost *adj&adv.* עליון, גבוה ביותר, שולט, במקום ראשון
- come uppermost לעלות על דעתו
- she's uppermost in his mind היא בראש מעייניו
up'pish *adj.* יהיר, שחצן, גבה-אף
up'pity *adj.* יהיר, שחצן, סנוב
up'raise' (-z) *v.* להרים, להעלות לרמה גבוהה
up'right' *adj&adv.* זקוף, אנכי, ניצב; הוגן, ישר; זקופנית
upright *n.* זקיפות; קורה אנכית
upright piano פסנתר זקוף (זקוף-מיתרים)
up'ri'sing (-z-) *n.* התקוממות, מרד
up'riv'er *adj&adv.* לכיוון מעלה הנהר
up'roar' *n.* רעש, מהומה, בילבול, צעקות
up·roar'ious *adj.* רועש, קולני, עליז
up·root' (-rōōt') *v.* לשרש, לעקור, להשמיד
- uproot oneself לעקור, להעתיק מגוריו
up'scale' *adj.* משובח; ללקוחות עשירים
up·set' *v.* להפוך; להתהפך; לקלקל, לשבש, לבלבל; להדאיג, לצער
- the food upset him האוכל קילקל קיבתו
- upset his apple cart לסכל את תוכניותיו
- upset his plans לשבש תוכניותיו
- upset his stomach לקלקל קיבתו
- upset the milk להפוך/לשפוך החלב
up·set' *adj.* מודאג, מזועזע; מבולבל
- upset stomach קיבה מקולקלת
up'set' *n.* מהפיכה, בילבול; שיבוש; קילקול (קיבה); ריב; מצוקה נפשית
up'shot' *n.* תוצאה, תולדה
up'side' *n.* מגמת עלייה; פָּן חיובי
up'side' down' *adv.* הפוך, מהופך; מבולבל, מבולגן, באנדרלמוסיה
- turn upside down להפוך, לבלבל
up'stage' *adj.* יהיר, שחצן, סנוב
upstage *adv.* לעבר ירכתי הבימה
upstage *v.* להסיט תשומת-הלב אליו, להאפיל, לגנוב את ההצגה
up'stairs' (-z) *adv&adj&n.* למעלה, של/ב-/ל-/קומה עליונה; הקומות העליונות
up·stand'ing *adj.* זקוף, חזק; ישר, הגון
up'start' *n.* אדם שעלה לגדולה
up·stream' *adv.* במעלה הנהר, מול הזרם
up'surge' *n.* גאות, גל, פרץ (רגשות)
up'swing' *n.* עלייה ניכרת, שיפור

up'take' *n.* תפיסה, הבנה
- quick on the uptake מהיר-תפיסה
- slow on the uptake קשה-תפיסה
up·tight' *adj.* *מתוח, עצבני
up'-to-date' *adj.* מעודכן, עדכני
up'town' *adj&adv.* אל/ב-/מעלה העיר, ברובע המגורים, לא במרכז המיסחרי
up'turn' *n.* שינוי לטובה; מגמת-עלייה
up·turn' *v.* להפנות למעלה; להפוך
- upturned nose חוטם סולד
up'ward *adj.* עולה, מופנה למעלה
upward, upwards *adv.* למעלה, יותר, והלאה; למצב טוב יותר
- 10$ and upward 10 דולרים ומעלה
- upwards of מעל ל-, יותר מ-
upwardly *adv.* לכיוון מַעְלָה
upwardly mobile שואף/מסוגל להתקדם
upwardly mobility יכולת להתקדם בחברה
up'wind' *adv.* נגד כיוון הרוח
u·ra'nium (yoo-) *n.* אורניום
U'ranus *n.* אורנוס (כוכב-לכת)
ur'ban *adj.* עירוני
ur·bane' *adj.* אדיב, מנומס, אלגאנטי
urban'ity *n.* אדיבות, נימוס
ur'baniza'tion *n.* עִיור, אורבניזציה
ur'banize' *v.* לעייר, להפוך לעירוני
ur'chin *n.* ילד, פירחח, זאטוט
u·re'a (yoo-) *n.* שְתָנָן, שֵינָן
u·re'mia (yoo-) *n.* אורֶמיה, רַעֶלֶת שֵינָן
u·re'thra (yoo-) *n.* שופכה
urge *v.* להמריץ, להחיש, להאיץ, לזרז; לדחוק ב-, ללחוץ; לנסות לשכנע
- urge on לדרבן, להמריץ
- urge on him להדגיש בפניו, להטיף
urge *n.* דחף, יצר
ur'gency *n.* דחיפות, מידיות, תכיפות
ur'gent *adj.* דחוף, מיידי, דוחק
u'ric *adj.* של שתן, נמצא בשתן
u'rinal *n.* מַשְתֵּן, עביט-שתן; מִשְתָּנָה
u'rinal'ysis (yoo-) *n.* בדיקת שתן
u'rinar'y (-neri) *adj.* של (מערכת ה-) שתן
u'rinate' *v.* להשתין
u'rina'tion *n.* הַשְתָּנָה
u'rine (-rin) *n.* שתן, מי-רגליים
urn *n.* קנקן, מיחם; כד-אפר (של מת)
u·rol'ogy (yoo-) *n.* אורולוגיה, חקר השתן
Ur'sa Major/Minor דובה גדולה/קטנה (קבוצות כוכבים)
Ur'uguay' (yoor'əgwī) *n.* אורוגוואי
us *pron.* אותנו, לנו
US, USA ארצות-הברית
us'abil'ity (ūz-) *n.* שמישות
us'able (ūz-) *adj.* שמיש, שימושי
us'age (ū'sij) *n.* שימוש, השתמשות; נוהג, דפוסי-התנהגות; שימוש-הלשון
- English usage שימוש הלשון האנגלית (הצורה המקובלת בשימוש השפה)
use (ūs) *n.* שימוש; ניצול; תועלת, טעם, תכלית, יתרון; מינהג
- come into use להיכנס לשימוש
- fall out of use לצאת מכלל שימוש

- has no use for אינו מחבב
- in use בשימוש
- it's no use אין תועלת, אין טעם
- make use of לנצל, להפיק תועלת מ-
- of use to him תועלתי לגביו
- out of use (כבר) לא בשימוש
- put to use להשתמש ב-, ליישם
- what's the use of מה תועלת ב-, מה טעם ב-

use (ūz) *v.* להשתמש ב-; לנצל; לצרוך, לכלות; להתייחס, לנהוג
- I could use *אשמח ל-; זה היה עוזר לי
- use him ill/badly להתייחס אליו בצורה רעה
- use up לכלות, לחסל

use-by date לשימוש עד תאריך
used (ūzd) *adj.* משומש, לא חדש
used (ūst) *adj.* רגיל, מורגל
- I used to dislike her לא חיבבתיה
- get used to להתרגל ל-
- it used to be thought נהגו לחשוב
- there used to be פעם היה-
- used to רגיל ל-, מורגל ב-

use′ful (ūs′-) *adj.* מועיל, שימושי
use′less (ūs′-) *adj.* חסר-תועלת, נטול-ערך, לא-יעיל
us′er (ūz′-) *n.* משתמש; צוֹרֵך
user-friendly *adj.* ידידותי למשתמש
ush′er *n.* סדרן; שוער, שמש בית-דין
usher *v.* להכניס, להוביל, להנחות
- the change ushered in a new era השינוי פתח עידן חדש
- usher in להכניס, לפתוח, להביא

ush′erette′ *n.* סדרנית
USSR ברית-המועצות
u′su·al (-zhōōəl) *adj.* רגיל, מקובל
- as usual כרגיל, כמקובל

usually *adv.* בדרך כלל, לרוב
u′sufruct′ (ū′zə-) *n.* מלוג, זכות שימוש
u′surer (-zh-) *n.* מלווה בריבית קצוצה, נושך נשך
u·su′rious (ūzhoor′iəs) *adj.* של ריבית קצוצה; (מחיר) מופרז
u·surp′ (ū-) *v.* לתפוס (כהונה/שילטון) שלא כחוק; ליטול בכוח הזרוע; לחמוס
u′surpa′tion *n.* תפיסת שילטון שלא כדין, חמסנות, אוזורפציה
usurper *n.* תופס שילטון ללא חוק, חמסן, אוזורפאטור
u′sury (-zh-) *n.* הלוואה בריבית קצוצה
u·ten′sil (ūten′səl) *n.* כלי; מכשיר
- kitchen utensils כלי-מיטבח
- writing utensils מכשירי-כתיבה

u′terine′ *adj.* רחמי, של רחם; מאותה אם
- uterine sisters אחיות חורגות (מאותה אם), בנות אב חורג

u′terus *n.* רֶחֶם
u·til′ita′rian (ū-) *n&adj.* תועלתן; תועלתי, אוטיליטארי, מעשי
utilitarianism *n.* תועלתנות
u·til′ity (ū-) *n.* תועלת; תועלתיות, שימושיות; שירות ציבורי (מים, תחבורה)
- public utility שירות ציבורי

utility *adj.* שימושי, רב-תכליתי; מחליף
utility room מחסן, חדר שירות
u′tili′zable *adj.* בר-ניצול, שניתן לנצלו, שאפשר להפיק ממנו תועלת
u′tiliza′tion *n.* ניצול, הפקת תועלת
u′tilize′ *v.* לנצל, להפיק תועלת מן, ליישם בצורה מועילה
ut′most′ (-mōst) *adj&n.* הגדול ביותר, רב, מרבי; עליון, קיצוני; מרב-האפשר
- do one's utmost לעשות כמיטב יכולתו
- to the utmost עד קצה הגבול
- utmost importance חשיבות עליונה

u·to′pia (ū-) *n.* אוטופיה, חברה אידיאלית
u·to′pian (ū-) *adj.* אוטופי, דימיוני, אידיאלי, לא מעשי, לא מציאותי
ut′ter *adj.* מוחלט, גמור, טוטאלי
utter *v.* לבטא, להביע; לפלוט, להוציא; להכניס למחזור (כסף מזויף)
- utter a cry לפלוט צעקה

utterance *n.* ביטוי, הבעה; דבר, דיבור; אופן-דיבור
- give utterance to לתת ביטוי ל-, לבטא

utterly *adv.* לגמרי, כליל, עד מאוד
uttermost = utmost
U-turn *n.* פניית פרסה; תפנית לאחור
u′vu·la *n.* עינבל, להאה (בקצה החך)
u′vu·lar *adj&n.* (עיצור) עינבלי
ux·o′rious *adj.* מחבב אישתו חיבה יתירה, מסור לרעייתו במידה מופרזת
Uzbek′istan′ (ooz-) *n.* אוזבקיסטן
Uzi (ōō′zi) *n.* עוזי (תת-מקלע)

V

V = victory (סמל) ניצחון, וי
v = versus, vide (= see)
vac = vacation חופשה, פגרה
va′cancy *n.* חלל ריק; מקום פנוי; מישרה פנויה; ריקות, העדר-מחשבה
va′cant *adj.* ריק; פנוי; בטל
- vacant look מבט בוהה/ריק

vacant possession כניסה מיידית
va′cate *v.* לפנות (דירה/מושב); להתפטר; לבטל (חוזה)
vaca′tion *n.* חופשה; פגרה; פינוי
- on vacation בחופשה, נופש

vacation *v.* לצאת לחופשה, לבלות ב-
vacationer, vacationist *n.* נוֹפֵש
vac′cinate′ *v.* להרכיב, לחסן
vac′cina′tion *n.* הרכבה, תירכוב, חיסון
vac′cine (-ksin) *n.* תרכיב, תזריק
vac′illate′ *v.* להתנועע, להיטלטל; להסס, לפקפק, לפסוח על שתי הסעיפים
vac′illa′tion *n.* התנועעות; היסוס
vacu′ity *n.* ריקות; חלל; העדר-תוכן
- vacuities הבלים

vac′u·ous (-kūəs) *adj.* ריק, נבוב, בוהה; נטול-תוכן, חסר-תכלית
vac′u·um (-kūəm) *n&v.* חלל ריק; ריק, ואקום; לנקות בשואב-אבק
vacuum bottle תרמוס, שמרחום
vacuum cleaner שאבק, שואב-אבק
vacuum flask תרמוס, שמרחום
vacuum-packed *adj.* ארוז

אריזת-ואקום
vacuum pump משאבת-ואקום
vacuum tube שפופרת-ואקום
va'de me'cum (vā'di-) מדריך, סיפרון (לעיון בעת הצורך)
vag'abond' *n&adj.* נווד, נע ונד
va'gary *n.* קפריסה, גחמה, שיגעון
vagi'na *n.* נרתיקה, ואגינה, מבוא-הרחם
vag'inal *adj.* של הנרתיקה
va'grancy *n.* שוטטות, נוודות
va'grant *n&adj.* נע ונד, נווד, שוטטן, שַׁטְטָן; שוטטני
vague (vāg) *adj.* מטושטש, מעורפל, לא ברור, לא מתבטא ברורות, לא בטוח
- hasn't the vaguest idea אין לו כל מושג
vain *adj.* שחצן, יהיר, מנופח; שווא, חסר-תועלת, שעלה בתוהו; ריק, הבלי
- in vain לשווא, חינם, לריק
- take his name in vain לשאת שמו לשווא; לדבר עליו בחוסר-כבוד
- vain promises הבטחות-שווא
vain'glo'rious *adj.* שחצן, יהיר
vain'glo'ry *n.* שחצנות, יהירות
vainly *adv.* לשווא, בְּכדי, ללא הועיל
val'ance *n.* וילונית, וילון קצר
vale *n.* עמק, ביקעה
- vale of tears עמק הבכא
val'edic'tion *n.* נאום-פרידה, אמירת-שלום
val'edic'tory *adj.* של פרידה
va'lence, va'lency *n.* (בכימיה) ערכיות
val'entine' *n.* (כרטיס-ברכה ל-) אהובה
Valentine's Day יום ואלנטינוס הקדוש
vale'rian *n.* ואלריאן (תרופה); ואלרינה (צמח)
val'et *n&v.* משרת, שַׁמָּש; לשרת
val'etu'dina'rian *n&adj.* חולה, חולני; נתון ראשו ורובו במצב בריאותו
val'iant *adj.* אמיץ, של עוז-רוח
val'id *adj.* כשר, שָׁרִיר, בר-תוקף; מבוסס, הגיוני; נכון
val'idate' *v.* להשריר, לתת תוקף ל-
val'ida'tion *n.* תשריר, מתן תוקף חוקי
valid'ity *n.* תוֹקֶף, תקפות
valise' (-lēs') *n.* מיזוודית, מיזווד
Val'ium *n.* ווליום (להרגעה)
val'ley *n.* עמק, ביקעה, גיא
val'or *n.* גבורה, אומץ, עוז-רוח
val'oriza'tion *n.* ייצוב מחיר
val'orize' *v.* לייקר, לייצב מחיר
val'orous *adj.* אמיץ, של עוז-רוח
valse (väls) *n.* ואלס (ריקוד)
val'u·able (-lū-) *adj&n.* בעל-ערך, רב-ערך, יקר, רב-חשיבות; חפץ-ערך
- valuables חפצי-ערך, תכשיטים
val'u·a'tion (-lū-) *n.* הערכה, שומה
val'ue (-lū) *n.* עֵרֶךְ; הערכה, חשיבות; שווי, תמורה; משך של תו; בהירות
- (poor) good value (לא) שווה את הכסף
- articles of value חפצי-ערך
- moral values ערכי-מוסר
- of great value רב-ערך
- of little value נטול-ערך, קל-ערך
- of value בר-ערך
- set a high/low value on לייחס חשיבות רבה/מעטה ל-
- value for money תמורה בעד כסף
value *v.* להעריך, לאמוד; להוקיר
- valued friend חבר יקר, חבר חשוב
value added ערך מוסף
value added tax מס ערך מוסף
value judgment שיפוט ערכי (כטוב/רע)
valueless *adj.* חסר-ערך
valuer *n.* שמאי, מעריך
valu'ta *n.* ערך מטבע ביחס לאחר
valve *n.* שסתום; שסתום-הלב; נורת-רדיו/-טלוויזיה; קשוות-צידפה
val'vu·lar *adj.* של שסתום (הלב)
vamoose' *v.* *להסתלק, להתחפף
vamp *n.* חרטום-נעל, פנת; נגינה מאולתרת, קטע פותח; סחטנית
vamp *v.* להטליא, לשים פנת; לאלתר (לחן); לסחוט, לנצל (גבר)
- vamp up לחבר, להטליא; לבדות
vam'pire *n.* ערפד, ואמפיר, עלוקה, מוצץ-דם; נצלן, סחטן
vampire bat ערפד (עטלף)
van *n.* טנדר, מכונית-מישלוח, מיטענית; קרון-רכבת; חלוץ
- in the van נחלץ, ראשון, נחשון; בחזית
vana'dium *n.* ואנאדיום (מתכת)
van'dal *n.* פרא, ואנדאלי, ברברי
vandalism *n.* ואנדאליות, ברבריות
van'dalize' *v.* להשחית, לחבל
vandyke' beard זָקָן מחודד
vane *n.* שבשבת; כנף (של מדחף)
van'guard' (-gärd) *n.* חיל חלוץ; חלוץ
- in the vanguard חלוץ, מוביל
vanil'la *n.* שנף, ואניל
van'ish *v.* להיעלם, לחלוף; להיכחד
- all hope vanished אפסה כל תיקווה
- vanish into thin air להיעלם כלא היה, להתנדף כעשן
vanishing cream מישחת-עור נספגת
vanishing point נקודת-מיפגש (של קווי-פרספקטיבה); נקודת-היעלמות
van'ity *n.* גאווה, התרברבות; הבל, הבלים; חוסר-ערך; שולחן-טואלט
- out of vanity מתוך גאווה
vanity case/bag קופסת-תמרוקים, תיק איפור
van'quish *v.* לנצח, להביס, לגבור על
van'tage *n.* יתרון, עמדת-יתרון
- point of vantage עמדת-יתרון, עמדת-תצפית נוחה
vantage ground עמדת-יתרון
vantage point עמדת-יתרון, עמדת-תצפית נוחה; נקודת-מבט/-ראות
vap'id *adj.* תפל, חסר-טעם, משעמם
vapid'ity *n.* תיפלות; חוסר-טעם
va'por *n&v.* אדים, קיטור, הבל; דימיון, חזון-שווא; להתאדות, להתנדף
vapor bath מרחץ אדים
va'poriza'tion *n.* אידוי, איוד; התאדות
va'porize' *v.* לאדות, לאייד; להתאדות
va'porous *adj.* אדי, מעלה אדים, מהביל
vapor trail שובל-אדים (של מטוס)
va'riabil'ity *n.* (סגולת ה-) השתַּנּוּת
va'riable *n&adj.* מִשְׁתַּנֶּה; ניתן לשינויים; לא-יציב; הפכפך

va′riance *n.* שינוי; ניגוד; מחלוקת
- at variance נוגד, סותר; בחילוקי דעות, במחלוקת
va′riant *adj.* שונה, אחר, משתנה
variant *n.* ואריאנט, נוסח שני, גירסה
va′ria′tion *n.* שינוי, השתנות; הבדל, שוני; ואריאציה; סטייה
var′icel′la *n.* אבעבועות רוח
var′icol′ored (-kul′ərd) *adj.* ססגוני
var′icose′ *adj.* של דליות, מתרחב, נפוח
varicose veins דליות, התרחבות בוורידי-הרגליים
va′ried (-rid) *adj.* שונה, שונים, מסוגים שונים; משתנה, מגוון
va′riegate′ *v.* לגוון
variegated *adj.* טלוא, מְגֻוָּן
va′riega′tion *n.* רבגוניות, גיוון
vari′ety *n.* גיוון, רבגוניות; מיגוון, מיבחר; סוג, זן; ורייאטי (הצגה)
- variety of items מספר פריטים
variety show הצגת-וראייטי, וודביל
va′riform′ *adj.* מְגֻוָּן, רב-צורות
var′iole *n.* גממית (מאבעבועות)
va′rio′rum *n.* ספר רב-מפרשים
va′rious *adj.* שונה, שונים, מגוונים, אחדים, מיספר, כמה
variously *adv.* באופן שונה; בדרכים שונות; בזמנים שונים; בשמות שונים
var′mint *n.* שרצים; *מזיק, שובב
var′nish *n&v.* לכה, ברק, ציפוי; ברק חיצוני; לצפות בלכה, ללכות, לייפות
- varnish over לייפות, לטשטש, להעלים
var′sity *n.* (קבוצת-) אוניברסיטה
va′ry *v.* לשנות; להשתנות; לגוון; להיות מגוונים; להתחלף
- vary from לסטות מ-
vas′cu·lar *adj.* צינורי, נימי, של כלי-הדם
vase *n.* אגרטל, ואזה, צינצנת-נוי
vas·ec′tomy *n.* ניתוח צינור-הזרע
vas′eline′ (-lēn) *n.* ואזלין
va′so·di·la′tion (-′zō-) *n.* התרחבות כלי הדם
vas′sal *n.* ואסאל, אריס פיאודאלי; משועבד; עבד; משרת
vas′salage *n.* ואסאליות, שיעבוד
vassal state גרורה, מדינה משועבדת
vast *adj.* גדול, עצום, כביר, נרחב
vastly *adv.* בשיעור עצום, הרבה מאוד
vat *n.* מיכל, דוד, חבית, גיגית
VAT = value added tax מע"מ
Vat′ican *n.* ואתיקאן
vau′deville *n.* וודביל, הצגת וראייטי, תוכנית בידור קלה
vault *n.* קשת, כיפה, תיקרת-קימרונות; מרתף; חדר-כספות; קבר
- vault of heaven כיפת השמיים
- wine vault מרתף-יינות
vault *v&n.* לקפוץ מעל (בתמיכת הידיים/מוט); קפיצה; קפיצת-מוט
vaulted *adj.* מקומר, מקושת; גבנוני
vaulter *n.* קופץ; קפצן-מוט
vaulting *n.* קימרונים, מיקמר
vaulting *adj.* קופץ; מופרז, מרחיק-לכת
vaulting horse חמור (בהתעמלות)
vaunt *v&n.* להתגאות; התפארות

VC = Victoria Cross
VCR מכשיר וידיאו
VD = venereal disease
VDU מסוף, צג
veal *n.* בשר-עגל
vec′tor *n.* וקטור; חרק מעביר מחלה; נתיב-מטוס
veep *n.* *סגן נשיא
veer *v.* לפנות, לשנות כיוון/נתיב, לסטות, לנטות; (לגבי הרוח) לחוג
veg (vej) *n.* *ירק, ירקות
ve′gan (-jən) *n.* טיבעוני (מתנזר מביצים, חלב, וגבינה)
veg′etable *n&adj.* ירק; צומח; צמח; בטלן; מחוסר-הכרה; צימחי
- vegetables ירקות
vegetable kingdom ממלכת הצומח
vegetable marrow קישוא
veg′eta′rian *n&adj.* צימחוני, וגטארי
vegetarianism *n.* צימחונות
veg′etate′ *v.* לצמוח; לחיות כצמח, לנהל חיי בטלה
veg′eta′tion *n.* צימחייה, צומח; צמיחה
veg′eta′tive *adj.* צמח (חולה)
veg′gie (vej′i) *adj.* *צמחוני; ירק
ve′hemence (vē′əm-) *n.* עוז; להט
ve′hement (vē′əm-) *adj.* חזק, עז, נמרץ, תקיף, נלהב
ve′hicle (vē′ik-) *n.* כלי-רכב; מכשיר, כלי-העברה/הפצה; אמצעי-פירסום
- space vehicle רכב-חלל
ve·hic′u·lar *adj.* של כלי-רכב
veil (vāl) *n&v.* צעיף, רעלה; מעטה; מסווה; לכסות, להליט, לצעף, להסתיר
- draw a veil over לאפוף בשתיקה, להסתיר, לא לדבר על
- take the veil להיות לנזירה
- under the veil of במסווה של
- veil of secrecy מעטה סודיות
veiled *adj.* מצועף, עוטה צעיף; מוסתר
- veiled threat איום כמוס
vein (vān) *n.* וריד; עורק; נימה; גיד; רצועה; מצב-רוח, אווירה
- isn't in the vein הוא מצוברח
- vein of sarcasm נימה סארקאסטית
- vein of silver עורק-כסף (במירבץ)
veined *adj.* מעורק, מגויד, מלא ורידים
veining *n.* תבנית עורקים
ve′lar *adj&n.* וילוני, של החיך הרך; הגה וילוני
Vel′cro *n.* סרטי הצמדה (בבגד)
veld, veldt (velt) *n.* ערבת-דשא
vel′lum *n.* קלף; נייר חלק ועבה
ve·loc′ipede′ *n.* אופניים; אופני-ילד
ve·loc′ity *n.* מהירות
ve′lodrome′ *n.* אתר מרוצי אופניים
ve·lour(s)′ (-loor′) *n.* ואלור, אריג קטיפתי
ve′lum *n.* החיך הרך
vel′vet *n&adj.* קטיפה; קטיפתי, רך
- on velvet מצליח, חי בנוחיות
- velvet tread פסיעה רכה
vel′veteen′ *n.* אריג כותנה קטיפתי
vel′vety *adj.* קטיפתי, רך, לטפני
ve′nal *adj.* שחיד, בר-שיחוד, מושחת, אוהב בצע

ve·nal'ity *n.* שחיתות, אהבת בצע
vend *v.* למכור, לרכול
vend·ee' *n.* קונה, לקוח
ven·det'ta *n.* גאולת-דם, נקמת-דם
vending machine מכונת-מכירה אוטומאטית (המופעלת בשלשול מטבע)
vend'or, vend'er *n.* מוכר, רוכל
veneer' *n.* לביד, פורניר, ציפוי בלוח משובח; מסווה, כסות, ברק חיצוני
veneer *v.* ללבד, לצפות בלוח משובח
ven'erable *adj.* נכבד, נשוא-פנים; ראוי להערצה, מקודש (תואר כנסייתי)
ven'erate' *v.* להעריץ, לכבד, להוקיר
ven'era'tion *n.* הערצה, הערכה עמוקה
vene're·al *adj.* מיני, של יחסי-מין
venereal disease מחלת-מין
ve·ne'tian blind תריס ונציאני, תריס רפפות, צלון
Ven'ezue'la (-zwā'-) *n.* ונצואלה
venge'ance (ven'jəns) *n.* נקמה
- swear vengeance להישבע לנקום
- take vengeance לקחת נקם, לנקום
- with a vengeance בעוצמה רבה
venge'ful (venj'fəl) *adj.* נקמני
ve'nial *adj.* סליח, בר-מחילה, קל
Ven'ice (-nəs) *n.* ונציה
ven'ison *n.* בשר-צבי
ven'om *n.* ארס, רעל
venomed *adj.* ארסי, חדור שינאה
ven'omous *adj.* ארסי, מרושע; "מזופּת"
ve'nous *adj.* ורידי, של הוורידים; (עלה) בעל עורקים
vent *n.* אֲוורָר, פתח; פה, נקב; מוצא; פתח אחורי (במעיל); פי-הטבעת
- find a vent לצאת, למצוא מוצא
- give vent to לתת ביטוי ל-; לפרוק (זעמו)
vent *v.* לתת ביטוי ל-, למצוא מוצא ל-; לפרוק (זעמו); להתקין פתח
vent-hole *n.* פתח-אוויר, ארובה
ven'tilate' *v.* לאוורר; להעלות לדיון פומבי, להביא לידיעת הציבור
ven'tila'tion *n.* איוורור; דיון ציבורי
ven'tila'tor *n.* מאוורר
ven'tricle *n.* קבית, שקע בגוף, חלל; חדר-הלב
ven·tril'oquism' *n.* דיבור מהבטן
ven·tril'oquist *n.* פיתום, מדבר מהבטן
ven'ture *n.* סיכון, הימור, הרפתקה
- at a venture לתומו, בניחוש, במיקרה
venture *v.* לסכן; להסתכן; להעז; להֵהין; להמר על
- nothing ventured, nothing gained יגעת ומצאת תאמין
- venture a storm להסתכן (ולהפליג) בסערה
- venture an opinion להעז להביע דעה
- venture on להסתכן ב-, לנסות
- venture one's life לשים נפשו בכפו
venture capital הון סיכון
venturesome *adj.* מסתכן, נועז; מסוכן
ven'turous (-'ch-) *adj.* הרפתקני, נועז
ven'ue (-nū) *n.* זירת-הפשע; מקום המישפט; מקום מיפגש
Ve'nus *n.* ונוס, נוגה (כוכב-לכת)

vera'cious (-'shəs) *adj.* אמיתי, מהימן
verac'ity *n.* אמיתות, מהימנות
veran'da *n.* מירפסת, אכסדרה
verb *n.* (בדיקדוק) פּוֹעַל
ver'bal *adj.* שבעל-פה; מלולי, דיבורי; מלה במלה; של מלים; של פּוֹעַל, פועלי
- verbal skill אמנות המלים
verbal *n.* הודאה באשמה (בע"פ); ציחצוח מלים, התנצחות מילולית
ver'balize' *v.* להביע במלים
verbally *adv.* בעל-פה
verbal noun שם פעולה
verba'tim *adv.* מלה במלה
verbe'na *n.* ורבינה (פרח ססגוני)
ver'biage *n.* רוב מלל, גיבוב מלים
verbose' *adj.* רב-מלל, מכביר מלים
verbos'ity *n.* רוב מלל
ver'dancy *n.* יַרקוּת; תמימות
ver'dant *adj.* ירוק; תמים, נעדר-ניסיון
ver'dict *n.* פסק-דין, מישפט; החלטה; דעה
ver'digris *n.* דוק ירוק (מעין חלודה)
ver'dure (-jər) *n.* יַרקוּת, ליבלוב; רעננות; דשא
verge *n.* קצה, גבול, שוליים, סף; שרביט
- on the verge of על סף-, עומד ל-
verge *v.* לגבול ב-, להתקרב ל-
- verge on insanity לגבול בשיגעון
ver'ger *n.* שַמַש-כנסייה; נושא-שרביט
veriest *adj.* הכי, הגדול ביותר
ver'ifi'able *adj.* שניתן לוודאו
ver'ifica'tion *n.* אימות, וידוא; הוכחה, אישור
ver'ify' *v.* לאמת, לוודא; להוכיח, לאשר
ver'ily *adv.* אומנם, אכן
ver'isimil'itude' *n.* היראות כאמת; מראה-אמת; דבר הנראה כאמת
ve'rism *n.* ריאליה, מציאותיות
ver'itable *adj.* ממשי, אמיתי
veritably *adv.* ממש, באמת
ver'ity *n.* אמת, אמיתה; אמיתיות
ver'micel'li *n.* ורמיצ'לי (איטריות)
ver'micide' *n.* קוטל תולעים
ver·mic'u·lite' *n.* ורמיקוליט (סוג נציץ)
ver'miform' *adj.* תולעי, תולעתי
vermiform appendix תוספתן
ver'mifuge' *n.* (סם) מגרש תולעים
vermil'ion *n&adj.* שָנִי, אדום עז
ver'min *n.* חרקים טפילים, כינים וכו'; מזיק, פאראזיט; שרץ, נבזה
ver'minous *adj.* נגוע בכינים וכו', מכונם; שורץ רמשים; טפילי; *רע, דוחה
vermouth' (-mo͞oth') *n.* ורמוט, יין-לענה
vernac'u·lar *adj&n.* מקומי, (של) שפת המקום; שפת הדיבור, ניב
ver'nal *adj.* אביבי, של האביב
ver'nier *n.* מַדִיד זחיח
ver'onal *n.* ורונאל (סם שינה)
veron'ica *n.* ברוניקה (צמח-נוי)
verru'ca *n.* יבלת (ברגל)
ver'sant *n.* שיפוע, מדרון
ver'satile (-til) *adj.* רב-צדדי, ורסטילי; בקי בתחומים רבים, מגוון; רב-תכליתי
ver'satil'ity *n.* רב-צדדיות, ורסטיליות
verse *n.* חרוז, בית; שיר; שירה; פסוק
- blank verse חרוזים לבנים

- chapter and verse ציטטה מדויקת, "ברחל בתך הקטנה"

versed (vûrst) *adj.* בקי, מנוסה, מיומן

ver'sifica'tion *n.* חריזה, חרזנות; מיקצב, מישקל, תבנית השיר

ver'sifi'er *n.* חרזן, פייטן, משורר

ver'sify' *v.* לחרוז, לכתוב חרוזים

ver'sion (-zhən) *n.* גירסה; נוסח; תרגום; תרגום התנ"ך

- movie version גירסה קולנועית

ver'so *n.* שמאל-הספר, עמוד שמאלי; העבר השני (של דף/מטבע)

ver'sus *prep.* מול, נגד, לעומת

ver'tebra *n.* חוליה

ver'tebral *adj.* של חוליה, בעל חוליות

ver'tebrate *adj&n.* בעלי-חוליות

ver'tex' *n.* שיא, פיסגה, ראש, קודקוד

ver'tical *adj&n.* אנכי, זקוף; ניצב

- out of the vertical לא אנכי, נוטה

- vertical takeoff המראה אנכית, נסיקה

ver'tices = pl of vertex (-sēz)

vertig'inous *adj.* מסחרר, גורם סחרחורת, של סחרחורת; מסתובב

ver'tigo' *n.* סחרחורת

verve *n.* התלהבות, להט; חִיוּת, רוח, מרץ, נִמְרָצוּת

ver'y *adj.* הוא הוא, אותו עצמו, ולא אחר, ממש; קיצוני; גמור, מוחלט

- a verier fool I've never met מעודי לא נתקלתי בטיפש גדול ממנו

- caught in the very act נתפס בעצם המעשה

- that very thing דבר זה ממש

- the veriest fool הטיפש הכי גדול

- the very idea עצם הרעיון

very *adv.* מאוד, ביותר

- at the very latest לכל המאוחר

- for one's very own לעצמו בלבד

- the very best/worst cook הטבח הטוב/הגרוע ביותר

- very good טוב מאוד; בסדר, כמובן

- very much הרבה; מאוד

- very well טוב מאוד; או קיי

Ver'y light אור איתות, זיקוק

Ver'y pistol אקדח-זיקוקין

ves'icle *n.* שלחופית, ציסטה, בועית

ve·sic'u·lar *adj.* משולחף, שלפוחי

ves'per *adj.* של תפילת ערב נוצרית

vespers *n-pl.* תפילת ערב נוצרית

ves'sel *n.* כלי, כלי-קיבול; כלי-דם; אונייה, כלי-שייט, ספינה

- blood vessel כלי-דם

vest *n.* חזייה, לסוטה, מעיל חסר-שרוולים; גופייה; איפוד מגן

vest *v.* ללבוש; להלביש; להעניק, לתת סמכות, להקנות; להשקיע

- vest rights in him להעניק לו סמכויות

- vested in מוענק ל-, נמצא בידי, מוקנה

- vested with full powers בעל סמכויות מלאות

ves'tal *adj.* בתולה, צנועה, טהורה

vested *adj.* עוטה (גלימה); קבוע; מוקנה

vested interest עניין מיוחד, אינטרס אישי, טובת-הנאה; גורם אינטרסנטי

ves'tibule' *n.* פרוזדור; אולם-כניסה; תא (בקצה קרון-רכבת)

ves'tige (-tij) *n.* שריד, שארית; עיקבות, זכר, סימן; שמץ, קורטוב

- a vestige of truth שמץ אמת

ves·tig'ial *adj.* של זֵכֶר, של סימן, של שריד

vest'ment *n.* בגד, גלימה

vest-pocket *n&adj.* כיס-חזייה; קטן

ves'try *n.* מלתחת כנסייה; חדר כלי-קודש; חדר-תפילה; אסיפת הקהילה

vestryman *n.* חבר ועד הקהילה

ves'ture *n&v.* לבוש; להלביש

vet *n&v.* *וטרינאר; חייל ותיק; לבדוק בדיקה רפואית; לבחון, לבדוק

vetch *n.* בקיה (ממשפחת הקיטניות)

vet'eran *adj&n.* ותיק, מנוסה; חייל ותיק; שועל-קרבות; יוצא-צבא

Veterans Day יום החייל המשוחרר (החל ב-11 בנובמבר)

vet'erina'rian *n.* וטרינאר, רופא בהמות

vet'erinar'y (-neri) *adj.* וטרינארי

ve'to *n.* וטו, סמכות לבטל/לשלול/לדחות/למנוע

- put a veto להטיל וטו; לאסור

veto *v.* להטיל וטו, לבטל, לאסור

vex *v.* להרגיז, להציק; לְעַנּוֹת

vex·a'tion *n.* רוֹגֶז; הרגזה; דאגה

vex·a'tious (-shəs) *adj.* מציק, מרגיז

vexed (vekst) *adj.* רוֹגֵז, מרוגז

vexed question שאלה קשה, בעיה פולמוסית, נושא שמרבים לדון בו

VHF = very high frequency תג"ם, תדר גבוה מאוד

vi'a *prep.* דרך, באמצעות

- via Athens (לנסוע) דרך אתונה

vi'abil'ity *n.* יכולת הקיום

vi'able *adj.* יכול לחיות, מסוגל להתקיים, בן-חיים, בר-קיימא

vi'aduct' *n.* גשר דרכים, ויאדוקט

vi'al *n.* בקבוקון, צלוחית

vi'a me'dia שביל הזהב, דרך ממוצעת

vi'ands *n-pl.* מיצרכי מזון, מעדנים

vibes = vibraphone (vībz)

vi'brancy *n.* חִיוּת, נִמְרָצוּת; ריטוט

vi'brant *adj.* מלא-חיים; נמרץ, עז, חזק; רועד, רטטני

vi'braphone' *n.* ויבראפון (כלי נגינה)

vi'brate *v.* להרעיד, להרטיט

vi·bra'tion *n.* רעד, זעזועים; רטט, ריטוט, ויבראציה; תנודה

vibra'to (-rä'-) *n.* תרטיט, ויבראטו

vi'bra·tor *n.* מְרַטֵט, רַטָט, ויבראטור

vic'ar *n.* כוהן-דת; כומר-הקהילה; ממלא-מקום, נציג

vic'arage *n.* מעון-הכומר

vica'rious *adj.* עקיף, באמצעות הזולת; למען אחרים; ייצוגי; ממלא מקום; שליח

vicar of Christ האפיפיור

vice *n.* מידה מגונה; פשיעה, שחיתות; רישעות; חסרון, פגם, מום; הרגל רע

vice- (תחילית) סגן-

vi'ce (vī'si) *prep.* במקום-, כממלא מקום

vice = vise *n.* מלחציים

vice-chairman *n.* סגן היושב-ראש

vicelike *adj.* איתן, כמו במלחציים

vi·cen'nial *adj.* אחת ל-20 שנה

vice-president *n.* סגן הנשיא
vice're'gal (vīsrē'-) *adj.* של מישנה למלך
vice ring כנופית פשיעה
vice'roy' (vīs'r-) *n.* מישנה למלך, נציב
vice squad חוליית שוטרים (ממחלק-המוסר)
vice ver'sa *adv.* להיפך, ולהיפך
vicin'ity *n.* שְכֵנוּת, קירבה, סמיכות-מקום; סביבה
- in the vicinity of בסביבות-, בערך-
vi'cious (vish'əs) *adj.* רע, אכזרי, מרושע; בלתי-מוסרי; מושחת; פגום, משובש, לקוי
- vicious dog כלב מסוכן, כלב נושך
- vicious horse סוס מרדני
vicious circle מעגל-קסמים
vicis'situde' *n.* עליות וירידות, תהפוכות, תמורות, שינויים
vic'tim *n.* קורבן
- fall victim to ליפול קורבן ל-
vic'timiza'tion *n.* פגיעה, הענשה
vic'timize' *v.* לפגוע, להעלות לקורבן, להפכו לשעיר לעזאזל, להעניש; לרמות
vic'tor *n.* מנצח
Victo'ria Cross צלב ויקטוריה (עיטור בריטי על אומץ-לב)
Victo'rian *adj.* ויקטוריאני, של המלכה ויקטוריה (1837-1901)
victo'rious *adj.* מנצח, של ניצחון
vic'tory *n.* ניצחון
victual (vit'əl) *n&v.* לצייד, לספק מיצרכי-מזון; להצטייד
- victuals מיצרכי-מזון
victualer *n.* ספק-מזונות
vi'de (vī'di) *v.* רְאֵה, עַיֵּן
- vide infra ראה להלן
- vide supra ראה לעיל
videl'icet' *adv.* כלומר, דהיינו
vid'e·o' *n&adj.* וידיאו; של וידיאוטיפ
vid'e·o·con'ference *n.* שיחת ועידה בטלוויזיה
vid'e·ofit' *n.* קלסתרון-מסך
video nasty *סרט אימה/גס
vid'e·ophone' *n.* טלפון-צג
vid'e·otape' *n.* וידיאוטייפ, וידיאו
videotape *v.* להקליט על וידיאוטייפ
vie (vī) *v.* להתחרות, להתמודד
Vietnam' *n.* וייטנאם
view (vū) *n.* מראה, מחזה; נוף; תמונה; (שדה-) ראייה; ראות, מבט; השקפה, דעה; תצוגה; סקירה; בחינה
- a house with a view over- בית המשקיף על-
- come in view of להתגלות לעיניו
- come into view להתגלות לעיניו
- fall in with/meet his views להסכים עמו, להיות תמים-דעים עמו
- form a view לגבש דעה
- in full view of לעיני כל ה-
- in my view לדעתי, לדידי
- in view בעיון, לנגד עיניו, בכוונתו
- in view of לאור-, בשים לב ל-
- keep in view לשמור בליבו (לעתיד)
- on view מוצג לראווה
- out of view מחוץ לשדה-הראייה
- point of view נקודת-ראות
- with a view to במטרה/בתיקווה ל-
- within view בתחום שדה-הראייה
view *v.* לראות, לבחון, לבדוק; להסתכל, להשקיף; לצפות בטלוויזיה
- order to view כתב-הרשאה (לבדיקת בית העומד למכירה)
- view it as לראות זאת כ-
viewer *n.* רואה; צופה-טלוויזיה
viewfinder *n.* כוונת, עדשת-התמונה
viewing *n.* צפייה; רְאִיָּה
viewless *adj.* חסר השקפות, נעדר דעות
viewpoint *n.* נקודת-ראות
vig'il *n.* ערות, אי-שינה; ערב חג
- keep vigil להישאר ער (בלילה)
vig'ilance *n.* ערנות, כוננות, דריכות
vigilance committee מישמר אזרחי
vig'ilant *adj.* ער, על המישמר, דרוך
vig'ilan'te (-lan'ti) *n.* איש המישמר האזרחי
vignette' (vinyet') *n.* ויניטה, תקשיט, עיטורת, ציור (בסוף פרק); דיוקן; תיאור קצר
vig'or *n.* כוח, חוסן; מרץ, נמרצות
vig'orous *adj.* חזק, חסון; נמרץ
vi'king *n.* ויקינג, פיראט סקאנדינאבי
vile *adj.* שפל, נתעב, דוחה; מרושע; גרוע, "מזופת"
vil'ifica'tion *n.* השמצה, לעז
vil'ify' *v.* להשמיץ, להלעיז, להכפיש שם
vil'la *n.* וילה, חווילה, אחוזה
vil'lage *n.* כפר; אנשי הכפר
village idiot שוטה הכפר
villager *n.* כפרי; בן-כפר
vil'lain (-lən) *n.* בן-בליעל, נבל; פושע; *שובב, "תכשיט"; צמית, אריס
vil'lainous (-lən-) *adj.* מרושע, יאה לנבל; *רע, גרוע, "מזופת"
vil'lainy (-ləni) *n.* נבזות, רישעות
- villainies מעשים רעים, פשעים
vil'lein (-lən) *n.* צמית, אריס
vil'leinage (-lən-) *n.* אריסות
vim *n.* מרץ, נמרצוּת, , כוח, עוצמה, להט
vin'aigrette' (-nigret') *n.* תערובת חומץ, שמן, תבלינים וכו'
vin'cible *adj.* שאפשר לגבור עליו
vin'dicate' *v.* להצדיק, להגן; לזכות, לנקות מאשמה; להוכיח נכונות, לאשר
vin'dica'tion *n.* הצדקה; הגנה; הוכחה
vin'dicative *adj.* מצדיק, מגן
vindic'tive *adj.* נקמני, תאב-נקמה
vindictive damages פיצויי עונשין, פיצויים מעל לנזק
vine *n.* גפן; צמח מטפס
- die on the vine להיכשל בשלבים הראשונים
vin'egar *n.* חומץ
vin'egary *adj.* חמוץ; של חומץ; רוגז, מר
vi'nery *n.* חממת-גפנים, כרם
vine'yard (vin'yərd) *n.* כרם
vin'icul'ture *n.* גידול גפנים
vin'o *n.* יין זול
vi'nous *adj.* ייני
vin'tage *n.* בציר; עונת הבציר; שנת הבציר; יין משובח; תוצרת

- a car of 1930 vintage מכונית משנת 1930
vintage *adj.* משובח, מובחר; קלאסי
vint′ner *n.* יינן, סוחר יינות
vi′nyl *n.* וייניל (חומר פלאסטי)
vi′ol *n.* ויאול (כלי-מיתרים קדום)
vio′la *n.* ויאולה, כונרת
vi′ola *n.* סגל (סוג צמחי נוי)
vi′olate′ *v.* להפר, לעבור על; לאנוס; לחלל; לפגוע; להפריע
- violate a sanctuary לחלל מיקדש
vi′ola′tion *n.* הפרה, עבירה; אונס; חילול; פגיעה; הפרעה
vi′olence *n.* עוז, כוח, עוצמה; אלימות
- do violence to לפגוע, להזיק; לסלף, לעוות; להוות הפרה של
vi′olent *adj.* חזק, רב-עוצמה; אלים, פראי; מתפרע; חריף, עז
- violent contrast ניגוד חריף
- violent death מיתה מכוערת/משונה
- violent language אלימות מילולית
vi′olet *n.* סגל, סיגלית (פרח); סגול
- modest violet אדם צנוע
vi′olin′ *n.* כינור
vi′olin′ist *n.* כנר
vi′oloncel′list (-chel-) *n.* מנגן בבטנונית
vi′oloncel′lo (-chel-) *n.* צ׳לו, ויאולונצ׳לו, בטנונית
VIP = very important person אח״ם, אישיות חשובה מאוד
vi′per *n.* צפע (נחש ארסי)
vira′go *n.* מירשעת, כלבתא
vi′ral *adj.* נגיפי, ויראלי, של וירוס
vir′gin *n&adj.* בתולה; בתול, בתולי, תמים, טהור, שלא הושחת, שלא נגעו בו
- the Virgin הבתולה הקדושה (אם ישו)
- virgin forest יער בתולה
- virgin snow שלג טהור (שלא נפים)
- virgin soil קרקע בתולה
vir′ginal *adj.* בתולי, צנוע, תמים, טהור
virginal(s) *n.* צ׳מבלו (קטן)
virgin birth לידת בתולים (של ישו)
Virgin′ia *n.* וירג׳ינה (טבק)
Virginia creeper (סוג של) מטפס
virgin′ity *n.* בתולים, בתוליות, טוהר
Virgin Mary מרים הבתולה (אם ישו)
Vir′go *n.* מזל בתולה
vir′gule *n.* קו נטוי, לוכסן (/)
vir′ides′cent *adj.* ירקרק
vir′ile (vir′əl) *adj.* גברי, חזק; נמרץ, תקיף; בעל כוח-גברא
viril′ity *n.* גבריות, עוצמה, און
vi·rol′ogist *n.* וירולוג
vi·rol′ogy *n.* וירולוגיה, חקר הווירוסים
vir·tu′ (-tōō′) *n.* חפצי-אומנות; חיבה לעתיקות
- objects of virtu חפצי-אמנות
vir′tual (-chōōəl) *adj.* למעשה, במציאות, בעצם; מדומה
virtually *adv.* למעשה, בעצם
virtual reality מציאות מדומה
vir′tue (-chōō) *n.* טוב, חסידות, יושר, מוסריות; מידה טובה; צניעות, טוהר; כוח; יעילות; יתרון, סגולה; מיצווה
- by/in virtue of בתוקף-, בגין-

- make a virtue of necessity להציג חובה כמיצווה
- woman of easy virtue פרוצה
vir′tu·os′ity (-chōō-) *n.* וירטואוזיות; ביצוע מעולה
vir′tu·o′so (-chōō-) *n.* וירטואוז, אמן הביצוע, אמן הטכניקה
vir′tu·ous (-chōōəs) *adj.* טוב, חסיד, ישר, מוסרי, צדיק
vir′ulence *n.* ארסיות; קטלנות; שינאה
vir′ulent *adj.* ארסי; מסוכן, קטלני; עז; מר; חדור-שינאה
vi′rus *n.* וירוס, נגיף
visa (vē′zə) *n&v.* ויזה, אשרה; לתת ויזה, להחתים אשרה (בדרכון)
vis′age (-z-) *n.* פנים, פרצוף, מַרְאֶה
vis′aged (-zijd) *adj.* בעל פני
- dark-visaged כהה-פנים, כהה
vis-a-vis (vē′zəvē′) *adv&prep.* פנים אל פנים, ממול; בהשוואה ל-, לעומת, בייחס ל-
vis′cera *n.* קרביים, מעיים
vis′ceral *adj.* של הקרביים
vis′cid *adj.* צמיג, סמיך, דביק
viscos′ity *n.* צמיגות, דביקות
vis′count′ (vī′k-) *n.* ויקונט (תואר-אצולה)
vis′count′cy (vī′k-) *n.* ויקונטיות
vis′count′ess (vī′k-) *n.* ויקונטית, אשת-ויקונט
vis′cous *adj.* צמיג, סמיך, דביק
vise *n.* מלחציים
vise (vē′zā) *n&v.* ויזה, אשרה; לתת ויזה, להחתים אשרה (בדרכון)
vis′ibil′ity (-z-) *n.* היראות; ראות, רְאִיוּת, דרגת השקיפות (באטמוספירה)
vis′ible (-z-) *adj.* נראה; נראה לעין; ברור, גלוי
visibly *adv.* ברורות, באופן גלוי
vi′sion (vizh′ən) *n.* רְאִיָּה, ראות; חזון, מעוף; מַרְאֶה, מחזה מרהיב; דימיון, חלום, הזיה
- man of vision אדם בעל מעוף
vi′sionar′y (vizh′əneri) *adj&n.* דימיוני, הזייתי; חולם, שקוע בהזיות; איש חזון
vis′it (-z-) *v.* לבקר; להתארח; לערוך ביקורת; לתקוף, לבוא על
- a plague visited the country מגיפה השתוללה בארץ
- visit on/upon לפקוד (עוון) על-
- visit with לשוחח עם
- visited by a dream חלם חלום
visit *n.* ביקור, התארחות; ביקורת
- pay a visit לבקר, לערוך ביקור
vis′itant (-z-) *n.* מבקר, אורח; רוח (הפוקדת אדם); ציפור נודדת
vis′ita′tion (-z-) *adj.* ביקור; עונש משמיים, גמול
visiting *n.* ביקור, ביקורים
visiting card כרטיס ביקור
visiting hours שעות הביקור
visitor *n.* מבקר; אורח; ציפור נודדת
visitors′ book ספר האורחים
vi′sor (-z-) *n.* מיצחייה; מסיכה, סנוורת; מגן-פנים (בקסדה); מגן-שמש

vis'ta *adj.* מראה, מחזה; נוף; שרשרת-אירועים (בעיני-רוחו)
- open up new vistas לפתוח אופקים חדשים
vis'u·al (-zhōōəl) *adj.* חזותי, ראייתי, ויזואלי; של חוש הראייה
visual aids עזרים חזותיים
visual field שדה ראייה
vis'u·aliza'tion (-zhōōəl-) *n.* החזיה, העלאה בדימיון, ראייה בעיני-הרוח
vis'u·alize' (-zhōōəl-) *v.* לראות בעיני-הרוח, לדמיין, לראות בדימיון
visually *adv.* באופן חזותי; במראה, בהופעה; באמצעות עזרים חזותיים
visual memory זיכרון חזותי
vi'tal *adj&n.* חיוני, נחוץ, הכרחי; שופע-חיים, נמרץ, ויטאלי
- vitals האיברים החיוניים (בגוף)
vital force/principle כוח החיים, יסוד החִיוּת
vi'talism' *n.* ויטאליזם, תורת החיוניות
vi'talist *n.* ויטאליסט, מאמין בויטאליזם
vi·tal'ity *n.* חִיוּת, חיוניות, ויטאליות; כוח החיים, כושר הישרדות
vi'talize' *v.* להפיח רוח חיים ב-, להחיות, למלא בחיות
vitally *adv.* נחוץ ביותר, מאוד
vital signs סימני חיים
vital statistics סטטיסטיקת החיים (לידות וכו'); *מידות (של גוף אישה)
vi'tamin *n.* ויטאמין
vit'iate' (vish'-) *v.* להחליש, לקלקל, לפגום; לערער; להשחית; לבטל
vit'ia'tion (vish-) *n.* החלשה, קילקול, פגימה; השחתה
vit'icul'ture *n.* גידול גפנים
vit'ili'go *n.* בַּהֶרֶת (מחלה)
vit're·ous *adj.* זגוגי, זכוכיתי
vit'rify' *v.* לזגג; להזדגג
vit'riol *n.* חומצה גופרתית; סארקאזם
- blue vitriol גופרת נחושת
vit'riol'ic *adj.* מר, עוקצני, סארקאסטי
vit'ro *n.* זכוכית (בלטינית)
- in vitro חוץ-גופי, במבחנה
vitu'perate' *v.* להשמיץ, לגדף, לגנות
vitu'pera'tion *n.* השמצה, נאצה
vitu'pera'tive *adj.* משמיץ, מגדף
vi'va (vē'-) *n.* בחינה בעל-פה
viva'ce (-vä'chā) *adv.* (במוסיקה) בערנות, ברוח-חיים
viva'cious (-shəs) *adj.* עליז, שופע חיים, מלא התלהבות
vivac'ity *n.* עליזות, חיים, התלהבות
viva'rium *n.* ביבר
vi'va vo'ce (-si) *adv&n.* על-פה; מיבחן בעל-פה
viv'id *adj.* חי, שופע חיים, נמרץ, עז; בהיר, מבריק
- vivid color צבע חי/עז/בהיר
- vivid description תיאור חי
viv'ify' *v.* להחיות, להפיח חיים ב-
vi·vip'arous *adj.* (לגבי יונקים) ממליטה ולדות (ולא ביצים)
viv'isect' *v.* לנתח (חיה, לשם לימוד)
viv'isec'tion *n.* ויוויסקציה, ניתוח בעלי-חיים בעודם בחיים
viv'isec'tionist (-shən-) *n.* דוגל בוויוויסקציה; מנתח בעלי-חיים
vix'en *n.* שועלה; מירשעת, אשת-ריב
vix'enish *adj.* רשעית, אשת-ריב
viz *adv.* דהיינו, כלומר
vizier' (-zir') *n.* ואזיר, שר טורקי
V-neck *n.* צווארון דמוי-וי
vo'cab' = vocabulary
vo·cab'u·lar'y (-leri) *n.* אוצר מלים; מילון, אגרון, לקסיקון
vo'cal *adj&n.* קולי, של הקול, ווקאלי; קולני, דברני, מתבטא; קטע מושר
vocal chords/cords מיתרי הקול
vo'calist *n.* זַמָּר
vo'caliza'tion *n.* התנעה
vo'calize' *v.* לשיר, לזמר; לבטא, להפוך (עיצור) לתנועה; להניע; לנקד
vocal music מוסיקה ווקאלית/מושרת
vo·ca'tion *n.* ייעוד; שליחות; מישלח-יד, מיקצוע; כישרון, התאמה; עבודה
vocational *adj.* מיקצועי; של עבודה
vocational counselor יועץ מיקצועי
vocational guidance הדרכה מיקצועית
voc'ative *adj&n.* יחסת-הַפְּנִיָּה
vo·cif'erate' *v.* לצעוק, לדבר בקול
vo·cif'era'tion *n.* צעקה; קולניות
vo·cif'erous *adj.* צעקני, קולני
vod'ka *n.* וודקה (משקה חריף)
vogue (vōg) *n.* אופנה, מוֹדָה; פירסום, פופולריות
- all the vogue המלה האחרונה (באופנה); פופולרי, חדיש
- come into vogue להיכנס לאופנה
- in vogue אופנתי, באופנה
- is out of vogue יצא מן האופנה
- vogue words מלים שבאופנה/רווחות
voice *n.* קול; הבעת דעה; הגה קולי/צלילי; (בדיקדוק) בניין
- at the top of one's voice ברום קולו
- give voice to להביע, לתת ביטוי ל-
- has a voice in בעל דעה ב-
- is in good voice מדבר/שר יפה
- lose one's voice לאבד קולו
- passive voice בניין נפעל
- raise one's voice להרים קולו
- sing by 2 voices לשיר בשני קולות
- voice of conscience קול המצפון
- with one voice קול אחד, פה אחד
voice *v.* להביע, לבטא; להפיק הגה קולי
voice box גרון
voiced *adj.* בעל קול; (הגה) קולי
- sweet-voiced בעל קול ערב
voiceless *adj.* חסר-קול; נאלם; חסר-דעה, נטול-השפעה; (הגה) לא קולי
voice-over *n.* קול-רקע (בסרט)
void *adj.* רֵיק; חסר-תוקף (חוקי); פנוי
- null and void בטל ומבוטל
- void of ריק מ-, נטול, ללא
void *n.* חלל; החלל החיצון; רִיק
- left a void הותיר חלל ריק (בלב)
void *v.* לבטל (תוקף); לרוקן
void'able *adj.* בר-ביטול
voile *n.* אריג-שמלות דק
vol. = volume
vo'lant *adj.* מעופף; זריז, קליל
vol'atile (-təl) *adj.* נדיף, מתאדה בקלות;

משתנה, הפכפך, קל-דעת
vol'atil'ity *n.* נדיפות; הפכפכנות
vol·can'ic *adj.* וולקאני, געשי
vol·ca'no *n.* הר-געש, וולקאן
vole *n.* עכברוש, חולדה, נברן השדה
vo·li'tion (-li-) *n.* רצון, בחירה
volitional *adj.* רצוני
vol'ley *n.* מטח, צרור, מטר, מבול; מכת-יעף, חבטה בכדור באוויר
- half volley מכת חצי-יעף
- on the volley (לגבי כדור) באוויר
- volley of complaints מבול תלונות
volley *v.* לירות מטח; להכות ביעף, לחבוט בכדור בעודו באוויר
volleyball *n.* כדור-עף
vol'plane' *v&n.* לדאות; דאייה
volt (vōlt) *n.* וולט (יחידת-מידה בחשמל)
vol'tage (vōl-) *n.* (בחשמל) וולטאז'
volte-face (vôlt fâs') פנייה לאחור, תפנית (של 180 מעלות)
vol'u·bil'ity *n.* שטף-הלשון, רהיטות הדיבור, מללנות
vol'u·ble *adj.* מובע בלשון שוטפת; רהוט בדיבורו, מללן
vol'ume *n.* כֶּרֶך; סֵפֶר; כמות; נפח, תפוסה; שיפעה, רוב; עוצמת קול, צוֹלְלוּת
- speak volumes להעיד ברורות על
- volumes כמויות רבות
volu'minous *adj.* גדול, רב-כמות; רב-כרכים; רב-תכולה; פורה
- voluminous skirt חצאית מלאה/עתירת-בד
- voluminous writer סופר פורה
vol'untar'y (-teri) *adj.* רצוני, חופשי, וולונטארי; לא-כפוי, התנדבותי; מרצון
- voluntary hospital בי"ח הנתמך בתרומות
voluntary *n.* קטע סולו לעוגב
vol'unteer' *n&v.* מתנדב; להתנדב; להתגייס; לנדב, להציע
volup'tu·ar'y (-chōōeri) *n.* מתמכר להנאות, נהנתן, רודף תענוגות, שטוף-תאווה
volup'tu·ous (-chōōəs) *adj.* חושני, מעורר תאווה; רודף תענוגות; מהנה
volute' *n.* עיטור חלזוני (בראש עמוד)
voluted *adj.* חלזוני, סלילי; מקושט בעיטור חלזוני (כנ"ל)
vom'it *v&n.* להקיא, לפלוט; הקאה
voo'doo' *n.* וודו, פולחן-כשפים
voodooism *n.* וודואיזם, כישופים
vora'cious (-shəs) *adj.* רעבתני, זולל
- voracious reader זולל ספרים
vorac'ity *n.* רעבתנות; זוללנות
vor'tex' *n.* מערבולת; מצב סוחפני
vo'tary *n.* חסיד, מעריץ, סוגד
vote *n.* קול; הצבעה; פתק-הצבעה; דעה; החלטה; זכות הצבעה; מניין קולות; תקציב
- give one's vote לתת קולו, להצביע
- put to the vote להעמיד להצבעה
- record one's vote להצביע
- take a vote לערוך הצבעה
- vote of censure הצבעת אי אמון
- vote of confidence הצבעת אמון
- vote of thanks הצבעת תודה

vote *v.* להצביע; לבחור; להקציב; להצהיר, להכריז, להסכים
- I vote- *אני מציע ש-
- be voted out להפסיד בבחירות
- the show was voted a success הדעה הכללית היתה שהמחזה הצליח
- vote down לדחות/לסכל בהצבעה
- vote in לבחור
- vote off/out להדיח בהצבעה
- vote on להצביע/לערוך הצבעה על
- vote through לאשר (ברוב קולות)
voteless *adj.* חסר זכות-הצבעה
voter *n.* מצביע, בוחר
vo'tive *adj.* מוקדש, של קיום נדר
vouch *v.* להעיד על, לערוב ל-, ליטול האחריות; להבטיח
vouch'er *n.* שובר, תלוש, מיסמך
- gift voucher תעודת-שי
vouch·safe' *v.* לתת, להואיל לתת; להעניק (ברוב חסדו)
vow *n.* נדר, הבטחה חגיגית; הצהרה
- perform a vow לקיים נדר
- take vows להצטרף למיסדר דתי
- under a vow מודר (בתוקף נדר)
vow *v.* לנדור, להצהיר, להבטיח חגיגית, להתחייב, להישבע
- vow fidelity להישבע אמונים
- vow one's life להקדיש חייו
vow'el *n.* תנועה, ווקאל
vox *n.* קול
vox pop מישאל דעת-הקהל
vox pop'u·li' דעת הקהל, קול המון
voy'age *n.* הפלגה; מסע; נסיעה
- maiden voyage מסע בכורה, הפלגת בתולים
- voyages תיאורי מסעות
voyage *v.* להפליג, לנסוע
voyager *n.* נוסע, איש-מסעות
voyeur' (vwäyûr') *n.* מציצן, מציץ בגניבה (בפעילויות מיניות)
VS. = versus מול, נגד, לעומת
V-sign סימן-וי (להבעת ניצחון)
VTOL (vē'tōl) *adj.* ממריא אנכית
vul'canite' *n.* גומי מגופר
vul'caniza'tion *n.* גיפור
vul'canize' *v.* לגפר, לעבד בגופרית
vul'gar *adj.* גס, המוני, וולגארי; עממי, רווח
vulgar fraction שבר פשוט
vulgar herd ההמון הפשוט, המון העם
vul·ga'rian *adj.* וולגארי, גס, המוני
vul'garism' *n.* וולגאריזם, ביטוי המוני
vul·gar'ity *n.* וולגאריות, המוניות
vul'gariza'tion *n.* וולגאריזציה, הימון
vul'garize' *v.* לעשות לוולגארי
Vulgar Latin לאטינית עממית
Vul'gate *n.* וולגאטה (התרגום הלאטיני של התנ"ך, שנעשה במאה ה-4)
vul'nerabil'ity *n.* פגיעות, תורפה
vul'nerable *adj.* פגיע, חלש, לא מבוצר
vulnerable spot נקודת תורפה, עקב אכילס
vul'pine' *adj.* שועלי, ערמומי, פיקח
vul'ture *n.* נשר (עוף דורס); עשקן
vul'va *n.* פות, ערוות האישה
vy'ing (see vie) מתחרה, נאבק

W

W = watt, week, west
WAC = Women's Army Corps
wack'o *n.* מוזר, משוגע, מטורף*
wack'y *adj.* מוזר, אבסורדי, תימהוני*
wad (wod) *n.* גושיש רך/גמיש, סֶתֶם, רפיד; מוך; צרור, חבילה, כרוכת
wad *v.* לסתום, לרפד, לצרור, לכרוך
wad'ding (wod-) *n.* מילוי, ריפוד
wad'dle (wod-) *v&n.* לפסוע בצעדי ברווז, להתנדנד מצד לצד; הילוך ברווזי
wade *v.* לחצות, לעבור בקושי, לפלס דרכו בכבדות
- wade in/into להירתם במרץ ל-, לשקוע ראשו ורובו ב-; להתנפל על, להתקיף
- wade through לסיים בקושי
wader *n.* חוצה, עובר בקושי; עוף ארך-רגליים (אנפה, עגור וכ')
- waders מגפיים גבוהים (לדייג)
wa'di, wa'dy (wä'di) *n.* ואדי, נחל
wading bird = wader
wa'fer *n.* אפיפית, מרקוע; פת; פרוסה; מדבקה
wafer-thin *adj&adv.* דק, דקיק
waf'fle (wof-) *n.* ואפל, אפיפית; עוגה מתולמת; *שטויות, הבלים
waffle *v.* *לקשקש, לדבר שטויות; *להסס, לפסוח על שתי הסעיפים
waffle iron תבנית (לאפיית) אפיפיות
waft *v.* לשאת; להדיף, להפיץ; להינשא באוויר, לרחף
waft *n.* הינשאות; נֶדֶף; בריזה, רוח קלה; ניפנוף יד
wag *v.* לכשכש, לנענע; להתנועע
- tail wagging the dog הזנב מכשכש בכלב, הלך הדלי אחר החבל
- the story set chins wagging הסיפור הפך לשיחת היום
- their tongues wagged הם פיטפטו/ קישקשו/הלכו רכיל
- wag one's finger at להוכיחו בתנועת אצבע, להניע אצבעו כנגד
- wags its tail (הכלב) מכשכש בזנבו
wag *n.* כישכוש, ניענוע; ליצן, תעלולן
wage *v.* לערוך, לנהל
- wage war לערוך מלחמה, להילחם
wage *n.* שכר, משכורת
- wages שכר, משכורת; גמול
wage claim תביעת שכר
waged *adj.* מועסק (בשכר)
wage earner עובד בשכר
wage freeze הקפאת שכר
wa'ger *n.* התערבות, הימור
wager *v.* להתערב; להמר (על)
wage scale סולם שכר
wages director הממונה על השכר
wage slave שכיר (בתנאי עבדות)
wag'gery *n.* ליצנות, קונדסות
wag'gish *adj.* ליצני, תעלולני
wag'gle *v.* לכשכש; לנענע; להתנועע
waggle *n.* כישכוש, ניענוע
wag'on, wag'gon *n.* קרון; עגלה
- fix his wagon *לנקום בו; להכותו
- hitch one's wagon to a star לשאוף לגדולות
- off the wagon *הופך שוב לשתיין
- on the wagon *מתנזר ממשקאות
- station wagon מכונית סטיישן
- tea wagon עגלת-תה
wag'oner *n.* עגלון
wag'onette' *n.* מרכבה קלה
wagon-lit (vag'ənlē') *n.* קרון-שינה
wag'tail' *n.* נחליאלי
waif *n.* חסר-בית, זאטוט-רחוב
- waifs and strays עזובים ותועים
wail *v.* לבכות, לייבב, לקונן, ליילל
wail *n.* בכייה, בכי, יללה, קינה
Wailing Wall הכותל המערבי
wain'scot *n.* פאנל, ספין; ליווח
wainscoted *adj.* מצופה בספינים
waist *n.* מותניים, חלציים; מותני-כינור; אמצע האונייה; לסוטה, חולצה
waist-band *n.* חגורת מותניים
waistcoat (wes'kət) *n.* חזייה
waist-deep *adj&adv.* עד המותניים
waist-high *adj&adv.* בגובה המותניים
waist-line *n.* קו-המותניים
wait *v.* לחכות, להמתין; לדחות
- can wait יכול לחכות, אין מה למהר
- cannot wait חסר סבלנות; זקוק לטיפול מיידי, אין לדחותו
- in waiting משמש, משרת
- no waiting אין חנייה (תמרור)
- wait and see נחכה ונראה
- wait dinner לדחות את הארוחה
- wait for לחכות ל-
- wait on him hand and foot לשרתו בכל צרכיו
- wait on/at table להגיש, לשמש כמלצר
- wait on/upon לשרת, לשמש, להגיש; לבקר; לבוא אחרי; להיות תלוי ב-
- wait one's turn לחכות לשעת כושר; להמתין עד שיגיע תורו
- wait the storm out להמתין עד לסיום הסערה
- wait up להישאר ער, לאחר לישון
- you wait! חכה-חכה! (באיום)
wait *n.* המתנה, ציפייה
- waits זמרי חג-המולד
wait'er *n.* מלצר
waiting game המתנה אסטרטגית (תכסיס)
waiting list תור הממתינים
waiting room חדר המתנה
wait'ress *n.* מלצרית
waive *v.* לוותר על, לא לעמוד על
- waive a question לדחות הבעיה
waiv'er *n.* ויתור, כתב-ויתור
wake *v.* לעורר, להעיר; להתעורר; להיות ער; להיות מודע ל-
- wake his pity לעורר את רחמיו
- wake up לעורר; להתעורר; להקשיב
wake *n.* ליל-שימורים (למת, לפני הקבורה); שובל, עיקבה
- in the wake of בעיקבות-, אחרי-
wakeful *adj.* ער, לא ישן; ללא שינה
wa'ken *v.* להעיר, לעורר; להתעורר

waking *adj.* עֵר, של שעות הָעֵרוּת
wale *n.* חבורה, סימן-הצלפה; פס בולט בארִיג (כגון בקורדרוי)
Wales (wālz) *n.* וילס
walk (wôk) *v.* ללכת, לפסוע, לצעוד; לטייל; להוליך, להוביל; להעביר; לְלַוּוֹת
- walk about לטייל, להסתובב
- walk all over *להביס בקלות; לנצל
- walk away from לצאת בשלום (מתאונה), לנצח בקלות (במירוץ)
- walk away with לגנוב; לזכות בפרס; לנצח בקלות
- walk him off his feet לעייפו בהליכה
- walk him to exhaustion להצעידו עד לאפיסת כוחות
- walk in peace לחיות בשלום
- walk into לגעור, לנזוף; לצעוד היישר (למלכודת); לזלול, לאכול בלהיטות
- walk into a job לקבל עבודה בקלות
- walk it לטייל רגלי; לנצח בקלות
- walk off להפחית (שומן) ע"י הליכה
- walk off with לגנוב; לזכות בפרס; לנצח בקלות
- walk on לשחק תפקיד אילם (במחזה)
- walk out לשבות, לקיים שביתה; לצאת, לעזוב (במורת-רוח)
- walk out on him לנטוש, לזנוח
- walk out with "לצאת עם" (חבר)
- walk over לנצח, להביס; לרמוס, לנצל
- walk the boards להיות שחקן
- walk the chalk ללכת בתלם
- walk the floor לפסוע הנה והנה
- walk the hospitals/wards ללמוד רפואה
- walk the plank לצעוד על הקרש (הבולט מהספינה, וליפול למים)
- walk the streets להיות יצאנית
- walk up לגשת; להיכנס; ללכת
- walks on air הוא ברקיע השביעי
walk *n.* הליכה, צעידה, הילוך; טיול; שביל, דרך; מהירות נמוכה
- 5-minute walk מרחק 5 דקות הליכה
- all walks of life כל חוגי הציבור
- go for a walk לטייל ברגל
- walk of life אורח-חיים
- win in a walk לנצח בקלות/בהליכה
walk-about *n.* טיול; טיול בין ההמונים, התערבות בתוך הקהל
walkaway *n.* *ניצחון קל
walker *n.* הלכן; הליכון (לנכה)
walk′ies (wô′kiz) *n&interj.* *טיול; יוצאים! (לכלב)
- go walkies *לצאת לטיול; להיעלם, נגנב
walk′ie-talk′ie (wô′ki tô′ki) *n.* ווקי-טוקי, משדר רדיו נייד
walk-in *adj.* גדול, מרווח; (ניצחון) קל
walking *adj.* של טיול, להליכה
walking dictionary מילון מהלך, אדם בעל אוצר מלים גדול
walking-frame *n.* הליכון
walking papers מיכתב פיטורים
walking stick מקל הליכה
walking tour טיול ברגל, תיורגל
Walk′man (wôk-) *n.* ווקמן
walk-on *n.* תפקיד אילם (על הבמה)
walk-out *n.* שביתה; יציאה הפגנתית
walk-over *n.* ניצחון קל
walk-up *n&adj.* (בניין) חסר-מעלית; דירה ללא מעלית
walkway *n.* טיילת; מעבר; שביל
wall (wôl) *n.* קיר, כותל, חומה, דופן
- climb the wall *לצאת מדעתו
- go to the wall להיאלץ להיכנע, לנחול תבוסה
- off the wall *לא דתי, לא שגרתי
- push to the wall ללחוץ אל הקיר
- run one's head against a wall לטפס על קירות חלקים, להטיח ראשו בכותל
- up the wall רותח מזעם
- wall of people חומת אנשים
- wall of water נד-מים
- wall-to-wall מקיר לקיר
- walls have ears אוזניים לכותל
wall *v.* להקיף בחומה/בגדר; לסתום, לאטום (פתח)
- wall off להפריד במחיצה, לחייץ
- wall up לאטום (פתח/חלון, באבנים)
wal′laby (wol-) *n.* וולאבי (חיה דמוית קנגורו)
wal′lah (wol′ə) *n.* עובד, ממונה על
wallchart *n.* תרשים-קיר
wal′let (wol-) *n.* ארנק, תיק
wall-eyed *adj.* פוזל (שאישוניו פונים החוצה); בעל לובן עין
wall-flower *n.* נערת-פינה (שאין מזמינים אותה לריקודים)
wal′lop (wol-) *v&n.* *להכות, לחבוט, להביס; מכה, מהלומה; בירה
walloping *n.* *מכה, תבוסה, מפלה
walloping *adj.* *גדול, כביר, עצום
wal′low (wol′ō) *v.* להתפלש, להתגולל, להתבוסס; לשכשך; להתענג
- wallowing in money עשיר מופלג
wallow *n.* (מקום) התפלשות
wall painting ציור קיר, פרסקו
wallpaper *n.* טפט, נייר-קיר
wallpaper *v.* לצפות (קיר) בטפטים
Wall Street וול-סטריט, המרכז הפיננסי של ארה"ב
wa′lly *n.* *טיפש, מטומטם
wal′nut′ (wôl-) *n.* אגוז, אגוז המלך; עץ אגוז
wal′rus (wôl-) *n.* ניבתן, סוס-ים
- walrus moustache שפם דמוי-חַיִת
waltz (wôlts) *n&v.* ואלס (ריקוד); לרקוד ואלס; להוביל בוואלס; לנוע בקלילות
- waltz off with *לגנוב; לזכות בקלות
wam′pum (wom-) *n.* חרוזים, צדפים; *כסף
wan (won) *adj.* חיוור; חלוש, עייף
wand (wond) *n.* שרביט; מטה-קסם
wan′der (won-) *v.* לשוטט, לנדוד; לטייל; לתעות; לסטות (מדרך הישר/מהנושא)
- his mind is wandering הוא מבולבל, נותק חוט-מחשבותיו
- the river wanders הנהר מתפתל
- wander in לקפוץ לביקור
- wander off לסטות
wanderer *n.* משוטט, נודד
wandering *adj.* נודד; מתפתל, נחשי

wanderings *n-pl.* מסעות, נדודים
wanderlust *n.* בולמוס-נסיעות
wane *v.* להתמעט, לקטון, לדעוך, לגווע
wane *n.* התמעטות, דעיכה
- on the wane דועך, פוחת והולך
wan′gle *v.* *לסחוט, להשיג בתחבולה; לשדל, לפתות; לרמות; להיחלץ מקושי
wangle *n.* תחבולה; שידול, פיתוי
wan′na (be) (won′ə) *n.* *רוצה (להיות)
want (wont) *v.* לרצות, לחפוץ; להיות חסר/זקוק/דרוש/צריך/חייב/נטול/ נעדר-; לסבול ממחסור
- I want you to go אני רוצה שתלך
- be wanted להיות רצוי/מבוקש
- it wants 5 minutes to 7 השעה 7 פחות 5 דקות
- it wants some doing הדבר מחייב פעולה של ממש
- want for להיות חסר, לסבול ממחסור
- wanted for murder מבוקש בעוון רצח
- wants experience חסר ניסיון
- wants for nothing לא חסר דבר, יש לו הכל
- you want to see a lawyer עליך להיוועץ בעורך-דין
want *n.* רצון, חפץ; מחסור, חוסר; צורך; עוני, דלות
- from/for want of מחוסר-, מהעדר-
- is in want of צריך, זקוק ל-
- long-felt want דבר שזקוקים לו זה זמן רב
- wants צרכים, דרישות
want ad מודעת "דרוש" (בעיתון)
wanting *adj.* חסר, נעדר, לא מספיק
- was found wanting נמצא חסר/לא מספיק, לא עמד בדרישות
wanting *prep.* ללא, בלי; בהעדר; פחות
wan′ton (won′-) *n.* מופקר, מופקרת, פרוצה
wanton *adj.* שובבני, פרוע, קפריזי; שופע, גדל פרא; זדוני, מרושע; מופקר
- wanton cruelty אכזריות מרושעת
wanton *v.* להשתובב, להתהולל; לבזבז
war (wôr) *n&v.* מלחמה, מערכה, תורת הלחימה; להילחם, להיאבק
- at war במצב מלחמה, נלחמים
- been in the wars *יצא בשן ועין
- go to war לאסור מלחמה (על)
- make war לעשות מלחמה, להילחם
- war game מישחק מלחמה
war baby תינוק (שנולד בעת) מלחמה
war′ble (wôr-) *v&n.* לטרלל, לזמר בסילסול; סילסול, טירלול; טריל
war′bler (wôr-) *n.* סיבכי (ציפור)
war bride כלת מלחמה; אשת חַיָּל מגויס; אשת חַיָּל מצבא-כיבוש
war chest קרן מלחמה
war clouds ענני-מלחמה, סימני מלחמה קרבה ובאה
war correspondent כַּתָּב קרבי
war crimes פשעי-מלחמה
war criminal פושע מלחמה
war cry זעקת-הקרב; סיסמת-בחירות
ward (wôrd) *n.* מחלקה; חדר; ביתן; רובע מינהלי; בן-חסות; אפיטרופסות; שמירה; חריץ-המפתח (המתאים למנעול)
- keep watch and ward לשמור, להגן
ward *v.* למנוע, להדוף
- ward off למנוע, להדוף, לתמנע
-ward(s) (wərd(z)) לכיוון, -ה
- northward(s) לכיוון צפון, צפונה
- skyward(s) השמיימה
war dance מחול מלחמה, מחול קרב
war′den (wôr′-) *n.* סוהר, מפקד בית-סוהר; ממונה, מפקח; פקח; מנהל
- chief warden רב-כלאי
- traffic warden פקח-חנייה
ward′er (wôrd′-) *n.* שומר; סוהר
ward′robe′ (wôrd′-) *n.* ארון-בגדים, מלתחה
ward′room′ (wôrd′-) *n.* מגורי-קצינים
wardship *n.* אפיטרופסות
ware *n&v.* כלים; סחורה; לאחסן
- glassware כלי-זכוכית
- wares מוצרים, מרכולת, סחורה
ware *v.* להיזהר מ-
warehouse *n.* מחסן, מחסן-סחורות
- bonded warehouse מחסן ערובה
warfare *n.* מלחמה, לוחמה
warhead *n.* ראש חץ, ראש טיל
warhorse *n.* סוס-מלחמה, שועל-קרבות
wa′rily *adv.* בזהירות
warlike *adj.* מלחמתי, ערוך למלחמה; שואף-קרבות, שש לקרב
warlord *n.* מצביא, מפקד צבאי
warm (wôrm) *adj.* חם, חמים; לבבי; לוהט, נלהב; חביב, נלבב
- he is warm חם לו, יש לו חום
- make things warm for him לגרום לו אי-נוחיות, לעשות לו צרות
- warm color צבע חם (אדום/צהוב/ורוד)
- warm debate ויכוח חם/סוער
- warm trail עקבות טריים
- warm work עבודה מחממת; פעילות מסוכנת
- you're getting warm אתה מתקרב (לתשובה הנכונה)
warm *v.* לחמם; להתחמם
- he warmed (up) to the idea הוא התלהב מהרעיון, הוא נדלק לרעיון
- warm over לחמם/להתחמם שוב; להשתמש שוב (באותו נימוק)
- warm the bench לחבוש את הספסל
- warm to one's work להתלהב מעבודתו
- warm toward him להתחיל לחבבו
- warm up לחמם; להתחמם; להתיידד; לחמם שוב
warm-blooded *adj.* חם-דם; חמום-מזג
warm-hearted *adj.* חם-לב, לבבי
warming pan אילפס-חימום (למיטה)
warmonger (-mung-) *n.* מחרחר מלחמה
warmth (wôrmth) *n.* חמימות; חום
warm-up *n.* חימום; התחממות
warn (wôrn) *v.* להזהיר, להתרות; להודיע
- warn away/off להרחיק; להזהיר לבל יתקרב
warning *n&adj.* אזהרה; התראה; הודעה; מזהיר, מתרה
- give a week's warning להודיע על פיטורים שבוע מראש

- take warning להיזהר; לראות כאזהרה
- warning remark הערת אזהרה
war of nerves מלחמת עצבים
warp (wôrp) *n.* (באריגה) שְׁתִי; עיקום; פיתול; כבל-גרירה
warp *v.* לעקם; להתעקם; לפתל, לעוות, לסלף; להסתלף
- warped mind מוח מעוות
war paint צבע מלחמה (למריחה על הגוף); בגדי-שרד; *איפור, אודם
war-path *n.* דרך המלחמה
- on the war-path ערוך לקרב, במלחמה, נאבק; זועם, רותח
warplane *n.* מטוס קרב
war'rant (wôr'-) *n.* הצדקה, סמכות; הרשאה; ערובה; בטוחה; כְּתַב; צו; צו-חיפוש; פקודת מעצר; כְּתַב מינוי
- death warrant תעודת פטירה
warrant *v.* להצדיק; להרשות; לערוב ל-; להבטיח
- I warrant אני מבטיח (לך), אין ספק
war'rantee' (wôr-) *n.* מיופה כוח; מקבל תעודת-אחריות
warrant officer נַגָּד בכיר (בצבא)
war'rantor' (wôr'-) *n.* נותן אחריות, עָרֵב
war'ranty (wôr'-) *n.* אחריות, תעודת אחריות; סמכות; ערבות
war'ren (wôr'-) *n.* ארנבייה, שפנייה; מקום מאוכלס בצפיפות; מבוך-סימטאות
warring *adj.* נלחם, נאבק
war'rior (wôr'-) *n.* לוחם
War'saw (wôr-) *n.* ורשה
warship *n.* אוניית-מלחמה, ספינת-קרב
wart (wôrt) *n.* יבלת; *אדם דוחה
- warts and all *בלי להסתיר פגמים
wart hog חזיר היבלות
wartime *n.* עת מלחמה
war-torn *adj.* (ארץ) שסועת-קרבות
wart'y (wôr'ti) *adj.* יבלני, מיובל
war widow אלמנת מלחמה
wa'ry *adj.* זהיר, חשדני
was = pt of be (wôz)
wash (wôsh) *v.* לרחוץ, לכבס, להדיח; לשטוף; להציף; לסחוף; להישטף; להתכבס יפה
- the water washed a hole המים שחקו חור (באבן)
- wash away/off לשטוף, לסחוף
- wash clean לשטוף, לרחוץ, לנקות
- wash down לשטוף (בסילון מים); לבלוע (גלולה) בעזרת משקה
- wash one's hands of להתנער מכל אחריות ל-, לרחוץ בניקיון כפיו
- wash out לכבס, לשטוף; להתכבס; להדהות/לדהות בכביסה; לגרוף; להיסחף; *לבטל
- wash up לשטוף (פנים/כלים)
- washed out חיוור, עייף, סחוט; (כביש) מוצף
- washed out race מירוץ שהופסק (עקב הצפה)
- your story won't wash (with me) איני מאמין לסיפורך, איני "בולע"
wash *n.* רחיצה, כביסה, שטיפה, סחיפה; כבסים; מַשַׁק-מים; גל; נוזל דליל; נוזל-שטיפה; מימשה; פסולת-מיטבח
- come out in the wash להיוודע ברבים; להסתיים על הצד הטוב ביותר
- in/at the wash בכביסה, בכבסים
wash *adj.* כביס, מתכבס יפה
wash'abil'ity (wôsh-) *n.* כביסות
wash'able (wosh'-) *adj.* כביס, מתכבס
wash-and-wear *adj.* כבס ולבש (בגד)
wash-basin *n.* כיור
wash-board *n.* לוח-כביסה, כסכסת
wash-bowl *n.* כיור
wash-cloth *n.* מטלית-רחצה, מגבת (לפנים)
wash-day *n.* יום הכביסה (השבועי)
wash-down *n.* רחיצה, שטיפה
wash drawing ציור בצבעי-מים (בגוון אחד)
washed-out *adj.* חיוור, דהה; עייף, סחוט
washed-up *adj.* *מחוסל; עייף; הרוס
washer *n.* רוחץ, שוטף; מכבס, מכונת כביסה; דיסקית (לבורג), טבעת מתכת, שַׁיִיבָּה
washerwoman *n.* כובסת
wash-house *n.* מיכבסה
washing *n.* רחיצה, כביסה; כבסים
washing-day *n.* יום הכביסה (השבועי)
washing machine מכונת כביסה
washing powder אבקת כביסה
washing soda סודה לכביסה
washing-up *n.* שטיפת כלים
wash-leather *n.* מטלית-ניקוי (מעור)
wash-out *n.* חור, תעלה (בכביש, עקב סחף-מים); כישלון; לא-יצלח
washrag *n.* מגבת, מטלית רחצה
washroom *n.* חדר-שירותים, נוחיות
wash-stand *n.* שולחן-רחיצה, כיור
wash-tub *n.* גיגית-כביסה
washwoman *n.* כובסת
wash'y (wosh'i) *adj.* דליל, מימי; חלש, חיוור; חסר-נִמְרָצוּת, נטול-עוצמה
wasn't = was not (woz'ənt)
wasp (wosp) *n.* צירעה
waspish *adj.* דמוי-צירעה, צר-מותניים; עוקצני, רגזני, חריף-מענה
wasp-waisted *adj.* צר-מותניים
was'sail (wos'əl) *n.* מסיבה חגיגית, מישתה; קריאת לחיים; משקה מתובל
wassail *v.* לשתות לחיים; ללגום במסיבה; לשיר שירי חג-המולד
wast = pt of be (wost) (אתה) היית
wa'stage *n.* הפסד, ביזבוז, אובדן, בלאי
waste (wāst) *n.* ביזבוז, איבוד; שממה, מידבר, שטח חדגוני; פסולת, אשפה
- go/run to waste להתבזבז, לרדת לטמיון
waste *v.* לבזבז; לאבד; לְכַלּוֹת, לדלדל; להחריב; להשחית; להידלדל; להתבזבז
- my efforts were wasted מאמציי עלו בתוהו
- waste away להידלדל, להתנוון
- waste not, want not חסוך היום, ולא תחסר מחר
- waste one's breath לשחת דבריו
waste *adj.* שמם, לא-מיושב, הרוס; מיותר, חסר-שימוש, פגום; של פסולת

- waste land שממה, אדמת בור
waste basket סל פסולת, סל אשפה
waste bin סל פסולת, פח אשפה
waste disposal unit טוחן אשפה
wasteful *adj.* בזבזני, פזרני
wasteland *n.* שממה; ריקנות
wastepaper *n.* פסולת-נייר
wastepaper basket סל פסולת
waste pipe צינור שפכין
waste product מוצר פסולת
waster *n.* בזבזן; משחית
wasting *adj.* מכלה, מדלדל; מחריב, משחית
wa'strel *n.* בזבזן; בטלן, לא-יצלח
watch (woch) *n.* שעון, שעון-יד; שמירה; עירנות; שומרים, שוטרים; מישמר; מישמרת
- keep a close watch on להשגיח בשבע עיניים על, לעקוב בדריכות אחר
- keep watch לעמוד על המישמר
- night watch שומרי לילה; אשמורת ליל
- on the watch על המישמר, פוקח עין
- set a watch on להפקיד שמירה על
- the first watch האשמורה הראשונה (בלילה), מישמרת א'
- the watches of the night שעות לילה ללא שינה, אשמורות הלילה
watch *v.* לראות, להתבונן, להסתכל; לחכות, לצפות; להשגיח, לשמור; לפקוח עין, להיזהר, לשים לב
- watch for לחכות ל-, להיות על המישמר
- watch it! היזהר!
- watch my smoke *שים לב למהירותי
- watch one's step להיזהר שלא למעוד
- watch one's time לחכות לשעת כושר
- watch out להיזהר
- watch out for לחפש, לבקש, לשים לב
- watch television לִצְפּוֹת בטלוויזיה
- watch the clock לְצַפּוֹת (בקוצר רוח) לסיום יום העבודה
- watch the time לשים לב לשעה
watchband *n.* רצועת-שעון (לשעון-יד)
watch chain שרשרת-שעון
watchdog *n.* כלב שמירה
watcher *n.* רואה, מתבונן, צופה
watchful *adj.* ער; זהיר, פוקח-עין
watch-glass *n.* זכוכית השעון
watch-guard *n.* רצועת-שעון
watch-key *n.* מפתח-שעון
watchmaker *n.* שען
watchman *n.* שומר
watch strap רצועת שעון
watch-tower *n.* מיגדל שמירה
watchword *n.* סיסמה
wat'er (wôt'-) *n.* מים; נוזל; גובה מי-הים
- above water לא בקשיים, לא במצוקה
- by water בדרך הים, בהפלגה בספינה
- get into hot water להסתבך בצרה
- go on the water לשוט בסירה
- high/low water גיאות/שפל
- in smooth water נחלץ מצרה, על מי-מנוחות
- like a fish out of water כדג ביבשה, לא שרוי בסביבתו הטיבעית
- like water בכמויות, בשפע
- of the first water ממדרגה ראשונה
- open water מים פתוחים (נוחים לשיט)
- pass/make water להשתין, להטיל מים
- through fire and water באש ובמים
- throw cold water on לשפוך צוננים על, לקרר התלהבות, לקצץ כנפיו
- tread water לשחות זקוף
- under water מוצף
- water under the bridge חלב שנשפך
- waters מים; ימים; מי-מרפא
- written in water נשכח מהר, בן-חלוף
water *v.* להשקות (צמח/סוס); להזליף; להתיז; לדמוע, לריר; להנפיק מניות (בצורה מנופחת)
- made his mouth water מילא פיו ריר, גירה את תיאבונו
- the ship watered הספינה הצטיידה במים
- water down למיים, להחליש, לדלל
Water-bearer *n.* מזל דלי
waterbed *n.* מיטת מים
water bird עוף-מים
water biscuit מצייה (מקמח ומים)
water blister בועת-מים, פצע-מים
water-borne *adj.* מובל בדרך הים; (מחלות) מועברות במים מזוהמים
water bottle מימייה; כלי למים
water buffalo תאו-המים
water butt חבית (למי-גשם)
water cannon תותח מים (לפיזור מפגינים)
water cart עגלת-מים (למכירת מים או לשטיפת רחובות)
water closet בית שימוש, שירותים
watercolor *n.* (ציור ב-) צבעי-מים
watercool *v.* לצנן (מנוע) במים
watercourse *n.* נחל, תעלה; אפיק-מים
watercress *n.* גרגיר הנחלים (תבלין)
watered *adj.* מושקה; (רחוב) מרובץ
watered shares מניות מנופחות (שהונפקו בלא גידול מקביל בהון)
watered silk מואר, משי גלי/מימי
waterfall *n.* מפל-מים, אשד
- waterfall of suggestions מבול הצעות
water-finder *n.* מחפש מים (תת-קרקעיים)
water-fowl *n.* עוף-מים (לציד)
waterfront *n.* שטח החוף, איזור הגדה
- cover the waterfront לכסות הנושא מכל היבטיו
waterglass *n.* כוס מים; נוזל זכוכי
water gun/pistol אקדח מים (צעצוע)
water heater מחמם מים (דוד)
water hole בריכה, שקע-מים
water ice שלגון, מיקפא רפרפת; שרבט
wateriness *n.* מֵימִיוּת
watering *n.* השקאה, השקייה; הזלפה
watering can/pot מזלף (של גנן)
watering place אתר מעיינות-מרפא; סְפָּא; בריכה, שקע-מים; מקום אספקת-מים
water jacket חלוק-מים (לקירור מנוע)
water jump מיכשול מים (במירוץ)
water level גובה-מים, מיפלס-מים
water lily נימפיאה (צמח-מים)
waterline *n.* קו-המים (באונייה)

- load waterline קו השוקע

water-logged *adj.* מלא מים, רווי מים

wat′erloo′ (wot-) *n.* ווטרלו, תבוסה, מפלה כבדה

water main צינור-מים ראשי

waterman *n.* מעבוראי, משכיר סירות

watermark *n.* סימן מיפלס המים; סימן-מים (טבוע בנייר)

water meadow שדה מוצף (תכופות)

watermelon *n.* אבטיח

water meter שעון מים

watermill *n.* טחנת-מים

water nymph נימפת-המים

water pipe צינור מים; נרגילה

water polo כדור-מים (מישחק)

water power כוח מים (בטורבינה)

waterproof *adj.* חסין-מים, אטים-מים

waterproof *n.* מעיל-גשם

waterproof *v.* לעשות לחסין-מים

water rate אגרת מים

water-repellent *adj.* דוחה מים

water-resistant *adj.* דוחה מים

watershed *n.* פרשת-מים; קו מפריד (בין אגני-נהר/אירועים); נקודת מיפנה

waterside *n.* חוף, גדה, גדת-נהר

water skiing סקי-מים

waterskin *n.* נאד, חמת-מים

water spaniel ספאנייל המים (כלב ציד)

water-spout *n.* צינור, גישמה, מזחילה, דילפה; זרבובית; עמוד מים, טורנאדו

water supply אספקת-מים

water table מיפלס המים (התת-קרקעי)

watertight *adj.* אטים-מים; ברור לחלוטין, לא מותיר מקום לטעות

water tower מיגדל מים

water vapor אדים, אדי-מים

water vole/rat חולדת-מים

water wagon עגלת מים

waterway *n.* נתיב-מים (עביר לספינה)

waterwheel גלגל (מסתובב בכוח) מים

waterwings מצופים (ללומד לשחות)

waterworks *n-pl.* מיפעלי-מים; מכון לאספקת מים; *מערכת השתן; דמעות

- turn on the waterworks *להתחיל לבכות

water-worn *adj.* שחוק-מים

watery *adj.* מימי, רווי-מים; דומע; חיוור, חלש; מבשר גשם

- find a watery grave לטבוע

- watery color צבע חיוור/חלש

watt (wot) *n.* ואט (בחשמל)

watt′age (wot-) *n.* ואטאז' (כוח חשמלי מבוטא בוואטים), הֶספֵק (בוואטים)

wat′tle (wot-) *n.* שבכה, מסגרת ענפים, מחיצה קלועה; שיטה (עץ); דילדול בשרי (בצוואר תרנגול-הודו)

wave *v.* להתנועע, להתנופף; לנענע, לנופף; לנפנף; לסלסל; להסתלסל

- wave aside לבטל, לדחות הצידה

- wave away לסלק בניפנוף יד

- wave down לסמן שיעצור

- wave good-by לנופף לשלום (ביד)

- wave hair לסלסל שיער

- wave him on לרמוז (ביד) שיתקדם

wave *n.* גל; נחשול; ניפנוף יד; סילסול

- a wave of fear גל פחד

- in waves גלים-גלים

- long waves גלים ארוכים

- make waves *לעשות צרות, לעשות גלים, לעשות רוח

- permanent wave סילסול תמידי

- waves ים

wave band תחום-גלים

wavelength אורך גל

- on different wavelengths לא משדרים על אותו גל, לא מבינים זה את זה

wa′ver *v.* להתנועע; להבליח; להסס, לפקפק; להתמוטט, להתחיל לקרוס

waverer *n.* מהסס, לא החלטי

wa′vy *adj.* גלי; מסולסל, מתולתל

wax *n.* דונג, שעווה; *זעם, התלקחות

- wax in his hands כחומר ביד היוצר

wax *v.* לדנג, למרוח שעווה; לגדול, להיות, להיעשות, להפוך

- the moon waxes הירח מתמלא

- wax and wane לעבור תהפוכות

- wax fat להשמין

wax doll בובת שעווה

wax′en *adj.* שעווי, דונגי; חיוור

wax paper נייר שעווה

waxwork *n.* בובת-שעווה, דמות-שעווה

waxworks *n-pl.* מוזיאון שעווה

waxy *adj.* שעווי, חיוור; *זועם

way *n.* דרך, אורח, נתיב; אופן, שיטה, צורה; כיוון; *סביבה, מקום

- a long way מרחק ניכר; מאוד, בהרבה

- a long way off רחוק; רחוק מ-

- across/over the way מול, נגד

- all the way לאורך כל הדרך, כל הזמן

- all the way from $10 to $100 בין 10 דולר ל-100 דולר

- any way בכל אופן, על כל פנים

- better by a long way טוב בהרבה

- by the way דרך אגב; בשעת הנסיעה

- by way of דרך; במקום, בצורת-, בכעין-, בכוונה ל-, במטרה ל-

- by way of Rome דרך רומא

- child on the way ילד בדרך, הרה

- do it one's own way לעשות זאת בדרכו שלו

- do it this way לעשות זאת בדרך זו

- fall his way להזדמן לו, ליפול בחלקו

- from way back מזה שנים רבות

- gather way לצבור מהירות

- get in the way להפריע, לחסום דרך

- get it out of the way להסדיר זאת; להיפטר ממנו

- get under way להתחיל להתקדם

- get/have one's own way להשיג את מבוקשו, לעשות כרצונו (למרות הכל)

- go all the way with להסכים לחלוטין עם

- go out of one's way to לעשות מאמץ מיוחד ל-

- have it both ways להשיג 2 דברים מנוגדים, לאחוז החבל בשני קצותיו

- have way on להפליג במים

- he has a way with him יש לו קסם מיוחד, יש לו דרך משלו

- in a bad way במצב רע

- in a big way *"בגדול", ברוב רושם

- in a small way בקנה-מידה קטן;

בפשטות, בצנע
- in a way במידה מסוימת
- in any way בדרך כלשהי
- in no way כלל לא
- in one's way בדרכו, חוסם, מפריע
- in the family way בהריון
- in the same way באופן דומה
- in this way בדרך זו, בשיטה זו
- know one's way around להכיר הליכות עולם
- look his way להסתכל לעברו
- lose way לאבד מהירות, להאיט
- make one's way לפלס דרכו; ללכת; לשים פעמיו; להצליח
- make the best of one's way להחיש צעדיו
- make way להתקדם, לעשות דרכו
- make way for לפנות דרך ל-
- no way! *בשום אופן לא! שלילי!
- not see one's way (clear) to לא לראות דרך/אפשרות/טעם/הצדקה/כיצד ל-
- on the way בדרך, לקראת
- on the way out עומד לצאת (מן האופנה)
- out of the way יוצא דופן, בלתי רגיל; נידח, מרוחק; לא מפריע, לא חוסם
- parting of the ways פרשת-דרכים
- pave the way for להכשיר הקרקע ל-, לסלול הדרך ל-
- pay one's way לשלם את חלקו (בהוצאות); להתרחק מחוב, לא לשקוע בחובות
- permanent way מסילת הברזל
- pick one's way להתקדם בזהירות
- put him in the way of לתת לו הזדמנות ל-, לעזור לו להתחיל
- put out of the way לחסל, לרצוח; להשליך לכלא
- right of way זכות מעבר
- set in one's ways בעל מינהגים קבועים
- take one's own way לנקוט שיטה עצמאית, לנהוג על פי דרכו
- that's only his way זו דרכו, כך הוא מתנהג
- the way he does it הדרך שבה הוא עושה זאת
- the whole way לגמרי, מא' ועד ת'
- there's no way אין שום דרך/אפשרות
- under way מתקדם; בתנועה; בביצוע
- way of life אורח חיים
- way of the world דרך העולם
- way of thinking דרך מחשבה, דעה
- ways כבש-השקה (לאוניות)
- ways and means אמצעים (לגיוס כספים)
way *adv.* רחוק; הרבה מאוד
- way back *לפני זמן רב, מזמן
- way behind הרחק מאחור
way-ahead *adj.* מתקדם
waybill *n.* רשימת סחורות; רשימת נוסעים
wayfarer *n.* הֵלֵךְ, צועד, נוסע
wayfaring *n&adj.* צעידה; נסיעה; צועד
way'lay' *v.* לארוב, לתקוף; לגשת אל-
way-out *adj.* משונה, מוזר ביותר

-ways (wāz) *adv.* (סופית) לציון כיוון/אופן
- sideways הצידה, במצודד
wayside *n.* שולי הדרך, צד הכביש
- drop by the wayside להיכשל לפני הסיום
way station ציון דרך
way'ward *adj.* עקשן, קפריזי, הפכפך
WC = water closet בית שימוש, שירותים
we (wē) *pron.* אנו, אנחנו; אני
weak *adj.* חלש, רפה; מימי, דליל
- weak argument טענה חלשה/לא משכנעת
- weak point נקודת תורפה
weak'en *v.* להחליש; להיחלש
weaker sex המין החלש, האישה
weak form צורה חלשה (במיבטא, בהבלעת תנועה)
weak-headed *adj.* רפה-שכל
weak-kneed *adj.* נמוג-ברכיים, מוג-לב
weak'ling *adj&n.* (אדם) חלש
weakly *adj&adv.* חלש, עדין; בחולשה
weak-minded *adj.* רפה-שכל
weakness *n.* חולשה; פגם, חיסרון
- a weakness for ice cream חולשה לגלידה
weal *n.* אושר, הצלחה, טובה; פס-מלקות, סימן-חבטה, חבורת-פס
- in weal and woe בטוב וברע
- the general weal טובת הכלל
weald *n.* יער (באנגליה)
wealth (welth) *n.* עושר; שפע, רוב
wealth'y (welth'i) *adj.* עשיר
wean *v.* לגמול (מיניקה); להגמיל
weap'on (wep'-) *n.* נשק, כלי-נשק
weaponless *adj.* חסר-נשק
weap'onry (wep'-) *n.* כלי-נשק
wear (wār) *v.* ללבוש; לשאת; ללבוש ארשת; להיות מראהו; לבלות, לשחוק; להשתמר, להתקיים; *להסכים, לאפשר
- wear a bracelet לענוד צמיד
- wear a frown ללבוש ארשת זועפת
- wear a hat לחבוש כובע
- wear a hole ליצור חור (ע"י חיכוך)
- wear a path לכבוש דרך (בהליכה)
- wear away לשחוק; להישחק; לחלוף
- wear down לשחוק/להישחק (בשיפשוף); להחליש, לייגע, להתיש; לדלדל
- wear glasses להרכיב משקפיים
- wear his nerves למרוט עצביו
- wear off להימוג, להיעלם; לשחוק
- wear on להתקדם, להימשך, לעבור; להרגיז, להציק; לעייף
- wear out לשחוק; להישחק; להתבלות; לעייף; לפקוע (סבלנותו)
- wear thin להישחק; להשתפשף
- wear through לשחוק; להישחק; לבלות
- wear well להיראות צעיר (חרף גילו); להחזיק מעמד
- wears her hair long בעלת שיער ארוך
wear *n.* לבוש; הלבשה; שחיקה; התבלות; בלאי; יציבות, אי-בלייה
- evening wear תלבושת ערב
- wear and tear התבלות, פחת

- women's wear בגדי נשים
wearable *adj.* לביש, בר-לבישה
wea′riness *n.* עייפות, ליאות
wear′ing (wār′-) *adj.* של מלבושים; מעייף
wearing apparel מלבושים, בגדים
wea′risome *adj.* מעייף; משעמם
wea′ry *adj.* עייף, יגע; מעייף, משעמם
weary *v.* לעייף; להתעייף; לשעמם
wea′sel (-z-) *n&v.* סמור (טורף קטן)
- weasel (out) להתחמק; להיות חמקמק
weasel word מלה דו-משמעית
weath′er (wedh′-) *n.* מזג-אוויר
- keep a weather eye open להיות ערוך ל-, לעמוד על המשמר
- make heavy weather of it למצוא שהדבר קשה
- under the weather לא מרגיש בטוב, לא בקו-הבריאות; מבוסם, שתוי
weather *v.* לעבור בשלום, להחזיק מעמד, להתגבר על; לחשוף לאוויר; לדהות; להישחק; להפליג מצד הרוח
- weather out להחזיק מעמד, לעבור
weather-beaten *adj.* מוכה-רוחות, שזוף-שמש, (פנים) שחומים, חרושי קור וחום
weather-board *n.* ציפוי-לוחות (מרועפים, נגד גשם)
weather-bound *adj.* תקוע עקב מזג-אוויר, מעוכב בגלל מזג-אוויר
weather bureau שירות מטאורולוגי
weather chart/map מפה סינופטית
weathercock *n.* שבשבת, נס-הרוח; הפכפך
weather forecast תחזית מזג-האוויר
weatherglass *n.* בארומטר
weatherman *n.* חזאי
weatherproof *adj&v.* חסין-רוח, אטים-גשם; לחסן כנגד מזג-אוויר
weather ship אונית-חיזוי (לתצפיות מטאורולוגיות)
weather station תחנת-חיזוי
weather strip פס-אוטם
weatherstrip *v.* לאטם (דלת) בפס-אוטם
weathervane שבשבת, נס הרוח
weatherwise *n.* חזאי, מומחה-חיזוי
weave *v.* לארוג, לטוות; לשזור; לבנות, להרכיב; לפתל; להתפתל
- get weaving *להירתם במרץ לעבודה
- weave a basket לקלוע סל
- weave a plan לרקום תוכנית
- weave a story לשזור סיפור
- weave into לשבץ, לשזור ב-
- weave one's way להתקדם בפיתולים
weave *n.* מארג, מישזור, מירקם, מטווה
weaver *n.* אורג, טוואי
web *n.* קורים; רשת, מסכת, מארג; קרום-שחייה; גליל-נייר; אינטרנט
- web of lies מסכת-שקרים
webbed *adj.* בעל קרומי-שחייה
web′bing *n.* אריג, רצועה, חגורה
web-footed, web-toed *adj.* בעל קרומי-שחייה
web offset הדפסה בגליל-נייר (רציף)
Web site אתר אינטרנט

wed *v.* להתחתן, להינשא; להצמיד
Wed. = Wednesday
we'd = we would, we had (wēd)
wedded *adj.* נשוי; מחובר, צמוד; דבק, מסור, מכור ל- (רעיון)
wed′ding *n.* חתונה, טקס-כלולות
- diamond wedding חתונת-יהלום (למלאת 75/60 שנה לנישואים)
- silver wedding חתונת-כסף (למלאת 25 שנה לנישואים)
wedding breakfast סעודת נישואים
wedding cake עוגת-כלולות
wedding march מארש חתונה
wedding ring טבעת נישואים
wedge *n.* יתד, טריז; פלח טריזי
- drive a wedge לתקוע טריז (ביניהם)
- thin end of the wedge חוד-הטריז (שינוי קל העשוי להוליד תהפוכות)
- wedge of cake פרוסת עוגה (טריזית)
wedge *v.* לייתד, לטרז; לנעוץ (ב-) טריז; לדחוק; לדחוס
wedged *adj.* טריזי; תקוע, נתקע
wed′lock′ *n.* נישואים, נישואין
- born in wedlock נולד בנישואים
- worn out of wedlock נולד מחוץ לנישואים, בלתי-חוקי, ממזר
Wednes′day (wenz′d-) *n.* יום רביעי
- (on) Wednesday ביום רביעי
Wednesdays *adv.* בימי רביעי
Weds. = Wednesday
wee *adj.* קטן, קטנטן, זעיר
- a wee bit מעט, קצת, משהו
- wee hours השעות המוקדמות, השכם
wee, wee-wee *v&n.* * (לעשות) פיפי
weed *n&adj.* עשב רע, עשב שוטה; טבק, סיגריות; חשיש; כחוש וגבוה, חלש
weed *v.* לנכש (עשבים), לייבל, לעשב
- weed out לשרש, לסלק (המיותרים)
weedkiller *n.* קוטל עשבים
weeds *n-pl.* בגדי אלמנות, שחורים
weed′y *adj.* מלא עשבים שוטים; חלש; רפה; גבוה ורזה
wee folk גמדים, פֵיוֹת וכו'
week *n.* שבוע; שבוע עבודה
- 5-day week שבוע-עבודה בן 5 ימים
- Sunday week שבוע אחרי יום א'
- a week on Friday שבוע מיום ו'
- this day week שבוע מהיום
- tomorrow week מחר בעוד שבוע
- week in, week out במשך שבועות רצופים
weekday *n.* יום חול
- work weekdays לעבוד בימי חול
weekend *n.* סופשבוע, ויקאנד
weekend *v.* לבלות סופשבוע
weekender *n.* מבלה סופשבוע
week-long *adj.* שנמשך שבוע
weekly *adj&adv.* שבועי; אחת לשבוע
weekly *n.* שבועון
weeknight *n.* ליל-חול
wee′ny *adj.* *קטנטן, זעיר
weep *v.* לבכות; לזלוג, לזוב
- weep bitter tears למרר בבכי
- weep one's fate לבכות על מר גורלו
- weep oneself to sleep להירדם תוך בכי
- weep over- לבכות על-

weeping *adj.* (עץ) שחוח-ענפים
weepy *adj.* בכייני; סוחט דמעות
wee'vil (-vəl) *n.* חידקונית (חיפושית)
weft *n.* עֶרֶב, חוטי-הרוחב
weigh (wā) *v.* לשקול
- weigh an idea לשקול רעיון
- weigh anchor להרים עוגן
- weigh down להכביד, להעיק, לכופף
- weigh in להישקל לפני תחרות
- weigh in with להצטרף לוויכוח, להטיל למערכה (טענות/מידע)
- weigh into *לתקוף, להיכנס ב-
- weigh on- להכביד על-, להעיק על-
- weigh one's words לשקול את דבריו
- weigh out לשקול, למדוד במישקל
- weigh up לשקול בכובד-ראש; להבין
- weigh with him להיות רב-חשיבות בעיניו, להשפיע עליו
weigh-bridge *n.* מאזני-רכב, מאזני-גשר
weight (wāt) *n.* מישקל; אבן-שקילה, מישקולת; משא, נטל; מעמסה, מועקה
- have weight with להיות בעל מישקל בעיני
- lose weight לרדת במישקל, לרזות
- of great weight רב-חשיבות, כבד-מישקל
- over weight כבד מדיי
- pull one's weight להטות שכם, לתרום חלקו
- put on weight לעלות במישקל, להשמין
- throw one's weight around/about להשתלט על סביבתו, להתנפח, לעשות רוח
- under weight קל מדיי
weight *v.* להוסיף מישקל, להכביד, לעשות לכבד; להעניק יתרון; לשקלל
- weight against להעמיד בעמדה נחותה
- weight down להכביד, להעמיס; להעיק
- weight in favor of להעניק יתרון ל-
weighted *adj.* כבד; משוקלל; נוטה
weighting *n.* תוספת, הטבה; שיקלול
weightless *adj.* נטול-מישקל
weightlessness *n.* חוסר-מישקל
weight lifter מרים משקולות
weight lifting הרמת-מישקולות
weight training אימון משקולות
weight-watcher *n.* שומר מישקל
weighty *adj.* כבד-מישקל, רב-חשיבות
weir (wir) *n.* סכר; מחסום, רשת, גדר-כלונסאות (במים, ללכידת דגים)
weird (wird) *adj.* משונה; לא-טיבעי
weird'ie (wir'di) *n.* תימהוני
weird'o (wir-) *n.* תימהוני
welch *v.* להתחמק מתשלום
wel'come (-kəm) *adj.* רצוי, מתקבל בחפץ-לב; נעים; רשאי, חופשי (להשתמש)
- "Thanks", "You're welcome" "תודה", "על לא דבר"
- is welcome to רשאי, מכובד ב-
- make him welcome לקדמו בחמימות
- welcome home ברוך בואך הביתה
- you're welcome to try נסה! אדרבה!
welcome *n.* קבלת-פנים, קידום-פנים
- hearty welcome קבלת פנים לבבית
- outstay one's welcome להאריך שהותו יותר מדיי, להכביד על מארחיו
- wear out one's welcome לשהות זמן רב מדיי, לבקר תכופות מדיי
welcome *v.* לקבל פנים, להקביל פניו, לקדמו בשימחה, לשחר פניו
- welcome advice לקבל עצה ברצון
weld *v.* לרתך, להצמיד; לחבר; להתרתך
weld *n.* ריתוך; חלק שחובר בריתוך
welder *n.* רַתָּך
wel'fare' *n.* אושר, טובה, רווחה; עזרה סוציאלית, סעד
welfare officer קצין סעד
welfare state מדינת סעד
welfare work עבודה סוציאלית
wel'kin *n.* שמיים, שחקים
well *n.* באר, באר-מים, באר-נפט; מקור, מעיין; פיר, ארובת-מעלית; מחיצת הפרקליטים
- sink a well לחפור באר
- stair well (חלל) חדר-המדרגות, פיר
well *v.* לפרוץ, לזרום, לקלוח
- tears welled in her eyes דמעות ניקוו בעיניה
- well out לפרוץ, לזוב, לנבוע
- well over לגלוש, לשפוע
- well up לעלות, לגאות, למלא; להימלא
well *adv.* טוב, היטב, יפה; כיאות, כראוי; בהרבה; במידה ניכרת; בצדק, בדין
- I can't very well accept it קשה לי לקבל זאת, מן הדין שלא אסכים לכך
- come off well להיות בר-מזל; להסתיים בטוב
- do oneself well לפנק עצמו, לאפוף עצמו בנוחיות
- do well להצליח, להתקדם
- do well out of לצאת ברווח מ-
- go well להלום, להתאים
- he did well to tell me טוב עשה/בחוכמה נהג בספרו לי
- is doing well מחלים, מתאושש
- is well out of it "יצא מזה", בר-מזל להיחלץ מכך, נפטר מצרה זו
- just as well "לא נורא", אין נזק, אין להצטער על כך; כמו כן
- may (just) as well עשוי באותה מידה ל-, היינו הך, מוטב ש-
- pretty well כמעט; לא רע, מצוין
- speak well of לדבר טובות על
- stand well with לשאת חן בעיני-
- very well טוב מאוד; היטב היטב
- well and good טוב, אוקיי
- well and truly כליל, לגמרי
- well away מתקדם; *שתוי, בגילופין
- well done! יפה מאוד! כל הכבוד!
- well off עשיר, אמיד; בר-מזל
- well up in בקי ב-
- well worth ראוי בהחלט ל-
well *adj.* טוֹב, בריא; במצב טוב; בסדר; מוטב, רצוי
- all is not well with- לא הכל בסדר אצל-
- get well להחלים, להבריא
- it's all very well, but- כל זה טוב ויפה, אבל-
- it's well that טוב ש-; רצוי ש-
well *n.* טוּב, טובה, רווחה, אושר
well *interj.* ובכן, טוב, או קיי, בסדר

- well, well! יופי! מצוין! האומנם!
we'll = we will/shall (wēl)
well-adjusted *adj.* יציב מנטלית
well-advised *adj.* נבון, חכם
well-appointed *adj.* מצויד כהלכה
well-balanced *adj.* מאוזן; נבון, שקול
well-behaved *adj.* מתנהג-כהלכה; מנומס
well-being *n.* טוב, טובה, אושר, רווחה; בריאות
well-born *adj.* מיוחס, ממשפחה טובה
well-bred *adj.* מחונך, מנומס
well-built *adj.* בנוי כהלכה; חסון
well-chosen *adj.* הולם, קולע, מתאים
well-connected *adj.* בעל קשרים טובים, מקורב לאנשים רבי-השפעה
well deck עימקה (על סיפון האונייה)
well-defined *adj.* מוגדר ברורות
well-deserved *adj.* ראוי בהחלט ל-
well-disposed *adj.* ידידותי, מגלה אדיבות
well-doer *n.* צדיק, עושה מעשים טובים
well-doing *n.* חסידות, מעשים טובים
well-done *adj.* מבושל היטב
well-dressed *adj.* לבוש בקפידה
well-earned *adj.* ראוי, מגיע בצדק
well-established *adj.* מבוסס היטב
well-favored *adj.* יפה-תואר, נאה
well-fed *adj.* מוזן היטב, אוֹכֵל היטב
well-fixed *adj.* מבוסס (מבחינה כספית)
well-found *adj.* מצויד כראוי
well-founded *adj.* מבוסס (על עובדות)
well-groomed *adj.* מצוחצח, מטופח
well-grounded *adj.* מבוסס; בקי היטב
well-head *n.* מקור, מעיין
well-heeled *adj.* *עשיר
wel'lie *n.* *מגף, מגף ברך
well-informed *adj.* רחב-ידע; בעל גישה למקורות-מידע
wel'lington *n.* מגף, מגף ברך
well-intentioned *adj.* בעל כוונות טובות, מתכוון לטוב
well-kept *adj.* שמור היטב
well-knit *adj.* חסון, מוצק, בנוי היטב
well-known *adj.* ידוע, מפורסם
well-lined *adj.* *גדוש בכסף
well-mannered *adj.* בעל נימוסים, מנומס
well-marked *adj.* מסומן בבירור
well-meaning *adj.* בעל כוונות טובות
well-meant *adj.* מתכוון לטובה
well-nigh *adv.* כמעט
well-off *adj.* עשיר, אמיד
well-oiled *adj.* *שתוי, מבוסם
well-paid *adj.* מְשֻתַּכֵּר היטב
well-preserved *adj.* שמור יפה (חרף גילו)
well-read *adj.* שקרא הרבה, שמילא כרסו בספרים; אוצר בלום
well-rounded *adj.* רחב-ידע, מגוון; חטוב; מושלם, סימטרי
well-set *adj.* בנוי כהלכה, מוצק
well-spoken *adj.* מנומס, יפה-דיבור, אנין-לשון; אמור בטוב-טעם
wellspring *n.* מקור, מעיין המתגבר, מקור בלתי נדלה
well-thought-of *adj.* בעל שם טוב, אהוד, נערץ
well-thought-out *adj.* מתוכנן היטב
well-timed *adj.* בעיתו, קולע בעיתויו
well-to-do *adj.* עשיר, אמיד
well-tried *adj.* בדוק ומנוסה
well-turned *adj.* מובע יפה, מנוסח בחן
well water מי-באר
well-wisher *adj.* מאחל טוב, מברך
well-worn *adj.* משומש; נדוש, חבוט
wel'ly *n.* *מגף, מגף ברך
Welsh *adj&n.* ולשי; ולשית (שפה)
welsh *v.* להתחמק מתשלום; להשתמט; להפר הבטחה
welsher *n.* מתחמק, משתמט מתשלום
Welsh rabbit גבינה מותכת (על טוסט)
welt *n.* פס-מלקות, חבורה; רצועת-עור (בנעל); פתיל-חיזוק
wel'ter *v.* להתבוסס, להתפלש, להתגולל
welter *n.* בילבול, ערבוביה; בליל
welterweight *n&adj.* חצי-כבד; (מתאגרף/מתאבק בעל) משקל מצוע
wen *n.* תפיחה, ציסטה, גושיש (בעור)
wench *n.* בחורה, נערת-כפר; פרוצה
wench *v.* להתחבר עם פרוצות
wend *v.* ללכת, לנסוע, לנוע
- wend one's way לשים פעמיו, ללכת
went = pt of go
wept = p of weep
were = pt of be (wûr)
- as it were כביכול, כאילו
- if I were/were I אילו הייתי
we're = we are (wir)
weren't = were not (wûrnt)
were'wolf' (wir'wŏŏlf) *n.* אדם-זאב (באגדה), אדם שהזדאב
wert = were
west *n&adj&adv.* מערב; מערבי; מערבה
- go west *למות
- the West Bank הגדה המערבית, יו"ש
- west of- מערבה ל-
west'bound' *adj.* נוסע/מפליג מערבה
West End וסט-אנד, מערב לונדון
west'erly *adj&adv.* מערבי; מערבה
west'ern *adj&n.* מערבי; מערבון
west'erner *n.* בן-המערב, איש-המערב
western hemisphere חצי הכדור המערבי
west'erniza'tion *n.* מיערוב
west'ernize' *v.* למערב, להחדיר מערביות, להנהיג אורח-חיים מערבי
westernmost *adj.* המערבי ביותר
westward(s) *adj&adv.* מערבי; מערבה
wet *adj.* רטוב, לח; גשום, סגרירי; *חסר-מרץ, נרפה
- all wet *מבולבל; טועה לחלוטין
- wet paint צבע לח, צבע טרי
- wet through רטוב לגמרי, ספוג מים
- wet town עיר רטובה (המתירה מכירת משקאות חריפים)
wet *n.* רטיבות; גשם; *לגימת-כוסית
wet *v.* להרטיב
wet blanket מדכא, מרפה ידיים
weth'er (-dh-) *n.* איל מסורס

wet nurse מינקת
wet suit חליפת-צולל (חמה)
wetting *n.* הרטבה; הירטבות
wetting agent חומר מרטיב (עוזר לחדירת נוזלים בתערובת)
we've = we have (vēv)
whack *v.* להכות, להלקות, להצליף
whack *n.* (קול) חבטה, הצלפה; *ניסיון; חֵלֶק
- have a whack at *לנסות
- have one's whack *ליטול חלקו
- out of whack *לא תקין; לא תואם
whacked *adj.* *עייף, סחוט
whack'er *n.* גדול, כביר; *שקר גס
whacking *n&adj.* מכות; *כביר, ענק
whale *n.* לוויתן; *דבר כביר/עצום
- whale of a time *בילוי מענג, כיף
whale *v.* לצוד לוויתנים
- whale away *להכות, לחבוט, להצליף
whalebone *n.* עצם לוויתן
whaler *n.* צַיָּד-לוויתנים; ספינת-לוויתנים
whaling *n.* צַיִד-לוויתנים
whaling gun רובה-צילצלים
wham *v&n.* *להלום; (קול) חבטה
wham'my *n.* *השפעה רעה, מזל רע
whang *n&adv.* (בקול) חבטה, צילצול; בדיוק, היישר
whang *v.* להכות, לחבוט
wharf (wôrf) *n.* רציף, מזח, מעגן
wharfage *n.* (דמי) שימוש ברציף
what (wot) *adj&adv&pron.* מה? איזה? איזו? כמה? מה ש-; הדבר ש-
- and what not וכדומה, וכולי
- and what's more יתר על כן
- give him what for לתת לו מנה הגונה, להענישו
- has what it takes יש לו נתונים להצליח
- or/and what have you וכדומה, וכ׳
- so what? אז מה? ומה בכך?
- what a fool is he! טיפש שכמותו!
- what a pity! חבל!
- what d'you call him "מה שמו", שמו פרח מזיכרוני
- what did he do that for? לשם מה/למה עשה זאת?
- what ever מה לעזאזל, מה בכלל
- what for? למה? מדוע? לשם מה?
- what if? מה (יקרה/תגיד) אם?
- what is he? מה הוא? מה עיסוקו?
- what little he has המעט שיש לו
- what of it? ובכן, מה בכך?
- what though? ומה אם? ומה בכך ש-?
- what with- עקב, מהסיבות (הבאות)
- what's his name "מה-שמו", שמו פרח מזיכרוני
- what's it "מה-שמו"
- what's she like? איך היא? תאר אותה, מה מצאת בה?
- what's the (big) idea? מה הרעיון? מה פתאום? למה?
- what's up? מה קורה? מה נשמע?
what·ev'er (wot-) *adj&pron.* כלשהו, איזשהו; לא חשוב איזה/מה; כל מה; מה; כלל
- no man whatever שום אדם (לא)
- or whatever *או מה שלא יהיה
what'not' (wot'-) *n.* כל דבר, כל שתרצה; כוננית (לחפצי-נוי)
- and whatnot ומה לא, ומה שתרצה
what'so·ev'er = whatever (wot-)
wheat *n.* חיטה
wheat'en *adj.* של חיטה
wheat germ נבט חיטה (מקור לוויטמין)
whee'dle *v.* לפתות, לשדל
- wheedle out לסחוט, להשיג בפיתוי
wheel *n.* גלגל, אופן; (גלגל ה-) הגה; סיבוב (על ציר)
- at the wheel ליד ההגה, בשילטון
- put one's shoulder to the wheel להטות שכם, לתת כתף, לעזור
- steering wheel גלגל ההגה
- wheels כלי-רכב, אופניים
- wheels within wheels מניעים סמויים, מצב מורכב, סבך גורמים
wheel *v.* לגלגל, לדחוף, לגרור (עגלה); להסיע; לפנות; להתגלגל; לחוג
- right wheel! ימינה פנה!
- wheel and deal לא לבחול בשום אמצעי להשגת מטרתו; לעשות עסקים
- wheel around להסתובב, לסוב לאחור
wheelbarrow *n.* מריצה, חדופן
wheelbase *n.* רוחק הסרנים (ברכב)
wheelchair *n.* כיסא-גלגלים
wheel clamp סנדל רכב
wheeled *adj.* בעל גלגלים
wheeler *n.* מגלגל; בעל גלגלים
- 4-wheeler מכונית בעלת 4 גלגלים
wheeler-dealer *n.* עושה עסקים; מְתַכְמֵן
wheelhouse *n.* תא-ההגה (בספינה)
wheel'ie *n.* נסיעה על גלגלים אחוריים
wheelwright *n.* מְתַקֵּן גלגלים, יוצר גלגלים, חרש-אופן
wheeze *v.* לנשום בקול (שורקני)
- wheeze out לפלוט/לדבר בנשימה שורקנית
wheeze *n.* נשימה שורקנית; *בדיחה, רעיון מבריק, טריק
wheezy *adj.* נושם בקול שורקני
whelk *n.* שבלול (ימי)
whelp *n&v.* גור, כלבלב, כפיר; עוזפנים, חסר-חינוך; להמליט
when *adv&conj&pron.* מתי? בשעה ש-, כאשר-, כש-; (הזמן) שבו; ואז; למרות ש-
- since when? ממתי? מאימתי?
- the when and where השעה והמקום
- until when? עד מתי?
whence *adv&conj.* מאין? מנין? מהיכן ש-, אשר משם-, שממנו; למקום ש-
- whence are you? מאין באת?
when·ev'er *conj&adv.* בכל שעה ש-, כל אימת ש-; לא חשוב מתי; מתי?
- or whenever *או בזמן כלשהו
where (wãr) *adv&conj&pron.* איפה? לאן? היכן; במקום ש-; אך, ואילו
- where is he from? מנין הוא?
- where it's at *מצוין, כביר
- where to? לאן?
where'abouts' (wãr'-) *n&adv.*

מקום, סביבה, מקום-מישכן; איפה? באיזו סביבה?
where·as′ (wāraz′) *conj.* ואילו, אך; בעוד ש-; הואיל ו-
where·at′ (wārat′) *adv.* אשר בו; לפיכך
where·by′ (wārbī′) *adv.* שדרכו, שבאמצעותו; שלפיו
where′fore (wār′-) *adv&conj&n.* למה? לכן
- the whys and wherefores הסיבות
where·in′ (wārin′) *conj&adv.* אשר בו, במקום ש-, היכן ש-; היכן? באיזה מובן?
where·of′ (wārov′) *adv.* שממנו, שעל-אודותיו
where·on′ (wāron′) *adv.* שעליו, שעל גבו
where′so·ev′er = wherever (wār-)
where·to′ (wārtōō′) *adv.* לשם מה? לאן? להיכן? שאליו, שלשם; שעל כך
where′upon′ (wār′-) *conj.* אשר על כן; ומיד אחר כך, ואז
wherev′er (wār-) *adv.* לכל מקום ש-, בכל מקום ש-; במקום כלשהו; איפה?
- wherever he goes - I go באשר ילך אלך
where·with′ (wār-) *adv.* במה? במה ש-
where′withal′ (wār′widhôl′) *n.* אמצעים; כסף, מימון
wher′ry *n.* ארבה, סירת-משוטים
whet *v.* להשחיז, לחדד; לעורר, לגרות
wheth′er (-dh-) *conj.* אם; בין ש-; האם
- whether I walk or run בין שאלך ובין שארוץ
- whether by accident or design במיקרה או שלא במיקרה
- whether or no בכל מיקרה, ויהי מה
whetstone *n.* אבן משחזת
whew (hū) *interj.* אוף! יו! (קריאה)
whey (wā) *n.* מי-חלב (שהופרדו מהקום)
which *adj&pron.* איזה? ב-/ל-/מאיזה? ש-, אשר-; שהוא-, שאותו, והוא-; וזאת
- at which שעליו, שלעברו, שבו
- by which שדרכו, שבאמצעותו
- during which time ובמשך זמן זה
- into which שבו, שבתוכו
- of which ממנו, מהם
- which is which איזה א׳ ואיזה ב׳
which·ev′er *adj&pron.* איזה; איזה שהוא; איזה ש-; כל מה ש-; לא חשוב איזה
whiff *n.* משב, ריח קל, נֶדֶף; שאיפה; מציצת-סיגאר
whiff *v.* לנשב; להדיף ריח; לשאוף; לנשוף
whiff′y *adj.* *מסריח, מצחין
Whig *n&adj.* ויג; ויגי (בבריטניה)
while *n&v.* שעה, זמן; להעביר (זמן)
- (all) the while במשך (כל) הזמן
- a good/great while זמן ניכר
- a long while ago לפני זמן רב
- a short while ago לפני זמן-מה
- a while back לפני תקופה קצרה
- after while בתוך זמן קצר
- between whiles לפרקים
- for a while לזמן-מה
- in a (little) while בתוך זמן קצר
- once in a while מפעם לפעם
- while away להעביר הזמן; להתבטל
while *conj.* בשעה ש-, בעת-; כל עוד ש-; למרות ש-; אך, ואילו-
- while speaking תוך כדי דיבור
whilst = while (wīlst)
whim *n.* קפריזה, שיגעון, בולמוס
whim′per *v&n.* לבכות, לייבב; יבבה
whim′sical (-z-) *adj.* קפריזי, שיגעוני, מוזר, חדור מושגים משונים
whim′sical′ity (-z-) *n.* קפריזה, שיגעון; קפריזיות
whim′sy, whim′sey (-z-) *n.* קפריזה, שיגעון; הומור משונה; מוזרות
whin *n.* אולקס (שיח קוצני)
whine *v.* לבכות, לייבב, ליילל
whine *n.* בכי, יבבה, יללה
whiner *n.* בכיין, בוכה, מתלונן
whinge *v.* *לבכות, לקטר
whin′ny *n&v.* צהלת-סוס, צניפה; לצהול, לצנוף
whip *n.* שוט; מצליף-סיעה; הזמנה להצביע; מיקצפת; מְרַכֵּז כלבי-ציד
- crack the whip *להעניש
- three-line whip הזמנה דחופה
- whip hand עמדת שליטה
whip *v.* להצליף; להכות; להביס; להקציף, לטרוף; לחטוף, לנוע/להניע בחטף; לדוג (בחכה); לקשור, לתפור שוליים
- whip a top לסובב סביבון
- whip in לרכז (כלבי ציד), לאסוף
- whip off להסיר בחטף, לחטוף
- whip out לשלוף במהירות; לצאת מהר
- whip round להתרים, לאסוף תרומות; לכרוך, ללפף סביב
- whip up לעורר, להלהיב; להכין חטופות
whipcord *n.* חבל-שוט, ערקה; אריג צמרי חזק
whip hand *n.* שליטה, יתרון
whiplash *n.* הצלפה; הלם; חבלה בצוואר
whipped cream קצפת
whipper-in *n.* מרכז כלבי-ציד
whipper-snapper *n.* אפס נפוח, שחצן
whip′pet *n.* ויפט (כלב-מירוץ)
whipping *n.* הצלפה, מלקות
whipping boy סופג המלקות, שעיר לעזאזל, קורבן
whipping cream שמנת (להקצפה)
whipping post עמוד המלקות
whipping top סביבון, כירכר
whip′poorwill′ (-pər-) *n.* (מין) ציפור-לילה
whip′py *adj.* גמיש, קפיצי
whip-round *n.* איסוף תרומות, התרמה
whipsaw *v&n.* מסור; *לרמות
whir(r) *n&v.* רעש, מַשָּק, זימזום, רישרוש; לחלוף ברישרוש; לשקשק
whirl *v.* לסובב; להסתובב; להסתחרר; לנוע/להניע במהירות; להסיע
- my head whirls ראשי סחרחר
- whirl away/off לסלק/להסתלק מהר
whirl *n.* סיבוב, הסתובבות; סחרחורת;

בילבול; רצף פעילויות/אירועים
- give it a whirl *לנסות זאת
whir′ligig′ (wûr′ligig) *n.* סביבון; סחרחרה; סיבוב, גלגל חוזר
whirlpool *n.* מערבולת, שיבולת-מים
whirlwind *n&adj.* סופה, עמוד-רוח מסתובב; מהיר, כמו סופה
- reap the whirlwind לקצור סופה
whirlybird *n.* *הליקופטר
whisk *n.* מטאטא, מיברשת; מקצף, מטרף; תנועה חטופה, תנופה
whisk *v.* לטאטא; להבריש; להקציף, לטרוף; להניע חטופות; לסלק
- whisk away/off לסלק חיש, לחטוף
whisk′er *n.* שפם, זיף-מישוש
- whiskers זקן-לחיים, שער-הלחי
whiskered *adj.* משופם; עטור זקן-לחי
whis′ky, whis′key *n.* ויסקי (משקה)
whis′per *v&n.* ללחוש; לאווש, לרשרש; לחישה, לחש, שמועה; איוושה
whispering campaign מסע-לחישות
whist *n.* ויסט (מישחק קלפים)
whist drive סידרת מישחקי ויסט
whis′tle (-səl) *n.* שריקה; משרוקית
- blow the whistle on *להלשין, לבגוד; לעצור, להפעיל יד קשה כלפי
- wet one's whistle *ללגום כוסית
whistle *v.* לשרוק, לצפצף
- whistle for it לרצות זאת ללא הועיל, "לשכוח מזה"
- whistle up להרכיב (מחומר דל)
whistle-blower *n.* מלשין, מדליף
whistle stop תחנת רכבת (קטנה); סיור/סיבוב בחירות רצוף תחנות
whit *n.* שמץ, קורטוב, משהו
- not a whit אף לא שמץ, כלל לא
Whit = Whitsun
white *adj.* לבן; צחור, צח; חיוור
- bleed him white לדלדלו, לרוששו, להציגו ככלי ריק
- go white להפוך לבן; להחוויר
- white as a sheet חיוור מאוד
- white coffee קפה עם חלב
white *n.* גוון לבן; לובן; אדם לבן; לובן-שבעין; חלבון; לחמית
- whites בגדים לבנים, ביגדי-לבן
white alloy מסג לבן, סגסוגת זולה
white ant נמלה לבנה, טרמיט
whitebait *n.* דגיגי-מאכל
white bear הדוב הלבן
white blood cell ליקוציט, כדורית לבנה
whitecap *n.* מישבר, גל עטור-קצף
white-collar *adj.* של הצווארון הלבן
whited sepulcher עיט צבוע
white dwarf ננס לבן (כוכב)
white elephant פיל לבן, נכס יקר וחסר-תועלת
white ensign דגל הצי הבריטי
white feather פחדנות, ריפיון ידיים
white flag דגל לבן, אות כניעה
white goods מכשירי חשמל ביתיים
Whitehall *n.* הממשלה הבריטית
white heat חום לוהט; להט, רגש עז
white hope תיקווה גדולה (אדם)
white horse מישבר, גל עטור קצף
white-hot *adj.* לוהט, נלהב, רותח
White House הבית הלבן
white knight אביר לבן (חברה א׳ הרוכשת חברה ב׳ לפני חברה ג׳)
white lead עופרת לבנה
white lie שקר לבן, שקר כשר
white-livered *adj.* פחדני, מוג-לב
white magic כישוף לבן (למטרות טובות); מאגיה לבנה
white man האדם הלבן
white meat בשר לבן, בשר-עגל, בשר-חזיר, בשר-עוף
white metal מסג לבן, בַּעַץ, מתכת לבנה
whi′ten *v.* להלבין; להפוך לבן
whiteness *n.* לובן, צבע לבן, לַבנוּת
whitening *n.* חומר הלבנה; הלבנה
white paper ספר לבן, דו״ח ממשלתי רישמי
white sale מכירת לבנים בהנחה
white scourge שחפת
white sheet גלימה לבנה, גלימת החוזר בתשובה
white slave שיפחה לבנה; נערה שנמכרה לזנות
white slavery סחר נשים, סחר זונות
white supremacy עליונות הלבנים
whitethorn *n.* עוזרד
whitethroat *n.* סיבכי (לבן-צוואר)
white tie עניבת-פרפר (לבנה); תילבושת ערב
whitewash *n.* סיד; טיוח, חיפוי, העלמה
whitewash *v.* לסייד; לטייח, לחפות; להביס בלי לספוג שער
white water מים לבנים, מי קצף
white wedding חתונה לבנה (עם שימלת כלולות לבנה)
whi′tey *n.* *לבן, הלבנים
whith′er (-dh-) *adv.* לאן? אנה? להיכן, למקום ש-; לאן פניו, מה עתידו
whi′ting *n.* עיט-הים (דג-ים); סיד, חומר הלבנה
whi′tish *adj.* לבנבן
whit′low (-ō) *n.* מורסה (באצבע)
Whit′sun *n.* חג השבועות הנוצרי
Whit Sunday חג השבועות הנוצרי
Whit′suntide′ *n.* השבוע של חג השבועות הנוצרי
whit′tle *v.* לחתוך, לקלוף, לגלף; לקצץ, לצמצם; לעצב
- whittle away/down לחתוך, לקצץ, להפחית
whi′ty *adj.* לבנבן
whiz *v&n.* לשרוק; לחלוף בשריקה; זמזום; שריקה; *מבריק, מוכשר, שֵׁד
whiz-kid *n.* ילד פלא, מבריק
who (hōō) *pron.* מי? (האיש) ש-
- who did I give it to? למי נתתי זאת?
- who's who מי הוא מי; מי ומי
WHO = world health organization
whoa (wō) *interj.* עצור! (לסוס)
who'd = who had/would (hōōd)
who•dun′it (hōō-) *n.* סיפור בלשי
who•ev′er (hōō-) *pron.* מי ש-; מי שלא יהיה, לא חשוב מי; *מי?
whole *adj&n.* שלם, תמים, כל; שלמות; יחידה, אחד
- a whole lot *המון; בהרבה

wick *n.* פתילה
- get on his wick *להציק לו
wick′ed *adj.* רע, רשע; זדוני; מושחת
wick′er *adj&n.* (עשוי) מעשה-מיקלעת
wicker basket סל-נצרים
wickerwork *n.* מעשה-מיקלעת
wick′et *n.* פישפש, שער קטן; אשנב; (בקריקט) איזור השער
- keep wicket (בקריקט) להיות שוער
wicket gate/door פישפש (פתח בשער)
wicket keeper (בקריקט) שוער
wide *adj&adv.* רחב; נרחב; רחוק מהמטרה/מהאמת; *ממולח, ערמומי
- go wide (לגבי כדור) להחטיא המטרה
- wide awake ער לגמרי
- wide eyes עיניים פעורות לרווחה
- wide open פתוח לרווחה, פעור
wide *n.* (כדור) מחטיא המטרה בהרבה
wide-angle *adj.* (עדשה) רחבת-זווית
wide-awake *adj.* ער לגמרי; פעור-עיניים; עירני, פוקח עין
wide boy *רמאי
wide-eyed *adj.* פעור-עיניים
widely *adj.* במידה ניכרת, בהרבה; בהיקף רחב; על פני שטח נרחב
- widely known נודע, ידוע ברבים
- widely read שקרא הרבה
wi′den *v.* להרחיב
wide-ranging *adj.* מקיף, נרחב
widespread *adj.* נפוץ, רווח, נרחב
wid′geon (-jən) *n.* (מין) ברווז-בר
wid′get *n.* *אמצאה, מכשיר, פטנט
wid′ow (-ō) *n.* אלמנה
widowed *adj.* אלמן, שנתאלמן
widower *n.* אלמן
widowhood *n.* אַלְמְנוּת
widow′s peak שער הראש בצורת וי
width *n.* רוחב; חתיכה (ברוחב מסוים)
wield (wēld) *v.* לתפוס, להחזיק; להשתמש ב-, להפעיל
- wield a sword לתפוס חרב
- wield authority להפעיל סמכות
wie′ner (wē′-) *n.* נקניקית
wife *n.* אישה
- old wives story סיפורי סבתא
- take to wife לשאת לאישה
wifely, wifelike *adj.* של אישה, כיאה לאשת-חַיִל
wig *n.* פאה נוכרית, קפלט
- big wig *אישיות חשובה, תותח כבד
wigged *adj.* חבוש פיאה נוכרית
wig′ging *n.* *נזיפה, מנה הגונה
wig′gle *v.* לנדנד; להניע; להתנועע; לזוע; להתפתל (בכיסא)
wiggle *n.* הנעה; נידנוד; התנועעות
wight *n.* אדם, ברנש
wig′wag′ *v.* *לנוע הנה והנה, לנפנף
wig′wam′ (-wom) *n.* ויגוואם, אוהל אינדיאני
wild (wīld) *adj&adv.* פראי; בר; שומם; פרוע; משתולל; רותח; לא שקול; מטורף; בפראות
- drive wild לשגע, להוציא מדעתו
- go wild להתלהב; להתרתח
- run wild לגדול פרא; להתיר הרסן; לנהוג

- as a whole כשלמות אחת; באופן כללי, בסך הכל
- on the whole בסך הכל, כללית
- swallow it whole לבלוע בשלמותו; לקבל בלי פיקפוק
- the whole lot הכל, כליל
- the whole of כל ה-
- the whole town העיר כולה
- the whole week כל השבוע
- whole show *אישיות חשובה
- with a whole heart בלב שלם
wholefood *n.* מזון מלא, מזון מעובד מינימלית
whole-hearted *adj.* בכל ליבו, בחפץ-לב; מסור, כן, מלא, נלהב, ללא סייג
wholemeal *n&adj.* (של) חיטה מלאה
whole note תו שלם, 4 רבעים
whole number מיספר שלם
wholesale *n.* סיטונות, מכירה בסיטונות
wholesale *adj&adv.* סיטוני; בסיטונות, בממדים גדולים
wholesaler *n.* סיטונאי
wholesome *adj.* בריא; טוב
wholewheat *adj.* של חיטה מלאה, של קיבר
who'll = who will (hōōl)
whol′ly (hōl′-) *adv.* כליל, לחלוטין
whom (hōōm) *pron.* מי? את מי? שאותו, ש-, האיש אשר-
- of whom שממנו
- to whom למי? שאליו
- with whom עם מי? שאיתו, שעמו
whoop (hōōp) *v&n.* לצעוק, לפלוט קריאה; צעקה; קריאה; שאיפה שורקנית (בשעלת)
- whoop it up *לעשות שמח, לכייף
whoop′ee (wōōp′-) *interj.* הידד!
- make whoopee *להתהולל, לעלוז בקול
whooping-cough שעלת
whoops *interj.* *אוף! אויה!
whoosh *v&n.* לחלוף בשריקה; שריקה
whop *v&n.* *להכות; להביס; חבטה
whop′per *adj&n.* *גדול, כביר; שקר גס
whop′ping *adj.* *גדול, עצום
whore (hôr) *n.* זונה
who're = who are (hoor)
whorehouse *n.* בית-בושת
whoremaster *n.* זנאי
whoremonger (-mung-) *n.* זנאי
whorl (wûrl) *n.* דור (עלים/פרחים); קו סלילי (בקונכיה/בטביעת אצבעות)
whorled *adj.* בעל דורים; סלילי, חלזוני
whor′tleber′ry (wûr′təlberi) *n.* אוכמנית
who's = who is, who was (hōōz)
whose (hōōz) *pron.* של מי? שלו
- the man whose wife האיש שאישתו-
who've = who have (hōōv)
why (wī) *adv&conj&n.* למה, מדוע; הסיבה
- the reason why הסיבה שבגללה
- the whys and wherefores הסיבות
why *interj.* הנה! (קריאה)

כאוות-נפשו

- sow one's wild oats לנהל חיי הוללות (בעודנו צעיר)
- wild about מתלהב מ-, מטורף אחרי-
- wild and woolly גס, חסר רסן
- wild disorder אנדרלמוסיה גמורה
- wild flower פרח בר
- wild guess ניחוש בעלמא
- wild hair שיער פרוע
- wild idea רעיון מטורף, רעיון נמהר
- wild throw הטלה בלא לכוון

wild *n.* שממה, יער
- in the wild בטבע; בסביבה פראית

wild boar חזיר בר

wild card סימן מתאים לכל תו

wildcat *n&adj.* חתול בר; פרא-אדם; פראי; נמהר, מסוכן; לא שקול

wildcat strike שביתה פראית

wil'debeest' *n.* גנו (בעל חיים)

wil'derness *n.* מידבר, שממה; מרחב; שטח משתרע; מידבר פוליטי
- wilderness of houses יער בתים

wildfire *n.* אש משתוללת
- like wildfire במהירות, (מתפשט) כאש בשדה-קוצים

wildfowl *n.* עופות בר (לציד)

wild-goose chase מירדף סרק, מיבצע מיותר, מאמץ חסר-תוחלת, ברכה לבטלה

wildlife *n.* חיות-פרא; צמחי-בר

wildlife park ספארי, חייבר

wildly *adv.* בפראות; בגוזמה

wile *n&v.* תחבולה, תכסיס, הונאה
- wile away לבלות (זמנו); לפתות, לשדל

wil'ful = willful

will *n.* רצון, רצייה; כוח-רצון; צוואה
- God's will רצון האל
- at will כרצונו, כאוות-נפשו
- good will רצון טוב, רצון להיטיב
- have one's will להשיג את מבוקשו
- ill will רצון רע, רצון להרע
- of one's own free will מרצונו הטוב
- take the will for the deed לא המעשה עיקר, אלא הכוונה
- with a will במרץ, בהתלהבות
- with the best will in the world עם כל הרצון הטוב

will *v.* (פועל עזר לציון עתיד)
- sit down, will you? שב, בבקשה
- you won't leave me, will you? לא תעזבני, הלא כן?

will *v.* לרצות, לחפוץ; לאלץ/להשפיע/להפעיל בכוח הרצון; לצוות, להוריש, להנחיל
- as you will כטוב בעיניך
- will oneself לאלץ עצמו ע"י הרצון

willed *adj.* בעל רצון
- strong-willed נחוש-רצון
- weak-willed רפה-רצון

will'ful *adj.* עיקש, עקשן; במכוון, מתוך כוונה, במזיד

wil'lies (-lēz) *n.* *עצבנות, חרדה
- gives the willies *מעביר צמרמורת

willing *adj.* רוצה, חפץ; משתוקק, להוט; נעשה בכל לב
- with a willing heart בחפץ לב

will-o'-the-wisp אור ביצות; אשליה; דבר מטעה/שאין להשיגו; פאטה מורגאנה

wil'low (-lō) *n.* ערבה (עץ)

willow herb ערברבה (צמח)

willow pattern קישוט סיני (על חרסינה)

willowy *adj.* גמיש, חינני, תמיר

will-power *n.* כוח-רצון

wil'ly-nil'ly *adv&adj.* ברצון או שלא ברצון, אם יחפוץ ואם לאו; הססני

wilt *v.* לנבול, לקמול; להקמיל; להיות נרפה, לפוג כוחו

wilt, thou wilt = you will

wi'ly *adj.* ערמומי, מלא תככים

wimp *n.* *חלשלוש, לא שווה

wim'ple *n.* כובע-נזירות, צניף

win *v.* לזכות; לנצח; לרכוש, להשיג; לקנות; להגיע (במאמץ)
- win a reputation לקנות שם (לעצמו)
- win a victory לנחול ניצחון
- win back לזכות בשנית, להשיב אליו
- win clear/free להיחלץ לבסוף
- win him over/round to לשכנעו, להשיג תמיכתו
- win out/through להצליח, לנצח
- win the day/field לנצח
- win the shore להגיע לחוף במאמץ

win *n.* זכייה; ניצחון

wince *v&n.* להירתע; להתכווץ; רתיעה

winch *n.* כננת, מיתקן הרמה

winch *v.* להניף; להרים בכננת

wind (wind) *n.* רוח; נשימה; גאזי-מעיים; דברי הבל; כלי-נשיפה
- before the wind בעזרת הרוח
- bend with the wind להתיישר לפי הקו השולט, ללכת בתלם
- down the wind בכיוון הרוח
- get one's wind להחזיר אליו נשימתו
- get wind of לקלוט אוזנו משהו
- gone with the wind חלף עם הרוח
- have the wind up להיבהל
- how the wind blows לאן נושבת הרוח, מהי דעת-הקהל
- in the wind באוויר, עומד להתרחש
- into the wind לקראת/מול הרוח
- like the wind (לרוץ) במהירות רבה
- off the wind כשהרוח בגבו
- put the wind up him להפחידו
- raise the wind להשיג הכסף הדרוש
- sail close to the wind להיות על סף אי-ההגינות
- second wind נשימה מחדש, התאוששות
- sound in wind and limb בכושר מצוין, בריא אולם
- take the wind out of his sails להוציא הרוח ממיפרשיו, להשמיט הקרקע מתחתיו
- the 4 winds ארבע רוחות השמיים
- the wind was rising הרוח התגברה
- there's something in the wind משהו מתבשל כאן, רוקמים מזימה כלשהי
- throw to the winds לשלוח לכל הרוחות, לנטוש, לא להתחשב
- winds (נגני) כלי-נשיפה

wind (wind) *v.* לאבד/להכביד נשימה;

לאפשר לנשום, להשיב רוח; להריח
עיקבות
wind (wīnd) *v&n.* לסובב; לפתל;
להתפתל; לכרוך; ללפף; לגלגל; לכונן;
סיבוב; ליפוף
- wind a clock לכונן/למתוח שעון
- wind a horn לתקוע בשופר
- wind down לנוח, להירגע; להתחיל לפגר;
לחסל (עסק); להוריד ע"י סיבוב;
להתקרב לסיום
- wind him round one's finger לסובבו
על אצבעו הקטנה, לשעבדו לרצונו
- wind in לגלגל פנימה (על אשווה)
- wind its way להתפתל בדרכו
- wind off לפתוח, להתיר (פקעת)
- wind round לכרוך; ללפף סביב
- wind up לחסל, לפרק; לסיים; להסתיים;
למתוח (קפיץ); לסדר (עסקים); לעצבן,
להרגיז
- wind up in prison לסיים (חייו) בכלא
- wind up with a drink לקנח במשקה
- wind wool לגלגל צמר (לפקעת)
- wound up מתוח, נרגש
wind'bag' *n.* פטפטן, מרבה לדבר
windbreak *n.* שובר-רוח, שברוח
windbreaker/-cheater *n.* מעיל-רוח
wind'er (wīn'-) *n.* מסובב; מנגנון
למתיחת קפיץ
windfall *n.* נשר-רוח, פרי שנשר; ירושה
בלתי-צפויה, מתת-פתע
windflower *n.* כלנית
wind gauge מד-רוח
windiness *n.* משב-רוחות, סערה
winding *adj.* מתפתל, לוליני
winding sheet תכריכים (למת)
winding up פירוק
wind instrument כלי-נשיפה
wind-jammer *n.* אוניית-מיפרשים
wind'lass *n.* כננת, מנוף
windless *adj.* חסר-רוחות
windmill *n.* טחנת-רוח; גלגילון רוח
- tilt at windmills להסתער על
טחנות-רוח
win'dow (-ō) *n.* חלון, אשנב
window box אדנית
window dressing קישוט חלונות ראווה;
כסות-עיניים, אמצעי למשיכת לקוחות
window envelope מעטפת-חלון
window ledge אדן החלון
window-pane *n.* שימשה
window shade וילון, צילון
window-shop *v.* לסייר בחלונות-ראווה
window-sill *n.* אדן-חלון
windpipe *n.* קנה, צינור-הנשימה
wind rose שושנת הרוחות
windscreen *n.* שימשה קידמית (ברכב)
windscreen wiper מגב (במכונית)
windshield *n.* שימשה קידמית (ברכב)
wind sock שרוול-רוח
windstorm *n.* סערת-רוח
windsurf *v.* לגלוש בגלשן-מיפרש
wind-swept *adj.* חשוף לרוחות,
סחוף-רוח; פרוע
wind tunnel מינהרת-אוויר
wind-up *n.* סיכום, סיום
windward *adj&n&adv.* (הצד)
הגלוי לרוח; צד הרוח; לעבר הרוח, נגד
הרוח
- get to windward of להתמקם מצד
הרוח (להימנע מריחות); להיות בעמדת
יתרון
wind'y *adj.* מלא-רוחות, רב-רוחות,
סוער; מכביר מלים; עושה רוח; *פחדן
wine *n&v.* יין; ללגום יין
- blackberry wine יין-אוכמניות
- wine and dine לארח לסעודה ויין
winebibbing *n.* שתיינות, סביאה
wineglass *n.* כוס-יין
wine press גת, מכבש יין
wi'nery *n.* יקב
wineskin *n.* נאד יין
wine taster טועם יינות
wine vinegar חומץ יין
wing *n.* כנף; יחידת-טייסות; אגף; יציע;
*ירכתי הבמה; (בספורט) קיצוני
- in the wings נסתר, מחכה לפעולה
- lend wings to להצמיח כנפיים ל-
- on the wing עף, טס; במעופו; נע הנה
והנה
- right wing אגף הימין (במיפלגה)
- take wing לעוף; לחלוף
- under his wing בצל כנפיו, בחסותו
- wing of a building אגף בניין
- wings כנפי-טייס
wing *v.* לעוף, לטוס; להכניף; להצמיח
כנפיים; לזרז; לפצוע בכנף/בזרוע
- wing it לאלתר, לבצע בלי הכנה
wing chair כורסת-כנפיים
wing commander מפקד כנף
winged *adj.* מכונף, מכניף, בעל כנפיים
winger (-ng-) *n.* (בספורט) קיצוני
- left-winger שמאלני, איש השמאל
wingless *adj.* חסר כנפיים
wing nut אום-כנפיים, אום מכונף
wing screw בורג-כנפיים
wing-span/-spread *n.* מוטת-כנפיים
wink *v.* לקרוץ; למצמץ; להבהב; לסלק
(גוף זר מהעין) במיצמוץ
- wink at להעלים עין מ-
wink *n.* קריצה, מיצמוץ; איתות;
היבהוב; רגע קט, שינה חטופה
- didn't sleep a wink לא עצם עין
- tip the wink *לרמוז, למסור מידע
wink'er *n.* נורת-היבהוב, פנס-איתות
win'kle *n&v.* חלזון-ים
- winkle out להוציא בכוח, לעקור
winner *n.* זוכה, מנצח
winning *adj.* מנצח; מושך, מקסים
winning post עמוד הסיום במירוץ
winnings *n-pl.* כספי הזכייה
win'now (-ō) *v.* לזרות (תבואה); לנפות;
להפריד
wi'no *n.* *שתיין, אלכוהוליסט
win'some (-səm) *adj.* מושך, מקסים
win'ter *n&adj.* חורף; חורפי
winter *v.* לחרוף; לבלות חורף
winter garden חממה (לצמחים
טרופיים)
winter sports ספורט החורף
wintertime *n.* עונת החורף
win'try *adj.* חורפי, סגרירי, קר, קודר
- wintry smile חיוך צונן/מסויג

win-win ניצחון מוחלט
wi′ny *adj.* ייני
wipe *v.* לנגב, למחות, לנקות, לקנח; *להכות, לחבוט
- wipe away/off לסלק בניגוב
- wipe down לנגב (במטלית לחה)
- wipe dry לנגב, לייבש בניגוב
- wipe off a debt לסלק חוב
- wipe out לנגב, לנקות; להשמיד; למחות; להרוס; לחסל; לשכוח
- wipe the slate clean לפתוח דף חדש
- wipe up לנגב, לנקות; לספוג (במטלית)
wipe *n.* ניגוב, ניקוי, קינוח; בד\רפידה לניגוב
- give a wipe לנגב, לנקות
wiper *n.* מנגב, מנקה; מגב (במכונית)
wire *n.* תיל, חוט-מתכת; מיברק
- pull wires למשוך בחוטים
- under the wire בזמן
wire *v.* לתייל, להדק בתיל; לחרוז על תיל; לחבר לרשת-חשמל; להבריק
- wire a message להבריק הודעה
- wire in *להירתם במרץ לעבודה
wirecutters *n-pl.* מיגזריים
wire gauge מד-תיל
wire-haired *adj.* (כלב) מסומר שיער
wireless *n&adj.* אלחוט; רדיו; אלחוטי
- on/over the wireless ברדיו
wireless operator אלחוטאי, אלחוטן
wireless set רדיו, מכשיר אלחוט
wire netting רשת תיל
wire-puller *n.* מושך בחוטים
wire rope כבל
wiretap *v.* לצותת (לטלפון)
wiretapping *n.* ציתות טלפוני, האזנת סתר
wire wool צמר-תיל (לניקוי)
wireworm *n.* תולעת התיל
wiring *n.* מערכת תילי-חשמל; תיול
wi′ry *adj.* רזה, שרירי, חזק
wis′dom (-z-) *n.* חוכמה, תבונה
wisdom tooth שן-בינה
- cut one's wisdom teeth להגיע לבגרות
wise (-z) *adj&v.* חכם, נבון
- be/get wise to ללמוד, להבין, להיות מודע ל-
- none the wiser לא יותר חכם, לא החכים, לא יודע עתה יותר
- put him wise to להודיעו, להסביר לו
- wise after the event חכם לאחר מעשה
- wise up ללמוד, להבין; להסביר, להודיע
wise *n.* אופן, צורה, דרך
- in no wise בשום אופן
-wise בכיוון-; כדרך-; *בנוגע
- likewise באופן דומה
- moneywise מבחינה כספית
- sidewise הצידה, במצודד
wiseacre (wīz′a′kər) *n.* "חכם"
wisecrack *n&v.* * (להעיר) הערה שנונה/היתולית/סרקאסטית; חידוד
wise guy "חכם גדול"
wish *v.* לרצות; להשתוקק; לאחל, לברך; לבקש; להתפלל
- I wish הלוואי, מי יתן ו-
- I wish I were- לו הייתי-
- I wish him further הייתי רוצה שיסתלק מכאן/להיפטר ממנו
- I wish him joy of it יבוסם לו
- I wish him to go אני רוצה שילך
- wish (off) on להעביר, להטיל על-
- wish for לבקש, להתאוות, להתפלל
- wish good morning לברך בבוקר טוב
- wish him ill לדרוש רעתו, לקללו
- wish him well לאחל לו כל-טוב
- wish on להביע מישאלה ב- (קמיע)
wish *n.* רצון; חפץ; מישאלה; איחול
- good/best wishes מיטב האיחולים
- got his wish מישאלתו נתמלאה
- make a wish להביע מישאלה
wishbone *n.* עצם הבריח (בעוף)
wishful *adj.* רוצה; נכסף, כָּמֵהַּ
wishful thinking מאוויי-לב; ראיית המצב בהתאם למאוויים (ולא לאשורו)
wish′y-wash′y (-wôsh′i) *adj.* חלש, מימי, רפה; רזה, כחוש; נרפה
wisp *n.* צרור, אגודה; כריכה; חתיכה
- wisp of hair פקעת שיער
- wisp of smoke סליל-עשן
wisp′y *adj.* דק, קלוש; בצרורות
wiste′ria *n.* ויסטריה (צמח מטפס)
wist′ful *adj.* עצוב, מתגעגע, עורג, כָּמֵהַּ
wit *n.* תבונה, הבנה, שכל; חריפות, פיקחות; אדם חריף
- at one's wits' end אובד-עצות
- has a ready wit פיקח, חריף-שכל, מהיר-תבונה
- has/keeps his wits about him עיניו בראשו, שומר על קור-רוח
- live by one's wits להתקיים מתחבולות, להשיג מיחייתו בדרכים מתוחכמות
- out of one's wits יצא מדעתו
- scared out of his wits פוחד פחד-מוות
- to wit דהיינו, כלומר
- wits שכל, תושייה; יישוב הדעת
witch *n&v.* מכשפה; לכשף
witchcraft *n.* כישוף, קסמים
witchdoctor *n.* רופא-אליל
witch′ery *n.* כישוף, קסם
witch hazel הממליס (שיח); תמיסת הממליס (לריפוי פצעים)
witch hunt ציד-מכשפות
witching *adj.* מכשף, מקסים
with (-dh) *prep.* עם-, בלוויית-, ב-, אצל-, מ-, את-, בעל-, לטובת-, למען-
- I'm with you *אני איתך, אני שומע
- break with לנתק קשריו עם
- down with! away with! הלאה! הקץ ל-!
- in with חבר ל-, מתרועע עם
- it's all right with me לדידי זה בסדר
- leave it with me השאר זאת אצלי
- part (company) with להיפרד מ-
- pleased with it מרוצה מזאת
- rests with him (ההחלטה) בידיו
- with all- למרות-, חרף, עם כל-
- with it *מודרני, אופנתי
- with that עם זאת, וכך, ואז
- with young/child מעוברת/הרה
withal′ (-dhôl′) *adv&prep.* נוסף על כך, כמו כן; עם
withdraw′ *v.* למשוך, להוציא; לסגת,

להסיג; להסתלק, לצאת; לקחת בחזרה
- withdraw $100 למשוך 100 דולר
withdraw′al *n.* משיכה, הוצאה; נסיגה; לקיחה בחזרה; גמילה (מסם)
withdrawn′ *adj.* מסתגר, מתכנס בעצמו
withe (with) *n.* ענף, נצר, זרד-ערבה
with′er (-dh-) *v.* לקמול; להקמיל; לנבול; להתנוון; לגווע; להשתיק, להביך
- wither away להתנוון
- wither up להקמיל, להכמיש
withering *adj.* נובל; משתיק, מביך
with′ers (-dh-) *n-pl.* עורף (הסוס)
with•hold′ (-hōld′) *v.* לעכב, למנוע; להימנע מלתת; לעצור (זעמו)
withholding tax מס מנוכה במקור
within′ (-dh-) *adv&prep.* בפנים, פנימה; בתוך, בתחום, בטווח-
- inquire within שאל בפנים, פרטים בפנים
- within an hour בתוך שעה
- within hearing בטווח שמיעה
- within reach בהישג יד
- within the law במסגרת החוק
without′ (-dh-) *prep&adv.* ללא, בלי, בלעדי-; בלא ש-, חסר-, נטול-; בחוץ
- do without להסתדר בלי/בלעדי
- it goes without saying למותר לומר
- without doubt בלי ספק
- without end בלי סוף, לעד
- without fail בכל מקרה, לעולם
- without number לאין שיעור
withstand′ *v.* לעמוד בפני
with′y (-dh-) *n.* ענף, נצר, זרד-ערבה
witless *adj.* טיפשי, טיפש
wit′ness *n.* עד; עד-ראייה; עדות; אות
- swear (in) a witness להשביע עד
witness *v.* לראות, להבחין; להיות עד (ראייה) ל-; להעיד על-, להראות
- witness to להעיד, למסור עדות ש-
witness box תא העדים
witness stand דוכן העדים
witted *adj.* בעל תפיסה, בעל שכל
- quick-witted מהיר-תפיסה
wit′ter *v.* *לפטפט, לקשקש
wit′ticism′ *n.* הערה שנונה, חידוד
wit′ting *adj.* נעשה ביודעין, מְכֻוָּן
wittingly *adv.* במכוון, במזיד, ביודעין
wit′ty *adj.* פיקח, חריף, שנון, מבדח
wives = pl of wife (wīvz)
wiz *n.* אשף, גאון
wiz′ard *n&adj.* מכשף, קוסם; אשף, גאון; *מצוין, כביר, נפלא
- financial wizard אשף-כספים
wiz′ardry *n.* מכשפות; מומחיות, שליטה
wiz′en *v.* לנבול; להקמיל
wizened *adj.* נובל, קמול; (זקנה) בלה
wk. = week, work
wo *interj.* עצור! (לסוס)
woad *n.* צבע כחול (לצביעת הגוף)
wob′ble *v.* לנענע; להתנודד; להסס; לפסוח על שתי הסעיפים; לרעוד
wobble *n.* נענוע, התנודדות; רעד
wob′bly *adj.* מתנודד; מהסס; רועד, רטטני
wodge *n.* *נתח, חתיכה הגונה
woe (wō) *n.* צער, יגון; צרה
- woe to אוי ל-, ארור יהא-
woe′be•gone′ (wō′bigôn) *adj.* עצוב, נוגה
woeful *adj.* עצוב; מעציב; אומלל
wog *n.* *זר, נוכרי; מחלה
woke = pt of wake
wo′ken = pp of wake
wold (wōld) *n.* יער, אדמת בּוּר
wolf (woolf) *n&v.* זאב; רודף נשים; לזלול, לאכול בלהיטות
- cry wolf לצעוק זאב זאב
- keep the wolf from the door למנוע רעב ומחסור
- throw him to the wolves לזרוק אותו לכלבים
- wolf down לזלול, לבלוע מהר
- wolf in sheep's clothing זאב בעור כבש, מתחסד, צבוע
wolf-cub *n.* גור-זאב, זאבאב
wolf-hound *n.* כלב-זאב, כלב-ציד
wolfish *adj.* זאבי, של זאב
wol′fram (wool′-) *n.* וולפראם, טונגסטן (מתכת)
wolf's-bane *n.* אקוניטון (צמח)
wolf whistle שריקת זאב, שריקת גבר (לחתיכה)
wolves = pl of wolf (woolvz)
wom′an (woom′-) *n&adj.* אישה, המין הנשי, האישה; גבר נשי
- single woman רווקה
- woman of the world אשת העולם
- woman physician רופאה
womanhood *n.* נשיות; בגרות
womanish *adj.* נשי
wom′anize′ (woom′-) *v.* לרדוף נשים, לנאוף
womanizer *n.* רודף נשים, נואף
womankind *n.* נשים, המין הנשי
womanlike *adj.* נשי, כיאה לאישה
womanly *adj.* נשי, כיאה לאישה
womb (wōōm) *n.* רֶחֶם
- womb of the future חיק-העתיד
wom′bat′ *n.* וומבאט (חיה אוסטרלית)
wom′en = pl of woman (wim′-)
womenfolk *n-pl.* נשים, נשי מישפחתו
women's lib *שיחרור האישה
won = p of win
won′der (wun′-) *n.* התפלאות, השתאות; פליאה, תמיהה; פלא, נס
- do/work wonders לחולל נפלאות
- for a wonder למרבה הפלא
- it's a wonder that מפליא ש-
- nine days' wonder פלא קיקיוני
- no wonder מה הפלא, בוודאי
- signs and wonders אותות ומופתים
- small wonder מה הפלא, בוודאי
wonder *v.* להתפלא, להשתאות; לתמוה; לשאול עצמו, לחפוץ לדעת, להסתקרן
- I wonder אני שואל את עצמי; אני תוהה; אני מפקפק בכך
- wonder at להתפלא, להשתומם למראה-
wonderful *adj.* נפלא, נהדר; מפליא
wonderland *n.* ארץ פלאות
wonderment *n.* פליאה, תימהון
won′drous (wun′-) *adj&adv.* נפלא; להפליא

won′ky *adj.* רעוע, חלש, רופף*
wont *n.* הרגל, מינהג, נוֹהַג
wont *adj.* רגיל, נוֹהֵג
won't = will not (wōnt)
- sit down, won't you? שב, בבקשה
- you'll come, won't you? תבוא, הלא כן?
wont′ed *adj.* רגיל, מורגל, נהוג, מקובל
woo *v.* לחזור אחרי; לבקש; לרדוף
- pitch woo *להתעלס
- woo fame לרדוף פירסום
- woo support לבקש תמיכה (ציבורית)
wood *n&adj.* עץ; עצים; יער, חוֹרֶש; חבית; מקל גולף; עשוי עץ
- knock on wood הקש בעץ
- not see the wood for the trees מרוב עצים אין רואים את היער
- out of the woods נחלץ מסכנה/מצרה/מקשיים
- took to the woods *ברח, הסתתר
- touch wood הקש בעץ, בלי עין הרע
- wine from the wood יין מהחבית
- woods יער, חוֹרֶש, חורשה
wood alcohol כוהל מתילי
wood-block *n.* גלופת-עץ
woodcarving *n.* גילוף; תגליף-עץ
woodcock *n.* חרטומן (עוף)
woodcraft *n.* תורת היער, התמצאות ביער; אומנות העץ, חיטוב בעץ
woodcut *n.* הדפס-עץ; גלופת-עץ, חיתוך עץ
woodcutter *n.* חוטב עצים
wooded *adj.* מיוער, מכוסה עצים
wood′en *adj.* עשוי עץ, מעוצה, עצי; חסר-חום, צונן, נטול-הבעה; מסורבל
wooden-headed *adj.* טיפש, מטומטם
woodenware *n.* כלי-עץ
woodland *n.* יער, שטח מכוסה עצים
wood louse כינת-העץ, טחבית
wood′peck′er *n.* נקר (עוף)
woodpile *n.* ערימת עצי-הסקה
- nigger in the woodpile כאן קבור הכלב, מקור הקושי
wood pulp כתושת-עצים
woodshed *n.* מחסן-עצים
woodsman *n.* יערן; חוטב עצים
woodwind *n.* כלי (נשיפה עשוי) עץ
woodwork *n.* מלאכת-עץ; אומנות-העץ; מעשה-עץ; נגרות
- come out of the woodwork *להופיע, להגיח
woodworm *n.* (נזק מ-) תולעת-העץ
woody *adj.* מיוער, מכוסה עצים; עצי, מעוצה
woo′er *n.* מחזר; רודף
woof *n.* (באריגה) עֵרֶב; נביחה
woof′er *n.* רמקול
wool *n&adj.* צמר; לבוש צמר; שיער צמרי ומקורזל; עשוי צמר, צמרי
- all wool and a yard wide בחור טוב
- dyed in the wool צבוע לפני האריגה; גמור, מוחלט, מובהק, מושבע
- keep your wool on! הירגע!
- lose one's wool *להתרגז, להתלקח
- pull the wool over his eyes לרמות, להוליך שולל; להטעות

woolen, woollen *adj.* צמרי, עשוי צמר
woolens, woollens *n-pl.* אריגי-צמר, דברי-צמר
woolgathering *n&adj.* פיזור-דעת; מפוזר
woolsack *n.* מושב הלורד צ'נסלר
wooly, woolly *adj.* צמרי, צמרירי, מכוסה צמר; מבולבל, מעורפל
- wild and woolly גס, חסר רסן
wooly, woolly *n.* אפודה, סוודר
wooly-headed *adj.* מעורפל-מחשבה
woosh *v&n.* לחלוף בשריקה; שריקה
woo′zy *adj.* *שתוי, מבוסם; סחרחר
wop *n.* *זָר, איטלקי
word (wûrd) *n.* מלה; דבר, דיבור; ידיעה, הודעה; סיסמה; פקודה; דיברה, הבטחה
- as good as one's word עומד בדיבורו
- big words גבוהה-גבוהה, עתק
- break one's word להפר הבטחתו
- eat one's words לחזור בו מדבריו
- exchange a few words להחליף כמה מלים
- four-letter word מלה גסה
- get the word *לקלוט המסר, להבין
- give the word to fire לתת פקודה לירות
- has no words to אין מלים בפיו ל-
- have a word with לשוחח עם
- have words with לריב
- in a word בקיצור
- in other words במלים אחרות
- in so many words ברורות, בדיוק
- in words of one syllable בפשטות
- keep one's word לעמוד בדיבורו
- man of few words ממעט במלים
- of many words מכביר מלים
- on the word מיד, בו במקום
- play on words משחק מלים
- put in a good word לומר מלה טובה
- put into words לבטא במלים
- put words in his mouth לשים מלים בפיו, לטעון שהלה אמר כך
- say the word לתת האות, לומר הן
- send word להודיע, לשגר ידיעה
- suits the action to the word אומר ועושה
- swallow one's words לחזור בו מדבריו; להבליע מליו
- take him at his word להתייחס לדבריו ברצינות
- take his word for it לקבל דבריו, להאמין לו
- took the words out of my mouth הוציא את המלים מפי
- upon my word על דיברתי
- waste words on לשחת דבריו על-
- word came הגיעה ידיעה
- word for word מלה במלה, מילולי
- word in season דבר בעיתו, עצה בזמן שצריכים לה
- word of honor מלת-כבוד
- words fail me אין מלים בפי
word *v.* לנסח, לסגנן
word blindness עיוורון מלים
wordbook *n.* מילון, אגרון, ספר מלים
worded *adj.* מנוסח, מסוגנן

wordiness *n.* רוב מלל, להג
wording *n.* ניסוח, סיגנון
wordless *adj.* חסר-מלים; נטול-דיבר; שאין לבטאו במלים
word order סדר המלים (במישפט)
word painting תיאור חי במלים
word-perfect *adj.* בקי בעל פה; מדויק, דייקני
word picture תיאור חי במלים
word-play *n.* מישחק מלים
word processor מעבד תמלילים
word-splitting *n.* פלפלנות; דקדקנות על קוצו של יוד
wordy *adj.* רב מלל, מכביר מלים
wore = pt of wear
work (wûrk) *n.* עבודה, מלאכה; מישלח-יד, מיקצוע; מעשה; יצירה, מוצר; ספר
- all in the day's work רגיל, כצפוי
- at work עובד, בעבודה; בביצוע
- busy work עבודת-דחק, עבודה לשם תעסוקה גרידא
- give him the works *לחסלו, לתת לו מנה הגונה
- go about one's work להתחיל/לטפל בעבודתו
- go to work להתחיל, לגשת לעבודה
- good works מעשים טובים, מעשי-חסד
- has his work cut out עליו לבצע דבר קשה
- in the works בהכנה, בתיכנון
- in work מועסק, עובד
- make hard work of it למצוא קשיים (מדומים) בדבר
- make short work of לסיים חיש קל
- needlework מעשה-מחט, תפירה
- out of work מובטל, מחוסר עבודה
- public works עבודות ציבוריות
- set to work להתחיל, לגשת לעבודה
- waterworks מיפעלי-מים
- work of art יצירת אומנות
- works יצירות, יצורה, כתבים; בית-חרושת, מיפעל; ביצורים; מנגנון
work *v.* לעבוד; לעשות, לפעול; להעביד; להפעיל; לנהל; להתקדם לאט; לחדור; לעצב, ליצור; להתעוות; לתסוס; לרקום, לתפור
- his features worked פניו נתעוותו
- work a farm לנהל חווה
- work a machine להפעיל מכונה
- work a problem לפתור בעיה
- work against לפעול נגד, להתנגד ל-
- work at לעבוד על (נושא)
- work away לעבוד בלי הרף
- work clay ללוש טיט
- work him hard להעבידו בפרך
- work in/into להכניס, לשבץ, לכלול; לחדור פנימה; להחדיר בשיפשוף
- work it *לארגן זאת, לסדר זאת
- work it out לחשב; לסכם, לסיים; לפתור; להמציא, לפתח; לתכנן; לעבד
- work like a charm לפעול כבמטה-קסם
- work loose להתרופף; להיפרע (שיער)
- work miracles לחולל נפלאות
- work off לסלק, להיפטר; לחסל; לפרוק
- work on/upon לפעול על; להשפיע על
- work one's fingers to the bone, לעמול, לעבוד קשה
- work one's passage לעבוד באונייה (כתשלום דמי-נסיעה)
- work one's way לפלס דרכו
- work one's way through school לעבוד בבית-ספר (כתשלום שכ"ל)
- work one's will on להפעיל רצונו על
- work oneself(up) להתלהב, לשלהב עצמו
- work out להיפתר; להסתיים, להתפתח; לפתור; לעבד; להשתרבב החוצה
- work out at להסתכם ב-
- work out at the gym להתאמן באולם ההתעמלות
- work over להכות, לתקוף
- work round לשנות כיוון בהדרגה
- work through לחדור בהדרגה, לחלחל
- work to rule לעבוד לפי הספר
- work up להלהיב, לעורר; לפתח, לבנות
- work up to להתקדם, להתפתח ל-
- work wonders לחולל נפלאות
- worked out כלה, מרוקן, מנוצל
- worked up משולהב, נסער, תוסס
- works by electricity פועל על חשמל
workable *adj.* שניתן לעבוד בו, עביד; מעשי, בר-ביצוע
- workable clay טיט בר-גיבול
work′aday′ (wûrk′-) *adj.* רגיל, שיגרתי, יומיומי, יבש
work′ahol′ic (wûrk-) *n.* *מכור לעבודה
workbag *n.* תיק כלי-תפירה
workbasket *n.* סל כלי-תפירה
workbench *n.* שולחן-עבודה
workbook *n.* יומן עבודה; חוברת הוראות; ספר תרגילים
workbox *n.* תיבת כלי-תפירה
workday *n.* יום עבודה, יום חול
worker *n.* פועל, עובד; פועל-כפיים
work force כוח אדם, כוח עבודה
workhorse *n.* סוס-עבודה
workhouse *n.* מוסד לעבריינים; בית-מחסה, בית-עבודה
work-in *n.* השתלטות פועלים (על מיפעל)
working *n.* דרך פעולה, תיפעול
- workings מיכרה, מחצבה
working *adj.* של עבודה, עובד, פועל; שימושי, מעשי
- in working order פועל כיאות, תקין
- working dinner ארוחת-עבודה; ארוחה עסקית
- working hypothesis/theory היפותיזה/תיאוריה פועלת (מספקת בתור בסיס)
working capital הון חוזר, הון פעיל
working class מעמד הפועלים
working clothes בגדי עבודה
working day יום עבודה, יום חול
working hours שעות העבודה
working knowledge ידע מעשי/שימושי
working-out *n.* חישוב, פתירה; תיכנון
working party צוות ייעול, ועדת מחקר, קבוצת עבודה
working week שבוע עבודה
workload *n.* עומס עבודה

workman *n.* פועל, עובד; אוּמָן
workmanlike *adj.* מיקצועי, אופייני לבעל-מלאכה
workmanship *n.* אוּמָנוּת, טיב-עבודה; אופן ביצוע; מוצר של בעל-מלאכה
work-out *n.* אִימון, תירגול; בדיקה
workpeople *n.* פועלים, עובדים
workplace *n.* מקום עבודה
workroom *n.* חדר-עבודה
worksheet *n.* גיליון עבודה
workshop *n.* סדנה, בית-מלאכה
work-shy *adj.* עצלן, מתחמק מעבודה
workstation *n.* עמדת עבודה, עמדת מחשב
work study חקר פיריון העבודה
work surface מישטח עבודה
worktable *n.* שולחן-עבודה; שולחן-תופרת
worktop *n.* מישטח-עבודה (במיטבח)
work-to-rule *n.* עבודה לפי הספר, שביתת האטה
world (wûrld) *n.* עולם, העולם; תבל; העולם הגשמי
- a/the world of הרבה, המון
- all the world כל העולם, הכל, כל האנשים
- all the world and his wife הכל בלי יוצא מן הכלל
- all the world over בכל העולם
- animal world עולם/ממלכת החי
- bring into the world להביא לעולם
- come down in the world לרדת במעמדו, לרדת מנכסיו
- come into the world לבוא לעולם
- come up in the world לעלות, להתקדם, להצליח
- dead to the world לא חש דבר
- for all the world בעד כל הון שבעולם; בדיוק
- give up the world לנטוש עולם הגשמיות
- has the best of both worlds נהנה משני העולמות
- he is all the world to her הוא הכל בשבילה, הוא כל עולמה
- how goes the world with איך העניינים אצל, מה נשמע
- make one's way in the world להצליח בחיים
- man of the world איש העולם הגדול, רחב-אופקים, מכיר הליכות החיים
- not for the world בשום אופן
- on top of the world ברקיע השביעי
- out of this world כביר, נפלא, שמימי, *לא מעלמא הדין
- rise in the world להתקדם, לעלות
- the New World העולם החדש
- the Old World העולם הישן
- the Third World העולם השלישי
- the next world העולם הבא
- the whole world הכל, כל העולם
- the world of today העולם הזה
- the world to come העולם הבא
- thinks the world of her מחשיב אותה עד מאוד
- this world העולם הזה
- to the world כליל, לחלוטין*
- way of the world דרך העולם
- what will the world say? מה יאמרו הבריות?
- where/what/who in the world איפה/מה/מי לכל הרוחות
- world of fashion עולם האופנה
- world without end לעולם ועד, סלה
- worlds apart שונים תכלית שינוי
World Bank הבנק העולמי
world-beater *n.* שיאן עולמי
world champion אלוף עולם
world-class *adj.* מהטובים בעולם
World Cup גביע העולם
world-famous *adj.* מפורסם בכל העולם
worldliness *n.* גשמיות, ארציות
worldly *adj.* גשמי, חומרי, ארצי, של העולם הזה, חילוני
worldly-minded *adj.* שקוע בגשמיות
worldly wisdom תבונה בהליכות-עולם
worldly-wise *adj.* בקי בהליכות-עולם
world-old *adj.* משֵשת ימי בראשית
world power מעצמה עולמית
world-shaking *adj.* עולמי, בעל חשיבות עליונה
world war מלחמת עולם
world-weary *adj.* קָץ בחיים, קָץ בעולם
worldwide *adv&adj.* בכל רחבי העולם; חובק עולם
worm (wûrm) *n.* תולעת, שילשול; תולעת-אדם, שפל, פחדן; תבריג, הברגה
- worm of conscience מוסר-כליות
worm *v.* לתלע, להרחיק תולעים; לזחול, להזדחל, להתפתל, לחדור
- worm one's way לפלס דרכו
- worm oneself in להזדחל פנימה
- worm out a secret לסחוט סוד
- wormed his way into her favor מצא מסילות בליבה
worm-cast תלולית (של) שילשול
worm-eaten *adj.* אכול-תולעים, מתולע; *מיושן, שאבד עליו כלח
worm gear גלגל חלזוני, מימסרה חלזונית
worm hole חור (שנוצר ע"י) תולעת
worm wheel גלגל חלזוני
wormwood *n.* לענה (צמח); מרירות, סֵבֶל
wormy *adj.* מתולע, תלוע; תולעי
worn *adj.* שחוק, בלוי; עייף, לאה
worn = pp of wear
worn-out *adj.* שחוק, בלה; עייף, סחוט
worried *adj.* מודאג, דואג
wor'risome (wûr'isəm) *adj.* מדאיג; מודאג
wor'ry (wûr'-) *v.* להדאיג, להציק, לנדנד; לדאוג; לחשוש; לנשוך, לקרוע בשיניים
- don't worry אל דאגה
- worry along להתקדם חרף הקשיים
- worry at למשוך, לקרוע בשיניים; להציק; לשקוד, להתמיד ב-
- worry out a problem לתקוף בעיה שוב ושוב עד לפיתרון
- worry to death למות מרוב דאגה
worry *n.* דאגה, מקור-דאגה, צרה

worrying *adj.* אכול-דאגות; מדאיג
worry-wart דאגן
worse (wûrs) *adj&adv&n.* יותר גרוע, יותר רע; בצורה גרועה מ-; דבר גרוע
- change for the worse שינוי לרעה
- get worse (לגבי חולה) להחמיר מצבו
- go from bad to worse להידרדר
- make worse להחמיר (את המצב)
- none the worse לא ניזק; לא פחות
- the worse for wear שחוק עקב שימוש, בלה מרוב ימים; עייף, סחוט
- worse luck חבל! לרוע המזל!
- worse off במצב יותר גרוע
wors'en (wûrs'-) *v.* להרע; להחמיר
wor'ship (wûr'-) *n.* פולחן, תפילה, הערצה, סגידה
- his Worship כבודו, כבוד (-השופט)
worship *v.* להעריץ, לסגוד; להתפלל
worshiper *n.* מעריץ; מתפלל
worshipful *n.* מעריץ; נכבד, מכובד
worst *n&adj&adv.* מירע, הרע ביותר; מירעי; בצורה הגרועה ביותר
- at worst במיקרה הכי גרוע
- come off worst לנחול מפלה
- do one's worst, לעשות את הגרוע ביותר, להזיק ככל יכולתו; אדרבה!
- get the worst of it לנחול מפלה
- if the worst comes to the worst במיקרה הגרוע ביותר
- in the worst way *עד מאוד
- the worst of it is הגרוע מכל הוא-
worst *v.* לנצח, להביס
wor'sted (woos'tid) *n.* חוט צמר שזור; אריג צמר
wort (wûrt) *n.* תמצית לֶתֶת (לשיכר)
worth (wûrth) *adj.* שווה, ערכו; ראוי, כדאי; בעל רכוש שווי-
- for all he is worth בכל יכולתו
- for what it is worth בלי אחריות, איני ערב לכך
- he is worth $1,000,000 הונו נאמד במיליון דולר
- is worth it כדאי, שווה את המאמץ
- is worth seeing כדאי לראותו
- worth one's while כדאי, משתלם
worth *n.* עֵרֶך, חשיבות, שווי
- 50 cents' worth of sweets ממתקים ב-50 סנטים
- of great worth רב-ערך, רב-חשיבות
worthiness *n.* עֵרֶך, כדאיות, רְאוּיוּת
worthless *adj.* חסר-ערך; נבזה, שפל
worthwhile *adj.* כדאי; משתלם
wor'thy (wûr'dhi) *adj.* ראוי, כדאי; בעל ערך/חשיבות; הגון, מכובד, נכבד
- praiseworthy ראוי לתהילה
- worthy of ראוי ל-
worthy *n.* נכבד, אדם חשוב
wot *v.* לדעת
would = pt of will (wood)
- I would help you הייתי עוזר לך
- I would rather הייתי מעדיף ל-
- sit down,would you? התואיל לשבת?
- we would talk for hours נהגנו לשוחח במשך שעות ארוכות
- would heaven מי יתן, הלוואי
- would that- הלוואי! לו!
- would you (be kind)- התואיל ל-?
would-be *adj.* מתכוון להיות, עתיד להיות, שואף להיות; מתיימר
wouldn't = would not (wood'ənt)
wouldst = (you) would (woodst)
wound (wo͞ond) *n&v.* פצע, מכה; פגיעה, עלבון; לפצוע, לפגוע ב-
- fatally wounded נפצע אנושות
- rub salt into his wounds לזרות מלח על פצעיו
wound = p of wind (wound)
wove = pt of weave
wo'ven = pp of weave
wow *n.* צלילים עולים ויורדים (ממקול פגום); *הצלחה כבירה
wow *interj.* *נפלא, מצוין, ואו!
wow *v.* *להלהיב, להרשים
WP מעבד תמלילים
wpm = words per minute
wrack *n.* צמח-ים (שנפלט לחוף); הרס, השמדה
- go to wrack and ruin להיהרס
wraith *n.* רוח-מת; שלד-אדם
wran'gle *v.* להתווכח, לריב בקול
wrangle *n.* ויכוח, ריב קולני
wrangler *n.* איש ריב; קאובוי, בוקר
wrap *v.* לעטוף; לכרוך; לארוז
- wrap oneself להתעטף, להתכרבל
- wrap round לכרוך, לחבוק, לעטוף
- wrap up לעטוף; להתעטף; לאפוף; לסכם, לסיים (עיסקה)
- wrap up! שתוק! בלום פיך!
- wrapped in fog אפוף ערפל
- wrapped in thought שקוע במחשבות
- wrapped up in שקוע ראשו ורובו ב-, כל מעייניו ב-; אפוף
wrap *n.* כיסוי, מעטה, מעיל, צעיף
- under wraps מוסתר, בסוד
wraparound *adj&n.* (בגד) עוטף, מקיף
- wraparound dress שימלת מעטפת
wrapper *n.* עטיפה; חלוק, מעטפת
wrapping *n.* עטיפה; אפיפה; מַעֲטָף
wrapping paper נייר אריזה
wrap-up *n.* תקציר חדשות
wrath *n.* זעם, חימה, חרון-אף
wrathful *adj.* זועם
wreak *v.* לפרוק, לתת ביטוי, לעשות
- wreak havoc לעשות שַׁמּוֹת
- wreak one's anger לשפוך חמתו
- wreak vengeance לקחת נקם
wreath *n.* זֵר, עטרה; טבעת, סליל
- wreaths of smoke טבעות עשן
wreathe (rēdh) *v.* לעטוף, לאפוף, להקיף; לקלוע (זר)
- wreathe round לכרוך, ללפף; להתחלזן, לנוע בטבעות חלזוניות
- wreathed in smiles קורן חיוכים
wreck *n.* הרס, חורבן; ספינה שנטרפה; שבר-כלי; הריסה; גרוטה
wreck *v.* להרוס; לנפץ (תיקוות)
wreck'age *n.* הרס, חורבן; שרידים
wrecker *n.* הורס, מנתץ בניינים; מחלץ תכולת ספינה שנטרפה
wren *n.* גידרון (ציפור-שיר)

wrench *n.* עיקום, פיתול; משיכה; נֶקַע; סֶבֶל, כאב; מפתח ברגים
- throw a wrench לתקוע מקל בגלגלים

wrench *v.* לעקם; לפתל; למשוך; לנקוע
- wrench facts לסלף עובדות
- wrench it from his hands להוציא זאת בכוח מתוך ידיו
- wrench oneself לחלץ עצמו בכוח
- wrench open לפתוח במשיכה עזה

wrest *v.* להוציא בכוח, למשוך; לסחוט, להשיג בקושי; לעוות, לסלף

wres′tle (res′əl) *v.* להיאבק, להתגושש
- wrestle him to the ground להשכיבו ארצה תוך היאבקות
- wrestle with a problem להתמודד עם בעיה

wrestler *n.* מתאבק

wrestling *n.* היאבקות

wretch *n.* אומלל, מיסכן; חדל-אישים, נבזה, שפל

wretch′ed *adj.* אומלל, מיסכן, עלוב; רע; גרוע; נבזה, נקלה

wrick *v&n.* לנקוע קלות; נקע קל

wrig′gle *v.* להתפתל; לנוע בפיתולים; לחוש אי-נוחות; לנענע; לפרכס
- wriggle one's way לפלס דרכו תוך התפתלויות
- wriggle out of להיחלץ, להתחמק
- wriggled in his chair התפתל בכיסאו

wriggle *n.* התפתלות; נענוע; פירכוס

wright *n.* חָרָש, פועל, עושה
- playwright מחזאי
- wheelwright עושה גלגלים; חרש-אופן

wring *v&n.* לעקם, לסובב; ללחוץ; לסחוט; לחיצה; סחיטה
- wring his hand ללחוץ את ידו
- wring his heart לשבור את ליבו
- wring his neck למלוק ראשו
- wring one's hands להצמיד ידיו (בשעת צער), לספוק כפיו
- wring out לסחוט, להוציא

wringer *n.* מעגילה, מכבש-כבסים

wringing-wet *adj.* ספוג-מים

wrin′kle *n.* קמט; קפל; תחבולה, רעיון מקורי, עצה טובה

wrinkle *v.* לקמט; להתקמט
- wrinkle one's nose לעקם חוטמו

wrinkly *adj.* מקומט; מתקמט

wrist *n.* שורש היד, מיפרק כף-היד

wrist-band *n.* רצועת-יד, שרוולית

wrist′let *n.* רצועה למיפרק יד, רצועת-שעון; קישור, צמיד, חפת

wristlock *n.* לפיתת מיפרק-היד

wristwatch *n.* שעון-יד

writ *n.* צו, כתב; סמכות; כתוב
- Holy Writ כתבי הקודש
- his writ runs here יש לו פה סמכות
- writ large ניכר באופן ברור, כתוב באותיות קידוש-לבנה

write *v.* לכתוב; לרשום; לחבר
- nothing to write home about *לא משהו מיוחד, אין להתלהב מכך
- write away for להזמין בדואר
- write down לכתוב, לרשום, להעלות על הנייר; להוריד מחיר, להפחית ערך
- write him down as לתארו כ-
- write in לפנות במיכתב, להזמין בכתב; להצביע בעד; להוסיף שמו
- write off למחוק, לבטל; להכיר כהפסד; לכתוב/לחבר במהירות, לשרבט
- write off for להזמין בדואר
- write out לרשום; לכתוב במלואו
- write up לשבח (בביקורת); להשלים, לעדכן; לתאר בפרוטרוט
- write up assets להעלות במידה מוגזמת את ערך הנכסים
- written large ניכר באופן ברור, כתוב באותיות קידוש-לבנה
- written on his face ניכר היטב בפניו

write-down ירידת ערך (של נכס)

write-in *n.* הצבעה בעד (בכתב)

write-off *n.* דבר הרוס, גרוטה

writer *n.* כותב; סופר, מחבר; לבלר

writer's cramp עווית-סופרים

write-up *n.* ביקורת, מאמר, כתבה

writhe (rīdh) *v.* להתפתל, להתייסר

writing *n.* כתיבה; סופרות, מְחַבְּרוּת; כתב-יד; יצירה
- Writings כתובים (בתנ"ך)
- put in writing להעלות על הכתב
- writing on the wall הכתובת על הקיר
- writings כתבים

writing desk מכתבה, שולחן-כתיבה

writing materials מכשירי כתיבה

writing pad בלוק כתיבה

writing paper נייר מיכתבים

writ′ten = pp of write

wrong (rông) *adj.* לא-טוב, לא-נכון; לא-צודק, לא-הוגן, לא-ישר; לא-תקין, לא בסדר; טועה; מוטעה
- caught on the wrong foot נתפס כשאינו מוכן
- get on the wrong side of- לסור חינו בעיני-
- get the wrong end of the stick להבין שלא כהלכה
- go down the wrong way להקדים קנה לוושט
- in the wrong box במקום לא מתאים
- on the wrong side of 50 מעל לגיל 50
- out of bed on the wrong side קם על צידו השמאלי
- wrong side צד הפוך (של בגד)
- wrong side out (לגבי בגד) הפוך

wrong *adv.* באופן לא-טוב, בצורה לא-נכונה; באורח מוטעה, שלא כראוי
- get it wrong להבין שלא כהלכה
- go wrong לטעות; להשתבש, להיכשל; להסתיים ברע; להתקלקל; להידרדר

wrong *n.* רע; חטא, עוול; עבירה; טעות
- do wrong לעשות עוול, לחטוא
- in the wrong טועה; אחראי לטעות
- know right from wrong להבחין בין טוב לרע
- put him in the wrong להציגו כאחראי לטעות; להלביש עליו אשמה
- suffer wrong להיגרם לו עוול

wrong *v.* להיות לא-הוגן כלפי; לגרום עוול ל-; לנהוג שלא בצדק

wrongdoer *n.* עושה רע, חוטא

wrongdoing *n.* עשיית-רע; חטא

wrong-foot *v.* *לסכל, להביך, לתפסו

לא מוכן
wrongful *adj.* לא צודק; לא חוקי; מוטעה
wrong-headed *adj.* טועה, עקומוח, עקשן
wrote = pt of write
wroth (rôth) *adj.* זועם, זועף
wrought (rôt) *adj.* עשוי, מעובד, מעוצב
wrought = p of work
- wrought up מתוח, נרגש, נסער
- wrought upon him פעל עליו, השפיע עליו
wrought iron ברזל מעובד (טהור)
wrung = p of wring
wry *adj.* מעוות, עקום; חמוץ, מר
- wry face פנים חמוצים
- wry smile חיוך מאולץ, חיוך מר
wt. = weight
wurst *n.* נקניק
wych elm אולמוס (עץ)
wych hazel = witch hazel

X

X איקס, נעלם; פלוני
x *v.* לסמן באיקס; למחוק
xenon (zen'on) *n.* קסנון (גאז אדיש)
xen'opho'bia (z-) *n.* קסנופוביה, בעת-זרים
xerog'raphy (z-) *n.* זירוגרפיה, העתקת מסמכים
xerox (zē'roks) *n&v.* צילום (של מיסמך); לצלם (מיסמכים)
Xerx'es (zûrk'zēs) *n.* אחשוורוש
Xmas = christmas (kris'məs)
X-rated *adj.* למבוגרים, פורנוגרפי
X ray *n.* קרן-רנטגן; צילום רנטגן, חוזי; טיפול הקרנה
- X rays קרני-רנטגן, קרני-איקס
X-ray *v.* לצלם בקרני-רנטגן; להקרין קרני-רנטגן
xy'lograph' (zī-) *n.* תגליף עץ
xy'lonite' (z-) *n.* צלולואיד, תאית
xy'lophone' (z-) *n.* קסילופון, מקושית

Y

Y = year, yard
yacht (yot) *n&v.* יאכטה; ספינת-מירוץ, ספינה קלה; לשייט/להתחרות באיכטה
yacht club מועדון יכטות
yachting *n.* שיוט (ביאכטה)
yachtsman *n.* בעל יאכטה; שוחר-שייט
yack *v&n.* *לפטפט, לקשקש; פיטפוט
ya'hoo' *n.* יאהו, גס, נקלה, נתעב
yak *n.* יאק, שור טיבטי
yak *v&n.* *לפטפט, לקשקש; פיטפוט
yam *n.* באטאטה, תפוד מתוק
yam'mer *v.* *להתלונן, לבכות, לקטר; לפטפט, לקשקש
yank *v.* למשוך, לשלוף, לעקור
yank *n.* משיכה, שליפה, עקירה; *יאנקי
Yan'kee *n.* יאנקי, אמריקני צפוני
yap *v.* לנבוח קצרות; *לפטפט, לקשקש
yap *n.* נביחה חדה; פיטפוט, קישקוש
yard *n.* יארד (3 רגל); איסקריה, קורת-רוחב; חצר; מיגרש; מחסן; גינה
- cattle-yard מיכלא, גדרת-בקר
- shipyard מיספנה
- the Yard הסקוטלאנד יארד
yard'age *n.* מידת היארדים
yard-arm *n.* זרוע-איסקריה
yard goods אריגים הנמכרים ביארדים
yardman *n.* גנן, חצרן
yard measure סרגל-יארד, סרט-יארד
yardstick *n.* סרגל-יארד; קנה-מידה; סטאנדארד (להערכה)
yar'mulka *n.* כיפה, ירמולקה
yarn *n.* מַטווה; חוט טווי; סיפור
- spin a yarn לספר/לבדות סיפור
yarn *v.* לספר סיפורים
yash'mak' *n.* צעיף, רעלה
yaw *v.* לסטות מהמסלול
yaw *n.* (זווית ה-) סטייה
yawl *n.* ספינת-מיפרשים, מיפרשית; סירת-אונייה, יאול
yawn *v&n.* לפהק; להיפתח לרווחה, להיפער; פיהוק
yawning *adj.* פעור לרווחה; עצום; מפהק
yawp *v.* לצרוח; *לקשקש, לפטפט
yaws (yôz) *n.* פטלת (מחלה)
yd. = yard
ye = the (dhē) ה-, הא הידוע
ye = you (yē) *pron.* אתם, אתן
yea (yā) *adv&n.* כן; אומר הן, מחייב
yeah (ye) *adv.* *כן
- oh yeah? *האומנם?
year *n.* שנה
- all the year round במשך כל השנה
- down the years על פני השנים
- get on in years להזדקן, להזקין
- he's 30 years of age הוא בן 30
- man of years קשיש, בא בימים
- old for his years מבוגר מכפי גילו
- sportsman of the year ספורטאי השנה
- year by year שנה בשנה
- year in,year out שנה-שנה, כל שנה
- year of grace לספירת הנוצרים
yearbook *n.* שנתון, ספר שנה
year'ling *n.* בן שנה, בן שנתו
year-long *adj.* נמשך שנה, של שנה
yearly *adj&adv.* שנתי, בכל שנה; שנתית, אחת לשנה
yearn (yûrn) *v.* להתגעגע, להשתוקק, להיכסף, לערוג
yearning *n.* געגועים, כמיהה, כיסופים
year-round *adj.* מתחילת השנה ועד סופה
yeast *n.* שמרים
yeast cake עוגת שמרים
yeasty *adj.* של שמרים, תוסס
yell *v&n.* לצעוק; לצרוח; צעקה, צריחה; שאגות-עידוד
yel'low (-ō) *adj&n.* צהוב; *פחדן, מוג-לב
yellow *v.* להצהיב

yellow-bellied *adj.* *פחדן, מוג-לב
yellow fever קדחת צהובה
yellowish *adj.* צהבהב
Yellow Pages דפי זהב
yellow press עיתונות צהובה
yellow streak *פחדנות
yelp *v&n.* לנבוח, ליילל; נביחה, יללה
Yem′en *n.* תימן
Yem′enite′ *adj&n.* תימני; יהודי תימני
yen *n.* ין (מטבע יפני)
yen *n&v.* כיסופים, תשוקה; להשתוקק
yeo′man (yō′-) *n.* (בצי) סַמָל, לבלר; איכר עצמאי, עובד אדמתו; משרת
- Yeoman of the Guard שומר המלך
- yeoman service שירות יעיל
yeomanry *n.* מעמד האיכרים העצמאיים
yep *adv.* *כן
yes *adv&n.* כן, הן; תשובה חיובית
yeshi′va (-shē′-) *n.* ישיבה
yes man אומר הן, עונה אמן; יסמן
yes′terday′ *adv&n.* אתמול
- the day before yesterday שלשום
- wasn't born yesterday לא נולד אתמול, לא פתי
- yesterday week לפני 8 ימים
yesteryear *n.* אשתקד; העבר
yet *adv.* עוד, עדיין; כבר; עד עתה; בעתיד, לבסוף; בנוסף
- as yet עד כה, עד עתה
- did he eat yet? האם אכל כבר?
- has never yet been late מעולם לא איחר, עד כה טרם איחר
- he has yet to- עליו עדיין ל-
- nor yet יתירה מזו, ואף לא
- not yet עוד לא, עדיין לא, טרם
- she's yet more beautiful היא אף יפה יותר
- yet again שוב, עוד פעם
yet *conj.* אבל, אך, ואולם, ברם, עם זאת, אפס
- and yet ועדיין, ובכל זאת
- he's stern yet honest הוא קשוח, עם זאת הוגן
yet′i *n.* יטי, איש השלג הנתעב
yew (ū) *n.* טאקסוס (עץ)
Yid *n.* *יהודון
Yid′dish *n.* יידיש, אידיש
yield (yēld) *v.* להניב, להפיק; לשאת פרי; לוותר על; לתת, למסור; להעניק; להיכנע; לא לעמוד בפני, לקרוס
- yield 9% לתת תשואה של 9%
- yield a crop להניב יבול
- yield a town to the enemy למסור עיר לאויב (אגב כניעה)
- yield ground לסגת
- yield shelter להעניק מחסה
- yield up the ghost למות
yield *n.* תנובה, יבול; תשואה, תפוקה, רווח, הכנסה
yielding *adj.* נכנע, כנוע, ותרן, צייתן
yip′pee *interj.* ייפי! יופי! קריאת שמחה
yob, yob′bo *n.* *אדם גס, חוליגן

yo′del *n&v.* יודל, יידלול; ליידלל
yodeler *n.* זַמָר-/זַמֶרֶת-יודלים
yo′ga *n.* יוגה
yo′gi (-gi) *n.* יוגי, מורה ליוגה
yo′gurt *n.* יוגורט
yoke *n.* עול; צמד-בקר; אסל; כתף-הבגד, מותני-חצאית; קשר; שיעבוד
- throw off the yoke לפרוק העול
- under the yoke בעול, תחת שילטון
- yoke of friendship קשרי-ידידות
- yoke of oxen צמד-בקר
yoke *v.* לרתום בעול; לחבר, להצמיד
yokefellow *n.* בן-זוג, שותף
yo′kel *n.* איש-כפר, כפרי, בּוּר
yolk (yōlk) *n.* חלמון-הביצה
yomp *v.* *לצעוד עמוס ציוד כבד
yon = yonder
yon′der *adv&adj.* שָם, ההוא, שבמקום ההוא; בכיוון ההוא, שמה
yonks *n-pl.* *עידן ועידנים
yoo-hoo *interj.* יו-הו (קריאה)
yore *n.* העבר הרחוק, לפנים
- in days of yore בימים עברו
you (ū) *pron.* אתה, את, אתם; אותך, אתכם; לך, לכם
- you and yours לך ולבני ביתך; אתה וכל אשר לך
- you bet בטח, בוודאי
- you can never tell לעולם אינך יודע, לעולם אין לדעת
- you fool! טיפש שכמותך!
you-all *pron.* אתם
you'd = you had/would (yood)
you'll = you will/shall (yool)
young (yung) *adj.* צעיר; בתחילתו, בראשיתו; רענן; טרי; חסר-ניסיון; ירוק
- a young hopeful צעיר מבטיח
- the young הצעירים
- the younger הצעיר, הבן
- young Mr. Smith מר סמית הצעיר, מר סמית הבן
- young and old מנער ועד זקן
- young blood צעיר, צעירים
- young lady עלמה; חֲבֵרָה
- young man צעיר; חָבֵר
young *n-pl.* גורים, ולדות, צאצאים
- with young הרה, מעוברת
youngish *adj.* צעיר למדיי
young′ster (yung′-) *n.* צעיר, נער
your (yoor) *adj.* שלך, שלכם
- Your Honor כבוד מעלתך
- the house is on your left הבית נמצא בצד שמאל שלך
you're = you are (yoor)
yours (yoorz) *pron.* שלך, שלכם
- a friend of yours אחד מידידיך
- yours is the best car מכוניתך היא הטובה ביותר
- yours truly שלך בנאמנות (בסיום מיכתב); אני, עבדך הנאמן
yourself′ (yoor-) *pron.* (את/ל-/ב-/מ-) עצמך
- be yourself הֱיֵה אתה עצמך, התנהג בטבעיות
- by yourself לבדך, בעצמך
- enjoy yourself! ההנה, בלה יפה!

- you are not yourself today אינך כתמול שילשום, בריאותך לקויה
- you yourself אתה בעצמך
yourselves′ (yoorselvz′) *pron.* (את/ל-/ב-) עצמכם
youth (ūth) *n.* נעורים, שנות הנוער; צעיר, נער; נוער, הדור הצעיר
youth center/club מועדון נוער
youthful *adj.* צעיר, של נעורים, רענן
youth hostel אכסניית-נוער
you've = you have (yoov)
yowl *v&n.* ליילל, לייבב; יללה, יבבה
yo′yo *n.* יו-יו (צעצוע)
yr. = year, years
yu′an *n.* יואן (מטבע סיני)
yuc′ca *n.* יוקה (צמח, פרח)
yuck/yuk *interj.* *איכס, מגעיל
Yu′go·sla′via (ū-slä′-) *n.* יוגוסלביה
Yule *n.* (תקופת) חג המולד
Yule log עץ (למדורת) חג-המולד
Yule-tide *n.* תקופת חג-המולד
yum′my *adj.* *טעים, נהדר
yup′pie *n.* *יאפי, מצליחן, מקצוען העובד בעיר

Z

Zaire′ (Congo) (zäir′) *n.* זאיר
Zam′bia *n.* זמביה
za′ny *n&adj.* ליצן, מוקיון, טיפש; טיפשי
zap *v&n.* *להרוג; להרוס; להכות; לנוע במהירות; לעבור מערוץ לערוץ, לזפזפ; לשנות, למחוק; מרץ
zapper *n.* *שלט-רחוק
zap′py *adj.* *מלא מרץ, תוסס
zeal *n.* קנאות, להיטות, התלהבות
zeal′ot (zel′-) *n.* קנאי, פאנאטי
zeal′otry (zel′-) *n.* קנאות, פאנאטיות
zeal′ous (zel′-) *adj.* קנאי, להוט, נלהב
ze′bra *n.* זברה
zebra crossing מעבר חציה
ze′bu (-boo′) *n.* זבו (בהמת-בית)
zed, zee *n.* שם האות זד
Zeit′geist′ (zīt′gīst) *n.* רוח הזמן
ze′nith *n.* זנית, צוהר, נקודת-קודקוד; שיא, פיסגה, גולת-הכותרת
ze′nithal *adj.* של זנית
zeph′yr (-fər) *n.* זפיר, רוח מערבית קלה
zep′pelin *n.* צפלין, ספינת-אוויר
ze′ro *n&v.* אפס, 0; לאפס
- absolute zero האפס המוחלט
- reach zero לרדת לאפס
- zero in לאפס (רובה), לכוון; להתרכז, להתמקד
zero hour שעת האפס, שעת השין
zero option הצעה לפירוק נשק
zero-rate *v.* לפטור ממס ערך מוסף
zest *n.* התלהבות, חשק; הנאה; טעם, תבלין; קליפת לימון/תפוז
- add/give zest to להוסיף טעם ל-
zestful *adj.* מתלהב, מלא-התלהבות
zig′zag′ *n.* זיגזאג
zigzag *adj&adv.* זיגזאגי, מזוגזג; בזיגזאג
zigzag *v.* לנוע בזיגזאג; להתפתל; לזגזג
zilch *n.* *שום דבר, לא כלום
zil′lion *n.* *מיליונים, המון
Zimba′bwe (-bä′bwi) *n.* זימבבווה
zim′mer *n.* *צימר, חדר להשכרה
zinc *n.* אבץ
zing *v&n.* *לחלוף בשריקה; מרץ, אנרגיה
zin′nia *n.* זינייה (צמח, פרח)
Zi′on *n.* ציון, ישראל
Zi′onism′ *n.* ציונות
Zi′onist *n.* ציוני
zip *n.* שריקה, צליף; מרץ, זריזות, פעלתנות; רוכסן, ריצ׳ראץ׳
zip *v.* לשרוק, לחלוף בשריקה; לרכוס ברוכסן
- zip open לפתוח (רוכסן)
- zip up/shut לרכוס, לסגור ברוכסן
zip code מיספר המיקוד
zip fastener רוכסן
zip′per *n.* רוכסן, ריצ׳ראץ׳
zip′py *adj.* נמרץ, זריז, פעלתני
zit *n.* *פצעון
zith′er (-dh-) *n.* ציתר (כלי-פריטה)
zizz *v&n.* * (לחטוף) תנומה קלה; זמזום
zo′diac′ *n.* זודיאק, גלגל-המזלות
zo·di′acal *adj.* של גלגל-המזלות
zom′bi *n.* זומבי, מת מהלך
zo′nal *adj.* אזורי
zone *n.* איזור; שטח, תחום; איזור דואר, איזור מיקוד
- residential zone איזור מגורים
zone *v.* לחלק לאיזורים; להקצות איזור ל-
zone defense הגנה איזורית
zoning *n.* חלוקה לאיזורים
zonked (zonkt) *adj.* *מסומם; נרדם
zoo *n.* גן-חיות
zo′olog′ical *adj.* זואולוגי
zoological garden גן-חיות
zo·ol′ogist *n.* זואולוג
zo·ol′ogy *n.* זואולוגיה, תורת החי
zoom (zōōm) *v.* לנסוק אל-על; לנוע במהירות, לחלוף ביעף
- the price zoomed המחיר האמיר
- zoom in לעבור במהירות לצילום מקרוב
- zoom out לעבור במהירות לצילום מרחוק
zoom *n.* (קול) נסיקה מהירה
zoom lens עדשה מהירת-מיקוד
zo′ophyte′ *n.* זואופיט, חי-צמח, צימחיי
zounds (-z) *interj.* לעזאזל!
zucchi′ni (zōōkē′ni) *n.* קישוא
Zu′lu′ *n&adj.* זולו (כושי, שפה)
Zu′rich (zoo′rik) *n.* ציריך
zwie′back′ (zwē-) *n.* צנים, עוגייה קלויה
zy·mol′ogy *n.* תורת התסיסה

* * * * *
* * *
*

המילון המקיף החדש
עברי - אנגלי

בעריכת

שמעון זילברמן

THE NEW COMPREHENSIVE
HEBREW - ENGLISH DICTIONARY

COMPILED BY

SHIMON ZILBERMAN

WITH

AN INTRODUCTION TO HEBREW

ZILBERMAN'S DICTIONARIES

ISBN-978-965-90918-1
THE NEW COMPREHENSIVE
ENGLISH-HEBREW / HEBREW-ENGLISH DICTIONARY
89,000 ENTRIES

ISBN-965-90918-0-X
THE UP-TO-DATE
ENGLISH-HEBREW DICTIONARY
60,000 ENTRIES

ISBN-965-222-862-1
THE UP-TO-DATE
ENGLISH-HEBREW / HEBREW-ENGLISH DICTIONARY
82,000 ENTRIES

ISBN-965-222-778-1
THE COMPACT UP-TO-DATE
ENGLISH-HEBREW / HEBREW-ENGLISH DICTIONARY
55,000 ENTRIES

ISBN-965-222-779-X
THE UP-TO-DATE
HEBREW-ENGLISH DICTIONARY
27,000 ENTRIES

Published by Zilberman
P.O.B. 6119 Jerusalem
Tel./Fax 02-6524928

Printed in Israel

הַמִּילוֹן הַמַּקִּיף הֶחָדָשׁ הָעִבְרִי־אַנְגְּלִי

הַתּוֹפָעוֹת הַשּׁוֹנוֹת שֶׁבְּעוֹלָמֵנוּ, וְהַחֲוָיוֹת שֶׁאָנוּ מִתְנַסִּים בָּהֶן חֲדָשִׁים לִבְקָרִים, כּוֹפוֹת עָלֵינוּ מִדֵּי פַּעַם בְּפַעַם לִטְבּוֹעַ תַּחְדִּישִׁים לְשׁוֹנִיִּים, הַנִּקְלָטִים בַּשָּׂפָה אַט־אַט וְהוֹפְכִים לְנַחֲלַת הַכְּלָל. לְפִיכָךְ מִתְעוֹרֵר בְּכָל פֶּרֶק־זְמַן הַצּוֹרֶךְ לְעַדְכֵּן אֶת הַמִּילוֹנִים וּלְשַׁבֵּץ בָּהֶם אֶת הַמּוּנָחִים הַחֲדָשִׁים.

הַמִּילוֹן הַמַּקִּיף הֶחָדָשׁ הָעִבְרִי־אַנְגְּלִי עוֹנֶה עַל דְּרִישָׁה זוֹ, שֶׁכֵּן הוּא כּוֹלֵל מִלִּים וּבִיטוּיִים שְׁכִיחִים, וְכֵן כָּאֵלֶּה שֶׁנִּתְחַדְּשׁוּ לָאַחֲרוֹנָה בַּלְּשׁוֹנוֹת הָעִבְרִית וְהָאַנְגְּלִית בִּשְׂפַת הַיּוֹם־יוֹם, וּבִתְחוּמִים שׁוֹנִים, כְּגוֹן בְּעַנְפֵי הָרְפוּאָה, הַסְּפּוֹרְט, הַמַּחְשְׁבִים וְעוֹד.

הַמִּילוֹן מְיוּעָד הֵן לַקּוֹרֵא הָעִבְרִי וְהֵן לַקּוֹרֵא הָאַנְגְּלִי. הַמָּבוֹא לַשָּׂפָה הָעִבְרִית שֶׁנִּיתָּן לְהַלָּן עָשׂוּי לִהְיוֹת לְעֵזֶר לַלּוֹמֵד שֶׁשְּׂפַת אִמּוֹ אַנְגְּלִית.

הַכְּתִיב בַּמִּילוֹן הוּא כְּתִיב מָלֵא. דָּגֵשׁ בָּא רַק בָּאוֹתִיּוֹת בּ, כּ, פּ, תּ. שִׁין יְמָנִית אֵינָהּ מְסוּמֶּנֶת; שִׂין שְׂמָאלִית מְסוּמֶּנֶת; שְׁוָא נָח אֵינוֹ מְסוּמָּן.

הַפּוֹעַל הָעִבְרִי מוּבָא בְּצוּרַת גּוּף יָחִיד, עָבָר, נִסְתָּר (בַּבִּנְיָן הַמַּתְאִים), כָּךְ לְמָשָׁל הַמְחַפֵּשׂ אֶת הַמִּלָּה "אֶשָּׁמֵר" יְאַתֵּר אוֹתָהּ בָּעֵרֶךְ "נִשְׁמַר"; כְּמוֹ כֵן יֵשׁ לְחַפֵּשׂ אֶת הַמִּלָּה "לָשֶׁבֶת" בָּעֵרֶךְ "יָשַׁב", וְכַדּוֹמֶה.

AN INTRODUCTION TO HEBREW

Hebrew is one of the most ancient languages in the world. The Bible was written in Hebrew, and the Jews uttered daily their prayers in this 'Holy Tongue' for thousands of years. With the revival of Zionism, Modern Hebrew became a commonly spoken language, and now it is the official language of Israel.

The next few pages present the basic characteristics of Hebrew (which is written from right to left), so that the reader may have the basis to expand his knowledge of this language. It must be noted that only the very essentials of Hebrew are given here, and the reader is advised to refer to more detailed books and to listen attentively to Hebrew-speakers.

For the sake of simplicity, the symbols used here for the transliteration of the various sounds (consonant-sounds and vowel-sounds), are of letters of the English alphabet without dots, signs etc. Sounds that are very close to one another, are given the same symbol.

ABBREVIATIONS

ז׳ - זָכָר - noun (masculine)
נ׳ - נְקֵבָה - noun (feminine)
ז״ר - זָכָר רִיבּוּי - noun (masculine) plural
נ״ר - נְקֵבָה רִיבּוּי - noun (feminine) plural
מ״ג - מִלַּת גּוּף - pronoun
מ״ח - מִלַּת חִיבּוּר - conjunction
מ״י - מִלַּת יַחַס - preposition
מ״ק - מִלַּת קְרִיאָה - interjection
פ׳ - פּוֹעַל - verb; ר״ת - רָאשֵׁי תֵּיבוֹת - acronym
ש״מ - שֵׁם מִסְפָּר - numeral
ת׳ - תּוֹאַר - adjective
תה״פ - תּוֹאַר הַפּוֹעַל - adverb
תח׳ - תְּחִילִית - prefix
m. - masculine; f. - feminine; sing. - singular; pl. - plural.
* (asterisk) - slang or colloquialism

TRANSLITERATION

The transliteration of the Hebrew consonant-sounds used here:
[b] as 'b' in 'boy': בן (בֵּן) [ben] (a son).
[ch] as 'ch' in 'chair': צ'לו (צֶ'לוֹ) [CHElo] (a cello).
[d] as 'd' in 'day': דגל (דֶגֶל) [DEgel] (a flag).
[f] as 'f' in 'free': יפה (יָפֶה) [yaFE] (beautiful).
[g] as 'g' in 'good': בגד (בֶּגֶד) [BEged] (a garment).
[h] as 'h' in 'happy': הד (הֵד) [hed] (an echo).
[j] as 'j' in 'joy': ג'יפ (ג'יפ) [jip] (a jeep).
[k] as 'k' in 'book': כן (כֵּן) [ken] (yes).
[kh] as 'ch' in the Scottish word 'loch': אחד (אֶחָד) [eKHAD] (one).
[l] as 'l' in 'glad': גל (גַל) [gal] (a wave).
[m] as 'm' in 'merry': אמת (אֱמֶת) [eMET] (truth).
[n] as 'n' in 'not': אני (אֲנִי) [aNI] (I).
[p] as 'p' in 'please': פרח (פֶּרַח) [PErakh] (a flower).
[r] as 'r' in 'ring': רק (רַק) [rak] (only).
[s] as 's' in 'sorry': סולם (סוּלָם) [suLAM] (a ladder).
[sh] as 'sh' in 'shall': שם (שֵׁם) [shem] (a name).
[t] as 't' in 'tall': טוב (טוֹב) [tov] (good).
[ts] as 'ts' in 'its': צב (צָב) [tsav] (a tortoise).
[v] as 'v' in 'very': אב (אָב) [av] (a father).
[y] as 'y' in 'young': ילד (יֶלֶד) [YEled] (a child).
[z] as 'z' in 'zoo': זאב (זְאֵב) [zeEV] (a wolf).
[zh] as 's' in 'pleasure': בז' (בֶּז') [bezh] (beige).

The transliteration of the Hebrew vowel-sounds used here is:
[a] as 'a' in 'car': אב (אָב) [av] (a father).
[e] as 'e' in 'bed': בן (בֵּן) [ben] (a son).
[i] as 'ee' in 'keep': שיר (שִׁיר) [shir] (a song).
[o] as 'o' in 'more': טוב (טוֹב) [tov] (good).
[u] as 'oo' in 'zoo': הוא (הוּא) [hu] (he).

The diphthongs:
[ai] as 'y' in 'by': אולי (אוּלַי) [uLAI] (perhaps).
[ei] as 'a' in 'make': לפני (לִפְנֵי) [lifNEI] (before).
[oi] as 'oy' in 'boy': גוי (גּוֹי) [goi] (a nation).
[ui] as 'oi' in 'doings': בנוי (בָּנוּי) [baNUI] (built).

Note: [a], [e], [i], [o] and [u] retain their consonantal value at the beginning of a syllable: אך (אַךְ) [akh] (but); אש (אֵשׁ) [esh] (a fire); איש (אִישׁ) [ish] (a man); אור (אוֹר) [or] (light); אולי (אוּלַי) [uLAI] (maybe).

Words in the examples are given in this order: unpointed Hebrew, pointed Hebrew, transliteration, meaning. Accented syllables are written in capital letters.

THE CONSONANTS

There are 22 letters (consonants) in the Hebrew alphabet:
ת, ש, ר, ק, צ, פ, ע, ס, נ, מ, ל, כ, י, ט, ח, ז, ו, ה, ד, ג, ב, א.
1. א (אָלֶף) [Alef], as 'a' in 'all', or as 'h' in 'honest':
אדם (אָדָם) [aDAM] (a man); זאב (זְאֵב) [zeEV] (a wolf).
1.1. א at the end of a syllable is silent (i.e. not pronounced):
באתי (בָּאתִי) [BAti] (I came); לא (לֹא) [lo] (no).
2. בּ (בֵּית) [bet], as 'b' in 'ball':
בן (בֵּן) [ben] (a son); אבא (אַבָּא) [Aba] (father).
2.1. ב as 'v' in 'very':
אב (אָב) [av] (a father); אבן (אֶבֶן) [Even] (a stone).
3. ג (גִּימֶל) [GImel], as 'g' in 'good':
גג (גַּג) [gag] (a roof); בגד (בֶּגֶד) [BEged] (a garment).
3.1. ג' as 'j' in 'jam':
ג'יפ (גִ'יפּ) [jip] (a jeep); ג'וקר (ג'וֹקֶר) [JOker] (a joker).
4. ד (דָּלֶת) [DAlet], as 'd' in 'good':
דגל (דֶּגֶל) [DEgel] (a flag); בגד (בֶּגֶד) [BEged] (a garment).
5. ה (הֵא) [he], as 'h' in 'happy':
הד (הֵד) [hed] (an echo); אהב (אָהַב) [aHAV] (he loved).
5.1. ה at the end of a word is silent (i.e. not pronounced):
מה (מַה) [ma] (what); זה (זֶה) [ze] (this).
5.2. הּ (מַפִּיק הֵא) [maPIK he] occurs sometimes at the end of a word to indicate that the ה is audible, not silent:
גבה (גָּבַהּ) [gaVAH] (he became tall); לה (לָהּ) [lah] (to her).
6. ו (וָו) [vav], as 'v' in 'very':
וגם (וְגַם) [veGAM] (and also); ודאי (וַדַּאי) [vaDAI] (of course).
6.1. וֹ is a vowel; it indicates the pronunciation [o]:
שור (שׁוֹר) [shor] (a bull); אור (אוֹר) [or] (light).
6.2. וּ is a vowel; it indicates the pronunciation [u]:
סוס (סוּס) [sus] (a horse); הוא (הוּא) [hu] (he).
6.3. וּ at the beginning of a word is pronounced [u] as 'oo' in 'ooze it means 'and', and it occurs before ב, ו, מ, פ, or before a schwa:
אב ובנו (אָב וּבְנוֹ) [av uvNO] (a father and his son).
6.4. When ו is a consonant, not a vowel, it is often doubled, so as not to mistake it for a vowel, and is written וו :
דוור (דַּוָּר) [daVAR] (a postman);
7. ז (זַיִן) [ZAyin], as 'z' in 'zero':
איזה (אֵיזֶה) [EIze] (which); זאב (זְאֵב) [zeEV] (a wolf).
7.1. ז' as 's' in 'treasure':
בז' (בֶּז') [bezh] (beige).
8. ח (חֵית) [khet], as 'ch' in the Scottish word 'loch':
אחד (אֶחָד) [eKHAD] (one); חג (חַג) [khag] (a holiday).
Note: Many Israelis pronounce ח more gutturally.
9. ט (טֵית) [tet], as 't' in 'tall':
טוב (טוֹב) [tov] (good); לאט (לְאַט) [leAT] (slowly).
10. י (יוּד) [yud], as 'y' in 'young':
ילד (יֶלֶד) [YEled] (a child); יד (יָד) [yad] (a hand).
10.1. י often appears after a khirik, especially in unpointed Hebrew where it serves as a vowel, to indicate the pronunciation [i]:
דיבר (דִיבֵּר) [diBER] (he talked); גילה (גִילָה) [giLA] (he discovered)
10.2. י sometimes serves as a vowel, especially in unpointed Hebrew, to indicate the pronunciation [ei]:
ביאור (בֵּאוּר) [beiUR] (explanation); אבידה (אֲבֵדָה) [aveiDA] (a loss).

10.3. When י is a consonant, not a vowel, it is often doubled, so as not to mistake it for a vowel:
בניין (בִּנְיָן) [binYAN] (a building);
11. כּ (כַּף) [kaf], as 'k' in 'bake':
כן (כֵּן) [ken] (yes); כי (כִּי) [ki] (because).
11.1. כ as 'ch' in the Scottish word 'loch':
אכל (אָכַל) [aKHAL] (he ate); שכח (שָׁכַח) [shaKHAKH] (he forgot).
11.2. כ at the end of a word is written ך :
דרך (דֶּרֶךְ) [DErekh] (a way); אביך (אָבִיךָ) [aviKHA] (your father);
12. ל (לָמֶד) [LAmed], as 'l' in 'play':
לילה (לַיְלָה) [LAIla] (night); גל (גַּל) [gal] (a wave).
13. מ (מֵם) [mem], as 'm' in 'mother':
מתי (מָתַי) [maTAI] (when); אמת (אֱמֶת) [eMET] (truth).
13.1. מ at the end of a word is written ם :
אם (אֵם) [em] (a mother); לחם (לֶחֶם) [LEkhem] (bread);
14. נ (נוּן) [nun], as 'n' in 'not':
אני (אֲנִי) [aNI] (I); גינה (גִּינָה) [giNA] (a garden).
14.1. נ at the end of a word is written ן:
בן (בֵּן) [ben] (a son); אבן (אֶבֶן) [Even] (a stone);
15. ס (סָמֶךְ) [SAmekh], as 's' in 'small':
סולם (סוּלָם) [suLAM] (a ladder); סוס (סוּס) [sus] (a horse).
16. ע (עַיִן) [Ayin], as 'a' in 'all', or as 'h' in 'honest':
עלה (עָלֶה) [aLE] (a leaf); פועל (פּוֹעֵל) [poEL] (a worker).
Note: Many Israelis pronounce ע more gutturally.
17. פּ (פֵּא) [pe], as 'p' in 'play':
פרח (פֶּרַח) [PErakh] (a flower); פיזר (פִּיזֵּר) [piZER] (he dispersed).
17.1. פ as 'f' in 'free':
יפה (יָפֶה) [yaFE] (beautiful); שפם (שָׂפָם) [saFAM] (a mustache).
17.2. פ at the end of a word is written ף:
אף (אַף) [af] (a nose); חורף (חוֹרֶף) [KHOref] (winter).
18. צ (צָדֵי) [TSAdei], as 'ts' in 'its':
אצל (אֵצֶל) [Etsel] (by); צב (צָב) [tsav] (a tortoise).
18.1. צ׳ as 'ch' in 'chair':
צ׳לו (צֶ׳לוֹ) [CHElo] (a cello); ריצ׳רץ׳ (רִיצ׳רָץ׳) [RICHrach] (a zipper).
18.2 צ at the end of a word is written ץ:
חץ (חֵץ) [khets] (an arrow); ארץ (אֶרֶץ) [Erets] (a country).
19. ק (קוּף) [kuf], as 'k' in 'sake':
רק (רַק) [rak] (only); בוקר (בּוֹקֶר) [BOker] (morning).
20. ר (רֵישׁ) [resh], as 'r' in 'bring':
רק (רַק) [rak] (only); מחר (מָחָר) [maKHAR] (tomorrow).
21. שׁ (שִׁין) [shin], as 'sh' in 'push':
שם (שֵׁם) [shem] (a name); שם (שָׁם) [sham] (there).
Note: This שׁ is called שִׁין יְמָנִית [shin yemaNIT] (a right- handed 'shin'), as a dot is placed over its right-hand corner.
21.1. שׂ as 's' in 'same':
ישראל (יִשְׂרָאֵל) [israEL] (Israel); עשה (עָשָׂה) [aSA] (he made).
Note: This שׂ is called שִׂין שְׂמָאלִית [sin semaLIT] (a left-handed 'sin'), as a dot is placed over its left-hand corner.
22. תּ, or ת (תָּו) [tav], as 't' in 'tall':
אתה (אַתָּה) [aTA] (you); אותו (אוֹתוֹ) [oTO] (him).
Note: תּ and ת are both pronounced [t].

THE VOWELS

The vowels are signs placed below the letters, over them, or after them.

The five long vowels are:
(אָ) (קָמַץ) [kaMATS], vowel-sound [a] : זר (זָר) [zar] (a stranger).
(אֵ) (צֵירֶה) [tseRE], vowel-sound [e] : נר (נֵר) [ner] (a candle).
(אִי) (חִירִיק גָדוֹל) [long khiRIK], vowel-sound [i]: כי (כִּי) [ki] (as).
(אוֹ) (חוֹלָם) [khoLAM], vowel-sound [o]: חול (חוֹל) [khol] (sand).
(אוּ) (שׁוּרוּק) [shuRUK], vowel-sound [u]: שוב (שׁוּב) [shuv] (again).

The five short vowels are (actually, the same sounds as above):
(אַ) (פַּתָּח) [paTAKH], vowel-sound [a]: חג (חַג) [khag] (a holiday).
(אֶ) (סֶגוֹל) [seGOL], vowel-sound [e]: דרך (דֶרֶךְ) [DErekh] (a way).
(אִ) (חִירִיק קָטָן) [short khiRIK], vowel-sound [i]: אם (אִם) [im] (if).
(אָ) (קָמַץ חָטוּף) [kaMATS khaTUF], vowel-sound [o]: תוכנית (תָּכְנִית) [tokhNIT] (a plan); כל (כָּל) [kol] (all).
(אֻ) (קֻבּוּץ) [kuBUTS], vowel-sound [u]: בובה (בֻּבָּה) [buBA] (a doll).

Note: Kholam occurs sometimes without a ו (short kholam):
פה (פֹּה) [po] (here); לא (לֹא) [lo] (no).
Kamats khatuf is generally replaced by a kholam:
חופשי (חָפְשִׁי) [khofSHI] (free).
Kubuts is generally replaced by a shuruk:
סוכר (סֻכָּר) [suKAR] (sugar).

THE SCHWA

The schwa (אְ) (שְׁוָא) [sheVA] is placed below the letter. It indicates lack (or almost lack) of a vowel-sound. The schwa is of two kinds:
1. שְׁוָא נָע [sheva na] (vocal schwa), vowel-sound [e]; it occurs at the beginning of a syllable:
זְאֵב [zeEV] (a wolf); שָׁמְרָה [shameRA] (she has kept).
2. שְׁוָא נָח [sheva nakh] (silent schwa), indicates that the letter has no vowel-sound; it occurs at the end of a syllable. At the end of a word (now also at the end of a syllable), it is almost always omitted:
אָב [av] (a father); מִשְׁפָּט or מִשפָּט [mishPAT] (a sentence).

THE COMPOSITE SCHWA

The composite schwas are:
(אֳ) (חֲטַף קָמַץ) [khaTAF kaMATS], vowel-sound [o]:
צָהֳרַיִים [tsohoRAim] (noon).
(אֲ) (חֲטַף פַּתָּח) [khaTAF paTAKH], vowel-sound [a]:
אֲנִי [aNI] (I).
(אֱ) (חֲטַף סֶגוֹל) [khaTAF seGOL], vowel-sound [e]:
אֱמֶת [eMET] (truth).
The composite schwa replaces the vocal schwa under א, ה, ח, ע.

THE FURTIVE PATAKH

A patakh at the end of a word under הּ or under ח or under ע, is called פַּתַּח גְּנוּבָה [patakh genuVA] (furtive (-letter) patakh).
This patakh at the end of a word under ח is pronounced אַח [akh], (not [kha]): רוח (רוּחַ) [RUakh] (a wind) (not [RUkha]).
גבוה (גָּבוֹהַּ) [gaVOah] (high).
מזבח (מִזְבֵּחַ) [mizBEakh] (an altar) (not [mizBEkha]).
רוע (רוֹעַ) [ROa] (wickedness).

THE DAGESH

The daGESH is a dot inside a letter.
The dot may appear in all the letters except א, ה, ח, ע, ר. However, only the dotted letters בּ, כּ, פּ, תּ, are discussed here.

THE ACCENT

The accent in Hebrew occurs either on the last (ultimate) syllable, or on the next to last (penultimate) syllable. Hebrew words are generally accented on the last syllable. But nouns ending in a consonant pointed by a short vowel and followed by another consonant (a closed syllable), are generally accented on the penultimate syllable:
סֵפֶר [SEfer] (a book); נַעַר [NAar] (a boy).

THE NOUN

The noun in Hebrew is either masculine or feminine. A noun ending in a ה or ת is usually feminine; all other nouns are mostly masculine.
Generally, the plural of the masculine noun is formed by adding ים to the end of the noun (often accompanied by a change in the pointing of the singular form): יֶלֶד [YEled] (a boy); יְלָדִים [yelaDIM] (boys).
The plural of the feminine noun is generally formed by replacing the ה or ת with ות: יַלְדָּה [yalDA] (a girl); יְלָדוֹת [yelaDOT] (girls).

THE ADJECTIVE

The adjective in Hebrew appears after the noun, and the suffixes ה, ים, ות are added respectively to agree with the number and gender:
יֶלֶד טוֹב [-tov] (a good boy); יַלְדָּה טוֹבָה [-toVA] (a good girl);
יְלָדִים טוֹבִים [-toVIM] (good boys); יְלָדוֹת טוֹבוֹת [-toVOT] (good girls).

THE CONSTRUCT STATE

Generally, when two nouns combine in Hebrew to form a new compound, the first noun is in the Construct State.

For example, יַד אָדָם means 'hand of a man'. The first word יַד 'hand of' is in the Construct State, since it is dependent on the second word אָדָם 'a man'. Hebrew is rich in such compounds. Words in the Construct State most often change both in spelling and pointing of their Absolute State. Some main changes are:

1. Changes in the pointing:
שָׂדֶה (field), קְרָב (battle); שְׂדֵה קְרָב (battlefield).

2. The ending ה- of the Absolute State becomes ת-:
גִּינָה (garden), גַּג (roof); גִּינַת גַּג (roof garden).

3. The ending ים- of the Absolute State becomes י-:
מַיִם (water), יָם (sea); מֵי יָם (sea water).
צִיּוּרִים (paintings), שֶׁמֶן (oil); צִיּוּרֵי שֶׁמֶן (oil paintings).

The definite article (הַ) is prefixed to the genitive (i.e. the second word), not to the word in the construct state:
שְׂדֵה הַקְּרָב (the battlefield); צִיּוּרֵי הַשֶּׁמֶן (the oil paintings).

THE VERB

The Hebrew verb consists of three letters that form the verb-root. The conjugation of the verb in tense, gender etc. is supplied by the vowels and affixes. The verb is conjugated in seven 'structures' (בִּנְיָנִים):

1. פָּעַל [paAL], also called קַל [kal] (Simple Active):
(שָׁמַר) [shaMAR] (he kept) verb-root: שמר.

2. נִפְעַל [nifAL] (Simple Passive):
(נִשְׁמַר) [nishMAR] (he was kept) verb-root: שמר.

3. פִּיעֵל [piEL] (Intensive Active):
(בִּיטֵל) [biTEL] (he canceled) verb-root: בטל.

4. פּוּעַל [puAL] (Intensive Passive):
(בּוּטַל) [buTAL] (he was canceled) verb-root: בטל.

5. הִפְעִיל [hifIL] (Causative Active):
(הִשְׁמִיד) [hishMID] (he destroyed) verb-root: שמד.

6. הוּפְעַל [hufAL] (Causative Passive):
(הוּשְׁמַד) [hushMAD] (he was destroyed) verb-root: שמד.

7. הִתְפַּעֵל [hitpaEL] (Reflexive):
(הִתְלַבֵּשׁ) [hitlaBESH] (he dressed himself) verb-root: לבש.

The verbs are classified in 'classes' (גְּזָרוֹת) according to the type of the three root-letters, and are conjugated accordingly. The conjugations of the verbs are decided by strict rules. The above verbs are of the 'regular class' (גִּזְרַת הַשְּׁלֵמִים). But a verb in which one or more of its root-letters is 'weak' (א, ה, ו, י, or נ), or verbs that have double letters in their verb-root, deviate from the regular conjugations: changes occur in the vowels, root-letters drop, or are replaced by other letters according to the 'class' (גִּזְרָה) of the verb. Such verbs are called 'weak verbs', since they do not follow the conjugations of the 'regular verb'.

The verb-root, for instance, of הִכִּיר [hiKIR] (he recognized) is נכר. Since its 'structure' is הִפְעִיל it loses the נ (of הִנְכִּיר).

The verb-root of קַמְתִּי [KAMti] (I got up) is קום; since its 'structure' is קַל, the ו of its verb-root drops in the past tense.

In dictionaries, the verb appears in its respective 'structure', in the past tense, 3rd person, singular, masculine:
קַמְתִּי is found at קָם [kam] (he got up).

אֵשֵׁב [eSHEV] (I'll sit down) is found at יָשַׁב [yaSHAV] (he sat down).

AFFIXES

Prepositional, Conjunctive etc. Prefixes:
בְּ, or בִּ 'in' or 'into': בְּסֵפֶר [beSEfer] (in a book).
בַּ, or בָּ 'in the': בַּיָּד [baYAD] (in the hand).
הַ, or הָ serves as the definite article: הַיָּם [haYAM] (the sea).
הֲ, or הַ an interrogative: ?הֲתֵלֵךְ [hateLEKH] (will you go?).
וְ, or וּ 'and': הוּא וְהִיא [hu veHI] (he and she).
כְּ, or כִּ 'as': כְּאָדָם [keaDAM] (as a man).
כַּ, or כָּ 'as the': כַּצִּיפּוֹר [katsiPOR] (as the bird).
לְ, or לִ 'to': לְמָקוֹם [lemaKOM] (to a place).
לַ, or לָ 'to the': לַיָּם [laYAM] (to the sea).
מִ, or מֵ 'from': מִשָּׁם [miSHAM] (from there).
שֶׁ 'that' or 'which' or 'who': שֶׁכָּתַב [shekaTAV] (who wrote).

Pronominal Suffixes of Singular Masculine Nouns:
-ִי 'my': סִפְרִי [sifRI] (my book).
-ְךָ 'your' (m. sing.): סִפְרְךָ [sifreKHA] (your book).
-ֵךְ 'your' (f. sing.): סִפְרֵךְ [sifREKH] (your book).
-וֹ 'his' (m. sing.): סִפְרוֹ [sifRO] (his book).
-ָהּ 'her' (f. sing.): סִפְרָהּ [sifRAH] (her book).
-ֵנוּ 'our': סִפְרֵנוּ [sifREnu] (our book).
-כֶם 'your' (m. pl.): סִפְרְכֶם [sifreKHEM] (your book).
-כֶן 'your' (f. pl.): סִפְרְכֶן [sifreKHEN] (your book).
-ָם 'their' (m. pl.): סִפְרָם [sifRAM] (their book).
-ָן 'their' (f. pl.): סִפְרָן [sifRAN] (their book).

Pronominal Suffixes of Plural Masculine Nouns:
-ַי 'my': סְפָרַי [sefaRAI] (my books).
-ֶיךָ 'your' (m. sing.): סְפָרֶיךָ [sefaREkha] (your books).
-ַיִךְ 'your' (f. sing.): סְפָרַיִךְ [sefaRAikh] (your books).
-ָיו 'his' (m. sing.): סְפָרָיו [sefaRAV] (his books).
-ֶיהָ 'her' (f. sing.): סְפָרֶיהָ [sefaREha] (her books).
-ֵינוּ 'our': סְפָרֵינוּ [sefaREInu] (our books).
-ֵיכֶם 'your' (m. pl.): סִפְרֵיכֶם [sifreiKHEM] (your books).
-ֵיכֶן 'your' (f. pl.): סִפְרֵיכֶן [sifreiKHEN] (your books).
-ֵיהֶם 'their' (m. pl.): סִפְרֵיהֶם [sifreiHEM] (their books).
-ֵיהֶן 'their' (f. pl.): סִפְרֵיהֶן [sifreiHEN] (their books).

Verb Affixes of בִּנְיַן פָּעַל, גִּזְרַת הַשְּׁלֵמִים, verb-root: שמר:

Past Tense Suffixes:
-ַ-ְ-תִּי 'I have': שָׁמַרְתִּי [shaMARti] (I have kept).
-ַ-ְ-תָּ 'you have' (m. sing.): שָׁמַרְתָּ [shaMARta] (you have kept).
-ַ-ְ-תְּ 'you have' (f. sing.): שָׁמַרְתְּ [shaMART] (you have kept).
-ָ-ַ- (no suffix) 'he has': שָׁמַר [shaMAR] (he has kept).
-ָ-ְ-ָה 'she has': שָׁמְרָה [shameRA] (she has kept).
-ַ-ְ-נוּ 'we have': שָׁמַרְנוּ [shaMARnu] (we have kept).
-ַ-ְ-תֶּם 'you have' (m. pl.): שְׁמַרְתֶּם [shemarTEM] (you have kept).
-ַ-ְ-תֶּן 'you have' (f. pl.): שְׁמַרְתֶּן [shemarTEN] (you have kept).
-ָ-ְ-וּ 'they have': שָׁמְרוּ [shameRU] (they have kept).

Present Tense Affixes:
-וֹ-ֵ- (m. sing.): שׁוֹמֵר [shoMER] (I, you, he, keep(s)).
-וֹ-ֶ-ֶת (f. sing.): שׁוֹמֶרֶת [shoMEret] (I, you, she keep(s)).
-וֹ-ְ-ִים (m. pl.): שׁוֹמְרִים [shomeRIM] (we, you, they keep).
-וֹ-ְ-וֹת (f. pl.): שׁוֹמְרוֹת [shomeROT] (we, you, they keep).

Future Tense Affixes:
אֶ--וֹ- 'I will': אֶשְׁמוֹר [eshMOR] (I will keep).
תִּ--וֹ- 'you will' (m. sing.): תִּשְׁמוֹר [tishMOR] (you will keep).
תִּ--ְ-ִי 'you will' (f. sing.): תִּשְׁמְרִי [tishmeRI] (you will keep).
יִ--וֹ- 'he will': יִשְׁמוֹר [ishMOR] (he will keep).
תִּ--וֹ- 'she will': תִּשְׁמוֹר [tishMOR] (she will keep).
נִ--וֹ- 'we will': נִשְׁמוֹר [nishMOR] (we will keep).
תִּ--ְ-וּ 'you will' (m. pl.): תִּשְׁמְרוּ [tishemRU] (you will keep).
תִּ--וֹ-נָה 'you will' (f. pl.): תִּשְׁמוֹרְנָה [tishMORna] (you will keep).
יִ--ְ-וּ 'they will' (m. pl.): יִשְׁמְרוּ [ishmeRU] (they will keep).
תִּ--וֹ-נָה 'they will' (f. pl.): תִּשְׁמוֹרְנָה [tishMORna] (they will keep).

Imperative Affixes:
-ְ-וֹ- (m. sing.): שְׁמוֹר [sheMOR] (keep!).
-ִ-ְ-ִי (f. sing.): שִׁמְרִי [shimRI] (keep!).
-ִ-ְ-וּ (m. pl.): שִׁמְרוּ [shimRU] (keep!).
-ְ-וֹ-נָה (f. pl.): שְׁמוֹרְנָה [sheMORna] (keep!).

Infinitive Affixes: לְ--וֹ-: לִשְׁמוֹר [lishMOR] (to keep).

POINTED HEBREW AND UNPOINTED HEBREW

Pointed Hebrew is written with vowels, schwas, dagesh, dots, etc. Unpointed Hebrew is written without these signs.

The apostrophe (') after ג, ז, and צ is retained in unpointed Hebrew: ג'ימי נולד בצ'ילי [JImi noLAD beCHIli] (Jimmy was born in Chile). Partially pointed Hebrew is sometimes used to clarify the meaning:
הוא שָׂמֵחַ [hu saMEakh] (he is glad).
הוא שָׂמַח [hu saMAKH] (he was glad).

The following text is written first in pointed Hebrew, then in unpointed Hebrew:

הַיְהוּדִים חָזְרוּ לְאֶרֶץ יִשְׂרָאֵל לְאַחַר שֶׁהוּגְלוּ מִשָּׁם בְּכוֹחַ וּלְאַחַר שֶׁשָּׁמְרוּ לָהּ אֱמוּנִים בְּמֶשֶׁךְ אַלְפֵי שָׁנִים. הֵם הֵקִימוּ אֶת מְדִינַת יִשְׂרָאֵל וְחִידְשׁוּ בָּהּ אֶת חֵירוּתָם. תּוֹשָׁבֵי יִשְׂרָאֵל מוֹשִׁיטִים יָד לְשָׁלוֹם לְכָל מְדִינוֹת הָאֵיזוֹר, וְקוֹרְאִים אֶל הָעָם הַיְהוּדִי בָּעוֹלָם לְהִתְלַכֵּד סְבִיבָם וְלַעֲזוֹר בְּבִנְיַן הָאָרֶץ.

[hayehuDIM khazeRU leErets israEL leaKHAR shehugLU miSHAM beKHOakh uleaKHAR sheshameRU lah emuNIM beMEshekh alFEI shaNIM. hem heKImu et mediNAT israEL vekhideSHU bah et kheiruTAM. toshaVEI israEL moshiTIM yad leshaLOM leKHOL mediNOT haeiZOR, vekoreIM el haAM hayehuDI baoLAM lehitlaKED seviVAM velaaZOR bevinYAN haArets].

היהודים חזרו לארץ ישראל לאחר שהוגלו משם בכוח ולאחר ששמרו לה אמונים במשך אלפי שנים. הם הקימו את מדינת ישראל וחידשו בה את חירותם. תושבי ישראל מושיטים יד לשלום לכל מדינות האיזור, וקוראים אל העם היהודי בעולם להתלכד סביבם ולעזור בבניין הארץ.

The Jews returned to the Land of Israel after they were exiled from there by force and after they remained loyal to her during thousands of years. They established the State of Israel and renewed their freedom there. The residents of Israel extend a hand of peace to all the countries of the region, and call on the Jewish people in the world to rally around them and to help with the building of the Land.
(From the Declaration of Independence)

FULL SPELLING AND SHORT SPELLING
(כתיב מלא וכתיב חסר)

Classical Hebrew had strict rules in writing. The use of 'short spelling', (i.e. the short khirik, short kholam and kubuts) was strictly kept. Words in unpointed Hebrew were spelled like those in pointed Hebrew. For example, חִוֵּר [khiVER] (pale) in pointed Hebrew, was written חור in unpointed Hebrew as well. But חור might be mistaken for [khor] (a hole). Since it was sometimes difficult for the reader to identify the meaning, the 'full spelling' was introduced, and the letters ו and י were used instead of vowels. Thus חִוֵּר [khiVER] is now written חיוור in unpointed Hebrew. Moreover, this 'full spelling' is now used generally even in pointed Hebrew (חִוֵּר is written חִיוּוֵר). Some dictionaries, however, still follow the strict rules of the 'short spelling', and the reader who is not familiar with the rules is advised to look up a word that has the vowel-sounds [i] or [o], or the consonant-sounds [y] or [v], in different places in the dictionary, where it may appear with or without a ו or י, or sometimes with two of them, e.g. וו.

The main rules of the full spelling are:
1. The vowel-sound [u] is always written with a ו:
שולחן (שֻׁלְחָן) [shulKHAN] (a table); בובה (בֻּבָּה) [buBA] (a doll).
2. The vowel-sound [o] is always written with a ו:
בוקר (בֹּקֶר) [BOker] (morning); חופשי (חָפְשִׁי) [khofSHI] (free).
3. The vowel-sound [i] (not before a silent schwa) is written with a י:
כיסא (כִּסֵּא) [kiSE] (a chair); דיבר (דִּבֵּר) [diBER] (he talked).
4. The vowel-sound [i] before a silent schwa is written without a י:
מכתב (מִכְתָּב) [mikhTAV] (a letter).
5. The consonant ו, consonant-sound [v], (only in the middle of the word) is doubled and written וו:
זווית (זָוִית) [zaVIT] (an angle).
6. The consonant י, consonant-sound [y], (usually in the middle of the word) is doubled:
בניין (בִּנְיָן) [binYAN] (a building).

א נ	A
- מא' ועד ת'	from A to Z, from cover to cover
א'	firstly, in the first place
- יום א'	Sunday
א"א	excellent, A1
א"א = אי-אפשר	impossible
אא"ג = אף-אוזן-גרון	ENT
*אאוטסיידר (זר) ז	outsider
אא"כ = אלא אם כן	unless
אב ז	father, *old man, Av (month)
- אב בית דין	president of court, presiding judge
- אב העורקים	aorta
- אב חורג	stepfather
- אב קדמון	ancestor, forebear
- אבות המזון	nutritional substances, nutrients
- אבי הסב	great-grandfather
- בית אב	family
- בית אבות	home for aged
- של אבות קדומים	ancestral
אֵב ז	young shoot, youth
- בעודו באיבו	untimely, in the prime of life
אַבָּא ז	father, *dad, *papa
אָבַד פ	be lost, get lost, be destroyed
- אבד עליו כלח	become outmoded
אב"ד = אב בית דין	presiding judge
אֲבַדּוֹן ז	ruin, destruction, doom
אָבָה פ	want, desire, wish
אַבְהוּת נ	fatherhood, paternity
אַבְהִי ת	fatherly, paternal
*אַבּוּ אַרְבַּע ת	four-eyes
אַבּוּב ז	oboe, inner tube, hautboy
- אבוב רופאים	stethoscope
אַבּוּבִית נ	small oboe, tubule
אַבּוּבָן ז	oboist
אָבוּד ת	hopeless, lost, irrecoverable
אֲבוֹי מ"ק	alas, oh brother!, woe to
אֶבוֹלוּצְיָה (התפתחות) נ	evolution
אֵבוּס ז	trough, manger, rack, crib
אָבוּס ת	fattened, stuffed, stall-fed
אֲבוֹקָדוֹ ז	avocado
אֲבוּקָה נ	torch
אִבְזוּר ז	accessorization
אִבְזֵם פ	buckle, clasp
אַבְזָם ז	buckle, clasp
אִבְזֵר פ	accessorize
אַבְזָר ז	accessory, gadget
אַבְזָרָן ז	property man
אַבְחוֹמֶר ז	protoplasm
אִבְחוּן ז	diagnosis
אִבְחוּנִי, אַבְחָנָתִי ת	diagnostic
אַבְחַי ז	protozoon
- אבחיים	protozoa
אִבְחֵן פ	diagnose
אַבְחָנָה נ	diagnosis, distinction
- ללא אבחנה	indiscriminately
אִבְחַת חֶרֶב נ	thrust of a sword
אִבְטֵחַ פ	secure, protect
אַבְטָחָה נ	security, protection
אֲבַטִּיחַ ז	watermelon
אַבְטִיפּוּס ז	archetype, prototype
אַבְטָלָה נ	unemployment
אָבִיב ז	spring, prime of the year
- באביב ימיו	in the prime of life
אֲבִיבִי ת	spring-like, vernal
אֲבֵדָה נ	loss, casualty
אֶבְיוֹן ז	poor man, pauper, beggar
אֲבִיּוֹנָה נ	libido, sexual urge
אֲבִיזָר ז	accessory, gadget
אָבִיךְ ת	hazy, misty
אַבִּיק ז	retort
אַבִּיר ז	knight, cavalier, gallant
אַבִּירוּת נ	knighthood, chivalry
אַבִּירִי ת	chivalrous, knightly
אב"כ = אטומי, ביולוגי, כימי	
אָבֵל ז	mourner
- אבל וחפוי ראש	much ashamed
אֵבֶל ז	mourning, grief
אֲבָל מ"ח	but, however, yet
- בלי אבל	but me no buts
אֲבֵלוּת נ	mourning
אֶבֶן נ	rock, stone, boulder
- אבן בוחן	criterion, touchstone
- אבן ברד	hailstone
- אבן חול	sandstone, holystone
- אבן חן	precious stone, jewel
- אבן חצייה	steppingstone
- אבן טובה	precious stone
- אבן טיפין עילית	stalactite
- אבן טיפין תחתית	stalagmite
- אבן יסוד	cornerstone, foundation stone
- אבן יקרה	gem, jewel
- אבן משחזת	grindstone, whetstone
- אבן נגולה מעל ליבו	feel relieved
- אבן נגף	obstacle, stumbling block
- אבן סיד	limestone
- אבן פינה	cornerstone, keystone
- אבן ריחיים	millstone
- אבן ריצוף	flagstone, cobblestone
- אבן שואבת	magnet
- אבן שיניים	scale, tartar, fur
- אבן שפה	curbstone, kerbstone
- אבני כליה	renal calculi, nephrolithiasis
- אבני מרה	gallstones, cholelithiasis
- כאבן שאין לה הופכין	useless
אַבְנֵט ז	girdle, sash, belt
אַבְנִי ת	stony
אַבְנִית נ	fur, scale, tartar
אַבְנָן ז	lithium
אַבְּסוֹלוּטִי (מוחלט) ת	absolute
אַבְּסוֹלוּטִיזְם (רודנות) ז	absolutism
אַבְּסוּרְד ז	absurdity, nonsense
אַבְּסוּרְדִי ת	absurd, ridiculous
אַבְּסְטְרַקְטִי (מופשט) ת	abstract
אַבְּסְטְרַקְצְיָה (הפשטה) נ	abstraction
אֲבַעְבּוּעָה נ	blister, boil, pustule, pimple, nettle-rash, pock
- אבעבועות רוח	chicken pox, varicella
- אבעבועות שחורות	smallpox, variola
אָבָץ ז	zinc
אָבָק ז	dust, small amount, trace

- אבק שריפה gunpowder
אַבְקָה נ׳ powder, pollen
- אבקת אפייה baking powder
- אבקת חלב milk-powder
אִבְקָה נ׳ buttonhole
אַבְקָן ז׳ stamen
אֵבֶר (ראה איבר) limb
אֶבְרָה נ׳ wing, pinion
אַבְרֵזִין (ברזנט) ז׳ tarpaulin
אַבְרֵךְ ז׳ young man
- אברך משי young man, haredi
אַבֶּרַצְיָה (סטייה) נ׳ aberration
אַבְרָקַיִם ז״ר breeches, knickers
אַבְרָשׁ (שיח) ז׳ heather, heath
אג׳ = אגורה agora
אַגַּב תה״פ apropos, by the way
- אגב אורחא by the way
- דרך אגב by the way, in passing
אֶגֶד ז׳ bunch, bundle, truss, bandage
- אגד מידבק adhesive bandage, plaster
אַגָּדָה נ׳ fable, legend, myth, fairy tale
- אגדת עם folk-tale
אַגָּדִי ת׳ fabulous, legendary, mythical
אַגָּדָתִי ת׳ fabulous, legendary, mythical
אֶגוֹ (ה"אני") ז׳ ego
אֶגוֹאִיזם (אנוכיות) ז׳ egoism
אֶגוֹאִיסט (אנוכי) ז׳ egoist
אֶגוֹאִיסְטִי (אנוכי) ת׳ egoistic
אֲגוּדָה נ׳ association, brotherhood, bundle
אֲגוּדָל ז׳ thumb
אֱגוֹז ז׳ nut
- אגוז אדמה peanut, earthnut
- אגוז הודו/קוקוס coconut
- אגוז המלך walnut
- אגוז פקן pecan
- אגוז קשה hard nut to crack
אֱגוֹזָה נ׳ nut tree
אגו״י = אגודת ישראל
אֶגוֹמַנְיָה נ׳ egomania
אֶגוֹצֶנְטְרִי (אנוכי) ת׳ egocentric
אֶגוֹצֶנְטְרִיּוּת נ׳ egocentrism
אָגוּר ת׳ collected, hoarded
אֲגוֹרָה נ׳ agora, small coin
- אגורה שחוקה worthless thing
אֶגְזוֹז (מַפְלֵט) ז׳ exhaust
אג״ח = איגרת חוב bond, debenture
אָגִיד ז׳ gill
אֲגִירָה נ׳ hoarding, accumulating
אֶגֶל ז׳ drop, bead
- אגל טל dewdrop
אֲגַם ז׳ lake, pond, pool
אַגְמוֹן ז׳ bulrush, reed, rush
אֲגַמִּית נ׳ coot
אַגָּן ז׳ basin, font, pan
- אגן הירכיים pelvis
- אגן נהר/ניקוז drainage basin
אַגְנוֹסְטִי ת׳ agnostic
אַגְנוֹסְטִיּוּת נ׳ agnosticism
אַגָּס ז׳ pear
- אגס איגרוף punching bag
אִגֵּף פ׳ flank, outflank
אֲגַף ז׳ department, flank, outbuilding, wing
אֲגַפִּי ת׳ flanking, lateral
אָגַר פ׳ hoard, store, stock up
אַגְרָה נ׳ fee, toll, dues, tax
אֶגְרוֹל ז׳ egg roll
אֶגְרוֹן ז׳ wordbook, glossary
אַגְרוֹנוֹם (חקלאי) ז׳ agronomist
אַגְרוֹנוֹמְיָה נ׳ agronomy
אֶגְרוֹף ז׳ fist
אִגְרוּף ז׳ boxing, pugilism
אֶגְרוֹפָן ז׳ knuckle-duster, boxer
אֲגַרְטָל ז׳ vase, bowl, amphora
אַגְרָן ז׳ collector
אַגְרֶסִיבִי (תוקפני) ת׳ aggressive
אַגְרֶסִיבִיּוּת (תוקפנות) נ׳ aggression
אִגְרֵף פ׳ box, clench fist
אַגְרָרִי (חקלאי) ת׳ agrarian
אֵד ז׳ vapor, vapour, mist, steam
- אדים steam
אַד הוֹק (לשם כך) תה״פ ad hoc
אַדָג׳וֹ (באיטיות) תה״פ adagio
אַדְוָה נ׳ ripple, riffle, waves, slight waves
אָדֹם ת׳ red, scarlet, crimson
- אדום החזה redbreast, robin
- אדום שיער redhead, red-haired
אָדוֹן ז׳ master, Mister, sir, Mr., gentleman, lord, owner, *boss
- אדון נכבד Dear Sir
- האדונים messieurs, Messrs.
אֲדוֹנִי מ״ק sir, *mac
אָדוּק ת׳ devout, orthodox, pious
אָדִיב ת׳ polite, courteous, kind
אֲדִיבוּת נ׳ courtesy, politeness, kindness
- באדיבות kindly, by courtesy of
אֲדִיקוּת נ׳ devotion, piety
אַדִּיר ת׳ mighty, powerful
אָדִישׁ ת׳ apathetic, indifferent
אֲדִישׁוּת נ׳ apathy, indifference
אָדַם פ׳ be red, redden, blush
אָדָם ז׳ human being, person, man
- אדם הראשון Adam
- אדם חשוב personage, *big shot
- אדם לא חשוב nobody
- אדם עליון superman
- בן אדם man
- בני אדם people
אֲדַמְדַּם ת׳ reddish, ruddy
אֲדָמָה נ׳ earth, land, soil, country, ground
- אדמה חרוכה scorched earth
- אדמת טרשים rocky ground
- אדמת מרעה pasturage, pastoral land
אֲדַמּוּמִי ת׳ reddish, hectic
אַדְמוֹנִי ת׳ red-haired, ginger, reddish
אַדְמוֹנִית (פרח) נ׳ peony
אדמו״ר our Rabbi
אַדְמִינִיסְטְרָטוֹר ז׳ administrator
אַדְמִינִיסְטְרָטִיבִי ת׳ administrative
אַדְמִינִיסְטְרַצְיָה נ׳ administration
אַדְמִירָל ז׳ admiral
אַדְמִירָלִיּוּת נ׳ admiralty
אַדֶּמֶת נ׳ rubella, German measles

אֶדֶן ז׳ sill, base, plinth, sleeper, tie
- אדן החלון windowsill
אֲדנוּת נ׳ lordship, patronage
אֲדָנִית נ׳ planter, window box
אֲדָר ז׳ Adar (month)
אֶדֶר (עץ) ז׳ maple
אַדְּרַבָּה תה״פ on the contrary, far from it, you're welcome to try
אִדְרָה נ׳ fish bone, herringbone
אִדְרִיָּה נ׳ eider duck
אַדְרִיכָל ז׳ architect
אַדְרִיכָלוּת נ׳ architecture
אַדְרִיכָלִי ת׳ architectural
אַדְרֶנָלִין (הורמון) ז׳ adrenalin
אַדֶּרֶת נ׳ overcoat, cloak, mantle
אַדְשׁוּנִי ת׳ apathetic
אָהּ מ״ק ah, oh
אָהַב פ׳ like, love, fancy, *adore, cherish, be fond of, care for
אַהֲבָה נ׳ love, adoration, affection
- אהבה חופשית free love
- אהבה עצמית self-love
- אהבת בצע avarice, greed
- אהבת גוויות necrophilia
- אהבת הבריות humanitarianism, altruism, philanthropy
- אהבת שלום pacifism
- התנה אהבים make love
אֲהַבְהָבִים ז״ר dalliance, flirt
*אַהֲבָל ז׳ fool
אָהַד פ׳ like, sympathize
אַהֲדָה נ׳ favor, sympathy, fellow feeling
אֲהָהּ מ״ק alas, dear, alack
אָהוּב ז׳ beloved, darling, sweetheart, dear, love
אֲהוּבָה נ׳ love, mistress, sweetheart
- אהובה בעבר old flame
אָהוּד ת׳ beloved, liked, popular
אָהִיל ז׳ lampshade, globe
*אַהֲלָן מ״ק hello
אוֹ מ״ח or
- או - או - either - or -
- או אז then
- או ש or else
אוֹ קֵיי מ״ק OK, okay, well, all right
אוֹאָזִיס (נווה מדבר) ז׳ oasis
אוֹב ז׳ necromancy
- העלה באוב conjure up
אוֹבֵד ת׳ lost, stray
- אובד עצות helpless, at a loss
אוֹבְדָן ז׳ loss, destruction
- אובדן דרך loss of one's way
אוּבְחַן פ׳ be diagnosed
אוּבְטַח פ׳ be protected
אוֹבְּיֶיקְט ז׳ object
אוֹבְּיֶיקְטִיבִי ת׳ objective, impartial, unbiased, detached
אוֹבְּיֶיקְטִיבִיוּת נ׳ objectivity
אוֹבְּיֶיקְטִיבִית תה״פ objectively
אוֹבֶךְ ז׳ haze, haziness
אוּבָל ז׳ aqueduct, water course
אוּבָלִי (סגלגל) ת׳ oval
אוֹבֶּלִיסְק (מצבה גבוהה) ז׳ obelisk
אוֹבְנַיִם ז״ר potter's wheel
אוֹבְּסֶסִיבִי ת׳ obsessive
אוֹבְּסֶסִיבִיוּת נ׳ obsessiveness
אוֹבְּסֶסְיָה (טירדון) נ׳ obsession
אוּבַּק פ׳ be dusted
אוֹבֶרְדְרַפְט (משיכת יתר) ז׳ overdraft
אוֹבֶרוֹל (סרבל) ז׳ overall
אוֹבֶרוֹל (תיקון מקיף) ז׳ overhaul
אוּבֶרְטוּרָה נ׳ overture
אוֹגֵד (בדקדוק) ז׳ copula, copulative
אוּגְדָּה נ׳ division
אוּגְדוֹנָר ז׳ division commander
אוֹגְדָן (קלסר) ז׳ folder
אוּגְדָּתִי ת׳ divisional, division
אוֹגוּסְט ז׳ August
אוֹגֶן ז׳ brim, flange
אוּגַנְדָּה נ׳ Uganda
אוּגַף פ׳ be flanked, be outflanked
אוֹגֵר ז׳ accumulator, register, hamster
אוּד ז׳ brand, firebrand
- אוד מוצל מאש a brand from the burning, survivor
אוּדָּה פ׳ be vaporized, evaporate
אוֹדָה (פואמה) נ׳ ode
אוֹדוֹת מ״י concerning, regarding, about
- על אודות regarding, about
אוֹדְיוֹמֶטֶר (מד שמיעה) ז׳ audiometer
אוֹדִיטוֹרְיוּם (אולם) ז׳ auditorium
אוֹדִיסֵאָה (הרפתקאות) נ׳ odyssey
אוֹדִישָׁן (מיבחן בד) ז׳ audition
אוֹדֶם ז׳ redness, lipstick, rouge
אוֹדֶם (אבן יקרה) ז׳ cornelian, ruby
אוֹהֵב ת׳ fond, lover, amorous
- אוהב בית stay-at-home
- אוהב בצע mercenary, venal
- אוהב הבריות humanitarian
- אוהב שלום pacific, peaceful
אוֹהֵד ת׳ fan, sympathizer
*אוֹהוֹ מ״ק oho
אוֹהֶל ז׳ tent
- אוהל חמצן oxygen tent
- אוהל מועד tabernacle
- אוהל סיירים pup tent, shelter tent
אוֹהם (בחשמל) ז׳ ohm
אַוָּז ז׳ gander, goose
אווזוז ז׳ goose-step
אַוָּזוֹן ז׳ gosling
אֱוִיל ז׳ fool, stupid
אֱוִילוּת נ׳ foolishness
אֱוִילִי ת׳ stupid, foolish
אֲוִיר ז׳ air, breath
- אוויר-אוויר (טיל) air-to-air
- אוויר-קרקע (טיל) air-to-ground
אֲוִירָאוּת נ׳ aviation, airmanship
אֲוִירָה נ׳ air, atmosphere
אֲוִירוֹבָּטִיקָה נ׳ aerobatics
אֲוִירוֹדִינָמִיקָה נ׳ aerodynamics
אֲוִירוֹן ז׳ airplane, aeroplane
אֲוִירוֹנָאוּטִיקָה נ׳ aeronautics
אֲוִירִי ת׳ aerial, airy
אֲוִירִיָּה נ׳ air force
אֲוִירָנִי (אירובי) ת׳ aerobic
אָוֶן ז׳ wickedness, evil
אֶוַנְגֶּלְיוֹן ז׳ Evangel, Gospel
אָוַנְגַּרְד (מתקדם) ז׳ avant-garde
אַוְרָר ז׳ vent, fan

אוורור ז׳ ventilation, airing, aeration
אוורירי ת׳ airy, breezy, ethereal
אוורר פ׳ be ventilated, be aired
אוורר פ׳ fan, ventilate, aerate, air
אוורר ז׳ aerator, vent, fan
אוושה נ׳ rustle, murmur, whisper
אוות נפש נ׳ desire
- כאוות-נפשו to one's heart's content
אוזבקיסטן נ׳ Uzbekistan
אוזון (גאז) ז׳ ozone
אוזכר פ׳ be mentioned
אוזלת יד נ׳ helplessness
אוזן פ׳ be balanced
אוזן נ׳ ear, handle, *lug
- אוזן המן Purim pastry
- אוזניים לכותל walls have ears
- הטה אוזן lend an ear
- העיר אוזנו had a word in his ear
- זכה לאוזן קשבת gain a hearing
- כולי אוזן I'm all ears
אוזנית נ׳ earphone, auricle, headphone, receiver
אוח ז׳ eagle-owl
אוחד פ׳ be unified
אוחה פ׳ be pieced together
אוחסן פ׳ be stored
אוחר: לא יאוחר מ- not later than
אוטו ז׳ car, auto, automobile
אוטובוס ז׳ bus, coach, omnibus
- אוטובוס דו-קומתי double-decker
- אוטובוס חשמלי trolley bus
- אוטובוס מפרקי articulated bus
אוטוביוגרפי ת׳ autobiographical
אוטוביוגרפיה נ׳ autobiography
אוטוגרף ז׳ autograph
אוטודידקט ת׳ autodidact
אוטומט ז׳ automaton
- אוטומט מכירות vending machine
- אוטומט תקליטים jukebox
אוטומטי ת׳ automatic, self-acting
אוטומטית תה״פ automatically
אוטונומי ת׳ autonomous
אוטונומיה נ׳ autonomy, self-government, home rule
אוטוסוגסטיה נ׳ autosuggestion
אוטוסטרדה נ׳ autostrada, highway, superhighway, expressway
אוטופי ת׳ utopian
אוטופיה (דימיון) נ׳ utopia
אוטופסיה נ׳ autopsy, postmortem
אוטוקרטיה נ׳ autocracy
אוטוריטה (סמכות) נ׳ authority
אוטיזם ז׳ autism
אוטיסט (חולה אוטיזם) ז׳ autistic
אוטיסטי (מנותק) ת׳ autistic
אוטם ז׳ stoppage, obstruction
- אוטם שריר הלב myocardial infarct
אוטרקיה נ׳ autarchy
אוי מ״ק alas, ouch, dear me
- אוי ואבוי alas, woe to
אויב ז׳ enemy, foe
אויה מ״ק alas
אוייד פ׳ be vaporized, be evaporated
אוייר פ׳ be illustrated
אוייש פ׳ be manned

אויית פ׳ be spelled
אוכל ז׳ food, meal, board
אוכל ת׳ eater
- אוכל אדם cannibal, man-eater
- אוכל בשר carnivorous
- אוכל הכל omnivorous
- אוכל חרקים insectivorous
- אוכל עשב herbivorous
אוכלוסיה נ׳ population
אוכלס פ׳ be populated
אוכמנית נ׳ blackberry, bilberry
אוכסן פ׳ be accommodated
אוכף ז׳ saddle, trough, *pigskin
- אוכף צד sidesaddle
אוכפית נ׳ yoke, carrier
אולטימטום (התראה) ז׳ ultimatum
אולטימטיבי ת׳ ultimate, last
אולטרה ת׳ ultra
- אולטרה-סגול ultraviolet
אולטרה-סאונד ז׳ ultrasound
אולי תה״פ perhaps, maybe, possibly
אוליגרכיה נ׳ oligarchy
אולימפוס ז׳ Olympus
אולימפי ת׳ Olympian, Olympic
אולימפיאדה נ׳ Olympic Games
אולם ז׳ hall, auditorium
- אולם התעמלות gymnasium, *gym
- אולם ריקודים ballroom
אולם מ״ח but, however
אולף פ׳ be trained
אולפן ז׳ atelier, studio, preparatory school, *prep
אולפנא ז׳ preparatory school
אולץ פ׳ be forced
אולקוס (כיב) ז׳ ulcer
אולר ז׳ penknife, pocketknife
- אולר קפיצי switchblade
אולתר פ׳ be improvised
אום נ׳ nut
- אום כנפיים wing nut
או״ם The UN
אומבודסמן ז׳ ombudsman
אומדן ז׳ estimate, appraisal, valuation
אומה נ׳ people, nation
אומלל ת׳ wretched, miserable, disconsolate, unfortunate
אומללות נ׳ misery, wretchedness
אומן פ׳ be trained
אומן ז׳ artist
אומן ז׳ trainer, foster-father
- משפחה אומנת foster family
אומן ז׳ craftsman, artisan, expert
אומנה נ׳ fosterage, custody
אומנות נ׳ art, skill
- האמנויות היפות fine arts
אומנות נ׳ skill, trade, craft, craftsmanship, workmanship
אומנותי ת׳ artistic, masterly
אומנם תה״פ indeed, granted that
- אמנם כן quite so!, quite!
- האומנם? is that so?
אומנת נ׳ governess, nurse, nanny
אומץ פ׳ be adopted
אומץ (-לב) ז׳ courage, fortitude, valor, bravery, *guts

אומצה נ beefsteak, steak
אומר ז' speech, word
- בלי אומר ודברים unprotestingly
- גמר אומר set one's mind, decide
אומת פ' be verified, proved true
און ז' strength, power, virility
- אין אונים helpless, powerless
- חסר אונים helpless, powerless
אונָאָה נ' deception, fraud
אונָה פ' happen, befall
אונָה נ' lobe
אונוֹמטוֹפֵּיָה נ' onomatopoeia
אונות נ' strength, power, potency
- אין אונות impotence
אוני ז' fleet, shipping
אוּנִיבֶרסִיטָה נ' university
- אוניברסיטה פתוחה open university
אוּנִיבֶרסָלִי ת' universal
אוּנִיבֶרסָלִיוּת נ' universality
אונייה נ' ship, vessel
- אונייה אחות sister ship
- אוניית הדגל flagship
- אוניית מלחמה warship
- אוניית משמר guard-ship
- אוניית סוחר merchantman, trader
- אוניית קיטור steamship, steamer
- אוניית קרב battleship
אונן פ' masturbate
אונֵן ז' mourner (before burial)
אוֹנָנוּת נ' masturbation
אוֹנֶס ז' rape, compulsion
- אונס קבוצתי gang rape
אוֹנֵס ז' violator, rapist
אונקולוג ז' oncologist
אונקולוגי ת' oncological
אונקולוגיה נ' oncology
אונקייה נ' ounce
אונקל ז' hook, grapnel
אונָתִי ת' lobed, of a lobe
אוסטֵיאופורוזיס ז' osteoporosis
אוסטרי ז' Austrian
אוסטריָה נ' Austria
אוסטרָלִי ת' Australian, *aussie
אוסטרליה נ' Australia
אוסמוֹזָה (פעפוע) נ' osmosis
אוֹסֶף ז' collection, repertory
אוֹסֵף ז' collector, harvester
אוֹסֵר ת' prohibitive, prohibitory
אוף מ"ק phew, pshaw, ugh, *oops
אוֹפֶה ז' baker
אופוזיציָה נ' opposition
אופוזיציוני נ' oppositional
אופוס (מיצור) ז' opus
אופוסום (חיית-כיס) ז' opossum
אופורטוּניזם ז' opportunism
אופורטוּניסט (סתגלן) ז' opportunist
אופוריָה (הרגשה טובה) נ' euphoria
אופטוֹמֶטריָה נ' optometry
אופטוֹמֶטריסט ז' optometrist
אופטִי (של ראייה) ת' optic(al)
אופטִימִי (מקווה לטוב) ת' optimistic
אופטִימִיוּת נ' optimism
אופטִימִיסט ז' optimist
אופטִימָלִי ת' optimum, optimal
אופטִיקַאי ז' optician
אופטִיקָה (תורת האור) נ' optics

אופי ז' character, nature
אופיום (סם משכר) ז' opium
אופיין פ' be characterized
אופייני ת' characteristic, typical
- אופייני לו it's just like him
- אין זה אופייני לו it's unlike him
אוֹפֶל ז' darkness
- יקחהו אופל The devil take him
אוֹפָּל (אבן יקרה) ז' opal
אוֹפֶן ז' manner, way, mode
- באופן ש- so as to
- באותו אופן likewise
- בכל אופן in any case, anyway, however
- בשום אופן (לא) on no account, on no condition, by no means, *no way!
אוֹפָן ז' wheel
אוֹפְנַאי ז' trend-setter, fashion designer
אוֹפְנָה נ' style, fashion, mode
- באופנה in, in vogue
אוֹפַנּוֹעַ ז' motorcycle, motorbike
- אופנוע עם סירה motorcycle and sidecar, combination
אוֹפַנּוֹעָן ז' motorcyclist
אוֹפְנוּת נ' modality
אוֹפַנַּיִים ז"ר bicycle, cycle, *bike
- אופני כושר stationary bicycle
- אופניים דו-מושביים tandem
אוֹפֶנסִיבָה (מִתקָפָה) נ' offensive
אוֹפֶנסִיבִי (מִתקָפִי) נ' offensive
אוֹפנָתִי ת' stylish, fashionable
אוֹפסַייד (נבדל) ז' offside
אוֹפֵף ת' surrounding, ambient
אוֹפּציָה נ' option, first refusal
אוֹפֶק ז' horizon
- באופק in the offing, soon
אוֹפקִי ת' horizontal, level
אוּפַּר פ' be made up
אוֹפֶּרָה נ' opera
- אופרת סבון soap opera
- של אופרה operatic
אוֹפֶּרֶטָה נ' operetta, musical
אוֹפֶּרָטִיבִי (מִבצעי) ת' operational
אוּפשַר פ' be made possible
אוֹצָר ז' treasure, treasury
- אוצר בלום large treasure, well-read
- אוצר מלים thesaurus, vocabulary
- אוצרות טבע natural resources
אוֹקטָבָה נ' octave
אוֹקטָגוֹן (מתומן) ז' octagon
אוֹקטוֹבֶּר ז' October
אוֹקטָן (מרכיב בבנזין) ז' octane
אוּקִיָּה (240 גרם) נ' ounce
אוֹקיָינוֹס ז' ocean, sea, the deep
אוֹקיָינוֹסִי, אוֹקיָאנִי ת' oceanic
אוֹקלִידִי ת' Euclidean
אוּקרָאִינָה נ' Ukraine
אוֹר פ' light up, shine
- אורו פניו/עיניו his face lit up
אוֹר ז' light
- אור יום daylight
- אור ירח moonlight
- אור ל- on the eve of

- אור ליום — on the eve of
- אור שמש — sunlight
- אורות הבימה — footlights, limelight
- באור חיובי — in a good light
- הוצאה לאור — publication
- הוציא לאור — bring to light, publish
- יצא לאור — come to light

אוֹרֵב ז' — ambusher
אוּרְבָּנִי (עירוני) ת' — urban
אוּרְבָּנִיזַציָה (עיור) נ' — urbanization
אוֹרֵג ז' — weaver
אוֹרגזמה (ריוויון) נ' — orgasm
אוֹרגיָה נ' — orgy, bacchanal
אוּרגַן פ' — be organized
אוֹרגָן ז' — organ
אוֹרֶגָנוֹ (תבלין) ז' — oregano
אוֹרגָנִי ת' — organic
אוֹרגניזם (יצור חי) ז' — organism
אוֹרגָנִיסט ז' — organist
אוֹרגָנִית נ' — small organ
אוֹרדִינָטָה (פוסק) נ' — ordinate
אוֹרָה נ' — light
אוּרוּגוָאי נ' — Uruguay
אוּרוָה נ' — stable, stall
אוּרוָן ז' — stable boy, stable man
אוּרוֹלוֹג ז' — urologist
אוּרוֹלוֹגיָה (מדע השתן) נ' — urology
אוֹרוֹרָה (זוהר) נ' — aurora
אוֹרֶז ז' — rice
- אורז טחון — ground rice

אוֹרֵז ז' — packer
אוֹרַח ז' — manner, way
- אורח חיים — way of life
- אורח נשים — menstruation, menses

אוֹרֵחַ ז' — guest, visitor
- אורח כבוד — guest of honor

אוֹרחָה נ' — caravan
אוֹרָטוֹריָה נ' — oratorio
אוּרֵיאָה (שתנן) נ' — urea
אוֹרִיגִינָלִי (מקורי) ת' — original
אוֹרִיגָמִי (קיפולי נייר) ז' — origami
אוֹרְיָין ז' — learning
- בר אוריין — scholar

אוֹריינט (מזרח) ז' — Orient
אוֹרייֶנטָלִי (מזרחי) ת' — oriental
אוֹרייֶנטַציָה נ' — orientation
אוֹרַייתָא נ' — Torah
אוּרִים וְתוּמִים ז"ר — oracle
אוֹרֶךְ ז' — length, duration
- אורך גל — wavelength
- אורך רוח — patience
- לאורך כל הדרך — all the way

אוֹרכִּי ת' — longitudinal
אוֹרכִידֵיָה (סחלב) נ' — orchid
אוֹרלוֹגִין ז' — clock
אוֹרָלִי ת' — oral
אוּרֶמיָה (רַעֶלֶת שִׁינָן) נ' — uremia
אוֹרֶן ז' — pine
אוֹרַנג אוּטַנג (קוף) ז' — orangutan
אוֹרַנגָ'דָה נ' — orangeade
אוּרַניוּם (מתכת) ז' — uranium
- אורניום מועשר — enriched uranium

אוֹרַנִייָה (פטרייה) נ' — pine mushroom
אוֹרנִיתוֹלוֹג (צַפָּר) ז' — ornithologist
אוֹרנִיתוֹלוֹגיָה נ' — ornithology
אורקוֹלִי ת' — audio-visual
אוֹרַקְל (אורים ותומים) ז' — oracle
אוֹרתוֹגרָפִי ת' — orthographic
אוֹרתוֹגרַפיָה (כתיב) נ' — orthography
אוֹרתוֹדוֹכּסִי (אדוק) ת' — orthodox
אורתודוכסיות נ' — orthodoxy
אורתודונט (מיישר שן) ז' — orthodontist
אורתודונטיָה נ' — orthodontics
אורתוֹפֶּד ז' — orthopedist
אורתוֹפֶּדִי ת' — orthopedic
אורתוֹפֶּדיה נ' — orthopedics
אוֹשיָה נ' — foundation, chassis
אוּשפַּז פ' — be hospitalized
אוּשַּׁר פ' — be confirmed
אוֹשֶׁר ז' — happiness, felicity
אוּשרַר פ' — be ratified
אוֹשֵׁשׁ פ' — strengthen, bring around
אוֹת ז' — sign, signal, token, mark, decoration, medal
- אות המשדר — signature tune
- אות קלון — stigma
- אות תודה — acknowledgment
- אותות ומופתים — signs and wonders
- לאות- — as a sign of

אוֹת נ' — letter, character
- אות באות — to the letter
- אות מתה — dead letter
- אות ראשונה (בשם אדם) — initial
- אותיות מוטות — italics

אוֹתוֹ ת' — identical, same
- אותו דבר — the same, likewise

אוֹתִי/אוֹתךָ וכ' ראה אֶת — me/you etc.
אוֹתֶנטִי (אמיתי) ת' — authentic
אוֹתֶנטִיוּת (אמיתות) נ' — authenticity
אוּתַּר פ' — be located
אוֹתֵת פ' — signal, beckon, sign
- אותת ימינה (רכב) — indicate right

אָז תה"פ — then, at that point, so
- אז מה? — so what?
- מאז — since then
- מאז ומעולם — since former times

אַזְבֶּסט ז' — asbestos
אַזְבֶּסטוֹן ז' — asbestos hut
אַזהָרָה נ' — caution, warning
אֵזוֹב ז' — moss, hyssop, marjoram
אֵזוֹבִי ת' — mossy
אֵזוֹבִיוֹן ז' — lavender
אֶזוֹטֶרִי (שייך למעטים) ת' — esoteric
אֵזוֹר (ראה איזור) — area
אֵזוֹרִי ת' — regional, zonal
אֲזַי תה"פ — then
אֲזִילָה נ' — exhaustion
אֲזִימוּת ז' — azimuth
אֲזִיקוֹנִים ז"ר — handcuffs
אֲזִיקִים ז"ר — handcuffs, manacles, shackles, *bracelets, *cuffs
אִזכּוּר ז' — reference, mention
אִזכֵּר פ' — refer, make reference to, mention
אַזכָּרָה נ' — memorial service, commemoration
אָזַל פ' — be sold out, be exhausted, run out, out of stock, out of print
- אזל מן המלאי — out of stock

אִזמֵל ז' — scalpel, lancet, chisel
אִזמָרָגד ז' — emerald

אַזְעָקָה נ׳ alarm, alert
- אזעקת שווא false alarm
אֲזֵק (רבים אזיקים) ז׳ shackle
אָזַר פ׳ gird, put on, summon up
- אזר אומץ muster one's courage
- אזר כוח summon up strength
- אזר עוז take heart
אָזֶרְבַּייגָ'ן נ׳ Azerbaijan
אִזְרוּחַ ז׳ naturalization
אִזְרַח פ׳ naturalize
אֶזְרָח ז׳ citizen, civilian
- אזרח העולם cosmopolitan
- אזרח כבוד freeman
אֶזְרָחוּת נ׳ citizenship, nationality, civics
- אזרחות כבוד freedom of a city
אֶזְרָחִי ת׳ civil, civilian, civic
אָח ז׳ brother, male nurse, orderly
- אח חורג stepbrother, half-brother
- אחים brothers, brethren
- ללא אח ורע unexampled
אָח נ׳ fireplace, hearth
אָחָא ז׳ brother
אַחָאִים ז״ר siblings
אֶחָד ש״מ one, 1, single, someone
- אחד אחד one at a time
*- אחד אפס לטובתך you have me there
- אחד באפריל All Fools' Day
- אחד בינואר New Year's Day
- אחד במאי May Day
- אחד בפה ואחד בלב hypocritical
- אחד ויחיד one and only
- אחד לפני האחרון last but one
- אחד מני אלף one in a thousand
- אחד משניהם either
אַחַד עָשָׂר ש״מ eleven, 11
- (החלק) האחד עשר eleventh
אַחְדוּת נ׳ unity, togetherness
אֲחָדִים ת׳ several, some
אחה״צ = אחר הצהריים afternoon
אָחוּ ז׳ lea, meadow, pasture
אַחֲוָה נ׳ brotherhood, fellowship, fraternity, togetherness
אָחוּז ז׳ per cent, percentage
- אחוז החסימה electoral threshold
אָחוּז ת׳ seized, stricken
- אחוז אימה horror-stricken
- אחוז בחבלי-קסם under a spell
- אחוז דיבוק possessed
אֲחוּזָה נ׳ estate, property
- אחוזת קבר family grave
אֲחוּזוֹן ז׳ percentile
אָחוּי ת׳ mended, stitched
אָחוֹר ז׳ back, rear, buttock
- אחורי המטבע tails
- אחורי הקלעים backstage
אָחוֹרָה תה״פ back, backwards
אֲחוֹרִי ת׳ back, rear, hind
- האחורי ביותר rearmost
אֲחוֹרַיִים ז״ר buttocks, behind
אֲחוֹרַנִּית תה״פ backwards, back
אָחוֹת נ׳ sister, nurse, *sis
- אחות חורגת stepsister, half-sister
- אחות מוסמכת registered nurse
- אחות מעשית practical nurse
- אחות רחמנייה nurse
אָחַז פ׳ hold, grasp, catch
- אחז ברסן השלטון take the reins
- אחז החבל בשני קצותיו have it both ways
אִחְזוּר ז׳ retrieval
אַחְזָקָה נ׳ maintenance, upkeep
אִחְזֵר פ׳ retrieve
אָחִיד ת׳ uniform, homogeneous
- לא אחיד heterogeneous
אֲחִידוּת נ׳ uniformity
אֲחִיזָה נ׳ hold, grasp, grip
- אחיזת עיניים eyewash, bluff
- בית אחיזה handle, ear
אַחְיָין ז׳ nephew
אַחְיָינִית נ׳ niece
אח״כ = אחר כך afterwards
*אַחְלָה מ״ק very good, great
אַחְלָמָה (אבן יקרה) ז׳ amethyst
אח״ם very important person, VIP
אִחְסוּן ז׳ storage, stowage
אִחְסֵן פ׳ store, house, stow
אַחְסָנָה נ׳ storage, stowage
אַחְצוֹן ז׳ outing
אַחֵר ת׳ another, other, else
אַחַר מ״י after, behind
- אחר הצהריים afternoon, pm
- אחר כבוד disgracefully
- אחר כך afterwards, then, later
- לאחר מכן after that
- מאחר ש- since, because
אַחְרַאי ז׳ in charge
אַחְרַאי ת׳ responsible, accountable, in charge, liable, answerable
- בלתי אחראי irresponsible
אַחֲרָה נ׳ stern, poop
אַחֲרוֹן ת׳ final, last, ultimate
- אחרון אחרון חביב last but not least
- האחרון (מבין השניים) the latter
- לאחרונה lately, newly, recently
אַחֲרֵי מ״י after, behind, past
- אחרי ככלות הכל after all
- אחרי כן then, afterwards, later
אַחֲרָיוּת נ׳ responsibility, liability, warranty, guarantee
- חוסר אחריות irresponsibility
אַחֲרִית נ׳ end
- אחרית דבר epilogue
- אחרית הימים doomsday, crack of doom
אַחֶרֶת תה״פ else, otherwise
אַחַת ש״מ one, 1
- אחת היא לי it is all the same to me
- אחת ולתמיד once and for all
- אחת ושתיים immediately
- אחת לשבוע once a week
- באחת all at once
- בבת אחת all at once, at the same time
- לא אחת many a time
- על אחת כמה וכמה let alone
אַחַת עֶשְׂרֵה ש״מ eleven, 11
אַט תה״פ slowly, slow
- אט אט slowly, by inches
אֶטֶב ז׳ clip, fastener, clothespin
- אטב כביסה clothes-peg, clothespin

אַטָבִיזְם ז׳ — atavism
אָטָד ז׳ — bramble
אָטוֹם ז׳ — atom
אָטוּם ת׳ — sealed, shut, closed, opaque, dense, blockhead
אָטוֹמִי ת׳ — atomic
אֶטִיוּד (קטע מוסיקלי) ז׳ — etude
אָטִים ת׳ — airtight, sealed, impermeable, impervious
- אטים מים — waterproof, watertight
- אטים קול — soundproof
אֲטִימָה נ׳ — closing, sealing, calking
אֶטִימוֹלוֹגְיָה (חקר מלים) נ׳ — etymology
אֲטִימוּת נ׳ — opacity, impermeability, dullness
אִטְלִיז ז׳ — butcher's shop
- בעל אטליז — butcher
אַטְלָס ז׳ — atlas
אָטַם פ׳ — shut, seal, calk, wall up
- אטם אוזניו — turn a deaf ear
- אטם בלבנים — brick over, wall up
אֶטֶם ז׳ — gasket, seal
- אטמי אוזניים — earplugs
אַטְמוֹסְפֵירָה נ׳ — atmosphere
אַטְמוֹסְפֵירִי ת׳ — atmospheric
אִטְרִיּוֹת נ״ר — noodles, macaroni
אִטְרִיָּה נ׳ — noodle
אַטְרַקְטִיבִי (מושך) ת׳ — attractive
אַטְרַקְצְיָה (משיכה) נ׳ — attraction
אִי ז׳ — island, isle
- אי אלמוגים — coral island
- אי טבעתי — atoll
- אי קטן — islet
- אי תנועה — traffic island, rotary, roundabout
- חצי אי — peninsula
אֵי תה״פ — where
- אי אלו — some, several
- אי לזאת/אי לכך — therefore
- אי פעם — ever, one day, sometime
- אי שם — somewhere
א״י = ארץ ישראל — Land of Israel
אִי (ראה גם חוסר) תח׳ — dis-, in-, un-
אִי אֵמוּן ז׳ — incredulity, mistrust, non-confidence
אִי אֶפְשָׁר תה״פ — impossible
אִי אֶפְשָׁרוּת נ׳ — impossibility
אִי בְּהִירוּת נ׳ — ambiguity, obscurity
אִי דִיּוּק ז׳ — inaccuracy, inexactitude
אִי הֲבָנָה נ׳ — misunderstanding, incomprehension
אִי הַסְכָּמָה נ׳ — disagreement, disapproval
אִי הַתְאָמָה נ׳ — disagreement, discrepancy
אִי הִתְאַפְּקוּת נ׳ — incontinence
אִי הִתְעָרְבוּת נ׳ — noninterference, nonintervention
אִי הַתְקָפָה נ׳ — non-aggression
אִי וַדָּאוּת נ׳ — uncertainty, incertitude
אִי חוּקִיּוּת נ׳ — illegitimacy
אִי יְדִיעָה נ׳ — ignorance
אִי יְכוֹלֶת נ׳ — inability, inaptitude
אִי יְעִילוּת נ׳ — inefficiency
אִי יַצִּיבוּת נ׳ — instability
אִי כְּדָאִיּוּת נ׳ — inexpediency
אִי כַּשְׁרוּת נ׳ — ineligibility
אִי לוֹחֲמָה נ׳ — non-belligerency
אִי מוּסָרִיּוּת נ׳ — immorality
אִי מִינִיּוּת נ׳ — asexuality
אִי נֶאֱמָנוּת נ׳ — infidelity, disloyalty
אִי נְגִישׁוּת נ׳ — inaccessibility
אִי נוֹחוּת נ׳ — discomfort, inconvenience, unease
- גרם אי נוחות — inconvenience, discommode
אִי נוֹרְמָלִיּוּת נ׳ — abnormality
אִי נְעִימוּת נ׳ — inconvenience, unpleasantness
- גרם אי נעימות — inconvenience
אִי סְדִירוּת נ׳ — irregularity
אִי סֵדֶר ז׳ — disorder, mess, disarrangement
אִי סוֹבְלָנוּת נ׳ — intolerance
אִי סְפִיקַת הַלֵּב נ׳ — cardiac insufficiency, heart failure
אִי פּוֹרִיּוּת נ׳ — infertility
אִי פְּעִילוּת נ׳ — inaction, inactivity
אִי צֶדֶק ז׳ — injustice, inequity
אִי צִיּוּת ז׳ — disobedience, noncompliance
אִי רְגִישׁוּת נ׳ — insensitivity
אִי רָצוֹן ז׳ — disinclination, unwillingness
אִי שְׂבִיעוּת רָצוֹן נ׳ — discontent, dissatisfaction
אִי שִׁוְויוֹן ז׳ — inequality
אִי שִׁימּוּשׁ ז׳ — disuse
אִי שִׂימַת לב נ׳ — inattention
אִי שֶׁקֶט ז׳ — disquiet, unrest
אִי תְּלוּת נ׳ — independence, self-reliance
אִיבֵּד פ׳ — lose, forfeit, exterminate
- איבד עצמו לדעת — commit suicide
- איבד עשתונותיו — lose one's temper
אֵיבָה נ׳ — animosity, hostility, antagonism, hate, hatred
אִיבּוּד ז׳ — loss, waste, forfeiture, ruin
- איבוד עצמו לדעת — suicide
אִיבּוּן ז׳ — petrifaction
אֵיבוּס ז׳ — trough, manger, rack, crib
אִיבּוּץ ז׳ — galvanization
אִיבּוּק ז׳ — dusting
אִיבֵּן פ׳ — fossilize, petrify, numb
אִיבֵּק פ׳ — dust
אֵיבָר ז׳ — limb, member, organ
- איבר (באלגברה) — term
- איבר המין הגברי — penis
- איברי המין — genitals, private parts, reproductive organs
- בכל רמ״ח איבריו — to the fingertips, every inch, entirely
אֵיבָרִי - חד-איברי ת׳ — monomial
אִיגֵּד פ׳ — bind, tie, incorporate, unionize
אִיגּוּאָנָה נ׳ — iguana
אִיגּוּד ז׳ — association, union
- איגוד מקצועי — trade union
אִיגּוּף ז׳ — flanking, outflanking
אִיגְלוּ (בית קרח) ז׳ — igloo
אִיגֵּף פ׳ — flank, outflank
אִיגְרוּף ז׳ — boxing

אִיגֶרֶת נ — note, letter
- איגרת אוויר — airletter
- איגרת דואר — letter-card
- איגרת חוב — bond, debenture
- בעל איגרת חוב — bondholder
אֵיד ז — distress, misfortune
אִידָה פ — evaporate, vaporize, steam
אִידּוּי ז — evaporation, vaporization
אִידֵיאָה (רעיון) נ — idea
- אידיאה פיקס — fixed idea, idee fixe
אִידֵיאוֹגְרָמָה (סמל גרפי) נ — ideogram
אִידֵיאוֹלוֹג ז — ideologist
אִידֵיאוֹלוֹגִי ת — ideological
אִידֵיאוֹלוֹגְיָה נ — ideology
אִידֵיאָל ז — ideal
אִידֵיאָלִי ת — idealistic, ideal
אִידֵיאָלִיזְם ז — idealism
אִידֵיאָלִיזַצְיָה נ — idealization
אִידֵיאָלִיסְט ז — idealist
אִידְיוֹט ז — idiot, cretin
אִידְיוֹטִי ת — idiotic, softheaded
אִידְיוֹטִיּוּת נ — idiocy
אִידְיוֹם (ניב) ז — idiom
אִידְיוֹמָטִי ת — idiomatic
אִידִילִי (שקט) ת — idyllic
אִידִילְיָה (רוֹגַע) נ — idyll
אִידִישׁ נ — Jewish, Yiddish
אִידָךְ מ״ג — the other
- מאידך (גיסא) — on the other hand
אִידָשׁוֹן ז — apathy
אי״ה = אם ירצה השם — God willing
אִיּוֹב ז — Job
אִיּוּד ז — vaporization, evaporation
אִיוֶּלֶת נ — foolishness, folly
אִיּוּם ז — menace, threat
אָיֹם ת — terrible, fearful, awful
אִיּוֹן ז — islet
אִיּוּן ז — nullification
אִיּוּר ז — illustration
אִיּוּשׁ ז — manning
אִיּוּת ז — spelling, lettering
אֵיזֶה מ״ג — which, which one?, who, what
- איזה יופי! — very good, splendid!
- איזה כיף! — what fun!
- איזה מזל! — what luck!
- איזה שהוא — whichever, some
אֵיזֶהוּ מ״ג — which is, who is
אֵיזוֹ מ״ג — which, who, what
- איזו חוצפה! — what a nerve!
- איזו שהיא — whichever, some
- איזו שטות! — what an idea!
אִיזוֹבָּר ז — isobar
אֵיזוֹהִי מ״ג — which is, who is
אִיזוֹטוֹפּ ז — isotope
אִיזּוּן ז — balancing, balance, poise
אֵיזוֹר ז — area, district, region, zone
- איזור הספר — borderland
- איזור חיוג — dialing code
- איזור חיץ — buffer zone
- איזור חנויות — mall, shopping precinct
- איזור מגורים — residential zone
אֵיזוֹרִי (ראה אזורי) — regional
אֵיזוֹשֶׁהִי מ״ג — any, whatever
אִיזֵּן פ — balance, level, poise

אֵיזֶשֶׁהוּ מ״ג — any, whatever
אִיחֵד פ — unite, combine, join, unify
אִיחָה פ — sew/piece together, knit together
אִיחוּד ז — unification, union, unity
אִיחוּי ז — stitching, fastening, splice
- איחוי הקרעים — mending the rents
אִיחוּל ז — wish, congratulation
- איחולים — congratulations, greetings, regards
אִיחוּר ז — lateness, delay
- לא באיחור — in time
אִיחֵז הָעֵינַיִם פ — juggle, delude
אִיחֵל פ — wish, congratulate, bid
- איחל לו כל טוב — wish him well
אִיחֵר פ — be late, miss
- איחר לישון — stay up, sit up
- איחר לרכבת — miss the train
אִיטּוּם ז — closing, calking, sealing
אִיטִּי ת — slow, tardy
אִיטִּיּוּת נ — slowness, tardiness
אִיטַלְיָה נ — Italy
אִיטַלְקִי ת — Italian
אִיטַלְקִית (שפה) נ — Italian
אִיטֵּם פ — seal, calk, caulk
אִיטֵּר ת — left-handed, *southpaw
אִיטְּרוּת נ — left-handedness
אִיִּי ת — insular
אִיֵּד פ — vaporize, evaporate
אֵיידְס ז — AIDS
אַיָּה נ — buzzard, kite
אַיֵּה תה״פ — where
אַיָּל ז — deer, buck, roebuck, hart
אֱיָל ז — power, strength
אַיָּלָה נ — doe, hind, roe deer
- איילת השחר — morning star, dawn
אִיֵּם פ — threaten, menace
- איים שח — check
אִיֵּן פ — nullify
אִיֵּר פ — illustrate
אַיָּר ז — illustrator
אִיָּר ז — Iyar (month)
אִיֵּשׁ פ — man, staff
- אייש איוש יתר — overman
אִיֵּת פ — spell, spell out
אָיָתוֹלָּה (מנהיג שיעי) ז — ayatollah
אֵיךְ תה״פ — how, however
*- איך לא? — no doubt
- איך קוראים לו — *thingamabob
- איך שהוא — somehow, someway
- ועוד איך — and how!
אֵיכָה (מגילה) נ — Lamentations
אִיכּוּל ז — corrosion, erosion
אִיכּוּן ז — locating
אֵיכוּת נ — quality
- איכות הסביבה — environment
- איכות חיים — quality of life
אֵיכוּתִי ת — qualitative
אִיכֵּל פ — consume, corrode, erode, eat away
אִיכֵּן פ — locate
אִיכְס מ״ק — ugh
אִיכָּר ז — farmer, peasant
אֵיכְשֶׁהוּ תה״פ — anyhow, somehow, someway
אַיִל ז — ram, tup

- איל ברזל battering ram, ram
- איל הון tycoon, magnate
- איל נפט oil king, oil tycoon
- איל עיתונות press baron

אִילוּ מ״ח if
- אילו הייתי if I were, were I
- אילו רק if only
- ואילו but, whereas, while
- כאילו as if/though, *sort of, like

אִילוּזְיָה (אשליה) נ׳ illusion
אִילוּחַ ז׳ infection, contamination
אִילוּלֵא מ״ח but for, if not
אִילוּמִינַצְיָה נ׳ illumination
אִילוּסטרַצְיָה (איור) נ׳ illustration
אִילוּף ז׳ taming, training
- ניתן לאילוף tameable

אִילוּץ ז׳ constraint, compulsion
אֵילָךְ תה״פ onwards
- אילך ואילך to and fro, up and down
- מכאן ואילך from now on

אִילֵם ת׳ dumb, mute, silent
אִילְמוּת נ׳ dumbness, muteness
אִילָן ז׳ tree
- אילן היחס family tree, pedigree

אִילֵף פ׳ train, tame, break in
אִילֵץ פ׳ force, compel, coerce
- אילץ לחכות keep waiting

אֵילַת נ׳ Eilat
אִימָא נ׳ mother, *ma, *mamma
אִימָאם ז׳ imam
אִימְבֶּצִילִי (מפגר) ת׳ imbecile
אִימָה נ׳ matrix, stereotype
אֵימָה נ׳ dismay, dread, fright, horror terror
- אימת הציבור stage fright
- אימת מוות mortal fear
- אימתא דציבורא stage fright

אִימָהוּת נ׳ motherhood, maternity
אִימָהִי ת׳ motherly, maternal, mother-like
אִימוּם ז׳ manikin, block, last, dummy, shoe tree
אִימוּן ז׳ training, practice, drill
- אימון גופני physical training
- אימונים training, exercise

אֵימוּן = אֵמוּן ז׳ trust
אִימוּנִית נ׳ track-suit
אִימוּץ ז׳ adoption, straining
אִימוּת ז׳ verification, authentication, confirmation
אֵימִים ז״ר terror
אִימֵן פ׳ train, coach, tutor
אִימְפּוֹטֶנְט (חסר און) ז׳ impotent
אִימְפּוֹטֶנְטִיוּת נ׳ impotence
אִימְפּוּלְס (דחף) ז׳ impulse
אִימְפּוּלְסִיבִי ת׳ impulsive
אִימְפָּלָה (דומה לצבי) נ׳ impala
אִימְפְּלִיקַצְיָה (השלכה) נ׳ implication
אִימְפַּקְט (השפעה) ז׳ impact
אִימְפְּרוֹבִיזַצְיָה נ׳ improvisation
אִימְפֶּרְיָאלִיזְם ז׳ imperialism
אִימְפֶּרְיָאלִיסְט ז׳ imperialist
אִימְפֶּרְיָאלִיסְטִי ת׳ imperialistic
אִימְפֶּרְיָה נ׳ empire
אִימְפְּרֶסְיוֹנִיזְם ז׳ impressionism
אִימְפְּרֶסְיוֹנִיסְט ז׳ impressionist
אִימֵץ פ׳ adopt, hug, strain, try
אִימֵת פ׳ verify, authenticate, confirm, ascertain, corroborate
אֵימַת תה״פ whenever
- כל אימת whenever, every time

אֵימָתַי תה״פ when
- מאימתי since when

אֵימְתָנוּת נ׳ terrorism, thuggery
אֵימְתָנִי ת׳ terroristic
אַיִן ז׳ no, there is not
- כאין וכאפס insignificant

אֵין תה״פ there is not, no, not
- אין אונות impotence
- אין אונים helpless, powerless
- אין בעד מה not at all, you're welcome
- אין דבר never mind, no harm done, no matter
- אין כמוהו unique, second to none
- אין מושלו unique, second to none
- אין סוף infinity
- אין סופי endless, eternal
- אין ספור without number, innumerable
- אין ספק no doubt, evidently
- אין תגובה no comment
- אינו כתמול שלשום he's not himself
- איני/אינך וכו׳ I am not/you're not etc.

אֵינְבּוֹ (תרופת דמה) ז׳ placebo
אִינְגִ׳ינֶר (מהנדס) ז׳ engineer
אִינְדוֹנֶזְיָה נ׳ Indonesia
אִינְדוּקְטִיבִי ת׳ inductive
אִינְדוּקְצְיָה נ׳ induction
אִינְדְיָאנִי ז׳ Indian, redskin
אִינְדִיבִידוּאָלִי ת׳ individual
אִינְדִיבִידוּאָלִיזְם ז׳ individualism
אִינְדִיגוֹ (צבע כחול) ז׳ indigo
אִינְדִיקָטוֹר (סימן) ז׳ indicator
אִינְדִיקַצְיָה (סימן) נ׳ indication
אִינְדֶקְס (מפתח) ז׳ index
אִינָּה פ׳ cause
- אינה הגורל it happened that

אִינְהָלַצְיָה נ׳ inhalation
אִינְוֶנְטָר (מצאי) ז׳ inventory
אִינּוּס ז׳ rape, compulsion
אִינּוּשׁ ז׳ anthropomorphism, personification
אֵינוּת נ׳ nothingness
אִינְטֶגְרִיטִי (יושרָה) ז׳ integrity
אִינְטֶגְרָל ז׳ integral
אִינְטֶגְרָלִי (בלתי נפרד) ת׳ integral
אִינְטֶגְרַצְיָה (מיזוג) נ׳ integration
אִינְטוּאִיטִיבִי ת׳ intuitive
אִינְטוּאִיצְיָה נ׳ intuition
אִינְטוֹנַצְיָה (הנגנה) נ׳ intonation
אִינְטִימִי ת׳ intimate
אִינְטִימִיּוּת נ׳ intimacy
אִינְטֶלִיגֶנְטִי ת׳ intelligent
אִינְטֶלִיגֶנְצְיָה (שֵׂכֶל) נ׳ intelligence
אִינְטֶלֶקְט (בינה) ז׳ intellect
אִינְטֶלֶקְטוּאָל (משכיל) ז׳ intellectual
אִינְטֶלֶקְטוּאָלִי ת׳ intellectual
אִינְטֶנְסִיבִי ת׳ intensive
אִינְטֶנְסִיבִיּוּת נ׳ intensiveness

אִינְטֶרָאַקְטִיבִי ת׳ interactive
אִינְטֶרַאַקְצְיָה נ׳ interaction
אִינְטֶרְוָול ז׳ interval
אִינְטְרוֹסְפֶּקְצְיָה נ׳ introspection
אִינְטְרִיגָה (תככים) נ׳ intrigue
אִינְטֶרְלוּד ז׳ interlude
אִינְטֶרְמֶצוֹ ז׳ intermezzo
אִינְטֶרְנֶט ז׳ Internet
אִינְטֶרְנַצְיוֹנָל ז׳ the International
אִינְטֶרֶס ז׳ interest
אִינְטֶרְסוֹל (עליית גג) ז׳ entresol
אִינְטֶרֶסַנְטִי ת׳ interested
אִינְטֶרְפּוֹל ז׳ Interpol
אִינְטֶרְפְּרֶטַצְיָה נ׳ interpretation
אִינְטֶרְקוֹם ז׳ intercom
אִינְטְשׁ ז׳ inch
אֵינֶנָּה = אֵינָהּ מ״ג she is not
אֵינֶנּוּ מ״ג we are not, he is not
אֵינֶנִּי = אֵינִי מ״ג I am not
אִינֵּס פ׳ rape
אִינְסוּלִין ז׳ insulin
אֵינְסוֹפִי ת׳ infinite, endless
אֵינְסוֹפִיּוּת נ׳ infinitude
אִינְסְטִינְקְט ז׳ instinct
אִינְסְטִינְקְטִיבִי ת׳ instinctive
אִינְסְטָלָטוֹר (שרברב) ז׳ plumber
אִינְסְטָלַצְיָה נ׳ plumbing
אִינְסְטַנְצְיָה (דרג) נ׳ instance
אִינְסְטְרוּמֶנְטָלִי (כֵּלִי) ת׳ instrumental
אִינְפוּזְיָה (עירוי) נ׳ infusion
אִינְפוֹרְמָטִיבִי ת׳ informative
אִינְפוֹרְמַצְיָה (מידע) נ׳ information
אִינְפִינִיטֶסִימָלִי ת׳ infinitesimal
אִינְפְלַצְיָה נ׳ inflation
אִינְפְלַצְיוֹנִי ת׳ inflationary
אִינְפַנְטִילִי (ילדותי) ת׳ infantile
אִינְפַנְטִילִיּוּת נ׳ infantilism
אִינְפֶקְצְיָה (זיהום) נ׳ infection
אִינְפְרָה אָדוֹם ת׳ infrared
אִינְץ׳ ז׳ inch
אִינְקוּבָּטוֹר ז׳ incubator
אִינְקוֹגְנִיטוֹ תה״פ incognito
אִינְקְוִיזִיטוֹר ז׳ inquisitor
אִינְקְוִיזִיצְיָה נ׳ inquisition
אִינֶרְצְיָה (התמדה) נ׳ inertia
אִינֵּשׁ פ׳ humanize, personalize, personify
*אִינְשַׁאלְלָה (אי״ה) מ״ק God willing
אִינְתִּיפָאדָה (מֶרִי) נ׳ Intifada
אִיסּוּף ז׳ collection, assemblage
אִיסּוּר ז׳ prohibition, ban
אִיסְלֵם פ׳ Islamize
אִיסְלָם ז׳ Islam
אִיסְלָמִי ת׳ Islamic
אִיסְלַנְד ז׳ Iceland
אֵיפָה נ׳ ephah (measure)
- איפה ואיפה partiality, inequity, favoritism, discrimination
אֵיפֹה תה״פ where
- איפה לכל הרוחות where in the world
- איפה שהוא somewhere
אֵיפוֹא תה״פ then
- לכן איפוא therefore
אִיפּוּל ז׳ blackout, darkness
- הטיל איפול black out, keep in the dark
אִיפּוּס ז׳ zeroing
אִיפּוּק ז׳ restraint, self-control
אִיפּוּר ז׳ make-up, *war paint
אֵיפוֹרְיָה (הרגשה טובה) נ׳ euphoria
אִיפֵּל פ׳ darken, blackout
אִיפֵּס פ׳ zero, zero in
אִיפֵּק פ׳ suppress, restrain
אִיפֵּר פ׳ make up
אִיקוֹנִין ז׳ icon, ikon
אֵיקְלִידִי ת׳ Euclidean
אֵיקָלִיפְּטוּס ז׳ eucalyptus
אִיקְס מִיקְס דריקס ז׳ tick-tack-toe, noughts and crosses
אֵירוֹבָּטִיקָה נ׳ aerobatics
אֵירוֹבִּי ת׳ aerobic
אֵירוֹוִיזְיוֹן ז׳ Eurovision
אֵירוּחַ ז׳ entertainment
אִירוֹנִי ת׳ ironical, ironic
אִירוֹנְיָה נ׳ irony
אִירוּס (פרח) ז׳ iris, orris
אֵירוּסִין ז״ר betrothal, engagement
אֵירוּעַ ז׳ event, happening, act
- אירוע מוחי (brain) stroke
אֵירוֹפָּה נ׳ Europe
אֵירוֹפִּי ת׳ European
אֵירַח פ׳ entertain, accommodate
אִירִי ת׳ Irishman
אִירִיס ז׳ iris, orris
אִירִית (שפה) נ׳ Irish
אִירְלַנְד נ׳ Ireland
אִירָן נ׳ Iran
אִירָנִי ת׳ Iranian
אֵירַס פ׳ be engaged, affiance
אֵירַע פ׳ happen, occur
אִירַצְיוֹנָלִי ת׳ irrational
אִירַצְיוֹנָלִיּוּת נ׳ irrationality
אִישׁ ז׳ man, person, gentleman
- איש אדמה farmer
- איש איש every man
- איש אל רעהו one another
- איש ביטחון security man
- איש ביניים middleman, go-between
- איש גומי contortionist
- איש דת Reverend
- איש זרוע violent, thug
- איש מילואים reservist
- איש מערות cave man
- איש מפתח key man
- איש משפחה family man
- איש ספר literary person
- איש עסקים businessman
- איש צבא soldier, serviceman
- איש צוות crewman, airman
- איש צפרדע frogman
- איש קש straw man
- איש רוח intellectual
- איש ריב quarrelsome
- אנשי שלומנו our friends
- כאיש אחד as one man, unanimously
אִשָּׁה נ׳ lady, wife, woman, spouse
- אישה מוכה battered wife
- אשת איש married woman
- אשת הבן daughter-in-law

אשת חיל - successful woman
אִישׁוּם ז׳ accusation, indictment, charge
- בר אישום chargeable
אִישׁוֹן ז׳ pupil, bull's-eye
- אישון לילה darkness of night
- אישון עיני the apple of my eye
אִישׁוּר ז׳ confirmation, approval, endorsement, OK
אִישׁוּשׁ ז׳ strengthening
אִישׁוּת נ׳ matrimony, marital relationship
אִישִׁי ת׳ personal, private
- באופן אישי personally, in person
אִישִׁיּוּת נ׳ personality, personage, *big shot
- אישיות חשובה מאוד VIP, very important person
- אישיות רצויה persona grata
אִישִׁית תה״פ in person, personally
אִישֵּׁר פ׳ confirm, certify, OK, approve, endorse
- אישר חוק pass a law
אִישֵּׁשׁ פ׳ confirm, corroborate
אִיתּוּר ז׳ localization, location
אִיתּוּרִית נ׳ beeper
אִיתּוּת ז׳ signaling
אִיתִּי/אִיתְּךָ וכ׳ ראה אֵת
אֵיתָן ת׳ firm, strong, unshakable
- איתני הטבע natural forces, the elements
- השיב לאיתנו recover, set right
- חזר לאיתנו recover, recuperate
אֵיתָנוּת נ׳ firmness
אִיתֵּר פ׳ locate, localize, pinpoint, spot
- איתר שריפה keep a fire under
אִיתְרַע מַזָּלוֹ it's rough on him, unluckily
אַךְ תה״פ but, only, yet, as soon as, barely, scarcely, even as
- אך הפעם for once, just the once
- אך ורק merely, only, solely
א״כ = אם כן if so
אכ״א = אגף כוח אדם
אַכָּדִית נ׳ Accadian, Akkadian
אָכוּל ת׳ eaten, consumed (by)
- אכול שנאה consumed by hate
אִכְזֵב פ׳ disappoint, let down
אַכְזָב ת׳ deceptive
אַכְזָבָה נ׳ disappointment, chagrin, letdown
אַכְזָר ת׳ brute, brutal, cruel
אַכְזָרִי ת׳ cruel, brutal, atrocious, heartless, merciless, ruthless
אַכְזְרִיּוּת נ׳ brutality, cruelty
אָכִיל ת׳ eatable, edible
- לא אכיל inedible
אֲכִילָה נ׳ eating
אָכִיף ת׳ enforceable
אֲכִיפָה נ׳ enforcement
אָכַל פ׳ eat, consume, dine
*- אכל אותה (בגדול) has been had, has had it
- אכל את עצמו eat one's heart out
- אכל בלהיטות gobble, wolf, *scoff

- אכל הכל eat up
אִכְלוּס ז׳ populating
אַכְלָן ז׳ eater
אִכְלֵס פ׳ people, populate
אָכֵן תה״פ indeed, granted
אַכְסַדְרָה נ׳ colonnade, porch
אִכְסוּן ז׳ accommodation, boarding, quartering
אִכְסֵן פ׳ accommodate, lodge, board, house, put up
אַכְסְנַאי ז׳ hosteler
אַכְסַנְיָה נ׳ hostel, lodging, inn
- אכסניית נוער youth hostel
- בעל אכסניה innkeeper, landlord
אָכַף פ׳ enforce, compel
אִכְפַּת פ׳ concern, care
- אכפת לי I care
- לא אכפת לי I don't care, I don't mind
- מה אכפת לך what do you care
אִכְפַּתִּי ת׳ careful
- לא אכפתי indifferent, reckless
אִכְפַּתִּיּוּת נ׳ concern, care
אֵל ז׳ God
- אל אלוהים my God!
אַל תה״פ not, do not
- אל לך you shouldn't
*- אל תשאל ! very (bad/good)
אֶל מ״י to, toward(s), into
- אל נכון right, no doubt
- אל על up
- אלי/אליך וכ׳ to me/to you etc.
אַל כֶּשֶׁל ת׳ failsafe
אֶלָּא תה״פ but, except, only
- אלא אם כן unless
*- אלא מה ? no doubt
אַלְבּוֹם ז׳ album
- אלבום פושעים rogues' gallery
אַלְבּוּמִין (חלבון) ז׳ albumen
אַלְבַּטְרוֹס (עוף גדול) ז׳ albatross
אַלְבִּינִיסְט (לַבְקָן) ז׳ albino
אַלְבַּנְיָה נ׳ Albania
אַלְגֶּבְּרָה נ׳ algebra
אַלְגֶּבְּרִי ת׳ algebraic
אַלֶּגוֹרִי ת׳ allegorical
אַלֶּגוֹרְיָה (משל) נ׳ allegory
אַלְגוֹרִיתְם ז׳ algorithm
אֶלֶגְיָה (שיר תוגה) נ׳ elegy
אַלְגִ׳ירִי ת׳ Algerian
אַלְגִ׳ירְיָה נ׳ Algeria
אֶלֶגַנְטִי ת׳ elegant
אֶלֶגַנְטִיּוּת נ׳ elegance
אַלֶּגְרוֹ (בעירנות) תה״פ allegro
אַלָּה נ׳ bludgeon, truncheon, baton, club, cudgel
אֵלֶּה, אֵלּוּ מ״ג these, those
- כאלה such
אֵלָה נ׳ goddess, oak
אָלָה נ׳ curse
אֱלוֹהַּ ז׳ God
אֱלוֹהוּת נ׳ Godhead, deity, divinity
אֱלוֹהִי ת׳ divine, godlike
אֱלוֹהִים ז׳ God, the Almighty
- אלוהים אדירים ! goodness gracious, my God!
אֲלוּוַי (צמח נוי) ז׳ aloe

אָלוּחַ ת' septic, infected
- לא אלוח aseptic
אֱלוּל ז' Elul (month)
אֲלוּמָה נ' sheaf, bundle, beam
- אלומת אור beam of light
אֲלוּמִינְיוּם (חמרן) ז' aluminum
אַלּוֹן ז' oak
אֲלוּנִטִית נ' towel
אֲלוּנְקַאי ז' stretcher-bearer
אֲלוּנְקָה נ' stretcher, litter
אַלּוּף ז' major general, champion, *champ
- אלוף במילואים reservist general
- אלוף משנה colonel
אֶלַח ז' sepsis, infection
אַלְחוּט ז' radio, wireless
אַלְחוּטִי ת' radio, wireless
אַלְחוּטָן ז' wireless operator
אִלְחוּשׁ ז' anesthetizing
אַלְחֶלֶד ת' stainless, rustproof
אִלְחֵשׁ פ' anesthetize
אַלְט ז' alto
אַלְטְרוּאִיזְם (זולתנות) ז' altruism
אַלְטְרוּאִיסְט ז' altruist
אַלְטֶרְנָטִיבָה נ' alternative
אַלְטֶרְנָטִיבִי ת' alternative
אַלִּיבָּא תה"פ according to
- אליבא דאמת truly
- אליבא דידי in my opinion
אַלִּיבִּי ז' alibi
אַלְיָה נ' lobe, tail of sheep
- אליה וקוץ בה not all roses, sting in its tail, a fly in the ointment
אֱלִיטָה (עילית) נ' elite
אֱלִיטִיזְם (שלטון העלית) ז' elitism
אַלִּיטֶרַצְיָה נ' alliteration
אֱלִיל ז' idol, demigod, god
אֱלִילוּת נ' idolatry, paganism
אֱלִילִי ת' pagan
אַלִּים ת' violent, strong-arm, tough
- כל דאלים גבר law of the jungle, might is right
אַלִּימוּת נ' violence, thuggery
- אלימות מילולית violent language, verbal attack
אֶלִימִינַצְיָה נ' elimination
אַלִּיפוּת נ' championship, title
אֶלִיפְּטִי, אֶלִיפְסִי ת' elliptic, oval
אֶלִיפְּסָה נ' ellipse
אַלְכּוֹהוֹל ז' alcohol
אַלְכּוֹהוֹלִי ת' alcoholic
אַלְכּוֹהוֹלִיזְם ז' alcoholism
אַלְכּוֹהוֹלִיסְט ז' alcoholic
אַלְכִּימַאי ז' alchemist
אַלְכִּימְיָה נ' alchemy
אֲלַכְסוֹן ז' diagonal
- באלכסון aslant, diagonally
אֲלַכְסוֹנִי ת' diagonal, oblique
אֲלַכְסוֹנִית תה"פ diagonally
אַלְלָה ז' Allah, God
- אללה אכבר! Allah is great!
אַלְלַי מ"ק woe is me
אֵלֶם ז' dumbness, silence
- הכה באלם dumbfound, strike dumb
אל"מ = אלוף משנה colonel

אַלְמוֹג ז' coral
אַלְמָוֶת ז' immortality
- בן אלמוות immortal
אַלְמוֹן ז' alder, widowhood
אַלְמוֹנִי ת' anonymous, nameless, obscure, unknown
אַלְמוֹנִיוּת נ' anonymity, obscurity
- באלמוניות incognito
אַלְמוֹתִי ת' deathless, immortal
אִלְמָלֵא מ"ח but for, if it weren't
אַלְמָן ז' widower
- לא אלמן ישראל there is hope
אַלְמָנָה נ' widow
- אלמנה שחורה (עכביש) black widow
- אלמנת קש grass widow
אַלְמְנוּת נ' widowhood
אֶלֶמֶנְט (יסוד) ז' element
אֶלֶמֶנְטָרִי (יסודי) ת' elementary
אַלְמָנָךְ ז' almanac
אַלְמַתֶּכֶת נ' nonmetal
אֶלַסְטִי ת' elastic, stretchy
אֶלַסְטִיוּת נ' elasticity
אִלְסָר ז' hazel, hazelnut, filbert
אָלֶף ז' aleph (letter), alpha
- אלף בית alphabet
- לא באלף רבתי absolutely not
אֶלֶף ש"מ thousand, 1000
- אלף דולר *G, *grand
- אלף מונים thousandfold
- אלף שנה millennium
- האלף thousandth
אַלְפָא נ' alpha
אַלְפְבֵּיתִי ת' alphabetical
אַלְפוֹן ז' alphabetical index
אַלְפִּיוֹן ז' thousandth
- אלפיון עליון upper class
*אַלְפִּיָּה נ' thousand (dollars)
אַלְפַּיִם ש"מ two thousand, 2000
אַלְפִּינִיסְט (מטפס הרים) ז' Alpinist
אַלְפִּית נ' thousandth
אִלְפָּס ז' casserole, pan, saucepan
אַלְפָּקָה (דומה ללאמה) נ' alpaca
אַלְצְהַיימֶר (מחלת-) Alzheimer's disease
אֶלֶקְטוֹר (נציג בוחר) ז' elector
אֶלֶקְטוֹרָלִי (של בחירות) ת' electoral
אֶלֶקְטְרוֹדָה נ' electrode
אֶלֶקְטְרוֹדִינָמִיקָה נ' electrodynamics
אֶלֶקְטְרוֹלִיזָה נ' electrolysis
אֶלֶקְטְרוֹמַגְנֵט ז' electromagnet
אֶלֶקְטְרוֹן ז' electron
אֶלֶקְטְרוֹנִי ת' electronic
אֶלֶקְטְרוֹנִיקָה נ' electronics
אֶלֶקְטְרוֹקַרְדְיוֹגְרָמָה נ' ECG, electrocardiogram
אַלְקָלִי ז' alkali
אַלֶרְגִּי (רגיש) ת' allergic
אַלֶרְגְּיָה נ' allergy
אִלְתּוּר ז' improvisation
אִלְתִּית נ' salmon
אִלְתֵּר פ' ad-lib, improvise, extemporize, wing it
אַלְתַּר תה"פ immediately
- לאלתר immediately, forthwith
אֵם נ' mother, *mom, *old woman
- אימות הקריאה vowels

- אם בית matron, housemother
- אם בעתיד mother-to-be
- אם הדרך crossroads
- אם המרגלית mother-of-pearl
- אם חורגת stepmother
- אם פונדקאית surrogate mother

אם מ"ח if, whether, in case of
- אם אך- once, if only
- אם בכלל if anything, if ever
- אם גם even if
- אם ירצה השם God willing
- אם כבר if anything
- אם כי although
- אם כך if so, in that event
- אם כך ואם כך anyway
- אם כן if so
- אם לא unless, if not
- האם is it, whether
- ואם לאו or otherwise
- שאם לא כן otherwise

אמא נ' mother, *ma, *mamma
אמבה נ' ameba, amoeba
אמבולטורי ת' ambulatory, ambulant
אמבולנס ז' ambulance
אמבט ז' bathtub, *tub
אמבטיה נ' bath, bathroom, bathtub
אמבי ת' amebic
אמביוולנטי (דו-ערכי) ת' ambivalent
אמביוולנטיות נ' ambivalence
אמביציה (שאיפה) נ' ambition
אמברגו ז' embargo
- הסיר אמברגו raise an embargo

אמד פ' assess, estimate, appraise, value
אמה נ' forearm, middle finger, cubit, ell
- אמת מידה criterion, measure
- אמת מים aqueduct
- הסתגר בד' אמותיו retire into one's shell

אמה נ' maidservant
אמהרית (שפת אתיופיה) נ' Amharic
אמודאות נ' diving
אמודאי ז' diver
אמולסיה (תחליב) נ' emulsion
אמון ז' confidence, trust, credibility, faith
- אמונים loyalty, fealty
- הפרת אמון breach of faith

אמון ת' faithful, loyal, accustomed
אמונה נ' belief, faith, religion
- אמונה טפלה superstition
- באמונה honestly, in faith
- חדור אמונות טפלות superstitious

אמוניה נ' ammonia
אמוציה נ' emotion
אמוציונלי (ריגושי) ת' emotional
אמוק (טירוף) ז' amok, amuck
אמור ת' stated, said
- אמור ל- supposed to, due to
- האמור foregoing, the said
- כאמור as aforesaid

אמורפי (חסר-צורה) ת' amorphous
אמזונה נ' amazon
אמיד ת' well-to-do, well-off, rich
אמייל ז' enamel
אמין ת' authentic, believable, credible, reliable, trustworthy
אמינות נ' credibility, reliability
אמיסיה (הנפקה) נ' emission
אמיץ ת' bold, brave, courageous
אמיר ז' amir, emir
אמיר ז' treetop
אמירה נ' saying, statement
אמירות נ' emirate
אמיתה נ' axiom, truth, verity
אמיתות נ' authenticity, veracity
אמיתי ת' authentic, real, true, genuine
אמיתיות נ' authenticity
אמלגמה נ' amalgam
אמל"ח = אמצעי לחימה
אמלל פ' make miserable
אמן פ' foster
אמן ז' artist, master
אמן מ"ק amen
אמ"ן = אגף המודיעין
אמנה נ' pact, treaty, convention
אמנון (דג) ז' St. Peter's fish, cichlid
אמנון ותמר (צמח) ז' pansy
אמנסיה (שיכחון) נ' amnesia
אמנציפציה נ' emancipation
אמפולה (שפופרת) נ' ampulla
אמפיבי (דו-חי) ת' amphibious
אמפירי (ניסויי) ת' empiric
אמפיתיאטרון ז' amphitheater, bowl
אמפליטודה (משרעת) נ' amplitude
אמפר (יחידת זרם) ז' ampere
אמפרסנד ז' ampersand, (&)
אמפתיה (הבנה) נ' empathy
אמצע ז' center, middle, midst
- באמצע in the middle of

אמצעות נ' means
- באמצעות by means of, through

אמצעי ז' means, tool
- אמצעי בטיחות safeguard
- אמצעי זהירות precaution
- אמצעי לחימה weapons
- אמצעי מחייה means of support
- אמצעי מניעה contraceptive, prophylactic
- אמצעים measures, means
- בכל האמצעים by fair means or foul
- בעל אמצעים man of means

אמצעי ת' center, middle, mean
- בלתי אמצעי direct

אמר פ' say, speak, state, tell, observe, come out with
- אומר ועושה decisive, no sooner said than done
- אומרים some say, they say, It's said that, It's said, report has it
- אמר נואש abandon all hope
- הווי אומר that is to say
- הייתי אומר so to say

אמרגן ז' impresario, manager
אמרגנות נ' management
אמרה נ' flounce, hem, selvage, saying, statement
- אמרת כנף catch phrase

אמריטוס (בדימוס) ת' emeritus

אֲמֶרִיקָה נ׳ — America
אֲמֶרִיקָנִי ז׳ — American
אֲמַרְכָּל ז׳ — administrator
אֲמַרְכָּלוּת נ׳ — administration
אֶמֶשׁ תה״פ — last night
אֱמֶת נ׳ — truth, truism, verity
- אמת לאמיתה — naked truth
- הסתלק לעולם האמת — die
- לאמיתו של דבר — actually
אַמְתַּחַת נ׳ — bag, saddlebag, sack
- שמר באמתחת — keep in store
אֲמַתְלָה נ׳ — excuse, pretext, subterfuge
א״נ = אדון נכבד — dear Sir
אָנָּא מ״ק — come on, please, kindly
אַנַאלְפָבֵּית ז׳ — illiterate, unlettered
אַנַאלְפָבֵּיתִיּוּת נ׳ — illiteracy
אַנְגּוֹרָה (צמר בע״ח) נ׳ — angora
אַנְגִינָה נ׳ — angina, tonsillitis
אַנְגְּלוֹ סַקְסִי ת׳ — Anglo-Saxon
אַנְגְּלִי ז׳ — Englishman
- האנגלים — the English
אַנְגְּלִיָּה נ׳ — England
אַנְגְּלִיקָנִי ת׳ — Anglican
אַנְגְּלִית נ׳ — English
אַנְגַּרְיָה (מס עובד) נ׳ — corvee
אַנַגְרָמָה (היפוך אותיות) נ׳ — anagram
אֶנְדוֹסְקוֹפּ (מכשיר בודק) נ׳ — endoscope
אֶנְדוֹקְרִינוֹלוֹגְיָה נ׳ — endocrinology
אֶנְדֶּמִי (מקומי) ת׳ — endemic
אַנְדַנְטֶה (לאט) תה״פ — andante
אַנְדְרוֹגִינוֹס ז׳ — hermaphrodite
אַנְדְרוֹגִינִי ת׳ — androgynous, hermaphroditic
אַנְדַּרְטָה נ׳ — monument, statue
אַנְדְרָלָמוּסְיָה נ׳ — disorder, pandemonium
אָנָה תה״פ — where, whither
- אנה ואנה — to and fro
אָנוּ מ״ג — we
אָנוֹדָה נ׳ — anode
אָנוֹכִי ת׳ — selfish, egoist, self-interested, self-seeker
אָנוֹכִי מ״ג — I
אָנוֹכִיּוּת נ׳ — egoism, self-interest
אָנוֹמַלְיָה (חריגה) נ׳ — anomaly
אַנוֹנָה נ׳ — annuity
אַנוֹנִימִי ת׳ — anonymous
אַנוֹנִימִיּוּת נ׳ — anonymity
אָנוּס ת׳ — compelled, forced
אַנוֹרְמָלִי (לא נורמלי) ת׳ — abnormal
אָנוֹרֶקְטִי ת׳ — anorectic
אָנוֹרֶקְסְיָה (נֶרווֹזָה) נ׳ — anorexia (nervosa)
אֱנוֹשׁ ז׳ — man
אָנוּשׁ ת׳ — mortal, severe
אֱנוֹשׁוּת נ׳ — humanity, mankind
אֲנוּשׁוֹת תה״פ — seriously, mortally
אֱנוֹשִׁי ת׳ — human, humane, humanitarian
- המין האנושי — humankind
אֱנוֹשִׁיּוּת נ׳ — humanism, humanity
אֶנְזִים ז׳ — enzyme
אֲנָחָה נ׳ — groan, sigh, moan
- אנחת רווחה — sigh of relief
אֲנַחְנוּ מ״ג — we
אַנְטַארְקְטִי ת׳ — Antarctic

אַנְטַארְקְטִיקָה נ׳ — Antarctica
אַנְטָגוֹנִיזְם (ניגוד) ז׳ — antagonism
אֶנְטוֹמוֹלוֹגְיָה נ׳ — entomology
אֲנָטוֹמִי ת׳ — anatomical
אֲנָטוֹמְיָה נ׳ — anatomy
אַנְטוֹנִים (מלה נגדית) ז׳ — antonym
אַנְטִי ת׳ — anti
אַנְטִי-גִיבּוֹר ז׳ — antihero
אַנְטִיבְּיוֹטִי ת׳ — antibiotic
אַנְטִיבְּיוֹטִיקָה נ׳ — antibiotics
אַנְטִיגֶן (יוצר נוגדנים) ז׳ — antigen
אַנְטִילוֹגָרִיתְם ז׳ — antilogarithm
אַנְטִילוֹפָּה (צבי) נ׳ — antelope
אַנְטִיפָּתִי (לא אהוד) נ׳ — unpleasant
אַנְטִיפַּתְיָה נ׳ — antipathy, dislike
אַנְטִיקְלִימַקְס ז׳ — anticlimax
אַנְטִישֵׁמִי ת׳ — anti-Semite, anti-Semitic
אַנְטִישֵׁמִיּוּת נ׳ — anti-Semitism
אַנְטִיתֶזָה (ניגוד) נ׳ — antithesis
אַנְטֶנָה נ׳ — aerial, antenna
- חוט אנטנה — lead-in
אֲנִי מ״ג — I
*- אני איתך — I follow you, I hear you
- אני ואפסי עוד — no one like me
- אני תקווה — I hope
- זה אני — it's me
אֲנִימַצְיָה (הנפשה) נ׳ — animation
אָנִין ת׳ — dainty, fastidious
- אנין טעם — epicure, gourmet
- אנין נפש — prude
אֲנִינוּת נֶפֶשׁ נ׳ — prudery
אָנִיץ ז׳ — fiber, thin stalk
אֲנָךְ ז׳ — lead, plumb line, perpendicular, plummet
אֲנָכִי ת׳ — perpendicular, vertical
אֲנָכִית תה״פ — vertically
אֲנַכְרוֹנִיזְם ז׳ — anachronism
אֲנָלוֹגִי (דומה) ת׳ — analogical, analog
אֲנָלוֹגְיָה (היקש) נ׳ — analogy
אֲנָלִי (של פי הטבעת) ת׳ — anal
אֲנָלִיזָה (ניתוח) נ׳ — analysis
אֲנָלִיטִי ת׳ — analytical
אֲנֶמוֹמֶטֶר (מד-רוח) ז׳ — anemometer
אֲנֶמִי ת׳ — anemic
אֲנֶמְיָה (מיעוט דם) נ׳ — anemia
אֲנָנָס ז׳ — pineapple
אָנַס פ׳ — compel, rape, ravish, violate
אַנָּס ז׳ — rapist
אַנְסַמְבְּל (צוות) ז׳ — ensemble
אֲנָפָה (עוף) נ׳ — egret, heron
אִנְפּוּף ז׳ — nasalization, snuffle
אַנְפִּילָאוֹת נ״ר — slippers
אַנְפִּין: בִּזְעֵיר אַנְפִּין — in miniature
אִנְפֵּף פ׳ — nasalize, snuffle
אֶנְצִיקְלוֹפֶּדִי ת׳ — encyclopedic
אֶנְצִיקְלוֹפֶּדְיָה נ׳ — encyclopedia
אֲנֶקְדוֹטָה (מעשייה) נ׳ — anecdote
אֲנָקָה נ׳ — groan, sigh
אַנְקוֹל ז׳ — hook
אַנְקוֹר ז׳ — sparrow
אֶנֶרְגֶטִי (נמרץ) ת׳ — energetic
אֶנֶרְגִי (נמרץ) ת׳ — energetic
אֶנֶרְגְיָה נ׳ — energy
- אנרגיה סולארית — solar energy
- אנרגיה פוטנציאלית — potential energy

- אנרגיה קינטית kinetic energy
אֲנַרְכִי ת׳ anarchic
אֲנַרְכִיָּה (הפקרות) נ׳ anarchy
אֲנַרְכִיזְם ז׳ anarchism
אֲנַרְכִיסְט ז׳ anarchist
אַנְשׁוֹבִי (עפיין) ז׳ anchovy
אֲנָשִׁים ז״ר people, men
- אנשים מן השורה rank and file
אַנְתּוֹלוֹגְיָה (לקט) נ׳ anthology, miscellany
אַנְתְּרוֹפּוֹאִיד (קוף אדם) ז׳ anthropoid
אַנְתְּרוֹפּוֹלוֹג ז׳ anthropologist
אַנְתְּרוֹפּוֹלוֹגְיָה נ׳ anthropology
אָס (קלף) ז׳ ace
אֶס אוֹ אֶס מ״ק SOS
אַסְדָּה נ׳ raft
- אסדת נחיתה landing craft
אָסוּךְ (לסיכה) ז׳ oiler, squirter, oil-can
אָסוֹן ז׳ disaster, calamity, catastrophe, misfortune
אֲסוּפָה נ׳ collection
אֲסוּפִי ז׳ foundling
אַסּוֹצִיאַצְיָה (תסמיך) נ׳ association
אָסוּר ת׳ forbidden, must not, imprisoned, in chains
אָסוּתָא מ״ק your good health!
אֶסְטוֹנְיָה נ׳ Estonia
אִסְטְנִיס ת׳ fastidious, squeamish
אַסְטֶרוֹאִיד (כוכב) ז׳ asteroid
אֶסְטְרוֹגֶן (הורמון) ז׳ estrogen
אַסְטְרוֹלוֹג ז׳ astrologer
אַסְטְרוֹלוֹגְיָה נ׳ astrology
אַסְטְרוֹנָאוּט ז׳ astronaut
אַסְטְרוֹנָאוּטִיקָה נ׳ astronautics
אַסְטְרוֹנוֹם ז׳ astronomer, *stargazer
אַסְטְרוֹנוֹמִי ת׳ astronomical
אַסְטְרוֹנוֹמְיָה נ׳ astronomy
אַסְטְרוֹפִיזִיקָה נ׳ astrophysics
אִסְטְרָטֵג ז׳ strategist
אִסְטְרָטֶגִי ת׳ strategic(al)
אִסְטְרָטֶגְיָה נ׳ strategy, strategics
אַסְיָה נ׳ Asia
אַסְיָתִי ת׳ Asian
אֲסִימוֹן ז׳ token, slug, chip
- אסימון משחק chip, counter
- אסימון שחוק worthless thing
*- ירד לו האסימון understand, grasp
אַסִיסְטֶנְט ז׳ assistant
אָסִיף ז׳ harvest, ingathering
אֲסֵיפָה נ׳ gathering, meeting, assembly, rally
אָסִיר ז׳ prisoner, convict, *con
- אסיר עולם sentenced for life
- אסיר ציון Zionist prisoner
- אסיר תודה grateful, thankful
אַסְכּוֹלָה נ׳ school of thought
אַסְכָּלָה נ׳ broiler, grid, grill, gridiron
אַסְכָּרָה נ׳ croup, diphtheria
אֶסֶל ז׳ beam, yoke
אַסְלָה נ׳ lavatory bowl, pan, toilet
אָסָם ז׳ barn, granary
אַסְמַכְתָּה נ׳ support, voucher
אָסַף פ׳ assemble, collect, gather
אַסְפִּירִין ז׳ aspirin
אַסְפַלְט ז׳ asphalt

אִסְפְּלָנִית נ׳ adhesive tape, plaster
אַסְפַּמְיָה: חֲלוֹם בְּאַסְפַּמְיָה castles in the air, day dream
אַסְפָן ז׳ collector
- אספן בולים philatelist
- אספן מטבעות numismatist
אַסְפָנוּת נ׳ collecting
אֲסַפְסוּף ז׳ mob, rabble, ragtag, riffraff
אַסְפֶּסֶת (צמח) נ׳ alfalfa, lucerne
אַסְפָּקָה נ׳ provision, supply
אַסְפֶּקְט (היבט) ז׳ aspect, light, side
אַסְפַּקְלַרְיָה נ׳ mirror, aspect
אַסְפָּרָגוֹס ז׳ asparagus
אֶסְפֶּרַנְטוֹ (שפה) ז׳ Esperanto
אֶסְפְּרֶסוֹ ז׳ espresso
אַסְקוּפָּה נ׳ threshold, doorstep
- אסקופה נדרסת submissive man
אֶסְקִימוֹסִי ז׳ Eskimo
אָסַר פ׳ arrest, ban, forbid, imprison, incarcerate, prohibit
- אסר מלחמה go to war
אִסְרוּ חַג day after holiday
אַסֶרְטִיבִי (דַעְתָּן) ת׳ assertive
אֶסְתֶּטִי ת׳ esthetic
אֶסְתֶּטִיקָה (יופי) נ׳ esthetics
אֶסְתֶּטִיקָן ז׳ esthete
אַסְתְּמָה (קצרת) נ׳ asthma
אַסְתְּמָטִי ת׳ asthmatic
אֶסְתֵּר (מגילה) נ׳ Esther
אַסְתֵּר (צמח) ז׳ aster
אע״פ = אף על פי although
אעפ״כ = אף על פי כן nevertheless
אַף ז׳ nose, *snout, *snoot
- אף נשרי roman nose
- אף-אוזן-גרון ENT, ear, nose and throat
- אפיים ארצה prostrate, prone
- על אפו ועל חמתו against his will, unwillingly
אַף מ״ח also, even, too
- אף אחד no one, nobody, none
- אף אחד משניהם (לא) neither
- אף אם even if, even though
- אף כי, אף ש- although
- אף על גב although
- אף על פי כן nevertheless, however, nonetheless, though
- אף על פי-ש- although
- אף פעם never
- על אף despite
אַפְגָנִי ת׳ Afghan
אַפְגָנִיסְטָן נ׳ Afghanistan
אָפָה פ׳ bake, cook
אֵפוֹא (ראה איפוא) תה״פ then
אֵפוֹד ז׳ vest, tunic
- אפוד מגן flak jacket, bulletproof vest
אֲפוּדָּה נ׳ jumper, pullover, sweater
אַפּוֹטְרוֹפּוֹס ז׳ custodian, guardian, patron
אַפּוֹטְרוֹפְּסוּת נ׳ guardianship
אַפּוֹטְרוֹפְּסִי ת׳ custodial
אָפוּי ת׳ baked
אַפּוֹלוֹגֶטִיקָה נ׳ apologetics
אַפּוֹלִיטִי (לא פוליטי) ת׳ apolitical

אֲפוּנָה נ׳ pea, peas
אֶפּוֹס (עלילה) ז׳ epic
אַפּוֹסְטוֹל (שליח) ז׳ apostle
אַפּוֹסְטֶרְיוֹרִי תה״פ a posteriori
אָפוּף ת׳ wrapped, surrounded
אַפּוֹקָלִיפְּטִי ת׳ apocalyptic
אַפּוֹקָלִיפְּסָה נ׳ apocalypse
אַפּוֹקְרִיפִים ז״ר Apocrypha
אָפוֹר ת׳ gray, grey, ashen, ashy
אָפַזְיָה (שְׁתֶקֶת) נ׳ aphasia
אַפְטֶרְשֵׁייב (לאחר גילוח) ז׳ aftershave
אַפִּי ת׳ nasal
אֶפִּי (עלילתי) ת׳ epic
אֶפִּידוּרָל (זריקת הרדמה) ז׳ epidural
אֶפִּידֶמִי ת׳ epidemic
אֶפִּידֶמְיָה (מגפה) נ׳ epidemic
אִפְיוּן ז׳ characterization
אֶפִּיזוֹדָה (מקרה) נ׳ episode
אֶפִּיזוֹדִי ת׳ episodic
אֲפִיָּה נ׳ baking
אַפַּיִם אַרְצָה תה״פ prostrate
אִפְיֵן פ׳ characterize, typify
אֲפִילוּ מ״ח even, even if, even though
- אפילו אז even now, even then
- אפילו לא not so much as
אֶפִּילוֹג (סוף) ז׳ epilogue
אֶפִּילֶפְּסִיָה נ׳ epilepsy
אֶפִּילַצְיָה (הסרת שיער) נ׳ epilation
אֲפִיסָה נ׳ end
- אפיסת כוחות exhaustion, weakness
אֲפִיפָה נ׳ surrounding, wrapping
אַפִּיפְיוֹר ז׳ Pope, Pontiff
אַפִּיפְיוֹרוּת נ׳ papacy, Holy See, pontificate
אֲפִיפִית נ׳ biscuit, wafer, scone, waffle
אָפִיק ז׳ channel, riverbed
אֲפִיקוֹמָן ז׳ half matzah
אֶפִּיקוֹרוֹס ז׳ heretic
אֶפִּיקוֹרְסוּת נ׳ heresy
אֶפִּיקוֹרְסִי ת׳ heretical, infidel
אָפֵל ת׳ dark, obscure, murky
אֲפֵלָה נ׳ darkness
אַפְלוּלִי ת׳ dim, dusky
אַפְלוּלִית נ׳ dimness
אַפְּלָטוֹן ז׳ Plato
אַפְּלָטוֹנִי ת׳ Platonic
אַפְלָיָה נ׳ discrimination, favoritism
אַפְּלִיקַצְיָה נ׳ application, applique
אֶפֶנְדִי ז׳ effendi
אַפֶּנְדִיצִיט ז׳ appendicitis
אִפְנוּן ז׳ modulation
אִפְנֵן פ׳ modulate
אָפֵס פ׳ end, be exhausted
- אפסה כל תקווה all hope vanished
אֶפֶס ז׳ cipher, nil, zero, O, naught
*- אין אפס certainly, without doubt
- אפס מעשה inaction
- אפס נקודות *love
- אפס קצהו only a little part of it
- אפסים ואיקסים (משחק) noughts and crosses, tick-tack-toe
- בתיקו אפס pointless, scoreless
- עד אפס מקום completely full
אֶפֶס תה״פ but, yet

אִפְסוּן ז׳ store-keeping
אַפְסוּת נ׳ nullity, worthlessness
אַפְסִי ת׳ insignificant, worthless
אִפְסֵן פ׳ store
אַפְסְנָאוּת נ׳ supply, store-keeping
אַפְסְנַאי ז׳ quartermaster
אַפְסָר ז׳ halter, tether
אֶפְעֶה (נחש) ז׳ adder, asp, viper
אָפַף פ׳ surround, wrap up
אֶפֶקְט ז׳ effect
- אפקט דופלר Doppler effect
- אפקט הדומינו domino effect
- אפקט החממה greenhouse effect
- אפקטים קוליים sound effects
אֶפֶקְטִיבִי ת׳ effective, telling
אֵפֶר ז׳ ash, ember, ashes
אֶפְרוֹחַ ז׳ chick, chicken, fledgling
אַפְּרוֹפּוֹ תה״פ apropos
אַפְרוּרִי ת׳ grayish, ashy
אַפַּרְטְהַייד ז׳ apartheid
אַפִּרְיוֹן ז׳ canopy, sedan, palanquin
אַפְּרִיוֹרִי תה״פ a priori
אַפֶּרִיטִיף (משקה מְתַאֲבֵן) ז׳ aperitif
אַפְּרִיל ז׳ April
- האחד באפריל All Fools' Day
אַפְרִיקָה נ׳ Africa
אַפְרִיקָנִי ת׳ African
אֲפַרְכֶּסֶת נ׳ earpiece, receiver
- עשה אוזנו כאפרכסת listen well
אֲפַרְסְמוֹן ז׳ persimmon
אֲפַרְסֵק ז׳ peach
אֲפַרְפַּר ת׳ grayish, greyish
אַפְּרַקְדָן תה״פ supine, on back
אֲפַרְשְׁזִיף ז׳ nectarine
אִפְשׁוּר ז׳ enabling
אִפְשֵׁר פ׳ enable, make possible, let, permit
אֶפְשָׁר תה״פ perhaps, possible, maybe, -able
- אי אפשר impossible
- אפשר לומר if you like
- שאפשר למנוע preventable
אֶפְשָׁרוּת נ׳ chance, possibility, likelihood, probability
אֶפְשָׁרִי ת׳ possible, likely
- אם הדבר אפשרי if possible
- בלתי אפשרי impossible
אַפָּתִי (אדיש) ת׳ apathetic
אַפָּתְיָה נ׳ apathy
אָץ פ׳ hurry, rush, hasten
- אצה לו הדרך hasten
אֶצְבַּע נ׳ finger, digit, forefinger
- אצבע (הגליל) panhandle
- אצבע הרגל toe
- אצבע משולשת sign of contempt
- החזיק אצבעות cross one's fingers
- הכה באצבע צרידה snap one's fingers
- לא נקף אצבע not lift a finger
אֶצְבָּעוֹן ז׳ thimble
אֶצְבְּעוֹנִי ז׳ midget
אֶצְבְּעוֹנִית (צמח נוי) נ׳ foxglove
אַצָּה נ׳ seaweed, alga
- אצות algae
אֲצוּוָה נ׳ batch, group
אֲצוּלָה נ׳ nobility, peerage

אִצְטַבָּה נ׳ ledge, shelf
אִצְטַגְנִין ז׳ astrologer
אִצְטַדְיוֹן ז׳ stadium, bowl
אֶצֶטוֹן ז׳ acetone
אֶצֶטִילֶן (גז) ז׳ acetylene
אִצְטְלָה נ׳ cloak, robe
- התעטף באצטלה pretend
אִצְטְרֻבָּל ז׳ acorn, cone, pine cone
אִצְטְרֻבָּלִי ת׳ pineal
אַצִּיל ז׳ upper arm, arm
אָצִיל ז׳ noble, nobleman, peer
- אציל נפש magnanimous
אֲצִילָה נ׳ vesting, bestowal, noblewoman, peeress
אֲצִילוּת נ׳ nobility, dignity
- האצילות מחייבת noblesse oblige
אֲצִילִי ת׳ courtly, noble, lordly
אָצַל פ׳ bestow, delegate, confer
אֵצֶל מ״י at, beside, by, near
- אצלי/אצלך וכו׳ at me/by me/at you etc.
אָצָן ז׳ runner, sprinter
אֶצְעָדָה נ׳ bangle, bracelet
- אצעדת קרסול anklet
אָצַר פ׳ collect, accumulate
א״ק = אוניית קיטור steamship
אק״ג ECG
אֶקְדּוֹחָן ז׳ gunman
אֶקְדָּח ז׳ gun, pistol, revolver
- אקדח מים water pistol, squirt gun
אֲקָדֶמַאי ז׳ academic
אֲקָדֶמִי ת׳ academic
אֲקָדֶמְיָה נ׳ academy
אַקּוֹ ז׳ ibex
אֶקְוָודוֹר נ׳ Ecuador
אֶקְוִיוָולֶנְטִי (שקול) ת׳ equivalent
אֶקְוִיוָולֶנְטִיּוּת נ׳ equivalence
אַקְוִיפֶר ז׳ aquifer
אַקְוָורְיוּם ז׳ aquarium
אַקְוָורֶל ז׳ aquarelle
אַקּוּטִי (חריף) ת׳ acute
אֶקוֹלוֹגִי ת׳ ecological
אֶקוֹלוֹגְיָה נ׳ ecology, environment
אֶקוּמֶנִי (כנסייתי) ת׳ ecumenical
אֶקוֹנוֹמִי (משקי) ת׳ economic
אֶקוֹנוֹמְיָה (משק) נ׳ economy
אָקוּסְטִי ת׳ acoustic
אָקוּסְטִיקָה נ׳ acoustics
אָקוּפּוּנְקְטוּרָה (דיקור) נ׳ acupuncture
אַקּוֹרְד ז׳ chord
אַקּוֹרְדְיוֹן ז׳ accordion
אַקּוֹרְדְיוֹנִיסְט ז׳ accordionist
אֶקְזוֹטִי ת׳ exotic
אֶקְזִיסְטֶנְצְיָאלִיזְם ז׳ existentialism
אֶקְזֶמָה (גָּרָב) נ׳ eczema
אַקְט (מעשה) ז׳ act
אַקְטוּאָלִי ת׳ actual, current, topical
אַקְטוּאַלְיָה נ׳ current events
אַקְטוּאָלִיּוּת נ׳ actuality
אַקְטוּאָר (שמאי) ז׳ actuary
אַקְטִיב ז׳ active, assets
אַקְטִיבִי ת׳ active
אַקְטִיבִיסְט ז׳ activist
אִקְלוּם ז׳ acclimation
אַקְלִים ז׳ climate
- אקלים ממוזג temperate climate

אַקְלִימָאוּת נ׳ climatology
אַקְלִימִי ת׳ climatic
אִקְלֵם פ׳ acclimate, naturalize, season
אֶקְלֶקְטִי (מְלֻקָּט) ת׳ eclectic
*אֶקְס (בן-זוג בעבר) ז׳ ex
אֶקְסְהִיבִּיצְיוֹנִיזְם ז׳ exhibitionism
אֶקְסְטָזָה (ריגוש) נ׳ ecstasy
אֶקְסְטָטִי ת׳ ecstatic
אֶקְסְטְרָה ת׳ extra
אֶקְסְטֶרִיטוֹרְיָאלִי ת׳ exterritorial
אֶקְסְטֶרְנִי ת׳ external
אֶקְסְטְרַפּוֹלַצְיָה (חִיּוּץ) נ׳ extrapolation
אַקְסְיוֹמָה נ׳ axiom, postulate
אֶקְסְפֶּרְטִיזָה נ׳ expertise
אֶקְסְפֶּרִימֶנְט (ניסוי) ז׳ experiment
אֶקְסְפְּרֶס תה״פ express
אֶקְסְפְּרֶסְיוֹנִיזְם ז׳ expressionism
אֶקְסְקְלוּסִיבִי (בלעדי) ת׳ exclusive
אֶקְסְקְלוּסִיבִיּוּת נ׳ exclusiveness
אַקְר ז׳ acre
- השטח באקרים acreage
אַקְרַאי ז׳ chance, random
- באקראי by chance, at random
אַקְרָאִי ת׳ accidental, random
אַקְרוֹבָּט ז׳ acrobat, tumbler
אַקְרוֹבָּטִי ת׳ acrobatic
אַקְרוֹבָּטִיקָה נ׳ acrobatics
אַקְרוֹסְטִיכוֹן ז׳ acrostic
אַקָּרִית (טפיל) נ׳ mite
אֶקְרָן ז׳ screen
*אֶקְשֶׁן (פעילות) ז׳ action
אָרַב פ׳ ambush, waylay, lurk
אַרְבֶּה ז׳ locust
אַרְבָּה נ׳ barge
אַרְבַּע ש״מ four, 4
- ארבע כנפות fringed undershirt
- ארבע רוחות השמים four winds
- הולך-על-ארבע quadruped
- חילק לארבע quarter
- כפל בארבע quadruplicate
אַרְבַּע עֶשְׂרֵה ש״מ fourteen, 14
אַרְבָּעָה ש״מ four, 4
- ארבעה רבעים semibreve, whole note
אַרְבָּעָה עָשָׂר ש״מ fourteen, 14
- (החלק) הארבעה עשר fourteenth
אַרְבָּעוֹן ז׳ tetrahedron
אַרְבָּעִים ש״מ forty, 40
- (החלק) הארבעים fortieth
אָרַג פ׳ weave
אֶרֶג ז׳ fabric, material
אִרְגּוּן ז׳ organization
אִרְגּוּנִי ת׳ organizational
אַרְגָּז ז׳ box, chest, crate
- ארגז חול sand-box
אַרְגָּמָן ז׳ crimson, purple
- ארגמן בהיר lavender, mauve
אַרְגְּמָנִי ת׳ purplish
אִרְגֵּן פ׳ organize, get together
אַרְגֶּנְטִינָה נ׳ Argentina
אַרְגֶּנְטִינִי ז׳ Argentine
אַרְגָּעָה נ׳ all clear
אָרָד ז׳ bronze
אָרָה פ׳ gather, pick
ארה״ב = ארצות הברית USA

אֲרֻבָּה נ׳ chimney, flue, funnel, shaft, stack
- ארובות השמים נפתחו rain hard
- ארובת העין socket, eye socket

אָרוּג ת׳ woven
אָרוֹגַנְטִי (יהיר) ת׳ arrogant
אָרוּז ת׳ packed
- ארוז אריזת-וקום vacuum-packed

אֶרוֹזְיָה (שחיקה) נ׳ erosion
אֲרוּחָה נ׳ meal, dinner, repast
- ארוחת בוקר breakfast
- ארוחת בוקר מאוחרת brunch
- ארוחת ערב supper
- ארוחת צהריים lunch

אֶרוֹטִי ת׳ erotic
אֶרוֹטִיּוּת נ׳ eroticism
אָרֹךְ ת׳ long, prolonged, lengthy
- ארוך-טווח long-term

אֲרוּכָה, הֶעֱלָה אֲרוּכָה cure, heal
אֲרוּכּוֹת תה״פ at length
אֲרוֹמָה (ניחוח) נ׳ aroma
אֲרוֹמָטִי (ריחני) ת׳ aromatic
אָרוֹן ז׳ cabinet, cupboard
- ארון בגדים wardrobe, closet
- ארון הברית Ark of the Covenant
- ארון המת bier, coffin
- ארון הקודש Holy Ark
- ארון ספרים bookcase
- ארון קיר closet, cupboard
- יצא מן הארון come out of the closet

אֲרוֹנִית נ׳ small cupboard
אָרוּס ז׳ bridegroom, fiance
אֲרוּסָה נ׳ betrothed, bride, fiancee
אָרוּר ת׳ bloody, cursed
אָרַז פ׳ pack
אֶרֶז (עץ) ז׳ cedar
אָרַח לְחֶבְרָה be the guest of
אָרְחֵי פָּרְחֵי bums, tramps
אַרְטִילֶרִי ת׳ artillery
אַרְטִילֶרְיָה נ׳ artillery
אַרְטִיסְט (שחקן) ז׳ artist
אַרְטִיק ז׳ ice-lolly
אַרְטִישׁוֹק ז׳ artichoke
אֲרִי ז׳ lion
- ארי הים sea lion
- ארי שבחבורה dominant person
- חלק הארי lion's share, the greater part of

אָרִי ת׳ Aryan
אָרִיג ז׳ cloth, fabric, material, textile, tissue
אֲרִיגָה נ׳ weaving
אַרְיֵה ז׳ lion
- להקת אריות pride of lions

אַרְיָה (שיר) נ׳ aria
אֲרִיזָה נ׳ package, packing
- אריזת ואקום vacuum-packed

אָרִיחַ ז׳ brick, flagstone, tile
- אריחיים square brackets

אֲרִיךְ נֶגֶן ת׳ long-playing, LP
אֲרִיכוּת נ׳ length, lengthiness
- אריכות ימים longevity

אָרִיס ז׳ tenant, tenant farmer
אֲרִיסוּת נ׳ tenancy
אֲרִיסְטוֹ ז׳ Aristotle

אֲרִיסְטוֹקְרָט ז׳ aristocrat
אֲרִיסְטוֹקְרָטִי ת׳ aristocratic
אֲרִיסְטוֹקְרַטְיָה נ׳ aristocracy
אֲרִיתְמֶטִי ת׳ arithmetic
אֲרִיתְמֶטִיקָה נ׳ arithmetic
אֶרִיתְרֵיאָה נ׳ Eritrea
אָרַךְ פ׳ last, take time
- ארך זמן take long, take time

אֶרֶךְ ת׳ long
- ארך אפיים patient
- ארך מועד long-term
- ארך רוח patient
- ארך שיער longhaired

אַרְכָאִי (מיושן) ת׳ archaic
אַרְכָאִיזְם (מלה עתיקה) ז׳ archaism
אַרְכָּה נ׳ extension, grace, respite
אַרְכּוּבָה נ׳ crank
אַרְכּוֹף ז׳ stirrup, stocks, caliper
אַרְכֵיאוֹלוֹג ז׳ archaeologist
אַרְכֵיאוֹלוֹגִי ת׳ archaeological
אַרְכֵיאוֹלוֹגְיָה נ׳ archaeology
אַרְכִיב ז׳ archives
אַרְכִיבִּישׁוֹף ז׳ archbishop
אַרְכִיבָר ז׳ archivist
אַרְכִיוֹן ז׳ archives
אַרְכִיטֶקְט ז׳ architect
אַרְכִיטֶקְטוֹנִי ת׳ architectonic
אַרְכִיטֶקְטוּרָה נ׳ architecture
אַרְכִיפֶּלָג (קבוצת איים) ז׳ archipelago
אַרְכָן ת׳ prolonging, prolix
אַרְכָנוּת נ׳ lengthening, prolixity
אַרְמָדָה נ׳ armada
אַרְמָדִיל (יונק) ז׳ armadillo
אַרְמוֹן ז׳ castle, palace
ארמייה נ׳ army
אֲרָמִית נ׳ Aramaic
אַרְמֶנְיָה נ׳ Armenia
אַרְנָב ז׳ rabbit
אַרְנָבִייָה נ׳ warren, rabbit hutch
אַרְנֶבֶת נ׳ bunny, hare
אַרְנוֹנָה נ׳ property tax, rate
אַרְנָק ז׳ bag, handbag, purse, wallet
אַרְנָקוֹן ז׳ reticule
אֶרֶס ז׳ poison, venom
אַרְסִי ת׳ poisonous, venomous, virulent
אַרְסִיּוּת נ׳ poisonousness, virulence
אַרְסָן (זרניך) ז׳ arsenic
אַרְעִי ת׳ casual, impermanent, provisional, temporary
אַרְעִיּוּת נ׳ impermanence
אַרְעִית תה״פ temporarily
אֶרֶץ נ׳ land, country, earth, ground, state
- ארץ (משחק) hopscotch
- ארץ גזירה penal colony
- ארץ חסות protectorate, satellite
- ארץ ישראל Israel, Land of Israel
- ארץ לא נודעת terra incognita
- דרך ארץ manners
- הארץ המובטחת the promised land
- חוץ לארץ abroad

אַרְצָה תה״פ to the ground, down, to Israel
אַרְצוֹת הַבְּרִית the United States
אַרְצִי ת׳ earthbound, earthly,

worldly
- בין ארצי – interstate
אַרְצִיּוּת נ׳ – worldliness
אַרְקָדִי ת׳ – Arcadian
אֲרָקָה נ׳ – earth, ground
אַרְקְטִי ת׳ – Arctic
אַרְקְטִיקָה נ׳ – Arctic
אֲרֶשֶׁת נ׳ – countenance, assumption, expression
אֵשׁ נ׳ – fire, flame, light
- אש אנפילדית – enfilade
- אש וגופרית – fireworks, extreme anger
- אש נגד מטוסים – flak, *ack-ack
- אש צולבת – cross-fire
- באש ובמים – through fire and water, rain or shine, come hell or high water
אֶשְׁבּוֹל ז׳ – corn cob
אֶשֶׁד ז׳ – waterfall, rapid, cataract
אַשְׁוָה נ׳ – bobbin, reel, spool
אָשׁוּחַ ז׳ – fir tree, Christmas tree
אָשׁוּר ז׳ – beech, step
- ידע דבר לאשורו – know what's what, know it well
אֶשֶׁךְ ז׳ – testicle, testis, *nut, ball
- אשכים – testicles, *balls
- אשכים טמירים – cryptorchidism
אַשְׁכָּבָה נ׳ – burial, requiem
אֶשְׁכּוֹל ז׳ – bunch, cluster, raceme
- איש אשכולות – learned man, scholar
אֶשְׁכּוֹלִית ת׳ – grapefruit
אַשְׁכְּנַזִּי ז׳ – European Jew
*אַשְׁכָּרָה תה״פ – really, just, great
אֶשֶׁל ז׳ – tamarisk
אש״ל=אכילה שתיה לינה – board and lodging, expenses
אַשְׁלָג ז׳ – potash
אַשְׁלְגָן ז׳ – potassium
אַשְׁלָיָה נ׳ – delusion, illusion, wishful thinking
אָשַׁם פ׳ – be guilty
אָשָׁם ז׳ – blame, guilt
אָשֵׁם ת׳ – guilty, culpable, is to blame, to blame
אַשְׁמַאי ז׳ – sinner
אַשְׁמָה נ׳ – accusation, blame, guilt, charge
אַשְׁמוֹרֶת נ׳ – watch
- אשמורת לילה – night watch
אֶשְׁנָב ז׳ – window, loophole, skylight, fanlight, transom
- אשנב ירי – embrasure
אַשָּׁף ז׳ – wizard
- אשף מטבח – chef
אש״ף – PLO
אַשְׁפָּה נ׳ – refuse, rubbish, garbage, litter, trash
- אשפת חיצים – quiver
אִשְׁפּוּז ז׳ – hospitalization
אִשְׁפֵּז פ׳ – hospitalize
אַשְׁפָּרָה נ׳ – finish
אַשְׁפָּתוֹן ז׳ – garbage can
אֶשְׁקָף ז׳ – porthole, scuttle
אֲשֶׁר מ״ח – that, which, who
- אשר ל- – as to, as regards
- אשר על כן – whereupon
- באשר ל- – as for, as to, concerning
- יהיה אשר יהיה – come what may
- יקרה אשר יקרה – regardless
- כאשר – when, while, as
- מאשר – than
אַשְׁרַאי ז׳ – credit, *tick
אַשְׁרָה נ׳ – visa, permit
- אשרת יציאה – exit visa
- אשרת כניסה – entry visa
אִשְׁרוּר ז׳ – ratification
אַשְׁרֵי מ״ק – happy is the man
- אשרי יושבי ביתך – stay-at-home
אִשְׁרֵר פ׳ – ratify
אֵשֶׁת- (ראה אישה)
אֶשְׁתָּקַד תה״פ – last year, yesteryear
אֵת ז׳ – shovel, spade
אֶת מ״י – (sign of direct object), with
- אותי/אותך וכו׳ – me/you etc.
- איתי/איתך וכו׳ – with me/with you etc.
- את זה – it, this
- את מי – whom
- אתכם (לזכרים) – you
- אתכן (לנקבות) – you
אַתְּ (לנקבה) מ״ג – you
אִתְגֵּר פ׳ – challenge, dare, defy
אֶתְגָּר ז׳ – challenge
אַתָּה מ״ג – you, thou, you are
- אתה מבין (ביטוי סתמי) – you know, you see
אָתוֹן נ׳ – she-ass, mare
אָתוּנָה נ׳ – Athens
אֶתוֹס (מאפיין מיוחד) ז׳ – ethos
אִתְחוּל ז׳ – booting, reset, initialization
אִתְחֵל פ׳ – boot, reset, initialize
אַתְחַלְתָּה ד- – the beginning of
אֶתִי ת׳ – ethical
אָתֵאִיזְם ז׳ – atheism
אָתֵאִיסְט ז׳ – atheist
אָתֵאִיסְטִי ת׳ – atheistic
אֶתְיוֹפִּי ת׳ – Ethiopian
אֶתְיוֹפְּיָה נ׳ – Ethiopia
אֶתִיקָה (מוסר) נ׳ – ethics
אַתְלֵט ז׳ – athlete
אַתְלֵטִי ת׳ – athletic
אַתְלֵטִיקָה נ׳ – athletics
- אתלטיקה קלה – light athletics, track and field
אַתֶּם (לזכרים) מ״ג – you
אֶתְמוֹל תה״פ – yesterday, the day before
אַתֶּן (לנקבות) מ״ג – you
אֶתְנוֹגְרַפְיָה נ׳ – ethnography
אֶתְנוֹלוֹגְיָה (חקר העמים) נ׳ – ethnology
אַתְנַחְתָּה נ׳ – pause, relief, caesura
אֶתְנִי ת׳ – ethnic
אֶתְנַן ז׳ – harlot's pay
אֲתַר ז׳ – place, site
- אתר הסרטה – location, set
- אתר מרפא – spa
אֶתֶר ז׳ – ether
אַתְרָאָה נ׳ – alert, warning, ultimatum
אֶתְרוֹג ז׳ – citron
אַתָּת ז׳ – signaler

ב

בְּ מ״י at, by, in, into, with
- בי/בך וכו׳ in me/in you etc.
ב׳ תה״פ secondly, in the second place
- יום ב׳ Monday
בָּא פ׳ come, arrive, enter, call
- בא אחרי ensue, follow, succeed
- בא במגע עם be in touch with
*- בא לו ל- feel like to
- בא לידי- come to, reach
- בא לפני precede
בָּא ת׳ coming, next
- בא בימים aged, old
- בא כוח representative, attorney, proxy, delegate, deputy
- הבא following, next, to come
ב״א (תואר) Bachelor of Arts
בָּאוּלִינְג (כַּדּוֹרֶת) ז׳ bowling
בֵּאוּר ז׳ explanation
בָּאוּשׁ ת׳ stinking, putrid
בָּאוּת כּוֹחַ נ׳ representation
בְּאִיבּוֹ תה״פ untimely, in the prime of life
בְּאֵין תה״פ without, as there is not
בְּאִם מ״ח if
בְּאֶמְצָעוּת מ״י by means of, through
בֶּאֱמֶת תה״פ really, truly
*בַּאסָה נ׳ despair, disappointment
בְּאַקְרַאי תה״פ by chance, at random
בֵּאֵר פ׳ explain
בְּאֵר נ׳ well
- באר ארטזית artesian well
בְּאֵר שֶׁבַע נ׳ Beersheba
בָּאַשׁ פ׳ stink, rot
בַּאֲשֶׁר לְ- מ״י as for, as to, concerning
בְּאֹשֶׁת נ׳ halitosis, bad breath
ב״ב = בני ביתו family
בָּבוּאָה נ׳ reflection, image
בַּבּוּן (קוף) ז׳ baboon
בַּבּוּנָג ז׳ camomile
בָּבֶל נ׳ Babylonia
*בַּבְלָת ז׳ nonsense, baloney
בְּבַקָּשָׁה תה״פ please, *be my guest!
בָּבַת עַיִן נ׳ apple of the eye
בָּגָאז׳ ז׳ trunk
בָּגַד פ׳ betray, sell out, be unfaithful, cheat on
בֶּגֶד ז׳ garment, dress, raiment
- בגד אימונים track-suit
- בגד גוף cat suit, fleshing, leotard
- בגד ים bathing suit, swimsuit, trunks
- בגדי אבל mourning
- בגדי אזרח civies, plain clothes
- בגדי עבודה fatigues, working clothes
- בגדים clothes, clothing
- בגדים תחתונים underwear, underclothing, undergarments
בְּגֶדֶר תה״פ within the scope of
בְּגוֹ תה״פ in it
- דברים בגו there is some reason, no smoke without fire
בֶּגוֹנְיָה (צמח) נ׳ begonia
בָּגֶט ז׳ French loaf
בְּגִידָה נ׳ betrayal, treason, sellout, treachery, unfaithfulness, cheating
בְּגִין מ״י because of, by virtue of
בָּגִיר ז׳ adult, major
בַּגִירוּת נ׳ adulthood, majority
בִּגְלַל מ״י because of, for, due to, owing to, thanks to
בְּגַפּוֹ תה״פ alone, unattended
בג״ץ=בי״ד גבוה לצדק Supreme Court
בָּגַר פ׳ grow up, mature
בַּגְרוּת נ׳ adulthood, manhood
- הגיע לבגרות come of age
- פצעי בגרות acne
בַּד ז׳ cloth, material, screen
- בד בבד equally, at the same time
בַּדַּאי ז׳ liar
בִּדְבַר מ״י about, concerning
בָּדָד תה״פ alone, solitary
בָּדָה פ׳ invent, fabricate
בֶּדוּאִי, בֶּדְוִי ז׳ Bedouin
בָּדוּחַ ת׳ amused, cheerful
בָּדוּי ת׳ invented, false
- בשם בדוי pseudonymous
בְּדוֹלַח ז׳ crystal
בִּדּוֹן ז׳ tent, hut
בָּדוּק ת׳ tested, checked, proven
- בדוק ומנוסה tried-and-true
בְּדוּתָה נ׳ lie, fabrication
בִּדְחִילוּ וּרְחִימוּ תה״פ with awe
בַּדְחִית (פארסה) נ׳ farce
בַּדְחָן ז׳ humorist, jester
בַּדְחָנוּת נ׳ jesting, fun
בָּדִיד ז׳ small stick, small cube
בְּדִידוּת נ׳ loneliness, solitude
בְּדָיָה נ׳ lie, fabrication
בְּדְיוֹנִי ת׳ fictitious
בְּדִיּוּק תה״פ exactly, just, precisely
בְּדִיחָה נ׳ jest, joke
- בדיחות זוועה sick jokes
בְּדִיחוּת נ׳ joy, merriment
- בדיחות הדעת joy, jesting
בְּדִיל ז׳ tin
בְּדִימוֹס ת׳ retired, emeritus
בְּדִיעֲבַד תה״פ after the event
בְּדִיקָה נ׳ check, inspection, test, examination, probe
- בדיקה מן החי biopsy
- בדיקה רפואית physical, physical examination, checkup, *medical
- בדיקת אבהות paternity test
- בדיקת דם blood test
- בדיקת הירָיון pregnancy test
- בדיקת פתע spot check
בָּדִית נ׳ small metal rod
בְּדָל ז׳ end, butt, stub, tip
- בדל אוזן lobe
- בדל סיגריה cigarette end, fag-end, butt
בַּדְלָן ז׳ isolationist, separatist
בַּדְלָנוּת נ׳ isolationism, separatism
בִּדְמִי יָמָיו תה״פ in the prime of life

בַּדְמִינְטוֹן (נוצית) ז׳ badminton
בד"ץ = בי"ד צדק Haredi Court
בָּדַק פ׳ check, examine, inspect, test, probe
בַּדָּק ז׳ censor
בֶּדֶק בַּיִת ז׳ house repair, maintenance
בְּדֶרֶךְ כְּלָל תה"פ generally, usually, in general
בַּדְרָן ז׳ entertainer
בַּדְרָנוּת נ׳ entertainment
ב"ה=בעזרת השם with God's help
בַּהָאִי ז׳ Baha'i
בַּהָאמָה (איי-) Bahama Islands
בה"ד = בסיס הדרכה
בְּהַדְרָגָה תה"פ gradually
בָּהָה פ׳ wonder, gape
בָּהוּל ת׳ hasty, urgent
בְּהִזְדַּמְּנוּת תה"פ cheap, someday
בְּהֶחְלֵט תה"פ absolutely, decidedly, by all means
בַּהַט ז׳ alabaster, porphyry
בִּהְיוֹתִי/בִּהְיוֹתוֹ וכו׳ תה"פ as I am/as he is etc., being
בְּהֵיחָבֵא תה"פ secretly
בְּהִיָּה נ׳ bewilderment, gaping
בְּהִילוּת נ׳ haste, hurry
בְּהֵיעָדֵר מ"י for lack of
בָּהִיר ת׳ bright, clear, fair
בְּהִירוּת נ׳ brightness, clarity
בֶּהָלָה נ׳ rush, scare, panic
בְּהֵמָה נ׳ beast, animal, cattle
- בהמה גסה large cattle
- בהמה דקה small cattle
- בהמת משא pack animal
- בהמת רכיבה mount, ride
בַּהֲמִי ת׳ brutish
בַּהֲמִיּוּת נ׳ brutishness, animalism
בְּהֵן צֶדֶק תה"פ honestly, upon my word
בָּהַק פ׳ shine, glitter
בְּהֶקְדֵּם תה"פ soon, early
- בהקדם האפשרי as soon as possible
בְּהָקִיץ תה"פ while awake
בַּהֶרֶת נ׳ bright spot
- בהרת קיץ freckle
בְּהֶתְאֵם תה"פ accordingly, by
- בהתאם ל- according to
בְּהַתְאָמָה תה"פ respectively
בּוֹ מ"ג in him
- בו במקום there and then, outright
- בו זמני contemporaneous, simultaneous
- בו זמנית simultaneously, at the same time
בּוֹא ז׳ coming, arrival
- בבוא העת/היום in due course
בּוֹאֲכָה מ"י on the way to
בּוֹאַר פ׳ be explained
בּוֹאֵשׁ (חיה) ז׳ skunk
בּוּבָּה נ׳ puppet, doll, marionette
- בובת שלג snowman
- העלה בובתו באש burn in effigy
בּוּבַּטְרוֹן ז׳ puppet theater
בּוֹגֵד ז׳ traitor, renegade
בּוֹגְדָנוּת נ׳ treachery, perfidy
בּוֹגְדָנִי ת׳ treacherous, unfaithful
בּוֹגֶדֶת נ׳ traitress
בּוּגֶנְוִילֵיאָה (צמח) נ׳ bougainvillea
בּוֹגֵר ז׳ graduate, adult
בּוֹדֵד פ׳ seclude, isolate, insulate
בּוֹדַד פ׳ be isolated
בּוֹדֵד ת׳ lonely, solitary, single
בּוּדְהָא ז׳ Buddha
בּוּדְהִיזְם ז׳ Buddhism
בּוּדְהִיסְט ז׳ Buddhist
בּוֹדֵק ז׳ tester, examiner
בּוֹהָה נ׳ gazing wondrously
בּוֹהֶמָה נ׳ bohemian people
בּוֹהֶמִי ת׳ bohemian
בּוֹהֶן נ׳ thumb, toe
- הילך על קצות הבהונות tiptoe
בּוֹהַק ז׳ brightness
בּוֹהֵק ת׳ bright, shining, glittering
בְּוַדַּאי תה"פ certainly, of course
- בוודאי שלא let alone, much less
בּוּז ז׳ scorn, contempt, disdain
- בוז ל- down with, boo
בּוּזְבַּז פ׳ be wasted
בּוּזָּה פ׳ be scorned, be despised
בּוֹזֵז ז׳ plunderer, pillager
בּוֹחֵן ז׳ examiner, tester, trier
בּוֹחַן ז׳ test, examination, trial
בּוֹחֵר ז׳ elector, voter
בּוּטָּא פ׳ be expressed
בּוֹטֶה ת׳ harsh, biting, blatant
בּוֹטוּת נ׳ bluntness
בּוּטַח פ׳ be insured
בּוֹטֵחַ ת׳ trustful, trusting
בּוּטִיק ז׳ boutique
בּוּטַל פ׳ be canceled, be called off
בּוֹטֶן ז׳ peanut, pistachio
בּוּטָן (פחמימן גזי) ז׳ butane
בּוֹטָנִי ת׳ botanical
בּוֹטָנִיקָה נ׳ botany
בּוּיַּל פ׳ be stamped, be franked
בּוּיַּם פ׳ be staged, be directed
בּוּיַּשׁ פ׳ be put to shame
בּוּיַּת פ׳ be domesticated, be tamed
בּוֹילֶר ז׳ boiler
*בּוּכְטָה נ׳ pocketful, a large amount
בּוּכִיָּיר ז׳ shuttle
בּוּכְנָה נ׳ piston
בּוּכָרִי ת׳ Bukharan
בּוּל ז׳ stamp, bull's-eye
- בול דואר postage stamp
- בול הכנסה revenue stamp
- בול זיכרון commemorative stamp
- בול עץ chump, log, blockhead
בּוּלָאוּת נ׳ philately, stamp collecting
בּוּלָאִי ת׳ philatelic
בּוּלְבּוּל ז׳ bulbul, *penis
בּוּלְבּוּס ז׳ bulb, corm
בּוּלְגָּרִי ז׳ Bulgarian
בּוּלְגַרְיָה נ׳ Bulgaria
בּוּלְדוֹג (כלב) ז׳ bulldog
בּוּלְדוֹזֶר ז׳ bulldozer
בּוֹלֵט ת׳ prominent, outstanding
בּוּלֶטִין ז׳ bulletin
בּוֹלִיבְיָה נ׳ Bolivia
בּוּלִימְיָה (דחף לאכילה) נ׳ bulimia
בּוֹלֵל פ׳ mix, assimilate

בּוֹלֶם זַעֲזוּעִים — shock absorber
בּוּלְמוֹס ז — desire, mania, bout, fit
בּוּלַע (יְבוֹלַע לוֹ) פ — be harmed
בּוֹלְעָן ז — swallower, sinkhole
בּוֹלֵרוֹ ז — bolero
בּוֹלְשֶׁבִיזְם ז — Bolshevism
בּוֹלֶשֶׁת נ — secret police
בּוּם — boom, prosperity
– **בּוּם עַל-קוֹלִי** — sonic boom
בּוֹמְבָּה* — bomb, splendid
בּוֹמְבַּסְטִי ת — bombastic, turgid
בּוֹמְבַּסְטִיּוּת נ — bombast
בּוּמֶרַנְג ז — boomerang
בּוֹנְבּוֹן ז — bon-bon, sweet
בּוֹנְבּוֹנְיֶירָה נ — candy box
בּוּנְגָּלוֹ ז — bungalow
בּוֹנֶה ז — beaver, builder, constructor
– **בּוֹנֶה חָפְשִׁי** — freemason
בּוֹנֶה ת — constructive, generative
בּוֹנוּס ז — bonus, premium
בּוֹנָנוּת נ — insight
בּוֹנְסָאי (עֲצֵי נוֹי) ז — bonsai
בּוּנְקֶר ז — bunker
בּוֹס ז — boss, governor, *chief
בּוֹסָה נוֹבָה (רִיקוּד) ז — bossa nova
בּוֹסְנִיָה-הֶרְצֶגּוֹבִינָה נ — Bosnia-Herzegovina
בּוֹסֵס פ — tread, trample, squelch
בּוֹסָס פ — be based
בּוֹסֶר ז — unripe fruit
בּוּסְתָּן ז — garden, orchard
בּוּסְתְנָאוּת נ — horticulture
בּוּעָה נ — blister, bubble
– **בּוּעַת סַבּוֹן** — soap bubble
בּוּעִית נ — small blister
בּוֹעַר פ — be exterminated
בּוֹעֵר ת — burning, urgent, on fire
בּוּפָלוֹ ז — buffalo, bison
בּוֹץ ז — mud, mire, *nice mess
– **הֵטִיל בּוֹץ** — throw mud, fling dirt
בּוֹצְוָאנָה נ — Botswana
בּוֹצִי, בּוֹצָנִי ת — muddy, miry
בּוּצִין (צֶמַח בַּר) ז — mullein
בּוּצִית נ — canoe, dinghy
בּוּצַע פ — be performed, be achieved
בּוּצַּר פ — be fortified
בּוֹצֵר ז — vintager
בּוּקְס (אַשּׁוּר) ז — boxwood, beech
בּוּק (טִיפֵּשׁ) ז* — he-goat, clumsy man
בּוּקָה וּמְבוּקָה נ — disorder, disaster
בּוּקִיצָה (עֵץ נוֹי) נ — elm
בּוּקְסֵר (כֶּלֶב) ז — boxer
בּוּקַע ת — breaking, piercing
בּוּקַּר פ — be visited, be criticized
בּוֹקֶר ז — morn, morning, morrow
– **בּוֹקֶר בּוֹקֶר** — every morning
– **בּוֹקֶר טוֹב** — good morning
– **הַבּוֹקֶר** — this morning
– **חֲדָשִׁים לַבְּקָרִים** — from time to time
*– **עַל הַבּוֹקֶר** — 1st thing in the morning
בּוֹקֵר ז — herdsman, cowboy, rancher
בּוֹקֶרֶת נ — cowgirl
בּוּקַּשׁ פ — be sought
בּוֹר ז — pit, hole
– **בּוֹר סְפִיגָה** — cesspit

בּוֹר שׁוֹפְכִין – sink, cesspit, cesspool
בּוּר ת – ignorant, illiterate
עַל בּוּרְיוֹ – very well, perfectly
בּוֹר (יְסוֹד כִּימִי) ז – boron
בּוֹרֵא ז – God, Creator
בּוֹרֶג ז – bolt, screw
בּוֹרֶג כְּנָפַיִם – wing screw, thumbscrew
חָסֵר לוֹ בּוֹרֶג – *has a screw loose
בּוֹרְגִי ת – spiral, screw-like
בּוּרְגָנוּת נ – bourgeoisie
בּוּרְגָנִי ז – bourgeois
בּוֹרְדּוֹ ז – Bordeaux, dark red
בּוֹרְדָּם ז – dysentery
בּוּרוּנְדִי נ – Burundi
בּוּרוּת נ – ignorance, illiteracy
בּוֹרֵחַ ת – runaway, running away
בּוּרִי (קִיפוֹן) ז – mullet
בּוֹרִית נ – lye, soap
בּוֹרַךְ פ – be blessed, be endowed
בּוּרְלֶסְקָה נ – burlesque
בּוּרְמָה (מְיָאנְמָר) נ – Burma, Myanmar
בּוּרְנָס ז – burnoose, cowl, hood
בּוּרְסָה נ – stock exchange
בּוּרְסְקָאוּת נ – tannery, tanning
בּוּרְסְקִי ז – tanner
בּוּרְקִינָה פָאסוֹ נ – Burkina Faso, (formerly Upper Volta)
בּוּרֶקָס ז – burekas, flaky pastry with cheese
בּוֹרַר פ – be clarified
בּוֹרֵר ז – arbitrator, selector
בּוֹרְרוּת נ – arbitration, arbitrament
בּוֹרְרוּת חוֹבָה – compulsory arbitration
נִיתָן לְבוֹרְרוּת – arbitrable
בּוֹשׁ פ – be ashamed
חִיכָּה עַד בּוֹשׁ – wait a long time
בּוּשָׁה נ – disgrace, shame, infamy
בּוּשָׁה וְחֶרְפָּה – shame on you
חֲסַר בּוּשָׁה – shameless, unblushing
בּוּשַׁל פ – be cooked
בּוּשַּׂם פ – be perfumed
יְבוּשַׂם לוֹ! – let him enjoy it!
בּוֹשֶׂם ז – perfume, scent
בּוּשְׁמֶנִי (אַפְרִיקָנִי) ז – Bushman
בּוֹשֵׁשׁ פ – be late, tarry
בּוֹשֶׁת פָּנִים נ – shame
בּוּתַּק פ – be cut off
בּוּתַּר פ – be cut, be dismembered
בָּז פ – despise, scorn, laugh at
בַּז ז – falcon, hawk, loot
בֶּז' ז – beige, ecru
בָּזָאר ז – bazaar
בִּזְבּוּז ז – waste, spending
בִּזְבֵּז פ – spend, squander, waste
בַּזְבְּזָן ז – squanderer, spendthrift
בַּזְבְּזָנוּת נ – improvidence, prodigality
בַּזְבְּזָנִי ת – prodigal, wasteful
בָּזָה פ – despise, scorn
בָּזוּי ת – despised, despicable
בָּזוֹל תה"פ – cheap, cheaply
בָּזוּקָה נ – bazooka
בָּזַז פ – plunder, rob, pillage, ransack
בָּזָךְ ז – censer
בְּזִיל הַזּוֹל תה"פ – dirt cheap, very

-	cheap
בָּזִילִיקָה (כנסייה) נ׳	basilica
בְּזִיקָה נ׳	sprinkling, dusting
בִּזְכוּת מ״י	thanks to, due to, supporting
בַּזֶּלֶת נ׳	basalt
בָּזַק פ׳	sprinkle, dust, strew
בָּזָק ז׳	lightning, flash
בֶּזֶק ז׳	telecommunication
בְּחוּבּוֹ תה״פ	inside, in it
בְּחוֹזְקָה תה״פ	forcibly, tight
בְּחוֹפְזָה תה״פ	in haste, hastily
בַּחוּץ תה״פ	outside
בָּחוּר ז׳	boy, youth, lad
- בחור ישיבה	Yeshiva student
- בחור כארז	quite a boy
בַּחוּרָה נ׳	girl, maiden, *bird
*בַּחוּרְצ׳יק ז׳	boy
בְּחֶזְקַת	considered as
בַּחֲזָרָה תה״פ	back
בְּחִיּוּב תה״פ	positively, affirmatively
בְּחַיַּי מ״ק	upon my word
בְּחַיֶּיךָ! מ״ק	please!
בְּחִילָה נ׳	nausea, revulsion, sickness
- בחילת בוקר	morning sickness
בְּחִינָה נ׳	examination, *exam, test, aspect, assay
- בבחינת	like, in the sense of
- בחינה בעל פה	oral examination
- בחינת בגרות	matriculation
- מבחינה כללית	generally speaking
בְּחִנָּם תה״פ	free, for nothing
בָּחִיר ת׳	chosen, elect, select
- בחירת ליבו	sweetheart
בְּחִירָה נ׳	choice, selection, option
- בחירה חופשית	free will
בְּחִירוֹת נ״ר	election
- בחירות כלליות	general election
- בחירות מקדימות	primaries
בְּחִישָׁה נ׳	mixing, stir
בָּחַל פ׳	abhor, loathe
- לא בחל בשום אמצעי	stop at nothing
בָּחַן פ׳	examine, scan, test, inspect, probe, scrutinize
בָּחַר פ׳	choose, elect, pick, vote
בַּחֲרוּת נ׳	youth, adolescence
בַּחְרֵיין נ׳	Bahrain
בָּחַשׁ פ׳	stir, fold, mix
בַּחֲשַׁאי תה״פ	secretly, in privacy
בַּחֲשָׁה נ׳	ladle, paddle
בָּטוּחַ ת׳	certain, confident, safe, secure, sure, convinced
- בטוח בעצמו	confident, sure of oneself
- בטוחני	I am sure
בְּטוּחָה נ׳	security, guarantee
בֶּטוֹן ז׳	concrete
- בטון מזוין	reinforced concrete
בָּטַח פ׳	trust, rely, confide in
בֶּטַח תה״פ	certainly, sure, you bet
בִּטְחָה נ׳	safety, certainty
בָּטָטָה נ׳	sweet potato, yam
*בָּטִיחַ: ולא בטיח	nothing at all
בְּטִיחוּת נ׳	safety, security
בְּטִיחוּתִי ת׳	safety

בָּטִיק (הדפסה על אריג) ז׳	batik
בְּטִישָׁה נ׳	stamping, beating
בָּטֵל ת׳	idle, void, null, invalid
- בטל בשישים	a drop in the ocean
- בטל ומבוטל	null and void
- דברים בטלים	idle gossip
- הולך בטל	loafer, idler
- עובר בטל	old, senile
בַּטְלְדְּרֶס ז׳	battle-dress
בַּטָּלָה נ׳	idleness, indolence
בַּטְלָן ז׳	bum, idler, butterfingers
בַּטְלָנוּת נ׳	idleness, awkwardness
בֶּטֶן נ׳	abdomen, belly, stomach
- בטן רכה	underbelly
- מבטן ומלידה	born, natural
*- על בטן ריקה	hungry
*- עשה בטן גב	idle, bum around
בִּטְנָה נ׳	lining
בַּטְנוּן ז׳	double bass, contrabass
בַּטְנוּנִית נ׳	cello, violoncello
בַּטֶּרְיָה נ׳	battery
בְּטֶרֶם מ״י	before
- בטרם עת	before the proper time
בָּטַשׁ פ׳	trample, stamp, beat
בִּיאָה נ׳	coming, advent, oncoming, intercourse
בֵּיאוּר ז׳	explanation
*בִּיאֵס פ׳	cause despair, disappoint
בֵּיאֵר פ׳	explain
בִּיב ז׳	sewer, gutter
בִּיבְּלִיוֹגְרָף ז׳	bibliographer
בִּיבְּלִיוֹגְרָפִי ת׳	bibliographic
בִּיבְּלִיוֹגְרַפְיָה נ׳	bibliography
בִּיבָר ז׳	beaver
בִּיבָר ז׳	zoo
בִּיגּוּד ז׳	clothing
בִּיגַמְיָה נ׳	bigamy
בִּיגַמִיסְט ז׳	bigamist
בי״ד = בית דין	court
בְּיַד-, בִּידֵי-	in the hands of, by
- אין בידו לעשות	be unable to do
בִּידֵּד פ׳	isolate, insulate
בִּידָּה פ׳	fabricate, invent
בִּידֶה ז׳	bidet
בִּידּוּד ז׳	isolation, insulation, seclusion, lagging
בִּידּוּי ז׳	fabrication, invention
- בידוי ראיות	fabrication of evidence
בִּידּוֹקֶת נ׳	censorship
בִּידּוּר ז׳	amusement, entertainment, fun, pastime, diversion
בִּידּוּרִי ת׳	entertaining
בִּידַּח פ׳	amuse, entertain
בִּידֵּר פ׳	entertain, amuse, divert
ביה״ד = בית הדין	court
ביהכ״נ = בית הכנסת	synagogue
ביהמ״ש = בית המשפט	court
ביה״ס = בית הספר	school
בִּיּוּב ז׳	sewage, drainage
בִּיּוֹגֶנֶזָה נ׳	biogenesis
בִּיּוֹגֶנֶטִי ת׳	biogenetic
בִּיּוֹגְרָף ז׳	biographer
בִּיּוֹגְרָפִי ת׳	biographical
בִּיּוֹגְרַפְיָה נ׳	biography, life story
בְּיוֹדְעִין תה״פ	knowingly, wittingly

בִּיוֹטֶכְנוֹלוֹגְיָה נ biotechnology
בִּיוֹכִימִי ת׳ biochemical
בִּיוֹכִימְיָה נ biochemistry
בִּיּוּל ז׳ stamping, franking
בִּיוֹלוֹג ז׳ biologist
בִּיוֹלוֹגִי ת׳ biological
בִּיוֹלוֹגְיָה נ biology
בִּיּוּם ז׳ staging, directing
- בִּיּוּם אַשְׁמָה *frame-up
בִּיּוּן ז׳ intelligence
בִּיוֹנִי (שיכולתו חזקה) ת׳ bionic
בִּיוֹסִינְתֶזָה נ biosynthesis
בִּיוֹסְפֶרָה נ biosphere
בִּיוֹפִידְבֶּק (משוב ביול׳) ז׳ biofeedback
בִּיוֹפִיזִיקָה נ biophysics
בִּיוֹפְּסְיָה (בדיקת רקמה) נ biopsy
בִּיּוּץ ז׳ ovulation
בְּיוֹקֶר תה״פ expensive, dear, dearly
בִּירוֹקְרָט ז׳ bureaucrat
בִּירוֹקְרָטִי ת׳ bureaucratic
בִּירוֹקְרַטְיָה נ bureaucracy, red tape
בִּיוֹרִיתְמוּס (שעון ביו׳) ז׳ biorhythm
בִּיּוּשׁ ז׳ causing shame
בִּיּוּת ז׳ domestication, homing
בְּיוֹתֵר תה״פ most, very much, exceedingly
בִּזָּה פ׳ despise, scorn, dishonor
בִּזָּה נ׳ loot, pillage, plunder, spoil
בִּזּוּי ז׳ despising, dishonor
בִּיזוֹן ז׳ bison, buffalo
בִּיזּוּר ז׳ decentralization
בִּזָּיוֹן ז׳ shame, contempt, ignominy
- בִּיזָּיוֹן בֵּית-דִּין contempt of court
בִּיזַנְטִי ת׳ Byzantine
בִּיזֵּר פ׳ decentralize
בי״ח = בית חולים hospital
בְּיַחַד תה״פ together
- בְּיַחַד וּלְחוּד joint and several
בי״ח = בית חרושת factory
בִּיט (סיבית) ז׳ bit
בִּיטֵּא פ׳ pronounce, express, utter
בִּיטָּאוֹן ז׳ organ, mouthpiece
בִּיטּוּחַ ז׳ insurance, assurance
- ביטוח חובה compulsory insurance
- ביטוח חיים life insurance
- ביטוח לאומי National Insurance
- ביטוח מנהלים directors' insurance
- ביטוח מקיף comprehensive insurance
- ביטוח משנה reinsurance
- ביטוח צד ג׳ third-party insurance
- ביטוח רכב motor vehicle insurance
- ביטוח שער exchange rate insurance
בִּיטּוּי ז׳ expression, phrase, term
בִּיטּוּל ז׳ abolition, abrogation, annulment, cancellation, repeal
- בְּבִיטּוּל scornfully
- ביטול הלאמה denationalization
- ביטול זמן time wasting
- ביטול תוקף invalidation
- בר ביטול revocable, voidable
בִּיטַּח פ׳ insure, cover
- ביטח בביטוח משנה reinsure
בִּיטָּחוֹן ז׳ confidence, safety, security, trust, assurance
- ביטחון עצמי self-confidence
- ביטחון פנים public security
- ביטחונות securities, guarantee
- חסר ביטחון diffident, insecure
בִּיטְחוֹנִי ת׳ security
- סיכון ביטחוני security risk
בִּיטֵּל פ׳ abolish, abrogate, call off, cancel, mock
- ביטל זמן waste time, loiter
בִּיטֵּן פ׳ line, interline
בִּיטְנִיק ז׳ beatnik
בֵּייבִּיסִיטֶר (שמרטפית) ז׳ baby-sitter
בֵּייגֶל (כעך) ז׳ bagel
בְּיִיחוּד תה״פ especially, chiefly
בַּייט (בית) ז׳ byte
בִּייֵּל פ׳ stamp, frank
בִּייֵּם פ׳ stage, direct
- ביים אשמה frame
בֵּייסְבּוֹל ז׳ baseball
בִּייֵּץ פ׳ thicken with yolk
- בייצה ovulate
בִּייֵּשׁ פ׳ put to shame, disgrace
בַּיְישָׁן ת׳ diffident, shy, coy, self-conscious
בַּיְישָׁנוּת נ diffidence, shyness
בִּייֵּת פ׳ tame, domesticate, home
בִּיכָּה פ׳ lament, mourn
בִּיכּוּרִים ז״ר first fruits
ביכ״נ = בית כנסת synagogue
בִּיכֵּר פ׳ prefer, choose
בִּילָּה פ׳ spend time, wear out
בִּילּוּי ז׳ pastime, recreation
בִּילּוּשׁ ז׳ search, detection
בִּילְיָארְד ז׳ billiards, pool
בִּילְיוֹן ז׳ billion
בִּילְיוֹנִית נ billionth
בִּילִירוּבִּין (צבען צהוב) ז׳ bilirubin
בִּילַּע פ׳ destroy, harm
*בִּילֵּף פ׳ bluff, lie
בִּילֵּשׁ פ׳ search, investigate
בִּימַאי ז׳ stage manager, director
בִּימָה נ stage, platform, dais, rostrum
בִּימּוּי ז׳ staging, direction
בימ״ש = בית משפט court of law
בִּימָתִי ת׳ theatrical, of the stage
בֵּין מ״י between, among
- בין היתר/השאר inter alia, among other things
- בין הערביים twilight, dusk
- בין השמשות twilight, dusk
- בין כה (וכה) anyway, even so
- בין כך ובין כך in any event
- בין שכן ובין שלא whether or no
- בין... ובין... whether... or...
- בינו לבינה between man and woman
- ביני לבינך between you and me
- ביני/בינך וכו׳ between me/you etc.
- בינינו (לבין עצמנו) between ourselves
- בינם לבין עצמם among themselves
בֵּין תח׳ inter-
- בין-ארצי interstate
- בין-יבשתי intercontinental

- בין-עירוני	interurban
- בין-תחומי	interdisciplinary
בִּינָאֲרִי ת'	binary
בִּינְגוֹ ז'	bingo
בִּינָה נ'	wisdom, intellect
- בינה מלאכותית	artificial intelligence, AI
- בינת הלב	intuition
בִּינּוּי ז'	construction, restoration
בִּינּוֹם (במתימטיקה) ז'	binomial
בֵּינוֹנִי ת'	middle, mediocre, fair
- בינוני (בדקדוק)	present
בֵּינוֹנִיּוּת נ'	mediocrity
בֵּינוֹת תה"פ	between, among
בֵּינַיִים ז"ר	middle
בֵּינַיִימִי ת'	medieval
בֵּינְלְאוּמִי ת'	international
בֵּינְתַיִים תה"פ	for the time being, meanwhile, meantime
בי"ס = בית ספר	school
בִּיסוּס ז'	basing, establishing
בִּיסטרוֹ (מסעדה קטנה) ז'	bistro
בִּיסֵס פ'	establish, base
- ביסס על	base on, found on
בִּיסקוויט ז'	biscuit, scone
בִּיסֶקסוּאָל (דו-מיני) ז'	bisexual
בִּיעוּר ז'	clearing out, eradication
- ביעור חמץ	total removal
בִּיעוּת ז'	horror, terror
בְּיָעַף תה"פ	in a hurry
בִּיעֵר פ'	remove, eradicate, clean up
בִּיפֶּר (איתורית) ז'	beeper
בִּיצָה נ'	marsh, swamp, mire
בֵּיצָה נ'	egg, ovum (pl - ova)
- ביצה קשה	hard-boiled egg
- ביצה רכה	soft-boiled egg
- ביצי דגים	caviar, roe
- ביצים	eggs, *testicles
- ביצת כינה	nit
- ביצת עין	sunny-side up
- דמוי ביצה	egg-shaped, ovoid
בִּיצוּעַ ז'	achievement, performance, execution, accomplishment
- בר ביצוע	achievable, feasible
בִּיצוּעִי ת'	executive
בִּיצוּעִיסט ז'	doer, maker
בִּיצוּר ז'	fortification, strengthening
בֵּיצִי ת'	egg-like, oval, ovoid
בֵּיצִיָּה נ'	omelet, fried egg, sunny-side up
בֵּיצִית נ'	ovule
בִּיצָנִית נ'	sandpiper
בִּיצֵעַ פ'	perform, achieve, carry out, commit, execute, accomplish
- ביצע את זממו	commit a crime
בִּיצֵר פ'	fortify, entrench
בִּיצָתִי ת'	marshy, boggy, swampy
בִּיקוּעַ ז'	splitting, fission
- ביקוע הגרעין	nuclear fission
בִּיקוּר ז'	call, visit, visiting
- ביקור בית	domiciliary visit
- ביקור חולים	visiting the sick
- ביקור ממלכתי	state visit
- ביקור נימוסין	courtesy call
בִּיקוֹרֶת נ'	criticism, review, notice, inspection, check
- ביקורת המקרא	Bible criticism
- ביקורת חשבונות	audit
- מתח ביקורת	criticize
- מתחת לכל ביקורת	very bad
בִּיקוֹרְתִּי ת'	censorious, critical
בִּיקוֹרְתִּיּוּת נ'	criticism
בִּיקוּשׁ ז'	demand, market
בִּיקִינִי (בגד ים) ז'	bikini
בִּיקַע פ'	chop, cleave, split
בִּיקֵר פ'	visit, pay a visit, call, criticize
- ביקר אצל רופא	see a doctor
- ביקר חשבונות	audit
בִּיקֵשׁ פ'	ask, beg, seek, bid, request
- ביקש את ידה	offer one's hand, propose marriage
בֵּירֵא פ'	deforest, disforest
בִּירָה נ'	beer, ale, capital
- בירה מהחבית	barrelled beer
בֵּירוּא ז'	deforestation
בִּירוּץ ז'	overflow, surplus
בֵּירוּר ז'	clarification, selection
- בבירור	clearly
בֵּירוּת נ'	Beirut
בִּירִית נ'	garter, suspender
בֵּירֵךְ פ'	bless, greet, bid, wish
בֵּירֵר פ'	clarify, ascertain
בִּישׁ ת'	bad, awkward, ill
- ביש גדא	unlucky, ill-starred
- ביש מזל	unlucky, ill-starred
בִּישׁוּל ז'	cookery, cooking, cuisine
בִּישׂוּם ז'	perfuming
בִּישׁוֹף (הגמון) ז'	bishop, prelate
בִּישֵׁל פ'	cook, stew, boil
*- בישל דייסה	foul up, bungle
- בישל יותר מדי	overdo
בִּישֵׂם פ'	perfume, embalm, scent
בִּישֵׂר פ'	augur, bring news, bode, herald, portend
- בישר בשורה רעה	break the news
- בישר טוב	bode well for
בַּיִת ז'	home, house, domicile, door, dwelling, stanza
- בבית	indoors, at home
- בית טרומי	prefab
- בן בית	familiar
- בני בית	household
- הבייתה	home, homeward
- הבית הלבן	the White House
- הבית הראשון/השני	First/Second Temple
- הבית התחתון	the lower house
בֵּית נ'	beth (letter)
בֵּית אוֹזֶן ז'	earmuff
בֵּית אֲחִיזָה ז'	handle, hold, ear, haft
בֵּית בַּד ז'	oil press
בֵּית בּוֹשֶׁת ז'	brothel, whore-house
בֵּית בְּלִיעָה ז'	throat, gullet
בֵּית גִּידּוּל ז'	place of growth
בֵּית דּוֹאַר ז'	post office
בֵּית דִּין ז'	court, tribunal
- בית דין גבוה לצדק	Supreme Court
- בית דין צבאי	court martial
- בית דין צדק	haredi court
בֵּית דִּירוֹת ז'	apartment house
בֵּית דְּפוּס ז'	printing press

בֵּית הָאֲרָחָה ז׳ **guest-house**
בֵּית הַבְרָאָה ז׳ **rest home**
בֵּית הֶחָזֶה ז׳ **chest, thorax, rib cage**
בֵּית הַחְלָמָה ז׳ **convalescent home**
בֵּית הַיּוֹצֵר ז׳ **pottery, workshop**
בֵּית הִילֵּל ז׳ **tolerant attitude**
בֵּית הַמֶּכֶס ז׳ **customs house**
בֵּית הַמִּקְדָּשׁ ז׳ **Temple, sanctuary**
בֵּית הָעִירִיָּיה ז׳ **City Hall**
בֵּית הַשֶּׁחִי ז׳ **armpit**
בֵּית זוֹנוֹת ז׳ **brothel, whore-house**
בֵּית זִיקּוּק ז׳ **refinery, cracking plant**
בֵּית חוֹלִים ז׳ **hospital, infirmary**
- בית חולים לחולי רוח **mental home, asylum**
- בית חולים ליולדות **maternity hospital**
- בית חולים למצורעים **lazaret**
- בית חולים שדה **field hospital**
בֵּית חֲרוֹשֶׁת ז׳ **factory, mill, plant, works**
- בית חרושת לנייר **paper mill**
- בית חרושת לשימורים **cannery**
בֵּית יְצִיקָה ז׳ **foundry**
בֵּית יְתוֹמִים ז׳ **orphanage**
בֵּית כָּבוֹד ז׳ **water closet**
בֵּית כִּיסֵּא ז׳ **water closet, toilet**
בֵּית כֶּלֶא ז׳ **prison, jail**
בֵּית כְּנֶסֶת ז׳ **synagogue**
בֵּית לֶחֶם נ׳ **Bethlehem**
בֵּית מְגוּרִים ז׳ **dwelling house**
בֵּית מִדְרָשׁ ז׳ **college, Talmud school**
בֵּית מְחוֹקְקִים ז׳ **legislature, parliament**
בֵּית מַחֲסֶה ז׳ **almshouse, poorhouse**
בֵּית מִטְבָּחַיִים ז׳ **slaughterhouse**
בֵּית מְלָאכָה ז׳ **workshop, shop**
בֵּית מָלוֹן ז׳ **hotel**
בֵּית מִסְחָר ז׳ **shop, store**
בֵּית מַעֲצָר ז׳ **lockup, remand home, detention house**
בֵּית מַרְגּוֹעַ ז׳ **rest home**
בֵּית מַרְזֵחַ ז׳ **tavern, inn, pothouse, public house**
בֵּית מֶרְחָץ ז׳ **bathhouse**
בֵּית מִרְקַחַת ז׳ **pharmacy, dispensary, drug store**
בֵּית מְשׁוּגָּעִים ז׳ **madhouse**
בַּיִת מְשׁוּתָּף ז׳ **apartment building**
בֵּית מִשְׁפָּט ז׳ **court of law, court**
- בית משפט אזרחי **civil court**
- בית משפט מחוזי **district court**
- בית משפט עליון **Supreme Court**
- בית משפט שלום **magistrate's court**
בֵּית נִבְחָרִים ז׳ **parliament**
בֵּית נוּרָה/מְנוֹרָה ז׳ **socket**
בֵּית נְכוֹת ז׳ **museum**
בֵּית נְתִיבוֹת ז׳ **train station**
בֵּית סוֹהַר ז׳ **jail, prison**
- ישב בבית סוהר **serve time, *do bird**
בֵּית סֵפֶר ז׳ **school**
- בית ספר יסודי **elementary school, grade school, primary school**
- בית ספר מעורב **mixed school**
- בית ספר תיכון **secondary school, high school**
*- לא בבית ספרנו **not in our places**
בֵּית עֲבוֹט ז׳ **pawnshop, *popshop**
בֵּית עָלְמִין ז׳ **cemetery, graveyard**
בֵּית עָם ז׳ **community center**
בֵּית קְבָרוֹת ז׳ **graveyard, cemetery**
בֵּית קוֹלְנוֹעַ ז׳ **cinema**
בֵּית קִיבּוּל ז׳ **receptacle, repository**
בֵּית קָפֶה ז׳ **cafe, coffee house**
בֵּית שִׁימּוּשׁ ז׳ **lavatory, WC, water closet, toilet**
בֵּית שַׁמַּאי ז׳ **severe attitude**
בֵּית תַּמְחוּי ז׳ **public kitchen**
בֵּית תְּפִילָּה ז׳ **synagogue, bethel**
בִּיתּוּק ז׳ **severing, splitting**
בִּיתּוּר ז׳ **segmentation, dissection, dismemberment**
בֵּיתִי ת׳ **domestic, homemade**
בֵּיתִיּוּת נ׳ **home ground**
בִּיתָן ז׳ **booth, cabin, pavilion**
בִּיתֵּק פ׳ **cut, split**
בִּיתֵּר פ׳ **cut, bisect, dissect, dismember**
בְּכַדִי תה״פ **in vain, vainly**
- לא בכדי **there is some reason**
בִּכְדֵי מ״ח **in order to**
בָּכָה פ׳ **cry, weep**
- בכה בדמעות שליש **cry one's eyes out**
- בכה על חלב שנשפך **cry over spilt mink**
בְּכַוָּונָה תה״פ **deliberately, intentionally**
- בכוונה תחילה **aforethought**
- לא בכוונה **inadvertently**
בְּכוֹחַ תה״פ **by force, potentially**
בְּכוֹר ז׳ **firstborn, eldest**
- בכור אביב **primula, primrose**
בִּכּוּרָה נ׳ **early fruit**
בְּכוֹרָה נ׳ **birthright, primogeniture, priority**
בֶּכִי ז׳ **crying, weeping, cry**
בְּכִי טוֹב/בְּכִי רַע תה״פ **well/badly**
בְּכִיָּה נ׳ **crying, weeping, wail**
- בכייה לדורות **eternal trouble**
בַּכְיָין ז׳ **crier, weeper, whiner**
בַּכְיָינוּת נ׳ **weeping**
בַּכְיָינִי ת׳ **lachrymose, weepy**
בָּכִיר ת׳ **senior, high-ranking**
בְּכָל אוֹפֶן תה״פ **anyway, however**
בְּכָל זֹאת תה״פ **nevertheless, anyway, still**
בִּכְלָל תה״פ **in general, at all, in the main, including**
- בכלל לא **not at all**
- ועד בכלל **inclusive, down to**
בִּכְרָה נ׳ **young camel**
בַּל מ״ח **not, you shouldn't**
- בל יכופר **inexcusable**
- בל יתואר **indescribable**
בְּלֹא תה״פ **without, wanting**
בְּלָאו הָכֵי תה״פ **anyway, even so**
בַּלָּאט תה״פ **stealthily**
בְּלַאי ז׳ **amortization, wear**
בִּלְבַד תה״פ **mere, only, solely, merely**
- ובלבד ש- **only, on condition**
בִּלְבַדִּי ת׳ **exclusive, sole**

בִּלְבּוּל ז׳ confusion, mess-up
- בלבול מוח nonsense, palaver
בִּלְבֵּל פ׳ bewilder, confuse, upset
- בלבל את היוצרות disorder
- בלבל את המוח talk nonsense
בֶּלְגִּי ז׳ Belgian
בֶּלְגְּיָה נ׳ Belgium
בִּלְגֵּן פ׳ disorder, mess up
בָּלָגָן ז׳ disorder, mess-up
בַּלָּדָה נ׳ ballad
בַּלְדָּר ז׳ courier, messenger
בַּלְדָּרוּת נ׳ delivery
בָּלָה פ׳ be worn out
בָּלֶה ת׳ worn out, threadbare
בַּלָּהָה נ׳ horror, dread
בְּלוֹ ז׳ excise, inland revenue
בְּלוֹאִים ז״ר rags, tatters
*בְּלוֹג (יומן אישי באינטרנט) ז׳ blog
בְּלְוויית מ״י accompanied by
בְּלוּז (מוסיקה) ז׳ blues
בַּלּוּט ז׳ acorn
בַּלּוּטָה נ׳ gland
- בלוטות הרוק salivary glands
- בלוטת הכרס pancreas
- בלוטת הערמונית prostate gland
- בלוטת התריס/המגן thyroid gland
- בלוטת יותרת התריס parathyroid
בָּלוּי ת׳ shabby, worn out
בָּלוּל ת׳ mixed
בָּלוּם ת׳ full, closed
בַּלּוֹן ז׳ balloon, bubble
- בלון ניסוי trial balloon
בְּלוֹנְד ז׳ blond, blonde
בְּלוֹנְדִּינִי ת׳ blond
בְּלוֹנְדִּינִית ת׳ blonde
*בְּלוֹף ז׳ bluff, fake, lie
*בְּלוֹפֶר ז׳ bluffer, liar
בְּלוֹק ז׳ bloc, block
- בלוק כתיבה writing pad
בְּלוֹרִית נ׳ forelock, quiff
בְּלוֹת נ׳ change of life, menopause
בָּלַט פ׳ protrude, bulge, predominate, stand out
בַּלֶּט ז׳ ballet
בֶּלֶטְרִיסְטִיקָה נ׳ belles-lettres
בְּלִי תה״פ without, wanting
- בלי הרף incessantly, without cease
- בלי לפגוע בזכויות without prejudice
- בלי משים unawares, unintentionally
- בלי ספק no doubt, sure
- בלי עין הרע without grudge, touch wood!
בְּלִיטָה נ׳ projection, bulge
בְּלִיָּה נ׳ wearing out
בְּלֵייזֶר (מעיל קצר) ז׳ blazer
בַּלְיָין ז׳ socialite, reveler
בְּלִיל ז׳ mixture, hotchpotch
בְּלִילָה נ׳ mixing, thickening
בְּלִימָה נ׳ check, braking, stoppage, tackle
- תלוי על בלימה insecure
בַּלִּיסְטִי ת׳ ballistic
בַּלִּיסְטִיקָה נ׳ ballistics
בַּלִּיסְטְרָה נ׳ catapult
בְּלִיעָה נ׳ swallowing, gulp, swallow

בְּלִיַּעַל: בֶּן בְּלִיַּעַל ז׳ scoundrel, villain
בְּלֵית בְּרֵירָה as there is no choice
בָּלַל פ׳ mix, mingle
בָּלָלַייקָה (כלי פריטה) נ׳ balalaika
בָּלַם פ׳ brake, stop, curb
- בלום פיך! *shut up!
בֶּלֶם ז׳ brake, stop
- בלם אוויר air brake
- בלם יד handbrake
בַּלָּם ז׳ center back, halfback
בלמ״ס = בלתי מסווג unclassified
בַּלָּן ז׳ bath attendant
בְּלֶנְדֶּר (מַמְחֶה) ז׳ blender
בָּלַע פ׳ swallow, gulp
בֶּלַע ז׳ slander
בִּלְעָדִי ת׳ exclusive, sole
בִּלְעֲדֵי מ״י save, without
בִּלְעָדִיּוּת נ׳ exclusiveness
בְּלַעַז תה״פ in a foreign language
בְּלֶק גֶ׳ק (עשרים ואחת) ז׳ blackjack
בַּלְקָן Balkan (Peninsula)
בֶּלָרוּס נ׳ Belarus
בָּלֶרִינָה נ׳ ballerina
בָּלַשׁ פ׳ search, detect, spy into
בַּלָּשׁ ז׳ detective, sleuth
- בלש פרטי private eye
בַּלָּשׁוּת נ׳ investigation
בַּלָּשִׁי ת׳ detective, cloak-and-dagger
בַּלְשָׁן ז׳ linguist, philologist
בַּלְשָׁנוּת נ׳ linguistics, philology
בַּלְשָׁנִי ת׳ linguistic, philological
בִּלְתּוֹ: אֵין בִּלְתּוֹ unique
בִּלְתִּי מ״י not, except
- בלתי הפיך final, irreversible
- בלתי חוזר irrevocable
- בלתי חוקי illegal, unlawful
- בלתי נדלה inexhaustible
- בלתי נמנע inevitable, unavoidable
- בלתי נסבל intolerable, unbearable
- בלתי רגיל unusual, extraordinary
בִּמְאוּת נ׳ direction
בַּמַּאי ז׳ director, stage manager
בַּמְבּוּק (חִזְרָן) ז׳ bamboo
בִּמְבֵּם פ׳ hum, sing a wordless tune
בְּמִדְבַּר (חומש) ז׳ Numbers
בִּמְדוּיָּק תה״פ exactly
בָּמָה נ׳ podium, rostrum, stage
בַּמֶּה תה״פ wherewith, with what
בִּמְהֵרָה תה״פ soon, shortly
בְּמוֹ מ״ח with his own
- במו עיני with my own eyes
בָּמוֹל (נַחַת) נ׳ flat
בְּמֵזִיד תה״פ intentionally, on purpose
בְּמַחִי יָד תה״פ at one blow
בְּמָטוּתָא מ״ק please
בְּמִידָּה שֶׁ- מ״י according as/to, if
בְּמִידַּת מָה תה״פ to some degree
בָּמִיָּה (ירק מאכל) נ׳ okra
בִּמְיוּחָד תה״פ in particular, especially
בְּמֵישָׁרִין תה״פ directly
בְּמַפְגִּיעַ תה״פ vigorously, decidedly
בִּמְפוֹרָשׁ תה״פ expressly, clearly
בְּמַקְבִּיל תה״פ parallel, simultaneously
בִּמְקוֹם תה״פ instead of, in lieu of

בְּמִקְצָת תה״פ	somewhat
בְּמִקְרֶה תה״פ	by chance, accidentally
- במקרה זה	in this case
- במקרה ש-	in case of
בְּמֶשֶׁךְ תה״פ	during, throughout
בֵּן ז׳	boy, child, son, aged, old, deserving
- בן אח/אחות	nephew
- בן אלמוות	immortal
- בן גילו	of the same age
- בן זמנו	contemporary
- בן זקונים	youngest son
- בן חורג	stepson
- בן יומו	day-old
- בן יחיד	only child
- בן כמה?	how old?
- בן מוות	deserving death
- בן מינו	of the same kind
- בני ביתו	one's family
- בני ישראל	the children of Israel
- בני נוער	young people
- בני עשרה	teenagers
- הבן	junior, the younger
בֶּן אָדָם ז׳	man, person
- בני אדם	people, mankind
בֶּן בַּיִת ז׳	familiar
בֶּן בְּרִית ז׳	ally, Jew, in league
בֶּן דוד/דודה ז׳	cousin
בֶּן זוּג ז׳	companion, mate, husband, spouse, partner
בֶּן זְקוּנִים ז׳	youngest son
בֶּן חוֹרִין ז׳	freeborn
בֶּן חַיִל ז׳	brave man, soldierly
בֶּן חֲלוֹף ת׳	ephemeral, transient
בֶּן חָסוּת ז׳	protege, ward
בֶּן טוֹבִים ז׳	of good family
בֶּן כִּלְאַיִם ז׳	hybrid, crossbred, crossbreed, half-breed
בֶּן כְּפָר ז׳	villager, countryman
בֶּן כְּרַךְ ז׳	townee, townsman
בֶּן לְוָיָה ז׳	companion, escort
בֶּן לַיְלָה תה״פ	overnight
בֶּן סוֹרֵר וּמוֹרֶה ז׳	intractable son
בֶּן עֲרֻבָּה ז׳	hostage
בֶּן רֶגַע תה״פ	at once, *in a jiffy
בֶּן תְּמוּתָה ז׳	mortal, man
בֶּן תַּעֲרוֹבֶת ז׳	hybrid, crossbred
בִּנְאוּם ז׳	internationalization
בַּנָּאוּת נ׳	building, masonry
בַּנַּאי ז׳	builder, mason
בִּנְאֵם פ׳	internationalize
בַּנְג׳וֹ (כלי פריטה) ז׳	banjo
בַּנְגִ׳י (קפיצה) ז׳	bungee
בַּנְגְּלָדֶשׁ נ׳	Bangladesh
בַּנְדִּיט ז׳	bandit, *mischievous child
בָּנָה פ׳	build, construct
- בנה מחדש	rebuild, reconstruct
- בנה על	plan on, build on
בָּנוּ מ״ג	in us
בְּנוֹגֵעַ לְ- מ״י	regarding, as to
בָּנוּי ת׳	built-up
בָּנוֹת נ״ר	daughters, girls
בֶּנְזִין ז׳	benzine, petrol, gas, gasolene
בְּנִיגּוּד לְ- תה״פ	contrary to
בְּנִיָּה נ׳	construction, building
- בנייה טרומית	prefab building
בִּנְיָן ז׳	building, construction, structure, voice
- בניין אב	precedent
- בניין הפעיל	causative
- בניין נפעל	passive voice
- בניין פעיל	active voice
בֶּנִין (דהומי) נ׳	Benin
בָּנָלִי ת׳	banal, hackneyed
בָּנָלִיּוּת נ׳	banality
בָּנָנָה נ׳	banana
בַּנְק ז׳	bank
- בנק דם	blood bank
- בנק זרע	sperm bank
- בנק למשכנתאות	mortgage bank
- בנק מסחרי	commercial bank
בַּנְקָאוּת נ׳	banking
בַּנְקַאי ז׳	banker
בַּנְקָאִי ת׳	of a bank
בַּנְקוֹמָט ז׳	cash dispenser
בְּנָקֵל תה״פ	easily, without effort
בַּס ז׳	bass
בִּסְבִיבָה תה״פ	around, hereabout
בִּסְבִיבוֹת מ״י	about, around, or so
בס״ד=בסיעתא דשמיא	with God's help
בְּסֵדֶר תה״פ	all right, OK, well, all there
- בסדר גמור	very well
- לא בסדר	wrong, not all there
- בסדר גודל של	on the order of
בסה״כ = בסך הכל	altogether
בְּסוֹמֶת נ׳	aroma
בָּסוֹן (פגוט) ז׳	bassoon
*בַּסְטָה נ׳	market stall
בָּסִיס ז׳	base, basis, foundation, alkali
- בסיס אווירי	air base
- בסיס טילים	missile base
- בסיס מס	tax base
- בסיס נתונים	data base
- חסר בסיס	baseless, insubstantial
- על בסיס	on the basis of
- על בסיס מזומנים	cash-based
בָּסִיסְט ז׳	bassist
בְּסִיסִי ת׳	basic, fundamental
בְּסַךְ הַכֹּל תה״פ	all told, in all, altogether, in total
בַּסָּךְ: צָעַד בַּסָּךְ	march in procession
בָּסַס פ׳	trample, tread
בִּעְבּוּעַ ז׳	bubble, gurgle
בַּעֲבוּר מ״י	for, so that
בִּעְבַּע פ׳	bubble, gurgle
בֶּעָבָר תה״פ	before, in former times
בְּעַד מ״י	pro, by, through, for, in favor of
- בעד ונגד	pro and con
בע״ה = בעזרת השם	with God's help
בְּעוֹד תה״פ	after, while
- בעוד מועד	in time, soon
- בעוד ש-	while, whereas
בע״ח = בעל חיים	animal
בָּעַט פ׳	kick, boot
בְּעֶטְיוֹ תה״פ	because of, owing to
בְּעִידָּנָא דְרִיתְחָא תה״פ	in time of anger
בְּעָיָה נ׳	problem, question, issue
*- אין בעיה	no problem
בְּעִיטָה נ׳	kick, shot, *boot

- בעיטה חופשית	free kick
- בעיטה למעלה	upstairs kick
- בעיטת אחד עשר	penalty kick
- בעיטת יעף	punt, volley
- בעיטת עונשין	penalty kick
- בעיטת פתיחה	kickoff
- בעיטת קרן	corner kick
בְּעָיְיתִי ת׳	problematic
בְּעִילָה נ׳	cohabitation, intercourse
בְּעִילוּם שֵׁם תה״פ	incognito
בְּעַיִן תה״פ	clearly, in reality, in kind
- בעין יפה	generously, without stint
בְּעִיצוּמוֹ מ״י	in the middle of, in progress
בְּעִיקְבוֹת מ״י	following, after
בְּעִיקָר תה״פ	mainly, chiefly, mostly
בָּעִיר ת׳	inflammable, combustible
בְּעֵירָבוֹן מוּגְבָּל תה״פ	Ltd., limited
בְּעֵירָה נ׳	burning, combustion
בְּעִיתּוֹ תה״פ	at one time
בָּעַל פ׳	have sexual intercourse
בַּעַל ז׳	husband, spouse, owner
- בעלים	owner, possessor
בַּעַל מ״י	having, of
- בעל אופי	man of character
בַּעַל אֶמְצָעִים ז׳	man of means
בַּעַל בַּיִת ז׳	householder, landlord
- בעלת בית	landlady, mistress
בַּעַל בְּעָמָיו	dignitary
בַּעַל בְּרִית ז׳	ally, confederate
בַּעַל בָּשָׂר ת׳	porky, fat
בַּעַל גוּף ת׳	corpulent, fat
בַּעַל דָּבָר ז׳	person concerned
בַּעַל דִּין ז׳	litigant, plaintiff
בַּעַל הוֹן ז׳	capitalist
בַּעַל וָתֶק ז׳	experienced, veteran
בַּעַל חוֹב ז׳	debtor, creditor
בַּעַל חוּלְיוֹת ז׳	vertebrate
בַּעַל חַיִּים ז׳	animal
בַּעַל טוּר ז׳	columnist
בַּעַל כּוֹחַ גַּבְרָא ת׳	potent, virile
בְּעַל כּוֹרְחוֹ תה״פ	reluctantly, unwillingly
בַּעַל מוּם ז׳	invalid, disabled, cripple
בַּעַל מִידּוֹת ז׳	virtuous
בַּעַל מְלָאכָה ז׳	craftsman, expert
בַּעַל מְנָיוֹת ז׳	shareholder, stockholder
בַּעַל מִקְצוֹעַ ז׳	craftsman, expert
בַּעַל מַשְׁמָעוּת ת׳	significant
בַּעַל מִשְׁפָּחָה ז׳	family man, married
בַּעַל נִיסָּיוֹן ת׳	experienced
בַּעַל עִנְיָין ז׳	party (having interest)
בַּעַל עֵסֶק ז׳	proprietor, business owner
בַּעַל עֵרֶךְ ת׳	worthy, valuable
בְּעַל פֶּה תה״פ	by heart, verbally
בַּעַל קוֹמָה ת׳	tall, important
בַּעַל שְׁלִיטָה ז׳	controlling shareholder
בַּעַל שֵׁם ת׳	known, noted, of repute
בַּעַל תְּפִילָּה ז׳	cantor
בַּעַל תְּשׁוּבָה ז׳	repentant, remorseful
בַּעֲלוּת נ׳	ownership, possession
בְּעָלִיל תה״פ	clearly, visibly
בְּעַלְמָא תה״פ	unintentionally, hit or miss
בע״מ=בעירבון מוגבל	limited, Ltd.
בע״פ = בעל פה	by heart
בְּעֶצֶם תה״פ	actually, as a matter of fact
- בעצמי/בעצמך וכו׳	by myself/yourself etc.
בַּעֲקִיפִין תה״פ	indirectly
בָּעַר פ׳	burn, blaze, flame, flare
*- לא בוער	it's not urgent, it can wait
בַּעַר ת׳	ignorant, illiterate
בַּעֲרוּת נ׳	ignorance, illiteracy
בְּעֵרֶךְ תה״פ	about, around, or so
בַּעַת ז׳	phobia
- בעת מים	hydrophobia, rabies
- בעת סגור	claustrophobia
בְּעֵת מ״י	during, while
- בעת ובעונה אחת	at the same time
בְּעָתָה נ׳	fear, horror
בְּפוּמְבֵּי תה״פ	in public
בְּפוֹעַל תה״פ	actually, acting
בַּפְּטִיסְט ז׳	Baptist
בְּפֵירוּשׁ תה״פ	clearly, explicitly
בִּפְנֵי מ״י	in front of, before
- בפני עצמו	in itself, per se
- בפניו	in his presence
בִּפְנִים תה״פ	inside, within, indoors
בְּפַרְהֶסְיָה תה״פ	openly, in public
בִּפְרוֹטְרוֹט תה״פ	in detail, minutely
בִּפְרָט תה״פ	particularly, especially
בִּצְבּוּץ ז׳	sprouting, appearance
בִּצְבֵּץ פ׳	sprout, burst forth
בְּצוֹבֶר תה״פ	in bulk, loose
בְּצַוְותָּא תה״פ	together, in concert
בַּצּוֹרֶת נ׳	drought
בְּצִיעָה נ׳	slicing, cutting
בָּצִיר ז׳	grape harvest, vintage
בָּצָל ז׳	onion, bulb
- בצל ירוק	spring onion, scallion
בְּצַלְצָל ז׳	shallot, small onion
בְּצִמְצוּם תה״פ	scantily, barely
בָּצַע פ׳	cut, slice
בֶּצַע ז׳	gain, profit
- בצע כסף	lucre, greed
- מה בצע?	of what avail?
בָּצֵק ז׳	dough, paste, duff
- בצק עלים	flaky pastry, puff pastry
בְּצֵקִי ת׳	doughy, pasty
בַּצֶּקֶת נ׳	edema
- בצקת רירית	myxedema
בָּצַר פ׳	harvest grapes
בַּקְבּוּק ז׳	bottle, flask
- בקבוק גומי	hot-water bottle
- בקבוק מולוטוב	Molotov cocktail
- בקבוק תבערה	petrol bomb
בַּקְבּוּקוֹן ז׳	phial, vial, flask
בְּקוֹל תה״פ	aloud, out
בְּקוֹשִׁי תה״פ	barely, hardly
בַּקְטֶרְיוֹלוֹג ז׳	bacteriologist
בַּקְטֶרְיוֹלוֹגִי ת׳	bacteriological
בַּקְטֶרְיוֹלוֹגְיָה נ׳	bacteriology
בַּקְטֶרְיוֹת נ״ר	bacteria
בָּקִי ת׳	expert, familiar, versed
בְּקִיאוּת נ׳	skill, mastership, familiarity, mastery
בַּקָּיָה (צמח) נ׳	vetch

בְּקִיעַ ז׳	crack, breach, gap, fissure
בָּקִיעַ ת׳	fissile, fissionable
בְּקִיעָה נ׳	splitting, breach
בְּקִיצוּר תה״פ	in brief, briefly, in fine, in sum
בְּקֵירוּב תה״פ	approximately, nearly
בַּקְלָאוָוה נ׳	baklava
בַּקָלָה (דג) נ׳	cod, codfish, hake
בְּקַלּוּת תה״פ	easily, lightly
בָּקֶלִיט ז׳	bakelite
בָּקַע פ׳	hatch, cleave, split, chip
בֶּקַע ז׳	rupture, split, hernia
בִּקְעָה נ׳	valley, basin
בִּקְצָרָה תה״פ	in brief, summarily
בָּקָר ז׳	cattle, cows
- בן בקר	steer, young bull
- בקר שחיטה	beef cattle
בַּקָּר ז׳	controller, inspector
בֶּקֶר (במוזיקה) ז׳	natural
בְּקֶרֶב מ״י	among, inside
בַּקָּרָה נ׳	control, revision
- בקרת איכות	quality control
- בקרת אש	fire control
בְּקָרוֹב תה״פ	soon, shortly
- בקרוב אצלך!	same to you!
בַּקָּשָׁה נ׳	application, request, appeal, desire, plea
*בַּקְשִׁישׁ ז׳	baksheesh, tip
בְּקֶשֶׁר לְ- מ״י	regarding, as for
בִּקְתָּה נ׳	hut, shed, shack
בַּר ז׳	bar, barroom, saloon
בַּר ז׳	wilderness
- חזיר בר	wild pig, boar
בַּר ת׳	son of, -able
- בר ביצוע	achievable, workable
- בר השוואה	comparable
- בר ויכוח	arguable
- בר חרישה	arable
- בר עונשין	punishable
- בר קיימא	durable, imperishable
- בר שינוי	alterable
- בר תביעה	actionable, suable
בַּר אוֹרְיָין ז׳	scholar, learned man
בַּר בֵּי רַב ז׳	schoolboy, student
בַּר דַּעַת ת׳	intelligent, reasonable
בַּר לֵבָב ת׳	pure, sincere
בַּר מַזָּל ת׳	fortunate, lucky
בַּר מִינָן ת׳	deceased, corpse
בַּר מִצְוָה ז׳	bar mitzvah
בַּר סַמְכָא ז׳	authority, reliable
בַּר תּוֹקֶף ת׳	valid, effective, in force
בָּרָא פ׳	create, call into being
בְּרָאווֹ (הידד) מ״ק	bravo
בָּרֹאשׁ תה״פ	leading, first
בְּרֵאשִׁית תה״פ	in the beginning
בְּרֵאשִׁית (חומש) ז׳	Genesis
בְּרֵאשִׁיתִי ת׳	primeval
בַּרְבָּדוֹס נ׳	Barbados
בַּרְבּוּר ז׳	swan
*בִּרְבּוּר ז׳	chatter, blabber
בַּרְבֶּקְיוּ ז׳	barbecue
*בִּרְבֵּר פ׳	chatter, blabber
בַּרְבָּרִי ת׳	barbarian, vandal
בַּרְבָּרִיּוּת נ׳	barbarism, vandalism
*בַּרְבְּרָן פ׳	blabbermouth
בָּרָד ז׳	hail, hailstone
- ירד ברד	it hailed
בַּרְדְּלָס ז׳	cheetah, panther
בַּרְדָּס ז׳	cowl, hood
*בַּרְדָּק ז׳	disorder, mess
ברה״מ = ברית המועצות	USSR
בָּרוּא ז׳	creature
בְּרוֹגֶז תה״פ	on bad terms
בַּרְוָז ז׳	duck, false report
- ברווז עיתונאי	canard, fabricated report
- ברווז פיתיון	decoy
- ברווז צולע	lame duck
בַּרְוָזוֹן ז׳	duckling
בַּרְוָזָן (יונק) ז׳	platypus
בְּרוּטוֹ ז׳	gross, before tax
בְּרוּטָלִי ת׳	brutal
בְּרוּטָלִיּוּת נ׳	brutality
בָּרוּךְ ת׳	blessed
- ברוך הבא	welcome
- ברוך השם	thank God
- ברוך שפטרני!	good riddance
בְּרוֹם (יסוד כימי) ז׳	bromine
בָּרוֹמֶטֶר ז׳	barometer
בָּרוֹמֶטְרִי ת׳	barometric
בָּרוֹן ז׳	baron
בְּרוֹנְזָה (ארד) נ׳	bronze
בְּרוּנֶטִית נ׳	brunette
בְּרוֹנְכִיטִיס ז׳	bronchitis
בָּרוֹק (סגנון) ז׳	baroque
בְּרוֹקוֹלִי (זן של כרוב) ז׳	broccoli
בְּרוֹקֶר ז׳	broker, stockbroker
בָּרוּר ת׳	obvious, clear, evident
- ברור כשמש	very clear
בְּרוּרוֹת תה״פ	clearly, distinctly
בְּרוֹשׁ (עץ) ז׳	cypress
בָּרוּת ז׳	diet
בֶּרֶז ז׳	faucet, tap, cock
- ברז שריפה	hydrant, plug
*- שם לו ברז	run away
בְּרֵזִיָּה נ׳	drinking fountain
בְּרָזִיל נ׳	Brazil
בַּרְזִלִּי ת׳	ferrous
בַּרְזְלָן ז׳	ironworker
בַּרְזֶל ז׳	iron
- ברזל יציקה	cast iron
בְּרֶזֶנְט (אַבְּרֵזִין) ז׳	tarpaulin
בָּרַח פ׳	run away, flee, run, bolt, escape
*- עשה "ויברח"	run away
בְּרַחֲבֵי מ״י	throughout, all over
בַּרְחַשׁ ז׳	gnat, small mosquito
בֶּרֶט ז׳	beret
בָּרִי ת׳	certain, sure
בֶּרִי בֶּרִי (מחלה)	beriberi
בָּרִיא ת׳	healthy, sound, fit, well
- בריא אולם	hale and hearty
- בריא בשר	fat, obese
*- תהיה לי בריא	I don't like it
בְּרִיאָה נ׳	creation
- בריאת העולם	the Creation, cosmogony
בְּרִיאוּת נ׳	health, well-being
- בקו הבריאות	in condition, healthy
- בריאות הנפש	mental health
- לבריאות!	be well!, enjoy it!
בְּרִיאוּתִי ת׳	sanitary

בְּרִיגָדָה נ׳ brigade
בְּרִידְג׳ (משחק) ז׳ bridge
בָּרִיוֹם (חרק) ז׳ mayfly, ephemerid
בָּרִיוּם (יסוד מתכתי) ז׳ barium
בִּרְיוֹן ז׳ hooligan, thug
בִּרְיוֹנוּת נ׳ hooliganism, thuggery
בִּרְיוֹנִי ת׳ ruffianly, strong-arm
בְּרִיחַ ז׳ bar, bolt, latch
בְּרִיחָה נ׳ flight, escape, bolt
- בריחת מוחות brain drain
- בריחת סידן osteoporosis
בָּרִיטוֹן (קול) ז׳ baritone
בְּרִיטִי ת׳ British, Anglo
בְּרִיטַנְיָה נ׳ Britain, UK, United Kingdom
- בריטניה הגדולה Great Britain
בְּרִיָּה נ׳ creature, person
- בריה משונה freak of nature
בְּרַיְיל (כתב עיוורים) ז׳ braille
בְּרֵיכָה נ׳ pond, pool, reservoir
- בריכת שחייה swimming pool
בְּרֵיכִיָּה נ׳ mallard, wild duck
בְּרִיסְטוֹל (נייר עבה) ז׳ bristol
בָּרִיקָדָה נ׳ barricade, roadblock
בְּרֵירָה נ׳ alternative, choice
- ברירה טבעית natural selection, survival of the fittest
- ברירת מחדל default
- ברירת קנס option of a fine
בְּרִירוּת נ׳ evidence
בְּרֵישׁ גְּלֵי תה״פ openly, in public
בְּרִית נ׳ alliance, confederacy, treaty, league, covenant
- ברית המועצות USSR
- ברית מילה circumcision
- הברית החדשה New Testament
*בְּרִיתָה נ׳ party for birth of girl
בֶּרֶךְ נ׳ knee, elbow
בְּרָכָה נ׳ blessing, greeting, regards
- בברכה yours faithfully
- ברכה לבטלה waste of efforts
- ברכת הגומל thanks to God
- ברכת המזון grace
בְּרָכוֹן ז׳ small prayer book
בְּרַם תה״פ but, however, yet
בַּרְמֶן ז׳ barman, bartender
בְּרֶנְדִי ז׳ brandy
בְּרַנְז׳ה נ׳ closed circle (of men)
בַּרְנָשׁ ז׳ person, fellow, guy
בִּרְצִינוּת תה״פ in earnest, seriously
בָּרָק ז׳ lightning, polish, shine
בַּרְקוֹד ז׳ bar code
בַּרְקִית נ׳ glaucoma
בַּרְקָן ז׳ thorn, briar
בַּרְקָרוֹלָה נ׳ barcarole
בָּרֶקֶת (אבן יקרה) ז׳ emerald
בֵּרֵר פ׳ pick, select, single out
*בְּרָרָה נ׳ low-quality fruit
בַּרְרָן ז׳ choosy, dainty, picky
בַּרְרָנוּת נ׳ choosing, daintiness
בִּשְׁבִיל מ״י for, in order to
בִּשְׁגָגָה תה״פ in error, inadvertently
בְּשׁוּם אוֹפֶן/פָּנִים on no account
בְּשׁוּם מָקוֹם nowhere, in no place
בְּשׁוּם שֵׂכֶל reasonably, sensibly
בְּשׂוֹרָה נ׳ tidings, news
- בשורה רעה/בשורת איוב bad news
- ספרי הבשורה Gospel, Evangel
בָּשַׁל פ׳ ripen, become ripe, mature
בָּשֵׁל ת׳ ripe, mature, mellow
בְּשֶׁל מ״י because of
בְּשֵׁלוּת נ׳ maturity, ripeness
בַּשְׁלָן ז׳ cook, chef
בַּשָּׂם ז׳ perfumer
בִּשְׁעַת תה״פ while, when, during
בְּשַׁעֲתוֹ תה״פ at one time
בָּשָׂר ז׳ flesh, meat
- בשר בקר beef
- בשר הפרי pulp
- בשר ודם flesh and blood
- בשר ורדה sirloin
- בשר חזיר/לבן pork, white meat
- בשר חי raw meat
- בשר חלק strictly kosher meat
- בשר טחון mince, hamburger
- בשר כבש mutton, lamb
- בשר מבשרו his kith and kin
- בשר עגל veal
- בשר קצוץ hash, forcemeat
- בשר תותחים cannon fodder
בְּשָׂרִי ת׳ carnal, fleshy, meaty
בַּשְׂרָנִי ת׳ fleshy, succulent
בַּת נ׳ daughter, girl, aged
- בת אח/אחות niece
- בת השירה muse
- בת חורגת stepdaughter
- בת יומה day-old
- בת יחידה only daughter
- בת ישראל Jewess, Jewish girl
בַּת דוֹד נ׳ cousin
בַּת זוּג נ׳ partner, spouse
בַּת יַעֲנָה נ׳ ostrich
בַּת צְחוֹק נ׳ smile
בַּת קוֹל נ׳ echo
בָּתָּה נ׳ waste land, scrub
בְּתוֹךְ מ״י among, in, inside
- בתוך דקה in a minute
- בתוך כך in the meantime
- בתוך תוכו at bottom, at heart
בְּתוֹכְכֵי מ״י in, inside
בָּתוּל ז׳ virgin
בְּתוּלָה נ׳ virgin, maid
- בתולת ים mermaid
בְּתוּלִי ת׳ virginal, maiden
בְּתוּלִים ז״ר hymen, maidenhood, virginity
בְּתוֹם לֵב in good faith, bona fide
בְּתוֹקֶף תה״פ vigorously, valid, in force, by virtue of
בְּתוֹר, בְּתוֹרַת תה״פ like, as
- בתור שכזה as such
בַּתְּחִילָּה תה״פ at first, originally
בְּתֵיאָבוֹן מ״ק enjoy your food!
בָּתִּים (רבים של בית) ז״ר houses
בתי״ס = בתי ספר
בָּתִּיסְפֵרָה (תא-צלילה) נ׳ bathysphere
בָּתִּיסְקָף (צוללת) ז׳ bathyscaph
בְּתַכְלִית תה״פ completely, absolutely
בִּתְנַאי שֶׁ- מ״ח provided, as long as
בֶּתֶר ז׳ section, fistula
בָּתַר- תח׳ post-
- בתר-לידתי postnatal

ג

ג' תה"פ — third, thirdly
- יום ג' — Tuesday
גֵא, גֵאֶה ת' — proud, arrogant, haughty, *gay, homosexual
גָאָה פ' — rise, grow, mount
גַאֲוָה נ' — pride, self-esteem
- גאוות יחידה — esprit de corps
- גאוותי על כך — it's my boast
גַאַוְתָן ת' — boastful, swaggerer
גַאַוְתָנוּת נ' — arrogance, pride
גְאוּלָה נ' — delivery, redemption, salvation
- גאולת דם — vendetta
גָאוֹן ז' — genius, mastermind
גְאוֹנוּת נ' — genius
גְאוֹנִי ת' — genius
גֵאוּת נ' — flood tide, high tide
- גאות ושפל — ebb and flow
גָאזָה נ' — gauze, cheesecloth
גָאִייָה (גדילה) נ' — fade-in
גָאַל פ' — free, redeem, deliver
גָאלָה (אירוע חגיגי) נ' — gala
גָאנָה נ' — Ghana
גַ'אנק פוד (מזון זול) — junk food
גַב ז' — back, spine
- גב אל גב — back to back
- גב ההר — mountain range, ridge
- גב היד — back of the hand
- גב הספר — spine of the book
- על הגב — supine
גב' = גברת — Mrs.
גַבָּאוּת נ' — management of synagogue
גַבַּאי ז' — manager of synagogue
גְבָבָה נ' — straw, heap, pile
גָבַהּ פ' — be high, rise, mount
גָבָה פ' — collect, levy, charge
- גבה עדות — take evidence
גַבָּה נ' — eyebrow
גַבהוּת (לֵב) נ' — haughtiness, pride
גָבוֹהַּ ת' — high, tall, lofty
- גבה קומה — tall
גְבוֹהָה נ' — proud talk
- גבוהה גבוהה — big words, arrogantly
גְבוּל ז' — border, bound, boundary, frontier, limit
- בלי גבול — boundless, indefinitely
גְבוּלִי ת' — borderline, marginal
גַבּוֹן נ' — Gabon
גְבוּרָה נ' — strength, power, God
- הגיע לגבורות — be eighty years old
גַבַּחַת נ' — baldness, nap
גַבִּי ת' — dorsal, backhanded
גְבִייָה נ' — collection, levy, taking
- גביית עדות — taking evidence
גָבִין ז' — eyebrow
גְבִינָה נ' — cheese
- גבינה רזה/כחושה — lean cheese
- גבינה שמנה — fat cheese
- גבינת קוטג' — cottage cheese
גְבִינִי ת' — caseous, cheesy
גָבִיעַ ז' — cup, goblet, chalice, calyx
- גביע גלידה — ice-cream cornet, cone
גְבִיר ז' — rich man
גָבִישׁ ז' — crystal
גְבִישִׁי ת' — crystalline
גְבִישִׁיוּת נ' — crystallinity
גָבַל פ' — abut, border on, knead, mix
גַבְלִית נ' — oriel, balcony
גַבְנוּן ז' — hump, hunch
גַבְנוּנִי ת' — hunchbacked, gibbous
גַבְנוּנִיוּת נ' — convexity
גֶבֶס ז' — gypsum, plaster, cast
גִבְעָה נ' — hill, elevation
גִבְעוֹל ז' — stalk, stem, pedicel
גִבְעוֹנֶת נ' — hillock, mound
גָבַר פ' — increase, grow, mount
- גבר על — beat, defeat, overcome
- גבר עליו יצרו — yield to temptation
גֶבֶר ז' — man, male, cock
*- גבר לעניין — quite a boy, a real man
גַבְרָא ז' — man
גַבְרְבַר ז' — swaggerer, young man
גַבַּרְדִין ז' — gabardine
גַבְרוּת נ' — manhood, virility
גַבְרִי ת' — male, manly, virile
גַבְרִיוּת נ' — manhood, virility
גְבֶרֶת נ' — lady, madam, mistress, Mrs.
- אותה גברת בשנוי אדרת — actually the same thing
- גבירותי ורבותי — ladies and gentlemen
- הגברת הראשונה — the first lady
גְבַרְתָן ז' — strong man
גַבְשוּשִית נ' — hillock, mound, knob, tee
גִבְתוֹן ז' — ortolan, bunting
גַג ז' — roof, housetop
*- עד הגג — very much, extremely
גַגוֹן ז' — awning, roof rack, small roof
גַד (כוסברה) ז' — coriander
גָדָה נ' — bank, brink, riverside
- הגדה המערבית — the West Bank
- עלה על גדותיו — overflow, spill over
גְדוּד ז' — battalion, regiment
גְדוּדִי ת' — regimental
גָדוֹל ת' — great, large, big
*- בגדול — in a big way
*- גדול מהחיים — wonderful
- גדולות — great things
- גדולות ונצורות — miracles
- מגדול ועד קטן — everybody
גְדוּלָה נ' — greatness, importance
- ירד מגדולתו — has seen better days
גָדוּם ת' — cut, amputated
גָדוּעַ ת' — cut down, felled
גָדוּר ת' — fenced, fenced off
גָדוּשׁ ת' — full, packed, brimming, fraught, replete, stuffed
גְדִי ז' — kid, Capricorn
גְדִיל ז' — fringe, strand, tassel
גְדִילָה נ' — growth, increase, accretion
גְדִיעָה נ' — cutting down, felling
גְדֵירָה נ' — pen, sheepfold
גָדִישׁ ז' — heap of corn, rick, stack
גָדַל פ' — increase, grow, wax
- גדל פרא — grow wild, run wild
גַדְלוּת נ' — greatness, magnanimity
גָדַם פ' — cut off, sever

גֶדֶם ז׳ stub, stump
גדנ"ע = גדודי נוער cadet corps
גָדַע פ׳ cut off, fell, hew, lop
גָדַר פ׳ fence off, enclose, wall
גָדֵר נ׳ fence, limit, wall
- גדר ביטחון/המערכת security fence
- גדר חיה, גדר שיחים hedge
- גדר חשמלית electric fence
- גדר כלונסאות stockade, picket, paling
- גדר תיל barbed-wire fence
- יושב על הגדר fence-sitter
- יצא מגדרו be beside oneself, lose control
- פורץ גדר lawbreaker
גִדרון (ציפור שיר) ז׳ wren
גָדַש פ׳ heap, pile up, stuff
גֵהָה נ׳ remedy, cure, medicine
גֵהוּת נ׳ hygiene, sanitation
גֵהוּתִי ת׳ hygienic, sanitary
גְהִירָה נ׳ stooping, bowing down
גָהַר פ׳ stoop, bow down
גֵו ז׳ back, inside
- השליך אחרי גוו discard, dump
גוּאָטֶמָלָה נ׳ Guatemala
גוֹאֵל ז׳ deliverer, liberator, savior
גוּאָש (צבע) ז׳ gouache
*ג'וֹב ז׳ job, *berth
גוב, גוב אֲרָיוֹת lions' den
גוּבַּב פ׳ be piled up, be heaped
גוּבָּה פ׳ be backed up, be saved
גוֹבַהּ ז׳ altitude, height, highness
*- בגובה העיניים on the same level
- גובה המים/פני הים sea level
- גובה צליל pitch
גוֹבֶה ז׳ collector
- גובה מיסים tax collector
גוביינה ת׳ collect
- שיחת גוביינה collect call
גוֹבֵל ת׳ adjoining, bordering on
גוֹבְּלֶן ז׳ Gobelin (tapestry)
ג'וֹבְנִיק ז׳ noncombatant
גוּבַּס פ׳ be plastered
גוּבַּש פ׳ crystallize, be formed
גוּבְתָּה נ׳ hose, tube
גוגו: נַעֲרַת גוגו go-go girl
ג'וגינג (ריצה) ז׳ jogging
*גוגל מוגל ז׳ egg-nog, egg-flip
ג'ודו ז׳ judo
גוּדַל פ׳ be brought up
גוֹדֶל ז׳ size, greatness, magnitude
- גודל נפש/רוח generosity, nobility
גוּדַר פ׳ be fenced
גוֹדֶש ז׳ surplus, overflow, plenitude
גוּהַץ פ׳ be ironed
*גְוואלד! מ״ק help!
גְוָה נ׳ hulk, hull, body
- גוות אונייה hulk
גְוִויָּה נ׳ carcass, corpse, *stiff
גְוִויל ז׳ parchment
גְוִויעָה נ׳ dying, death
גָוֶון ז׳ color, hue, tinge, shade
- בן גוון nuance
- גון הפנים complexion
- גון הקול timbre, timber
גְוָונוּן ז׳ nuance

גָוַע פ׳ die, wane, fade out
גוּורדְיָה נ׳ group, entourage
גוֹזֵז ז׳ shearer, clipper
גוֹזָל ז׳ nestling, young bird
גוּזְמַאי ז׳ exaggerator
גוּזְמָה נ׳ exaggeration, tall tale
גוֹי ז׳ nation, gentile
גוּיָבָה נ׳ guava
גוֹיָה נ׳ gentile woman
גוּיַּס פ׳ be mobilized, be enlisted
גוּיַּר פ׳ become a Jew
ג'וֹינט (סיגריית-חשיש) ז׳ joint
ג'ויסטיק (מוט היגוי) ז׳ joystick
גול ז׳ goal
גולג ז׳ Gulag, labor camp
גוּלְגוֹלֶת נ׳ cranium, head, skull
- לגולגולת per capita, per head
גולגולתי ת׳ cranial, cephalic
גוֹלֶה ז׳ exile, deportee
גוּלָּה נ׳ knob, marble, ball
- גולת הכותרת coping-stone, crown
גוֹלָה נ׳ exile, diaspora
גוּלַּח פ׳ be shaved
גוֹלְיַית ז׳ Goliath, giant
גוֹלֵל פ׳ roll, unfold, unroll, unwind
- גולל את האשמה pin the blame on
גוֹלֵל ז׳ tomb stone
גוּלַּם פ׳ be embodied, be enacted, be grossed up
גוֹלֶם ז׳ robot, idiot, clumsy, pupa, chrysalis
גוֹלְמִי ת׳ raw, crude, rude, gross
גולמיות נ׳ crudeness, crudity
גוֹלְמָנִי ת׳ awkward, clumsy
גוֹלָן: רמת הגולן Golan Heights
גוּלְעַן פ׳ be stoned (fruit)
גוּלַּף פ׳ be carved, be engraved
גוֹלְף ז׳ golf
גוֹלֵש ז׳ surfer, skier
- גולש באינטרנט Internet surfer
גוּלָש ז׳ goulash
גוֹמֶא ז׳ papyrus, reed
גוּמאֲוִויר ז׳ foam rubber
גוּמַּד פ׳ be dwarfed, be stunted
גוֹמֶד ז׳ cubit, ulna
גוּמָּה נ׳ dent, dimple, hole, pothole
- גומת חן dimple
גוּמְחָה נ׳ niche, recess, alcove
גוּמִי ז׳ gum, rubber, elastic
- גומי לעיסה chewing gum
גוּמִיָּה נ׳ rubber band
גוֹמֵל ת׳ retaliative, retaliatory
- גומל חסד benefactor, beneficent
גוֹמְלִין ז״ר reciprocity
- יחסי גומלין mutual relations
- משחק גומלין return match
גוּנַּב פ׳ slip in
גוּנַּב לְאוזנָיו reach his ears
גוֹנג ז׳ gong
ג'וּנגֶל ז׳ jungle
גוּנְדָה נ׳ company, battery, squadron
גוֹנדוֹלָה נ׳ gondola
גונדולייר ז׳ gondolier
גוּנְדָר ז׳ major general
- גונדר משנה colonel
- סגן גונדר lieutenant colonel

- רב-גונדר lieutenant general
- תת-גונדר brigadier
גּוּנָּה פ׳ be denounced, be condemned
גּוּנִית נ׳ nuance
גּוֹנֵן פ׳ shelter, protect
גּוֹסֵס ת׳ dying, moribund
גּוֹעַל (נֶפֶש) ז׳ disgust, revulsion
גּוֹעֲלִי ת׳ disgusting, revolting
גּוֹעֵשׁ ת׳ stormy, tempestuous
גּוּף ז׳ body, figure, object
- גוף זר foreign body
- גוף חימום heating element
- גוף ראשון first person
- גוף שלישי third person
- גוף שני second person
- הוא גופו he himself
- לגופו של דבר/עניין to the point
גּוּפָא ת׳ proper
גּוּפָה נ׳ corpse, cadaver, body
- על גופתי המתה over my dead body
גּוּפִיָּה נ׳ undershirt, singlet, vest
גּוּפִיף ז׳ corpuscle
גּוֹפָן ז׳ font, fount, type style
גּוּפָנִי ת׳ bodily, physical, carnal, corporal, material
גּוֹפְרָה נ׳ sulfate, sulphate
גּוֹפְרִי ת׳ sulfide, sulphide
גּוֹפְרִית נ׳ brimstone, sulfur
גּוֹפְרִיתִי ת׳ sulfurous, sulfuric
גּוֹפְרִיתָנִי ת׳ sulfuric
גּוֹפְרָתִי ת׳ sulfuric, sulphuric
גּוּץ ת׳ short, dumpy, squat
*ג׳וּק ז׳ cockroach
- ג׳וק בראש a bee in his bonnet
ג׳וֹקֶר ז׳ joker
גּוּר ז׳ cub, puppy, pup, whelp
- גורים litter, young
גּוֹרַד פ׳ be scratched
גּוֹרֵד שְׁחָקִים ז׳ skyscraper
גּוֹרָה פ׳ be stimulated, be provoked
*ג׳וֹרָה נ׳ cesspit
גּוּרוּ (מנהיג רוחני) נ׳ guru
גּוֹרִילָה נ׳ gorilla
גּוֹרָל ז׳ destiny, fate, lot, luck
- עלה בגורלו fall to his lot
גּוֹרָלִי ת׳ critical, fatal, fateful
גּוֹרֵם ז׳ cause, factor, agent
- גורם משותף common factor
- פירק לגורמים factorize, resolve into factors, *take apart, beat
גּוּרְמֶה ז׳ gourmet, connoisseur
גּוֹרֶן נ׳ threshing floor
- חצי גורן עגולה semicircle
גּוֹרֵף ת׳ total, comprehensive
גּוֹרֵר ז׳ tractor, tow tractor
גּוֹרֶרֶת נ׳ tugboat, towboat
גּוֹרַשׁ פ׳ be expelled, be deported
גּוּשׁ ז׳ block, lump, mass, body
- גוש ערים conurbation
- גוש פוליטי bloc
גּוּשִׁי ת׳ agglomerate, massive
- בין גושי inter-bloc
גּוּשִׁישׁ ז׳ small lump, nodule
גּוּשְׁפַּנְקָה נ׳ seal, approval
- נתן גושפנקה approve, endorse
גּוּשַׁר פ׳ be bridged

גּוֹתִי ת׳ Gothic
גַּז ז׳ gas
- גז אציל noble gas
- גז הביצות methane, marsh gas
- גז החרדל mustard gas
- גז מדמיע tear gas
- גז עצבים nerve gas
- גזים בבטן flatulence, wind
ג׳ֶז ז׳ jazz
גֵּז ז׳ shearing, cut, clip, fleece
גִּזְבָּר ז׳ treasurer, purser
גִּזְבָּרוּת נ׳ treasury
גְּזוֹגְזִים ז״ר confetti
גָּזוֹז ז׳ soda pop, pop, soda
גָּזוּז ת׳ shorn, cut
גְּזוּזְטְרָה נ׳ balcony, porch
גְּזוֹמֶת נ׳ pruned branches
גָּזוּר ת׳ cut, shorn, derived
- גזור שם denominative
גָּזַז פ׳ cut, fleece, shear, pare
גַּזֶּזֶת (מחלת עור) נ׳ ringworm
גַּזִּי ת׳ gaseous, gassy
גְּזִיזָה נ׳ clipping, shearing, clip
גְּזֵילָה נ׳ loot, robbery, mugging
גָּזִיר ז׳ clipping, log
גְּזִירָה נ׳ cutting, shearing, snip, derivation, differentiation
גְּזֵירָה נ׳ edict, decree, law, predestination
- גזירה שווה analogy, inference
גָּזִית נ׳ hewn stone
גָּזַל פ׳ rob, plunder, mug
- גזל זמן take time, occupy
גָּזֵל ז׳ loot, robbery, mugging
גַּזְלָן ז׳ bandit, robber, mugger
גַּזְלָנוּת נ׳ robbery, mugging
גָּזַם פ׳ prune, trim, prune down
גַּזְמָן ז׳ exaggerator
גֶּזַע ז׳ breed, race, stump, trunk
- גזע המוח brain stem
- הגזע האנושי man, human race
גִּזְעִי ת׳ racial, purebred, *cool
- כלב גזעי pedigree dog
גִּזְעָן ז׳ racialist, racist
גִּזְעָנוּת נ׳ racialism, color line
גִּזְעָנִי ת׳ racial
גָּזַר פ׳ cut, clip, snip, decree, order, foreordain, derive
- גזר דין sentence, pass sentence
גֶּזֶר ז׳ carrot
- גזר גמדי baby carrot
- גזר לבן parsnip
- גזרים pieces
גְּזַר דִּין ז׳ verdict, sentence
גִּזְרָה נ׳ figure, shape, cut, sector, zone, class of verbs
גָּחוֹן ז׳ belly, bottom
גָּחוּן ת׳ stooping, bent over
גְּחִינָה נ׳ stooping, bowing down
גַּחְכָה נ׳ burlesque, farce
גַּחְלִילִית נ׳ firefly, glowworm, lightning bug
גֶּחָלִים נ״ר embers, hot coals
גַּחֲלִית נ׳ carbuncle
גַּחֶלֶת נ׳ ember, cinder, coal
גַּחֶלֶת (מחלה) נ׳ anthrax

גַחֲמָה נ׳ caprice, vagary, whim
גַחֲמָנִי ת׳ capricious, whimsical
גָחַן פ׳ stoop, bend, bow over
גֵט ז׳ divorce
גֶטוֹ ז׳ ghetto
גַיא ז׳ valley, gulch, ravine
- גיא ההרגה field of slaughter
גֵיאוֹבּוֹטָנִיקָה נ׳ geobotany
גֵיאוֹגְרָף ז׳ geographer
גֵיאוֹגְרָפִי ת׳ geographical
גֵיאוֹגְרַפְיָה נ׳ geography
- גיאוגרפיה מדינית political geography
- גיאוגרפיה פיזית physical geography
גֵיאוֹדֶזְיָה נ׳ geodesy
גֵיאוֹלוֹג ז׳ geologist
גֵיאוֹלוֹגִי ת׳ geological
גֵיאוֹלוֹגְיָה נ׳ geology
גֵיאוֹמֶטְרִי ת׳ geometrical, geometric
גֵיאוֹמֶטְרִיָה נ׳ geometry
- גיאומטריה אוקלידית Euclidean geometry
- גיאומטריה אנליטית analytical geometry
גֵיאוֹפּוֹלִיטִי ת׳ geopolitical
גֵיאוֹפּוֹלִיטִיקָה נ׳ geopolitics
גֵיאוֹפִיזִיקָה נ׳ geophysics
גֵיאוֹצֶנְטְרִי ת׳ geocentric
גִיבֵּב פ׳ heap, stack, pile up
- גיבב מלים babble, prattle
גִיבָּה פ׳ back up, copy, save
גִיבּוּב ז׳ piling up, heap
- גיבוב מלים verbiage, babble
גִיבּוּי ז׳ backing, backup
גִיבּוּל ז׳ kneading
גִיבּוֹן (קוף) ז׳ gibbon
גִיבּוּס ז׳ plastering (a bone)
גִיבּוֹר ז׳ hero, strong man
גִיבּוּשׁ ז׳ formation, consolidation, solidification, crystallization, training period
גִיבּוּשׁוֹן ז׳ short training period
גִיבֵּחַ ת׳ bald in front
גִיבֵּל פ׳ knead, mix
גִיבֵּן ז׳ crookbacked, hunchback
*גִיבֶּנֶת נ׳ hump
גִיבֵּס פ׳ plaster (a bone)
גִיבֵּשׁ פ׳ crystallize, consolidate
- גיבש דעה form an opinion
גִיגָבַּייט (כמילירד בַּיט) ז׳ gigabyte
גִ׳יגוֹלוֹ ז׳ gigolo
גִיגִית נ׳ tub, washtub, vat
גִיד ז׳ sinew, tendon, gut, vein
גִידוּד ז׳ abrasion
גִידוּל ז׳ increase, growth, increment, raising, breeding, crop, tumor
- גידול בנים upbringing
- גידול ממאיר malignant tumor
- גידול שפיר benign tumor
- גידולי מים hydroponics
גִידוּף ז׳ curse, insult, swearword
- גידופים blasphemy, strong language
גִידוּר ז׳ fencing, fencing off
גִידֵל פ׳ bring up, raise, grow, rear

גִידֵם ז׳ one-armed, amputee
גִידֵף פ׳ curse, insult, vituperate
גִידֵר פ׳ fence off, enclose
גִ׳יהָאד ז׳ Jihad
גִיהוּץ ז׳ ironing, pressing
גִיהוּק ז׳ belch, burp, eructation
גֵיהִינוֹם ז׳ hell, inferno
גִיהֵץ פ׳ iron, press, smooth
גִיהֵק פ׳ belch, burp
גִיוֵון פ׳ checker, color, diversify, tinge, vary, lend color to
גִיוּון ז׳ coloration, shade, variety
גִיוּס ז׳ call-up, enlistment, mobilization, recruitment
- גיוס חובה conscription, compulsory enlistment
- גיוס כסף raising money
גִיוּר ז׳ proselytizing, conversion to Judaism
גִיוֹרֶת נ׳ converted Jewess
גִיזָה נ׳ fleece
גִיזוּם ז׳ trimming, pruning
גִיזֵם פ׳ prune, trim
גִיזָרוֹן ז׳ etymology
גִיזָרוֹנִי ת׳ etymological
גִיחָה נ׳ sally, sortie, foray
גִיחוּךְ ז׳ absurdity, smile, giggle
גִיחֵךְ פ׳ giggle, sneer
גִיטָרָה נ׳ guitar
- גיטרה חשמלית electric guitar
גִיטָרִיסְט ז׳ guitarist
גַייזֶר ז׳ geyser
גִייֵס פ׳ conscript, mobilize, enlist
- גייס כסף raise money
גַייֶצֶת נ׳ milling cutter
גִייֵר פ׳ convert to Judaism, proselytize
גֵיישָׁה נ׳ geisha
גִיל ז׳ age, joy, happiness
- בן גיל הזהב golden ager
- גיל גיוס military age
- גיל ההסכמה age of consent
- גיל ההתבגרות adolescence, puberty
- גיל הכשרות המשפטית age of majority
- גיל העמידה middle age
- גיל פרישה retiring age
- גיל רך tender age, tender years
- גיל שכלי mental age
גִילָאִי ת׳ of the same age
גִילְדָה נ׳ guild
גִילָה פ׳ detect, disclose, discover, find, reveal, expose, show
- גילה את אוזנו tell him a secret
*- גילה את אמריקה reveal a famous fact, talk nonsense
- גילה את קלפיו show one's hand
- גילה התנגדות offer resistance
- גילה רחמים relent, show mercy
גִילָה נ׳ joy, happiness
גִילוּחַ ז׳ shave, shaving
גִילוּי ז׳ discovery, revelation, detection, exposure
- בגילוי לב candidly, frankly
- בגילוי ראש bareheaded

- גילוי דעת manifesto, statement
- גילוי לב candor, frankness
- גילוי מסמכים discovery (of documents)
- גילוי עריות incest
- גילוי שכינה divine revelation

גילום ז׳ embodiment, grossing up
- גילום תפקיד personation

גילוף ז׳ carving, engraving
גילופין: בגילופין drunk
גילח פ׳ shave, raze
גיליוטינה נ׳ guillotine
גיליון ז׳ sheet, newspaper
- גיליון אישום charge sheet
- גיליון אלקטרוני spreadsheet
- גיליון התנהגות conduct sheet
- גיליון שכר payroll

גילם פ׳ embody, personify, give shape, gross up
- גילם תפקיד personate, enact

גילף פ׳ engrave, carve
גימד פ׳ reduce, dwarf, stunt
גימוד ז׳ dwarfing, reducing
גימור ז׳ finish, finishing
גימטריה נ׳ value of letters
גימיק (להטוט פרסומת) ז׳ gimmick
גימל נ׳ gimel (letter), *sick leave
גימנסיה נ׳ secondary school
גימר פ׳ finish
ג'ין (משקה אלכוהולי) ז׳ gin
גינאה נ׳ Guinea
ג'ינג'י ת׳ ginger, red-haired
ג'ינגל ז׳ jingle
גינה פ׳ denounce, condemn, censure, deplore, rap
גינה נ׳ garden
גינוב ז׳ plagiarism
גינוי ז׳ censure, denunciation, condemnation, reprimand
גינון ז׳ gardening, horticulture
גינונים ז״ר manners, etiquette, ceremonial behavior, decorum
גיניקולוג ז׳ gynecologist
גיניקולוגי ת׳ gynecological
גיניקולוגיה נ׳ gynecology
ג'ינס ז׳ jeans
גיס ז׳ corps, column, force, army
- גייסות forces
- גיס חמישי fifth column

גיס ז׳ brother-in-law
גיסא ז׳ side
- מאידך גיסא on the other hand
- מחד גיסא on the one hand

גיסה נ׳ sister-in-law
ג'יפ ז׳ jeep
גיפוף ז׳ embrace, cuddle, hug
גיפור ז׳ sulfurization, vulcanization
גיפף פ׳ embrace, cuddle
גיפר פ׳ sulfurize, recap, retread
גיר ז׳ chalk, limestone, gear
גירד פ׳ scrape, scratch, *scratch up, *itch
גירה פ׳ stimulate, irritate, whet
גירה נ׳ cud
- העלה גירה chew the cud, regurgitate, ruminate

גירוד ז׳ scrape, scratch, itch
גירוז ז׳ greasing, lubrication
גירוי ז׳ stimulation, itch, irritation, provocation
גירוסקופ ז׳ gyroscope, *gyro
גירוף ז׳ sweeping, raking
גירוש ז׳ banishment, deportation
- גירוש רוחות/שדים exorcism

גירושין ז״ר divorce
גירז פ׳ grease, lubricate
גירי ת׳ chalky, cretaceous
גירית נ׳ badger
גירם פ׳ bone, debone, fillet, gnaw bones
גירעון ז׳ deficit, lack, shortage, shortfall
גירעוני ת׳ deficit
גירף פ׳ sweep, rake
ג'ירף, ג'ירפה ז׳ giraffe
גירש פ׳ expel, deport, banish, drive away, divorce
- גירש רוחות/שדים exorcize

גירש ז׳ apostrophe
גישה נ׳ access, approach, attitude, dealing
- בר גישה accessible
- גישה אקראית random access
- גישה רציפה/סדרתית sequential access

גישור ז׳ bridging
גישוש ז׳ groping, searching
- גישושים overtures

גישר פ׳ bridge, reconcile, span
גישש פ׳ feel, grope, fumble
- גישש באפילה be in the dark

ג"כ = גם כן also, as well
ג'ל ז׳ gel
גל ז׳ wave, billow, heap, shaft
- גל ארכובה crankshaft
- גל חום heat wave, hot flush
- גל מיקרו microwave
- גל עצמות bag of bones
- גל פיקות camshaft
- גל קור cold wave
- גלי האתר radio
- גלי צה"ל military radio station
- גלי קול sound waves
- הגל החדש new wave, nouvelle vague
- הכה גלים cause a stir
- על אותו גל on the same wavelength

גלאי ז׳ detector
- גלאי מתכות metal detector
- גלאי שקר lie detector

גלב ז׳ barber
גלבייה נ׳ djellaba
גלגול ז׳ rolling, revolving, change, reincarnation, metamorphosis
- גלגול באוויר somersault
- גלגול נשמה metempsychosis
- גלגול עיניים למרום hypocrisy
- גלגול קודם former incarnation

גלגילה נ׳ pulley, wheel, roller
גלגילון ז׳ roller, castor, wheel
- גלגילון סלסול/שיער curler, roller

- גלגלון רוח – pin wheel
גלגיליים ז״ר – scooter
גלגילית נ׳ – castor, skate, wheel
- גלגיליות – roller skate
- גלגיליות להב – rollerblades
גלגל פ׳ – roll, revolve, turn, coil
- גלגל את האשמה – pin the blame on
- גלגל עיניו לשמיים – act hypocritically
- גלגל שיחה – chat, talk
גלגל ז׳ – wheel, hoop, sphere
- גלגל ההגה – steering wheel
- גלגל הינע – chain wheel, sprocket
- גלגל המזלות – zodiac
- גלגל העין – eyeball
- גלגל הצלה – life buoy, lifebelt
- גלגל רזרבי – spare tyre
- גלגל שיניים – cogwheel, sprocket
- גלגל תנופה – flywheel
גלגלת נ׳ – block and tackle, pulley
גלד ז׳ – scab, skin, crust
גלדיאטור ז׳ – gladiator
גלדיולה (סיפן) נ׳ – gladiolus
גלדין ז׳ – gelatine
גלדני ת׳ – leathery
גלה פ׳ – be deported, go into exile
גלובוס ז׳ – globe, sphere
גלובלי (כלל-עולמי) ת׳ – global
גלוון פ׳ – galvanize
גלוון ז׳ – galvanization
גלוונומטר ז׳ – galvanometer
גלוטן ז׳ – gluten
גלוי ת׳ – apparent, frank, open, bare
- בגלוי – openly, candidly
- גלוי וידוע – known to all
- גלוי לב – candid, openhearted
- גלוי ראש – bareheaded, hatless
גלויה נ׳ – postcard, card
- גלויית דואר – postcard
גלויות תה״פ – openly, frankly
גלול ת׳ – rolled
גלולה נ׳ – capsule, pill, tablet, lozenge
- גלולה למניעת הריון – contraceptive pill
- גלולה מרה – bitter pill
- גלולת מרץ – pep pill
- גלולת שינה – sleeping pill
- המתיק את הגלולה – sugar the pill
גלום ת׳ – latent, embodied, grossed-up
גלון ז׳ – gallon
גלוסקמה נ׳ – sarcophagus, chest
גלוסריון ז׳ – glossary
גלופה נ׳ – printing block, plate
גלוקוזה נ׳ – glucose
גלוקומה (ברקית) נ׳ – glaucoma
גלות נ׳ – banishment, exile, diaspora
- כאורך הגלות – very long
גלותי ת׳ – downtrodden, of ghetto
גלותיות נ׳ – ghetto mentality
גלח ז׳ – priest
ג׳לטין (גלדין) ז׳ – gelatine
גלי ת׳ – wavy, rolling, undulating
ג׳לי (מקפא) ז׳ – jelly
גלידה נ׳ – ice cream
- גלידת פירות – tutti-frutti, sherbet
*גלידריה נ׳ – ice-cream shop

גליות נ׳ – waviness, undulation
גליל ז׳ – cylinder, district, gun, Galilee
- גליל צביעה – roller
גלילה נ׳ – roll, rolling, scrolling
גלילי ת׳ – cylindrical, of Galilee
גלימה נ׳ – cloak, gown, robe
גליצרין ז׳ – glycerin
גליש (גליסנדו) ז׳ – glissando
גלישה נ׳ – overflow, surf riding, sliding, skiing, gliding, surfing
- גלישה באינטרנט – Internet surfing
גלל פ׳ – roll, roll up, furl, reel
גללים ז״ר – dung, cow-pat
גלמוד ת׳ – lonely, friendless
גלנטריה נ׳ – haberdashery, notions
גלעד ז׳ – cairn, cromlech, monument
גלעין ז׳ – pit, stone, kernel
גלעיני ת׳ – containing a stone
גלען פ׳ – core, stone, pit
גלף ז׳ – engraver, carver
גלפכול ז׳ – pantograph
גלקטי, גלקסי ת׳ – galactic
גלקסיה נ׳ – galaxy
גלריה נ׳ – gallery
גלש פ׳ – boil over, overflow, ski, slide, glide, surf
- גלש באינטרנט – surf the Internet
גלשון ז׳ – glider, hang glider
גלשן ז׳ – surfboard, surfer, glider
- גלשן מפרש/רוח – sailboard
גלשנות נ׳ – surfriding, windsurfing
גם מ״ח – also, too, not excepting
- גם אם – even if
- גם זו לטובה – it is all for the best
- גם כן – also, as well, too, to boot
- הגם – although
- וגם לא – neither, nor
- מה גם – especially that
גמא פ׳ – swallow, sip, gulp
- גמא מרחק – run very fast
גמאן ז׳ – sprinter
גמבה נ׳ – sweet pepper
גמביט ז׳ – gambit
גמגום ז׳ – stammer, stutter
גמגם פ׳ – stammer, falter, stutter
גמגמן ז׳ – stammerer, stutterer
גמד ז׳ – dwarf, midget, pygmy
גמדי ת׳ – dwarfish, stunted, baby
גמוד ת׳ – scrubby, undersized
גמול ז׳ – payment, reward, recompense
- השיב לו כגמולו – pay him in his own coin , repay in kind
גמור ת׳ – complete, finished, thorough, utter, very, *done in, *tired out
גמז פ׳ – criticize, blast
גמ״ח = גמילות חסדים – charity
גמיאה נ׳ – drinking, run
ג׳מייקה נ׳ – Jamaica
גמילה נ׳ – weaning, ripening, maturation
גמילות חסד נ׳ – charity, loan to the poor, benefaction, beneficence
גמיעה נ׳ – sipping, swallowing
גמירה נ׳ – finish, end
גמיש ת׳ – elastic, flexible, lithe

גְּמִישׁוֹן ז׳ stocking
- גמישונים tights
גְּמִישׁוּת נ׳ flexibility, pliability
גָּמַל פ׳ pay, retaliate, reward, wean
- גמלה החלטה בליבו decide
גָּמָל ז׳ camel, dromedary
- גמל הצאן llama, alpaca
- גמל שלמה praying mantis
גִּמְלָאוֹת נ״ר retirement
גִּמְלַאי ז׳ pensioner, retired
גִּמְלָה נ׳ benefit, pension
גַּמְלָה נ׳ gangplank, gangway
גַּמְלוֹן ז׳ gable, pediment
גַּמְלוֹנִי ת׳ awkward, huge
גֻּמְמִית נ׳ hole, pockmark, pit
גָּמַע פ׳ drink, gulp, swallow, sup
גָּמַר פ׳ end, finish, complete
- גמר אומר/בדעתו/בליבו decide, set one's mind, determine
- גמר את ההלל praise, rhapsodize
גְּמָר ז׳ end, finish, final, expiry
- גמר הגביע cup final
גְּמָרָא נ׳ Talmud, tractate
גַּן ז׳ garden, park
- גן בוטני botanical garden
- גן חיות zoo, zoological gardens
- גן ילדים kindergarten, nursery school
- גן עדן paradise, heaven
- גן עדן של שוטים fool's paradise
- גן ציבורי public garden, park
- גן שעשועים amusement park
גֵּן ז׳ gene
ג״נ = גברת נכבדה Dear Madam
גְּנַאי ז׳ disgrace, shame, obloquy
גָּנַב פ׳ steal, pilfer, *nick, *snitch
- גנב את ההצגה steal the show
- גנב דעתו cheat, deceive
- גנב זכות-יוצרים pirate
- גנב מחנויות shoplift
- גנב רעיון (מספר) plagiarize
גַּנָּב ז׳ thief, pilferer
גַּנְגְּלִיּוֹן (חַרְצוֹב) ז׳ ganglion
גַּנְגְּסְטֶר ז׳ gangster, mobster
גַּנְגְּרֶנָה נ׳ gangrene
גִּנְדּוּר ז׳ dressing up
גִּנְדֵּר פ׳ adorn, trick up
גַּנְדְּרָן ז׳ dandy, coxcomb, fop
גַּנְדְּרָנוּת נ׳ dandyism, show
גְּנוּ (בעל חיים) ז׳ wildebeest, gnu
גָּנוּב ת׳ stolen, *mad on, *cool
גְּנוֹגֶנֶת נ׳ awning, sun-blind
גָּנוּז ת׳ hidden, latent, potential
גְּנוֹם (גֵּנִים באורגניזם) ז׳ genome
גַּנּוֹן ז׳ nursery school, play-group, play-school
גֶּ׳נוֹסַייד (רצח עם) ז׳ genocide
גְּנוּת נ׳ disgrace, dishonor
- דיבר בגנות speak ill of
גָּנַז פ׳ hide, shelve, table, stash
גְּנָזִים ז״ר archives, secrets
גִּנְזַךְ ז׳ archives, chancery
גָּנַח פ׳ groan, moan, sigh
גַּנַּחַת נ׳ asthma
גֶּנֶטִי ת׳ genetic
גֶּנֶטִיקָה נ׳ genetics

גֶּ׳נְטֶלְמֶן ז׳ gentleman
גֶּ׳נְטֶלְמֶנִי ת׳ gentlemanly
גְּנֵיבָה נ׳ theft, stolen thing
- בגניבה furtively, undercover
- גניבה ספרותית plagiarism
- גניבת דעת fraud, deceit, imposture
גֶּנְיוּס (כישרון) ז׳ genius
גְּנִיזָה נ׳ hiding, archives
גְּנִיחָה נ׳ groan, moan, sigh
גַּנָּן ז׳ gardener, horticulturist
גַּנָּנוּת נ׳ gardening, horticulture
גַּנֶּנֶת נ׳ nursery governess
גֶּנֶרָטוֹר ז׳ generator
גֶּנֶרָל ז׳ general
גַּס ת׳ abusive, coarse, crude, rude, obscene, rough, common, vulgar
- גס רוח rude, impolite
גַּסּוּת נ׳ rudeness, indecency
- גסות רוח rudeness
גֶּ׳סְטָה (מחווה) נ׳ gesture
גַּסְטְרוֹלוֹג (רופא קיבה) ז׳ gastroenterologist
גַּסְטְרוֹלוֹגִי נ׳ gastroenterological
גַּסְטְרוֹלוֹגְיָה נ׳ gastroenterology
גַּסְטְרוֹנוֹם (אמן בישול) ז׳ gastronome
גַּסְטְרוֹנוֹמִי ת׳ gastronomical
גַּסְטְרוֹנוֹמְיָה נ׳ gastronomy
גַּסְטְרוֹסְקוֹפּ ז׳ gastroscope
גְּסִיסָה נ׳ dying, agony
גָּסַס פ׳ be dying, expire
גַּעְגּוּעַ ז׳ quack, honk
גַּעְגּוּעִים ז״ר longing, yearning, nostalgia
גִּעְגַּע פ׳ quack, honk
גָּעָה פ׳ low, moo, burst out
- געה בצחוק burst into laughter
גְּעִיָּה נ׳ low, moo, weeping
גָּעַר פ׳ chide, rebuke, scold, rap
גְּעָרָה נ׳ rebuke, reproach, scolding
גָּעַשׁ פ׳ storm, bluster, rave
גַּעֲשִׁי ת׳ volcanic, vulcanic
גַּעַת: אַל גַּעַת! don't touch!
גַּף ז׳ flight, limb, wing
גַּפַּיִם נ״ר extremities, hands and feet, legs
גֶּפֶן נ׳ vine, grapevine
גַּפְרוּר ז׳ match, safety match
גֶּפֶת נ׳ rape, olive waste
גֵּץ ז׳ spark, gleam, flicker
גֶּ׳ק (מַגְבֵּהַ) ז׳ jack
גָּ׳קוּזִי ז׳ jacuzzi
גָּר פ׳ dwell, live, reside, lodge
גֵּר ז׳ proselyte, convert
גֵּרֵב פ׳ wear stockings
גֶּרֶב ז׳ stocking, sock
- גרבי רשת net stocking
גָּרָב ז׳ eczema
גַּרְבּוֹנִים ז״ר tights, panty hose
גָּרֶבֶת נ׳ eczema, scabies
גִּרְגּוּר ז׳ gargle, gurgle
גְּרֶגוֹרְיָאנִי ז״ר Gregorian
גַּרְגִּיר ז׳ berry, grain, particle
- גרגיר הנחלים (תבלין) watercress
גִּרְגֵּר פ׳ gargle, gurgle
גַּרְגְּרָן ז׳ glutton, trencherman
גַּרְגְּרָנוּת נ׳ gluttony, voracity

fenugreek	גַּרְגְּרָנִית יְוָנִית (חִלְבָּה) נ׳
throat, windpipe, trachea	גַּרְגֶּרֶת נ׳
gallows, scaffold, block	גַּרְדּוֹם ז׳
wardrobe	גַּרְדְּרוֹבָּה (מַלְתָּחָה) נ׳
scabies, scab, pruritus, itching	גָּרֶדֶת נ׳
dry fig	גְּרוֹגֶרֶת נ׳
scraper	גָּרוֹד בּוֹץ ז׳
filings, shavings	גְּרוֹדֶת נ׳
Georgia	גְּרוּזְיָה נ׳
Georgian	גְּרוּזִינִי ת׳
junk, scrap, *crock	גְּרוּטָאָה נ׳
junk, lumber	גְּרוּטָאוֹת
junk, scrap, *crock	גְּרוּטָה נ׳
grotesque	גְּרוֹטֶסְקָה (יצירת לעג) נ׳
grotesque	גְּרוֹטֶסְקִי (מגוחך) ת׳
larynx, neck, throat	גָּרוֹן ז׳
deep throat	גָּרוֹן עָמוֹק
gerontologist	גֵּרוֹנְטוֹלוֹג (חוקר זקנה) ז׳
gerontological	גֵּרוֹנְטוֹלוֹגִי ת׳
gerontology	גֵּרוֹנְטוֹלוֹגְיָה נ׳
guttural, laryngeal, throaty	גְּרוֹנִי ת׳
bad, not much of a	גָּרוּעַ ת׳
worst	גָּרוּעַ מִכֹּל
worse than	גָּרוּעַ מִן
groupie	גְּרוּפִּי (מעריץ) ז׳
gravel, silt, drift	גְּרוֹפֶת נ׳
trailer, henchman	גָּרוּר ז׳
satellite, vassal state	גְּרוּרָה נ׳
piaster, agora, kurus	גָּרוּשׁ ז׳
divorced	גָּרוּשׁ ת׳
divorced, divorcee	גְּרוּשָׁה נ׳
conversion to Judaism	גֵּרוּת נ׳
mortise	גֶּרֶז ז׳
garage	גָּרָזְ׳ ז׳
ax, axe, hatchet	גַּרְזֶן ז׳
discard	גֶּרֶט ז׳
geriatric	גֵּרִיאַטְרִי (של זיקנה) ת׳
geriatrician	רוֹפֵא גֵּרִיאַטְרִי
geriatrics	גֵּרִיאַטְרִיָּה נ׳
alone, merely, solely	גְּרֵידָא תהי״פ
scraping, curettage	גְּרִידָה נ׳
grease	גְּרִיז ז׳
teaser	גַּרְיָין ז׳
grill	גְּרִיל ז׳
guerrilla	גְּרִילָה נ׳
causing, causation	גְּרִימָה נ׳
milling, shredding, crunch	גְּרִיסָה נ׳
grits, groats	גְּרִיסִים ז״ר
decrease, diminishing	גְּרִיעָה נ׳
sweeping, raking	גְּרִיפָה נ׳
blowing the nose	גְּרִיפַת הַחֹטֶם
making money	גְּרִיפַת כֶּסֶף
jerrycan	גֵּ׳ירִיקֶן ז׳
dragging, tow, tug, traction	גְּרִירָה נ׳
shamble, shuffle	גְּרִירַת רַגְלַיִם
cause, bring about, make	גָּרַם פ׳
please, gratify	גָּרַם הֲנָאָה
inflict pain	גָּרַם כְּאֵב
gram, gramme	גְּרָם ז׳
body, bone	גֶּרֶם ז׳
stairwell, stairs	גֶּרֶם מַדְרֵגוֹת
heavenly bodies	גִּרְמֵי הַשָּׁמַיִם
bony, angular, osseous	גַּרְמִי ת׳
boniness	גַּרְמִיּוּת נ׳
German	גֶּרְמָנִי ת׳

Germany	גֶּרְמַנְיָה נ׳
German	גֶּרְמָנִית נ׳
grandiose	גְּרַנְדְיוֹזִי ת׳
granola	גְּרָנוֹלָה נ׳
geranium	גֵּרָנְיוּם, גֵּרַנְיוֹן (צמח) ז׳
granite	גְּרָנִיט ז׳
Greenland	גְּרִינְלַנְד
formulate, read, crush, grind, crunch	גָּרַס פ׳
version, text, release	גִּרְסָה נ׳
text learned by child	גִּרְסָה דִינְקוּתָא
subtract, withdraw, detract	גָּרַע פ׳
not take one's eyes off	לֹא גָרַע עַיִן
nucleation, having nuclear weapons	גִּרְעוּן ז׳
grain, kernel, pip, seed, sunflower seed, nucleus	גַּרְעִין ז׳
seeds	גַּרְעִינִים
hard core	הַגַּרְעִין הַקָּשֶׁה
nuclear, granular	גַּרְעִינִי ת׳
trachoma	גַּרְעֶנֶת נ׳
rake, sweep, scour	גָּרַף פ׳
blow one's nose	גָּרַף חוֹטְמוֹ
make money	גָּרַף כֶּסֶף
graph, bedpan	גְּרָף ז׳
graphologist	גְּרָפוֹלוֹג (חוקר כתב יד) ז׳
graphological	גְּרָפוֹלוֹגִי ת׳
graphology	גְּרָפוֹלוֹגְיָה נ׳
graphic, graphical	גְּרָפִי ת׳
graphite	גְּרָפִיט ז׳
graffiti	גְּרָפִיטִי ז׳
graphic artist	גְּרָפִיקַאי ז׳
graphics	גְּרָפִיקָה נ׳
haul, drag, tug, entail	גָּרַר פ׳
shuffle one's feet	גָּרַר רַגְלָיו
drawing, carriage	גְּרָר ז׳
sledge, carriage, slide rule	גְּרָרָה נ׳
apostrophe, (')	גֶּרֶשׁ ז׳
quotation marks, inverted commas, (")	גֵּרְשַׁיִם ז״ר
rainy, pouring, wet	גָּשׁוּם ת׳
sounding line, sounding rod, probe, calipers	גֵּשׁוּשׁ ז׳
splint	גֵּשִׁישׁ ז׳
rain, shower	גֶּשֶׁם ז׳
heavy rain	גֶּשֶׁם זְלַעֲפוֹת
heavy rain, downpour	גֶּשֶׁם כָּבֵד
it's raining	יוֹרֵד גֶּשֶׁם
drainpipe, gutter, waterspout	גִּשְׁמָה נ׳
material, physical, worldly	גַּשְׁמִי ת׳
materialism, worldliness	גַּשְׁמִיּוּת נ׳
bridge, overpass, flyover	גֶּשֶׁר ז׳
Bailey bridge	גֶּשֶׁר בֵּיְלִי
bridge	גֶּשֶׁר הַפִּיקוּד
pontoon bridge	גֶּשֶׁר סִירוֹת
suspension bridge	גֶּשֶׁר תְּלוּי
bridge	גִּשְׁרָה נ׳
small bridge	גִּשְׁרוֹן ז׳
bridge	גִּשְׁרִית נ׳
tracker, pathfinder, scout	גַּשָּׁשׁ ז׳
tracking	גַּשָּׁשׁוּת נ׳
space probe	גַּשֶּׁשֶׁת נ׳
syphon, siphon, trap	גִּשְׁתָּה נ׳
sinus, wine press	גַּת נ׳

ד

ד' four, fourthly
- בד' אמותיו in his private area
- ד' על ד' a small place
- יום ד' Wednesday
דָא מ"ג this, that
- דא עקא that is the trouble, only
- על דא ועל הא on this and that
דָאַב פ' pine, grieve, be sad
דַאֲבוֹן לֵב ז' sadness, sorrow
- לדאבוני unfortunately, sorry
דָאַג פ' worry, care, be concerned, see to, take care of
דְאָגָה נ' anxiety, care, concern, worry
דַאֲגָנוּת נ' worry, anxiety
דָאָה פ' glide, plane, soar
דֵאוֹדוֹרַנְט נ' deodorant
*דַאֲוִוין ז' showing off, swank
דָאוֹן ז' glider, sail plane
דְאָז תה"פ of those days
דְאִיָּה נ' gliding, soaring flight
דבה"י = דברי הימים Chronicles
דָבוּק ת' attached, glued, stuck
דְבוּקָה נ' group, cluster, stick
דַבּוּר ז' hornet
דְבוֹרָה נ' bee, honeybee
דְבִיבוֹן ז' raccoon, racoon
*דֶבִּיל ז' fool, idiot
דֶבִּילִיוּת נ' idiocy, foolishness
דָבִיק ת' adhesive, gluey, sticky
דְבִיקוּת נ' adhesiveness, tackiness
דְבֵלָה נ' fig cake
דבלול ז' ruffle, thinning out
דִבְלֵל פ' unravel, thin out, ruffle
דִבְעוֹן ז' tannin
דָבַק פ' adhere, cling, stick
- דבקה לשונו לחיכו be speechless, lose one's tongue
דֶבֶק ז' adhesive, glue, paste
דָבֵק ת' adherent, clinging
- דבק במטרה dedicated, single-minded, pertinacious
דַבְּקָה נ' debka (Arab dance)
דִבְקוֹן (צמח טפיל) ז' mistletoe
דְבֵקוּת נ' adhesion, devotion
- בדבקות devoutly
- דבקות במטרה single-mindedness
דִבְקִי ת' sticky, adhesive
דָבָר ז' thing, something, word
- אין דבר never mind
- אין זה דבר של מה-בכך that's something!
- בדבר about, concerning
- בעל דבר person concerned
- דבר דבור על אופניו well arranged
- דבר והיפוכו contradiction in terms
- דבר יום ביומו a daily affair
- דבר מה something
*- דבר ראשון בבוקר 1st thing in the morning
- דבר שלא בא לעולם it does not yet exist
- דברי דפוס printed matter
- דברי ערך valuables
- דברים בגו there is a reason for it
- דברים בטלים idle talk
*- דברים טובים sweets, chocolate
- כדבריך as you say
- לא דבר וחצי דבר nothing at all
- לא היו דברים מעולם it's a lie
- לדברי according to
- למד דבר מתוך דבר infer
- על דבר about, regarding
- על לא דבר you're welcome
דֶבֶר ז' plague, pestilence
דִבְרָה נ' speech, parole, word of honor
- על דברתי upon my word
דִבְרֵי הַיָּמִים history, memorials
דִבְרֵי הַיָּמִים (בתנ"ך) Chronicles
דְבָרִים (חומש) Deuteronomy
דַבְּרָן ז' speaker, talker, orator
דַבְּרָנוּת נ' loquacity, rhetoric
*דַבֶּרֶת נ' talkativeness
דְבַשׁ ז' honey
*- לא ליקק דבש suffer
- לא מדובשך ולא מעוקצך no dealings with you!
דִבְשָׁה נ' molasses, treacle
דִבְשִׁי ת' honeyed, sweet
דַבֶּשֶׁת נ' hump
דַבַּשְׁתִּי: דו-דבשתי ת' two-humped
דַבַּשְׁתִּי: חד-דבשתי ת' one-humped
דָג פ' fish, go fishing, angle
- דג במים עכורים fish in troubled waters
דָג ז' fish
- דג החרב swordfish
- דג הפטיש hammerhead
- דג זהב goldfish
- דג ים sea-fish
- דג מלוח herring
- דג מלוח מעושן bloater
- דג משה רבנו plaice, sole, flounder
- דגי רקק little people, small fry
- דגים ממולאים stuffed fish
- כדג במים in one's element
דִגְדֵג פ' tickle, titillate
דַגְדְגָן ז' clitoris
דִגדוג ז' tickle, titillation
דָגָה נ' fish
דָגוּל ת' outstanding, excellent
דָגוּשׁ ת' stressed, emphasized
דָגִיג ז' small fish, minnow, *tiddler
דְגִילָה נ' espousal, support
דְגִימָה נ' sampling
דְגִירָה נ' brooding, incubation, *study
דָגַל פ' advocate, stand for, support
דֶגֶל ז' banner, flag, standard
דִגְלוֹן ז' small flag, streamer
דַגְלָן ז' flagbearer, standard-bearer
דָגַם פ' sample, take samples
דֶגֶם ז' pattern, sample, model, mockup
דַגְמָ"ח (דגם חדש) ז' working clothes
דִגְמֵן פ' model, pose for

דָּגָן ז׳ cereal, corn, grain
דְּגָנִיָּה (פרח) נ׳ cornflower
דְּגָנִים ז״ר cereal plants
*דֶּגֶנֶרָט ז׳ idiot
דָּגַר פ׳ brood, incubate, hatch, *study, swot, bone up
דַּגְרָן ז׳ studious, swotter
דָּגֵשׁ ז׳ emphasis, stress, accent, dot
דַּד ז׳ brisket, teat, nipple, breast
דֵּדוּקְטִיבִי ת׳ deductive
דֵּדוּקְצְיָה (הֶיסֵק) נ׳ deduction
דֶּה יוּרֶה (להלכה) de jure
דֶּה לוּקְס (משובח) deluxe
דֶּה פַקְטוֹ (למעשה) de facto
דָּהָה פ׳ fade, discolor, weather, run
דָּהוּי ת׳ faded, shopworn
דְּהִיָּה נ׳ fading, discoloration
דְּהַיְנוּ תה״פ namely, that is, i.e.
דְּהִירָה נ׳ gallop, career, *scorch
דָּהַר פ׳ gallop, spur, career, *scorch
- אינפלציה דוהרת galloping inflation
דַּהֲרָה נ׳ gallop, career, *scorch
דַּהֲרוּר ז׳ canter, trot, dogtrot
דּוֹ ז׳ C, do, doh
- דו דיאז C sharp
- דו מז'ור C major
דּוּ ת׳ two, dual, bi-
דּוּ גַּלְגַּלִּי ת׳ having two wheels
דּוּ דַּלְתִית נ׳ two-door car
דּוּ חוֹדְשִׁי ת׳ bimonthly
דּוּ יָדִי ת׳ ambidextrous, two-handed
דּוּ יַרְחוֹן ז׳ bimonthly periodical
דּוּ כִּיווּנִי ת׳ two-way
דּוּ לְאוּמִי ת׳ binational
דּוּ לְשׁוֹנִי ת׳ bilingual
דּוּ מוֹקְדִי ת׳ bifocal
דּוּ מוֹשָׁבִית נ׳ two-seater
דּוּ מִינִי ת׳ bisexual, androgynous
דּוּ מְמַדִּי ת׳ two-dimensional
דּוּ מִפְלַגְתִּי ת׳ bipartisan, bipartite
דּוּ מִפְלָסִי ת׳ duplex
דּוּ מַשְׁמָעוּת נ׳ ambiguity
דּוּ מַשְׁמָעִי ת׳ equivocal, two-edged
דּוּ מִשְׁפַּחְתִּי ת׳ two-family
דּוּ מַתַּכְתִּי ת׳ bimetallic
דּוּ נְתִיבִי ת׳ two-lane
דּוּ סִטְרִי ת׳ two-way
דּוּ סִפְרָתִי ת׳ two-digit
דּוּ עֶרְכִּי ת׳ ambivalent
דּוּ עֶרְכִּיּוּת נ׳ ambivalence
דּוּ פְּסִיגִי ת׳ dicotyledonous
דּוּ פַּרְצוּפִי ת׳ double-faced
דּוּ פַּרְצוּפִיּוּת נ׳ insincerity, hypocrisy
דּוּ צְדָדִי ת׳ bilateral, bipartite
דּוּ קוֹמָתִי ת׳ double-deck, two-storied
דּוּ קִיּוּם ז׳ coexistence
דּוּ קָנִי ת׳ double-barreled
דּוּ קְרָב ז׳ duel, affair of honor
דּוּ רַגְלִי ת׳ biped, two-legged
דּוּ שְׁבוּעוֹן ז׳ biweekly periodical
דּוּ שְׁבוּעִי ת׳ biweekly, fortnightly
דּוּ שִׂיחַ ז׳ dialogue, parley
דּוּ שִׁימוּשִׁי ת׳ dual-purpose
דּוּ שִׁימוּשִׁית נ׳ station wagon
דּוּ שְׁנָתִי ת׳ biennial, biyearly
דּוּ תַּחְמוֹצֶת נ׳ dioxide
דּוּ תַּחְמוֹצֶת הַפַּחְמָן נ׳ carbon dioxide
דּוּ תַּכְלִיתִי ת׳ dual-purpose
דּוּ תְּנוּעָה נ׳ diphthong
דּוֹאֵב ת׳ sad, painful
דּוֹאֵג ת׳ anxious, anxious, apprehensive, worried
דּוּאֶט, דּוּאִית duet, duo
דּוּאָלִי ת׳ dual, twofold
דּוּאָלִיזְם ז׳ dualism
דּוֹאַר ז׳ mail, post
- בדואר חוזר by return
- דואר אוויר airmail
- דואר אלקטרוני e-mail
- דואר חבילות parcel post
- דואר יוצא outgoing post
- דואר נכנס ingoing post
- דואר רשום registered post
דּוֹב ז׳ bear, grizzly
- דוב לבן polar bear
- דוב נמלים ant-bear, aardvark
- לא דובים ולא יער it's a lie!
דּוֹבֵב פ׳ cause to speak, draw out
דּוּבְדְּבָן ז׳ cherry
דּוּבָּה נ׳ bear, she-bear
- דובה גדולה Great Bear
- דובה קטנה Little Bear
דּוּבּוֹן ז׳ teddy bear, parka, anorak, windbreaker
דּוּבִּי ז׳ *teddy bear
דּוּבַּר פ׳ be spoken, be talked
דּוֹבֵר ז׳ spokesman, speaker, speaking
דּוֹבְרָה נ׳ raft, barge, lighter
דּוֹבְרוּת נ׳ spokesmanship
דּוֹבֶּרְמָן (כלב) ז׳ Dobermann
דּוּבְשָׁנִית נ׳ honey cake
דּוּגִית נ׳ canoe, dinghy
דּוּגְמָה נ׳ example, instance, model, pattern, sample, specimen
- כדוגמת as, like
- לדוגמה for instance, say, e.g.
דּוֹגְמָה נ׳ dogma
דּוֹגְמָטִי ת׳ dogmatic, bigoted, opinionated
דּוֹגְמָטִיּוּת, דּוֹגְמָטִיזְם dogmatism
דּוּגְמִית נ׳ sample
דּוּגְמָן ז׳ model, mannequin, sitter
דּוּגְמָנוּת נ׳ modeling
דּוּגְמָנִית נ׳ model, sitter
*דּוּגְרִי תה״פ frankly, straight
דּוֹגֶרֶת נ׳ brooder, sitter
דּוֹד ז׳ uncle, lover
דּוּד ז׳ tank, vat
- דוד חימום boiler, water heater
- דוד שמש solar heater
דּוּדָא ז׳ mandrake, mandragora
דּוֹדָה נ׳ aunt, *auntie, *aunty
דּוֹדָן ז׳ cousin, first cousin
- דודן משנה second cousin
דּוֹדָנִית נ׳ cousin
דּוֹהֶה ת׳ fading
דּוֹהֵן ז׳ grease
דָּוֶה ת׳ sad, sick, mournful
דּוּוַח פ׳ be reported, be briefed
דַּוְקָא תה״פ exactly so, for all that,

regardless, just to spite

- דווקא הוא! — of all people!

דווקאי ת' — spiteful, obstinate

דווקני ת' — pedantic, narrow

דוור ז' — postman, mailman

דוושה נ' — pedal, treadle

- דוושת הדלק — accelerator

- דוושת עמעום (בפסנתר) — soft pedal

דוזמר ז' — duet

דו"ח = דין וחשבון — report, account, statement

- דו"ח ביניים — interim report

- דו"ח כספי — financial statement

- דו"ח מסים — tax return

- דו"ח תנועה — ticket

דוחה ת' — offensive, repulsive, repellent, ugly

- דוחה מים — water-repellent

דוחי ז' — amphibian

דוחן (סוג תבואה) ז' — millet

דוחק ז' — jam, congestion, pressure

- בדוחק — hardly, not easily

דוחק ת' — pressing, urgent

דוכא פ' — be oppressed, be subdued

דוכיפת נ' — hoopoe

דוכן ז' — dais, platform, pulpit, rostrum, podium, counter, stand

- דוכן העדים — witness stand

- דוכן מנצחים — podium

דוכס ז' — duke

דוכסות נ' — duchy, dukedom

דוכסית נ' — duchess

דולב ז' — plane tree

דולדל פ' — be weakened, be loose

דולה ז' — drawer, diver

- דולה פנינים — pearl-diver

דולומיט ז' — dolomite

דולל פ' — be thinned, be rarefied

דולמן (מבנה אבן) ז' — dolmen

דולפין ז' — dolphin, porpoise

דולפינריום ז' — dolphinarium

דולצ'ה ויטה ז' — dolce vita

דולר ז' — dollar, *buck, *smacker

דולרי ת' — dollar

דולריזציה נ' — dollarization

דום מ"ק — attention

- עמד דום/ניצב דום — stand still

דום לב ז' — cardiac arrest

דומה ת' — alike, such, like, similar, it seems that

- אין דומה לו — incomparable, unparalleled

- באופן דומה — similarly, likewise

- בדומה ל- — as, like

- ודומיו — and the like

- וכדומה — and the like

דומיה נ' — quiet, silence

- דומיית מוות — dead silence

דומינו (משחק) ז' — dominoes

דומיניון ז' — dominion

דומיניקני ת' — Dominican

דומיננטי ת' — dominant, commanding

דומיננטיות נ' — dominance

דומם פ' — silence, quiet, switch off

דומם ז' — dead matter

דומם ת' — inanimate, still, silent

דומם תה"פ — in silence, silently

דומן ז' — manure, dung, muck

דומני — it seems, I guess

דומע ת' — tearful, lachrymose

דומעני ת' — tearful, lachrymose

דון ז'ואן ז' — Don Juan

דון קישוט ז' — Don Quixote

דון קישוטי ת' — quixotic

דון קישוטיות נ' — quixotism, quixotry

דונג ז' — wax

- דונג האוזן — earwax

דונם ז' — dunam

דופי ז' — blemish, stain, taint

- הטיל דופי — slur, blemish

- ללא דופי — irreproachable, spotless

דופלקס (דירה) ז' — duplex

דופן נ' — side, wall

- יוצא דופן — unusual, extraordinary

דופק ז' — pulse, heartbeat

- עם אצבע על הדופק — feeling the pulse

דוק ז' — film, mist

דוק (משחק) ז' — spillikins, jackstraw

דוקומנט (תעודה) ז' — document

דוקומנטציה (תיעוד) נ' — documentation

דוקומנטרי ת' — documentary

דוקטור ז' — doctor, physician

- דוקטור כבוד — honorary doctor

דוקטורט ז' — doctorate

דוקטורנט ז' — doctorate student

דוקטרינה נ' — doctrine, law

דוקלם פ' — be declaimed, be recited

דוקר ז' — pricker, stabber

דוקרן ז' — sear, punch

דוקרן ז' — forked stick, 2-pronged fork

דוקרנות נ' — prickliness, spikiness

דוקרני ת' — barbed, prickly, spiky

דור ז' — age, generation

- בן דורו — contemporary

- לדורות — forever, for good

- לדורי דורות — forever

- מדורי דורות — from time immemorial

דור ז' — whorl, circle

דורבן פ' — be spurred, be urged

דורבן (ראה דרבן) ז' — spur

דורג פ' — be graded, be classified, be rated

דורגל ז' — bipod

דורדר פ' — worsen, deteriorate

דורה נ' — sorghum

דורון ז' — gift, present

דורס ת' — killing, running over

- עוף דורס — bird of prey

דורסנות נ' — inconsideration, ruthlessness

דורסני ת' — predatory, killing, running over, inconsiderate

דורש ז' — preacher, insistent, demanding

- דורש אל המתים — necromancer

דז'ה וו (חוויה מהעבר) — deja vu

דחה פ' — delay, postpone, repel, defer, refuse, reject, turn down

- דחה בלך ושוב — give him the run-around

- דחה בקש reject with weak excuses
- דחה בשתי ידיו reject completely
- דחה לעתיד adjourn, table, shelve
- דחה על הסף refuse immediately, nonsuit

דָחוּי ת' postdated, postponed, delayed, repelled, rejected
דָחוּס ת' compact, dense, compressed, crowded, congested
דָחוּף ת' urgent, pressing, instant
דָחוּק ת' in need, pressed
- דחוק בזמן pressed for time
- דחוק בכסף short of money
דְחִי ז' failure, downfall
- מדחי אל דחי from failure to failure
דְחִיָה נ' delay, postponement, rejection, refusal, repulsion, dismissal, *brushoff
- דחייה בשתי ידיים square refusal
- דחייה על הסף nonsuit
*דָחִילָק מ"ק come on!, I beg you!
דָחִיס ת' compressible
דְחִיסָה נ' compression, squeeze
דְחִיסוּת נ' density, compressibility
דְחִיפָה נ' boost, push, impulse, thrust, impetus, stimulus
דְחִיפוּת נ' urgency, hurry
- בדחיפות urgently
דְחִיקָה נ' push, pressing, displacement
- דחיקה (בהרמת משקולות) jerk
- דחיקת הקץ impatience
- דחיקת רגליים ousting, edging out
דַחְלִיל ז' scarecrow, bogey
דָחַס פ' compress, cram, jam, squeeze, stuff, congest, crowd
דָחַף פ' push, drive, shove
*- דחף את האף poke one's nose into
דַחַף ז' impetus, impulse, push, urge
- דחף לאו בר-כיבוש irresistible impulse
דַחֲפוֹנִי ת' impulsive
דַחְפּוֹר ז' bulldozer
דָחַק פ' push, urge, press
- דחק את הקץ be impatient
- דחק רגליו edge out, oust
דֹחַק ז' pressure, need, want
- בשעת הדחק at a push, if it comes to the pinch
- עבודות דחק relief works
דַחַק (מתח נפשי, עקה) ז' stress
דֵטַנְט (הפגת מתיחות) ז' detente
דֶטֶרְגֶנְט (חומר ניקוי) ז' detergent
דֶטֶרְמִינִיזְם ז' determinism
דֶטֶרְמִינִיסְטִי ז' deterministic
דַי תה"פ enough, adequate, sufficient, pretty, quite, fairly
*- די די (להרגעה) there, there
- די הצורך enough, adequately
- די והותר enough and to spare
- דייה לצרה בשעתה no need to worry now
- דיינו it is enough
- לא די בכך ש- so far from
דִי אֶן אֵיי ז' DNA
דִי גֵ'יי ז' DJ, disk jockey

דִיאַבֶּטִי (סובל מסוכרת) ת' diabetic
דִיאַגְנוֹזָה (אבחנה) נ' diagnosis
דִיאַגְנוֹסְטִי ת' diagnostic
דִיאַגְנוֹסְטִיקָה נ' diagnostics
דִיאַגְרַמָה (תרשים) נ' diagram
דִיאֵז (נֶסֶק) ז' sharp
דִיאֵטָה נ' diet
- דיאטה חריפה ("כאסח") crash diet
דִיאָטוֹנִי ת' diatonic
דִיאֵטֶטִי ת' dietetic
דִיאֵטֶטִיקָה נ' dietetics
דִיאֵטֶטִיקָן (תזונאי) ז' dietician
דִיאֵטָן ז' dietician
דִיאָלוֹג (דו שיח) ז' dialogue
דִיאָלִיזָה (סינון הדם) נ' dialysis
דִיאָלֶקְט (ניב) ז' dialect
דִיאָלֶקְטִי ת' dialectical
דִיאָלֶקְטִיקָה נ' dialectic
דִיאַסְטוֹלִי ת' diastolic
דִיאַפָּזוֹן (מיגבול) ז' diapason
דִיאַפְרַגְמָה נ' diaphragm
דִיבֵּב פ' dub, draw out, elicit
דִיבָּה נ' calumny, libel, slander, aspersion
- הוציא דיבה slander, traduce
דִיבּוּב ז' dubbing, drawing out
דִיבּוּק ז' evil spirit, obsession, dybbuk
- כאחוז דיבוק like one possessed
דִיבּוּר ז' speech, talking, talk
- דיבור ישיר direct speech
- דיבור עקיף reported speech
*- דיבורים words, blah blah
- הרחיב הדיבור expatiate, enlarge upon
- חלקי הדיבור parts of speech
דִיבּוּרִי ת' colloquial, conversational
דִיבּוּרִית נ' handfree speaker
דִיבִידֶנְד ז' dividend
דִיבִיזְיָה נ' division
דִיבֶּל ז' dowel pin
דִיבֵּר פ' say, speak, talk
*- אין מה לדבר without doubt, surely
- דיבר "תכלית" get to the point
- דיבר אל העצים/הקיר speak in vain
- דיבר בקול speak up, talk up
- דיבר לעניין get to the point
- דיבר על ליבו reason with him
*- זה לא מדבר אלי it does not attract me
דִיבֵּר ז' commandment, speech
- חלקי הדיבר parts of speech
- עשרת הדיברות The Ten Commandments
דַיִג ז' fishing, fishery
דִיגוּל ז' raising the banner
- דיגול נשק presenting arms
דִיגוּם ז' modeling
דִיגִיטָלִי ת' digital
דִיגֵל פ' raise the banner
- דיגל נשק present arms
דִיגֵם פ' model, standardize
דִידָה פ' stumble, hop
דִידַקְטִי (לימודי) ת' didactic
דִידַקְטִיקָה ת' didactics

דְּיוֹ ז׳ ink
דִּיוֹדָה (באלקטרוניקה) ז׳ diode
דִּיוֵּחַ פ׳ report, brief
דִּיוּוּחַ ז׳ report, reportage
דִּיוּור ז׳ mail, mailing
- דיוור ישיר direct mail
דִּיוֵּשׁ פ׳ pedal, treadle
- דיווש לאחור backpedal
דִּיוּוּשׁ ז׳ pedaling
דְּיוֹטָה נ׳ storey, floor
דְּיוּטִי פְרִי (פטור ממכס) נ׳ duty-free
דִּיוּן ז׳ discussion, deliberation, hearing, debate
- בדיון under discussion
- דיון נוסף further hearing
דְּיוּנָה נ׳ dune, sand dune
דְּיוֹנוּן ז׳ cuttlefish, squid
דִּיוּנִי ת׳ deliberative
דִּיּוּק ז׳ exactness, accuracy, precision
דְּיוֹקָן ז׳ portrait, image, profile
- דיוקן עצמי self-portrait
דְּיוֹקְנָאוּת נ׳ portraiture
דְּיוֹקְנַאי ז׳ portraitist
דִּיוּר ז׳ accommodation, housing, lodging
- דיור מוגן protected housing
דַּיּוּת נ׳ adequacy, sufficiency
דִּיּוּת נ׳ diffusion, transpiration
דִּיזִינְפֶקְצִיָה (חיטוי) נ׳ disinfection
דִּיזֶל ז׳ diesel
דִּיזֶנְטֶרְיָה נ׳ dysentery
דִּיחוּי ז׳ delay, postponement
- ללא דיחוי immediately
דַּיְאֶט (דל-קלוריות) ת׳ diet
דַּיָּג ז׳ fisherman
דַּיָּה (עוף דורס) נ׳ kite
דַּיָּל ז׳ steward
דַּיָּלוּת נ׳ stewardship
דַּיֶּלֶת נ׳ hostess, stewardess, air hostess
- דיילת קרקע ground hostess
דַּיָּן ז׳ judge, religious judge
דַּיָּנוּת נ׳ office of judge
דַּיְסָה נ׳ gruel, porridge, cereal, pap, *nice mess
- אכל הדייסה שהוא בישל stew in one's own juice
דִּיֵּק פ׳ be accurate, be precise
דָּיֵק ז׳ dyke, rampart, siege-wall
דַּיְקָן ז׳ precise, punctual, pedant
דַּיְקָנוּת נ׳ accuracy, exactness
דַּיָּר ז׳ lodger, occupant, tenant
- דייר מוגן protected tenant
- דייר משותף cotenant
- דייר משנה subtenant
דִּיֵּת פ׳ diffuse, ink, transpire
דִּיכֵּא פ׳ oppress, repress, subdue, suppress, crush, put down
דִּיכָּאוֹן ז׳ dejection, depression
- דיכאון שלאחר לידה postnatal depression
דִּיכָּאוֹנִי ת׳ depressed, melancholic
דִּיכוֹטוֹמְיָה (חלוקה ל-2) נ׳ dichotomy
דִּיכּוּי ז׳ oppression, suppression, *clampdown

דִּיל (עיסקה) ז׳ deal
דִּילֵג פ׳ jump, skip, clear, shuttle
דִּילוּג ז׳ omission, leap, skip
- מסע דילוגים shuttle
דִּילוּל ז׳ thinning, dilution
דִּילֶטַנְט (חובבן) ז׳ dilettante
דִּילֶטַנְטִיוּת נ׳ dilettantism
דִּילִיזַ׳נְס (כרכרה) ז׳ diligence
דִּילֵל פ׳ dilute, rarefy, thin out
דִּילֶמָה נ׳ dilemma
דִּימָּה פ׳ fancy, imagine, liken, compare
- דימה בליבו/בנפשו imagine
דִּימּוּי ז׳ comparison, similitude, likeness, image, simile
- דימוי עצמי self-image
דִּימוּם ז׳ bleeding, hemorrhage
- דימום אף nosebleed
- דימום מוחי brain hemorrhage
דִּימוֹס ז׳ freedom, retirement
- בדימוס retired, emeritus
דִּימֵּם פ׳ bleed
דִּין ז׳ judgment, sentence, trial, verdict, law, rule
- בדין well, rightfully
- בעל דין litigant, plaintiff
- גזר דין verdict, sentence
- דין ודברים discussion, dealings
- דין וחשבון account, report
- דין זה כדין זה treat them alike
- דין תורה Jewish law
- דינו כ- tantamount, as good as
- דיני כשרות dietary laws
- דיני משפחה family law
- דיני נזיקין tort law
- דיני נפשות capital offenses law
- דיני עונשין penal law, criminal law
- דיני קרקעות land law
- דיני ראיות evidence law
- הדין עמו he is right
- הוא הדין the same refers to
- הזמין לדין cite, summon
- כדין according to the law
- מה דינו what about him
- מן הדין ש- it is proper that
- פסק דין judgment, sentence
דִּינוֹזָאוּר ז׳ dinosaur
דִּינָמוֹ ז׳ dynamo, generator
דִּינָמוֹמֶטֶר ז׳ dynamometer
דִּינָמִי ת׳ dynamic
דִּינָמִיּוּת נ׳ dynamism
דִּינָמִיט ז׳ dynamite
דִּינָמִיקָה נ׳ dynamics
- דינמיקה קבוצתית group dynamics
דִּינָר ז׳ dinar
דִּיסְהַרְמוֹנְיָה נ׳ disharmony
דִּיסוֹנַנְטִי ת׳ dissonant
דִּיסוֹנַנְס (צְרִיר) נ׳ dissonance
- דיסוננס קוגניטיבי cognitive dissonance
דִּיסְטַנְס (ריחוק) ז׳ distance
דִּיסְטְרוֹפְיָה (התנוונות) נ׳ dystrophy
- דיסטרופיה שרירית muscular dystrophy
דִּיסְלֶקְטִי ת׳ dyslexic
דִּיסְלֶקְסִיָה, דִּיסְלֶקְצִיָה נ׳ dyslexia

דיספרופוֹרציָה נ׳ disproportion
דיסציפלִינָה (תחום) נ׳ discipline
דיסציפלִינָרִי (תחומי) ת׳ disciplinary
דיסק ז׳ disc, disk
- דיסק ג׳וקי dj, disk jockey
- דיסק קשיח hard disk
דיסקוֹ ז׳ *disco
דיסקוֹטֶק ז׳ discotheque, *disco
דיסקוס ז׳ discus, disc, disk
- דיסקוס שמוט slipped disk
דיסקֶט (תקליטון) ז׳ diskette, floppy disk
דיסקית נ׳ washer
- דיסקית זיהוי identity disk, dog tag
דיסקרֶטִי ת׳ discreet, careful
דיסקרֶטִיוּת נ׳ discretion
דיסֶרטַציָה (חיבור) נ׳ dissertation
דיפוּזיָה (פעפוע) נ׳ diffusion
דיפּוּן ז׳ plating, strengthening a wall
דיפלוֹמָה נ׳ diploma, *sheepskin
דיפלוֹמָט ז׳ diplomat
דיפלוֹמָטִי ת׳ diplomatic
דיפלוֹמַטיָה נ׳ diplomacy
דיפֵּן פ׳ plate, revet, strengthen a wall
דיפֶרֶנציָאל ז׳ differential
דיפֶרֶנציָאלי ת׳ differential
דיפֶרֶנציַאציָה (בידול) נ׳ differentiation
דיפּרֶסיָה (דיכאון) נ׳ depression
דיפתוֹנג (דו-תנועה) נ׳ diphthong
דיפתֶריָה (אסכרה) נ׳ diphtheria
דיצָה נ׳ joy, happiness
דיקוּר ז׳ pricking
- דיקור השפיר amniocentesis
- דיקור סיני acupuncture
דיקט ז׳ plywood
דיקטָטוֹר ז׳ dictator
דיקטָטוּרָה נ׳ dictatorship
דיקטָטוֹרִי ת׳ dictatorial
דיקטָפוֹן ז׳ dictaphone
דיקָן ז׳ dean
דיקציָה (צורת הדיבור) נ׳ diction
דיר ז׳ shed, sheep pen, cote, fold
- דיר חזירים pigsty, pigpen
דֵירָאוֹן ז׳ disgrace, shame
- דיראון עולם eternal disgrace
דֵירֵג פ׳ rate, gradate, grade, rank, terrace
דירָה נ׳ flat, apartment, dwelling
- דירה דו-מפלסית duplex apartment
- דירת גג penthouse
- דירת שירות service flat
דֵירוּג ז׳ grading, ranking, rating
דירֶקטוֹר ז׳ director
דירֶקטוֹריוֹן ז׳ directorate, board of directors
דירָתִי ת׳ apartment, apartmental
דַיִשׁ ז׳ threshing (time)
דִישָׁה נ׳ threshing
דישוֹן ז׳ antelope
דישוּן ז׳ fertilization
דִישֵׁן פ׳ fertilize, manure
דִכדוּךְ ז׳ dejection, low spirits
דִכדֵךְ פ׳ depress, dejech
דַל ת׳ poor, badly-off, low
- דל אוכלוסין underpopulated
- דל בשר lank, rawboned, skinny
- דל קלוריות low in calories
- דל שומן low-fat
- לא העלה על דל שפתיו dare not say
דָלַג פ׳ jump, skip
דַלגִית נ׳ skipping rope
דִלדוּל ז׳ atrophy, impoverishment, pauperization, wattle
דִלדֵל פ׳ impoverish, weaken, waste
דָלָה פ׳ draw, draw water, raise
- דלה פנינים pearl, go pearling
דִלהַלָן תה״פ the following, undermentioned
דָלוּחַ ת׳ dirty, foul, muddy
דְלוּעִים ז״ר the gourd family
דָלוּק ת׳ burning, on
*- דלוק על mad on, keen
דַלוּת נ׳ beggary, poverty, want
דְלִי ז׳ bucket, pail
- הלך החבל אחר הדלי from failure to failure
- מזל דלי Aquarius
דַלִיָה (צמח) נ׳ dahlia
דְלִיוֹת נ׳ varicose veins
דְלִיחוּת נ׳ turbidity, pollution
דָלִיָה נ׳ long branch
דְלִיָיה נ׳ drawing water, retrieval
דָלִיל ת׳ dilute, sparse, thin, rare
דְלִילוּת נ׳ sparsity, tenuity, thinness
דְלִיפָה נ׳ leakage, leak, escape
דָלִיק ת׳ combustible, inflammable
דְלֵיקָה נ׳ fire, conflagration
דְלִיקוּת נ׳ inflammability
*דֶלִיקָטֶס (מעדן) ז׳ delicacy
דִלְעֵיל תה״פ the above, abovementioned
דַלַעַת נ׳ pumpkin, gourd, squash
דָלַף פ׳ drip, leak, escape, seep
דַלפוֹן ז׳ very poor
דֶלפֵּק ז׳ bar, counter, desk, stall
- דלפק קבלה reception desk
דָלַק פ׳ burn, be on, chase, pursue
דֶלֶק ז׳ fuel, petrol, gas, *juice
- תחנת דלק service station
דִלקַמָן תה״פ the following, undermentioned
דַלֶקֶת נ׳ inflammation
- דלקת אוזניים otitis
- דלקת הגיתים sinusitis
- דלקת הגרון laryngitis
- דלקת החניכיים gingivitis
- דלקת הכבד hepatitis
- דלקת הכליה nephritis
- דלקת המוח encephalitis
- דלקת המפרקים arthritis
- דלקת הסמפונות bronchitis
- דלקת העור dermatitis
- דלקת התוספתן appendicitis
- דלקת מעי גס colitis
- דלקת מעי דק enteritis
- דלקת עצבים neuritis
- דלקת קרום המוח meningitis
- דלקת ריאות pneumonia
- דלקת שלפוחית השתן cystitis
- דלקת שקדים tonsillitis
דַלַקתִי ת׳ inflammatory, inflamed
דֶלֶת נ׳ door, gate, hatch

- בדלתיים סגורות in camera
- בדלתיים פתוחות in open court
- דלת אחורית tailgate
- דלת הזזה sliding door
- דלת מסתובבת revolving door
- דלת פתוחה open door

דָּלֶת נ' daleth (letter)
דַּלַּת הָעָם נ' the poor
דֶּלְתָּא נ' delta
דַּלְתּוֹן ז' kite-shaped quadrangle
דָּם ז' blood
- בדם קר in cold blood
- בעל דם קר coldblooded
- דם המכבים (צמח) helichrysum
- דם חדש fresh blood
- דם כחול blue blood
- דמו בראשו risks his neck
- הקפיא דמו make his blood run cold
- מקפיא דם bloodcurdling
- שפך דם spill blood

דֶּמָגוֹג ז' demagogue, mob orator
דֶּמָגוֹגִי ת' demagogic, rabble-rousing
דֶּמָגוֹגְיָה נ' demagoguery, demagogy
דִּמְדוּמִים ז"ר twilight, afterglow, shadows
- דמדומי ערב twilight

דַּמְדְּמָנִית נ' red currant, bloodberry, gooseberry
דָּמָה פ' be like, resemble, equal
- דומה ש- it seems that

דֻּמָּה ז' dummy
דֶּמוֹגְרָף ז' demographer
דֶּמוֹגְרָפִי ת' demographic
דֶּמוֹגְרַפְיָה נ' demography
דְּמוּי ת' shaped, like, -form
- דמוי ביצה ovoid, egg-shaped
- דמוי משפך funnelform
- דמוי פעמון bell-shaped
- דמוי צלב cruciform, cross-shaped

דֶּמוֹנִיזַצְיָה נ' demonization
דָּמוֹקְלֶס: חרב דמוקלס Damocles' sword
דֶּמוֹקְרָט ז' democrat
דֶּמוֹקְרָטִי ת' democratic
דֶּמוֹקְרַטְיָה נ' democracy
דֶּמוֹקְרָטִיזַצְיָה נ' democratization
דֶּמוֹרָלִיזַצְיָה נ' demoralization
דְּמוּת נ' figure, shape, image, form, character
- בדמות in the form of, in the shape of
- דמות ציבורית public figure

דְּמֵי (ראה דמים) fee, money
דְּמֵי אַבְטָלָה ז"ר unemployment pay
דְּמֵי דּוֹאַר ז"ר postage
דְּמֵי הוֹבָלָה ז"ר freight, carriage
דְּמֵי הַסְכָּמָה ז"ר consent fee
דְּמֵי הַעֲבָרָה (לשחקן) ז"ר transfer fee
דְּמֵי חָבֵר ז"ר membership fee
דְּמֵי חָסוּת ז"ר protection
דְּמֵי כִּיס ז"ר pocket money, allowance, pin money, spending money
דְּמֵי כְּנִיסָה ז"ר admission, gate money, entrance fee
דְּמֵי לֹא יֶחֱרַץ ז"ר hush money, bribe
דְּמֵי מְזוֹנוֹת ז"ר alimony, maintenance
דְּמֵי מַחֲלָה ז"ר sick pay
דְּמֵי מָנוּי ז"ר subscription
דְּמֵי מַפְתֵּחַ ז"ר key money
דְּמֵי נֶזֶק ז"ר damages
דְּמֵי נִיהוּל ז"ר bank commission
דְּמֵי נְסִיעָה ז"ר fare
דְּמֵי קְדִימָה ז"ר earnest money, advance payment, deposit
דְּמֵי שְׁבִיתָה ז"ר strike pay
דְּמֵי שֵׁירוּת ז"ר service charge, cover charge, gratuity, tip
דְּמֵי שְׂכִירוּת ז"ר hire, rent, rental
דְּמֵי שְׁתִיָּה ז"ר tip
דְּמֵי שְׁתִיקָה ז"ר hush money, bribe
דְּמֵי תִּיווּךְ ז"ר brokerage
דְּמֵי: בדמי ימיו untimely, in the prime of life
דִּמְיוֹן ז' fancy, imagination, likeness, resemblance, similarity
דִּמְיוֹנִי ת' imaginary, unreal
דִּמְיֵן פ' fancy, imagine, visualize
- דמיין לעצמו picture to oneself

דָּמִים ז"ר money, fee, blood
דָּמִית נ' choroid, choroid coat
דָּמַם פ' be silent, be still
דֶּמֶם (ראה דימום) ז' bleeding
דְּמָמָה נ' silence, stillness, hush
- דיממת מוות dead silence

דַּמֶּמֶת נ' hemophilia
דֶּמֶנְצְיָה (שִׁיטָיוֹן) נ' dementia
דָּמַע פ' shed tears, water
דִּמְעָה נ' tear, teardrop
- בדמעות שליש shedding tears
- דמעות תנין crocodile tears
- הזיל דמעות shed tears
- התמוגג בדמעות dissolve in tears

דַּמְפִּינְג (הֵיצֵף) ז' dumping
דַּמְקָה נ' draughts, checkers
דַּמֶּשֶׂק נ' Damascus
דָּן פ' discuss, deliberate, judge, punish, sentence
- דן ברותחין punish severely
- דן יחיד sole judge
- דן לכף זכות acquit, exonerate
- דן לכף חובה charge, blame

דְּנָא מ"ג this, inst.
דנ"א DNA
דֶּנְטִין (שנהב) ז' dentin
דֶּנְטָלִי (של השיניים) ת' dental
- חוט דנטלי dental floss

דָּנִי ז' Danish
דָּנִית נ' Danish
דֶּנְמַרְק נ' Denmark
דְּנַן מ"ג this
- במקרה דנן in this case

דֶּסְק ז' desk
דִּסְקוּס (ראה דיסקוס) ז' discus
*דִּסְקֵס (שוחח) פ' discuss
דֵּעָה נ' opinion, mind, view
- בחילוקי דעות at variance
- דעה חולקת dissenting opinion
- דעה קדומה bias, prejudice
- דעה שקולה considered opinion
- היו בדעה אחת be of one mind

- היו תמימי דעים — be of one mind
- לכל הדעות — by all accounts

דְעִיכָה נ — fading, decay, wane
דָעַךְ פ — fade, die out, wane
דַעַת נ — knowledge, mind
- אין הדעת סובלת — it is unthinkable
- בדעתו ל- — is about to
- דעת הקהל — public opinion
- דעת הרוב — majority opinion
- דעת מיעוט — minority opinion, dissenting opinion
- דעתו נוחה מ- — be satisfied with
- הדעת נותנת — it seems
- הוציאו מדעתו — drive him mad
- העלה על הדעת — imagine, think, think of
- יצא מדעתו — lose one's mind
- לא מתקבל על הדעת — inconceivable
- לדעתי, לפי דעתי — in my opinion
- מדעת — intentionally
- מה דעתך — what about
- מתקבל על הדעת — conceivable, reasonable
- על דעת עצמו — of one's own accord
- על דעתו של- — on behalf of, in the name of
- עמד על דעתו — insist, stand firm, be able to understand
- שלא מדעת — not intentionally

דַעְתָן ז — assertive, resolute
דַעְתָנוּת נ — assertiveness, resoluteness
דַף ז — page, leaf, sheet, plank
- דף זיעור — microfiche
- דפי זהב — yellow pages
- הפך דפים — turn pages, thumb
- פתח דף חדש — turn over a new leaf

דִפְדוּף ז — turning pages
דִפְדֵף פ — turn pages, riffle, thumb, leaf through
דַפְדֶפֶת נ — notebook, notepad, tablet
דָפוּן ת — cornered, at bay
דְפוּס ז — press, print, mold, mode, manner
- דפוס אבן — lithography
- דפוסי התנהגות — folkways, behavior
- דפוסי חיים — mode of life
- תחת מכבש הדפוס — in print

דְפוּסִית נ — template
דָפוּק ת — beaten, down-and-out, deprived, *fool, *not all there
*- דפוק בראש — fool, idiot

דֶפֶטִיזְם (תבוסתנות) ז — defeatism
דֶפֶטִיסְט (תבוסתן) ז — defeatist
דָפִיס ת — printable
דֶפִיצִיט ז — deficit, shortfall
דְפִיקָה נ — beat, knock, tap, blow
- דפיקות לב — heartbeat, pulsation

דַפְלִית נ — duffle coat
דֶפְלַצְיָה (ירידת מחירים) נ — deflation
דַפְנָה נ — daphne, bay, laurel
- נח על זרי הדפנה — rest on one's laurels

דֶפֶנְסִיבָה (מגננה) נ — defensive
דֶפֶנְסִיבִי (הגנתי) ז — defensive
דַפָּס ז — printer, typographer
דַפָּסוּת נ — printing, typography

דָפַק פ — knock, beat, bang, throb, *fix
*- דפק כמו שעון — perfectly done
*- דפק על השולחן — demand violently

*דֶפֶק ז — failure, *fix
דֶפֶקְט (פגם) ז — defect
דֶפֶקְטִיבִי ת — defective
דֶפֶקְטִיבִיוּת נ — defectiveness
ד"צ = דואר צבאי — military post
דֶצִיבֶּל (עוצמת רעש) ז — decibel
דֶצִיגְרַם (עשירית גרם) ז — decigram
דֶצִילִיטֶר (עשירית ליטר) ז — deciliter
דֶצִימֶטֶר (10 סנטימטר) ז — decimeter
דֶצֶמְבֶּר ז — December
דָק פ — examine, be accurate
דַק ת — slender, thin, fine, slim
דֶקָגוֹן (מעושר) ז — decagon
דִקְדוּק ז — grammar, exactness
- דקדוקי עניות — hairsplitting, pedantry

דִקְדוּקִי ת — grammatical
דִקְדֵק פ — be strict, be exact
דַקְדְקָן ז — grammarian, pedant, meticulous
דַקְדְקָנוּת נ — meticulousness
דַקָה נ — minute
- בדקה התשעים — in the last minute

דֶקוֹלוֹנִיזַצְיָה נ — decolonization
דֶקוֹרָטוֹר (מעטר) נ — decorator
דֶקוֹרָטִיבִי ת — decorative
דֶקוֹרַצְיָה נ — decoration
דַקוּת נ — fineness, delicacy, nuance
- דקויות — subtleties

דַקִיק ת — very thin, flimsy
דְקִירָה נ — prick, stab, thrust, jibe
דֶקֶל ז — date, palm, date palm
דִקְלוּם ז — declamation, recitation
דִקְלוּמִי ת — declamatory
דֶקָלִיטֶר (10 ליטר) נ — decaliter
דִקְלֵם פ — declaim, recite, repeat
דֶקָן ז — dean
דֶקָנוּת נ — deanery
דָקַר פ — prick, stab, knife, sting
דֶקֶר ז — pick, hoe, mattock, dibber
דַקָר (דג) ז — perch, Jaffa cod
דִקְרוּר ז — prickle, pricking
דַקְתַיִים נ"ר — two minutes
דָר פ — dwell, live, reside, room
- דרי הבית — household

ד"ר = דוקטור — doctor, Dr.
דְרַאג (גבר בלבוש נשי) ז — drag
דִרְבּוּן ז — spur, stimulation
דַרְבּוּקָה נ — small drum
דֶרְבִּי נ — derby, local match
דִרְבֵּן פ — spur, urge, goad, stimulate, egg on
דָרְבָן ז — goad, spike, spine, spur, quill
- דברים כדרבנות — sharp words

דַרְבָּן ז — porcupine
דָרְבָנִית נ — delphinium, larkspur
דֶרֶג ז — degree, grade, level, echelon, circle
- הדרג המדיני — political echelon
- הדרג הצבאי — military echelon
- רם דרג — high-level, high-ranking

דַרְגָה נ — degree, grade, rank, step

- דרגה אישית	personal grade
- דרגה ראשונה/שנייה	first/second degree
- דרגת חופש	degree of freedom
- הוריד בדרגה	demote, downgrade
- קידם בדרגה	promote, upgrade
דרגנוע ז׳	escalator
דרגסטור (חנות) ז׳	drugstore
דרגרג ז׳	step ladder
דרגש ז׳	couch, sofa, bunk, divan
דרדור ז׳	rolling down, deterioration
דרדס ז׳	slipper, sandal
דרדק ז׳	infant, child, pupil
דרדר פ׳	roll down, worsen
דרדר ז׳	thistle, thorn
דרוויניזם ז׳	Darwinism
דרוויניסט ז׳	Darwinist
דרויש ז׳	dervish
דרוזי ז׳	Druze, Druse
דרוך ת׳	alert, ready, tense, cocked, drawn
דרום ז׳	south
- דרום מזרח	southeast
- דרום מזרחי	southeastern
- דרום מערב	southwest
- דרום מערבי	southwestern
דרום אמריקה נ׳	South America
דרום אמריקני ז׳	South American
דרום אפריקאי ז׳	South African
דרום אפריקה נ׳	South Africa
דרומה תה״פ	south, southward, down
- דרומה מזרחה	southeastward
- דרומה מערבה	southwestward
- דרומית ל-	south of
דרומי ת׳	south, southern, southerner
- רוח דרומית	south wind
דרור ז׳	freedom, sparrow
- קרא דרור	free, let loose
דרוש ז׳	sermon, speech, lecture
דרוש ת׳	required, needed, requisite
- מודעות דרושים	classified ads, want ads
דרייב אין ז׳	drive-in
דריכה נ׳	treading, cocking
- דריכה במקום	marking time
דריכות נ׳	suspense, vigilance, tension, readiness
דריסה נ׳	running over, trampling, treading
- דריסת רגל	foothold, toehold
דרישה נ׳	claim, demand, request, requisition
- דרישה אל המתים	necromancy
- דרישת שלום	regards, greetings
- דרישת תשלום	call, demand for payment
דרך פ׳	tread, step, cock, stamp, trample
- דרך במקום	mark time
- דרך על יבלותיו	tread on his corns
- דרך קשת	draw a bow
- כוכבו דורך	be in the ascendant, be rising
דרך נ׳	way, path, road, manner, means
- בדרך	by way of, as
- בדרך הטבע	naturally
- בדרך זו	in this way
- בדרך כלל	usually, as a rule
- בדרך כלשהי	somehow or other
- בדרך נס	miraculously
- דרך אגב	by the way
- דרך ארץ	manners, courtesy
- דרך החיווי	indicative mood
- דרך המלך	highway
- דרך המשאלה	subjunctive
- דרך העולם	way of the world
- דרך הציווי	imperative mood
- דרך לא דרך	hard/twisty way
- דרך משל	for instance
- דרך עפר	cart track, dirt road
- דרך פעולה	working, manner of functioning
- דרך צלחה!	goodbye, farewell
- דרך קבע	regularly
- דרכי השתן	urinary tract
- כדרך	as, by, in the way of
- כדרכו	in his usual way
- כדרכו בקודש	as he is used to
דרך מ״י	by, through, via
דרכון ז׳	passport
דרמה נ׳	drama, dramatics
דרמטולוג (רופא עור) נ׳	dermatologist
דרמטולוגי ת׳	dermatological
דרמטולוגיה נ׳	dermatology
דרמטורג (מחזאי) ז׳	dramaturge
דרמטורגיה נ׳	dramaturgy
דרמטיזציה נ׳	dramatization
דרמתי ת׳	dramatic, theatrical
דרמתיות נ׳	dramatics
דרן ז׳	grub
דרס פ׳	run over, trample
דרסטי ת׳	drastic
דרקון ז׳	dragon
דרקוני ת׳	draconian
דרש פ׳	claim, demand, ask, require, need, preach, interpret
- אומר דרשני	requires consideration
- דרש בשלומו	send his regards to
- דרש רעתו	wish him ill
דרש ז׳	exposition, explanation
דרשה נ׳	sermon, address, homily
דרשן ז׳	preacher
דרשנות נ׳	preaching, homiletics
דש פ׳	thresh, deal repeatedly, overwork
דש ז׳	flap, lapel
ד״ש = דרישת שלום	regards
דשא ז׳	lawn, grass, sward
דשדוש ז׳	treading, shuffle, scuff
דשדש פ׳	tread, shuffle, scuff
דשן ז׳	fertilizer, manure
דשן ת׳	fertile, fat
דשנות נ׳	fertility
דת נ׳	religion, faith, law, belief
- דת רשמית	established religion
- המיר דת	convert
- כדת	according to the law, well
- כדת משה וישראל	according to Jewish law
דתי ת׳	religious, pious, ritual
דתיות נ׳	religiousness, piety

ה

הַ תחי definite article, the
הֲ תחי interrogative (prefix)
ה' five, fifthly
- יום ה' Thursday
ה' God
הֵא נ he (letter)
- הא הידיעה definite article, the
הָא מ״ג this, that
- הא ראיה this is the proof
הֵא לְךָ here you are, take this
הֶאֱבִיק פ pollinate
הַאֲבָקָה נ pollination
- האבקה עצמית self-pollination
הֶאְדִים פ redden, turn red
הֶאְדִיר פ glorify, dignify
הַאְדָרָה נ glorifying
האומנם? is that so?, indeed!
הֶאֱזִין פ listen, listen in, monitor
- האזין בגניבה eavesdrop
הַאֲזָנָה נ listening, auscultation
- האזנת סתר tapping
הֶאָח מ״ק hurray, bravo
הֵאֵט פ slow down, decelerate
הָאָטָה נ slowing down, slowdown
הָאִיטִי נ Haiti
הֵאִיץ פ accelerate, quicken, hurry, urge
הֵאִיר פ light, illuminate, brighten
- האיר לו מזלו fortune smiled on him, be successful
- האיר פנים welcome warmly
הֶאֱכִיל פ feed, nourish
- האכיל בכף spoonfeed
הַאֲכָלָה נ feeding, nourishing
הַאֲלָהָה נ apotheosis, deification
הַאִם מ״ח is it?, whether
הֶאֱמִין פ believe, trust, think
- לא האמין למראה עיניו not believe one's eyes
הֶאֱמִיר פ rise, soar, go up
הַאֲמָנָה נ accreditation
הַאֲמָרָה נ rise, increase
הֶאֱנִישׁ פ personify, humanize
הַאֲנָשָׁה נ personification
הֶאֱפִיל פ darken, overshadow, eclipse
הֶאֱפִיר פ turn gray, gray, silver
הַאֲפָלָה נ darkening, blackout
הָאָצָה נ urging, acceleration
הֶאֱצִיל פ impart, inspire, ennoble, delegate
הַאֲצָלָה נ ennobling, conferment, delegation
הָאקֶר (פורץ מחשבים) ז hacker
הֶאָרָה נ lighting, illumination
- הארת מזל stroke of luck
הַאֲרָחָה נ accommodation, hospitality
הֶאֱרִיךְ פ lengthen, elongate, prolong
- האריך בדברים talk at length
- האריך ימים live long
הֶאֱרִיק פ earth, ground
הַאֲרָכָה נ lengthening, extension, prolongation, extra time, overtime
הַאֲרָקָה נ earthing, earth, ground
הֶאֱשִׁים פ accuse, blame, charge
הַאֲשָׁמָה נ charge, accusation
- האשמה נגדית recrimination
הַב פ give, give me
הֲבָאָה נ bringing, fetching
הֲבַאי ז nonsense, idle talk
הִבְאִישׁ פ stink, defame, stagnate
- הבאיש ריחו libel, speak ill of
הַבְאָשָׁה נ stench, defamation
הִבְדִּיל פ distinguish, separate
הֶבְדֵּל ז difference, distinction
הַבְדָּלָה נ separation, distinction, prayer on Saturday night
הָבָה מ״ק let us, let's
הִבְהֵב פ flicker, blink, singe, scorch
הִבְהוּב ז blink, flicker, wink
הִבְהִיל פ alarm, frighten, fetch, summon, bring, call
הִבְהִיק פ blaze, shine, flash, glare
הִבְהִיר פ brighten, clarify, make clear
- הבהיר דבריו make oneself clear
הֶבְהֵק ז blaze, flash
הַבְהָרָה נ clarification, elucidation
הָבוּ מ״ק give, give us
הַבּוֹרֵא ז God, the Creator
הִבְזִיק פ flash, sprinkle
הֶבְזֵק ז flash
- הבזק לאחור flashback
הַבְזָקָה נ flash
הִבְחִיל פ sicken, nauseate, ripen
הִבְחִין פ tell apart, discern, discriminate, distinguish, notice, observe
הַבְחָנָה נ discrimination, discernment, distinction
הַבָּטָה נ glance, look
הַבְטָחָה נ pledge, promise, word
- הבטחת הכנסה guaranteed income
הִבְטִיחַ פ ensure, pledge, promise, make sure, guarantee
- הבטיח הרים וגבעות promise the moon, promise the earth
הֵבִיא פ bring, cause, fetch, make
- הביא בחשבון take into account
- הביא לידי lead, give rise to
- הביא לעולם bring into the world
הַבֵּיאָס קוֹרְפּוּס habeas corpus
הִבִּיט פ look, eye, look at
- הבט! look!, look here!
- הביט קדימה (לעתיד) look ahead
הַבַּיְתָה תה״פ home, homeward
הֵבִיךְ פ bewilder, baffle, embarrass
הָבִיל ת steamy, hazy
הֵבִין פ understand, get, see
- לא הבין כראוי misunderstand
הֵבִיס פ defeat, beat, rout
הִבִּיעַ פ express, utter, voice
- הביע אהדה sympathize
- הביע מורת רוח disapprove
הֲבָכָה נ bewildering, embarrassing

הִבְכִּיר פ׳ ripen early
הֶבֶל ז׳ vapor, steam, breath, nonsense, vanity
- בהבל פיו with words
- הבל הבלים vanity of vanities
- הבלי העולם הזה vain pleasures
- הבלים nonsense, *blah
הַבְלָגָה נ׳ restraint
הַבְלוּת נ׳ folly, nonsense
הַבְלָחָה נ׳ flickering, wavering
הַבְלָטָה נ׳ emphasis, prominence
הַבְלִי ת׳ vain, futile
הִבְלִיג פ׳ contain, restrain
הִבְלִיחַ פ׳ flicker, waver
הִבְלִיט פ׳ emphasize, protrude, highlight, underline
הִבְלִיעַ פ׳ insert, conceal, elide, slur
- הבליע מלים swallow words, clip
הַבְלָעָה נ׳ slurring over, elision, assimilation, merging
הֲבָנָה נ׳ understanding, apprehension, comprehension
- הבנת הלב intuition
- הבנת הנקרא reading comprehension
הֲבָסָה נ׳ defeat, rout
הַבָּעָה נ׳ expression, look
- הבעת תודה acknowledgment
הִבְעִיר פ׳ set fire, burn
הִבְעִית פ׳ terrify, frighten
הַבְעָרָה נ׳ setting fire
הַבָּעָתִי ת׳ expressive
הִבְקִיעַ פ׳ break through
- הבקיע דרך force one's way
- הבקיע שער score a goal
הַבְקָעָה נ׳ breakthrough, sally
- הבקעת שער scoring a goal
הַבְרָאָה נ׳ convalescence, recovery, recuperation
הַבְרָגָה נ׳ screwing, thread, worm
הֲבָרָה נ׳ syllable, phoneme, pronunciation, accent
- הברה מוטעמת stressed syllable
- הברה סגורה closed syllable
- הברה פתוחה open syllable
הֲבָרוֹנִי ת׳ phonetic
*הַבְרָזָה נ׳ disappearing
הַבְרָחָה נ׳ contraband, smuggling, driving away, bolting
- הברחת נשק gunrunning
הִבְרִיא פ׳ convalesce, recover, recuperate, get well
הִבְרִיג פ׳ bolt, screw
*הִבְרִיז פ׳ run away, disappear
הִבְרִיחַ פ׳ bolt, latch, smuggle, chase away, drive away
- הבריח נשק run arms
הִבְרִיךְ פ׳ cause to kneel, layer
הִבְרִיק פ׳ glitter, polish, shine, cable, wire, telegraph
- הבריקו ברקים it was lightening
הִבְרִישׁ פ׳ brush, whisk
הַבְרָקָה נ׳ brilliancy, flashing, shining, glittering, flash
- הברקה גאונית stroke of genius
הַבְרָשָׁה נ׳ brush

הֲבָרָתִי ת׳ syllabic, syllabled
הִבְשִׁיל פ׳ ripen, mature
הַבְשָׁלָה נ׳ ripening, maturation
הג"א = הגנה אזרחית civil defense
הַגַּאי ז׳ helmsman, navigator
הֲגָבָה נ׳ reaction, response
הַגְבָּהָה נ׳ lifting, elevation
- הגבהה ודחיקה clean and jerk
הֲגָבִי ת׳ reactive
הִגְבִּיהַּ פ׳ raise, lift, elevate
הִגְבִּיל פ׳ limit, restrict, confine
הִגְבִּיר פ׳ amplify, strengthen, increase
הֶגְבֵּל ז׳ restriction
- הגבל עסקי antitrust, trust
הַגְבָּלָה נ׳ limitation, restriction
- הגבלת אשראי credit squeeze
- הגבלת הילודה birth control
הַגְבָּרָה נ׳ strengthening, intensification, amplification
הַגָּדָה נ׳ telling, tale, narration, Haggada, saga
- הגדת עתידות fortune telling
הִגְדִּיל פ׳ increase, augment, enhance, enlarge
- הגדיל לעשות achieve much
- הגדיל תמונה blow up a picture
הִגְדִּיר פ׳ define, determine
הִגְדִּישׁ הַסְּאָה פ׳ exaggerate, go too far
הַגְדָּלָה נ׳ magnification, increase, enlargement, blow-up
הַגְדָּרָה נ׳ definition, demarcation
- הגדרה עצמית self-determination
הַגְדָּשַׁת הַסְּאָה נ׳ exaggerating
הָגָה פ׳ meditate, think, pronounce, utter
- הגה רעיון conceive an idea
הֶגֶה ז׳ sound, word, phoneme, steering wheel, helm, tiller
- הגה אופניים handlebars
- הגה השלטון helm, rein of government
- הגה כוח power steering
- הוציא הגה breathe a word
הַגָּהָה נ׳ proofreading, emendation
הִגְהִיק (תינוק) פ׳ burp, wind
הָגוּי ת׳ pronounced
הָגוּן ת׳ honest, decent, fair, respectable, considerable
הָגוּת נ׳ meditation, philosophy
הִגְזִים פ׳ exaggerate, go too far
הַגְזָמָה נ׳ exaggeration
הֵגִיב פ׳ react, respond, comment
הָגִיג ז׳ thought
הִגִּיד פ׳ say, tell, come out with
*- אני אגיד אותך! I'll inform on you!
- הגיד עתידות tell fortunes
*- מה אני יגיד לך! it's great!
הִגִּיהַּ פ׳ emend, proofread, retouch
הֶגְיוֹנִי ת׳ logical, reasonable, sensible, rational
הֵגִיחַ פ׳ sally forth, come out
הֲגִיָּה נ׳ pronunciation, expression
הֲגִינוּת נ׳ candor, decency, honesty
- בהגינות decently, justly
הִגִּיעַ פ׳ arrive, come, reach, attain

- הגיע הזמן ש׳ about time, it's time
- הגיע לו deserve, be entitled to
- הגיע למשהו get somewhere
- הגיע לפרקו be marriageable
- הגיע עד פת לחם become poor

הֵגִיף פ׳ shut, close, bolt
הֵגִיר פ׳ pour out
הֲגִירָה נ׳ emigration, migration
הִגִּישׁ פ׳ present, offer, give, lend, serve, submit, wait on
- הגיש תלונה lodge a complaint

הַגְלָדָה נ׳ healing, covering with a crust
הִגְלָה פ׳ banish, deport, exile
הִגְלִיד פ׳ form a crust, heal
הַגְלָיָה נ׳ deportation, exile
הֲגַם תה״פ although, much as, is he too?
הֶגְמוֹן ז׳ bishop, cardinal
הֶגְמוֹנְיָה נ׳ hegemony, leadership
הִגְמִישׁ פ׳ make flexible, stretch
הַגְמָשָׁה נ׳ making flexible
הֵגֵן פ׳ protect, defend, shelter
הַגְנָבָה נ׳ smuggling, insertion by stealth, slipping
הֲגָנָה נ׳ protection, defense
- הגנה אזורית zone defense
- הגנה אזרחית civil defense
- הגנה אישית personal defense
- הגנה מרחבית territorial defense
- הגנה עצמית self-defense
- הגנת הצרכן consumerism

הִגְנִיב פ׳ insert stealthily, slip
הֲגַנָּתִי ת׳ defensive, protective
הַגָּעָה נ׳ arrival, reaching
הִגְעִיל פ׳ cause disgust, nauseate, repel, cleanse, rinse in hot water
הַגְעָלָה נ׳ rinsing in hot water
הֲגָפָה נ׳ shutting, closing
הֶג׳ְרָה (באיסלם) נ׳ Hegira, Hijra
הִגְרִיל פ׳ draw lots, raffle
הַגְרָלָה נ׳ raffle, lottery, draw, toss
הַגָּשָׁה נ׳ presentation, serving, submitting, lodgment, serve
- הגשה עצמית self-service

הִגְשִׁים פ׳ carry out, carry through, realize, attain, fulfill
הַגְשָׁמָה נ׳ realization, attainment, fulfillment, accomplishment
- הגשמה עצמית self-realization

הֵד ז׳ echo, repercussion
הִדְאִיג פ׳ trouble, worry, concern
הִדְבִּיק פ׳ glue, stick, paste up, infect, overtake
הִדְבִּיר פ׳ subjugate, disinfest
הַדְבָּקָה נ׳ gluing, sticking, contagion, overtaking
הַדְבָּרָה נ׳ disinfestation, killing pests, subduing
הִדְגִּים פ׳ demonstrate, exemplify, illustrate, instance
הִדְגִּיר פ׳ hatch, incubate, set
הִדְגִּישׁ פ׳ emphasize, stress
הֶדְגֵּם ז׳ pattern, example
הַדְגָּמָה נ׳ illustration, demonstration, exemplification

הַדְגָּרָה נ׳ incubation
הֶדְגֵּשׁ ז׳ emphasis, stress
הַדְגָּשָׁה נ׳ emphasis, stress
הֲדָדִי ת׳ reciprocal, mutual
הֲדָדִיּוּת נ׳ mutuality, reciprocity
הֲדָדִית תה״פ reciprocally, mutually
הִדְהֵד פ׳ echo, resound, reverberate
הִדְהָה פ׳ fade, wash out
הִדְהוּד ז׳ reverberation, echo
הִדְהִים פ׳ amaze, astonish, shock
הֲדוֹם ז׳ footstool, stool
הֶדוֹנִיזְם (נהנתנות) ז׳ hedonism
הֶדוֹנִיסְט (נהנתן) ז׳ hedonist
הָדוּק ת׳ tight, closefitting
הָדוּר ת׳ adorned, elegant, stately
הֲדוּרִים ז״ר obstacles
- יישר ההדורים iron out difficulties

הַדָּחָה נ׳ deposition, ousting, dismissal, leading astray, instigation
הֲדָחָה נ׳ washing, rinsing
הִדְחִיק פ׳ repress, suppress
הֶדְחֵק ז׳ displacement
הַדְחָקָה נ׳ repression, suppression
הֶדְיוֹט ת׳ layman, common, simple
הֶדְיוּת נ׳ echolalia
הִדִּיחַ פ׳ oust, remove, unseat, depose, seduce, mislead
הֵדִיחַ פ׳ wash, rinse
הֵדִיף פ׳ emit smell, waft
הֲדִיפָה נ׳ pushing back, repulse, parry, fending off
- הדיפת כדור ברזל shot put

הִדִּיר פ׳ prohibit, forbid, deprive
- הדיר עצמו abstain, avoid
- הדיר רגליו מ- keep away from
- הדיר שינה מעיניו make him lose sleep

הָדִיר ת׳ changeable, reversible
הִדְלָה פ׳ trellis
הַדְלָיָה נ׳ trellising
הִדְלִיף פ׳ leak, reveal
הִדְלִיק פ׳ light, ignite, set fire to, turn on
הַדְלָפָה נ׳ leakage, leaking, leak
הַדְלָקָה נ׳ lighting, kindling
- הדלקת נרות lighting the candles

הַדְמָיָה נ׳ simulation
- הדמיית תהודה מגנטית MRI

הִדְמִים פ׳ immobilize, silence, cut
הַדָּן ז׳ resonator
הֲדַס ז׳ myrtle
הָדַף פ׳ repel, repulse, fend, parry
- הדף כדור ברזל put the shot

הֶדֶף ז׳ repulsion, blast
- הדף אוויר blast

הִדְפִּיס פ׳ print, type, run off
הֶדְפֵּס ז׳ print, printout, offprint
- הדפס אבן lithograph

הַדְפָּסָה נ׳ printing, typing
הֶדֶק ז׳ trigger, clip, clasp
הָדָר ז׳ citrus, glory, pomp, chic, splendor, elegance
הַדְרָגָה נ׳ gradation
הַדְרָגָתִי ת׳ gradual
הִדְרִיךְ פ׳ guide, direct, instruct

- הדריך מנוחתו	disturb, upset
הִדְרִים פ׳	go south
הַדְרָכָה נ׳	guidance, direction, instruction, teaching
- הדרכה מקצועית	vocational guidance
הַדְרָכָתִי ת׳	guiding, teaching
הַדְרָן: הופעת הדרן	curtain call
הַדְרַת פָּנִים נ׳	majestic appearance
הָהּ מ״ק	oh, ah
ה״ה=האדונים הנכבדים	Messrs.
הֶהְבִּיל פ׳	steam, give out vapor
הֶהֱדִיר פ׳	reissue, compile
הַהֲדָרָה נ׳	compilation
הַהוּא, הַהִיא	that one, that, yonder
הֵהִין פ׳	dare, venture
הָהֵם, הָהֵן מ״ג	those
הוֹ מ״ק	O, why
הוּא מ״ג	he, it, *him
- הוא הוא	it's he who, the very
הוּאַט פ׳	be slowed down
הוֹאִיל פ׳	agree, consent
- הואיל בטובו	be so good as
- הואל נא	be so good, please!
- התואיל ל-	would you mind
הוֹאִיל וְ- מ״ח	since, for as much as
הוּאֲכַל פ׳	be fed, be nourished
הוּאַץ פ׳	be quickened
הוּאַר פ׳	be illuminated
הוּאֲרַךְ פ׳	be lengthened
הוּאֲשַׁם פ׳	be charged, be accused
הוּבָא פ׳	be brought
- הובא למנוחות/לקבורה	be buried
הוּבְדַּל פ׳	be separated
הוּבְהַל פ׳	be called urgently
הוּבְהַר פ׳	be made clear
הוּבְטַח פ׳	be promised
הוֹבִּי ז׳	avocation, hobby
הוֹבִיל פ׳	drive, lead, guide, conduct
הוּבַךְ פ׳	be embarrassed, be bewildered
הוּבַל פ׳	be led, be guided
הוֹבָלָה נ׳	carriage, transportation, freight, haulage
הוּבְלַט פ׳	be emphasized
הוּבְלַע פ׳	be slipped, be insinuated
הוּבַן פ׳	be understood
הוֹבְנֶה ז׳	ebony
הוֹבְנִית נ׳	ebonite
הוּבַס פ׳	be defeated, be beaten
הוּבַּע פ׳	be expressed, be uttered
הוּבְעַר פ׳	be burnt
הוּבְקַע פ׳	be broken through
- הובקע (שער)	be scored (a goal)
הוּבְרַג פ׳	be screwed
הוּבְרַח פ׳	be smuggled, be bolted
הוּבְרַק פ׳	be wired, be telegraphed
הוּבְרַר פ׳	be made clear
הוּגְבַּהּ פ׳	be raised, be lifted
הוּגְבַּל פ׳	be limited, be restricted
הוּגְבַּר פ׳	be strengthened
הוּגַּד פ׳	be said, be told
הוּגְדַּל פ׳	be increased, be enlarged
הוּגְדַּר פ׳	be defined
הוּגַּהּ פ׳	be proofread
הוֹגֶה ת׳	thinking
- הוגה דיעות	philosopher, thinker
הוּגָה מִן הַמְּסִילָּה	be eliminated
הוֹגִיעַ פ׳	weary, tire
הוּגְלָה פ׳	be deported, be exiled
הוּגְמַשׁ פ׳	be made flexible
הוּגַן פ׳	be protected, be defended
הוֹגֵן ת׳	fair, honest, just, proper
- לא הוגן	dishonest, unfair
הוּגְנַב פ׳	be slipped, be smuggled
הוּגְעַל פ׳	be rinsed in hot water
הוּגַף פ׳	be closed, be shut
הוּגְרַל פ׳	be raffled, be drawn
הוּגַּשׁ פ׳	be presented, be served
הוּגְשַׁם פ׳	be realized, be fulfilled
הוֹד ז׳	magnificence, glory
- הוד מלכותו	His Majesty
- הוד מעלתך	Your Highness
הוּדְאַג פ׳	be worried, be concerned
הוֹדָאָה נ׳	admission, confession, acknowledgment, thanks
הוּדְבַּק פ׳	be glued, be infected
הוּדְבַּר פ׳	be exterminated
הוּדְגַם פ׳	be demonstrated
הוּדְגַשׁ פ׳	be emphasized, be stressed
הוֹדָה פ׳	confess, admit, own, thank, acknowledge
- הודה באשמה	plead guilty
הוֹדוּ נ׳	India
- הודו-אירופי	Indo-European
הוֹדוּ-סִין נ׳	Indochina
הוֹדוֹת לְ- תה״פ	thanks to, due to
הוּדַח פ׳	be deposed, be ousted, be seduced, be misled
הוּדְחַק פ׳	be repressed
הוֹדִי ז׳	Indian, hindu
הוֹדָיָה נ׳	thanksgiving, thanking
הוֹדִיעַ פ׳	inform, tell, notify, announce, make it known
הוּדְלַף פ׳	leak out
הוֹדָעָה נ׳	announcement, notice
- עד להודעה חדשה	until further notice
הוּדְפַּס פ׳	be printed, be typed
הוּדְרַךְ פ׳	be guided, be led
הוֹוֶה ז׳	present, present tense
הָוָה: לְהַוָתִי	unfortunately
הֲוִי ז׳	manner of life, milieu
הֱוֵי: הֱוֵי אוֹמֵר	that is to say
הֱוֵי: לֶהֱוֵי יָדוּעַ	you should know
הֲוָיָה נ׳	being, existence
- דברים כהוויתם	things as they are
הֲוָיָתִי ת׳	existential
הוּוַן פ׳	be capitalized
הוֹזֶה ז׳	dreamer, visionary
הוּזְהַר פ׳	be warned, be cautioned
הוּזַז פ׳	be moved, be removed
הוֹזִיל פ׳	cheapen, reduce, mark down
הוּזְכַּר פ׳	be mentioned
הוּזַל פ׳	be reduced, cheapen
הוֹזָלָה נ׳	markdown, reduction
הוּזַם פ׳	be contradicted
הוּזְמַן פ׳	be invited, be ordered
הוּזַן פ׳	be fed
הוּזְנַח פ׳	be neglected
הוּזְנַק פ׳	be sent up

הוזעק פ׳ be sent for
הוזרם פ׳ be injected, be poured
הוזרק פ׳ be injected, be syringed
הוחבא פ׳ be concealed, be hidden
הוחג פ׳ be celebrated
הוחדר פ׳ be inserted, be implanted
הוחזק פ׳ be held, be regarded
הוחזר פ׳ be returned, be restored
הוחטא פ׳ be missed
הוחיל פ׳ wait for, expect
הוחכר פ׳ be leased, be let
הוחל פ׳ be applied, be enforced
הוחלט פ׳ be decided, be resolved
הוחלף פ׳ be changed, be switched
הוחלק פ׳ be smoothed
הוחמץ פ׳ be missed, be lost
הוחמר פ׳ become serious, get worse
הוחנה פ׳ be parked
הוחסר פ׳ be subtracted, be deducted
הוחק פ׳ be legislated, be enacted
הוחרם פ׳ be confiscated, be banned
הוחש פ׳ be hastened, be rushed
הוחשד פ׳ be suspected
הוחשך פ׳ be darkened
הוחתם פ׳ be subscribed, be signed
הוטב פ׳ be improved, feel better
הוטבל פ׳ be soaked, be baptized
הוטבע פ׳ be drowned, be stamped
הוטה פ׳ be bent, be diverted, be inclined, be conjugated
הוטח פ׳ be thrown, be leveled, be struck, be cast, be hurled
הוטל פ׳ be thrown, be imposed
הוטמן פ׳ be concealed, be buried
הוטמע פ׳ be assimilated, be absorbed
הוטנטוטי ז׳ Hottentot
הוטס פ׳ be flown
הוטעה פ׳ be misled, be deceived
הוטעם פ׳ be stressed, be emphasized
הוטען פ׳ be loaded, be charged
הוטרד פ׳ be bothered, be annoyed
הוטרח פ׳ be troubled, be bothered
הוי מ״ק oh, woe, alas
הוכבד פ׳ become heavier
הוכה פ׳ be hit, be beaten
הוכוון פ׳ be tuned, be adjusted
הוכח פ׳ be proved
הוכחד פ׳ be annihilated
הוכחה נ׳ demonstration, evidence, proof, admonition
- בר הוכחה provable, demonstrable
- הוכחה נסיבתית circumstantial evidence
הוכחש פ׳ be denied
הוכיח פ׳ admonish, demonstrate, prove, show
- הוכיח את עצמו rise to the occasion, act well
הוכלא פ׳ be hybridized
הוכלל פ׳ be included
הוכלם פ׳ be insulted, be shamed
הוכן פ׳ be prepared, be made ready
הוכנס פ׳ be admitted, be inserted
הוכנע פ׳ be subdued, be subjugated
הוכעס פ׳ be infuriated, be angered

הוכפל פ׳ be multiplied, be doubled
הוכפש פ׳ be soiled, be smeared
הוכר פ׳ be recognized, be known
הוכרז פ׳ be declared, be proclaimed
הוכרח פ׳ be forced, be compelled
הוכרע פ׳ be decided, be subdued
הוכש פ׳ be bitten
הוכשל פ׳ be failed, be tripped, be knocked over, *be flunked
הוכשר פ׳ be made kosher/fit
הוכתב פ׳ be dictated
הוכתם פ׳ be stained, be blotted
הוכתר פ׳ be crowned
- הוכתר בהצלחה be crowned with success
הול ז׳ hall
הולאה פ׳ be tired, be wearied
הולאם פ׳ be nationalized
הולבן פ׳ be whitened, be laundered
הולבש פ׳ be dressed, be clothed
הולדה נ׳ giving birth, begetting
הולדת נ׳ birth, delivery
הולה הופ ז׳ hula hoop
הולוגרמה נ׳ hologram
הולוגרפיה נ׳ holography
הולחם פ׳ be soldered
הולחן פ׳ be set to music
הוליד פ׳ beget, cause, generate
הוליזם ז׳ holism, wholism
הוליך פ׳ conduct, lead
- הוליך שולל mislead, cheat
הוליסטי (של מיכלול) ת׳ holistic
הולך ז׳ walker, goer
- הולך בטל loafer, *layabout
- הולך ל- is going to
- הולך על ארבע quadruped
- הולך על שתיים biped
- הולך רגל pedestrian
הולך שולל be cheated
הולכה נ׳ transport, conducting
- הולכת שולל deception
הולל ז׳ profligate, debauchee
הוללות נ׳ debauchery, profligacy
הולם ת׳ appropriate, suitable, becoming, fit
הולנד נ׳ the Netherlands, Holland
הולנדי ת׳ Dutch
הולנדית נ׳ Dutch
הולעט פ׳ be crammed, be stuffed
הולקה פ׳ be whipped, be flogged
הומה ת׳ noisy, bustling
הומו ז׳ homosexual, gay, *fag
הומו סאפיינס Homo sapiens
הומוגני (אחיד) ת׳ homogeneous
הומוגניות נ׳ homogeneity
הומוגרף ז׳ homograph
הומונים ז׳ homonym
הומוסקסואל ז׳ homosexual, gay
הומוסקסואליות נ׳ homosexuality
הומופוב (שונא הומו) ז׳ homophobe
הומופון ז׳ homophone
הומור ז׳ humor, pleasantry
הומוריסט ז׳ humorist
הומוריסטי ת׳ humorous
הומורסקה נ׳ humoresque
הומחז פ׳ be dramatized, be staged

הוּמְחַשׁ פ׳ be realized, be illustrated
הוּמַט עָלָיו פ׳ be brought upon him
הוּמְטַר פ׳ be showered upon
הוֹמֵיאוֹפַּתְיָה נ׳ homeopathy
הוּמְלַח פ׳ be salted
הוּמְלַךְ פ׳ be crowned
הוֹמְלֶס (חסר בית) ז׳ homeless
הוּמְלַץ פ׳ be recommended
הוּמָנִי ת׳ humane, humanitarian
הוּמָנִיּוּת, הוּמָנִיזְם humanism
הוּמָנִיטָרִי ת׳ humanitarian
הוּמָנִיסְט ז׳ humanist
הוּמַס פ׳ be melted
הוּמְצָא פ׳ be invented, be provided
הוּמַר פ׳ be changed, be converted
הוּמְרַד פ׳ be urged to rebel
הוּמְרַץ פ׳ be urged, be encouraged
הוּמַת פ׳ be put to death
הוּמְתַּק פ׳ be sweetened, be commuted, be mitigated
הוֹן ז׳ capital, wealth, money
- הון חוזר working capital
- הון מניות share capital
- הון סיכון venture capital
- הון עצמי equity, personal capital
- הון פוליטי political gain
- הון תועפות fortune, much money
הוֹנָאָה נ׳ deceit, fraud, *con
הוּנְגָּרִי ת׳ Hungarian, Magyar
הוּנְגַּרְיָה נ׳ Hungary
הוּנְגָּרִית נ׳ Hungarian
הוֹנְדּוּרָס נ׳ Honduras
הוֹנָה פ׳ deceive, cheat, swindle
הוּנְהַג פ׳ be established, be led
הוּנַח פ׳ be placed, be assumed
- הונח לפני הקהל lie in state
הוּנְחָה פ׳ be guided, be led
הוּנְחַת פ׳ be landed
הוּנְמַךְ פ׳ be lowered
הוּנַס פ׳ be driven away
הוּנַע פ׳ be moved, be prompted
הוּנַף פ׳ be hoisted, be lifted
הוּנְפַּק פ׳ be issued
הוּנְצַח פ׳ be commemorated, be perpetuated
הוּנְשַׁם פ׳ be breathed
הוּסַב פ׳ be averted, be endorsed
הוּסְבַּר פ׳ be explained
הוּסְגַּר פ׳ be extradited, be betrayed
הוּסְדַּר פ׳ be settled, be arranged
הוּסְוָה פ׳ be camouflaged
הוּסַט פ׳ be shifted, be moved
הוֹסְטֶל (אכסניה) ז׳ hostel
הוֹסִיף פ׳ add, increase, continue
- הוסיף שמן למדורה add fuel to the fire
הוּסְכַּם פ׳ be agreed, be approved
הוּסְמַךְ פ׳ be authorized
הוּסַע פ׳ be driven, be transported
הוּסְפַּד פ׳ be mourned, be eulogized
הוֹסָפָה נ׳ addition, increase
הוֹסְפִּיס (מקום אשפוז) ז׳ hospice
הוּסַק פ׳ be heated, be inferred
הוּסַר פ׳ be removed, be taken off
הוּסְרַט פ׳ be filmed, be shot
הוּסַת פ׳ be incited, be seduced

הוּסְתַּר פ׳ be hidden, be concealed
הוֹעֳבַד פ׳ be employed
הוֹעֳבַר פ׳ be moved, be transferred
הוֹעֲדַף פ׳ be preferred, be chosen
הוֹעִיד פ׳ destine, summon
הוֹעִיל פ׳ be useful, benefit
- ללא הועיל vainly, of no effect
הוֹעֲלָה פ׳ be raised, be lifted
הוֹעֲלַם פ׳ be hidden, be concealed
הוּעַם פ׳ be dimmed, be darkened
הוֹעֳמַד פ׳ be established, be stopped
- הועמד לדין be arraigned, be sued
הוֹעֲמַס פ׳ be loaded, be burdened
הוֹעֲמַק פ׳ be deepened
הוֹעֲנַק פ׳ be awarded, be given
הוֹעֲסַק פ׳ be employed, be occupied
הוּעַף פ׳ be flown, be sent flying
הוֹעֲרַךְ פ׳ be valued, be estimated
הוֹעֲרַץ פ׳ be admired, be idolized
הוֹעְתַּק פ׳ be copied, be transferred
הוּפַג פ׳ be relieved, be allayed
הוּפְגַּז פ׳ be shelled, be bombarded
הוּפְגַּן פ׳ be demonstrated, be shown
הוּפְגַּשׁ פ׳ be brought together
הוּפְחַד פ׳ be scared, be frightened
הוּפְחַת פ׳ be deducted, be reduced
הוֹפִיעַ פ׳ appear, turn up
הוֹפְכִי ת׳ reverse, inverted, reciprocal
הוּפַל פ׳ be overthrown, be dropped
הוּפְלָה פ׳ be discriminated
הוּפְלַל פ׳ be incriminated
הוּפְנָה פ׳ be referred, be directed
הוּפְנַט פ׳ be hypnotized
הוּפְנַם פ׳ be internalized
הוּפְסַק פ׳ be stopped, be interrupted
הוֹפָעָה נ׳ appearance, looks, arrival
- הופעת בכורה debut
הוּפְעַל פ׳ be activated, be operated
הוּפַץ פ׳ be distributed
הוּפְצַץ פ׳ be bombed, be shelled
הוּפַק פ׳ be produced, be obtained
הוּפְקַד פ׳ be deposited, be entrusted
הוּפְקַע פ׳ be requisitioned
הוּפְקַר פ׳ be abandoned
הוּפַר פ׳ be violated, be broken
הוּפְרַד פ׳ be separated, be detached
הוּפְרָה פ׳ be fertilized
הוּפְרַךְ פ׳ be refuted, be disproved
הוּפְרַע פ׳ be disturbed
הוּפְרַשׁ פ׳ be set aside, be excreted
הוּפְשַׁט פ׳ be undressed, be stripped
הוּפְשַׁל פ׳ be rolled up, be turned up
הוּפְשַׁר פ׳ be defrosted
הוּפְתַּע פ׳ be surprised, be amazed
הוּצָא פ׳ be taken out, be spent
- הוצא להורג be put to death
הוֹצָאָה נ׳ taking out, expense, outlay, expenditure, cost, publication
- הוצאה לאור publication, publishing
- הוצאה להורג execution
- הוצאה לפועל execution
- הוצאה מוכרת recognized expenditure
- הוצאת דיבה/שם רע defamation
- הוצאת ספרים publishing

הוצָאות נ״ר outgoings, expenses
- הוצאות הון capital expenditure
- הוצאות משפט costs
הוּצַב פ׳ be stationed, be placed
הוּצַג פ׳ be shown, be introduced, be presented, be performed
הוּצְדַק פ׳ be justified, be excused
הוּצְהַר פ׳ be declared, be stated
הוֹצִיא פ׳ take out, draw, spend, publish, emit, produce
- הוציא אל מחוץ לחוק outlaw
- הוציא דיבה/שם רע libel, slander
- הוציא כסף spend money
- הוציא לאור bring to light, publish
- הוציא להורג execute, put to death
- הוציא לפועל carry out, execute
- להוציא excluding, except
הוּצְלַב פ׳ be crossbred, be crossed
הוצל"פ = הוצאה לפועל
הוּצְמַד פ׳ be coupled, be linked
הוּצְנַח פ׳ be dropped
הוּצְנַע פ׳ be hidden, be reduced
הוּצַע פ׳ be suggested, be offered
הוּצַף פ׳ be flooded, be washed
הוּצְפַּן פ׳ be hidden, be concealed
הוּצַר פ׳ be narrowed, be limited
הוּצְרַךְ פ׳ be required, be needed
הוּצַת פ׳ be ignited, be burnt
הוּקְדַם פ׳ be brought forward
הוּקְדַשׁ פ׳ be dedicated, be devoted
הוקוס פוקוס hocus-pocus
הוּקַז פ׳ be bled, be shed blood
הוּקְטַן פ׳ be reduced, be lessened
הוֹקִי ז׳ hockey
- הוקי קרח ice hockey
הוֹקִיעַ פ׳ denounce, condemn, brand, expose, hang
הוֹקִיר פ׳ appreciate, respect
- הוקיר רגליו avoid visiting
הוּקַל פ׳ be light, be relieved
הוּקְלַד פ׳ be typed
הוּקְלַט פ׳ be recorded, be taped
הוּקַם פ׳ be established, be raised
הוּקְנָה פ׳ be imparted
הוּקְנַט פ׳ be teased, be taunted
הוּקְסַם פ׳ be fascinated
הוּקַע פ׳ be denounced, be hanged
הוֹקָעָה נ׳ hanging, denunciation, condemnation, exposure
הוּקַף פ׳ be surrounded
הוּקְפָּא פ׳ be frozen, be congealed
הוּקְפַּץ פ׳ be jumped, be startled
הוּקְצַב פ׳ be allotted, be allocated
הוּקְצָה פ׳ be assigned, be allotted
הוּקְצַף פ׳ be whisked, be angered
הוּקְרָא פ׳ be read, be narrated
הוּקְרַב פ׳ be sacrificed
הוֹקָרָה נ׳ respect, esteem, regard
הוּקְרַן פ׳ be screened, be radiated
הוּקְשָׁה פ׳ be hardened, be asked
הוֹרָאָה נ׳ instruction, order, teaching, tuition, meaning
- הוראת קבע standing order
- הוראת שעה temporary order
הוֹרֵג ז׳ killer, slayer

- הוציא להורג put to death
הוּרְגַל פ׳ be accustomed, be used to
הוּרְגַשׁ פ׳ be felt, be perceived
הוּרַד פ׳ be lowered
הוֹרָדָה נ׳ taking down, decrease, lowering, removal
- הורדה בדרגה demotion
הוּרְדַם פ׳ be put to sleep
הוֹרָה פ׳ order, instruct, teach, show, point
הוֹרֶה ז׳ parent, father
הוֹרָה נ׳ hora (dance)
הורוסקופ ז׳ horoscope
הורוּת נ׳ parentage, parenthood
הוּרְחַב פ׳ widen, be broadened
הוּרְחַק פ׳ be removed, be ousted
הוּרְטַב פ׳ become wet
הוֹרִי ת׳ parental, parent
הוֹרִיד פ׳ take down, reduce, drop, lower, remove
- הוריד מהפרק rule out, exclude
הוֹרִיק פ׳ turn green
הוֹרִיקָן ז׳ hurricane
הוֹרִישׁ פ׳ bequeath, leave
הוּרְכַּב פ׳ be composed, be formed
הוּרַם פ׳ be raised, be lifted
הורמון ז׳ hormone
הורמונָלי ת׳ hormonal
הוּרַע פ׳ worsen, deteriorate
הוּרְעַב פ׳ be starved
הוּרְעַל פ׳ be poisoned
הוּרְעַשׁ פ׳ be bombed, be shelled
הוּרַץ פ׳ be run
הוֹרָקָה נ׳ becoming green
הוּרְשָׁה פ׳ be allowed, be permitted
הוֹרָשָׁה נ׳ bequeathing, entail
הוּרְשַׁע פ׳ be convicted
הוֹרָתוֹ וְלֵידָתוֹ it was created
הוּשְׁאַל פ׳ be borrowed, be lent
הוּשְׁאַר פ׳ be left
הוּשַׁב פ׳ be returned, be restored
הוֹשָׁבָה נ׳ placing, seating
הוּשְׁבַּח פ׳ be improved
הוּשְׁבַּע פ׳ be sworn, be adjured
הוּשְׁבַּת פ׳ be locked out
הוּשַׂג פ׳ be obtained, be achieved
הוּשְׁהָה פ׳ be delayed
הוּשְׁוָה פ׳ be compared, be likened
הוּשְׁחַז פ׳ be sharpened, be honed
הוּשְׁחַל פ׳ be threaded
הוּשְׁחַת פ׳ be corrupted, be wasted
הוּשַׁט פ׳ be extended, be set afloat
הוֹשָׁטָה נ׳ extending, handing
הוֹשִׁיב פ׳ seat, settle, sit
הוֹשִׁיט פ׳ extend, outstretch, give
- הושיט יד reach, lend a hand
הוֹשִׁיעַ פ׳ help, save, rescue
הוּשְׁכַּב פ׳ be laid down
הוּשְׁכַּן פ׳ be established
הוּשְׂכַּר פ׳ be let, be hired out
הוּשְׁלַךְ פ׳ be thrown, be hurled
- הושלך הס silence reigned
הוּשְׁלַם פ׳ be completed, be settled
הוּשְׁלַשׁ פ׳ be deposited
הוּשַׂם פ׳ be placed
הוּשְׁמַד פ׳ be destroyed

הוּשְׁמַט פ׳ be omitted, be skipped
הוּשְׁמַע פ׳ be announced
הוּשְׁמַץ פ׳ be defamed, be slandered
הוּשְׁעָה פ׳ be suspended
הוֹשַׁעְנָא hosanna, willow
- הושענא חבוטה of no use
הוּשְׁפַּל פ׳ be humiliated
הוּשְׁפַּע פ׳ be influenced, be moved
הוּשַּׁק פ׳ be launched
הוּשְׁקָה פ׳ be irrigated
הוּשְׁקַע פ׳ be invested, be sunk
הוּשַׁת פ׳ be imposed, be placed
הוּשְׁתַּל פ׳ be transplanted
הוּשְׁתַּק פ׳ be silenced, be hushed up
הוּשְׁתַּת פ׳ be based, be founded
הוּתְאַם פ׳ be matched, be suited
הוּתְוָה פ׳ be outlined
הוּתַּז פ׳ be sprinkled, be cut off
הוֹתִיר פ׳ leave
- הותיר חסר אונים render helpless
הוּתַּךְ פ׳ be melted, be smelted
הוּתְנָה פ׳ be stipulated
הוּתְנַע פ׳ be started
הוּתְפַּל פ׳ be desalinated
הוּתְקַן פ׳ be installed, be fitted
הוּתְקַף פ׳ be attacked
הוּתַּר פ׳ be permitted, be loosened
- הותר דמו be outlawed
- הותרה הרצועה anarchy reigned
הוּתְרַם פ׳ be contributed
הוּתַּשׁ פ׳ weaken, be enervated
הִזְדָּאֵב פ׳ be like a wolf
הִזְדַּהָה פ׳ identify oneself
הִזְדַּהוּת נ׳ identification, solidarity
הִזְדַּהֵם פ׳ be contaminated
הִזְדַּהֲמוּת נ׳ contamination
הִזְדַּוֵּג פ׳ copulate, mate
הִזְדַּוְּגוּת נ׳ copulation, mating
הִזְדַּחֵל פ׳ worm, crawl, creep
הִזְדַּיֵּן פ׳ arm oneself, *copulate
הִזְדַּיְּנוּת נ׳ arming, armament
הִזְדַּכָּה פ׳ return (equipment)
הִזְדַּכּוּת נ׳ giving back (arms)
הִזְדַּכֵּךְ פ׳ become pure
הִזְדַּכְּכוּת נ׳ purification
הִזְדַּמֵּן פ׳ chance, happen
- הזדמן לו come one's way
הִזְדַּמְּנוּת נ׳ chance, opportunity, occasion, bargain
- בהזדמנות cheap, someday
- הזדמנות פז golden opportunity
הִזְדַּמְּנוּתִי ת׳ bargain, cheap
הִזְדַּנֵּב פ׳ trail along, tail
הִזְדַּנְּבוּת נ׳ trailing along
הִזְדַּעֲזַע פ׳ be shocked, tremble
הִזְדַּעַזְעוּת נ׳ shock, start
הִזְדַּקֵּן פ׳ age, become old
הִזְדַּקְּנוּת נ׳ aging, senescence
הִזְדַּקֵּף פ׳ stand upright
הִזְדַּקְּפוּת נ׳ straightening up
הִזְדַּקֵּק פ׳ need, have recourse
הִזְדַּקְּקוּת נ׳ being in need, resort
הִזְדַּקֵּר פ׳ stand out, protrude
הִזְדַּקְּרוּת נ׳ protrusion
הִזְדָּרֵז פ׳ hurry up, make haste
הִזְדָּרְזוּת נ׳ hurry, haste

הֵזָה פ׳ daydream, hallucinate
הִזְהִיב פ׳ brown, gild
הִזְהִיר פ׳ caution, warn, shine
הַזְהָרָה נ׳ warning, caution
הֲזוּי ת׳ imaginary, hallucinatory
הֲזָזָה נ׳ moving, shifting
הֲזָחָה נ׳ indentation, moving
הֵזִיד פ׳ simmer, boil, cook
הֲזָיָה נ׳ hallucination, daydream, fancy, delusion
הֵזִיז פ׳ budge, move, shift
- הזיז הרים וגבעות move heaven and earth
*- לא הזיז לו not impress him
הֵזִיחַ פ׳ move, displace, shift, indent
הֲזָיָתִי ת׳ imaginary, visionary
הִזִּיל פ׳ shed, drop, drip
הֵזִים פ׳ refute, contradict, rebut
הֵזִין פ׳ feed, nourish, input
- הזין עיניו watch, look round
הֵזִיעַ פ׳ perspire, sweat
הִזִּיק פ׳ damage, harm, prejudice
הִזְכִּיר פ׳ mention, remind, call up
הַזְכָּרָה נ׳ reminder, mention
הִזְלִיף פ׳ spray, sprinkle, water
הַזְלָפָה נ׳ sprinkling, watering
הֲזַמָּה נ׳ refutation, rebuttal
הִזְמִין פ׳ book, call, invite, order, summon
- הזמין צרות ask for trouble
הַזְמָנָה נ׳ invitation, order
הֲזָנָה נ׳ feeding, nutrition
- הזנה מלאכותית parenteral alimentation
הַזְנָחָה נ׳ neglect, negligence
- הזנחה פושעת culpable negligence
הִזְנִיחַ פ׳ neglect, abandon
הִזְנִיק פ׳ cause to take off
הַזְנָקָה נ׳ start, scrambling
הֲזָעָה נ׳ perspiration, sweat
הִזְעִיף פָּנִים פ׳ scowl, glower
הִזְעִיק פ׳ summon, call, fetch
הִזְעִיר פ׳ miniaturize
הַזְעָקָה נ׳ alarm, summoning
הִזְקִין פ׳ grow old, age, get old
הִזְרִים פ׳ cause to flow, pour, inject, pump
הִזְרִיעַ פ׳ inseminate
הִזְרִיק פ׳ inject, syringe
הַזְרָמָה נ׳ causing to flow, injection
הַזְרָעָה נ׳ sowing, insemination
- הזרעה מלאכותית artificial insemination
הַזְרָקָה נ׳ injection
הַחְבָּאָה נ׳ hiding, concealing
הֶחְבִּיא פ׳ conceal, hide
הֶחְבֵּר ז׳ association
הֶחְדִּיר פ׳ insert, instill, imbue
- החדיר למוחו indoctrinate, instill
הַחְדָּרָה נ׳ insertion, piercing
הֶחֱוָה פ׳ show, gesticulate
- החווה קידה bow, curtsey
הֶחֱוִיר פ׳ pale, whiten, lose color
- החוויר לעומת pale beside
הַחְוָרָה נ׳ paleness, pallor
הַחוּצָה תה״פ out, outward(s)

הֶחֱזִיק פ׳ hold, keep, maintain
- החזיק אצבעות keep his fingers crossed
- החזיק טובה be grateful
- החזיק מים hold water
*- החזיק ממנו think highly of him
- החזיק מעמד hold on
הֶחֱזִיר פ׳ bring back, give back, return, restore, reply
- החזיר בתשובה make him religious
- החזיר למוטב reclaim, reform
הַחְזָקָה נ׳ holding, maintenance
הֶחְזֵר ז׳ return, reflex, refund, reimbursement
- החזר הוצאות repayment of expenses, reimbursement
- החזר מס tax return
הַחְזָרָה נ׳ return, restoration
הַחְטָאָה נ׳ miss, misfire, mishit
הֶחֱטִיא פ׳ miss, cause to sin
- החטיא המטרה miss the mark
*הֶחְטִיף פ׳ hit, strike, land, steal
הֶחֱיָה פ׳ revive, animate, enliven, resurrect, resuscitate
הַחְיָאָה נ׳ revival, recovery, resuscitation
הֵחִיל פ׳ apply, enforce
הֵחִישׁ פ׳ hasten, hurry, speed up
- החיש צעדיו go faster
הֶחְכִּים פ׳ become wise, make wise
הֶחְכִּיר פ׳ lease, let, rent
הַחְכָּרָה נ׳ lease, renting
הֵחֵל פ׳ begin, start
הָחֵל מ- as from, as of
הַחָלָה נ׳ application
הַחְלָטָה נ׳ decision, resolution
הֶחְלֵטִי ת׳ definite, decisive, stout
הֶחְלֵטִיּוּת נ׳ determination, resolve
הֶחְלֵטִית תה״פ definitely, decidedly
הֶחֱלִיא פ׳ make sick, sicken, disgust
הֶחֱלִיד פ׳ rust, corrode
הֶחְלִיט פ׳ decide, determine
הֶחֱלִים פ׳ recover, get better
הֶחֱלִיף פ׳ switch, barter, change, exchange, trade
- החליף בגדים change
- החליף בעלים change hands
- החליף כוח rest, recuperate
- החליף צבעים change color
- החליפו דעות compare notes
הֶחֱלִיק פ׳ slide, smooth, slip, skate, skid, ski
הֶחֱלִישׁ פ׳ weaken, debilitate
הַחְלָמָה נ׳ convalescence, recovery
הַחְלָפָה נ׳ exchange, switch, *swap
הַחְלָקָה נ׳ smoothing, slide, slip, skiing, skating, skid
- החלקה על קרח ice-skating
הַחְלָשָׁה נ׳ weakening, vitiation
הח״מ = החתום מטה
הֶחֱמִיא פ׳ compliment, flatter
הֶחֱמִיץ פ׳ pickle, acidify, turn sour, miss, let slip
- החמיץ פנים be angry/morose
הֶחְמִיר פ׳ worsen, be strict
הַחְמָצָה נ׳ souring, missing
הַחְמָרָה נ׳ strictness, worsening, aggravation, deterioration
הֶחֱנָה פ׳ park
הֶחֱנִיף פ׳ flatter, curry favor
הֶחֱנִיק פ׳ strangle, stifle
הֶחְסִיר פ׳ omit, subtract, miss
הַחְסָרָה נ׳ subtraction, absence
הֶחְצִין פ׳ externalize
הֵחֵצִיף פָּנִים פ׳ be impudent
הַחְצָנָה נ׳ externalization
הַחְרָבָה נ׳ destruction, eradication
הֶחֱרָה הֶחֱזִיק אַחֲרֵי follow suit
הֶחֱרִיב פ׳ destroy, ruin, raze
הֶחֱרִיד פ׳ terrify, startle, alarm
הֶחֱרִים פ׳ boycott, confiscate, ban
- החרים לפי חרב put to the sword
הֶחֱרִיף פ׳ worsen, aggravate
הֶחֱרִישׁ פ׳ be silent, deafen
- החריש אוזניים be very noisy
הַחְרָמָה נ׳ confiscation, boycott
הַחְרָפָה נ׳ worsening, aggravation
הַחְשָׁדָה נ׳ casting suspicion
הֶחֱשָׁה פ׳ be silent, be still
הַחְשָׁה נ׳ acceleration, speeding
הֶחֱשִׁיב פ׳ appreciate, respect
- החשיב עצמו fancy oneself
הֶחֱשִׁיד פ׳ cast suspicion on
הֶחְשִׁיךְ פ׳ darken, grow dark
הֶחְתִּים פ׳ sign up, stamp, frank
- החתים הכרטיס ביציאה clock out
- החתים הכרטיס בכניסה clock in
הַחְתָּמָה נ׳ subscription, stamping
הֲטָבָה נ׳ improvement, bonus
- הטבות שכר fringe benefits
- הטבת העדר תביעה no claims bonus
- הטבת סעד supplementary benefit
הִטְבִּיל פ׳ soak, dip, baptize, christen, immerse
הִטְבִּיעַ פ׳ drown, sink, stamp, coin
- הטביע (בכדורסל) dunk
- הטביע חותמו set one's seal
הַטְבָּלָה נ׳ dipping, baptism
הַטְבָּעָה נ׳ drowning, stamping, imprinting, impression, dunk
הֲטָחָה נ׳ striking, knocking
- הטחת דברים flinging hard words
הַטָּיָה נ׳ bending, diversion, bias
- הטיית דין perversion of justice
- הטיית פעלים conjugation
הֵטִיחַ פ׳ strike, throw, fling
הֵטִיל פ׳ cast, throw, toss, hurl, impose, put, lay
- הטיל גורל cast lots, draw lots
- הטיל מום cripple, maim
- הטיל מים pass water, urinate
- הטיל ספק question, doubt
- הטיל צל cast a shadow
הֵטִיס פ׳ fly, pilot
הִטִּיף פ׳ preach, exhort, drop
- הטיף מוסר lecture, moralize
הֲטָלָה נ׳ imposition, throw, toss, laying, projection
- הטלת כידון javelin throw
- הטלת מס levy, taxation
- הטלת ספק questioning
הִטְלִיא פ׳ patch, patch up

הטמין פ׳	conceal, hide, bury
- הטמין חמין	keep food in oven
- הטמין מוקשים	plant mines
הטמיע פ׳	assimilate, absorb
הַטְמָנָה נ׳	concealing, burial
הַטְמָעָה נ׳	assimilation
- הטמעת הפחמן	photosynthesis
הַטָסָה נ׳	flying
הַטְעָאָה נ׳	sophistry
הטעה פ׳	mislead, misdirect
הַטְעָיָה נ׳	misleading, eyewash
הטעים פ׳	emphasize, stress
הטעין פ׳	burden, charge, load
הַטְעָמָה נ׳	emphasis, accent
הֶטְעֵן ז׳	cathexis
הַטְעָנָה נ׳	loading, charging
הַטָפָה נ׳	preaching, lecture, homily
- הטפת מוסר	moralizing, sermon
הטפיח פ׳	baste
הֶטְפֵּס ז׳	stereotype
הַטְרָדָה נ׳	bothering, annoyance
- הטרדה מינית	sexual harassment
הֶטֶרוֹגֶנִי ת׳	heterogeneous
הֶטֶרוֹסֶקְסוּאָלִי ת׳	heterosexual
הַטְרָחָה נ׳	troubling, bother
הטריד פ׳	annoy, bother, trouble
הִטְרִיחַ פ׳	trouble, bother
הטרים פ׳	anticipate
הטריף פ׳	pronounce not kosher
- הטריף דעתו	craze, drive mad
הַטְרָמָה נ׳	anticipation
הֵי מ״ק	hello!, you there!
היא מ״ג	she, it
- היא הנותנת	but this is the reason
- ולא היא	yet this is not so
הֵיאָבְקוּת נ׳	wrestling, scrabble
- היאבקות חופשית	freestyle, catch-as-catch-can
הֵיאָחֲזוּת נ׳	settling, settlement
הֵיאַךְ תה״פ	how, how come
הִיבָּדְלוּת נ׳	separation, isolation
הִיבָּחֲרוּת נ׳	election, being elected
הֶיבֵּט ז׳	aspect
היביסקוס (שיח) ז׳	hibiscus
הִיבָּלְמוּת נ׳	check, being stopped
הִיבָּרוֹן ז׳	phonetics
הֶיגֵב ז׳	reactance
הִיגּוּי ז׳	pronunciation, steering
הִיגָּיוֹן ז׳	logic, reason
הִיגְיֶינָה נ׳	hygiene
הִיגְיֶינִי ת׳	hygienic, sanitary
הִיגָּמְלוּת נ׳	weaning, stopping
הִיגֵּר פ׳	emigrate, immigrate
הִיגָּרְרוּת נ׳	being dragged
הי״ד = ה׳ יקום דמו	God revenge his blood
הִידָּבְקוּת נ׳	contagion, infection, adhesion, adherence
הִידָּבְרוּת נ׳	talks, rapprochement
הֵידָד מ״ק	bravo, hooray
הידוד ז׳	interaction
הידודי ת׳	interactive
הידוק ז׳	tightening, fastening
- הידוק החגורה	tightening the belt
הידור ז׳	adornment, elegance
- הידור (במחשבים)	compilation
הִידָּחֲפוּת נ׳	rush, being pushed
הִידָּחֲקוּת נ׳	intrusion, elbowing
הִידַּלְדֵּל פ׳	be impoverished
הִידַּלְדְּלוּת נ׳	impoverishment
הִידַּמּוּת נ׳	resemblance, likeness, mimicry, assimilation
הידס פ׳	hop, leap, stagger
הידק פ׳	fasten, tie, tighten
- הידק החגורה	tighten the belt
הידר פ׳	adorn, glorify, compile
הידרדר פ׳	degenerate, deteriorate, roll down
הִידַּרְדְּרוּת נ׳	deterioration, decline
הִידְרָה נ׳	hydra
הִידְרוֹאֶלֶקְטְרִי ת׳	hydroelectric
הִידְרוֹלִי ת׳	hydraulic
הִידְרוֹלִיקָה נ׳	hydraulics
הִידְרוֹסְטָטִיקָה נ׳	hydrostatics
הִידְרוֹפוֹנִיקָה נ׳	hydroponics
הָיָה פ׳	be, exist, become, get
- היה היה	once upon a time
*- היה ו-	if, in case of
- היה לא תהיה!	it will never happen!
- היה לו	have, hold, possess
- היה צריך	might, need, ought
- הייתי רוצה ל-	I'd like to
- והיה אם	in case of
- ויהי מה	whether or no
- יהי כן	so be it
- יהיה אשר יהיה	come what may
- לא היה ולא נברא	it is a lie
- לא היו דברים מעולם	it is a lie
- להיות או לא להיות	to be or not to be
- מה שהיה היה	let bygones be bygones
*- שיהיה!	OK!, whatever!
הי״ו=ה׳ ישמרהו ויחיהו	
הִיוָּדַע פ׳	be known
הִיוָּדְעוּת נ׳	making known
הִיוָוה פ׳	comprise, constitute, be
היוֹלֵד: מיום היוולדו	from his birthday
היוון פ׳	capitalize
היוון ז׳	capitalization
הִיוָּצְרוּת נ׳	formation, forming
הְיוּלִי ת׳	primeval, primal
הַיּוֹם תה״פ	today, in these days
הֱיוֹת תה״פ	being, since, as
הִיזָּה פ׳	sprinkle, spray
הִיזּוּן ז׳	feeding
- היזון חוזר	feedback
הֶיזֵּק ז׳	damage, harm
הִיזָּקְקוּת נ׳	need, resort
הֵיחָלְצוּת נ׳	volunteering, helping, escape, deliverance
הֵיחָלְשׁוּת נ׳	weakening
הֵיחָפְזוּת נ׳	hurry, haste
הֵיחָשְׂפוּת נ׳	exposure, uncovering
הֵיטֵב תה״פ	well, properly
- היטב היטב	very well, *but good
הִיטַּגֵּן פ׳	fry
הִיטָּה פ׳	bend, divert, incline
- היטה אוזן	lend an ear
- היטה את הדין	pervert justice
- היטה את הכף	tip the scale

- היטה פעלים conjugate
היטהרות נ׳ purification, catharsis
היטיב פ׳ improve, do good
- היטיב לעשות מ- do better than
היטל ז׳ levy, tax, projection
היטלטל פ׳ wander, roll, bump
היטלטלות נ׳ wandering, rolling
היטמעות נ׳ assimilation
היטפלות נ׳ joining, sticking
היטשטש פ׳ be unclear, be blurred
*היי (מסטול) ת׳ high
היי טק high tech
היינו תה״פ that is, namely
- היינו הך it's all the same
הישר תה״פ directly, straight, due
הייתכן מ״ק is it possible, fancy!
היכה פ׳ beat, hit, knock, *lick
- היכה בתדהמה amaze, astonish
- היכה גלים make waves
- היכה על חטא repent, regret
- היכה שורש strike root, take root
היכון ז׳ alert, stand-by, be ready
היכל ז׳ palace, temple
היכן תה״פ where, wherein
- להיכן whereto, whither
היכנעות נ׳ surrender
היכר: סימן היכר ז׳ trademark
היכרות נ׳ acquaintance
הילה נ׳ aura, corona, halo
הילוך ז׳ walking, gait, gear
- בהילוך סרק out of gear
- הילוך אחורי reverse gear
- הילוך גבוה high gear
- הילוך נמוך low gear
הילולה נ׳ merrymaking, spree
הילינג (סוג ריפוי) ז׳ healing
הילך פ׳ walk about, go round
- הילך אימים frighten, terrify
- הילך קסם fascinate, captivate
הילך חוקי ז׳ legal tender
הילל פ׳ praise, acclaim, laud
הימור ז׳ gamble, bet, wager
הימין פ׳ turn right
הימלטות נ׳ escape, fleeing
הימם פ׳ confound, stun, daze
הימנו מ״ג from him, from it
הימנות נ׳ counting among
הימנעות נ׳ abstention, avoidance
הימצאות נ׳ presence, existence
הימר פ׳ bet, gamble, stake, wager
הינד ראש ז׳ nod
הינדואיזם ז׳ Hinduism
הינומה נ׳ bridal veil
הינזרות נ׳ abstinence, self-denial
- הינזרות ממשקאות temperance
היניקה פ׳ suckle, give suck to
הינע ז׳ motion, drive
- הינע קידמי front-wheel drive
הינף ז׳ stroke, swing, swoop
הינצלות נ׳ saving, escape, miss
- הינצלות בנס narrow escape
היסב ז׳ endorsement
היסה פ׳ silence, shush, hush
היסוס ז׳ hesitation, scruple
- בלי היסוס unhesitatingly, immediately

היסח ז׳ diversion
- בהיסח הדעת absently, unawares
- היסח הדעת absence of mind
היסחפות נ׳ being carried away
היסט ז׳ shift, deviation
היסטורי ת׳ historic, historical
היסטוריה נ׳ history, annals
היסטוריוגרפיה נ׳ historiography
היסטוריון ז׳ historian, annalist
היסטמין ז׳ histamine
היסטרי ת׳ hysterical
היסטריה נ׳ hysteria
היסס פ׳ hesitate, waver
היסע ז׳ transportation
היספגות נ׳ absorption
היסק ז׳ inference, conclusion
היעדר ז׳ absence, want
היעדרות נ׳ absence, truancy
היעלבות נ׳ being insulted
היעלמות נ׳ disappearance
היענות נ׳ response, acceptance
היערכות נ׳ alignment, deployment, forming up, lineup
היעשות נ׳ becoming, being done
היעתרות נ׳ consent, acceding
היפגשות ז׳ meeting, convergence
היפוך ז׳ turning over, reverse, opposite, inversion
- היפוך אותיות anagram
- היפוך החורף winter solstice
- היפוכו של דבר on the contrary
היפוכונדר ז׳ hypochondriac
היפוכונדריה נ׳ hypochondria
היפופוטם ז׳ hippopotamus, hippo
היפותיזה נ׳ hypothesis
היפותיטי ת׳ hypothetical, theoretic
היפטרות נ׳ riddance, disposal
היפי ז׳ hippie, hippy
היפך ז׳ contrary, opposite, reverse, vice versa
- להיפך to the contrary
היפלטות נ׳ ejection, emission
היפנוזה נ׳ hypnosis, hypnotism
היפנוט ז׳ hypnotizing, hypnotism
היפנוטי ת׳ hypnotic
היפנט פ׳ hypnotize, mesmerize
היפראקטיבי ת׳ hyperactive
היפרבולה (עקומה) נ׳ hyperbola
היפרדות נ׳ separation, parting
היפתחות נ׳ opening, openness
היצג ז׳ exposition, display
היצמדות נ׳ linkage, adherence
היצע ז׳ supply, offer
- היצע וביקוש supply and demand
היצף ז׳ dumping
היצרות נ׳ narrowing, stricture
היקלטות נ׳ absorption
היקף ז׳ circuit, circumference, perimeter, scope, extent
היקפי ת׳ circumferential, peripheral
היקרות נ׳ occurrence
היקש ז׳ analogy, inference
היראות נ׳ visibility, appearance
הירגעות נ׳ calming down
הירדמות נ׳ falling asleep
הירוגליפים ז״ר hieroglyphs

הִירָטְבוּת נ׳ becoming wet, wetting
הֵירָיוֹן ז׳ pregnancy, conception
- בהיריון pregnant, mother-to-be
- היריון מחוץ לרחם ectopic pregnancy
הִירָקְבוּת נ׳ decay, rotting
הִיֶרַרְכְיָה נ׳ hierarchy
הֵירָתְמוּת נ׳ being harnessed, helping
הֶישֵּׂא (במוסיקה) ז׳ transposition
הִישָּׁאֲרוּת נ׳ staying, remaining
הֶישְׁבּוֹן ז׳ drawback, restitution
הֶישֵּׂג ז׳ achievement
- בהישג יד within reach, to hand
הִישָּׁחֲקוּת נ׳ being ground
הֵישִׁיר פ׳ go straight
- הישיר מבט stare at, outface
הִישָּׁנוּת נ׳ repetition, recurrence
הִישָּׁעֲנוּת נ׳ reliance, leaning
הִישָּׂרְדוּת נ׳ survival
הִיתּוּךְ ז׳ melting
הִיתּוּל ז׳ ridicule, mockery, humor
הִיתּוּלִי ת׳ humorous, facetious
הִיתּוֹסֵף פ׳ be added, increase
הִיתּוֹסְפוּת נ׳ addition, increase
הִיתֵּל פ׳ mock, joke, jest
הִיתָּלְשׁוּת נ׳ being uprooted
הִיתַּמֵּם פ׳ feign simplicity
הִיתַּמְּמוּת נ׳ pretending simplicity
הִיתַּמֵּר פ׳ billow, go up
הִיתָּפְסוּת נ׳ being caught
הִיתָּקְלוּת נ׳ encounter, meeting
הִיתָּקְעוּת נ׳ being stuck, lock
הֶיתֵּר ז׳ permission, leave, permit
- היתר בנייה building permission
- היתר עסקא transaction permit, permit to take interest
הַכָּאָה נ׳ beating, hitting, striking
- הכאה על חטא repentance, regret
הִכְאִיב פ׳ hurt, cause pain
הַכְבָּדָה נ׳ burdening, troubling
הִכְבִּיד פ׳ burden, lie heavy on
- הכביד את ליבו steel one's heart
הִכְבִּיר מִלִּים פ׳ talk much
הִכְהָה פ׳ darken, shade in
הִכְוִוין פ׳ adjust, tune
הֶכְוֵון ז׳ tuning in, guidance
הַכְוָונָה נ׳ direction, alignment
הִכְזִיב פ׳ disappoint, belie
הַכְחָדָה נ׳ annihilation, eradication
הִכְחִיד פ׳ annihilate, eradicate
הִכְחִיל פ׳ turn blue
הִכְחִישׁ פ׳ contradict, deny
הַכְחָשָׁה נ׳ contradiction, denial
הֲכִי מ״ח is it?, most, veriest
- הכי הרבה most of all
הֵכִיל פ׳ contain, include, hold
הֵכִין פ׳ fix, prepare, make ready
הֵכֵיצַד תה״פ how so, how come
הִכִּיר פ׳ recognize, know, acquaint, acknowledge
- הכיר טובה/תודה be grateful
הִכִּישׁ פ׳ bite, sting
הַכֹּל מ״ג all, everybody, everything
- הכל בכל lock stock and barrel
הַכְלָאָה נ׳ hybridization
הֲכָלָה נ׳ containing, containment

הִכְלִיא פ׳ hybridize, crossbreed
הִכְלִיב פ׳ baste, stitch, tack
הִכְלִיל פ׳ generalize, include
הִכְלִים פ׳ shame, insult
הִכְלִיר פ׳ chlorinate
הַכְלָלָה נ׳ generalization, inclusion
הַכְלָמָה נ׳ causing shame
הַכְלָרָה נ׳ chlorination
הָכֵן תה״פ ready, on the alert
הֲכָנָה נ׳ preparation, readiness
הִכְנִיס פ׳ introduce, admit, let in
*- הכניס לו lam into him
- הכניס רווח yield a profit
הִכְנִיעַ פ׳ subdue, subjugate
הַכְנָסָה נ׳ admission, income, insertion, introduction
- הכנסה מיגיעה earned income
- הכנסה צדדית additional income
- הכנסת אורחים hospitality
- הכנסת כלה marriage, wedding
הַכְנָעָה נ׳ submission, humility
הִכְסִיף פ׳ gray, silver
הִכְעִיס פ׳ anger, enrage, infuriate
- להכעיס out of spite
הִכְפִּיל פ׳ double, multiply
הִכְפִּיף פ׳ subordinate
הִכְפִּישׁ פ׳ smear, taint, soil
- הכפיש שמו sully his name
הַכְפָּלָה נ׳ multiplication
הַכְפָּפָה נ׳ subordination
הַכְפָּשָׁה נ׳ smearing
הַכְצַעֲקָתָהּ? is it really so?
הַכָּרָה נ׳ consciousness, recognition
- בהכרה conscious
- הכרת טובה/תודה gratitude
- הכרת פניו העידה בו his face betrayed him
הַכְרָזָה נ׳ proclamation, declaration
הֶכְרֵחַ ז׳ necessity, compulsion
- בהכרח necessarily, perforce
הַכְרָחָה נ׳ compulsion
הֶכְרֵחִי ת׳ indispensable, necessary
הִכְרִיז פ׳ declare, proclaim
- הכריז מלחמה declare war
הִכְרִיחַ פ׳ compel, force, coerce
הִכְרִיעַ פ׳ subdue, subject, decide
- הכריע את הכף tip the scales
הִכְרִית פ׳ destroy, annihilate
הַכָּרָנִי ת׳ cognitive
הַכְרָעָה נ׳ decision, subduing
- הכרעת הדין judgment, verdict
הַכָּרָתִי ת׳ conscious, cognitive
הַכָּשָׁה נ׳ bite, blow
הִכְשִׁיל פ׳ cause to fail, trip up
הִכְשִׁיר פ׳ qualify, train, prepare, fit, condition, make kosher
- הכשיר הקרקע pave the way
הַכְשָׁלָה נ׳ causing failure, trip
הֶכְשֵׁר ז׳ authorization, fitness, permit as kosher
הַכְשָׁרָה נ׳ training, preparation, qualification
הַכְתָּבָה נ׳ dictation
הִכְתִּיב פ׳ dictate
הִכְתִּים פ׳ blot, stain, tarnish
הִכְתִּיף פ׳ shoulder, slope

- הכתף נשק ! shoulder arms!
הִכְתִּיר פ׳ crown, cap, queen
הַכְתָּמָה נ׳ staining, tarnishing
הַכְתָּפָה נ׳ shouldering, slope
הַכְתָּרָה נ׳ coronation, crowning
הֶל (תבלין) ז׳ cardamom
הֲלֹא תה״פ is it not, indeed, but
- הלא כן ? is it not so?
הֶלְאָה פ׳ weary, tire, exhaust
הָלְאָה תה״פ away, farther, forth, onwards, on
- והלאה ff., and the following
- וכן הלאה and so on
הָלְאָה מ״ק away with!, down with!
הִלְאִים פ׳ nationalize
הַלְאָמָה נ׳ nationalization
הִלְבִּין פ׳ bleach, whiten
- הלבין כסף launder money
- הלבין פנים insult, dishonor
הִלְבִּישׁ פ׳ clothe, dress, attire
הַלְבָּנָה נ׳ whitening
- הלבנת כספים money laundering
הַלְבָּשָׁה נ׳ clothing, wear
- הלבשה תחתונה underwear, lingerie
הַלָּה מ״ג that one
הִלְהִיב פ׳ inflame, excite
הִלְהִיט פ׳ inflame, enkindle
הַלּוֹ מ״ק hello, hey
הָלוֹגֶן ז׳ halogen
הַלְוָאָה נ׳ loan, lending
- הלוואת גישור bridging loan
הַלְוַאי מ״ק I wish, if only
הִלְוָה פ׳ lend, loan
הַלְוָיָה נ׳ funeral (procession)
הָלוֹךְ וָשׁוֹב back and forth, to and fro, round trip, return
הָלוּם ת׳ struck, smitten
הֲלוֹם תה״פ hither, here
הַלָּזֶה מ״ג that one
הִלְחִים פ׳ solder
הִלְחִין פ׳ compose, set to music
*הִלְחִיץ פ׳ pressurize, unnerve
הַלְחָמָה נ׳ soldering
הַלְחָנָה נ׳ composition
הֶלְיוֹגְרָף ז׳ heliograph
הֶלְיוּם (גז) ז׳ helium
הֵלִיט פ׳ veil, cover, enclose
הָלִיךְ ז׳ procedure, action
- הליכים proceedings
הֲלִיכָה נ׳ walk, going, carriage
- הליכה על הסף brinkmanship
- הליכות עולם manners, behavior
הֲלִיכוֹן ז׳ walker, walking frame
הֲלִיכִי ת׳ andante
הֲלִימוּת נ׳ suitability, fitness
הֵלִין פ׳ complain, grumble
הֵלִין פ׳ accommodate, lodge, house
הֶלִיקוֹפְּטֶר ז׳ helicopter, *chopper
הָלַךְ פ׳ go, walk, depart
*- הולך ! it's a deal!
- הלך אחרי follow
- הלך בעיקבותיו/בדרכו follow in his footsteps
- הלך בתלם toe the line
- הלך ו- become more and more
- הלך ל- be going to
- הלך לאיבוד be lost
*- הלך לו succeed, do well
- הלך לעולמו die
*- הלך על choose, go for
*- הלך פייפן/קאקן be ruined, die
- הלך שולל be deceived in
- לך לעזאזל ! go to hell!
הֵלֶךְ ז׳ wanderer, wayfarer
הַלָּךְ ז׳ walker
הֲלָךְ נֶפֶשׁ ז׳ mood, temper
הֲלָךְ רוּחַ ז׳ mood, morale
הֲלָכָה נ׳ Jewish law, law, rule, theory
- הלכה למעשה feasibly, in practice
- כהלכה well, properly
- להלכה theoretically
הִלְכָתִי ת׳ of Jewish law
הַלֵּל ז׳ praise, encomium, glory
הַלָּלוּ מ״ג these, those
הַלְלוּיָהּ מ״ק hallelujah
הָלַם פ׳ strike, blow, throb, fit, suit, become
הֶלֶם ז׳ blow, shock
- הלם העתיד future shock
- הלם קרב shell shock
הֲלֻמּוֹת נ׳ throb, beating
- הלמות לב heartbeat, pulsation
הֲלָנָה נ׳ night's lodging
- הלנת דין deferring judgment
- הלנת שכר delaying wages
הֶלֶּנִי (יווני) ת׳ Hellenic
הַלְעָזָה נ׳ slandering, libel
הַלְעָטָה נ׳ feeding, stuffing
הִלְעִיז פ׳ slander, libel
הִלְעִיט פ׳ feed, stuff, cram
הֲלָצָה נ׳ joke, jest, pleasantry
הַלְקָאָה נ׳ beating, flogging
- הלקאה עצמית self-flagellation
הִלְקָה פ׳ whip, flog, lash
הֶלְקֵט ז׳ capsule
הִלְשִׁין פ׳ inform on, *squeak
הַלְשָׁנָה נ׳ informing, reporting
הֵם מ״ג they
- הם הם they themselves
הִמְאִיס פ׳ make loathsome
הַמְבּוּרְגֶר ז׳ hamburger
הִמְדִּיר פ׳ bevel, slope
הָמָה פ׳ make noise, coo
- המה אדם be bustling with people
הֵמָּה מ״ג they
הֶמְהוּם ז׳ murmur, rustle
הִמְהֵם פ׳ hum, murmur, hem
הֶמוֹגְלוֹבִּין ז׳ hemoglobin
הֲמֻלָּה נ׳ tumult, hustle, *hoo-ha
הֶמוֹלִיזָה (תֶּמֶס דָּם) נ׳ hemolysis
הָמוּם ת׳ shocked, stunned
הָמוֹן ז׳ crowd, mass, multitude, *lots of, *tons of
- ההמונים the many, the masses
הֲמוֹנִי ת׳ common, vulgar, mass
הֲמוֹנִיּוּת נ׳ vulgarity
הֶמוֹפִילִי ת׳ hemophilic, bleeder
הֶמוֹפִילְיָה (דממת) נ׳ hemophilia
הַמּוֹצִיא ז׳ prayer over bread
הַמְחָאָה נ׳ check, cheque
- המחאת דואר postal order
- המחאת נוסעים traveler's check

המחה פ׳	assign
המחזה נ׳	dramatization, staging
המחיז פ׳	dramatize, stage
המחיש פ׳	illustrate, realize, embody
המחשה נ׳	realization, embodiment
המטה נ׳	bringing, causing
המטולוגיה (חקר הדם) נ׳	hematology
המטיר פ׳	shower, rain, heap
- המטיר אש	bombard
המטרה נ׳	raining, showering
המיה נ׳	coo, murmur, noise
המיט פ׳	bring upon, cause
*המיס פ׳	melt, dissolve, liquefy
המיר פ׳	convert, exchange
- המיר דת	convert
המית פ׳	kill, put to death
המלחה נ׳	salting
המלטה נ׳	giving birth
המליח פ׳	salt
המליטה פ׳	give birth, litter
המליך פ׳	crown, make king
המליץ פ׳	recommend, suggest
המלכה נ׳	enthronement, crowning
המלצה נ׳	recommendation
המם פ׳	confound, stun, daze
המנון ז׳	anthem, hymn, canticle
- המנון לאומי	national anthem
המס פ׳	melt, dissolve, liquefy
המסה נ׳	melting, solution
המעטה נ׳	reducing, diminishing
המעיט פ׳	reduce, diminish
- המעיט בחשיבות	make little of
המצאה נ׳	innovation, invention, service
המציא פ׳	invent, supply, provide, make up, *cook up
המראה נ׳	sublimation, takeoff
המרדה נ׳	incitement to rebel
המרה נ׳	exchange, change, commutation, conversion
- המרת דת	conversion
המרה את פיו פ׳	defy, disobey
המריא פ׳	take off, soar
המריד פ׳	cause to rebel
המריץ פ׳	stimulate, urge, prod
המרצה נ׳	stimulation, encouragement, urging
המשיך פ׳	carry on, continue, go on
המשיל פ׳	compare, liken, allegorize
המשך ז׳	continuation, sequel
- בהמשך ל-	further to
- בהמשכים	in installments
המשכי ת׳	continual, run-on
המשכיות נ׳	continuity
המתה נ׳	killing, execution
- המתת חסד	euthanasia
המתין פ׳	wait, stay
- המתין על הקו	hold the line
המתיק פ׳	sweeten, mitigate
- המתיק את הגלולה	sugar the pill
- המתיק סוד	let into a secret
- המתיק עונש	commute
המתנה נ׳	waiting, wait
המתקה נ׳	sweetening, mitigation
- המתקת עונש	commutation
הן מ״ג	they
- הן זה והן זה	both of them
- הן צדק	word of honor
הן מ״ק	yes, surely, but
הנאה נ׳	pleasure, delight
הנבה נ׳	yield, producing
הנבטה נ׳	germination
הנביט פ׳	germinate
הנגאובר (חמרמורת) ז׳	hangover
הנגין פ׳	intonate
הנגנה נ׳	intonation
הנגר (סככת מטוס) ז׳	hangar
הנדס פ׳	engineer
הנדסאות נ׳	practical engineering
הנדסאי ז׳	technician, practical engineer
הנדסה נ׳	engineering, geometry
- הנדסה אזרחית	civil engineering
- הנדסה גנטית	genetic engineering
- הנדסת אנוש	ergonomics
- הנדסת המרחב	stereometry
- הנדסת מכונות	mechanical engineering
הנדסי ת׳	geometric, geometrical
הנה תה״פ	here, hither
- הנה והנה	back and forth, to and fro
- כהנה וכהנה	so much more
הנה מ״ק	here is, see, why
- הנה (כי) כן	thus, so
הנהגה נ׳	leadership, introduction
הנהון ז׳	nodding, nod
הנה״ח=הנהלת חשבונות	bookkeeping
הנהיג פ׳	lead, introduce, make a custom
הנהלה נ׳	management, administration, directorate
- הנהלת חשבונות	bookkeeping
הנהן פ׳	say yes, nod
הנחה פ׳	direct, guide, lead
הנחה נ׳	assumption, presumption, laying, placing, reduction, discount
- בהנחה ש-	supposing
- הנחת יסוד	axiom
- הנחת עבודה	working premise
הנחיה נ׳	direction, guidance
הנחיל פ׳	bequeath, impart, bring
הנחית פ׳	land, disembark, give
- הנחית מכה	deal a blow
הנחלה נ׳	bequeathing, teaching
- הנחלת לשון	language instruction
הנחתה נ׳	landing, smash
הניא פ׳	argue out of, dissuade, prevent
הניב פ׳	produce, yield, bear
הניד פ׳	move, shake, stir
- לא הניד עפעף	not bat an eyelid
הניח פ׳	leave, let, lay, put, place, assume, suppose
- הניח לו!	let him alone
- הניח נשקו	bury the hatchet
הניח פ׳	give rest, rest
- הניח דעתו	be satisfactory
הניס פ׳	put to flight, rout
הניע פ׳	move, stir, motivate
הניעה נ׳	motivation

הֵנִיף פ׳ lift, wave, lever, hoist
- הניף דגל fly a flag
הנ"ל = הנזכר לעיל above-mentioned
הִנְמִיךְ פ׳ lower, take down
- הנמיך טוס buzz, hedgehop
הַנְמָכָה נ׳ lowering, reduction
הַנְמָקָה נ׳ argumentation, reasoning
הִנְנִי, הִנְּךָ, וכו׳ מ״ג I am, you are, etc.
הֲנָעָה נ׳ moving, propulsion
- הנעה קדמית front-wheel drive
הִנְעִיל פ׳ shoe, put shoes on
הִנְעִים פ׳ make pleasant, sweeten
הַנְעָלָה נ׳ shoes, footwear
הֲנָפָה נ׳ lifting, waving, hoist
- הנפה (בהרמת משקולות) snatch
הִנְפִּיק פ׳ issue
הַנְפָּקָה נ׳ issue, emission
הַנְפָּשָׁה נ׳ animation
הֵנֵץ פ׳ sprout, bud
הָנֵץ הַחַמָּה ז׳ sunrise, sunup
הַנְצָחָה נ׳ commemoration, perpetuation
הִנְצִיחַ פ׳ commemorate, perpetuate
הֲנָקָה נ׳ breast feeding
הִנְשִׁים פ׳ cause to breathe
הַנְשָׁמָה נ׳ respiration
- הנשמה מלאכותית artificial respiration
- הנשמה מפה לפה mouth-to-mouth resuscitation, kiss of life
הַס מ״ק quiet, silence
הֵסֵב פ׳ cause, bring, turn, endorse, recline, sit at table
- הסב עיניו look away
- הסב תשומת לב call attention
הֲסָבָה נ׳ endorsement, change
- הסבה מקצועית professional retraining
הִסְבִּיר פ׳ explain, account for
- הסביר פנים greet warmly
הֶסְבֵּר ז׳ explanation, account
הַסְבָּרָה נ׳ explanation, information, propaganda
הַסְבָּרָתִי ת׳ explanatory
הֲסָגָה נ׳ removing, shifting
- הסגת גבול encroachment, infringement
הִסְגִּיר פ׳ extradite, betray, hand over, give away
הֶסְגֵּר ז׳ closure, blockade, embargo, quarantine, parenthesis
הַסְגָּרָה נ׳ betrayal, extradition, surrender, giveaway
הִסְדִּיר פ׳ arrange, settle, regulate
הֶסְדֵּר ז׳ arrangement, settlement, yeshiva/military service
- הגיע לידי הסדר come to terms
הַסְוָאָה נ׳ camouflage, mimicry
הִסְוָה פ׳ camouflage, mask
הֲסָחָה נ׳ diversion, distraction
- הסחת דעת distraction
הֲסָטָה נ׳ shifting, moving
הִסִּיג פ׳ withdraw, move back
- הסיג גבול encroach, trespass
הֵסִיחַ פ׳ divert, distract
- הסיח דעת distract, divert

הֵסִיט פ׳ shift, remove, shunt
הִסִּיעַ פ׳ drive, transport, taxi
הִסִּיק פ׳ conclude, infer, heat up
הֵסִיר פ׳ remove, lift, take off
- הסיר את הכפפות begin fighting
הֵסִית פ׳ instigate, incite
הִסְכִּים פ׳ agree, approve, consent
הִסְכִּין פ׳ be accustomed
הֶסְכֵּם ז׳ accord, agreement, compact, contract, deal
- הסכם ג'נטלמני gentleman's agreement
- הסכם הסגרה extradition agreement
- הסכם קיבוצי collective agreement
הַסְכָּמָה נ׳ agreement, consent
- הסכמה כללית consensus
הַסְכֵּת וּשְׁמַע! hear, listen, hark
הִסְלִים פ׳ escalate, step up
הַסְלָמָה נ׳ escalation, step-up
הִסְמִיךְ פ׳ authorize, empower
הִסְמִיק פ׳ blush, redden, flush
הַסְמָכָה נ׳ authorization, delegation
הַסְמָלָה נ׳ symbolization
הַסְמָקָה נ׳ blushing, flush
*הִסְנִיף פ׳ sniff up drugs
הַסְסָן ז׳ hesitant, indecisive
הַסְסָנוּת נ׳ hesitancy, indecision
הַסְעָדָה נ׳ catering
הַסָּעָה נ׳ transportation, lift
הִסְעִיר פ׳ agitate, enrage, infuriate
הֶסְפֵּד ז׳ funeral oration
הִסְפִּיג פ׳ saturate, impregnate
הִסְפִּיד פ׳ eulogize, mourn
הִסְפִּיק פ׳ be enough, suffice, manage, succeed
הֶסְפֵּק ז׳ output, capacity, power
הַסְפָּקָה נ׳ provision, supply
הַסָּקָה נ׳ heating, inference
- הסקה מרכזית central heating
- הסקת מסקנה reasoning, deduction
הֲסָרָה נ׳ removal, taking off
הַסְרָטָה נ׳ filming, photographing
הִסְרִיחַ פ׳ stink, reek, smell
הִסְרִיט פ׳ film, screen, shoot
הִסְתָּאֵב פ׳ become corrupt
הִסְתָּאֲבוּת נ׳ defilement, corruption
הִסְתַּבֵּךְ פ׳ become complicated
- הסתבך בצרה run into trouble
הִסְתַּבְּכוּת נ׳ complication, involvement
הִסְתַּבֵּן פ׳ soap oneself
הִסְתַּבֵּר פ׳ be evident, turn out
הִסְתַּבְּרוּת נ׳ probability, likelihood, odds
הִסְתַּגֵּל פ׳ adapt oneself, adjust
הִסְתַּגְּלוּת נ׳ adaptation, adjustment
הִסְתַּגֵּף פ׳ mortify oneself
הִסְתַּגֵּר פ׳ shut oneself up
הִסְתַּגְּרוּת נ׳ seclusion, introversion
הִסְתַּדֵּר פ׳ be organized, manage, get along, make do
- הסתדר בלעדי do without
- הסתדר בשורה fall in, line up
הִסְתַּדְּרוּת נ׳ organization

הסתה נ׳ **incitement, sedition**
הסתובב פ׳ **circle, revolve, rotate, turn, roll around, go with**
הסתובבות נ׳ **turning around**
הסתודד פ׳ **confer secretly, commune, whisper**
הסתודדות נ׳ **whispering**
הסתופף פ׳ **visit often, associate with, rub shoulders with**
הסתחרר פ׳ **be dizzy, whirl, spin**
הסתייג פ׳ **have reservations, disapprove, disfavor**
הסתייגות נ׳ **reservation, disfavor**
הסתייד פ׳ **calcify**
הסתיידות נ׳ **calcification**
- הסתיידות עורקים **arteriosclerosis**
הסתיים פ׳ **end, terminate**
הסתייע פ׳ **be helped, be assisted**
- הסתייע בידו **succeed, manage**
הסתיר פ׳ **conceal, hide**
הסתכל פ׳ **gaze, look, watch**
הסתכלות נ׳ **looking, observation**
הסתכלותי ת׳ **visual, speculative**
הסתכם פ׳ **add up to, amount**
הסתכן פ׳ **risk, venture**
הסתכסך פ׳ **quarrel, dispute**
*הסתלבט פ׳ **waste time, loaf**
הסתלסל פ׳ **curl, wave**
הסתלק פ׳ **leave, depart, die**
הסתלקות נ׳ **departure, death, resignation, withdrawal**
הסתמך פ׳ **rely on, depend on**
הסתמכות נ׳ **reliance**
הסתמן פ׳ **be apparent, form, take shape**
הסתמר פ׳ **bristle, stand on end**
הסתנוור פ׳ **be dazzled, be blind**
הסתנוורות נ׳ **dazzling**
הסתנן פ׳ **filter, infiltrate**
הסתננות נ׳ **infiltration**
הסתנף פ׳ **affiliate**
הסתעף פ׳ **branch, fork, ramify**
הסתעפות נ׳ **ramification, junction**
הסתער פ׳ **attack, assail, storm**
הסתערב פ׳ **disguise as an Arab**
הסתערות נ׳ **attack, onslaught**
הסתפח פ׳ **be annexed, join**
הסתפחות נ׳ **annexing, joining**
הסתפק פ׳ **be satisfied, content oneself, doubt**
הסתפקות נ׳ **contentment**
הסתפר פ׳ **have a haircut**
הסתקרן פ׳ **wonder, be curious**
הסתקרנות נ׳ **curiosity**
הסתר ז׳ **concealment, secrecy**
הסתרבל פ׳ **be cumbersome**
הסתרה נ׳ **concealment, hiding**
הסתרק פ׳ **comb one's hair**
הסתתר פ׳ **hide, lurk, lie low**
- הסתתרה בינתו **become mad**
הסתתרות נ׳ **hiding**
העביד פ׳ **employ, work**
העביר פ׳ **move, pass, transfer**
- העביר הזמן **while away**
- העביר מיד ליד **hand around**
- העבירו על דעתו **drive crazy**

העברה נ׳ **transference, transfer, hand-over**
- העברת בעלות **conveyance, alienation**
העדה נ׳ **protest**
העדיף פ׳ **prefer, choose, elect**
העדפה נ׳ **preference, choice**
העדר ז׳ **lack, absence**
- בהעדר **wanting, failing**
העווה פניו **pull faces, mouth**
העוויה נ׳ **grimace, wry face**
העז פ׳ **dare, presume, venture**
העזה נ׳ **daring, venture, temerity**
העטה פ׳ **cover, envelop**
העיב פ׳ **cloud, eclipse**
העיד פ׳ **testify, witness, show**
- העיד כמאה עדים **speak volumes**
*העיז פ׳ **dare, venture**
- העיז פנים **be insolent**
העיף פ׳ **fly, send flying**
- העיף מבט **glance, have a look**
העיק פ׳ **oppress, lie heavy on**
העיר פ׳ **comment, remark, observe, rouse, wake**
העכיר פ׳ **befoul, make gloomy**
- העכיר רוחו **spoil his good mood**
העלאה נ׳ **lift, raise, rise**
- העלאה בדרגה **promotion**
- העלאת גירה **rumination, chewing the cud, regurgitation**
העלבה נ׳ **insulting, offence**
העלה פ׳ **raise, lift, mount, up, bring up**
- העלה באש **set on fire**
- העלה בדרגה **promote**
- העלה גירה **regurgitate, ruminate**
- העלה על הדעת/בדעתו **imagine, think of**
- העלה על הנייר/הכתב **write down**
- לא יעלה על הדעת **it is inconceivable, it is intolerable**
- לא מעלה ולא מוריד **it makes no difference**
העליב פ׳ **insult, offend, affront**
העליל פ׳ **slander, calumniate**
העלים פ׳ **hide, conceal**
- העלים מס **evade tax**
- העלים עין **overlook, connive at**
העלמה נ׳ **concealing, hush-up**
- העלמת מס/הכנסה **tax evasion**
- העלמת עין **connivance**
העם פ׳ **dim**
העמדה נ׳ **erection, setting up**
- העמדה לדין **arraignment**
- העמדת פנים **affectation, pretense**
העמדתנות נ׳ **reductionism**
העמיד פ׳ **establish, erect, put, set**
- העמיד במבחן **put to the test**
- העמיד לדין **arraign, put on trial**
- העמיד להצבעה **put to the vote**
- העמיד פנים **feign, pretend**
- העמידו במקומו **put him in his place**
- העמידו על טעותו **undeceive, free him from error**
העמיס פ׳ **burden, load, encumber**
העמיק פ׳ **deepen, delve, penetrate,**

strengthen, intensify
העמסה נ׳ loading, burdening
העמקה נ׳ deepening, delving
העניק פ׳ award, grant, give
- העניקה חסדיה bestow her favors
העניש פ׳ punish, penalize
הענקה נ׳ grant, award, bestowal
הענשה נ׳ punishing, penalization
העסיק פ׳ employ, engage, occupy
העסקה נ׳ employment, occupation
העפה נ׳ flying, flip
העפיל פ׳ climb, immigrate
העפלה נ׳ climbing, immigration
העציב פ׳ sadden, cast down
העצים פ׳ intensify, strengthen
העקיב פ׳ trace
הערה פ׳ pour, decant
הערה נ׳ comment, note, remark
- הערת אזהרה caution remark
העריך פ׳ estimate, appreciate, appraise, value
הערים פ׳ go around, trick, cheat
- הערים קשיים make difficulties
העריץ פ׳ worship, adore, admire
הערכה נ׳ appreciation, estimate
הערמה נ׳ cheating, circumvention
- הערמת מכשולים making difficulties
הערצה נ׳ admiration, worship
העשיר פ׳ enrich, improve
העשרה נ׳ enrichment
העתיק פ׳ copy, reproduce, move
העתיר פ׳ entreat, beg, shower
העתק ז׳ copy, duplicate, replica
- העתק שמש sunprint
העתקה נ׳ copying, shift, moving
הפגה נ׳ easing, abatement
הפגזה נ׳ bombardment, shelling
הפגיז פ׳ shell, bombard, shower
הפגין פ׳ demonstrate, show
הפגיש פ׳ bring together
הפגנה נ׳ demonstration, show
הפגנתי ת׳ demonstrative
הפגשה נ׳ bringing together
הפוגה נ׳ pause, cease-fire, lull
- בלי הפוגה without cease
הפוך ת׳ overturned, upside down, reverse, opposite
*- הפוך על הפוך absurd, unreasonable
הפחדה נ׳ intimidation, scaring
הפחה נ׳ blowing, inspiring
הפחיד פ׳ frighten, scare, intimidate
הפחית פ׳ lessen, reduce, subtract
הפחתה נ׳ decrease, reduction
הפטיר פ׳ release, say, let drop
הפטר ז׳ discharge
הפטרה נ׳ Haftarah, excerpt from the Bible
הפיג פ׳ ease, relieve, allay
הפיח פ׳ blow, inspire, breathe
- הפיח חיים inject new life
- הפיח כזבים tell lies
- הפיח תקווה inspire with hope
הפיך ת׳ convertible, reversible
- בלתי הפיך irreversible, final

הפיכה נ׳ revolution, overturning
- הפיכת חצר palace revolution
הפיל פ׳ drop, throw down, trip
- הפיל בפח entrap, frame, trip up
- הפיל חיתיתו terrorize
- הפילה (בהיריון) abort, miscarry
הפיס פ׳ appease, calm, pacify
הפיץ פ׳ scatter, distribute
הפיק פ׳ produce, derive, yield
- הפיק לקחים learn one's lesson, learn by experience
- הפיק תועלת make use of, profit
הפיר פ׳ cancel, break, violate
הפך פ׳ turn over, upset, reverse
- הפך הקערה על פיה turn the tables
- הפך ל- turn into, become
- הפך עולמות move heaven and earth, raise Cain
הפכפך ת׳ fickle, wayward, fitful
הפכפכנות נ׳ fickleness
הפלא ופלא מ״ק wonderful
הפלגה נ׳ cruise, sailing, voyage
הפלה פ׳ discriminate, differentiate
הפלה נ׳ abortion, miscarriage, dropping, bringing down
- הפלה טבעית natural abortion
- הפלה מלאכותית clinical abortion
הפלטה נ׳ ejection, discharge
הפליא פ׳ amaze, surprise
- הפליא לעשות do wonders
- הפליא מכותיו punish, beat up
הפליג פ׳ sail, voyage, exaggerate
- הפליג בשבח praise to the skies
הפליה נ׳ discrimination, partiality
הפליט פ׳ eject, let slip, emit
הפליל פ׳ incriminate, frame
*הפליץ פ׳ fart, break wind
*הפליק פ׳ strike, hit
הפללה פ׳ incrimination
הפנה פ׳ refer, turn, direct
- הפנה את גבו turn one's back
- הפנה תשומת ליבו turn one's attention
הפניה נ׳ turning, referring
הפנים פ׳ internalize, realize
הפנינג ז׳ happening
הפנמה נ׳ internalization, realization
הפסד ז׳ damage, loss, defeat
הפסיד פ׳ lose, forfeit, miss
הפסיק פ׳ cease, pause, stop, quit
הפסק ז׳ stop, interruption, rest
- בלי הפסק without cease
הפסקה נ׳ break, intermission, pause
- הפסקת אש cease-fire, truce
- הפסקת חשמל power cut
הפעיל פ׳ activate, actuate, operate
הפעלה נ׳ activation, exercise
הפצה נ׳ distribution, spreading
הפציע פ׳ break through, burst
הפציץ פ׳ bomb, blast, shell
הפציר פ׳ entreat, implore
הפצצה נ׳ bombardment, raid
הפצרה נ׳ entreaty, urging, plea
הפקדה נ׳ depositing, entrusting
הפקה נ׳ production, elicitation
- הפקת לקחים learning one's lesson,

drawing conclusions
הִפְקִיד פ׳ deposit, entrust, place
הִפְקִיעַ פ׳ requisition, expropriate
- הפקיע מחירים overcharge
הִפְקִיר פ׳ abandon, desert
הַפְקָעָה נ׳ requisition, expropriation
- הפקעת מחיר/שער overcharging
הֶפְקֵר ז׳ ownerless property, anarchy, lawlessness
הַפְקָרָה נ׳ abandonment, desertion
הֶפְקֵרוּת נ׳ lawlessness, anarchy
הֵפֵר פ׳ violate, break, contravene
הַפְרָדָה נ׳ separation, parting
- הפרדה גזעית segregation
הִפְרָה פ׳ fertilize, impregnate
הֲפָרָה נ׳ violation, breach
- הפרת אמון breach of faith
- הפרת הבטחה breach of promise
- הפרת החוזה breach of the contract
- הפרת הסדר breach of the peace
- הפרת חוק breach of the law
הַפְרָזָה נ׳ exaggeration, excess
הַפְרָחָה נ׳ flying, flowering
הַפְרָטָה נ׳ privatization
הִפְרִיד פ׳ segregate, separate, part
הַפְרָיָה נ׳ fertilization, impregnation
- הפריה חוץ-גופית in vitro fertilization
- הפריה מלאכותית artificial insemination
- הפריית מבחנה in vitro fertilization
הִפְרִיז פ׳ exaggerate, go too far
הִפְרִיחַ פ׳ fly, spread, flower
הִפְרִיט פ׳ privatize
הִפְרִיךְ פ׳ confute, disprove, refute
הִפְרִיעַ פ׳ interfere, disturb, interrupt
הִפְרִישׁ פ׳ set aside, excrete, detach
הַפְרָכָה נ׳ confutation, disproof
הַפְרָעָה נ׳ interference, disturbance, interruption, disorder
הֶפְרֵשׁ ז׳ difference
- הפרשי הצמדה linkage differentials
- הפרשי שכר wage differentials
- הפרשי שער rate differences
הַפְרָשָׁה נ׳ secretion, excretion, setting aside, allocation, allowance, provision
- בלוטות הפרשה פנימית endocrine glands
הֶפְרֵשִׁיּוּת נ׳ differential
הַפְשָׁטָה נ׳ abstraction, undressing
הִפְשִׁיט פ׳ undress, strip, denude
הִפְשִׁיל פ׳ roll up, tuck up
הִפְשִׁיר פ׳ defrost, thaw
הַפְשָׁלָה נ׳ rolling up
הַפְשָׁרָה נ׳ melting, defrosting, thaw
הִפְתִּיעַ פ׳ surprise, take unawares
הַפְתָּעָה נ׳ surprise
הַצָּבָה נ׳ stationing, placing, erecting, establishing, posting
הִצְבִּיעַ פ׳ point, indicate, vote
- הצביע ברגליים vote with one's feet
הַצְבָּעָה נ׳ vote, poll, ballot, pointing, indicating
- הצבעת (אי) אמון vote of (no) confidence

הַצָּגָה נ׳ display, show, scene, introducing, presentation
- הצגת בכורה premiere
הִצְדִּיעַ פ׳ salute
הִצְדִּיק פ׳ justify, excuse, vindicate
הַצְדָּעָה נ׳ salute, saluting
הַצְדָּקָה נ׳ justification, vindication
הִצְהִיב פ׳ yellow, turn yellow
הִצְהִיר פ׳ declare, state, attest
הַצְהָרָה נ׳ declaration, statement
- הצהרה בשבועה affidavit, declaration under oath
הִצְחִיחַ פ׳ parch, dry up
הִצְחִין פ׳ stink, smell
הִצְחִיק פ׳ amuse, make laugh
הַצְחָקָה נ׳ causing laugh
הִצְטַבֵּר פ׳ accumulate, accrue
הִצְטַבְּרוּת נ׳ accrual, accumulation
הִצְטַדֵּק פ׳ apologize, excuse oneself
הִצְטַדְּקוּת נ׳ excuse, apology
הִצְטַוָּה פ׳ be ordered
הִצְטוֹפֵף פ׳ crowd, huddle, pack
הִצְטוֹפְפוּת נ׳ crowding, huddle
הִצְטַחְצֵחַ פ׳ smarten, spruce up
הִצְטַחֵק פ׳ smile, chuckle
הִצְטַיֵּד פ׳ be equipped, arm
הִצְטַיְּדוּת נ׳ equipping oneself
הִצְטַיֵּן פ׳ be distinguished, excel
הִצְטַיְּנוּת נ׳ excellence, distinction
- בהצטיינות with distinction
הִצְטַיֵּר פ׳ be portrayed, be pictured
הִצְטַלֵּב פ׳ intersect, cross oneself
הִצְטַלְּבוּת נ׳ crossing, intersection
הִצְטַלֵּם פ׳ be photographed
הִצְטַמְצֵם פ׳ limit oneself, narrow
הִצְטַמֵּק פ׳ shrivel, shrink
הִצְטַמְּקוּת נ׳ shrinking, contraction
הִצְטַנֵּן פ׳ catch cold, cool
הִצְטַנְּנוּת נ׳ cold, cooling
הִצְטַנֵּעַ פ׳ be modest, be humble
הִצְטַנְּעוּת נ׳ modesty, prudery
הִצְטַנֵּף פ׳ be wrapped, curl up
הִצְטַנְּפוּת נ׳ curling up
הִצְטַעְצֵעַ פ׳ preen oneself, behave artificially
הִצְטַעַצְעוּת נ׳ affectation
הִצְטַעֵר פ׳ be sorry, regret
הִצְטַעֲרוּת נ׳ sorrow, regret
הִצְטָרֵד פ׳ be hoarse
הִצְטָרְדוּת נ׳ hoarseness
הִצְטָרֵךְ פ׳ need, have to
הִצְטָרְכוּת נ׳ need
הִצְטָרֵף פ׳ join, join in
הִצְטָרְפוּת נ׳ joining
הִצִּיב פ׳ place, station, set up, post
הִצִּיג פ׳ perform, play, show, present, introduce
- הצג שק! (בצבא) order arms!
- הציג לראווה expose, flaunt
- הציגו ככלי ריק clean out, *skin
הַצִּידָה תה״פ aside, sidewards
הִצִּיל פ׳ rescue, save
- הציל את עורו save one's skin
- הציל דבר מפיו elicit a statement from
הַצִּילוּ מ״ק help, SOS

הִצִּיעַ פ׳ **offer, propose, suggest**
- הציע את המיטה **make the bed**

הֵצִיף פ׳ **flood, inundate, float**
הֵצִיץ פ׳ **peep, look, glance**
- הציץ ונפגע **become irreligious**

הֵצִיק פ׳ **annoy, bother, bully, harass, tease**
הִצִּית פ׳ **set fire, kindle, light**
הֵצֵל פ׳ **shade, cast a shadow**
הַצְלָבָה נ׳ **crossbreeding, match**
הַצָּלָה נ׳ **rescue, saving**
הַצְלָחָה נ׳ **success, prosperity**
- בהצלחה! **good luck!**

הִצְלִיב פ׳ **cross, interbreed**
הִצְלִיחַ פ׳ **succeed, work, make it**
הִצְלִיף פ׳ **lash, whip, flay**
הַצְלָלָה נ׳ **shading**
הַצְלָפָה נ׳ **whipping, lash**
הַצְמָדָה נ׳ **linking, linkage, joining**
הַצְמָחָה נ׳ **growing**
הִצְמִיא פ׳ **make thirsty**
הִצְמִיד פ׳ **couple, link, fasten**
הִצְמִיחַ פ׳ **grow, produce, send out**
- הצמיח קרניים **cuckold**
- הצמיח שיניים **cut one's teeth, teethe**

הִצְמִית פ׳ **annihilate, destroy**
הֵצֵן פ׳ **cool, chill**
הַצְנָחָה נ׳ **airdrop, dropping**
הִצְנִיחַ פ׳ **drop, parachute**
הִצְנִיעַ פ׳ **conceal, hide**
- הצניע לכת **live humbly**

הַצְנָעָה נ׳ **concealment, humility**
הַצָּעָה נ׳ **offer, proposal, suggestion**
- הצעת חוק **bill**
- הצעת מחיר **bid, bidding, tender**

הִצְעִיד פ׳ **lead, march**
הִצְעִיר פ׳ **rejuvenate, be younger**
הֲצָפָה נ׳ **flooding, inundation**
הִצְפִּין פ׳ **hide, encode, go north**
הַצְפָּנָה נ׳ **hiding, encoding**
הֲצָצָה נ׳ **peep, peek, glance**
הֵצֵר פ׳ **narrow, limit, constrict, be sorry**
- הצר צעדיו **suppress, clamp down**
- הצר שמלה **take in a dress**

הֲצָרָה נ׳ **narrowing, constriction**
הַצְרָחָה נ׳ **castling**
הִצְרִיחַ פ׳ **castle**
הִצְרִיךְ פ׳ **necessitate, need, require**
הִצְרִין פ׳ **shape, formalize**
הַצְרָנָה נ׳ **formalization**
הַצָּתָה נ׳ **ignition, kindling, arson**
- הצתה בזדון **arson, fire-raising**
- הצתה לאחור **backfire**
- הצתה מאוחרת **slow understanding**

הֲקָאָה נ׳ **vomiting, sickness**
הקב"ה=הקדוש ברוך הוא **God**
הִקְבִּיל פ׳ **compare, parallel**
- הקביל פנים **welcome**

הַקְבָּלָה נ׳ **analogy, comparing**
הַקְבָּצָה נ׳ **grouping, banding**
הַקָּדוֹשׁ בָּרוּךְ הוּא **God**
הִקְדִּיחַ תַּבְשִׁילוֹ **go too far**
הִקְדִּים פ׳ **be early, anticipate, be first, bring forward**
- הקדים התאריך **advance the date, antedate**
- הקדים קנה לוושט **go down the wrong way**
- הקדים רפואה למכה **anticipate trouble**

הִקְדִּיר פ׳ **darken, cloud**
הִקְדִּישׁ פ׳ **consecrate, dedicate, devote**
- הקדיש תשומת לב **pay attention**

הַקְדָּמָה נ׳ **foreword, introduction, preface**
הֶקְדֵּשׁ ז׳ **consecration, taboo**
הַקְדָּשָׁה נ׳ **devoting, dedication**
הִקְהָה פ׳ **blunt, take the edge off**
הִקְהִיל פ׳ **assemble, summon**
הַקָּזַת דָּם נ׳ **bloodletting**
הִקְטִין פ׳ **lessen, reduce**
הִקְטִיר פ׳ **burn incense**
הַקְטָנָה נ׳ **reduction, lessening**
הֶקְטָר (10 דונמים) ז׳ **hectare**
הֵקִיא פ׳ **throw up, vomit, be sick**
הִקִּיז דָּם פ׳ **let blood, shed blood**
הֵקִים פ׳ **establish, set up, found, erect, raise, make**
- הקים רעש **make a noise**

הִקִּיף פ׳ **give credit, lend, surround, revolve, encompass, comprise**
הֵקִיץ פ׳ **awaken, arouse**
- הקיץ הקץ על **the end has come**

הִקִּישׁ פ׳ **knock, beat, strike, tap, analogize, compare**
- הקש בעץ **touch wood**

הֵקֵל פ׳ **alleviate, ease, relieve**
- הקל בכבודו **slight**
- הקל ראש **trifle, underestimate**

הַקְלָדָה נ׳ **keyboarding, typing**
הֲקַלָּה נ׳ **alleviation, easing, relief**
- הקלת מס **tax relief/remission**

הַקְלָטָה נ׳ **recording**
הִקְלִיד פ׳ **keyboard, type**
הִקְלִיט פ׳ **record, tape, tape-record**
הֲקָמָה נ׳ **establishment, setting up**
הִקְנָה פ׳ **transfer, impart, vest, give**
הַקְנָטָה נ׳ **teasing, bullying**
הַקְנָיָה נ׳ **transferring, giving**
הִקְנִיט פ׳ **tease, taunt, rag**
הִקְסִים פ׳ **captivate, charm, enchant, fascinate, infatuate**
הַקְסָמָה נ׳ **captivation, fascination**
הַקְפָּאָה נ׳ **coagulation, freeze, freezing**
- הקפאה עמוקה **deep freeze**
- הקפאת שכר **wage freeze**

הַקְפָּדָה נ׳ **strictness, observance**
הַקָּפָה נ׳ **credit, circuit, surrounding, revolution, lap**
הִקְפִּיא פ׳ **congeal, freeze, ice**
הִקְפִּיד פ׳ **be strict, observe**
הִקְפִּיץ פ׳ **bounce, jump, startle**
הַקְפָּצָה נ׳ **bouncing, rise**
הַקְצָאָה נ׳ **allotment, assignment**
הַקְצָבָה נ׳ **allocation, appropriation**
הִקְצָה פ׳ **set aside, allot, assign**
הִקְצִיב פ׳ **allocate, budget, allow**
הִקְצִין פ׳ **be radical, be extreme**

הקציע פ׳ **plane, shave, smooth**
הקציף פ׳ **whisk, whip, anger**
הקצנה נ׳ **becoming radical**
הקצעה נ׳ **planing**
הקצפה נ׳ **whipping, enraging**
הקראה נ׳ **recitation, reading**
הקרבה נ׳ **sacrifice, good fight**
- הקרבה עצמית **self-sacrifice**
הקריא פ׳ **read, recite, narrate**
הקריב פ׳ **sacrifice, draw near**
הקריח פ׳ **lose one's hair, become bald**
הקרים פ׳ **crust, encrust**
הקרין פ׳ **screen, radiate, shine**
הקריש פ׳ **clot, coagulate, congeal**
הקרנה נ׳ **screening, projection**
- הקרנות **radiotherapy**
הקרשה נ׳ **coagulation**
הקשבה נ׳ **listening, attention**
הקשה פ׳ **harden, toughen, make difficult, ask a question**
הקשה נ׳ **knock, tap, percussion**
הקשחה נ׳ **hardening, toughening**
הקשיב פ׳ **listen, heed, monitor**
- הקשב! **attention!, shun!**
הקשיח פ׳ **harden, toughen, steel**
הקשית פ׳ **arch, send (a ball) in an arch, lob**
הקשר ז׳ **context, relation**
- בהקשר זה **in this connection**
הר ז׳ **mountain, mount**
- ההר הוליד עכבר **much cry and little wool**
- הר געש **volcano**
- הר הבית **Temple Mount**
- הר הזיתים **Mount of Olives**
- הר הצופים **Mount Scopus**
הראה פ׳ **display, indicate, show**
הרבה פ׳ **do much, increase**
הרבה תה״פ **many, much, plenty**
- בהרבה **well, by far**
הרביך פ׳ **thicken**
הרביע פ׳ **mate, mount, serve**
הרביץ פ׳ **strike, hit, lay down, *eat**
- הרביץ תורה **teach, instruct**
הרבעה נ׳ **mating, service**
הרג פ׳ **kill, slay**
- הרג את הזמן **kill time**
*- הרג את עצמו **break one's neck**
הרג ז׳ **killing, slaughter**
הרגה נ׳ **slaughter, killing**
הרגזה נ׳ **angering, irritation**
הרגיז פ׳ **anger, tease, enrage**
הרגיל פ׳ **accustom, habituate**
הרגיע פ׳ **calm, soothe, allay**
- הרגיע את הרוחות **soothe tempers**
הרגיש פ׳ **feel, perceive, sense**
הרגל ז׳ **custom, habit, practice**
הרגעה נ׳ **calming, appeasement**
- הרגעת רוחות **soothing tempers**
הרגשה נ׳ **feeling, sensation, sense**
הרדוף ז׳ **oleander**
הרדים פ׳ **put to sleep, anesthetize**
הרדמה נ׳ **anesthesia**
- הרדמה מקומית/חלקית **local anesthesia**

הרה ת׳ **pregnant**
הרה סכנות ת׳ **risky**
הרהבה נ׳ **audacity, daring**
הרה״ג = הרב הגאון
הרהור ז׳ **thought, meditation**
הרהיב עוז פ׳ **dare, venture**
הרהר פ׳ **think, ponder, reflect**
הרואי ת׳ **heroic**
הרואיות נ׳ **heroism**
הרואין ז׳ **heroin, *junk**
הרוג ת׳ **slain, dead, *done in, tired**
הרווה פ׳ **saturate, quench, slake**
הרוויח פ׳ **profit, earn, gain**
הרוס ת׳ **ruined, broken, *tired**
הרזה פ׳ **reduce weight, slim, thin**
הרזיה נ׳ **reducing weight**
הרחבה נ׳ **expansion, widening**
- בהרחבה **in detail**
- הרחבת הדעת **contentment**
הרחה נ׳ **smelling, scenting**
הרחיב פ׳ **broaden, widen, expand**
- הרחיב את הדיבור **talk at large**
- הרחיב צעדיו **go faster**
הרחיק פ׳ **remove, keep away, go far, keep off**
- הרחיק לכת **go far, go too far**
הרחק תה״פ **far, far away**
הרחקה נ׳ **removal, sending away**
הרטבה נ׳ **wetting, moistening**
- הרטבת לילה **bed-wetting**
הרטיב פ׳ **wet, moisten, bathe, urinate involuntarily**
הרטיט פ׳ **thrill, vibrate**
הרי מ״ק **here is, look, but**
- הרי זה כהרי זה **this is like that**
- הרי זה/הוא, הריהו **it's/he is**
הריגה נ׳ **killing, slaughter**
הריח פ׳ **smell, scent**
הרים פ׳ **lift, pick up, raise, *pilfer**
- הרים גבה **raise eyebrows**
- הרים יד על **raise one's hand**
- הרים ידיים **give up**
- הרים כוס **toast, drink to**
- הרים עוגן **weigh anchor**
- הרים קולו **raise one's voice**
- הרים תרומה **make a contribution**
הריני מ״ג **I am**
הריסה נ׳ **destruction, wreck**
הריסות נ״ר **remains, ruins**
הריע פ׳ **cheer, shout, root for**
הריץ פ׳ **dispatch, run, run in**
הריק פ׳ **empty, deplete**
הרכב ז׳ **composition, constitution, make-up, line-up**
הרכבה נ׳ **assembly, grafting, vaccination, inoculation**
הרכיב פ׳ **assemble, compose, graft, form, vaccinate, mount, ride**
- הרכיב ממשלה **form a government**
- הרכיב משקפיים **wear glasses**
הרכין פ׳ **bend, bow, incline**
- הרכין ראש **pay obeisance**
הרכנה נ׳ **bowing, bending**
הרמה נ׳ **raising, lift, elevation**
- הרמת יד **raising the hand**
- הרמת כוס **toast**

- הרמת משקולות weight lifting
הַרְמוֹן ז׳ harem, seraglio
הַרְמוֹנִי ת׳ harmonious, concordant
הַרְמוֹנְיָה נ׳ harmony, agreement
הֶרְמֵטִי ת׳ hermetic
הִרְנִין לֵב פ׳ do one's heart good
הָרַס פ׳ destroy, ruin, undo
הֶרֶס ז׳ destruction, ruin
הַרְסָנִי ת׳ destructive, ruinous
הֵרַע פ׳ harm, do wrong, worsen
הַרְעָבָה נ׳ starving, starvation
הַרְעָדָה נ׳ causing to shake
הֲרָעָה נ׳ worsening, deterioration
הִרְעִיב פ׳ starve, cause hunger
הִרְעִיד פ׳ cause to shake, shiver
הִרְעִיל פ׳ poison, envenom
הִרְעִים פ׳ thunder, roar
- הרעים בקולו thunder
הִרְעִיף פ׳ drip, heap on, shower
הִרְעִישׁ פ׳ bomb, make a noise
הַרְעָלָה נ׳ poisoning
- הרעלת דם blood poisoning, septicemia
- הרעלת מזון food poisoning, botulism
הַרְעָפָה נ׳ showering, spending abundantly
הַרְעָשָׁה נ׳ bombing, making noise
הֶרֶף ז׳ moment, instant
- בלי הרף without cease
- כהרף עין in a trice, in a flash
הֶרֶף מ״ק hands off!, stop it!
הִרְפָּה פ׳ leave, relax, let go
- הרפה ידיו discourage, dishearten
הַרְפָּיָה נ׳ relaxing, relaxation
הֶרְפֶּס (שַׁלְבֶּקֶת) נ׳ herpes
הַרְפַּתְקָה נ׳ adventure, escapade
הַרְפַּתְקָן ז׳ adventurer
הַרְפַּתְקָנוּת נ׳ adventurousness
הַרְפַּתְקָנִי ת׳ adventurous
הֶרְץ (יחידת תכף) ז׳ hertz
הַרְצָאָה נ׳ lecture, discourse
הִרְצָה פ׳ lecture, discourse
הֲרָצָה נ׳ running in, run-up
הִרְצִין פ׳ be serious, solemnize
הַרְקָדָה נ׳ dancing, making dance
הֲרָקָה נ׳ emptying, depletion, drain
הִרְקִיב פ׳ decay, rot, decompose
הִרְקִיד פ׳ make dance, dance
הִרְקִיעַ פ׳ soar, rise high
- הרקיע שחקים rocket, soar
הֲרָרִי ת׳ mountainous, alpine
הַרְשָׁאָה נ׳ authorization, permission, proxy
הִרְשָׁה פ׳ allow, let, permit
- יכול להרשות לעצמו can afford
הִרְשִׁים פ׳ impress, strike
הִרְשִׁיעַ פ׳ convict, find guilty
הִרְשִׁית פ׳ net, score a goal
הַרְשָׁמָה נ׳ registration, enrollment
הַרְשָׁעָה נ׳ conviction
- הרשעה קודמת previous conviction
הָרְתָה פ׳ be pregnant, conceive
הַרְתָּחָה נ׳ boiling, simmer
הִרְתִּיחַ פ׳ boil, simmer, infuriate
- הרתיח את דמו make his blood boil
הִרְתִּיעַ פ׳ deter, discourage
הַרְתָּעָה נ׳ deterrence
הַשָּׂאָה נ׳ marrying off, predication
הַשָּׁאָה נ׳ suggestion
- השאה עצמית autosuggestion
הִשְׁאִיל פ׳ lend, loan
הִשְׁאִיר פ׳ leave, let
הַשְׁאָלָה נ׳ lending, loan, metaphor
הַשְׁאָרָה נ׳ leaving
הֲשָׁבָה נ׳ restoring, returning, giving back, restitution
הַשְׁבָּחָה נ׳ betterment, improving
הִשְׁבִּיחַ פ׳ improve, enrich, upgrade
הִשְׂבִּיעַ פ׳ satiate, satisfy, sate
- השביע רצון please, satisfy
הִשְׁבִּיעַ פ׳ swear in, adjure
הִשְׁבִּית פ׳ lock out, stop work, terminate, stop
הַשְׁבָּעָה נ׳ swearing in
הַשְׁבָּתָה נ׳ lockout, shutdown
- השבתת מגן defensive lockout
הַשָּׂגָה נ׳ attainment, reach, overtaking, criticism, grasp
הַשְׁגָּחָה נ׳ Providence, supervision, attention, custody, care
- ההשגחה העליונה Supreme Being
- השגחה פרטית providence
הִשְׁגִּיחַ פ׳ mind, watch, supervise, take care of, invigilate, see
- השגיח בשבע עיניים keep a close watch
הִשְׁגִּיר פ׳ accustom, run in
הִשְׁהָה פ׳ delay, postpone, suspend
הַשְׁהָיָה נ׳ delay, postponement
הַשְׁוָאָה נ׳ comparison, analogy
- בהשוואה ל- beside, vis-a-vis
- בר השוואה comparable
- השוואת החורף autumnal equinox
- השוואת הקיץ vernal equinox
הַשְׁוָאָתִי ת׳ comparative
הִשְׁוָה פ׳ compare, equalize, even
*הִשְׁוִויץ פ׳ swagger, brag
הַשְׁחָזָה נ׳ whetting, sharpening
הִשְׁחִיז פ׳ sharpen, whet, hone
הִשְׁחִיל פ׳ thread, lace, insert
הִשְׁחִים פ׳ brown, tan, turn brown
הִשְׁחִיר פ׳ blacken, black
- השחיר את פניו put to shame
הִשְׁחִית פ׳ corrupt, destroy, ruin, waste
- השחית מלים waste one's words
- עד להשחית very much, extremely
הַשְׁחָלָה נ׳ threading, lacing
הַשְׁחָמָה נ׳ browning, tanning
הַשְׁחָרָה נ׳ blackening, shading
הַשְׁחָתָה נ׳ destruction, mutilation
- השחתת המידות corruption
הֲשָׁטָה נ׳ floating
הִשִּׂיא פ׳ marry off
- השיא עצה give advice
הֵשִׁיב פ׳ reply, return, restore
- השיב מלחמה שערה fight back
- השיב פניו ריקם turn away
- השיב רוחו recover one's breath
הִשִּׂיג פ׳ gain, get, reach, overtake, grasp, criticize

- השיגה ידו	can afford, be able
הֵשִׁיט פ׳	float, sail, row
הֵשִׁיל פ׳	slough, discard, throw
הֵשִׂים עַצְמוֹ פ׳	pretend
הִשִּׁיק פ׳	launch, touch
- השיקו כוסיות	drink, toast
הִשִּׁיר פ׳	molt, shed, defoliate
הֵשִׁית פ׳	put, impose, place, lay
הַשְׁכָּבָה נ׳	laying down
הִשְׁכִּיב פ׳	lay down, strike down
- השכיב לישון	put to bed
הִשְׁכִּיחַ פ׳	make forget
הִשְׂכִּיל פ׳	be wise, be intelligent
הִשְׁכִּים פ׳	rise early
- השכים קום	get up early
הִשְׁכִּין שָׁלוֹם פ׳	make peace, pacify
הִשְׂכִּיר פ׳	hire out, let, lease
הַשְׂכָּלָה נ׳	knowledge, learning, education, wisdom, enlightenment
- השכלה גבוהה	higher education
- השכלה יסודית	elementary education
- השכלה תיכונית	secondary education
הַשְׁכֵּם תה״פ	early, in the morning
- השכם והערב	always, day and night
הַשְׁכָּמָה נ׳	early rising
הַשְׁכָּנַת שָׁלוֹם נ׳	peacemaking
הַשְׂכָּרָה נ׳	hire, renting, leasing
הִשְׁלָה פ׳	delude, deceive
הַשְׁלָטָה נ׳	imposition, enforcement
הִשְׁלִיט פ׳	impose, enforce, establish
הִשְׁלִיךְ פ׳	cast, throw, hurl
- השליך יהבו על	pin one's hopes on
- השליך לכלא	fling into prison
- השליך נפשו מנגד	risk one's life
הִשְׁלִים פ׳	complement, complete, make peace, reconcile oneself
הִשְׁלִישׁ פ׳	deposit, place, give
הַשְׁלָכָה נ׳	projection, throw, implication, effect, bearings
הַשְׁלָמָה נ׳	completion, peacemaking, reconciliation, resignation
- השלמת שכר	make-up pay
הַשְׁלָשָׁה נ׳	depositing, placing
הַשֵּׁם ז׳	God
- השם ישמור!	God forbid!
הַשְׁמָדָה נ׳	annihilation, destruction
- השמדה המונית	mass destruction
- השמדת עם	genocide
הֶשְׁמֵט ז׳	ellipsis
הַשְׁמָטָה נ׳	elimination, omission
הִשְׁמִיד פ׳	annihilate, destroy
הִשְׁמִיט פ׳	omit, skip, leave out
- השמיט הקרקע מתחת ל-	pull the rug from under
הִשְׁמִין פ׳	become fat, fatten
הִשְׁמִיעַ פ׳	announce, sound, let hear
הִשְׁמִיץ פ׳	slander, speak ill of
הַשְׁמָנָה נ׳	growing fat
הַשְׁמָעָה נ׳	playback, announcement
הַשְׁמָצָה נ׳	slander, defamation, calumny
הַשְׂנָאָה נ׳	making hateful
הִשְׂנִיא פ׳	antagonize, make hateful
הִשְׁעָה פ׳	suspend, lay off
הַשְׁעָיָה נ׳	layoff, suspension, abeyance
הִשְׁעִין פ׳	lean against, prop, rest
הַשְׁעָרָה נ׳	assumption, conjecture, guess
- השערת אפס	null hypothesis
הִשְׁפִּיל פ׳	abase, humiliate, lower
הִשְׁפִּיעַ פ׳	influence, affect, persuade
הַשְׁפָּלָה נ׳	humiliation, abasement
הַשְׁפָּעָה נ׳	effect, influence, impact
*הִשְׁפְּרִיץ פ׳	sprinkle, splash
הִשְׁקָה פ׳	water, irrigate
הַשָּׁקָה נ׳	launching, launch
הַשְׁקָטָה נ׳	calming, pacification
הַשְׁקָיָה נ׳	irrigation, watering
הִשְׁקִיט פ׳	calm, allay, silence
הִשְׁקִיעַ פ׳	invest, sink, immerse
הִשְׁקִיף פ׳	view, look, watch, survey
הַשְׁקָעָה נ׳	investment, stake
- השקעת הון	capital investment
הַשְׁקָפָה נ׳	view, opinion, outlook
- השקפת עולם	view, philosophy
הַשְׁרָאָה נ׳	induction, inspiration
הִשְׁרָה פ׳	induce, inspire, immerse
הַשָּׁרָה נ׳	casting off, shedding
הַשְׁרָיָה נ׳	immersion
הִשְׁרִיץ פ׳	spawn, swarm
הִשְׁרִיר פ׳	validate, ratify
הִשְׁרִישׁ פ׳	strike roots, ingrain
הַשְׁרָצָה נ׳	spawning, breeding
הַשְׁרָשָׁה נ׳	striking roots
הִשְׁתָּאָה פ׳	wonder, be amazed
הִשְׁתָּאוּת נ׳	wonder, amazement
הִשְׁתַּבֵּחַ פ׳	be proud, boast
הִשְׁתַּבֵּץ פ׳	fit in, integrate
הִשְׁתַּבְּרוּת נ׳	refraction, diffraction
הִשְׁתַּבֵּשׁ פ׳	go wrong, be confused, be mistaken, deteriorate
הִשְׁתַּגֵּעַ פ׳	go mad, be crazy
הִשְׁתַּדֵּךְ פ׳	make a match
הִשְׁתַּדֵּל פ׳	endeavor, try hard, strive
הִשְׁתַּדְּלוּת נ׳	attempt, intercession
הִשְׁתַּהָה פ׳	delay, tarry
הִשְׁתַּהוּת נ׳	tardiness, delay
הִשְׁתּוֹבֵב פ׳	make mischief, romp
הִשְׁתּוֹבְבוּת נ׳	frolic, mischief
הִשְׁתַּוָּה פ׳	be equal, match
הִשְׁתַּוּוּת נ׳	becoming equal
הִשְׁתּוֹלֵל פ׳	riot, run wild, rage
הִשְׁתּוֹלְלוּת נ׳	running wild, frenzy
הִשְׁתּוֹמֵם פ׳	marvel, wonder
הִשְׁתּוֹמְמוּת נ׳	astonishment, wonder
הִשְׁתּוֹקֵק פ׳	crave, wish, yearn
הִשְׁתּוֹקְקוּת נ׳	craving, yearning
הִשְׁתַּזֵּף פ׳	sunbathe, tan, bake
הִשְׁתַּזְּפוּת נ׳	sunbathing, suntan
הִשְׁתַּזֵּר פ׳	intertwine, interweave
הִשְׁתַּחֲוָה פ׳	bow, prostrate oneself
הִשְׁתַּחֲוָיָה נ׳	prostration
הִשְׁתַּחֵל פ׳	pass through
הִשְׁתַּחֲלוּת נ׳	passing through
הִשְׁתַּחֵץ פ׳	boast, brag
*הִשְׁתַּחְצֵן פ׳	boast, brag
הִשְׁתַּחֵק פ׳	be worn, rub away
הִשְׁתַּחְרֵר פ׳	be freed, come loose

השתחררות נ׳ freeing, release

השתטה פ׳ play the fool

השתטות נ׳ foolishness

השתטח פ׳ prostrate oneself

- השתטח על קברו pray at his grave

השתטחות נ׳ prostration

השתייך פ׳ belong, be related

השתייכות נ׳ belonging

השתייר פ׳ be left, remain

השתיל פ׳ transplant, graft

השתין פ׳ urinate, *pee

השתיק פ׳ silence, hush up

השתית פ׳ base, found

השתכח פ׳ be forgotten

השתכחות נ׳ oblivion, being forgotten

השתכלל פ׳ improve, be perfect

השתכללות נ׳ perfection, perfecting

השתכן פ׳ set up home, settle

השתכנות נ׳ settlement, housing

השתכנע פ׳ be convinced

השתכנעות נ׳ being convinced

השתכר פ׳ get drunk, *booze

השתכר פ׳ earn, get, gain

השתכרות נ׳ earning

השתכרות נ׳ intoxication

השתכשך פ׳ paddle, splash

השתכשכות נ׳ splashing

השתלב פ׳ fit in, harmonize, integrate

השתלבות נ׳ integration, harmony

השתלה נ׳ transplantation, graft

- השתלת כבד liver transplantation

- השתלת לב heart transplantation

- השתלת מח עצם bone marrow transplant

- השתלת עור skin graft

- השתלת קרנית corneal transplant

השתלהב פ׳ flare up, get excited

השתלהבות נ׳ getting excited

השתלח פ׳ be insolent, attack, run wild

השתלחות נ׳ rudeness, insolence

השתלט פ׳ take control, dominate

השתלטות נ׳ taking control

השתלם פ׳ complete studies, specialize, pay, be worthwhile

השתלמות נ׳ study, specialization

השתלשל פ׳ develop, hang down

השתלשלות נ׳ development

השתמד פ׳ convert, be Christian

השתמט פ׳ evade, elude, shirk, bilk

השתמטות נ׳ evasion, *cop-out

השתמע פ׳ suggest, be interpreted

- השתמע לשתי פנים be equivocal

- להשתמע! let me hear of you

השתמר פ׳ be preserved

השתמש פ׳ use, employ

השתנה פ׳ change, be different, turn

השתנה נ׳ urination, *pee

השתנות נ׳ change, variation

השתנק פ׳ choke

השתנקות נ׳ choking

השתעבד פ׳ be enslaved

השתעבדות נ׳ enslavement

השתעל פ׳ cough, hack

השתעלות נ׳ cough, coughing

השתעמם פ׳ be bored

השתעממות נ׳ being bored

השתעשע פ׳ play, amuse oneself

- השתעשע ברעיון toy with an idea

השתעשעות נ׳ playing, amusement

השתפך פ׳ empty, sentimentalize, slobber over

השתפכות נ׳ effusion, outpouring

*השתפן פ׳ lose courage, be afraid

השתפע פ׳ slant, slope, incline

השתפר פ׳ improve, get well

השתפרות נ׳ improvement

השתפשף פ׳ rub, *experience

השתפשפות נ׳ rubbing

השתק ז׳ estoppel

השתקה נ׳ silencing, hush-up

השתקם פ׳ be rehabilitated

השתקמות נ׳ rehabilitation

השתקע פ׳ settle down

השתקעות נ׳ immersion, absorption

השתקף פ׳ be reflected

השתקפות נ׳ reflection

השתרבב פ׳ be extended, protrude, be misplaced, be mixed

השתרבבות נ׳ being mixed up, being misplaced

השתרג פ׳ straggle, twine

השתרגות נ׳ straggling

השתרך פ׳ plod along, trail

השתרכות נ׳ trailing along

השתרע פ׳ extend, stretch, lie

השתרעות נ׳ extending

השתרר פ׳ dominate, reign, prevail

השתררות נ׳ dominating, prevailing

השתרש פ׳ strike root

השתרשות נ׳ striking roots

השתתה נ׳ founding, basing

השתתף פ׳ participate, take part

- השתתף בצער commiserate

השתתפות נ׳ participation

- השתתפות עצמית insured's participation

השתתק פ׳ be silent, *clam up

השתתקות נ׳ being silent

התאבד פ׳ commit suicide

התאבדות נ׳ suicide

התאבך פ׳ spiral up, billow

התאבכות נ׳ rising up

התאבל פ׳ mourn, grieve, lament

התאבלות נ׳ mourning

התאבן פ׳ fossilize, ossify, petrify

התאבנות נ׳ fossilization

התאבק פ׳ wrestle, be covered with dust

התאגד פ׳ unite, unionize

התאגדות נ׳ association, union

התאגרף פ׳ box, spar

התאדה פ׳ vaporize, evaporate

התאדות נ׳ vaporization

התאהב פ׳ fall in love

התאהבות נ׳ falling in love

התאווה פ׳ want, desire, crave

התאוורר פ׳ be ventilated, get fresh air

התאוות נ׳ craving, desire

התאונן פ׳ complain, *bellyache

התאוננות נ׳ complaining
התאושש פ׳ recover, come to
התאוששות נ׳ comeback, recovery
- חדר התאוששות recovery room
התאזן פ׳ be balanced, balance
התאזנות נ׳ balancing
התאזר פ׳ gird oneself
- התאזר בסבלנות be patient
התאזרח פ׳ be naturalized
התאזרחות נ׳ naturalization
התאחד פ׳ combine, unite, associate
התאחדות נ׳ association, union
התאחה פ׳ be stitched, repair
התאחות נ׳ joining, repair
התאחר פ׳ be late
התאייד פ׳ vaporize, evaporate
התאים פ׳ fit, suit, match, correspond, adapt, adjust
*- לא מתאים לו ל- it is not like him to
התאכזב פ׳ be disappointed
התאכזר פ׳ be cruel, ill-treat
התאכזרות נ׳ cruelty, ill-treatment
התאכלס פ׳ become populated
התאכסן פ׳ lodge, put up
התאלמן פ׳ become widowed
- התאלמנה become a widow
התאלמנות נ׳ becoming widowed
התאם ז׳ accordance
התאמה נ׳ accord, agreement, adjustment, fitness, harmony
- אי התאמה discrepancy
התאמלל פ׳ be miserable
התאמן פ׳ train, practice, exercise
התאמץ פ׳ try, try hard, endeavor, strive, exert oneself
התאמצות נ׳ effort, exertion
התאמת פ׳ come true, be verified
התאמתות נ׳ verification
התאנה פ׳ provoke, tease
התאנות נ׳ provocation
התאסלם פ׳ become Moslem
התאסלמות נ׳ becoming Moslem
התאסף פ׳ assemble, gather, meet
התאספות נ׳ gathering
התאפיין פ׳ be characterized
התאפק פ׳ restrain oneself, resist
התאפקות נ׳ continence, restraint
התאפר פ׳ make up
התאפרות נ׳ make up
התאפשר פ׳ be possible
התאקלם פ׳ acclimate, adapt
התאקלמות נ׳ acclimation
התארגן פ׳ be organized
התארגנות נ׳ organization
התארח פ׳ stay as a guest
התארחות נ׳ lodging, being a guest
התארך פ׳ be long, lengthen
התארכות נ׳ extension, lengthening
התארס פ׳ be engaged
התאשכל פ׳ cluster, clump
התאשפז פ׳ be hospitalized
התאשר פ׳ be confirmed
*התבאס פ׳ be disappointed
*התבאסות נ׳ disappointment
התבאר פ׳ be explained

התבגר פ׳ mature, grow up
התבגרות נ׳ adolescence, maturation, puberty
- גיל ההתבגרות adolescence, the awkward age
התבדה פ׳ be proved false
התבדות נ׳ falsification
התבדח פ׳ joke, jest, banter
התבדחות נ׳ joking, raillery
התבדל פ׳ isolate oneself
התבדלות נ׳ seclusion, isolation
התבדר פ׳ have fun, disperse
התבדרות נ׳ entertainment, scattering
התבהם פ׳ become brutalized
התבהמות נ׳ becoming brutalized
התבהר פ׳ brighten, clear, clarify
התבהרות נ׳ brightening, clearing up
- התבהרות חלקית becoming partly cloudy
התבודד פ׳ retire, be alone, retreat
התבודדות נ׳ seclusion, retirement
התבולל פ׳ assimilate
התבוללות נ׳ assimilation
התבונן פ׳ contemplate, observe, watch, look round
התבוננות נ׳ meditation, observation
התבוסס פ׳ roll, wallow, welter
התבוססות נ׳ rolling
התבזבז פ׳ be wasted, be spent
התבזה פ׳ degrade oneself
התבזות נ׳ humiliation, abasement, degrading oneself
התבטא פ׳ express oneself, put it
התבטאות נ׳ expression, statement
התבטל פ׳ be canceled, be called off, loaf, idle, *bum about
התבטלות נ׳ self disparagement
התבייש פ׳ be ashamed, feel shame
התביית פ׳ home, home in
התבייתות נ׳ homing in on
*התבכיין פ׳ weep, cry
*התבכיינות נ׳ weeping, whining
התבלבל פ׳ be confused, addle
התבלבלות נ׳ confusion
*התבלגן פ׳ be in disorder
התבלה פ׳ wear out
התבלות נ׳ wear, wear and tear
התבלט פ׳ be prominent, stand out
התבלטות נ׳ prominence, eminence
התבסם פ׳ get drunk
התבסס פ׳ be based, be founded, establish oneself, settle down
התבססות נ׳ basing, consolidation
התבצע פ׳ be carried out, come off
התבצר פ׳ fortify oneself
התבצרות נ׳ fortification
התבקע פ׳ split, crack, cleave
התבקעות נ׳ splitting, cleavage
התבקש פ׳ be asked, be summoned
התברג פ׳ screw, worm one's way
התברגות נ׳ worming one's way
התברגנות נ׳ becoming bourgeois
*התברדק פ׳ be in disorder, loaf, waste time
התברך פ׳ be blessed, be endowed
התברר פ׳ turn out, become clear

התבשל פ	cook, stew, *be cooking
- התבשל במיץ של עצמו	stew in one's own juice
התבשם פ	perfume oneself
התבשמות נ	perfuming oneself
התבשר פ	receive tidings
התגאה פ	boast, take pride in
התגאות נ	boasting, arrogance
התגבב פ	be piled up
התגבן פ	curdle, become hunched
התגבר פ	overcome, intensify, rise
התגברות נ	increase, defeating
התגבש פ	crystallize, take form
התגבשות נ	crystallization
התגדר פ	excel, boast, fence in
התגדרות נ	haughtiness, fencing in
התגהץ פ	iron, be pressed
התגודד פ	form groups, gather
התגודדות נ	gathering, scrummage
התגולל פ	roll, wallow, welter, attack, assault, charge
התגוללות נ	rolling, attack
התגונן פ	defend oneself
התגוננות נ	self defense
התגורר פ	dwell, live, stay
התגוררות נ	sojourn, stay
התגושש פ	wrestle, *lock horns
התגוששות נ	wrestling, grappling
התגייס פ	enlist, volunteer, join up
התגייסות נ	enlisting, joining the army, volunteering
התגייר פ	become a Jew, proselyte
התגיירות נ	proselytization
התגלגל פ	roll, wheel, reincarnate
- התגלגל לגולם	pupate
- התגלגל מצחוק	double up with laughter
- התגלגלו הדברים	things turned out
התגלגלות נ	rolling, development
התגלה פ	be revealed, be exposed
- התגלה לעיניו	come into view
התגלות נ	revelation, emergence
התגלח פ	shave, shave oneself
התגלם פ	be embodied, take form
התגלמות נ	embodiment, incarnation
- הטימטום בהתגלמותו	folly incarnate
התגלע פ	break out, burst
התגלעות נ	outbreak
*התגלץ' פ	slide, slip, glide
התגמד פ	be dwarfed
התגמדות נ	being dwarfed
התגמש פ	become flexible
התגמשות נ	becoming flexible
התגנב פ	sneak, creep, steal
התגנבות נ	moving stealthily, stealth, stalk
התגנדר פ	decorate oneself, dress up, show off
התגנדרות נ	showing off
התגעגע פ	long, yearn, miss
התגעגעות נ	longing, yearning
התגפף פ	cuddle, hug, *neck
התגפפות נ	hugging, caressing
התגרד פ	scratch oneself
התגרדות נ	scratching oneself
התגרה פ	provoke, be stimulated
- התגרה מלחמה	offer battle
התגרות נ	aggression, provocation
התגרמות נ	ossification
התגרש פ	divorce, separate
התגשם פ	be realized, come true
התגשמות נ	realization
התדיין פ	argue, litigate
התדיינות נ	litigation, arguing
התדלדל פ	dwindle, be impoverished, be depleted
התדפק פ	beat, knock, hit
התדפקות נ	knocking
התהדק פ	tighten, be fastened
התהדקות נ	tightening
התהדר פ	decorate oneself, dress up, boast
התהדרות נ	decorating oneself
התהווה פ	be formed, arise, be
התהוות נ	formation, forming
התהולל פ	behave wildly, revel
התהוללות נ	revelry, *high jinks
התהלך פ	walk about, go around
התהלל פ	boast
התהפך פ	turn over, capsize, upset
- התהפך בקברו	turn in one's grave
התהפכות נ	turning over
התוודה פ	confess, make a clean breast of, unbosom oneself
התוודות נ	confession, unbosoming
התוודע פ	get acquainted
התוודעות נ	getting acquainted
התווה פ	mark, outline, plot
התוויה נ	outline, marking
התווכח פ	argue, debate, haggle
התווכחות נ	arguing, debating
התווסף פ	be added, increase
התווספות נ	addition, increase
התוועדות נ	meeting
התזה נ	sprinkling, splash, cutting
התחבא פ	hide oneself, *hole up
התחבאות נ	hiding
התחבב פ	be liked, endear oneself, *cotton to
התחבבות נ	being liked
התחבט פ	struggle, flounder, thrash
התחבטות נ	struggle, doubt
התחבק פ	embrace, *canoodle
התחבקות נ	embracing
התחבר פ	join, unite, associate
התחברות נ	association, coalition
התחדד פ	sharpen, taper off
התחדדות נ	sharpening
התחדש פ	renew, regenerate, revive
- תתחדש!	use it in good health!
התחדשות נ	renewal, resurrection
התחוור פ	become clear
התחוורות נ	clarification
התחולל פ	take place, rage, form
התחוללות פ	formation, outbreak
התחזה פ	feign, pretend, sham
התחזות נ	pretense, imposture
התחזק פ	strengthen, brace up
התחזקות נ	strengthening
התחייב פ	pledge, undertake, vow, commit oneself

- התחייב בנפשו risk one's life
התחייבות נ pledge, liability, commitment, undertaking
- התחייבויות liabilities
התחייל פ enlist, join the army
התחיילות נ enlisting, joining the army
התחיל פ begin, open, start
- התחיל ברגל ימין begin successfully, get to first base
- התחיל ברגל שמאל begin unluckily
- התחיל עם flirt, *make a pass
התחכך פ rub, brush
- התחכך ב- rub elbows with
התחככות נ rubbing
התחכם פ be a wise guy
התחכמות נ display of wisdom
התחלה פ feign illness, malinger
התחלה נ beginning, start, outset
התחלות נ feigning illness
התחלחל פ be shocked, shudder
התחלחלות נ shudder
התחלי ת initial, inchoate
התחלף פ change, alternate, vary
התחלפות נ alternation, changing
התחלק פ share, split, segment, be divided, slip, slide
*- התחלק על השכל/הראש be mad
התחלקות נ being divided, slipping
התחלתי ת initial, inchoate
התחמם פ heat, warm up, hot up
התחממות נ warming, heating
התחמץ פ turn sour
התחמצן פ oxidize
התחמצנות נ oxidization
התחמק פ evade, sneak, shirk
התחמקות נ evasion, avoidance
- התחמקות ממס tax evasion
התחמש פ arm oneself
התחמשות נ arming oneself
התחנחן פ coquet, behave affectedly
התחנחנות נ coquetry
התחנך פ be educated, study
התחנן פ beg, entreat, implore
התחננות נ entreating
התחנף פ flatter, fawn, toady
התחנפות נ flattering
התחסד פ feign piety, be virtuous
התחסדות נ hypocrisy, cant
התחסן פ be immunized
התחסנות נ immunization
התחספס פ roughen, coarsen
*התחפף פ beat it, scram
התחפר פ entrench oneself, dig in
התחפרות נ entrenchment
התחפש פ disguise oneself, dress up
התחפשות נ disguising oneself
התחצף פ be insolent, be saucy
התחצפות נ insolence
התחקה פ investigate, trace
- התחקה על עקבותיו trace, trace back
- התחקה על שורשי- trace back
התחקות נ tracing, searching
התחרד פ be haredi, become pious
התחרדות נ becoming pious

התחרה פ compete, vie, contend
התחרות נ competition, rivalry
התחרז פ rhyme, be in rhyme
התחרט פ regret, repent, rue
התחרטות נ repentance, regret
*התחרמן פ be sexually excited
*התחרפן פ be crazy
התחרש פ become deaf
התחרשות נ becoming deaf
התחשב פ take into account, reckon with, consider
- בהתחשב ב- considering
התחשבות נ consideration, regard
התחשבן פ settle accounts
התחשבנות נ settling accounts
התחשל פ harden, be forged
התחשלות נ hardening
התחשמל פ get an electric shock
התחשמלות נ electrification
*התחשק לו פ feel like, fancy
*התחתך פ dress up, doll up
התחתן פ marry, take a wife
התיז פ sprinkle, splash, behead
התייאש פ despair, give up
התייאשות נ despair
התייבש פ dry, dry up
התייבשות נ drying
התייגע פ be tired, become weary
התייגעות נ becoming tired
התיידד פ become friends
התיידדות נ fraternization
התייהד פ become a Jew
התייהדות נ becoming a Jew
התייהר פ boast, brag
התייהרות נ boast
התייוון פ Hellenize
התייוונות נ Hellenization
התייחד פ seclude oneself, closet, be alone with
התייחדות נ communion, being alone with
התייחם פ rut, be excited
התייחמות נ rutting
התייחס פ refer, apply, regard, relate to, treat
- בהתייחס ל- referring to
התייחסות נ relation, bearing, reference
התיימר פ pretend, boast, purport
התיימרות נ pretentiousness
התייסר פ suffer, agonize, smart
התייסרות נ suffering
התייעל פ be more efficient, be streamlined
התייעלות נ streamlining
התייעץ פ consult, take counsel
התייעצות נ consultation
התייפה פ preen oneself
התייפות נ preening oneself
התייפח פ sob, cry, weep
התייפחות נ sob, weeping
*התייפייף פ preen oneself, doll up
התייצב פ stand, be stabilized, steady, report, present oneself
- התייצב לצידו/לימינו support
התייצבות נ stabilization, reporting

התייקר פ׳ rise in price
התייקרות נ׳ rise in prices, hike
התיירא פ׳ fear, be afraid
התיישב פ׳ settle, locate, sit
- התיישב עם agree with, be compatible with
התיישבות נ׳ settlement
התיישבותי ת׳ of settlements
התיישן פ׳ become obsolete, date
התיישנות נ׳ obsolescence
- חוק ההתיישנות statute of limitations
התיישר פ׳ straighten, right itself
- התיישר לפי הקו fall into line
התיישרות נ׳ straightening
התייתם פ׳ become orphaned
התייתמות נ׳ being orphaned
התיך פ׳ melt, fuse, smelt
התיק פ׳ move, shift
התיר פ׳ permit, allow, loosen, untie
- התיר את דמו outlaw
- התיר הרסן/הרצועה give free rein to
התיש פ׳ weaken, sap, wear down
התכבד פ׳ help oneself, be honored
התכבדות נ׳ being honored
התכבס פ׳ be washed, be laundered
התכדר פ׳ ball, become spherical
התכדרות נ׳ forming into a ball
התכה נ׳ melting, fusion
התכוון פ׳ intend, aim, mean
- במתכוון intentionally, on purpose
התכווץ פ׳ shrink, contract
התכווצות נ׳ contraction, shrinkage
- התכווצות שרירים cramp
התכונן פ׳ prepare oneself, ready
התכוננות נ׳ preparation
התכופף פ׳ bow, stoop, bend, duck
התכופפות נ׳ bending
התכחש פ׳ abjure, renounce, disown
התכחשות נ׳ renunciation, denial
התכייבות נ׳ ulceration
התכנס פ׳ assemble, convene
התכנסות נ׳ meeting, convergence
התכסה פ׳ be covered
התכסות נ׳ being covered
*התכסח פ׳ quarrel
התכער פ׳ become ugly
התכרבל פ׳ wrap up, tuck up
התכרבלות נ׳ wrapping
התכתב פ׳ correspond, write
התכתבות נ׳ correspondence
התכתש פ׳ fight, skirmish
התכתשות נ׳ fight, scuffle
התל פ׳ mock, joke, jest
התלבה פ׳ be inflamed, flare up
התלבט פ׳ have doubts
התלבטות נ׳ struggle, doubt
התלבן פ׳ become clear
התלבש פ׳ dress, put on
*- התלבש על buckle down to, set about
*- התלבש עליו persecute, annoy
התלבשות נ׳ dressing
התלה פ׳ suspend
התלהב פ׳ get excited, *enthuse
התלהבות נ׳ ardor, enthusiasm

התלהט פ׳ burn, be hot, blaze
התלהטות נ׳ becoming hot
התלהם פ׳ be insolent, get excited
התלהמות נ׳ insolence, enthusiasm
התלהק פ׳ shoal, gather together
התלווה פ׳ accompany, escort
התלונן פ׳ complain, grumble
התלוננות נ׳ complaining
התלוצץ פ׳ jest, joke, banter
התלוצצות נ׳ jesting
התלחש פ׳ whisper
התלחשות נ׳ whispering
התלחשש פ׳ whisper
התליה נ׳ suspension
התליע פ׳ be full of worms
התלכד פ׳ unite, rally, join up
התלכדות נ׳ uniting, coherence
התלכלך פ׳ become dirty, soil
התלמד פ׳ teach oneself
התלקח פ׳ catch fire, flare up
התלקחות נ׳ blaze, flare-up
התלקק פ׳ lick oneself
התמגל פ׳ fester, suppurate, matter
התמגלות נ׳ suppuration
התמד ז׳ assiduity, inertia
התמדה נ׳ assiduity, diligence, persistence, inertia
התמהמה פ׳ linger, tarry, be late
התמהמהות נ׳ lingering, delay
התמוגג פ׳ melt, dissolve
- התמוגג בבכי melt into tears
התמוגגות נ׳ dissolving
התמודד פ׳ compete, contest, cope
התמודדות נ׳ competition, rivalry
התמוטט פ׳ collapse, cave in
התמוטטות נ׳ collapse, fall
- התמוטטות עצבים nervous breakdown
התמוסס פ׳ melt, dissolve
התמוססות נ׳ dissolving
התמזג פ׳ coalesce, merge, mingle, mix
התמזגות נ׳ amalgamation, merger
התמזל מזלו be lucky
*התמזמז פ׳ dally, flirt, loaf
*התמזמזות נ׳ flirting, loafing
התמזרח פ׳ orientate oneself
התמזרחות נ׳ orientation
התמחה פ׳ practice, specialize
התמחות נ׳ specialization, practice, articles, traineeship
התמיד פ׳ persist, last, persevere
התמיה פ׳ astonish, puzzle
התמיין פ׳ be classified, differentiate
התמיינות נ׳ differentiation
התמכר פ׳ be addicted, indulge
התמכרות נ׳ addiction, indulgence
התמלא פ׳ be realized, be full
התממש פ׳ be realized, come true
התממשות נ׳ realization
התמנה פ׳ be appointed, be nominated
התמנות נ׳ appointment
התמסד פ׳ become established
התמסדות נ׳ being established
התמסחר פ׳ be commercialized

הִתְמַסְחֲרוּת נ׳ commercialization
*הִתְמַסְטֵל פ׳ be intoxicated, be high
הִתְמַסְמֵס פ׳ be dissolved, melt
הִתְמַסְמְסוּת נ׳ melting, dissolution
הִתְמַסֵּר פ׳ devote oneself, give oneself
הִתְמַסְּרוּת נ׳ devotion, dedication
הִתְמַעֵט פ׳ decrease, diminish
הִתְמַעֲטוּת נ׳ decrease, wane
הִתְמַעֵךְ פ׳ be crushed
הִתְמַעְרֵב פ׳ be westernized
הִתְמַעַרְבוּת נ׳ westernization
הִתְמַצֵּא פ׳ be familiar with
הִתְמַצְּאוּת נ׳ orientation, being familiar with
הִתְמַצָּה פ׳ come down to, be epitomized, be exhausted
הִתְמַצּוּת נ׳ epitomization, exhaustion
הִתְמַצֵּק פ׳ solidify
הִתְמַקֵּד פ׳ focus, center, converge
הִתְמַקְּדוּת נ׳ convergence, focusing
הִתְמַקֵּחַ פ׳ bargain, haggle
הִתְמַקְּחוּת נ׳ bargaining
הִתְמַקֵּם פ׳ be situated, settle
הִתְמַקְּמוּת נ׳ settling down
הִתְמַקְצֵעַ פ׳ specialize
הִתְמַקְצְעוּת נ׳ specialization
הִתְמָרֵד פ׳ rebel, revolt, mutiny
הִתְמָרְדוּת נ׳ rebellion
הַתְמָרָה נ׳ metamorphism
הִתְמָרֵחַ פ׳ smear oneself
הִתְמַרְמֵר פ׳ resent, feel bitter
הִתְמַרְמְרוּת נ׳ embitterment, grievance, resentment, indignation
הִתְמָרֵק פ׳ preen oneself
הִתְמַשֵּׁךְ פ׳ extend, continue, last
הִתְמַשְּׁכוּת נ׳ prolongation
הִתְמַתֵּחַ פ׳ stretch out
הִתְמַתְּחוּת נ׳ stretching out
הִתְמַתֵּן פ׳ become moderate
הִתְמַתְּנוּת נ׳ moderation
הִתְנָאָה פ׳ become beautiful
הִתְנַבֵּא פ׳ prophesy, foresee
הִתְנַבְּאוּת נ׳ prophesying
הִתְנַגֵּב פ׳ wipe oneself, dry oneself
הִתְנַגְּבוּת נ׳ drying oneself
הִתְנַגֵּד פ׳ object, oppose, resist
הִתְנַגְּדוּת נ׳ objection, opposition, resistance
הִתְנַגֵּחַ פ׳ joust, contend, argue
הִתְנַגְּחוּת נ׳ arguing, clash
הִתְנַגֵּן פ׳ be played
הִתְנַגֵּשׁ פ׳ clash, collide, conflict
הִתְנַגְּשׁוּת נ׳ clash, collision
הִתְנַדֵּב פ׳ volunteer, come forward
הִתְנַדְּבוּת נ׳ volunteering
- בְּהִתְנַדְּבוּת voluntarily
הִתְנַדְּבוּתִי ת׳ voluntary
הִתְנַדְנֵד פ׳ sway, swing, dangle
הִתְנַדְנְדוּת נ׳ sway, swing
הִתְנַדֵּף פ׳ evaporate, vanish
- הִתְנַדֵּף כְּעָשָׁן melt into thin air
הִתְנַדְּפוּת נ׳ evaporation
הִתְנָה פ׳ stipulate, condition
- הִתְנָה אֲהָבִים make love
הִתְנַהֵג פ׳ behave, deport oneself
הִתְנַהֲגוּת נ׳ behavior, conduct
הִתְנַהֲגוּתָנוּת נ׳ behaviorism
הִתְנַהֵל פ׳ go, proceed, go on
הִתְנַהֲלוּת נ׳ behavior, conduct
הִתְנוֹדֵד פ׳ sway, oscillate, reel
הִתְנוֹדְדוּת נ׳ swaying
הִתְנַוֵּן פ׳ degenerate, atrophy
הִתְנַוְּנוּת נ׳ atrophy, decadence, degeneration
הִתְנוֹסֵס פ׳ be hoisted, fly, wave
הִתְנוֹסְסוּת נ׳ flying, waving
הִתְנוֹעֵעַ פ׳ sway, move, rock, roll
הִתְנוֹעֲעוּת נ׳ swaying, moving
הִתְנוֹפֵף פ׳ flutter, wave
הִתְנוֹפְפוּת נ׳ fluttering, waving
הִתְנוֹצֵץ פ׳ glitter, sparkle
הִתְנוֹצְצוּת נ׳ glittering, sparkling
הִתְנַזֵּר פ׳ abstain from, refrain
הִתְנַזְּרוּת נ׳ abstinence
הִתְנַחֵל פ׳ settle, locate
הִתְנַחֲלוּת נ׳ settlement, colonization
הִתְנַחֵם פ׳ be consoled, find solace
הִתְנַחְשֵׁל פ׳ rise, surge, billow
הַתְנָיָה נ׳ stipulation, conditioning
הִתְנִיעַ פ׳ start, start up
הִתְנַכֵּל פ׳ plot, devise evil, scheme
הִתְנַכְּלוּת נ׳ plotting, scheming
הִתְנַכֵּר פ׳ estrange, renounce, ignore, repudiate
הִתְנַכְּרוּת נ׳ estrangement, renunciation, ignoring
הִתְנַמְנֵם פ׳ doze, slumber
הִתְנַסָּה פ׳ experience, undergo
הִתְנַסּוּת נ׳ experience
הִתְנַסֵּחַ פ׳ express oneself, put it
הִתְנַסְּחוּת נ׳ expressing oneself
הַתְנָעָה נ׳ starting, starting up
הִתְנַעְנֵעַ פ׳ sway, swing, shake
הִתְנַעַנְעוּת נ׳ swaying, shaking
הִתְנַעֵר פ׳ shake off, renounce, repudiate, deny
- הִתְנַעֵר מ- wash one's hands of
הִתְנַעֲרוּת נ׳ shaking off, repudiation
הִתְנַפֵּחַ פ׳ bulge, swell, dilate, puff up, *give oneself airs, brag
הִתְנַפְּחוּת נ׳ swelling, pomposity
הִתְנַפֵּל פ׳ charge, attack, assault
הִתְנַפְּלוּת נ׳ assault, attack, charge
הִתְנַפְנֵף פ׳ flutter, wave, flap
הִתְנַפֵּץ פ׳ shatter, smash, dash
הִתְנַפְּצוּת נ׳ smash
הִתְנַצֵּחַ פ׳ argue, dispute, spar
הִתְנַצְּחוּת נ׳ clash, verbal
הִתְנַצֵּל פ׳ apologize, excuse oneself
הִתְנַצְּלוּת נ׳ apology, excuse
הִתְנַצֵּר פ׳ become Christian
הִתְנַצְּרוּת נ׳ christianization
הִתְנַקָּה פ׳ clean oneself, clean up
הִתְנַקּוּת נ׳ cleaning oneself
הִתְנַקֵּז פ׳ drain, drain off
הִתְנַקְּזוּת נ׳ draining
הִתְנַקֵּם פ׳ take revenge, avenge
הִתְנַקְּמוּת נ׳ revenge
הִתְנַקֵּשׁ פ׳ attempt to kill

התנקשות נ׳ assault, assassination
- התנקשות בחייו attempt on his life
התנשא פ׳ rise, tower, boast
התנשאות נ׳ loftiness, pride
התנשם פ׳ pant, gasp, puff and pant
התנשמות נ׳ panting, gasp
התנשף פ׳ gasp, huff and puff
התנשפות נ׳ gasp, panting
התנשק פ׳ kiss, *smooch
התנשקות נ׳ kiss, kissing
התנתק פ׳ break loose, cut off, disengage
התנתקות נ׳ being cut off, disengagement
התסיס פ׳ ferment, agitate, churn
התססה נ׳ fermentation
התעבה פ׳ condense, thicken
התעבות נ׳ condensation
התעברה פ׳ become pregnant
התעברות נ׳ conception
התעגל פ׳ become round, ball
התעגלות נ׳ becoming round
התעדכן פ׳ be updated
התעדן פ׳ become delicate
התעה פ׳ deceive, misdirect, mislead
התעודד פ׳ cheer up, chin up!
התעודדות נ׳ cheering up
התעוור פ׳ become blind
התעוורות נ׳ becoming blind
התעוות פ׳ be contorted, twitch
התעוותות נ׳ contortion
התעופף פ׳ fly about, flit
התעופפות נ׳ flying
התעורר פ׳ arise, wake up, rise, get up
התעוררות נ׳ awakening, revival
התעטף פ׳ wrap oneself, wrap up
- התעטף בשתיקה keep silent
התעטפות נ׳ wrapping
התעטש פ׳ sneeze
התעטשות נ׳ sneeze
התעיה נ׳ misleading
התעייף פ׳ become tired, weary
התעייפות נ׳ fatigue
התעכב פ׳ tarry, delay, linger
התעכבות נ׳ delaying
התעכל פ׳ be digested, assimilate
התעכלות נ׳ digestion
התעלה פ׳ rise, be above
התעלות נ׳ rising, elevation
התעלל פ׳ ill-treat, be cruel, abuse
התעללות נ׳ abuse, cruelty
התעלם פ׳ disregard, close one's eyes, overlook, ignore
התעלמות נ׳ disregard, overlooking
התעלס פ׳ make love, *neck
התעלסות נ׳ lovemaking, *necking
התעלף פ׳ faint, swoon, black out
התעלפות נ׳ faint, swoon
*התעלק על פ׳ cling to, stick, annoy
התעמל פ׳ exercise, take exercise
התעמלות נ׳ exercise, gymnastics
התעמעם פ׳ become dimmed, dim
התעמק פ׳ think deeply, delve
התעמקות נ׳ deep study, absorption
התעמר פ׳ ill-treat, abuse
התעמרות נ׳ ill-treatment

התעמת פ׳ be confronted, face
התענג פ׳ enjoy, indulge in
התענגות נ׳ enjoyment
התענה פ׳ suffer, mortify oneself
התענות נ׳ suffering
התעניין פ׳ be interested
התעניינות נ׳ interest
התענן פ׳ become cloudy
התעסק פ׳ occupy oneself, deal, flirt
התעסקות נ׳ engagement, dealings
התעפש פ׳ become moldy
התעצב פ׳ become sad, sadden
התעצבות נ׳ sadness
התעצבן פ׳ get irritated, fret
התעצבנות נ׳ getting irritated
התעצל פ׳ be lazy, laze, slack
התעצלות נ׳ laziness
התעצם פ׳ become strong, intensify
התעצמות נ׳ strengthening
התעקל פ׳ be twisted, wind
התעקלות נ׳ twist, winding
התעקם פ׳ curve, be bent, crook
התעקמות נ׳ bending, twist
התעקש פ׳ be stubborn, insist
התעקשות נ׳ insistence
התערב פ׳ interfere, intervene, intercede, mix, bet, wager
התערבב פ׳ be mixed, jumble
התערבבות נ׳ mixing
התערבות נ׳ intervention, bet, wager
התערבל פ׳ be mixed, eddy, swirl
התערה פ׳ strike roots, mingle
התערות נ׳ striking roots
התערטל פ׳ undress, strip
התערטלות נ׳ undressing
התערער פ׳ be shaken
התערערות נ׳ upsetting
התערפל פ׳ become vague, go black
התעשר פ׳ become rich
- מתעשר חדש new rich, nouveau riche
התעשרות נ׳ enrichment
התעשת פ׳ recover, come to, think over, reconsider
התעשתות נ׳ recovery
התעתד פ׳ intend, be driving at
התפאר פ׳ boast, brag, show off
התפארות נ׳ boast
*התפגר פ׳ die, drop dead
*התפגרות נ׳ dying
התפדר פ׳ powder oneself
התפוגג פ׳ dissolve
התפוגגות נ׳ dissolving
התפוטר פ׳ be forced to resign
התפוצץ פ׳ explode, burst, blow up
*- אפשר להתפוצץ it is intolerable
התפוצצות נ׳ blast, explosion
- התפוצצות אוכלוסין population explosion
התפורר פ׳ crumble, disintegrate
התפוררות נ׳ disintegration
התפזר פ׳ disperse, scatter
התפזרות נ׳ dispersion
התפחה נ׳ puffing up, blowing up
התפחם פ׳ be electrocuted
התפחמות נ׳ electrocution

התפטם פ׳ cloy, cram, gorge
התפטמות נ׳ cramming
התפטר פ׳ abdicate, quit, resign, get rid of
התפטרות נ׳ resignation, abdication
התפיח פ׳ puff up, blow, inflate
התפייס פ׳ be reconciled, make up
התפייסות נ׳ reconciliation
התפיל פ׳ desalinate, desalt
התפכח פ׳ become sober, sober up
התפכחות נ׳ disillusionment
התפלא פ׳ marvel, wonder
התפלאות נ׳ wonder
התפלג פ׳ split, part, separate
התפלגות נ׳ split, parting, division, distribution
- התפלגות נורמאלית normal distribution
- התפלגות שכיחויות frequency distribution
התפלה נ׳ desalination
*התפלח פ׳ gate-crash, crash
התפלל פ׳ pray, wish for
התפלמס פ׳ argue, dispute, spar
התפלמסות נ׳ arguing
התפלסף פ׳ philosophize
התפלספות נ׳ philosophizing
התפלפל פ׳ sophisticate, quibble
התפלפלות נ׳ casuistry, quibble
התפלץ פ׳ be shocked, be appalled
התפלש פ׳ roll, wallow, welter
התפלשות נ׳ wallow
התפנה פ׳ have time, relieve oneself
התפנות נ׳ being free
*התפנצ׳ר פ׳ be punctured, go wrong
התפנק פ׳ pamper oneself, be spoilt, indulge oneself
התפנקות נ׳ indulging oneself
*התפספס פ׳ fail, go wrong
התפעל פ׳ admire, be impressed
התפעלות נ׳ admiration, wonder
התפעם פ׳ be excited
התפעמות נ׳ excitement, thrill
התפצח פ׳ break open
התפצל פ׳ branch, split up
התפצלות נ׳ splitting
התפקד פ׳ be numbered, count off
התפקדות נ׳ count
התפקע פ׳ burst, explode, rupture
- התפקע מצחוק split one's sides
התפקעות נ׳ rupture, exploding
התפקר פ׳ become immoral
התפקרות נ׳ becoming immoral
*התפקשש פ׳ fail, go wrong
התפרד פ׳ be separated
*התפרחח פ׳ behave like a hooligan, run wild, misbehave
*התפרחחות נ׳ hooliganism
התפרכס פ׳ preen oneself, make up
התפרכסות נ׳ preening oneself
התפרנס פ׳ make a living
התפרנסות נ׳ earning one's living
התפרס פ׳ deploy, fan out
התפרסות נ׳ deployment
התפרסם פ׳ be famous, be published
התפרסמות נ׳ becoming famous
התפרע פ׳ run wild, run riot
התפרעות נ׳ going wild, riot
*התפרפר פ׳ play truant, flirt
*התפרפרות נ׳ truancy, flirting
התפרץ פ׳ barge in, burst
- התפרץ בזעם explode with rage
התפרצות נ׳ outbreak, outburst, fit
התפרק פ׳ come apart, disband, break up, let off steam, relax
- התפרק מנשקו disarm
התפרקד פ׳ lie on the back
התפרקדות נ׳ lying on the back
התפרקות נ׳ relief, disarming, decomposition
התפרש פ׳ be interpreted, be understood
התפשט פ׳ undress, strip, expand, spread, stretch
התפשטות נ׳ undressing, expansion, spreading
*התפשל פ׳ fail, go wrong
התפשר פ׳ compromise
- בלתי מתפשר uncompromising, unyielding
התפשרות נ׳ compromise
התפתה פ׳ be seduced, yield to temptation
התפתות נ׳ being seduced
התפתח פ׳ develop, evolve, grow up
התפתחות נ׳ development, evolution
התפתחותי ת׳ developmental
התפתל פ׳ twist, wind, wriggle
התפתלות נ׳ wriggle, twist
התקבל פ׳ be received, be admitted
- התקבל על הדעת make sense, hold water
התקבץ פ׳ assemble, gather, group
התקבצות נ׳ gathering, conjunction
התקדם פ׳ make progress, advance
התקדמות נ׳ advancement, progress
התקדר פ׳ overcloud
התקדרות נ׳ overclouding
התקדש פ׳ become holy
התקדשות נ׳ sanctification
התקה נ׳ moving, shifting
התקהל פ׳ assemble, gather, rally
התקהלות נ׳ assembly, rally
התקוטט פ׳ quarrel, brawl
התקוטטות נ׳ quarreling
התקומם פ׳ rebel, rise up, revolt
התקוממות נ׳ rebellion, uprising
התקזז פ׳ be offset, pair
התקיים פ׳ exist, live, take place, come true, be realized
התקין פ׳ install, fit, adjust, arrange, establish, prepare
התקיף פ׳ attack, assault, raid
התקלח פ׳ take a shower, shower
התקלס פ׳ mock, scoff
התקלף פ׳ peel, scale off
התקלפות נ׳ peeling off
התקלקל פ׳ be spoiled, go bad
התקמט פ׳ crease, crumple, wrinkle
התקמטות נ׳ crumpling
*התקמצן פ׳ be stingy
*התקמצנות נ׳ stinginess

התקמר פ׳ — arch, hunch
התקמרות נ׳ — arching, convexity
התקן ז׳ — device, apparatus
- התקן תוך רחמי — intrauterine device, IUD, coil
התקנא פ׳ — envy, be envious
התקנאות נ׳ — envy, jealousy
התקנה נ׳ — installation, establishing
התקער פ׳ — become concave
התקף ז׳ — attack, access, fit
- התקף לב — heart attack
התקפה נ׳ — attack, assault, raid
- התקפה אווירית — air raid
- התקפת בזק — blitz
- התקפת נגד — counterattack
- התקפת פתע — surprise attack
התקפי ת׳ — offensive, attacking
התקפל פ׳ — fold, double up, retreat, give in
התקפלות נ׳ — folding, giving in
התקצף פ׳ — become angry
התקצר פ׳ — shorten, close in
התקצרות נ׳ — shortening
התקרב פ׳ — approach, draw near
התקרבות נ׳ — approach, coming
התקרח פ׳ — become bald
התקרחות נ׳ — becoming bald
התקרנף פ׳ — become thick-skinned, become corrupt
התקרנפות נ׳ — becoming thick-skinned
התקרר פ׳ — cool, chill, catch cold
התקררות נ׳ — cooling, cold
התקרש פ׳ — congeal, freeze
התקרשות נ׳ — congealing
התקשה פ׳ — harden, toughen, stiffen, be difficult
התקשות נ׳ — hardening
התקשח פ׳ — stiffen, become callous
התקשחות נ׳ — stiffening, hardening
התקשט פ׳ — adorn oneself
התקשטות נ׳ — adornment
התקשר פ׳ — communicate, contact, get in touch, telephone
התקשרות נ׳ — connection, bond
התראה פ׳ — see each other
התראה נ׳ — warning, caution
- התראה מוקדמת — early warning
התראיין פ׳ — be interviewed
התרבה פ׳ — increase, multiply, breed
התרבות נ׳ — increase, breeding
התרברב פ׳ — brag, boast, *swank
התרברבות נ׳ — boast, vanity
התרגז פ׳ — become angry, fret
התרגזות נ׳ — anger
התרגל פ׳ — get used to
התרגלות נ׳ — getting used to
התרגעות נ׳ — relaxing
התרגש פ׳ — be excited, fuss about
- התרגש עליו — befall him, happen
התרגשות נ׳ — excitement, feeling, fuss
התרה פ׳ — caution, warn
התרה נ׳ — untying, loosening, releasing
- התרת הרסן/הרצועה — lawlessness, license
התרווח פ׳ — sit back, spread oneself

התרומם פ׳ — rise, ascend
התרוממות נ׳ — rising, ascent, heave
- התרוממות רוח/נפש — high spirits
התרועע פ׳ — be friends, associate, consort
התרועעות נ׳ — becoming friends
התרופף פ׳ — loosen, work loose
התרופפות נ׳ — loosening
התרוצץ פ׳ — bustle, run around
התרוצצות נ׳ — rushing around
התרוקן פ׳ — empty, drain away
התרוקנות נ׳ — emptying
התרושש פ׳ — become poor, *go broke
התרוששות נ׳ — impoverishment
התרחב פ׳ — broaden, dilate, spread
התרחבות נ׳ — expansion, dilation
התרחץ פ׳ — wash oneself, bathe
התרחק פ׳ — keep away, go far
התרחקות נ׳ — keeping away
התרחש פ׳ — happen, take place
התרחשות נ׳ — occurrence, happening
התרטב פ׳ — become wet
התרטבות נ׳ — becoming wet
התרים פ׳ — get him to contribute, whip round, raise money
התריס פ׳ — defy, challenge, brave
התריע פ׳ — protest against, cry out
התרכב פ׳ — be compounded
התרכבות נ׳ — compounding
התרכז פ׳ — center, concentrate, focus
התרכזות נ׳ — concentration
התרכך פ׳ — soften, become soft
התרככות נ׳ — softening
התרמה נ׳ — money raising
התרסה נ׳ — defiance, objection
התרסן פ׳ — control oneself
התרסנות נ׳ — controlling oneself
התרסק פ׳ — crash, fragment, smash
התרסקות נ׳ — crash, being smashed
התרעה נ׳ — protest, cry, warning
התרעם פ׳ — resent, grouch, grumble
התרעמות נ׳ — grumbling
התרענן פ׳ — be refreshed, freshen
התרעננות נ׳ — refreshing
התרפא פ׳ — be cured, heal
התרפאות נ׳ — healing
התרפה פ׳ — loosen, slacken
התרפות נ׳ — loosening, slackening
התרפס פ׳ — bow and scrape, toady
התרפסות נ׳ — bootlicking
התרפק פ׳ — cuddle, hug, nestle
התרפקות נ׳ — hugging
התרצה פ׳ — be reconciled
התרצה נ׳ — rationalization
התרצות נ׳ — conciliation
התרקבות נ׳ — putrefaction
התרקם פ׳ — be formed, take shape
התרקמות נ׳ — formation
התרשל פ׳ — be negligent, slack
התרשלות נ׳ — negligence
התרשם פ׳ — be impressed, believe
התרשמות נ׳ — impression
התרשמותי ת׳ — impressional
התרתח פ׳ — be angry, flare up
התרתחות נ׳ — anger, getting angry
התשה נ׳ — attrition, weakening

ו

וְ מ״ח and
- ו/או and/or
ו׳ six, sixthly
- יום ו׳ Friday
וָאדִי ז׳ wadi, wady
וְאוּלָם מ״ח yet, but then
וָאזָה (אגרטל) נ׳ vase
וָאט ז׳ watt
וְאִילוּ מ״ח but, however, where, whereas, while
וָאֵילָךְ: מכאן ואילך from now on
וַאלס ז׳ waltz
וְאִם לָאו תה״פ or otherwise
וָאקוּם ז׳ vacuum
וב״ב = ובני ביתו and family
וּבְכֵן מ״ח so, well, now
וגו׳ = וְגוֹמֵר and so on, etc.
וָגִינָה (נרתיק) נ׳ vagina
וַדָּאוּת נ׳ certainty, certitude
- אי-ודאות uncertainty
- בוודאות for certain
וַדָּאִי ת׳ certain, sure, inevitable
וַדָּאִי תה״פ certainly, surely
וַהָאבִּי (מוסלמי) ז׳ Wahabi
וְהִנֵּה תה״פ suddenly, then
וָו ז׳ hook, peg, clasp
וַואלְלָה מ״ק really, believe me!
וודְבִיל ז׳ vaudeville, variety show
וודו (דת פולחנית) ז׳ voodoo
וודקה נ׳ vodka
וָוִית נ׳ small hook
וול סְטְרִיט Wall Street
וולגָרִי (המוני) ת׳ vulgar, common, coarse
וולגָריות נ׳ vulgarity
וולגָרִיזַציָה נ׳ vulgarization
וולונטָרִי (מתנדב) ת׳ voluntary
וולט (מתח חשמלי) ז׳ volt
וולטָאז׳ ז׳ voltage
וולטמֶטֶר (מד מתח) ז׳ voltmeter
ווליום (עוצמת צליל) ז׳ volume
וולפרָם ז׳ wolfram, tungsten
וולקָנִי ת׳ igneous, volcanic
ווּסַת פ׳ be regulated
ווקי טוקי ז׳ walkie-talkie
ווקָלִי (קולי) ת׳ vocal
ווקָלִיזַציָה נ׳ vocalization
ווקמֶן ז׳ walkman
וָזִיר ז׳ vizier, minister
וָזֶלִין ז׳ vaseline
וָט (בחשמל) ז׳ watt
וֶטוֹ ז׳ veto
- הטיל וטו veto, put a veto
וֶטֶרִינָר ז׳ veterinarian, *vet
וֶטֶרִינָרִי ת׳ veterinary
וַי מ״ק woe, alas
וִיבְּרָטוֹ (במוסיקה) ז׳ vibrato
וִיבְּרָטוֹר ז׳ vibrator
וִיבְּרָפוֹן (כלי נגינה) ז׳ vibraphone
וִיבְּרַציָה (רטט) נ׳ vibration
וִידֵּא פ׳ make sure, verify, ascertain
וִידָּה פ׳ confess, shrive
וִידּוּא ז׳ authentication, verification
- וידוא הריגה ascertainment of death
וִידּוּי ז׳ confession, shrift
וִידֶיאוֹ ז׳ video
- וידיאו קליפ video clip
וִידֶיאוֹטֵייפּ ז׳ videotape
וִידֶיאוֹטֶקְסְט ז׳ videotext, videotex
וִידֶיאוֹפוֹן ז׳ videophone
וִידַּע פ׳ introduce to, acquaint
וָיו נ׳ waw (letter)
וִיוִיסֶקְציָה נ׳ vivisection
וִיוֹלָה נ׳ viola
וִיוֹלָן ז׳ viola player
וִיזָה (אשרה) נ׳ visa
וִיזוּאָלִי (חזותי) ת׳ visual
וִיטָלִי (חיוני) ת׳ vital
וִיטָלִיות נ׳ vitality
וִיטָמִין ז׳ vitamin
- ויטמין אי vitamin E, tocopherol
- ויטמין איי vitamin A, retinol
- ויטמין בי vitamin B
- ויטמין די vitamin D, calciferol
- ויטמין סי vitamin C, ascorbic acid
- ויטמין קיי vitamin K, menadione
וִיטרָאז׳ (חלון משכית) ז׳ stained-glass window
וִיטרִינָה נ׳ shop window
וְייֶטנָאם נ׳ Vietnam
וִיכּוּחַ ז׳ argument, debate, discussion, dispute
וִיכּוּחִי ת׳ argumentative
וִילָּה נ׳ villa
וִילוֹן ז׳ curtain, drape, blind
וִילוֹנִית נ׳ valance, pelmet
וִילֵּן פ׳ curtain, drape
*וִינְקֶר (פנס איתות) ז׳ winker
וִיסוּת נ׳ regulation, modulation
- ויסות מניות share regulation
וִיסקוֹזָה (אריג סינתטי) נ׳ viscose
וִיסקִי ז׳ whisky, Scotch
וִיסֵּת פ׳ regulate, adjust, modulate
וִיעֵד פ׳ invite, summon
וִיקֶאנְד (סופשבוע) ז׳ weekend
וִיקטוֹרִיאָנִי ת׳ Victorian
וִיקִינג ז׳ Viking
וַיִּקְרָא (חומש) ז׳ Leviticus
וִירוֹלוֹגיָה נ׳ virology
וִירוּס ז׳ virus
- אנטי-וירוס antivirus
וִירטוּאוֹז (אמן גאוני) ז׳ virtuoso
וִירטוּאוֹזִי ת׳ virtuosic
וִירטוּאוֹזִיות נ׳ virtuosity
וִירטוּאָלִי (מדומה) ת׳ virtual
וִירָלִי ת׳ viral
*וִישֶׁר (מגב) ז׳ windscreen wiper
וִיתּוּר ז׳ surrender, giving up, resignation, renunciation, waiver, cession
וִיתֵּר פ׳ yield, give up, surrender
וכד׳ = וְכַדּוֹמֶה and the like
וכו׳ = וְכוּלֵּי etc., et cetera
וַכְּחָנוּת נ׳ polemics, arguing
וַכְּחָנִי ת׳ polemic, argumentative
וְכִי? is it?, is there?

וכיו"ב = וכיוצא בזה — and the like
וְכֵן מ"ח — plus, also, as well as
וָלֹא תה"פ — otherwise, or else
וָלָד ז' — child, embryo, young
וַלְדָנִית נ' — prolific mother
וְלוּ מ"ח — even, at least
וַליוּם (סם הרגעה) ז' — valium
וֶלְקְרוֹ (סקוץ') ז' — Velcro
וָלֶרְיָאן ז' — valerian
וַנְדָּלִי (הרסני) ת' — vandal
וַנְדָּלִיזְם (הרס) ז' — vandalism
וֶנוּס נ' — Venus
וֶנְטָה (מאוורר) נ' — vent, vent-hole
וֶנְטִיל ז' — ventil, tire valve
וֶנְטִילָטוֹר (מאוורר) ז' — ventilator, fan
וֶנְטִילַצְיָה (איוורור) נ' — ventilation
וָנִיל (שנף) ז' — vanilla
וֶנֶצוּאֶלָה נ' — Venezuela
וֶנֶצְיָה נ' — Venice
וֶסְט (לסוּטָה) ז' — vest, waistcoat
וְסִית ת' — regular
וָסָל ז' — vassal, liege man
וַסָּת ז' — regulator, governor, register, control
- וסת אור — dimmer
- וסת חום — thermostat
וֶסֶת נ' — menstruation, period, menses
וִסְתִּי ת' — menstrual
- טרום-וסתי — premenstrual
- תסמונת טרום-וסתית — premenstrual syndrome
וַעַד ז' — committee
- הוועד הפועל — executive
- ועד העובדים — workers' committee
וַעֲדָה נ' — committee, commission
- ועדה מתמדת — standing committee
- ועדה קרואה — appointed committee
- ועדה רפואית — medical board
- ועדת היגוי — steering committee
- ועדת חקירה — commission of inquiry
- ועדת משנה — subcommittee
וְעוֹד מ"ח — plus, and more
- ועוד איך — and how!
- ועוד ועוד — and more
וְעִידָה נ' — conference, convention
- ועידת פסגה — summit conference
וָפֶל ז' — waffle, wafer
וָקוּם ז' — vacuum
וֶקְטוֹר (בפיסיקה) ז' — vector
וַקְף (הקדש מוסלמי) ז' — waqf
וֶרֶד ז' — rose
וַרְדִּיִּים ז"ר — Rosaceae
וַרְדִּינוֹן ז' — attar
וְרַדְרַד ת' — pinkish
וָרוֹד ת' — pink, rosy, rose-colored
וְרוּדוֹת תה"פ — optimistically
וַרְיַאנְט (נוסח שונה) ז' — variant
וַרְיַאצְיָה נ' — variation
וְרִיד ז' — vein
- ורידים דליתיים — varicose veins
וְרִידוֹן ז' — venule
וְרִידִי ת' — venous
וֶרְמוּט (יין) ז' — vermouth
וֶרְסְיָה (גירסה) נ' — version
וַרְשָׁה נ' — Warsaw

וְשׁוּת' — and company, and Co.
וֶשֶׁט ז' — esophagus, gullet
וָשִׁינְגְטוֹן — Washington, navel orange
וְתוּ לא — and no more
וָתִיק ת' — veteran, senior, old hand
וָתִיקִין ז' — early morning prayer
וָתִיקָן ז' — Vatican
וֶתֶק ז' — period of service, seniority
וַתְּרָן ז' — lenient, compliant
וַתְּרָנוּת נ' — leniency, indulgence
וַתְּרָנִי ת' — indulgent, yielding

ז

ז' = זכר — masculine, male
ז' — seven, seventh
ז"א = זאת אומרת — that is to say
זְאֵב ז' — wolf
- זאב בודד — lone wolf
- זאב בעור כבש — wolf in sheep's clothing
- זאב הים — hake, wolf-fish
- זאב ערבות — coyote
זְאֵבִי ת' — wolfish
זְאֶבֶת נ' — lupus
- זאבת אדמנתית — lupus erythematosus
זַאֲטוּט ז' — urchin, guttersnipe, tyke
זָאִיר (קונגו לשעבר) נ' — Zaire
זָ'אנְר (סוגה) ז' — genre
זֹאת מ"ג — it, that, this
- אי לזאת — therefore
- בזאת — herein, hereby
- בכל זאת — anyway, nonetheless
- זאת אומרת — that is to say, i.e.
- זאת ועוד — moreover, that is not all
זָב פ' — ooze, flow, drip, trickle
- זב חוטם — sniveling, *snotty
זֶבֶד הַבַּת — party for birth of girl
זִבְדָּה נ' — butterfat, sour cream
זֶבּוּ (בקר בעל גבנון) ז' — zebu
זְבוּב ז' — fly
- זבוב הבית — housefly
זְבוּבוֹן ז' — small fly
זְבוֹרִית נ' — ballast
זָבַח פ' — slaughter, sacrifice, butcher
זֶבַח ז' — slaughter, sacrifice
זָבִיל ז' — bomb-holder, missile-tube
זֶבֶל ז' — garbage, refuse, rubbish, manure, trash, fertilizer
- זבל אורגני — organic fertilizer
- זבל ירוק — green manure
- זבל כימי — chemical fertilizer
- זבל פרות — dung
זַבָּל ז' — dustman, scavenger
זַבְלִית נ' — scarab
זַבָּן ז' — salesman, sales clerk
*זְבֶנְג ז' — bang, blow
זַבָּנוּת נ' — salesmanship
זַבָּנִית נ' — saleswoman, shopgirl
זֶבְּרָה נ' — zebra
זב"ש = זו בעיה שלך — *that's your funeral, that's your problem
זָג ז' — grapeskin, peel

זגג ז׳ glass-cutter, glazier
זגגות נ׳ glazing
זגוגי ת׳ glassy, vitreous
זגוגית נ׳ glass, pane, enamel
זד ז׳ wicked, evildoer
זדון ז׳ malice, wickedness
- בזדון deliberately, willfully
זדוני ת׳ malicious, wicked, spiteful
זדוניות נ׳ wickedness
זה מ״ג it, that, this
- בזה herein, hereupon, therein
- זה אחר זה one after the other
- זה את זה each other, one another
*- זה לא זה it's not good enough
- זה לא כבר newly, recently
- זה לזה each other, one another
*- זה מה יש have to make do with it
- זה מכבר long ago
- זה עתה just now, this moment
- זהו זהו *that's flat!
זהב ז׳ gold
- זהב שחור black gold, oil
זהבהב ת׳ golden
זהבי ז׳ goldsmith
זהבן (ציפור שיר) ז׳ oriole
זהה ת׳ equal, identical, same
זהו מ״ג this is, that's it
*- וזהו/וזהו זה ! that's it, period
זהוב ז׳ gold coin
זהוב ת׳ golden
זהורית נ׳ orlon, rayon
זהות נ׳ identity, sameness
- זהות עצמית self-identity
- תעודת זהות identity card, ID card
זהיר ת׳ careful, cautious, wary
- לא זהיר careless, heedless
זהירה נ׳ luminescence
- זהירה ביולוגית bioluminescence
זהירות נ׳ care, caution, prudence
זהר פ׳ shine, glow, glisten
זהרור ז׳ glimmer, glow
זו מ״ג this, it
זואולוג ז׳ zoologist
זואולוגי ת׳ zoological
זואולוגיה נ׳ zoology
זוב דם ז׳ bleeding
זוג ז׳ brace, couple, pair
- זוג או פרד odd or even
- זוג משמיים happy pair
- זוגות doubles
- זוגות מעורבים mixed doubles
זוגה ("זוגתי") נ׳ wife, spouse
זוגי ת׳ even, double, dual
- לא זוגי/אי זוגי uneven
זוגיות נ׳ duality, parity, marital relations
זודיאק (גלגל המזלות) ז׳ zodiac
זוהה פ׳ be identified, be recognized
זוהי מ״ג this is, that's it
זוהם פ׳ be polluted, be contaminated
זוהמה נ׳ filth, dirt, squalor
זוהר ז׳ brilliance, shine, glamor, Zohar (book of Kabbala)
- זוהר קוטבי aurora
זוהר ת׳ bright, glittering, radiant

זווד ז׳ kit, package
זווית נ׳ angle, corner, elbow, aspect
- זוויות משלימות supplementary angles
- זוויות מתחלפות alternate angles
- זוויות צמודות adjacent angles
- זוויות קודקודיות vertical angles
- זווית האופק azimuth
- זווית חדה acute angle
- זווית ישרה right angle
- זווית לא ישרה oblique angle
- זווית קהה obtuse angle
- זווית ראייה vantage point, point of view
- זווית שטוחה straight angle
זוויתון ז׳ square
זוויתי ת׳ angular
זוויתן ז׳ square, book end
זוועה נ׳ atrocity, horror, outrage
זוועתי ת׳ horrible, hideous
זוחל ז׳ reptile, creeper, reptilian
זוטא ת׳ tiny, small, minor
זוטה נ׳ bagatelle, miniature
זוטר ת׳ junior, inferior
זויף פ׳ be forged, be counterfeited
זוך ז׳ purity, clarity
זוכה פ׳ be acquitted, be credited
זוכה ז׳ winner, champion
זוכך פ׳ be purified, be cleansed
זול ת׳ cheap, inexpensive, low
זולות נ׳ cheapness
זולל ת׳ gluttonous, voracious
- זולל וסובא piggish, guzzler
זוללן ז׳ phagocyte, glutton
זולת ז׳ the other, fellow man
זולת מ״י except, other than
זולתן ז׳ altruist
זולתנות נ׳ altruism
זום (בצילום) ז׳ zoom
זומבי (מת מהלך) ז׳ zombie
זומם ת׳ scheming, evil-minded
זומן פ׳ be summoned, be invited
זונדה (צינור הזנה) נ׳ sonde
זונה נ׳ harlot, prostitute, whore
- בן זונה *son of a bitch
- זונת צמרת courtesan
זועזע פ׳ be shocked, be horrified
זועם ת׳ angry, irate, wrathful
זועף ת׳ sullen, morose, sulky
זופת פ׳ be tarred, be asphalted
זוקן ז׳ old age
זוקק פ׳ be distilled, be refined
זורז פ׳ be hurried, be urged
זורח ת׳ luminous, radiant
זורם ת׳ running, torrential
ז'ורנליסט (עיתונאי) ז׳ journalist
זורע ז׳ seedsman
- זורע בהלה alarmist, scaremonger
זורר פ׳ sneeze
זז פ׳ budge, move, stir, shift
זח פ׳ boast, brag
- זחה דעתו עליו be proud
זחוח דעת ת׳ arrogant, haughty
זחיח ת׳ sliding, movable
זחיחות נ׳ movability, euphoria
- זחיחות דעת pride, arrogance

זחילה נ' crawl, creeping
זחל פ' creep, crawl, grovel
זחל ז' larva, grub, maggot, caterpillar, track
זחלי ת' larval, tracked
זחלית נ' tracked carrying vehicle
זחלם ז' halftrack
זחלן ז' crawler, slider, slipper, slow person
זיבה נ' oozing, gonorrhea, *clap
זיבול ז' manuring, fertilization
*- זיבולי שכל/זיבולים rubbish, nonsense
זיבורית נ' marginal land, poor soil
זיבל פ' manure, fertilize, top-dress
זיג ז' jacket, blazer
זיגג פ' glass, glaze, frost, ice
זיגוג ז' glazing, icing, frosting
זיגזג ז' zigzag
זיהה פ' identify, recognize, spot
זיהוי ז' identification, recognition
זיהום ז' contamination, pollution, infection
- זיהום סביבתי environmental pollution
זיהומי ת' infectious, pollutant
זיהם פ' pollute, contaminate, defile
זיו ז' brightness, luster, effulgence
- זיו פנים warm welcome
זיווג פ' pair, match, partner up
זיווג ז' pairing, match, matching
זיווי ז' angulation, making angular
זיווית פ' angle
זיון ז' arming, armament, *screw
זיוף ז' fake, forgery, manipulation
זיז ז' projection, bracket, ledge
זיח ז' indentation
זיטון ז' counter, chip
זיין פ' arm, reinforce, *screw
זייף פ' forge, counterfeit, falsify
זייפן ז' counterfeiter, forger
זייפנות נ' forging
זיירה נ' calender, mangle
זיכה פ' acquit, exonerate, credit
- זיכה ב- earn, award, grant
זיכוי ז' crediting, acquittal
- זיכוי מס tax credit
זיכוך ז' purification, cleansing
זיכיון ז' concession, franchise
- בעל זיכיון concessionaire
זיכך פ' purify, cleanse, clarify
זיכרון ז' memory, storage, recall
- זיכרון דברים binder, memorandum, protocol, minutes
- זיכרון חזותי visual memory
- זיכרונו לברכה of blessed memory
- זיכרונות memoirs, reminiscences
זיכריני (צמח) נ' forget-me-not
זילוף ז' sprinkling, spraying
זילות נ' cheapness, contempt
- זילות בית המשפט contempt of court
זילף פ' sprinkle, spray
זים ז' gill
זימבבווה נ' Zimbabwe
זימה נ' lechery, pornography

זימון ז' invitation, summons, grace after meals
זימונית נ' beeper
זימן פ' summon, invite, convene, say grace after meals
זימר פ' sing, chant, *cough up
זימתי ת' pornographic, lubricious
זין ז' arms, weapons, *penis
זין נ' zayin (letter)
זינב פ' dock, tail, destroy the rear
זינוב ז' cutting off
זינוק ז' dart, jump, start, blast-off
זינק פ' jump, leap, dash, bounce
זיע ז' movement, tremor, twitch
זיעה נ' perspiration, sweat
- בזיעת אפיו by the sweat of his brow
- זיעה קרה cold sweat
זיעור ז' miniaturization
זיער פ' miniaturize, smooth over
זיף ז' bristle, stubble
זיפות ז' asphalting
זיפזיף ז' coarse sand, gravel
זיפי ת' bristly, stubbly, setiferous
זיפני ת' bristly, setiferous
זיפת פ' asphalt, tar
*זיפתי ת' bad, lousy
זיק ז' gleam, spark, ray, glimmer
- זיק תקווה ray of hope
זיקה נ' tie, link, relation, connection, interest, easement
- זיקת הנאה easement, servitude
- זיקת הנאה אישית easement in gross
זיקוק ז' refining, distillation
זיקוקים ז"ר fireworks
זיקוקין די נור ז"ר fireworks, pyrotechnics
זיקוקית נ' rocket, maroon
זיקית נ' chameleon
זיקק פ' distill, refine, fine down
זיר ז' seed pod
זירה נ' arena, rink, battlefield, ring, scene, theater
- זירת איגרוף ring
- זירת הפשע scene of crime
- זירת מיטען roadside bomb
- זירת קרב cockpit, theater of war
זירוז ז' urging, spurring, catalysis
זירז פ' urge, hurry up, hustle
זירעון ז' spermatozoon, sperm, seed
זית ז' olive
זיתי ת' olive
זך ת' pure, clear, transparent
זכאות נ' entitlement, eligibility
זכאי ת' innocent, worthy, deserving, entitled, creditor
זכה פ' win, gain, be fortunate
- זכה מן ההפקר gain without effort
- תזכה למצוות! thank you
- תזכה לשנים רבות! may you live long
זכוכית נ' glass
- זכוכית בטיחות/ביטחון safety glass
- זכוכית מגדלת magnifying glass
זכור ת' remembered

- זכור לטוב	of blessed memory
- זכורני	I remember
זְכוּת נ׳	credit, privilege, right
- בזכות-	by right of, due to
- זכויות אזרח	civil rights
- זכויות האדם	human rights
- זכות בחירה	franchise, vote
- זכות הצבעה	suffrage, vote, ballot
- זכות השתיקה	right to remain silent
- זכות חתימה	right of signature
- זכות יוצרים	copyright
- זכות יתר	privilege
- זכות מעבר	right of way
- זכות סירוב ראשונה	first refusal
- זכות קדימה	priority, precedence, right of way
- כל הזכויות שמורות	all rights reserved
זַכּוּת נ׳	purity, innocence
זְכִיָּה נ׳	win, gaining
זַכְיָן ז׳	concessionaire
זְכִירָה נ׳	remembrance, recall
זָכַר פ׳	remember, keep in mind
זָכָר ז׳	male, masculine, he
זֵכֶר ז׳	memory, trace, vestige
- זכרו לברכה	of blessed memory
זִכְרָה נ׳	association
זַכְרוּת נ׳	masculinity, virility, penis
זַכְרִי ת׳	manly, male
ז"ל=זיכרונו לברכה	of blessed memory
זָלַג פ׳	drip, flow, weep, run
זַלְדָּה נ׳	armored vehicle
זַלְדְּקָן ז׳	thin-bearded
זִלְזוּל ז׳	contempt, scorn
זִלְזֵל פ׳	disregard, underrate, scorn
זַלְזַל ז׳	twig, sprig
זַלְזֶלֶת (צמח מטפס) נ׳	clematis
זְלִילָה נ׳	gluttony, gorging, surfeit
זָלַל פ׳	eat greedily, *tuck in
זַלְלָן ז׳	trencherman, glutton
זַלְלָנוּת נ׳	gluttony, voracity
זַלְעָפָה נ׳	storm, tempest
זָלַף פ׳	ooze, drip, sprinkle
זַמְבִּיָה נ׳	Zambia
זְמוֹרָה נ׳	branch, twig, sprig
זִמְזוּם ז׳	buzz, hum, drone
זִמְזֵם פ׳	hum, buzz, drone, croon
זַמְזָם ז׳	buzzer
זָמִין ת׳	available, cashable
זְמִינוּת נ׳	availability, liquidity
זָמִיר ז׳	nightingale
זְמִירָה נ׳	pruning, clipping
זְמִירוֹת נ"ר	songs
- זימר זמירות חדשות	sing another tune
זָמַם פ׳	devise, scheme, think up
זְמָם ז׳	muzzle
- ביצע את זממו	carry out one's scheme
זְמַן ז׳	time, hour, while, term, tense
- בו בזמן	thereupon, then and there, simultaneously
- בזמן	on time, prompt
- בזמן האחרון	lately, recently
- בזמן מן הזמנים	at some time
- בזמן ש-	while, when
- בזמנו	once, at one time
- בן זמננו	modern, contemporary
- בתוך זמן סביר	within reasonable time
- זמן (בדקדוק)	tense
- זמן אמת	real time
- זמן גישה	access time
- זמן מה	little, awhile
- זמן רב	long, long time
- זמן שאול	borrowed time
- זמן תגובה	reaction time
- זמנים	times, days
- כל זמן ש-	as long as
- מזמן	a long time ago
- עם הזמן	in the course of time
זְמָנָּה נ׳	tempo
זְמַנִּי ת׳	temporary, provisional
זְמַנִּיּוּת נ׳	temporality
זְמַנִּית תה"פ	temporarily
- התרחש בו זמנית	concur, coincide
זמ"פ = זמן פירעון	date of payment
זָמַר פ׳	prune, trim
זֶמֶר ז׳	song, singing, tune
- הרבה זמר ומעט צמר	much cry and little wool
- זמר רב-קולי	madrigal, part-song
זַמָּר ז׳	singer
- זמר נשמה	crooner
זִמְרָה נ׳	singing
זַמֶּרֶת נ׳	singer, songstress
- זמרת ראשית	prima donna
זַמְשׁ (עור רך) ז׳	suede
זָן פ׳	feed, nourish, feast
- זן עיניו	feast one's eyes on
זַן ז׳	kind, sort, species, variety
זַנַּאי ז׳	adulterer, lecher
זָנָב ז׳	tail, stub, stump
- זנב סוס	pigtail, ponytail
זְנָבִי ת׳	caudal
זַנְבִיּוֹן ז׳	dovetail
זַנְבְנָב ז׳	small tail, scut
זַנֶּבֶת הַסְּבִיאָה נ׳	hangover
זַנְגְּבִיל ז׳	ginger
ז'נדרם (חייל) ז׳	gendarme
זָנָה פ׳	commit adultery
זָנוּחַ ת׳	abandoned, deserted
זְנוּנִים ז"ר	prostitution
- בן זנונים	bastard
זְנוּת נ׳	harlotry, prostitution
זְנוּתִי ת׳	whorish, ugly
זוֹנָה/זנוֹנֶת נ׳	prostitute
זָנַח פ׳	forsake, neglect, abandon
זָנִיחַ ת׳	negligible, insignificant
זְנִיחָה נ׳	neglect, desertion
זֶנִית נ׳	zenith
זָנְתָה פ׳	be a harlot, prostitute
זָע פ׳	budge, move, stir
זָעוּם ת׳	scanty, paltry, slight, angry
זָעוּף ת׳	angry, enraged
זַעֲזוּעַ ז׳	blow, shock, start
- זעזוע מוח	concussion
זִעְזַע פ׳	shock, shake, startle
זָעִיר ת׳	petty, very small, tiny
- זעיר בורגני	petit bourgeois
זָעַם פ׳	be angry, fume, rage

זַעַם ז׳ anger, fury, rage, wrath
- עד יעבור זעם till the storm is over
זַעֲמָן ז׳ black snake, whip snake
זָעַף פ׳ be angry, glower, frown
זַעַף ז׳ anger, fury, storm
- גשמי זעף heavy rain
זָעֵף ת׳ angry, cross, displeased
זַעֲפָן ז׳ angry, ill-tempered
זַעְפְּרָן ז׳ saffron
זָעַק פ׳ scream, shout, cry out
- זועק לשמיים crying, scandalous
זְעָקָה נ׳ outcry, cry, scream, shout
- זעקות שבר desperate cries
- זעקת קרב battle cry
זַעֲרוּרָה נ׳ miniature
זַעֲרוּרִי ת׳ tiny, very small, minute
זַעְתָּר ז׳ savory
ז״פ = זמן פירעון date of payment
*זִפְטָה נ׳ blow, stroke
זֶפֶק ז׳ craw, crop, maw
זַפֶּקֶת (מחלה) נ׳ goiter
זֶפֶת ז׳ pitch, tar, asphalt
זַפָּת ז׳ pitch worker
זצ״ל=זכר צדיק לברכה of blessed memory
זְקוּנִים ז״ר old age
- בן זקונים youngest son
זָקוּף ת׳ erect, upright, vertical
זָקוּק ת׳ in need of, needing
ז׳קֶט ז׳ jacket
זָקִיף ז׳ guardsman, sentinel, lookout, sentry, stalagmite
זְקִיפָה נ׳ charging
- זקיפת זכות crediting
- זקיפת חובה debiting
זְקִיפוּת נ׳ erectness, uprightness
- זקיפות קומה uprightness, pride, self-confidence
זָקִיק ז׳ follicle
- זקיק גרף Graafian follicle
זְקִירָה נ׳ standing up, erecting
זָקֵן פ׳ become old, age
זָקָן ז׳ beard
- בעל זקן bearded
- זקן לחיים side-whiskers
- זקן תיש goatee
זָקֵן ת׳ aged, old, old man
זְקַן הַתַּיִשׁ (צמח) ז׳ goat's-beard
זִקְנָה נ׳ age, old age, senility
זְקֵנָה נ׳ old woman
זְקַנְקַן ז׳ small beard, imperial
זָקַף פ׳ straighten, erect, raise up, lift, attribute, charge
- זקף אוזניו prick up one's ears
- זקף לזכות credit
- זקף לחובה debit, count against
זַקָּף ז׳ stile, bollard, upright
זִקְפָּה נ׳ erection
זָקַר פ׳ lift, stand up, erect
זֵר ז׳ garland, wreath, coronet
- זרי דפנה laurels, bays
זָר ת׳ alien, foreign, stranger
ז״ר = זכר ריבוי masculine plural
זָרָא ז׳ disgust, stomachful, surfeit
- עד לזרא ad nauseam
זַרְבּוּבִית נ׳ muzzle, snout, spout

זַ׳רְגוֹן ז׳ cant, jargon, pidgin
זֶרֶד ז׳ twig, sprig
זָרָה פ׳ scatter, spread, winnow
- זרה חול בעיניו mislead, cheat
- זרה מלח על פצעיו rub salt into his wounds
זָרוּי ת׳ sprinkled, scattered
זְרוֹעַ נ׳ arm, forearm, limb, tentacle
- בזרועות פתוחות with open arms
- זרוע המיקרופון boom
- זרועות הצבא military forces
זָרוּעַ ת׳ sown, rife, strewn
- זרוע כוכבים star-studded
זָרוּק ת׳ thrown away, beatnik
זָרוּת נ׳ strangeness, anomaly
זָרָז ז׳ catalyst
זַרְזִיף ז׳ shower, raindrop
זַרְזִיר ז׳ starling, grayhound
- זרזיר עט sensational writer
זִרְזֵף פ׳ drip, mizzle
זָרַח פ׳ shine, dawn, lighten, radiate
זַרְחָה נ׳ phosphate
זַרְחוֹרִי ת׳ phosphorescent
זַרְחוֹרָנוּת נ׳ phosphorescence
זַרְחָן ז׳ phosphorus
זַרְחָנִי ת׳ phosphoric
זַרְחָתִי ת׳ phosphatic
זָרִיז ת׳ nimble, agile, skillful, quick
זְרִיזוּת נ׳ quickness, skill, agility
זְרִיחָה נ׳ sunrise, sunup, dawn
זְרִיָּה נ׳ sprinkling, winnowing
- זריית חול בעיניים deception, misleading
זָרִים ת׳ streamlined
זְרִימָה נ׳ flow, flux, issue, onrush
זְרִימוּת נ׳ streamlining
זֵרִיעַ ז׳ seedtime, sowing season, seedling
זְרִיעָה נ׳ sowing, seeding
זְרִיקָה נ׳ hypodermic, injection, throw, throwing, toss, *shot
- זריקה חופשית free throw
- זריקת דיסקוס discus
- זריקת חוץ throw-in
- זריקת עידוד shot in the arm
- זריקת פטיש hammer throw
זָרַם פ׳ stream, flow, run
זֶרֶם ז׳ current, flow, stream, torrent, flux
- זרם התודעה stream of consciousness
- זרם חילופין alternating current, ac
- זרם ישר direct current, dc
זַרְנוּק ז׳ fire-hose, hose, hose-pipe
זַרְנִיךְ ז׳ arsenic
זָרַע פ׳ seed, sow, plant
- זרע שנאה sow hate
זֶרַע ז׳ seed, semen, sperm, kernel
- זרע הפורענות seeds of trouble
זַרְעִי ת׳ seedy
זָרַק פ׳ throw, toss, cast, hurl
זַרְקָא ז׳ tilde
זַרְקוֹר ז׳ projector, searchlight, spotlight, spot
זֶרֶת נ׳ little finger, pinkie, pinky, span

ח

ח"א = חיל אוויר air force
חאג' ז' Hajj, Hadji
חאן ז' khan
חאקי ז' khaki
חב פ' owe, incur debt
חבוט ת' beaten, hackneyed
חבוי ת' hidden, latent, secret
חבול ת' beaten, wounded, injured
חבוק ת' hugged, embraced, clasped
חבור ז' counterfoil, stub, pool
חבורה נ' bruise, weal, contusion
חבורה נ' group, company, gang
- חבורת פיקוד קדמית command post
חבוש ז' quince
חבוש ת' tied, bandaged, imprisoned, worn
- חבוש כובע wearing a hat
חבות נ' liability, obligation, debt
- חבות במס taxability
חבט פ' beat, strike, club, bat
חבטה נ' blow, hit, stroke, bang
- חבטה גבית (בטניס) backhand
- חבטה כפית (בטניס) forehand
- חבטת הגשה serve
חביב ת' lovable, amiable, affable
חביבות נ' amiability, affability
חביון ז' hiding place
חביונת נ' keg, small barrel
חבילה נ' bundle, package, parcel
- דואר חבילות parcel post
- עסקת חבילה package deal
חביצה נ' custard, pudding, *pud
חבירה נ' joining, connecting
חבישה נ' bandaging, imprisonment
- חבישת כובע wearing a hat
חבית נ' barrel, cask, butt, keg
- חבית חומר נפץ tinder box
חביתה נ' omelet, omelette
חביתית נ' pancake, blintze
חבל פ' bruise, wound, pawn
חבל ז' rope, cord, district, region
- הילך על חבל דק skate on thin ice
- חבל ארץ region, territory
- חבל הטבור umbilical cord
- חבל הצלה lifeline
- חבל כביסה clothesline
- חבל קפיצה skipping rope
- חבלי לידה throes, labor, birth pangs, teething troubles
- חבלי שינה bonds of sleep
חבל מ"ק alas, it's a pity, *too bad
חבלבל ז' bindweed, convolvulus
חבלה נ' bruise, injury, harm
חבלה נ' sabotage, destruction, trauma
- מלאכי חבלה saboteurs, vandals
חבלן ז' sapper, bomb disposal expert, saboteur, vandal
חבלנות נ' sabotage
חבלני ת' terrorist
חבלתי ת' traumatic
- בתר-חבלתי post-traumatic
חבצלת נ' lily, fleur-de-lis
חבק פ' hug, embrace, wrap round
חבק ז' girth, cinch, band, banderole
חבר פ' unite, associate, gang up
חבר ז' fellow, member, friend, companion
- חבר בחבר מושבעים juror
- חבר הקונגרס congressman
- חבר ועדה commissioner
- חבר כנסת Member of Knesset, MK, parliamentarian
- חבר לבית-ספר schoolfellow
- חבר לחדר roommate
- חבר לכיתה classmate
- חבר לנשק comrade in arms
- חבר לעט pen friend, pen pal
- חבר מועצה councilor
- חבר קבוע boyfriend, *steady
- חבר תזמורת bandsman
- חברים ! gentlemen!, comrades!
חבר ז' company, group, league
- חבר מושבעים jury
חברבור ת' brindled, spotted
חברבורה נ' streak, stripe, spot
חברה נ' company, corporation, firm, society
- בחברת in the society of
- החברה הגבוהה high society
- חברה קדישא burial society
- חברת אם parent company
- חברת ביטוח insurance company
- חברת בת subsidiary company
- חברת גג holding company
- חברת קש shell corporation
*חברה ז"ר friends, guys
חברה נ' girl friend, *date
חברון נ' Hebron
חברות נ' membership, friendship
חברות נ' socialization
חברותי ת' sociable, *matey
חברותיות נ' sociability, friendliness
חברי ת' friendly, companionable
*חבריה ז"ר friends, guys
*חברמן ז' jolly fellow, good sport
חברת פ' socialize
חברתי ת' social
חבש פ' bandage, dress, imprison, saddle up
- חבש כובע wear a hat
- חבש ספסל הלימודים attend school
חבתן ז' cooper, barrel maker
חג פ' circle, go round, revolve, veer
חג ז' holiday, festival, feast
- חג האורים Festival of Lights
- חג החירות/האביב Passover
- חג המולד Christmas
- חג הסוכות Feast of Tabernacles
- חג השבועות Pentecost
- חג שמח ! Happy Holiday!
חגב ז' grasshopper, locust
חגג פ' celebrate, make merry
חגו ז' ravine, cleft, crack
חגור ז' accouterments, belt-bag, gear, personal equipment
חגור ת' girded, girt, belted

חֲגוֹרָה נ belt, girdle, webbing
- חגורה ירוקה greenbelt
- חגורה שחורה black belt
- חגורת בטיחות safety belt
- חגורת הצלה life belt
- חגורת צניעות chastity belt
- חגורת שבר truss, hernia belt
חֲגִיגָה נ celebration, festival
*- חגיגה לעיניים ravishing view
חֲגִיגִי ת festive, formal, solemn
חֲגִיגִיּוּת נ solemnity, ceremony
חֲגִיגִית תה"פ solemnly, formally
חֲגִירָה נ girding, wearing a belt
חָגַר פ gird, wear a belt
חָד פ pose a riddle
חַד ת acute, sharp, cutting, keen
- חד וחלק unequivocally
חַד ש"מ one, mono-, uni-
*חַד גַּדְיָא ז prison, jail, *jug
חַד הוֹרִי ת single-parent
חַד כִּוּוּנִי ת one-way
חַד לָשׁוֹן ת sharp-tongued
חַד מִינִי ת unisexual, monosexual
חַד מַשְׁמָעִי ת unequivocal
חַד סִטְרִי ת one-way
חַד עַיִן ת eagle-eyed, sharp-sighted
חַד עֶרְכִּי ת monovalent, univalent
חַד פְּסִיגִי ת monocotyledonous
חַד פַּעֲמִי ת disposable, for one time
חַד צְדָדִי ת unilateral, one-sided
חַד קוֹלִי ת monophonic
חַד שִׂיחַ ז monologue, soliloquy
חַד שְׁנָתִי (צמח) ז annual
חַד תָּאִיִּים ז"ר protozoa
חַדְגּוֹנִי ת monotonous, tedious
חַדְגּוֹנִיּוּת נ monotony, sameness
חַדּוּדִית נ cone, pyramid
חֶדְוָה נ joy, happiness, mirth
- חדוות החיים joie de vivre
חֲדוֹפָן ז wheelbarrow
חָדוּר ת penetrated, full of
- חדור גאווה proud, puffed up
חַדּוּת נ sharpness, keenness
חֲדִילָה נ cessation, stopping
חָדִיר ת penetrable, permeable
- בלתי חדיר impenetrable
חֲדִירָה נ penetration, pervasion
חֲדִירוּת נ penetrability
חָדִישׁ ת modern, brand-new
חָדַל פ cease, stop, desist
חָדֵל ת ceasing, pausing
- חדל אישים worthless man
- חדל פירעון insolvent
חַדְלוּת פֵּרָעוֹן insolvency
חַדָּף (דמוי עכבר) ז shrew
חֶדֶק ז proboscis, trunk, snout
חִדְקוֹנִית נ weevil
חִדְקָן (דג) ז sturgeon
חַדְקַרְן ז unicorn
חָדַר פ penetrate, pervade, pierce
חֶדֶר ז room, chamber, religious school
- בחדרי חדרים in innermost places
- חדר אוכל dining room, mess hall
- חדר אורחים guest room, salon
- חדר החדשות news-room

- חדר הלב ventricle
- חדר המדרגות stairwell
- חדר המתנה waiting room
- חדר התאוששות recovery room
- חדר חושך darkroom
- חדר לידה delivery room
- חדר מיון emergency room
- חדר מיטות bedroom
- חדר מתים mortuary, morgue
- חדר ניתוחים operating theater
- חדר עבודה study, workroom
- חדר שטיפה scullery
- חדר שינה bedroom, dormitory
חַדְרוֹן ז alcove, cabinet, cubicle
חַדְרָנִית נ chambermaid
חָדָשׁ ת new, recent, fresh, novel
- חדש בתכלית brand-new
- חדשים/חדשות לבקרים every day
חֲדָשָׁה נ news, novelty
חֲדָשׁוֹת נ"ר news, news items
חַדְשׁוּתִי ת newsworthy, important
חַדְשָׁן ז innovator, modernist
חַדְשָׁנוּת נ modernism, creativity
חַדְשָׁנִי ת modernistic, inventive
ח"ו = חס וחלילה God forbid!
חוֹב ז debt, obligation, bosom
- חוב אבוד/רע bad debt
- טומן בחובו keeps inside
חוֹבֵב ז lover, amateur, fancier
חוֹבְבָן ז dabbler, dilettante
חוֹבְבָנוּת נ dilettantism, amateurism
חוֹבָה נ debit, duty, liability
- חובה עליך you must, you should
- יצא ידי חובה go through the motions, do one's duty
חוֹבֵט ז batter
חוּבַּל פ be harmed, be sabotaged
חוֹבֵל ז seaman, sailor
- חובל ראשון first mate
חוֹבְצָה נ buttermilk
חוּבַּק פ be hugged, be embraced
חוֹבֵק עוֹלָם ת worldwide, universal
חוֹבְקָן ז folder
חוּבַּר פ be written, be composed, be added, be connected
חוֹבֶרֶת נ booklet, pamphlet, brochure
חוֹבֵשׁ ז dresser, paramedic, *medic
- חובש קרבי aidman
חוֹבָשׁוֹת נ wound dressing
חוּג ז circle, sphere, range, tropic
- החוג הנוצץ smart set, jet set
- חוג הגדי Tropic of Capricorn
- חוג הסילון jet set
- חוג הסרטן Tropic of Cancer
- חוגים פוליטיים political circles
חוֹגֵג ז celebrant, merrymaker
חוּגָה נ dial, rotor
חוֹגְלָה נ partridge
חוֹגֵר ז enlisted man
- חוגרים other ranks, the ranks
חוֹד ז point, barb, edge, tooth
חוּדַּד פ be sharpened
חוֹדֵר ת penetrating, piercing
- חודר שריון armor-piercing
חוּדַּשׁ פ be resumed, be renewed

חוֹדֶשׁ ז׳ month
- בחודש הבא prox.
- בחודש זה instant, inst.
- בחודש שעבר ult.
- חודש חמה calendar month
- חודש לבנה lunar month
חודשִׁי ת׳ monthly
חוה״מ = חול המועד
חַוָּאוּת נ׳ farming
חַוָּאִי ז׳ farmer, rancher
חִוָּה פ׳ experience, taste, undergo
חַוָּה נ׳ farm, ranch, grange
חַוָּה (אשת אדם) נ׳ Eve
חֲוָיָה נ׳ experience, affair
חֲוָיָתִי ת׳ impressive, moving
חֲווּלָּה נ׳ villa
חָווּק ז׳ rung, transom, ratlin
חָוַר פ׳ become pale, whiten
חֲוָר ז׳ marl, chalky soil
חֲוַרְוַר ת׳ pale, palish, whitish
חַוַּת דַּעַת נ׳ opinion, report
חוֹזֶה ז׳ contract, agreement, prophet
- חוזה שכירות tenancy agreement
- חוזה שלום peace agreement
חוֹזִי ז׳ videotape
חוֹזִי ת׳ contractual
חוּזַק פ׳ be strengthened
חוֹזֶק ז׳ intensity, strength
חוֹזֵר ז׳ circular, returning, repeating
- חוזר בתשובה repentant sinner, Jew who became religious
חוּזְרָר ז׳ mountain ash, rowan
חוֹחַ ז׳ thistle, briar, brier
חוֹחוֹבָּה (שיח) נ׳ jojoba
חוֹחִית (ציפור שיר) נ׳ goldfinch
חוּט ז׳ cord, string, thread, line
- חוט דנטאלי dental floss
- חוט השני leitmotiv, main thread
- חוט חשמל electric wire
- חוט שדרה backbone, spinal cord
- כחוט השערה by a hair's breadth
חוּטָּא פ׳ be disinfected
חוֹטֵא ז׳ sinner, wrongdoer
חוֹטֵב ז׳ hewer, carver
- חוטב עצים woodcutter, logger
חוּטִי, חוּטָנִי ת׳ stringy, threadlike
חוּטִינִי ז׳ gee-string, G-string
חוֹטֶם ז׳ nose, snout, *beak, *snoot
חוֹטְמִי ת׳ nasal, rhinal
חוֹטְמִית נ׳ marshmallow
- חוטמית תרבותית hollyhock
חוֹטֵף ז׳ kidnapper, grabber
- חוטף מטוס hijacker, skyjacker
חוֹטֶר ז׳ offshoot, scion, shoot, rod
- חוטר ניקוי ramrod, cleaning stick
חוּיַּב פ׳ be obliged, be debited
חוּיַּל פ׳ be mobilized, be enlisted
חוּכָּא וְאִטְלוּלָה laughing stock
חוּכְמָה נ׳ wisdom, sagacity, sense
- חוכמה לאחר מעשה hindsight
- חוכמת היד chiromancy, palmistry
- חוכמת הפרצוף physiognomy
חוֹכֵר ז׳ leaseholder, lessee, tenant
חוֹל ז׳ sand, workaday, secular
- חול המועד workdays of Passover, workdays of Tabernacles
- חול טובעני quicksand
- חולות sands
- יום חול weekday, working day
חו״ל = חוץ לארץ abroad
חוֹלָאִים ז״ר maladies
חוֹלֵב ז׳ milker, dairyman
חוֹלֶבֶת נ׳ milch cow, milkmaid
חוֹלֶד ז׳ mole, ermine
חוּלְדָּה נ׳ rat
חוֹלֶה ת׳ ill, patient, sick, diseased
- חולה אהבה lovesick
*- חולה הגה mad on driving
- חולה נפילה epileptic
- חולה נפש mad, mental patient
- חולה רוח insane, mad, lunatic
חוֹלִי ז׳ sickness, illness, malady
חוֹלִי ת׳ sandy, gritty
חוּלִיגָן ז׳ hooligan, ruffian
חוּלִיגָנִיּוּת נ׳ hooliganism, ruffianism
חוּלְיָה נ׳ link, vertebra, joint, squad
- החוליה החסרה missing link
חוּלְיָתָנִים ז״ר Vertebrata
חוּלִּין ז״ר secularism
חוֹלִירַע ז׳ cholera
חוֹלִית נ׳ dune, sand dune
חוּלַּל פ׳ be desecrated, be profaned
חוֹלֵל פ׳ create, produce, do, dance
- חולל נפלאות do wonders
חוֹלָם ז׳ O (Hebrew vowel)
חוֹלֵם ת׳ dreamer, visionary
חוֹלְמָנִי ת׳ dreamy, faraway, moony
חוֹלָנִי ת׳ morbid, sick, unhealthy
חוֹלָנִיּוּת נ׳ morbidity, sickliness
חוֹלֵף ת׳ evanescent, passing
חוּלַּץ פ׳ be delivered, be freed
חוֹלֵץ ז׳ pincers, extractor
- חולץ פקקים corkscrew
חוּלְצָה נ׳ blouse, shirt, waist
- חולצת טי T-shirt
חוּלַּק פ׳ be divided, be distributed
חוּלְשָׁה נ׳ weakness, infirmity
- חולשת דעת sorrow, confusion
חוֹם ז׳ heat, temperature, fever, warmth
- חום סגולי specific heat
חוּם ת׳ brown
*חוֹמֵד ת׳ cute, charming
חוֹמָה נ׳ wall, parapet
חוּמּוּס ז׳ hummus, chickpea dish
חוֹמֶט ז׳ lizard, skink
חוּמִית נ׳ calorie, calory, brownie
חוּמַּם פ׳ be heated, be warmed
חוּמָּנִי ת׳ thermal
חוּמְעָה נ׳ dock, sorrel
חוֹמֶץ ז׳ vinegar
חוּמְצָה נ׳ acid
- חומצה גופרתית sulfuric acid
- חומצה חנקנית nitric acid
- חומצת לימון citric acid
חוּמְצִי, חוּמְצָתִי ת׳ acidic
חוּמְצִיּוּת נ׳ acidity
חוּמְצַן פ׳ be oxidized
חוֹמֶר ז׳ clay, material, matter, stuff, subject, substance, agent
- חומר בידוד insulation, lagging
- חומר גלם raw material

the rigor of the law - חומר הדין
food for thought - חומר למחשבה
explosive - חומר נפץ
reading matter - חומר קריאה
putty in his hands - כחומר ביד היוצר
austerity, severity, strictness, seriousness חוּמְרָה נ
hardware חוּמְרָה נ
material, worldly חוּמְרִי ת
materialism, worldliness חוּמְרִיוּת נ
materialism, worldliness חוּמְרָנוּת נ
materialistic חוּמְרָנִי ת
be armed, be equipped חוּמַש פ
fifth, five years חוֹמֶש ז
Pentateuch חוּמָש ז
Genesis - חומש בראשית
Exodus - חומש שמות
Leviticus - חומש ויקרא
Numbers - חומש במדבר
Deuteronomy - חומש דברים
junta חוּנְטָה נ
be educated, be taught חוּנַך פ
tutor, coach, trainer חוֹנֵך ז
tutorship חוֹנְכוּת נ
endow, bestow, show mercy חוֹנֵן פ
be blessed, be talented חוֹנַן פ
inmate, ward, sheltered חוֹסֶה ז
be liquidated, be killed חוּסַל פ
tourniquet חוֹסֵם עוֹרְקִים ז
be immunized, be inured חוּסַן פ
strength, power, immunity חוֹסֶן ז
even strong men fall, accidents will happen - לא לעולם חוסן
become rough, roughen חוּסְפַּס פ
be subtracted חוּסַר פ
lack, absence, want חוֹסֶר ז
fatigue, helplessness - חוסר אונים
disbelief, distrust - חוסר אמון
uncertainty - חוסר ביטחון
poor taste - חוסר טעם
instability, shakiness - חוסר יציבות
analgesia - חוסר כאב
disrespect, irreverence - חוסר כבוד
impotence - חוסר כות גברא
poverty, destitution - חוסר כול
weightlessness - חוסר משקל
incivility - חוסר נימוס
inexperience - חוסר ניסיון
uninterest - חוסר עניין
inactivity - חוסר פעילות/מעש
dis-, in-, un- חוֹסֶר (ראה גם אי) תח
beach, shore, coast חוֹף ז
Ivory Coast - חוף השנהב
haven, safe place - חוף מבטחים
canopy, wedding ceremony חוּפָּה נ
hurry, haste חוּפְזָה נ
coastal חוֹפִי ת
plover חוֹפְמִי (עוף) ז
handful חוֹפֶן ז
overlapping, congruent חוֹפֵף ת
be disguised, dress up חוּפַּשׂ פ
freedom, liberty, latitude חוֹפֶש ז
long vacation - החופש הגדול
freedom of speech - חופש הדיבור
freedom of the press - חופש העיתונות

freedom of action - חופש פעולה
leave, vacation, *vac חוּפְשָׁה נ
maternity leave - חופשת לידה
sick leave - חופשת מחלה
free, irreligious, at large חוֹפְשִׁי ת
freedom, familiarity חוֹפְשִׁיוּת נ
outside, out, open, open air חוּץ ז
out, outside, without - בחוץ
out, outward(s) - החוצה
abroad - חוץ לארץ
moreover, further - חוץ מזה
apart from, except - חוץ מן
quarryman חוֹצֵב ז
fiery, burning - חוצב להבות
bisector חוֹצֶה זָווִית ז
open places חוּצוֹת ז״ר
bosom, lap חוֹצֶן ז
renounce, repudiate - ניער חוצנו מן
alien חוּצָן ז
impertinence, insolence חוּצְפָּה נ
impudent, insolent, cheeky חוּצְפָּן ז
buffer, divider חוֹצֵץ ז
attack, denounce - יצא חוצץ
act, law, regulation, rule, statute, enactment חוֹק ז
law of the jungle - חוק הג׳ונגל
Law of the Return - חוק השבות
hard-and-fast rule - חוק ולא יעבור
law and order - חוק וסדר
basic law - חוק יסוד
bylaw - חוק עזר עירוני
constitution, law, rule חוּקָּה נ
canon law - חוקת הכנסייה
lawful, legal, legitimate חוּקִּי ת
illegal, unlawful - בלתי חוקי
legality, legitimacy חוּקִּיוּת נ
enema, *blow, punishment חוֹקֶן ז
legislate, enact חוֹקֵק פ
be legislated, be enacted חוּקַּק פ
inquirer, investigator חוֹקֵר ז
coroner - חוקר מקרי מוות
constitutional חוּקָּתִי ת
constitutionality חוּקָּתִיוּת נ
aperture, hole, socket חוֹר ז
keyhole - חור המנעול
black hole - חור שחור
drought, aridity חוֹרֶב ז
ruined house, ruin חוּרְבָּה נ
ravage, ruin, destruction חוּרְבָּן ז
Destruction of Temples - חורבן הבית
step-, aberrant, deviating חוֹרֵג ת
stepson, stepchild - בן חורג
wrath, anger חוֹרִי אַף ז
extermination חוֹרְמָה נ
winter חוֹרֶף ז
blade, edge חוּרְפָּה נ
wintry, winter חוֹרְפִּי ת
mink חוֹרְפָּן ז
creaky, grating, scratchy חוֹרֵק ת
plowman, plougher חוֹרֵשׁ ז
designing, evil-minded - חורש רעה
grove, wood, copse חוֹרֶשׁ ז
grove, wood, copse חוּרְשָׁה נ
artichoke חוּרְשָׁף ז
sense, feeling, flair חוּשׁ ז

- חוש הומור	sense of humor
- חוש הטעם	sense of taste
- חוש המישוש	sense of touch
- חוש הראייה	sense of sight
- חוש הריח	sense of smell
- חוש השמיעה	sense of hearing
- חוש שישי	sixth sense
חושב פ'	be calculated, be reckoned
*חושה נ'	poor hut/shed
חושחש ז'	bitter orange
חושי ת'	sensory, sensual, sensuous
חושך ז'	darkness, dark, murk
- הרי חושך	edge of the world
- חושך מצריים	pitch-dark
חושל פ'	be inured, be forged
חושם ז'	fool, dolt, botcher
חושמל פ'	be electrified
חושן ז'	breastplate
חושני ת'	carnal, sensual
חושניות נ'	sensualism
חושפני ת'	revealing, exposing
חושק ת'	lover, lustful, covetous
חושש ת'	afraid, nervous, fearful
- חוששני	I'm afraid, I fear
חותך ת'	decisive, lapidary, secant
חותכן ז'	letter opener
חותכת נ'	incisor
חותל פ'	be diapered
חותל ז'	wrapper, gaiter
חותלת נ'	gaiter, puttee, legging
חותם ז'	imprint, seal, stamp
חותם ז'	signer, subscriber
חותמת נ'	seal, stamp, signet
- חותמת גומי	rubber stamp
חותן פ'	be married off
חותן ז'	father-in-law
חותנת נ'	mother-in-law
חותר ז'	rower, oarsman, striver
חזאות נ'	meteorology, forecasting
חזאי ז'	weatherman, weather-wise, forecaster
חזה פ'	foresee, watch, anticipate
חזה ז'	breast, chest
חזוי ת'	expected, forecast
חזון ז'	prophecy, vision
- חזון נפרץ	a usual occurrence
- חזון תעתועים	chimera, illusion
- עוד חזון למועד	time will tell
חזות נ'	appearance, vision, prospect, facade
- חזות הכל	the main thing
- חזות קשה	a grim future
חזותי ת'	visual, optical
- חזותי שמיעתי	audio-visual
חזזית נ'	acne, lichen
חזי ת'	pectoral, of the breast
חזיז ז'	bolt, flash, firecracker
- חזיז ורעם !	Good Heavens!
חזייה נ'	bra, brassiere, vest
חזיר ז'	hog, pig, swine
- חזיר בר	boar, wild boar
- חזיר ים	cavy, guinea pig
חזירה נ'	sow
חזירון ז'	piggy, piglet
חזירות נ'	swinishness, piggishness
חזירי ת'	hoggish, swinish, porcine
חזירית נ'	king's evil, scrofula
חזית נ'	front, facade
- חזית הפנים	home front
- חזית חמה	warm front
- חזית קרה	cold front
חזיתי ת'	frontal, head-on
חז"ל = חכמינו ז"ל	our Sages
חזן ז'	cantor of synagogue
חזנות נ'	office of cantor
חזק פ'	become strong
- חזק ואמץ/וברוך !	be strong/blessed
חזק ת'	strong, powerful, firm, forcefully, firmly
חזקה נ'	holding, occupation, possession, presumption
- חזקה עליו	no doubt, he must
חזקה נ'	power, exponent
- חזקה שלישית	cube
- חזקה שנייה	square
חזר פ'	come back, be back, return, repeat, rehearse
- חזור	let, *come again
- חזר בו	regret, withdraw, retract
*- חזר בשאלה	become irreligious
- חזר בתשובה	become religious
- חזר לסורו	revert to bad habits
- חזר לעצמו	recover, come to oneself
חזרה נ'	rehearsal, repetition, return
- בחזרה	back, backwards
- חזרה בתשובה	becoming religious
חזרזיר ז'	piggy, piglet
חזרזר ז'	gooseberry
חזרן ז'	bamboo, cane
חזרת (ירק) נ'	horseradish
חזרת (מחלה) נ'	mumps
חח ז'	nose ring, swivel
חט ז'	tusk, incisor
חטא פ'	sin, transgress, do wrong
חטא ז'	sin, fault, wrongdoing
חטאת נ'	sin offering, sin
חטב פ'	cut, chop wood, log
חטוב ת'	well shaped, carved
חטוטרת נ'	hump, hunch
חטוף ת'	snatched, abducted, quick, sudden, swift
חטופות תה"פ	swiftly, quickly
חטט ז'	blackhead, pimple, spot
חטטן ז'	faultfinder, nosy, snoop
חטטנות נ'	faultfinding
חטטני ת'	nosy, snoopy
חטטת נ'	furunculosis, acne
חטיבה נ'	brigade, regiment, division, section
- חטיבת ביניים	junior high school
חטיבתי ת'	regimental, of a brigade
חטיט ז'	comedo, blackhead
חטיף ז'	snack, bite, nosh
- חטיף בריאות	health bar
חטיפה נ'	abduction, kidnapping, hijack, snatch, grab
חטף פ'	snatch, grab, hijack, skyjack, kidnap, abduct, *get
*- חטף סטירה	get a slap
- חטף תנומה	take a nap
חטף ז'	haste, hurry, semivowel

חַטְפָן ז׳ snatcher, grabber
חַי ת׳ live, living, alive, vivid
- חי ובועט alive and kicking
- חי וקיים alive, existing
- חי נפשי! upon my life!
חַי (ראה גם חָיָה) פ׳ live, reside, dwell
חִיבֵּב פ׳ be fond of, like, love
חִיבָּה נ׳ affection, liking, love
חִיבּוּט ז׳ beating, castigation
חִיבּוּץ ז׳ churning
חִיבּוּק ז׳ embrace, hug, clasp
- חיבוק דוב bear hug
- חיבוק ידיים idleness, inaction
חִיבּוּר ז׳ addition, connection, linkage, composition, essay
חִיבֵּל פ׳ damage, harm, sabotage
- חיבל תחבולות scheme, devise
חִיבֵּל ז׳ cordage, rigging, tackle
חִיבֵּץ שֶׁמֶנֶת פ׳ churn
חִיבֵּק פ׳ hug, embrace, embosom
חִיבֵּר פ׳ join, tie, connect, add, write, compose
חִיגֵּר ז׳ lame, limping
חִיגְּרוּת נ׳ lameness, limping
חִידֵּד פ׳ sharpen, edge, whet
חִידָה נ׳ puzzle, riddle, enigma
חִידּוּד ז׳ sharpening, wit, quip
- חידודים חידודים goose-flesh
חִידוֹן ז׳ quiz
חִידוֹנַאי ז׳ quizmaster
חִידּוּשׁ ז׳ innovation, renewal, resumption, renovation
- חידוש נעורים rejuvenation
- חידושי לשון new words
חִידָּלוֹן ז׳ cessation, stopping
חִידֶּקֶל (נהר) ז׳ Tigris
חִידֵּשׁ פ׳ resume, renew, invent
חָיָה פ׳ live, be alive, exist
- חיה ותן לחיות live and let live
- נחיה ונראה wait and see
חַיָּה נ׳ animal, beast, brute
- חיה רעה beast, brutal person
- חיות מעבדה lab animals
- חיית בית domestic animal
- חיית טרף beast of prey
- חיית כיס marsupial
- חיית מחמד pet
חִיּוּב ז׳ debiting, charge, obligation, conviction, approval, affirmation
חִיּוּבִי ת׳ positive, favorable, *yes
חִיּוּג ז׳ dialing
- חיוג חוזר redial
חִיוָּה פ׳ pronounce, express, state
חִיוֵּט פ׳ wire
חִיוּוּט ז׳ wiring, wirework
חִיוּוּי ז׳ statement, indication
- דרך החיווי indicative mood
חִיוֵּר ת׳ pale, ashen, colorless
חִיוֵּור דָּם ז׳ leukemia
חִיוָּרוֹן ז׳ paleness, pallor
חִיּוּךְ ז׳ smile, chuckle, grin
חִיּוּל ז׳ enlistment, mobilization
חִיּוּנִי ת׳ essential, vital, necessary
חִיּוּנִיּוּת נ׳ vitality, necessity
חִיּוּת נ׳ liveliness, vitality, sap
חִיזְבָּאלְלָה ז׳ Hezbollah

חִיזּוּי ז׳ prediction, forecasting
חִיזּוּק ז׳ strengthening, support
חִיזּוּר ז׳ courtship, wooing, reduction
- חיזורים addresses, advances
חִיזּוֹרֶת נ׳ refrain, reprise
חִיזָּיוֹן ז׳ vision, revelation, play
- חזיון תעתועים fata morgana
- חיזיון אור קולי son et lumiere
חִיזֵּן פ׳ sing as a cantor
חִיזֵּק פ׳ strengthen, fortify
- חיזק את ידיו support, encourage
חִיזֵּר פ׳ court, woo, canvass
- חיזר על הפתחים go begging
חִיטֵּא פ׳ disinfect, sterilize
חִיטָּה נ׳ wheat
- חיטה מלאה wholewheat
חִיטּוּב ז׳ carving, sculpture
חִיטּוּט ז׳ carping, picking
חִיטּוּי ז׳ disinfection, fumigation
חִיטֵּט פ׳ scratch, snoop, carp, peck
- חיטט באף pick one's nose
חִייֵּב פ׳ compel, force, charge, debit, convict, approve of
חַיָּיב ת׳ should, must, obliged, debtor, guilty
- היה חייב must, ought, owe
- חייב במס taxable, dutiable
חַיְיבָּר ז׳ wildlife reserve
חִייֵּג פ׳ dial
חַיְיגָן ז׳ dialer
חַיְידַּק ז׳ microbe, germ, bacillus
- חיידקים bacteria
חִייָּה פ׳ give life, revive
חַיְיזָר ז׳ alien
חַיְיזֶרַע ז׳ spermatozoon
חִייֵּט פ׳ tailor, sew
חַיָּיט ז׳ tailor, sewer
חַיָּיטוּת נ׳ tailoring
חִייֵּךְ פ׳ smile, chuckle, grin
חַיְיכָנִי ת׳ smiling, smiler
חִייֵּל פ׳ enlist, mobilize
חַיָּיל ז׳ soldier, GI, pawn
- חייל סדיר regular
- חייל שוקולדה carpet-knight
- חיילים soldiery, troops
חַיָּילִי ת׳ soldierly, military
חַיֶּילֶת נ׳ woman soldier
חַיִּים ז״ר life
- בחיים alive, living
*- בחיים לא! never!, never ever!
- חיי כלב dog's life
- חיי מין sex life
- חיי עולם eternal life
- חייו תלואים לו מנגד his life hangs by a hair
- כמו בחיים lifelike
*- עשה חיים (משוגעים) have a good time
חַיְינוֹעַ ז׳ stroboscope
חַיְיעַד ז׳ everlasting
חִייֵּץ פ׳ partition, extrapolate
חַיְישָׁן ז׳ sensor
חַיְיתִי ת׳ beastly, animal, bestial
חַיְיתִיּוּת נ׳ animalism, bestiality
חֵיךְ ז׳ palate

- החיך הרך soft palate
- חיך שסוע cleft palate
חִיכָּה פ׳ wait, expect, await, stay
חִיכּוּךְ ז׳ friction, rubbing, strife
חִיכִּי ת׳ palatal, of the palate
חִיכֵּךְ פ׳ rub, scratch, chafe
חַיִל ז׳ strength, power, bravery, army, force, corps
- חיל אוויר air force
- חיל הנדסה engineering force
- חיל חימוש ordnance corps
- חיל ים navy
- חיל מצב garrison
- חיל פרשים cavalry
- חיל קשר signal corps
- חיל רגלים infantry
- חיל שריון armored corps
- חיל תותחנים artillery
- מחיל אל חיל always prospering
- עשה חיל prosper, thrive
חִיל ז׳ fear, trembling
חִילָּה פָּנָיו פ׳ beg, entreat
חִילּוּט ז׳ forfeiture, foreclosure
חִילּוּל ז׳ desecration, profanity
- חילול הקודש sacrilege
- חילול השם blasphemy
- חילול שבת desecration of Sabbath
- חילול שטר dishonoring a bill
חִילּוּן ז׳ secularization
חִילּוֹנִי ת׳ secular, irreligious
חִילּוֹנִיּוּת נ׳ secularism
חִילּוּף ז׳ exchange, substitution, alternation
- חילוף חומרים metabolism
- חילופי אש exchange of shots
חִילּוּפִי ת׳ alternative, substitute
חִילּוּפֵי גַּבְרֵי ז״ר reshuffle, shakeup
חִילּוּפִית נ׳ ameba
חִילּוּץ ז׳ extrication, rescue, recovery
- חילוץ עצמות physical drill
חִילּוּק ז׳ division, dividing
- חילוקי דיעות disagreement
חִילָּזוֹן ז׳ snail, worm, slug
חִילֵּט פ׳ forfeit, foreclose
חִילֵּל פ׳ profane, desecrate, violate, play the flute
חִילֵּן פ׳ laicize, secularize
חִילֵּץ פ׳ free, deliver, remove, rescue, extricate, rid
- חילץ עצמות stretch one's legs
חִילֵּק פ׳ divide, distribute, give out, partition, deal out
חֵימָה נ׳ anger, fury, rage, wrath
- חימה שפוכה towering rage
- חמת זעם great anger, fury
חִימּוּם ז׳ warming, heating
*- חימום הקנה warm-up
חִימּוּשׁ ז׳ armament, arming, ordnance
חִימֵּם פ׳ heat, warm, warm up
- חימם את הלב warm the heart
חֵימָר ז׳ asphalt, clay, bitumen
חִימֵּשׁ פ׳ equip, arm, munition
חִין עֶרְכּוֹ ז׳ grace, charm
חִינָּה נ׳ henna
חִינּוּךְ ז׳ education, upbringing
- חינוך גופני physical education
- חינוך חובה compulsory education
- חינוך מיוחד special education
- חינוך מעורב coeducation
- חינוך משלים further education
חִינּוּכִי ת׳ educational, pedagogic
חִינֵּךְ פ׳ bring up, educate, train up
חִינָּם תה״פ free, gratis, in vain
חִינָּמוֹן ז׳ free newspaper
חִינָּנִי ת׳ graceful, charming
חִינָּנִיּוּת נ׳ gracefulness, charm
חִינָּנִית נ׳ daisy, marguerite
חִיסּוּי ז׳ shelter, refuge
חִיסּוּל ז׳ liquidation, elimination
- חיסול חשבונות settling accounts
חִיסּוּן ז׳ immunization, vaccination
חִיסּוּנִי ז׳ immunological
חִיסּוּר ז׳ subtraction, deduction
חִיסָּיוֹן ז׳ immunity, shelter, privilege
- חיסיון עיתונאי press immunity
- חסיון עורך-דין לקוח lawyer-client privilege
חִיסָּכוֹן ז׳ saving, economy
חִיסֵּל פ׳ put an end to, liquidate, cancel, annul, finish, kill
חִיסֵּם פ׳ temper, harden, forge
חִיסֵּן פ׳ immunize, proof, vaccinate
חִיסֵּר פ׳ subtract, deduct
חִיסָּרוֹן ז׳ disadvantage, deficiency, defect, demerit, weakness, absence
- חסרון כיס poverty, loss of money
חֵיפָאִי ת׳ of Haifa
חִיפָּה פ׳ cover, protect, shield, cover up
חֵיפָה נ׳ Haifa
חִיפָּה: חִיפַּת הַמָּנוֹעַ hood, bonnet
חִיפּוּי ז׳ cover, protection, cover-up
חִיפּוּשׂ ז׳ search, quest, frisk
חִיפּוּשִׂית נ׳ beetle, May-bug
- חיפושית זבל scarab
- חיפושית פרעה scarab
חִיפָּזוֹן ז׳ haste, hurry, rush
*חִיפֵּף פ׳ do desultorily, botch
חִיפֵּשׂ פ׳ look for, search, seek
- חיפש פגמים find fault
חַיִץ ז׳ barrier, buffer, partition
חִיצוֹן ת׳ outer, external
חִיצוֹנִי ת׳ external, outward, outer
חִיצוֹנִיּוּת נ׳ exterior, outside
חֵיק ז׳ bosom, lap
חִיקָּה פ׳ imitate, copy, emulate
חִיקּוּי ז׳ imitation, mimicry, parody
חִיקּוּק ז׳ statute, act, enacting
חִיקּוּר ז׳ investigation, research
- חיקור דין investigation (abroad)
חי״ר = חיל רגלים infantry
חֵירוּם ז׳ emergency, exigency
חֵירוּף ז׳ curse, blasphemy
- חירוף נפש mortal danger
חֵירוּק ז׳ grinding, indenting, rifling
- חירוק שיניים fury, rage, effort
חִירוּר ז׳ perforating
חֵירוּת נ׳ freedom, liberty
- חירות המשורר poetic license
- חירות הפרט personal liberty

חִירִיק ז׳ ee, (Hebrew vowel)
חֵירֵף פ׳ curse, insult, blaspheme
- חירף נפשו risk one's life
חֵירֵץ פ׳ flute, groove, jag, slot
חֵירֵר פ׳ perforate, bore
חֵירֵשׁ ז׳ deaf
- חירש אילם deaf-mute
חֵירְשׁוּת נ׳ deafness
חִישׁ תה״פ quickly, on the double
- חיש מהר/קל quickly
חִישֵׁב פ׳ calculate, reckon, compute
חִישָּׁה נ׳ sensation, sense
- מערכת החישה sensory system
חִישּׁוּב ז׳ computation, calculation
חִישּׁוּל ז׳ forging, strengthening
חִישּׂוּף ז׳ exposure, laying bare
חִישּׁוּק ז׳ hoop, ring, rim
חִישּׁוּקַאי ז׳ hard-liner
חִישּׁוּר ז׳ hub, spoke
חִישֵּׁל פ׳ anneal, harden, forge, temper, shape
חַיְשָׁן ז׳ sensor
חִישֵּׁק פ׳ hoop, gird, fasten, adhere to a firm policy
חוּשְׁתִּי ת׳ sensory
חֵית נ׳ heth (letter)
חִיתָּה: הִפִּיל חִיתָּתוֹ פ׳ terrorize
חִיתּוּי ז׳ raking, gathering
חִיתּוּךְ ז׳ cut, cutting, etching, carving, section, incision
- חיתוך דיבור articulation, diction
חִיתּוּל ז׳ diaper, napkin, *nappy, swaddling clothes
- בחיתוליו in embryo
חִיתּוּם ז׳ sealing, signing, stamping
חִיתּוּן ז׳ marrying off
חִיתֵּל פ׳ diaper, bandage, swaddle
חִיתֵּן פ׳ marry off, wed
חֵךְ (ראה חיך) ז׳ palate
ח״כ = חבר כנסת Member of Knesset
חַכָּה נ׳ fishing rod, fishhook
- העלה בחכה hook, snare, angle
חָכוּר ת׳ hired, leased
חִכְחֵךְ פ׳ clear one's throat
חַכִּימָא ת׳ wise, clever, smart
חֲכִירָה נ׳ lease, tenancy, rent
- חכירת משנה sublease
חָכַךְ פ׳ rub, scratch
- חכך בדעתו hesitate, meditate
- חכך ידיו (בהנאה) rub one's hands
חֲכֶּכֶת נ׳ eczema
חַכְלִילִי ת׳ reddish, ruddy
חָכַם פ׳ be clever, become wise
חָכָם ת׳ wise, clever, sage, Rabbi
- חכם בלילה *wiseacre, *wise guy
- חכם גדול *smart aleck
חֲכָמָה נ׳ wise woman
חָכְמָה (ראה חוכמה) נ׳ wisdom
חָכַר פ׳ lease, hire, let, rent
חָל פ׳ apply, be due, fall on, occur, take effect
חֵל ז׳ moat, bulwark, rampart
חֶלְאָה נ׳ scum, dirt, filth
- חלאת אדם riffraff, skunk
חָלַב פ׳ milk
חָלָב ז׳ milk

- חלב הדג milt
חֵלֶב ז׳ tallow, fat, grease
חִלְבָּה נ׳ fenugreek
חַלְבָה, חלווה נ׳ halvah
חֶלְבּוֹן ז׳ albumen, protein, egg white
חֶלְבּוֹנִי ת׳ albuminous
חֲלָבִי ת׳ lactic, milky
חַלְבָן ז׳ milkman, dairyman
חַלְבָנוּת נ׳ dairy farming
חֶלֶד ז׳ world, this life
חָלָה פ׳ be ill, fall sick
חַלָּה נ׳ halla, twist bread
- חלה קלועה plaited halla
- חלת דבש honeycomb, comb
חָלוּד ת׳ rusty
חֲלוּדָה נ׳ rust
חָלוּט ת׳ boiled, scalded, absolute
חָלוּל ת׳ hollow, female
חֲלוֹם ז׳ dream, vision
*- בחלום ! never!, definitely not!
- חלום באספמיה castles in Spain
- חלום בהקיץ daydream, reverie
- חלום בלהות nightmare
חֲלוֹמִי ת׳ dreamlike, *wonderful
חַלּוֹן ז׳ window, light
- החלונות הגבוהים high places
- חלון הרמה sash window
- חלון משכית stained-glass window
- חלון צרפתי French window
- חלון ראווה shop window
חֲלוֹף ז׳ vanishing, passing
- בחלוף הזמן in course of time
- בן חלוף ephemeral, transient
חֲלוּפָה נ׳ alternative
חֲלוּפִי ת׳ alternative
חָלוּץ ז׳ pioneer, vanguard, forward
- חלוץ מרכזי center forward
חֲלוּצִי ת׳ pioneer, pioneering
חֲלוּצִיּוּת נ׳ pioneering, initiation
חָלוּק ז׳ gown, robe, housecoat
חָלוּק ת׳ disagreeing, differing
חֲלוּקָה נ׳ distribution, dealing, division, partition
- חלוקת עבודה division of labor
חַלּוּקֵי אֶבֶן ז״ר pebbles, shingle
חָלוּשׁ ת׳ weak, feeble, decrepit
חֲלוּשׁוֹת תה״פ weakly, feebly
חָלוּת נ׳ application, taking effect
חֶלְזוֹנִי ת׳ spiral, coiled, voluted
חִלְחוּל ז׳ percolation, permeation, seepage, penetration
חַלְחוּל ז׳ percolator
חַלְחוֹלֶת נ׳ rectum
חִלְחֵל פ׳ penetrate, percolate, seep
חַלְחָלָה נ׳ trembling, horror, jump
חָלַט פ׳ brew, scald, pour boiling water, blanch, infuse
*חַלְטוּרָה נ׳ moonlighting, sideline, second job
חֲלִיבָה נ׳ milking
חָלִיד ת׳ rusty, corrosive
חֲלִיטָה נ׳ brew, scalding, infusion
חָלִיל ז׳ flute, fife, pipe
- חליל צד flute
חֲלִילָה תה״פ again and again
- וחוזר חלילה again and again

חָלִילָה! מ״ק	God forbid!
חֲלִילוֹן ז׳	piccolo, flageolet
חֲלִילִית נ׳	recorder
חֲלִילָן ז׳	flautist, flutist, piper
חָלִיף ז׳	substitute, alternate
חָלִיף ת׳	changeable, commutable, replaceable
חֲלִיפָה נ׳	suit, costume, tuxedo
- חליפת חלל	space suit
- חליפת מכתבים	correspondence
חֲלִיפוֹת תה״פ	alternately, by turns
חֲלִיפִי ת׳	alternative, substitute
חֲלִיפִין ז״ר	barter, exchange
חֲלִיצָה נ׳	battle-dress, taking off, releasing brother-in-law
חֲלִיק ז׳	slur, slide
חָלִיק ת׳	divisible
חֲלִישׁוּת עֲצַבִּים נ׳	neurasthenia
חֵלְכָאִים ז״ר	wretched, poor
חָלָל ז׳	space, cosmos, hollow, vacuity, dead, fallen
- החלל החיצון	outer space
- חלל ריק	vacuum
חֲלָלִית נ׳	spaceship, spacecraft
חָלַם פ׳	dream, *muse, laze
- חלם בהקיץ	moon, daydream
חֶלֶם ז׳	stupidity, foolishness
חֶלְמוֹן ז׳	yolk
חֶלְמוֹנָה נ׳	egg brandy
חַלָּמִישׁ ז׳	flint
חַלְמִית (פרח) נ׳	mallow
*חַלָס! מ״ק	enough!
חָלַף פ׳	pass by, go past, vanish
- חלף במוחו/בראשו	cross one's mind
חֵלֶף ז׳	spare part, butcher's knife
חֵלֶף תה״פ	in return for
חַלְפָן ז׳	money-changer
חַלְפָנוּת נ׳	money-changing
חָלַץ פ׳	remove, take off, pull out
- חלצה שד	suckle
חֲלָצַיִם ז״ר	loins, waist
חִלֵּק פ׳	divide, share, allot
- חלק כבוד	respect, pay homage
- חלק על	differ, disagree
- חלק שבחים	eulogize, praise
חֵלֶק ז׳	part, portion, share, piece
- אין לו חלק ונחלה ב-	have no part/share in
- בחלקו	partly, in part
- חלק אינטגרלי	integral part
- חלק הארי	lion's share
- חלק כחלק	equally, fifty-fifty
- חלקי הדיבור	parts of speech
- חלקי חילוף	spare parts
- לקח חלק	participate
חָלָק ת׳	smooth, blank, clean, flat
- חלק קדח	smoothbore
חֶלְקָה נ׳	plot, lot, portion, parcel
- דברי חלקות	flattery, cajolery
- חלקת לשון	flattery, cajolery
חַלְקוּם ז׳	Turkish delight
חֶלְקִי ת׳	partial, fractional
חֶלְקִיּוּת נ׳	partiality
חֶלְקִיק ז׳	particle, fraction
חֶלְקִית תה״פ	partially, partly
חֲלַקְלַק ת׳	slippery, smooth, slick

חָלַשׁ פ׳	become weak, weaken
- חלש על	dominate, command
- חלשה דעתו	be sorry, be confused
חַלָּשׁ ת׳	weak, feeble, frail
*חַלַשְׁלוּשׁ ת׳	weak, very weak
חָם ז׳	father-in-law
חַם ת׳	warm, hot, fervent, torrid
- חם מזג	hot-blooded
חֶמְאָה נ׳	butter
חָמַד פ׳	covet, desire, hanker
- חמד לצון	joke, jest
חֶמֶד ז׳	charm, grace, loveliness
חֶמְדָּה נ׳	desire, love
חַמְדָן ז׳	greedy, covetous
חַמְדָנוּת נ׳	greed, covetousness
חַמָּה נ׳	sun
חֵמָה (ראה חימה) נ׳	anger
חָמוּד ת׳	charming, cute, *sweetie
חֲמוּדוֹת נ״ר	grace, beauty
חֲמוּלָה נ׳	clan, clique, sect
חֲמוּם מוֹחַ ת׳	hotheaded
חֲמוּם מֶזֶג ת׳	hot-tempered
חָמוּץ ת׳	acid, sour, vinegary
חֲמוּצִים ז״ר	pickles
חַמּוּקִים ז״ר	hips, thighs
חֲמוּקִית נ׳	slip
חֲמוֹר ז׳	donkey, ass, jackass, trestle
- חמור גרם	jackass, fool
- חמור ים	haddock
- חמור (בהתעמלות)	horse
חָמוּר ת׳	serious, severe, grave
- חמור סבר	grave, solemn
חֲמוֹרִי ת׳	asinine
חָמוּשׁ ת׳	armed, equipped
חָמוֹת נ׳	mother-in-law
חִמְזוּר ז׳	redox
חֲמִיטָה נ׳	pancake
חָמִים ת׳	warm, cosy, cordial
חֲמִימוּת נ׳	warmth, heartiness
חַמִּין ז״ר	hot water, cholent, Sabbath food
חֲמִיצָה נ׳	borscht, beetroot soup
חֲמִיצוּת נ׳	acidity, sourness
חֲמִשָּׁה ש״מ	five, 5
- (החלק) החמישה עשר	fifteenth
חֲמִשָּׁה עָשָׂר ש״מ	fifteen, 15
חֲמִישִׁי ת׳	fifth
- יום חמישי	Thursday
חֲמִישִׁיָּה נ׳	quintet, quintuplets, *fiver
חֲמִשִּׁים ש״מ	fifty, 50
- (החלק) החמישים	fiftieth
חֲמִישִׁית נ׳	fifth
חָמַל פ׳	have pity, spare
חמ״ל = חדר מלחמה	
חֶמְלָה נ׳	pity, mercy, compassion
חֲמָמָה נ׳	glasshouse, greenhouse, hothouse, frame, hotbed
חַמָּנִית נ׳	sunflower
חָמַס פ׳	rob, destroy, usurp
חָמָס ז׳	corruption, violence, Hamas
חַמְסִין ז׳	heat wave, sirocco, Hamsin
חַמְסָן ז׳	robber, predator, usurper
חָמֵץ ז׳	leavened bread
חִמְצָה (קטנית) נ׳	chickpea
חִמְצוּן ז׳	oxidization

wood-sorrel	חַמְצִיץ ז׳
acidulous, sourish	חֲמַצְמַץ ת׳
oxidize, oxygenate	חִמְצֵן פ׳
oxygen	חַמְצָן ז׳
oxygenic	חַמְצָנִי ת׳
acidosis	חַמֶּצֶת (מחלה) נ׳
sneak, slip away, escape	חָמַק פ׳
elusive, evasive, slippery	חֲמַקְמַק ת׳
slippery, evasive, elusive	חַמְקָן ז׳
evasiveness	חַמְקָנוּת נ׳
clay	חֵמָר (ראה חימר) ז׳
red loam, loess	חַמְרָה נ׳
hangover	חֲמַרְמוֹרֶת נ׳
aluminum	חַמְרָן ז׳
five, 5	חָמֵשׁ ש״מ
fifteen, 15	חֲמֵשׁ עֶשְׂרֵה ש״מ
fifteenth	הַחֲמֵשׁ עשרה -
staff, stave	חֲמִשָּׁה נ׳
limerick	חֲמָשִׁיר ז׳
quintet, quintette	חֲמִשִּׁית נ׳
skin bottle, skin	חֵמֶת נ׳
bagpipes, pipes	חֵמַת חלילים -
waterskin	חֵמַת מים -
grace, charm, favor	חֵן ז׳
thank you	חֵן חֵן -
occult, recondite	יוֹדְעֵי ח״ן -
love, like	מָצָא חֵן בעיניו -
women's corps	ח״ן = חֵיל נשים -
feast, merrymaking	חִנְגָּא ז׳
camp, encamp, stop, park	חָנָה פ׳
storekeeper, retailer	חֶנְוָנִי ז׳
mummy, embalmed	חָנוּט ז׳
Hanukka, Festival of Lights, inauguration	חֲנֻכָּה נ׳
housewarming	חֲנֻכַּת בית -
Hanukka lamp	חֲנֻכִּיָּה נ׳
sucker, fool	* חָנוּן ז׳
merciful, gracious	חַנּוּן ת׳
flattery, sycophancy	חֲנוּפָה נ׳
choked, pressed for cash	חָנוּק ת׳
shop, store, fly	חֲנוּת נ׳
grocery	חֲנוּת מכולת -
coquettishness	חִנְחוּן ז׳
embalm, mummify	חָנַט פ׳
fake, gibberish	* חַנְטָרִישׁ ז׳
parking, halt, stop	חֲנָיָה נ׳
car park, campground	חֶנְיוֹן ז׳
mummification, embalming	חֲנִיטָה נ׳
parking, halt, stop	חֲנָיָה נ׳
apprentice, trainee, cadet	חָנִיךְ ז׳
monitor, in charge	חָנִיךְ תורן -
apprenticeship	חֲנִיכוּת נ׳
gums	חֲנִיכַיִם ז״ר
amnesty, pardon	חֲנִינָה נ׳
strangling, suffocation	חֲנִיקָה נ׳
spear, lance, pike	חֲנִית נ׳
inaugurate, launch, train	חָנַךְ פ׳
pity, pardon, bestow, grant	חָנַן פ׳
flatterer, sycophant, oily	חַנְפָן ז׳
flattery, fawning	חַנְפָנוּת ז׳
flattering, fawning	חַנְפָנִי ת׳
strangle, suffocate, choke	חָנַק פ׳
strangulation, suffocation	חֶנֶק ז׳
boa, constrictor	חֶנֶק (נחש) ז׳
nitrate	חַנְקָה נ׳
nitrogen	חַנְקָן ז׳
nitric, nitrogenous	חַנְקָנִי ת׳
nitrous	חַנְקָתִי ת׳
pity, spare, skimp	חָס פ׳
God forbid!	חַס וְחָלִילָה!/וְשָׁלוֹם!
favor, charity, benevolence	חֶסֶד ז׳
very good, gifted	* בְּחֶסֶד
find shelter, take refuge	חָסָה פ׳
lettuce	חַסָּה (ירק) נ׳
graceful, hypocritical	חָסוּד ת׳
sheltered, protected, privileged, confidential	חָסוּי ת׳
impassable, blocked	חָסוּם ת׳
stout, strong, lusty, stocky	חָסוֹן ת׳
aegis, auspices, patronage, sponsorship	חָסוּת נ׳
under cover of, sponsored	בְּחָסוּת -
cartilage, gristle	חַסְחוּס ז׳
adherent, fan, follower, pious, Hasid, haredi	חָסִיד ת׳
stork	חֲסִידָה נ׳
piety, virtue, well-doing, Hasiduth (Haredim)	חֲסִידוּת נ׳
Hasidic, haredi	חֲסִידִי ת׳
locust	חָסִיל ז׳
shrimp	חֲסִילוֹן ז׳
blocking, restriction, interference, jamming	חֲסִימָה נ׳
immune, proof, resistant	חָסִין ת׳
fireproof	חֲסִין אֵשׁ -
shockproof	חֲסִין זעזועים -
waterproof	חֲסִין מים -
bombproof	חֲסִין פצצות -
bulletproof	חֲסִין קליעים -
immunity, privilege	חֲסִינוּת נ׳
diplomatic immunity	חֲסִינוּת דיפלומטית -
save, economize, spare	חָסַךְ פ׳
criticize severely	לֹא חָסַךְ שבט -
absence, want	חֶסֶךְ ז׳
economical	חֶסְכוֹנִי ת׳
thrifty, saver, frugal	חַסְכָן ז׳
thrift, saving, economy	חַסְכָנוּת נ׳
frugal, thrifty, sparing	חַסְכָנִי ת׳
stop, that's all	חָסָל מ״ק
liquidator	חַסְלָן ז׳
block, bar, stop, stem	חָסַם פ׳
tourniquet	חָסָם ז׳
obstruction	חֶסֶם ז׳
roughness, coarseness	חִסְפּוּס ז׳
rough, roughen, coarsen	חִסְפֵּס פ׳
pellagra	חַסְפֶּסֶת (מחלה) נ׳
surfboat	חֲסָקָה נ׳
lack, miss, want	חָסַר פ׳
do not dare to	* חֲסָר לְךָ שֶׁ- !
deficiency disease	חֶסֶר ז׳
lacking, without, minus	חֲסַר ת׳
helpless, powerless	חֲסַר אוֹנִים ת׳
characterless	חֲסַר אוֹפִי ת׳
waif, homeless	חֲסַר בַּיִת ת׳
baseless	חֲסַר בָּסִיס/יְסוֹד ת׳
carefree, easy	חֲסַר דְּאָגוֹת ת׳
anemic, bloodless	חֲסַר דָּם ת׳
mindless, witless	חֲסַר דֵּעָה ת׳
unconscious	חֲסַר הַכָּרָה ת׳
spineless	חֲסַר חוּט שִׁדְרָה ת׳
inanimate, lifeless	חֲסַר חַיִּים ת׳

חָסֵר טַעַם ת׳ pointless, tasteless
חֲסַר יֶשַׁע ת׳ helpless, high and dry
חֲסַר כֹּחַ גַּבְרָא ת׳ impotent
חֲסַר כֹּל ת׳ destitute, stone-broke
חֲסַר לֵב ת׳ heartless, unfeeling
חֲסַר מַזָּל ת׳ unfortunate, luckless
חֲסַר מַשְׁמָעוּת ת׳ meaningless
חֲסַר מִשְׁקָל ת׳ weightless
חֲסַר נִסָּיוֹן ת׳ inexperienced
חֲסַר נְשִׁימָה ת׳ breathless, puffed
חֲסַר סַבְלָנוּת ת׳ impatient
חֲסַר עֵרֶךְ ת׳ worthless, valueless
חֲסַר פְּנִיּוֹת ת׳ impartial
חֲסַר שַׁחַר ת׳ groundless, unfounded
חֲסַר תּוֹקֶף ת׳ invalid, not valid
חֲסַר תַּכְלִית ת׳ purposeless
חֲסַר תַּקְדִּים ת׳ unprecedented
חַסְרֵי חוּלְיוֹת ז״ר invertebrates
חַף ז׳ tooth of a key
חַף ת׳ blameless, guiltless, innocent
- חף מפשע innocent, guiltless
חָפָה פ׳ cover, overlap
חֻפָּה נ׳ bract
*חָפוּז ז׳ quickie
חָפוּז ת׳ hasty, hurried, perfunctory
חָפוּי ת׳ covered, wrapped
- חפוי ראש ashamed
חֲפוֹרֶת נ׳ spoil, excavated earth
חַפּוּת נ׳ innocence, clean hands
חָפוּת ת׳ rolled up (sleeve)
חֲפִי ז׳ bib, flap
חֲפִיסָה נ׳ pack, packet
- חפיסת קלפים deck
*חַפִּיף תה״פ perfunctorily, bad
חֲפִיפָה נ׳ overlapping, congruence
- חפיפת ראש shampooing
חֲפִיר ז׳ ditch, fosse, moat, trench
חֲפִירָה נ׳ ditch, digging, excavation
*חַפְלָה נ׳ party, feast
חָפַן פ׳ cup, take a handful
חָפַף פ׳ overlap, coincide, be congruent, shampoo, wash
חֶפֶף ז׳ pumice
חָפֵץ פ׳ desire, want, wish
חֵפֶץ ז׳ article, commodity, object, thing, desire, want, wish
- בחפץ לב with pleasure, gladly
- חפץ נוי knickknack
- חפצי ערך valuables
חֶפְצִיּוּת נ׳ caprice
חפ״ק command post
חָפַר פ׳ dig, excavate, unearth
חַפָּר ז׳ digger, sapper
חַפְרוּר ז׳ mattock, mineral
חֲפַרְפֶּרֶת נ׳ mole
חָפַת פ׳ roll up, turn up, tuck
חֵפֶת ז׳ cuff, fold, tuck, turnup
חֵץ ז׳ arrow, dart, shaft
- כחץ מקשת quickly, swiftly
חֲצָאִים ז״ר halves
חֲצָאִית נ׳ skirt
- חצאית בלט tutu
- חצאית מכנסיים culottes
- חצאית סקוטית kilt
- חצאית קפלים pleated skirt
חָצַב פ׳ quarry, chisel, hew, carve

חָצָב ז׳ squill
חַצֶּבֶת נ׳ measles, rubeola
חָצָה פ׳ bisect, divide, halve, cross
- חצה את הקווים go too far, renegade
חָצוּב ת׳ hewn, quarried
חֲצוּבָה נ׳ easel, tripod, stand
חָצוּי ת׳ halved, bisected
חָצוּף ת׳ impertinent, insolent
חֲצוֹצְרָה נ׳ bugle, trumpet
- חצוצרת הרחם Fallopian tube, oviduct
חֲצוֹצְרָן ז׳ bugler, trumpeter
חֲצוֹת נ׳ midnight, midday
חֲצִי ז׳ half, semi-, middle, moiety
*- חצי חצי equally, fifty-fifty
- חצי שנתי biyearly, semiannual
- לחצאין half, by halves
- עד חצי המלכות whatever you ask
חֲצִי אִי ז׳ peninsula
חֲצִי אֱמֶת נ׳ half-truth
חֲצִי גְּמָר ז׳ semifinal
חֲצִי הַתֹּרֶן ז׳ half mast
חֲצִי כַּדּוּר (הארץ) ז׳ hemisphere
חֲצִי סַהַר ז׳ crescent
חֲצִי שָׁעָה נ׳ half hour
חֲצִיבָה נ׳ quarrying, hewing
חֶצְיוֹן ז׳ median
חֲצִיָּה נ׳ bisection, crossing
חָצִיל ז׳ aubergine, eggplant
חֲצִיצָה נ׳ partitioning, screening
חָצִיר ז׳ hay, fodder, forage, chaff
חָצַץ פ׳ partition, separate
- חצץ את השיניים pick one's teeth
חָצָץ ז׳ rubble, gravel, chippings
חַצֶּצֶת נ׳ gravel throwing vehicle
חִצְצֵר פ׳ bugle, sound a trumpet
*חַצ'קוּנִים ז״ר pimples, acne
חָצֵר נ׳ courtyard, yard
חֲצֵרִים נ״ר premises, precincts
חַצְרָן ז׳ janitor, courtier
*חִצְרֵץ פ׳ sound a trumpet
חָקוּק ת׳ carved, enacted
חַקְיָן ז׳ imitator, mimic, *copy cat
חַקְיָנוּת נ׳ imitation, mimicry
חַקְיָנִי ת׳ imitative, emulating
חֲקִיקָה נ׳ legislation, engraving
חֲקִירָה נ׳ inquiry, research, probe, investigation, interrogation
- חקירה נגדית cross-examination
- חקירה שתי וערב cross-examination
חַקְלָאוּת נ׳ agriculture, farming
חַקְלַאי ז׳ farmer
חַקְלָאִי ת׳ agricultural, agrarian
חָקַק פ׳ legislate, engrave, carve
חָקַר פ׳ inquire, investigate, explore
- חקר חקירה צולבת cross-examine
חֵקֶר ז׳ inquiry, study, research
- אין חקר immensely, immeasurably
- חקר ביצועים operations research
חַקְרָן ז׳ inquirer, examiner
חַקְרָנִי ת׳ inquisitive, snoopy
*חָרָא ז׳ shit, crap
חָרַב פ׳ be ruined, dry up
- חרב עליו עולמו be completely

ruined
חֶרֶב נ' sword, saber, cutlass
- חרב פיפיות two-edged sword
חָרֵב ת' destroyed, ruined, parched
*חֻרְבָּה נ' ruin, ruined house
*חִרְבּוֹן ז' failure, *shit, fizzle
*חִרְבֵּן פ' spoil, *shit, blow
חָרַג פ' deviate, digress, exceed
חַרְגוֹל ז' grasshopper
חָרַד פ' tremble, be afraid, quail
חָרֵד ת' anxious, fearful, afraid,
pious, religious, haredi
חֲרָדָה נ' alarm, anxiety, worry
- חרדת קודש awe, reverence
חַרְדּוֹן ז' agama
חֲרֵדִי ת' devout, pious, haredi,
ultra-orthodox Jew
חַרְדָּל ז' mustard
חָרָה (אַפּוֹ) פ' be angry, resent
חָרוּב ז' carob
חָרוּז ז' bead, rhyme, verse, rime
- חרוז לבן blank verse
- חרוז תנועה assonance
חָרוּז ת' rhymed, strung, threaded
חָרוּט ז' cone
חָרוּט ת' engraved, carved, turned
חֲרוּטִי ת' conic, conical
חָרוּךְ ת' singed, scorched
חָרוּל ז' thorn, thistle
חֲרוּמַף ז' flat-nosed
חָרוֹן (אַף) ז' wrath, anger, fury
חֲרֹסֶת נ' mixture, pot pourri,
mixture for Passover
חָרוּץ ת' industrious, diligent, utter,
complete
חָרוּשׁ ת' plowed, furrowed
חֲרוֹשֶׁת נ' industry, manufacture
- חרושת שמועות rumor, gossip
חֲרוֹשְׁתָּן ז' industrialist
חָרוּת ת' carved, engraved
חָרַז פ' rhyme, versify, string
חַרְזָן ז' versifier, rhymester
חִרְחוּר ז' provocation, grunt, snort
- חרחור מלחמה aggression
- חרחור ריב instigation, sedition
- חרחורי גסיסה death rattle
חִרְחֵר פ' stir up, foment, grunt
חַרְחֲרָן ז' instigator, *stirrer
חָרַט פ' etch, chisel, carve, engrave
חָרָט ז' etcher, carver, turner
חֶרֶט ז' stylus, pen, pencil
חֲרָטָה נ' regret, remorse, contrition
*חַרְטָה (בַּרְטָה) nonsense, gibberish
חַרְטוֹם ז' beak, bill, prow, nose
- חרטום חללית nose-cone
- חרטום נעל toe-cap
- חרטום ספינה prow, bow
חַרְטוֹמָן ז' snipe, woodcock
חָרָטוּת נ' turnery, engraving
חָרִיג ז' exception, anomaly
חָרִיג ת' exceptional, irregular
חֲרִיגָה נ' digression, deviation,
exception, exceeding
חֲרִיגוּת נ' irregularity, anomaly
חֲרִיזָה נ' rhyming, stringing
חָרִיט ז' handbag, purse

חֲרִיטָה נ' turnery, engraving
חֲרִיכָה נ' scorching, singe
חָרִיעַ ז' safflower
*חָרִיף ז' hot spice
חָרִיף ת' sharp, acrid, acute, hot
- חריף שכל sharp-witted
חֲרִיפָה נ' hibernation
חֲרִיפוּת נ' sharpness, acrimony, wit
- בחריפות sharply, strongly
חָרִיץ ז' crack, notch, slot, groove
- חריץ חלב cheese
חֲרִיצָה נ' cutting, deciding, rifling
- חריצת דין verdict
חֲרִיצוּת נ' diligence, skill
חֲרִיקָה נ' creak, grating, screech
חָרִיר ז' small hole, cavity, prick
חָרִישׁ ז' plowing (season)
חֲרִישָׁה נ' plowing, ploughing
חֲרִישִׁי ת' silent, quiet, soft
חֲרִישִׁית תה"פ quietly, silently, softly
חֲרִיתָה נ' engraving, etching
חָרַךְ פ' burn, char, scorch, singe
חָרָךְ ז' lattice, hole, crevice
- חרך ירי firing loophole
חֶרֶלֶת (מחלת עור) נ' hives
חֵרֶם ז' anathema, boycott, ban,
excommunication, taboo
חֶרְמוֹנִית נ' anorak, windbreaker
*חַרְמָן ז' lecher, lustful person
חֶרְמֵשׁ ז' reaphook, scythe, sickle
- חרמש הירח new moon
חרמ"ש mechanized infantry
חֶרֶס ז' potsherd, shard, clay, sherd
- העלה חרס בידו draw a blank, fail
חַרְסִינָה נ' china, porcelain
חַרְסִית נ' red soil, clay
חָרַף פ' hibernate, winter
חֵרֶף תה"פ despite, in spite of
חר"פ = חיל רפואה
חֶרְפָּה נ' disgrace, shame, infamy
- חרפות וגידופים insults and abuses
- חרפת רעב shame of famine
חַרְפּוּשִׁית נ' scarab
חָרַץ פ' cut, notch, groove, decide
- דמי "לא יחרץ" hush money
- חרץ גורלו seal his fate
- חרץ דין sentence, adjudge
- חרץ לשון intend to harm
חֶרֶץ ז' cut, slot, fissure
חַרְצוֹב ז' ganglion, nerve center
חַרְצֻבָּה נ' chain, shackle
- פתח חרצובות לשונו begin to talk
חַרְצִית (פרח) נ' chrysanthemum
חַרְצָן ז' pip, stone, kernel
חָרַק פ' creak, grate, gnash, grind
חָרָק ז' insect, bug
*חֲרָקָה נ' joyride
חֲרָקִירִי ז' hara-kiri
חַרְקָן ז' entomologist
חַרְקָנוּת נ' entomology
חָרַר פ' perforate, bore
חֲרָרָה נ' prickly heat, flat cake
חָרַשׁ פ' plough, plow, till
- חרש רעה devise evil
חָרָשׁ ז' craftsman, artisan, wright
- חרש ברזל smith

- חרש נחושת — coppersmith
חֶרֶשׁ תה"פ — secretly, silently
חַרְשָׁף ז' — artichoke
חָרַת פ' — engrave, carve, etch
חַרְתָּה נ' — printing ink
חָשׁ פ' — feel, sense, hurry, hasten
חֲשָׁאִי ת' — secret, surreptitious
חֲשָׁאִיּוּת נ' — secrecy, privacy
חָשַׁב פ' — think, mean, intend
- חושבני ש- — I think, I guess
- חשב בגדול — think big
- חשב פעמיים — think twice
חַשָּׁב ז' — accountant
- חשב כללי — accountant general
חֶשְׁבּוֹן ז' — account, reckoning, arithmetic, bill, invoice
- בא בחשבון — possible, thinkable
- הביא בחשבון — take into account
- חשבון אינטגרלי — integral calculus
- חשבון בנק — bank account
- חשבון חסום — blocked account
- חשבון משותף — joint account
- חשבון נפש — soul-searching
- חשבון עובר ושב — current account
- חשבון שוטף — current account
- על החשבון — on account
- על חשבון הבית — on the house
- על חשבונו — at his expense
חֶשְׁבּוֹנָאוּת נ' — accountancy
חֶשְׁבּוֹנַאי ז' — accountant
חֶשְׁבּוֹנִי ת' — arithmetical
חֶשְׁבּוֹנִיָּה נ' — counting frame, abacus
חֶשְׁבּוֹנִית נ' — sales slip, invoice
חִשְׁבֵּן פ' — calculate, reckon
חָשַׁד פ' — suspect, scent, mistrust
- חשד בכשרים — suspect honest people
חֲשָׁד ז' — suspicion, distrust
חַשְׁדָן ז' — suspicious, distrustful
חַשְׁדָנוּת נ' — suspicion, mistrust
חָשָׁה פ' — be silent, be still
חָשׁוּב ת' — important, considerable
- חשוב כמת — as good as dead
*- לא חשוב — never mind, no matter
חָשׁוּד ת' — suspected, alleged, suspect
חֶשְׁוָן ז' — Heshvan (month)
חָשׁוּךְ ת' — dark, dusky, obscure
חָשׂוּךְ ת' — reactionary, lacking
- חשוך בנים — childless
- חשוך מרפא — incurable
חָשׂוּף ת' — exposed, bare, naked
- חשופי הזרע — gymnosprems
חֲשִׁיבָה נ' — cerebration, thinking, reckoning, thought
חֲשִׁיבוּת נ' — importance, moment, significance, value
חֲשֵׁיכָה נ' — darkness, night, dusk
חָשִׁיל ת' — malleable, forgeable
חֲשִׁילוּת נ' — malleability
חֲשִׂיפָה נ' — exposure, laying bare
- חשיפת יתר — overexposure
חֲשִׁישׁ ז' — hashish, cannabis, *grass
חָשַׁךְ פ' — become dark
- חשכו עיניו — be stunned
חֲשָׂךְ ז' — restraint, refraining
- בלי חשך — ceaselessly

חָשַׂךְ פ' — withhold, spare
חִשְׁמוּל ז' — electrification
חַשְׁמוֹנָאִי ז' — Hasmonean
חִשְׁמֵל פ' — electrify, galvanize, shock
חַשְׁמַל ז' — electricity, power, power
- חשמל חיובי — positive electricity
- חשמל סטאטי — static electricity
חַשְׁמַלָּאוּת נ' — electricity
חַשְׁמַלַּאי ז' — electrician
חַשְׁמַלּוֹרִי ת' — photoelectric
חַשְׁמַלִּי ת' — electric
חַשְׁמַלִּית נ' — tram, trolley, streetcar
חַשְׁמָן ז' — cardinal
חָשַׂף פ' — lay bare, uncover, disclose, expose, reveal
חַשְׂפָנוּת נ' — striptease, strip show
חַשְׂפָנִית נ' — stripper
חָשַׁק פ' — desire, covet, crave, lust
חֵשֶׁק ז' — desire, lust, appetite
- אין לי חשק ל- — I don't feel like
חַשְׁקָנִי ת' — desirous, amorous, lustful
חַשְׁרַת עָבִים נ' — bank of clouds
חָשַׁשׁ פ' — be afraid, fear, worry
חֲשָׁשׁ ז' — anxiety, fear, apprehension
חָשָׁשׁ ז' — hay, chaff
חַשְׁשָׁן ז' — hesitant, apprehensive, *lecher
חַשְׁשָׁנוּת נ' — hesitation
חַת ז' — fear, terror
- לבלי חת — unflinching, brave
חָתָה פ' — rake, stir, stoke, gather
חָתוּךְ ת' — cut, cut up
חָתוּל ז' — cat, tom, *moggy
- חתול בר — wildcat
- חתול בשק — pig in a poke
- חתול סיאמי — Siamese cat
חֲתוּלָה נ' — cat
- חתולת מין — sex kitten
חֲתוּלִי ת' — feline, catty, cattish
חָתוּם ת' — stamped, sealed, signed, closed, subscriber, signatory
- בא על החתום — the undersigned
- החתום מטה — the undersigned
חֲתוּנָּה נ' — wedding, nuptials
- חתונת הכסף — silver wedding
חַתְחַתִּים ז"ר — obstacles
*חָתִיךְ ז' — handsome boy
חֲתִיכָה נ' — bit, lump, piece, *pretty girl
חֲתִימָה נ' — signature, end, sealing, subscription
- חתימת זקן — trace of a beard
חֲתִירָה נ' — rowing, stroke, effort, undermining, subversion
חָתַךְ פ' — cut, intersect, incise, slice
חֲתָךְ ז' — cut, section, wound
- חתך רוחב — cross-section
חֲתַלְתּוּל ז' — kitten, kitty
חָתַם פ' — seal, sign, subscribe, stamp, complete, finish, close
חַתָּם ז' — underwriter
חָתָן ז' — bridegroom, groom, son-in-law, prize winner
חָתַר פ' — row, paddle, strive, aim
- חתר תחת — subvert, undermine
חַתְרָן ז' — subversive, underminer
חַתְרָנוּת נ' — subversion, undermining

ט

טאטא פ — sweep, clean down
- טאטא אל מתחת לשטיח — sweep under the carpet

טאטוא ז — sweep, sweeping

טָבָא ת — good

טָבּוּ ז — taboo, Land Registry Office

טָבוּל ת — dipped, immersed

טַבּוּלָטוֹר ז — tabulator, tab

טָבוּעַ ת — sunk, drowned, engraved, marked, coined, inherent

טַבּוּר ז — navel, bellybutton, hub, center, middle

טַבּוּרִי ת — navel, umbilical, radial

טָבַח פ — slaughter, kill

טֶבַח ז — carnage, massacre

טַבָּח ז — cook, chef, butcher

טַבָּחוּת נ — cooking, cuisine

טַבָּחִית נ — cook

טֶבְטוֹנִי (גרמני עתיק) ז — Teutonic

טְבִיחָה נ — slaughter, kill, massacre

טְבִילָה נ — baptism, dipping, immersion
- טבילת אש — baptism of fire

טָבִין וּתְקִילִין ז״ר — good money

טְבִיעָה נ — drowning, sinking, stamping, impression
- טביעת אצבעות — fingerprint
- טביעת עין — deep insight, intuition
- טביעת רגל — footprint

טָבַל פ — immerse, dip, souse, bathe
- טובל ושרץ בידו — hypocrite

טַבְלָה נ — table, list, plate, board
- הטבלה המחזורית — periodic table
- טבלת אמת — truth table
- טבלת היסודות — element table
- טבלת שוקולד — bar of chocolate

טַבְלִית נ — lozenge, tablet, pastille

טַבְלָן (עוף) ז — grebe, loon

טַבְלָר ז — tabulator, tab

טָבַע פ — drown, sink, stamp, impress, coin, mint
- טבע מטבע לשון — coin a phrase

טֶבַע ז — nature, character
- בדרך הטבע — naturally
- טבע שני — second nature
- מטבעו — by nature

טִבְעוֹנוּת נ — naturism, vegetarianism

טִבְעוֹנִי ת — naturist, vegan, vegetarian

טִבְעִי ת — natural, unaffected

טִבְעִיּוּת נ — naturalism, naturalness
- בטבעיות — naturally, unaffectedly

טַבַּעַת נ — ring, seal, circle, IUD, coil
- טבעת נישואים — wedding ring

טַבַּעְתִּי ת — ringed, annular

טִבְעָתָן ז — naturalist

טַבָּק ז — tobacco, snuff, *baccy

טַבָּקַאי ז — tobacconist

טַבָּקִיָּה נ — snuffbox

טְבֶרְיָה נ — Tiberias

טַבֶּרְנָה (מסעדה) נ — taverna

טֵבֵת ז — Tebeth (month)

טָג׳יקיסטָן נ — Tajikistan

טְגָנִית נ — fritter

טָהוֹר ת — chaste, clean, pure

טָהַר פ — be clean, be pure

טָהֳרָה נ — purity, cleansing
- על טהרת — purely, exclusively, only

טַהֲרָן ז — purist

טַהֲרָנוּת נ — purism

טוּאטא פ — be swept

טוֹאָלֶט ז — toilet

טוּב ז — good, goodness
- הואל בטובך ל- — be so good as to
- טוב טעם — esthetics, good taste
- טוב לב — kindness, goodness
- כל טוב! — all the best!

טוֹב ת — good, kind, fair, nice, fine
- בכי טוב — pretty well
- הטוב ביותר — best
- טוב יותר — better
- טוב לב — kindhearted
- טוב מאוד — very good, very well
- לטוב או לרע — whether good or not, in any case

טוב תה״פ — well, okay
- כטוב בעיניך — as you please

טוֹבָה נ — benefit, favor, kindness, welfare, well-being
- טובת הכלל/הציבור — the public good
- טובת הנאה — benefit, profit
- לטובת — on behalf of, in favor of

טוּבָּה (כלי נשיפה) נ — tuba

טוּבִין ז״ר — goods, merchandise

טוּבְלָן ז — plunger

טוּבַּע פ — be drowned, be sunk

טוּבְעָנִי ת — boggy, marshy, swampy

טוֹגָה (גלימה) נ — toga

טוֹגוֹ נ — Togo

טוּגַן פ — be fried

טוּגָנִים ז״ר — chips, French fries

טוֹהַר פ — be purified, be cleared

טוֹהַר ז — purity, chastity, pureness
- טוהר הנשק — purity of weapons, morality in time of war
- טוהר מידות — morality, integrity, honesty

טַוָּואי ז — spinner, weaver
- טוואי המשי — silkworm

טָוָוה פ — spin, weave

טְוָוח ז — range, term
- בטווח- — within
- טווח אש — gunshot
- טווח ראייה — eyeshot, sight
- טווח שמיעה — earshot, hearing
- לטווח ארוך — in the long term

טָווּי ת — spun, woven

טְוִויד (אריג) ז — tweed

טְוִויָּה נ — spinning

טְווִיסְט (ריקוד) ז — twist

טַוָּוס ז — peacock, peafowl

טַוָּוסוֹן ז — pea-chick

טַוֶּוסֶת נ — peahen, peafowl

טוֹחֵן ז — miller
- טוחן אשפה — waste disposal unit

טוֹחֶנֶת נ — molar tooth

טוֹטוֹ כַּדּוּרֶגֶל ז — football pools

טוּטִי פְרוּטִי (גלידה) ז — tutti-frutti

טוֹטָלִי ת' total, utter, complete
טוֹטָלִיוּת נ' totality
טוֹטָלִיטָרִי (רודני) ת' totalitarian
טוֹטָלִיטָרִיוּת נ' totalitarianism
טוֹטֶם (אליל) ז' totem
טוֹטָף ז' carrier-pigeon's bag
טוֹטֶפֶת נ' phylactery, tress
טוּיַח פ' be whitewashed
טוּל (אריג בלט וכד') ז' tulle
טוּלטַל פ' be rocked, be shaken
טוֹלֶרַנטִי (סובלני) ת' tolerant
טוּמָא פ' be contaminated
טוּמאָה נ' impurity, pollution
טוֹמוֹגרַפיָה נ' tomography
טוּמטוּם ז' hermaphrodite, fool
טוֹן ז' ton, metric ton, tone, key
- הנמיך הטון tone down
טוּנגסטֶן ז' tungsten, wolfram
טוּנדרָה (מישור צפוני) ז' tundra
טוֹנָה נ' ton, metric ton
טוּנָה נ' tuna, tunny
טוּנוּס ז' tuna, tunny
טוֹנָז' ז' tonnage, burden
טוּנִיס נ' Tunisia
טוֹנִיק (תרופה) ז' tonic
טוּנִיקָה (כותונת) נ' tunic
טוּנִית (פלמודה) נ' bonito
טוֹנָלִי ת' tonal
טוּנַף פ' become dirty
טוֹנֶר (מַגּוֹן) ז' toner
טוֹסט ז' toast, rarebit
טוּסטוּס ז' moped
טוֹסטֶר ז' toaster
*טוּסִיק ז' buttocks, bottom
טוֹעֶה ת' mistaken, wrong
טוֹעֵם (יינות) ז' taster
טוֹעֵן ז' plaintiff, claimant, litigant
- טוען לכתר pretender, contender, challenger
- טוען רבני rabbinical lawyer
טוּף (סלע אוורירי) ז' tuff, tufa
טוֹפוּ (מַחֲלָב סויה) ז' tofu, bean curd
טוֹפּוֹגרָפִי ת' topographical
טוֹפּוֹגרַפיָה נ' topography
טוֹפָּז ז' topaz
טוּפַּח פ' be cherished, be fostered
טוֹפִי ז' toffee, toffy, taffy
טוּפַּל פ' be handled, be treated
טוֹפֶס ז' form, copy
- טופס בקשה application form
טוֹפֵף פ' walk mincingly, strut
טוֹפֶר ז' claw, talon
טוֹק שוֹאוּ (ראיון) ז' talk show
טוֹקבֶּק (תגובות גולשים) ז' talkback
טוֹקָטָה נ' toccata
טוּקָן (עוף) ז' toucan
טוּקסִידוֹ (חליפה) ז' tuxedo
טוּר ז' column, row, line, file, series
- טור הנדסי geometric progression
- טור חשבוני arithmetic progression
- טור עורפי Indian file, single file
טוּרַאי ז' private, private soldier
- טוראי ראשון lance corporal, private first class
- טוראים rank and file
טוּרבִּינָה נ' turbine

טוּרבָּן (צָנִיף) ז' turban
טוֹרדָנִי ת' troublesome, worrying
טוֹרַח ז' trouble, bother, burden
טוֹרט ז' tart, pie
טוּרטַר פ' be bullied
טוּרִי ת' arranged in a row, serial
טוֹרֵיאָדוֹר ז' toreador
טוּרִייָה נ' hoe, wide hoe
*טוּרִים ז"ר revs, revolutions
טוּרִית נ' drill, sowing machine
טוֹרנָדוֹ ז' tornado, twister
טוּרָנִי ת' serial
טוּרנִיר ז' tournament, tourney
טוֹרֵף ז' carnivore, predator, beast of prey, scrambler
טוֹרֶף ז' peat, turf
טוֹרפֵּד פ' be torpedoed, be ruined
טוֹרפֶּדוֹ ז' torpedo
טוּרקִי ז' Turkish, Turk
טוּרקִיָה נ' Turkey
טוּרקִיז ז' turquoise
טוּרקִית נ' Turkish
טוּרקמֶנִיסטָן ז' Turkmenistan
טוּש ז' Indian ink, *shower
טוּשטַש פ' be blurred, be smeared
טַזִית נ' semiquaver, sixteenth
טָח פ' plaster, coat, smear
- טחו עיניו מראות be blind
טַחַב ז' damp, mildew, humidity
טְחָב ז' moss, bryophyte
טָחוּב ת' damp, moist, humid, dank
טְחוֹל ז' spleen, milt
טָחוּן ת' ground, milled
טְחוֹרִים ז"ר hemorrhoids, piles
טְחִינָה נ' grinding, sesame paste
טָחַן פ' grind, mill, crush
*- טחן מים repeat, prattle, yak
טֶחָן ז' miller
טַחֲנָה נ' mill
- טחנת מים watermill
- טחנת רוח windmill
- נלחם בטחנות רוח tilt at windmills
טֶטָנוּס (צפדת) ז' lockjaw, tetanus
טָטָרִי (מונגולי נווד) ז' Tatar
טֵיאוּט ז' sweeping, sweep
טִיב ז' quality, nature, caliber
טִיבּוּל ז' dipping, immersion
טִיבּוּעַ ז' drowning, sinking
טִיבֶּט נ' Tibet
טִיבֵּל פ' dip, dunk, submerge
טִיבֵּעַ פ' drown, sink
טִיגּוּן ז' frying, frizzling
טִיגֵּן פ' fry, braise, frizzle
- טיגן טיגון עמוק deep-fry
טִיגרִיס ז' tiger
טִיהוּר ז' purge, purification, clearance, expurgation
- טיהור אתני ethnic cleansing
טִיהֵר פ' purify, purge, clear
טִיוּב ז' improvement, amelioration
טִיוֵּחַ פ' range, find the range
טִיוּחַ ז' range finding
טִיוּחַ ז' plastering, whitewash
טִיוּט ז' drafting, drawing up
טְיוּטָה נ' draft, rough copy, proof
טִיוּטָן ז' copyholder

טִיּוּל ז׳ journey, tour, walk, trip
טִיּוּלוֹן ז׳ pram
טִיּוּלִית נ׳ sightseeing bus
טִיּוּנֶר (מַכְוֵן) ז׳ tuner
טִיזֶר (גָּרְיָן) ז׳ teaser
טִיחַ ז׳ plaster, stucco, roughcast
טִיט ז׳ clay, loam, mud
טִיטוּל ז׳ paper diaper
טִיטוּר (מדידת תמיסה) ז׳ titration
טִיטָנִי (ענקי) ת׳ titanic
טִיטָנִיוּם (יסוד כימי) ז׳ titanium
טֵי-זַקְס (מחלה) ז׳ Tay-Sachs
טִיֵּב פ׳ improve, better, reclaim
טַיְוָאן נ׳ Taiwan
טִיֵּחַ פ׳ plaster, coat, whitewash
טַיָּח ז׳ plasterer
טַיָּחוּת נ׳ plastering
טִיֵּט פ׳ draft, rough out
טַייטס (גרבונים) ז׳ tights
טִיֵּל פ׳ tour, walk, hike, travel
טַיָּל ז׳ tourist, rambler, tripper
טַיֶּלֶת נ׳ promenade, esplanade
טַיימִינג (עיתוי) ז׳ timing
טַיימֶר (קוצב זמן) ז׳ timer
טַיָּס ז׳ pilot, airman, aviator
- טייס אוטומטי autopilot
- טייס חלל astronaut, cosmonaut
- טייס משנה copilot
טַיֶּסֶת נ׳ squadron, woman pilot
טֵייפּ ז׳ tape
טַייפוּן ז׳ typhoon
טַייָרָה נ׳ kite
טִיכֵּס עֵצָה פ׳ seek advice
טִיל ז׳ missile, rocket, projectile
- טיל בליסטי ballistic missile
- טיל מונחה guided missile
- טיל שטח-אוויר surface-to-air missile
- טיל שיוט cruise missile
טִילָאוּת נ׳ rocketry
טִילוֹן ז׳ moped, motorbike
טִילִייה (עץ) נ׳ linden
טִילָן ז׳ missile operator
טִימֵא פ׳ contaminate, profane
טִין ז׳ silt, clay, mud, loam
טִינָה נ׳ animosity, grudge, enmity
טִינּוּף ז׳ filth, dirt, soiling
טִינּוֹפֶת נ׳ filth, dirt, scum
טִינִית נ׳ plasticine
טִינֵּף פ׳ dirty, make filthy, defile
טִינֶר (מדלל) ז׳ thinner
טַיִס ז׳ flying, aviation, aeronautics
טִיסָה נ׳ flight, flying, *hop
- טיסה במבנה formation flying
- טיסת מבחן trial flight
- טיסת ניסוי flight test
- טיסת שכר charter flight
טִיסָן ז׳ flying model
טִיעוּן ז׳ argument, pleading, brief
טִיפּ (תשר) ז׳ tip, gratuity
*טִיפ-טוֹפּ תה״פ tip-top, perfectly
טִיפָּה נ׳ drop, bead, a little
*- טיפ טיפה a little, trace
- טיפה מרה liquor, drink, *booze
- טיפת חלב infant clinic
- כשתי טיפות מים as two peas

טִיפּוֹגְרַפְיָה (דפוס) נ׳ typography
טִיפּוּחַ ז׳ care, cultivation, fostering
- בן טיפוחיו his pampered child
טִיפּוּל ז׳ care, treatment, handling
- טיפול בהלם shock treatment
- טיפול מונע preventive
- טיפול נמרץ intensive care
- טיפול שורש thorough treatment
טִיפּוֹלוֹגְיָה (מיון) נ׳ typology
טִיפּוּלִי ת׳ treating, therapeutic
טִיפּוֹנֶת נ׳ droplet, trace
טִיפּוּס ז׳ sort, character, type, *customer, ascent, climbing
- טיפוס הרים mountaineering
טִיפוּס ז׳ typhus, typhoid
טִיפּוּסִי ת׳ typical, characteristic
טִיפֵּחַ פ׳ cultivate, foster, cherish
טִיפִּין טִיפִּין תה״פ bit by bit
טִיפֵּל פ׳ handle, tackle, care for
- טיפל ב- treat, look after, see to
טִיפֵּס פ׳ climb, scale, ascend
*- טיפס על הקירות make every effort
טִיפֶּקְס (מחיקון) ז׳ Tippex
טִיפֵּשׁ ז׳ fool, stupid, *jerk
*- בן טיפש עשרה teenager
- טיפש מטופש a thorough fool
טִיפְּשׁוֹן ז׳ stupid, fool
טִיפְּשׁוּת נ׳ foolishness, stupidity
טִיפְּשִׁי ת׳ foolish, silly, stupid
טִיק ז׳ teak, tic, twitch
טִירְדוֹן (אובססיה) ז׳ obsession
טִירָה נ׳ castle, palace
טִירוֹן ז׳ novice, tyro, recruit, beginner, green
טִירוֹנוּת נ׳ novitiate, basic training
טֵירוּף ז׳ madness, insanity, confusion, mixing, scrambling
- טירוף דעת madness, insanity
- טירוף מערכות chaos, disorder
טִירָן ז׳ tyrant, dictator
טִירְפוֹן ז׳ delirium, DTs
טִישׁוּ ז׳ tissue, paper handkerchief
טֵית נ׳ teth (letter)
טֶכְנָאוּת נ׳ technician's work
טֶכְנַאי ז׳ technician, repairman
- טכנאי שיניים dental mechanic
טֶכְנוֹלוֹג ז׳ technologist
טֶכְנוֹלוֹגִי ת׳ technological
טֶכְנוֹלוֹגְיָה נ׳ technology
- טכנולוגיה עילית high tech
טֶכְנוֹקְרָט ז׳ technocrat
טֶכְנוֹקְרַטְיָה נ׳ technocracy
טֶכְנִי ת׳ technical
טֶכְנִיּוֹן ז׳ technical school, polytechnic
טֶכְנִיּוּת נ׳ technicality
טֶכְנִיקָה נ׳ technique, tactics
טֶכְנִיקוֹלוֹר ז׳ technicolor
טַכְסִיס (ראה תכסיס) ז׳ tactic
טַל ז׳ dew
טְלַאי ז׳ patch, darn
- טלאי על טלאי patchwork
טֶלֶגְרָמָה נ׳ telegram, cable, wire
טִלְגְרֵף פ׳ telegraph, cable, wire
טֶלֶגְרָף ז׳ telegraph
טֶלֶגְרָפִי ת׳ telegraphic, briefly

טֶלֶגְרַפְיָה נ׳ telegraphy
טֶלֶגְרָפִית תה״פ by telegraph
טָלֶה ז׳ lamb, lambkin, Aries, Ram
טָלוּא ת׳ patchy, speckled
טֶלֶוִויזְיָה נ׳ television, TV, *telly
- טלוויזיה בכבלים cable TV
טֶלֶוִויזְיוֹנִי ת׳ television
טָלוּל ת׳ dewy, bedewed
טל״ח=טעות לעולם חוזר
טִלְטוּל ז׳ moving, sway, rocking, carrying, wandering
טִלְטֵל פ׳ move, transfer, shake, rock, hurl, swing
טַלְטָל ז׳ connection rod
טַלְטֵלָה נ׳ hurling, throwing, shock
טַלְטְלָנִים (פסי האטה) ז״ר speed bumps
טֶלֶטֶקְסְט ז׳ teletext
טַלְיָה נ׳ waistline, torso, trunk
טַלִּית נ׳ praying shawl, tallith
- טלית שכולה תכלת a virtuous man
טְלָלִים ז״ר dew drops
טַלְלִית (צמח) נ׳ sundew
טֶלֶמַרְקֶטִינְג ז׳ telemarketing
טֶלֶסְקוֹפ ז׳ telescope, spyglass
טֶלֶסְקוֹפִּי ת׳ telescopic
טֶלֶף ז׳ hoof, unguis
טֶלֶפוֹן ז׳ telephone, phone, ring
- טלפון אלחוטי cordless telephone
- טלפון לחיצים push-button telephone
- טלפון נייד mobile phone
- טלפון סלולארי cellular phone
- טלפון ציבורי pay phone, telephone-box
*- טלפון שבור misunderstanding
טֶלֶפוֹנָאוּת נ׳ telephony
טֶלֶפוֹנַאי ז׳ telephonist
טֶלֶפוֹנִי ת׳ telephonic
טֶלֶפוֹנִית תה״פ by telephone
טִלְפֵּן פ׳ call, telephone, phone
טַלְפָן ז׳ telephone operator
טֶלֶפְּרוֹמְפְּטֶר ז׳ teleprompter
טֶלֶפְּרִינְטֶר ז׳ teleprinter, ticker
טֶלֶפָּתִי ת׳ telepathic
טֶלֶפַּתְיָה נ׳ telepathy
טַלְק ז׳ talc
טֶלֶקוֹמוּנִיקַצְיָה נ׳ telecommunication
טֶלֶקְס ז׳ telex
ט״מ = טוב מאוד very good
טָמֵא ת׳ unclean, impure, defiled, contaminated
*טֶמְבֶּל ז׳ fool, stupid
טֶמְבֶּר ז׳ timbre, tone color
טָמוּן ת׳ concealed, hidden, buried
טִמְטוּם ז׳ stupidity, dullness
טִמְטֵם פ׳ stupefy, make dull
טַמְיוֹן ז׳ treasury, coffers
טְמִיעָה נ׳ assimilation, mixing
טָמִיר ת׳ hidden, secret, latent
- אשך טמיר an undescended testis
טָמַן פ׳ conceal, hide, bury
- טמן פח/רשת set a trap
- לא טמן ידו בצלחת not pull one's punches, not sit idle
טֶמְפּוֹ ז׳ tempo, beat, pace
טַמְפּוֹן ז׳ tampon

טֶמְפֶּרָטוּרָה נ׳ temperature
טֶמְפֶּרָמֶנְט ז׳ temperament, nature
טֶנֶא ז׳ wicker basket, basket
טַנְבּוּר ז׳ snare drum
טַנְבּוּרִית נ׳ tambourine, timbrel
טַנְגּוֹ ז׳ tango
טַנְגֶּנְס ז׳ tangent, tan
טַנְדּוּ תה״פ in two, together
טֶנְדֶּר ז׳ pickup truck, van, tender
טֶנוֹר ז׳ tenor
טַנְזַנְיָה נ׳ Tanzania
טֶנְטָטִיבִי (נסיוני) ז׳ tentative
טֶנִיס ז׳ tennis, lawn tennis
- טניס שולחן ping-pong, table tennis
טֶנִיסַאי ז׳ tennis player
טַנְק ז׳ tank
טַנְקִיסְט ז׳ tanker, tank crew member
טָס פ׳ fly, wing, pass swiftly
טַס ז׳ salver, tray, plate
טֶסְט ז׳ driving test, test, MOT
טֶסְטוֹסְטֶרוֹן (הורמון) ז׳ testosterone
טֶסְטֶר ז׳ tester
טַסִּית נ׳ small tray, blood platelet
- טסית דם thrombocyte, blood platelet
טָעָה פ׳ err, mistake, be wrong
- טעה בכתובת bark up the wrong tree
טָעוּן ת׳ charged, loaded, requiring
- טעון טיפוח deprived, lowly
טָעוּת נ׳ error, mistake, blunder
- טעות אופטית optical illusion
- טעות גסה big mistake
- טעות דפוס misprint, erratum
- טעות לעולם חוזרת errors excepted
- טעות סופר clerical error
- טעות פרוידיאנית Freudian slip
טְעִיָּה נ׳ erring, mistaking
טָעִים ת׳ delicious, tasteful, tasty
טְעִימָה נ׳ gustation, tasting
טְעִינָה נ׳ loading, charging
טָעַם פ׳ taste, experience, sample
טַעַם ז׳ taste, flavor, savor, reason, cause, stress, accent
- אין טעם there's no point
- בטעם tastefully, with taste
*- בלי טעם ובלי ריח tasteless, boring
- דברים של טעם sensible words
- טעם גן עדן very tasty
- טעם לוואי aftertaste, smack
- טעם לפגם bad taste, improper
- טעמי המקרא Bible punctuation signs
- לטעמי I like it
- מטעם- in the name of-
טַעֲמָן ז׳ taster
טָעַן פ׳ allege, claim, plead, maintain, load, charge
טַעָן ז׳ charger, loader
- טען-קשר signaler-loader
טַעֲנָה נ׳ argument, claim, plea
- בלי טענות ומענות without arguments, but me no buts
- טענה חלופית alternative plea
- טענה מקדמית preliminary plea
- טענת שווא false plea

טַף ז׳ small children
טְפוּלָה נ׳ affix, prefix, suffix
טְפוּת נ׳ infancy, babyhood
טָפַח פ׳ strike, pat, slap, dab
- טפח על פניו prove wrong, rebut
- טפח על שכמו blow one's own horn, pat on the back
טֶפַח ז׳ span, handbreadth
טְפָחָה נ׳ coping, roof beam, rafter
טַפֵּט ז׳ wallpaper, paper, hangings
טִפְטוּף ז׳ dripping, dropping, trickle
טִפְטֵף פ׳ drip, drop, trickle
טַפְטֶפֶת נ׳ dropper, pipette, drip sprinkler
- השקיה בטפטפות trickle irrigation
טַפִּי ז׳ dropper, pipette
טְפִיחָה נ׳ pat, slap, strike, dab
- טפיחה על השכם pat on the back
טַפִּיל ז׳ parasite, sponger
טַפִּילוּת נ׳ parasitism
טַפִּילִי ת׳ parasitic, leechlike
טְפִילַת אַשְׁמָה נ׳ imputation, blaming
טְפִיפָה נ׳ mincing walk, strut
טַפִּיר (יונק) ז׳ tapir
טָפַל פ׳ attribute, ascribe, attach, paste, stick
- טפל זאת עליו pin it on him
- טפל עליו שקר libel, traduce
טָפֵל ת׳ additional, subordinate, secondary
טֶפְלוֹן ז׳ teflon
טַפְלֵי בְּהֵמָה ז״ר offal
טַפְלֵי עוֹף ז״ר giblets
טַפְסָן ז׳ climber, creeper, alpinist
טַפְסָן ז׳ molder, form maker, scaffolding erector
טַפְסָנוּת נ׳ scaffolding
טַפְסָר ז׳ chief fireman, commander
טָפַף פ׳ walk mincingly, strut
טַקְט ז׳ tact, finesse, savoir-faire
טִקְטוּק ז׳ ticking, tick, typing
טַקְטִי ת׳ tactful, tactical, discreet
טַקְטִיקָה נ׳ tactics
טַקְטִיקָן ז׳ tactician
טִקְטֵק פ׳ tick, type
טֶקִילָה (משקה מקסיקני) ז׳ tequila
טֶקֶס ז׳ ceremony, ritual, rite
טֶקְסְט ז׳ text, letterpress
טֶקְסְטִיל ז׳ textile, dry goods
טִקְסִי ת׳ ceremonious, ritual
טִקְסִיּוּת נ׳ ceremony, ritualism
טְרָאוּמָה נ׳ trauma, shock, wound
טְרָאוּמָתִי ת׳ traumatic
טְרָגֶדְיָה נ׳ tragedy
טְרָגִי ת׳ tragic, tragical
טְרָגִיּוּת נ׳ tragedy
טְרָגִיקוֹמֶדְיָה נ׳ tragicomedy
טְרָגִיקוֹמִי ת׳ tragicomic
טָרַד פ׳ drive away, expel, trouble
טֶרֶד (ציפור) ז׳ thrush, throstle
טִרְדָּה נ׳ trouble, bother, care, concern, nuisance
טַרְדָן ז׳ nuisance, bothersome, pest
טַרְדָנוּת נ׳ nuisance, bother
טָרָה (משקל האריזה) נ׳ tare
טָרוּד ת׳ busy, preoccupied

טָרוּט ת׳ bleary-eyed
טְרוּטָה (דג) נ׳ trout
טֶרֶם תח׳ pre-, before
- טרום-היסטורי prehistoric
- טרום-וסתי premenstrual
טְרוֹמְבּוֹן (כלי נשיפה) ז׳ trombone
טְרוֹמִי ת׳ prefabricated, preliminary
טְרוּנְיָה נ׳ complaint, grumble
טָרוּף ת׳ confused, mixed, shuffled
- ימים טרופים hard times
טְרוֹפִּי ת׳ tropical
טֶרוֹר ז׳ terror, terrorism
טֶרוֹרִיסְט ז׳ terrorist, gunman
טַרְזָן ז׳ dandy, elegant, foppish
טַרְזָנוּת נ׳ dandyism, elegance
טָרַח פ׳ bother, trouble, take pains
טָרַח! מ״ק bump!, bang!, crash!
טִרְחָה נ׳ bother, trouble, effort
טַרְחָן ז׳ nuisance, annoying
טַרְחָנוּת נ׳ bothering, nagging
טַרְחָנִי ת׳ bothering, troublesome
טִרְטוּר ז׳ rattle, noise, chug, *bull, hazing, ordering around
טִרְטֵר פ׳ rattle, chug, haze, bully
טָרִי ת׳ fresh, new, young
טְרִיבּוּנָה נ׳ tribune
טְרִיבּוּנָל ז׳ tribunal, court
טְרִיגוֹן (דג ארסי) ז׳ stingray
טְרִיגוֹנוֹמֶטְרִי ת׳ trigonometric
טְרִיגוֹנוֹמֶטְרִיָּה נ׳ trigonometry
טְרִידָה נ׳ drift
טְרִיוֹ (שלישייה) ז׳ trio
טְרִיוִויאָלִי ז׳ trivial
טְרִיּוּת נ׳ freshness, novelty
טְרִיז ז׳ wedge, salient, gusset
- תקע טריז drive a wedge
טְרִיזִי ת׳ wedged, wedgy, tapering
טְרִיטוֹן ז׳ newt
טֶרִיטוֹרְיָאלִי ת׳ territorial
טֶרִיטוֹרְיָה נ׳ territory, *turf
טְרֵיילֶר (גרור) ז׳ trailer
טֶרְיֶיר (שפלן) ז׳ terrier
טְרִיל ז׳ trill, warble
טְרִילוֹגְיָה נ׳ trilogy
טְרִילְיוֹן ז׳ trillion
טֶרִילִין (אריג) ז׳ terylene
טְרִימֶסְטֶר ז׳ trimester
טְרִינִידָד וְטוֹבָּאגוֹ נ׳ Trinidad and Tobago
טְרִיפּ ז׳ freak-out, *trip
טְרִיפָה נ׳ shuffle, mixing
טְרֵיפָה נ׳ not kosher food
טְרִיפְּטִיכוֹן (3 ציורים) ז׳ triptych
טְרִיק ז׳ trick, catch, *gimmick
טְרִיקָה נ׳ slam, banging, bang
- עזב בטריקת דלת slammed out of the room
טְרִיקוֹ (אריג) ז׳ tricot, textile
טְרִית נ׳ sardine
טְרָכוֹמָה (גרענת) נ׳ trachoma
טִרְלֵל פ׳ trill, warble, drive mad
טֶרֶם תה״פ ere, before, not yet
טֶרְמִיט ז׳ termite, white ant
טֶרְמִינוֹלוֹגְיָה (מינוח) נ׳ terminology
טֶרְמִינָל ז׳ terminal, air terminal
טְרֶמְפּ ז׳ hitchhike, lift

טְרַמְפּוּלִינָה (קַפֶּצֶת) נ׳ trampoline
טְרֶמְפִּיאָדָה נ׳ hitchhiker' station
טְרֶמְפִּיסְט ז׳ hitchhiker
טְרַנְזִיט ז׳ transit
טְרַנְזִיסְטוֹר ז׳ transistor, *tranny
*טְרַנְטָה נ׳ battered car, old car
טְרֶנִינְג ז׳ track-suit
טְרַנְס ז׳ trance, hypnotic state
טְרַנְסְאַטְלַנְטִי ת׳ transatlantic
טְרַנְסְפּוֹרְט (הובלה) ז׳ transport
טְרַנְסְפוֹרְמָטוֹר (שנאי) ז׳ transformer
טְרַנְסְפוֹרְמַצְיָה נ׳ transformation
טְרַנְסְפֶר ז׳ transfer, deportation
טְרַנְסְצֶנְדֶנְטָלִי ת׳ transcendental
טְרַנְסֶקְסוּאָל ז׳ transsexual
טֶרָסָה נ׳ terrace
טְרַסְט ז׳ trust
- טרסט מוחות brain trust
טְרַסְקָל ז׳ three-legged chair
טָרַף פ׳ devour, prey upon, shuffle, mix, scramble, whip, whisk
- טרף את הקלפים upset his plans
טֶרֶף ז׳ prey, food, kill, victim
טֶרֶף קל easy mark, easy victim
טְרֵפָה forbidden, not kosher
טֶרֶף ז׳ leaf, blade
טִרְפֵּד פ׳ torpedo, wreck, ruin
טַרְפֶּדֶת נ׳ torpedo boat
טִרְפּוּד ז׳ torpedoing, destroying
טְרַפֶּז ז׳ trapeze, trapezium, trapezoid
טֶרְפֶּנְטִין ז׳ turpentine, *turps
טֶרְצָה נ׳ third
טָרַק פ׳ slam, bang
טְרַקְטוֹר ז׳ tractor
טְרַקְטוֹרוֹן ז׳ small wheel tractor, ATV, all-terrain vehicle
טְרַקְלִין ז׳ living room, salon, lounge
*טָרָרָם ז׳ hoo-ha, commotion
טֶרֶשׁ ז׳ stone, rock, boulder
- אדמת טרשים stony ground
טר"ש=טוראי ראשון private first class, lance corporal
טָרֶשֶׁת נ׳ sclerosis, arteriosclerosis
- טרשת העורקים arteriosclerosis
- טרשת נפוצה multiple sclerosis
טִשְׁטוּשׁ ז׳ blurring, erasing
טִשְׁטֵשׁ פ׳ blur, erase, make indistinct, cover up, hush up

י

י"א = יש אומרים some say
יָאָה פ׳ be suitable, fit
יָאֶה ת׳ becoming, fit, proper
יְאוֹר ז׳ river, the Nile
יָאוֹת תה"פ properly, right
יָאפִּי (מצליחן עירוני) ז׳ yuppie
יָאק (בהמה טיבטית) ז׳ yak
יְבָבָה נ׳ sobbing, whimper, whine
יְבוּא ז׳ import, importation
יְבוּאָן ז׳ importer
יְבוּל ז׳ crop, yield, produce, harvest
יַבְחוּשׁ ז׳ gnat, mosquito, midge

יָבִיל ת׳ transportable, conveyable
יבל"א = ייבדל לחיים May he live long
יַבְלִית נ׳ couch grass, crab grass
יַבֶּלֶת נ׳ callus, corn, wart
יַבַּלְתִּי ת׳ corny, warty, callous
יָבָם ז׳ husband's brother
יְבָמָה נ׳ sister-in-law
יָבֵשׁ ת׳ dry, arid, dull, uninteresting
יַבָּשָׁה נ׳ dry land, land
יַבֶּשֶׁת נ׳ continent, dry land
יַבַּשְׁתִּי ת׳ continental, overland
יָגוּאָר (חיה) ז׳ jaguar
יָגוֹן ז׳ grief, sorrow, dolor, woe
יָגוֹר פ׳ fear, be afraid
יְגִיעַ כַּפַּיִם ז׳ fruit of one's work
יְגִיעָה נ׳ effort, labor, toil
יָגַע פ׳ work, labor, toil
- יגעת - ומצאת seek - and you'll find
יֶגַע ז׳ effort, labor, toil, weariness
יָגֵעַ ת׳ tired, weary
יָד נ׳ arm, hand, handle, monument, share, portion
- אין לו יד ב- has nothing to do with
- בידיים ריקות empty-handed
- בעל ידיים שמאליות all thumbs
- יד ביד hand in hand
- יד חופשית free hand
- יד ימינו right-hand man
- יד לפה! silence!, quiet!
- יד שנייה second-hand
- ידו על העליונה gain the upper hand
- עם יד על הלב honestly
יָדָה פ׳ throw, cast, hurl
יָדָה נ׳ cuff
יְדוֹנִית נ׳ muff, hand pouch
יָדוּעַ ת׳ known, noted, certain
- ידוע חולי ill, sick
- ידוע לשמצה infamous, notorious
- ידועה בציבור common-law wife
- כידוע as is known
יָדִי ת׳ manual, -handed
יָדִיד ז׳ friend, fellow, pal, *buddy
- ידיד נפש bosom friend
יְדִידוּת נ׳ friendship, amity
יְדִידוּתִי ת׳ friendly, amiable, user-friendly
יְדִיעָה נ׳ knowledge, news, report
- הא הידיעה definite article, the
- ידיעת הארץ geography
- למיטב ידיעתי so far as I know
יְדִיעוֹן ז׳ bulletin, newsletter
יְדִיעוֹת נ"ר news items, news
יָדִית נ׳ handle, grip, haft, hilt
- ידית הילוכים gear shift/stick
יָדְנִי ת׳ manual, hand-operated
יָדְנִית תה"פ manually, by hand
יָדַע פ׳ know, be aware of, learn, tell
- לא ידע את נפשו excited, moved
יֶדַע ז׳ knowledge, know-how
- ידע עם folklore, ethnography
יִדְעוֹנִי ז׳ magician, wizard
יַדְעָן ז׳ scholar, erudite, know-all
יַדְעָנוּת נ׳ knowledge, scholarship
יְהֵא = יִהְיֶה פ׳ will be
יְהָב ז׳ burden, load, levy, hope
- השליך יהבו על pin one's hopes on

יַהֲדוּת נ	Jewry, Judaism
יהדות התפוצות	Diaspora
יְהוּדָה	Judea
יְהוּדֹון ז	*Yid, *kike
יְהוּדִי ז	Jew, Jewish, Judaic
יהודי נודד (צמח)	spiderwort
יְהוּדִיָּה נ	Jewess
יְהִי = יִהְיֶה פ	will be
יָהִיר ת	arrogant, boastful, proud
יְהִירוּת נ	arrogance, conceit
יַהֲלֹום ז	diamond
היהלום שבכתר	the most beautiful
יַהֲלֹומָן ז	diamond merchant
יַהֲלֹומָנוּת נ	diamond trade
יֹו יֹו (צעצוע) ז	yo-yo
יוּבָא פ	be imported
יֹובֵל ז	jubilee, anniversary
*יֹובְלֹות	ages, month of Sundays
יוּבַל ז	stream, tributary, rivulet
יוּבַּשׁ פ	be dried up, be drained
יֹובֶשׁ ז	aridity, dryness, drought
יֹוגֵב ז	farmer, husbandman
יֹוגָה נ	yoga
יוּגֹוסְלַבְיָה נ	Yugoslavia
יֹוגוּרט ז	yogurt
יֹוד נ	yod (letter)
יֹוד (יסוד כימי) ז	iodine
יוּדָאִיקָה נ	Judaica, Jewish books
יֹודֵל (שירה ווקאלית) ז	yodel
יֹודֵעַ ת	knowing, acquainted
יודע כול	omniscient, know-all
יודע ספר	lettered, man of letters
יודע דבר	well-informed
יֻהֲרָה נ	arrogance, pride, conceit
יָוֵן ז	mire, mud
יָוָן	Greece
יְוָנִי ת	Grecian, Greek, Hellenic
יְוָנִית נ	Greek
יֹוזֵם ז	initiator, promoter
יֹוזְמָה נ	enterprise, initiative, push
יוזמה חופשית	free enterprise
יוּחַד פ	be set apart
יוּחַס פ	be attributed, be ascribed
יוּחֲסָה נ	relation
יֹוחֲסִין ז"ר	genealogy, descent
יו"ט = יום טוב	holiday
יוּטָה נ	jute, burlap
יו"כ = יום כיפור	Yom Kippur
יוּלַד פ	be born, be delivered
יֹולֶדֶת נ	woman in confinement, mother
יוּלִי ז	July
יוּלִיָאנִי (לוח) ת	Julian
יֹום ז	day, time
בו ביום	on that very day
ביום מן הימים	one day
היום	today, in these days, the present day
יום הדין	day of reckoning
יום הולדת	birthday
יום העצמאות	Independence Day
יום השנה	anniversary
יום זיכרון	Remembrance day
יום חול	weekday, workday
יום טוב	holiday
יום יום	daily, day by day
יום כיפור	Day of Atonement
ימי הביניים	Middle Ages
ימי קדם	ancient times
ימיו ספורים	his days are numbered
ימים יגידו	time will tell
לימים	after some time
מימיו הוא לא	he never
מימים ימימה	from long ago
שיהיה לך יום נעים!!	have a nice day!!
יום ראשון	Sunday
יום שני	Monday
יום שלישי	Tuesday
יום רביעי	Wednesday
יום חמישי	Thursday
יום שישי	Friday
יום שבת	Saturday, Sabbath
יֹומֹון ז	daily, newspaper
יֹומִי ת	daily, diurnal, quotidian
יֹומֹיֹום תה"פ	every day
יֹומִיֹומִי ת	daily, ordinary, everyday
*יֹומִית נ	day's wage
יֹומִית תה"פ	daily, by day
יֹומֵם פ	commute, travel regularly
יֹומָם תה"פ	daily, by day
יומם ולילה	night and day
יֹומָן ז	daybook, diary, journal, log
יומן חדשות	news magazine
יֹומָנַאי ז	diarist
יֹומְנָה נ	skill, expertise
יֹומְרָה נ	pretension, pretense
יֹומְרָנוּת נ	pretentiousness
יֹומְרָנִי ת	pretentious, overblown
יֹון ז	pigeon, ion
יֹונָה נ	dove, pigeon
יונת דואר	carrier pigeon
יונת פיתיון	decoy, stool-pigeon
יֹונֹוספֵירָה נ	ionosphere
יוּנִי ז	June
יֹונִי ת	dovelike, dovish, Ionic
יֹונִיזַצְיָה (יינון) נ	ionization
יוּנִיסֶקְס (לשני המינים) ת	unisex
יֹונֵק ז	mammal, suckling, sucker
יונק הדבש	hummingbird
יונק עילאי	primate
יוּסַד פ	be established, be founded
יוּסַף פ	be revaluated, be revalued
יֹועַד פ	be destined, be assigned
יֹועֵץ ז	adviser, counselor
יועץ מס	tax adviser
יועץ מקצועי	vocational counselor
יועץ משפטי לממשלה	attorney general
יועץ סתרים	confidential adviser
יוּפָּה פ	be beautified, be adorned
יופה כוחו	be authorized
יֹופִי ז	beauty, charm, loveliness
יֹופִי מ"ק	I like that!, great!
יוּפִּיטֶר (צדק) ז	Jupiter
יוּצָא פ	be exported
יֹוצֵא ת	outgoing, departing
וכיוצא בו	and the like
יוצא דופן	unusual, odd, special
יוצא מזה	consequently, therefore
יוצא מן הכלל	extraordinary
יוצא צבא	liable for army service, veteran

- יוצאי חלציו offspring, children
יוצב פ be stabilized
יוצג פ be represented
יוצר פ be manufactured
יוצר ז creator, maker, author
- החליף היוצרות mix up, muddle
*יוק no!, not existing!
יוקד ת inextinguishable, burning
יוקר ז expensiveness, dearness
- יוקר המחיה cost of living
יוקרה נ prestige, renown
יוקרתי ת prestigious, *swish
יוקשת נ minelayer
יו"ר = יושב ראש chairman, speaker
יורד ז emigrant, expatriate, iamb
- יורד ים sailor, seaman
יורה ז first rain, shooter
יורה נ boiler, cauldron, pot
יורה נ Jurassic (era)
יורודולר ז Eurodollar
יורט פ be intercepted
יורידי (משפטי) ת juridical
*יורם נ sucker, fool
יורש ז heir, inheritor, successor, devisee, legatee
- יורש מוחלט heir apparent
- יורש על תנאי heir presumptive
- יורש עצר crown prince, heir to the throne
יורשת נ heiress, inheritress
יו"ש=יהודה ושומרון Judea and Samaria
יושב פ be settled, be solved
יושב ז inhabitant, resident, sitter
- יושב קרנות idler, loafer
- יושב ראש chairman, speaker
יושם פ be applied, be imposed
יושן ז oldness, antiquity, age
יושר ז straightness, honesty
יושרה נ integrity
יותר תה"פ more, more than
- ארבעים ויותר forty-odd
- יותר מדי too much, too many
- לכל היותר at most
יותרת נ surplus, gland
- יותרת הכבד lobe of the liver
- יותרת הכליה adrenal gland
- יותרת המוח pituitary gland, hypophysis
יזום ת initiated, conceived
יזכור ז memorial prayer
יזם פ initiate, plan, pioneer
יזם ז initiator, enterpriser, entrepreneur
יזמות נ entrepreneurship
יזע ז sweat, perspiration
יחד תה"פ together, along
- יחד עם זאת at the same time, yet
יחדיו תה"פ together
יחי מ"ק long live-
- יחי ההבדל הקטן! vive la difference, long live the difference
יחיד ת single, sole, only, alone
- יחיד במינו unique
- יחיד ומיוחד unique, stands alone
- יחידי סגולה the elect, the best

יחידאי ת unique
יחידה נ unit, detail, squad, unity
- יחידה קרבית combat unit
- יחידת עיבוד מרכזית CPU
יחידות נ uniqueness, privacy
- ביחידות privately, alone
יחידי ת alone, single, sole
יחידני ת individual
יחמור ז fallow deer, roebuck
יחס ז attitude, relation, ratio, proportion, treatment, dealing
- ביחס ל- regarding, in relation to
- יחס הפוך inverse proportion
- יחס הקניין genitive, possessive case
- יחס ישר direct proportion
- יחסי אנוש human relations
- יחסי מין intercourse, sex
- יחסי ציבור public relations, PR
- יחסים relations, intercourse
- יחסים דיפלומטיים diplomatic relations
יחסה (בדקדוק) נ case
- יחסת אל dative
- יחסת את/המושא accusative
- יחסת הנושא nominative
- יחסת הפנייה vocative
- יחסת הקניין genitive
יחסות נ relativity
יחסי ת comparative, proportional, relative
יחסיות נ relativity, relativism
יחסית תה"פ comparatively
- יחסית ל- compared to
יחסן ז privileged, man of good family
יחסנות נ haughtiness, privilege
יחף ת barefoot, unshod
יחפן ז barefooted, tramp
יחפנות נ barefootedness
יחצן פ promote a public image
יחצן ז public relations officer, PR man
יחצנות נ public relations, PR
ייאוש ז despair, desperation
- לאחר ייאוש hopeless, past hope
ייאש פ cause despair, dishearten
ייבא פ import
ייבב פ sob, whimper, wail, whine
ייבוא ז import, importation
ייבוב ז sobbing, wailing
ייבום ז levirate marriage, taking a brother's widow
ייבוש ז drying, draining
ייבם פ marry a brother's widow
ייבש פ dry, drain, desiccate
ייגע פ weary, tire out, exhaust
יידה פ throw, cast, hurl
יידוי ז throwing, hurling
יידוע ז notification, briefing
- הא היידוע definite article, the
יידיש נ Yiddish, Jewish
יידע פ cause to know, notify, inform
ייהד פ convert to Judaism, populate with Jews
ייהוד ז converting to Judaism,

populating with Jews
ייזום ז' initiating, promotion
ייחד פ' set apart, allocate, assign
- ייחד הדיבור על enlarge upon, focus on
ייחוד ז' singularity, setting aside, uniqueness, privacy
ייחודי ת' exclusive, unique
ייחודיות נ' singularity, exclusiveness
ייחול ז' expectation, hope
ייחום ז' rut, heat, excitement
ייחוס ז' ancestry, lineage, good family, ascription, attribution
- שלא לייחוס off the record
ייחור ז' cutting, offshoot, slip
ייחל פ' hope, expect, wait
ייחם פ' rut, excite sexually
ייחס פ' attribute, ascribe, attach
- ייחס חשיבות place importance
ייטב פ' will be good/better
יילד פ' deliver, help bear
יילוד ז' newborn, infant, son
יילל פ' howl, wail, weep, whine
יימח שמו! מ"ק of accursed memory
יין ז' wine
- יין אדום red wine
- יין יבש dry wine
- יין לבן white wine
- יין לענה vermouth
- יין נסך not kosher wine
- יין נתזים sparkling wine
- יין שולחני table wine
- יין שרף brandy, spirits
יינון ז' ionization
ייני ת' winy, wine-colored, vinous
יינן פ' ionize
יינן ז' vintner, wine maker
ייסד פ' establish, found, set up
ייסוד ז' establishing, foundation
ייסוף ז' revaluation, revaluing
ייסורים ז"ר agony, suffering, torture
- ייסורי מצפון contrition, remorse
ייסף פ' revaluate, revalue
ייסר פ' admonish, torment
ייעד פ' appoint, intend, earmark
ייעוד ז' designation, destiny, appointment, mission, vocation
ייעול ז' making efficient, rationalization, streamlining
ייעוץ ז' advice, consultation, counsel, counseling
- ייעוץ מקצועי vocational counseling
ייעור ז' afforestation
ייעל פ' make efficient, rationalize, streamline
ייעץ פ' advise, counsel, recommend
ייער פ' afforest, plant trees
ייפה פ' beautify, adorn, embellish
- ייפה כוחו authorize, empower
ייפוי ז' beautification, decoration
- ייפוי כוח power of attorney, proxy, mandate, plenipotentiary
ייצא פ' export
ייצב פ' stabilize, fix, steady
ייצג פ' represent, stand for

ייצוא ז' exportation, export
ייצוב ז' stabilization, fixation
ייצוג ז' representation
ייצוגי ת' representative
ייצור ז' manufacture, production
- ייצור המוני mass production
ייצר פ' manufacture, produce
ייקור ז' raising of price, markup
ייקר פ' raise the price, mark up
יירוט ז' interception
יירט פ' intercept, head off
יירקון ז' chlorosis, jaundice
יי"ש = יין שרף spirits, brandy, arrack
יישב פ' settle, adjust, set, place, solve, reconcile
יישוב ז' settlement, population, colonization, explaining
- יישוב דעת composure, self-possession
- לא מן היישוב uncivilized person
יישובי ת' of a settlement
יישום ז' application, implementation
יישומי ת' applied, applicable
יישור ז' straightening, alignment
- יישור שיניים orthodontics
יישם פ' apply, put to use
יישן פ' put to sleep, make old, date
יישר פ' straighten, align, level
- יישר הדורים iron out difficulties
- יישר זרם rectify
- יישר כוח! thank you!, well done!
- יישר קו עם come into line with
ייתור ז' excess, redundancy
- ייתור לשון tautology, pleonasm
ייתכן תה"פ possible, perhaps, maybe
- הייתכן? is it possible, fancy!
- לא ייתכן impossible
ייתכנות נ' possibility, probability
ייתם פ' make an orphan, orphan
ייתר פ' make redundant/needless
יכול פ' can, may, be able
- היה יכול may, might
- יכול ל- overcome, beat, win
- יכול להיות maybe
- יכול להרשות לעצמו can afford
- יכולני I can
יכול ת' able, capable
- לא יכול unable, cannot
יכולת נ' ability, capability
יכטה נ' yacht
יכיח ת' demonstrable, provable
ילד ז' child, son, boy, *kid
- והילד איננו the bird has flown
- ילד פלא infant prodigy
- ילד רחוב urchin, street Arab
ילדה נ' girl, daughter
ילדה פ' bear, have a baby
ילדון ז' child, little boy, kid
ילדונת נ' little girl, chit
ילדות נ' childhood, babyhood
ילדותי ת' boyish, childish, infantile
ילדותיות נ' infantilism, puerility
ילוד ז' baby, child
- ילוד אישה mortal, human
ילודה נ' birth rate, birth

יָלִיד ת׳ — native, born, indigenous
יְלִיד הארץ — born in Israel, sabra
יְלָלָה נ — howl, lament, wail, whine
*יַלְלָה! מ״ק — let's go!, *shoo
יַלָּן ז — wailer, whiner, weeper
יֶלֶק ז — locust larva
יַלְקוּט ז — bag, satchel, compilation, anthology, shepherd's purse
ילקוט שירות — service record
יָם ז — sea, ocean, *the drink, west
הים הכספי — Caspian Sea
הים השחור — Black Sea
הים התיכון — Mediterranean
ים המלח/המוות — Dead Sea
ים כינרת — Sea of Galilee
ים סוף — Red Sea
יָם-תִּיכוֹנִי ת׳ — Mediterranean
יַמָּאוּת נ — seamanship, navigation
יַמַּאי ז — sailor, seaman, bluejacket
יַמְבּוּס ז — iamb
יָמָה נ — lake, closed sea
ימת החולה — Lake Hula
יָמָּה תהי״פ — westwards, seawards
יְמוֹת ז״ר — days of, times of
יַמִּי ת׳ — marine, nautical, naval
יְמֵי (ראה יום) — days of
יַמִּיָּה נ — fleet, navy
יָמִים (ראה יום) ז״ר — days, times
יָמִין ז — right, right hand
על ימין ועל שמאל — on all sides
יָמִינָה תהי״פ — to the right, right
יְמִינִי ת׳ — right, right-handed
יְמָמָה נ — a day and a night
יְמָנִי ת׳ — right, rightist, right-handed
ימ״ש = ימח שמו — of accursed memory
יֵן (מטבע יפני) ז — yen
יָנוּאָר ז — January
יָנוּקָא ז — baby, child-Rabbi
יְנִיקָה נ — sucking, suction
יָנַק פ — suck, imbibe, absorb
יַנְקוּת נ — babyhood, infancy
יַנְשוּף ז — owl
יַנְשוּפִי ת׳ — owlish
יָסַד פ — establish, set up, found
יֶסֶד ז — tonic
יְסוֹד ז — basis, element, foundation
ביסודו — essentially, at bottom
ביסודו של דבר — basically
יסוד סביר — reasonable ground
יסודות קורט — trace elements
עד היסוד — totally, thoroughly
על יסוד — on the basis of
יְסוֹדִי ת׳ — basic, elementary, fundamental, thorough
יְסוֹדִיּוּת נ — thoroughness, radicalism
ביסודיות — thoroughly, at length
יַסְמִין (שיח בר) ז — jasmine
*יַסְמָן (אומר הן) ז — yes-man
יַסְעוּר (עוף ים) ז — petrel
יָסַף פ — continue, add, go on
יֶסֶף ז — coda, excess
יָעַד פ — assign, designate, appoint
יַעַד ז — aim, destination, goal, purpose, target
יָעֶה ז — dustpan, scoop, shovel
יָעֵז ז — ibex-goat, gobex

יָעִיל ת׳ — efficient, effective, effectual
יְעִילוּת נ — efficiency, efficacy
יָעֵל ז — chamois, mountain-goat, ibex
יַעֲלָה נ — mountain-goat
יעלת חן — charming woman
יָעֵן ז — ostrich
יַעַן (כי) תהי״פ — because, as, since
*יַעַן תהי״פ — that is to say, kind of
יָעַף ז — hurry, haste, volley, overflight
ביעף — in a hurry, swiftly
יַעֶפֶת נ — jet lag
יָעַץ פ — advise, counsel, recommend
יַעַר ז — forest, jungle, wood, host
יער בראשית/עד — virgin forest
יַעֲרָה נ — honeycomb, honeysuckle
יַעֲרִי ת׳ — wooded, sylvan
יַעְרָן ז — forester, woodsman
יַעְרָנוּת נ — forestry, woodcraft
יַפַּאי ז — beautician, decorator
יָפָה פ — be beautiful, bloom
יָפֶה ת׳ — beautiful, lovely, fair, pretty
יפה ל- — suitable, good
יפה נפש — noble-minded, prim
יפה שעה אחת קודם — better to do it now
יפה תואר/מראה — good-looking
יָפֶה תהי״פ — well, properly, fine
יִפְהַפֶה ת׳ — beauteous, beautiful
יְפֵהפִיָּה נ — beauty, belle
היפהפייה הנרדמת — Sleeping Beauty
יָפוֹ נ — Jaffa
*יָפיוף ז — good-looking boy
יָפָּן ז — Japan, Nippon
יַפָּנִי ז — Japanese
יַפָּנִית נ — Japanese
יִפְעָה נ — beauty, glory, splendor
יָצָא פ — come out, go out, get out, emerge, leave
יצא ב- — end in, get
יצא בשן ועין — lose, be defeated
יצא לאור — come to light
*יצא לו — happen, come one's way, come out, slip out
יצא לפועל — be carried out
יצא מדעתו — lose one's mind
*יצא מזה — be well out of it
יצא מכלל- — be out of-, be no more-
יצא מעורו — make every effort
*יצא ש- — it so happened that
יצאה נשמתו — die
יַצְאָנִית נ — prostitute, whore
יִצְהָר ז — pure oil
יָצוא ז — export
יַצּוּאָן ז — exporter
יָצוּל ז — beam, pole, shaft
יצול המשקפיים — bow
יָצוּע ז — couch, bed
יָצוּק ת׳ — cast, molten, poured
יְצוּר ז — creature, organism
יצור אנוש — human being
יְצִיאָה נ — going out, exit, departure, emptying the bowels, *utterance
יציאת חירום — fire-escape
יציאת מצריים — Exodus
יְצִיאוֹת נ״ר — cost, expenditure
יַצִּיב ת׳ — stable, steady, firm, set

יְצִיבָה נ׳ standing, posture
יְצִיבוּת נ׳ stability, steadiness
יָצִיג ת׳ representative
יָצִיעַ ז׳ gallery, balcony, stand
- יציע הקהל grandstand, bleachers
יְצִיקָה נ׳ casting, pouring, infusion
יְצִיר ז׳ creature, creation
- יציר כפיו handiwork, creation
יְצִירָה נ׳ creation, formation, work of art, composition
יְצִירָתִי ת׳ creative
יְצִירָתִיּוּת נ׳ creativity
יָצַק פ׳ cast, pour, decant, infuse
- יצק מים על ידיו serve him
יֶצֶקֶת נ׳ cast iron, pig iron, fondant
יָצַר פ׳ create, make, form, produce
יֵצֶר ז׳ instinct, urge, drive, impulse
- יצר הטוב good nature
- יצר הרע urge to do evil
יַצְרָן ז׳ manufacturer, producer
יַצְרָנוּת נ׳ productivity
יַצְרָנִי ת׳ productive
יֶקֶב ז׳ wine cellar, wine press
יָקַד פ׳ burn, glow, blaze
*יֶקֶה ז׳ German Jew
יְקוּם ז׳ cosmos, universe
יַקִּינְטוֹן ז׳ hyacinth
יְקִיצָה נ׳ waking up, awakening
יַקִּיר ת׳ dear, beloved, darling
יָקַר פ׳ be dear, be precious
יְקָר ז׳ honor, dignity, importance
יָקָר ת׳ dear, expensive, precious
- יקר המציאות rare, scarce
- יקר ערך valuable, prized
יַקְרוּת נ׳ dearness, expensiveness
יַקְרָן ז׳ profiteer, overcharging
יָרֵא ת׳ fearing, fearful, afraid
- ירא שמיים God-fearing, pious
יִרְאָה נ׳ fear, awe, dread
- יראת כבוד awe, reverence, respect
- יראת שמיים piety, religiousness
יַרְבּוּז ז׳ tumbleweed, amaranth
יַרְבּוּעַ (מכרסם) ז׳ jerboa
יַרְגָּזִי (ציפור שיר) ז׳ tit, titmouse
יָרַד פ׳ go down, come down, descend, fall, emigrate
- ירד לחייו annoy, torment
- ירד לטמיון be lost, go to waste
- ירד לסוף דעתו understand
- ירד ממנו *get off his back
- ירד מן הפסים go off the rails
- ירד מנכסיו become poor
- ירד על *come down on, annoy
- ירד פלאים touch bottom, drop
יַרְד ז׳ yard
יַרְדֵּן נ׳ Jordan
יַרְדֵּנִי ת׳ Jordanian
יָרָה פ׳ fire, shoot, gun, loose
- ירה לעצמו ברגל shot himself in the foot, make a mistake
- ירה מהמותן shoot indiscriminately
יָרוּד ת׳ low, inferior, poor
יָרוֹד (מחלה) ז׳ cataract
יָרוּי ת׳ shot
יָרוֹק ת׳ green, verdant, *dollar
- ירוק עד evergreen
- קיבל אור ירוק get the green light
יֵרוֹקָה נ׳ duckweed, chlorosis
- ירוקת החמור squirting cucumber
יֵרוֹקֶת נ׳ duckweed, verdigris
יְרוּשָּׁה נ׳ heritage, inheritance
יְרוּשָׁלַיִם נ׳ Jerusalem
יְרוּשַׁלְמִי ת׳ Jerusalemite
יֶרַח ז׳ month
- ירח דבש honeymoon
יָרֵחַ ז׳ moon, satellite
יַרְחוֹן ז׳ monthly
יַרְחִי ת׳ lunar, of the moon
יְרִי ז׳ shooting, firing, shot
יָרִיב ז׳ adversary, opponent, rival
יְרִיבוּת נ׳ rivalry, contention
יָרִיד ז׳ bazaar, fair, market
יְרִידָה נ׳ descent, fall, going down, decline, decrease, emigration
- ירידת מים bag of waters break
יְרִיחוֹ נ׳ Jericho
יְרִיָּה נ׳ shot, shooting, firing
יְרִיעָה נ׳ sheet, tent-cloth, curtain
- יריעת הגהה galley proof
יְרִיקָה נ׳ spitting, spit
יָרֵךְ נ׳ hip, thigh, loin, haunch
יַרְכָּה נ׳ loins, stern, end, rear, hindpart, abutment
יַרְכִּית נ׳ tunic, cuisse
יַרְכְּתֵי הספינה נ״ר stern, poop
יַרְכָּתַיִם נ״ר sidelines, stern
יָרַק פ׳ spit, spit out, expectorate
יֶרֶק ז׳ green herbs, foliage
- ירק עלה chlorophyll
יָרָק ז׳ vegetable, *veg, herbage
יַרְקוּת נ׳ greenness, verdancy
יְרָקוֹת ז״ר greens, vegetables, *veg
יַרְקָן ז׳ greengrocer
יַרְקָנוּת נ׳ greengrocery
יְרַקְרַק ת׳ greenish, viridescent
יָרַשׁ פ׳ inherit, possess, come into
יֵשׁ ז׳ being, existence
- יש מאין out of thin air
יֵשׁ תהפ״ there is, there are
- יש אומרים some say
- יש בדעתו/ברצונו wish, intend
- יש ויש enough and to spare
- יש לאל ידו he is capable
- יש לי I have, I possess
*יֶשׁ מ״ק hurrah!, bingo!
יָשַׁב פ׳ sit, sit down, dwell, reside
- ישב בדין sit in judgement
- ישב ראש preside, chair, head
יַשְׁבָן ז׳ behind, buttocks, bottom
יָשׁוּב ת׳ seated, sitting
יְשׁוּעָה נ׳ salvation, help
יֵשׁוּעִי ת׳ Jesuit
יֵשׁוּת נ׳ being, entity, substance
יֵשׁוּתִי ת׳ substantive, existential
יְשִׁיבָה נ׳ sitting, meeting, session, dwelling, yeshiva
- ישיבה מזרחית cross-legged sitting
יָשִׂיג ת׳ available, attainable
יָשִׂים ת׳ applicable, imposable
יְשִׁימוֹן ז׳ waste, desert, wilderness
יְשִׂימוּת נ׳ applicability, execution
יָשִׁיר ת׳ direct, straight, nonstop

ישירות תה"פ — directly, straight

ישיש ז' — old man, aged, elderly

ישן פ' — sleep, slumber, *kip

ישן ת' — old, ancient, longstanding

ישן ת' — asleep, sleeping, dormant

ישן נושן ת' — very old

ישנה תה"פ — there is, she is

ישנו תה"פ — there is, be found

ישנוני ת' — sleepy, drowsy

ישנם תה"פ — there are

ישנן תה"פ — there are

ישע ז' — salvation, help

- חסר ישע — helpless, high and dry

יש"ע — Judea Samaria and Gaza

ישפה (אבן טובה) ז' — jasper

ישר פ' — be straight, be just

ישר ז' — straight line

ישר ת' — straight, direct, right, honest, candid

- ישר זווית — right-angled, square

- ישר לב — honest, righteous

- ישר לעניין — straight to the point

- עשה כישר בעיניך — do as you please

ישראל נ' — Israel, Zion

ישראלי ת' — Israeli

ישרות נ' — straightness, integrity

יתד נ' — peg, pin, spike, wedge, chock, picket, stake, metric foot

יתוך ז' — tongs

יתום ז' — orphan, fatherless

יתוש ז' — mosquito, gnat, midge

יתיר ת' — superfluous, redundant

יתמות נ' — orphanhood, orphanage

יתר ז' — remainder, excess, surplus, hypotenuse

- יתר לחץ דם — hypertension

- ליתר דיוק — to be precise

יתר ת' — superfluous, excessive

- יתר על כן — moreover, what's more

- יתרה מזו — moreover, what's more

יתרה נ' — balance, remainder, surplus

יתרון ז' — advantage, profit, gain

יתרוני ת' — advantageous

כ

כ- — as, like, about, a matter of

כ"א = כל אחד — every one, each

כאב פ' — ache, hurt, smart

כאב ז' — ache, pain, torture

- כאב בטן — bellyache

- כאב גב — backache

- כאב לב — heartache

- כאב ראש — headache

- כאב שיניים — toothache

כאוב ת' — aching, painful

כאילו תה"פ — as if, as though, *like, sort of, kind of

כאמור תה"פ — as aforesaid

כאן תה"פ — here, in this place

- כאן ועכשיו — here and now

- לכאן ולכאן — up and down, both ways

- עד כאן — till this place, no more

כאשר מ"ח — when, while, whereas, as

כבאות נ' — fire fighting

כבאי ז' — fire fighter, fireman

כבאית נ' — fire truck, fire engine

כבד פ' — be heavy, be hard

כבד ז' — liver

כבד ת' — heavy, weighty, onerous

- כבד משקל — weighty

- כבד פה — falterer, stammerer

- כבד שמיעה — hard of hearing

כבדות נ' — weight, heaviness

- בכבדות — slowly, with difficulty

כבה פ' — go out, fade out

כבוד ז' — dignity, honor, respect

- בכבוד רב — yours respectfully

- בכבודו ובעצמו — he himself

- כבוד עצמי — self-respect

- כבודו במקומו מונח אך — with all respect - yet

- כל הכבוד! — well done!, bravo!

- עם כל הכבוד — with all respect

- עם מי יש לי הכבוד? — and who may you be?

כבודה נ' — luggage, burden

כבוי ת' — extinguished, off

כבול ז' — peat, turf, dry land

כבול ת' — fettered, tied, restricted

כבוש ת' — conquered, occupied, preserved, pickled, pressed

כבושים ז"ר — pickles

כבידה נ' — gravitation, gravity

כביכול תה"פ — as it were, so-called

כבילה נ' — tying, chaining, restriction

כביס ת' — washable

כביסה נ' — washing, laundry

כביסות נ' — washability

כביר ת' — huge, enormous, *great

כבירה נ' — sieving, sifting

כביש ז' — road, highway, carriageway

- כביש אגרה — turnpike, toll road

- כביש מהיר — expressway, freeway

- כביש ראשי — highway, highroad

כבישה נ' — pressing, pickling

כבל פ' — tie, fetter, chain, bind

כבל ז' — cable, chain, restraint

כבלר ז' — jointer, splicer

כבנה נ' — hairpin, brooch

כבס פ' — launder, wash

כבסים ז"ר — laundry, washing

כבר פ' — sift, riddle, sieve

כבר תה"פ — already, yet

- כבר לא — no more

- משכבר הימים — long ago

כברה נ' — riddle, screen, sieve

כברת ארץ — plot of land

כברת דרך נ' — a distance, some way

כבש פ' — conquer, subdue, take, occupy, preserve, pickle

- כבש בסערה — carry, take by storm

- כבש דרך — beat a way

- כבש יצרו — suppress desires

- כבש לב — captivate

- כבש פניו בקרקע — hide one's face

- כבש שער — score a goal

כבש ז' — sheep, lamb

כבש ז' — ramp, gangplank

כִּבְשָׂה נ׳ ewe, sheep
- כבשה שחורה black sheep
- כבשת הרש poor man's ewe lamb
כִּבְשָׁן ז׳ crematorium, furnace, kiln
כְּגוֹן תה״פ such as, for example, e.g.
- כגון דא like this
כַּד ז׳ pitcher, jar, jug, ewer
- כד חלב churn, milk-churn
כְּדַאי ת׳ advisable, worthwhile
כְּדָאִי ת׳ worthwhile
כְּדָאִיּוּת נ׳ advisability, worthiness
*כְּדָאִינִיק ז׳ self-seeker, egoist
כִּדְבָעֵי תה״פ well, properly
כַּדּוֹמֶה תה״פ and the like
כַּדּוּר ז׳ ball, bullet, cartridge, round, sphere, globe, tablet, pill
- הכדור במגרשו/בידיו the ball is in his court
- כדור ביניים jump ball
- כדור בסיס baseball
- כדור בשר meatball
- כדור הארץ Earth, globe
- כדור יד handball
- כדור מים (משחק) water polo
- כדור משחק ball, play ball
- כדור נוצה badminton
- כדור נותב tracer bullet
- כדור ניתר rebound
- כדור נפטלין camphor ball
- כדור סרק dummy ammunition, blank cartridge
- כדור פורח balloon
- כדור שלג snowball
- כדור תועה stray bullet
כַּדּוּרֶגֶל ז׳ football, soccer
כַּדּוּרַגְלָן ז׳ soccer player
כַּדּוּרוֹן ז׳ small ball, pellet
כַּדּוּרִי ת׳ spherical, round, globular
כַּדּוּרִית נ׳ cell, corpuscle, globule
- כדורית לבנה leukocyte
כַּדּוּרְסַל ז׳ basketball
כַּדּוּרְסַלָּן ז׳ basketball player
כַּדּוּרְעָף ז׳ volleyball
כַּדּוֹרֶת נ׳ bowls, bowling
כְּדֵי תה״פ so as to, in order to, about, as much as
כַּדְכֹּד ז׳ jacinth, porphyry
כִּדְלְהַלָּן תה״פ as follows
כִּדְלְקַמָּן תה״פ as follows
כִּדְרוּר ז׳ dribble, dribbling
כִּדְרֵר פ׳ dribble
כַּדָּת תה״פ properly, well, right
כדת וכדין well
כֹּה תה״פ so, such, here, that
- כה אחיה! for the life of me!
- כה לחי! congratulations!
כְּהַאי לִישָּׁנָא תה״פ in these words
כָּהָה פ׳ be dark, grow dim
כֵּהֶה ת׳ dark, dim, faint, dusky
- כהה עור dark-skinned
כְּהוּא זֶה a little, (not) a bit
כְּהוֹגֶן תה״פ well, properly, decently
כָּהוּי ת׳ dark, dim, faint
כְּהוּנָּה נ׳ office, incumbency, term of service, priesthood
כֵּהוּת נ׳ darkness, dimness

כַּהֲלָכָה תה״פ well, properly, right
כַּהֶלֶת נ׳ alcoholism
כְּהֶרֶף עַיִן תה״פ in a flash, in no time
כּוֹאֵב ת׳ painful, sore, hurting
כֻּבַּד פ׳ be honored, be cleaned
כֹּבֶד ז׳ weight, heaviness
- כובד ראש gravity, seriousness
כֻּבָּה פ׳ be extinguished
כּוֹבֵל ת׳ binding, tying down
כֻּבַּס פ׳ be washed, be laundered
כּוֹבֶסֶת נ׳ laundress, washerwoman
כּוֹבַע ז׳ cap, hat, headgear
- כובע גרב stocking cap
- כובע הטבור (בגלגל) hubcap
- כובע הנזיר (פרח) nasturtium
כּוֹבָעוֹן ז׳ condom, sheath, small hat
כּוֹבָעָן ז׳ hatter, milliner, hat-maker
כּוֹבֵשׁ ז׳ conqueror, subjugator
כּוֹד ז׳ blunt end, rounded end
כֹּהַל ז׳ alcohol, spirit
- כוהל מפוגל methylated spirits
כֹּהֲלִי ת׳ alcoholic, spirituous
כֹּהֵן ז׳ Cohen, priest
- כוהן גדול high priest
כֹּהֶנֶת נ׳ priestess, priest's wife
- הכוהנת הגדולה high priestess
כַּוָּה נ׳ port, hatchway, manhole
- כוות ירייה port, porthole
כָּווּי ת׳ burnt, scorched, scalded
כְּוִויָּה נ׳ blister, burn, scald
- כווייה מדרגה שלישית third-degree burn
- כוויית שמש sunburn
כָּוִיץ ת׳ contractile, shrinkable
כּוּוַיְת נ׳ Kuwait
כֻּוַּן פ׳ be aimed, be directed
כַּוָּן ז׳ gunlayer
כַּוָּנָה נ׳ aim, intention, meaning
- בכוונה deliberately, on purpose
- רצח בכוונה תחילה premeditated murder
כִּוְנוּן ז׳ adjustment, tune-up
כִּוְנֵן פ׳ adjust, tune, regulate
כַּוְנָן ז׳ tuner
כַּוֶּנֶת נ׳ sight, viewfinder
- כוונת אחורית rear sight
- כוונת פצצות bombsight
- כוונת קדמית foresight, front sight
*- על הכוונת marked, be a target
כֻּוַּץ פ׳ be shrunk, be contracted
כַּוְרָן ז׳ apiarist, beekeeper
כַּוְרָנוּת נ׳ apiculture, beekeeping
כַּוֶּרֶת נ׳ beehive, hive, apiary
כּוֹזֵב ת׳ false, lying, untruthful
כֹּחַ ז׳ force, power, strength, might, lizard, monitor
- בכוח הזרוע violently
- כוח אדם manpower, work force
- כוח גברא sexual potency
- כוח הדיבור *the gift of the gab
- כוח המשיכה gravity, gravitation
- כוח משימה task force
- כוח סביר reasonable force
- כוח סבל endurance, stamina
- כוח סוס horsepower
- כוח עבודה work force

- כוח עליון force majeure, act of God
- כוח קנייה buying power
- כוח רב-לאומי multinational force
- כוח רצון willpower
- כוחו במותניו/עמו he is strong
- כוחו יפה be valid
- כוחות הביטחון security forces
- כוחות יבשה land forces
- כוחות סדירים regular soldiers
כּוֹחַל ז׳ kohl, blueness
כּוֹחָנוּת נ׳ violence, forcefulness
כּוֹחָנִי ת׳ potential, forceful
כּוּיַל פ׳ be calibrated, be gauged
כּוּיַס פ׳ be pickpocketed
כּוּיַר פ׳ be modeled, be molded
כּוּךְ ז׳ niche, catacomb, hole
כּוֹכָב ז׳ star, planet, Mercury
- כוכב הצפון polestar, lodestar
- כוכב ים starfish
- כוכב לכת planet
- כוכב נופל meteor, shooting star
- כוכב עולה/דורך rising star
- כוכב על superstar
- כוכב קולנוע film star, movie star
- כוכב שביט comet
- כוכב שבת fixed star
- כוכבו דעך his star set
כּוֹכָבוֹן ז׳ asterisk, (*)
כּוֹכָבִי ת׳ astral, stellar, sidereal
כּוֹכָבִית נ׳ asterisk, (*)
כּוֹכָבְנִית נ׳ starlet
כּוֹל מ״ג all, any, every, each, whole
- כולי/כולך וכו׳ all of me/you etc.
כּוֹל (ראה גם כָּל)
כּוֹלבּוֹ ז׳ supermarket
*כּוֹלבּוֹיניק ז׳ slop bowl, slop basin
כּוֹלֵל ז׳ community, religious fund
כּוֹלֵל ת׳ including, all-out, general
- לא כולל excluding, exclusive of
כּוֹלְלָנִי ת׳ comprehensive, global
כּוֹלֶסטֶרוֹל ז׳ cholesterol
כּוֹלֵרָה נ׳ cholera
כּוֹמֶר ז׳ clergyman, curate, priest
כּוּמְתָּה נ׳ beret
כּוּנָּה פ׳ be nicknamed, be named
כּוֹנֵן פ׳ found, set up, wind
כּוֹנָן ז׳ rack, drive, on call
- כונן דיסקים disk drive
- כונן סרטים tape drive
כּוֹנְנוּת נ׳ alert, vigilance, standby
כּוֹנָנִית נ׳ bookcase, cabinet
כּוּנַס פ׳ be convened, be summoned
כּוֹנֵס נְכָסִים ז׳ official receiver
כּוֹנֶרֶת נ׳ viola
כּוֹס נ׳ glass, tumbler, goblet
- כוס התרעלה cup of bitterness
כוס רוח cupping-glass
- נתן בכוס עינו *hit the bottle
כּוֹס (עוף) ז׳ owl
כּוּסְבָּר (גַּד - תבלין) ז׳ coriander
כּוּסָּה פ׳ be covered, be coated
כּוּסַח פ׳ be cut down, *be beaten
כּוֹסִית נ׳ small glass
כּוּסֶמֶת נ׳ buckwheat, spelt
כּוּסְפָּה (מזון בהמות) נ׳ oil-cake

כּוֹעֵס ת׳ angry, cross, irate, mad
כּוֹפֶה ת׳ compulsive, compelling
כּוֹפֵל ז׳ multiplier
כּוֹפֵף פ׳ bend, bow, incline, stoop
- כופף לו את היד twist his arm
כּוּפַּר פ׳ be atoned, be pardoned
כּוֹפֵר ז׳ heretic, infidel, atheist
- כופר בעיקר atheist, unbeliever
כּוֹפֶר ז׳ ransom, forfeit, asphalt
- כופר נפש ransom
כּוּפְתָּה נ׳ dumpling
כּוּפְתַּר פ׳ be buttoned
כּוּר ז׳ melting pot, furnace, forge
- כור אטומי atomic pile, reactor
- כור היתוך blast furnace, smelter, melting pot, crucible
- כור מצרף purgatory
כּוּרְדִי ז׳ Kurd, Kurdish
כּוֹרֶה ז׳ miner, collier, digger
כּוֹרַח ז׳ inevitability, necessity
- בעל כורחו reluctantly, willy-nilly
כּוֹרֵיאוֹגְרָף ז׳ choreographer
כּוֹרֵיאוֹגְרַפְיָה נ׳ choreography
כּוֹרֵךְ ז׳ binder, bookbinder
כּוּרְכּוּם ז׳ crocus, saffron, turmeric
כּוֹרְכָן ז׳ binder
- כורכן טבעות ring binder
כּוּרְכָּר ז׳ limestone, coarse sand
כּוֹרָל ז׳ chorale
כּוֹרֵם ז׳ vinegrower, vinedresser
כּוּרְסָה נ׳ armchair, lounge-chair
כּוּרְסַם פ׳ be nibbled, be gnawed
כּוֹרֶת ז׳ trunk, stump
כּוֹרֵת ז׳ cutter, woodcutter
- עלה עליו הכורת be killed, be destroyed
כּוּשׁ ז׳ spindle, shaft, rod
כּוּשׁוֹן ז׳ nigger
כּוּשִׁי ז׳ black, colored, Negro
- הכושי עשה את שלו he did it - (he may go)
כּוּשִׁית נ׳ Negress
כּוֹשֵׁל ת׳ failing, abortive, futile
כּוּשַּׁף פ׳ be bewitched, be charmed
כּוֹשֶׁר ז׳ ability, fitness, form, condition, power, skill
- בכושר in condition, in shape
- חיכה לשעת כושר bide one's time
- כושר פירעון solvency
- כושר שיפוט judicial ability
- לא בכושר out of condition
כּוֹשְׁרָה נ׳ chance, opportunity
כּוֹתֵב ז׳ writer, scribe
כּוּתּוֹנֶת נ׳ shirt, blouse
- כותונת לילה nightgown
כּוֹתֶל ז׳ wall, side
- הכותל המערבי the Wailing Wall
- כותל המזרח important position
כּוּתְנָה נ׳ cotton
כּוֹתֶפֶת נ׳ epaulet, shoulder strap
כּוּתַּר פ׳ be surrounded, be encircled
כּוֹתָר ז׳ letterhead, title
כּוֹתֶרֶת נ׳ caption, headline, title
- כותרת העמוד capital
- כותרת הפרח corolla
- כותרת משנה subheading, subtitle

כָּזֹאת ת like this, like that
כָּזָב ז lie, deceit, falsehood
כַּזְבָן ז liar, storyteller
כָּזֶה ת that, such, like that
*- כזה או אחר something of the kind
כָּזוֹ ת that, such, like that
כְּזַיִת ז small amount
כַּח פ spit phlegm, cough
כָּחוֹל ת blue
- כחול לבן made in Israel
כָּחוּשׁ ת thin, skinny, gaunt, lean
כִּחְכֵּחַ פ clear one's throat
כָּחַל פ blue, turn blue
כָּחַל ז kohl, liner, eye shadow
- בלא כחל ושרק plain, frankly
כְּחַל ז udder
כְּחַלְחַל ת bluish, blueish
כָּחַשׁ פ become thin, emaciate
כַּחַשׁ ז deceit, lying, bluff
כִּי מ״ח because, since, as, for
- כי אז then
- כי אם but, except, only
כַּיָּאוּת תה״פ well, properly, right
כִּיב ז ulcer
כִּיבֵּד פ honor, respect, offer, clean
- כבדהו וחושדהו respect but suspect him
- כיבד שק honor a check
כִּיבָּה פ extinguish, put out, turn off
כִּיבּוּד ז honoring, respect, refreshments, treat, sweeping
- כיבוד אב ואם filial piety
- כיבודים (בסוף סרט) credits
כִּיבּוּי ז extinguishing, turning off
- כיבוי אורות blackout, lights out
כִּיבּוּס ז washing, laundering
כִּיבּוּשׁ ז conquest, occupation
- כיבוש היצר self-control
כִּיבִי ת ulcerous
כִּיבֵּס פ launder, wash, wash out
כְּיַד הַמֶּלֶךְ תה״פ abundantly
כִּידוֹן ז bayonet, lance, javelin
- כידון האופניים handlebars
כִּידֵּר פ make round, ball
כִּיהֵן פ hold office, officiate, serve
כִּיּוּב ז ulceration
כִּיוֵּן פ aim, direct, point, true up
כִּיוּוּן ז direction, aim, tuning
- בכיוון השעון clockwise
- כיווני אוויר directions (east etc.)
כֵּיוָן שֶׁ- תה״פ because, since, as
כִּיוּוּנִי ת directional
- דו-כיווני two-way
- חד-כיווני one-way
כִּיוֵּץ פ contract, shrink, narrow
כִּיוּוּץ ז constriction, shrinking
*- כיווצים gathering, gather
כִּיּוּל ז calibration, gauging
כַּיּוֹם תה״פ now, nowadays, currently
כִּיּוּס ז pickpocketing
*כִּיּוּפִים ז״ר having fun
כִּיּוֹר ז sink, basin, washbowl
כִּיּוּר ז modeling, molding
כִּיּוֹרֶת נ plasticine
כִּיזֵּב פ lie, deceive, prevaricate

כִּיחַ ז phlegm, sputum, *gob
כִּיחֵד פ hide, deny, disown
כִּיחָה נ expectoration, phlegm
כִּיחָלוֹן ז cyanosis
כִּיֵּל פ calibrate, measure, gauge
כִּיֵּס פ pick pockets
כַּיָּס ז pickpocket, light-fingered
כַּיָּסוּת נ picking pockets
*כִּיֵּף פ have fun, enjoy
כִּיֵּר פ mold, model
כִּיכֵּב פ feature, star, act, play
- בכיכובו של starring, featuring
כִּיכָּר נ square, circle, plaza, rotary, roundabout, traffic circle
- כיכר לחם loaf of bread
כִּילֵּב פ stitch
כִּילָּה פ finish, destroy, exhaust, use
- כילה חמתו ב- wreak one's fury on
כִּילָּה נ canopy, mosquito net
כִּילּוּל ז integration
כִּילַי ז miser, mean, stingy
כִּילָּיוֹן ז extermination, ruin
- כיליון עיניים yearning, longing
כֵּילַף ז hatchet, ax
כִּימַאי ז chemist
כִּימּוּי, כִּימּוּת ז quantification
כִּימוֹתֶרַפִּי ת chemotherapeutic
כִּימוֹתֶרַפְּיָה ז chemotherapy
כִּימִי ת chemical
כִּימְיָה נ chemistry, sympathy
- יש כימיה (ביניהם) have a special chemistry
- כימיה אורגנית organic chemistry
- כימיה אי-אורגנית inorganic chemistry
כִּימִיקָלִים ז״ר chemicals
כִּימֵּר פ braise, burn
כִּימָּשׁוֹן (מחלת צמחים) ז blight
כִּימֵּת פ quantify
כִּינָּה פ name, nickname, term
כִּינָּה נ louse
- כינים lice, vermin
כִּינּוּי ז nickname, alias, *handle
- כינוי גנאי abusive term
- כינוי הקניין possessive pronoun
- כינוי השם pronoun
- כינוי ספרותי pseudonym
כִּינּוּן ז establishing, founding
כִּינּוּס ז gathering, conference, assembly
- כינוס נכסים receivership
כִּינּוֹר ז violin, fiddle
- כינור שני (למישהו) second fiddle
כִּינִין (תרופה למלריה) ז quinine
כִּינֶּמֶת נ infestation with lice, pediculosis
כִּוֵּן פ adjust, wind, regulate
כִּינֵּס פ convene, summon, gather
כִּינֵּר פ fiddle, play the violin
כִּנֶּרֶת (ים-) ז Sea of Galilee
כִּיס ז pocket, sac, pouch, purse
- כיס אוויר air pocket
- כיס איבקה seam pocket
- כיס האשכים scrotum
- כיס המרה gall bladder
- כיס התנגדות pocket of resistance

- כיס חזה breast pocket
- כיס משוקע inset pocket
- כיס פנימי interior pocket
*- שם אותו בכיס הקטן he's no match for him
כִּסֵּא ז׳ chair, seat
- כיסא גבוה high chair, step chair
- כיסא גלגלים wheelchair
- כיסא חשמל electric chair, chair
- כיסא מסתובב swivel chair
- כיסא מתקפל camp chair, folding chair, campstool
- כיסא נוח easy chair
- כיסאות מוסיקליים musical chairs
כִּיסָה פ׳ cover, coat, veil, hide
כִּיסוּחַ ז׳ cutting off, *beating up
כִּיסּוּי ז׳ blanket, cover, cover-up, covering, coverage, lid
- כיסוי מיטה bedspread, coverlet
- כיסוי ראש headdress, headgear
*- כיסוי תחת preparing an alibi
כִּיסוֹן ז׳ small pocket, fob
כִּיסוּפִים ז״ר yearning, longing
כִּיסֵחַ פ׳ mow, cut down, *beat
כִּיסָן ז׳ dumpling, ravioli, pasty
כִּיסְתָּה נ׳ cyst
כִּיעוּר ז׳ ugliness, disfigurement
כִּיעֵר פ׳ make ugly, uglify, disfigure
*כֵּיף ז׳ fun, enjoyment, good time
כִּיפָּה נ׳ canopy, dome, cupola, cap, skullcap
- כיפה אדומה (אגדה) Little Red Riding Hood
- כיפת השמיים vault of heaven
- תחת כיפת השמיים outdoors
כִּיפוּף ז׳ bending, bend, curve
כִּיפּוּר ז׳ atonement, pardon
- יום כיפור Day of Atonement
כִּיפֵּחַ ת׳ very tall
כִּיפֵּר פ׳ atone, pardon, expiate
כֵּיצַד תה״פ how, how come
כִּירָה נ׳ stove, cooker, griddle
כִּירוֹפְרַקְטוֹר ז׳ chiropractor
כִּירוֹפְרַקְטִיקָה נ׳ chiropractic
כִּירוּרְג ז׳ surgeon
כִּירוּרְגִי ת׳ operative, surgical
כִּירוּרְגְיָה נ׳ surgery
- כירורגיה פלסטית plastic surgery
כִּירַיִים ז״ר stove, cooker
כִּישּׁוּף ז׳ magic, spell, enchantment
כִּישּׁוֹר ז׳ distaff, spindle
כִּישּׁוּרִים ז״ר qualifications, talents
כִּישָּׁלוֹן ז׳ failure, fiasco, *bust
כִּישֵּׁף פ׳ bewitch, charm, enchant
כִּישָּׁרוֹן ז׳ ability, aptitude, talent
כִּיתָּה נ׳ class, classroom, grade, form, section, sect, squad, party
- כיתת יורים firing squad
כִּיתּוּב ז׳ caption, write-up
כִּיתּוּף ז׳ shouldering, joggle, crimp
כִּיתּוּר ז׳ surrounding, encirclement
כִּיתּוּת ז׳ beating, crushing
- כיתות רגליים tiring walk, trudge
כִּיתֵּף פ׳ shoulder
כִּיתֵּר פ׳ encircle, surround, hem in
כִּיתֵּת פ׳ beat, pound, crush
- כיתת רגליו trudge, walk slowly
כִּיתָּתִי ת׳ sectarian, clannish
כִּיתָּתִיוּת נ׳ sectarianism
כָּךְ תה״פ so, thus, like that
- בין כך ובין כך anyway, anyhow
- כך או כך/אחרת in any case
- לא כל כך not so much
כ״כ = כמו כן likewise, as well
כָּכָה תה״פ so, thus, like that
- ככה ככה so-so, after a fashion
כְּכָל תה״פ as, like
- ככל האפשר as much as possible
- ככל הידוע לי to my knowledge
- ככל הנראה probably
- ככל העולה על רוחך as you please
- ככל ש... כן... the more... the more...
- ככל שביכולתי as much as I can
כָּל מ״ג all, any, every, each, whole
- בכל מכל כל lock stock and barrel
- ככלות הכל after all
- כל אחד each, anyone, everyone
- כל אימת ש- whenever, every time
- כל דבר anything, everything
- כל דכפין anybody, whoever
- כל הזמן all the time
- כל טוב all the best!
- כל יכול all-powerful, almighty
- כל כולו all, the whole of it
- כל כך so, so much
- כל עוד as long as, so long as
- כל שכן let alone, much more
- מכל וכל entirely, altogether
כָּלָא פ׳ jail, imprison, lock in
כֶּלֶא ז׳ jail, prison, *nick
כִּלְאַחַר יָד תה״פ perfunctorily
כַּלַּאי ז׳ jailor, warden, warder
כִּלְאַיִים ז״ר hybrid, crossbreeding
כֶּלֶב ז׳ dog, *bowwow
- כלב גזעי pedigree dog
- כלב גישוש bloodhound, tracker dog
- כלב זאב Alsatian, German Shepherd
- כלב ים seal, sea dog
- כלב משטרה police dog
- כלב נהר otter
- כלב נחייה guide dog
- כלב ציד hound, foxhound
- כלב שוטה mad dog
- כלב שמירה watchdog
כַּלְבָּה נ׳ bitch
כַּלְבִּי ת׳ canine, dog-like
כַּלְבִּיָּה נ׳ dog shelter
כַּלְבִּיִּים ז״ר Canidae
כְּלַבְלַב ז׳ puppy, doggie, lap-dog
כַּלְבָן ז׳ dog-trainer
כַּלֶּבֶת נ׳ hydrophobia, rabies
כַּלְבָּתָא נ׳ bitch, shrew, virago
כָּלָה פ׳ end, run out, long, yearn
- כלו כל הקיצין all hopes vanished
- כלתה אליו הרעה ill luck befell him
כַּלָּה נ׳ bride, daughter-in-law
כָּלֶה ת׳ transitory, gone, yearning
כָּלָה תה״פ decidedly, completely
- כלה ונחרצה irrevocable decision

כָּלוּא ת׳	imprisoned, internee
כְּלוּב ז׳	cage, coop, hutch
- כלוב עופות	aviary
כָּלוּל ת׳	included
כְּלוּלוֹת נ״ר	wedding, nuptials
כְּלוּם ז׳	something, aught, *nothing
*- כמו כלום	easily, as anything
כְּלוּם תה״פ	is it (not)?
כְּלוֹמַר תה״פ	i.e., namely, that is
כְּלוֹנָס ז׳	pole, stilt, pale, picket
כְּלוֹר ז׳	chlorine
כְּלוֹרוֹפוֹרם ז׳	chloroform
כְּלוֹרוֹפִיל ז׳	chlorophyll
כְּלוֹרִיד ז׳	chloride
כְּלוֹת נ׳	end
- כלות הנפש	yearning, longing
- עד כלות	endlessly, to the end of
- עד כלות הנשימה	to death, extremely
כֶּלַח - אָבַד עָלָיו כֶּלַח	become dated
כְּלִי ז׳	apparatus, gadget, appliance, instrument, tool, utensil, vessel
- הוציאו מכליו	drive him crazy
- יצא מכליו	lose one's temper
- כלי אין חפץ בו	unwanted thing
- כלים שלובים	communicating vessels, connected vessels
כְּלֵי אוֹכֶל ז״ר	kitchenware, utensils, dishes
כְּלֵי בַּרְזֶל ז״ר	ironware
כְּלִי דָם ז׳	blood vessel
כְּלֵי הַקָּשָׁה ז״ר	percussion instruments
כְּלֵי זכוכית ז״ר	glassware
כְּלֵי זֶמֶר ז״ר	musical instruments
כְּלֵי חֶרֶס ז״ר	earthenware
כְּלֵי חרסינה ז״ר	chinaware
כְּלִי טַיִס ז׳	aircraft
כְּלֵי כֶּסֶף ז״ר	silverware
כְּלֵי מִטְבָּח ז״ר	kitchenware
כְּלֵי מִיטָה ז״ר	bedclothes, bedding
כְּלִי מֵיתָרִים ז׳	stringed instrument
כְּלֵי מִלְחָמָה ז״ר	arms, weapons
כְּלִי מִשְׂחָק ז׳	pawn, plaything
כְּלִי נְגִינָה ז׳	musical instrument
כְּלִי נְשִׁיפָה ז׳	wind instrument
כְּלֵי נֶשֶׁק ז״ר	weapons, arms
כְּלֵי עֲבוֹדָה ז״ר	tools
כְּלִי קִיבּוּל ז׳	receptacle, vessel
כְּלֵי קֶשֶׁת ז״ר	string instruments
כְּלִי רֶכֶב ז׳	vehicle
כְּלֵי שׁוּלְחָן ז״ר	tableware
כְּלִי שַׁחְמָט ז׳	chessman, man
כְּלִי שַׁיִט ז׳	vessel, ship, boat
כְּלִי שָׁרֵת ז׳	tool, cat's paw
כְּלֵי תִּקְשׁוֹרֶת ז״ר	media
כַּלִּיא בָּרָק ז׳	lightning conductor
כְּלִיאָה נ׳	imprisonment, internment
כְּלִיב ז׳	staple
כְּלִיבָה נ׳	stitching, clamp, cramp
כְּלָיָה נ׳	extermination, annihilation
כִּלְיָה נ׳	kidney
- של הכליות	renal, nephritic
כָּלִיל תה״פ	completely, entirely
- כליל החורש	Judas tree
- כליל השלמות	utmost perfection
- כלילת יופי	paragon of beauty
כְּלִילִי (עורק) ת׳	coronary
כְּלִימָה נ׳	shame, disgrace
כָּלִיף ז׳	caliph
כְּלִיפוּת נ׳	caliphate
כַּלֵּךְ מ״ק	go away!, avaunt!
כִּלְכֵּל פ׳	feed, maintain, nourish, handle, deal with
- כלכל מעשיו/צעדיו	act sensibly
כַּלְכָּל ז׳	steward
כַּלְכָּלָה נ׳	economics, economy
- כלכלה מדינית	political economy
- כלכלה שחורה	black economy
- כלכלת הבית	home economics
- כלכלת שוק	market economy
כַּלְכָּלִי ת׳	economic
כַּלְכְּלָן ז׳	economist
כָּלַל פ׳	comprise, contain, include
כְּלָל ז׳	regulation, rule, total, whole, society, community
- הגיע/בא לכלל-	arrive at
- הכלל	the generality, the public
- ככלל	as a rule, generally
- כלל וכלל לא	not in the least
- כלל לא	not at all, far from it
- כללו של דבר	in short
- לא כלל ועיקר	not at all
כְּלַל עוֹלָמִי ת׳	worldwide
כְּלָלוּת נ׳	generality, entirety
כְּלָלִי ת׳	common, general, public
כְּלָלִית תה״פ	generally, on the whole
כַּלָּנִית נ׳	anemone, windflower
כְּלַנְתָּרִיזם ז׳	defection, deserting
כִּלְעוּמַּת שֶׁ-	just as
כְּלַפֵּי מ״י	toward, towards, at
- כלפי חוץ	outwards
- כלפי פנים	inwards
כָּלְשֶׁהוּ תה״פ	whatever, somewhat
כִּמְדוּמֶה תה״פ	it seems
כִּמְדוּמַנִי תה״פ	it seems to me
כָּמַהּ פ׳	yearn, long, pine
כָּמֵהַּ ת׳	yearning, longing, wistful
כַּמָּה תה״פ	how much?, how many?, few, several, some
- בן כמה?/בת כמה?	how old?
- כל כמה זמן?	how often?
- כמה וכמה	many, a large number
- עד כמה שאני יודע	to my knowledge
- על אחת כמה וכמה	let alone, sure
כְּמֵהָה (פטרייה) נ׳	truffle
כְּמוֹ מ״י	as, like, such as
- כמו גם	as well as
- כמו כן	likewise, as well
- כמו שהוא	as it is, as is
- כמוהו כ-	tantamount, same as
- כמוני כמוך	we are alike
- כמוני/כמוך וכו׳	like me/like you etc.
כַּמּוּבָן תה״פ	certainly, of course
כַּמּוֹן (צמח) ז׳	cumin
כָּמוּס ת׳	secret, hidden, covert
כְּמוּסָה נ׳	capsule, cachet
כְּמוּרָה נ׳	clergy, priesthood
כָּמוּשׁ ת׳	withered, dried up
כַּמּוּת נ׳	amount, lot, quantity
- בכמויות	in quantities, abundantly

as, like	כְּמוֹ מ"י
as it is, *as is	- כמות שהוא
like me/like you etc.	- כמותי/כמותך וכו'
quantitative	כַּמּוּתִי ת
within the range of	כְּמִטְחֲוֵי תה"פ
longing, yearning	כְּמִיהָה נ
withering, drying up	כְּמִישָׁה ת
anise	כַּמְנוֹן ז
almost, approximately	כִּמְעַט תה"פ
fairly good, C (grade)	- כמעט טוב
hardly, scarcely	- כמעט שלא
wither, dry up	כָּמַשׁ פ
blight	כִּמָּשׁוֹן ז
mount, pedestal, stand, base	כַּן ז
reinstate, restore	- השיב על כנו
easel	- כן ציור
launching pad	- כן שיגור
gun carriage	- כן תותח
honest, frank, open, sincere	כֵּן ת
yes, so, thus, *yeah	כֵּן תה"פ
and so forth, and so on	- וכן הלאה
against, opposite, versus	כְּנֶגֶד מ"י
stand, base, easel, stock	כַּנָּה נ
as usual, customarily	כַּנָּהוּג תה"פ
submissive, yielding	כָּנוּעַ ת
band, gang, mob	כְּנוּפִיָה נ
sincerity, truth, honesty	כֵּנוּת נ
nomenclature	כִּנּוּי ז
aphid, greenfly, vermin	כִּנִּימָה נ
scale insect	- כנימת מגן
admission, entrance, entry	כְּנִיסָה נ
submission, surrender	כְּנִיעָה נ
humility, submissiveness	כְּנִיעוּת נ
ditto, as above	כנ"ל = כנזכר לעיל
capstan	כַּנֶּנֶת (למשיכת ספינות) ז
winch, windlass	כַּנֶּנֶת נ
assemble, collect, pen up	כָּנַס פ
meeting, conference, rally	כֶּנֶס ז
church	כְּנֵסִיָּה נ
ecclesiastical, church	כְּנֵסִיָּתִי ת
Knesset, parliament	כְּנֶסֶת נ
Canaan	כְּנַעַן נ
Canaanite, non-Hebrew	כְּנַעֲנִי ת
wing, mudguard, fender, flap	כָּנָף נ
leaf, drop-leaf	- כנף שולחן
wings	- כנפי טיס
spread quickly	- עשתה לה כנפיים
samara	כְּנַפִית נ
violinist, fiddler	כַּנָּר ז
first violin	- כנר ראשי
apparently, it seems	כַּנִּרְאֶה תה"פ
canary	כְּנָרִית נ
chair, seat, throne	כֵּס ז
the Holy See	- הכס הקדוש
horsepower	כ"ס = כוח סוס
mown, cut off	כָּסוּחַ ת
argent, gray, silvery	כָּסוּף ת
gray-headed	- כסוף שיער
garment, cover, cloth	כְּסוּת נ
excuse, pretext	- כסות עיניים
mow, cut down	כָּסַח פ
violence, clash, crash	*כְּסַח ז
glove, mitten, mitt	כְּסָיָה נ
mowing, cutting off	כְּסִיחָה נ
fool, dunce, Orion	כְּסִיל ז

foolishness, folly	כְּסִילוּת נ
biting (nails), gnawing	כְּסִיסָה נ
silver carp	כָּסִיף ז
scrub, rub	כִּסְכֵּס ת
washboard	כַּסְכֶּסֶת נ
foolishness, flank, loin	כֶּסֶל ז
Kislev (month)	כִּסְלֵו ז
rocking chair, rocker	כִּסְנוֹעַ ז
gnaw, bite (nails)	כָּסַס פ
silver, money, *bread	כֶּסֶף ז
change, *piece of cake	- כסף קטן
easy money	- כסף קל
finances, money	- כספים
silversmith	כַּסָּף ז
cash dispenser	כַּסְפּוֹמָט ז
financial, monetary	כַּסְפִּי ת
mercury, quicksilver	כַּסְפִּית נ
mercurial	כַּסְפִּיתָנִי ת
teller	כַּסָּר ז
safe, strongbox	כַּסֶּפֶת נ
quilt, pillow	כֶּסֶת נ
Kaaba, Caaba	כַּעֲבָה נ
after, later (in time)	כַּעֲבוֹר מ"י
angry, indignant, morose	כָּעוּס ת
ugly	כָּעוּר ת
like, sort of	כְּעֵין מ"י
roll, bagel	כַּעַךְ ז
cough, clearing the throat	כִּעְכּוּעַ ז
cough, clear the throat	כִּעְכֵּעַ פ
be furious, be angry	כָּעַס פ
anger, ire, fury, wrath	כַּעַס ז
irascible, hot-tempered	כַּעֲסָן ז
insignificant	כְּעַפְרָא דְּאַרְעָא תה"פ
now, nowadays	כָּעֵת תה"פ
cape, rock, headland, promontory, fun, good time	כֵּף ז
palm, spoon, tablespoon	כַּף נ
goose-foot	- כף אווז (צמח בר)
dustpan	- כף אשפה
palm	- כף היד
scale	- כף המאזניים
foot, sole, paw	- כף הרגל
lycopodium	- כף זאב (צמח בר)
shoehorn	- כף נעליים
trowel	- כף סיידים/בנאים
from top to toe	- מכף רגל ועד ראש
kaf (letter)	כַּף נ
enforce, force, compel	כָּפָה פ
against his will	- כמי שכפאו שד
palm, paw	כַּפָּה נ
forced, compelled	כָּפוּי ת
ungrateful, thankless	- כפוי טובה
multiplied, double, times	כָּפוּל ת
manifold, very much	- כפול ומכופל
duplicate, multiple	כְּפוּלָה נ
common multiple	- כפולה משותפת
subordinate, subject, bent	כָּפוּף ת
subject to	- כפוף ל-
frost	כְּפוֹר ז
tied, bound, trussed	כָּפוּת ת
as, according to	כְּפִי תה"פ
seemingly, apparently	- כפי הנראה
epilepsy	כִּפְיוֹן ז
coercion, compulsion	כְּפִיַּת ז
ingratitude	- כפיות טובה
compulsion, coercion	כְּפִיָּה נ

כָּפִיָּה נ׳ keffiyeh, kaffiyeh
כַּפַּיִם נ״ר hands
כְּפִיָּתִי ת׳ compulsive, compulsory
כְּפִיָּתִיּוּת נ׳ compulsiveness
כָּפִיל ז׳ double, stunt man, ringer
כְּפִילָה נ׳ multiplying, stunt woman
כְּפִילוּת נ׳ duplication, duplicity
כָּפִיס ז׳ rafter, beam, stick
כָּפִיף ת׳ pliable, pliant, flexible
כְּפִיפָה נ׳ bending, flexion
- דר בכפיפה אחת live together
- כפיפת בטן sit-up
כְּפִיפוּת נ׳ pliancy, subordination
כְּפִיר ז׳ young lion
כְּפִירָה נ׳ denial, disbelief, heresy
- כפירה בעיקר atheism
כַּפִּית נ׳ teaspoon, teaspoonful
כְּפִיתָה נ׳ binding, tying, trussing
כַּפְכַּף ז׳ clog, patten, sabot
כָּפַל פ׳ multiply, double, duplicate
כֶּפֶל ז׳ multiplication, duplication
- החזיר כפל כפליים return with interest
- כפל לשון repetition, double sense
- כפל מס double taxation
כִּפְלַיִם תה״פ twice, double, twofold
כָּפָן ז׳ hunger, famine
כַּפָּן (עוף מים) ז׳ spoonbill
כָּפַף פ׳ bend, bow, curve
כֶּפֶף ז׳ bend, bending, curve
כְּפָפָה נ׳ glove, mitten, gauntlet
- בכפפות משי with kid gloves
- כפפת איגרוף boxing glove
כָּפַר פ׳ disbelieve, deny, disavow
- כפר בעיקר be atheistic
כְּפָר ז׳ village, country, hamlet
כַּפָּרָה נ׳ atonement, pardon, *my dear!
- כפרות ritual before Yom Kippur
כַּפְרִי ת׳ rustic, rural, countryman
כַּפְרִיּוּת ת׳ rusticity, country life
כּוֹפְרָן ז׳ denier, atheist, unbeliever
כָּפַת פ׳ bind, tie, truss, fetter
כַּפְתּוֹר ז׳ button, knob, switch, bud
- כפתור ופרח! wonderful!
- כפתור חפתים cuff link
- כפתור פעמון bell push
כִּפְתּוּר ז׳ buttoning
כִּפְתֵּר פ׳ button, button up
כַּר ז׳ cushion, pillow, meadow
- כר דשא turf, meadow, pitch
- כר לפעולה scope for action
- כר מושב pouf, pouffe
- כר מרעה meadow, grassland
כָּרָאוּי תה״פ well, properly, right
כְּרַב נַע ז׳ fallow field
כַּרְבֹּלֶת נ׳ cockscomb, crest
כִּרְבֵּל פ׳ wrap up, muffle
כָּרָגִיל תה״פ as usual, ordinarily
כָּרֶגַע תה״פ now, at the moment
כָּרָה פ׳ dig, dig up, mine, hoe
- כרה לו אוזן gain his attention
כֵּרָה נ׳ feast, banquet
כְּרוּב ז׳ cabbage, cherub
- כרוב הניצנים Brussels sprouts
- כרוב הקלח kohlrabi

כְּרוּבִית נ׳ cauliflower
כְּרַוְיָה (צמח) ז׳ caraway
כָּרוֹז ז׳ auctioneer, crier, announcer
כְּרוּז ז׳ proclamation, manifesto
כָּרוּי ת׳ dug up, mined
כָּרוּךְ ת׳ bound, wound, wrapped, involved, attached, fond
- כרוך ב- involved in, connected with
כְּרוּכִית נ׳ strudel
כְּרוֹם ז׳ chrome, chromium
כְּרוֹמוֹזוֹם ז׳ chromosome
כְּרוֹמָטִי ת׳ chromatic
כְּרוֹנוֹלוֹגִי ת׳ chronological
כְּרוֹנוֹלוֹגְיָה נ׳ chronology
כְּרוֹנוֹמֶטֶר (שעון) ז׳ chronometer
כְּרוֹנִי ת׳ chronic, incurable
כְּרוֹנִיּוּת נ׳ chronicity
כְּרוֹנִיקָה נ׳ chronicle, news, events
כָּרוּת ת׳ cut off, hewn, signed
כְּרָזָה נ׳ banner, placard, poster
כִּרְטוּס ז׳ card-indexing
כַּרְטִיס ז׳ card, ticket
- כרטיס אשראי credit card
- כרטיס ביקור calling card, visiting card, business card
- כרטיס הלוך ושוב return ticket
- כרטיס טיסה flight ticket
- כרטיס מנוי season ticket
- כרטיס ניקוב punch card
כַּרְטִיסִיָּה ת׳ season ticket
כַּרְטִיסָן ז׳ conductor, ticket collector
כִּרְטֵס פ׳ card-index
כַּרְטֶסֶת נ׳ card index, file
כְּרִיזָה נ׳ public address system
כָּרִיזְמָה נ׳ charisma
כָּרִיזְמָטִי ת׳ charismatic
כְּרִיזַנְטֶמָה (חרצית) נ׳ chrysanthemum
כְּרִיָּה נ׳ digging, mining
כָּרִיךְ ז׳ sandwich, sedge
- כריך תלת-רובדי three-decker
כְּרִיכָה נ׳ binding, cover, winding
- כריכה רכה paperback
- קשה כריכה hard-covered
כְּרִיכִיָּה נ׳ bindery, bookbindery
כְּרִיעָה נ׳ kneeling, genuflection
כָּרִישׁ ז׳ shark
כָּרִית נ׳ cushion, pillow, pad
- כרית אוויר air bag
- כרית דיו ink-pad
- כרית כריעה hassock
- כרית סיכות pincushion
- כרית פידור powder puff
כְּרִיתָה נ׳ amputation, cutting down
- כריתת ברית making an agreement
- כריתת שד mastectomy
כְּרִיתוּת נ׳ divorce
כָּרַךְ פ׳ bind, wrap, wind, tie, connect, combine
כֶּרֶךְ ז׳ volume, bunch
כְּרַךְ ז׳ town, city
כַּרְכֹּב ז׳ cornice, rim, edge
כַּרְכֹּם ז׳ crocus, saffron, turmeric
כִּרְכּוּר ז׳ dance, caper, gambol
כִּרְכֵּר פ׳ dance, caper, frisk, frolic
- כרכר סביב- dance attendance on

כִּרְכָּר ז׳ top, rotary hook
כִּרְכָּרָה נ׳ cab, carriage, coach
כַּרְכֶּשֶׁת נ׳ intestine, colon, rectum
כֶּרֶם ז׳ vineyard, vinery
כַּרְמִין ז׳ carmine
כָּרֵס נ׳ belly, potbelly, abdomen
- כרסה בין שיניה she is pregnant
כִּרסוּם ז׳ gnawing, nibble, erosion
כַּרסוֹם ז׳ milling instrument
כִּרסֵם פ׳ gnaw, nibble, mill, erode
כָּרֶסֶת נ׳ celiac disease
כַּרסְתָנִי ת׳ big-bellied, paunchy
כָּרַע פ׳ kneel, bow down, genuflect
- כרע ברכך bend the knee
- כרעה ללדת give birth
כֶּרַע ז׳ leg
- על כרעי תרנגולת unstable
- על כרעיו ועל קירבו completely
כַּרְפַּס ז׳ celery, parsley
כֶּרֶץ (תולעת מעיים) ז׳ hookworm
כְּרֵשָׁה (ירק דמוי בצל) נ׳ leek
כָּרַת פ׳ cut down, cut off, fell, destroy, amputate, hew, lop
- כרת ברית make an agreement
כָּרֵת ז׳ excommunication
כַּרְתִּי ז׳ leek
כְּרֵתִים Crete
כְּשֶׁ- (= כאשר) מ״ח when, as
כַּשְׂדִּים ז״ר Chaldeans
כַּשּׁוּרָה תה״פ well, properly, right
כְּשׁוּת נ׳ hops, hop
כַּשִּׁיל ז׳ heavy ax, sledgehammer
כָּשִׁיר ת׳ eligible, qualified, fit
- כשיר לטיסה airworthy
כְּשִׁירוּת נ׳ qualification, eligibility, competence, fitness
כִּשְׁכּוּשׁ ז׳ wagging, wag, waggle
כִּשְׁכֵּשׁ פ׳ wag, waggle
כָּשַׁל פ׳ fail, stumble, fall, slip
כֶּשֶׁל ז׳ failure, mistake, slip
כְּשֶׁלְּעַצְמוֹ תה״פ in itself, per se
- אני כשלעצמי I for one
כְּשֵׁם שֶׁ- מ״ח just as
כְּשָׁפִים ז״ר magic, miracles
כָּשֵׁר ת׳ fit, proper, valid, allowed, kosher, ritually clean
כִּשְׁרוֹן ז׳ ability, aptitude, talent
כִּשְׁרוֹנִי ת׳ able, talented, capable
כַּשְׁרוּת נ׳ validity, being kosher
כַּת נ׳ caste, clique, sect, group
כָּתַב פ׳ write, write down, record
כְּתָב ז׳ handwriting, writing, warrant, writ, document
- בכתב down, in writing
- ככתבו וכלשונו literally
- כתב אישום charge sheet
- כתב האמנה credentials
- כתב הגנה statement of defense
- כתב החרטומים hieroglyphs
- כתב היתדות cuneiform
- כתב יד handwriting, manuscript
- כתב מינוי letter of appointment
- כתב סתרים cipher, cryptography
- כתב עת periodical, magazine
- כתב פלסתר lampoon, libel
- כתבי הקודש Bible, Scripture

- כתבים writings, works
כַּתָּב ז׳ correspondent, reporter
- כתב ספורט sportswriter
כַּתָּבָה נ׳ reportage, report, story
- כתבת שער cover story
כְּתָבִי ת׳ graphic, graphical
כַּתְבָן ז׳ typist, penman, scribe
כַּתְבָנוּת נ׳ typing
- כתבנות עיוורת touch-type
כַּתְבָנִית נ׳ typist
כָּתוּב ת׳ written, transcribed, text
כְּתוּבָּה נ׳ marriage contract
כְּתוּבִים (בתנ״ך) ז״ר Hagiographa
- כתובים אחרונים Apocrypha
כְּתוּבִית נ׳ subtitle
כְּתוֹבֶת נ׳ address, inscription, legend
- הכתובת על הקיר writing on the wall
- כתובת קעקע tattoo
כָּתוֹם ת׳ orange
כֻּתֹּנֶת נ׳ shirt
- כתונת-לילה night-dress, *nightie
כָּתוּשׁ ת׳ ground, crushed, pounded
כְּתוֹשֶׁת נ׳ pulp, mash
כָּתוּת ת׳ pounded, crushed
כְּתִיב ז׳ spelling, orthography
- כתיב חסר grammatical spelling, with fewer vowel-letters
- כתיב מלא plene spelling, with many vowel-letters
כְּתִיבָה נ׳ writing
- כתיבה בשמים skywriting
- כתיבה וחתימה טובה Happy New Year
- כתיבה תמה calligraphy
- כתיבת הארץ geography
כְּתִיבִי ת׳ orthographic, of spelling
כְּתִישָׁה נ׳ pounding, pulverization
כְּתִיתָה נ׳ crushing, schnitzel, steak
כֶּתֶם ז׳ blot, mark, stain, taint
- הכתם העיוור (בעין) blind spot
- כתם לידה birthmark
- כתם נפט slick, oil slick
- כתם שמש sunspot
כַּתָּף ז׳ carrier, porter
כָּתֵף נ׳ shoulder
- כתף קרה cold shoulder
- משך בכתפיו shrug one's shoulders
כְּתֵפָה נ׳ brace, suspender
כּוֹתֶפֶת נ׳ epaulette, shoulder strap
כְּתֵפִיָּה נ׳ cape, mantle, brace, suspender, shoulder strap
כֶּתֶר ז׳ crown, diadem, krona
כָּתַשׁ פ׳ pestle, crush, pound, pulp
כָּתַת פ׳ pound, crush, pulverize

ל

לְ- מ״י to, for, towards, per
- לי/לך וכו׳ to me/to you etc.
לֹא תה״פ no, not, nay, dis-, in-
- לא ולא definitely not, *no way!
- לא זו אף זו moreover, again
- לא זו בלבד not only (but also)

not later than	לא יאוחר מ-
incredible, unbelievable	לא יאומן
incredible	לא יאומן כי יסופר
invaluable, priceless	לא יסולא
awkward, all thumbs	לא יצלח
let alone, of course	לא כל שכן
nothing	לא כלום
isn't it?	לא כן?
nothing of the kind!	לא מניה ולא מקצתיה!
otherworldly	לא מעלמא הדין
no matter, never mind	*- לא משנה
never mind	לא נורא
may it not happen to you	לא עליכם
tired, weary, exhausted	לֵאָה ת׳
no, not	לֹאו תה״פ
not necessarily	לאו דווקא
it makes no odds	לאו נפקא מינה
nation, people	לְאוֹם ז׳
national, nationalist	לְאוּמִי ת׳
multinational	רב-לאומי
nationalism, nationality	לְאוּמִיּוּת נ׳
chauvinism, nationalism	לְאוּמָנוּת נ׳
chauvinistic, nationalistic	לְאוּמָנִי ת׳
Laos	לָאוֹס נ׳
in the light of, as	לְאוֹר מ״י
along, longwise	לְאוֹרֶךְ תה״פ
weariness, exhaustion	לֵאוּת נ׳
back, backwards	לְאָחוֹר תה״פ
after, past, subsequent	לְאַחַר מ״י
afterwards, after that	לאחר מכן
lately, recently, newly	לְאַחֲרוֹנָה תה״פ
speak slowly, whisper	לָאַט פ׳
slowly, slow, *easy	לְאַט תה״פ
immediately, at once, forthwith	לְאַלְתַּר תה״פ
as follows, namely	לֵאמוֹר תה״פ
where, whereto, whither	לְאָן תה״פ
how the wind blows	לאן נושבת הרוח
somewhere	לאן שהוא
heart, core, center, *ticker	לֵב ז׳
bear no grudge	אין בליבו על
say to oneself	אמר בליבו
wholeheartedly	בכל לב
insincerely	בלב ולב
heart and soul	בלב ונפש
heavyheartedly	בלב כבד
lightheartedly	בלב קל
wholeheartedly	בלב שלם
irrespective	בלי שים לב ל-
in view of	בשים לב ל-
be angry at	יש בליבו על
heart of stone	לב אבן
high seas	לב ים
heart, core	לב ליבו
wholeheartedly	מכל הלב
heart-to-heart	מלב אל לב
heart	לֵבָב ז׳
a man after my own heart	איש כלבבי
hearts	לְבָבוֹת ז״ר
cordial, hearty, warm	לְבָבִי ת׳
cordiality, amicability	לְבָבִיּוּת נ׳
felt	לֶבֶד ז׳
alone, by oneself	לְבַד תה״פ
apart from, except, in addition to	לבד מ-
alone, by oneself, by himself	לבדו
by myself/yourself etc.	לבדי/לבדך וכו׳
lava	לַבָּה נ׳
bib	לְבוּבִית נ׳
jabot	לבוביות נפופות
combined, laminated	לָבוּד ת׳
frankincense	לְבוֹנָה נ׳
laburnum	לַבּוּרְנוּם (עץ נוי) ז׳
garment, dress, attire	לְבוּש ז׳
dressed, clad, clothed	לָבוּש ת׳
surely, no doubt	לְבֶטַח תה״פ
pains, trouble, doubts	לְבָטִים ז״ר
lion	לָבִיא ז׳
lioness	לְבִיאָה נ׳
pancake, flapjack	לְבִיבָה נ׳
plywood, veneer	לָבִיד (דיקט) ז׳
wearable	לָבִיש ת׳
dressing, wearing	לְבִישָׁה נ׳
nee, maiden name	לְבֵית ת׳
lest, so as not	לְבַל תה״פ
bloom, sprout, thrive	לִבְלֵב פ׳
pancreas	לַבְלָב ז׳
blooming, blossoming	לִבְלוּב ז׳
without, lacking	לְבִלי מ״י
unrecognizably	לבלי הכר
not to return, forever	לבלי שוב
amanuensis, clerk, writer	לַבְלָר ז׳
office work	לַבְלָרוּת נ׳
leben, sour milk, yogurt	לֶבֶּן ז׳
white, pale	לָבָן ת׳
off-white	לבן שבור
off-white, whitish	לְבַנְבַּן ת׳
lavender	לְבֶנְדֶּר (אזוביון) ז׳
birch, styrax	לִבְנֶה ז׳
brick, adobe	לְבֵנָה נ׳
demolition block	לבנת חבלה
moon	לְבָנָה נ׳
Lebanon	לְבָנוֹן נ׳
bleak	לִבְנוּן (דג) ז׳
whitish	לַבְנוּנִי ת׳
Lebanese	לְבָנוֹנִי ת׳
whiteness	לַבְנוּת נ׳
Levant	לֶבַנְט ז׳
Levantine	לֶבַנְטִינִי ת׳
sour milk, lebenia	לְבֶּנִיָּה נ׳
linen, underclothes	לְבָנִים ז״ר
cabbage butterfly	לִבְנִין הַכְּרוּב ז׳
finally, eventually	לַבְסוֹף תה״פ
albino	לַבְקָן ז׳
albinism	לַבְקָנוּת נ׳
Labrador dog/retriever	לַבְּרָדוֹר ז׳
book, libretto	לִבְרִית נ׳
wear, put on, don	לָבַשׁ פ׳
take form, take shape	לבש צורה
regarding, as regards, as to	לְגַבֵּי מ״י
for my part	לגבי דידי/לגביי
with regard to him	לגביו
Lego	לֶגוֹ (משחק הרכבה) ז׳
lagoon	לָגוּנָה נ׳
legato	לֶגָטוֹ (במוסיקה) תה״פ
legion	לִגְיוֹן ז׳
legionary, legionnaire	לֶגִיוֹנֵר ז׳

לְגִיטִימִי ת׳ legitimate, lawful
לְגִיטִימִיוּת נ׳ legitimacy, legality
לְגִיטִימַצְיָה נ׳ legitimation
- דה-לגיטימציה delegitimation
לְגִימָה נ׳ drink, gulp, sip, sup
לָגִין ז׳ jar, jug, carafe
לִגְלֵג פ׳ mock, sneer, jeer, scoff
לַגְלְגָן ז׳ mocker, scoffer, tease
לִגְלוּג ז׳ mockery, sneer, jeer
לֶגָלִי ת׳ legal, lawful, licit
לֶגָלִיוּת נ׳ legality, lawfulness
לֶגָלִיזַצְיָה נ׳ legalization
לָגַם פ׳ sip, drink, gulp, sup
- לגם כוסית *wet one's whistle
לְגַמְרֵי תה״פ completely, entirely
לְדוּגְמָה תה״פ for instance, e.g.
לְדִידִי תה״פ for my part, to me
לָדִינוֹ (ספניולית) נ׳ Ladino
לָה (צליל) ז׳ la, A
לְהָאָה (בקצה החך) נ׳ uvula
לַהַב ז׳ blade, edge
לְהַבָּא תה״פ in the future
לְהַבְדִּיל תה״פ not to compare, contrary to
לֶהָבָה נ׳ blaze, flame, flare
לַהֲבִיוֹר ז׳ flame-thrower
לַהֲבִית נ׳ pilot burner, pilot light
לָהַג פ׳ prattle, talk, babble
לַהַג ז׳ garrulity, wordiness, *blah
לַהֲגָנוּת נ׳ prattle, garrulity
להד״ם completely untrue
לָהוּט ת׳ eager, keen, avid, willing
לְהוֹצִיא תה״פ excluding, except
לָהַט פ׳ burn, blaze, flame, glow
לַהַט ז׳ ardor, fervency, heat
לַהֲטוּט ז׳ jugglery, trick, stunt
לַהֲטוּטִים ז״ר legerdemain, magic
לַהֲטוּטָן ז׳ conjuror, juggler
לַהֲטוּטָנוּת נ׳ sleight of hand
לְהַטֵּט (בזריקת כדורים) פ׳ juggle
לָהִיט ז׳ hit, *smash hit
לְהִיטוּת נ׳ avidity, zeal, alacrity, ardor, enthusiasm
לְהֵיפֶךְ תה״פ on the contrary
לְהַכְעִיס תה״פ out of spite
לְהַלָּן תה״פ below, as follows, infra
לְהַפְלִיא תה״פ amazingly, wonderfully
לַהַק ז׳ group, wing, squadron
לַהֲקָה נ׳ group, band, flight, troupe
- להקת אריות pride of lions
- להקת בלט corps de ballet
- להקת דגים school, shoal
לְהִשְׁתַּמֵּעַ! מ״ק talk to you soon!
לְהִתְרָאוֹת! מ״ק so long!, au revoir
לוּ תה״פ if only, Oh that
לוּאִיזָה (שיח) נ׳ lemon verbena
לוּב נ׳ Libya
לוֹבָּה פ׳ be inflamed, be kindled
לוֹבִּי ז׳ lobby, caucus
לוּבְיָה נ׳ black-eyed pea, cowpea
לוּבַּן פ׳ be whitened, be clarified
לוֹבֶן ז׳ whiteness, white
לוּבְנָן ז׳ sponge cake
לוֹג ז׳ log (liquid measure)
לוֹגוֹ ז׳ logo, symbol, emblem

לוֹגִי ת׳ logical, rational
לוֹגִיסְטִי ת׳ logistic
לוֹגִיסְטִיקָה נ׳ logistics, movement of forces
לוֹגִיקָה נ׳ logic, reason, sense
לוֹגִיקָן ז׳ logician
לוֹגָרִיתְם ז׳ logarithm, log
לוֹגָרִיתְמִי ת׳ logarithmic
לוּדָר ז׳ gladiator
לוֹהֵט ת׳ hot, burning, fervent
לוּהַק פ׳ be cast (in a play)
לִוּוּי ז׳ accompaniment, secondary
לַוַּאי ז׳ accompanist, escort
לוּוָה פ׳ be accompanied
לָוָה פ׳ take on loan, borrow
לוֹוֶה ז׳ borrower, debtor
לֵוִי ז׳ Levite
לְוָיָה נ׳ funeral, escort, company
- בן-/בת-לוויה escort, chaperone
לַוְיָן ז׳ satellite
- לוויין ריגול spy satellite
- לוויין תקשורת telstar, comsat, communications satellite
לִוְיָתָן ז׳ leviathan, whale, giant
לִוְיָתָנִית נ׳ whaler, whale boat
לִוְיַת חֵן נ׳ ornament, garnish
לוּז ז׳ hazel, hazelnut, almond
לו״ז = לוח זמנים schedule
לוּזֶר (מפסידן) ז׳ loser
לוּחַ ז׳ plank, board, plate, table
- הלוח הגרגוריאני Gregorian calendar
- הלוח היוליאני Julian calendar
- לוח אטב clipboard
- לוח בקרה control panel, console
- לוח הכפל multiplication table
- לוח הסל backboard
- לוח זמנים timetable, schedule
- לוח חלק clean sheet/slate
- לוח כיתה blackboard
- לוח מודעות billboard, hoarding
- לוח מחוונים dashboard
- לוח מכשירים instrument panel
- לוח מקשים keyboard
- לוח סילוקין amortization table
- לוח ספרות dial
- לוח פיקוד control panel, console
- לוח שחמט chessboard
- לוח שנה calendar
- לוח שעון dial
- לוח תוצאות scoreboard
- לוחות הברית Tables of the Law
לוּחִית נ׳ tablet, plate, template
- לוחית זיהוי license plate, number plate
לוֹחֵם ז׳ fighter, warrior, belligerent, bellicose
- לוחם גרילה guerrilla, partizan
- לוחם שוורים bullfighter
לוֹחָמָה נ׳ warfare, fighting
- לוחמה בטרור antiterrorism
- לוחמה ביולוגית biological warfare
- לוחמה זעירה guerrilla war
- לוחמה כימית chemical warfare
- לוחמת גרילה guerrilla war
לוֹחֲמוּת נ׳ belligerency

לוֹחֲמָנִי ת׳ belligerent, fighter
לוֹחֵץ ת׳ insistent, pressing, tight
לוֹט ז׳ cover, envelope, veil
- הסרת הלוט unveiling (a statue)
לוּט ת׳ enclosed, wrapped
- לוט בערפל foggy, not clear
לוֹטוֹ ז׳ lotto, lottery
לוֹטוּס (פרח) ז׳ lotus
לוֹטֶם ז׳ rockrose, cistus
לוּטַף פ׳ be caressed, be stroked
לוּטְרָה נ׳ otter
לוּטַשׁ פ׳ be polished, be honed
לֵוִי ז׳ Levite
לוֹיָאלִי ת׳ loyal, faithful, true
לוֹיָאלִיוּת נ׳ loyalty, faithfulness
לוֹיקֶמְיָה (סרטן הדם) נ׳ leukemia
לוּכַּד פ׳ be united, rally
לוֹכְסָן ז׳ slant, oblique, slash, (/)
לוֹכְסָנִי ת׳ oblique
לוּל ז׳ coop, hen house, poultry house, playpen, pen
לוּלֵא מ״ח but for, if it weren't
לוּלָאָה נ׳ buttonhole, loop, noose, bight, knot, eyelet
לוּלָב ז׳ bolt
לוּלָב ז׳ palm branch
לוּלְיָן ז׳ acrobat, tumbler
לוּלְיָנוּת נ׳ acrobatics
לוּלְיָנִי ת׳ spiral, corkscrew, winding
לוּלָן ז׳ poultry keeper
לוֹם ז׳ crowbar, jimmy, jemmy
לוּמְבָּגוֹ (מַתֶּנֶת) ז׳ lumbago
לוֹמֵד ז׳ learner, student
לוֹמְדָה נ׳ courseware
לוּנָה פַּארְק נ׳ amusement park
לוֹעַ ז׳ pharynx, throat, mouth, muzzle
- לוע הארי antirrhinum, snapdragon
- לוע הר געש crater
לוֹעֲגָנִי ת׳ derisive, mocking
לוֹעֲזִי ת׳ foreign, stranger
לוֹעֲזִית נ׳ foreign language
לוֹעִי ת׳ guttural, throaty
לוֹעֲנִיתִיִּים ז״ר Scrophulariaceae
לוּף ז׳ arum, meat
לוּפָה נ׳ loofah, loofah sponge
לוּפַף פ׳ be wrapped round
לוּפַּת פ׳ be flavored, be garnished
לוּקַט פ׳ be gathered, be collected
לוֹקָלִי (מקומי) ת׳ local
לוּקְסוּס ז׳ luxury, richness
לוּקְסֶמְבּוּרג נ׳ Luxembourg
לוּקַק פ׳ be licked, *be flattered
*לוֹקְשׁ ז׳ noodle, fake, lie, pay slip
לוֹרד ז׳ lord, marker pen
לוּתְרָנִי ז׳ Lutheran
לִזְבֵּז ז׳ frame, rim, mantelpiece
לִזְבֶּזֶת נ׳ gunnel, gunwale
לְזוּת שְׂפָתַיִם נ׳ slander, libel
לִזְכוּתוֹ in his favor, to his credit
לַזַנְיָה נ׳ lasagna
לֵחַ ז׳ moisture, vigor
- לא נס לחו potent, vigorous
לַח ת׳ damp, humid, moist, wet
לְחוֹבָתוֹ against him, debited

לְחוּד תה״פ alone, separately, apart
לָחוּץ ת׳ pressed, pushed, nervous, anxious, worried, stressed
לַחוּת נ׳ damp, humidity, moisture
לְחִי נ׳ cheek, jaw
לְחַיִּים! מ״ק cheers!, *bottoms up!
לְחִיכָה נ׳ lapping, licking, chewing
לְחִימָה נ׳ fighting, battle
לַחִין ת׳ melodic, euphonic, tuneful
לְחִיץ ז׳ button, push button, knob
לְחִיצָה נ׳ pressing, urging, squeeze, press
- לחיצת יד handshake, clasp
לְחִישָׁה נ׳ whisper, undertone, hiss
לִחֵךְ פ׳ lap, lick, crop
לַחְלוּחַ ז׳ moisture, dampening
לַחְלוּחִי ת׳ moist, dampish
לַחְלוּחִית נ׳ moisture, damp
לַחֲלוּטִין תה״פ entirely, absolutely
לַחֲלוּפִין תה״פ alternatively
לִחְלַח פ׳ humidify, moisten
לָחַם פ׳ fight, make war, battle
לֶחֶם ז׳ bread, loaf, food
- הלחם הקדוש Sacrament, Host
- לחם האלים ambrosia
- לחם חוק daily bread
- לחם חי/מלא wholewheat bread
- לחם חסד charity, favor
- לחם קיבר whole wheat bread
- לחם קלוי toast
- לחם שחור/אחיד brown bread
- לחם שיפון rye bread
לְחָם ז׳ solder
לַחְמִית נ׳ conjunctiva
- דלקת הלחמית conjunctivitis
לַחְמָנִיָּה נ׳ bread roll, bun, muffin
לַחַן ז׳ melody, tune, setting, strain
לָחַץ פ׳ press, oppress, squeeze
- לחץ אל הקיר push to the wall
- לחץ ידיים shake hands, *pump hands
- לחץ על ההדק press the button, be trigger-happy
לַחַץ ז׳ pressure, press, stress
- לחץ דם blood pressure
- לחץ דם גבוה hypertension
לַחְצָן ז׳ switch, button, snap
לַחְצָנִית נ׳ press-stud, snap, snap fastener, *popper
לָחַשׁ פ׳ whisper, hiss, prompt
לַחַשׁ ז׳ whisper, spell, incantation
לַחֲשׁוּשׁ ז׳ whisper, murmur, rustle
לַחְשָׁן ז׳ whisperer, prompter
לִחְשֵׁשׁ פ׳ whisper, murmur, rustle
לָט פ׳ wrap up, envelop, cover
לְטָאָה נ׳ lizard, saurian
לַטְבִיָה נ׳ Latvia
לְטוֹבַת מ״י on behalf of, in favor of
לָטִינִי ז׳ Latin
לָטִינִית נ׳ Latin
לָטִיף ת׳ cuddlesome, huggable
לְטִיפָה נ׳ caress, patting, stroke
לְטִישָׁה נ׳ polishing, whetting
- לטישת עיניים staring, coveting
לַטְפָנִי ת׳ velvety, soft, cuddly
לָטַשׁ פ׳ polish, sharpen, hone

- לטש עיניים — stare, ogle, covet
לָטָשׁ ז׳ — polisher, lapidary
לֵיאוּת נ׳ — weariness, exhaustion
לִיאָנָה (צמח מטפס) נ׳ — liana
לִיבֵּב פ׳ — fascinate, attract
לִיבֵּד פ׳ — combine, laminate, veneer
לִיבָּה פ׳ — inflame, kindle, fan
לִיבָּה נ׳ — heartwood, core
לִיבּוּב ז׳ — fascination, attraction
לִיבּוּי ז׳ — inflaming, fanning
לִיבּוּן ז׳ — whitening, clarifying
לִיבִּידוֹ ז׳ — libido, sexual urge
לִיבֵּן פ׳ — whiten, bleach, clarify
לִיבְּרָה נ׳ — pound, lb.
לִיבֶּרְיָה נ׳ — Liberia
לִיבֶּרָלִי ת׳ — liberal, broad, large
לִיבֶּרָלִיּוּת נ׳ — liberalism
לִיבֶּרָלִיזַצְיָה נ׳ — liberalization
לִיגָה נ׳ — league, confederation
- ליגת העל — premier league
לִיגוּסְטְרוּם (שיח נוי) ז׳ — privet
לִיגָטוּרָה (מִשְׁלֶבֶת) נ׳ — ligature
לְיַד מ״י — beside, by, about, at
לֵידָה נ׳ — birth, childbirth, labor
- לידה מוקדמת — premature birth
- לידת ואקום — vacuum birth
- לידת חתך — Caesarean section
- לידת מלקחיים — forceps delivery
- לידת עכוז — breech birth/delivery
- לפני הלידה — antenatal
לִידֵי מ״י — to, to the hands of
לֵידָתִי: טְרוֹם-לֵידָתִי — antenatal
לִיהוּג ז׳ — prattle, jabber, babble
לִיהוּק ז׳ — casting, selecting actors
לִיהֵק פ׳ — cast, choose actors
לִיוָּה פ׳ — escort, accompany, see
לִיוַּח פ׳ — tabulate, plank, plate
לִיוּוּחַ ז׳ — paneling, tabulation
לִיוּוּי ז׳ — accompaniment, escort
לִיזוֹל (נוזל חיטוי) ז׳ — lysol
לֵיחָה נ׳ — mucus, phlegm, sputum
לִיחֵךְ פ׳ — lick, graze, chew
לִיחֵשׁ פ׳ — whisper, gossip
לִיטָא נ׳ — Lithuania
לִיטָאִי ז׳ — Lithuanian, not Hasid
לִיטּוּף ז׳ — caress, patting, stroke
לִיטוּרְגִי ת׳ — liturgical, ritual
לִיטוּרְגְיָה נ׳ — liturgy, service, worship
לִיטּוּשׁ ז׳ — polishing, honing, rub-up
לִיטֵף פ׳ — caress, pet, pat, stroke
לִיטֶר ז׳ — liter, litre
לִיטְרָה נ׳ — pound, lb.
- ליטרת הבשר — pound of flesh
לִיטֵשׁ פ׳ — polish, hone, brush up
לֵיידִי נ׳ — lady, gentlewoman
לֵייזֶר ז׳ — laser
לֵייטְמוֹטִיב (תְּנַע תּוֹאַר) ז׳ — leitmotif
לַייסְט (פְּסִיס) ז׳ — lath
לַייֶפֶת כִּיסִיתִית נ׳ — cystic fibrosis
לִיכֵּד פ׳ — unite, combine, rally
- ליכד את השורות — unite the forces
לִיכָּה פ׳ — lacquer, varnish
לִיכּוּד ז׳ — unity, consolidation, rally
לֵיל ז׳ — night
- ליל מנוחה! — good night!
- ליל שבת — Friday night
- ליל שימורים — vigil, wake
לַיְלָה ז׳ — night
- הלילה — tonight
- הלילה עוד צעיר — the night is young
- לילה טוב! — good night!
- לילה לילה — every night
לֵילִי ת׳ — nightly, nocturnal
לִילִית נ׳ — owl, night owl
לִילָךְ (שיח נוי) ז׳ — lilac, syringa
לִימֵּד פ׳ — instruct, teach, profess
- לימד זכות על — say a good word for
- לימד לקח — teach a lesson
- ללמדך ש- — to prove, to show that
לִימּוּד ז׳ — learning, study, teaching, tuition, school, stave
- לימוד זכות על — speaking well of
לִימּוּדִי ת׳ — didactic, tutorial
לִימוּזִינָה נ׳ — limousine
לִימוֹן ז׳ — lemon
לִימוֹנָדָה נ׳ — lemonade
לִימוֹנִית (לואיזה) נ׳ — lemon verbena
לִימְפָה נ׳ — lymph
לִימְפָתִי ת׳ — lymphatic
לִינָה נ׳ — lodging, staying overnight
- לינה וארוחת-בוקר — b & b, bed and breakfast
לִינוֹלֵיאוּם ז׳ — linoleum
לִינְץ׳ ז׳ — lynching, killing by mob
לִיף ז׳ — fiber, fibre
לִיפָה נ׳ — loofah, loofah sponge
לִיפּוּף ז׳ — winding, wrapping, coil
לִיפּוּת ז׳ — flavoring, garnishing
לִיפִי ת׳ — fibrous, fibroid
לִיפִּיָּה לימונית נ׳ — lemon verbena
לִיפְּסְטִיק (שְׂפָתוֹן) ז׳ — lipstick
לִיפֵּף פ׳ — wind, wrap round
לִיפֵּת פ׳ — flavor, garnish
לִיצִ׳י (עץ סיני) ז׳ — lichee
לֵיצָן ז׳ — jester, clown, buffoon, fool
- ליצן החצר — court jester
לֵיצָנוּת נ׳ — buffoonery, silliness
לִיקּוּט ז׳ — gathering, compilation
לִיקּוּי ז׳ — blemish, fault, defect
- ליקוי חמה — solar eclipse
- ליקוי ירח — lunar eclipse
- ליקוי מאורות — eclipse, decline
- ליקוי שכלי — mental deficiency
לֵיקוֹמְיָה (סרטן הדם) נ׳ — leukemia
לֵיקוֹצִיט ז׳ — leukocyte, white blood cell
לִיקּוּק ז׳ — licking, lick, *flattery
לִיקֵּט פ׳ — gather, collect, glean, pick
לִיקֵּק פ׳ — lick, lap, *flatter, fawn
- ליקק פצעיו — lick one's wounds
- ליקק שפתיו — lick one's lips, enjoy
לִיקֶר ז׳ — liqueur
לִירָה נ׳ — pound, lira
- לירה שטרלינג — pound, *nicker
לִירִי ת׳ — lyric, lyrical, emotional
לִירִיּוּת נ׳ — lyricism, emotionalism
לִירִיקָה נ׳ — lyrics, lyric
לִירִיקָן ז׳ — lyricist, lyrist
לַיִשׁ ז׳ — lion
לִישָׁה נ׳ — kneading
ליש״ט = לירה שטרלינג — pound
לֵית תה״פ — there is not

- לית דין ולית דיין — anarchy prevails
- לית מאן דפליג — all agree

ליתוגרפי ת׳ — lithographic
ליתוגרפיה (דפוס אבן) נ׳ — lithography
ליתות ז׳ — malting, making malt
ליתיום (אבנן) ז׳ — lithium
לכ׳ = לכבוד מ״י — to
לכאורה תה״פ — apparently, seemingly
לכבוד מ״י — to, in honor of
לכד פ׳ — capture, catch, trap, *cop
לכה נ׳ — varnish, lacquer, polish
לכוד ת׳ — captured, caught, trapped
לכיד ת׳ — cohesive, coherent
לכידה נ׳ — capture, roundup, *cop
לכידות נ׳ — coherence, cohesiveness
לכל היותר תה״פ — at best, at most
לכל הפחות תה״פ — at least
לכל, לכול תה״פ — for everyone
- לכל המעוניין — to whom it may concern
- לכל מאן דבעי — to whom it may concern

לכלוך ז׳ — dirt, filth, grime, muck
לכלוכית נ׳ — Cinderella, slut
לכלך פ׳ — dirty, defile, smear, soil
לכלכן ז׳ — dirty person, litter-bug
לכן תה״פ — accordingly, so, therefore
לכסון ז׳ — tilt, slanting
לכסן פ׳ — turn aside, splay, squint
לכסנית נ׳ — lozenge, pastille, pill
לכש ז׳ — bast, raffia
לכש- מ״ח — when, once, as soon as
לכת ז׳ — going, marching, departure
לכתחילה תה״פ — at first, initially
ללא מ״י — without, free of
- ללא הבחנה — indiscriminately
- ללא יוצא מהכלל — without exception
- ללא תנאים — unconditional

למבדה (ריקוד) נ׳ — lambada
למד פ׳ — learn, study, understand
- למד בעל פה — learn by heart
- למד לקח — learn one's lesson

למד ת׳ — learning, taught
- מכאן אתה למד — this shows

למד נ׳ — lamed (letter)
למדי תה״פ — enough, rather, sufficiently, quite, pretty
למדן ז׳ — scholar, learned person
למדנות נ׳ — scholarship, erudition
למדני ת׳ — scholarly, erudite
למה תה״פ — why, wherefore, what for
- למה לי? — why should I?
- *למה ש- — because, since

למה (גמל הצאן) נ׳ — llama
למה (נזיר טיבטי) ז׳ — lama
למוד ניסיון ת׳ — experienced
למוחרת תה״פ — on the following day
למוכ״ז=למוסר כתב זה — to bearer
למור (קיפוף) ז׳ — lemur
למטה תה״פ — beneath, below, down
למי תה״פ — to whom
למיד ת׳ — teachable, educable
למידה נ׳ — learning, study
למינציה נ׳ — lamination
למישרין תה״פ — well, properly
*למך ז׳ — idiot, moron, dope

למכביר תה״פ — much, profusely
למעט תה״פ — excluding, except for
למעלה תה״פ — above, up, upward, upwards, beyond, more than
למען מ״י — for the sake of, on behalf
- למען השם! — for Heaven's sake!

למעשה תה״פ — actually, in fact
למפרע תה״פ — retroactively
למצער תה״פ — at least
למראית עין תה״פ — apparently, outwardly
למרבה המזל תה״פ — fortunately, luckily
למרבה הצער תה״פ — unfortunately, sorry
למרות תה״פ — in spite of, even though
- למרות הכל — after all, still

למשך מ״י — for, for the duration of
למשל תה״פ — for instance, e.g.
למשעי תה״פ — cleanly, smoothly
לן פ׳ — lodge, stay overnight, sleep
לנגד עיניו — before one's eyes
לנוכח מ״י — facing, considering
לנצח תה״פ — forever, for good
לס (אדמה) ז׳ — loess
לסביות נ׳ — lesbianism
לסבית ת׳ — lesbian, sapphic
לסד (סם) ז׳ — LSD, *acid
לסו (פלצור) ז׳ — lasso
לסוטה נ׳ — blouse, vest, waistcoat
לסוטו נ׳ — Lesotho
לסטים ז׳ — robber, highwayman
לסטם פ׳ — rob, ransack, *mug
לסירוגין תה״פ — alternately, by turns
לסת נ׳ — jaw, jowl, mandible
לסתני ת׳ — heavy-jowled
לעבר מ״י — toward, towards, on, to
לעג פ׳ — mock, ridicule, scorn, sneer
לעג ז׳ — derision, mockery, scorn
- לעג לרש — poor excuse, insult

לעגני ת׳ — deriding, mocking, cynical
לעד תה״פ — forever, for good
לעולם תה״פ — forever, always
- לעולם ועד — forever, for good
- לעולם לא — never

לעומת תה״פ — compared with, against, versus
- לעומת זאת — contrariwise

לעומתי ת׳ — contrary, contrarian, contrastive
לעוס ת׳ — chewed, hackneyed, trite
לעז ז׳ — libel, slander, vilification
לעזאזל! מ״ק — hell!, damn it!
לעיל תה״פ — above, before, back
לעילא ולעילא תה״פ — the best
לעיס ת׳ — chewable, masticable
לעיסה נ׳ — chewing, crunch
לעיתים תה״פ — sometimes
- לעיתים קרובות — often, frequently
- לעיתים רחוקות — seldom, rarely

לעלע פ׳ — stammer, stutter
לענה נ׳ — wormwood, sagebrush, absinth, bitterness
לעס פ׳ — chew, crunch, masticate
לעצמי מ״ג — myself, to self
לערך תה״פ — about, nearly

לְעֵת תה״פ when, at the time
- לעת עתה for the time being
לָפוּף ת׳ coiled, wrapped, wound
לְפוּפִית (מטפס) נ׳ morning glory
לְפוּת ת׳ grasped, embraced
לְפָחוֹת תה״פ at least
לְפִי מ״י according to, by, because
- לפי שעה for the time being
לַפִּיד ז׳ torch, flambeau
לְפִיכָךְ תה״פ hence, therefore, thus
לְפִיתָה נ׳ grasp, clinch, clutch
לִפְנוֹת בּוֹקֶר תה״פ at sunrise
לִפְנוֹת עֶרֶב תה״פ at sunset
לִפְנֵי תה״פ before, ago, in front of, prior to
- לפני הספירה BC
- לפני הצהריים before noon, AM
- לפני כן before, previously
לִפְנַי וְלִפְנִים the innermost place
לְפָנִים תה״פ in the past, formerly
לִפְעָמִים תה״פ sometimes
לָפַף פ׳ wind, wrap round
לָפָּרוֹסְקוֹפִּיָה (בדיקה) נ׳ laparoscopy
לִפְרָקִים תה״פ sometimes
לָפַת פ׳ clutch, grasp, clasp, clench
לֶפֶת (ירק) נ׳ turnip
לִפְתָּן ז׳ dessert, sweet, afters
לִפְתָּנִית נ׳ dessert bowl
לְפֶתַע תה״פ suddenly
- לפתע פתאום suddenly
לֵץ ז׳ joker, jester, clown
לְצַד מ״י beside, besides, by, near
- לצידי/לצידך וכו׳ beside me/you etc.
לָצוֹן ז׳ jesting, joking, banter
- חמד לצון joke, jest
לִצְמִיתוּת תה״פ forever, for good
לָקָה פ׳ be stricken, be afflicted
- לוקה בחסר defective, wanting
- לוקה בשכלו mental defective
לָקוֹחַ ז׳ client, customer, purchaser
- חוג לקוחות clientele, regulars
לָקוּחַ ת׳ taken from, coming from
לָקוּי ת׳ defective, faulty, deficient
לָקוֹנִי ת׳ laconic, brief, terse, short
לָקוֹנִיּוּת נ׳ laconism
לִקּוּת נ׳ defectiveness, deficiency
- לקות הקריאה dyslexia
לָקַח פ׳ take, accept, assume, get
- לקח בחשבון take into account
- לקח זמן take time
- לקח חלק participate, take part
- לקח ללב take to heart, resent
*- לקח עצמו בידיים brace up, pull oneself together
- קח זאת בקלות! take it easy!
לֶקַח ז׳ lesson, example, *cake
- למד את הלקח learn one's lesson
לַקְחָן ז׳ magpie, thief, pilferer
לָקַט פ׳ glean, gather, pick
לֶקֶט ז׳ gleanings, collection
לָקְטוֹז (סוכר חלב) ז׳ lactose
לַקְטָן ז׳ collector, eclectic, pick-up
לְקִיחָה נ׳ taking, assuming
לִקְלוּק ז׳ lap, licking, lick
לִקְלֵק פ׳ lap, lick, lick up

לַקְמוּס ז׳ litmus
לְקַמָּן תה״פ below, further, infra
לֶקְסִיקָה נ׳ lexis, vocabulary
לֶקְסִיקוֹגְרַפְיָה נ׳ lexicography
לֶקְסִיקוֹן ז׳ lexicon, vocabulary
לַקְקָן ז׳ sweet-tooth, *flatterer
לַקְקָנוּת נ׳ sweet tooth, *flattery
לִקְרַאת מ״י towards, against
- בא/הלך לקראת meet halfway
לַקֶּרְדָּה נ׳ salted bonito
לָקְרוֹס (משחק) ז׳ lacrosse
לָרִאשׁוֹנָה תה״פ for the first time
לְרַבּוֹת תה״פ including, as well
לְרֶגֶל תה״פ owing to, because
לְרַגְלֵי מ״י at the foot of
לָרוֹב תה״פ mostly, usually
לְרוֹעַ הַמַּזָּל תה״פ unfortunately
לָרִיק תה״פ in vain, to no end
לָשׁ פ׳ knead
לְשַׁד ז׳ marrow, sap, fat, juice
- עד לשד עצמותיו to the bone
לְשָׁדִי ת׳ fat, juicy, pithy
לַשָּׁוְא תה״פ in vain, of no avail
לָשׁוֹן נ׳ language, tongue, speech
- בכל לשון של בקשה from the heart, sincerely
- בלשון המעטה to put it mildly
- היווה לשון המאזניים hold the balance
- לשון המעטה understatement
- לשון הקודש Hebrew
- לשון הרע slander, gossip, evil tongue
- לשון יבשה cape, tongue of land
- לשון ים inlet, strip of water
- לשון נופל על לשון play on words
- לשון נעל tongue (of shoe)
- לשון נקייה euphemism, decent words
*- עם הלשון בחוץ hopeless, beaten
לְשׁוֹנָאוּת נ׳ philology, linguistics
לְשׁוֹנַאי ז׳ philologist, linguist
לְשׁוֹנִי ת׳ lingual, linguistic
- דו-לשוני bilingual
- חד-לשוני monolingual
- רב-לשוני multilingual
לְשׁוֹנִית נ׳ reed, tab
לְשִׁיעוּרִין תה״פ gradually, by installments
לִשְׁכָּה נ׳ bureau, chamber, office
- לשכת השופט chamber
- לשכת עבודה labor exchange
- לשכת עורכי הדין bar association
- לשכת תעסוקה labor exchange
לִשְׁלֶשֶׁת נ׳ droppings, guano
לְשֵׁם תה״פ for the sake of, for
- לשם מה? what for?, why?
- לשם שינוי for a change
- לשם שמיים for Heaven's sake, altruistically
לֶשֶׁם (אבן יקרה) ז׳ opal
לְשֶׁעָבַר תה״פ formerly, ex-
לְתוֹךְ מ״י into, in
לְתוּמוֹ תה״פ at a venture, at random
לָתַת פ׳ malt, make malt
לֶתֶת ז׳ malt

מ

מִ- מ״י from, of, than, since
מַאֲבוּס ז׳ manger, granary, crib
מַאֲבחן ת׳ diagnostic, distinguishing
מַאֲבטח ז׳ guard, security man
מַאֲבָק ז׳ combat, contest, struggle
מַאֲבֵק ז׳ spray gun, sprinkler
מַאֲבָק (של פרח) ז׳ anther
מַאֲגָר ז׳ reservoir, store, bank
- מאגר נתונים data bank
מַאֲדֶה ז׳ carburetor, steamer
מַאְדִּים ז׳ Mars, turning red
מֵאָה ש״מ hundred, 100
- המאה hundredth
- המאה העשרים the twentieth century
- יובל המאה centenary
- למאה percent, per cent
*- מאה אחוז perfect, OK, yes
- מאה שנה century, centenary
- עד מאה ועשרים many happy returns
מְאַהֵב ז׳ lover, *fancy man
מְאַהֶבֶת ז׳ mistress, *fancy woman
מַאֲהָל ז׳ encampment, bivouac
מְאוּבְזָם ת׳ fastened with a buckle
מְאוּבְזָר ת׳ accessorized
מְאוּבְטָח ת׳ secured, protected
מְאוּבָּן ז׳ fossil, petrified, stunned
- מאובן דיעות hidebound, old fogy
מְאוּבָּק ת׳ dusty, powdered
מְאוּגָּד ת׳ associated, incorporate
מְאוּגָּף ת׳ flanked, outflanked
מְאוּגְרָף ת׳ clenched (fist)
מְאוֹד תה״פ very much, extremely
- בכל מאודו with all one's heart
- מאוד מאוד very much, *terribly
מְאוּדֶּה ת׳ steamed, evaporated
מְאוֹהָב ת׳ in love, enamored
מַאֲוַויִים ז״ר wishes, desires
מְאַוורֵר ז׳ fan, ventilator
מְאוּורָר ת׳ ventilated, airy
מַאוּזוֹלֵיאוֹם (קבר) ז׳ mausoleum
מְאוּזָּן ת׳ horizontal, balanced
מְאוּחָד ת׳ united, combined
מְאוּחֶה ת׳ sewn together, stitched
מְאוּחְזָר ת׳ retrieved (information)
מְאוּחְסָן ת׳ stored, in mothballs
מְאוּחָר ת׳ late, belated, latter
- טוב מאוחר מלעולם לא better late than never
- לכל המאוחר at the latest
מְאוּיָּד ת׳ steamed, evaporated
מְאוּיָּם ת׳ threatened, menaced
מְאוּיָּר ת׳ illustrated
מְאוּיָּשׁ ת׳ manned, staffed
מְאוּכְזָב ת׳ disappointed, let down
מְאוּכְלָס ת׳ populated, inhabited
מְאוּכָּף ת׳ saddled, saddle-like
מְאוּלָּף ת׳ trained, tame, broken
מְאוּלָּץ ת׳ constrained, forced, contrived, affected, labored
מְאוּלְתָּר ת׳ improvised, impromptu
מְאוּם ז׳ something, *nothing
מְאוּמָה ז׳ something, *nothing
מְאוּמָּן ת׳ trained, coached
מְאוּמָּץ ת׳ adopted, forced, hard
מְאוּמָּת ת׳ verified, authenticated
מֵאוֹן ז׳ percentile
מֵאוּן ז׳ refusal, declination
מְאוּנָּךְ ז׳ perpendicular, vertical
מְאוּנְפָּף ת׳ nasalized, snuffly
מְאוּנְקָל ת׳ hooked, hook-shaped
מָאוּס ת׳ loathsome, repulsive
מְאוּפְיָין ת׳ characterized, typified
מְאוּפָּל ת׳ darkened, blacked out
מְאוּפָּס ת׳ zeroed, *aware, sober
מְאוּפָּק ת׳ reserved, restrained
מְאוּפָּר ת׳ made up
מְאוּץ ז׳ dash, sprint
מְאוּצְבָּע ת׳ digitate, fingered
מְאוּקְלָם ת׳ acclimatized, adapted
מָאוֹר ז׳ light, lighting, luminary
- מאור פנים welcome, hospitality
מְאוּרְגָּן ת׳ organized, grouped
מְאוּרָה נ׳ den, hole, lair
מָאוּרִיטַנְיָה נ׳ Mauritania
מְאוֹרָס ת׳ engaged, fiance
מְאוֹרָע ז׳ event, incident, affair, occurrence, happening
- מאורעות דמים riots, pogrom
מְאוּשְׁכָּל ת׳ conglomerate, clustered
מְאוּשְׁנָב ת׳ embattled, windowed
מְאוּשְׁפָּז ת׳ hospitalized, inpatient
מְאוּשָּׁר ת׳ happy, approved
מְאוּשָּׁשׁ ת׳ firm, strong, verified
מְאוּתָּר ת׳ localized, pinpointed
מְאוֹתֵת ז׳ signaler, indicator
מֵאָז תה״פ since then, ever after
מַאֲזִין ז׳ listener, hearer
מַאֲזָן ז׳ balance, balance sheet
- מאזן אימה balance of terror
- מאזן בוחן trial balance
- מאזן כוחות balance of power
- מאזן מסחרי balance of trade
- מאזן תשלומים balance of payments
מְאַזֵּן ת׳ offsetting, countervailing
מְאֻזֶּנָה נ׳ level
מֹאזְנַיִם ז״ר balance, pair of scales, scales, steelyard, Libra
- מאזני קפיץ spring-balance
- מאזני רכב/גשר weighbridge
מַאֲזֶנֶת נ׳ aileron, stethoscope
מַאֲחֶזֶת סְפָרִים נ׳ bookend
מֵאָחוֹר תה״פ from behind, astern
מֵאֲחוֹרֵי מ״י behind, after, *back of
- מאחורי גבו behind his back
- מאחורי הקלעים behind the scenes
מַאֲחָז ז׳ handle, grip, hold, settlement, outpost, foothold
מְאַחֵז עֵינַיִם ז׳ juggler, deluder
מְאַחֵל ת׳ congratulatory, wisher
מְאַחֵר ת׳ late, tardy, behind time
- מאחר קום lie-abed
מֵאַחַר שֶׁ- since, because, as
מַאי ז׳ May
מֵאִי ת׳ hundredth

what מאי = מה תה״פ
what's the difference - מאי נפקא מינה
what's the point - מאי קא משמע לן
on the other hand מֵאִידָךְ (גִיסָא) תה״פ
carburetor, vaporizer מְאַיֵּיד ז׳
threatening, sinister מְאַיֵּם ת׳
nihilist, negator, nullifying מְאַיֵּין ז׳
illustrator מְאַיֵּיר ז׳
speller מְאַיֵּית ז׳
since when? מֵאֵימָתַי? תה״פ
wherefrom, whence מֵאַיִן תה״פ
lacking, wanting מֵאֵין תה״פ
peerless, unmatched - מאין כמוהו
loathing, disgust מְאִיסָה נ׳
wherefrom, whence מֵאֵיפֹה תה״פ
accelerator, primer, impellent מְאַיֵּץ ז׳
shining, illuminating מֵאִיר ת׳
conspicuous, illuminating - מאיר עיניים
hundredth מֵאִית נ׳
combustion, burning מַאֲכוֹלֶת אֵשׁ נ׳
disappointing, deceiving מְאַכְזֵב ת׳
food, meal, comestible מַאֲכָל ז׳
dainty, ambrosia - מאכל תאווה
corrosive, erosive מְאַכֵּל ת׳
knife, butcher's knife מַאֲכֶלֶת נ׳
locater, spotter מְאַכֵּן ז׳
anesthetist, anesthetic מְאַלְחֵשׁ ז׳
Mali מָאלִי נ׳
by itself, by himself מֵאֵלָיו תה״פ
many, myriad, abundant מְאַלֵּף ת׳
reaper binder, baler מְאַלֶּמֶת נ׳
tamer, trainer, coach, handler, instructive, edifying מְאַלֵּף ז׳
believer, faithful מַאֲמִין ז׳
coach, trainer, handler מְאַמֵּן ז׳
effort, pains, bid, strain מַאֲמָץ ז׳
a vigorous effort - מאמץ עליון
adoptive, strenuous מְאַמֵּץ ת׳
article, essay, feature מַאֲמָר ז׳
parenthesis - מאמר מוסגר
leading article, editorial - מאמר ראשי
refuse, decline מֵאֵן פ׳
someone, somebody מַאן דְהוּ ז׳
despise, detest, abhor מָאַס פ׳
maestro, conductor מָאֶסְטְרוֹ ז׳
rearguard, rear, slow public vehicle מְאַסֵּף ז׳
arrest, imprisonment מַאֲסָר ז׳
life sentence, *life - מאסר עולם
suspended sentence - מאסר על תנאי
pastry, baked foods, cake מַאֲפֶה ז׳
mafia מָאפְיָה נ׳
bakery מַאֲפִייָה נ׳
characteristic, trait מְאַפְיֵין ז׳
modulator מְאַפְנֵן ז׳
make-up person מְאַפֵּר ז׳
ashtray מַאֲפֵרָה נ׳
macho מָאצ׳וֹ (גבר) ז׳
ambush, hiding place מַאֲרָב ז׳
weave, fabric, texture, web מַאֲרָג ז׳
organizer, steward מְאַרְגֵן ז׳
curse, imprecation מְאֵרָה נ׳

computer case מָארָז ז׳
host, entertainer מְאָרֵחַ ז׳
hostess מְאָרַחַת נ׳
talkative, lasting long מַאֲרִיךְ ת׳
extension rod מַאֲרֵךְ ז׳
accuser, prosecutor, plaintiff, accusatory מַאֲשִׁים ז׳
scrotum מַאֲשֵׁכָה נ׳
corroborative, approving מְאַשֵּׁר ת׳
than, rather than מֵאֲשֶׁר מ״ח
from, by מֵאֵת מ״י
challenging, difficult מְאַתְגֵּר ת׳
two hundred, 200 מָאתַיִם ש״מ
locater, spotter מְאַתֵּר ז׳
stinking, smelly, reeking מַבְאִישׁ ת׳
insulator מְבַדֵּד ז׳
fiction מִבְדֶּה ז׳
dock, shipyard, stocks מִבְדּוֹק ז׳
amusing, funny, jocular מְבַדֵּחַ ת׳
tester מְבַדֵּק ז׳
audit, checkup, test מִבְדָּק ז׳
frightful, appalling מַבְהִיל ת׳
shining, brilliant, lurid מַבְהִיק ת׳
space bar, thumb piece מַבְהֵן ז׳
highlight מִבְהָק (בתמונה) ז׳
foreword, introduction, preface, entrance, passage מָבוֹא ז׳
lobby מְבוֹאָה נ׳
depressed, dispirited *מְבוּאָס ת׳
explained, explicated מְבוֹאָר ת׳
adult, grown-up, elder מְבוּגָּר ז׳
isolated, secluded מְבוֹדָד ת׳
amused, diverted מְבוּדָּח ת׳
frightened, scared מְבוֹהָל ת׳
wasted, spent מְבוּזְבָּז ת׳
despised, humiliated מְבוּזֶּה ת׳
decentralized מְבוּזָּר ת׳
pronounced, expressed מְבוּטָּא ת׳
insured, insurant, assured מְבוּטָּח ז׳
canceled, annulled, insignificant, negligible מְבוּטָּל ת׳
significant, not small - לא מבוטל
alley, passage, lane מָבוֹי ז׳
blind alley, dead end, cul-de-sac, impasse - מבוי סתום
stamped, franked מְבוּיָּל ת׳
staged, directed, invented, false, mock מְבוּיָּם ת׳
ashamed, shamefaced מְבוּיָּשׁ ת׳
tame, domesticated מְבוּיָּת ת׳
labyrinth, maze מָבוֹךְ ז׳
embarrassment, bewilderment, confusion מְבוּכָה נ׳
deluge, flood, downpour מַבּוּל ז׳
confused, mixed up מְבוּלְבָּל ת׳
in utter disorder מְבוּלְגָן ת׳
drunk, tipsy, *soused מְבוּסָּם ת׳
established, based, well-grounded, well off, rich מְבוּסָּס ת׳
baseless - בלתי מבוסס
spring, fountain מַבּוּעַ ז׳
frightened, aghast מְבוֹעָת ת׳
performed, carried out מְבוּצָּע ת׳
fortified, entrenched מְבוּצָּר ת׳
split, cracked, cleft מְבוּקָּע ת׳
checked, controlled מְבוּקָּר ת׳

wanted, required מבוקש ת׳
hooded מבורדס ת׳
chaotic, in disorder *מבורדק ת׳
blessed, endowed מבורך ת׳
selected, clarified מבורר ת׳
privates, genitals מבושים ז״ר
cooked, done, stewed מבושל ת׳
perfumed, scented מבושם ת׳
cut up, cleft, dissected מבותר ת׳
shaker, castor, dredger, flash מבזק ז׳
flash lamp - נורת מבזק
newsflash, flash מבזק חדשות ז׳
saltshaker מבזקת מלח נ׳
peppershaker מבזקת פלפל נ׳
from without מבחוץ תה״פ
nauseous, revolting מבחיל ת׳
discerning, perceptive מבחין ת׳
examination, test, trial, proof, audition, *exam מבחן ז׳
put to the test - העמיד במבחן
multiple-choice test - מבחן אמריקאי
screen test, film test - מבחן בד
impartiality - מבחן בוזגלו
multiple-choice test - מבחן רב-ברירה
tester, probe מבחן ז׳
test tube מבחנה נ׳
assortment, choice, selection מבחר ז׳
ladle, dasher מבחש ז׳
gaze, stare, look, view מבט ז׳
in retrospect - במבט לאחור
at first sight - במבט ראשון
glance, glimpse - מבט חטוף
accent, pronunciation מבטא ז׳
trust, reliance, security מבטח ז׳
trust in - שם את מבטחו ב-
insurer מבטח ז׳
hopeful, promising מבטיח ת׳
fulling machine, press מבטש ז׳
embarrassing, confusing מביך ת׳
understanding, expert, connoisseur מבין ת׳
from, out of מבין מ״י
understanding, insight מבינות נ׳
expressive, expressing מביע ת׳
disgraceful, shameful מביש ת׳
from within מבית תה״פ
delivering first baby מבכירה נ׳
die, block מבלט ז׳
salient, protrusion מבלט ז׳
without, lacking מבלי מ״י
restrained, holding back מבליג ת׳
mixer, scrambler מבלל ז׳
except, save מבלעדי מ״י
construction, structure, building, formation, set מבנה ז׳
anatomy, physique - מבנה הגוף
prefab - מבנה טרומי
structural מבני ת׳
complex, block מבנן ז׳
contented, pleased *מבסוט ת׳
expression, look, utterance מבע ז׳
through, by מבעד ל- מ״י
before sunset מבעוד יום תה״פ

frightful, appalling מבעית ת׳
burner, torch מבער ז׳
from within מבפנים תה״פ
achievement, operation, feat, campaign, performance מבצע ז׳
cheaply, on offer - במבצע
performer, executant מבצע ז׳
slicer מבצעה נ׳
operational, functional מבצעי ת׳
fortress, fort, stronghold מבצר ז׳
comptroller, controller, critic, caller, visitor מבקר ז׳
state comptroller - מבקר המדינה
auditor - מבקר חשבונות
applicant, petitioner מבקש ז׳
clearing, glade מברא ז׳
from the beginning מבראשית תה״פ
screwdriver מברג ז׳
Phillips screwdriver - מברג פיליפס
electric screwdriver מברגה נ׳
congratulations *מברוק מ״ק
contraband goods מברח ז׳
back belt, back tab מברחת נ׳
convalescent, healthful מבריא ת׳
smuggler, runner מבריח ז׳
gunrunner מבריח נשק
brilliant, bright, shining מבריק ת׳
spillway מברץ ז׳
cable, telegram, cablegram מברק ז׳
telegraph, cable office מברקה נ׳
brush מברשת נ׳
shaving brush - מברשת גילוח
toothbrush - מברשת שיניים
hairbrush - מברשת שיער
cook, chef מבשל, מבשלת
brewery מבשלה נ׳
perfumery מבשמה נ׳
herald, messenger, omen מבשר ז׳
auspicious, promising - מבשר טוב
ill-omened - מבשר רע
cutting, cut מבתר ז׳
magician, sorcerer מג ז׳
rice and lentils מג׳אדרה נ׳
wiper, windshield wiper, squeegee מגב ז׳
border police מג״ב = משמר הגבול
jack מגבה ז׳
height, elevation, riser מגבה ז׳
diapason, range, register מגבול ז׳
towel, paper-towel, tissue מגבון ז׳
megabyte, MB מגבייט ז׳
determiner, qualifier, modifier, restrictive מגביל ז׳
strengthening מגביר ת׳
megaphone, bullhorn - מגביר קול
money raising מגבית נ׳
limitation, restriction מגבלה נ׳
top hat, *topper מגבע ז׳
hat, felt hat, derby מגבעת נ׳
amplifier מגבר ז׳
towel מגבת נ׳
sweetness מגד ז׳
מג״ד = מפקד גדוד
pylon מגדול ז׳
definer, qualifier, guide, guidebook מגדיר ז׳

מגדל ז׳ enlarger, magnifier
מגדל ז׳ tower
- מגדל איתות (לרכבות) signal tower
- מגדל החמצה silo
- מגדל מים water tower
- מגדל פיקוח control tower
- מגדל פעמון belfry, campanile
- מגדל קידוח derrick
- מגדל שן ivory tower, Olympus
- מגדלים פורחים באוויר castles in the air
מגדל ז׳ grower, raiser, breeder
מגדלור ז׳ lighthouse, beacon
מגדלת נ׳ magnifying glass
מגדנאי ז׳ pastry chef
מגדנייה נ׳ confectionery, cakes shop
מגדף ת׳ abusive, insulter, profane
מגדר ז׳ gender
מגה ז׳ mega-, million, megabyte
מגהץ ז׳ iron, flatiron
- מגהץ אדים steam iron
מגואל ת׳ soiled, stained
מגוב ז׳ rake
מגוב ז׳ reactor
מגובב ת׳ heaped, stacked
מגובנן ת׳ humpbacked, hunchbacked
מגובש ת׳ crystallized, consolidated, well-knit, molded
מגוד ז׳ rack, coat rack
מגודל ת׳ large, grown, adult
מגודר ת׳ fenced, enclosed, pent
מגוהץ ת׳ ironed, well-groomed
מגוון ז׳ assortment, variety, choice
מגוון ת׳ diverse, colorful, varied
מגוחך ת׳ grotesque, ridiculous, absurd, laughable, ludicrous
מגוייד ת׳ veined, sinewy, wiry
מגוייס ת׳ conscript, recruit, mobilized, draftee
מגוייר ת׳ convert, proselyte
מגולגל ת׳ rolled, reincarnate
מגולה ת׳ uncovered, bare, visible
מגולוון ת׳ galvanized
מגולח ת׳ shaven, shaved, razed
- מגולח ראש skinhead
מגולל ת׳ rolled up, unfurled
מגולם ת׳ grossed up
מגולען ת׳ stoned, pitted, cored
מגולף ת׳ engraved, carved
מגומגם ת׳ unclear, stammered
מגומד ת׳ stunted, dwarfed
מגומם ת׳ pockmarked, pocked
מגונדר ת׳ dandified, elegant
מגונה ת׳ improper, indecent
מגונן ת׳ defending, protecting
מגוף ז׳ sluice, stopper, valve, tap
מגופה נ׳ bung, plug, stopper, spigot
מגופר ת׳ sulfurized, vulcanized
מגור ז׳ fear, dread, terror
מגורב ת׳ stockinged, wearing socks
מגורד ת׳ scratched, scraped, grated
מגורה נ׳ loculus
מגורה ת׳ stimulated, hot, excited
מגורון ז׳ temporary dwelling, caravan

מגורים ז״ר dwelling, lodging, residence, quarters, *digs
מגורם ת׳ boned, boneless, filleted
מגורען ת׳ granular, seeded
מגורש ת׳ exiled, deportee, expelled
מגושם ת׳ awkward, clumsy, heavy
מגושמות נ׳ clumsiness, awkwardness
מגושר ת׳ bridged
מגזזיים ז״ר shears, clippers
מגזין ז׳ magazine, periodical, *mag
מגזר ז׳ sector, branch
- המגזר הפרטי the private sector
- המגזר הציבורי the public sector
מגזרה נ׳ cutters, saw, guillotine
מגזריים ז״ר wirecutters
מגח ז׳ ram, butt, goring
מגטון ז׳ megaton, million tons
מגי ת׳ magic, magical, occult
מגיב ת׳ reactive, reactor
מגיד ז׳ preacher, narrator
- מגיד עתידות fortune teller
מגיה ז׳ proofreader, reader, reviser
מגיה נ׳ magic, witchcraft
מגילה נ׳ roll, scroll, megillah
- מגילת יוחסין family tree
מגינור ז׳ lampshade, shade
מגינת לב נ׳ sorrow, grief
מגיע ת׳ arriving, due, deserving
מגיפה נ׳ epidemic, pestilence, plague
מגיפתי ת׳ epidemic, pestilent
מגירה נ׳ drawer, till
- דחף למגירה pigeonhole
מגיש ז׳ waiter, presenter, compere, server, pitcher
מגל ז׳ reaping-hook, sickle, scythe
מגלב ז׳ whip, lash, riding crop
מגלה ז׳ discoverer, detector, finder
- מגלה מוקשים mine detector
מגלול ("מטר") ז׳ tape measure, tape
מגלומן (חולה רוח) ז׳ megalomaniac
מגלומניה נ׳ megalomania
מגלח ז׳ shaver, razor, safety razor
מגלית ז׳ megalith, large stone
מגלל ז׳ winder, rewinder, roller
מגלן (עוף) ז׳ sickle-bill
מגלען ז׳ corer, stoner
מגלף ז׳ carving knife
מגלש ז׳ ski, chute, slide, spillway
מגלש ז׳ skid
מגלשה נ׳ chute, slide
- מגלשת מים water slide
מגלשיים ז״ר skis, runners, launchers
מגלשן ז׳ skier
מגמגם ז׳ stammerer, inarticulate
מגמה נ׳ tendency, trend, aim, direction, course, stream
מגמה נ׳ magma
מגמ״ק = מגלה מוקשים mine detector
מגמשת נ׳ body stocking
מגמתי ת׳ tendentious, biased
מגמתיות נ׳ tendentiousness
מגן ז׳ shield, defense, guard
- מגן בוץ mudguard, mud flap
- מגן דוד Star of David, hexagram
- מגן רוח wind-shield
- מגן שוק shin-guard

- מגן שמש — visor
מָגֵן ז' — defender, fullback, back
מְגַנֶּה ת' — condemnatory, denouncing
מִגְנוּט ז' — magnetization
מַגְנוֹלִיָה (עץ נוי) נ' — magnolia
*מַגְ'נוּן ת' — crazy, mad, insane
מַגְנֶזְיוּם ז' — magnesium
מִגְנֵט פ' — magnetize
מַגְנֵט ז' — magnet, loadstone
מַגְנֵטִי ת' — magnetic
מַגְנֵטִיּוּת נ' — magnetism
מַגְנִיב ת' — slipping, *great, cool
מַגְנִיּוֹן (מגנזיום) ז' — magnesium
מִגְנָנָה נ' — defensive, defensive war
מָגֵס ז' — bowl, tureen, soup tureen
מַגָּע ז' — contact, touch, intercourse
מַגְעִיל ת' — disgusting, nasty, revolting
מַגַּעַת נ' — contact
מַגָּף ז' — boot, wellington, jackboot
מְגָפוֹן ז' — megaphone, bullhorn
מַגְפֵּר ז' — sulfur sprayer
מַגְרֵד ז' — grater, scraper
מַגְרֶדֶת נ' — currycomb, scraper
מְגָרֶה ת' — stimulating, exciting
מַגְרֵסָה נ' — crusher, mill, shredder
- מגרסת אשפה — garbage disposal unit
- מגרסת נייר — shredder
מִגְרָע ז' — groove, waist, fault
מִגְרָעָה נ' — recess, niche, alcove
מִגְרַעַת נ' — disadvantage, fault, defect
מִגְרַעַת נ' — recess, niche, alcove
מַגְרֵפָה נ' — rake
מִגְרָר ז' — trailer, semitrailer
מִגְרָרָה נ' — sleigh, sledge, sled
מַגְרֶרֶת (פומפייה) נ' — grater
מִגְרָשׁ ז' — field, court, plot, pitch, ground, lot, yard
- מגרש גולף — golf course, links
- מגרש חנייה — car park, parking lot
- מגרש טניס — tennis court
- מגרש כדורגל — football pitch
- מגרש מסדרים — parade ground
- מגרש משחקים — playground
מְגָרֵשׁ שֵׁדִים — *ghostbuster
מַגָּשׁ ז' — salver, tray, server, dish
- מגש דואר יוצא — the out tray
- מגש דואר נכנס — the in tray
- על מגש של כסף — without effort
מַגְשִׁים ז' — realizer
מַד ז' — measure, gage, gauge, meter
מַד אוֹץ ז' — speedometer
מַד אוֹר ז' — photometer
מַד אַמְפֵּר ז' — ammeter
מַד גּוֹבַהּ ז' — altimeter
מַד דֶּרֶךְ ז' — mileometer, pedometer
מַד חַשְׁמַל ז' — electrometer
מַד טְוָח ז' — range finder
מַד כּוֹבֶד ז' — barometer
מַד לַחוּת ז' — hygrometer
מַד לַחַץ ז' — manometer, pressure gauge
מַד לַחַץ-דָּם ז' — sphygmomanometer
מַד מְהִירוּת ז' — speedometer
מַד מַיִם ז' — water meter
מַד מֶתַח ז' — voltmeter
מַד נֶשֶׁם ז' — spirometer
מַד צַעַד ז' — pedometer
מַד רוּחַ ז' — anemometer, wind gauge
מַד רוֹחַק ז' — telemeter
מַד רוּם ז' — altimeter
מַד רַעַשׁ ז' — seismograph
מַד שֶׁטַח ז' — planimeter
מַד שִׁכְרוּת ז' — breathalyser
מַד שֶׁמַע ז' — audiometer
מַד תַּיִל ז' — wire gauge, wire gage
מד"א = מגן דוד אדום — Red Magen David
מִדְאָה ז' — gliding field
מַדְאִיג ת' — troublesome, worrying
מַדְבִּיק ת' — contagious, catching
- מדביק מודעות — billposter
מַדְבִּיר ז' — exterminator, eradicative
- מדביר חרקים — insecticide
מִדְבָּק נ' — agglutination
מַדְבֵּקָה נ' — sticker, tag, label
מִדְבָּר ז' — desert, wilderness, waste
מְדַבֵּר (גוף ראשון) ז' — first person
- מדבר מהבטן — ventriloquist
מִדְבָּרִי ת' — desert, waste, arid
מִדְגֶּה ז' — fish breeding
מַדְגִּים ת' — illustrative, demonstrator
מִדְגָּם ז' — design, sample, specimen
- מדגם מייצג — representative sample
- מדגם מקרי/אקראי — random sample
מִדְגָּמִי ת' — sample, sampling
- טעות מדגמית — sampling error
מִדְגָּר ז' — brood, clutch
מַדְגֵּרָה נ' — incubator, hatchery
מַדְגֶּשֶׁם ז' — rain gauge, rain gage
מָדַד פ' — measure, gauge, survey
- מדד את החום — take the temperature
- מדד בגד — try on a garment
מַדָּד ז' — index
- מדד דאו ג'ונס — Dow-Jones average
- מדד המחירים לצרכן — consumer price index
- מדד המשתנים — two-sided index
- מדד יוקר המחיה — cost of living index
מַדְהִים ת' — amazing, stupendous
מְדוּבְלָל ת' — sparse, thin, ragged
מְדוּבָּר ת' — said, discussed, above
- מדובר ב- — it's about, we talk about
מָדוּד ת' — measured, deliberate
מְדוּדוֹת תה"פ — deliberately
מַדְוֶה ז' — pain, affliction, disease
מְדוּוָח ת' — reported
מְדוּוָר ת' — mailed, posted
מֶדוּזָה נ' — jellyfish, medusa
מַדּוּחַ ז' — seduction, leading astray
מְדוּיָּק ת' — accurate, exact, precise
מָדוֹךְ ז' — ramrod, pestle, rammer
מְדוּכָּא ת' — dejected, depressed
מְדוּכְדָּךְ ת' — dejected, low-spirited
מְדוֹכָה נ' — canister, mortar
- ישבו על המדוכה — put heads together
מְדוּלְדָּל ת' — dangling, loose, poor
מְדוּמֶּה ת' — imaginary, seeming
מְדוּמְיָן ת' — fictitious, imaginary
מָדוֹן ז' — quarrel, dispute, brawl
מַדּוּעַ תה"פ — why, what for?

מְדוּפְלָם ת׳ certificated, holder of a diploma
*מְדוּפְרָס ת׳ depressed, dejected
מְדוּקְדָּק ת׳ accurate, precise, scrupulous, thorough
מָדוֹר ז׳ department, branch, section, suite
מְדוּרְבָּן ת׳ spurred, urged, stimulated
מְדוּרָג ת׳ graded, ranked, terraced, seeded, rated
מְדוּרָה נ׳ bonfire, flame, fire
מְדוּשָּׁא ת׳ turfed, grassy, lawny
מְדוּשַּׁן עוֹנֶג ת׳ self-satisfied, smug
מַדְזָווִית ז׳ protractor
מַדְזְמַן ז׳ chronometer
מַדְזֶרֶם ז׳ ammeter
מַדְחוֹם ז׳ thermometer
מַדְחָן ז׳ parking meter
מַדְחֵס ז׳ compressor
מַדְחֵף ז׳ airscrew, propeller
מִדַּי תה״פ too much, too many
מִדֵּי תה״פ whenever, every
- מדי יום ביומו every day
- מדי פעם occasionally, at times
מַדִּיד ז׳ gage, gauge, measure
מָדִיד ת׳ measurable, mensurable
מְדִידָה נ׳ measurement, survey
- מדידת בגד fitting, trying on
- מדידת חום taking the temperature
- מדידת רוחק telemetry
מֶדְיָה (כלי התקשורת) נ׳ media
מֶדְיוּם ז׳ medium, means, way
מֵדִיחַ ז׳ seducer, enticer, seditious
מֵדִיחַ כֵּלִים ז׳ dishwasher
מֶדִיטַצְיָה נ׳ meditation
מְדַיֵּק ת׳ punctual, precise, exact
מַדִּים ז״ר uniform, livery, strip
מְדִינָאוּת נ׳ diplomacy, statesmanship, statecraft
מְדִינַאי ז׳ diplomat, politician, statesman
מְדִינָאִי ת׳ diplomatic
מְדִינָה נ׳ state, country, land
- מדינה מתועשת industrialized country
- מדינה מתפתחת developing country
- מדינת חוק law abiding state
- מדינת חיץ buffer state
- מדינת חסות dependency
- מדינת ישראל State of Israel
- מדינת משטרה police state
- מדינת סעד welfare state
- מדינת רווחה welfare state
מְדִינוֹנֶת נ׳ (very) small country
מְדִינִי ת׳ political, state
מְדִינִיּוּת נ׳ policy, politics
- מדיניות הכוח power politics
מַדִּיף רֵיחַ ת׳ redolent, smelly
מְדַכֵּא ת׳ depressing, dismal
מְדַכְדֵּךְ ת׳ depressing, gloomy
מַדְכּוֹחַ ז׳ dynamometer
מַדְלֶה ז׳ derrick, crane, davit
מֶדַלְיָה נ׳ medal
- מדליית ארד bronze medal
- מדליית זהב gold medal
- מדליית כסף silver medal

מֶדַלְיוֹן ז׳ medallion, pendant
מַדְלִיף, מַדְלִיפָן ז׳ leaker
מַדְלִיק ת׳ lighting, *marvellous
מְדַלֵּל ז׳ thinner
מָדָם נ׳ madame, madam, lady
מַדְמֶה ז׳ simulator
מִדְמֶה ז׳ dummy
מְדַמֶּה ת׳ imaginative
מָדְמוּאָזֶל נ׳ mademoiselle
מְדַמֵּם ת׳ bleeding, losing blood
מַדְמֵנָה נ׳ dunghill, dump
מִדָּנִים ז״ר quarrel, contention
מד״ס = מדריך ספורט physical trainer
מַדְסֶקֶת נ׳ disk harrow
מַדָּע ז׳ science
- המדעים המדוייקים exact sciences
- מדע בדיוני science fiction
- מדע המדינה political science
- מדע התנהגות behavioral science
- מדע שימושי applied science
- מדעי החברה social sciences
- מדעי הטבע natural sciences
- מדעי היהדות Jewish studies
- מדעי הרוח arts, humanities
מַדָּעִי ת׳ scientific
מַדְעֵךְ ז׳ fader
מַדְעָן ז׳ scientist, *boffin
מַדָּף ז׳ shelf, ledge, rack
מַדְפִּיס ז׳ printer, typist
מַדְפֵּן ז׳ disk harrow
מֻדְפָּס ז׳ printed matter
מַדְפֵּס רַחַק ז׳ teleprinter, telex, teletypewriter, teletype
מַדְפֶּסֶת נ׳ printer
מְדַקְדֵּק ת׳ grammarian, punctual, accurate, stickler
מְדַקְלֵם ז׳ reciter, declaimer
מַדְקֵר ז׳ awl, piercer
מַדְקֵרָה נ׳ stab, stabbing, cut
מֶדֶר ז׳ bevel, sloping edge
מְדַרְבֵּן ת׳ urging, stimulant
מִדְרֵג פ׳ rate, terrace, make terraces
מִדְרָג ז׳ terrace, stagger, hierarchy
מַדְרֵגָה נ׳ stair, step, terrace, degree
- מדרגות stairs, staircase
- מדרגות לולייניות winding stairway
- מדרגות מילוט fire escape
- מדרגות נעות escalator
- מדרגת מס tax bracket
- ממדרגה ראשונה first-rate, first-class
מִדְרוּג ז׳ rating
מִדְרוֹן ז׳ slope, declivity, incline
- מדרון מסוכן slippery slope
מִדְרוֹנִי ת׳ sloping, inclined
מִדְרְחוֹב ז׳ mall, pedestrianized street
מַדְרִיךְ ז׳ guide, manual, handbook, educator, instructor, trainer
- מדריך טלפון telephone directory
מַדְרִים ת׳ southbound
מִדְרָךְ ז׳ step, foothold, footboard, tread, toehold
מִדְרָכָה נ׳ pavement, sidewalk
מִדְרָס ז׳ foot support
מִדְרָסָה נ׳ doormat, mat
מִדְרָשׁ ז׳ learning, study

מִדְרָשָׁה נ׳ academy, college
מִדְרָשִׁיָּה נ׳ college
מִדְשָׁאָה נ׳ lawn, green
מַדְשִׁיא ת׳ grassy, lawny
מָה מ״ג what, some, whatever
- ויהי מה ! come what may
- ומה בכך ? so what?
*- ומה לא and what not, and more
*- מה איתך ? what happened to you?
- מה אתה סח !/אומר ! you don't say!
- מה דעתך ש- how about-
- מה הטעם ? what's the point?
*- מה העניינים ? what's up?
*- מה זאת אומרת ! how dare you!
*- מה זה very much, extremely
*- מה זה ?=מה ? (תת-תקני) what?
- מה טוב ! very good!
- מה יש ! what's the problem
- מה לי ול- ? I've no connection with
- מה לי כך ומה לי כך it makes no difference
- מה לעשות what can we do, you must admit
- מה נפשך in either case
*- מה נשמע ? how do you do?, how goes it?, what's up?
*- מה פתאום ? says you!, certainly not!
- מה שאין כן ב- the case is not so in...
- מה שלומך ? how do you do?
*- מה שמו what d'you call him
- מה שנכון נכון you must admit it
מְהַבְהֵב ת׳ flickering, winking
מַהְבִּיל ת׳ steamy, vaporous
מַהֲגוֹנִי ז׳ mahogany
מְהַגֵּר ז׳ emigrant, immigrant
מְהַדְהֵד ת׳ resonant, resounding
מַהֲדוּרָה נ׳ edition, printing
- מהדורת חדשות newscast
מַהֲדִיר ז׳ editor, reader, compiler
מְהַדֵּק ז׳ clip, fastener, paper clip, stapler, brace
מְהַדֵּר ז׳ repeater, compiler
מְהַדְרִין ת׳ religious, very (kosher)
מַהוּ מ״ג what is he, what is it
מְהוּגָּן ת׳ honest, proper
מָהוֹד ז׳ resonator
מְהוּדָּק ת׳ closefitting, tight
מְהוּדָּר ת׳ elegant, fancy, chic
מְהוּהֶה ת׳ shabby, worn out
מָהוּל ת׳ mixed, blended, diluted, adulterated, circumcised
מְהוּלָּל ת׳ praised, acclaimed
מְהוּמְגָּן ת׳ homogenized
מְהוּמָה נ׳ riot, confusion, fuss, turmoil
מְהוּסָּס ת׳ hesitant, wavering
מְהוּפָּךְ ת׳ upside down, reverse
מְהוּפְּנָט ת׳ hypnotized
מְהוּקְצָע ת׳ polished, planed
מְהוּרְהָר ת׳ abstracted, pensive, thoughtful, absent, preoccupied
מַהוּת נ׳ nature, being, essence
מַהוּתִי ת׳ essential, substantial

מַהִי מ״ג what is she, what is it
מֵהֵיכָן תה״פ where from, whence
מְהִילָה נ׳ mixing, dilution
מְהֵימָן ת׳ credible, reliable, faithful
מְהֵימָנוּת נ׳ reliability, faithfulness
מָהִיר ת׳ quick, rapid, fast, swift
- מהיר חימה quick-tempered
- מהיר תפיסה quick-witted, perceptive
מְהִירוּת נ׳ speed, velocity, celerity
- במהירות quickly, speedily
- במהירות הבזק speedily, like a shot
- גבול המהירות המותרת speed limit
- מהירות הימלטות/מילוט escape velocity
- מהירות לוע muzzle velocity
- מהירות שיוט cruising speed
מָהַל פ׳ mix, blend, adulterate
מַהֲלוּמָה נ׳ blow, hit, shock
מַהֲלָךְ ז׳ move, step, walk, journey, course, gear
- במהלך during, while
- מהלכים approach, free access
מְהַלֵּל ת׳ laudatory, praising
מֵהֶם, מֵהֶן מ״ג what are they?
מֵהֶם, מֵהֶן מ״י of them, from them
מַהֲמוֹרָה נ׳ pit, pitfall, pothole
מְהַמֵּם ת׳ stunning, *gorgeous
מְהַמֵּר ז׳ gambler, bettor, backer
מְהַנְדֵּס ז׳ engineer
- מהנדס חשמל electrical engineer
- מהנדס מכונות mechanical engineer
מְהַנֶּה ת׳ enjoyable, pleasing
מְהַסֵּס ת׳ hesitant, waverer, shy
מַהְפָּךְ ז׳ revolution, changeover, upheaval, volte-face, tropic
מַהְפֵּכָה נ׳ revolution, *disorder
- מהפכת נגד counterrevolution
מַהְפְּכָן ז׳ revolutionary
מַהְפְּכָנִי ת׳ revolutionary
מְהַפְּנֵט ז׳ hypnotist, mesmerist
מַהֵר תה״פ fast, quickly, soon
מְהֵרָה תה״פ quickly, soon
- במהרה, עד מהרה soon, shortly
מְהַרְהֵר ת׳ meditative, ruminative
מַהֲתַלָּה נ׳ joke, comedy, skit
מוּאַזִּין ז׳ muezzin
מוּאָט ת׳ slowed down, decelerated
מוּאֳמָן ת׳ accredited
מוּאֳפָל ת׳ blacked out, darkened
מוּאָץ ת׳ accelerated, quickened
מוּאָר ת׳ lit, illuminated, lighted
מוּאֳרָךְ ת׳ prolonged, lengthened
מוּאֳרָק ת׳ earthed, grounded
מוּאֳשָׁם ת׳ accused, charged
מוּבָא ת׳ brought, fetched
מוּבָאָה נ׳ quotation, excerpt
מוּבְדָּל ת׳ separated, isolated
מוּבְהָק ת׳ clear, obvious, thorough
מוּבְהָר ת׳ made clear, explained
מוּבְחָן ת׳ separated, separated, unique
מוּבְחָר ת׳ choice, selected, best
מוּבְטָח ת׳ promised, secure
- מובטח לו may rest assured
- מובטחני I am sure

מובטל ת׳ unemployed, jobless
מוֹבַּייל (מִרְצֶדֶת) ז׳ mobile
מוֹבִיל ז׳ carrier, conveyor, conductor, transporter, leader
- מוביל גייסות troop carrier
- מוביל מים aqueduct, water conduit
- מוביל ציבורי common carrier
מוֹבָל ז׳ conduit, duct, pipe
מוּבָל ת׳ led, conducted
מובלט ת׳ outstanding, prominent
מובלע ת׳ mingled, slurred, implicit
מובלעת נ׳ enclave
מוֹבֶלֶת נ׳ carrier
מוּבָן ז׳ meaning, sense
- במובן הצר in the strict sense
- במובן הרחב in the broad sense
מובן ת׳ understood, intelligible
- מובן מאליו of course, self-evident
מובנה ת׳ built-in
מובנות נ׳ comprehensibility
מובס ת׳ defeated, routed, beaten
מובע ת׳ expressed, spoken
מוברג ת׳ screwed
מוברח ת׳ smuggled, bolted, latched
מוג לב ת׳ coward, *yellow-bellied
מוגבה ת׳ raised, lifted
מוגבל ת׳ limited, confined, *fool
מוגבלות נ׳ limitation, narrowness
מוגבר ת׳ intensified, boosted
מוגדל ת׳ enlarged, magnified
מוגדר ת׳ defined, definite
מוגה ת׳ corrected, proofread
מוגז ת׳ sparkling, carbonated
מוגזם ת׳ exaggerated, excessive
מוגלה נ׳ pus, matter, purulence
מוגלית נ׳ pustule
מוגלתי ת׳ abscessed, purulent
מוגמר ת׳ completed, finished
- בירך על המוגמר finish it and be pleased
מוגן ת׳ protected, safe, secure
מוגנב ת׳ smuggled, inserted stealthily
מוגף ת׳ closed, shut, shuttered
מוגר פ׳ be defeated, be routed
מוגרל ת׳ raffled
מוגש ת׳ offered, presented
מוגשם ת׳ realized, fulfilled
מודאג ת׳ upset, worried, concerned
מודאלי ת׳ modal
מודאליות נ׳ modality
מודבק ת׳ pasted, glued, stuck
מודגם ת׳ illustrated, demonstrated
מודגש ת׳ emphasized, stressed
מודד ז׳ surveyor, measuring, meter, number of votes for 1 MP
מודה נ׳ mode, fashion, vogue
מודה ת׳ thankful, grateful
מודול ז׳ module, unit
מודולציה (אפנון) נ׳ modulation
מודולרי ת׳ modular
מודוס ז׳ mode, modus, method
- מודוס ויוונדי (פשרה) modus vivendi
מודח ת׳ deposed, ousted, expelled

מודחק ת׳ repressed, suppressed
מודיע ז׳ informer, stool pigeon
מודיעין ז׳ intelligence, information
- מודיעין נגדי counterintelligence
מודיעיני ת׳ intelligence, informative
מודיפיקציה (סיגול) נ׳ modification
מודל ז׳ model, design, pattern
מודלה ת׳ trellised, espaliered
מודלף ת׳ leaked out, disclosed
מודלק ת׳ inflamed, lit
מודם (מחבר תקשורת) ז׳ modem
מודע ז׳ acquaintance, friend
מודע ת׳ aware, conscious, sensible
- במודע consciously, on purpose
- התת מודע the subconscious
מודעה נ׳ advertisement, ad, notice, bill, announcement, poster
- מודעת אבל obituary
- מודעת דרוש (בעיתון) want ad
מודעות נ׳ awareness, consciousness
מודפס ת׳ printed, typed
מודרג ת׳ graduated, graded, scaled
מודרטו (במתינות) תה״פ moderato
מודרך ת׳ guided, directed, led
מודרני ת׳ modern, *with it
מודרניות נ׳ modernity, novelty
מודרניזם ז׳ modernism
מודרניזציה נ׳ modernization
מודרניסט ז׳ modernist
מוֹהֵל ז׳ circumciser
מוֹהַל ז׳ sap, juice
מוהר ז׳ bride price, dowry
מווסת ת׳ regulated, adjusted
מָוֶת ז׳ death, demise, passing
- מוות בעריסה cot death, SIDS
- מוות קליני clinical death
מוז ז׳ banana
מוזאיקה (פסיפס) נ׳ mosaic
מוזג פ׳ be merged, be mixed
מוזג ז׳ barman, bartender
מוזגת נ׳ barmaid
מוזה נ׳ muse, inspiration
מוזהב ת׳ gilded, gilt
מוזהר ת׳ warned, cautioned
מוזז ת׳ removed, shifted
מוזיאון ז׳ museum
מוזיאוני ת׳ museum, of a museum
מוזיקה (ראה מוסיקה) נ׳ music
מוזכר ת׳ mentioned, referred to
מוזל ת׳ cheaper, reduced, cut
מוזם ת׳ refuted, contradicted
מוזמביק נ׳ Mozambique
מוזמן ת׳ guest, invited, ordered
מוזן ת׳ fed, nourished, input
מוזנח ת׳ neglected, derelict, seedy
מוזנחות נ׳ neglect, *tackiness
מוזר ת׳ strange, eccentric, odd, peculiar, queer, bizarre
מוזרות נ׳ eccentricity, peculiarity
מוזרם ת׳ conducted, pouring
מוזרק ת׳ injected, syringed
מוֹחַ ז׳ brain, mind, gray matter
- בעל מוח אנליטי analytical person
- המוח הגדול cerebrum
- המוח הקטן cerebellum
- מוח של אפרוח *birdbrained

מוחבא ת׳ concealed, hidden
מוחזק ת׳ held, maintained, regarded
מוחזר פ׳ be recycled
מוחזר ת׳ returned, restored
מוחט ז׳ snuff, soot, cleaner
מוחי ת׳ cerebral, brainy
מוחכר ת׳ leased, hired, rented
מוחלט ת׳ absolute, definite
מוחלף ת׳ exchanged, switched
מוחלש ת׳ weakened
מוחמץ ת׳ irrecoverable, missed
מוחץ ת׳ crushing, overwhelming
מוחצן ת׳ extrovert, externalized
מוחק ז׳ eraser
מוחרב ת׳ destroyed, ruined
מוחרם ת׳ banned, confiscated
מוחרת תה״פ the following day
- מוחרתיים the day after tomorrow
מוחש ת׳ perceptible, hastened
מוחשב פ׳ be computerized
מוחשות נ׳ perceptibility
מוחשי ת׳ perceptible, tangible
מוחשיות נ׳ perceptibility, tangibility
מוחשך ת׳ darkened
מוחתם ת׳ stamped, signed
מוט ז׳ beam, pole, rod, bar, staff
- מוט הדגל flagpole, flagstaff
- מוט החרטום (בספינה) bowsprit
- מוט היגוי joystick, control bar
- מוט הילוכים gear shift/stick
- מוט סקי ski pole, ski stick
- מוט פריצה jimmy, jemmy
מוטב ז׳ beneficiary, payee
- למוטב בלבד for payee only
מוטב תה״פ rather, better, had better, had best, well, preferably
מוטבל ת׳ dipped, baptized
מוטבע ת׳ stamped, impressed
מוטה נ׳ spread, span
- מוטת כנפיים wingspan, wingspread
מוטה ת׳ inclined, slanted, bent
מוטה נ׳ pole, yoke, oppression
מוטו ז׳ motto, watchword, slogan
מוטורי ת׳ motor, of motion
מוטט פ׳ shake, overthrow, topple
מוטט (שירה רב-קולית) ז׳ motet
מוטיב (תנע) ז׳ motif, motive
מוטיבציה נ׳ motivation, incentive
מוטית נ׳ small rod, stick
- מוטית היגוי joystick
מוטל ת׳ imposed, inflicted, put, laid, thrown, cast, placed
- מוטל בספק questionable
- מוטל על כף המאזניים at stake
מוטל (מלונוע) ז׳ motel
מוטמן ת׳ concealed, hidden, buried
מוטנט (שעבר מוטציה) ז׳ mutant
מוטס ת׳ airborne, flown
מוטעה ת׳ mistaken, wrong
מוטעם ת׳ stressed, emphatic
מוטען ת׳ loaded, charged
מוטציה נ׳ mutation, change
מוטרד ת׳ troubled, worried
מוטרם ת׳ anticipatory
מוין פ׳ be sorted, be classified

מוך ז׳ down, cotton wool, fluff
- מוך השן pulp
מוכה ת׳ beaten, afflicted, stricken
- מוכה גורל wretched, unfortunate
- מוכה ירח moonstruck
- מוכה שחין scabious, scabby
- מוכה תדהמה stunned, nonplused
מוכ״ז = מוסר כתב זה bearer
מוכח ת׳ proven, demonstrated
מוכחד ת׳ exterminated, annihilated
מוכחש ת׳ denied, contradicted
מוכי ת׳ fluffy, downy
מוכיח ת׳ admonitory, preacher
- מוכיח בשער preacher, moralist
מוכל ת׳ enclosed, contained
מוכלא ת׳ crossbred, hybridized
מוכלל ת׳ included, generalized
מוכלם ת׳ insulted, ashamed
מוכן ת׳ prepared, ready
- מוכן ומזומן ready and waiting
*- מוכנים היכון רוץ ! on your marks set go!, ready steady go!
- מן המוכן prepared, immediate
מוכנות נ׳ preparedness, readiness
מוכני ת׳ mechanical, automatic
מוכנס ת׳ inserted, introduced
מוכנע ת׳ subdued, subjugated
מוכס ז׳ customs-officer
מוכסן ז׳ tax collector
מוכסף ת׳ silver-plated, silvery
מוכפל ת׳ double, multiplied
מוכפש ת׳ soiled, smeared, miry
מוכר ז׳ seller, vendor, salesman
- מוכר ספרים bookseller
- מוכר עיתונים newsdealer
מוכר ת׳ known, recognized, allowable
מוכרז ת׳ declared, proclaimed
מוכרח ת׳ must, compelled, bound
מוכרן ז׳ salesman, jobber
מוכרע ת׳ decided, defeated
מוכרת נ׳ saleswoman
- מוכרת פרחים flower girl
מוכשל ת׳ tripped, failed
מוכשר ת׳ able, capable, competent, talented, qualified, made kosher
מוכשרות נ׳ skill, ability
מוכתב ת׳ dictated, prescribed
מוכתם ת׳ stained, smeared
מוכתף ת׳ shouldered, at the slope
מוכתר ז׳ village leader
מוכתר ת׳ crowned, titled
מול מ״י against, in front of, opposite, versus
- אל מול against, opposite, versus
מו״ל = מוציא לאור publisher
מולא פ׳ be filled, be fulfilled
מולאטי (בן תערובת) ז׳ mulatto
מולאם ת׳ nationalized
מולבש ת׳ dressed, clothed, *framed
מולד ז׳ birth, new moon
מולד ת׳ congenital, inborn
מולדביה נ׳ Moldavia
מולדובה נ׳ Moldova
מולדת נ׳ homeland, motherland
מולות נ׳ publishing

מולחם ת׳ soldered, welded
מולטו (במוסיקה, מאוד) תה״פ molto
מולטימדיה נ׳ multimedia
מולטימיליונר ז׳ multimillionaire
מוליד ז׳ father, progenitor, sire
מוליה נ׳ praline, sugared almond
מוליך ת׳ conductor, conductive
- מוליך למחצה semiconductor
- מוליך על superconductor
- מוליך שולל deceitful, deceptive
מוליכות נ׳ conductivity
- מוליכות על superconductivity
מולית (דג ים) ז׳ mullet
מולך ז׳ Moloch, Molech
מולכד פ׳ be booby-trapped
מולל פ׳ rub, scrape, unravel
מולקולה (פרודה) נ׳ molecule
מולקולרי ת׳ molecular
מום ז׳ defect, deformity, disability
מו״מ = משא ומתן negotiation
מומחה ז׳ expert, skillful, specialist
מומחז ת׳ dramatized, staged
מומחיות נ׳ skill, speciality, expertise
מומחש ת׳ realized, illustrated
מומיה נ׳ mummy
מומלץ ת׳ advisable, recommended
מומן פ׳ be financed, be funded
מומנט ז׳ moment
מומנטום ז׳ momentum, impetus
מומס ת׳ dissolved, melted
מומר ז׳ apostate, convert
מומר ת׳ changed, converted
מומש פ׳ be realized, be effected
מומת ת׳ executed, slain
מונגולואיד ז׳ mongoloid, mongol, having Down's syndrome
מונגולי ז׳ Mongolian
מונגוליה נ׳ Mongolia
מונגוליזם ז׳ Down's syndrome
מונה פ׳ be appointed, be named
מונה ז׳ counter, gauge, numerator
- מונה גייגר Geiger counter
מונהג ת׳ led, introduced, directed
מונו (מחלת הנשיקה) ז׳ mononucleosis
מונוגמיה נ׳ monogamy, having only one wife
מונוגרמה (משלבת) נ׳ monogram
מונוגרפיה (מחקר) נ׳ monograph
מונודרמה (הצגת יחיד) נ׳ monodrama
מונוטוני ת׳ monotonous, tedious
מונוטוניות נ׳ monotony, dullness
מונולוג ז׳ monologue, soliloquy
מונולית ז׳ monolith, large stone
מונוליתי ת׳ monolithic, solid
מונומן ז׳ monomaniac, obsessed
מונומנט ז׳ monument
מונומנטלי ת׳ monumental, colossal
מונומניה נ׳ monomania, obsession
מונופול ז׳ monopoly, corner
מונופוליסט ז׳ monopolist
מונופוליסטי ת׳ monopolistic
מונופוני (חד-קולי) ת׳ monophonic
מונוקל (משקף) ז׳ monocle
מונותאיזם ז׳ monotheism, belief in only one God
מונותאיסט ז׳ monotheist

מונותאיסטי ת׳ monotheistic
מונח ז׳ term
- במונחים של in terms of
מונח ת׳ put, placed, lying
מונחה ת׳ guided, led, directed
מונחת ת׳ landed, disembarked
מונטז׳ (מצרף) ז׳ montage
מונטנגרו נ׳ Montenegro
מוניטור (מגווח) ז׳ monitor
מוניטין ז״ר goodwill, fame, prestige
מוניטרי ת׳ monetary, financial
מונים ז״ר times, -fold
מוניציפלי (עירוני) ת׳ municipal
מונית נ׳ cab, taxi, taxicab, *hack
מונסון (רוחות) ז׳ monsoon
מונע ת׳ preventive, prohibitive
מונע ת׳ driven, motivated, moved
מונף ת׳ hoisted, raised, lifted
מונפק פ׳ issued
מונקי ביזנס monkey business
מונרך ז׳ monarch, king
מונרכיה נ׳ monarchy, kingdom
מונרכיסט (מלוכן) ז׳ monarchist
מוס ז׳ mousse, creamy dessert
מוסב ת׳ endorsed, endorsee
מוסבר ת׳ explained, accounted for
מוסגר ת׳ parenthetic, extradited, handed over, betrayed
מוסד ז׳ institution, establishment
- מוסד לעבריינים reformatory
מוסדי ת׳ institutional, established
מוסדר ת׳ square, settled, arranged
מוסווה ת׳ masked, disguised, camouflaged, hidden
מוסט ת׳ shifted, moved, displaced
מוסיקאי ז׳ musician
מוסיקה נ׳ music
- מוסיקה ווקלית/קולית vocal music
- מוסיקה קלסית classical music
- מוסיקה קמרית chamber music
- מוסיקת לוואי incidental music
- מוסיקת נשמה soul music
- מוסיקת פופ pop music
- מוסיקת רקע background music
מוסיקול ז׳ music hall, vaudeville
מוסיקולוג ז׳ musicologist
מוסיקולוגי ת׳ musicological
מוסיקולוגיה נ׳ musicology
מוסיקלי ת׳ musical, melodious
מוסיקליות נ׳ musicality, musicalness
מוסך ז׳ garage, pit, shed, hangar
מוסכאי ז׳ garage owner
מוסכם ת׳ agreed, accepted
מוסכמה נ׳ convention, accepted rule, customary practice
*מוסכניק ז׳ garage owner/worker
מוסלמי ת׳ Moslem, islamic
מוסמך ת׳ authorized, certified, MA, qualified, reliable, authoritative
- מוסמך למדעי הטבע Master of Science
- מוסמך למדעי הרוח Master of Arts
מוסס פ׳ dissolve, soften, melt
מוסע ת׳ driven, transported
מוסף ז׳ supplement, additional prayer, added, supplementary

מוּסְפִית נ׳ affix
מוּסְפַּר פ׳ be numerated, be numbered
מוּסָק ת׳ heated, concluded, inferred
מוֹסְקְבָה נ׳ Moscow
מוּסָקָה (מאכל) נ׳ moussaka
מוּסְקָט ז׳ muscatel, muscat, nutmeg
מוּסָר ז׳ moral, morals, ethics, virtue
- מוסר השכל moral, lesson
- מוסר כליות contrition, remorse
מוֹסֵר ז׳ giver, informer
מוֹסְרוֹת הַשִּׁלְטוֹן reins of government
מוּסְרָט ת׳ filmed, screened
מוּסָרִי ת׳ moral, ethical, virtuous
מוּסָרִיּוּת נ׳ morality, rectitude
מוּסְרָן ז׳ moralist
מוּסְרָנוּת נ׳ moralism
מוּסְרָנִי ת׳ moralistic
מוּסָת ת׳ incited, provoked
מוּסְתָּר ת׳ hidden, concealed
מוּעָב ת׳ cloudy, eclipsed
מוֹעֳבָר ת׳ transferred, moved
מוֹעֵד ז׳ time, term, holiday, festival
- במועד on time, duly
- מועדי הים tide
- מועדים לשמחה! happy holiday!
מוּעָד ת׳ warned, habitual, prone, dangerous, directed, bound
- מועד לתאונות accident-prone
מוּעָדָה נ׳ destination
מוֹעֲדוֹן ז׳ club, country club
- מועדון לילה nightclub, *clip joint
מוֹעֲדָף ת׳ favored, preferential
מוהע״ב=מועצת הביטחון
מוּעָט ת׳ small, few, little, scanty
מוֹעִיל ת׳ profitable, useful
מוֹעַל יָד ז׳ raised hand
מוּעָם ת׳ dimmed, darkened
מוּעֲמָד ז׳ applicant, candidate
מוּעֲמָדוּת נ׳ candidacy, candidature
מוּעַן פ׳ be addressed
מוֹעֵן ז׳ sender, addresser
מוּעָן ז׳ addressee
מוּעֲנָק ת׳ awarded, granted, given
מוּעֲסָק ת׳ employed, worker
מוּעָף ת׳ flown, sent flying
מוֹעָצָה נ׳ council, board
- מועצה דתית religious council
- מועצה מקומית local council
- מועצת הביטחון Security Council
- מועצת מנהלים board, directorate
- מועצת עיר corporation
מוּעֳצָם ת׳ intensified, strengthened
מוּעָקָה נ׳ distress, burden, load
מוֹעֲרָךְ ת׳ estimated, valued
מוֹעֲשָׁר ת׳ enriched, improved
מוֹעְתָּק ת׳ copied, transferred
מו״פ = מחקר ופיתוח R & D
מוּפְגָז ת׳ shelled, bombarded
מוּפְגָן ת׳ manifest, demonstrated
- במופגן demonstratively, ostentatiously
מוּפָּה פ׳ be mapped
מוּפְחָד ת׳ scared, frightened
מוּפְחָת ת׳ lessened, reduced
מוּפְלָא ת׳ wonderful, mystical

מוּפְלָג ת׳ distant, very, untold
מוּפְלֶה ת׳ separated, favored, discriminated against
מוּפְנֶה ת׳ directed, turned, referred
מוּפְנָם ת׳ introverted, introvert
מוּפְנָמוּת נ׳ introversion
מוּפְסָד ת׳ lost, losing, damaged
מוּפְסָק ת׳ stopped, ceased
מוֹפָע ז׳ show, appearance, event
- מופע הירח phase of the moon
מוּפְעָל ת׳ activated, operated
מוּפָץ ת׳ distributed, spread
מוּפְצָץ ת׳ bombed, shelled
מוּפָק ת׳ produced, derived
מוּפְקָד ת׳ deposited, appointed, entrusted, in charge
מוּפְקָע ת׳ requisitioned, confiscated, exorbitant, exaggerated
מוּפְקָר ת׳ abandoned, lawless, licentious, libertine, wanton
מוּפְקֶרֶת נ׳ prostitute, slut
מוּפָר ת׳ violated, broken
מוּפְרָד ת׳ separated, segregated
מוּפְרֶה ת׳ fertilized, impregnated
מוּפְרָז ת׳ exaggerated, exorbitant
מוּפְרָךְ ת׳ contradicted, groundless
- מופרך מעיקרו completely baseless
מוּפְרָע ת׳ disturbed, psychotic
מוּפְרָעוּת נ׳ disturbance, derangement
מוּפְרָשׁ ת׳ set aside, allocated
מוּפְשָׁט ת׳ abstract, theoretical
מוּפְשָׁטוּת נ׳ abstraction
מוּפְשָׁל ת׳ rolled up, turned up
מוּפְשָׁר ת׳ thawed, melted, defrosted
מוֹפֵת ז׳ model, paragon, pattern, miracle, proof, sign
- למופת exemplary, perfect
מוּפְתִּי ז׳ mufti, Muslim judge
מוֹפְתִי ת׳ exemplary, ideal, classic
מוּפְתָּע ת׳ taken aback, surprised
מוֹץ ז׳ chaff, husk
מוֹצָא ז׳ ancestry, descent, origin, source, exit, outlet
- מוצא שפתיים/פיו word, promise
מוּצָא ת׳ taken out, spent
מוֹצֵא ז׳ finder, locator
מוֹצָאֵי חַג ז״ר night after a festival
מוֹצָאֵי שַׁבָּת ז״ר Saturday night
מוּצָב ז׳ post, outpost, position
מוּצָב ת׳ stationed, placed, set
מוּצָג ז׳ exhibit, presented, on show
מוּצְדָּק ת׳ justified, excused
מוּצָה פ׳ be exhausted, be drained
מוּצְהָר ת׳ declared, avowed, stated
מוֹצִיא ת׳ taking out, producing
- מוציא לאור publisher
- מוציא לפועל executive
מוּצָל ת׳ shadowy, shady
מוּצְלָב ת׳ crossbred, hybridized
מוּצְלָח ת׳ successful, lucky
מוּצְמָד ת׳ linked, fastened
מוּצְנָח ת׳ parachuted, dropped
מוּצְנָע ת׳ hidden, concealed
מוּצָע ת׳ proposed, offered
מוּצַעַת ת׳ (bed) made, spread out
מוּצָף ת׳ flooded, inundated

מוצפן ת' encoded, coded, hidden
מוצץ ז' comforter, pacifier, dummy
מוצק ת' solid, hard, firm, stocky
מוצקות נ' hardness, solidity
מוצר ז' product, work, narrowed
- מוצר לוואי by-product
- מוצר סופי end product
מוצ"ש = מוצאי שבת Saturday night
מוצת ת' ignited, burnt, lit
מוק ז' gaiter, puttee, greave
- מוקיים leggings
מוקד פ' be focused, be directed
מוקד ז' focus, center, fire, hearth
מוקדי ת' focal, radial
מוקדם ת' early, soon, preliminary
- במוקדם או במאוחר sooner or later
- לכל המוקדם at the earliest
מוקדן ז' telephone receptionst
מוקדש ת' dedicated, devoted
מוקה (קפה) נ' mocha
מוקטן ת' reduced, lessened
מוקיון ז' buffoon, clown
מוקיוני ת' clownish, foolish
מוקיר ת' respectful, appreciative
מוקית נ' stirrup sock, legging
מוקלט ת' recorded, tape-recorded
מוקם ת' erected, established
מוקנה ת' vested, placed, given
מוקסין (נעל) ז' moccasin
מוקסם ת' fascinated, spellbound
מוקע ת' exposed, condemned
מוקף ת' surrounded, hyphenated
מוקפא ת' frozen, congealed, pegged
מוקפץ ת' sauteed, saute
מוקצב ת' allocated, appropriated
מוקצה ת' set apart, allotted, assigned
- מוקצה מחמת מיאוס loathsome
מוקצף ת' whisked, whipped
מוקרן ת' screened, filmed, radiated
מוקש פ' be mined
מוקש ז' mine, obstacle, trap
מוקשאי ז' miner, mine layer
מוקשה ת' hardened, bound, asked
מור ז' myrrh
מורא ז' fear, awe, dread
מורג ז' threshing sledge
מורגל ת' accustomed, used, wont
מורגש ת' felt, perceivable
מורד ז' rebel, mutineer, mutinous
מורד ת' lowered, brought down
מורד ז' slope, decline, descent
מורדת נ' rebellious wife
מורה ז' teacher, tutor, showing
- מורה דרך guide, cicerone
- מורה הוראה rabbi, religious judge
- מוריי ורבותיי! gentlemen!
מורה נ' teacher, governess, razor
*מורווח ת' profiting, gained
מורחב ת' widened, enlarged
מורחק ת' removed, sent away
מורחת נ' palette knife, knife
מורט עצבים ת' nerve-racking
מורטוריום (תדחית) ז' moratorium
מוריק ת' turning green, verdant
מוריש ז' testator, bequeathing

מורך לב ז' cowardice, timidity
מורכב ת' complex, complicated, compound, consisting, composite
מורכבות נ' complexity, intricacy
מורכן ת' bent, bowed, stooping
מורל ז' morale, spirit, confidence
מורלי ת' moral
מורם ת' raised, lifted, elevated
- מורם מעם person of prominence
מורמוני ז' Mormon
מורן (שיח) ז' viburnum, dogwood
מורנה (סחף חול) נ' moraine
מורנו ת' our teacher, our mentor
מורס (כתב טלגרף) ז' Morse
מורסה נ' abscess, pus
מורעב ת' starved, famished
מורעל ת' poisoned, venomous, *die-hard fan
מורפולוגי (צורתי) ת' morphological
מורפולוגיה (מבנה) נ' morphology
מורפיום ז' morphine, morphia
מורפימה (צורה) נ' morpheme
מורק פ' be scoured, be polished
מורק ת' emptied, drained
מורש ת' bequeathed, inherited
מורשה ז' representative, deputy, delegate
מורשה נ' legacy, inheritance, heritage
מורשה ת' authorized, licensed
- מורשה חתימה senior bank clerk
מורשע ת' convicted, guilty
מורת רוח נ' discontent, displeasure
מורתח ת' boiled, hot, excited
מושא ז' object
- מושא ישיר direct object
- מושא עקיף indirect object, dative
מושאל ת' lent, metaphorical
מושב ז' seat, session, sitting, settlement, residence, dwelling
- מושב אחורי back seat, pillion
- מושב זקנים home for aged
- מושב מפלט ejection seat
- מושב מתקפל jump seat
מושב ת' returned, restored
מושבה נ' colony, settlement
*מושבניק ז' settlement member
מושבע ז' juror, sworn, confirmed
מושבת ת' locked out, strike-bound
מושג ז' idea, notion, concept
מושג ת' obtained, attained, got
מושגי ת' conceptual, notional
מושווה ת' compared, likened
מושחז ת' sharpened, honed
מושחל ת' threaded, laced
מושחם ת' browned, tanned
מושחר ת' blackened, smeared
מושחת ת' corrupt, spoiled, evil
מושט ת' extended, floated, sailed
מושיע ז' savior, helper, rescuer
מושך ז' drawer, attractive
- מושך בחוטים wirepuller
מושכה נ' rein, trace
- מושכות reins, bridle
מושכל ז' concept, idea
- מושכל ראשון axiom

מוּשְׁכַּן פ׳ be mortgaged
מוּשְׂכָּר ת׳ rented, let
מוֹשֵׁל ז׳ ruler, governor, suzerain
מוּשְׁלָג ת׳ snowy, snow-clad
מוּשְׁלָךְ ת׳ castoff, thrown away
מוּשְׁלָם ת׳ complete, perfect
מוּשְׁמָץ ת׳ defamed, slandered
מוּשְׁעֶה ת׳ suspended, in abeyance
מוּשְׁפָּל ת׳ humiliated, downcast
מוּשְׁפָּע ת׳ influenced, affected
מוּשְׁק (חיה אסייתית) ז׳ musk deer
מוּשְׁקֶה ת׳ watered, irrigated
מוּשְׁקָע ת׳ invested, sunk
מוּשָׁר ת׳ sung
מוּשְׁרָשׁ ת׳ rooted, deep-seated
מוּשְׁתָּל ת׳ transplanted, *bugged
*מוּשְׁתָּן ת׳ skunk, a contemptible man
מוּשְׁתָּת ת׳ based, founded
מוֹת- the death of
מוּתְאָם ת׳ fitted, adjusted, adapted
מוּתָג ז׳ brand, brand name
מוּתְוֶה ת׳ outlined
מוּתָּז ת׳ sprinkled, cut off, beheaded
מוֹתֵחַ ז׳ tensor, thrilling, suspenseful, stretching
מוֹתְחָן ז׳ cliffhanger, thriller
מוּתָּךְ ת׳ molten, liquefied
מוּתַּן פ׳ be moderated, be tempered
מוֹתֶן ז׳ loin, hip, waist, haunch
מוּתְנֶה ת׳ conditioned, subject
מוֹתְנִי ת׳ lumbar
מוֹתְנִיָּה נ׳ jacket, battle-dress, vest
מוֹתְנַיִם ז״ר loins, waist
מוֹתְנִית נ׳ battle-dress, fillet
*מוֹתֶק מ״ק sweetheart, honey
מוּתְקָן ת׳ installed, fitted
מוּתְקָף ת׳ attacked, assailed, beset
מוֹתָר ז׳ excess, remainder, surplus
- לְמוֹתָר לציין needless to say
מוּתָּר ת׳ allowed, permitted
מוֹתָרוֹת ז״ר luxury, comfort
מוּתָּשׁ ת׳ weakened, tired, beat
מִזְבֵּחַ ז׳ altar
מִזְבָּלָה נ׳ dump, tip, refuse dump
מָזַג פ׳ mix, pour, blend
מֶזֶג ז׳ mixture, nature, temper
- מזג אוויר weather
מִזְגָּגָה נ׳ glassworks
מִזְגִּי ת׳ temperamental
מַזְגָן, מַזְגַן-אֲוִיר ז׳ air-conditioner
מִזְדַּמֵּן ת׳ irregular, occasional, odd
מִזְדַּקֵּן ת׳ senescent, elderly
מַזֶּה ז׳ sprinkler, sprayer
מְזֵה רָעָב ת׳ starving, hungry
מְזַהֶה ז׳ spotter, identifier
מַזְהִיר ת׳ bright, brilliant, warning
מזה״ת = מזרח התיכון the Middle East
מָזוּג ת׳ poured, blended, mixed
מְזוּגָּג ת׳ frosted, glazed, glace
מְזוּגְזָג ת׳ zigzag, zigzagged
מְזוּהֶה ת׳ identified, spotted
מְזוֹהָם ת׳ contaminated, dirty
מַזּוֹג (מצמד) ז׳ clutch
מִזְוָד ז׳ baggage, luggage, kitbag
מִזְוָדָה נ׳ suitcase, trunk, valise

מְזָוֶה ז׳ pantry, larder, still-room
מְזוּוָּע ת׳ shocking, terrible
מְזָוִית ז׳ bevel
מְזֻוָּת ת׳ angular
מְזוּזָה נ׳ doorpost, jamb, mezuza
- מזוזת השער gatepost
מַזּוּט ז׳ crude oil
מְזוּיָּן ת׳ armed, equipped, *lousy
מְזוּיָּף ת׳ forged, affected, false
מָזוֹכִיזם (עינוי עצמי) ז׳ masochism
מָזוֹכִיסט ז׳ masochist
מָזוֹכִיסְטִי ת׳ masochistic
מְזוּכָּךְ ת׳ purified, refined, clean
מְזוּמָּן ת׳ ready, prepared, cash
מְזוּמָּנִים ז״ר cash, ready money
מָזוֹן ז׳ food, nourishment, *grub
- מזון בריאות health food
- מזון מהיר fast food
מְזוּנָּב ת׳ tailed, caudal
מְזוֹנוֹת ז״ר alimony, maintenance
מְזוֹנִי ת׳ nutritive, alimentary
מְזוֹעְזָע ת׳ shocked, alarmed, upset
מְזוּפָּת ת׳ tarry, *rotten, lousy, bad
מְזוּקָּן ת׳ bearded, unshaven
מְזוּקָּק ת׳ refined, distilled
מָזוֹר ז׳ remedy, salve, bandage
מָזוֹר (סולם קולות) ז׳ major
*מְזוּרְגָג ת׳ rotten, lousy, bad
מְזוֹרָז ת׳ quick, hurrying, summary, fast, shortened, crash
מֵזַח ז׳ quay, pier, jetty, wharf
מַזְחִילָה נ׳ waterspout, gutter
מִזְחֶלֶת נ׳ sled, sleigh, toboggan
מִזּוּג ז׳ consonance
מְזִיגָה נ׳ mixture, blending, pouring
מֵזִיד - בְּמֵזִיד תה״פ deliberately
מְזַיֵּף ת׳ forger, out of tune
מְזִימָה נ׳ conspiracy, scheme, plot
מְזִין ת׳ nutritious, nutrient
מַזִּיעַ ת׳ sweaty, perspiring
מַזִּיק ת׳ harmful, injurious, pest
מַזְכִּיר ז׳ secretary, reminder
- מזכיר המדינה Secretary of State
- מזכירה אלקטרונית answering machine
מַזְכִּירוּת נ׳ secretariat
מְזַכֵּךְ ת׳ purifying, cleansing
מזכ״ל = מזכיר כללי secretary general
מִזְכָּר ז׳ memorandum, memo
מִזְכָּרִית נ׳ memo pad, memo
מַזְכֶּרֶת נ׳ keepsake, remembrance
מַזָּל ז׳ luck, fortune, fate, sign of the zodiac, *mercy
- למזלו, למרבה המזל fortunately
- לרוע המזל unfortunately
- מזל אריה Leo
- מזל בתולה Virgo
- מזל גדי Capricorn
- מזל דגים Pisces
- מזל דלי Aquarius
- מזל טוב! congratulations!
- מזל טלה Aries, Ram
- מזל מאזניים Libra
- מזל סרטן Cancer
- מזל עקרב Scorpio
- מזל קשת Sagittarius

*- מזל ש- it's a good thing
- מזל שור Taurus
- מזל תאומים Gemini
מַזְלֵג ז׳ fork
- מזלג חשמלי immersion heater
- מזלג קול tuning fork
מְזַלְזֵל ת׳ scorning, derogatory
מַזְלֵחַ ז׳ squeeze bottle, sprayer
מזל"ט(מטוס ללא טייס) remotely piloted vehicle, mini RPV
מִזְלָלָה נ׳ (gluttons') restaurant, snack bar
מַזְלֵף ז׳ sprinkler, sprayer, watering pot, watering can
*מִזְמוּז ז׳ necking, lovemaking
מִזְמוֹר ז׳ song, hymn, psalm
*מִזְמֵז פ׳ flirt, neck, make love
מַזְמִין ת׳ inviting, orderer
מִזְּמַן תה"פ a long time ago
מַזְמֵרָה נ׳ pruning shears, secateurs
מִזְנֶבֶת נ׳ fur hat, shtreimel
מִזְנוֹן ז׳ buffet, cupboard, cabinet, sideboard, restaurant, bar
- מזנון דרכים pull-in, pullup
- מזנון מהיר snack bar
מִזְנוֹנַאי ז׳ buffet attendant
מִזְנוֹנִית נ׳ buffet, sideboard
מַזְנִיק ז׳ starter
מַזְנֵק ז׳ spout, nozzle
מִזְעוּר ז׳ miniaturization
מְזַעְזֵעַ ת׳ shocking, terrible
מַזְעֵק ז׳ alarm bell, fire alarm
מִזְעֵר פ׳ miniaturize, minimize
מִזְעָר ז׳ little, least, minimum
מִזְעָרִי ת׳ minimal, minimum
מִזְעֶרֶת נ׳ miniature
מְזַקֵּק ז׳ distiller, refiner
מִזְקָקָה נ׳ refinery, distillery, still
מַזָּר (קבוצת כוכבים) ז׳ constellation
מַזְרֵבָה נ׳ spool, reel, bobbin
מזרון (מזרן) ז׳ mattress
מְזָרֵז ת׳ catalytic, urging
מִזְרָח ז׳ east, the Orient
- המזרח הרחוק the Far East
- המזרח התיכון the Middle East
מִזְרָחָה תה"פ eastwards, east
מִזְרָחִי ת׳ eastern, east, oriental
- מזרחית ל- east of
מִזְרָחָן ז׳ orientalist
מִזְרָחָנוּת נ׳ orientalism
מִזְרָן ז׳ mattress, mat
- מזרן אוויר air mattress
- מזרן קפיצים spring mattress
- מזרן קש pallet, palliasse
מַזְרֵעָה נ׳ drill, sowing machine
מַזְרֵק ז׳ syringe, gun, hypodermic syringe, injector
מִזְרָקָה נ׳ fountain
מֵחַ ז׳ marrow, fatness
- מח עצמות bone-marrow
מָחָא כַּף פ׳ clap, applaud
מְחָאָה נ׳ protest, objection
מַחְאָנִים ז"ר clappers, claque
מַחֲבוֹא ז׳ hiding place, *hideout
- מחבואים (משחק) hide-and-seek
מַחְבּוֹשׁ ז׳ detention, imprisonment

מַחְבֵּט ז׳ bat, racket, carpet-beater
- מחבט טניס tennis racket
מַחְבֵּטָה נ׳ flail, thresher
מְחַבֵּל ז׳ terrorist, gunman, saboteur
מְחַבֵּל ז׳ spoiler
מַחְבֵּצָה נ׳ churn
מְחַבֵּר ז׳ author, compiler, writer
מַחְבֵּר ז׳ connector, joint, tailpiece
מַחְבָּרוּת נ׳ writing, authorship
מַחְבֶּרֶת נ׳ notebook, copybook, exercise book
מַחֲבַת נ׳ frying pan, pan
מַחְגֵּר ז׳ escapement, ratchet
מֵחַד (גִּיסָא) תה"פ on the one hand
מְחַדֵּד עֶפְרוֹנוֹת ז׳ pencil sharpener
מְחַדֵּדָה נ׳ pencil sharpener
מֶחְדָּל ז׳ omission, default, oversight, failure
מְחַדֵּשׁ ז׳ innovator, inventor
מֵחָדָשׁ תה"פ anew, over again
מָחָה פ׳ erase, wipe, mash, protest
מְחוּבָּק ת׳ embraced, hugged
מְחוּבָּר ת׳ connected, joined, addend
מָחוֹג ז׳ hand, pointer, radius
- מחוג הדקות minute hand
- מחוג השניות second hand
- מחוג השעות hour hand
מְחוּגָה נ׳ compasses, dividers, calipers
מְחוּדָּד ת׳ pointed, sharp, acuminate
מְחוּדָּשׁ ת׳ renovated, renewed
מַחֲוֶה ז׳ pointer, indicator
מֶחֱוָה נ׳ gesture, act of grace
מַחֲוָן ז׳ index, indicator, pointer
מְחוּוָּר ת׳ clear, clarified
מָחוֹז ז׳ county, district
- מחוז בחירות constituency
- מחוז חפץ destination
מְחוֹזִי ת׳ district, regional
מְחוּזָּק ת׳ reinforced, stronger
מְחוּזָּר ת׳ courted, wooed
מְחוּטָּא ת׳ sterile, disinfected
מְחוּטָּב ת׳ well-shaped, chiseled
מְחוּיָּב ת׳ obliged, committed, bound
- מחוייב המציאות vital, inevitable
מְחוּיָּבוּת נ׳ commitment, pledge
מְחוּיָּט ת׳ tailored, sewn
מְחוּיָּךְ ת׳ smiling
מְחוּיָּל ת׳ mobilized, enlisted
מָחוֹךְ ז׳ corset, stays, girdle
מְחוֹכִית נ׳ corselette, corselet
מְחוּכָּם ת׳ clever, wise, ingenious
מָחוֹל ז׳ dance, dancing
- מחול ויטוס = מחולית
- מחול שדים fuss, brouhaha
מָחוּל ת׳ pardoned, forgiven
מְחוּלְחָל ת׳ porous, permeable
מְחוֹלִית (מחלה) נ׳ St Vitus's dance, Sydenham's chorea
מְחוֹלֵל ז׳ generator, performer, dancer
- מחולל יישומים application generator
מְחוּלָּל ת׳ desecrated, profaned
מְחוּלָּק ת׳ divided, shared, dividend

מְחוּמָם ת׳ heated, warmed, *angry
מְחוּמְצָן ת׳ oxidized, oxygenic
מְחוּמָשׁ ת׳ fivefold, pentagon
מְחוּנָּךְ ת׳ educated, well-bred
מְחוּנָּן ת׳ gifted, talented, endowed
מְחוּנָּנוּת נ׳ giftedness, talent
מְחוּסָל ת׳ finished, done, *done in
מְחוּסָן ת׳ immune, proof
מְחוּסְפָּס ת׳ abrasive, rough, rugged
מְחוּסָר ת׳ lacking, without
- מחוסר עבודה out of work, unemployed
מְחוּסָר (בחשבון) ז׳ minuend
מְחוּפֶּה ת׳ covered, protected
מְחוּפָּר ת׳ dug in, entrenched
מְחוּפָּשׂ ת׳ disguised, masked
מָחוּץ ת׳ crushed, squashed
מִחוּץ תה״פ outside, out of, beyond
- מחוץ לארץ from abroad
- מחוץ לתחום out of bounds
מְחוּצָף ת׳ impudent, insolent, brash
*מְחוּצְ'קָן ת׳ acned (face)
מָחוּק ת׳ deleted, erased, (spoon) full to the brim, flat, level
מְחוּקֶּה ת׳ imitated, copied
מְחוֹקֵק ז׳ lawgiver, legislator
*מְחוּרְבָּן ת׳ lousy, bad, rotten
מְחוֹרָז ת׳ rhymed, strung
מְחוֹרָץ ת׳ grooved, jagged, slotted
מְחוֹרֵר ז׳ punch, perforator
מְחוֹרָר ת׳ full of holes, perforated
מָחוֹשׁ ז׳ feeler, antenna
מְחוּשָּׁב ת׳ calculated, deliberate
מְחוּשָּׁל ת׳ forged, casehardened
מְחוּשְׁמָל ת׳ electrified
מְחוּתָּךְ ת׳ articulate, cut
מְחוּתָּל ת׳ diapered, wearing a nappy
מְחוּתָּן ז׳ father of son-in-law, daughter-in-law's father
- מחותנים parents-in-law
מַחֲזָאוּת נ׳ dramatics, stagecraft, dramaturgy, play-writing
מַחֲזַאי ז׳ dramatist, playwright
מַחֲזֶה ז׳ play, scene, show, sight, spectacle, view
- מחזה מוסיקלי musical
- מחזה שווא hallucination
מַחֲזוֹר ז׳ cycle, period, circulation, circuit, turnover, prayer-book, graduation class, menstruation
- מחזור הדם blood circulation, bloodstream
- מחזור הכסף money in circulation
- מחזור המים hydrologic cycle
- מחזור זרעים rotation of crops
- מחזור עסקים business cycle
מִחְזוּר ז׳ recycling
מַחֲזוֹרִי ת׳ circulatory, cyclic, periodic, periodical, recurring
מַחֲזוֹרִיּוּת נ׳ recurrence, rotation, periodicity
מַחֲזוֹרֶת (בתחביר) נ׳ period, periodic sentence
מַחֲזִיק ז׳ holder, retentive
- מחזיק מפתחות key-ring
- מחזיק סיגריות cigarette holder

מַחֲזִירוֹר ז׳ reflector
- מחזירור כביש cat's eye
מַחֲזֶמֶר ז׳ musical
מִחְזֵר פ׳ recycle, reprocess
מַחֲזֵר ז׳ reflector, carriage return
מְחַזֵּר ת׳ courting, suitor, wooer
מִחֵט פ׳ clean, trim, snuff
מַחַט נ׳ needle, stylus
מח"ט = מפקד חטיבה brigade commander
מְחַטֵּא ת׳ antiseptic, disinfectant
מַחְטִי ת׳ needlelike
מַחְטָנִי ת׳ coniferous, spiny
מֶחְטָף ז׳ snatch, grab, catch
מְחִי - בִּמְחִי יָד תה״פ at one blow
מְחִיאוֹת כַּפַּיִם נ״ר applause, handclap, ovation
מִחְיָה נ׳ living, subsistence, livelihood, sustenance
מְחַיֵּב ת׳ binding, obliging, positive
מְחַיֶּה נְפָשׁוֹת ת׳ refreshing, delightful
מְחִילָה נ׳ forgiveness, pardon, absolution, tunnel, burrow
- במחילה! I beg your pardon!
מְחִיצָה נ׳ partition, screen, wall, neighborhood, proximity
מָחִיק ת׳ erasable, effaceable
מְחִיקָה נ׳ deletion, erasure
מְחִיקוֹן ז׳ Tippex
מְחִיר ז׳ cost, price, charge
- בכל מחיר at any price
- מחיר שוק market price
*- מחירים של בית מרקחת very high prices
מְחִירוֹן ז׳ price list
מְחִית נ׳ mash, puree, pulp, sauce
מַחְכִּים ת׳ edifying, enlightened
מַחְכִּיר ז׳ lessor, renter
מָחַל פ׳ forgive, pardon, remit
- מחל על כבודו swallow one's pride
מַחְלָבָה נ׳ dairy, creamery
מַחֲלָה נ׳ disease, illness, sickness
- מחלה כרונית chronic disease
- מחלה מידבקת contagion
- מחלה סופנית terminal/fatal disease
- מחלת הנשיקה mononucleosis
- מחלת הפה והטלפיים foot-and-mouth disease
- מחלת השינה sleeping sickness
- מחלת ים seasickness
- מחלת לב heart disease
- מחלת מין venereal disease, *dose
- מחלת נסיעה travel sickness
- מחלת נפילה epilepsy, petit mal
- מחלת נפש mental illness
- מחלת פרקינסון Parkinson's disease
מַחֲלוֹקֶת נ׳ quarrel, dispute, controversy, disagreement
מַחְלִיא ת׳ sickening, disgusting
מַחֲלִים ת׳ convalescent, recuperating
מַחֲלִיף ז׳ substitute, stand-in
מַחֲלִיקַיִים ז״ר ice skates, skates
מַחֲלִיקָן ז׳ skater, ice skater
מֶחְלָף ז׳ interchange, intersection
מַחְלֵף ז׳ commutator, changer,

converter, shift key
- מחלף תקליטים — record changer
מַחְלָפָה נ' — plait, tress, braid
מַחְלֵץ ז' — corkscrew, extractor
- מחלץ כליבים — staple remover
מַחֲלָצוֹת נ"ר — fine garments, finery
מְחַלֵּק ז' — divider, divisor, dealer
מֶחְלָק ז' — squad
- מחלק מוסר — vice squad
מַחְלָקָה נ' — department, class, platoon, division, faculty, ward
- מחלקה ראשונה — first class
- מחלקה שנייה — second class
מַחְלַקְתִּי ת' — departmental
מַחְמָאָה נ' — compliment, flattery
מַחְמָד ז' — sweetheart, darling
- כולו מחמדים — he is very sweet
מַחֲמוֹשֶׁת נ' — staff, stave
מַחְמִיא ת' — flattering
מַחְמִיר ת' — austere, strict, harsh
מַחְמַל נֶפֶשׁ ז' — darling, beloved
מְחַמֵּם ז' — heater, warmer
- מחמם לב — heart-warming
מַחֲמַצִּים ז"ר — pickles
מְחַמְצֵן ז' — oxygenizer, oxidizer
מֵחֲמַת מ"י — because of, due to
מַחֲנָאוּת נ' — camping
מַחֲנַאי ז' — camper
מַחֲנֶה ז' — camp, encampment
- מחנה מעבר — transit camp
- מחנה מעצר — detention camp
- מחנה פליטים — refugee camp
- מחנה ריכוז — concentration camp
מַחֲנַיִם ז"ר — (a game like) dodgeball
מַחֲנִיף ת' — flattering, *soapy
מַחֲנִיק ת' — stuffy, airless, fuggy
מְחַנֵּךְ ז' — educator, pedagogue, tutor
מַחֲנָק ז' — suffocation, fug
מַחֲסֶה ז' — refuge, cover, shelter
מְחָסוֹל ז' — liquidation
מַחְסוֹם ז' — block, roadblock, checkpoint, barrier, bar, barricade, muzzle, gag
- מחסום הצבע — color bar
- מחסום הקול — sound barrier
מַחְסוֹר ז' — shortage, want, lack
מַחְסָן ז' — warehouse, store
- מחסן נשק — arsenal, armory
- מחסן ערובה — bonded warehouse
מַחְסְנָאוּת נ' — storekeeping
מַחְסְנַאי ז' — storekeeper
מַחְסָנִית נ' — magazine, cartridge
מְחַסֵּר ז' — subtrahend, subtracting
מַחְפָּה ז' — spat, vamp
מַחְפּוֹרֶת נ' — trench, dugout, mine
מַחְפִּיר ת' — disgraceful, shameful
מְחֻפִּית נ' — dragee, sugar-coated pill
מַחְפֵּן ז' — grab, grapple
מַחְפֵּר ז' — dredge, bulldozer, excavator
מְחַפֵּשׂ ז' — searcher, prospector
- מחפש מציאות — bargain hunter
- מחפש פגמים — fault-finding
- מחפשים את המטמון — treasure hunt
מָחַץ פ' — crush, squash, wound, mangle

מַחַץ ז' — blow, wound, brunt
- שורת המחץ — punch line
מַחְצָב ז' — mineral, ore
מַחְצָבָה נ' — quarry, workings
מֶחֱצָה נ' — half, moiety
- למחצה — partially, by halves
- מחצה על מחצה — fifty-fifty
מַחֲצִית נ' — half, half time, moiety
- במחצית הדרך — midway, halfway
מַחְצֶלֶת נ' — mat, doormat
מַחְצָצָה נ' — toothpick
מְחַצְצֵר ז' — trumpeter, bugler
מָחַק פ' — delete, erase, write off
מַחַק ז' — eraser, rubber
מְחַקֶּה ז' — imitator, mimic, emulous
מֶחְקָר ז' — research, study
- מחקר ופיתוח (מו"פ) — research and development, R&D
- מחקר שיווק/שווקים — market research
- מחקר תפעולי — operational research
מֶחְקָרִי ת' — exploratory, research
מָחָר תה"פ — tomorrow, the future
מַחֲרָאָה נ' — latrine, toilet, WC
מַחֲרוֹזֶת נ' — necklace, collar, string, chain, beads, series
- מחרוזת קצרה — choker
- מחרוזת תפילה — rosary
מְחַרְחֵר ז' — inciter, provoker
- מחרחר מלחמה — warmonger
מַחֲרֵטָה נ' — lathe
מַחֲרִיב ת' — destroyer, ruinous
מַחֲרִיד ת' — shocking, terrible
מַחֲרִישׁ ת' — deafening, silent, mute
- מחריש אוזניים — earsplitting
מְחָרֵף ת' — blasphemous, profane
מַחֲרֵץ ז' — groove knife
מַחֲרֵצָה נ' — runner, gouge
מַחֲרֵשָׁה נ' — plow, plough
מָחֳרָת תה"פ — the following day
מָחֳרָתַיִם תה"פ — day after tomorrow
מח"ש=מח' חקירת שוטר' — PID
מִחְשֵׁב פ' — computerize
מַחְשֵׁב ז' — computer, calculator
- מחשב אישי — personal computer, PC
- מחשב אנלוגי — analog computer
- מחשב נייד/נישא — laptop (computer)
- מחשב ספרתי — digital computer
- מחשב שולחני — desktop (computer)
- מחשב-על — supercomputer
מְחַשֵּׁב ז' — calculator, reckoner
מַחֲשָׁבָה נ' — thought, reflection
- במחשבה שנייה — on second thought
- במחשבה תחילה — deliberately
מַחְשְׁבוֹן ז' — calculator
מַחֲשַׁבְתִּי ת' — of thought, conceptual
מִחְשׁוּב ז' — computerization
מַחְשׂוֹף ז' — neckline, exposure
מַחְשָׁךְ ז' — darkness, dark
מְחַשְׁמֵל ת' — electrifying
מַחְשֵׂף (במצלמה) ז' — shutter button
מֵחֲשַׁשׁ מ"י — for fear of, for fear that
*מַחְשָׁשָׁה נ' — hashish-smokers' den
מַחְתָּה נ' — censer, poker, shovel, fire iron, thurible, griddle

מַחְתֵּךְ ז׳ cutter
מֶחְתָּךְ ז׳ cut, cross section
מַחְתֵּכָה נ׳ slicer, trimmer, guillotine
מַחְתֶּרֶת נ׳ underground, resistance
- במחתרת secretly, in secrecy
מַחְתַּרְתִּי ת׳ underground
מָט פ׳ totter, stagger
- מט ליפול ramshackle, collapsing
מַט ז׳ mate, checkmate, matt, mat
- מט סנדלרים fool's mate
מֶטֶאוֹר ז׳ meteor, shooting star
מֶטֶאוֹרוֹלוֹג (חזאי) ז׳ meteorologist
מֶטֶאוֹרוֹלוֹגִי ת׳ meteorological
מֶטֶאוֹרוֹלוֹגְיָה נ׳ meteorology
מֶטֶאוֹרִי ת׳ meteoric, brilliant
- עלייה מטאורית meteoric rise
מֶטֶאוֹרִיט ז׳ meteorite
מַטְאֲטֵא ז׳ broom, besom, whisk
- מטאטא חדש *a new broom
מְטַאטֵא ז׳ sweeper, dustman
מֶטַבּוֹלִי ת׳ metabolic
מֶטַבּוֹלִיזם=חילוף חמרים ז׳ metabolism, chemical processes
מִטְבָּח ז׳ kitchen, galley, cuisine
מִטְבָּחוֹן ז׳ kitchenette
מַטְבִּיל ז׳ dipper, Baptist
מַטְבֵּל ז׳ dipstick
מִטְבָּל ז׳ dip
מַטְבֵּעַ ז׳ coin, currency, form, type
- החזיר באותו מטבע repay in kind
- מטבע זר/חוץ foreign currency
- מטבע לשון idiom, coinage
- מטבע קשה/רך hard/soft currency
מִטְבָּעָה נ׳ mint
מַטְבְּעָן ז׳ numismatist, coiner
מַטְבְּעָנוּת נ׳ numismatics, coinage
מַטְבַּעַת נ׳ die, punch, swage
מָטָדוֹר ז׳ matador, bullfighter
מַטֶּה ז׳ headquarters, staff, stick
- המטה הכללי General Staff
- כבמטה קסם as if by magic
- מטה לחם staff of life, bread
- מטה קסם wand
מַטָּה תה״פ down, under, below
- כלפי מטה downwards
מְטַהֵר ת׳ purgative, purifier
- מטהר אוויר air purifier
מְטוּאטָא ת׳ swept, cleaned
מְטוּגָן ת׳ fried, saute
מְטוֹהָר ת׳ purged, purified, cleared
מַטְוֶה ז׳ yarn, texture, weave
מִטְוָח ז׳ shooting range, range
מְטוּוָח ת׳ ranged, aimed, targeted
מַטְוִויָה נ׳ spinning mule/mill
מְטוּטֶלֶת נ׳ pendulum
מְטוּיָּח ת׳ plastered, whitewashed
מָטוֹל ז׳ projector, launcher
- מטול רקטות נגד טנקים bazooka
- מטול שקופיות slide projector
- מטול תמונות epidiascope
מְטוּלָּא ת׳ patched, spotty
מְטוּלָּל ת׳ dewy, bedewed
מְטוֹלָן ז׳ projectionist
מְטוֹלְנוֹעַ ז׳ movie projector
מְטוּמְטָם ת׳ stupid, fool, *sucker
מְטוּנָּף ת׳ filthy, dirty, nasty

מָטוֹס ז׳ aircraft, airplane, plane
- מטוס יירוט interceptor
- מטוס ים seaplane
- מטוס ללא טייס remotely piloted vehicle
- מטוס סילון jet plane
- מטוס קל light aircraft
- מטוס קרב fighter, combat aircraft
מְטוּפָּח ת׳ nursed, cherished, well-groomed, smart
מְטוּפָּל ת׳ handled, treated, taken care of, burdened, encumbered
מְטוּפָּשׁ ת׳ stupid, foolish
*מְטוּרְלָל ת׳ disturbed, insane, mad
מְטוֹרָף ת׳ crazy, insane, *nuts
מְטוֹרְפָּד ת׳ torpedoed, foiled
מְטוּשְׁטָשׁ ת׳ dim, blurred, vague
מַטָּח ז׳ salvo, volley
מט״ח = מטבע חוץ foreign currency
מְטַחֲוֵוי - כִּמְטַחֲוֵוי within the range
- מטחווי אבן stone's throw
- מטחווי קשת bowshot
מַטְחֵנָה נ׳ grinder, mill, mincing machine, mincer
מְטַיֵּל ז׳ tourist, hiker, walker
מָטִיל ז׳ bar, bullion, ingot
מֵטִיל ת׳ laying, placing, putting
מֵטִיל ת׳ throwing, casting
מְטִילָה (תרנגולת) נ׳ layer
מַטִּיף ז׳ preacher, moralist
מטכ״ל = מטה כללי General Staff
מְשִׂימָה נ׳ mission, task, assignment
מֶטַלּוּרְגְיָה נ׳ metallurgy, study of metals
מֶטַלִּי (מתכתי) ת׳ metallic
מַטְלִית נ׳ cloth, rag, rubber, duster
מַטְמוֹן ז׳ treasure, cache, hoard
מֶטָמוֹרְפוֹזָה נ׳ metamorphosis, change, transfiguration
מֶטָמוֹרְפִי ת׳ metamorphic
מַטְמֵן (לשמירת חום) ז׳ cosy, cozy
מַטָּס ז׳ flight, flyover, fly-past
מַטָּע ז׳ plantation, orchard
מַטְעֶה ת׳ deceptive, misleading
מִטַּעַם תה״פ on behalf of
מַטְעַמִּים ז״ר delicatessen, delicious food
מִטְעָן ז׳ baggage, cargo, freight, load, luggage, charge
- מטען חבלה demolition charge
- מטען חיובי positive charge
- מטען עודף excess luggage/baggage
- מטען צד roadside charge
- מטען שלילי negative charge
מַטְעֵן ז׳ charger, clip
מַטָּעָן (בעל מטעים) ז׳ planter
מַטְעֵנָה נ׳ loader, pickup loader
מַטְעֵנִית נ׳ van, pickup truck
מַטְפֶּה, מַטָּף ז׳ fire extinguisher
מֶטָפוֹרָה נ׳ metaphor, image
מֶטָפוֹרִי ת׳ metaphorical, figurative
מִטְפַּחַת נ׳ handkerchief, *hanky
- מטפחת ראש kerchief, scarf
מְטַפְטֵף ז׳ dropper
מֶטָפִיסִי ת׳ metaphysical, abstract
מֶטָפִיסִיקָה נ׳ metaphysics,

philosophy of being
מְטַפֵּל ז׳ attendant, tender, therapist, handling
מְטַפֶּלֶת נ׳ nurse, nursemaid, nanny
מְטַפֵּס ז׳ creeper, climber, trailer
- מטפס הרים mountaineer
מְטַפְּסַיִם ז״ר climbing irons
מט״ק = מפקד טנק tank commander
*מַטְקָה נ׳ bat
מָטָר ז׳ rain, shower, barrage
- מטר שאלות barrage of questions
מֶטֶר ז׳ meter, metre, *tape measure
- מטר מעוקב cubic meter
- מטר מרובע square meter
- מטר רץ running meter
*מֶטְרָאז׳ ז׳ square meters
מִטְרָד ז׳ annoyance, nuisance, bother
מַטָּרָה נ׳ aim, end, goal, object, purpose, target, mark
- במטרה ל- with an eye to
- מטרה ללעג laughingstock
מֶטְרוֹ ז׳ metro, subway, underground
מַטְרוֹנָה נ׳ matron, lady
מֶטְרוֹנוֹם ז׳ metronome
מֶטְרוֹפּוֹלִין נ׳ metropolis, mother city, mother country
מֶטְרִי ת׳ metric
מָטֶרְיָאלִי ת׳ material
מָטֶרְיָאלִיזְם (חוֹמְרָנוּת) ז׳ materialism
מָטֶרְיָאלִיסְט ז׳ materialist
מָטֶרְיָאלִיסְטִי ת׳ materialistic
מַטְרִיאַרְכָט (שלטון אם) ז׳ matriarchy
מַטְרִיאַרְכָלִי ת׳ matriarchal
מַטְרִיד ת׳ annoying, bothersome
מִטְרִיָּה נ׳ umbrella, *brolly
*מַטְרִיף ת׳ driving mad, wonderful
מַטְרִיצָה נ׳ die, matrix
מַטְרֵף ז׳ eggbeater, beater, whisk
מַטְרֵק ז׳ knocker
מִי ז׳ E, mi
מִי מ״ג who, whom, whoever
- כל המי ומי all the celebrities
*- לא מי-יודע-מה no great shakes
- מי ומי who's who
- מי יתן I wish, Oh that-
- מי ש- whoever, he who, anyone who
מ״י = מילת יחס preposition
מֵי (ראה מים) waters of
מְיָאוּ ז׳ miaow, meow
מֵיאוּן ז׳ declination, refusal
מֵיאוּס ז׳ loathing, abomination
מֵיאֵן פ׳ refuse, decline
מְיַאנְמָר (בּוּרְמָה) נ׳ Myanmar, Burma
מִיגּוּל ז׳ suppuration, gathering
מִיגּוּן ז׳ protection, defense
מִיגּוּר ז׳ defeat, routing, crushing
מִיגֵּל פ׳ suppurate, form pus
מִיגֵּן פ׳ protect, secure, defend
מִיגֵּר פ׳ defeat, rout, vanquish
מִיגְרֶנָה (צְלָחָה) נ׳ migraine, megrim
מִיגָּשָׁה נ׳ wharf, quay, quay ramp
מִיָּד תה״פ at once, without delay, soon, immediately, right away

- מיד כש- as soon as, the moment
מִידַּבֵּק ת׳ contagious, infectious
מִידָּה נ׳ degree, extent, measure, type disposition, size
- באותה מידה just as well
- במידה moderately, not exaggerating
- במידה מסויימת to some extent
- במידה ניכרת/רבה widely, largely
- מידה כנגד מידה tit for tat
- מידות ethics, proportions
- מידת הדין strict justice, severity
- מידת היבש dry measure
- מידת הלח liquid measure
- מידת הרחמים leniency, pity
- מידת סדום vice, bad habits
מִידּוּף ז׳ shelving
מִידּוּר ז׳ departmentalization, compartmentalization
מִידֵי מ״ח from, at the hands of
מִידִי (שמלה/חצאית) ז׳ midi
מֵידָע ז׳ information, tip, *gen
- מידע כוזב disinformation
- מידע פנימי inside information
מִידְעוֹן ז׳ information leaflet
מִידֵּף פ׳ shelve, place on shelves
מִידֵּר פ׳ departmentalize
מִידַּרְדֵּר ת׳ deteriorating, retrograde
מִידָּרֵךְ ת׳ self-cocking
מִיהוּ, מִיהִי מ״ג who is he/she
מִיהֵם, מִיהֶן מ״ג who are they
מִיהֵר פ׳ hurry, hasten, make haste
מְיוֹאָשׁ ת׳ desperate, inconsolable
מְיוּבָּא ת׳ imported, introduced
מְיוּבָּל ת׳ horny, warty, callous
מְיוּבָּשׁ ת׳ dried, desiccated
מְיוּדָּד ת׳ befriended, friendly
מְיוּדָּע ת׳ acquaintance, notified
מְיוּזָּע ת׳ sweaty, perspiring
מְיוּחָד ת׳ particular, specific
- מיוחד במינו special, unique
מְיוּחָדוּת נ׳ speciality, uniqueness
מְיוּחָל ת׳ hoped for, expected
מְיוּחָם ת׳ rutted, rutting, in heat
מְיוּחָס ת׳ highborn, privileged, wellborn, ascribed, attributed
מִיּוּם ז׳ hydration, hydrating
מְיוּמָּן ת׳ skillful, adept, versed
מְיוּמָּנוּת נ׳ skill, dexterity, knack
מִיּוּן ז׳ classification, sorting
מָיוֹנֵז, מָיוֹנִית mayonnaise
מְיוּסָּר ת׳ agonized, suffering
מְיוֹעָד ת׳ designate, intended, designed, destined, appointed
מְיוֹעָר ת׳ afforested, wooded
מְיוֹפֶּה ת׳ beautified, empowered
- מיופה כוח proxy, representative
*מְיוּפִּיפְיָף ת׳ beautified, prudish
מְיוּצָּא ת׳ exported
מְיוּצָּג ת׳ represented
מְיוּצָּר ת׳ manufactured, produced
מָיוֹרָן (תבלין) ז׳ marjoram
מְיוּשָּׁב ת׳ seated, calm, sedate, inhabited, settled
מְיוּשָּׁן ת׳ antiquated, out-of-date
מְיוּשָּׁר ת׳ straightened, leveled

מְיוּתָּם ת׳ orphaned, isolated
מְיוּתָּר ת׳ needless, unnecessary
מְיוּתָּרוּת נ׳ superfluousness
מִיזֵג פ׳ amalgamate, merge, blend
מִיזוּג ז׳ amalgamation, merger
- מיזוג אוויר airconditioning
- מיזוג גלויות fusion of exiles
מֵיזָם ז׳ enterprise, project
מִיזַנְתְּרוֹפּ ז׳ misanthrope, mankind-hater
מִיזַנְתְּרוֹפִּי ת׳ misanthropic
מִיזַנְתְּרוֹפְּיָה נ׳ misanthropy
מֵיזָע ז׳ sweater, sweatshirt, jumper
מִיחָה פ׳ protest, object, wipe
מֵיחוּשׁ ז׳ ache, pain, trouble
מֵיחַם ז׳ samovar, urn
מִיטֵב פ׳ optimize
מֵיטָב ז׳ best, pick, prime, optimum
- לא למיטב ידיעתי not that I know of
- למיטב ידיעתי so far as I know
מֵיטָבִי ת׳ best, optimum, optimal
מִיטָּה נ׳ bed, couch, cot, berth
- מיטה דו קומתית bunkbed
- מיטה כפולה/זוגית double bed
- מיטה מתקפלת camp bed
- מיטה תחתית truckle bed
- מיטת מת bier
- מיטת סדום narrow place
- מיטת תינוק crib, cot
מִיטוּב ז׳ optimization
מֵיטִיב ז׳ benefactor, improver
- מיטיב לכת walks well, in good condition
מִיטַּלְטֵל ת׳ portable, movable
מִיטַּלְטְלִין ז״ר chattels, goods, movables
מִיטְעָן ת׳ self-loading
מְיַיבֵּשׁ ז׳ drier, dryer, desiccant
- מייבש כביסה tumble dryer
- מייבש כלים drainboard
- מייבש שיער hair dryer
מְיַיגֵּעַ ת׳ tiring, tiresome, exhausting
מִיָּד (ראה מיד) תה״פ immediately
מִיָּדִי ת׳ immediate, prompt, ready
מִיָּדִיּוּת נ׳ immediacy, urgency
מִיָּדִית תה״פ at once, immediately
מַייל ז׳ mile
מְיַילֵּד ז׳ obstetrician
מְיַילְּדוּת נ׳ midwifery, obstetrics
מְיַילֶּדֶת נ׳ midwife
מִיֵּם פ׳ water down, hydrate
מְיַימִין ת׳ turning right
מַיֶּמֶת (מחלה) נ׳ dropsy
- מיימת הראש hydrocephalus
מִיֵּן פ׳ classify, sort, assort
מַיְּיָן ז׳ classifier, sorter
מְיַיסֵּד ז׳ founder, establisher
מְיַיעֵץ ת,ז׳ advisory, adviser, counselor, consultant
מְיַיצֵּב ז׳ stabilizer, outrigger
- מייצב שיער conditioner
מְיַיצֵּג ת׳ representing
מְיַישֵּׁר (בחשמל) ז׳ rectifier
מִיכּוּן ז׳ automation, mechanization
מֵיכָל ז׳ container, tank, cistern

מֵיכָלִית נ׳ tanker, oil tanker
מִיכֵּן פ׳ automate, mechanize
מִיל ז׳ mile
מיל׳ = מילואים
מִילֵּא פ׳ fill, fill in, fulfill, keep
- מילא את חובתו do one's duty
- מילא את רצונו grant his wish
- מילא הבטחה keep a promise
- מילא טופס fill out a form
- מילא ידיו authorize, empower
- מילא כרסו stuff oneself, study much
- מילא מקום replace, substitute
- מילא פיו מים remain silent
- מילא תפקיד play a part, serve as
מֵילָא מ״ק never mind, OK, whatever
מִילָה נ׳ circumcision
מֵילָה (עץ) נ׳ ash
מִילָּה (ראה מִלָּה) נ׳ word
מִילּוּא הַיָּרֵחַ ז׳ full moon
מִילּוּאָה נ׳ filling, inlay, panel
מִילּוּאִים ז״ר army reserve, reserve, supplement, addition
*מִילּוּאִימְנִיק ז׳ reservist
מִילּוּט ז׳ escape, rescue, ejection
מִילּוּי ז׳ stuffing, filling, fulfillment, refill, inlay
- מילוי בקשתו granting his request
- מילוי מקום replacement
מִילּוּלִי ת׳ literal, verbal
מִילּוֹן ז׳ dictionary, lexicon
- מילון מלים נרדפות thesaurus
מִילּוֹנָאוּת נ׳ lexicography
מִילּוֹנַאי ז׳ lexicographer
מִילּוֹנָאִי, מִילּוֹנִי ת׳ lexical
מִילֵּט פ׳ deliver, save, rescue
- מילט נפשו save one's life/skin
מִילְיַארְד ש״מ billion, milliard
מִילְיַארְדִּית ת׳ billionth
מִילְיַארְדֶּר ז׳ billionaire
מִילִיגְרַם ז׳ milligram
מִילְיוֹן ש״מ million, mega-
- המיליון millionth
מִילְיוֹנִית נ׳ millionth
מִילְיוֹנֶר ז׳ millionaire
מִילִיטַנְטִי ת׳ militant, warring
מִילִיטַנְטִיּוּת נ׳ militancy, aggressiveness
מִילִיטָרִיזְם (צבאנות) ז׳ militarism
מִילִיטָרִיסְט ז׳ militarist
מִילִיטָרִיסְטִי ת׳ militaristic
מִילִילִיטֶר ז׳ milliliter
מִילִימֶטֶר ז׳ millimeter
מִילִיצְיָה נ׳ militia, citizen army
מִילֵּל פ׳ say, speak, utter
מִילֶנְיוּם (אלף שנה) ז׳ millennium
מִילְקְשֵׁייק ז׳ milk shake
מַיִם ז״ר water, waters
- באו מים עד נפש in deep water
- מי בושם perfume
- מי דבש mead
- מי חופין territorial waters
- מי חמצן hydrogen peroxide
- מי מלח salt water, brine
- מי מנוחות still waters
- מי קולון eau de cologne

- מי רגליים urine
- מי שופכין/ביוב sewage water
- מי שיפוליים bilge
- מי שפיר amniotic fluid
- מי שתייה drinking water
- מי תהום ground water
- מים אחרונים washing after meal
- מים גנובים ימתקו stolen waters are sweet
- מים זורמים running water
- מים טריטוריאליים territorial waters
- מים כבדים heavy water
- מים מזוקקים distilled water
- מים מינרליים mineral water
- מים מתוקים fresh water
- מים קשים/רכים hard/soft water
- מים רדודים shallow water
- על מי מנוחות calmly

מֵימַד (ראה מֵמַד) ז׳ dimension
מֵימָה נ׳ hydrate
מִימוֹזָה (צמח) ז׳ mimosa
- מימוזה ביישנית mimosa pudica

מִימוּן ז׳ financing, flotation
מִימוּשׁ ז׳ realization, execution
- מימוש עצמי self-realization
- מימוש רווחים profit taking

מִימֶזִיס (חיקוי) ז׳ mimesis, mimicry
מִימֶטִי (חיקויי) ז׳ mimetic
מֵימִי ת׳ aquatic, watery, washy
מֵימִיּוּת נ׳ wateriness, washiness
מֵימִיָּה נ׳ canteen, water bottle
מִיָּמִים תה״פ long since
- מימים ימימה annually, of old

מִימִיקָה נ׳ mimicry, mimicking
מִימִיקָן ז׳ mimic, mime artist
מִימִיקְרִיָּה (הידמות) נ׳ mimicry
מִימֵן פ׳ finance, fund
מֵימָן ז׳ hydrogen
מֵימְרָה נ׳ saying, maxim, proverb
מִימֵשׁ פ׳ realize, execute
מִין ז׳ kind, sort, type, sex, species, class, heretic, gender
*- איזה מין בן אדם אתה! you're disgusting!
- המין האנושי humankind
- המין היפה the fair sex
- כל מיני all kinds of
- מין בטוח safe sex
- מיני מתיקה confectionery, sweets

מִינָּה פ׳ appoint, nominate, assign
מִינוּאֶט (ריקוד) ז׳ minuet
מִינּוּחַ ז׳ terminology, nomenclature
מִינּוּי ז׳ appointment, nomination, designation, subscription
מִינּוּן ז׳ dosage, apportionment
מִינּוּס ז׳ less, minus, *disadvantage
מִינּוּעַ ז׳ motorization, motorizing
מִינּוּף פ׳ leverage, momentum
מִינוֹר (סולם קולות) ז׳ minor
מִינוֹרִי ת׳ minor, inferior, sad
מִינוּת נ׳ heresy, impiety
מִינֵּחַ פ׳ coin words, term, name
מִינִי ת׳ sexual, venereal, small
מִינִי (שמלה/חצאית) ז׳ mini
מִינְיָאטוּרָה (מזערת) נ׳ miniature
מִינְיָאטוּרִי ת׳ miniature, very small
מִינִיבּוּס ז׳ minibus
מִינִיּוּת נ׳ sexuality, sexiness
מִינִימוּם ז׳ minimum, least
מִינִימָלִי ת׳ minimal, smallest
מִינִימָלִיזְם (באמנות) ז׳ minimalism
מִינִימַרְקֶט (מרכולית) ז׳ minimarket
מִינִיסְטֶר (שר) ז׳ minister
מִינִיסְטֶרְיָאלִי ת׳ ministerial
מִינִיסְטֶרְיוֹן (משרד) ז׳ ministry
מִינִיסְקוּס (סהרון) ז׳ meniscus
מִינֵּן פ׳ dose, apportion
מִינֶסְטְרוֹנֶה (תבשיל) ז׳ minestrone
מִינֵּעַ פ׳ motorize
מִינֵּף פ׳ leverage, lever, raise
מִינְק (חורפן) ז׳ mink
מֵינֶקֶת נ׳ wet nurse, suckler
מִינָרֶט ז׳ minaret, mosque tower
מִינֶרָל (מחצב) ז׳ mineral
מִינֶרָלוֹג ז׳ mineralogist
מִינֶרָלוֹגְיָה נ׳ mineralogy
מִינֶרָלִי (מחצבי) ת׳ mineral
מֵיסַב ז׳ bearing
- מיסב גלילים roller bearing
- מיסב כדורי ball bearing

מִיסֵּד פ׳ establish, institutionalize
מִיסָּה פ׳ tax, impose a tax on
מִיסָה נ׳ Mass
מִיסּוּד ז׳ establishment
מִיסּוּי ז׳ taxation, levying taxes
מִיסּוּךְ ז׳ masking, screening
מִיסְטִי ת׳ mystical, mysterious
מִיסְטִיּוּת נ׳ mysticism, mystique
מִיסְטִיפִיקַצְיָה נ׳ mystification
מִיסְטִיקָה נ׳ mystique, mysticism
מִיסְטִיקָן ז׳ mystic, cabalist
מִיסְטֶר ז׳ Mister, Mr.
מִיסְיוֹן ז׳ mission
מִיסְיוֹנֶר ז׳ missionary
מִיסְיוֹנֶרִי ת׳ missionary
מִיסֵּךְ פ׳ screen, mask
מִיסְעָה נ׳ carriageway, roadway
מִיעוּט ז׳ minority, little, lessening
- מיעוט דם anemia
- מיעוט חום hypothermia
- מיעוטים minorities

מִיעֵט פ׳ reduce, lessen, belittle
- למעט excluding, except for

מִיעֵן פ׳ address, post, mail, direct
מִיפָּה פ׳ map, plot, survey, scan
מִיפּוּי ז׳ cartography, mapping, scanning
מֵיפַע ז׳ concert, recital
מִיץ ז׳ juice, squash, crush
- מיץ תפוחים cider
- מיצי עיכול digestive juices

מֵיצָב ז׳ status, standing
מֵיצָג ז׳ performance, display
מֵיצַד ז׳ parameter, side track
מִיצָּה פ׳ extract, exhaust, epitomize
- מיצה הדין עמו punish to the utmost
- מיצה נושא exhaust a subject
- מיצה עצמו express oneself entirely

מִיצּוּי ז׳ extraction, exhaustion
- מיצוי הדין imposing hardest

penalty, strict punishment
מִיצוּעַ ז׳ averaging, mean, mediation
מִיצוּק ז׳ solidification
מִיצוּר ז׳ composition, opus
מִיצַע פ׳ find the average, average
מִיצֵק פ׳ firm, solidify
מֵיצַר ז׳ isthmus, strait, distress
- בין המצרים in straits, cornered
מִיקֵד פ׳ focus, concentrate
מִיקָדוֹ (קיסר יפן) ז׳ mikado
מִיקָה (נציץ) נ׳ mica
מִיקוּד ז׳ zip code, postcode, focusing
מִיקוּחַ ז׳ bargaining, negotiation
מִיקוּם ז׳ location, position, placing
מִיקוּשׁ ז׳ mine laying, mining
מִיקָח ז׳ buying, purchase, take
- מיקח וממכר bargaining, trade
- מיקח טעות purchase in error, bad bargain
- עמד על המיקח haggle, drive a hard bargain
מִיקֵם פ׳ locate, place, site, station
מִיקְס (ערבול) ז׳ mix
מִיקְסֶר (מערבל) ז׳ mixer
מִיקֵף פ׳ hyphen, hyphenate
מִיקְרוֹ ת׳ micro, very small
מִיקְרוֹאוֹרגָנִיזם ז׳ micro-organism
מִיקְרוֹבְּיוֹלוֹג ז׳ microbiologist
מִיקְרוֹבְּיוֹלוֹגִי ת׳ microbiological
מִיקְרוֹבְּיוֹלוֹגְיָה נ׳ microbiology
מִיקְרוֹגַל ז׳ microwave (oven)
מִיקְרוֹמַחְשֵׁב ז׳ microcomputer
מִיקְרוֹמֶטֶר (מכשיר) ז׳ micrometer
מִיקְרוֹן (אלפית מ"מ) ז׳ micron
מִיקְרוֹסְקוֹפּ ז׳ microscope
מִיקְרוֹסְקוֹפִּי ת׳ microscopic, minute
מִיקְרוֹפוֹן ז׳ microphone, *mike
- מיקרופון שתול *bug
מִיקְרוֹפִילְם (סרט זיעור) ז׳ microfilm
מִיקְרוֹפִישׁ (דף זיעור) ז׳ microfiche
מִיקְרוֹקוֹסְמוֹס ז׳ microcosm
מִיקֵשׁ פ׳ mine, plant mines
מֵירֵב פ׳ maximize
מֵירַב ז׳ maximum, utmost, top
מֵירַבִּי ת׳ maximal, maximum, top
מֵירוּב ז׳ maximization
מֵירוּט ז׳ polishing, honing
מֵירוֹץ ז׳ race, running, run
- מירוץ החימוש arms race
- מירוץ כרכרות harness race
- מירוץ מכוניות car race
- מירוץ מכשולים obstacle race
- מירוץ משוכות hurdle race
- מירוץ סוסים horse race, steeplechase
- מירוץ שליחים relay race
מֵירוּק ז׳ polishing, purification
מֵירַט פ׳ pluck, polish, hone
מֵירְכָּאוֹת (ראה מֵרְכָאוֹת)
מֵירֵס פ׳ liquidize, pulp, blend
מֵירַע ז׳ worst, evildoer
מֵירֵעַ ז׳ companion, friend
מֵירֵק פ׳ polish, scour, rub up
מֵירֵר פ׳ embitter, distress
- מירר את חייו lead him a dog's life
- מירר בבכי weep bitterly

מִישֶׁהוּ מ״ג somebody, someone
מִישֶׁהִי מ״ג somebody, someone
מִישׁוֹר ז׳ plain, plane, flatland, level
- מישור החוף coastal plain
- מישור משופע inclined plane, ramp
מִישׁוֹרִי ת׳ plane, level, flat
מִישׁוֹרֶת נ׳ platform, landing
מִישׁוּשׁ ז׳ feeling, touch, grope
- חוש המישוש sense of touch
מִישׁוּשִׁי ת׳ tactual, tactile, tangible
*מִישְׁמָשׁ ז׳ mishmash, disorder
מִישָׁק ז׳ joint
מֵישָׁרִים ז״ר justice, directly
מִישֵׁשׁ פ׳ feel, grope, touch
- מישש את הדופק feel his pulse, put out feelers
מִיתֵּג פ׳ brand, switch, bridle
מִיתָד ז׳ dowel pin
מִיתָה נ׳ death, passing, execution
- מיתה חטופה sudden death
- מיתה משונה ugly death
- מיתת נשיקה easy death
מִיתּוּג ז׳ branding, switching, bridling
מִיתּוּחַ עוֹר הַפָּנִים ז׳ face lift
מִיתוֹלוֹגִי ת׳ mythological
מִיתוֹלוֹגְיָה נ׳ mythology, myths
מִיתּוּן ז׳ recession, moderation, slow-down
מִיתוֹס ז׳ myth, legend
מִיתִי ת׳ mythical, mythic, legendary
מִיתַּמֵּם ת׳ pretending simplicity
מִיתֵּן פ׳ moderate, temper, modify
מֵיתָר ז׳ chord, cord, catgut, gut, string, tendon
- מיתרי הקול vocal cords
מָךְ ז׳ poor, humble, Mach
מ"כ = מפקד כיתה squad commander
מַכְאוֹב ז׳ pain, ache, affliction
מַכְאִיב ת׳ painful, sore, smart
מִכָּאן תה״פ hence, from here, so
- מכאן ואילך/ולהבא from now on
מְכַבֶּה ז׳ extinguisher
- מכבה אש fireman
- מכבי אש fire company/brigade
מַכַּבִּי ת׳ Maccabean
מַכְבִּיר מִלִּים ת׳ verbose, wordy
מַכְבֵּנָה נ׳ brooch, hair-grip, hairpin
- מכבנות curling-pins
מִכְבָּסָה נ׳ laundry, cleaners
מִכְבָּר ז׳ grill, grate, strainer
מַכְבֵּשׁ ז׳ press, steamroller, roller
- מכבש דפוס printing press
- מכבש הידרולי hydraulic press
מִכְּדֵי מ״י more than, less than
מַכָּה נ׳ hit, stroke, blow, *sock, *job
- במכה אחת at one blow
- מכה מתחת לחגורה hit below the belt
- מכות נאמנות/נמרצות heavy blows
- מכת חום heat stroke
- מכת חסד coup de grace
- מכת יעף volley
- מכת מוות deathblow
- מכת שמש sunstroke
מְכַהֵן ת׳ incumbent, sitting

honorable, respectable מְכוּבָּד ת׳
respectability מְכוּבָּדוּת נ׳
off, extinguished מְכוּבֶּה ת׳
laundered, washed מְכוּבָּס ת׳
bayoneted מְכוּדָּן ת׳
burn, scald מִכְוָוה נ׳
tuner, regulator, pilot מַכְוֵון ז׳
aimed, directed, intentional מְכוּוָּן ת׳
deliberately, intentionally - במכוון
tuner, regulator מְכַוְונֵן ז׳
in tune, tuned, adjusted מְכוּוְנָן ת׳
shrunken, contracted מְכוּוָּץ ת׳
astringent, constrictor מְכַוֵּוץ ת׳
apiary, beehives מִכְוֶורֶת נ׳
by virtue of, by right of מִכּוֹחַ מ״י
calibrated, gauged מְכוּיָּל ת׳
molded מְכוּיָּיר ת׳
starred, star-studded מְכוּכָּב ת׳
container מְכוּלָה נ׳
dependant, hanger-on מְכוּלְכָּל ת׳
grocery, groceries מַכּוֹלֶת נ׳
institute, faculty מָכוֹן ז׳
beauty parlor - מכון יופי
fitness club, gym - מכון כושר
massage parlor, brothel - מכון עיסוי
mechanics מְכוֹנָאוּת נ׳
machinist, mechanic מְכוֹנַאי ז׳
machine מְכוֹנָה נ׳
lie detector, polygraph - מכונת אמת
electric razor, shaver - מכונת גילוח
stapler, staple gun - מכונת הידוק
time machine - מכונת זמן
calculator - מכונת חישוב
machine-gun - מכונת ירייה
washer, washing-machine - מכונת כביסה
typewriter - מכונת כתיבה
heart-lung machine - מכונת לב-ריאה
knitting-machine - מכונת סריגה
photocopier - מכונת צילום
sewing machine - מכונת תפירה
named, called, nicknamed, so-called, alias מְכוּנֶּה ת׳
car, automobile, vehicle מְכוֹנִית נ׳
fire engine - מכונית כיבוי
racing car - מכונית מירוץ
commercial vehicle - מכונית מסחרית
truck, lorry - מכונית משא
sports car - מכונית ספורט
Black Maria - מכונית עצירים
booby-trapped car - מכונית תופת
lousy, lice-ridden מְכוּנָּם ת׳
founder, establisher מְכוֹנֵן ז׳
constituent assembly - אסיפה מכוננת
gathered in, assembled מְכוּנָּס ת׳
introvert - מכונס בעצמו
winged מְכוּנָּף ת׳
covered, clad, thick with מְכוּסֶּה ת׳
angiosperm - מכוסי הזרע
nasty, ugly, plain מְכוֹעָר ת׳
multiplied, redoubled מְכוּפָּל ת׳
buttoned up, dandified מְכוּפְתָּר ת׳
sold, addicted, *hooked on, rigged, setup (game) מָכוּר ת׳

wrapped up, cuddled up מְכוּרְבָּל ת׳
homeland, motherland מְכוֹרָה נ׳
saffron, suffering מְכוּרְכָּם ת׳
nibbled, gnawed מְכוּרְסָם ת׳
hoe, pick, pickax, mattock מַכּוֹשׁ ז׳
charmed, bewitched מְכוּשָּׁף ת׳
addressee, correspondent מְכוּתָּב ת׳
surrounded, encircled מְכוּתָּר ת׳
brush, paintbrush מִכְחוֹל ז׳
because, as, since מִכֵּיוָון ונה״פ
containing, holding מֵכִיל ת׳
preparatory school, *prep מְכִינָה נ׳
acquaintance, friend מַכִּיר ז׳
saleable, purchasable מָכִיר ת׳
selling, sale, sell מְכִירָה נ׳
auction, sale - מכירה פומבית
clearance sale - מכירת חיסול
container, tank, cistern מְכָל ז׳
gasholder, gasometer - מכל גז
toilet tank, flush tank - מכל הדחה
anyway מִכָּל מָקוֹם תה״פ
cattle-yard, stockyard מִכְלָא ז׳
pen, fold, corral, pound מִכְלָאָה נ׳
stapler, staple gun מַכְלֵב ז׳
stitch, tack, basting מִכְלָב ז׳
generality, total, sum מִכְלוֹל ז׳
tanker, tank truck, bowser מְכָלִית נ׳
perfection, assembly מִכְלָל ז׳
out of, from, so מִכְּלַל מ״י
implied, by implication מִכְּלָלָא ת׳
college, university מִכְלָלָה נ׳
radar מכ״ם=מגלה כוון ומקום
of you, from you מִכֶּם, מִכֶּן מ״י
trap, speed trap מַכְמוֹנֶת נ׳
fishing net, net, trawl מִכְמוֹרֶת נ׳
treasures, secrets מִכְמַנִּים ז״ר
denominator, naming, calling מְכַנֶּה ז׳
common denominator, common ground - מכנה משותף
mechanical, automated מֵכָנִי ת׳
mechanism, automatism מֵכָנִיּוּת נ׳
mechanism מֵכָנִיזְם (מנגנון) ז׳
profitable, introducing מַכְנִיס ת׳
hospitable - מכניס אורחים
winged מַכְנִיף ת׳
mechanics מֵכָנִיקָה נ׳
biomechanics - ביו-מכניקה
mechanically מֵכָנִית תה״פ
breech, trouser-leg מִכְנָס ז׳
shorts, bloomers מִכְנָסוֹנִים ז״ר
pants, trousers מִכְנָסַיִים ז״ר
Bermuda shorts, Bermudas - מכנסי ברמודה
jeans - מכנסי ג׳ינס
bell-bottoms - מכנסי פעמון
corduroys, *cords - מכנסי קורדורוי
riding breeches, jodhpurs - מכנסי רכיבה
shorts, trunks - מכנסיים קצרים
shorts, trunks מִכְנָסִית נ׳
frock, frock coat מִכְנָף ז׳
customs, duty, tax, levy מֶכֶס ז׳
protective tariff - מכס מגן
cap, cover, lid, top מִכְסֶה ז׳
norm, quota, stint מִכְסָה נ׳

מַכְסֵחָה נ׳ lawn-mower, mower
מַכְסִיף ת׳ gray, silvery
מִכְסָף ז׳ silver plate
מַכְפִּיל ז׳ multiplier
מַכְפֵּלָה נ׳ product
מַכְפֶּלֶת נ׳ hem
מָכַר פ׳ sell, market, vend, betray
מֶכֶר ז׳ sale, merchandise
מַכָּר ז׳ acquaintance, friend
מִכְרֶה ז׳ mine, pit
- מכרה זהב goldmine
- מכרה פחם coalmine
מִכְרָז ז׳ tender, bid
מַכְרִיעַ ת׳ decisive, determinant
מְכַרְסֵם ז׳ rodent, nibbling, gnawing
מִכְשׁוֹל ז׳ obstacle, obstruction
מִכְשׁוּר ז׳ instrumentation, apparatus
מַכְשִׁיר ז׳ appliance, gadget, instrument, tool, vehicle
- מכשיר שמיעה hearing aid
- מכשירי חשמל electrical appliances
- מכשירי כתיבה writing materials, stationery
מַכְשִׁירָן ז׳ toolmaker
מַכְשִׁירָנוּת ז׳ toolmaking
מַכְשֵׁלָה נ׳ obstacle, obstruction
מְכַשֵּׁף ז׳ magician, wizard
מְכַשֵּׁפָה נ׳ witch, sorceress
מִכְתָּב ז׳ letter, epistle
- מכתב אשראי letter of credit
- מכתב גלוי open letter
- מכתב המלצה letter of recommendation
- מכתב רשום registered letter
מַכְתֵּבָה נ׳ desk, escritoire
מִכְתָּם ז׳ epigram, proverb
מַכְתֵּשׁ ז׳ mortar, hollow, crater
מָל (הערלה) פ׳ circumcise
מָלֵא פ׳ be full, overflow
- במלאות לו 60 at the age of 60
- מלאו לו שש שנים is six years old
- מלאו ליבו dare, have the heart
מָלֵא ת׳ abundant, full, replete
- מלא וגדוש packed, chock-full
- מלא חיים lively, perky
- מלא מפה לפה packed, crammed full
- מלא על גדותיו brimful
מְלָאָה ת׳ tiresome, tedious
מָלָאווִי נ׳ Malawi
מְלֵאוּת נ׳ fullness, plenitude
מְלַאי ז׳ stock, supply, repertory
מַלְאָךְ ז׳ angel, messenger
מְלָאכָה נ׳ work, labor, craft, trade
- מלאכת יד handicraft
- מלאכת מחשבת masterwork
מְלָאכוּתִי ת׳ artificial, affected
מְלָאכוּתִיוּת נ׳ artificiality, affectedness
מְלָאכוּתִית תה״פ artificially
מַלְאָכִי ת׳ angelic, heavenly
מְלַבֵּב ת׳ attractive, fascinating
מִלְּבַד מ״י, apart from, besides, except, in addition to
- מלבדי/מלבדך וכו׳ except me/you etc.

מַלְבּוּשׁ ז׳ garment, clothing
מַלְבִּין ז׳ bleacher, whitening
מַלְבֵּן ז׳ rectangle
מַלְבֵּנִי ת׳ rectangular, oblong
מַלְבֵּנִית נ׳ tile
מִלְּבַר תה״פ from outside
מִלְגַאי ז׳ stipendiary, scholar
מִלְגָּה נ׳ grant, stipend, scholarship
מִלְּגוֹ תה״פ from inside
מַלְגֵּז ז׳ pitchfork, fork
מַלְגֵּזָה נ׳ forklift truck
מַלְגְּזָן ז׳ forklift operator
מַלְדִּיווּיִם (האיים ה-) Maldives
מִלָּה נ׳ word, entry, term
- אין מלים בפי words fail me
- במלים אחרות that is to say
- המלה האחרונה the last word
- מלה במלה literally, verbatim
- מלה גסה four-letter word
- מלה נגדית antonym
- מלה נרדפת synonym
- מלה שאולה loanword
- מלים libretto, text, *blah-blah
- מלת גוף pronoun
- מלת חיבור conjunction
- מלת יחס preposition
- מלת כבוד word of honor
- מלת מפתח keyword
- מלת קריאה interjection
- מלת שאלה interrogative
- מלת שלילה negative
מַלְהִיב ת׳ exciting, stirring
מלה״ע = מלחמת העולם World War
מְלוֹא ז׳ fullness, capacity
- אף לא כמלוא הנימה not in the slightest
- במלואו in full
- התקדם במלוא הקיטור steam ahead
- מלוא החופן/חופניים plenty, very much
- מלוא היד handful
- מלוא קומתו full height
מְלוּבָּה ת׳ inflamed, kindled
מְלוּבָּן ת׳ white-hot, clarified
מְלוֹג ז׳ usufruct, rent
מֶלוֹדִי ת׳ melodic, tuneful
מֶלוֹדְיָה נ׳ melody, tune, air
מֶלוֹדִיּוּת נ׳ melodiousness
מֶלוֹדְרָמָה (מחזה רגשני) נ׳ melodrama
מֶלוֹדְרָמָתִי ת׳ melodramatic
מֶלוֹדְרָמָתִיּוּת נ׳ melodramatics
מְלוּהָק ת׳ be cast (in a play)
מִלְוָוה ז׳ loan, lending
מְלַוֶּוה ז׳ accompanist, escort
מְלוּוֶּה ת׳ accompanied, attended
מַלְוֶוה ז׳ lender, creditor
- מלווה בריבית קצוצה shark, usurer
מְלוּוָּח ת׳ tabular, tabulated
מְלַוַּחַת נ׳ tabulator
מָלוּחַ ת׳ salted, salty, briny, saline
מַלּוּחַ (שיח בר) ז׳ saltbush
מְלוּטָּשׁ ת׳ honed, polished
מְלוּכָּד ת׳ united, rallied, combined
מְלוּכָה נ׳ kingdom, monarchy
מְלוּכְלָךְ ת׳ dirty, filthy, foul, soiled
מְלוּכָן ז׳ monarchist, royalist

מְלוּכָנוּת נ monarchism
מְלוּכָנִי ת monarchic
מְלוּכְסָן ת oblique, slanting, skew
מְלוּמָד ז, ת learned, scholar, sage
מָלוֹן ז hotel
מֶלוֹן ז melon
מְלוֹנָאוּת נ hotelkeeping
מְלוֹנַאי ז hotelier, hotelkeeper
מְלוּנָה נ doghouse, kennel
מְלוֹנוֹעַ ז motel
מְלוּפָּף ת wrapped round
מְלוּקָט ת eclectic, collected
מְלוּקָק ת licked, *flattered, chichi
מָלֶזְיָה נ Malaysia
מֶלַח ז salt
- מלח אנגלי Epsom salts
- מלח הארץ salt of the earth
- מלח לימון citric acid
- מלח שולחן table salt
- מלחי הרחה smelling salts
מַלָּח ז sailor, seaman, salt
מְלֵחָה נ salt marsh
- מלחת ליקוק (לחיות) salt-lick
מִלְחִי ת salty, saline, saliferous
מִלְחִיָּה נ saltcellar, saltshaker
מַלְחִין ז composer
מְלַחֵךְ פִּנְכָּה ז bootlicker, toady
מַלְחֵם ז soldering iron
מִלְחָמָה נ war, battle, warfare
- השיב מלחמה שערה fight back
- מלחמה גרעינית nuclear warfare
- מלחמה קרה cold war
- מלחמת אזרחים/אחים civil war
- מלחמת גרילה guerrilla war
- מלחמת הכוכבים Star Wars
- מלחמת המפרץ Gulf War
- מלחמת העולם הראשונה First World War, WWI
- מלחמת העולם השנייה Second World War, WWII
- מלחמת העצמאות War of Independence
- מלחמת התשה war of attrition
- מלחמת חורמה fight to the finish
- מלחמת יום כיפור Yom Kippur War
- מלחמת מנע preventive war
- מלחמת מעמדות class war/struggle
- מלחמת עצבים war of nerves
- מלחמת קיום struggle for existence
- מלחמת שוורים bullfight
מִלְחַמְתִּי ת belligerent, warlike
מִלְחַמְתִּיוּת נ bellicosity, militancy
מַלְחֵץ ז clamp, vise, vice, press
מֶלְחָצַיִם ז"ר clamp, vise, vice
מַלְחֶצֶת נ clamp, cramp-iron
מְלַחַת נ saltpeter, niter
מֶלֶט ז cement, mortar
מֶלֶט (לֶתֶת) ז malt
מַלְטָה נ Malta
מִלְטָשָׁה נ polishing workshop
מַלְטֶשֶׁת נ grinder, buffer, file
מָלִיא ז filled vegetable
מְלִיאָה נ plenum, plenary meeting
מִלֵּידָה תה"פ born, congenital
מָלִיחַ ז herring
מְלִיחָה נ salting

מְלִיחוּת נ salinity, saltiness
*מִלְיוֹן ז rich, millionaire
מְלִיל ז dumpling, noodle
מֵלִיץ (יוֹשֶׁר) ז advocate
מְלִיצָה נ figure of speech, bombast
מְלִיצִי ת high-flown, florid, ornate
מְלִיקָה נ wringing the neck
מִלִּית נ particle
מְלִית נ dressing, stuffing, filling
מָלַךְ פ reign, rule, dominate
מֶלֶךְ ז king, ruler, monarch
מלכ"ר ז nonprofit organization
מִלְכֵּד פ booby-trap, mine
מַלְכָּה נ queen
- מלכת הדבורים queen bee
- מלכת יופי beauty queen, Miss
מִלְכּוֹד ז booby trap, catch
מַלְכֹּדֶת נ snare, trap, net, pit
- מלכודת אש fire trap
- מלכודת מוות deathtrap
מַלְכוּת נ kingdom, majesty, royalty
מַלְכוּתִי ת kingly, majestic, royal
מְלָכִים (בתנ"ך) Kings
מִלְכַתְּחִילָה תה"פ from the start
מֶלֶל ז talk, verbosity, wordiness
מְלָל ז frill, selvage, fringe, hem
מַלְלָנִי ת voluble, verbose, wordy
מְלַמֵּד ז religious teacher
- מכל מלמדיי השכלתי I learn from everybody
מַלְמָד ז goad, prod
מִלְמוּל ז muttering, murmur
מַלְמָז ז sextant
מִלְמַטָּה תה"פ from below, beneath
מֶלָמִין ז melamine (resin)
מִלְמֵל פ mutter, murmur, babble
מַלְמָלָה נ muslin, gauze, batiste
מַלְמָלִית נ tissue
מִלְמַעְלָה תה"פ from above
מֶלָנוֹמָה (שַׁחֲרוֹמֶת) נ melanoma
מֶלָנִין (פיגמנט כהה) ז melanin
מֶלַנְכּוֹלִי ת melancholic, atrabilious
מֶלַנְכּוֹלְיָה נ melancholy, gloom
מִלְעוֹרִי (דרך העור) ת transdermal
מִלְעֵיל ת penultimate accent
מַלְעָן ז husk, awn, beard
מִלִּפְנֵי מ"י before, from before
מְלָפְפוֹן ז cucumber
- מלפפון ים sea cucumber
מֶלְצַר ז waiter, barman, bartender
מֶלְצָרוּת נ serving, waiting
מֶלְצָרִית נ waitress, barmaid
מָלַק פ wring the neck
מִלְקָה ז ecliptic
מַלְקוֹחַ ז plunder, loot, booty
מַלְקוֹשׁ ז last rain
מַלְקוֹת נ"ר flogging, flagellation
מֶלְקָחַיִם ז"ר forceps, pincers, tongs
מַלְקָחִית נ pincette, tweezers
מֶלְקַחַת נ pliers
מַלְקֵט ז picker, pincette, tweezers
מַלְקֶטֶת נ pincers, pincette, tweezers
מַלַרְיָה (קדחת הביצות) נ malaria
מִלְרַע ת ultimate accent
מַלְשִׁין ז informer, *fink, *squealer
*מַלְשִׁינוֹן ז informing on tax evaders

מַלְשִׁינוּת נ' informing
מֶלְתָּחָה נ' wardrobe, cloakroom
מֶלְתָּחָן ז' cloakroom attendant
מַלְתָּעָה נ' premolar, jaw
מֵם נ' mem (letter)
מ"מ = מפקד מחלקה platoon commander
מַמְאִיר ת' cancerous, malignant
מַמְבּוֹ (ריקוד) ז' mambo
מֶמְבְּרָנָה (קרומית) נ' membrane
מַמְגּוּרָה נ' barn, granary
מֵמַד ז' dimension, proportions
ממ"ד = ממלכתי דתי State-Religious
מְמַדִּי ת' dimensional
מְמוּגָף ת' booted, wearing boots
מֶמוֹגְרָמָה (צילום שד) נ' mammogram
מֶמוֹגְרַפְיָה (צילום שד) mammography
מְמוּדָּר ת' departmentalized
מְמוּזָג ת' temperate, airconditioned
מְמוּזְלָג ת' forked, bifurcate
*מְמוּזְמָז ת' wasted (time)
מְמוּחְזָר ת' recycled
מְמוּחְשָׁב ת' computerized
מְמוּטְמָט ת' collapsing, shattered, tired
מְמוּיָּן ת' classified, sorted
מְמוּכָּן ת' mechanized, motorized
מִמּוּל מ"י opposite, vis-a-vis
מְמוּלָּא ת' stuffed, filled
- ממולאים stuffed vegetables
מְמוּלָּח ת' salty, shrewd, clever
מְמוּלְכָּד ת' booby-trapped, mined
מְמוּמָּן ת' financed, funded
מְמוּמָּשׁ ת' realized, fulfilled
מָמוֹן ז' money, mammon
מְמוֹנַאי ז' financier
מְמוּנֶּה ז' in charge, boss, appointed
- ממונה על הגבלים עסקי' antitrust commissioner
מְמוּנוּת ז' mandate, charge, control
מְמוּנָּע ת' motor, motorized
מְמוּסְגָּר ת' rimmed, framed
מְמוּסָּד ת' established, instituted
מְמוּסְחָר ת' commercialized
מְמוּסְפָּר ת' numbered, numerated
מְמוּצָּע ז' average, mean, medial
- בממוצע on the average
- ממוצע אריתמטי arithmetic mean
- ממוצע גיאומטרי geometric mean
מְמוּקָּד ת' focused, directed, aimed
מְמוּקָּם ת' placed, situated, located
מְמוּקָּשׁ ת' mined
מְמוֹרָט ת' polished, honed
מְמוּרְטָט ת' shabby, worn
מְמוּרְמָר ת' embittered, dissatisfied
מְמוֹרָק ת' polished, honed, scoured
מְמוּשָּׁךְ ת' prolonged, protracted
מְמוּשָּׁכוֹת תה"פ long, for a long time
מְמוּשְׁכָּן ת' pawned, mortgaged
מְמוּשְׁמָע ת' disciplined, tractable
מְמוּשְׁקָף ת' wearing glasses
מָמוּתָה נ' mammoth
מְמוּתָּן ת' moderated, tempered
מְמוּתָּק ת' sweetened, sugared
מִמְזָג ז' mixture, blend
מַמְזֵר ז' bastard, love-child, *devil
מַמְזֵרוּת נ' bastardy, illegitimacy
מַמְזֵרִי ת' bastard, shrewd
מְמַחֶה ז' assignor, blender
מִמְחָטָה נ' handkerchief, *hanky
- ממחטת נייר tissue, kleenex
מִמְטָר ז' shower, light rain
מַמְטֵרָה נ' sprinkler
מְמַיֵּן ז' sorter, classifier
מְמַיֶּנֶת נ' sorting machine
מִמֵּילָא תה"פ in any case, anyway
מֵמִיר ז' converter, transformer
מִמְכָּר ז' sale, selling
מְמַכֵּר ת' addictive, habit-forming
מְמַלֵּא ת' filling, fulfilling
- ממלא מקום acting, substitute, stand-in, deputy, replacer
מִמְלָחָה נ' saltshaker, saltcellar
מַמְלָכָה נ' kingdom, realm
- ממלכת החי animal kingdom
- ממלכת הצומח vegetable kingdom
מַמְלַכְתִּי ת' state, royal
- ממלכתי-דתי State-Religious
מַמְלַכְתִּיּוּת נ' statehood
מִמֶּנּוּ מ"י from him, from us
מִמֶּנִּי, מִמְּךָ וכו' מ"י from me/you etc.
מֵמֵס ז' solvent
מִמְסָד ז' establishment
מִמְסָדִי ת' of the establishment
מִמְסָךְ ז' cocktail, mixture
מְמַסְפֵּר ז' numerator, enumerator
מִמְסָר ז' relay
מִמְסָרָה נ' transmission, gear
מַמְעֵךְ ז' masher, press
מִמַּעַל תה"פ above, from above
מִמְצָא ז' finding, discovery
מַמְצֶה ת' thorough, exhaustive
מַמְצִיא ז' innovator, inventor
ממ"ק=ממלא מקום קצין warrant officer
מִמְרָאָה נ' airstrip, runway
מַמְרֶה ת' disobedient, rebellious
מִמְרָח ז' spread, paste, pate
מִמְרַחַת נ' jam
מַמְרֵס ז' blender, liquidizer
מַמָּשׁ ז' reality, substance, actuality
מַמָּשׁ תה"פ really, just, actually, in fact
*- ממש לא no, not at all
מַמָּשׁוּת נ' reality, substance
מַמָּשִׁי ת' actual, real, tangible
מַמְשִׁיךְ ת' ongoing, continuing
- ממשיך דרכו his follower
מִמְשָׁךְ בַּנְקָאִי ז' draft
מְמַשְׁכֵּן ז' mortgagor, mortgager
מִמְשָׁל ז', administration, government, rule
מֶמְשָׁלָה נ' cabinet, government, rule
- ממשלת אחדות unity government
- ממשלת בובות puppet government
- ממשלת מיעוט minority government
- ממשלת מעבר caretaker government
- ממשלת צללים shadow cabinet
מֶמְשַׁלְתִּי ת' governmental
מִמְשְׁמֶשׁ וּבָא ת' impending, imminent
מִמְשָׁק ז' interface

מַמְתֵּחַ ז׳ temple, stretcher, tenter
מִמְתָּח ז׳ span
מִמָּתַי תה״פ since when?, how long?
מַמְתִּיק ת׳ sweetening, sweetener
מַמְתָּק ז׳ candy, sweet, sweetmeat
מָן ז׳ manna, delicious food
מִן מ״י from, of, than, out of
- לְמִן from
- מן הדין it is proper, it is right
- מן הסתם probably, may well
- מן הראוי it is proper, it is right
מִנְבָּטָה נ׳ seedbed, cold frame
מַנְגּוֹ (פרי) ז׳ mango
מַנְגִּינָה נ׳ tune, melody, air, song
מַנְגָּל ז׳ barbecue, grill
מְנַגֵּן ז׳ musician, player
מַנְגָּן (יסוד כימי) ז׳ manganese
מַנְגָּנוֹן ז׳ mechanism, machinery, gear, works, staff, personnel
- מנגנון הגנה defense mechanism
- מנגנון השהיה delay mechanism
- מנגנון כונן tape deck
- מנגנון מפלגה party machine
מַנְגְּנוֹנִי ת׳ administrative
מְנַגֵּעַ ת׳ contagious, infectious
מַנְגְּרוֹבִים (צמחייה) ז״ר mangrove
מַנְדּוֹלִינָה (כלי נגינה) נ׳ mandolin
מַנְדָּט ז׳ mandate, authorization, seat (in Knesset)
מַנְדָּטוֹרִי ת׳ of the British Mandate
מַנְדָּרִינָה נ׳ mandarin, tangerine
מָנָה פ׳ count, number, enumerate
מָנָה נ׳ course, dish, dose, dosage, quotient, portion, ration, share
- מנה אחרונה dessert, sweet
- מנה אחת אפיים a good talking-to
*- מנה הגונה earful, what for
- מנות קרב iron rations, field rations
- מנת חירום emergency ration
- מנת חלקו lot, portion, fate
- מנת יתר overdose
- מנת משכל intelligence quotient
מִנְהָג ז׳ custom, habit, manner
- מנהג המקום local custom
מנה״ח = מנהל חשבונות
מַנְהִיג ז׳ leader, captain, chief
- מנהיג רוחני spiritual leader, mentor
מַנְהִיגוּת נ׳ leadership, hegemony
מְנַהֵל ז׳ director, manager, boss
- מנהל בי״ס headmaster, principal
- מנהל במה floor manager
- מנהל חשבונות bookkeeper
- מנהל כללי = מנכ״ל director-general
- מנהל עבודה foreman, ganger
מִנְהָל ז׳ administration, management
- מנהל עסקים business administration
מִנְהָלָה נ׳ directorate, executive
- מנהלת ההגירה Immigration Authority
מִנְהָלִי ת׳ administrative
מִנְהָלָן ז׳ administrator
מִנְהָרָה נ׳ tunnel, subway
- מנהרת אוויר wind tunnel
מְנוּגָּד ת׳ opposed, contrary
מְנוֹד רֹאשׁ ז׳ shaking the head, nod
מְנוּדֶּה ת׳ outcast, ostracized
מְנוּהָל ת׳ managed, run, directed
מַנְוֵוט ז׳ log
מְנוּוָל ת׳ villain, *crook, ugly
מְנוּוָן ת׳ degenerate, effete, decadent
מְנוּזָּל ת׳ having a cold, catarrhal
מָנוֹחַ ז׳ rest, peace, deceased, late
מְנוּחָה נ׳ rest, peace, respite
- בא אל המנוחה והנחלה reach a state of peace
- הובא למנוחות be buried
- מנוחתו עדן May he rest in peace
מְנוּטְרָל ת׳ neutralized, inactive
מָנוּי ז׳ subscriber, counted
- מנוי וגמור firmly decided
מְנוּכֶּה ת׳ deducted, discounted
מְנוּכָּר ת׳ alienated, estranged
מָנוֹמֶטֶר (מד-לחץ) ז׳ manometer
מְנוּמְנָם ת׳ sleepy, drowsy, dozy
מְנוּמָּס ת׳ civil, polite, courteous
מְנוּמָּק ת׳ reasoned, argued
מְנוּמָּר ת׳ spotted, mottled, speckled
מְנוּמָּשׁ ת׳ freckled
מָנוֹס ז׳ escape, refuge, flight
- אין מנוס it can't be helped
מְנוּסָה נ׳ bolt, stampede, flight
מְנוּסֶּה ת׳ experienced, versed
מְנוּסָּח ת׳ phrased, styled, worded
מָנוֹעַ ז׳ engine, motor
- מנוע סילון jet engine
מָנוּעַ ת׳ prevented, forbidden, unable
מְנוֹעִי ת׳ motorized, motor, power
- דו-מנועי twin-engined
מְנוֹעָר ת׳ shaken, dusted off
מָנוֹף ז׳ lever, crane, crank, hoist
מְנוֹפַאי ז׳ crane operator
מְנוּפֶּה ת׳ sifted, sieved, clean
מְנוּפָּח ת׳ inflated, swollen, puffed up
מְנוּפָּץ ת׳ shattered, smashed, carded
מְנוּצֶּה ת׳ fledged, plumed, pinnate
מְנוּצָּח ת׳ beaten, defeated
מְנוּצָּל ת׳ exploited, utilized, spent
מְנוּקָּב ת׳ punched, perforated
מְנוּקָּד ת׳ vocalized, vowelized, pointed, dotted
מְנוּקֶּה ת׳ cleaned, purified
מָנוֹר ז׳ boom, warp beam
מְנוֹרָה נ׳ lamp, light, candelabrum
- מנורה כחולה sunlamp
- מנורת הלוגן halogen lamp
- מנורת עמוד standard lamp
מְנוּשָּׁל ת׳ dispossessed, evicted
מְנוּתָּב ת׳ directed, routed, tracked
מְנוּתָּח ת׳ operated, analyzed
מְנוּתָּץ ת׳ smashed, shattered
מְנוּתָּק ת׳ disconnected, faraway, off
*מֶנְזָה נ׳ cafeteria, snack bar
מִנְזָר ז׳ convent, monastery, abbey
מַנְחֶה ז׳ compere, host, presenter, master of ceremonies, guide
מִנְחָה נ׳ present, afternoon prayer
מְנַחֵם ת׳ consolatory, comforter
מְנַחֵשׁ ז׳ fortune teller, diviner

מַנְחֵת ז׳ buffer, absorber, cushion
- מנחת זעזועים shock absorber
מִנְחָת ז׳ landing field, landing strip
- מנחת מסוקים heliport, helideck
מֶנְטָלִי ת׳ mental
מֶנְטָלִיּוּת נ׳ mentality, psychology
מַנְטֵף ז׳ dropper, pipette
מַנְטְרָה (מילה חוזרת) נ׳ mantra
מִנִּי מ״י of, from, since
- מני אז ever after, since then
*מַנְיָאק ז׳ maniac, dog, madman
מְנָיָה נ׳ share, stock
- מניה בטוחה/יקרה blue chip
- מניה למוכ״ז bearer share
- מניה רגילה ordinary share
- מניות בכורה preferred stock
- מניות יסוד founders' shares
- מניות על שם registered shares, inscribed stock
- מניית הטבה bonus share
מַנְיָה נ׳ mania, mental illness
- מניה דפרסיה manic depression, bipolar disorder
מִנֵּיהּ וּבֵיהּ תהה״פ off the cuff, at once
מְנִיָּיה נ׳ counting, numbering
מִנְיָין ז׳ counting, decade, ten men, prayer
- למניינם AD
- מן המניין ordinary, full member
- שלא מן המניין extraordinary
מִנַּיִין תהה״פ where form, how
- מניין לך? how do you know?
מַנִּיֶירוֹת נ״ר mannerism, manners
מַנִּיֶירִיזְם ז׳ mannerism, affectation
מֶנִיסְקוּס (סהרון) ז׳ meniscus
מֵנִיעַ ז׳ motivation, motive, cause
מָנִיעַ ת׳ avoidable, preventable
מְנִיעָה נ׳ prevention, hindrance, bar
- מניעת הריון contraception
מְנִיפָה נ׳ fan, punka
מָנִיפּוּלָטוֹר (תכסיסן) ז׳ manipulator
מָנִיפּוּלַצְיָה (טיפול) נ׳ manipulation
מָנִיפֶסְט (מנשר) ז׳ manifesto
מָנִיקוּר (טיפול בידיים) ז׳ manicure
מָנִיקוּרִיסְטִית נ׳ manicurist
מנכ״ל = מנהל כללי director-general
מִנְסָרָה נ׳ sawmill, prism
מָנַע פ׳ keep from, prevent, stop
מָנַע ז׳ preventive, pre-emptive
מִנְעָד ז׳ gamut, compass, range
מַנְעוּל ז׳ lock, padlock
מִנְעָל ז׳ shoe, footwear
מַנְעַמִּים ז״ר pleasures, dainties
מַנְפֵּטָה נ׳ cotton gin, gin
מַנְפֵּק ז׳ dispenser
- מנפק כסף cash dispenser
מְנַצֵּחַ ז׳ conductor, winner
מְנַקֵּב ז׳ punch, perforator
- מנקב כרטיסים cardpunch
מְנַקֵּד ז׳ vocalizer, vowelizer, pointer
מְנַקֶּה ז׳ cleaner, sweeper
- מנקה ארובות chimney-sweeper
מַנֶּקִין ז׳ manikin, dummy
מְנַקֵּר ז׳ porger, remover of veins
- מנקר עיניים ostentatious, showy
מַנְשָׂא, מַנְשָׂאָה carrier

מִנְשָׁךְ ז׳ bite, biting
מַנְשֵׁם ז׳ respirator
מַנְשֵׁמָה נ׳ breathing apparatus
מִנְשָׁר ז׳ manifesto, declaration
מִנְתָּה נ׳ mint, peppermint
מֶנְתּוֹל (מופק ממנתה) ז׳ menthol
מְנַתֵּחַ ז׳ surgeon, analyst
- מנתח מערכות systems analyst
מְנַתְּחוּת נ׳ surgery
מַס ז׳ duty, levy, tax, toll, dues
- מס בולים stamp duty
- מס הכנסה income tax
- מס יסף supertax, surtax
- מס ישיר direct tax
- מס מקביל parallel tax
- מס עיזבון inheritance tax, legacy tax
- מס עקיף indirect tax
- מס ערך מוסף VAT, value added tax
- מס קנייה purchase tax
- מס רווחי הון capital gains tax
- מס רכוש property tax
- מס שבח מקרקעין land betterment tax
- מס שפתיים lip service
מס׳ = מספר number
מַסַּאי ז׳ essayist, writer
מֵסֵב ז׳ endorser, sitting, reclining
מֶסַב (ראה מיסב) ז׳ bearing
מִסְבָּאָה נ׳ bar, pub, tavern, saloon
מִסָּבִיב תהה״פ about, around, round
מַסְבִּיר פָּנִים ת׳ hospitable, friendly
מֶסֶג ז׳ alloy, amalgam
מִסְגָּד ז׳ mosque
מִסְגּוּר ז׳ framing
מְסַגְנֵן ז׳ stylist, editor
מִסְגֵּר פ׳ frame, mount, bracket, rim
מַסְגֵּר ז׳ locksmith, metalworker
מַסְגְּרוּת נ׳ metalwork
מַסְגֵּרִיָּיה נ׳ metalwork shop
מִסְגֶּרֶת נ׳ frame, framework, rim, compass, skeleton, borders
- מסגרת משקפיים frames
מַסָּד ז׳ basis, foundation
- ממסד עד הטפחות from A to Z
מִסְדָּר ז׳ parade, order
- מסדר זיהוי identification parade, lineup
- מסדר חולים sick parade
מִסְדְּרוֹן ז׳ corridor, passage
- מסדרון אוויר air corridor
מְסַדֶּרֶת נ׳ typesetter, composer
מַסָּה נ׳ trial, test, essay, mass
-* מסות very much, lots of
מְסוֹאָב ת׳ filthy, foul, corrupt
מָסוֹב ז׳ distribution round
מְסוּבָב ת׳ rotated, effect, *sucker
מְסוּבִּין ז״ר diners, at table
מְסוּבָּךְ ת׳ complicated, intricate
מְסוּבְסָד ת׳ subsidized
מְסוּגָּל ת׳ able, capable, can, up to
מְסוּגְנָן ת׳ styled, edited, worded
מְסוּגָּר ת׳ closed, locked, introverted
מְסוּדָּר ת׳ tidy, neat, arranged, well-off

מְסוּוָג ת׳ classified, sorted
מַסְוֶה ז׳ disguise, mask, veil
- בְּמַסְוֵה שֶׁל- under the guise of
מְסוּחְרָר ת׳ giddy, dizzy
מָסוֹט ז׳ switch, points
מְסוּיָג ת׳ reserved, restrained
מְסוּיָד ת׳ whitewashed, painted
מְסוּיָם ת׳ certain, known, specific
מְסוּכָה נ׳ casing, case, housing
מְסוּכָּךְ ת׳ covered, thatched, masked
מְסוּכָּם ת׳ summed up, agreed
מְסוּכָּן ת׳ dangerous, perilous, risky
מְסוּכְסָךְ ת׳ quarreling, in conflict
מְסוּכָּר ת׳ candied, glace
מְסוּלְסָל ת׳ curly, wavy, flowery
מְסוּלָּע ת׳ rocky, craggy, stony
מְסוּלָּף ת׳ false, distorted, perverse
מְסוּלָּק ת׳ paid up, settled, removed
מְסוּמָּם ת׳ poisoned, drugged
מְסוּמָּן ת׳ marked, labeled
מְסוּמָּר ת׳ nailed, hobnailed, bristly
מְסוּנְדָּל ת׳ sandaled, locked, clamped
מְסוּנְוָר ת׳ dazzled, blinded
מְסוּנָּן ת׳ strained, filtered
מְסוּנָּף ת׳ affiliated, associate
מַסּוֹעַ ז׳ apron, conveyor
מְסוֹעָף ת׳ ramified, branched
מָסוֹף ז׳ terminal, terminus
מֶסוֹפּוֹטַמְיָה=ארם נהריים נ׳ Mesopotamia
מְסוּפָּח ת׳ annexed, attached
מְסוּפָּק ת׳ doubtful, supplied
- מְסוּפְקַנִי I doubt
מְסוּפָּר ת׳ told, narrated, (hair) cut
מְסוּפְרָר ת׳ numbered
מַסּוֹק ז׳ helicopter, *chopper
מְסוּקָּס ת׳ knotty, knotted, gnarled
מְסוּקְרָן ת׳ curious, interested
מַסּוֹר ז׳ saw
מָסוּר ת׳ devoted, dedicated, faithful
מְסוֹרָב עֲלִיָּה ז׳ refusenik
מְסוּרְבָּל ת׳ awkward, clumsy
מְסוֹרָג ת׳ latticed, barred
מָסוֹרָה נ׳ Masora, tradition
מַסּוֹרִית נ׳ fretsaw, jigsaw
מְסוֹרָס ת׳ castrated, distorted
מְסוֹרָק ת׳ combed, carded
מָסוֹרֶת נ׳ tradition, Masora
מָסוֹרְתִּי ת׳ traditional, religious
מָסוֹרְתִּיּוּת נ׳ traditionalism
מְסוּתָּת ת׳ hewn, chiseled
מַסָּז׳ (עיסוי) ז׳ massage
מַסָּזִ׳יסְט (מְעַסֶּה) ז׳ masseur
מַסָּזִ׳יסְטִית (מְעַסָּה) נ׳ masseuse
מִסְחוּר ז׳ commercialization
מַסְחֵט ז׳ squeezer, press, reamer
מַסְחֵטָה נ׳ squeezer, wringer, juicer
מִסְחֵר פ׳ commercialize
מִסְחָר ז׳ commerce, trade, market
*מַסְחָרָה נ׳ bluff, fake, nonsense
מִסְחָרִי ת׳ commercial, mercantile
מְסַחְרֵר ת׳ dizzying, giddy
*מַסְטוּל ת׳ drugged, high, crazy
*מֶסְטִינְג (פִּינְךְ) ז׳ mess-tin
*מַסְטִיק ז׳ chewing gum
מַסְטֶר (מוסמך) ז׳ master

מְסִיבָּה נ׳ party, banquet, at-home
- מסיבת עיתונאים press conference
- מסיבת תה/מינחה tea party
מְסִיבּוֹת נ״ר circumstances
מַסִּיבִי ת׳ massive, heavy, bulky
מַסִּיבִיּוּת נ׳ massiveness
מַסִּיג גבול ז׳ poacher, trespasser
מֵסִיחַ דַּעַת ת׳ red herring
מַסִּיט רוח ז׳ wind deflector
מְסַיֵּעַ ת׳ auxiliary, helpful
מַסֵּיכָה (ראה מסכה) נ׳ mask
מְסִילָּה נ׳ track, path, groove
- מסילת ברזל railroad, railway
- מצא מסילות בליבו win his favor
מָסִיס ת׳ soluble, solvent
מְסִיסוּת נ׳ solubility, solvency
מַסִּיק ז׳ stoker, concluder
מָסִיק ז׳ olive harvest
מְסִירָה נ׳ handing over, delivery, pass, transmission, transfer
מְסִירוּת נ׳ devotion, loyalty
- מסירות נפש self-sacrifice
מֵסִית ז׳ inciter, seditious
מָסַךְ פ׳ pour, blend, mix
מָסָךְ ז׳ curtain, screen
- מסך אש barrage
- מסך עשן smoke screen
מַסֵּכָה נ׳ mask, disguise, false face
- מסכת גז/אב״כ gas mask
- מסכת חמצן oxygen mask
מִסְכָּה נ׳ cocktail
מְסַכֵּם ת׳ concluding, summing up
מִסְכֵּן ת׳ miserable, poor, wretched
מִסְכֵּנוּת נ׳ misery
מִסְכֶּרֶת נ׳ sugar bowl
מַסְכֵּת ז׳ stethoscope
מַסֶּכֶת נ׳ tractate, series, set
- מסכת שקרים web of lies
מַסְלוּל ז׳ orbit, path, track, course, itinerary, route, trajectory
- מסלול המראה airstrip, runway
מַסְלוּלִי: חד-מסלולי ת׳ one-way (street)
מִסְלָקָה נ׳ clearinghouse
מִסְמוּס ז׳ melting, dissolution
מִסְמָךְ ז׳ document, paper, instrument
מַסְמֵן ז׳ marker
מִסְמֵס פ׳ melt, dissolve, macerate
מִסְמֵר פ׳ nail, spike, nail down
מַסְמֵר ז׳ nail, stud, peg, kingpin
מְסַמֵּר שֵׂיעָר ת׳ hair-raising, grisly
מַסְמְרוֹן ז׳ brad, tack, hobnail
מַסְמֶרֶת נ׳ pin, stud, rivet
מְסַנְוֵר ת׳ dazzling, blinding
מַסְנֵן ז׳ filter, strainer
- מסנן קפה percolator
מְסַנֶּנֶת נ׳ strainer, colander
מִסְנָף (סִינַפְּסָה) ז׳ synapse
מַסָּע ז׳ march, travel, voyage, trip, campaign, drive, move
- מסע דילוגים shuttle
- מסע מזורז forced march
- מסע צלב crusade
מִסְעָד ז׳ back, rest, arm, support
מִסְעָדָה נ׳ restaurant

- מסעדת רכב drive-in
מִסְעָדָן ז' caterer, restaurateur
מִסְעָף ז' T-junction, fork, bifurcation
מַסְפֵּג ז' blotter, pad, swab
מִסְפֵּד ז' lament, wailing, mourning
מִסְפּוֹא ז' fodder, forage, provender
מִסְפּוּר ז' numeration, numbering
מַסְפִּיק ת' enough, adequate, sufficient, C (grade), pass degree
מִסְפָּנָה נ' dock, dockyard, shipyard
מְסַפֵּק ת' satisfactory, supplier
מִסְפֵּר פ' numerate, number
מִסְפָּר ז' number, figure, digit, some, several, a few, *fool, dope
- לאין מספר innumerable
- מספר (לא-) אי-זוגי odd number
*- מספר אחד/אחת the best
- מספר זוגי even number
*- מספר חזק remarkable person, whiz
- מספר חיובי positive number
- מספר ירוק taxi registration number
- מספר מדומה imaginary unit, i
- מספר מונה/יסודי cardinal number
- מספר סידורי ordinal, serial number
- מספר ראשוני prime number
- מספר רישוי registration number
- מספר שלילי negative number
- מספר שלם integer
מְסַפֵּר ז' story teller, narrator
מִסְפָּרָה נ' barbershop, hairdresser
מִסְפָּרִי ת' numerical, numeral
מִסְפָּרַיִם ז"ר scissors, shears, snips
- מספרי זיגזג pinking shears
מָסַק פ' pick olives
מַסְקָה ז' stokehold, fire room
מַסְקִינְגְטֵייפּ ז' masking tape
מֶסְקָלִין (סם) ז' mescaline, peyote
מַסְקָנָה נ' conclusion, inference
- מסקנה מתבקשת reasonable conclusion
מַסְקָנִי ת' deductive, inferential
מִסְקָר ז' review, survey, parade
מַסְקָרָה נ' mascara
מַסְקָרָה נ' mascara brush
מָסַר פ' give, hand over, deliver, transmit, betray, pass
- מסר את נפשו sacrifice one's life
מֶסֶר ז' message, communication
- הבין את המסר get the message
מַסְרֵגָה נ' knitting-needle
מַסְרֵטָה נ' movie camera, camera
מְסַרְטֵן ז' carcinogen, cancerous
מַסְרִיחַ ת' stinking, malodorous
מַסְרִיט ז' cameraman, projectionist
מַסְרֵק ז' comb, card
מַסְרֵקָה נ' card, carding machine
מִסְתַּבֵּר תה"פ it seems, apparently
מִסְתּוֹר ז' hiding place, concealment
מִסְתּוֹרִי ת' mysterious, hidden
מִסְתּוֹרִין ז"ר mystery, secret
מִסְתַּיֵּג ת' reserved, disapproving
מִסְתַּכֵּל ז' onlooker, watcher
מַסְתֵּם ז' stopper, plug, valve
מִסְתָּמָא תה"פ probably, it seems
מִסְתַּנֵּן ז' infiltrator, pervasive
מִסְתַּעֵרֵב ז' disguised as an Arab
מִסְתַּפֵּק ת' content, satisfied
- מסתפק במועט abstemious
מִסְתָּרִים ז"ר hiding places, depths
מְעַבֵּד ז' processor, adapter
- מעבד מזון food processor
- מעבד נתונים data processor
- מעבד תמלילים word processor
מַעְבָּדָה נ' laboratory, lab
- מעבדה לשונית language laboratory
- מעבדת חלל spacelab
מַעֲבֶה ז' thickness, depth
מְעַבֶּה ז' condenser, thickener
מַעֲבוֹט ז' pawnshop
מַעֲבוֹרַאי ז' ferryman
מַעְבּוֹרֶת נ' ferry, ferryboat
- מעבורת חלל space shuttle
מַעֲבִיד ז' employer, boss
מַעֲבִיר ז' conveyer, transmitter
מַעֲבָר ז' pass, passage, transition, transit, thoroughfare, aisle
- מעבר חציה pedestrian crossing
- מעבר עילי overpass, flyover
- מעבר תחתי underpass
מֵעֵבֶר לְ- מ"י beyond, past, over, trans-
- מעבר לדף overleaf
- מעבר להרי חושך jumping-off place
מַעְבָּרָה נ' transit camp
מַעֲגִילָה נ' calender, wringer, mangle, roller
מַעְגָּל ז' circle, circuit, cycle, ring
- המעגל נסגר come full circle
- מעגל סגור closed circuit
- מעגל קסמים vicious circle
- מעגלים מרכזיים concentric circles
מַעְגָּלִי ת' circular
מַעֲגָן ז' anchorage, berth, roads
מָעַד פ' stumble, trip, totter, founder
מַעַד ז' gambit, slipping
מַעֲדָן ז' delicacy, dainty, sweet
מַעֲדָנִיָּה נ' delicatessen
מַעְדֵּר ז' hoe, pickax, mattock
מָעָה נ' coin, grain
מְעוּבָּד ת' processed, adapted, cultured
מְעוּבֶּה ת' thickened, dense
מְעוּבֶּרֶת ת' pregnant, with young
- שנה מעוברת leap year, intercalary year
מְעוּגָּל ת' round, circular, curved
מְעוּגָּן בַּחוֹק ת' statutory, enacted
מְעוּדָּד ת' encouraged, cheered up
מְעוֹדֵד ת' encouraging, cheerer
מֵעוֹדוֹ תה"פ ever, at any time
מְעוּדְכָּן ת' up-to-date, *hip
מְעוּדָּן ת' delicate, graceful, refined
מְעוּוָּת ת' distorted, deformed, wry
מָעוֹז ז' post, stronghold, fortress
מָעוֹט ז' catapult
מְעוּט ת' scanty, small, limited
מְעוּטֵי יְכוֹלֶת ת' needy, poor
מְעוּטָּף ת' wrapped, enveloped

מְעוּטָר ת׳ crowned, adorned
מְעוּיָּן ז׳ diamond, lozenge, rhomb, rhombus
מְעוּךְ ת׳ crushed, squashed
מְעוּכָּב ת׳ delayed, detained
מְעוּכָּל ת׳ digested, assimilated
מְעוּלֶּה ת׳ excellent, first-class
מֵעוֹלָם (לא) תה״פ never
- מאז ומעולם from long ago
מְעוּלָּף ת׳ fainting, wrapped
מְעוּמְלָן ת׳ starched
מְעוּמְעָם ת׳ dim, hazy, indistinct
מָעוֹן ז׳ residence, house, dwelling
- מעון יום day nursery, creche
- מעונות lodgings, dormitory, *digs
מְעוּנָּב ת׳ wearing a necktie
מְעוּנֶּה ת׳ tortured, afflicted
מְעוֹנוֹעַ ז׳ caravan, trailer
מְעוּנְיָין ת׳ interested, concerned
מְעוּנְיָינוּת נ׳ interest, interestedness
מְעוּנָּן ת׳ cloudy, overcast
מָעוֹף ז׳ flight, vision, imagination
- מעוף הכלולות nuptial flight
מְעוֹפֵף ת׳ flying, winged, volant
מְעוּפָּשׁ ת׳ moldy, stinking, rancid
מְעוּצָּב ת׳ shaped, formed, molded
מְעוּצְבָּן ת׳ nervous, fidgety, edgy
מְעוּצֶּה ת׳ woody, wooden, ligneous
מְעוּצָּר ת׳ inhibited, self-contained
מְעוּקָּב ת׳ cubic, cube
מְעוּקָּל ת׳ confiscated, seized
מְעוּקָּם ת׳ curved, crooked, bent
מְעוּקָּר ת׳ sterile, pasteurized
מְעוֹרָב ת׳ mixed, involved, motley
- מעורב עם הבריות good mixer
מְעוּרְבָּב ת׳ mixed, promiscuous
מְעוֹרָבוּת נ׳ involvement
מְעוּרְגָּל ת׳ rolled, smoothed
מְעוֹרֶה ת׳ rooted, mixed
מְעוּרְטָל ת׳ naked, bare, undressed
מְעוֹרָם ת׳ heaped, piled up, stacked
מְעוּרְעָר ת׳ shaken, unbalanced, mad
מְעוּרְפָּל ת׳ ambiguous, foggy, vague
מְעוֹרֵר ת׳ stimulant, arousing
- מעורר חמלה pathetic, pitiable
מְעוּשֶּׂה ת׳ artificial, forced, unnatural
מְעוּשָּׁן ת׳ smoked, smoke-dried
מְעוּשָּׂר ת׳ decagon, tithed
מָעוֹת נ״ר money, coins
מְעוּתָּד ת׳ postdated, postponed
מָעַט פ׳ decrease, diminish
מְעַט ת׳ few, little, some, handful
מַעֲטֶה ז׳ covering, wrap, veil, rig
מַעֲטָפָה נ׳ envelope, cover
- מעטפת חלון window envelope
- מעטפת נפץ letter bomb
מַעֲטֶפֶת נ׳ casing, housing, wrapper, involucre
מְעִי ז׳ intestine
- המעי הגס colon, large intestine
- המעי הדק small intestine
- המעי העיוור appendix
מְעִידָה נ׳ stumble, slip, trip, tumble
מֵעַיִים ז״ר bowels, entrails
מַעְיָין ז׳ fountain, well, spring
- בראש מעייניו uppermost in one's mind
- כל מעייניו נתונים ב- is engrossed in
- מעיין מרפא spa
- מעיין מתגבר never-ending flow
מְעַיֵּין ז׳ reader, browser, peruser
מְעִיינָה נ׳ colic, abdominal pain
מְעַיֵּיף ת׳ tiresome, wearisome
מְעִיכָה נ׳ crushing, squash
מְעִיל ז׳ coat, robe, cloak, mantle
- מעיל גשם raincoat, trench coat
- מעיל זנב cutaway, tailcoat
- מעיל עליון greatcoat, overcoat
- מעיל רוח windbreaker, wind jacket
מְעִילָה נ׳ embezzlement, treachery
- מעילה באמון breach of faith
מֵעֵין תה״פ like, resembling, quasi, *kind of
מֵעִיק ת׳ burdensome, oppressive
מֵעִיקָּרָא תה״פ from the start, ab initio
מָעַךְ פ׳ crush, squash, squeeze
מְעַכֵּב ת׳ delaying, hindering, inhibitory
מָעַל פ׳ embezzle, break faith
מַעַל ז׳ treachery, embezzlement
מֵעַל מ״י above, over, on top of
- מעל ומעבר over and above
- מעל לכל above all
- מעל לכל ספק beyond question
- מעל לראשו over his head
מַעֲלֶה ז׳ acclivity, ascent, climb, rise
- במעלה הזרם upstream
מַעֲלָה נ׳ degree, merit, advantage
- ממעלה ראשונה of the highest class
- מעלת כבודו His Honor
מַעְלָה תה״פ up, upward
- ומעלה and more, and above
מַעֲלֵה גֵירָה ת׳ ruminant
מַעֲלִיב ת׳ insulting, offensive
מַעֲלִים מַס ז׳ tax evader
מַעֲלִית נ׳ elevator, lift, paternoster
- מעלית מזון dumbwaiter
מַעֲלָל ז׳ action, deed, feat
*מַעֲלֶשׁ תה״פ never mind
מֵעִם מ״י from
מע״מ = מס ערך מוסף VAT, value added tax
מַעֲמָד ז׳ class, state, rank, status, position, posture, presence
- במעמד in the presence of
- המעמד הבינוני middle class
- המעמד הגבוה upper class
מַעֲמָדִי ת׳ class
מַעֲמָדִיּוּת נ׳ class consciousness
מַעֲמִיק ת׳ profound, deep
מַעֲמָס ז׳ burden, load
מַעֲמָסָה נ׳ burden, load, tax, weight
מַעֲמְעֵם ז׳ dimmer, fader, mute
מַעֲמַקִּים ז״ר depths, bottom
מַעַן ז׳ address, direction
מַעֲנָב ז׳ sling
מְעַנֵּג ת׳ delightful, enjoyable
מַעֲנֶה ז׳ answer, reply, response
- מענה חריף comeback, repartee

מְעַנְיֵין ת' interesting, arresting
מַעֲנִית נ' furrow, sulcus
מַעֲנָק ז' allowance, award, grant, bonus, scholarship, gratuity
- מענק לידה maternity grant
- מענק פרישה *golden handshake
מְעַסֶּה ז' masseur
מְעַסָּה נ' masseuse
מַעֲסִיק ז'ת' employer, preoccupying
מַעֲפוֹרֶת נ' overall, apron, smock
מַעְפִּיל ז' climber, immigrant
מע"צ public works department
מְעַצֵּב ז' fashioner, designer, molder
- מעצב אופנה fashion designer
- מעצב פנים interior designer
- מעצב שיער hairstylist
מְעַצְבֵּן ת' irritating, nagging
מַעֲצָד ז' plane, spokeshave
מַעֲצוֹר ז' brake, check, obstacle
מַעֲצִיב ת' sad, saddening, tragic
מַעֲצִים ז' intensifier
מַעֲצָמָה נ' power, world power
- מעצמת על superpower
מֵעַצְמוֹ מ"ג himself, of itself
מַעֲצָר ז' arrest, custody, apprehension, detention, remand
- מעצר בית house arrest
- מעצר מונע preventive custody
- מעצר מינהלי administrative detention
מַעְצֵר ז' stop, brake, skid
מַעֲקָב ז' follow-up, tracing
מַעֲקֶה ז' balustrade, banister, parapet, rail, handrail
- מעקה ביטחון crash barrier
מַעֲקוֹבֶת נ' sequence
מַעֲקוֹף ז' traffic island
מַעֲקָף ז' bypass, detour, ring road
מְעַקְצֵץ ת' itchy, scratchy
מִעֲרֵב פ' westernize
מַעֲרָב ז' west, the Occident
מַעֲרָבָה תה"פ westward, westwards
מְעַרְבּוֹלֶת נ' eddy, whirlpool, swirl
מַעֲרָבוֹן ז' western
מַעֲרָבִי ת' western, occidental
מְעַרְבֵּל ז' mixer, cement mixer
מְעַרְגּוֹלֶת נ' rolling mill
מַעֲרֶה ז' bare place, glade
מְעָרָה נ' cave, cavern
- מערות האף sinus
- מערת פריצים sink, den of vice
מִערוּב ז' westernization
מַעֲרוֹךְ ז' rolling pin
מַעֲרוֹכֶת נ' constitution, system, make-up
מַעֲרוּכְתִּי ת' constitutional, systemic
מַעֲרוּמִּים ז"ר nakedness, nudity
מַעֲרוּפְיָה נ' clientele, customers
מַעֲרִיב ז' evening prayer
מַעֲרִיךְ ז' assessor, exponent
מַעֲרִיץ ז' admirer, fan, worshiper
מַעֲרָךְ ז' alignment, array, layout, formation, lineup
מַעֲרָכָה נ' campaign, battle, array, act, set, order, round, system
- מערכה מחזורית periodic table
- מערכת העיכול digestive system
- מערכת העצבים nervous system
- מערכת השמש solar system
מַעֲרְכוֹן ז' one-act play, skit
מַעֲרֶכֶת נ' editorial board, system, set, fabric
- מערכת בקרה control system
- מערכת כלים kit, service, set
- מערכת שעות timetable
מַעֲרַכְתִּי ת' editorial, systemic
מְעַרְעֵר ז' appellant, contesting
מַעֲרֶפֶת נ' guillotine
מַעַשׂ ז' action, deed
מַעֲשֶׂה ז' act, action, story, tale
- בשעת מעשה red-handed, in the act
- מעשה בראשית the Creation
- מעשה חלם stupid act
- מעשה מגונה indecent act
- מעשה מרכבה difficult task
- מעשה ניסים miracle, marvel
- מעשה סדום sodomy, pederasty
- מעשה קונדס mischief, prank
- מעשה שהיה once upon a time
- מעשה שהיה כך היה it was as follows
- מעשה שלא ייעשה that isn't done
- מעשי איבה hostilities
מַעֲשִׂי ת' practical, pragmatic
מַעֲשִׂיּוּת נ' practicality, pragmatism
מַעֲשִׂיָּה נ' anecdote, story, tale
מַעֲשִׂית תה"פ actually, practically
מְעַשֵּׁן ז' smoker, smoking
מַעֲשֵׁנָה נ' chimney, stack, funnel
מַעֲשֵׂר ז' tenth, tithe
מֵעֵת לְעֵת תה"פ at times, 24 hours
מֵעַתָּה תה"פ hence, from now
מַעְתִּיק ז' copier, copyist, translator
מַעְתֵּק ז' shift, switch, facsimile
מ"פ = מפקד פלוגה
מִפּוּאוֹת נ' cartography, mapping
מַפַּאי ז' cartographer
מפא"י (old) Israel Labor party
מִפְּאַת מ"י owing to, because
מַפְגִּין ז' demonstrator, showing
מַפְגִּיעַ - בְּמַפְגִּיעַ תה"פ vigorously
מִפְגָּן ז' rally, demonstration, show
- מפגן אווירי flyover, fly-past
מִפְגָּע ז' nuisance, obstacle, hazard
מְפַגֵּעַ ז' terrorist, gunman
מְפַגֵּר ת' backward, retarded, behindhand, slow (clock)
מִפְגָּשׁ ז' meeting place, meeting
מִפְדֶּה ז' ransom money
מפד"ל NRP
מְפַדֶּרֶת נ' powder puff
מַפָּה נ' map, chart, tablecloth
- מפה סינופטית synoptic chart, weather map
- מפת דרכים road map
- מפת תבליט relief map
- על המפה on the map, famous
מְפוֹאָר ת' glorious, magnificent
מְפוּבְרָק ת' fabricated, false, fake
מְפוּגָל ת' denatured, spoiled
מְפוּזָר ת' scattered, absent-minded
מַפּוּחַ ז' bellows, blower, inflator

frightened, scared, fearful מְפוּחָד ת׳
accordion מַפּוּחִית יָד נ׳
harmonica מַפּוּחִית פֶּה נ׳
stuffed (animal's skin) מְפוּחְלָץ ת׳
carbonized, sooty מְפוּחָם ת׳
stuffed, fatted, crammed מְפוּטָם ת׳
fired, dismissed, *sacked מְפוּטָר ת׳
sooty, sooted מְפוּיָח ת׳
appeased, placated מְפוּיָס ת׳
sober-minded מְפוּכָּח ת׳
leveled, paved, flattened מְפוּלָס ת׳
peppery, sophistic, dear מְפוּלְפָּל ת׳
open, unbarred, unclosed מְפוּלָשׁ ת׳
collapse, fall, avalanche מַפּוֹלֶת נ׳
landslide - מפולת הרים
snowslide - מפולת שלגים
atlas מַפּוֹן ז׳
spoilt, pampered *מְפוּנְדָרָק ת׳
evacuee, vacated, cleared מְפוּנֶה ז׳
pampered, spoilt מְפוּנָק ת׳
pasteurized מְפוּסְטָר ת׳
striped, barred, streaky מְפוּסְפָּס ת׳
failed, went wrong, missed *מְפוּסְפָּס ת׳
punctuated, parted מְפוּסָק ת׳
solved, deciphered מְפוּעְנָח ת׳
cracked, broken, prised מְפוּצָח ת׳
forked, split, bifurcate מְפוּצָל ת׳
exploded, *chock-full מְפוּצָץ ת׳
doubtful, questionable מְפוּקְפָּק ת׳
scattered, separated מְפוֹרָד ת׳
demilitarized מְפוֹרָז ת׳
shod, ironclad מְפוֹרְזָל ת׳
detailed, specific מְפוֹרָט ת׳
made-up, painted מְפוּרְכָּס ת׳
formatted מְפוֹרְמָט ת׳
famous, known, reputed מְפוּרְסָם ת׳
having inlets, having gulfs מְפוֹרָץ ת׳
gap-toothed - מפורץ-שיניים
dismantled, taken apart מְפוֹרָק ת׳
crumbled, loose מְפוֹרָר ת׳
explicit, explained, specific, express מְפוֹרָשׁ ת׳
expressly מְפוֹרָשׁוֹת תה״פ
bust, blown, bungled *מְפוּשָׁל ת׳
astride, apart, splay מְפוּשָׂק ת׳
developed, mature, ripe מְפוּתָּח ת׳
curved, winding מְפוּתָּל ת׳
convector מְפַזֵּר חוֹם ז׳
blow, breathing, frustration מַפָּח ז׳
disappointment - מפח נפש
afraid, scared מְפַחֵד ת׳
smithy, forge מַפָּחָה נ׳
awful, frightful מַפְחִיד ת׳
Haftarah reader מַפְטִיר ז׳
removing, relieving מֵפִיג ת׳
dehumidifier - מפיג לחות
deodorant - מפיג ריח
serviette stand מַפְיוֹן ז׳
racketeer, ruffian מַפְיוֹנֶר ז׳
doily, serviette, napkin מַפְיוֹנֶת נ׳
Mephistopheles מֶפִיסְטוֹ ז׳
Mephistophelian (שְׂטָנִי) מֶפִיסְטוֹפְלִי ת׳
distributor, jobber מֵפִיץ ז׳
producer, yielding מֵפִיק ז׳
aspirate, pronounced as h מַפִּיק ת׳

napkin, doily, mat מַפִּית נ׳
Inspector General מפכ״ל=מפקח כללי
Police Chief, Police Commissioner - מפכ״ל המשטרה
fall, waterfall, fat folds מַפָּל ז׳
cascade, waterfall - מפל מים
fat folds - מפלי בשר/שומן
Niagara Falls - מפלי הניאגרה
detachment, squad, section מִפְלָג ז׳
distributor מַפְלֵג (במכונית) ז׳
party מִפְלָגָה נ׳
party, sectarian מִפְלַגְתִּי ת׳
defeat, beating, downfall מַפָּלָה נ׳
egg slicer מַפְלַח בֵּיצִים ז׳
refuge, asylum, escape מִפְלָט ז׳
ejector, exhaust pipe מַפְלֵט ז׳
marvelous, wonderful מַפְלִיא ת׳
level, floor, storey מִפְלָס ז׳
duplex apartment - דירה דו מפלסית
sea level - מפלס הים
leveler, level, grader מַפְלֵס ז׳
grader, spirit level מַפְלְסָה נ׳
road grader, snowplow מַפְלֶסֶת נ׳
monster, monstrosity מִפְלֶצֶת נ׳
monstrous, hideous מִפְלַצְתִּי ת׳
passage, tunnel מִפְלָשׁ ז׳
culvert - מפלש מים
turn, change, turnaround מִפְנֶה ז׳
because, owing to, from מִפְּנֵי מ״י
why? - מפני מה ?
because, since, as - מפני ש-
from me/from you etc. - מפניי/מפניך וכו׳
loser מַפְסִיד ז׳
loser, also-ran מַפְסִידָן ז׳
chisel, gouge מַפְסֶלֶת נ׳
cesura, caesura מִפְסָק ז׳
switch, cutoff, shut-off מַפְסֵק ז׳
operator, actuator, handler מַפְעִיל ז׳
concern, factory, plant, work, deed, enterprise מִפְעָל ז׳
lifework - מפעל חיים
tempo, beat, time מִפְעָם ז׳
from time to time מִפַּעַם לְפַעַם תה״פ
decoder מְפַעְנַחַת נ׳
splay, gap מִפְעָר ז׳
smashing, explosion מַפָּץ ז׳
the Big Bang - המפץ הגדול
compensatory, saving מְפַצֶּה ת׳
nutcracker, safe-cracker מַפְצֵחַ ז׳
bomber, bombardier מַפְצִיץ ז׳
importunate, imploratory מַפְצִיר ת׳
captain, commander מְפַקֵּד ז׳
regiment commander, battalion commander - מפקד גדוד
brigade commander - מפקד חטיבה
tank commander - מפקד טנק
squad commander - מפקד כיתה
platoon commander - מפקד מחלקה
company commander - מפקד פלוגה
census, parade, roll call מִפְקָד ז׳
headquarters מִפְקָדָה נ׳
inspector, supervisor מְפַקֵּחַ ז׳
sub-inspector - מפקח משנה
depositor, entrusting מַפְקִיד ז׳
profiteer מַפְקִיעַ מְחִירִים ז׳

מְפַקְפֵּק ת׳ dubious, uncertain
מֵפֵר חוֹק ז׳ lawbreaker
מֵפֵר שְׁבִיתָה ז׳ strikebreaker
*מְפַרְגֵּן ת׳ ungrudging, not envious
מַפְרֵדָה נ׳ centrifuge, separator
מִפְרָט ז׳ specification, menu
- מפרט טכני technical specification
מַפְרֵט ז׳ plectrum, pick
מַפְרִיד ז׳ dash, (-)
מַפְרִיס פַּרְסָה ת׳ hoofed, ungulate
מְפָרֵךְ ת׳ arduous, hard, laborious
מַפְרֵם ז׳ seam ripper
מְפַרְנֵס ז׳ breadwinner, provider
מַפְרֵסָה נ׳ slicer
מְפַרְסֵם ז׳ advertiser, advertizer
מִפְרָעָה נ׳ advance payment
מִפְרָעִי ת׳ retroactive, back
מִפְרָץ ז׳ bay, gulf, bight, inlet
- מפרץ אילת Gulf of Eilat
- מפרץ חיפה Haifa Bay
- מפרץ חניה parking bay, lay-by
מִפְרָצוֹן ז׳ cove, creek, lay-by
מִפְרָק ז׳ joint, articulation, node
- מפרק אצבע knuckle
- מפרק הירך hip, hip joint
- מפרק כף היד carpus, wrist
מְפָרֵק ז׳ liquidator, receiver
מַפְרֶקֶת נ׳ nape, neck, gooseneck
מִפְרָשׂ ז׳ sail, jib, standard
- מפרש אחורי mizzen
- מפרש ראשי mainsail
מְפָרֵשׁ ז׳ commentator, exponent
מִפְרָשִׂית נ׳ sailing ship, sailboat
מַפְשׁוֹל ז׳ pullover, slipover
מַפְשִׁיר ז׳ defroster, de-icer
מִפְשָׂעָה נ׳ groin, crotch, crutch
מִפְשָׂעִית נ׳ jockstrap
מִפְשָׂק ז׳ leapfrog, fourchette, speculum
מַפְשֵׁר ז׳ defroster, de-icer
מְפַשֵּׁר ז׳ mediator, intermediary
מְפַתֶּה ת׳ tempting, seductive
מִפְתּוּחַ ז׳ indexing, keying
מִפְתֵּחַ פ׳ index, key
מַפְתֵּחַ ז׳ key, clef, index, clue
- מפתח בוהן (בספר) thumb index
- מפתח ברגים wrench, spanner
- מפתח כללי passkey
- מפתח סול G clef, treble clef
- מפתח עניינים index
- מפתח פה F clef, bass clef
- מפתח שוודי wrench, spanner
מִפְתָּח ז׳ opening, aperture, span
מְפַתֵּחַ ז׳ carver, developer
מַפְתְּחָן ז׳ indexer, key maker
מַפְתִּיעַ ת׳ surprising, amazing
- במפתיע surprisingly, unexpectedly
מִפְתָּן ז׳ threshold
מִפְתָּק ז׳ gate
מ״צ = משטרה צבאית military police
מָצָא פ׳ find, discover, get, learn
- כמוצא שלל רב joyfully, enthusiastically
- לא מצא ידיו ורגליו be confused
- מצא את מותו die
- מצא חן בעיניו like him
- מצא לנכון see fit to
- מצא מין את מינו people of like character
- מצאה ידו can afford
מְצַאי ז׳ inventory, stock
מַצָּב ז׳ circumstance, condition, position, state, situation, status
*- אין מצב! no way!, definitely not!
*- יש מצב ש-? is there any possibility
- מצב הכן standby, alert
- מצב חירום emergency, exigency
- מצב משפחתי family status
- מצב רוח mood, temper, spirits
מצ״ב = מצורף בזה enclosed
מַצַּב דֶּלֶת ז׳ doorstop
מַצֵּבָה נ׳ gravestone, tombstone
- מצבת זיכרון cenotaph, memorial
- מצבת מחט obelisk
מַצָּבָה נ׳ strength, number, list, complement
מִצְבּוֹר ז׳ dump, store, heap
מַצְבֵּט ז׳ pincers, pincer, chela
מִצְבָּטַיִם ז״ר pince-nez, nippers
מַצְבִּיא ז׳ commander, warlord
מַצְבִּיעַ ז׳ voter, pointer, indicative
מִצְבָּעָה נ׳ dye-works
מַצְבֵּר ז׳ accumulator, battery
מֻצָּג ז׳ display, screen, exposition
מַצֶּגֶת נ׳ display, screen
מֵצַד ז׳ shunt, lock, parameter
מִצַּד מ״י on the side/part of
- מצד אחד on the one hand
- מצד לצד from side to side
- מצידו on his part
- מצידי for my part, as far as I'm concerned
מְצָד ז׳ pillbox, stronghold
מְצַדֵּד ז׳ supporter, advocate
מְצָדָה (הר ליד ים המלח) ז׳ Masada
מְצָדִית נ׳ pillbox
מַצָּה נ׳ matzah, unleavened bread, quarrel, strife
מַצְהִיר ז׳ declarant
מִצְהָלוֹת נ״ר shouts of joy
מִצְהָר ז׳ declaration, meridian
מֶצוֹ סוֹפְּרָן ז׳ mezzo-soprano
מְצוּבָה נ׳ pile, stack, pyramid
*מְצוּבְרָח ת׳ moody, spiritless
מָצוֹד ז׳ hunt, chase, pursuit
מְצוֹדֵד ת׳ fascinating, eye-catching
מְצוּדָד ת׳ sideways, sidelong
מְצוּדָה נ׳ castle, fortress, citadel
מִצְוָה נ׳ commandment, command, precept, good act
- מצוות אנשים מלומדה act done automatically
- מצוות עשה ולא-תעשה do's and don'ts
מְצוּוֶה ת׳ ordered, enjoined, bid
מְצַוֶּה ת׳ commanding, imperative
מְצוּחְצָח ת׳ polished, shipshape
מְצוּטָט ת׳ quoted, cited
מָצוּי ת׳ common, available
מְצוּיָּד ת׳ equipped, armed, fitted

excellent, remarkable מְצוּיָן ת'
excellence, perfection מְצוּיָנוּת נ'
tufted, frilled, crested מְצוּיָץ ת'
drawn, painted מְצוּיָר ת'
crisscross, crossed מְצוּלָב ת'
abyss, deep water מְצוּלָה נ'
photographed, pictorial מְצוּלָם ת'
polygon, sided מְצוּלָע ז'
scarred, pockmarked מְצוּלָק ת'
narrow, scarce, limited מְצוּמְצָם ת'
shriveled, shrunken מְצוּמָק ת'
censored, bowdlerized מְצוּנְזָר ת'
cooled, caught cold מְצוּנָן ת'
veiled, covered מְצוּעָף ת'
flamboyant, ornate מְצוּעְצָע ת'
buoy, float, ball-cock מָצוֹף ז'
water-wings - מצופים
chocolate-coated waffle *מְצוּפֶּה ז'
coated, covered, מְצוּפֶּה ת'
chocolate-coated, expected
sucked מָצוּץ ת'
false, untrue - מצוץ מן האצבע
cliff, precipice מָצוּק ז'
hardship, distress, need מְצוּקָה נ'
shriveled, withered *מְצ'וּקמָק ת'
siege, blockade, investment מָצוֹר ז'
leper, leprous מְצוֹרָע ז'
enclosed, attached, pure מְצוֹרָף ת'
forehead, brow מֵצַח ז'
impudence - מצח נחושה
מצ"ח = מ"צ - חקירות
eye-shade, peak, visor מִצְחָה נ'
eye-shade, peak, visor מִצְחִייָה נ'
stinking, smelly מַצְחִין ת'
funny, amusing, comic מַצְחִיק ת'
brow-band מִצְחִית נ'
manuscript, codex מִצְחָף ז'
shoeblack מְצַחְצֵחַ נַעֲלַיִים ז'
stand-up comedy מִצְחָק ז'
accumulative מִצְטַבֵּר ת'
apologetic, regretful מִצְטַדֵּק ת'
skillful, very good מִצְטַיֵּין ת'
crossing, crisscross מִצְטַלֵּב ת'
prude, demure, coy מִצְטַנֵּעַ ת'
sorry, sorrowful, sad מִצְטַעֵר ת'
bargain, find, finding מְצִיאָה נ'
existence, reality מְצִיאוּת נ'
virtual reality - מציאות מדומה
real, realistic מְצִיאוּתִי ת'
realism מְצִיאוּתִיוּת נ'
exhibitor, introductory מַצִּיג ז'
cracker, crisp biscuit מַצִּייָה נ'
characteristic מְצַיֵּין ז'
lifeguard, saver, rescuer מַצִּיל ז'
bell, chime מְצִילָה נ'
suck, suction, *drag מְצִיצָה נ'
peeping Tom, voyeur מְצִיצָן ז'
voyeurism מְצִיצָנוּת נ'
bothersome, vexatious מֵצִיק ת'
lighter, arsonist, firebug מַצִּית ז'
shady, shadowy, bowery מֵצֵל ת'
crossing, crossroads מִצְלָב ז'
roaster מַצְלֶה ז'
rotisserie, roast מִצְלֶה ז'
euphony, resonance מִצְלוֹל ז'
cruciform, crossing מַצְלִיב ת'
Cruciferae מַצְלִיבִים ז"ר
successful, prosperous מַצְלִיחַ ת'
go-getter, success מַצְלִיחָן ז'
whip, lashing מַצְלִיף ז'
tuning fork מַצְלֵל ז'
camera מַצְלֵמָה נ'
candid camera - מצלמה נסתרת
video camera - מצלמת וידיאו
swatter מַצְלֵף ז'
coins, money, specie מְצַלְצְלִים ז"ר
cymbals מְצִלְתַּיִים ז"ר
clutch, coupler מַצְמֵד ז'
coupling, coupler מַצְמֶדֶת נ'
blink, wink, twinkle מִצְמוּץ ז'
thirsty, dry מַצְמִיא ת'
hair-restorer מַצְמִיחַ שֵׂיעָר ז'
blink, wink, bat, twinkle מִצְמֵץ פ'
shocking, terrible, horrific מְצַמְרֵר ת'
junction מִצְמָת ז'
parachute, drogue, *chute מַצְנֵחַ ז'
patron, sponsor, Maecenas מֶצֶנָט ז'
humble, modest מַצְנִיעַ לֶכֶת ת'
toaster מַצְנֵם ז'
radiator, cooler, coolant מַצְנֵן ז'
bonnet, hat, miter, turban מִצְנֶפֶת נ'
parachute flare מַצְנֵר ז'
platform, linen, bedding מַצָּע ז'
march, parade, procession מִצְעָד ז'
hit parade - מצעד הפזמונים
march past - מצעד הצדעה
receptacle, doily, small mat מַצָּעִית נ'
distressing, sad מְצַעֵר ת'
throttle valve מַצְעֶרֶת נ'
watchtower, lookout מִצְפֶּה ז'
observatory - מצפה כוכבים
conscience, scruple מַצְפּוּן ז'
conscientious, scrupulous מַצְפּוּנִי ת'
lookout, vantage point מִצְפּוֹר ז'
compass מַצְפֵּן ז'
suck, draw in מָצַץ פ'
pacifier, comforter, dummy מֶצֶץ ז'
dipper, ladle מַצֶּקֶת נ'
boundary, border מֶצֶר ז'
abutter - בר מצר, בר מצרא
unbounded - ללא מצרים
narrowing, sorry, sad מֵצֵר ת'
isthmus, distress, strait מֵצַר ז'
in straits, cornered - בין המצרים
searing iron מַצְרֵב ז'
Egyptian מִצְרִי ז'
Egypt מִצְרַיִים נ'
commodity, article, item מִצְרָךְ ז'
loss leader - מצרך היכרות (במבצע)
eatables, foodstuff - מצרכי מזון
abutter's rights מִצְרָנוּת נ'
adjacent, bordering מִצְרָנִי ת'
montage, photomontage מִצְרָף ז'
crucible, melting pot מַצְרֵף ז'
combination, jump suit, מִצְרֶפֶת נ'
slip, rompers, crawlers
cluster מִצְרָר ז'
plug, spark plug, igniter מַצָּת ז'
rot, decay מַק ז'
interjection מ"ק = מלת קריאה
rhymed prose מַקָאמָה נ'
punch, perforator מַקָב ז'

מַקְבִּיל ת׳	parallel, corresponding
- בְּמַקְבִּיל	similarly, likewise
מַקְבִּילָה נ׳	parallel, equivalent
מַקְבִּילוֹן ז׳	parallelepiped
מַקְבִּילַיִם ז״ר	parallel bars
מַקְבִּילִית נ׳	parallelogram
- מקבילית הכוחות	parallelogram of forces
מְקַבֵּל ז׳	recipient, receiver
מַקְבֵּל ז׳	collimator
מִקְבָּע ז׳	fixation, mount, binding
מִקְבָּץ ז׳	group, cluster, collection
מִקְבֶּצֶת נ׳	gathering, gather
מַקַּבְרִי ת׳	macabre, ghastly, horrid
מַקֶּבֶת נ׳	hammer, mallet
מַקְדֵּד ז׳	reamer, borer, broach
מָקֶדוֹנְיָה נ׳	Macedonia
מַקְדֵּחַ ז׳	bit, drill, auger, gimlet
מַקְדֵּחָה נ׳	drill
מְקַדֵּם ז׳	coefficient, promoter
- מקדם מכירות	sales promoter
מִקְדָּם ז׳	handicap, head start
מִקְדָּמָה נ׳	advance (payment), *sub
מִקְדָּמִי ת׳	preliminary
מִקְדָּשׁ ז׳	temple, shrine
מַקְהֵלָה נ׳	choir, chorus
מַקְהֵלָתִי ת׳	choral
מְקוּבָּל ז׳	cabalist, mystic
מְקוּבָּל ת׳	accepted, customary
*- לא מקובל עלי	I reject it
מְקוּבָּע ת׳	fixed, plastered, cast
מְקוּבָּץ ת׳	gathered, collected
מַקּוֹד ז׳	center punch
מְקוּדָּשׁ ת׳	holy, hallowed
מִקְוֶה ז׳	ritual bath, pool
מְקוּוֶּה ת׳	hoped, expected, awaited
מְקוּוָּן (במחשבים) ת׳	on-line
מְקוּוְקָו ת׳	lined, linear, striped
מְקוּזָּז ת׳	offset, paired
מְקוּטָּע ת׳	cut, discontinuous
מָקוֹל ז׳	record player, turntable
- מקול אוטומטי	jukebox
מְקוּלָּל ת׳	cursed, accursed, damned
מְקוּלָּף ת׳	peeled, shelled
מְקוּלְקָל ת׳	out of order, spoilt
מָקוֹם ז׳	place, room, space, spot
- במקום דרוך!	mark time!
- מקום גיאומטרי	locus
- מקום לספק	room for doubt
- מקום שמור	reserved seat
- על המקום	then and there
מְקוֹמוֹן ז׳	local newspaper
מְקוּמָּט ת׳	wrinkled, creased
מְקוֹמִי ת׳	local, native
מְקוֹמֵם ת׳	arousing resentment, infuriating
מְקוּמָּר ת׳	convex, arched, domed
מְקוֹנֵן ז׳	mourner, lamenter
מְקוּעְקָע ת׳	tattooed
מְקוֹעָר ת׳	concave, incurved
מַקּוֹף ז׳	beat, round, path
מְקוּפָּח ת׳	deprived, underdog
מְקוּפָּל ת׳	folded, containing
- מקופל פינות (ספר)	dogeared
מְקוּצָּץ ת׳	cut, truncate, curtailed
מְקוּצָּר ת׳	abridged, shortened

מָקוֹר ז׳	source, origin, root
- ממקור ראשון	from the original source, from the horse's mouth
- מקור (בדקדוק)	infinitive
מַקּוֹר ז׳	beak, bill
- מקור החסידה	storksbill
מְקוֹרָב ת׳	familiar, friend, connected
מְקוֹרֶה ת׳	roofed, sheltered
מְקוּרְזָל ת׳	curled, curly, kinky, wiry
מְקוֹרִי ת׳	original, genuine
מְקוֹרִיּוּת נ׳	originality, creativity
מְקוּרְקָע ת׳	grounded
מְקוֹרָר ת׳	cooled, caught cold
מַקּוֹשׁ ז׳	gong, drumstick, mallet
- מקוש דלת	knocker
מְקוּשָּׁט ת׳	adorned, decorated
מַקּוֹשִׁית נ׳	xylophone
מְקוּשְׁקָשׁ ת׳	scribbled, scratchy
מְקוּשָּׁר ת׳	connected, tied
מְקוּשָּׁת ת׳	arched, vaulted
מִקָּח (ראה מִיקָח) ז׳	buying
מִקְטוֹרָה נ׳	cardigan
מִקְטוֹרֶן ז׳	jacket, tuxedo, coat
מִקְטוֹרְנִית נ׳	spencer, short jacket
מִקְטָע ז׳	segment, section
מַקְטֵפָה נ׳	picking machine
מִקְטֵר ז׳	censer, thurible
*מְקַטֵּר ז׳	complainer, bellyacher
מִקְטֶרֶת נ׳	pipe
מָקִיאָבֶלִי ת׳	Machiavellian, amoral
מַקִּיף ת׳	comprehensive, broad
מַקֵּל ז׳	stick, rod, staff, cane
- מקל גולף	wood, golf club
- מקל הליכה	walking stick, cane
- מקל חובלים	iron hand, tyranny
- מקל כביסה	clothes-peg
- מקל נועם	leniency, gentleness
- מקלות מלוחים	salted sticks, bagels
- מקלות סיניים	chopsticks
מֵקֵל ת׳	lenient, palliative
מִקְלָב ז׳	clothes tree, hallstand
מִקְלֶדֶת נ׳	keyboard, *ivories
מַקְלֶה ז׳	toaster
מַקְלוֹן ז׳	small stick
מִקְלַחַ ז׳	shower head
מִקְלַחַת נ׳	shower, douche
מִקְלָט ז׳	shelter, asylum, *hideout
- מקלט מדיני	political asylum
- מקלט מס	tax haven
מַקְלֵט ז׳	receiver, set, recorder
- מקלט טלוויזיה	television set
- מקלט רדיו	radio set
מִקְלָע ז׳	machine-gun
מַקְלְעוֹן ז׳	automatic rifle
מַקְלְעָן ז׳	machine-gunner
מִקְלַעַת נ׳	braid, plait, garland, slingshot, catapult, plexus
מַקְלֵף ז׳	peeler, parer, stripper
מַקְלֵפָה נ׳	peeling machine
מְקַמֵּץ ת׳	frugal, sparing, thrifty
מִקְמָר ז׳	vaulting, dome, cupola
מִקְמֶרֶת נ׳	arcade
מקמ״ש = מקלט משדר	transceiver
מְקַנֵּא ת׳	envious, jealous
מִקְנֶה ז׳	cattle, property
מִקְסוּם (מירוב) ז׳	maximization

מַקְסִי (שמלה/חצאית) ז׳ maxi
מַקְסִים ת׳ charming, fascinating
מַקְסִימוּם ז׳ maximum, at most
מַקְסִימָלִי ת׳ maximal, utmost
מַקְסִימָלִיסְט ז׳ maximalist
מֶקְסִיקוֹ נ׳ Mexico
מֶקְסִיקָנִי ז׳ Mexican
מִקְסֵם פ׳ maximize
מִקְסָם ז׳ magic, attraction
- מקסם שווא hallucination
מַקָּף ז׳ hyphen
מִקְפָּא ז׳ jelly, aspic
מִקְפָּה נ׳ gruel
מַקָּפָה נ׳ skimmer
מַקְפִּיא ז׳ freezer
- מקפיא דם bloodcurdling
מַקְפִּיד ת׳ strict, meticulous, severe
מִקְפִּית נ׳ gelatine
מַקְפֵּצָה נ׳ diving board, springboard, trampoline
מִקְצָב ז׳ beat, rhythm, meter
מַקְצֵב ז׳ timer, clock timer
מִקְצָבִי ת׳ rhythmical, metrical
מִקְצֶה ז׳ detail, heat
מִקְצוֹעַ ז׳ calling, profession, trade, occupation, vocation, subject
- המקצוע העתיק בעולם prostitution
- מקצוע חופשי free profession
מַקְצוּעָה נ׳ plane, smoothing-plane
מִקְצוֹעִי ת׳ professional, vocational
מִקְצוֹעִיּוּת נ׳ professionalism
מִקְצוֹעָן ז׳ professional, *pro
מִקְצוֹעָנוּת נ׳ professionalism
מִקְצוֹעָנִי ת׳ professional
מַקְצֵף ז׳ whisk, beater
מַקְצֵפָה נ׳ cake mixer
מִקְצֶפֶת נ׳ meringue, whip, icing
מַקְצֵץ ז׳ cleaver, chopper, nippers
מַקְצֵצָה נ׳ chopping machine
מַקְצֵרָה נ׳ harvester, reaper, mower
מִקְצָת תה״פ somewhat, a little
מַקָּק ז׳ cockroach, roach
מִקְרָא ז׳ Bible, reading, calling, text, legend
מִקְרָאָה נ׳ anthology, reader, teleprompter
מִקְרָאִי ת׳ biblical, scriptural
מִקְרָב ז׳ close-up, close range
מִקֶּרֶב מ״י from, from among, out of, from within
- מקרב לב from the heart, sincerely
מִקְרֶבֶת נ׳ telescope
מִקְרֶה ז׳ case, occurrence, occasion, chance, event, happening
- בכל מקרה in any case
- יד המקרה chance, luck, fortune
*- מקרה אבוד lost cause
- מקרה גבול borderline case
מַקְרוֹ ז׳ macro, on a large scale
מִקָּרוֹב תה״פ recently, closely, intimately
מַקְרוֹבִּיוֹטִי ת׳ macrobiotic
מַקְרוֹנִים (פסטה) ז״ר macaroni
מַקְרוֹקוֹסְמוֹס (יקום) ז׳ macrocosm
מִקְרִי ת׳ accidental, casual, chance
מִקְרִיּוּת נ׳ chance, coincidence

מַקְרִיחַ ת׳ bald, thin on top
מַקְרִין ת׳ horned, radiant, shining
מָקָרֶל (קולייס) ז׳ mackerel
מַקְרָמֶה (שזירת חוטים) ז׳ macrame
מַקְרֵן ז׳ radiator, projector
מַקְרֵנָה נ׳ projector
מִקְרֶצֶת נ׳ lump of dough
מְקַרְקְעִין ז״ר realty, real estate
מְקָרֵר ז׳ refrigerator, *fridge
- מקרר הקפאה deepfreeze
מֶקַרְתִּיזְם ז׳ McCarthyism
מַקָּשׁ ז׳ key
- מקש הרווחים space bar
מִקְשָׁה נ׳ watermelon field
- במקשה אחת as a whole
מַקְשִׁיב ת׳ attentive, heedful
מְקַשֵּׁר ת׳ connecting, copulative
- מקשר ימני inside right
- מקשר שמאלי inside left
מִקְשֶׁת ז׳ arcade
מַקֶּשֶׁת נ׳ minelayer
מַר ז׳ Mister, Mr.
מַר ת׳ bitter, acrimonious, acrid
- מר ונמהר very bitter
- מר נפש embittered, resentful
מ״ר = מטר מרובע square meter
מָרָא דְאַתְרָא ז׳ the town rabbi
מַרְאֶה ז׳ appearance, look, scene, sight, view, vision
- מראה מקום cross-reference
מַרְאָה נ׳ mirror, looking glass
- מראה פנורמית panoramic mirror
- מראת תשקיף rearview mirror
מְרַאְיֵן ז׳ interviewer
מַרְאִית נ׳ appearance, sight
- למראית עין apparently, outwardly
מֵרֹאשׁ תה״פ in advance, ahead
מְרַאֲשׁוֹת נ״ר head of a bed
מֵרָב ז׳ maximum, utmost, top
מַרְבָד ז׳ carpet, tapestry
- מרבד קסמים magic carpet
מִרְבָּד ז׳ stratum, layer
מַרְבֶּה ת׳ much, great, doing much
- מרבה רגליים millipede
מָרָבּוּ (עוף) ז׳ marabou
מְרַבִּי ת׳ maximal, maximum
מַרְבִּית נ׳ most, majority, best part
מִרְבָּץ ז׳ deposit, stratum, seam
מַרְבֵּק ז׳ fattening stable
מַרְגּוֹעַ ז׳ rest, repose, tranquility
מַרְגִּיז ת׳ annoying, irksome
מַרְגִּיעַ ת׳ relaxing, sedative
מְרַגֵּל ז׳ spy, *tail
מַרְגְּלוֹת נ״ר foot, bottom
מַרְגָּלִית נ׳ pearl, gem
מַרְגֵּמָה נ׳ mortar, catapult
מַרְגָּנִית (פרח) נ׳ pimpernel
מַרְגָּרִיטָה (קוקטייל) נ׳ margarita
מַרְגָּרִינָה נ׳ margarine, *marge
*מַרְגָּשׁ ז׳ feeling, mood
מְרַגֵּשׁ ת׳ exciting, touching
מָרַד פ׳ rebel, revolt, mutiny, rise
מֶרֶד ז׳ mutiny, uprising, rebellion
מִרְדָּה ז׳ honey collected
מַרְדֶּה ז׳ baker's shovel
מַרְדּוּת נ׳ punishment

- בן נעוות המרדות scoundrel
מרדים ת׳ narcotic, anesthetist
מרדן ז׳ rebel, intractable
מרדנות נ׳ rebelliousness
מרדני ת׳ rebellious, mutinous
מרדע ז׳ goad
מרדעת נ׳ saddle cloth
מרדף ז׳ chase, pursuit
מרה פ׳ disobey, rebel, defy
מרה נ׳ bile, gall
- מרה שחורה melancholy, gloom
מרהיב (עין) ת׳ spectacular, gorgeous
מרואיין ז׳ interviewed
מרוב מ״י because of (so much)
מרובד ת׳ laminated, stratified
מרובה ת׳ much, numerous
מרובע ז׳ quadrilateral, *square
מרוגז ת׳ angry, enraged, *mad
מרוד ת׳ very (poor)
מרודד ת׳ flattened, beaten
מרוהט ת׳ furnished, fitted
מרווה נ׳ sage, salvia
מרווה ת׳ quenching, slaking
מרווח ז׳ distance, space, span, gap, room, clearance
- מרווח זמן time-lag, interval
מרווח ת׳ roomy, spacious, ample
מרווח ז׳ spacer
מרוח ת׳ spread, smeared, daubed
מרוחק ת׳ remote, distant, far
מרוט ת׳ plucked, polished
- מרוט עצבים overwrought, tense
מרוטש ת׳ torn, shredded, ripped
מרוכז ת׳ compact, concentrated
מרוכך ת׳ softened, bombed
מרום ז׳ height, sky, heaven
מרומה ת׳ deceived, misled
מרומז ת׳ hinted, implied, tacit
מרומזר ת׳ having traffic lights
מרומים ז״ר height, sky, heaven
מרומם ת׳ high, exalted, elated
מרוסן ת׳ restrained, inhibited
מרוסס ת׳ sprayed, sprinkled
מרוסק ת׳ crushed, minced
מרוענן ת׳ refreshed, freshened
מרועף ת׳ imbricate, tiled
מרופד ת׳ upholstered, padded, stuffed
מרופט ת׳ shabby, tattered, ragged
מרוץ (ראה מירוץ) ז׳ race
מרוצה נ׳ running, race, course
- במרוצת הימים in course of time
- מרוצת החיים race of life
מרוצה ת׳ satisfied, pleased, content
- מרוצה מעצמו complacent, smug
מרוצות נ׳ complacency, satisfaction
מרוצף ת׳ paved, tiled, floored
מרוקו נ׳ Morocco
מרוקן ת׳ empty, drained, depleted
מרוקני ת׳ Moroccan
מרוקע ת׳ beaten, flattened, flat
מרור ז׳ bitter herb, horseradish
- האכיל מרורים tyrannize, oppress
- מרורים bitterness, bitter life
מרושל ת׳ negligent, untidy, sloppy
מרושע ת׳ vicious, cruel, sinister
מרושש ת׳ impoverished, *broke
מרושת ת׳ reticulate, netted
מרות נ׳ authority, rule, obedience
מרותי ת׳ authoritative, lordly
מרותק ת׳ confined, shut-in, bound, rapt, spellbound
מרזב ז׳ eaves, gutter, drainpipe
מרח פ׳ spread, daub, smear, *bribe
מרחב ז׳ space, expanse, scope
- מרחב מחיה living space
- מרחב פעולה elbowroom, leeway
מרחבי ת׳ spatial, spacial
מרחוק תה״פ from/at a distance
מרחיק ת׳ going far, removing
- מרחיק לכת going far
- מרחיק ראות farseeing
מרחן ז׳ dauber, *careless worker
מרחפה נ׳ hovercraft
מרחץ ז׳ bath
- מרחץ דמים blood-bath, massacre
מרחק ז׳ distance, remote place
- מרחק יריקה spitting distance
מרחשוון ז׳ Marheshvan (month)
מרחשת נ׳ frying pan, deep fryer
מרט פ׳ pluck, pull out, tear
- מרט עצבים irritate, fray nerves
מרטט ז׳ vibrator
מרטיני (ר״ת ורמוט) ז׳ martini
מרי ז׳ mutiny, disobedience
- מרי אזרחי civil disobedience
מריא ז׳ fatted ox, buffalo
מריבה נ׳ quarrel, broil, row
מרידה נ׳ revolt, rebellion, mutiny
מרידיאן (מצהר) ז׳ meridian
מריונטה נ׳ marionette, puppet
מריחה נ׳ smearing, daub, lick, *bribe, careless work
מריחואנה נ׳ marijuana, hemp
מריטה נ׳ plucking, tweak
- מריטת עצבים nerve-racking
מרים ז׳ lifting, dactyl
- מרים משקולות weightlifter
מרינה (מעגן יכטות) נ׳ marina
מרינס (נחתים) ז״ר marines corps
מריצה נ׳ wheelbarrow, barrow
מריר ת׳ bitter, bittersweet
מרירה נ׳ gall, bitterness
מרירות נ׳ bitterness, ill feeling
מריש ז׳ beam, rafter, joist
מרית נ׳ spatula, trowel, shovel
מרכאות נ״ר inverted commas
- במרכאות so-called, pretended
- מרכאות כפולות quotation marks
מרכב ז׳ mount, chassis, body, fuselage, cabinet, truck, bogie
מרכבה נ׳ carriage, chariot, coach
מרכוז ז׳ centralization, centralism
מרכוזי ת׳ centralistic
מרכול ז׳ supermarket, store
מרכולית נ׳ minimarket
מרכולת נ׳ merchandise, goods
מרכז פ׳ centralize, center, focus
מרכז ז׳ center, middle, focus, core
- מרכז הכובד center of gravity
- מרכז מסחרי commercial center, emporium

- מרכז קהילתי community center
- מרכז קליטה absorption center
- מרכז קניות shopping center
מְרַכֵּז ז׳ organizer, center, pivot
מֶרְכָּזִי ת׳ central, middle, main
מֶרְכָּזִיּוּת נ׳ centrality
מֶרְכָּזִיָּה נ׳ telephone exchange
מֶרְכְּזָן ז׳ (switchboard) operator
מֶרְכֶּזֶת נ׳ telephone exchange
מַרְכִּיב ז׳ component, constituent
מְרַכֵּךְ ז׳ softener
- מרכך כביסה fabric softener
- מרכך שיער hair conditioner
מִרְמָה נ׳ fraud, deceit, dishonesty
מַרְמוּטָה נ׳ dormouse, marmot
מַרְמֶלָדָה נ׳ marmalade
מִרְמָס ז׳ trampling, crushing
מָרָן ז׳ our teacher, rabbi
מְרַנִּין ת׳ gladdening, delightful
מָרָנָן וְרַבָּנָן our rabbis
מַרְס ז׳ March, Mars
מַרְסֵס ז׳ sprayer, spray gun
מְרַסֵּק ז׳ masher
מִרְעֶה ז׳ pasture, pasturage, browse
מַרְעוֹם ז׳ fuse, fuze
מַרְעִים ת׳ thunderous, resounding
מַרְעִין בִּישִׁין ז״ר serious illnesses
מַרְעִית נ׳ flock, pasture, fold
מְרַעֲנֵן ת׳ refreshing, bracing
מַרְפֵּא ז׳ cure, remedy, medicine
מְרַפֵּא ת׳ curative, remedial, healer
- מרפא שיניים dentist
מִרְפָּאָה נ׳ clinic, infirmary
- מרפאת חוץ outpatient clinic
- מרפאת נשים antenatal clinic
מַרְפֵּד ז׳ pad, cushion
מִרְפָּדִיָּה נ׳ upholsterer's shop
מִרְפֶּסֶת נ׳ balcony, porch, veranda, patio, terrace, gallery
מִרְפֵּק פ׳ elbow, nudge
מַרְפֵּק ז׳ elbow
מַרְפְּקָן ז׳ thruster, pusher
מְרַפְרֵף ת׳ superficial, browsing
מֶרֶץ ז׳ energy, vigor, drive, pep
- במרץ heartily, with a will
מֶרְץ ז׳ March
מַרְצֶדֶת נ׳ mobile
מַרְצֶה ז׳ lecturer, reader, professor
מְרַצֵּחַ ז׳ murderer, killer, butcher
מַרְצִיפָּן ז׳ marzipan
מַרְצֵעַ ז׳ awl, bradawl, gimlet
- יצא המרצע מן השק the secret is out
מִרְצָף ז׳ pavement, paving
מְרַצֵּף ז׳ tiler, tile layer
מַרְצֶפֶת נ׳ flagstone, tile, pavement
מֵרַק פ׳ polish, scour, rub up
מָרָק ז׳ soup, broth
מֶרֶק ז׳ putty, lute
מַרְק (מטבע) ז׳ mark
מַרְקוֹעַ ז׳ biscuit, wafer
מֶרְקָחָה נ׳ commotion, mixture
- היה כמרקחה storm, rage, be astir
מִרְקַחַת נ׳ jam, mixture
מַרְקִיז ז׳ marquis, marquess
מָרָקִיָּה נ׳ soup bowl, tureen
מַרְקִיעַ שְׁחָקִים ת׳ very high, skyrocketing
מָרָקִית נ׳ soup bowl, tureen
מִרְקָם ז׳ fabric, texture, weave
מַרְקְסִיזְם ז׳ Marxism
מַרְקְסִיסְט ז׳ Marxist
מִרְקָע ז׳ screen, background, silver screen
מַרְקֵקָה נ׳ cuspidor, spittoon
מַרְקֵר (עט סימון) ז׳ marker
מַרְשׁ ז׳ march
- מרש אבל dead march
מַרְשֶׁה ז׳ client, lawyer's client
מַרְשִׁים ת׳ impressive, imposing
מַרְשָׁל ז׳ marshal
מִרְשָׁם ז׳ prescription, receipt, recipe, registration, formula
מִרְשָׁמָה נ׳ registry
מַרְשְׁמֶלוֹ (ממתק) ז׳ marshmallow
מִרְשַׁעַת נ׳ shrew, bitch, hag
מַרְשְׁרְשִׁים ז״ר paper money
מָרַת נ׳ Mrs., madam
מָרָתוֹן (מירוץ) ז׳ marathon
מָרָתוֹנִי ת׳ marathon, long-lasting
מַרְתּוֹק ז׳ door chain
מַרְתֵּחַ ז׳ boiler
מַרְתִּיעַ ת׳ deterrent, disincentive
מַרְתֵּף ז׳ cellar, basement, vault
מְרַתֵּק ת׳ thrilling, exciting
מַשׁ פ׳ move, stir, go away, stop
מַשָּׂא ז׳ burden, cargo, prophecy
- משא ומתן negotiation, debate
- משא נפש ideal, longing
מַשְׁאֵבָה נ׳ pump
- משאבת דלק gasoline pump
מַשְׁאַבִּים ז״ר resources, means
- משאבי אנוש manpower
משא"ז=משמר אזרחי civil guard
מַשְׁאִיל ז׳ lender
מַשָּׂאִית נ׳ truck, lorry
- משאית רכינה dump truck
מִשְׁאָל ז׳ poll, referendum
- משאל דעת הקהל opinion poll
- משאל עם plebiscite, referendum
מִשְׁאָלָה נ׳ request, wish, desire
מַשְׁאֵף ז׳ inhaler, aspirator
מִשְׁאֶרֶת נ׳ kneading trough, trough
מַשְׂאַת נֶפֶשׁ נ׳ ideal, ambition
מַשָּׁב ז׳ blow, breeze, gust, draft
מַשְׂבִּיעַ ת׳ satisfying, satiating
- משביע רצון satisfactory
מַשְׁבִּית שִׂמְחָה ז׳ spoilsport, damper
מִשְׁבֶּצֶת נ׳ square, setting, mount
- חזר למשבצת הראשונה back to square one
מַשְׁבֵּר ז׳ crisis, critical stage
- משבר זהות identity crisis
מִשְׁבָּר ז׳ breaker, wave, billow
מַשְׁבֵּת מָנוֹעַ ז׳ immobilizer
מִשְׂגָּב ז׳ fortress, safety, shelter
מִשְׁגֶּה ז׳ mistake, error, blunder
מַשְׁגּוֹחַ ז׳ monitor
מִשְׁגּוֹר ז׳ consignment, shipment
מַשְׁגִּיחַ ז׳ inspector, supervisor
מִשְׁגָּל ז׳ intercourse, coitus
מְשַׁגֵּעַ ת׳ maddening, *terrific
מַשְׂגֵּר ז׳ launcher

מְשַׂגֵּר ז׳ consignor, sender, shipper
מְשַׂגְשֵׂג ת׳ prosperous, thriving
מַשְׂדֵּדָה נ׳ harrow, drag
מִשְׁדָּר ז׳ broadcast, program
מַשְׁדֵּר ז׳ transmitter
מָשָׁה פ׳ draw out, pull, fish up
מֹשֶׁה רַבֵּנוּ ז׳ Moses
מַשֶּׁהוּ ז׳ something, aught, bit
*- לא משהו not something, not as cracked up to be, not impressive
*- משהו כמו- something like-
*- משהו משהו! wonderful!, great!
מַשֶּׁהוּ תה״פ slightly, somewhat
מַשּׂוֹא פָּנִים ז׳ partiality, bias, favor
מַשּׂוּאָה נ׳ beacon, fire signal
מָשׁוֹב ז׳ feedback
- משוב ביולוגי biofeedback
מְשׁוֹבֵב נֶפֶשׁ ת׳ reviving, delightful
מְשׁוּבָה נ׳ mischief, folly
מְשׁוּבָּח ת׳ excellent, praised, choice
מְשׁוּבָּט ת׳ cloned
מְשׁוּבָּע ז׳ heptagon
מְשׁוּבָּץ ת׳ checked, inlaid, placed
מְשׁוּבָּשׁ ת׳ malfunctioning, out of order, incorrect, impaired
מְשׁוּגָּע ת׳ crazy, insane, mad, *nuts
- משוגע ל- mad about, *nuts about
*- משוגע על כל הראש crazy
מְשׁוּגָּר ת׳ sent, shipped, launched
מְשׁוּדָּר ת׳ broadcast, transmitted
מִשְׁוָאָה נ׳ equation
- משוואה מהמעלה השנייה equation of the second order
- משוואה ריבועית quadratic equation
מַשְׁוֶה ז׳ equator, equalizer
מַשְׁוָן ז׳ equator
מַשְׁוָנִי ת׳ equatorial, comparative
מְשַׁוֵּעַ ת׳ crying, shocking
מְשַׁוֵּק ז׳ marketer, distributor
מִשְׁוֶרֶת נ׳ stirrup
מָשׁוּחַ ת׳ anointed, smeared, oiled
מְשׁוּחָד ת׳ prejudiced, biased
מְשׁוּחְזָר ת׳ reconstructed, reenacted, restored
מְשׁוּחְרָר ת׳ free, released, liberated
- משוחרר בערבות out on bail
מָשׁוֹט ז׳ oar, paddle, scull
מְשׁוֹטַאי ז׳ oarsman, sculler
מְשׁוֹטֵט ז׳ wanderer, rambler
מְשׁוּיָף ת׳ filed, smoothed, rasped
מָשׁוּךְ ת׳ drawn, stretched, pulled
מְשׂוּכָה נ׳ hurdle, hedge, palisade
מְשׁוּכְלָל ת׳ elaborate, perfect
- מצולע משוכלל regular polygon
מְשׁוּכָּן ת׳ housed, put up
מְשׁוּכְנָע ת׳ convinced, positive
מְשׁוּכְפָּל ת׳ duplicate, copied
מָשׁוּל ת׳ resembling, tantamount
מְשׁוּלָּב ת׳ linked, combined
מְשׁוּלְהָב ת׳ excited, aflame
מְשׁוּלָּח ת׳ envoy, sent away
- משולח רסן unrestrained
מְשׁוּלָּט ת׳ signposted
מְשׁוּלָּל ת׳ lacking, without
מְשׁוּלָּשׁ ז׳ triangle, triple, triangular
- המשולש הנצחי eternal triangle
- משולש חד-זווית acute triangle
- משולש ישר-זווית right triangle
- משולש קהה זווית obtuse triangle
- משולש שווה צלעות equilateral triangle
- משולש שווה שוקיים isosceles triangle
- משולש שונה צלעות scalene triangle
- משולשים דומים similar triangles
מִשּׁוּם מ״י more or less, sort of
- משום כך therefore
- משום מה for some reason
- משום ש- because, since, as
מְשׁוּמָּד ז׳ convert, apostate
מְשׁוּמָּן ז׳ octagon, lubricated
מְשׁוּמָּר ת׳ preserved, canned
מְשׁוּמָּשׁ ת׳ used, secondhand, old
מְשׁוּנֶּה ת׳ strange, odd, queer
מְשׁוּנּוּת נ׳ strangeness, oddity
מְשׁוּנָּן ת׳ toothed, jagged, serrated
מְשׁוּסָּע ת׳ interrupted, torn, split
מְשׁוּעְבָּד ת׳ mortgaged, enslaved
מְשׁוּעֲמָם ת׳ bored, weary
מְשׁוֹעָר ת׳ supposed, estimated
מְשׁוּעֲשָׁע ת׳ amused, diverted
מָשׁוֹף ז׳ rasp, file
מְשׁוֹפָה נ׳ wire cleaner, scourer
מְשׁוּפֶּה ת׳ planed, polished, smooth, indemnified
מְשׁוּפָם ת׳ moustached, whiskered
מְשׁוּפָּע ת׳ slanting, sloping, inclined, abundant, rich, plentiful
מְשׁוּפָּץ ת׳ repaired, reconditioned
מְשׁוּפָּר ת׳ improved, bettered, rich
מְשׁוּפְשָׁף ת׳ rubbed, worn, experienced, seasoned
מְשׁוּקְלָל ת׳ weighted
מְשׁוּקָּם ת׳ rehabilitated
מְשׁוּקָּע ת׳ immersed, sunk
מְשׁוּקָּץ ת׳ repulsive, disgusting
מַשּׂוֹר ז׳ saw
מְשׁוּרְבָּב ת׳ misplaced, put in
מְשׁוּרְבָּט ת׳ scratchy, scribbled
מְשׂוּרָה נ׳ measuring cup
- במשורה in a small degree
מְשׁוּרְוָל ת׳ sleeved
מְשׁוּרְטָט ת׳ drawn, sketched
- שיק משורטט crossed check
מְשׁוּרְיָן ת׳ armored, earmarked
מְשׁוֹרֵר ז׳ poet, lyricist
מְשׁוֹרָשׁ ת׳ uprooted, weeded out
מָשׁוֹשׁ ז׳ antenna (of an insect)
מָשׂוֹשׂ ז׳ gladness, joy
מְשׁוּשֶּׁה ז׳ hexagon
מְשׁוֹשָׁה נ׳ aerial, antenna
מְשׁוּתָּף ת׳ common, joint, mutual
- משותף מרכז concentric
מְשׁוּתָּק ת׳ paralyzed, palsied, numb
מִשְׁזָר ז׳ intertwining, texture
מָשַׁח פ׳ anoint, oil, smear
מִשְׂחֶה ז׳ swimming (race)
מִשְׁחָה נ׳ cream, salve, ointment
- משחת גילוח shaving cream
- משחת נעליים shoe polish
- משחת שיניים toothpaste

מִשְׁחוֹלֶת נ pull-through
מַשְׁחֵז ז sharpener
מַשְׁחֵזָה נ grinding machine
מַשְׁחֶזֶת נ grinder, sharpener
מִשְׁחָטָה נ slaughterhouse
מַשְׁחֶלֶת נ needle threader
מִשְׂחָק ז match, game, play, performance, acting, pretending
- משחק בית parlor game
- משחק גומלין return match
- משחק הוגן fair play
- משחק הרכבה jigsaw puzzle
- משחק זוגות doubles
- משחק חוץ away match
- משחק ילדים *piece of cake, child's play, pushover
- משחק מחשב computer game
- משחק מלים pun, word-play
- משחקי גמר finals
- משחקי מזל gambling

מְשַׂחֵק ז actor, player, at play
- משחק באש playing with fire

מִשְׂחָקוֹן ז game
מְשַׁחְרֵר ז liberator, deliverer
מַשְׁחֶתֶת נ destroyer
מַשָּׁט ז cruise, voyage, sail
מִשְׁטוּר ז regimentation
מִשְׁטָח ז surface, plane, level, pallet
- משטח (ברפואה) smear, swab
- משטח בישול cooking surface

מִשְׁטָחִית נ platform (truck)
מַשְׂטֵמָה נ hatred, enmity, odium
מִשְׁטָפָה נ washery, sluice
מִשְׁטֵר פ regiment, discipline
מִשְׁטָר ז regime, rule, reign
- משטר צבאי martial law

מִשְׁטָרָה נ police, *fuzz
- משטרה חשאית secret police
- משטרה צבאית military police
- משטרת התנועה traffic police
- משטרת מהומות riot police

מִשְׁטַרְתִּי ת police
מֶשִׁי ז silk
מֵשִׁיב ז respondent, returning
- משיב נפש delightful, refreshing

מְשִׁיבוֹן ז answering machine
מַשִּׂיג ז reacher, achiever, objector
מָשִׁיחַ ז Messiah
מְשִׁיחָה נ anointment, cord, twine
מְשִׁיחִי ת messianic
מְשִׁיחִיּוּת נ messianism
מִשְׁיִי ת silken, silk, silky
מַשִּׁיף צִיפּוֹרְנַיִים ז nail file
מַשְׁיֶרֶת נ slop bowl, slop basin
מְשִׁיכָה נ attraction, appeal, draw, dragging, pull, tug
- במשיכת קולמוס with a stroke of the pen
- משיכה מינית sex appeal
- משיכת חבל tug-of-war
- משיכת יתר overdraft
- משיכת כתפיים shrug

מְשִׂימָה נ assignment, mission, task
מְשִׁיסָה נ loot, plunder
מַשִּׁיק ז tangent, tan
מַשִּׁיר עָלִים ז defoliant

מָשִׁישׁ ת touchable, palpable
מָשַׁךְ פ drag, draw, pull, attract
- משך אותו באף lead by the nose
- משך בחוטים pull strings
- משך בעול do the hard work
- משך בעט be a writer
- משך ידו withdraw, back out
- משך כסף withdraw money
- משך שק draw a check
- משך תשומת-לב draw attention

מֶשֶׁךְ ז duration, extent, length
- משך זמן period of time, duration

מִשְׁכָּב ז bed, lying
- משכב זכר homosexuality

מַשְׁכּוֹן ז pawn, security, pledge
מִשְׁכּוּן ז pawning, mortgaging
מַשְׁכּוֹנַאי ז pawnbroker, *uncle
מַשְׂכֹּרֶת נ salary, wage, pay
מַשְׂכִּיל ז scholar, intellectual
מַשְׁכִּים (קום) ז early riser
מַשְׂכִּיר ז renter, lessor
מַשְׂכִּית נ locket, ornament
מְשַׁכֵּךְ ת placatory, soothing
- משכך כאבים pain-killer

מִשְׂכָּל ז intelligence
מִשְׁכֵּן פ mortgage, pawn, pledge
מִשְׁכָּן ז dwelling place, tabernacle
- משכנות עוני slums, *skid row

מְשַׁכְנֵעַ ת convincing, persuasive
מַשְׁכַּנְתָּה נ mortgage
מְשַׁכֵּר ת intoxicating, inebriating
מָשַׁל פ rule, govern, dominate
- משל בכיפה rule the roost
- משל ברוחו collect oneself

מָשָׁל ז allegory, fable, proverb, parable, example
- משל ושנינה laughing stock

מַשְׁלֵב ז drive
מִשְׁלָב ז register, stop
מִשְׁלֶבֶת נ monogram, ligature
מַשְׁלֶה ת delusive, illusive, illusory
מִשְׁלוֹחַ ז shipment, delivery
מִשְׁלוֹשׁ ז trinity, trio, triplet
מִשְׁלַח יָד ז calling, occupation
מִשְׁלַחַת נ delegation, expedition, mission, deputation
מִשְׁלָט ז commanding post
מְשָׁלִי ת allegorical, parabolical
מִשְׁלֵי (בתנ"ך) Proverbs
מַשְׁלִים ז complement
מַשְׁלֶפֶת נ hemstitch
מְשַׁלְשֵׁל ת laxative, aperient
מִשְׁמוּעַ ז disciplining
מִשְׁמֹרֶת נ custody
מִשְׁמוּשׁ ז touching, feeling
מְשַׂמֵּחַ ת gladdening
מַשְׁמִין ת fattening
מַשְׁמִיץ ת slanderous, libelous
מַשְׁמַנִּים ז"ר delicacies, dainties
מִשְׁמֵעַ פ discipline, regiment
מִשְׁמָע ז hearing, ear
- האמין למשמע אוזניו believe one's ears

מַשְׁמָע ז meaning, sense
מַשְׁמָע ש- תה"פ hence, therefore
מַשְׁמָעוּת נ meaning, sense, purport,

significance, import
מַשְׁמָעוּתִי ת׳ meaningful, significant
מַשְׁמָעִי ת׳ significant, meaningful
- דו-משמעי equivocal, ambiguous
- חד-משמעי unequivocal
מַשְׁמָעָן ז׳ semanteme
מִשְׁמַעַת נ׳ discipline, obedience
מִשְׁמַעְתִּי ת׳ disciplinary
מִשְׁמָר ז׳ escort, guard, watch
- משמר אזרחי militia, civil guard
- משמר הגבול border police
- משמר החופים coast guard
- משמר כבוד guard of honor
מִשְׁמֶרֶת נ׳ shift, guard, watch
- משמרת לילה night shift/watch
מְשַׁמֶּרֶת נ׳ colander, strainer
מִשְׁמֵשׁ פ׳ feel, touch, grope
- ממשמש ובא imminent, coming
מִשְׁמֵשׁ ז׳ apricot
מְשַׁמֵּשׁ ת׳ serving, functioning
מִשְׁנֶה ז׳ twice, double, vice-, sub-
- במשנה תוקף very forcefully
- דודן משנה second cousin
- משנה זהירות great care
- משנה למלך viceroy
- סעיף משנה subsection
מִשְׁנָה נ׳ Mishnah, doctrine
- משנה סדורה well-arranged doctrine
מִשְׁנִי ת׳ secondary, minor
מַשְׁנֵק ז׳ choke, throttle
מְשַׁעְבֵּד ז׳ enslaver, mortgagor
מִשְׁעוֹל ז׳ path, alley, lane
מְשַׁעֲמֵם ת׳ boring, dull, *drip
מִשְׁעָן ז׳ support, rest, stay, buttress
מַשְׁעֵן ז׳ support, staff, brace
מִשְׁעֶנָה נ׳ support, staff, brace
מִשְׁעֶנֶת נ׳ staff, stick, support, rest, arm, crutch, prop
- משענת גב backrest
- משענת קנה רצוץ broken reed
- משענת ראש headrest
- משענת רגל footrest
מְשַׁעֲשֵׁעַ ת׳ entertaining, amusing
מִשְׁפָּחָה נ׳ family, *folks
- משפחה אומנת foster family
- משפחה חד-הורית single-parent family
מִשְׁפַּחְתּוֹן ז׳ nursery, foster family
מִשְׁפַּחְתִּי ת׳ domestic, family, home
מִשְׁפָּט ז׳ judgement, trial, case, law, sentence, clause, theorem
- למד משפטים study law
- משפט אזרחי civil law
- משפט בינלאומי international law
- משפט לינץ׳ lynch law
- משפט מנהלי administrative law
- משפט פלילי criminal law
- משפט צבאי court martial
- משפט ציבורי public law/trial
- משפט קדום prejudice, bias
- משפטים (באוניברסיטה) law
מִשְׁפָּטִי ת׳ judicial, legal, forensic
מִשְׁפְּטָן ז׳ jurist, expert in law
מִשְׁפְּטָנוּת נ׳ jurisprudence
מַשְׁפִּיל ז׳ anapest, humiliating
מַשְׁפֵּךְ ז׳ funnel
מַשְׁפֵּת ז׳ hotplate, plate
מֶשֶׁק ז׳ farm, economy, grange
- משק בית household, housework
- משק החי livestock, stock
- משק מעורב mixed farming
מֶשֶׁק ז׳ noise, rustle, whirr
מש"ק=מפקד שאינו קצין NCO, noncommissioned officer
מַשְׁקֶה ז׳ beverage, drink, liquor
- משקה חריף strong drink
- משקה מעורב mixed drink
- משקה קל soft drink
מִשְׁקוֹלָן ז׳ weightlifter
מִשְׁקוֹלֶת נ׳ weight, plummet, sinker
- משקולת יד dumbbell
מַשְׁקוֹף ז׳ crossbar, lintel, transom
מִשְׁקִי ת׳ economic, farm
מַשְׁקִיעַ ז׳ investor
מַשְׁקִיף ז׳ observer, onlooker
מִשְׁקָל ז׳ weight, rhyme, meter
- משקל אטומי atomic weight
- משקל בינוני middleweight
- משקל זבוב flyweight
- משקל חצי בינוני welterweight
- משקל כבד heavyweight
- משקל נגד counterweight, counterbalance
- משקל נוצה featherweight
- משקל סגולי specific gravity
- משקל קל lightweight
- משקל תרנגול bantamweight
- משקל תת כבד light heavyweight
מִשְׁקָע ז׳ deposit, sediment
- משקעים precipitation, rainfall, memories, feelings
מִשְׁקָף ז׳ monocle
מַשְׁקֵף ז׳ oscilloscope
*מִשְׁקָפוֹפֶר ז׳ four-eyes
מִשְׁקָפַיִם ז״ר glasses, spectacles
- משקפי חוטם pince-nez
- משקפי מגן goggles
- משקפי שמש sunglasses, *shades
מִשְׁקֶפֶת נ׳ binoculars, spyglass
- משקפת שדה field glasses
- משקפת תיאטרון opera glasses
מִשְׂרָד ז׳ department, ministry, office, bureau
- המשרד לביטחון פנים Public Security Ministry
- משרד האוצר Treasury, Ministry of Finance
- משרד הביטחון Defense Ministry
- משרד החוץ Foreign Office, Foreign Affairs Ministry
- משרד המשפטים Justice Ministry
- משרד הפנים Ministry of the Interior, Home Office
- משרד התחבורה Ministry of Transport
מִשְׂרָדִי ת׳ office, departmental
מִשְׂרָדָנוּת נ׳ bureaucracy
מִשְׂרָדָנִי ת׳ bureaucratic
מִשְׁרָה נ׳ tincture
מִשְׂרָה נ׳ job, post, position, *billet
מַשְׁרוֹקִית נ׳ whistle, pipe

מְשַׂרְטֵט ז׳ draftsman, designer
מַשְׁרָן ז׳ inductor
מִשְׂרַעַת נ׳ amplitude
מִשְׂרָפָה נ׳ crematorium
מִשְׂרֶפֶת נ׳ incinerator
מְשָׁרֵת ז׳ servant, attendant, page
- משרת ראשי butler
מְשָׁרֶתֶת נ׳ maidservant, maid
מִשְׁתֶּה ז׳ banquet, feast, *booze-up
מִשְׁתּוֹקֵק ת׳ anxious, longing, eager
מַשְׁתִּיק קוֹל ז׳ silencer, muffler
מִשְׁתָּלָה נ׳ plant nursery, nursery
מִשְׁתַּלֵּם ת׳ worthwhile, remunerative
מִשְׁתַּמֵּט ז׳ evader, truant, dodger
מִשְׁתַּמֵּשׁ ז׳ user
מִשְׁתָּן ז׳ urinal, urine pot, *po
מִשְׁתַּנֶּה ז׳ variable, changeable
מִשְׁתָּנָה נ׳ urinal
מְשַׁתֵּף פְּעוּלָּה ז׳ collaborator
משת״פ = משתף פעולה
מַשְׁתֵּק ז׳ silencer, muffler
מַשְׁתֵּת ז׳ subsoil plow
מִשְׁתַּתֵּף ז׳ participant, partaker
מֵת פ׳ die, pass away, perish
מֵת ת׳ dead, deceased, dying
*- היה מת ל- want it badly
*- מת על potty about, keen on
מִתְאַבֵּד ז׳ suicide (committer)
- מתאבד (בפיגוע) suicide bomber
מְתַאֲבֵן ז׳ appetizer, hors d'oeuvre
מִתְאַבֵּק ז׳ wrestler
מִתְאַגְרֵף ז׳ boxer, pugilist, *pug
מַתְאִים ת׳ appropriate, fit, suitable, proper, corresponding
*- מתאים לו ל- it's like him to-
מַתְאִימוֹן ז׳ concordance
מִתְאַכְסֵן ז׳ boarder, hosteler
מַתְאֵם ז׳ adapter, fitting, adjuster
מִתְאָם ז׳ symmetry, correlation
מִתְאַמֵּן ז׳ trainee, practicing
מִתְאָר ז׳ contour, outline
מִתְבַּגֵּר ז׳ adolescent, pubescent
מִתְבּוֹדֵד ז׳ recluse, hermit, loner
מִתְבּוֹלֵל ז׳ assimilator
מִתְבּוֹנֵן ז׳ observer, watcher
מִתְבַּיֵּשׁ ת׳ ashamed, shy
מִתְבָּל ז׳ ketchup, catsup, catchup
מַתְבֵּן ז׳ barn, hayloft
מֶתֶג ז׳ switch, button, bit, bacillus
- מתג עמעום dip switch
מִתְגּוֹשֵׁשׁ ז׳ wrestler
מִתְגַּנֵּב ת׳ furtive, surreptitious
מִתְגָּרֶה ת׳ aggressive, provocative
מִתְדַּיֵּן ז׳ litigant, suer
מְתַדְלֵק ז׳ petrol station attendant
מְתוֹאָם ת׳ coordinated
מְתוֹאָר ת׳ described, depicted
מְתוֹאָרָךְ ת׳ dated, assigned a day
מְתוּבָּל ת׳ seasoned, spicy, flavored
מְתוּגְמָל ת׳ rewarded, reimbursed
מֵתוֹדָה נ׳ method, way, process
מֵתוֹדוֹלוֹגְיָה נ׳ methodology
מֵתוֹדִי ת׳ methodical, systematic
מִתְוֶה ז׳ outline, sketch
מְתַוֵּךְ ז׳ arbitrator, broker, mediator, agent

מְתוּזְמָן ת׳ timed, scheduled
מְתוּזְמָר ת׳ orchestrated
מָתוּחַ ת׳ tense, stretched, nervous
מְתוּחְזָק ת׳ maintained, kept
מְתוּחְכָּם ת׳ sophisticated, subtle
מְתוּיָּג ת׳ labeled
מְתוּיָּק ת׳ on file, filed
מִתּוֹךְ מ״י out of, from, from within, from among, since
- מתוך כך by that, because of it
מְתוֹךְ הַכַּף ז׳ metacarpus
מְתוֹךְ הָרֶגֶל ז׳ metatarsus
מְתוּכְנָן ת׳ planned, designed
מְתוּכְנָת ת׳ programmed
מְתוּלָּם ת׳ furrowed, striated
מְתוּלָּע ת׳ maggoty, wormy, grubby
מְתוּלְתָּל ת׳ curly, frizzy, wavy
מְתוֹם ז׳ perfection
- אין בו מתום mass of bruises
מְתוּמְחָר ת׳ priced, set a price
מְתוּמָּן ז׳ octagon
מְתוּמְצָת ת׳ summarized
מְתוּמְרָר ת׳ signposted
מָתוּן ת׳ moderate, temperate, slow
- מתון מתון gently, moderately
מְתוּנוֹת תה״פ gently, moderately, moderato
מְתוּסְבָּךְ ת׳ having complexes
מְתוּסְכָּל ת׳ frustrated, foiled
מְתוֹעָב ת׳ abominable, detestable
מְתוֹעָד ת׳ documented, recorded
מְתוֹפֵף ז׳ drummer
מָתוֹק ת׳ sweet, sugary, saccharine
מְתוּקָּן ת׳ repaired, proper, decent
מְתוּקְנָן ת׳ standardized
מְתוּקְשָׁר ת׳ communicated, covered by the media
מְתוּרְבָּת ת׳ civilized, cultured
מְתוּרְגָּל ת׳ trained, accustomed
מְתוּרְגָּם ת׳ translated, rendered
מְתוּרְגְּמָן ז׳ interpreter, translator
מְתוֹרָץ ת׳ explained, accounted for
מְתוּשֶׁלַח ז׳ Methuselah
- בימי מתושלח in days of yore
מָתַח פ׳ stretch, strain, extend, pull his leg, hoax, *kid
- מתח את החבל יותר מדי go too far
- מתח את עצביו strain his nerves
- מתח ביקורת criticize
- מתח קו draw the line
מֶתַח ז׳ voltage, tension, suspense, horizontal bar
- מתח רווחים profit margin, gains
מַתְחֵב ז׳ rammer, ramrod
מִתְחַזֶּה ת׳ fake, impostor, quack
מַתְחֵחָה נ׳ cultivator
מַתְחִיל ז׳ beginner, incipient
מִתְחַכֵּם ת׳ joking, *wise guy
מִתְחַלֶּה ז׳ malingerer
מִתְחַלֵּף ת׳ changeable, alternating
מִתְחַלֵּק ת׳ divisible, split
מִתְחָם ז׳ defined area, zone, site, precinct, complex
מִתְחַמֵּק ת׳ evasive, dodger
מִתְחַנְחֵן ת׳ coquettish, affected
מִתְחַסֵּד ת׳ hypocrite, goody-goody

מִתְחָרֶה ז׳ competitor, rival
מִתְחַשֵּׁב ת׳ considerate, regardful
מִתַּחַת מ״י beneath, below, under
- מתחת לאף under one's nose
- מתחת לחגורה below the belt
- מתחת לכל ביקורת very bad
*- מתחת לשולחן under the counter
מָתַי תה״פ when, whenever
*- מתי ש- when, at the time that
- עד מתי? till when?
מְתֵי מִסְפָּר ז״ר few people
מְתִיבְתָּא (ישיבה) נ׳ yeshiva
מָתִיחַ ת׳ elastic, extensible, stretchy
מְתִיחָה נ׳ stretch, hoax, *leg-pull
- מתיחת ביקורת criticism
- מתיחת פנים face-lift
- מתיחת קו drawing a line, erasing
מְתִיחוּת נ׳ stress, tension
מִתְיַהֵד ז׳ convert to Judaism
מִתְיַיוֵּן ז׳ Hellenist
מִתְיַישֵּׁב ז׳ settler, colonist, reconcilable, compatible
מֶתִיל (רדיקל פחמימני) ז׳ methyl
מְתִינוּת נ׳ moderation, slowness
מְתִיקָה נ׳ sweet, candy
- מיני מתיקה sweets, delicacies
מְתִיקוּת נ׳ sweetness
מַתִּירָנוּת נ׳ permissiveness
מַתִּירָנִי ת׳ permissive, lenient
*מָתַישֶׁהוּ תה״פ sometime, someday
מִתְכַּבֵּס ת׳ washable
מִתְכַּוֵּון ת׳ intentional, meaning
מִתְכַּוונֵן ת׳ adjustable, tuneable
מַתְכּוֹן ז׳ prescription, recipe, receipt, formula
מַתְכּוֹנֶת נ׳ standard, form, pattern, proportion, amount
מַתְכּוּנְתִּי ת׳ proportional
מִתְכַּלֶּה ת׳ expendable, perishable
מְתַכְנֵן ז׳ planner, designer
מְתַכְנֵת ז׳ programmer
מַתֶּכֶת נ׳ metal
מִתְכַּתֵּב ז׳ correspondent
מַתַּכְתִּי ת׳ metallic, brazen, tinny
- דו מתכתי bimetallic
מַתְלֶה ז׳ hanger, hook, rail, rack
- מתלה מגבות towel rack
מִתְלֶה ז׳ suspension
מִתְלַהֵם ת׳ insolent, excited, enthusiastic
מַתְלוּל ז׳ escarpment, scarp, crag
מִתְלוֹנֵן ז׳ complainant, whiner
מַתְלֵם ז׳ drill, ridging plow
מִתְלַמֵּד ז׳ learner, autodidact
מִתְלַקֵּחַ ת׳ inflammable, hot-tempered
מִתְמַחֶה ז׳ trainee, specializing
מָתֵמָטִי ת׳ mathematical
מָתֵמָטִיקַאי ז׳ mathematician
מָתֵמָטִיקָה נ׳ mathematics, *maths
מַתְמִיד ת׳ assiduous, diligent, ceaseless, persistent, steady
מַתְמִיהַּ ת׳ surprising, puzzling
מִתְמָךְ ז׳ buttress, brace, truss
מִתְמַכֵּר (לסמים) ז׳ addict, *junkie
מַתְמֵר ז׳ transducer, converter

מַתָּן ז׳ giving, bestowal, present
- מתן בסתר secret almsgiving, *bribery
- מתן תורה giving the Torah
מֶתָן ז׳ methane
מִתְנַגֵּד ז׳ objector, opponent
מַתְנֵד ז׳ oscillator
מִתְנַדֵּב ז׳ volunteer
מַתָּנָה נ׳ gift, present, offering
- במתנה free, as a present
מַתְנֶה ז׳ term
מִתְנַוֵּון ת׳ decadent, degenerate
מִתְנַחֵל ז׳ settler, colonist
מִתְנַיֵּיעַ ת׳ mobile, self-propelled
מתנ״ס youth center
מַתְנֵעַ ז׳ starter, kick-starter
מִתְנַצֵּל ת׳ apologetic, regretful
מִתְנַקֵּשׁ ז׳ assassin, *hit man
מִתְנַשֵּׂא ת׳ rising, arrogant, haughty
מַתֶּנֶת נ׳ lumbago
מְתַסְכֵּל ת׳ frustrating
מַתְעֶה ת׳ misleading, delusive
מִתְעַמֵּל ז׳ gymnast, exercising
מִתְעַנְיֵין ת׳ interested, curious
מִתְעַקֵּשׁ ת׳ insistent, pressing
מִתְעָרֵב ז׳ bettor, meddler
מַתְעֲתֵעַ ת׳ misleading, delusive
מִתְפָּאֵר ת׳ boastful, ostentatious
מִתְפַּלֵּל ז׳ prayer, worshiper
מִתְפַּלְסֵף ת׳ philosophizer
מַתְפֵּס ז׳ grip
מִתְפַּקֵּד ת׳ counted in a census
מִתְפָּרָה נ׳ sewing workshop
מִתְפָּרֵעַ ת׳ misbehaved, violent
מִתְפָּרֵץ ת׳ intruder, impulsive
מִתְפֶּרֶת (פֶּנֶס) נ׳ dart
מִתְפַּתֵּל ת׳ winding, snaky
מָתַק פ׳ be sweet, be tasty
מַתֵּק ז׳ circuit breaker
מֶתֶק שְׂפָתַיִים ז׳ honeyed words
מִתְקַבֵּל ת׳ acceptable, admissible
- מתקבל על הדעת conceivable
מִתְקַדֵּם ת׳ advanced, modern
מִתְקוֹמֵם ת׳ up in arms, rebel
מִתְקִיף ז׳ attacker, assailant
מַתְקִית נ׳ glycerin
מִתְקָן ז׳ apparatus, device, unit, appliance, installation, plant, facility, site, precinct, complex
מְתַקֵּן ז׳ mender, reformer, repairer
מַתְקֵף ז׳ impulse, impetus
מִתְקָפָה נ׳ offensive, attack
מִתְקָפִי ת׳ offensive, attacking
מִתְקַפֵּל ת׳ collapsible, foldaway
מְתַקְתַּק ת׳ sweetish, sugary
מַתֵּר ז׳ release, release button
מְתַרְגֵּל ז׳ practicer, tutor
מְתַרְגֵּם ז׳ translator, interpreter
מִתְרוֹמֵם ת׳ rising, *homosexual
מִתְרַחֵץ ז׳ bather
מַתְרִים ז׳ fundraiser, collector
מִתְרָס ז׳ barricade
מִתְרַפֵּס ת׳ servile, obsequious
מִתְרַשֵּׁל ת׳ negligent, careless
מַתָּת נ׳ gift, present
- מתת אל godsend, windfall

נ

נָא ת' rare, raw, half-done
נָא מ"ק please, pray
*- נא באוזן! definitely not
- נא לפנות למושך refer to drawer
נֶאֱבַד פ' be lost, be missing
נֶאֱבַק פ' fight, struggle, wrestle
נֶאֱגַר פ' be stored, be accumulated
נֹאד ז' waterskin, water bag, *fart
*- נאד נפוח swollen with pride
נאדית (בריאות) נ' alveolus
נָאֶה ת' fine, nice, good-looking, handsome
- נאה דורש ונאה מקיים as good as one's promise
נֶאֱהָב נ' beloved, lovely, lover
נָאוֶה ת' beautiful, pretty
נְאוּם ז' address, speech, lecture
- נאום בכורה maiden speech
נֵאוֹן ז' neon
נָאוֹר ת' enlightened, civilized
נְאוֹרוּת נ' enlightenment
נֵאוֹת פ' agree, consent, acquiesce
נָאוֹת ת' proper, decent, fit, due
נְאוֹת מִדְבָּר נ"ר oasis, pastures
נָאוֹתוּת נ' propriety, decency
נֶאֱחַז פ' cling, be held, hold on
- נאחז בציפורניים hold on like grim death
נֶאֱטַם פ' be sealed, be closed
נָאִיבִי ת' naive, credulous
נָאִיבִיּוּת נ' naivete, simplicity
נֶאֱכַל פ' be eaten, be consumed
נֶאֱכַף פ' be enforced
נֶאֱלָח ת' dirty, loathsome, nasty, contaminated
נֶאֱלָם ת' dumbfounded, silent
- נאלם דום be struck dumb
נֶאֱלַץ פ' be forced, be compelled
נָאַם פ' deliver a speech, preach
נֶאֱמַד פ' be estimated, be appraised
נֶאֱמָן ת' devoted, faithful, loyal, trustee
נֶאֱמָנָה תה"פ true, honestly, really
נֶאֱמָנוּת נ' allegiance, loyalty, trusteeship
נֶאֱמַר פ' be said, be told
- הנאמר לעיל aforementioned
*נְאֻמַּת נ' speechifying
נֶאֱנַח פ' sigh, moan, groan
נֶאֱנַס פ' be forced, be raped
נֶאֱנַק פ' sigh, groan, moan
נֶאֱסַף פ' be collected, be gathered
- נאסף אל אבותיו gathered to his fathers , die
נֶאֱסַר פ' be arrested, be imprisoned, be forbidden, be prohibited
נָאַף פ' commit adultery, womanize
נֶאֱפָה פ' be baked
נַאֲפוּפִי ת' adulterous, promiscuous
נַאֲפוּפִים ז"ר adultery, promiscuity
נְאָצָה נ' blasphemy, abuse,

swearword
נָאצִי ז' Nazi
נָאצִיזְם ז' Nazism
נֶאֱצַל ת' ennobled, bestowed
נָאַק פ' sigh, groan, moan
נְאָקָה נ' sigh, groan, moan
נָאקָה נ' female camel
נֶאֱרַג פ' be woven, be webbed
נֶאֱרַז פ' be packed, be packaged
נֶאֱשַׁם פ' be charged, be accused
נֶאֱשָׁם ז' accused, culprit, defendant
נ"ב = נכתב בצד postscript, NB
נִבְאַשׁ פ' stink, become odious
נֶבֶג ז' spore
נִבְגַּד ת' betrayed, cheated on
נִבְדָּל ת' offside, separate, different, distinct, segregated
- לא בעמדת נבדל onside
נִבְדָּלוּת נ' difference
נִבְדַּק פ' be tested, be examined, be checked
נִבְהַל פ' be frightened, be scared
נְבוּאָה נ' prediction, prophecy
נְבוּאִי ת' prophetic, oracular
נָבוּב ת' hollow, empty, vacuous
נְבוּבִיִּים ז"ר Coelenterata
*נַבּוּט ז' club, baton, truncheon
נָבוֹךְ ת' confused, bewildered
נָבוּל ת' dried up, withered
נָבוֹן ת' wise, intelligent, sensible
נְבוֹנוּת נ' understanding, wit
נִבְזֶה ת' contemptible, mean
נִבְזוּת נ' meanness, villainy
נִבְזַז פ' be robbed, be plundered
נִבְזִי ת' despicable, mean, nasty
נָבַח פ' bark, bay, yelp, yap
נִבְחַן פ' be examined, be tested
נִבְחָן ז' candidate, examinee
נַבְחָן ז' barker, dog
נִבְחָר ת' chosen, elect, picked, selected, representative
נִבְחֶרֶת נ' team, selected team
נָבַט פ' germinate, sprout, shoot
נֶבֶט ז' bud, sprout, germ
נַבָּטִי ז' Nabatean
נָבִיא ז' prophet, seer, predictor
נְבִיאָה נ' prophetess, sibyl
נְבִיאִי ת' prophetic
נְבִיאִים (בתנ"ך) Prophets
נְבִיבוּת נ' hollowness, emptiness
נְבִיחָה נ' barking, bark, bay, yelp
נְבִיטָה נ' germination, sprouting
נְבִילָה נ' withering, decay
נְבִיעָה נ' emanation, flow, gush
נְבִירָה נ' burrowing, carping
נֶבֶךְ ז' depth, recess, nadir
- נבכי הנפש depths of the soul
נָבֵל פ' wither, decay, wilt, wizen
נָבָל ז' blackguard, villain, rascal, scoundrel
נֵבֶל ז' harp, lyre
נַבְלַאי ז' harpist
נְבָלָה נ' outrage, crime, evil
נְבֵלָה נ' carcass, carrion, *swine
*- זה נבלה וזה טריפה both are bad
נִבְלַם פ' be curbed, be checked

נַבְלָן ז׳ harpist
נִבְלַע פ׳ be swallowed, disappear
נִבְנָה פ׳ be built, be established
נָבַע פ׳ result, stem, flow, gush forth
נִבְעָה פ׳ be disclosed, be revealed
נִבְעַט פ׳ be kicked
נִבְעֲלָה פ׳ have sex
נִבְעָר ת׳ ignorant, silly, stupid
נִבְעַת פ׳ be frightened, startle
נִבְצַר פ׳ be unable, be difficult
- נבצר ממני להבין it is beyond me
נִבְקַע פ׳ be split, be broken
נִבַּר פ׳ burrow, dig, carp, seek
נִבְרָא פ׳ be created, be formed
נִבְרַג פ׳ be screwed
נַבְרָן ז׳ vole, field mouse
נִבְרַר פ׳ be selected, be chosen
נִבְרֶשֶׁת נ׳ chandelier, luster
נִגְאַל פ׳ be saved, be redeemed
נֶגֶב ז׳ south, the Negev
נִגְבָּה פ׳ be collected, be charged
נֶגְבָּה תה״פ southwards, south
נִגַּד פ׳ be against, oppose
נַגָּד ז׳ resistor, sergeant, sergeant-major
נֶגֶד מ״י against, versus, opposite
- התקפת נגד counterattack
- נגד השעון counterclockwise, anti-clockwise, against time
- נגד טנקים antitank
- נגד מטוסים antiaircraft
נֶגְדִּי ת׳ opposite, contrary
נִגְדַּע פ׳ be cut off, be removed
נָגַהּ פ׳ shine, glow, shimmer
נָגוֹז פ׳ disappear, vanish
נָגוֹל פ׳ be rolled, be lifted, unfold
נָגוּעַ ת׳ infected, stricken, having
נִגְזַז פ׳ be cut
נִגְזָל ת׳ robbed, *mugged
נִגְזַם פ׳ be cut, be pruned, be trimmed
נִגְזָר ת׳ cut, derived, determined, destined, fated, decreed
נִגְזֶרֶת נ׳ derivative
נָגַח פ׳ gore, butt, ram, head
נַגָּח ת׳ butting
נַגְחָן ז׳ butting, goring
נֶגָטִיב (תַּשְׁלִיל) ז׳ negative
נֶגָטִיבִי (שלילי) ת׳ negative
נָגִיד ז׳ leader, director, governor, rector, rich man
- נגיד בנק governor of a bank
נַגִּיד תה״פ let's say, assuming (that)
נְגִיחָה נ׳ goring, butt, header
נְגִינָה נ׳ music, playing, melody, stress, accent
- נגינת ביניים intermezzo
נְגִיסָה נ׳ bite, biting, morsel, nibble
נְגִיעָה נ׳ touch, dab, connection
נְגִיעוּת נ׳ infection, contagion
נָגִיף ז׳ virus, *bug
נְגִיפִי ת׳ viral
נָגִישׁ ת׳ accessible, approachable
נְגִישָׂה נ׳ oppression, persecution
נְגִישׁוּת נ׳ accessibility, openness
- אי-נגישות inaccessibility

נִגְלָה פ׳ be revealed, appear
*נִגְלָה נ׳ round, circuit, travel
נֶגְלִיזֶ'ה (חלוק-אישה) ז׳ negligee
נִגְלַל פ׳ be rolled, unfold, be folded
*נִגְמַז פ׳ be criticized, be blasted
נִגְמַל פ׳ be weaned, *kick the habit
נִגְמַר פ׳ end, finish, be over
נגמ״ש armored troop vehicle, APC
נַגָּן ז׳ player, instrumentalist
- נגן ראשי leader, concertmaster
נִגְנַב פ׳ be stolen, *be lifted
*- נגנב על be mad on, love
נִגְנַז פ׳ be hidden, be shelved, be stored
נָגַס פ׳ bite off, nibble
נָגַע פ׳ touch, adjoin, brush
- נגע ל- concern, regard, relate to
- נגע ללב affect, touch, be moved
נֶגַע ז׳ plague, disease, fault
נִגְעַל פ׳ be disgusted
נָגַף פ׳ beat, strike, smite
נֶגֶף ז׳ obstacle, plague, pestilence
נַגָּר ז׳ carpenter, cabinetmaker
נַגָּרוּת נ׳ carpentry, woodwork
- נגרות בניין joinery
נַגָּרִיָּה נ׳ carpenter's shop
נִגְרַם פ׳ be caused, be effected
נִגְרַס פ׳ be shredded, be ground
נִגְרַע פ׳ be diminished, be reduced
נִגְרַף פ׳ be swept, be raked
נִגְרַר פ׳ be dragged, be towed
נִגְרָר ז׳ trailer
נִגְרָר ת׳ collateral, incidental
נִגְרֶרֶת נ׳ trailer
נָגַשׂ פ׳ oppress, persecute, hector
נָד פ׳ roam, wander, shake, lament
- נד בראשו shake one's head
נֵד ז׳ wall, heap, bank
נָדַב פ׳ donate, contribute, present
נְדָבָה נ׳ charity, alms, donation
נִדְבָּךְ ז׳ layer, course, tier, prop
נַדְבָן ז׳ philanthropist, giver
נַדְבָנוּת נ׳ philanthropy, largess
נַדְבָנִי ת׳ philanthropic
נִדְבַּק פ׳ stick, be glued, be infected
נִדְבַּר פ׳ talk, communicate, agree
נָדַד פ׳ roam, wander, travel
- נדדה שנתו couldn't sleep
נִדְהַם פ׳ be amazed, be surprised, marvel, be taken aback
נְדוּדִים ז״ר wandering
- נדודי שינה insomnia
נָדוֹן פ׳ be discussed, be sentenced
- הנדון in question, the subject
נְדוּנְיָה נ׳ dower, dowry, dot
נָדוֹשׁ ת׳ banal, hackneyed, trite, threshed
נְדוֹשׁוּת נ׳ banality, triteness
נִדְחָה פ׳ be postponed, be rejected
נִדְחַס פ׳ be compressed, be crowded
נִדְחַף פ׳ push oneself, shove
נִדְחַק פ׳ intrude, push, squeeze
נָדִיב ת׳ generous, liberal, donor
- נדיב לב bounteous, openhearted
נְדִיבוּת נ׳ generosity, liberality
- נדיבות לב benevolence, charity

נְדִידָה נ׳ wandering, migration
- נדידת היבשות continental drift
נָדִיף ת׳ volatile, evaporable
נְדִיפוּת נ׳ volatility, evaporability
נָדִיר ת׳ infrequent, rare, scarce
נָדִיר (נֶגֶב) ז׳ nadir
נְדִירוּת נ׳ infrequency, rarity, scarcity
נְדִישׁוּת נ׳ banality, triteness
נִדְכָּא ת׳ depressed, oppressed
נָדָל (רמש טורף) ז׳ centipede
נִדְלָה פ׳ be exhausted
נִדְלֶה ת׳ drawn out, raised, trellised
- בלתי נדלה exhaustless, unending
נדל"ן=נכסי דלא ניידי real property
נִדְלַק פ׳ be lit, catch fire
*- נדלק על love, *take a shine to
נָדַם פ׳ be silent, be speechless
נִדְמָה פ׳ look like, resemble, equal
נִדְמֶה תה"פ apparently, it seems
*- נדמה לך ! says you!, incorrect!
נָדָן ז׳ scabbard, sheath
נִדְנֵד פ׳ sway, rock, swing, nag, badger
נַדְנֵדָה נ׳ swing, seesaw, teeter
נִדְנוּד ז׳ rocking, wiggle, nagging
נָדַף פ׳ spread, disperse, waft
נֶדֶף ז׳ waft, smell, whiff
נִדְפַּס פ׳ be printed, be typed
נִדְפַּק פ׳ be beaten, be knocked
*נִדְפַּק פ׳ be screwed, be fixed, be had
נִדְקַר פ׳ be stabbed, be pricked
נָדַר פ׳ vow, undertake solemnly
נֶדֶר ז׳ vow, commitment
- בלי נדר God willing, I hope
נִדְרַךְ פ׳ be trodden, be cocked, become tense, be on the alert
נִדְרַס פ׳ be run over, be hit
נִדְרַשׁ פ׳ be wanted, be required, be asked
- נדרש ל- refer to, deal with
נָהַג פ׳ drive, conduct, lead, be used to, treat, behave, act
- נהג כבוד ב- treat with respect
נֶהָג ז׳ driver, chauffeur, motorist
- נהג מונית cabdriver, *cabby
- נהג משאית teamster, truckdriver
נֶהֱגָה פ׳ be pronounced, be conceived
נְהָגוּת נ׳ driving
נֶהְדַּף פ׳ be repelled, be pushed back
נֶהְדָּר ת׳ wonderful, glorious, gorgeous, magnificent
נָהָה פ׳ follow, be attracted, long for, yearn
נָהוּג ת׳ customary, usual, wonted
נְהוֹרָנוּת נ׳ luminescence
- נהורנות ביולוגית bioluminescence
נְהִי ז׳ lamentation, wailing
נְהִיגָה נ׳ driving, conducting
- נהיגה במהירות מופרזת speeding
נִהְיָה פ׳ be, become, turn, happen
*- נהיה לי חושך בעיניים I fell into despair
נְהִיָּה נ׳ following, longing, wailing
נְהִימָה נ׳ roar, growling, snarl
נְהִיקָה נ׳ braying, heehaw

נָהִיר ת׳ clear, lucid, obvious, bright
נְהִירָה נ׳ flow, flocking, streaming
נְהִירוּת נ׳ clarity, lucidity, luminosity
נָהַם פ׳ roar, growl, snarl, purr
נַהֲמָה נ׳ growl, grumble, grunt, roar
- נהמת לב groaning from the heart
נֶהֱנָה פ׳ enjoy, relish, benefit
- זה לא נהנה וזה חסר sodomitic rule
- נהנה מן הספק has the benefit of doubt
- נהנה משני העולמות enjoy both alternatives
נֶהֱנֶה ז׳ beneficiary, recipient
נֶהֱנְתָן ז׳ hedonist, voluptuary
נֶהֱנְתָנוּת נ׳ hedonism, epicurism
נֶהֱנְתָנִי ת׳ hedonistic
נֶהְפַּךְ פ׳ turn, become, be inverted
- נהפוך הוא on the contrary
נָהַק פ׳ bray, heehaw
נָהַר פ׳ stream, throng, flock, shine
נָהָר ז׳ river, stream
- נהרי-נחלי-דם rivers of blood
נֶהֱרַג פ׳ be killed, be slain
- ייהרג ובל יעבור that isn't done
נְהָרָה נ׳ light, brightness
נַהֲרִיָּה נ׳ Nahariya
נֶהֱרַס פ׳ be ruined, be destroyed
*נוּ מ"ק you see!, come on
- נו נו ! tut, tut-tut, don't!
נוֹאָל ת׳ foolish, stupid, absurd
נוֹאֵם ז׳ orator, speaker, lecturer
נוֹאֵף ז׳ adulterer, womanizer
נוֹאֶפֶת נ׳ adulteress
נוֹאַשׁ פ׳ despair, give up, lose hope
נוֹאָשׁ ת׳ desperate, hopeless
- אמר נואש give up hope
נוֹאָשׁוֹת תה"פ desperately, badly
נוּבָּא פ׳ be predicted, be foretold
נוֹבָה (כוכב) נ׳ nova
נוּבוֹרִישׁ ז׳ new rich, nouveau riche
נוֹבֶּל (פרס) ז׳ Nobel
נוֹבֶלָה נ׳ novel, novelette, story
נוֹבֶלִיסְט (מחבר נובלות) ז׳ novelist
נוֹבֶמְבֶּר ז׳ November
נוֹבֵעַ ת׳ flowing, gushing, stemming, resulting
נוּגַב פ׳ be dried, be wiped
נוֹגֵד ת׳ contrasting, contrary
נוֹגְדָן ז׳ antibody
נוֹגַהּ ז׳ light, glory, Venus
נוּגֶה ת׳ sad, gloomy, plaintive
נוּגָט (ממתק) ז׳ nougat
נוּגַן פ׳ be played, be fingered
נוֹגַע פ׳ be infected, be afflicted
נוֹגֵעַ ת׳ touching, relevant
- נוגע בדבר interested, concerned
- נוגע לא נוגע slightly touching
- נוגע ללב touching, moving, affecting
נוֹגֵשׂ ז׳ oppressor, pressing
נוּדַּב פ׳ be donated, be volunteered
נוֹדֵד ז׳ wanderer, migratory
נוּדָּה פ׳ be excommunicated
נוּדִיזְם ז׳ nudism, naturism
נוּדִיסְט ז׳ nudist, naturist

*נודניק ז׳ nag, nagger, pest
נודע פ׳ be known, learn
- לא נודעו עקבותיו disappear without traces
נוֹדָע ת׳ known, noted, famous
נוֹהַג ז׳ habit, custom, convention
נוֹהֶה ת׳ follower
נוֹהַל פ׳ be directed, be run
נוֹהַל ז׳ procedure, formality
נוֹהָלִי ת׳ procedural
נַוָּד ז׳ nomad, vagabond, vagrant
נַוָּדוּת נ׳ vagrancy, nomadism
נַוָּדִי ת׳ nomadic
נָוֶה ז׳ dwelling place
- נווה מדבר oasis
- נווה קיץ summer resort
נוּוַט פ׳ be navigated, be piloted
נַוָּט ז׳ pilot, navigator
נַוָּטוּת נ׳ navigation, pilotage
נוולות נ׳ ugliness
נוֹזֵל ז׳ fluid, liquid, flowing
- נוזל המוח והשדרה cerebrospinal fluid
- נוזלים liquids
נוֹזְלִי ת׳ fluid, liquid, liquefied
נוֹחַ ת׳ easy, comfortable, convenient, affable, *comfy
- בנוח comfortably, well
- נוח ל- -able, -ible, easy of-
- נוח לבריות agreeable, pleasant
- נוח לו ש- it is better to
- נוח לכעוס hot-tempered
- עמוד נוח! stand at ease!
נוֹחוּת נ׳ convenience, ease
- אי-נוחות uneasiness, inconvenience
נוֹחִיוּת נ׳ comfort, convenience, toilet, wc
נוֹחַם פ׳ be consoled, be solaced
נוֹחַם ז׳ consolation, solace
נוֹטֶה ת׳ disposed, tending, inclined
נוֹטֵר ז׳ guard, watchman, grudging
נוֹטַריוֹן ז׳ notary
נוֹטַריוֹנִי ת׳ notarial
נוטרייה (מכרסם) ז׳ coypu
נוֹטָרִיקוֹן ז׳ acronym, abbreviation
נוּטְרַל פ׳ be neutralized
נוֹי ז׳ ornament, beauty
- חפץ נוי knickknack
נוּיַד פ׳ be floated, be fluctuated
נוירוזה (עצבנות) נ׳ neurosis
נוירוטי (עצבני) ת׳ neurotic
נוירולוג (רופא עצבים) ז׳ neurologist
נוירולוגי ת׳ neurological
נוירולוגיה נ׳ neurology
נוירון (תא עצב) ז׳ neuron
נויריטיס (דלקת עצבים) ז׳ neuritis
נוירלגיה (כאב בעצב) נ׳ neuralgia
נוּכָּה פ׳ be deducted, be discounted
נוֹכַח פ׳ be convinced, learn, realize
נוֹכֵחַ ת׳ present, second person
נוֹכַח מ״י opposite, facing, in light of, as
- נכחו in front of him
נוֹכְחוּת נ׳ attendance, presence
נוֹכְחִי ת׳ present, current, existing

נוֹכָל ז׳ scoundrel, crook, swindler
נוֹכְלוּת נ׳ roguery, fraud, knavery
נוּכַּר פ׳ be alienated, be estranged
נוֹכְרִי ז׳ foreigner, alien, stranger
נוּכַּשׁ פ׳ be weeded, be uprooted
נוֹל ז׳ loom
- נול יד hand loom
נוֹלַד פ׳ be born, originate, spring
- ביצה שלא נולדה no practical question, not this day problem
- לא נולד אתמול wasn't born yesterday
נוֹלָד ת׳ born, result, outcome
נוֹמִינָלִי ת׳ nominal, theoretical
נוּמִיסְמָט (מַטְבְּעָן) ז׳ numismatist
נוּמִיסְמָטִיקָה (מַטְבְּעָנוּת) נ׳ numismatics
נוֹמֶךְ ז׳ shortness, lowness
נוּמַק פ׳ be explained, be argued
נוּמֶרוֹלוֹגְיָה נ׳ numerology
נוּמֶרוּס קְלָאוּזוּס numerus clausus, limited number
נוּמֶרָטוֹר (מְמַסְפֵּר) ז׳ numerator
נוּמֶרִי (של מספרים) ת׳ numerical
נוּמֶרַצְיָה (מִספּוּר) נ׳ numeration
נוּן נ׳ nun (letter)
נוֹן סטוֹפּ תה״פ non-stop, not stopping
נוֹנְקוֹנפוֹרמִיזם ז׳ nonconformity
נוֹסַד פ׳ be founded, be established
נוּסָּה פ׳ be tested, be tried
נוּסַּח פ׳ be formulated, be worded
נוֹסַח ז׳ version, manner, style
- בנוסח in the manner of, a la
נוּסְחָה נ׳ formula, reading, version
נוֹסְטַלְגִּי ת׳ nostalgic, homesick
נוֹסְטַלְגְּיָה נ׳ nostalgia, yearning
נוֹסֵעַ ז׳ traveler, passenger
- נוסע סמוי stowaway
נוֹסַף פ׳ be added, be affixed
נוֹסָף ת׳ additional, extra, another
- נוסף ל- in addition to
- נוסף על כך moreover, besides
נוּסַּר פ׳ be sawn, be sawn off
נוֹעַ ז׳ movement, motion
- בלי נוע motionless
נוֹעַד פ׳ meet, assemble, get together, be designed, be destined
נוֹעָז ת׳ brave, bold, daring
נוֹעֲזוּת נ׳ daring, boldness
נוֹעַם ז׳ grace, pleasantness
נוֹעַץ פ׳ consult, take advice, confer
נוֹעַר פ׳ be shaken, be dusted off
נוֹעַר ז׳ youth, boys, teenagers
- נוער שוליים urchins, street boys
נוֹף ז׳ landscape, scene, scenery, sight, view, panorama, prospect
נוּפָּה פ׳ be sieved, be screened, be debugged, be removed
נוּפַּח פ׳ be inflated, be exaggerated
נוֹפֶךְ ז׳ turquoise, garnet, touch
- הוסיף נופך tinge, garnish
- נופך משלו personal touch
נוֹפֵל ת׳ fallen, dead, killed
נוֹפֵף פ׳ flourish, brandish, wave
נוּפַּץ פ׳ smash, be shattered

נוּפַּק פ׳ be issued, be supplied
נוּפָר ז׳ spatterdock, yellow water lily
נוֹפֶש ז׳ rest, recreation, vacation
נוֹפֵש ת׳ resting, vacationer
נוֹפשון ז׳ rest house
נוֹפֶת נ׳ liquid honey
- נופת צופים sweetness
נוֹצָה נ׳ feather, plume, quill
- נוצות של זרים borrowed plumes
- נוצת צוואר hackle
נוּצַח פ׳ be defeated, be beaten
נוֹצִי ת׳ feathery
נוֹצִית נ׳ badminton, shuttlecock
נוּצַל פ׳ be exploited, be utilized
נוֹצֵץ ת׳ shining, sparkling, lucent
נוּצַק פ׳ be poured, be cast
נוֹצַר פ׳ be created, be formed, be made, come into being
נוֹצְרִי ת׳ Christian
נוֹקאאוט ז׳ knockout, KO
- נוקאאוט טכני technical knockout
נוּקַב פ׳ be perforated, be punched
נוֹקֵב ת׳ penetrating, severe
נוּקַד פ׳ be vocalized, be dotted
נוֹקֵד ז׳ shepherd
נוֹקְדָן ז׳ pedant, precious, precise
נוֹקְדָנוּת נ׳ pedantry, preciosity
נוּקָה פ׳ be cleaned, be purified
נוּקַז פ׳ be drained, be canalized
נוֹקטוּרנו (לחן לירי) ז׳ nocturne
נוֹקְמָנִי ת׳ vengeful, vindictive
נוֹקֵר ז׳ cock, firing pin, striking pin
נוּקשֶה ת׳ hard, rigid, stiff
נוּקשוּת נ׳ rigidity, stiffness
נוּר ז׳ flare, fire
נוֹרָא ת׳ awesome, horrible, terrible, *very, *awfully
- לא נורא never mind
*נוֹרָאִי ת׳ terrible, formidable
נוֹרדִי (צפון-אירופי) ת׳ Nordic
נוֹרָה פ׳ be shot, *be plugged
נוּרָה נ׳ lamp, bulb, light, valve
- נורת איתות indicator, blinker
- נורת הלוגן halogen lamp
- נורת חשמל bulb
- נורת ניאון fluorescent lamp
- נורת פלש/מבזק flashbulb
נוֹרווֶגִי ת׳ Norwegian, Norse
נוֹרווֶגיָה נ׳ Norway
נוֹרווֶגִית נ׳ Norse, Norwegian
נוּרִית נ׳ buttercup, ranunculus
נוֹרמָה נ׳ norm, standard, quota
נוֹרמָטִיבִי (תקני) ת׳ normative
נוֹרמָטִיבִיוּת נ׳ normativeness
נוּרמַל פ׳ be normalized
נוֹרמָלִי ת׳ normal, usual, regular
- לא נורמלי abnormal, *mad, crazy, great, vast, splendid
נוֹרמָלִיוּת נ׳ normality, normalcy
נוֹרמָלִיזַציָה נ׳ normalization
נוֹשֵׂא ז׳ carrier, bearer, subject, theme, topic, issue, matter
- בנושא- re, in the matter of
- נושא גייסות troop carrier
- נושא גייסות משוריין armored troop vehicle, APC
- נושא דגל protagonist, standard-bearer, flag-bearer
- נושא כלים armor bearer, squire
- נושא כלים (בגולף) caddie
- נושא מכתבים postman, mailman
- נושא פנים partial, biased
- נושא רווחים profitable, lucrative
- נושאת מטוסים aircraft carrier, flattop
נוֹשׂאִי ת׳ subjective, thematic
נוֹשָב ת׳ inhabited, settled
נוֹשֶה ז׳ creditor, claimant, dun
נוּשַל פ׳ be dispossessed, be evicted
נוֹשָן ת׳ ancient, old
נוֹשַע פ׳ be saved, be rescued
נוּשַק פ׳ be kissed
נוּתַב פ׳ be routed, be directed
נוֹתָב ז׳ tracer
נוּתַח פ׳ be operated, be analyzed
נוּתַץ פ׳ be smashed, be shattered
נוּתַק פ׳ be cut off, be severed
נוֹתַר פ׳ remain, be left
- לא נותר אלא ל- nothing was left but to
נוֹתָר ת׳ remainder, remnant
נָזַד- (פּוֹעַל) ראה הָזִד-
- נזדמן ראה הזדמן וכד׳
נִזהַר פ׳ take care, beware, mind
נָזוּף ת׳ reprimanded, rebuked
נְזוּרָה נ׳ monasticism, nunhood
נָזִיד ז׳ pottage, broth, stew, soup
- בנזיד עדשים very cheap
נָזִיל ת׳ liquid, solvent, fluid
נְזִילָה נ׳ leak, flow, leakage
נְזִילוּת נ׳ liquidity, fluidity, solvency
נְזִיפָה נ׳ reprimand, rebuke, *earful
נְזִיקִי ת׳ tortious
נְזִיקִין ז״ר damages, torts
נָזִיר ז׳ hermit, monk, friar
נְזִירָה נ׳ nun, sister
- נזירה ראשית abbess
נְזִירוּת נ׳ monasticism, nunhood
נִזכַּר פ׳ call to mind, remember, recall, be mentioned
- הנזכר לעיל above-mentioned
נָזַל פ׳ flow, drip, leak, ooze
נַזֶלֶת נ׳ catarrh, cold, *sniffles
נַזַלתִּי ת׳ catarrhal
נֶזֶם ז׳ nose ring
נִזמִית נ׳ lamium, dead nettle
נִזנַח פ׳ be abandoned, be deserted
נֶזַע חַשמַלִי ז׳ electric shock
נִזעָם ת׳ angry, furious, *mad
נִזעַק פ׳ be summoned, be alarmed, be called
נָזַף פ׳ censure, chide, rebuke, reproach, reprimand
נֶזֶק ז׳ damage, harm, injury
- מה הנזק? what's the damage?
נִזקַף פ׳ be charged, be ascribed, be attributed
נִזקַק פ׳ be in need of, need
נִזקָק ת׳ needy, poor, necessitous
נֵזֶר ז׳ crown, diadem, coronet
נִזרַע פ׳ be sown, be seeded
נִזרַק פ׳ be thrown, be cast

נָח פ׳ lie, rest, relax, repose, recline
- ינוח בשלום על משכבו RIP
- נח על זרי הדפנה rest on one's laurels
- נחה דעתו be pleased, be content
- נחה עליו הרוח have the inspiration
נֹחַ (בתנ"ך) ז׳ Noah
נֶחְבָּא פ׳ hide, lie low, be hidden
- נחבא אל הכלים efface oneself
נֶחְבַּט פ׳ be beaten, be struck
נֶחְבַּל פ׳ be injured, be hurt
נֶחְבַּשׁ פ׳ be bandaged, be dressed, be imprisoned, be jailed
נֶחְגַּג פ׳ be celebrated
נֶחְגַּר פ׳ be girded, be girt
נָחָה פ׳ lead, guide, conduct
נָחוֹג פ׳ be celebrated, revel
נְחוּם תָּקוּם ז׳ tumbler, humpty-dumpty, standing up toy
נָחוּץ ת׳ essential, necessary, vital
נְחוּצוֹת נ״ר desiderata
נָחוּשׁ ת׳ hard, adamant
- נחוש בדעתו determined, resolute
נְחוֹשֶׁת נ׳ copper
נְחוּשְׁתִּי ת׳ copper, cupreous, cupric
נְחוּשְׁתַּיִם ז״ר fetters, gyves, irons
נָחוּת ת׳ inferior, low, second-rate
- נחות דרגה inferior, lowly
נֶחֱזָה פ׳ be foreseen, be anticipated
נֶחְטַף פ׳ be kidnapped, be sold out
נְחִיָּה - כֶּלֶב נְחִיָּה ז׳ guide dog
נָחִיל ז׳ swarm, shoal
נְחִיצוּת נ׳ necessity, urgency
נָחִיר ז׳ nostril, spout, nozzle
- נחיריים nostrils
נְחִירָה נ׳ snore, snorting, grunt
נְחִישׁוּת נ׳ vigorousness, resolve, determination
נְחִיתָה נ׳ disembarkation, landing, alighting
- נחיתה רכה soft landing
- נחיתת אונס forced landing
- נחיתת גחון belly landing
- נחיתת חירום emergency landing
- נחיתת ריסוק crash landing
נְחִיתוּת נ׳ inferiority, subordination
נֶחְכַּר פ׳ be leased, be hired, be let
נָחַל פ׳ inherit, possess, take possession, have, get
- נחל מפלה suffer defeat
נַחַל ז׳ stream, rivulet, brook, river
- נחל אכזב wadi
נח"ל=נוער חלוצי לוחם Nahal
נַחְלָאִי ז׳ Nahal soldier
נֶחְלַב פ׳ be milked, be extracted
נַחֲלָה נ׳ heritage, estate, relief, calm
- אין לו חלק ונחלה dispossessed
- נחלת אבות patrimony, Land of Israel
- נחלת הכלל public property, everybody's matter
- נחלת העבר it happened in the past
נֶחְלַט פ׳ be infused, be scalded
נַחֲלִיאֵלִי (ציפור שיר) ז׳ wagtail
נֶחְלַץ פ׳ be delivered, escape, get out, pioneer
- נחלץ לעזרתו help him out
נֶחְלַק פ׳ be divided, be distributed
נֶחְלַשׁ פ׳ be weak, weaken, flag
נֶחְמָד ת׳ lovely, cute, nice, lovable
נֶחְמָדוּת נ׳ loveliness, charm
נֶחָמָה נ׳ comfort, consolation, solace
- נחמה פורתא some consolation
נֶחַן פ׳ be blessed, be gifted, be pardoned, be granted amnesty
*נחנח ז׳ coward, timid, shy, sucker
נֶחֱנַט פ׳ be embalmed
נֶחֱנַךְ פ׳ be inaugurated, open
נֶחֱנַק פ׳ suffocate, choke, stifle
*נחס ז׳ bad luck, scumbag
נֶחְסַךְ פ׳ be saved, be spared
נֶחְסַם פ׳ be closed, be blocked
נֶחְפַּז פ׳ hasten, rush, hurry
נֶחְפָּז ת׳ hasty, rash, reckless
נֶחְפַּר פ׳ be dug, be excavated
נֶחְצַב פ׳ be hewn, be quarried
נֶחֱצָה פ׳ be halved, part, split
נֶחְקַק פ׳ be carved, be enacted
נֶחְקַר פ׳ be investigated, be interrogated, be explored
נֶחְקָר ז׳ investigated person, examinee
נָחַר פ׳ snore, snort, *saw wood
נֶחֱרַב פ׳ be destroyed, be ruined
נֶחֱרַד פ׳ be terrified, be alarmed
נֶחֱרַט פ׳ be carved, be engraved
נֶחֱרַךְ פ׳ be scorched, singe, char
נַחְרָן ז׳ snorer, snorter, stertorous
נֶחֱרַץ פ׳ be determined, corrugate
נֶחֱרָץ ת׳ decisive, resolved
נֶחֱרָצוּת נ׳ resolution, decisiveness
נֶחֱרָצוֹת תה״פ absolutely, definitely
נֶחֱרַשׁ פ׳ be plowed, be tilled
נֶחֱרַת פ׳ be engraved, be inscribed
- נחרת בזיכרונו stamped on one's memory
נָחָשׁ ז׳ snake, serpent
- נחש ארסי venomous snake
- נחש הפעמונים rattlesnake, rattler
- קפץ כנשוך נחש jump, start
נֶחְשַׁב פ׳ be considered, be regarded
נֶחְשַׁד פ׳ be suspected
נַחְשׁוֹל ז׳ breaker, wave, heavy sea
נַחְשׁוֹן ז׳ pioneer, daring, vanguard
נַחְשׁוֹנוּת נ׳ pioneering, daring
נַחְשׁוֹנִי ת׳ pioneer, daring
נְחָשִׁי ת׳ snaky, serpentine
נֶחְשָׁל ת׳ backward, retarded
נֶחְשָׁלוּת נ׳ backwardness, retardation
נֶחְשַׂף פ׳ be exposed, be revealed
נֶחְשַׁק פ׳ be desired, be craved
נָחַת פ׳ land, alight, disembark
- נחת על רגליו fall/land on one's feet
נֶחָת ז׳ marine, *leatherneck
- נחתים marine corps, Marines
נַחַת נ׳ quiet, satisfaction
- אי-נחת discontent, displeasure
- בנחת softly, gently, quietly
- נחת זרועו power, blow
- נחת רוח satisfaction, pleasure
נָחֵת (בָּמוֹל) ז׳ flat
נַחְתּוֹם ז׳ baker

נֶחְתַּךְ פ׳ cut, be cut, be decided
נֶחְתַּם פ׳ end, be signed, be sealed
נַחְתָּן ת׳ calm, relaxed, unmoved
נַחֶתֶת נ׳ landing craft
נ"ט = נגד טנקים antitank
נְטַאי ז׳ bias, partiality, favoritism
נִטְבַּח פ׳ be massacred, be killed
נִטְבַּל פ׳ be dipped, be baptized
נִטְבַּע פ׳ be coined, be stamped
נָטָה פ׳ tend, turn, lean, bend
- נטה חסד treat kindly, favor
- נטה למות be dying, near his end
נֶטוֹ ז׳ net, nett
נִטְוָה פ׳ be spun, be woven
נָטוּי ת׳ extended, leaning, inclined
- ועוד ידו נטויה not finished yet
נָטוּל ת׳ deprived, lacking, without
- נטול יסוד groundless, unfounded
- נטול קפאין decaffeinated
נָטוּעַ ת׳ planted, instilled
נְטוּרֵי קַרְתָּא ultra-orthodox Jews
נָטוּרָלִיזְם (טִבְעָתָנוּת) ז׳ naturalism
נָטוּרָלִיסְט (טִבְעָתָן) ז׳ naturalist
נָטוּרָלִיסְטִי (טִבְעָתָנִי) ת׳ naturalistic
נָטוּשׁ ת׳ abandoned, derelict
נִטְחַן פ׳ be ground, be milled, *be discussed repeatedly
נְטִיָּה נ׳ inclination, tendency, liking, conjugation, inflection
- לפי נטיית ליבו to his heart's desire
נְטִילָה נ׳ taking, removing
- נטילת ידיים washing hands
נְטִיעָה נ׳ planting, plant, instilling
נָטִיף ז׳ drop, stalactite, dumpling
- נטיף קרח icicle
נְטִירָה נ׳ bearing a grudge
נְטִישָׁה נ׳ abandonment, desertion
נָטַל פ׳ take, assume, remove
- טול קורה מבין עיניך see your own faults
- נטל חלק take part, participate
- נטל ידיים wash hands
נֵטֶל ז׳ burden, load, onus, weight
- נטל ההוכחה burden of proof
- נטל כספי pecuniary burden
נַטְלָה נ׳ washing jug
נִטְמָא פ׳ be profaned, be polluted
נִטְמַן פ׳ be hidden, be buried
נִטְמַע פ׳ assimilate, merge
נָטַע פ׳ plant, implant, inculcate
נֶטַע ז׳ plant, seedling
- נטע זר foreign thing, stranger
נִטְעַן פ׳ be loaded, be claimed
- נטען לוע (תותח) muzzle-loader
נָטַף פ׳ drip, drop, flow, seep
נֶטֶף ז׳ drop, bead, globule
נִטְפַּל פ׳ stick, cling to, annoy
נָטַר פ׳ guard, keep, watch, bear a grudge, grudge, nurse
- נטר טינה bear a grudge
נִטְרוּל ז׳ neutralization
נִטְרֵל פ׳ neutralize, defuse, negate
נִטְרַף פ׳ be torn, be rent, be mixed, be devoured, be wrecked, become not kosher
- נטרפה דעתו lose one's mind

נִטְרַק פ׳ slam, be slammed, bang
נִטְרֵק פ׳ abbreviate, form an acronym
נָטַשׁ פ׳ desert, forsake, quit, abandon, leave
נ"י = נרו יאיר may his light shine
נֵיאוֹ- תח׳ new, modern
נֵיאוֹלוֹגִיזְם (מלה חדשה) ז׳ neologism
נֵיאוֹלִיתִי ת׳ neolithic, of the Stone Age
נֵיאוֹן ז׳ neon
נִיאוּף ז׳ adultery, fornication
נִיאוּץ ז׳ blasphemy, cursing
נֵיאוֹת פ׳ agree, consent, acquiesce
נֵיאַנְדֶּרְתָּאלִי ת׳ neanderthal
נִיאֵף פ׳ commit adultery, womanize
נִיאֵץ פ׳ blaspheme, abuse, curse
נִיב ז׳ accent, dialect, idiom, phrase, fang, tusk, canine tooth
נִיבָּא פ׳ forecast, foretell, predict, prophesy
נִיבּוּי ז׳ prediction, prognostication
נִיבּוּל פֶּה נ׳ obscenity, ribaldry
נִיבוֹן ז׳ phrase-book
נִיבַּט פ׳ look, be seen, gaze
נִיבִי ת׳ phrasal, dialectic, idiomatic
נִיבֵּל פִּיו פ׳ talk obscenely, swear
נִיבְתָּן ז׳ walrus
נִיגֵּב פ׳ wipe, dry, wipe dry, mop
*- ניגב צלחת eat, wipe with bread
נִיגּוּב ז׳ drying, wipe, wiping
נִיגּוּד ז׳ contrast, antithesis, opposition, antagonism, conflict
- בניגוד ל- contrary to, against
- ניגוד עניינים conflict of interest
נִיגּוּדִי ת׳ contrary, contrasting
נִיגּוּחַ ז׳ butting, goring, criticism
נִיגּוּן ז׳ melody, tune, song
נִיגּוּנִי ת׳ musical
נִיגּוּנִיּוּת נ׳ musicality
*נִיגּ'וּס ז׳ nagging, annoyance
נִיגּוּעַ ז׳ contagion, infection
נִיגַּח פ׳ gore, butt, be butted
נִיגֵּן פ׳ play, finger, perform
- ניגן על העצבים get on his nerves
*נִיגֵּ'ס פ׳ nag, pester, annoy
*נִיגֶּ'ס ז׳ nag, nagger, pest
נִיגַּע פ׳ infect, afflict, plague
נִיגַּף פ׳ be beaten, be defeated
נִיגַּר פ׳ flow, drip, stream, ooze
נִיגֶּרְיָה נ׳ Nigeria
נִיגַּשׁ פ׳ approach, accost, draw near, begin, start
- ניגש ל- go to, participate in
נִיד ז׳ motion, movement, swing
- ניד ראש nod, nodding of the head
נִידֵּב פ׳ donate, contribute, give
נִידָּה פ׳ expel, banish, excommunicate, ostracize
נִידָּה נ׳ menstruating woman
נִידּוּי ז׳ ban, excommunication
נִידּוֹן ת׳ accused, sentenced, discussed, considered, topic
- בנידון דידן in the present case
- הנידון in question, the subject
- נידון למוות condemned to death

remote, distant, banished נידח ת׳
scattered, blown, fallen נידף ת׳
the slightest noise - קול עלה נידף
management, running, conducting, administration ניהול ז׳
accounting - ניהול חשבונות
bookkeeping - ניהול ספרים
supervisory, managerial ניהולי ת׳
nihilism, anarchy ניהיליזם ז׳
nihilist ניהיליסט ז׳
nihilistic ניהיליסטי ת׳
administer, manage, run, lead, conduct, hold, keep ניהל פ׳
keep accounts - ניהל חשבונות
negotiate - ניהל משא ומתן
keep house - ניהל משק בית
keep books - ניהל ספרים
New Zealand ניו זילנד נ׳
New Zealander ניו זילנדי ז׳
New York ניו יורק נ׳
nuance, shade ניואנס ז׳
floating, fluctuation ניוד ז׳
currency fluctuation - ניוד המטבע
navigate, steer, pilot ניווט פ׳
navigation, pilotage ניווט ז׳
make ugly, uglify, deform ניוול פ׳
ugliness, deformity ניוול ז׳
atrophy, degenerate, waste ניוון פ׳
atrophy, decadence ניוון ז׳
muscular dystrophy - ניוון שרירים
immobilization, settling ניוח ז׳
Newton ניוטון ז׳
neutral ניוטרל ז׳
cardboard ניורת (קרטון) נ׳
liquefaction, liquidizing ניזול ז׳
be fed, feed, be nourished ניזון פ׳
be damaged, be hurt, suffer ניזוק פ׳
liquefy, liquidize, melt ניזל פ׳
be hurt, be damaged, suffer ניזק פ׳
abstain, deny oneself, shun ניזר פ׳
Niger ניז׳ר נ׳
well, good, OK ניחא תה״פ
pleasant, sweet-scented ניחוח ת׳
aromatic, fragrant, balmy ניחוחי ת׳
fragrance, aromaticity ניחוחיות נ׳
consolation, comfort ניחום ז׳
consolation to mourners - ניחום אבלים
guess, conjecture, shot ניחוש ז׳
wild guess - ניחוש פראי
calmly ניחותא - בניחותא תה״פ
comfort, condole, console, solace ניחם פ׳
regret, repent, deplore ניחם פ׳
be blessed, be endowed ניחן פ׳
dry, hoarse ניחר (גרון) ת׳
guess, conjecture, surmise ניחש פ׳
land, pierce, penetrate ניחת פ׳
stud ניט ז׳
monitoring ניטור ז׳
be taken, be removed ניטל פ׳
be planted, be instilled ניטע פ׳
monitor ניטר פ׳
nitroglycerin ניטרוגליצרין ז׳
nitrate ניטרט (חנקה) ז׳
be abandoned, extend ניטש פ׳

battles raged - קרבות ניטשו
make changeable, float, fluctuate נייד פ׳
movable, portable, mobile נייד ת׳
locomotion, mobility, portability ניידות נ׳
patrol car, flying squad ניידת נ׳
Intensive Care Ambulance - ניידת טיפול נמרץ
immobilize, stabilize נייח פ׳
static, stationary, unvarying נייח ת׳
neutron נייטרון ז׳
neutral, nonpartisan נייטרלי ת׳
neutrality, impartiality נייטרליות נ׳
neutralization נייטרליזציה נ׳
nylon ניילון ז׳
wrap up in nylon ניילן פ׳
paper, document, certificate נייר ז׳
commit to paper - העלה על הנייר
aluminum paper - נייר אלומיניום
sandpaper - נייר זכוכית
toilet paper - נייר טואלט
tinfoil, silver paper - נייר כסף
emery-paper - נייר לטש
litmus paper - נייר לקמוס
graph paper - נייר מילימטרי
writing paper - נייר מכתבים
squared paper - נייר משבצות
blotting paper, blotter - נייר סופג
working paper - נייר עבודה
wrapping paper - נייר עטיפה
carbon paper - נייר פחם
continuous paper - נייר רציף
lined paper - נייר שורה
emery paper - נייר שמיר
papers, documents - ניירות
securities - ניירות ערך
papery, paper, paperlike ניירי ת׳
paperwork, bureaucracy ניירת נ׳
deduct, subtract, discount ניכה פ׳
deduction, discount ניכוי ז׳
pay-as-you-earn, PAYE, tax deduction at source, withholding tax - ניכוי מס במקור
acquisition, assumption ניכוס ז׳
alienation, estrangement ניכור ז׳
weeding, weeding out ניכוש ז׳
discount ניכיון ז׳
discount of bills - ניכיון שטרות
acquire, assume ניכס פ׳
be recognized, be seen ניכר פ׳
alienate, estrange ניכר פ׳
foreign country ניכר ז׳
considerable, appreciable, recognized, can be seen ניכר ת׳
weed, grub, hoe ניכש פ׳
Nile נילוס ז׳
capillary נים ז׳
with all his heart - בכל נימי נפשו
capillaries - נימים/נימי דם
sleepy, asleep נים ת׳
half asleep - נים ולא נים
nimbus נימבוס (ענני צעיף) ז׳
capillary, hair, thread, tune, tone, note, trace נימה נ׳
ring of truth - נימת אמת

נימוח פ׳ melt, dissolve

נימול ת׳ circumcised

נימוס ז׳ civility, politeness, courtesy

- נימוסי שולחן table manners

נימוסי ת׳ polite, courteous, genteel

נימוק ז׳ reason, argument, case

נימי ת׳ capillary, vascular

נימיות נ׳ capillarity, vascularity

נימפה נ׳ nymph, beautiful girl

נימפומניה נ׳ nymphomania, excessive sexual desire

נימפומנית נ׳ nymphomaniac, *nympho

נימפיאה (צמח מים) נ׳ water lily

נימק פ׳ give reasons, argue, reason

נימר פ׳ mottle, spot, dapple

נין ז׳ great grandson

נינוח ת׳ relaxed, calm, restful

נינוחות נ׳ relaxation, restfulness

ניסה פ׳ attempt, test, try, essay

- ניסה כוחו ב- try one's hand, *have a go at

ניסוח ז׳ formulation, phrasing, wording

ניסוחי ת׳ wording, expressional

ניסוט פ׳ be shifted, be displaced

ניסוי ז׳ experiment, test, trial

- ניסוי וטעייה trial and error

- ניסוי שדה field test

- ניסויי מעבדה laboratory experiments

ניסויי ת׳ experimental, pilot

ניסוך ז׳ libation, pouring-out

ניסור ז׳ sawing, sawing off

ניסח פ׳ formulate, draft, put it

ניסי ת׳ miraculous, marvellous

ניסיון ז׳ attempt, trial, experience, experiment

- עמד בניסיון pass the test

ניסיוני ת׳ experimental, empirical

ניסך פ׳ pour, pour libation

ניסן ז׳ Nisan (month)

ניסר פ׳ saw, saw off, trephine

- ניסר באוויר be in the air, circulate

- שאלה מנסרת current question

ניע ז׳ motion, movement, stir

ני״ע = ניירות ערך securities

ניעור פ׳ wake up, arouse

ניעור ז׳ shaking off

ניעות נ׳ mobility

ניער פ׳ shake, beat, dust off

- ניער חוצנו מ- repudiate, renounce

ניפה פ׳ debug, sieve, sift, winnow, screen out, remove, dismiss

ניפוח ז׳ inflation, blowing up, exaggeration

ניפוט ז׳ beating, ginning

ניפוי ז׳ sifting, selecting, debugging

ניפוץ ז׳ shattering, smash

ניפוק ז׳ issue, supplying

ניפח פ׳ blow, inflate, fan, exaggerate

ניפט פ׳ gin, card, beat

ניפץ פ׳ shatter, smash, explode

ניפק פ׳ issue, equip, supply

ניצב פ׳ stand, face, appear

ניצב ז׳ perpendicular, upright

- ניצב (בסרט) extra

- ניצב (דרגה) major general

- ניצב החרב hilt, haft

- ניצב משנה commander

- סגן ניצב Chief Superintendent

- רב ניצב commissioner

- תת ניצב brigadier general

ניצוד פ׳ be captured, be hunted

ניצוח ז׳ conducting, direction

ניצול ז׳ exploitation, utilization

- ניצול לרעה abuse, misuse

- ניצול מיני sexual abuse

- ניצול פערים arbitrage

ניצול ז׳ survivor, rescued

- ניצול שואה Holocaust survivor

ניצולת נ׳ salvage, utility

ניצוץ ז׳ spark, sparkle, gleam

ניצור ז׳ Christianization

ניצח פ׳ win, overcome, defeat

- ניצח בקלות win hands down

- ניצח על conduct, direct, lead

ניצחון ז׳ triumph, victory, win

- ניצחון מוחלט win-win

- ניצחון מוחץ landslide

- ניצחון פירוס Pyrrhic victory

ניצחת ת׳ crushing, sharp, final

ניצי ת׳ hawkish, hardliner

ניציות נ׳ hawkishness, hard line

ניצל פ׳ exploit, take advantage of, use, utilize

- ניצל לטובה put to good use

- ניצל לרעה abuse, misuse

ניצל פ׳ survive, be rescued

ניצן ז׳ bud, sprout, mark, rudiment

ניצר פ׳ Christianize, baptize

ניצת פ׳ be ignited, be kindled

ניקב פ׳ bore, punch, perforate, riddle, puncture

ניקד פ׳ dot, vowelize, vocalize, punctuate, point

ניקה פ׳ clean, cleanse, clear, do up

- ניקה את הגרון clear one's throat

- ניקה מאשמה vindicate, declare innocent

ניקוב ז׳ perforation, punch

ניקוד ז׳ vowelization, vocalization, vowel points, score

ניקוז ז׳ draining, canalization

ניקוטין ז׳ nicotine

ניקוי ז׳ cleaning, cleanup

- ניקוי אבנית scale/tartar removing

- ניקוי יבש dry cleaning

ניקור ז׳ jabbing, peck, porging

- ניקור מותני lumbar puncture

ניקז פ׳ drain, canalize

ניקיון ז׳ cleanliness, neatness

- ניקיון כפיים innocence

ניקל (מתכת/מטבע) ז׳ nickel

ניקר פ׳ peck, pick, jab, porge

- ניקר במוחו prey upon one's mind

- ניקר עיניים be ostentatious

ניקרגואה נ׳ Nicaragua

ניר ז׳ plowed field, tilth, heddle

נירוונה (דעיכת נשמה) נ׳ nirvana

נירוסטה נ׳ stainless steel

נישא פ׳ be carried, be borne, be

raised, be elevated, marry, wed
נִישָׂא ת׳ high, lofty, portable
נִישֵּׁב פ׳ blow, puff, whiff
נִישָׁה נ׳ niche, recess, activity
נִישּׂוּאִים ז״ר marriage, wedding
- נישואי תערובת mixed marriage
- נישואים אזרחיים civil marriage
נִישּׂוּאִין ז״ר marriage, wedding
נִישׁוֹבֶת נ׳ chaff
נִישּׁוּל ז׳ dispossession, eviction
נִישׁוֹם ז׳ taxpayer, assessed
נִישׁוֹפֶת נ׳ filings
נִישּׁוּק ז׳ kissing, osculation
נִישֵּׁל פ׳ dispossess, deprive, evict
נִישֵּׁק פ׳ kiss, *peck, *smooch
נִיתֵּב פ׳ route, trace, track
נִיתּוּב ז׳ tracking, routing, directing
נִיתּוּחַ ז׳ analysis, operation, surgery
- ניתוח גורמים factor analysis
- ניתוח התוספתן appendectomy
- ניתוח לב פתוח open-heart surgery
- ניתוח מעקפים bypass, coronary bypass, surgical shunt
- ניתוח מערכות systems analysis
- ניתוח פלסטי plastic surgery
- ניתוח קיסרי Cesarean section
- ניתוח שלאחר המוות autopsy, postmortem
נִיתּוּחִי ת׳ operative, analytical
- בתר-ניתוחי postsurgical
נִיתּוּץ ז׳ demolition, shattering, smashing
נִיתּוּק ז׳ disconnection, separation, severance
נִיתּוּר ז׳ jump, bounce, caper
נִיתַּז פ׳ be sprayed, splash, ricochet
נִיתַּח פ׳ analyze, cut, dissect, operate, parse, construe, scan
נִיתַּךְ פ׳ melt, fuse, pour down, teem
- ניתך גשם עז rain cats and dogs
נִיתַּן פ׳ be given, be possible, be placed, be put on
- ניתן ל- capable of, -able, -ible
נִיתֵּץ פ׳ smash, destroy, shatter
נִיתֵּק פ׳ sever, cut, disconnect
- ניתק מגע break contact
נִיתַּק פ׳ be cut off, come loose
נִיתֵּר פ׳ jump, leap, hop, bound
נִיתַּר פ׳ rebound, be released
נ״ך = נביאים וכתובים Prophets and Hagiographa
נָכֵא ת׳ depressed, dejected
נְכָאִים ז״ר depression, dejection
נְכֹאת נ׳ spice, perfume
נִכְבָּד ת׳ dignitary, honorable, venerable, great, significant
- נכבדי Dear Sir
נִכְבָּדוֹת נ״ר praise, commendation
נִכְבָּה פ׳ be extinguished, go off
נִכְבַּל פ׳ be bound, be chained
נִכְבַּשׁ פ׳ be conquered, be pickled
נֶכֶד ז׳ grandson, grandchild
נֶכְדָּה נ׳ granddaughter
נָכֶה ת׳ cripple, disabled, invalid
- נכה מלחמה war disabled
- נכה רוח dejected, depressed

נִכְוָה פ׳ be burnt, be scalded
- נכווה ברותחין burn one's fingers
נְכוֹחָה תה״פ straight, right, correctly
נָכוֹן פ׳ be ready, be expected
נָכוֹן ת׳ correct, right, true, ready
- אל נכון no doubt, certainly
- לא נכון incorrect, wrong
- נכון לעכשיו now, by this time
- נכון מאוד! exactly!, quite so!
- ראה לנכון see fit
נְכוֹנָה תה״פ correctly, truly, duly
נְכוֹנוּת נ׳ readiness, alacrity, truth
נָכוּת נ׳ disability, incapacity
נִכְזָב ת׳ disappointed (love)
נָכַח פ׳ attend, be present
נִכְחַד פ׳ be annihilated, disappear
נִכְלָא פ׳ be imprisoned, be jailed
נִכְלוּלִי ת׳ cunning, deceptive
נִכְלוּלִים ז״ר tricks, mischief
נִכְלַל פ׳ be included, fall under
נִכְלָם ת׳ ashamed, shamefaced
נִכְמְרוּ רַחֲמָיו ת׳ have pity
נִכְנַס פ׳ come in, enter, get into
- נכנס לנעליו fill his shoes
- נכנס לפרטים go into details
- נכנס לתוקף take effect
- נכנסה להריון become pregnant
נִכְנַע פ׳ give in, surrender, yield
נִכְנָעוּת נ׳ submissiveness, humility
נֶכֶס ז׳ asset, property, acquisition
- ירד מנכסיו become poor
- נכסי דלא ניידי real estate
- נכסי דניידי movables
- נכסי צאן ברזל inalienable goods
- נכסים holdings, assets
- נכסים נדים movables
נִכְסַף פ׳ yearn, long for, desire
נִכְפָּה פ׳ be forced, be compelled
נִכְפֶּה ז׳ epileptic
נִכְפּוּת נ׳ epilepsy
נִכְפַּל פ׳ be doubled, multiply
נִכְפָּל ז׳ multiplicand
נִכְפַּף פ׳ be bent, be subordinate
נִכְפַּת פ׳ be tied, be bound
נֵכָר ז׳ foreign country
נִכְרָה פ׳ be dug, be mined
נָכְרִי ז׳ foreigner, alien, stranger
נִכְרַךְ פ׳ be bound, be wrapped
- נכרך אחרי be attached, stick to
נִכְרַת פ׳ be cut off, be felled
נִכְשַׁל פ׳ fail, stumble, *flop
נִכְתַּב פ׳ be written, be recorded
נִכְתַּם פ׳ be stained, be soiled
נִכְתַּשׁ פ׳ be crushed, be pounded
נִלְאָה פ׳ be tired, become weary
נִלְאֶה ת׳ tired, weary, fatigued
- בלתי נלאה unflagging, tireless
נִלְבָּב ת׳ lovely, cordial, warm
נלב״ע died, departed this life
נִלְבַּשׁ פ׳ be dressed, be clothed
נִלְגַּם פ׳ be sipped, be gulped
נִלְהָב ת׳ enthusiastic, ardent
נִלְוָה פ׳ accompany, escort, go with
נָלוֹז ת׳ perverse, crooked, twisted
נִלְחַם פ׳ fight, wage war, combat
נִלְחַץ פ׳ be pressed, be pressurized

נִלחַשׁ פ' be whispered, be breathed
נְלִיזָה נ' perversion, deviation
נִלכַּד פ' be captured, be caught
נִלמַד פ' be studied, be taught
נִלעָג ת' ridiculous, absurd
נִלעַס פ' be chewed, be masticated, *be discussed repeatedly
נִלפַּת פ' be held, twist, startle
נִלקַח פ' be taken, be taken away
נִלקַט פ' be collected, be gathered
נָם פ' sleep, slumber, nap
- לא ינום ולא יישן be always awake, make every effort to get
נ"מ = נגד מטוסים antiaircraft
נִמאַס פ' become loathsome
*- נמאס לי I'm fed up
נִמדַד פ' be measured, be tried on
נִמהַל פ' be mixed, be diluted
נִמהָר ת' hasty, rash, reckless
נִמהָרוּת נ' imprudence, rashness
נָמוֹג פ' melt, vanish, fade, die away
נָמוּךְ ת' low, short, humble
- נמוך קומה short, small
*נְמוּשָׁה נ' weakling, scumbag
נְמוּשׁוֹת נ"ר worthless people
נִמזַג פ' be mixed, be poured
נֶמֶזִיס (אלת הנקמה) נ' Nemesis
נִמחָה פ' be erased, be wiped
- יימח שמו! Damn him!
נִמחֶה ז' assignee, assigned
נִמחַל פ' be forgiven, be pardoned
נִמחַץ פ' be crushed, be squeezed
נִמחַק פ' be deleted, be obliterated
נֶמָטוֹדָה (עיגולית) נ' nematode, roundworm
נָמִיבִּיָה נ' Namibia
נְמִייָה נ' ichneumon, marten
נְמִיכוּת נ' lowness, humility
- נמיכות קומה shortness
נִמכַּר פ' be sold, sell, *be flogged
נָמֵל ז' harbor, port, haven
- נמל מבטחים haven, shelter
- נמל פקידה port of call
- נמל רחפות hoverport
- נמל תעופה/אוויר airport
נִמלָא פ' be full, overflow, be filled
נְמָלָה נ' ant
- נמלה לבנה white ant, termite
נִמלוּל ז' formication
נִמלַח פ' be salted
נִמלַט פ' escape, run away, flee
נִמלַךְ פ' think over, consult
- נמלך בדעתו consider, meditate
נִמלָץ ת' ornate, bombastic
נִמנָה פ' be counted, rank, number
- נמנה עם be counted among, belong to
- נמנו וגמרו they decided at last
נִמנוּם ז' slumber, doze, nap
נִמנֵם פ' doze, take a nap, *snooze
נַמנְמָן (מכרסם) ז' dormouse
נַמנְמָנִי ת' sleepy, dozy
נִמנַע פ' avoid, refrain, abstain
נִמנָע ת' impossible, abstainer
- בלתי נמנע unavoidable
- לא מן הנמנע it is possible

נָמַס פ' melt, dissolve, thaw
נִמסַךְ פ' be mixed, be poured
נִמסַר פ' be given, be handed over, be notified, be reported
נִמעַךְ פ' be crushed, squash
נִמעָן ז' addressee, addressed
נִמצָא פ' be found, be, exist, lie
- נמצא ש- it follows, hence
נִמצַץ פ' be sucked, be extracted
נָמַק פ' rot, decay, pine
נֶמֶק ז' gangrene, rot, putrefaction, necrosis
נָמֵר ז' tiger, leopard, panther
- נמר של נייר paper tiger
נְמֵרָה נ' tigress, leopardess
נִמרַח פ' be spread, be smeared
נִמרַט פ' be plucked, be racked
נְמֵרִי ת' tigerish
נִמרָץ ת' vigorous, energetic
- בקיצור נמרץ in brief, in short
נִמרָצוּת נ' verve, vigor, *vim
נִמרָצוֹת תה"פ vigorously, strongly
נֶמֶשׁ ז' freckle
נִמשָׁה פ' be pulled out
נִמשַׁח פ' be anointed, be greased
נִמשַׁךְ פ' be pulled, be attracted, continue, last, run, drag on
נִמשָׁךְ ז' drawee
נִמשָׁךְ ת' continuous, prolonged
נִמשַׁל פ' resemble, be like, be ruled
נִמתַּח פ' be stretched, be hoaxed
- נמתחה ביקורת על be criticized
נִנאַם פ' be lectured, be addressed
נַנוֹ- (מיליארדית) nano-
נִנזַף פ' be rebuked, be lectured
נַנִּיחַ תה"פ say, let's say
- נניח ש- let, granted that, suppose-
נַנָּס ז' dwarf, midget
- ננס לבן (כוכב) white dwarf
נַנָּסוּת נ' dwarfism
נַנָּסִי ת' dwarfish, midget, scrub
נִנעַל פ' lock, be locked, adjourn
- ננעל על (מטרה) lock on to
נִנעַץ פ' be inserted, stick, run into
נִנקַט פ' be taken (measures)
נָס פ' flee, escape, bolt, scamper
- נס ליחו has no kick left
נֵס ז' banner, flag, miracle, wonder
- ניסים ונפלאות miracles, wonders
- נס המרד standard of revolt
- נס הרוח weather vane
- נס-קפה instant coffee
נָסַב פ' surround, turn, refer, touch
נִסָּב ז' indorsee, endorsee
נִסבָּל ת' bearable, tolerable
- בלתי נסבל intolerable
נְסִגָנוּת נ' reaction, recession
נְסִגָנִי ת' recessive, reactionary
נִסגַר פ' close, be closed, shut
נִסדַק פ' crack, be cracked, fracture
נָסוֹג פ' retreat, withdraw
נָסוֹג ת' regressive, retrogressive
נָסוּךְ ת' covered, covering, spread
נְסוּעָה (קילומטראז') נ' mileage
נְסוֹרֶת נ' sawdust, shavings
נַסָּח ז' draftsman, copywriter

נֶסַח ז' extract, text
נִסְחַב פ' be dragged, be drawn
נִסְחַט פ' be squeezed, be blackmailed
נִסְחַף פ' be swept, be carried away
נִסְחַר פ' be traded, be marketed
נְסִיבּוֹת נ"ר circumstances
- נסיבות מקילות mitigating circumstances
נְסִיבָּתִי ת' circumstantial
נָסִיג ת' retractable, retrogressive
נְסִיגָה נ' regression, retreat, withdrawal, pull-back
נַסְיוּב ז' serum
נִסָּיוֹן (ראה ניסיון) ז' attempt
נִסְיוֹנִי ת' experimental, empirical
נִסְיוֹנִיּוּת נ' empiricism
נַסְיָן ז' experimenter, trier
נָסִיךְ ז' prince, jack, knave
- נסיך החלומות Prince Charming
- נסיך הכתר crown prince
נְסִיכָה נ' princess
נְסִיכוּת נ' principality, princedom
נְסִיעָה נ' journey, travel, drive
- נסיעת מבחן trial run, test drive
נְסִיקָה נ' vertical takeoff, zoom
נָסַךְ פ' pour, inspire, fill
נֶסֶךְ ז' libation
נִסְלַח פ' be pardoned, be forgiven
נִסְלַל פ' be paved, be beaten
נִסְמַךְ פ' be supported, be based
נִסְמָךְ ת' supported, leaning, construct state
נָסַע פ' go, travel, journey, drive
נִסְעָר ת' stormy, excited, raging
נִסְפַּג פ' be absorbed, sink in
נִסְפָּה פ' be killed, fall, die
נִסְפָּח ז' attache, appendix, adjunct, supplement, addendum
- נספח צבאי military attache
נִסְפַּר פ' be numbered, be counted
נָסַק פ' rise, ascend, climb, zoom
נָסָק (דיאז) ז' sharp
נִסְקַל פ' be stoned
נִסְקַר פ' be reviewed, be surveyed
נֶסֶר ז' board, plank
נִסְרַג פ' be knitted
נִסְרַק פ' be combed, be searched, be scanned
נִסְתַּ- (פועל) ראה הִסְתַּ-
- נסתתר ראה הסתתר וכו'
נִסְתַּם פ' be blocked, be filled
- נסתם הגולל על come to an end, fail
נִסְתַּר פ' be contradicted, be refuted
נִסְתָּר ז' third person, hidden
נָע פ' move, stir, wander, roam
- נע בין - ל- range from - to -
- נע ונד nomadic, vagabond
- נער אמות הסיפים there was a great shock
נ"ע=נשמתו עדן may he rest in peace
*נֶעְבֶּךְ ז,ת' miserable, henpecked, timid, nebbish
נֶעֶבְרָה (עבירה) פ' be committed
נֶעְדַּר פ' be absent, be dug up
נֶעְדָּר ת' absent, lacking, missing
נַעֲוֶה ת' distorted, crooked, twisted
- נעווה לב crook, swindler
נָעוּל ת' locked, shod, wearing shoes
- נעול על locked on to, *keen on, insistent on
נָעוּץ ת' inserted, fixed, embedded
- נעוץ ב- resulting from, coming from
נְעוּרִים ז"ר boyhood, youth
- אשת נעוריו beloved wife
נְעֹרֶת נ' chaff, tow
נֶעֱזַב פ' be abandoned, be left
נֶעֱזַר פ' be helped, be assisted
נֶעֱטַף פ' be wrapped, be enveloped
נְעִילָה נ' adjournment, locking, close-down, wearing shoes
- תפילת נעילה prayer on Yom Kippur
נָעִים ת' agreeable, lovely, pleasant
- בילה בנעימים have a good time
- היה נעים my pleasure
- לא נעים unpleasant, embarrassing
נְעִימָה נ' melody, tune, strain
- נעימת ביניים interlude
נְעִימוּת נ' pleasantness, amenity
- אי-נעימות inconvenience, unpleasantness
נְעִיצָה נ' inserting, fixing, stab
נְעִירָה נ' bray, heehaw
נֶעְכָּר ת' dejected, gloomy, muddied
נָעַל פ' bar, lock, shut, close, secure, adjourn, wear shoes
- נעל דלת בפני shut the door on
נַעַל נ' shoe, boot
- נעל אורטופדית surgical shoe
- נעל בית slipper, mule
- נעלי טניס tennis shoes, sneakers
- נעלי ספורט plimsolls, sneakers
נֶעֱלַב פ' be insulted, be offended
נַעֲלֶה ת' high, supreme, sublime
- נעלה עקרונות high-principled
נֶעְלַם פ' vanish, disappear, die out
- לא נעלם מעיניו observe, notice
- נעלמו עקבותיו vanish without a trace
נֶעְלָם ז' unknown, mysterious
- משוואה בשני נעלמים equation in two unknowns
נָעַם פ' be pleasant, be sweet
נֶעֱמַד פ' stand, stop, halt
נֶעֱנַד פ' be worn, be decorated
נַעֲנָה פ' agree, respond, be answered
- נענה לבקשתו grant his request
נַעֲנָה נ' mint, peppermint
נִעְנוּעַ ז' movement, shake, rocking
נִעְנַע פ' shake, move, stir, swing
נַעֲנַע נ' mint, peppermint
נֶעֱנַשׁ פ' be punished, *cop it
נָעַץ פ' insert, stick in, drive in
- נעץ מבט stare, glare
נַעַץ ז' drawing pin, thumbtack
נֶעֱצַב פ' sadden, be sad, rue
נֶעֱצַם פ' be closed, close, shut
נֶעֱצַר פ' stop, halt, be detained, be arrested, *be nabbed
נֶעֱקַד פ' be bound, be trussed
נֶעֱקַף פ' be overtaken, be bypassed

נֶעֱקַץ פ׳ be stung, be bitten
נֶעֱקַר פ׳ be uprooted, be displaced
נָעַר פ׳ shake out, bray, heehaw
נַעַר ז׳ boy, lad, youth, teenager
- בנערינו ובזקנינו young and old
- מנער ועד זקן young and old
- נער שעשועים playboy
נַעֲרָה נ׳ girl, maid, teenager, *gal
- נערת גוגו go-go girl
- נערת זוהר glamor girl
- נערת טלפון call girl
- נערת ליווי escort girl
- נערת שער cover girl
נַעֲרוּת נ׳ boyhood, youth
נַעֲרִי ת׳ boyish, juvenile
נֶעֱרַךְ פ׳ be prepared, be aligned, line up, be edited, be estimated
נֶעֱרַם פ׳ pile up, bank up, be heaped
נֶעֱרַף פ׳ be decapitated
נַעֲרָץ ת׳ respected, admired
נַעֲשָׂה פ׳ be made, be done, turn into, become, wax
נֶעֱשַׁק פ׳ be robbed
נֶעְתַּק פ׳ be copied, be shifted
- נעתקה נשימתו be breathless
- נעתקו מילים מפיו be speechless
נֶעְתַּר פ׳ grant a request
נֵף ז׳ halyard, halliard
נֶפָּאל נ׳ Nepal
נִפְגַּם פ׳ be spoiled, be impaired
נִפְגַּע פ׳ be insulted, take offense, be knocked down, be injured
נִפְגָּע ז׳ casualty, injured, loss
נִפְגַּשׁ פ׳ meet, encounter, date
נִפְדָּה פ׳ be redeemed, be cashed
נָפָה נ׳ sieve, screen, sifter, riddle, district, region
נָפוֹג פ׳ weaken, vanish, abate
נָפוּחַ ת׳ inflated, swollen, bloated
נֶפּוֹטִיזם (העדפת קרוב) ז׳ nepotism
נָפוּל ת׳ fallen, downcast
נְפוֹלֶת נ׳ fallout, dropout
נָפוֹץ פ׳ spread, pass round
נָפוֹץ ת׳ widespread, rife, scattered
נָפַח פ׳ blow, puff, breathe
- נפח נשמתו breathe one's last
- תיפח רוחו! damn!, I'm blowed!
נַפָּח ז׳ smith, blacksmith
נֶפַח ז׳ bulk, volume
נִפְחָד ת׳ afraid, scared, tremulous
נַפָּחוּת נ׳ smithery
נַפָּחִיָּה נ׳ forge, smithy
נִפְחַס פ׳ flatten, be compressed
נַפַּחַת (מחלת ריאות) נ׳ emphysema
נֵפְט ז׳ oil, kerosene
נֶפְטוּן (כוכב-לכת) ז׳ Neptune
נַפְטָלִין ז׳ mothball, naphthalene
נִפְטַר פ׳ die, get rid of, go away, depart, be freed
נִפְטָר ז׳ deceased, dead, late
נְפִיחָה נ׳ blowing, fart, wind
נְפִיחוּת נ׳ swelling, tumescence
נְפִיל ז׳ giant
נְפִילָה נ׳ fall, collapse, downfall
- מחלת הנפילה epilepsy
נָפִיץ ת׳ explosive

נְפִיצָה נ׳ dispersion
נְפִיצוּת נ׳ distribution, circulation
נָפַל פ׳ fall, die, happen, occur
*- נופל מהרגליים exhausted, dead beat
- נפל בחלקו fall his way, go to him
- נפל בין הכיסאות fall between two stools
*- נפל בפה שלה she slanders him
- נפל בפח fall for it, be deceived
- נפל ברוחו be dejected, lose heart
- נפל בשבי taken as prisoner of war
- נפל דבר something happened
- נפל חלל fall in battle
- נפל למשכב fall ill, become sick
*- נפל על כל הראש go mad
- נפל על צווארו embrace, hug
- נפל קורבן ל- fall victim to
- נפלה טעות a mistake was made
- נפלו פניו be downcast
נֵפֶל ז׳ abortion, failure, fiasco
נִפְלָא ת׳ marvelous, wonderful
נִפְלָאוֹת ז״ר wonders, miracles
נִפְלַט פ׳ escape, slip out, be emitted
נַפָּלְם (חומר בעירה) ז׳ napalm
נִפְנָה פ׳ turn, address, be removed
נִפְנוּף ז׳ waving, flapping, flutter
נִפְנֵף פ׳ flourish, wave, flutter
*- נפנף החוצה chuck out
נִפְנֶפֶת נ׳ flounce, ruffle, furbelow
נִפְסָד ת׳ harmful, worthless, bad
- יצא נפסד lose, be damaged
נִפְסַל פ׳ be disqualified
נִפְסַק פ׳ pause, cease, stop, be ruled, be adjudged, be determined
נִפְעַל ז׳ passive voice
נִפְעָם ת׳ moved, amazed, astounded
נִפְעַר פ׳ gape open, yawn
נֶפֶץ ז׳ explosion, bang, blast
נַפָּץ ז׳ detonator
נִפְצַע פ׳ be injured, be wounded
נָפְקָא מִינָה נ׳ difference, odds
- לאו נפקא מינה it makes no odds
- מאי נפקא מינה what's the difference
נִפְקָד ת׳ missing, absentee, absent without leave, AWOL, enumerated, counted
נִפְקָדוּת נ׳ absence, absenteeism
נַפְקוּת נ׳ relation, relevance, applicability
נִפְקַח פ׳ be opened, open
נַפְקָנִית נ׳ prostitute, whore
נִפְרַד פ׳ depart, divorce, leave
- נפרד מ- break with, part with, split with
- נפרדו דרכיהם went their several ways
נִפְרָד ת׳ different, separate
- בלתי נפרד integral
- בנפרד apart, individually
נִפְרַט פ׳ be changed (money)
נִפְרַם פ׳ ravel, be untied, split
נִפְרַס פ׳ deploy, be sliced
נִפְרַע פ׳ be paid, be settled
נִפְרַץ פ׳ be broken, burst open

נִפְרָץ ת' widespread
- חזון נפרץ common phenomenon

נִפְרַק פ' be unloaded, be vented
נִפְרַשׂ פ' be spread out
נָפַשׁ פ' relax, rest, vacation
נֶפֶשׁ נ' mind, soul, spirit, life
- בכל נפשו ומאודו with all one's heart
- בנפש חפצה with pleasure, gladly
- בנפשו הדבר vitally important
- דיני נפשות capital offenses
- הנפשות הפועלות heroes, central figures
- השליך נפשו מנגד risk one's life
- חי נפשי upon my life
- כאוות-נפשו to one's heart's content
- כלות הנפש yearning, longing
- לנפש per capita, per person
- מה נפשך in either case
- נמלט כל עוד נפשו בו run for dear life
- נפשו יצאה אל crave, wish, yearn

נַפְשִׁי ת' mental, psychic, spiritual
נִפְשָׁע ת' sinful, mean, nefarious
נַפְתּוּל ז' meander, struggle
- נפתולים meanderings, twists

נִפְתַּח פ' open, open up, unroll
נִפְתָּל ת' twisted, distorted, winding
נִפְתַּר פ' be solved, work out
נֵץ ז' hawk, hardliner
- נץ חלב (צמח) star-of-Bethlehem

נִצְבַּט פ' be pinched, be nipped
- נצבט ליבו his heart bled

נִצְבַּע פ' be colored, be painted
נִצְבַּר פ' accumulate, be gathered
נָצוּר ת' locked (trigger), besieged
- גילה נצורות break new ground

נֶצַח ז' eternity, perpetuity
נִצְחִי ת' eternal, infinite, perpetual
נִצְחִיּוּת נ' eternity, immortality
נַצְחָנוּת נ' polemics, argumentation
נִצְטַ- (פּוּעַל) ראה הִצְטַ-
- נצטחק ראה הצטחק וכד'

נְצִיב ז' governor, commissioner
- נציב בתי הסוהר Prisons Commissioner
- נציב המים Water Commissioner
- נציב מס הכנסה income tax commissioner
- נציב תלונות הציבור ombudsman

נְצִיבוּת נ' commission
- נציבות מס הכנסה income tax commission
- נציבות שירות המדינה Civil Service Commission

נָצִיג ז' representative, delegate
נְצִיגוּת נ' representation, mission
נְצִילוּת נ' efficiency
נָצִיץ ז' mica
נְצִירַת אֵשׁ נ' holding fire
נִצְלַב פ' be crucified, be executed
נִצְלָה פ' broil, be roasted, roast
נַצְלָן ז' exploiter, sponger
נַצְלָנוּת נ' exploitation, abuse
נַצְלָנִי ת' exploitative

נצ"מ = ניצב משנה commander
נִצְמַד פ' adhere, cling, stick, keep
נִצְנוּץ ז' sparkle, flash, glitter
נִצְנֵץ פ' sparkle, twinkle, glitter
נַצְנָץ ז' signal light, flashing light
נַצְנַצִּים ז"ר sequins, spangles, paillettes
נִצְפָּה פ' be expected, be foreseen
נָצַץ פ' shine, glitter, sparkle
נָצַר פ' guard, preserve, keep, lock
נֵצֶר ז' offspring, sprout, scion
נִצְרַב פ' be burnt, be scalded
נִצְרָה נ' safety catch, safety pin
נַצְרוּת נ' Christianity
נִצְרַךְ פ' be required, be in need of
נִצְרָךְ ת' needy, poor, necessitous
נִצְרָכוּת נ' need, indigence
נָצְרַת נ' Nazareth
נָקַב פ' name, say, specify, bore
נֶקֶב ז' hole, aperture, puncture
- נקבים excretion, urination

נִקְבֵּב פ' perforate, punch
נְקֵבָה נ' female, feminine, she
נִקְבָּה נ' tunnel, gallery, adit
נִקְבּוּב ז' perforation
נַקְבּוּבִי ת' porous, perforated
נַקְבּוּבִיּוּת נ' porosity, porousness
- נקבוביות העצם osteoporosis

נַקְבּוּבִית נ' pore, hole
נְקֵבִי ת' female, feminine
נַקְבָנוּת נ' keypunching
נַקְבָנִית נ' keypuncher
נִקְבַּע פ' be determined, be fixed, be placed, be agreed
נִקְבַּץ פ' gather, assemble, rally
נִקְבַּר פ' be buried, be interred
נֶקֶד ז' dot, coccus, score
- נקד שרשרת streptococcus

נִקֵּד פ' draw a dotted line
נִקּוּד ז' stippling, scoring
נִקְדַּח פ' be bored, be drilled
נַקְדָן ז' vocalizer, pedant
נַקְדָנוּת נ' vocalization, pedantry
נִקְדַּשׁ פ' be hallowed, be sanctified
נִקְהַל פ' gather, assemble, rally
נָקוּב ת' pierced, riddled, punched, named, stated, nominal
נָקוֹד ת' spotted, speckled, dotted
נְקֻדָּה נ' point, dot, full stop, period, spot
- בנקודה זו at that point
- נקודה ופסיק semicolon, (;)
- נקודה עשרונית decimal point
- נקודת אחיזה support, basis
- נקודת ביקורת checkpoint
- נקודת ההיפוך solstice
- נקודת היתוך melting point
- נקודת העונשין penalty spot
- נקודת השוויון equinox
- נקודת זינוק starting point
- נקודת חן beauty spot
- נקודת חשמל power point
- נקודת מבט point of view, angle
- נקודת מוצא square one, base
- נקודת מפנה turning point
- נקודת משען fulcrum

- נקודת ראות	aspect, viewpoint
- נקודת תורפה	foible, weak point
- נקודת תצפית	vantage point
נְקוּדָתִי ת'	focused, concentrated, aimed
נְקוּדָתַיִים נ"ר	colon, (:)
נִקְוָוה פ'	be collected, gather, well
נָקוּט ת'	taken, held, adopted
נָקוּעַ ת'	out of joint, sprained
נֶקֶז ז'	drain, canalization
נָקַט פ'	take (steps), adopt, resort
- נקט אמצעים	take measures
נִקְטַל פ'	be killed, be blasted
נִקְטַם פ'	be truncated, be cut off
נִקְטַע פ'	be cut off, be interrupted
נִקְטַף פ'	be picked, be plucked, die
- נקטף באיבו	cut off in his prime
נֶקְטָר (משקה) ז'	nectar
נֶקְטָרִינָה (אֲפַרְשְׁזִיף) נ'	nectarine
נָקִי ת'	clean, neat, tidy, net
- נקי כפיים	incorruptible
נְקִיּוּת נ'	cleanliness
נְקִיטָה נ'	taking (measures)
- נשבע בנקיטת חפץ	swear on a holy object
נְקִיעָה נ'	dislocation, sprain
נְקִיפָה נ'	precession, beating
- נקיפת אצבע	lifting a finger
- נקיפת לב	qualm, compunction
- נקיפת מצפון	compunction
נָקִיק ז'	crevice, hole, cranny
נְקִירָה נ'	peck, pecking
נְקִישָׁה נ'	knock, tap, percussion
נָקֵל ת'	easy, simple, easily
- בנקל	easily, with ease
נִקְלָה פ'	be roasted, be disgraced
נִקְלֶה ת'	contemptible, base
נְקַלָּה - עַל נְקַלָּה תה"פ	easily
נִקְלַט פ'	be absorbed, get across, be understood, strike roots
נִקְלַע פ'	chance, get into, be thrown, be braided, be plaited
נָקַם פ'	avenge, take revenge
נָקָם ז'	revenge, vengeance
נְקָמָה נ'	revenge, vengeance
- נקמת דם	vendetta
נַקְמָנוּת נ'	revenge, vindictiveness
נַקְמָנִי ת'	revengeful, vindictive
נִקְנָה פ'	be bought, be acquired
נַקְנִיק ז'	sausage, wurst, *banger
נַקְנִיקִיָּה נ'	hot dog, sausage
נִקְנַס פ'	be fined, be mulcted
נָקַע פ'	sprain, dislocate, rick
- נקעה נפשו מ-	sick to death of
נֶקַע ז'	sprain, dislocation, wrench
נָקַף פ'	tap, knock, beat
- מצפונו נקפו	have qualms
- נקף אצבע	lift a finger
- נקפה שנה	a year passed
נִקְפָּא פ'	be frozen, freeze
נִקְצַב פ'	be allotted, be allocated, be rationed
נִקְצַץ פ'	be cut, be chopped
נִקְצַר פ'	be reaped, be harvested
נֶקֶר ז'	puncture, hole, pick, dry point

נַקָּר (עוף) ז'	woodpecker
נִקְרָא פ'	be called, be read
- נקרא אל הדגל	be mobilized, enlist, volunteer
- נקרא לסדר	be called to order
נִקְרַב פ'	approach, be sacrificed
נִקְרָה פ'	chance, happen, meet
נִקְרָה נ'	crevice, cleft, hole
נִקְרַם פ'	form a crust, crust over
נַקְרָנוּת נ'	picking, fault-finding
נִקְרַע פ'	be torn, be ripped, split
נִקְרַשׁ פ'	congeal, freeze, solidify
נָקַשׁ פ'	knock, tap, beat, chatter
נִקְשַׁר פ'	be tied, be connected
- נקשר אל	be attached to, love
נֵר ז'	candle, suppository, candela, candlepower
- חיפש בנרות	search high and low
- נר חנוכה	Hanukka candle
- נר לרגליו	guiding principle
- נר נשמה/זיכרון	memorial candle
- נרו יאיר = נ"י	may his light shine
- נרות שבת	Sabbath candles
נִרְאָה פ'	be seen, appear, look
נִרְאֶה ת'	apparent, visible
*- זה נראה לי	I like it
- נראה לעין	visible
נִרְאֶה תה"פ	probably, it seems
- כנראה	apparently, it seems
- נראה ש-	apparently, it seems
נִרְגָּז ת'	angry, enraged, peevish
נַרְגִּילָה נ'	hookah, hubble-bubble
נִרְגַּם פ'	be stoned
נִרְגָּן ת'	complaining, querulous
נִרְגָּנוּת נ'	grumbling, *griping
נִרְגַּע פ'	calm down, relax, *unwind
נִרְגָּשׁ ת'	moved, excited, *het up
נֵרְדְּ (צמח-בושם) ז'	spikenard
נִרְדַּם פ'	fall asleep, drop off
נִרְדָּף ת'	persecuted, chased
- מלה נרדפת	synonym
נִרְדָּפוּת נ'	synonymy, persecution
נִרְחָב ת'	spacious, wide, ample
נִרְחַץ פ'	be washed, be bathed
נִרְטַב פ'	become wet, moisten
נָרָטִיב (סיפור) ז'	narrative
נָרָטִיבִי (סיפורי) ת'	narrative
נִרְכַּס פ'	button, be clasped, fasten
נִרְכַּשׁ פ'	be acquired, be bought
נִרְמוּל ז'	normalization
נִרְמַז פ'	be hinted, be alluded
נִרְמֵל פ'	normalize, standardize
נִרְמַס פ'	be trodden, be trampled
נִרְעַד פ'	shake, tremble, shiver
נִרְעָשׁ ת'	excited, *flabbergasted
נִרְפָּא פ'	heal, be cured, recover
נִרְפָּה פ'	slacken, slack off, weaken
נִרְפֶּה ת'	slack, lazy, idle, listless
נִרְפּוּת נ'	slackness, listlessness
נִרְצָה פ'	be accepted, be atoned
נִרְצַח פ'	be murdered
נִרְצָח ת'	murdered, assassinated
נִרְצַע פ'	be pierced, be bored
נִרְקַב פ'	rot, rot away, decay
נַרְקוֹזָה (סם מרדים) נ'	narcotic
נַרְקוֹטִי (מרדים) ת'	narcotic

נַרְקוֹמָן ז׳ drug addict, *junkie
נַרְקִיס ז׳ amaryllis, daffodil, narcissus, jonquil
נַרְקִיסִיּוּת נ׳ narcissism, self-love
נַרְקִיסִיזְם ז׳ narcissism
נַרְקִיסִיסְט ז׳ narcissist
נַרְקִיסִיסְטִי ת׳ narcissistic
נִרְקַם פ׳ be embroidered, be devised, be planned, be formed
נִרְשַׁם פ׳ be recorded, enter, register
נַרְתִּיק ז׳ sheath, case, wallet, vagina
- נרתיק האקדח holster
נַרְתִּיקָה נ׳ vagina
נַרְתִּיקִי ת׳ vaginal
נִרְתַּם פ׳ be harnessed, be hitched
- נרתם לעבודה get down to work
- נרתם לעזרתו help him out
נִרְתַּע פ׳ recoil, flinch, draw back
נִרְתֵּק פ׳ sheathe, case, encase
נָשָׂא פ׳ carry, bear, endure, raise, have, get, make, take
- לא יכול לשאת את הכאב couldn't bear the pain
- נשא אישה marry, take a wife
- נשא באחריות bear the responsibility
- נשא בעול/בנטל take on one's shoulders
- נשא בתוצאות meet the consequences, face the music
- נשא ונתן negotiate, deal
- נשא נאום make a speech
- נשא נשק bear arms, carry weapons
- נשא עיניו lift up one's eyes
- נשא פנים be partial, favor
- נשא פרי bear fruit, succeed
- נשא ריבית bear interest
נַשָּׂא (של מחלה) ז׳ carrier
נִשְׁאַב פ׳ be pumped, be drawn
נִשְׁאַל פ׳ be asked, be borrowed
- נשאלת השאלה the question arises
נִשְׁאַף פ׳ be inhaled, be drawn in
נִשְׁאַר פ׳ remain, stay, keep, rest
- נשאר בחיים survive, be spared
נָשַׁב פ׳ blow, breathe, puff, whiff
נִשְׁבָּה פ׳ be captured, be taken
נִשְׁבַּע פ׳ swear, take an oath
- נשבע אמונים vow fidelity
- נשבע לשקר perjure oneself
נִשְׁבַּר פ׳ break, be broken, snap
*- נשבר לי I'm fed up
נִשְׂגָּב ת׳ lofty, sublime, beyond understanding, transcendent
נִשְׁגָּר ז׳ consignee
נִשְׁדַּד פ׳ be robbed, *be mugged
נַשְׁדּוּר ז׳ ammonia
נִשְׁדַּף פ׳ be blighted, be burnt
נָשָׁה פ׳ claim a debt
נָשׂוּא ז׳ predicate
נָשׂוּא ת׳ carried, borne
- נשוא התביעה object of action
- נשוא חלומותיו object of his dreams
- נשוא פנים venerable, dignitary
נְשׂוּאָה נ׳ married woman
נְשׂוּאִי ת׳ predicative
נָשׂוּי ת׳ married, wedded, *hitched
נָשׁוּךְ ת׳ bitten
נְשׁוֹרֶת נ׳ fallout, molt, detritus
- נשורת רדיו-אקטיבית radioactive fallout
נִשְׁזַר פ׳ be twined, be twisted
נִשְׁחַט פ׳ be butchered, be killed
נִשְׁחַק פ׳ erode, be pounded, shrink, wear down, wear thin
נִשְׁחָת ת׳ corrupt, bad, spoilt
נִשְׁטַף פ׳ wash, be rinsed, be swept
נָשִׁי ת׳ effeminate, feminine
נָשִׂיא ז׳ president
- הנשיא הנבחר president elect
- נשיא המדינה President of the State
- נשיא כבוד honorary president
- נשיאים ורוח וגשם אין much ado about nothing
נְשִׂיאָה נ׳ carrying, bearing
- נשיאה באחריות bearing the blame
- נשיאה בעול/בנטל bearing the burden
נְשִׂיאוּת נ׳ presidency, presidium
נְשִׂיאוּתִי ת׳ presidential
נְשִׁיבָה נ׳ blowing, puffing
נָשִׁיוֹן ז׳ amnesia
נָשִׁיּוּת נ׳ femininity, womanhood
נְשִׁיָּה נ׳ oblivion, forgetfulness
נְשִׁיכָה נ׳ bite, biting, snap
נְשִׁילָה נ׳ sloughing, fall, shedding
נָשִׁים נ״ר women, ladies
- נשים מוכות battered women
נְשִׁימָה נ׳ breath, breathing, respiration
- בנשימה אחת in the same breath
- בנשימה עצורה with bated breath
- נשימה ארוכה long breath
- עד נשימתו האחרונה till death
- עוצר נשימה breathtaking
נְשִׁיפָה נ׳ breathing out, exhalation
נְשִׁיקָה נ׳ kiss, osculation, *smooch
נָשִׁיר ז׳ molting season
נָשִׁיר ת׳ deciduous, shedding leaves
נְשִׁירָה נ׳ dropping out, fallout, shedding, molting
נָשִׁית (דלקת עצב-השת) נ׳ sciatica
נָשַׁךְ פ׳ bite, nip, worry
- נשך שפתיו bite one's lips
נֶשֶׁךְ ז׳ usury, interest
נִשְׁכַּב פ׳ lie down, fall
נִשְׁכַּח פ׳ be forgotten
נִשְׁכָּח ת׳ forgotten, forgettable
- בלתי נשכח unforgettable
נִשְׁכָּחוֹת ז״ר forgotten events
נַשְׁכָן ז׳ biter
נַשְׁכָנִי ת׳ biting, stinging, sharp
נִשְׂכַּר פ׳ let, hired, rent, gaining
נָשַׁל פ׳ drop, fall, slough, remove
נֶשֶׁל ז׳ sloughing, fall, falling
נִשְׁלָה פ׳ be drawn out
נִשְׁלַח פ׳ be sent, be transmitted
נִשְׁלַט פ׳ be governed, be ruled
נִשְׁלַל פ׳ be denied, be deprived
נִשְׁלַם פ׳ be completed, end, finish
נִשְׁלַף פ׳ be unsheathed, be drawn
נִשְׁלַשׁ פ׳ triple, treble

נָשַׁם פ׳ breathe, pant, gasp, respire
- נשם ונשף pant
- נשם לרווחה feel relief
נִשְׁמַד פ׳ be destroyed, perish
נְשָׁמָה נ׳ soul, spirit, *darling
*- בנשמה in one's blood, inherent in one's nature
- נשמתו עדן may he rest in peace
נִשְׁמַט פ׳ drop, be omitted, slip
נִשְׁמַע פ׳ obey, be heard, sound, ring
*- מה נשמע? how do you do?, how goes it?, what's up?
נִשְׁמַר פ׳ be kept, be preserved, be guarded, take care
נִשְׁנָה פ׳ recur, repeat, be reiterated
*נִשְׁנוּשׁ ז׳ nosh, snack, light meal
נִשְׁנַק פ׳ be strangled, be choked
*נִשְׁנֵשׁ פ׳ nosh, eat a snack
נִשְׁעַן פ׳ lean, recline, depend on, rely on, rest on
נָשַׁף פ׳ blow, breathe, exhale, puff
- נשף בעורפו breathe down his neck
נֶשֶׁף ז׳ ball, party, soiree
- נשף חשק orgy, drunken revelry
- נשף מסיכות masked ball, masquerade
- נשף ריקודים ball, dance
נִשְׁפַּט פ׳ be sentenced, be judged
נִשְׁפִּייָה נ׳ small party
נִשְׁפַּךְ פ׳ spill, be poured, empty
נִשְׁפַּת פ׳ be placed on fire
נָשַׁק פ׳ kiss, *peck, *smooch, touch, meet, interface
*- שק לי! I don't care
נֶשֶׁק ז׳ arms, weapon, firearm
- נשק ביולוגי biological weapons
- נשק גרעיני nuclear weapons
- נשק חם firearms
- נשק כימי chemical weapon
- נשק קונבנציונלי conventional weapons
- נשק קל light weapons, small arms
- נשק קר cold steel, knife
נַשָּׁק ז׳ gunsmith, armorer
נַשְׁקִייָה נ׳ armory, arsenal
נִשְׁקַל פ׳ be weighed, be considered
נִשְׁקַף פ׳ be seen, be reflected, appear, overlook
- נשקפה לו סכנה be in danger
נָשַׁר פ׳ drop, be shed, molt
נֶשֶׁר ז׳ vulture, eagle, windfall
נִשְׁרָה פ׳ soak, be immersed
נִשְׁרוֹן ז׳ eaglet
נִשְׂרַט פ׳ be scratched, be scraped
נִשְׁרִי ת׳ aquiline, curved
נִשְׂרַף פ׳ burn, be burnt, scorch
נִשְׁתַּ- (פּוֹעַל) ראה הִשְׁתַּ-
- נשתנה ראה השתנה וכד׳
נִשְׁתַּל פ׳ be planted, be implanted
נִת- (פּוֹעַל) ראה הִת-
- נתרצה ראה התרצה וכד׳
נַתָּב ז׳ tracker, pilot
נתב״ג Ben-Gurion Airport
נַתָּבוּת ז׳ tracking, pilotage
נִתְבַּע פ׳ be demanded, be sued
נִתְבָּע ז׳ defendant, respondent

נָתוּן ת׳ given, is, found, placed, situated, datum
- נתון לחסדי- at the mercy of
נְתוּנִים ז״ר data, qualities, makings
נְתוּקוֹת תה״פ staccato
נִתַּז פ׳ ricochet, splinter, sprinkle
- יין נתזים champagne
נֵתַח ז׳ cut, chunk, piece, slice
- נתח שוק market share
נִתְחַב פ׳ be inserted, be shoved
נִתְחַם פ׳ be fixed, be delimited
נַתְּחָן ז׳ analyst
נַתְּחָנוּת נ׳ analysis, breakdown
נַתְּחָנִי ת׳ analytical, dissecting
נָתִיב ז׳ path, way, lane, track
- חד נתיבי single-track, one-track
- נתיב אוויר air lane, airway
נָתִיחַ ת׳ operable
נְתִיחָה נ׳ dissection, analysis
- נתיחה שלאחר המוות autopsy, postmortem
נָתִיךְ ז׳ fuse, fuse wire
נָתִין ז׳ subject, citizen, national
- נתין זר foreign citizen
נְתִינָה נ׳ giving, granting
נְתִינוּת נ׳ nationality, citizenship
נָתִיק ת׳ detachable, removable
נְתִיקוּת נ׳ separability, detachment
נָתִיר ז׳ ricochet
נֶתֶךְ ז׳ alloy, mixture
נִתְלָה פ׳ hang, be hanged
- נתלה באילן גדול base on a famous person
נִתְלַשׁ פ׳ be plucked, be torn
נִתְמַךְ פ׳ be supported, get help
נִתְמָךְ ז׳ poor man, needy person
נָתַן פ׳ give, grant, let, allow, put
- נתן את הדין pay for
- נתן את הנשמה/הלב give one's all
- נתן את כל כולו give one's all
- נתן דעתו pay attention
- נתן יד lend a hand, take part
- נתן להבין give to understand
*- נתן לו מנה give him what for
*- נתן על הראש blow up, rebuke
נְתַנְיָה נ׳ Netanya
נִתְעָב ת׳ loathsome, abominable
נִתְפַּס פ׳ be seized, be caught, be grasped, be understood
נִתְפַּר פ׳ be sewn, be stitched
נָתַץ פ׳ smash, destroy, demolish
נֶתֶק ז׳ switch, break, severance
נִתְקַל פ׳ meet, encounter, stumble
- נתקל בקיר אטום not gain a hearing
נִתְקַע פ׳ be stuck, stick
נִתְקַף פ׳ be attacked, feel, suffer
נֶתֶר ז׳ niter, nitre, soda
נֶתֶר מְאַכֵּל ז׳ caustic soda
נִתְרַם פ׳ be contributed, be donated
נַתְרָן (מתכת) ז׳ sodium
- נתרן כלורי (מלח) sodium chloride, salt
- נתרן מימן פחמתי sodium bicarbonate, baking soda
- נתרן פחמתי sodium carbonate
נַתְרָן מְאַכֵּל ז׳ caustic soda

ס

סְאָה נ׳ seah (measure)
- הגדיש הסאה go too far
סָאוּנָה (מרחץ אדים) נ׳ sauna
סא"ל = סגן אלוף lieutenant colonel
סָב פ׳ turn, go round, encircle
סָב ז׳ grandfather, old man
סָבָא פ׳ drink to excess, guzzle
סָבָא ז׳ grandfather, *grandpa
- סבא גדול great-grandfather
- סבא רבא great-grandfather
סָבַב פ׳ go round, encircle, revolve, rotate, turn
סֶבֶב ז׳ round, revolution, circuit
*סַבַּבָּה מ״ק wonderful, great
סַבֶּבֶת נ׳ pinion, cogwheel
סָבָה נ׳ grandmother
סַבּוֹטָז׳ (חַבָּלָה) ז׳ sabotage
סָבוּךְ ת׳ tangled, complicated
סַבּוֹלֶת נ׳ stamina, endurance
סַבּוֹן ז׳ soap, *timid, softy
- סבון נוזלי soft soap
סַבּוּנִי ת׳ soapy
סַבּוֹנִיָּה נ׳ soap holder, soap dish
סָבוּר ת׳ thinking, believing
- סבורני I think
סְבִיאָה נ׳ drinking, boozing
סָבִיב מ״י around, round
סְבִיבָה נ׳ surroundings, vicinity, environment, neighborhood
- אין איש בסביבה the coast is clear
- בסביבה near by, around
- בסביבות about, around, or so
סְבִיבוֹל ז׳ swivel
סְבִיבוֹן ז׳ top, whipping top, whirligig, teetotum
סְבִיבָתִי ת׳ environmental
סְבִיוֹן ז׳ ragwort, groundsel
סָבִיךְ ת׳ entangled, tangly, jumbly
סְבִיכוּת נ׳ entanglement
סָבִיל ת׳ passive, tolerable
סְבִילוּת נ׳ tolerability, stamina
סָבִיר ת׳ reasonable, logical, likely
סְבִירוּת נ׳ probability, likelihood
סְבַךְ ז׳ entanglement, thicket
סְבָכָה נ׳ lattice, grill, trellis
סָבַל פ׳ suffer, tolerate, bear, endure
סֵבֶל ז׳ suffering, affliction, burden
- סבל הירושה atavism
סַבָּל ז׳ porter, carrier, redcap
- כשל כוח הסבל can bear no more
סַבָּלוּת נ׳ porterage, carrying
סַבְלָנוּת נ׳ patience, endurance
סַבְלָנִי ת׳ patient, tolerant, quiet
סַבְסָב (התקן בזנב מטוס) ז׳ yaw
סִבְסֵד פ׳ subsidize
סִבְסוּד ז׳ subsidization
סָבַר פ׳ think, suppose, hold, opine
סֵבֶר ז׳ hope, appearance
- סבר פנים יפות hospitality
*סַבְּרָה ז׳ prickly pear, Israel-born
סְבָרָה נ׳ opinion, belief, conjecture

- סברת כרס unfounded view
סַבְתָּא נ׳ grandmother, *grandma
- סבתא גדולה great-grandmother
- סבתא רבתא great-grandmother
*- ספר לסבתא tell it to the marines
סָגַד פ׳ worship, idolize, adore
סָגָה (סיפורי גיבורים) נ׳ saga
סֶגּוֹל ז׳ eh (Hebrew vowel)
סָגוֹל ת׳ violet
סְגֻלָּה נ׳ attribute, trait, quality
סְגֻלִּי ת׳ specific
- חום סגולי specific heat
- משקל סגולי specific gravity
סָגוּף ת׳ suffering, mortified
סָגוּר ת׳ shut, barred, closed, secure
- סגור ומסוגר tightly closed
סְגוֹר לִיבּוֹ burden, heavy heart
סַגִּי ת׳ enough
סַגִּי נְהוֹר ת׳ blind, euphemism
- לשון סגי נהור ironic language
סְגִידָה נ׳ worship, idolization
סָגִיל ת׳ adaptable, malleable
סְגִילוּת נ׳ adaptability, malleability
סָגִיר ז׳ shackle
סְגִירָה נ׳ closing, shutting
- סגירת מעגל coming full circle
סְגִירוּת נ׳ introversion
סֶגֶל ז׳ cadre, corps, staff, group
- הסגל הדיפלומטי diplomatic corps
סֶגֶל (סוג צמחי נוי) ז׳ viola
סְגַלְגַּל ת׳ elliptic, oval
סג"מ = סגן משנה second lieutenant
סֶגְמֶנְטַצְיָה (חלוקה) נ׳ segmentation
סְגַן ז׳ deputy, vice
- סגן אלוף lieutenant colonel
- סגן ניצב chief superintendent
- סגן נשיא vice-president, VP
- סגן שר deputy minister
סֶגֶן ז׳ first lieutenant, lieutenant
- סגן משנה second lieutenant, *sub
סִגְנוֹן ז׳ style, manner, mode
- סגנון חופשי freestyle
סִגְנוּן ז׳ styling, wording
סִגְנוֹנִי ת׳ stylistic
סְגָנוּת נ׳ deputizing, lieutenancy
סִגְנֵן פ׳ stylize, style, word
סַגְנָן ז׳ stylist, editor
סִגְסֵג פ׳ alloy, debase by mixing
סַגְסוֹגֶת נ׳ alloy, mixture
סַגְפָן ז׳ ascetic, self-denier
סַגְפָנוּת נ׳ asceticism, self-denial
סַגְפָנִי ת׳ ascetic, ascetical
סָגַר פ׳ close, shut, block, bar
- סגר את הברז stop the supplies
*- סגר חשבון עם settle an account
- סגר מעגל come full circle
- סגר עסקה sew up a deal
- סגר רווחים close ranks
סֶגֶר ז׳ closure, lock, latch, shutter
סַגְרִיר ז׳ heavy rain
סַגְרִירִי ת׳ rainy, cold, wintry
סַד ז׳ pillory, stocks, wheel chock
סָדוֹ-מָזוֹכִיזְם ז׳ sadomasochism
סָדוֹ-מָזוֹכִיסְט ז׳ sadomasochist
סָדוֹ-מָזוֹכִיסְטִי ת׳ sadomasochistic
סְדוֹם נ׳ Sodom

- מעשה סדום — sodomy
- סדום ועמורה — Sodom and Gomorrah, extreme wickedness
סְדוֹמִי ז' — sodomite, corrupt
סָדוּק ת' — cracked, cleft, split
סָדוּר ת' — arranged, orderly, in order
סָדִיזְם (התעללות בזולת) ז' — sadism
סָדִין ז' — sheet
- סדין אדום — red rag
- סדין חשמלי — electric blanket/sheet
סָדִיסְט (אכזר) ז' — sadist
סָדִיסְטִי ת' — sadistic, vicious, cruel
סָדִיק ת' — crackable, fissile
סָדִיר ת' — regular, systematic
סְדִירוּת נ' — regularity, orderliness
סַדָּן ז' — anvil, breechblock
סַדְנָא דְאַרְעָא חַד הוּא — it's the same everywhere
סַדְנָה נ' — workshop, forge, shop
סָדַק פ' — crack, chap, split
סֶדֶק ז' — crack, crevice, cleft, fissure
סִדְקִי ז' — haberdasher
סִדְקִית נ' — haberdashery, notions
סִדֵּר פ' — arrange, order, organize
סֵדֶר ז' — order, arrangement
- אי-סדר — disorder, mess
- אי-סדרים — manipulation, doctoring
- בסדר — all right, OK, well
- בסדר גודל של — about, a matter of
- בסדר גמור — all right, *all there
- בסדר יורד — in descending order
- בסדר עולה — in ascending order
- הפר סדר — disturb the peace
- הפרת סדר — breach of the peace
- כסדרו — regularly, properly
- ליל הסדר — Seder night, Passover night
- סדר הדין האזרחי — civil procedure
- סדר הניקור — pecking order
- סדר יום — agenda, order of the day
- סדר מופתי — apple-pie order
- סדרי בראשית — laws of nature
סַדָּר ז' — typesetter, compositor
סֶדֶר ז' — type, setup type
- סדר-צלם — phototypesetting
סִדְרָה נ' — sequence, series, succession, course, military exercises
- סדרה הנדסית — geometrical series
- סדרה חשבונית — arithmetic series
- סדרת ניצחונות — winning streak
סִדְרוֹן ז' — serial
סִדְרוּר ז' — sequencing
סַדָּרוּת נ' — typesetting, composition
סַדְרָן ז' — usher, steward, *bouncer
סַדְרָנוּת נ' — ushering, attendance
סַדְרָנִית נ' — usherette
סִדְרָתִי ת' — serial, sequential
ס"ה = סך הכול — total, sum total
סָהֲדִי בַּמְּרוֹמִים! מ"ק — so help me!
סָהוּר ת' — moonlit
סה"כ = סך הכול — total, sum total
סַהַר ז' — moon, crescent
- הסהר האדום — Red Crescent
- הסהר הפורה — Fertile Crescent
סָהָרָה (מדבר) ז' — Sahara

סַהֲרוֹן ז' — croissant, meniscus
סַהֲרוּרִי ת' — moonstruck, sleepwalker
סַהֲרוּרִיּוּת נ' — sleepwalking
סַהֲרִית (קְרוּאָסוֹן) נ' — croissant
סֶהָרָנֶה ז' — Saharaneh, Kurdish Jews festival
סוֹאֵן ת' — noisy, tumultuous
סוּב יוּדִיצֶה (בדיון) — sub judice
סוֹבֵא ז' — drunkard, drinker, guzzler
סוֹבֵב פ' — turn, revolve, spin, rotate, go round, encircle, wind
- סובב על האצבע — twist round one's finger
סוֹבָּה נ' — rotary, traffic circle, roundabout
סוּבְּטִילִי (מעודן) ת' — subtle
סוּבְּטְרוֹפִּי ת' — subtropical
סוֹבְיֶט ז' — Soviet
סוֹבְיֶטִי ת' — Soviet
סוּבְּיֶקְט ז' — subject
סוּבְּיֶקְטִיבִי ת' — subjective, personal
סוּבְּיֶקְטִיבִיּוּת נ' — subjectivity
סוּבְּיֶקְטִיבִיזְם ז' — subjectivism
סֻבִּין ז"ר — bran
סֻבַּךְ פ' — be complicated
סוֹבֶךְ ז' — calf, thicket
סוֹבֵל ת' — suffering, bearing
- לא סובל דיחוי — urgent, pressing
סוּבְּלִימַצְיָה (הַמְרָאָה) נ' — sublimation
סוֹבְלָנוּת נ' — toleration, tolerance
סוֹבְלָנִי ת' — tolerant, latitudinarian
סֻבְסַד פ' — be subsidized
סוּבְּסְטַנְצְיָה (מהות) נ' — substance
סוּבְּסִידְיָה נ' — subsidy, financial aid
סוּבֶּרֶנִי ת' — sovereign, independent
סוּבֶּרֶנִיּוּת נ' — sovereignty
סוּג ז' — category, class, kind, sort, type, brand, genre, nature
- דרכו סוגה בשושנים — fares well
- סוג א' — A-one, first-class
- סוג ב' — mediocre, second-class
- סוג דם — blood group
סוּגָה (ז'אנר) ז' — genre
סוּגִי ת' — belonging to a class, generic
סוּגְיָה נ' — problem, issue, question
סֻגְנַן פ' — be stylized, be worded
סוּגֶסְטְיָה (הַשָּׁאָה) נ' — suggestion
סוֹגֵר ז' — bracket, parenthesis
סוּגַר ז' — cage, muzzle
סוֹגְרַיִם ז"ר — parentheses, brackets
- סוגריים מרובעים — square brackets
- סוגריים צומדים — braces
סוֹד ז' — secret, confidence
- בסוד — in confidence, in secret
- בסוד העניינים — in the know
- בסודי סודות — in strict secrecy
- סוד גלוי — open secret
- סוד כמוס — deep secret
סוֹדָה נ' — soda, soda water
- סודה לשתייה — sodium bicarbonate
- סודה קאוסטית — caustic soda
- סודת אפייה — baking soda
- סודת כביסה — washing soda
סוֹדִי ת' — secret, confidential
- סודי ביותר — top secret
סוֹדִיּוּת נ' — secrecy, confidentiality

סוּדָן נ׳	Sudan
סוּדַּר פ׳	be arranged, *be had
סוּדָר ז׳	scarf, shawl, neckerchief
סוּדָרִי ת׳	ordinal, serial
סוּדְרָן ז׳	index file
סוֹהֵר ז׳	jailor, warden, warder, guard
- רב-סוהר	warder first class
סָוָואנָה (ערבה) נ׳	savanna
סוּוַג פ׳	be classified, be sorted
סְוֶודֶר ז׳	sweater, jumper, wooly
סְוִויטָה (גם במוסיקה) נ׳	suite
סְווִינג (מוסיקת ג׳ז) ז׳	swing
סְוִויץ׳ (מתג) ז׳	switch
סְוֶוצֶ׳ר (מיזע) ז׳	sweatshirt
סַוָּר ז׳	docker, stevedore
סַוָּרוּת נ׳	lighterage, stevedoring
סוֹחֵף ת׳	sweeping, overwhelming
סוֹחֲפָנִי ת׳	sweeping, erosive
סוֹחֵר ז׳	merchant, trader, dealer
- סוחר בדים	mercer, clothier
- סוחר בסחורה גנובה	receiver, fence
- סוחר סמים	peddler, pusher
סוּחֲרַר פ׳	be dizzied
סוֹטָה נ׳	faithless wife
סוֹטֶה ת׳	aberrant, deviating, divergent, deviant, pervert
- סוטה מין	pervert
סוֹיָה נ׳	soy, soya
סוּיַּג פ׳	be limited, be restricted
סוּיַּד פ׳	be whitewashed, be painted
סוּכָּה נ׳	thatched booth, hut
סוּכּוֹת נ״ר	Feast of Tabernacles
סוֹכֵךְ פ׳	hide, protect, shelter
סוֹכֵךְ ז׳	awning, umbrella, shelter, screen, sunshade, umbel
סוֹכְכוֹת נ״ר	covert, feathers
סוֹכְכִיִּים ז״ר	Umbelliferae
סוֹכְכִית נ׳	flashing, roof flashing
סוּכַּל פ׳	be thwarted, be foiled
סוּכַּם פ׳	be added up, be concluded
סוּכַּן פ׳	be endangered, be risked
סוֹכֵן ז׳	agent, broker, factor
- סוכן ביטוח	insurance broker, underwriter
- סוכן הימורים	bookie, bookmaker
- סוכן חשאי	secret agent
- סוכן כפול	double agent
- סוכן מניות	stockbroker, jobber
- סוכן מקרקעין	real estate agent
- סוכן נוסע	traveling salesman
- סוכן נסיעות	travel agent
- סוכן סמוי	undercover agent
- סוכן שתול	agent provocateur
סוֹכְנוּת נ׳	agency, bureau
- הסוכנות	The Jewish Agency
- סוכנות ידיעות	news agency
- סוכנות נסיעות	travel agency, travel bureau
סוֹכֶנֶת נ׳	housekeeper, agent
סוּכָּר ז׳	granulated sugar, sugar
- סוכר דק	caster sugar, castor sugar
- סוכר החלב	lactose
- סוכר הלתת	maltose
- סוכר חום	brown sugar
- סוכר חתיכות	lump-sugar
- סוכר ענבים	grape sugar, dextrose, glucose
- סוכר פירות	fruit sugar, fructose
- תת סוכר דם	hypoglycemia
סוּכְּרָזִית נ׳	saccharine
סוּכָּרִי ת׳	sugary, saccharine
סוּכָּרִיָּה נ׳	candy, sweet, drop
- סוכרייה על מקל	lollipop, *lolly
- סוכריית גומי	gum drop
סוּכֶּרֶת נ׳	diabetes, diabetes mellitus
- סוכרת נעורים	juvenile diabetes
סוּכַּרְתִּי ת׳	diabetic
סוֹל ז׳	sol, G, sole
סוּלָּא - לא יְסוּלָּא ת׳	invaluable
סוֹלֵד ת׳	pug nose, snub, retrousse, feeling disgust, averse
סוֹלוֹ (שירת יחיד) ז׳	solo
*סולחה נ׳	reconciliation
סוֹלְחָנוּת נ׳	forgiveness, indulgence
סוֹלְחָנִי ת׳	forgiving, indulgent
סוּלְטָן (שליט מוסלמי) ז׳	sultan
סוּלְטָנוּת נ׳	sultanate
סוֹלִידִי ת׳	solid, reliable, upstanding
סוֹלִידִיוּת נ׳	solidity, solidness
סוֹלִידָרִיּוּת נ׳	solidarity, sympathy
סוּלְיָה נ׳	sole
סוֹלִיסְט (סולן) ז׳	soloist
סוּלִית (דג) נ׳	sole
סוּלִיתָאִים (דגים) ז״ר	Soleidae
סוֹלְלָה נ׳	battery, dike, embankment, rampart, ramp, a large number
- סוללת מבחנים	battery of tests
סוּלָּם ז׳	ladder, scale, stepladder
- סולם בופורט	Beaufort scale
- סולם דיאטוני	diatonic scale
- סולם הדרגות	ranks scale
- סולם הקולות	scale
- סולם חבלים	rope ladder
- סולם כרומאטי	chromatic scale
- סולם נע (לשכר)	sliding scale
- סולם ריכטר	Richter scale
- סולם שכר	wage scale
סוֹלְמִיזַצְיָה נ׳	solmization, solfeggio
סוּלָּמִית נ׳	number symbol, (#)
סוֹלָן ז׳	soloist
סוֹלָנוּם ז׳	nightshade, solanum
סוֹלָנִיִּים ז״ר	Solanaceae
סוּלַּף פ׳	be distorted, be twisted
סוֹלְפֶג׳ (תרגילי זמרה) ז׳	solfeggio
סוּלְפָה (סמי רפואה) נ׳	sulfa
סוּלְפָט (גופרה) ז׳	sulfate
סוּלְפִיד (תרכובת גפרית) ז׳	sulfide
סוּלַּק פ׳	be removed, be paid
סוֹלֶר ז׳	diesel oil, gas oil, derv
סוֹלָרִי (שֶׁל הַשֶּׁמֶשׁ) ת׳	solar
סוֹלַרְיוּם (חדר שמש) ז׳	solarium
סוֹלֶת נ׳	semolina, fine flour
- סולתה ושמנה	elite, best
סוּמָא ז׳	blind man
- כסומא בארובה	in the dark
סוֹמְבְּרֶרוֹ (כובע קש) ז׳	sombrero
סוּמוֹ (היאבקות יפנית) ז׳	sumo
סוֹמֵךְ ז׳	prop, supporter, relying, part of compound
סוּמַּל פ׳	be symbolized, be signified
סוֹמַלְיָה נ׳	Somalia

סוּמַם פ׳ be drugged, be poisoned
סוּמַן פ׳ be marked, be indicated
סוֹמֶק ז׳ blush, redness, rouge
סוּמַר פ׳ be nailed, be hardened
סונדל פ׳ be clamped (a car)
סוּנָה (באיסלאם) נ׳ Sunna
סונוור פ׳ be blinded, be dazzled
סוֹנָטָה (במוסיקה) נ׳ sonata
סוֹנֶטָה (שיר זהב) נ׳ sonnet
סוּנִי (באיסלאם) ז׳ Sunni
סוּנַן פ׳ be strained, be filtered
סוּנַף פ׳ be affiliated, be annexed
סוֹנָר (איתור תת מימי) ז׳ sonar
סוּס ז׳ horse, steed, knight, licorice
- סוס היאור hippopotamus, hippo
- סוס הרבעה stallion, studhorse
- סוס התעמלות vaulting horse
- סוס טרויאני Trojan horse
- סוס ים (ניבתן) walrus
- סוס מירוץ racehorse, racer
- סוס משא packhorse, shire horse
- סוס עבודה dobbin, workhorse
- סוס עץ/נדנדה rocking horse
- סוס ציד hunter
*- על הסוס riding high, top dog
סוּסָה נ׳ mare, filly
סוּסוֹן ז׳ pony, small horse, *nag
- סוסון ים sea horse
סוּסִי ת׳ equine, horsy
סוֹעֵד ז׳ diner, at table
סוֹעֵר ת׳ stormy, tempestuous
סוֹף ז׳ end, close, finish
- בלי סוף without end, endlessly
- בסופו של דבר eventually
- סוף דבר epilogue, afterword
- סוף הדרך end of the road
- סוף המאה turn of the century
- סוף העולם end of the world, jumping-off place
- סוף כל סוף at last
- סוף סוף at last, after all
- סוף פסוק end, finish, period
- סוף ציטוט unquote
- סוף שבוע weekend
- סוף שחור bitter end
- עשה סוף ל- put an end to, make an end of
סוּף ז׳ bulrush, rush, reed
סוֹפְגָנִי ת׳ absorbent, receptive
סוּפְגָנִיָּה נ׳ doughnut
סוּפָה נ׳ storm, gale, gust, tempest
- סופת אבק dust storm
- סופת ברד hailstorm
- סופת גשמים rainstorm
- סופת חול sandstorm
- סופת רעמים thunderstorm
- סופת שלג snowstorm, blizzard
סוּפַּח פ׳ be annexed, be attached
סוֹפִי ת׳ final, ultimate, eventual
סוֹפִיּוּת נ׳ finality, limit, end
סוֹפִיזְם (הַטְעָאָה) ז׳ sophism
סוֹפִיסְט (פלפלן) ז׳ sophist
סוֹפִיסְטִיקָה נ׳ sophism, sophistry
סוֹפִיסְטִיקַצְיָה נ׳ sophistication, casuistry, speciousness
סוֹפִית נ׳ suffix
סוֹפִית תה״פ once and for all, finally
סוּפְלֶה (תפיחית) ז׳ souffle
סוֹפָנִי ת׳ terminal, incurable
סוּפַּק פ׳ be supplied, be provided
סוּפַּר פ׳ be narrated, be cut (hair)
סוֹפֵר ז׳ author, writer, penman
- סופר סת״ם writer of Scriptures
- סופר צללים ghostwriter
סוּפֶּר super-, supermarket
סוֹפְרוּת נ׳ authorship, writing
סוּפֶּרְלָטִיב (הפלגה בשבח) ז׳ superlative
סוּפֶּרְמֶן ז׳ superman
סוּפֶּרְמַרְקֶט (מַרְכּוֹל) ז׳ supermarket
סוֹפְּרָן ז׳ descant, soprano, treble
סוּפֶּרְנוֹבָה (פיצוץ כוכב) ז׳ supernova
סוּפְרַר פ׳ be numbered, be numerated
סוֹפֶרֶת נ׳ authoress, woman author
סוֹפְשָׁבוּעַ ז׳ weekend
סוּפָתִי ת׳ stormy, gusty, squally
סוֹצְיָאלִי (חברתי) ת׳ social
סוֹצְיָאלִיזְם ז׳ socialism
סוֹצְיָאלִיסְט ז׳ socialist
סוֹצְיָאלִיסְטִי ת׳ socialistic
סוֹצְיוֹבִּיּוֹלוֹגְיָה נ׳ sociobiology
סוֹצְיוֹגְרָמָה נ׳ sociogram
סוֹצְיוֹלוֹג ז׳ sociologist
סוֹצְיוֹלוֹגִי ת׳ sociological
סוֹצְיוֹלוֹגְיָה נ׳ sociology, study of human societies
סוֹצְיוֹמֶטְרִיָּה נ׳ sociometry
סוֹצְיוֹפָּת (מופרע) ז׳ sociopath
סוּקַּר פ׳ be reviewed, be covered
סוֹקֵר ז׳ reviewer, surveyor, pollster
סוֹקְרָטִי ת׳ Socratic
סוֹקְרָטֶס ז׳ Socrates
סוּר ז׳ origin, natural habit
- חזר לסורו revert to bad habits, backslide, fall from grace
- סורו רע of bad nature
סוֹרֵג ז׳ bars, grating, grid, grille, lattice, trellis, knitter
- מאחורי סורג ובריח behind bars
סוּרְגָה נ׳ sweater, jumper, wooly
סוּרִי ז׳ Syrian
סוּרֵיאָלִיזְם (עַל-מְצִיאוּת) ז׳ surrealism
סוּרֵיאָלִיסְט ז׳ surrealist
סוּרְיָה נ׳ Syria
סוּרִינָאם נ׳ Suriname
סוֹרַס פ׳ be castrated, be distorted
סוֹרַק פ׳ be combed, be carded
סוֹרֵק ז׳ scanner
- סורק אופטי optical scanner
סוֹרֵר ת׳ indocile, rebellious
- סורר ומורה extremely intractable
סוּשִׁי (מאכל יפני) ז׳ sushi
סוֹתֵר ת׳ contradictory, conflicting
סוּתַּת פ׳ be chiseled, be cut (stones)
סֶזוֹן (רדיפת לוחמים) ז׳ Season
סָח פ׳ say, tell, speak
- מה אתה סח? You don't say!
סָחַב פ׳ drag, pull, draw, *steal
סַחַב (כוח מניע) ז׳ thrust
סְחָבָה נ׳ floor cloth, mop, rag
- סחבות shabby dress, rags, tatters
סַחְבָן ז׳ pilferer, sneak thief

*סַחְבָּק ז׳ friend, jolly fellow
סַחֶבֶת נ׳ red tape, bureaucracy
סְחוּג ז׳ sehoog, peppery mixture
סָחוּט ת׳ squeezed, tired, *beat
סְחוּס ז׳ cartilage, gristle
סְחוּסִי ת׳ cartilaginous
סְחוֹפֶת נ׳ deposit, sediment, alluvium, silt
סְחוֹר סְחוֹר תה״פ indirectly
סְחוֹרָה נ׳ goods, ware, merchandise
- סחורה גנובה stolen goods
סָחַט פ׳ blackmail, extort, exact, wring, squeeze, extract, milk
- סוחט דמעות weepy, *tear-jerker
סַחְטָן ז׳ blackmailer, extorter
סַחְטָנוּת נ׳ blackmail, racketeering
סַחְטָנִי ת׳ extortionate
סְחִי ז׳ rubbish, refuse, dirt
סְחִיבָה נ׳ drag, *pilfering
סָחִיט ת׳ squeezable
סְחִיטָה נ׳ blackmail, exaction, extortion, squeezing, wringing
סְחִיף ז׳ embolism, embolus
סְחִיפָה נ׳ erosion, sweeping, wash
סָחִיר ת׳ negotiable, marketable
סְחִירוּת נ׳ negotiability
סַחְלָב ז׳ sahlab, salep, oriental cornflour drink
סַחְלָב (פרח) ז׳ orchid
סַחְלָבִיִּים ז״ר Orchidaceae
סָחַף פ׳ carry away, wash, sweep
סַחַף ז׳ alluvium, erosion, silt, drift
סָחַר פ׳ trade, deal in, traffic
סַחַר ז׳ commerce, trade, traffic
- סחר חופשי free trade
- סחר חוץ foreign trade
- סחר חליפין barter, trade
- סחר מכר trading, dealing
- סחר פנים home trade
סְחרוּר ז׳ spin, whirl, pirouette
סְחַרְחוֹרֶת נ׳ dizziness, vertigo
סְחַרְחַר ת׳ dizzy, indirect, whirling
סְחַרְחֵרָה נ׳ carousel, merry-go-round
סְחַרְחֶרֶת נ׳ carousel, merry-go-round
סִחְרֵר פ׳ dizzy, make giddy
- סחרר את ראשו turn his head
סֶט ז׳ set, service
סְטַבִּילִי (יציב) ת׳ stable, stabile
סְטַבִּילִיזַצְיָה (ייצוב) ז׳ stabilization
סְטַגְנַצְיָה (קיפאון) נ׳ stagnation
סְטַגְפְלַצְיָה נ׳ stagflation
סָטָה פ׳ digress, deviate, diverge
סְטוֹאִי ת׳ stoical, calm, indifferent
סְטוֹאִיוּת נ׳ stoicism
סְטוֹאִיקָן ז׳ stoic
סְטוּדְיוֹ ז׳ atelier, studio
סְטוּדֶנְט ז׳ student, undergraduate
סְטוֹפֶּר (שְׁעוֹן-עֶצֶר) ז׳ stopwatch
*סְטוּץ ז׳ affair, flirt, happening
סְטָז׳ ז׳ training period
סְטָזֶ׳ר ז׳ intern, articled clerk, trainee
סְטָטוּס ז׳ status, standing, position
- סטטוס קוו status quo
סְטָטוֹסְקוֹפּ (ברומטר) ז׳ statoscope
סְטָטִי ת׳ static, unmoving, stationary

סְטָטִיּוּת נ׳ immobility, fixedness
סְטָטִיסְט ז׳ supernumerary, extra
סְטָטִיסְטִי ת׳ statistical
סְטָטִיסְטִיקָה נ׳ statistics
סְטָטִיסְטִיקָן ז׳ statistician
סְטָטִיקָה (גופים נחים) נ׳ statics
סְטִיגְמָה (אות קלון) נ׳ stigma
סְטָיו ז׳ porch, colonnade, portico
סְטִיָּה נ׳ aberration, deviation, digression, perversion, swerve
- סטייה מינית sexual perversion
- סטיית תקן standard deviation
סְטַייל (סגנון) ז׳ style, *in the manner of
סְטַיילִיסְט (מעצב) ז׳ stylist
סְטֵייק (אוּמְצָה) ז׳ steak, beefsteak
סְטֵייקִיָּה נ׳ steakhouse
סְטֵיישֶׁן ז׳ station wagon, estate car
סטי״ל = ספינת טילים missile-boat
סָטִין ז׳ satin, sateen
סָטִיף ת׳ pockmarked
סְטִיפֶּנְדְיָה נ׳ grant, scholarship, stipend
סְטִיקֶר (תווית) ז׳ sticker
סָטִיר (אֵל הַיַּעַר) ז׳ satyr, lecher
סְטִירָה נ׳ slap, smack, spat
- סטירת לחי slap in the face
סָטִירָה נ׳ satire, lampoon, ridicule
סָטִירִי ת׳ satirical, mocking
סָטִירִיקָן ז׳ satirist, lampoonist
סְטָלַגְמִיט (זקיף) ז׳ stalagmite
סְטָלִין ז׳ Stalin
סְטָלִינִיזְם (עריצות) ז׳ Stalinism
סְטָלִינִיסְט ז׳ Stalinist
סְטָלַקְטִיט (נטיף) ז׳ stalactite
סָטָן ז׳ satin, sateen
סְטֶן ז׳ Sten gun
סְטֶנְד אַפּ קוֹמֶדִי (מִצְחָק) ז׳ stand-up comedy
סְטֶנְד בַּיי (היכון) standby
סְטֶנְדָּה ז׳ stand (for a book), lectern
סְטַנְדַּרְד (תקן) ז׳ standard
סְטַנְדַּרְט (תקן) ז׳ standard
סְטַנְדַּרְטִי (תקני) ת׳ standard
סְטַנְדַּרְטִיזַצְיָה נ׳ standardization
סְטֶנוֹגְרַמָּה נ׳ stenogram
סְטֶנוֹגְרָף (קצרן) ז׳ stenographer
סְטֶנוֹגְרַפְיָה נ׳ stenography
סְטֶנְסִיל (נייר משוכפל) ז׳ stencil
סְטַנְצָה (בית בשירה) נ׳ stanza
סְטָקָטוֹ (נתוקות) תה״פ staccato
סָטַר פ׳ slap, smack, spat
סְטַרְט-אַפּ (חברה) נ׳ start-up
סְטְרָטוֹסְפֵירָה נ׳ stratosphere
סְטַרְטֶר (מתנע) ז׳ starter
סִטְרִי - דוּ סִטְרִי ת׳ two-way
סִטְרִי - חַד סִטְרִי ת׳ one-way
סְטֶרֵיאוֹ ז׳ stereo
סְטֶרֵיאוֹטִיפּ ז׳ stereotype, pattern
סְטֶרֵיאוֹטִיפִּי ת׳ stereotypical
סְטֶרֵיאוֹטִיפִּיּוּת נ׳ stereotypy
סְטֶרֵיאוֹמֶטְרִיָּה נ׳ stereometry
סְטֶרֵיאוֹסְקוֹפּ ז׳ stereoscope
סְטֶרֵיאוֹפוֹנִי ת׳ stereophonic
סְטְרֵייט (לא הומו) ז׳ straight
סְטְרִיכְנִין (רעל) ז׳ strychnine

סְטֶרִילִי ת׳ sterile, germ-free
סְטֶרִילִיוּת נ׳ sterility
סְטֶרִילִיזַצְיָה (חיטוי) נ׳ sterilization
סְטְרִיפְּטִיז ז׳ striptease, strip show
סְטְרֶפְּטוֹמִיצִין ז׳ streptomycin
סְטְרֶפְּטוֹקוֹקוּס ז׳ streptococcus
סְטֶתוֹסְקוֹפּ (מַסְכֵּת) ז׳ stethoscope
סִי ז׳ B, ti, si
- סי במול B flat
סִי-טִי (סריקה רפואית) CT, computerized tomography
סִיאוּב ז׳ defilement, soiling
סִיאָם (תאילנד) נ׳ Siam
סִיאָמִי ת׳ Siamese
סֵיאַנְס (ישיבה) ז׳ seance
סִיאֶסְטָה (שנת אחה"צ) נ׳ siesta
סִיב ז׳ fiber, fibre, string
- סיב אופטי optical fiber
- סיב תזונתי dietary fiber
- סיבי זכוכית fiberglass
- סיבים roughage, bulk, fibers
סִיבֵּב פ׳ cause, surround, revolve
סִיבָּה נ׳ cause, reason, factor
סִיבּוּב ז׳ circuit, round, revolution, rotation, turn, spin
סִיבּוּבִי ת׳ rotary, rotatory, circular
סִיבּוּךְ ז׳ complication, confusion
סִיבּוּן ז׳ soaping, *leg-pull
סִיבִי ת׳ fibrous, stringy
סִיבִּיר נ׳ Siberia
סִיבִּית נ׳ bit
סִיבִית נ׳ fiberboard, chipboard
סִיבֵּךְ פ׳ embroil, complicate
סִיבְכִי (ציפור) ז׳ warbler
סִיבֵּן פ׳ soap, *play a joke on
סִיבָּתִי ת׳ causal, causational
סִיבָּתִיוּת נ׳ causality, causation
סִיג ז׳ base metal, dross, slag
סִיגּוּל ז׳ adaptation, adjustment
סִיגּוּף ז׳ penance, mortification
סִיגֵּל פ׳ adapt, adjust, modify
סִיגָלִית (פרח) נ׳ violet
סִיגֵּף פ׳ afflict, mortify, torture
סִיגָר ז׳ cigar, *smoke
סִיגַרְיָה נ׳ cigarette, *fag, *smoke
סִיד ז׳ lime, whitewash, plaster
- סיד חי quicklime
- סיד כבוי slaked lime
סִידּוּר ז׳ arrangement, settlement, prayer book, *leg-pull, fixing
- סידור עבודה work assignment
סִידּוּרִי ת׳ ordinal, serial
סִידָן ז׳ calcium
סִידֵּר פ׳ arrange, put in order, settle, *fix, cheat, get even with
*- סידרו אותך you've been had
סִיוּג ז׳ restriction, reservations
סִיוּד ז׳ whitewashing, painting
סִיוֵּג פ׳ sort, classify, categorize
סִיוּוּג ז׳ classification, bracket
סִיוָון ז׳ Sivan (month)
סִיוּט ז׳ nightmare, bad dream
סִיוּטִי ת׳ nightmarish
סִיוּם ז׳ finish, end, termination
סִיוֹמֶת נ׳ suffix, termination
סִיוּעַ ז׳ aid, assistance, help
- סיוע לדבר עבירה aiding and abetting
סִיוּף ז׳ fencing, swordplay
סִיוּר ז׳ patrol, tour, reconnaissance
- סיור מאורגן package tour
סִיזִיפִי ת׳ Sisyphean, endless
*סִיח (שיפוד לצלייה) ז׳ sich, skewer with roasted meat
סִיטוּאַצְיָה נ׳ situation, state
סִיטוֹנַאי ז׳ wholesaler
סִיטוֹנָאִי ת׳ wholesale
סִיטוֹנוּת נ׳ wholesale
- בסיטונות wholesale, in the gross, *abundantly
סִיטוֹנִי ת׳ wholesale
סִיטְקוֹם (קומדית מצבים) ז׳ sitcom
סִיטָר (כלי מיתר הודי) ז׳ sitar
סִייֵג פ׳ restrict, have reservations
סְיָיג ז׳ fence, hedge, restriction
- ללא סייג without reservation
- סייג לחוכמה שתיקה the less said the better
סִייֵד פ׳ whitewash, paint
סַייָד ז׳ whitewasher, plasterer
סַיָּידוּת נ׳ whitewashing
סַיידֶר ז׳ cider
סְיָיח ז׳ colt, foal
סְיָיחָה נ׳ filly
סִייֵם פ׳ end, finish, terminate
סַיינטוֹלוֹגְיָה נ׳ scientology
סַיָּיס ז׳ groom, ostler, stableman
סַיָּיסוּת נ׳ grooming, stabling
סִייֵעַ פ׳ help, aid, assist, support
סַיָּיעַ ז׳ assistant, helper, second
סַייְעָן ז׳ assistant, collaborator
סַייַעַת נ׳ assistant
סִיַּיעְתָּא דִשְׁמַיָּא God's help
סִייֵף פ׳ fence
סַיָּיף ז׳ fencer, swordsman
סַיָּיפוּת נ׳ swordsmanship, fencing
סִייֵר פ׳ patrol, tour, reconnoiter, visit, travel
סַיָּיר ז׳ scout, pathfinder, patrolman
סְיֶירָה לֶאוֹן נ׳ Sierra Leone
סַיָּירוּת נ׳ reconnaissance
סַיֶּירֶת נ׳ battle-cruiser, cruiser, reconnaissance unit, commando unit
סֵיישֶׁל (אִיֵּי) Seychelles
סִיכָּה נ׳ pin, clip, brooch
- סיכת ביטחון safety pin
- סיכת עניבה tiepin, tie bar
- סיכת ראש hairpin, clip
*- על סיכות has ants in his pants
סִיכָה נ׳ lubrication, greasing, oiling
סִיכּוּי ז׳ chance, prospect
- סיכויים odds
סִיכּוּל ז׳ frustration, foiling
סִיכּוּם ז׳ sum, summing up, total
- בסיכום in conclusion, in fine
- סיכום ביניים subtotal
- סיכומו של דבר the long and short of it, to sum up
סִיכּוּן ז׳ risk, endangering
- סיכון בטחוני security risk
- סיכון מחושב calculated risk

- סיכון מקצועי occupational hazard
סִיכֵּךְ פ׳ cover, thatch, screen
סִיכֵּל פ׳ frustrate, thwart, foil
סִיכֵּם פ׳ sum up, add up, conclude
סִיכֵּן פ׳ endanger, risk, jeopardize
סִיכֵּר פ׳ sugar, candy
סִילֵא פ׳ value, estimate
סִילַבּוּס (תמצית נושאים) ז׳ syllabus
סִילְבֶסְטֶר ז׳ New Year's Eve
סִילוֹ (מִגְדַּל הַחְמָצָה) ז׳ silo
סִילוּאֶט (צללית) ז׳ silhouette
סִילוֹגִיזְם (הֶיקֵּשׁ) ז׳ syllogism
סִילּוּם ז׳ modulation
סִילּוֹן ז׳ jet, jet-plane, squirt, spurt
סִילּוּף ז׳ distortion, perversion
סִילּוּק ז׳ elimination, removal
- סילוק חוב payment of a debt
- סילוק חשבון settling an account
סִילּוּקִין ז״ר clearing
סִילִיקָה נ׳ silica
סִילִיקוֹן ז׳ silicone
סִילִיקָט (מחצב) ז׳ silicate
סִילֵּם פ׳ modulate
סִילֵּף פ׳ distort, pervert, twist, warp
סִילֵּק פ׳ eliminate, remove, send away, pay
- סילק חוב pay a debt
- סילק חשבון settle an account
סִימֵא פ׳ blind, dazzle
סִימְבּוֹלִי ת׳ symbolical, emblematic
סִימְבּוֹלִיזַצְיָה (הסמלה) symbolization
סִימְבּוֹלִיקָה (סמליות) נ׳ symbolism
סִימְבִּיוֹזָה (חיי שיתוף) נ׳ symbiosis
סִימְבִּיוֹטִי ת׳ symbiotic
סִימּוּכִין ז״ר reference, support
סִימּוּל ז׳ symbolization, denotation
סִימּוּלָטוֹר (מַדְמֶה) ז׳ simulator
סִימּוּלְטָנִי ת׳ simultaneous, synchronous, coinciding
סִימּוּלְטָנִיּוּת נ׳ simultaneity
סִימּוּלְטָנִית תה״פ simultaneously
סִימּוּלַצְיָה (הַדְמָיָה) נ׳ simulation
סִימּוּם ז׳ drugging, poisoning
סִימּוּן ז׳ marking, signing, notation
סִימּוּר ז׳ bristling, nailing
סִימֶטְרִי (תּוֹאֵם) ת׳ symmetrical
סִימֶטְרִיָּה (תּוֹאַם) נ׳ symmetry
סִימֵּל פ׳ symbolize, signify, denote
סִימֵּם פ׳ poison, drug, dope
סִימֵּן פ׳ mark, indicate, betoken
סִימָן ז׳ mark, sign, omen, signal
- סימן החיבור plus sign, (+)
- סימן החילוק division sign
- סימן החיסור minus sign, (-)
- סימן היכר trademark, characteristic
- סימן הכפל multiplication sign, (x)
- סימן השוויון equals sign, (=)
- סימן טוב ומזל טוב! congratulations!, good luck!
- סימן מסחרי brand, trademark
- סימן קריאה exclamation mark, (!)
- סימן שאלה question mark, (?)
- סימני דרגה insignia
- סימני פיסוק punctuation marks
סִימָנוֹף ז׳ landmark
סִימָנִיָּה נ׳ bookmark
סִימָנִית נ׳ mark, sign, cue, ideogram
סִימְפּוֹזְיוֹן (רַב שִׂיחַ) ז׳ symposium
סִימְפּוֹנוֹת ז״ר bronchi, bronchial tubes
- דלקת הסימפונות bronchitis
סִימְפוֹנֶטָה נ׳ sinfonietta
סִימְפוֹנִי ת׳ symphonic
סִימְפוֹנְיָה (יצירה) נ׳ symphony
סִימְפְּטוֹם (סִימַן הֶיכֵּר) ז׳ symptom
סִימְפְּטוֹמָטִי ת׳ symptomatic
סִימְפֵּת פ׳ feel sympathy, sympathize
סִימְפָּתִי ת׳ nice, caring, sympathetic
סִימְפַּתְיָה נ׳ sympathy, compassion
סִימֵּר פ׳ harden, stiffen, nail
סִין נ׳ China
סִינְגוּלָרִיּוּת נ׳ singularity
סִינְגַּפּוּר נ׳ Singapore
סִינְדִּיקָט ז׳ syndicate, association
סִינְדְרוֹם (תסמונת) ז׳ syndrome
סִינְדֶּרֶלָּה נ׳ Cinderella
סִינוֹד (ועד כוהני דת) ז׳ synod
סִינוֹלוֹג ז׳ sinologist
סִינוֹלוֹגְיָה (מדעי סין) נ׳ sinology
סִינּוּן ז׳ filtering, straining, sifting
סִינוֹנִים (מלה נרדפת) ז׳ synonym
סִינוּס ז׳ sine, sinus
סִינוּסִיטִיס (דַּלֶּקֶת הַגַּת) ז׳ sinusitis
סִינוֹפְּטִי (סוקר כללית) ת׳ synoptic
סִינוֹפְּסִיס (סיכום) ז׳ synopsis
סִינּוֹר ז׳ apron, pinafore, bib
סִינְטַגְמָה (תחבירן) נ׳ syntagma
סִינְטַקְס (תחביר) ז׳ syntax
סִינַי נ׳ Sinai
סִינִי ת׳ Chinese, Sino-
סִינְיוֹר (אדון) ז׳ signor
סִינְיוֹרָה (גברת) נ׳ signora
סִינְיוֹרִינָה (עלמה) נ׳ signorina
סִינִית נ׳ Chinese
סִינְכְּרוּן ז׳ synchronization, making simultaneous
סִינְכְּרוֹנִי ת׳ synchronous
סִינְכְּרוֹנִיזַצְיָה נ׳ synchronization
סִינְכְּרֵן פ׳ synchronize
סִינֶמָה (קולנוע) נ׳ cinema
סִינֶמָטֶק (קולנוע קטן) ז׳ cinematheque
סִינֵּן פ׳ strain, filter, sift, utter
סִינֵּף פ׳ affiliate, annex
סִינַפְּסָה (מִסְנָף) נ׳ synapse
סִינְקוֹפָּה (במוסיקה) נ׳ syncope
סִינְקֵף (במוסיקה) פ׳ syncopate
סִינָּר ז׳ apron, pinafore, bib
- (קשור ל-) סינר אימו mother's apron strings
סִינְתֵּז (הרכיב) פ׳ synthesize
סִינְתֶּזָה (תרכובת) נ׳ synthesis
סִינְתֶּטִי (מורכב) ת׳ synthetic
סִינְתֶּסַיְזֶר ז׳ synthesizer
סִיס (ציפור) ז׳ swift, swallow
סִיסְטוֹלִי (לחץ דם) ת׳ systolic
סִיסְטִיק פִיבְּרוֹזִיס ז׳ cystic fibrosis
סִיסְטֶמָה נ׳ system
סִיסְטֶמָטִי ת׳ systematic, methodical
סִיסְטֶמָטִיּוּת נ׳ systematism
סִיסְטֶמָטִיקָה נ׳ systematics
סִיסְמָה נ׳ slogan, password, motto,

watchword, catchword
סֵיסְמוֹגְרָף ז׳ seismograph
סֵיסְמוֹגְרָפִי ת׳ seismographic
סֵיסְמוֹגְרַפְיָה נ׳ seismography
סֵיסְמוֹלוֹג ז׳ seismologist
סֵיסְמוֹלוֹגְיָה נ׳ seismology, study of earthquakes
סֵיסְמִי ת׳ seismic, relating to earthquakes
סִיעָה נ׳ faction, party, bloc, group
סִיעוּד ז׳ nursing, care
סִיעוּדִי ת׳ nursing
סִיעָתִי ת׳ factional, party
סַיִף ז׳ fencing, foil, sword, saber
סי"ף c.i.f., cost insurance & freight
סֵיפָא ז׳ end, final section
סִיפּוּחַ ז׳ annexation, attachment
סִיפּוּן ז׳ deck, ceiling
סִיפוֹן ז׳ siphon, syphon, trap
סִיפּוּנַאי ז׳ deck hand
סִיפּוּק ז׳ satisfaction, gratification, fulfillment, supplying
- סיפוק עצמי self-satisfaction
סִיפּוּר ז׳ tale, story, narrative
- סיפור אהבה love story, romance
- סיפור בדים canard, *tall story
- סיפור קצר short story
- סיפורי אלף לילה imaginative tales
- סיפורי סבתא old wives story
סִיפּוּרִי ת׳ narrative
סִיפּוֹרֶת נ׳ fiction, prose
סִיפֵּחַ פ׳ annex, attach, coopt
סִיפִּי ז׳ liminal, marginal
- תת-סיפי subliminal
סִיפִילִיס (עַגֶּבֶת) ז׳ syphilis
סִיפִית (בכלי מיתרים) נ׳ nut
סֵיפָן (פרח) ז׳ gladiolus
סִיפֵּק פ׳ please, gratify, satisfy, supply, give, provide for
- סיפק את הסחורה deliver the goods
סִיפֵּק ז׳ enough time, ability
סִיפֵּר פ׳ tell, relate, recite, narrate, cut hair, trim
*- סיפר סיפורים tell tales, yarn
סִיצִילְיָה נ׳ Sicily
סִיקּוּל ז׳ stone removal
סִיקוּס ז׳ knot, gnarl
סִיקּוּר ז׳ covering, coverage, review
סִיקּוֹרֶת נ׳ review, notice, recension
סִיקִי (חבר בכת הודית) ז׳ Sikh
סִיקֵּל פ׳ remove stones
סִיקֵּר פ׳ survey, cover, review
סִיקָרִיקוֹן ז׳ robber, bandit
סִיר ז׳ pot
- סיר בשר fleshpot, luxury
- סיר לחץ pressure cooker, steamer
- סיר לילה chamber pot, potty
- סיר פלא baking pot
סִירָאוּת נ׳ boating
סִירַאי ז׳ boatman
סֵירֵב פ׳ decline, refuse, turn down
סֵירֵג פ׳ make a grid
סִירָה נ׳ boat, dinghy, sidecar
- בסירה אחת in the same boat
- סירת הצלה lifeboat, life raft
- סירת מנוע motorboat
- סירת מפרשים sailboat
- סירת משוטים rowboat
- סירת קיטור steamboat
- סירת רוטב gravy boat
סֵירוּב ז׳ refusal, declination
- סירוב פקודה disobeying an order
סֵירוּגִי ת׳ alternate, every other
- לסירוגין alternately
סֵירוּס ז׳ castration, distortion
סִירוֹפּ ז׳ syrup, sirup
סֵירוּק ז׳ combing, carding
סִירְחוֹן ז׳ stench, stink, reek
סִירֶנָה (צוֹפָר) נ׳ siren
סֵירֵס פ׳ castrate, distort, twist
סֵירֵק פ׳ comb, card
סִיתּוּת ז׳ stone cutting
סִיתֵּם (צליל) פ׳ stop (a tone)
סִיתֵּת פ׳ chisel, cut stones
סָךְ פ׳ lubricate, oil, grease
סַךְ ז׳ amount, sum, crowd, procession
- בסך הכל altogether, all, only
- סך אור lens hood, sunshade
- סך הכל sum, total, sum total
- סך עיניים blinder, blinker
- סך שמש sun vizor
סָכוּךְ ת׳ covered, thatched
סְכוֹלַסְטִי ת׳ scholastic, scholarly
סְכוֹלַסְטִיקָה נ׳ scholasticism
סְכוּם ז׳ amount, sum
סכו"ם=סכין כף ומזלג cutlery, canteen
סָכוּר ת׳ dammed up, shut
סְכוּת נ׳ prognosis, prediction
סְכִיזוֹפְרֶן ז׳ schizophrene
סְכִיזוֹפְרֶנִי ת׳ schizophrenic
סְכִיזוֹפְרֶנְיָה נ׳ schizophrenia, split personality
סְכִיָּיה נ׳ prognosis, prediction
סְכִימָה נ׳ scheme, sketch
סְכִימָתִי ת׳ schematic, outlined
סַכִּין נ׳ knife
- סכין גילוח blade, razor blade
- סכין המחרשה colter, plowshare
- סכין יפנית Japanese knife
- סכין מטבח kitchen knife
- סכין מכתבים paper knife
- סכין קפיצית switchblade, flick-knife
סַכִּינָאוּת נ׳ stabbing, knifing
סַכִּינַאי ז׳ robber, stabber, cutthroat
סִכֵּךְ פ׳ cover, thatch, screen
סְכָךְ ז׳ thatch, cover
סֻכָּה נ׳ shed, covered yard
סָכָל ז׳ fool, stupid, silly
סִכְלוּת נ׳ folly, foolishness
סַכָּנָה נ׳ danger, peril, risk, hazard
- סכנת חיים/מוות mortal danger
- סכנת נפשות mortal danger
סִכְסוּךְ ז׳ conflict, quarrel, strife
- סכסוך עבודה labor dispute
סִכְסֵךְ פ׳ intrigue, incite, arouse quarrels, stir up, set against
סַכְסְכָן ז׳ quarrel-monger, *stirrer
סַכְסְכָנוּת נ׳ trouble making
סַכְסְכָנִי ת׳ trouble-making
סָכַר פ׳ dam, close, shut, stem

סֶכֶר ז׳ dam, sluice gate, weir
סָכָרִין ז׳ saccharin
סָכָרִינִי ת׳ saccharine, overly sweet
סַל ז׳ basket, holdall, carryall
- סל אשפה waste basket
- סל כביסה laundry basket
- סל מזונות food basket
- סל מטבעות basket of currencies
- סל נצרים wicker basket
- סל קניות shopping bag
סְלָאבִי ת׳ Slav, Slavic
סְלָאלוֹם (מסלול זיגזג) ז׳ slalom
*סֶלֶב (ידוען) ז׳ celeb, celebrity
סֶלֶבְּרִיטִי (ידוען) ז׳ celebrity
סָלַד פ׳ feel disgust at, abhor
סֶלָה תה״פ selah, forever
סְלוֹבֶנְיָה נ׳ Slovenia
סְלוֹבַקְיָה נ׳ Slovakia
סָלוּל ת׳ paved, beaten
סֶלוּלָרִי ת׳ cellular
סָלוֹן ז׳ living room, salon, parlor
- סלון אווירי air show
- סלון יופי beauty parlor
סָלוֹנִי ת׳ ballroom
סָלַח פ׳ pardon, forgive, excuse
סַלְחָן ז׳ forgiver, remitter
סַלְחָנוּת נ׳ forgiveness, remission
סַלְחָנִי ת׳ forgiving, clement
סָלָט ז׳ salad, *mishmash
- סלט פירות fruit salad
סַלְטָה נ׳ somersault
סְלִידָה נ׳ aversion, disgust, dislike
סָלִיחַ ת׳ forgivable, pardonable
סְלִיחָה נ׳ pardon, forgiveness
- סליחה! excuse me!, sorry!
- סליחות prayers for atonement
סָלִיל ז׳ coil, spool, reel, spiral, intrauterine device, IUD
- סליל גלילה take-up spool
- סליל השראה induction coil
- סליל חוטים bobbin, skein
סְלִילָה נ׳ paving, road construction
סְלִילִי ת׳ spiral, voluted, coiled
סְלִיפּ (פיסת נייר) ז׳ slip
סְלִיק ז׳ cache, stash, hiding place
סְלִיקָה נ׳ clearing
סָלַל פ׳ pave, build (roads)
- סלל הדרך ל- pave the way for
סַלְמוֹן (אִלְתִּית) ז׳ salmon
סַלְמוֹנֶלָּה (אינפקציה) נ׳ salmonella
סַלָמִי ז׳ salami, bit by bit
סָלָמַנְדְּרָה נ׳ salamander, newt
סְלַמְס ז״ר shantytown, slums
סְלֶנְג (עָגָה) ז׳ slang
סַלְסָה (ריקוד ג׳ז) נ׳ salsa
סִלְסוּל ז׳ curl, wave, flourish
- סלסול קול trill, coloratura
- סלסול תמידי permanent (wave)
סַלְסִלָּה נ׳ small basket, paper cup
סִלְסֵל פ׳ curl, wave, frizz, trill
סַלְסָלָה נ׳ lace, muslin, basket
סֶלַע ז׳ boulder, rock
- סלע המחלוקת bone of contention
- סלע מטמורפי metamorphic rock
- סלע תמורה metamorphic rock
סַלְעִי ת׳ rocky, stony, craggy

סַלְעִית (ציפור-שיר) נ׳ wheatear
סַלְפִּית (במוסיקה) נ׳ falsetto
סַלְפָן ז׳ distorter, liar, falsifier
סַלְפָנוּת נ׳ distortion, falsification
סַלְפָנִי ת׳ false, distorting
סְלַפְּסְטִיק (קומדיה) ז׳ slapstick
סֶלֶק ז׳ beet, beetroot
- סלק סוכר sugar beet
סַלְקָה (בָּקָר) נ׳ natural
סֶלֶקְטִיבִי (בררני) ת׳ selective
סֶלֶקְטִיבִיּוּת נ׳ selectivity
סַלְקִיִּים ז״ר Chenopodiaceae, the goosefoot family
סַלְקַל ז׳ carrycot, bassinet
סַלְקָנִית נ׳ borscht
סֶלֶקְצְיָה נ׳ selection, choosing
סֶלֶרִי (כרפס) ז׳ celery
סְלֶשׁ (לוכסן) ז׳ slash, (/)
סַלְתָּנִית (דג מאכל) נ׳ sprat
סַם ז׳ drug, poison, medicine
- סם הזיה hallucinatory drug
- סם חיים healing drug
- סם מוות deadly poison
- סם מרץ amphetamine
- סם משכר narcotic drug, *dope
- סם שינה soporific, opiate
- סמים קשים hard drugs
- סמים רכים soft drugs
ס״מ = סנטימטר cm, centimeter
סַמְבָּה (ריקוד) נ׳ samba
סַמְבּוּק (שיח נוי) ז׳ elder
סמג״ד=סגן מפקד גדוד
סְמָדַר ז׳ blossom, bud
סָמוֹבָר (מיחם) ז׳ samovar
סָמוּי ת׳ concealed, latent, undercover
סָמוֹךְ ז׳ prop, support, stay, strut
סָמוּךְ ת׳ close, near, adjacent
- בסמוך close, near
- סמוך ובטוח may rest assured
*סָמוֹךְ - מדיניות הסמוך never fear, "trust me"
סְמוֹכָה נ׳ prop, support, brace, stay
סָמוֹק ת׳ red, crimson, ruddy
סְמוֹקִינְג ז׳ dinner jacket, tuxedo
סַמּוּר (טורף קטן) ז׳ ferret, weasel
סמח״ט=סגן מפקד חטיבה
סֶמֶט ז׳ boil, furuncle
סִמְטָה נ׳ alley, alleyway, lane, boil
*סַמְטוּחָה נ׳ razzle-dazzle, fuss
סֶמְיוֹטִיקָה נ׳ semiotics, study of signs
סֶמְיוֹלוֹגְיָה נ׳ semiology, semiotics
סֶמִיטְרֵיילֶר (גרור נתמך) ז׳ semitrailer
סָמִיךְ ת׳ dense, thick, turbid
סְמִיכָה נ׳ support, leaning
סְמִיכוּת נ׳ proximity, nearness
- סמיכות לרבנות Rabbinical ordination
- סמיכות מקום adjacency, vicinity
סֶמִינָר ז׳ seminary, seminar, college
סֶמִינַרְיוֹן ז׳ seminary, seminar
סֶמִינַרְיוֹנִי ת׳ of a seminar
סֶמִינָרִיסְט ז׳ seminarist, student
סָמִיר ת׳ bristly, prickly, stiff
סָמַךְ פ׳ support, trust, depend
- סמך ידו authorize, approve

- סמך על depend on, rely on
סמך נ samekh (letter)
סמך - בן סמך ז authority
סמך - על סמך ז on the basis of
סמכות נ authority, power, right
- סמכות שיפוטית judicial competence, jurisdiction, judicature
סמכותי ת authoritative
סמכותיות נ authoritativeness
סמל ז symbol, emblem, badge, image, mark, sign, insignia
- סמל מסחרי trademark, chop
סמל ז sergeant, *sarge
- סמל ראשון staff sergeant
- סמל ראשון (במשטרה) sergeant
- סמל שני (במשטרה) corporal
- סמל תורן duty sergeant
- רב-סמל (במשטרה) sergeant major
- רב-סמל (בצה"ל) sergeant first class
- רב-סמל (בשב"ס) staff sergeant
- רב-סמל בכיר (במשטרה) senior staff sergeant major
- רב-סמל בכיר (בצה"ל) warrant officer
- רב-סמל בכיר (בשב"ס) warrant officer 2nd class
- רב-סמל מתקדם (בשב"ס) master sergeant
- רב-סמל מתקדם sergeant major
- רב-סמל מתקדם (במשטרה) advanced staff sergeant major
- רב-סמל ראשון first sergeant
- רב-סמל ראשון (במשטרה) staff sergeant major
סמלי ת symbolic, token, small
סמליות נ symbolism
סממן ז savor, spice, drug, flavor, perfume, ingredient
סמן ז marker, cursor, winger
- סמן ימני right-winger, extremist
סמנטי ת semantic, meaning
סמנטיקה נ semantics, meaning
סמנטמה (משמען) ז semanteme
סמנכ"ל=סגן מנהל כללי deputy director general
סמסטר (זמן) ז semester
סמפונות ז"ר bronchi, bronchial tubes
- דלקת הסמפונות bronchitis
סמפור (תמרור) ז semaphore
סמפכ"ל=סגן מפקח כללי
סמ"ק=סנטימטר מעוקב cubic centimeter, cc
סמר פ bristle, stand on end
סמ"ר = סמל ראשון staff sergeant
סמרור ז riveting, nailing
סמרטוט ז cloth, rag, mop, *spineless person, weak-kneed
- סמרטוט רצפה floorcloth
סמרטוטר ז junkman, rag-and-bone man
סמרמורת נ goose-flesh, shudder
סמרר פ rivet, spike, nail
*סמתוכה נ razzle-dazzle, fuss
סנאי ז squirrel

סנגור ז defending, advocacy
סנגל נ Senegal
סנגר פ defend, advocate
סנדוויץ' (כריך) ז sandwich
סנדול ז clamping (a car)
סנדל פ clamp (a car), lock
סנדל ז sandal, wheel clamp, Denver boot, plaice, sole
- סנדל אצבע flip-flop, toe-strap
- סנדל הבלם shoe, brake shoe
סנדלר ז cobbler, shoemaker
סנדלרות נ shoemaking, shoe-mending
סנדלרייה ז shoemaker's shop
סנדק ז godfather, sponsor
סנדקאות נ godfather's function
סנה ז bush, thorn-bush, bramble
סנהדרין נ Sanhedrin, ancient tribunal
סנוב ז snob, highbrow, *high-hat
סנובי ת snobbish, snobby
סנוביות נ snobbery, *snootiness
סנוביזם ז snobbery, snobbism
סנוור פ dazzle, blind, glare
סנוור ז dazzle, blinding
סנוורים ז"ר blindness
סנוורת נ visor, vizor
סנונית נ martin, swallow, omen
- סנונית ראשונה one swallow, first sign
סנוקר (משחק ביליארד) ז snooker
סנוקרת נ punch, blow, uppercut
סנט פ mock, tease, vex
סנט (בית מחוקקים) ז senate
סנט (מטבע) ז cent, penny
סנטור ז senator, senate member
סנטוריום (בית מרפא) ז sanitarium
סנטיגרם (מאית גרם) ז centigram
סנטימטר ז centimeter, centimetre
- סנטימטר מעוקב cubic centimeter, cc
סנטימנט ז sentiment, feeling
סנטימנטלי ת sentimental
סנטימנטליות נ sentimentality
סנטימנטליזם ז sentimentalism
סנטר ז chin
- סנטר כפול double chin, dewlap
סנטרית נ chin rest
סניגור ז defender, advocate, defense counsel
- סניגור ממונה/ציבורי public defender
סניגוריה נ defense, advocacy
סניור (אדון) ז senor
סניורה (גברת) נ senora
סניוריטה (עלמה) נ senorita
סניטה נ mocking, sneering, jeering
סניטציה (תברואה) נ sanitation
סניטר ז hospital orderly, nurse
סניטרי (תברואני) ת sanitary
סניטריות (תברואנות) נ sanitariness
סנילי ת senile, weak-minded
סניליות נ senility, dotage, old age
סניף ז branch, chapter
סניקה נ delivery, supply, push
סניקרס (נעליים) ז"ר sneakers

סֶנסוּאָלִיזְם (חושניות) ז׳ sensualism
סֶנסַצְיָה נ׳ sensation, news, scoop
סֶנסַצְיוֹנִי ת׳ sensational, *smashing
סַנסקריט (הודית עתיקה) ז׳ Sanskrit
סְנַפִּיר ז׳ fin, flipper, foil
סְנַפִּירִית נ׳ hydrofoil (boat)
סְנֶפְלִינג (טיפוס בחבל) ז׳ snaplink
סנ"צ=סגן ניצב chief superintendent
סַנְקְצִיּוֹת (עיצומים) נ"ר sanctions
סִנְתֵּז (הרכיב) פ׳ synthesize
סַסְגּוֹנִי ת׳ colorful, variegated
סַסְגּוֹנִיּוּת נ׳ variegation, iridescence
סַסְקוֹלִי ת׳ polyphonic
סָעַד פ׳ dine, feast, support, help
- סעד את ליבו dine, eat
סַעַד ז׳ support, aid, welfare, relief, remedy
- סעד משפטי legal aid
סְעוּדָה נ׳ meal, feast, repast
- הסעודה האחרונה The Last Supper
- סעודה מפסקת meal before a fast
- סעודה שלישית third Sabbath meal
סְעוּדִי ת׳ Saudi, Saudi Arabian
סְעוּדְיָה נ׳ Saudi Arabia
סָעִיף ז׳ article, clause, paragraph
*- הביא לו את הסעיף infuriate, enrage
- סעיף היחלצות escape clause
- סעיף משנה subsection, subclause
- סעיף קטן subsection, subclause
סַעַף ז׳ distribution, thought
סַעֶפֶת נ׳ impetigo, manifold
סָעַר פ׳ storm, rage, bluster
- סערו הרוחות feelings ran high
סַעַר ז׳ storm, gale
סְעָרָה נ׳ storm, tempest, gale, fury
- סערה בכוס מים storm in a teacup
- סערת נפש/רוחות strong excitement
סַף ז׳ threshold, doorstep, verge
- לדחות על הסף reject in limine
- סף החלון window sill
- על סף on the verge of
סָפַג פ׳ absorb, blot, take, get
סְפַג זַעֲזוּעִים ז׳ shock absorber
סְפָּגֶטִי (אטריות) ז׳ spaghetti
סָפַד פ׳ mourn, lament, bewail
סַפָּה נ׳ couch, sofa, divan
סְפוֹג ז׳ sponge, foam rubber
סָפוּג ת׳ saturated, soaked, full
סְפוֹגִי ת׳ spongy, absorbent
סְפוֹגִיּוּת נ׳ sponginess, absorbency
סְפּוֹילֶר (מַחְבֵּל) ז׳ spoiler
סָפוּן ת׳ hidden, concealed
*סְפּוֹנְגָ'ה נ׳ mopping (floors)
סְפּוֹנְטָנִי ת׳ spontaneous, unprompted
סְפּוֹנְטָנִיּוּת נ׳ spontaneity
סְפּוֹנְסוֹר (נותן חסות) ז׳ sponsor
סָפוּר ת׳ numbered, counted
- ספורים few, some, not many
סָפוּר - אֵין סְפוֹר תה"פ countless, without number
סְפּוֹרָדִי ת׳ sporadic, irregular
סְפּוֹרט ז׳ sport, sports, exercise
סְפּוֹרטַאי ז׳ sportsman
סְפּוֹרטִיבִי ת׳ sports, casual
סְפּוֹרטִיבִיּוּת נ׳ sportsmanship
סְפַּזְמָה (עווית) ז׳ spasm
סְפָח ז׳ addendum, stub, appendage
סַפַּחַת נ׳ parasite, psoriasis, pest
סֶפְּטֶמְבֶּר ז׳ September
סָפִיג ת׳ absorbent, receptive
סְפִיגָה נ׳ absorption, taking in
סְפִיגוּת נ׳ absorbability
סְפִּידוֹמֶטֶר (מד-מהירות) ז׳ speedometer
סָפִיחַ ז׳ aftergrowth, aftereffects
סְפִיחָה נ׳ adsorption
סְפִין ז׳ panel, skirting board
- ספין ראש headboard
סְפִּין (הטעיה תקשורתית) ז׳ spin
סְפִינָה נ׳ ship, vessel, boat
- ספינה שנטרפה wreck
- ספינת אוויר airship, dirigible
- ספינת גרר tugboat, towboat
- ספינת המדבר camel
- ספינת טילים missile-boat
- ספינת משא freighter
- ספינת רחף hovercraft, hydrofoil
- ספינת מכמורת trawler
סְפִינְקְס ז׳ sphinx, inscrutable man
סְפִיקָה נ׳ clapping, supply, capacity, sufficiency, flow
- אי ספיקת כליות renal insufficiency
- אי ספיקת לב cardiac insufficiency, heart failure
סַפִּיר ז׳ sapphire, lapis lazuli
סָפִיר ת׳ countable, numerable
סְפִירָה נ׳ counting, enumeration
- לספירה AD, year of grace
- ספירה לאחור countdown
- ספירת דם blood count
- ספירת מלאי stocktaking
סְפִירָה (סביבה) נ׳ sphere
סְפִּירְט ז׳ spirit, alcohol
סְפִּירִיטוּאָלִי ז׳ spiritual
סְפִּירִיטוּאָלִיזְם ז׳ spiritualism, contact with the dead
סְפִּירִיטוּאָלִיסְט ז׳ spiritualist
סְפִּירָלָה (סליל) נ׳ spiral
סְפִּירָלִי (חלזוני) ת׳ spiral, coiled
*סְפֶּישֶׁל ז׳ ordered cab
סֵפֶל ז׳ cup, beaker, mug
סִפְלוֹן ז׳ small cup, demitasse
סִפֵּן פ׳ panel, roof, hide, cover
סַפָּן ז׳ sailor, seaman, salt
סְפָנָה נ׳ stowage, hold
סַפָּנוּת נ׳ seamanship, sailing
סִפְסוּר ז׳ speculating, profiteering
סְפַּסְטִי (עוויתי) ת׳ spastic, spasmodic
סַפְסָל ז׳ bench, settle, form
- ספסל אחורי backbench
- על ספסל הנאשמים on trial
סִפְסֵר פ׳ speculate, profiteer
סַפְסָר ז׳ speculator, profiteer
סַפְסָרוּת נ׳ speculation, profiteering, scalping, touting
סַפְסָרִי ת׳ speculative
*סְפֶּץ ז׳ expert, specialist, whiz
סְפֶּצְיָאלִי ת׳ special, especial
סְפֶּצְיָאלִיזַצְיָה נ׳ specialization
סְפֶּצְיָאלִיסְט ז׳ specialist

סְפֶּצִיפִי ת' specific, particular
סְפֶּצִיפִיקַצְיָה (מִפְרָט) נ' specification
סְפֶּצִיפִית תה"פ specifically
סָפֵק ז' doubt, misgiving, question
- אין מקום לספק no room for doubt
- בלי ספק/אין ספק no doubt
- הטיל ספק doubt, throw doubt
- מעבר לכל ספק סביר beyond all reasonable doubt
סַפָּק ז' supplier, provider, purveyor
סָפַק כַּפָּיו פ' wring one's hands, clap
סְפֶּקוּלוּם (מִפְשָׂק) ז' speculum
סְפֶּקוּלָטִיבִי ת' speculative, risky
סְפֶּקוּלַנְט ז' speculator, venturer
סְפֶּקוּלַצְיָה נ' speculation, guess
סְפֵקוּת נ' doubt, dubiety
סְפֶּקְטְרוּם ז' spectrum, range
סְפֶּקְטְרוֹסְקוֹפּ ז' spectroscope
סְפֶּקְטְרוֹסְקוֹפְּיָה נ' spectroscopy
סַפְקָן ז' skeptic, doubter
סַפְקָנוּת נ' skepticism, doubt
סָפַר פ' count, number, tally, tell
*- הוא לא סופר אותה he disregards her
סֵפֶר ז' book, volume
- ספר בישול cookbook
- ספר החוקים code, statute book
- ספר הספרים Bible, Old Testament
- ספר חתום closed book, enigma
- ספר טלפונים telephone book, directory
- ספר יען reference book
- ספר כיס pocketbook
- ספר לבן white paper
- ספר לימוד textbook
- ספר עזר reference book, handbook
- ספר עיון reference book
- ספר פתוח open book
- ספר שימושי handbook, manual
- ספר תורה Torah, Pentateuch
- ספרי קודש religious books
- ספרים חיצוניים Apocrypha
סַפָּר ז' barber, hairdresser, coiffeur
סְפָר ז' frontier, border
סָפְרָא וְסַיְפָא writer and fighter
סְפָרַד נ' Spain
סְפָרַדִּי ז' Spanish, Sephardi
סְפָרַדִּית נ' Spanish, Ladino
סִפְרָה נ' cipher, digit, number, figure, numeral
- ספרות רומיות Roman numerals
- ספרת ביקורת check digit
סִפְרוֹן ז' booklet, pamphlet
סִפְרוּר ז' numeration, numbering
סִפְרוּת נ' literature, letters
- ספרות יפה belles-lettres
סַפָּרוּת נ' hairdressing
סִפְרוּתִי ת' literary, bookish
סְפַּרְטָנִי (קפדני) ת' Spartan
סָפָרִי ז' safari, journey, expedition
סְפְּרֵיי (תרסיס) ז' spray
סִפְרִיָּה נ' library, *bookcase
- ספרייה ניידת bookmobile
- ספריית השאלה circulating library, lending library
- ספריית עיון reference library
סַפָּרִית נ' hairdresser, coiffeuse
סַפְרָן ז' librarian, bibliographer
סַפְרָנוּת נ' librarianship
סִפְרֵר פ' number, numerate
סִפְרָתִי ת' digital
*סְפֶּשָׁל ז' ordered cab
סְצֵינָה נ' scene, emotional display
סְצֶנַרְיוֹ (תסריט) ז' scenario, sketch
סְקַאי (חומר דמוי עור) ז' leatherette
סֶקְווֹיָה (עץ) נ' sequoia, redwood
סֶקְוֶונְצְיָאלִי (סִדְרָתִי) ת' sequential
סְקְווֹשׁ (מִשְׂחָק) ז' squash
סְקוֹטִי ת' Scot, Scotch, Scottish
סְקוֹטְלַנְד נ' Scotland
סְקוֹטְשׁ (ויסקי סקוטי) ז' Scotch
סְקוֹטְשׁ (צמדן זיפי) ז' Scotch, Velcro
סֶקוּלָרִיזַצְיָה (חִילוּן) נ' secularization
סֶקוּנְדָּה (במוסיקה) נ' second
סְקוּפּ ז' scoop, exclusive, sensation
סְקֵטְבּוֹרְד ז' skateboard
סֶקְטוֹר (מִגְזָר) ז' sector
סֶקְטוֹרְיָאלִי ת' sectorial
סְקֵטִים (גַּלְגִּלִּיּוֹת) ז"ר roller skates
סְקִי ז' ski, skiing
- סקי מים water skiing
סְקִילָה נ' stoning (to death)
סְקִיצָה (מִתְוֶוה) נ' sketch
סְקִירָה נ' review, survey, look-over
סָקַל פ' stone (to death)
סְקָלָה (סולם) נ' scale
סְקָלָר ז' scalar
סְקְלֵרוֹטִי ת' sclerotic
סְקְלֵרוֹסִיס (טָרֶשֶׁת) ז' sclerosis
סְקַנְדִּינַבְיָה נ' Scandinavia
סְקַנְדָּל (שערורייה) ז' scandal
סְקַנְדָּלִיסְט ז' scandalmonger
סֶקַנְס (בטריגונומטריה) ז' secant
סֶקְס (מין) ז' sex
*- סקס מניאק sex maniac
סֶקְסאַפִּיל ז' sex appeal, *oomph
סֶקְסוּאָלִי ת' sexual
סֶקְסוּאָלִיּוּת נ' sexuality
סֶקְסוֹלוֹג ז' sexologist
סֶקְסוֹלוֹגְיָה (חקר המין) נ' sexology
סַקְסוֹפוֹן ז' saxophone, *sax
סַקְסוֹפוֹנִיסְט ז' saxophonist
סֶקְסְטַנְט (מכשיר ניווט) ז' sextant
סֶקְסִי ת' sexy, *come-hither
סֶקְסִיזְם (מִינָנוּת) ז' sexism
סֶקְסִיסְטִי ת' sexist
סְקֶפְּטִי ת' skeptical, doubtful
סְקֶפְּטִיּוּת נ' skepticism
סְקֶפְּטִיצִיזְם (ספקנות) ז' skepticism
סְקֶפְּטִיקָן (ספקן) ז' skeptic
סְקֶץ' (מתווה) ז' sketch
סָקַר פ' survey, review, scan
סֶקֶר ז' reconnaissance, review, survey
- סקר דעת קהל public opinion survey, opinion poll
סְקַרְלָטִינָה (שָׁנִית) נ' scarlatina
סַקְרָמֶנְט (בנצרות) ז' sacrament
סִקְרֵן פ' arouse curiosity, intrigue
סַקְרָן ז' curious, inquisitive
סַקְרָנוּת נ' curiosity, *nosiness

inquisitive, curious סַקְרָנִי ת׳
scherzo סְקֶרְצוֹ (במוסיקה) ז׳
move, go away, depart, come in, drop in סָר פ׳
- סר חינו fall from grace, lose face
- סר לפקודתו do as he bids
סַר וְזָעֵף ת׳ dejected, grumpy, angry
סֶר (תואר) ז׳ sir
סִרְבּוּל ז׳ clumsiness, heaviness
סֶרְבִּיָה נ׳ Serbia
סִרְבֵּל פ׳ make heavy, make clumsy
סַרְבָּל ז׳ overall, jumpsuit, smock, dungarees, coverall
סַרְבָן ת׳ objector, stubborn
- סרבן מלחמה conscientious objector, *conchy
סַרְבָנוּת נ׳ stubbornness, disobedience
סַרְבָנִי ת׳ disobedient
סָרַג פ׳ knit, crochet, plait, lace
סַרְגֵל ז׳ rule, ruler, scale, straightedge
- סרגל חישוב slide rule
סַרְג׳נְט (סַמָל) ז׳ sergeant, *sarge
סָרָד ז׳ grill, grille
סַרְדִין ז׳ sardine
סָרָה נ׳ slander, libel, falsehood
סִרְהֵב פ׳ urge, plead, importune
סָרוּג ת׳ knitted, crocheted
סָרוּחַ ת׳ stinking, sprawling, stretched
סָרוֹנג (בגד עוטף) ז׳ sarong
סָרוּק ת׳ combed, carded
סָרַח פ׳ stink, smell, sin, sprawl
סֶרַח הָעוֹדֵף ז׳ excess, surplus, train
סִרְחוֹן ז׳ stink, stench, reek, *niff
*סַרְחָן ז׳ stinker, smelly
סֶרֶט ז׳ cinema, film, movie, picture, ribbon, band, strap, tape
*- בסרט הזה כבר היינו that's no news to us
- סרט אילם silent film, *silent
- סרט דרגה stripe
- סרט וידיאו videotape
- סרט זיעור microfilm
- סרט כחול blue film, *skin flick
- סרט מגנטי magnetic tape
- סרט מידה tape measure, tape
- סרט מצוייר animated cartoon
- סרט מתח thriller
- סרט נע conveyor belt, assembly line
- סרט צילום film
- סרט קולנוע motion picture, feature
- סרט שרוול armband, brassard
- סרט תיעודי documentary film
סִרְטוֹן ז׳ short, filmstrip, *quickie
סִרְטִיָה נ׳ film library
סִרְטֵן פ׳ cause cancer
סַרְטָן ז׳ cancer, crab, crustacean, lobster, shrimp, prawn
- סרטן הדם leukemia
- סרטן השד breast cancer
סַרְטָנִי ת׳ cancerous, carcinogenic
סָרִי (לבוש נשים הודי) ז׳ sari

סְרִי לַנְקָה נ׳ Sri Lanka
סָרִיג ז׳ rack, lattice, grille, grid, fret, knitwear, jersey
- סריג כלים plate rack
סְרִיגָה נ׳ knitting, knitwear
סִדְרָה נ׳ series, set, run
סָרִיס ז׳ eunuch, castrated
סָרִיסוּת נ׳ eunuchism
סְרִיקָה נ׳ combing, carding, scan
- סריקה על-קולית ultrasound
סִרְכּוּז ז׳ centrifuging
סִרְכּוּזִי ת׳ centrifugal
סַרְכֶּזֶת נ׳ centrifuge
סֶרֶן ז׳ axle, spindle, captain
סֶרֶנָדָה (שיר אהבה) נ׳ serenade
סַרְסוּר ז׳ middleman, agent, pimp, pander, procurer
סַרְסָרוּת נ׳ mediation, procuration
סַרְעָף ז׳ thought, idea, opinion
סַרְעֶפֶת נ׳ diaphragm, midriff
סִרְפָּד ז׳ nettle
סִרְפֶּדֶת נ׳ nettle rash, hives, urticaria
סַרְפָן ז׳ pinafore, jumper
סֶרְפֶּנְטִינָה (עיקול) נ׳ serpentine way
סָרַק פ׳ comb, card, rake, scan
סְרָק ז׳ emptiness, neutral, sterile
- הילוך סרק neutral
סַרְקוֹפָג (ארון מת) ז׳ sarcophagus
סַרְקַזְם ז׳ sarcasm, irony, vitriol
סַרְקַסְטִי ת׳ sarcastic, mordant
סָרַר פ׳ disobey, revolt, rebel
סְתַגְלָן ז׳ opportunist, timeserver
סְתַגְלָנוּת נ׳ opportunism
סְתַגְרָן ז׳ introvert, reserved person
סְתַגְרָנוּת נ׳ introversion
סְתַגְרָנִי ת׳ introverted, withdrawn
סְתָוִי ת׳ autumnal
סְתָוָנִית נ׳ colchicum, autumn crocus
סָתוּם ת׳ blocked, stopped, obscure, abstruse, vague, *fool, dense
סְתָיו ז׳ autumn, fall
סְתִימָה נ׳ closing, blocking, stoppage, stopping, filling, inlay
- סתימת הגולל a nail in its coffin
- סתימת פה gagging, silencing
סְתִירָה נ׳ confutation, contradiction
סָתַם פ׳ close, block, stop, plug
- סתום את הפה! shut up!
- סתם הגולל put an end to
- סתם ולא פירש say vaguely
- סתם שן fill a tooth
סֶתֶם ז׳ cork, plug, stopper, wad
סְתָם תה״פ just like that, mere
- מן הסתם probably, apparently
סת״ם holy Scriptures
סְתָמִי ת׳ undefined, vague, neutral, random
סְתָמִיּוּת נ׳ generality, uncertainty
סָתַר פ׳ refute, contradict, destroy
סֵתֶר ז׳ hiding place
- בסתר in secret, stealthily
- בסתר ליבו deep in one's heart
סְתַרְשָׁף ז׳ flash eliminator, flash hider, blast screen
סַתָּת ז׳ stonecutter, stone mason
סַתָּתוּת נ׳ stonecutting, stonework

ע

עָב ז׳ cloud
עָב ת׳ thick, fat
עב״ג=עם בת גילו with his fiancee
עָבַד פ׳ work, labor, serve, worship
- עבד לפי הספר work to rule
*- עבד עליו pull his leg, fool
*- עבד עליו בעיניים cheat, lie
עֶבֶד ז׳ slave, servant, serf
- עבד נרצע submissive slave
- עבדך הנאמן yours faithfully
עַבְדוּת נ׳ bondage, slavery, serfdom
עַבְדְּקָן ז׳ thick-bearded man
עָבֶה ת׳ thick, fat
עֲבוֹדָה נ׳ labor, work, employment
- חלוקת עבודה division of labor
*- עבודה בעיניים leg-pull, deceit
- עבודה זרה idolatry, paganism
- עבודה לפי הספר work-to-rule
- עבודה סוציאלית social work
- עבודות שירות community service
- עבודת אדמה agriculture
- עבודת יד handiwork, handwork
- עבודת כפיים manual work
- עבודת נמלים hard work
- עבודת פרך hard labor
- עבודת רגליים footwork
עֲבוֹט ז׳ pawn, pledge
- בעבוט in pledge, *in hock
עֲבוּר מ״י for, in return for
עֲבוֹת נ׳ rope, tie, cable
- עבותות אהבה love ties
עָבוֹת ת׳ bushy, dense, thick, shaggy
- בוקר לא עבות cloudless morning
עָבַט פ׳ pawn, borrow, lend, *hock
עָבִיד ת׳ workable, practicable
עֲבָיָה (גלימה) נ׳ aba, Arab garment
עָבִיט ז׳ bedpan, chamber pot
עָבִיר ת׳ passable, navigable
- בלתי עביר impassable
עֲבֵירָה נ׳ offense, transgression, sin, foul, lapse
- עבירה פלילית criminal offense
- עבירת תנועה traffic offense
עֲבִירוּת נ׳ passability, navigability
עב״ל=עם בחירת לבו with his beloved
עב״מ=עצם בלתי מזוהה UFO
עָבַר פ׳ move, pass, cross, undergo
- בשבוע שעבר last week
- עבור (באלחוט) ! over!
- עבר דירה move, move house
- עבר זמנו out of date
- עבר כל גבול go too far, overdo it
- עבר עבירה sin, commit a crime
- עבר על go through, look over
- עבר על החוק break the law
- עד יעבור זעם till the danger is over
עָבָר ז׳ past, past tense, record
- נחלת העבר that happened in the pas
- עבר נקי clean slate, clean record
- עבר נשלם pluperfect, past perfect
- עבר פלילי criminal record
- עבר צבאי military record
עֵבֶר ז׳ side
- מכל עבר on every side
עֵבֶר הַיַּרְדֵּן נ׳ Transjordan
עֶבְרָה נ׳ anger, fury, wrath
עִבְרוּת נ׳ Hebraization, Hebraizing
עִבְרִי ת׳ Hebrew, Hebraic
עֲבַרְיָן ז׳ offender, sinner, felon, delinquent, transgressor
עֲבַרְיָינוּת נ׳ delinquency
- עבריינות נוער juvenile delinquency
עִבְרִית נ׳ Hebrew
- עברית מודרנית Modern Hebrew
עִבְרֵר פ׳ Hebraize
עִבְרֵת פ׳ Hebraize
עָבַשׁ פ׳ mold, become moldy
עָבֵשׁ ת׳ moldy, stale, musty
עָג פ׳ draw a circle
עָגַב פ׳ make love, desire, lust
עֲגָבוֹת נ״ר buttocks, behind, rump
עַגְבָנוּת נ׳ coquetry, lust, flirting
עַגְבָנִייָה נ׳ tomato
עַגְבָנִית נ׳ coquette, flirtatious
עַגֶּבֶת נ׳ syphilis, *the pox
עָגָה נ׳ slang, dialect, jargon
עָגוֹל ת׳ round, circular, spherical
עָגוּם ת׳ sad, gloomy, cheerless
עֲגוּנָה נ׳ abandoned wife
עָגוּר (עוף) ז׳ crane
עַגּוּרָן ז׳ crane, derrick
עֲגִיבָה נ׳ flirting, coquetry
עָגִיל ז׳ earring, eardrop, catkin
עֲגִילוּת נ׳ roundness, rotundity
עֲגִינָה נ׳ anchorage, anchoring
עֲגִינוּת נ׳ desertion, abandonment
עֵגֶל ז׳ calf
- עגל הזהב golden calf, greed for wealth
עֲגַלְגַּל ת׳ round, roundish, rotund
עֲגַלְגַּלוּת נ׳ roundness, rotundity
עֲגָלָה נ׳ cart, wagon, coach, pram, carriage, truck, trolley
- עגלה גדולה Great Bear, The Big Dipper
- עגלה קטנה Little Bear
- עגלת יד wheelbarrow, handcart
- עגלת ילדים push-chair, stroller
- עגלת תה serving table, tea trolley
- עגלת תינוק pram, baby carriage
עֶגְלָה נ׳ heifer
עֶגְלוֹן ז׳ carter, coachman, wagoner
עַגְמוּמִי ת׳ sad, gloomy, sorrowful
עַגְמוּמִיּוּת נ׳ sadness, grief
עָגַן פ׳ anchor, moor, ride at anchor
עֵד ז׳ witness, testifier
- היה עד ל- witness, see
- עד אופי character witness
- עד הגנה witness for the defense
- עד המדינה State's evidence
- עד מומחה expert witness
- עד עויין hostile witness
- עד ראייה eyewitness
- עד שקר false witness, perjurer
- עד תביעה prosecuting witness
עַד מ״י till, until, up to

- ועד בכלל inclusive, down to
- עד אחד all, to a man
- עד אין קץ forever, ad infinitum
- עד כאן so far, thus far
- עד כדי כך ש- so much so that
- עד כה as yet, hitherto, up to now
- עד מאוד very much, extremely
- עד ש-, עד אשר, עד כי till, until
עַד ז׳ eternity
- יער עד virgin forest
עָדָה פ׳ wear, adorn oneself
עֵדָה נ׳ congregation, community, group, swarm
- עדות המזרח the Sephardi community
עֵדוּת נ׳ evidence, testimony
- עדות אופי character evidence
- עדות מדינה state's evidence
- עדות מומחה expert evidence
- עדות מסייעת corroborative evidence
- עדות נסיבתית circumstantial evidence
- עדות ראייה eyewitness evidence
- עדות שמיעה hearsay evidence
- עדות שקר perjury
עֲדִי ז׳ jewel, adornment
עֲדַיִין תה״פ still, yet
- עדיין לא not yet
עֲדִילְיוֹן ז׳ pendant, medallion
עָדִין ת׳ delicate, gentle, tender, fine, exquisite
עֲדִינוּת נ׳ delicacy, tenderness
- בעדינות gently, easy
עָדִיף ת׳ preferable, better, superior
עֲדִיפוּת נ׳ priority, preference
עֲדִירָה נ׳ hoeing, digging
עִדְכּוּן ז׳ updating, update
עִדְכֵּן פ׳ update, bring up to date, keep posted, fill in
עַדְכָּנִי ת׳ up-to-date, updated
עַדְלָיָדַע נ׳ Purim carnival
עֵדֶן ז׳ Eden, paradise
- נשמתו עדן May he rest in peace
עֶדְנָה נ׳ pleasure, delight
עָדַר פ׳ dig, hoe, turn soil, grub
עֵדֶר ז׳ flock, herd, drove
עֶדְרִי ת׳ gregarious, living in herds
עֶדְרִיוּת נ׳ gregariousness
עֲדָשָׁה נ׳ lentil, lens
- עדשה קמורה convex lens
- עדשה קעורה concave lens
- עדשות מגע contact lenses
- עדשים lentils
עֲדָתִי ת׳ communal, ethnic
עֲדָתִיּוּת נ׳ communal segregation
ע״ה=עליו/עליה השלום May he rest in peace, May she rest in peace
עוּבַּד פ׳ be adapted, be processed
עוֹבֵד ז׳ worker, employee
- עובד אלילים heathen, pagan
- עובד זמני temporary employee
- עובד מדינה civil servant
- עובד סוציאלי social worker
עוּבְדָּה נ׳ fact, actuality, truth
- עובדה מוגמרת accomplished fact
- עובדות החיים facts of life
עוּבְדָתִי ת׳ factual, true-life
עוּבְדָתִיּוּת נ׳ factualness
עוּבָּה פ׳ thicken, condense
עוֹבִי ז׳ thickness, gauge
- עובי הקורה inner details
עוּבָּר ז׳ embryo, fetus, foetus
עוֹבֵר ת׳ passing, transient
- עובר אורח passerby
- עובר בטל senile, in one's dotage
- עובר ושב current account
- עובר לסוחר legal tender
- עוברים ושבים passers-by
עוּבָּרִי ת׳ fetal, embryonic
עוּבְרַת פ׳ be Hebraized
עוֹבֶשׁ ז׳ mold, mildew
עוּגָב ז׳ organ
עוּגָבַאי ז׳ organist
עוֹגְבָנִי ת׳ desirous, loving
עוּגָה נ׳ cake, gateau, pastry
- עוגת גבינה cheesecake
- עוגת פירות fruitcake
- עוגת שמרים yeast cake
עוּגִיָּה נ׳ cookie, cooky, biscuit
עוּגַּל פ׳ be rounded (up)
עוֹגְמַת נֶפֶשׁ נ׳ sorrow, grief
עוּגַּן פ׳ be established, be anchored
עוֹגֶן ז׳ anchor, armature
- עוגן הצלה sheet anchor, lifeline
עוֹד תה״פ more, yet, still, else
- בעוד while
- בעוד מועד duly, in time
- בעודו, while, still being
*- ועוד איך and how!, certainly
- ועוד ידו נטויה he will continue!
- כל עוד as long as, so long as
- לא עוד no more
- מבעוד יום before sunset
- מה עוד ש- especially because
- עוד ועוד again and again, more and more
- עוד חזון למועד time will tell
- עוד לא not yet
- עוד מעט soon, later
- עוד פעם again, once more
- עודני I am still
עו״ד = עורך דין lawyer, advocate
עוּד (כלי פריטה ערבי) ז׳ oud
עוֹדֵד פ׳ encourage, hearten, egg on
עוּדְכַּן פ׳ be updated
עוּדַּן פ׳ be refined
עוֹדֶף ז׳ change, rest, surplus, excess, balance
עוֹדֵף ת׳ surplus, extra, redundant
עֲוָיָה נ׳ grimace
עֲוִית נ׳ spasm, convulsion, cramp
- עווית סופרים writer's cramp
עֲוִיתִי ת׳ convulsive, spasmodic
עָוֶל ז׳ injustice, wrong, iniquity
- על לא עוול בכפו being innocent
עַוְלָה נ׳ injustice, wrong, tort
- עוולת רשלנות tort of negligence
עָווֹן ז׳ sin, crime, offense
- בעוונותינו הרבים unfortunately
עִוְעִים - רוח עוועים madness
עוּוַּת פ׳ be distorted, be warped

strength, courage, intensity	עוֹז ז׳
heavy rain	- גשמי עוז
valor, daring	- עוז רוח
uzzi, sub-machine gun	עוּזִי ז׳
black vulture, osprey	עוֹזְנִיָּה נ׳
assistant, helper, helpful, auxiliary	עוֹזֵר ז׳
housemaid, help	עוֹזֶרֶת (בית)
whitethorn, hawthorn	עוּזְרָד ז׳
dressed, clad	עוֹטֶה ת׳
folder	עוֹטְפָן ז׳
be decorated, be adorned	עוּטַּר פ׳
unfriendly, hostile	עוֹיֵן ת׳
hostility, animus, enmity	עוֹיְנוּת נ׳
be delayed, be stopped	עוּכַּב פ׳
be digested, be assimilated	עוּכַּל פ׳
polluting, defiling	עוֹכֵר ת׳
ruined him	- היה בעוכריו
villain, anti-Semite	- עוכר ישראל
yoke, burden, pressure	עוֹל ז׳
become unrestrained	- פרק כל עול
boy, youngster	עוּל ימים ז׳
insulting, offensive	עוֹלֵב ת׳
immigrant, rising, upward	עוֹלֶה
immigrant to Israel	- עולה חדש
pilgrim	- עולה רגל
burnt offering	עוֹלָה נ׳
do (wrong), ill-treat	עוֹלֵל פ׳
baby, infant	עוֹלָל ז׳
gleanings, acts, tidbits	עוֹלָלוֹת נ״ר
world, universe, eternity	עוֹלָם ז׳
he is all in all to her	- הוא כל עולמה
die, pass away	- הלך לעולמו
the next world	- העולם הבא
the New World	- העולם החדש
the Old World	- העולם הישן
the Third World	- העולם השלישי
the underworld	- העולם התחתון
move heaven and earth	- הפך עולמות
all the world	- כל העולם
forever, always	- לעולם
forever, for good	- לעולם ועד
never	- לעולם לא
forever, for good	- לעולמי עולמים
from long ago	- מאז ומעולם
never	- מעולם (לא)
the next world	- עולם האמת
the next world	- עולם שכולו טוב
universal, *wonderful	עוֹלָמִי ת׳
forever, for good	עוֹלָמֵת תהי״פ
faint, swoon, be wrapped	עוּלַּף פ׳
chicory, endive	עוֹלֶשׁ ז׳
Oman	עוֹמָאן נ׳
be set up, be paginated	עוּמַּד פ׳
standing, up, stagnant	עוֹמֵד ת׳
as good as one's word, man of his word	- עומד בדיבורו
still stands	- עומד בעינו
about to, going to	- עומד ל-
be dimmed, be dipped	עוּמַּם פ׳
load, burden, encumbrance	עוֹמֶס ז׳
overload	- עומס יתר
depth, profundity, extent	עוֹמֶק ז׳
swath, sheaf of corn	עוֹמֶר ז׳
be confronted, contrast	עוּמַּת פ׳

pleasure, delight, relish	עוֹנֶג ז׳
be tormented, be tortured	עוּנָה פ׳
period, season, term	עוֹנָה נ׳
high season	- עונה בוערת
low season, off season	- עונה מתה
poverty, poorness, indigence	עוֹנִי ז׳
punishment, penalty	עוֹנֶשׁ ז׳
capital punishment	- עונש מוות
punishment, penalty	עוֹנָשִׁין ז״ר
penal, punishable	- בר-עונשין
penal law	- חוק העונשין
seasonal, periodic	עוֹנָתִי ת׳
be massaged, be kneaded	עוּסָּה פ׳
dealer, has to do with	עוֹסֵק
small dealer	- עוסק זעיר
licensed dealer	- עוסק מורשה
bird, fowl, poultry, hen	עוֹף ז׳
bird of prey, raptor	- עוף דורס
phoenix	- עוף החול
night bird	- עוף לילה
an odd customer	- * עוף מוזר
young bird (food)	עוֹפְיוֹן ז׳
citadel, castle	עוֹפֶל ז׳
fly, fly about	עוֹפֵף פ׳
fawn, young deer	עוֹפֶר ז׳
young doe, beautiful girl	עוֹפְרָה נ׳
plumbago	עוֹפְרִית (פרח תכול) נ׳
lead	עוֹפֶרֶת נ׳
become moldy, stink, decay	עוּפַּשׁ פ׳
be shaped, be formed	עוּצַּב פ׳
formation, division	עוּצְבָּה נ׳
become nervous	עוּצְבַּן פ׳
power, strength	עוֹצֶם ז׳
strength, force, power	עוֹצְמָה נ׳
strong, powerful	- רב עוצמה
curfew, closure	עוֹצֶר ז׳
regent, ruler, stopper	עוֹצֵר ז׳
breathtaking	- עוצר נשימה
consecutive, tracer	עוֹקֵב ת׳
deceit, provocation	עוֹקְבָה נ׳
group, cohort	עוּקְבָּה נ׳
classeur, file	עוֹקְדָן ז׳
sump, pan, oil pan	עוּקָה נ׳
be attached, be foreclosed	עוּקַּל פ׳
be curved, be twisted	עוּקַּם פ׳
curvature, curve	עוֹקֶם ז׳
circuitous, bypassing	עוֹקֵף ת׳
sting, catch, point, pedicel	עוֹקֶץ ז׳
heliotrope	- עוקץ העקרב (צמח)
sarcasm, pungency	עוֹקְצָנוּת נ׳
biting, sarcastic, vitriolic	עוֹקְצָנִי ת׳
be sterilized, be extracted	עוּקַּר פ׳
leather, skin, hide	עוֹר ז׳
by the skin of his teeth	- בעור שיניו
change, turn one's coat	- הפך עורו
eardrum, drumhead	- עור התוף
skin and bone, skinny	- עור ועצמות
thick skin	- עור של פיל
crow, raven	עוֹרֵב ז׳
magpie	- עורב הנחלים
nonsense, lie	עורבא פרח
be mixed, be blended	עוּרְבַּב פ׳
be mixed, be blended	עוּרְבַּל פ׳
jay	עוֹרְבָני ז׳
yearning, longing	עוֹרֵג ת׳
leathery, leatherlike, skinned	עוֹרִי ת׳

- תת-עורי	hypodermic
עוֹרֵךְ ז׳	editor
- עורך דין	lawyer, advocate
- עורך משנה	subeditor, *sub
עוֹרְלָה נ׳	foreskin, prepuce, forbidden fruit, non-kasher fruit
עוֹרְמָה נ׳	cunning, wisdom, deceit
עוֹרְעַר פ׳	be shaken, be shattered
עוֹרֶף ז׳	neck, rear, nape, occiput, home front, hinterland
- הפנה עורף	turn one's back
- נשף בעורפו	breathe down his neck
- קשה עורף	obstinate, stubborn
עוֹרְפִּי ת׳	rear, occipital, single (file)
עוֹרְפִית נ׳	checkrein, head-strap
עוֹרְפֵּל פ׳	be foggy, become vague
עוֹרֶק ז׳	artery, vein, blood vessel
- עורק כלילי	coronary artery
עוֹרְקִי ת׳	arterial, veiny
עוֹרְקִיק ז׳	arteriole
עוֹרֵר פ׳	arouse, wake up, stimulate
עוֹרֵר ז׳	appellant, claimant
עוֹרְרִין ז״ר	contesters, opposers
עו״ש = עובר ושב	current account
עוּשַׁן פ׳	be smoked, be fumigated
עוֹשֶׁק ז׳	robbery, oppression, extortion, usurpation
עוּשַׂר פ׳	tithe, be paid a tithe
עוֹשֶׁר ז׳	richness, wealth
עוֹתוֹמָאנִי ת׳	Ottoman
עוֹתֶק ז׳	copy, duplicate
עוֹתֵר ז׳	petitioner, pleading
עֵז נ׳	goat, nanny goat, she-goat
- עז הבר	mountain goat, ibex
- עז הגמל	llama
עַז ת׳	strong, fierce, sharp, intense
- עז פנים	impudent, insolent
עָזַב פ׳	leave, abandon, depart, quit
- עזב אותו לאנחות	abandon, desert
*- עזוב אותך!	leave me alone!
עַזָּה נ׳	Gaza
- רצועת עזה	Gaza Strip
עָזוּב ת׳	abandoned, deserted
עֲזוּבָה נ׳	disorder, neglect
עַזּוּת (מֵצַח) נ׳	insolence, impudence
עֲזִיבָה נ׳	departure, leaving
עֶזֶק ז׳	cringle
עִזְקָה נ׳	grommet, ring
עָזַר פ׳	help, aid, assist, abet
עֵזֶר ז׳	help, assistance, aid
- עזר כנגדו	helpmate, wife
- עזרים חזותיים	visual aids
עֶזְרָה נ׳	help, aid, assistance
- כעזרת ה׳	with God's help
- עזרה סוציאלית	welfare
- עזרה ראשונה	first aid
עֲזָרָה נ׳	Temple court
- עזרת נשים	women's gallery
עָט פ׳	swoop, pounce, dart
עֵט ז׳	pen
- עט אור	light pen
- עט כדורי	ball-point pen
- עט לורד	felt-tip pen
- עט נובע	fountain pen
- עט סימון	highlighter, marker
עָטָה פ׳	wrap oneself, put on, don
עָטוּי ת׳	dressed, wrapped, clad
עָטוּף ת׳	wrapped, enveloped
עָטוּר ת׳	adorned, crowned
עָטִין ז׳	brisket, udder, dug
עֲטִיפָה נ׳	cover, wrapping, casing
- עטיפת ספר	dust jacket, cover
- עטיפת תקליט	jacket, sleeve
עֲטַלֵּף ז׳	bat
עָטַף פ׳	wrap, envelop, coat
עָטַר פ׳	encircle, crown
עֲטָרָה נ׳	crown, wreath, garland, diadem, corona, glans penis
- החזיר עטרה ליושנה	reinstate it
עִטְרָן ז׳	tar, resin, coal tar
ע״י = על ידי	by, through
עִי חֳרָבוֹת ז׳	heap of ruins, debris
עִיבֵּד פ׳	adapt, cultivate, work
- עיבד נתונים	process data
- עיבד שיר	arrange a song
עִיבָּה פ׳	thicken, condense
עִיבּוּד ז׳	adaptation, processing, cultivation, arrangement
- עיבוד נתונים	data processing
- עיבוד תמלילים	word processing
עִיבּוּי ז׳	condensation, thickening
עִיבּוּר ז׳	pregnancy, conception
- עיבור (בפיזיקה)	strain
- עיבורה של עיר	suburbs, outskirts
עִיבֵּר פ׳	make pregnant, intercalate
עִיגּוּל ז׳	circle, rounding off
עִיגּוּלִי ת׳	round, circular
עִיגּוּן ז׳	desertion of wife, anchoring
- עיגון בחוק	legalization
עִיגֵּל פ׳	round off, roll, plump up
- עיגל כלפי מעלה	round up
עִיגֵּן פ׳	desert a wife, anchor
- עיגן בחוק	enact, legalize
עִידּוּד ז׳	encouragement
עִידּוּן ז׳	refinement, sublimation
עִידּוּר ז׳	hoeing, digging
עִידִּית נ׳	cream, best, good soil
- עידית דעידית	cream of the cream
עִידֵּן פ׳	refine, soften, make tender
עִידָּן ז׳	era, period, epoch, age, eon
- עידן ועידנים	*ages, long time
- עידנא דריתחא	hour of anger
עִידֵּר פ׳	dig, hoe
עיה״ק = עיר הקודש	Holy City
עִיוָּה פ׳	distort, contort, grimace
- עיווה פניו	make faces, grimace
עִיוֵּר פ׳	blind, deprive of sight
עִיוֵּר ת׳	blind, sightless, unseeing
- עיוור צבעים	colorblind
- פגישה עיוורת	blind date
עִיוָּרוֹן ז׳	blindness
- עוורון לילה	night blindness
- עוורון צבעים	colorblindness
עִיוֵּת פ׳	distort, pervert, twist, warp
עִיוּוּת ז׳	distortion, deformity, twist
- עיוות דין	miscarriage of justice
עִיוּל ז׳	entering, writing (details)
עִיּוּן ז׳	study, perusal, consideration
- בעיון	under consideration
- יום עיון	study day, seminar
עִיּוּנִי ת׳	theoretical, speculative
עִיּוּר ז׳	urbanization

עיזבון ז׳ inheritance, legacy

עיזה נ׳ goat, nanny goat

עיט ז׳ eagle, vulture

עיטה נ׳ swoop, charge, pounce

עיטור ז׳ decoration, medal

עיטורי ת׳ ornamental

עיטורת נ׳ vignette, tailpiece

עיטוש ז׳ sneeze

עיטר פ׳ decorate, ornament, adorn

עייל ז׳ enter, write (details)

עיין פ׳ consider, study, read, peruse

- עיין ערך see, vide, qv

עיין פ׳ hate, be hostile

עייף פ׳ tire, weary, exhaust, fatigue

עייף ת׳ tired, weary, exhausted

עייפה נ׳ weariness

עייפות נ׳ weariness, fatigue

- עייפות המתכת metal fatigue

עייר פ׳ urbanize

עיירה נ׳ small town, township

- עיירת פיתוח development town

עיכב פ׳ delay, hinder, stop, impede

עיכבון ז׳ lien

עיכוב ז׳ delay, hindrance, stay, stop

- עיכוב הליכים stay of proceedings

עיכול ז׳ digestion, assimilation

עיכולי ת׳ digestive, peptic

עיכוס ז׳ strutting, walking pompously

עיכל פ׳ digest, assimilate, stomach

עיכס פ׳ tinkle, strut, shake hips

עילאי ת׳ superlative, superb

עילג ז׳ lisper, stammerer, stutterer

עילגות נ׳ lisp, stammer

עילה נ׳ cause, pretext, occasion

- עילה למלחמה casus belli

- עילת התביעה cause of action

עילוי ז׳ prodigy, genius, elevation

עילום - בעילום שם incognito

עילי ת׳ upper, top, higher

עילית נ׳ elite, superstructure

עילף פ׳ cause to faint, floor

עילפון ז׳ faint, fainting, swoon

עימד פ׳ page, set up, paginate

עימדי מ״י with me, by me

עימוד ז׳ pagination, make-up

עימום ז׳ dimming, muffling

עימות ז׳ conflict, confrontation

עימם פ׳ dim, darken, tarnish, dip

עימת פ׳ confront, contrast, oppose

עין נ׳ eye, stitch, mesh, bud, color, spring, fountain

- במו עיני with my own eyes

- בעין יפה generously, without stint

- בעיני רוחו in one's mind's eye

- בעיניו in his eyes, to him

- בעיניים פקוחות with open eyes

- הביט בשבע עיניים be all eyes

- הדבר עומד בעינו it still holds

- העלים עין shut one's eyes, turn a blind eye

- לעיני כול openly

- עין בלתי מזויינת naked eye

- עין הסערה storm center

- עין הרע evil eye

- עין חתול cat's eye, reflector stud

- עין עצלה lazy eye, amblyopia

- עין תחת עין an eye for an eye

- עינו צרה ב- be jealous of

- עיניו בראשו wise, prudent

עין נ׳ ayin (letter)

עינג פ׳ please, delight, regale

עינה פ׳ torment, torture, afflict

עינוג ז׳ delight, pleasure, joy

עינוי ז׳ torment, suffering, torture

- עינוי דין prolonged trial

עיני ת׳ of the eye, eyed

- תוך-עיני within the eyeball

עינית נ׳ eyepiece, eyelet, ocular

עיסה פ׳ massage, knead, rub down

עיסה נ׳ dough, pulp, paste

- עיסת נייר papier-mache

עיסוי ז׳ massage, rubdown

עיסוק ז׳ business, occupation

עיפוש ז׳ mold, stink, stench

עיפץ פ׳ tan

עיפרון ז׳ pencil, liner

- עפרון גיר crayon

- עפרון חודים propelling pencil

עיפש פ׳ decay, mold, emit a smell

עיצב פ׳ shape, design, form, mold

עיצוב ז׳ shaping, designing, fashioning

- עיצוב פנים interior design

- עיצוב שיער hairstyle

עיצום - בעיצומו תה״פ in progress, under way, in the middle of

עיצומים ז״ר sanctions

עיצור ז׳ consonant

עיצורי ת׳ consonantal

עיצר פ׳ press, squeeze, constipate

עיקב פ׳ cube, trace, follow

עיקוב ז׳ cubing, tracing, following

עיקול ז׳ confiscation, foreclosure, attachment, bend, curve, twist

עיקום ז׳ bending, twisting, warp

עיקור ז׳ sterilization, extraction

עיקל פ׳ confiscate, foreclose, attach

עיקל ת׳ bowlegged, bandy-legged

עיקם פ׳ bend, curve, distort, warp

- עיקם חוטמו turn up one's nose

עיקר פ׳ sterilize, extract

עיקר ז׳ essential, principle, basis

- לא כל עיקר not at all

- עיקר שכחתי NB, PS

עיקרון ז׳ principle, canon, law

- עקרונות principles, the ABC

עיקרי ת׳ basic, main, chief

עיקש ת׳ stubborn, obstinate

עיקשות נ׳ stubbornness, caprice

עיר ז׳ young donkey

עיר נ׳ city, town

- העיר העתיקה the Old City

- העירה downtown, to town

- עיר ואם metropolis, mother city

- עיר מדינה city-state

- עיר נמל seaport, port

- עיר שדה country town, province

- ערים = רבים של עיר cities

עירב פ׳ mix, blend, involve

עירבון ז׳ earnest money, guarantee,

pawn, pledge, security
- בעירבון מוגבל Ltd., limitedly
עירה פ׳ pour, decant, empty, expose, transfuse
עירוב ז׳ mixing, involvement, wire around a settlement
עירוי ז׳ infusion, pouring
- עירוי דם blood transfusion
- עירוי נוזלים liquid transfusion
עירום ז׳ nakedness, nudity, undress
עירום ת׳ naked, nude, undressed
עירוני ת׳ municipal, urban
עירור ז׳ excitation
- בר-עירור excitable
עירייה נ׳ municipality, city hall
עירית (פרח) נ׳ asphodel
ערנות נ׳ alertness, vigilance
ערני ת׳ alert, vigilant, on guard
עירק נ׳ Iraq
עירקי ת׳ Iraqi
עישב פ׳ weed, grub, root out
עישוב ז׳ weeding out
עישון ז׳ smoking, puffing
- עישון פסיבי/סביל passive smoking
עישן פ׳ smoke, puff, fumigate, cure
עישר פ׳ tithe, exact a tithe
עיתד פ׳ prepare, destine, predestine
עיתוי ז׳ timing
עיתון ז׳ newspaper, paper, journal
עיתונאות נ׳ journalism
עיתונאי ז׳ journalist, reporter
עיתונאי ת׳ journalistic
עיתונות נ׳ press
- עיתונות צהובה yellow press
עיתי ת׳ periodical
עיתק פ׳ shunt, switch, shift
עכבה נ׳ delay, inhibition, impedance
עכביש ז׳ spider
עכבר ז׳ mouse
עכברוש ז׳ rat
עכו נ׳ Acre, Akko
עכוז ז׳ buttocks, rump, breech
עכו"ם=עובד כוכבים heathen, pagan
עכור ת׳ cloudy, muddy, dejected
עכירה נ׳ fouling, spoiling
עכירות נ׳ turbidity, gloom
עכס ז׳ anklet
עכ"פ = על כל פנים in any case
עכר פ׳ muddy, befoul, spoil
עכשווי ת׳ current, actual
עכשיו תה"פ now, by now, just now
- כאן ועכשיו here and now
על מ"י on, over, above, about
- על אודות about, concerning
- על אחת כמה וכמה let alone, all the more so
- על אף despite, although, for all
- על אפו ועל חמתו in spite of him
- על ארבע on all fours
- על בוריו thoroughly, perfectly
*- על בטוח for sure, without fail
- על גבי upon, on top of
- על דבר about, regarding
*- על הכיפק! wonderful!, please!
*- על הפנים defeated, ruined
- על יד beside, near, by
- על ידי by, through
- על כורחו against his will
- על כל פנים in any case, any way
- על כן therefore, so
- על לא דבר not at all
- על מנת in order to, so that
- על נקלה easily
- על סמך on the basis of
- על סף on the brink, on the verge
- על פה orally, by heart
- על פי according to, after
- על פי רוב generally, usually
- על פני across, over, on
- על שום because, on account of
- עליו ל- he should, he ought to
על תח׳ super-, meta-
- על אנושי superhuman
- על זורם superfluid
- על טבעי supernatural, unearthly
- על קולי supersonic, ultrasonic
- על קירור supercooling
*עלא כיפק great, excellent
עלב פ׳ insult, offend, slight
עלבון ז׳ affront, insult, umbrage
עלה פ׳ go up, ascend, rise, cost, sell at, immigrate, come
- עלה בגורלו fall to his lot
- עלה בדעתו strike, come to mind
- עלה בידו manage, succeed
- עלה בלהבות/באש go up in flames
- עלה במשקל put on weight
- עלה בקנה אחד עם accord, agree
- עלה בתוהו fail utterly
- עלה יפה succeed, turn out well
*- עלה לאוויר go on the air
- עלה על exceed, excel, surpass, *capture, catch, get, grasp
- עלה על גדותיו overflow, spill over
- עלה על הפרק be discussed
עלה ז׳ leaf, sheet
- עלה גביע sepal
- עלה הגהה proof sheet
- עלה כותרת petal
- עלה תאנה fig leaf, cover
- עלי דפנה bay leaves
עלוב ת׳ poor, shabby, wretched
עלווה נ׳ foliage, leafage
עלול ת׳ likely, liable, may, might
עלום ת׳ hidden, unknown, secret
- עלום שם anonymous
עלומים ז"ר youth, young days
עלון ז׳ bulletin, leaflet, handbill
עלוקה נ׳ leech, vampire
עלות נ׳ cost
עלות השחר ז׳ daybreak, cockcrow
עלז פ׳ rejoice, be merry, revel
עלטה נ׳ darkness, blackout
עלי ז׳ pestle, pistil
עלי = על מ"י on, over
עליבות נ׳ misery, wretchedness
*עליהום! מ"ק down with them!
עליון ת׳ superior, supreme, upper
עליונות נ׳ supremacy, superiority
עליונית נ׳ top coat, over-blouse, tunic
עליז ת׳ cheerful, joyful, *gay

עֲלִיזוּת נ׳ gaiety, joy, fun
עֲלִיָּה נ׳ immigration, aliya, rise, ascent, going up, attic, entresol
- עליות וירידות ups and downs
- עלייה לרגל pilgrimage
- עליית גג attic, garret, loft
עֲלִילָה נ׳ calumny, libel, story, scene, plot, deed, act, epic
- עלילת דם blood libel
עֲלִילוֹן ז׳ comics
עֲלִילוּת נ׳ likelihood, liability
עֲלִילָתִי ת׳ of a plot, feature (film)
עֲלִיצוּת נ׳ gaiety, cheerfulness, joy
עִלִּית (אפליקציה) נ׳ applique
עֶלֶם ז׳ lad, youth, boy, sapling
עַלְמָה נ׳ Miss, damsel, girl
עִלְעוּל ז׳ browsing, leafing
עַלְעוֹל-מַיִם (ענן) ז׳ waterspout
עַלְעוֹל-רוּחַ ז׳ whirlwind
עִלְעֵל פ׳ turn pages, leaf through
עַלְעָל ז׳ bract, leaflet
עָלַץ פ׳ exult, rejoice, revel
עַלֶּקֶת נ׳ broomrape, eelworm
עַם ז׳ people, nation, folk, country
- הלך אל העם go to the country
- עם הארץ ignoramus, unlettered
- עם סגולה Peculiar People, Israel
עִם מ״י with, together, by
- עם זאת yet, nevertheless, still
- עם זה yet, still
עמ׳ = עמוד page
עָמַד פ׳ stand, rise, halt, stop, cease
- הדבר עומד בעינו it still holds
- עמד איתן stand firm, stand one's ground
- עמד בדיבורו keep one's word
- עמד במבחן pass a test
- עמד בראש head, take the lead
- עמד דום stand still
- עמד ל- be going to, be about to
- עמד מנגד stand aloof, not intervene
- עמד נוח stand at ease
- עמד על המקח drive a hard bargain
- עמד על טיבו assess his character
- עמד על כך insist, stand on
- עמד על רגליו find one's legs, keep one's feet
- עמד על שלו insist on his rights
- שאין לעמוד בפניו irresistible
עֶמְדָּה נ׳ attitude, stance, position, post, station, posture
- עמדת זינוק starting post
- עמדת מפתח key position
- עמדת פיקוד command post
- עמדת תצפית observation post
עַמּוּד ז׳ page, column, pillar, post
- עמוד העלי style
- עמוד הקלון pillory
- עמוד השדרה backbone, spine
- עמוד השחר dawn, daybreak
- עמוד השער title page, goal post
- עמוד התווך linchpin, mainstay
- עמוד חשמל pylon
- עמוד מעקה baluster, newel post
עַמּוּדָה נ׳ column

עָמוּם ת׳ dim, unclear, dull, matt
עָמוּס ת׳ loaded, burdened
עָמוֹק ת׳ deep, profound
עֲמוּקוֹת תה״פ profoundly, deep
עֲמוּתָה נ׳ association, fellowship, society, non-profit association, group, club
עָמִיד ת׳ resistant, -proof, tenable
עֲמִידָה נ׳ standing, footing, stand
- עמידת ידיים handstand
- עמידת ראש headstand
עֲמִידוּת נ׳ resistance, tenability
עָמִיל ז׳ commission agent, factor
- עמיל מכס customs agent
עֲמִילוּת נ׳ commission
עֲמִילָן ז׳ starch
עֲמִילָנִי ת׳ starchy, farinaceous
עֲמִימוּת נ׳ dullness, dimness
עָמִיר ז׳ sheaf, swath
עָמִית ז״נ colleague, counterpart
עַמְּךָ ז״ר common people, masses
עָמַל פ׳ work, labor, toil, drudge
עָמָל ז׳ labor, toil, travail
עָמֵל ז״ת workman, laborer, working
עַמְלָה נ׳ commission, fee, kickback
עַמְלָן ז׳ starch
עַמְלֵץ כָּחוֹל ז׳ blue shark
עֲמָלֵק ז׳ Amalek, cruel nation
עֲמָלֵקִי ת׳ Amalekite
עִמֵּם פ׳ dim, darken, muffle, frost
עַמָּם ז׳ dimmer, muffler, silencer
עַמָּמוֹר ז׳ dimmer, dipswitch
עֲמָמִי ת׳ popular, pop, folk, vulgar
עֲמָמִיּוּת נ׳ popularity, simplicity
עָמַס פ׳ load, burden, encumber
עִמְעוּם ז׳ dimming, dipping, dimout
עִמְעֵם פ׳ damp, dim, dip, dull, mute
עַמְעָם ז׳ silencer, muffler, mute
עַמְעֶמֶת נ׳ damper, mute
עֵמֶק ז׳ valley, dale, vale, ravine
- בא לעמק השווה compromise
- עמק הסיליקון Silicon Valley
עַמְקוּת נ׳ depth, profundity
עַמְקָן ז׳ deep thinker
עַמְקָנוּת נ׳ profound thinking
עָנַב פ׳ tie, fasten, loop
עֵנָב (עֲנָבִים) ז׳ grape (grapes)
- ענבי שועל currants
עִנָּבָה נ׳ berry
עִנְבָּל ז׳ clapper, uvula
עִנְבָּר ז׳ amber
עָנַד פ׳ wear (jewels, medals), carry
עָנָה פ׳ reply, answer, respond
- ענה אמן say yes, agree
- ענה על meet, satisfy, answer
עָנוּב ת׳ wearing (a tie)
עָנוֹג ת׳ tender, delicate, honeyed
עָנוּד ת׳ wearing (jewels, medals)
עֲנָוָה נ׳ humility, modesty
עַנְוְתָן ת׳ humble, meek, modest
עַנְוְתָנוּת נ׳ humbleness, meekness
*עִנְטֵזָה פ׳ shake her hips
עָנִי ת׳ poor, pauper, indigent
- עני מרוד very poor, *dirt-poor
עֲנִיבָה נ׳ tie, necktie, cravat, loop
- עניבת חנק noose

bow tie - עניבת פרפר
wearing (medals) עֲנִידָה נ
humble, modest, meek עָנָיו ת
poverty, indigence, misery עֲנִיּוּת נ
in my humble opinion - לענִיוּת דעתי
concern, interest, intrigue עִניֵין פ
affair, concern, business, עִניָין ז
interest, case, matter, subject
concerning, referring to - בעניין-
informed, *in the know - בעניינים
speak to the subject - דיבר לעניין
what's up? *- מה העניינים?
current affairs - ענייני דיומא
relevant, practical, עִניָינִי ת
businesslike, matter-of-fact
punishable, penal עָנִישׁ ת
punishment, correction עֲנִישָׁה נ
cloud עָנָן ז
cumulus - ענן ערימה
cirrus - ענני נוצה
nimbus - ענני צעיף
on cloud nine, - ראשו בעננים
wishful thinker
cloud, shadow, gloom עֲנָנָה נ
cloudiness, clouds עֲנָנוּת נ
branch, bough, limb, sector עָנָף ז
extensive, wide, ramified עָנֵף ת
twig, spray, sprig עֲנַפְנַף ז
giant, titan, necklace עֲנָק ז
red giant - ענק אדום (כוכב)
huge, gigantic, colossal עֲנָקִי ת
punish, penalize, chastise עָנַשׁ פ
*old article, antique עַנְתִּיקָה נ
masseur עַסַּאי ז
busy, occupied, engaged עָסוּק ת
masseur עַסְיָין ז
masseuse עַסְיָינִית נ
juice, fruit juice עָסִיס ז
juicy, succulent, spicy עֲסִיסִי ת
succulence, juiciness עֲסִיסִיּוּת נ
engage in, deal, treat עָסַק פ
business, concern, affair עֵסֶק ז
none of your business - לא עסקך
bad business, mess - עסק ביש
business as usual - עסקים כרגיל
done!, it's a deal *- עשינו עסק
transaction, deal, bargain עִסְקָה נ
package deal - עסקת חבילה
trade-in, barter - עסקת חליפין
plea bargaining - עסקת טיעון
hedging - עסקת מגן
businesslike, business עִסְקִי ת
we deal, we discuss עָסְקִינַן
public worker, doer עַסְקָן ז
public business, activity עַסְקָנוּת נ
fly, take wing, *get the ax עָף פ
anchovy עֲפִיָּין (דגיג) ז
kite עֲפִיפוֹן ז
winking, blinking עִפְעוּף ז
wink, blink, flicker עִפְעֵף פ
eyelid, lid עַפְעַף ז
gallnut, gall, tannin, oak עָפָץ ז
apple
earth, dust, dirt עָפָר ז
dust and ashes - עפר ואפר
earth, ore עֲפָרָה נ

lark עֶפְרוֹנִי ז
tree, wood, log, stick עֵץ ז
waste one's breath - דיבר אל העצים
roller of Sefer Torah - עץ חיים
plywood - עץ לבוד
conifer - עץ מחט
gibbet, gallows - עץ תלייה
grief, sorrow, gloom, pain עֶצֶב ז
nerve (nerves) עָצָב (עֲצַבִּים) ז
nerve gas - גז עצבים
neuritis - דלקת עצבים
nervous - התמוטטות עצבים
breakdown
nerve-racking - מורט עצבים
war of nerves - מלחמת עצבים
nervous system - מערכת העצבים
motor nerve - עצב תנועתי
nerves - עצבים
ruscus, butcher's broom עַצְבּוֹנִית נ
sadness, grief, *blues עַצְבוּת נ
nervous, neural עֲצַבִּי ת
make nervous, annoy עִצְבֵּן פ
nervousness, unease עַצְבָּנוּת נ
nervous, jumpy, edgy עַצְבָּנִי ת
neurosis, sorrow עַצֶּבֶת נ
croup, rump bone עָצֶה ז
advice, counsel, tip, wood, עֵצָה נ
xylem
of one mind with - בעצה אחת עם
wrong advice - עצת אחיתופל
sad, unhappy, gloomy עָצוּב ת
enormous, *great, shut עָצוּם ת
petition עֲצוּמָה נ
detained, restrained עָצוּר ת
arboreal, wooden, ligneous עֵצִי ת
intensive, intense, compact עָצִים ת
closing (one's eyes) עֲצִימָה נ
flowerpot, planter עָצִיץ ז
prisoner, detainee עָצִיר ז
halt, stop, stoppage עֲצִירָה נ
lack of rain - עצירת גשמים
retention of urine - עצירת שתן
constipation עֲצִירוּת נ
lazy, indolent, sluggish עָצֵל ת
laziness, indolence, sloth עַצְלוּת נ
lazy, idler, lazybones, sloth עַצְלָן ז
laziness, indolence עַצְלָנוּת נ
laziness, listlessness עֲצַלְתַּיִם ז"ר
shut, close, become strong עָצַם פ
thing, object, essence עֶצֶם ז
among themselves - בינם לבין עצמם
he himself - בכבודו ובעצמו
actually, in fact - בעצם
by himself, alone - בעצמו
by myself - בעצמי
in itself, per se - בפני עצמו
in itself, per se - כשלעצמו
for himself - לעצמו
himself, itself, oneself - עצמו
myself - עצמי
yourself - עצמך
themselves - עצמם
ourselves - עצמנו
bone עֶצֶם נ
thorn in one's flesh - כעצם בגרון
to the bone - עד העצם

collarbone, clavicle - עצם הבריח
sternum, breastbone - עצם החזה
femur, thighbone - עצם הירך
coccyx - עצם העוקץ
sacrum - עצם העצה
shoulder blade - עצם השכמה
independence עַצְמָאוּת נ
Independence Day - יום העצמאות
War of Independence - מלחמת העצמאות
independent, sovereign, self-employed, business owner עַצְמָאִי ת׳
natural, internal, spontaneous, unprompted עַצְמוֹנִי ת׳
personal, self-, auto עַצְמִי ת׳
self-love - אהבה עצמית
self-confidence - ביטחון עצמי
self-portrait - דיוקן עצמי
self-image - דימוי עצמי
self-determination - הגדרה עצמית
self-defense - הגנה עצמית
self-flagellation - הלקאה עצמית
self-sacrifice - הקרבה עצמית
autosuggestion - השאה עצמית
self-respect - כבוד עצמי
self-realization - מימוש עצמי
self-satisfaction - סיפוק עצמי
own goal - שער עצמי
individuality, self עַצְמִיּוּת נ
objective, lens עַצְמִית נ
lignin עֵצָן ז׳
arrest, apprehend, detain, check, contain, halt, stop, *nick עָצַר פ׳
not able to - לא עצר כוח
hold one's breath - עצר נשימתו
regency, rule, stop, stoppage עֶצֶר ז׳
rally, assembly, factorial עֲצֶרֶת נ
The UN General Assembly - עצרת האו״ם
follow, track, trace, *tail עָקַב פ׳
heel, footstep, footprint, trace, track, trail, rear עָקֵב ז׳
in his footsteps, in the wake of, after - בעקבות
Achilles' heel, foible - עקב אכילס
slowly, gradually - עקב בצד אגודל
traces, tracks, marks - עקבות
because, owing to, due to עֵקֶב מ״י
buteo, buzzard עָקָב (עוף דורס) ז׳
trace, wake, footprint עִקְבָה נ
Aqaba, Akaba עַקָבָּה נ
consistent, coherent עִקְבִי ת׳
consistency, constancy עִקְבִיּוּת נ
bind, tie, truss, pinion עָקַד פ׳
bloody, gory עָקוֹב מִדָּם ת׳
striped, spotted, streaky עָקוֹד ת׳
bent, curved, crooked, wry עָקוֹם ת׳
graph, bend, curve עֲקוּמָה נ
normal curve - עקומה נורמאלית
displaced person, DP עָקוּר ז׳
consequential, consistent עָקִיב ת׳
consistence עֲקִיבוּת נ
sacrifice, binding עֲקֵדָה נ
Sacrifice of Isaac - עקידת יצחק
turning up one's nose עֲקִימַת אַף נ
indirect, roundabout עָקִיף ת׳

circumvention, going around, bypassing, overtaking, diffraction עֲקִיפָה נ
sting, bite, gibe, jeer, dig עֲקִיצָה נ
uprooting, extraction, moving, relocation עֲקִירָה נ
winding, twisty, devious עֲקַלְקַל ת׳
winding, twisty עֲקַלָּתוֹן ת׳
crooked, curved, twisted עֲקַמּוּמִי ת׳
crookedness עֲקַמּוּמִיּוּת נ
kyphosis, curvature of the spine עַקֶּמֶת נ
magpie עקעק ז׳
bypass, go around, pass, circumvent, evade, overtake עָקַף פ׳
sting, bite, be sarcastic, jeer עָקַץ פ׳
itch, prickle, pruritus עקצוץ ז׳
itch, prickle, tickle, tingle עִקְצֵץ פ׳
uproot, extract, pull out, remove, move, move house עָקַר פ׳
barren, impotent, infertile, sterile, dud עָקָר ת׳
scorpion, Scorpio עַקְרָב ז׳
barren woman, childless עֲקָרָה נ
principled, moral עֶקְרוֹנִי ת׳
in principle, basically עֶקְרוֹנִית תה״פ
sterility, barrenness עֲקָרוּת נ
housewife עֲקֶרֶת בַּיִת נ
stubborn, obstinate עַקְשָׁן ת׳
obstinacy, stubbornness עַקְשָׁנוּת נ
obstinate, stubborn עַקְשָׁנִי ת׳
awake, conscious, vigilant עֵר ת׳
aware of, alive to - ער ל-
temporary עֲרָאִי = ארעי ת׳
guarantee, go bail, be responsible, pledge, underwrite, be pleasant, be sweet, be dark עָרַב פ׳
evening, eve, the eve of עֶרֶב ז׳
this evening - הערב
Friday, Sabbath eve - ערב שבת
responsible, sweet, tasty עָרֵב ת׳
guarantor, warrantor, guarantee, surety עָרֵב ז׳
weft, woof, mixture עֵרֶב ז׳
mob, riffraff, medley - ערב רב
Saudi Arabia עֲרַב הַסָּעוּדִית נ
mix, fold, shuffle, confuse עִרְבֵּב פ׳
willow, prairie, desert, wilderness, steppe, plain עֲרָבָה נ
tub, kneading tub עֲרֵבָה נ
mixing, mixture, shuffle עִרְבּוּב ז׳
disorder, mess, medley עִרְבּוּבְיָה נ
mixing, scrambling עִרְבּוּל ז׳
mix - ערבול צליל
bail, surety, guarantee, bond עֲרֻבּוֹת נ
sweetness, tastiness עֲרֵבוּת נ
Arab, Arabian, Saracen עֲרָבִי ז׳
twilight, dusk עַרְבַּיִם ז״ר
Arabist, student of Arab culture עֲרַבִיסְט ז׳
evening prayer עַרְבִית נ
Arabic עֲרָבִית נ
mix, blend, scramble עִרְבֵּל פ׳
whirlpool, mixer עַרְבָּל ז׳
arabesque עֲרַבֶּסְקָה נ

ערברב ז׳ — potpourri, medley
ערג פ׳ — yearn, desire, long, pine, yen
ערגה נ׳ — yearning, longing, yen
ערגול ז׳ — rolling
ערגל פ׳ — roll (metal)
ערדל ז׳ — galosh, rubber, overshoe
ערה״ש = ערב ראש השנה
ערוב - בערוב היום — at twilight
ערוב - בערוב ימיו — at old age
ערובה נ׳ — guarantee, surety, warrant
- בן ערובה — hostage
ערוגה נ׳ — bed, flower bed, square
ערווה נ׳ — nakedness, genitals, pudenda, vulva, pubis
ערוך ת׳ — prepared, ready, arranged, set, edited
ערוך - אין ערוך לו — priceless
ערום ת׳ — naked, bare, nude
ערום ת׳ — sly, shrewd, cunning
ערוץ ז׳ — channel, canyon, ravine
- רב-ערוצי — multichannel
ערות נ׳ — wakefulness, vigil
ערטול ז׳ — stripping, undressing
ערטילאי ת׳ — nude, abstract
ערטל פ׳ — strip, undress, denude
עריה - ערום ועריה — stark naked
עריכה נ׳ — arraying, arrangement, editing
- עריכת דין — advocacy, law
ערימה נ׳ — heap, pile, stack, rick
עריס ז׳ — espalier, pergola, trellis
עריסה נ׳ — cradle, cot, crib
- מוות בעריסה — cot death, SIDS
עריפה נ׳ — decapitation, beheading
- עריפת ראשים — removal of opponents, purge
עריץ ז׳ — despot, tyrant, oppressor
עריצות נ׳ — despotism, tyranny
עריצי ת׳ — despotic, tyrannical
עריק ז׳ — renegade, deserter, defector
עריקה נ׳ — desertion, defection
ערירי ת׳ — childless, lonely, lonesome
ערך פ׳ — array, arrange, lay, hold, make, do, perform, prepare, edit
- ערך השולחן — set the table
- ערך מלחמה — wage war
ערך ז׳ — value, price, worth, degree, order, set, entry, headword
- בערך — about
- ערך הדמיון — positive
- ערך ההפלגה — superlative
ערך היתרון — comparative
- ערך מוחלט — absolute value
- ערך מוסף — added value
- ערך מילוני — lexeme
- ערך משולש — rule of three
- ערך נומינלי/נקוב — nominal value
- ערך נקוב — face value, par value
- ערך קלורי — calorific value
- ערך שוק — market value
- רב ערך — valuable, worthy
ערכאה נ׳ — legal instance, law, court
ערכה נ׳ — kit, set, outfit
- ערכת מגן — gas mask
ערכי ת׳ — of (moral) values
- דו-ערכי — ambivalent
- חד-ערכי — monovalent, univalent
ערכיות נ׳ — valence, valency, value
- דו-ערכיות — ambivalence
ערל ת׳ — uncircumcised, gentile, shut
- ערל לב — stubborn, stupid
- ערל שפתיים — stammerer, stutterer
ערם פ׳ — pile up, heap, amass, stack
- ערם קשיים — make difficulties
ערמומי ת׳ — crafty, shrewd, sly, foxy
ערמומיות נ׳ — cunning, craft
ערמון ז׳ — chestnut
- הוציא הערמונים מהאש — grasp the nettle
ערמוני ת׳ — chestnut, auburn
ערמוניות נ״ר — castanets
ערמונית נ׳ — prostate (gland)
ער״ן — first mental aid
ערנות נ׳ — alertness, vigilance
ערני ת׳ — alert, vigilant, on guard
*ערס ז׳ — pimp, pander, hooligan
ערסל ז׳ — hammock
ערעור ז׳ — appeal, protest, subversion, shaking, undermining
ערער פ׳ — appeal, undermine, shake, upset, subvert
ערער (שיח) ז׳ — juniper
ערף פ׳ — decapitate, behead
ערפד ז׳ — vampire
ערפול ז׳ — misting, ambiguity
ערפיח ז׳ — smog
ערפילי ת׳ — misty, vague, foggy
ערפיליות נ׳ — fog, mistiness
ערפילית נ׳ — nebula
ערפל פ׳ — obscure, make vague, fog
ערפל ז׳ — fog, mist, vagueness
- ערפל קרב — fog of war
ערק פ׳ — desert, defect, tergiversate
ערק (יין שרף) ז׳ — arrack
ערקה נ׳ — lash, thong, whipcord
ערקנות נ׳ — escapism
ערר פ׳ — appeal, contest, protest
ערר ז׳ — appeal, protest, objection
ערש ז׳ — bed, cradle
- ערש דווי — sickbed
עש ז׳ — moth
עשב ז׳ — grass, herb, weed, herbage
- עשב שוטה — tare, weed
עשבה נ׳ — turf, sod, divot
עשבונאי ז׳ — herbalist
עשבוני ת׳ — herbaceous, grassy
עשבייה נ׳ — herbarium
עשה פ׳ — commit, do, make, perform
*- הוא עשה את זה! — he did it!
- מה לעשות — what can we do, you must admit
- עשה ״ויברח״ — make a run for it
*- עשה במכנסיים — be scared, shit
*- עשה בשכל — act wisely
- עשה דין לעצמו — disregard the law
- עשה דרכו — make way, go
- עשה ולא תעשה — do's and don'ts
- עשה זאת בעצמך — do it yourself
*- עשה חושבים — think it over
- עשה חיים — have a good time
- עשה חיל — prosper, thrive
- עשה כל שביכולתו — do one's best

do the dishes — - עשה כלים
make money, mint money — - עשה כסף
say to him — *- עשה לו
make one's name — - עשה לו שם
work at night — - עשה לילות כימים
make a mock of — - עשה ללעג
strain every nerve — - עשה מאמץ עליון
put an end to, make an end of — - עשה סוף ל-
pretend, affect, feign — - עשה עצמו
make a move — - עשה צעד
defecate, excrete — - עשה צרכיו
bluster, put on airs — *- עשה רוח
play havoc, destroy — - עשה שמות
make it lively — *- עשה שמח
cooperate, unite — - עשר יד אחת
done, made, likely, may — עָשׂוּי ת׳
fearless, dauntless — - עשוי לבלי חת
exploited, robbed — עָשׁוּק ת׳
decade, ten years, ten — עָשׂוֹר ז׳
decimal, metric, denary — עָשׂוֹרִי ת׳
doing, making — עֲשִׂיָּה נ׳
rich, wealthy, abundant — עָשִׁיר ת׳
upper tenth, the rich — עֲשִׁירוֹן עֶלְיוֹן ז׳
tenth — עֲשִׂירִי ת׳
tenth, ten (NIS), *tenner — עֲשִׂירִיָּה נ׳
tenth, tithe, deci- — עֲשִׂירִית נ׳
smoke, emit smoke — עָשַׁן פ׳
smoke, fumes — עָשָׁן ז׳
smoky, smoldering — עָשֵׁן ת׳
heavy smoker, fumitory — עַשְׁנָן ז׳
exploit, subdue, rob, *skin — עָשַׁק פ׳
Friday — עש״ק=ערב שבת קודש
ten, 10, deca- — עֶשֶׂר ש״מ
ten, 10, deca- — עֲשָׂרָה ש״מ
Decalogue, Ten Commandments — - עשרת הדיברות
decimal, denary — עֶשְׂרוֹנִי ת׳
decimal system — - השיטה העשרונית
twenty, 20, score — עֶשְׂרִים ש״מ
twentieth — - החלק העשרים
twentieth — - העשרים
pontoon, twenty-one, blackjack, vingt-et-un — - עשרים ואחת (משחק)
lamp, oil-lamp, lantern — עֲשָׁשִׁית נ׳
caries — עַשֶּׁשֶׁת נ׳
thoughts, calmness — עֶשְׁתּוֹנוֹת ז״ר
be confused — - אבדו עשתונותיו
time, season, period — עֵת נ׳
at the same time — - בה בעת
timely, at the right time — - בעיתו
at the same time — - בעת ובעונה אחת
untimely — - לא בעיתו
at an opportune time — - לעת מצוא
for the time being — - לעת עתה
now, at present — עַתָּה תה״פ
reservist — עַתוּדַאי ז׳
reserve — עֲתוּדָה נ׳
reserves, resources — - עתודות
future, hereafter, futurity — עָתִיד ז׳
ready, would-be, destined — עָתִיד ת׳
future — עֲתִידוֹת נ״ר
future, unborn, coming — עֲתִידִי ת׳
futurism, futurology — עֲתִידָנוּת נ׳
futuristic — עֲתִידָנִי ת׳
ancient, archaic, antique — עַתִּיק ת׳
old, ancient — - עתיק יומין
antiquity — עַתִּיקוּת נ׳
antiquities — עַתִּיקוֹת נ״ר
rich, abundant, full — עָתִיר ת׳
hi-tech, knowledgeable — - עתיר ידע
calorie-rich — - עתיר קלוריות
petition, plea, request — עֲתִירָה נ׳
shunter, switchman — עַתָּק ז׳
pride, big words, arrogance — עָתָק ז׳
a large fortune — עָתֵק - הון עָתֵק ז׳
petition, plead, appeal, ask — עָתַר פ׳

פ

pe (letter) — פֵּא נ׳
pub, public house — פָּאבּ ז׳
edge, side, facet, corner — פֵּאָה נ׳
wig, hairpiece, *rug — - פאה נוכרית
sideburns — - פאות לחיים
side curls, side locks — - פיאות
polyhedron, polygon — פֵּאוֹן ז׳
fauna — פָאוּנָה (ממלכת החי) נ׳
pouch — פָּאוּץ׳ (נרתיק מותן) ז׳
phase, stage — פָאזָה (מופע) נ׳
phase, phasic — פָאזִי (מופעי) ת׳
two-phase, diphasic — - דו-פאזי
polyphase, multiphase — - רב-פאזי
jigsaw puzzle — פָּאזֶל (מִשְׂחַק הַרְכָּבָה) ז׳
mirage, illusion — פָאטָה מוֹרגָאנָה נ׳
pie — פַּאי (מאפה) נ׳
panic, fright, hysteria — פָּאנִיקָה נ׳
panel, jury, baseboard, skirting board, wainscot — פָּאנֶל ז׳
punk, punk rock — פָּאנְק (מוסיקת רוק) ז׳
punk rocker — פָּאנְקִיסְט ז׳
paso doble — פָּאסוֹ דוֹבְּלֶה (ריקוד) ז׳
passive — פָּאסִיב (ראה פסיב) ז׳
pomp, glory, splendor — פְּאֵר ז׳
magnum opus — - פאר יצירתו
medal — פָּארָה נ׳
park — פָּארְק (ראה פָּרְק) ז׳
pasha, governor, effendi — פָּאשָׁה ז׳
pathos, enthusiasm — פָּאתוֹס ז׳
outskirts, purlieus — פַּאֲתֵי עִיר נ״ר
February — פֶבְּרוּאָר ז׳
fabrication, lie, invention — פִּבְרוּק ז׳
fabricate, invent, make up — פִּבְרֵק פ׳
expire, end, melt, vanish — פָּג פ׳
expire — - פג תוקפו
premature baby, unripe fig — פַּג ז׳
pagoda — פָּגוֹדָה (מסגד בודהיסטי) נ׳
bassoon — פָּגוֹט (כלי נשיפה) ז׳
faulty, spoiled, defective — פָּגוּם ת׳
hit, hurt, afflicted — פָּגוּעַ ת׳
phagocyte — פָגוֹצִיט (תא בלען) ז׳
bumper, fender — פָּגוֹשׁ ז׳
shell, cannonball — פָּגָז ז׳
fragmentation bomb — - פגז רסס
dagger, poniard, stiletto — פִּגְיוֹן ז׳
premature infants' ward — פַּגִּיָּה נ׳
defect, flaw, spoiling — פְּגִימָה נ׳

פְּגִימוּת נ׳ defectiveness
פָּגִיעַ ת׳ vulnerable, sensitive
פְּגִיעָה נ׳ affront, offense, insult, injury, attack, blow, hit
- פגיעה בזכויות infringement of rights
פְּגִיעוּת נ׳ vulnerability
פְּגִישָׁה נ׳ appointment, meeting, encounter, date
- פגישה עיוורת blind date
פָּגַם פ׳ spoil, blemish, impair, mar
פְּגָם ז׳ blemish, defect, fault, flaw
- טעם לפגם bad taste, flaw
פָּגָן ז׳ pagan, heathen
פָּגָנִיּוּת נ׳ paganism
פָּגַע פ׳ hit, hurt, injure, harm, insult
- מבלי לפגוע בזכויות without prejudice
- פגע וברח hit-and-run
פֶּגַע ז׳ mishap, misfortune, trouble
- בלי פגע intact, unhurt
- פגע רע nuisance, pest, plague
פֶּגֶר ז׳ corpse, carrion, carcass
פַּגְרָה נ׳ holiday, vacation, recess
פָּגַשׁ פ׳ meet, encounter, bump into
פַּד ז׳ pad, sanitary napkin
פֶּדָגוֹג ז׳ pedagogue, educator
פֶּדָגוֹגִי ת׳ pedagogical, educational
פֶּדָגוֹגְיָה נ׳ pedagogy, teaching
פָּדָה פ׳ redeem, ransom, cash, obtain money, release, save, free
פָּדוּי ת׳ redeemed, ransomed
פֶּדוֹמֶטֶר (מד צעד) ז׳ pedometer
פֶּדוֹפִיל (נמשך לילדים) ז׳ pedophile
פֶּדוֹפִילְיָה נ׳ pedophilia
פְּדוּת נ׳ redemption, deliverance
פַּדַּחַת נ׳ forehead
פֶּדִיאַטְרִיָּה נ׳ pediatrics
פִּדְיוֹן ז׳ ransom, redemption, proceeds, turnover, takings
- פדיון הבן redemption of firstborn
- פדיון משכנתה redemption of mortgage
- פדיון שבויים redemption of prisoners
*פַּדִּיחָה נ׳ joke, fake, trash
פְּדִיָּה נ׳ ransom, redemption
פֶּדִיקוּר (טיפול רגליים) ז׳ pedicure
פֶּדִיקוּרִיסְט ז׳ pedicurist
פֶּדַנְט (נוקדן) ז׳ pedant, hairsplitter
פֶּדַנְטִי ת׳ pedantic, scholastic
פֶּדַנְטִיּוּת נ׳ pedantry, finicality
פֶּדֶרָטִיבִי ת׳ federative, united
פֶּדֶרָלִי ת׳ federal, of a federation
פֶּדֶרָלִיזְם ז׳ federalism
פֶּדֶרָלִיסְט ז׳ federalist
פֶּדֶרַצְיָה נ׳ federation, alliance
פֶּה ז׳ mouth, opening, mouthpiece
- אחד בפה ואחד בלב hypocrisy
- בכל פה emphatically, definitely
- בפה oral, orally, by mouth
- מילא פיו מים remain silent
- מפה לאוזן secretly, in a whisper
- מפה לפה mouth-to-mouth
- פה אחד unanimously
- פה מפיק מרגליות silver tongue
- שאל את פיו ask him
פֹּה תה״פ here, over here
- פה ושם here and there, passim
פָּה (צליל) ז׳ F, fa
פְּהִקֶת נ׳ yawning, the gapes
פּוֹאֶטִי ת׳ poetic, poetical
פּוֹאֶטִיקָה נ׳ poetics
פּוֹאָיֶה ז׳ foyer, lobby, anteroom
פּוֹאֶמָה (שירה בחרוזים) נ׳ poem
פו״ב FOB - free on board
פּוֹבְּיָה (בַּעַת) נ׳ phobia
פּוּבְּלִיצִיסְט ז׳ publicist, journalist
פּוּבְרַק פ׳ be fabricated, be invented
פּוֹגֵג פ׳ weaken, relieve, melt
פּוּגָה (יצירה מוסיקלית) נ׳ fugue
פּוֹגְעָנִי ת׳ opprobrious, offensive
פּוֹגְרוֹם ז׳ massacre, pogrom
פּוֹדַגְרָה (צינית) נ׳ podagra, gout
פּוּדִינְג (חביצה) ז׳ pudding, custard
פּוּדֶל (כלב) ז׳ poodle
פּוּדַר פ׳ be powdered
פּוּדְרָה נ׳ powder, face powder
פּוּדְרִיָּיה נ׳ compact, powder box
פָּוִילְיוֹן (ביתן) ז׳ pavilion
פּוֹזָה נ׳ pose, posture, affectation
פּוֹזִיטִיבִי (חיובי) ת׳ positive
פּוֹזִיטִיבִיזְם ז׳ positivism
פּוֹזִיטְרוֹן ז׳ positron
פּוֹזִיצְיָה נ׳ position
פּוֹזֵל ת׳ cross-eyed, squint
פּוֹזְלָנִי ת׳ skew-eyed, squint-eyed
פּוּזְמָק ז׳ stocking, sock
פּוּזַּר פ׳ be scattered, be dispersed
פּוֹחֵד ת׳ afraid, fearful, frightened
פּוֹחֵז ת׳ reckless, mindless, rash
פּוֹחֵחַ ת׳ shabby, tattered, hooligan
פּוּחְלָץ ז׳ stuffed animal
פּוּחַת פ׳ be devalued, be devaluated
פּוּטְבּוֹל ז׳ football, rugby
פּוֹטוֹ ז׳ photo, photography
פּוֹטוֹאֶלֶקְטְרִי (חשמלורי) photoelectric
פּוֹטוֹגֶנִי (נוח לצילום) ת׳ photogenic
פּוֹטוֹכִימִי ת׳ photochemical
פּוֹטוֹכִימְיָה נ׳ photochemistry
פּוֹטוֹמוֹנְטָז׳ (מִצְרָף) ז׳ photomontage
פּוֹטוֹמֶטֶר ז׳ photometer
פּוֹטוֹן (חלקיק אור) ז׳ photon
פּוֹטוֹסִינְתֶּזָה (הטמעה) photosynthesis
פּוּטוּרִיזְם (עתידנות) ז׳ futurism
פּוּטוּרִיסְט ז׳ futurist
פּוּטוּרִיסְטִי ז׳ futuristic
פּוּטִית נ׳ halibut, brill, flatfish
פּוֹטֶל (כורסה) ז׳ fauteuil, armchair
פּוּטַּם פ׳ be crammed, be stuffed
פּוֹטֶנְצִיאָל ז׳ potential, latent ability
פּוֹטֶנְצִיאָלִי ת׳ potential, possible
פּוֹטֶנְצְיָה נ׳ potency, force, power
פּוּטַר פ׳ be fired, *get the sack
פּוֹטַשׁ (אשלגן פחמתי) ז׳ potash
פּוּטְשׁ (הפיכת נפל) ז׳ putsch
פוּי מ״ק faugh, shame on you!
פּוּיַּס פ׳ be pacified, be reconciled
פּוֹיְנְטֶר (כלב) ז׳ pointer
פּוּךְ ז׳ eye shadow, eye-liner, kohl, mascara, down, duvet
פּוֹל ז׳ bean, broad bean

פול (ביליארד) ז׳ **pool**
פולג ז׳ **migraine, megrim**
פולו (הוקי על סוסים) ז׳ **polo**
פולובר (אפודה) ז׳ **pullover**
פולונז (ריקוד) ז׳ **polonaise**
פולחן ז׳ **cult, worship, ritualism**
- פולחן אישיות **personality cult**
פולחני ת׳ **ritual, idolatrous**
פוליאסטר (אריג) ז׳ **polyester**
פוליגון (מצולע) ז׳ **polygon**
פוליגלוט (רב-לשוני) ז׳ **polyglot**
פוליגמי ת׳ **polygamous**
פוליגמיה (ריבוי נשים) נ׳ **polygamy**
פוליגרף (מכונת אמת) ז׳ **polygraph**
פוליו (גיליון) ז׳ **folio**
פוליו (שיתוק ילדים) ז׳ **polio**
פוליטביורו ז׳ **Politburo**
פוליטורה נ׳ **polish, varnish, lacquer**
פוליטי ת׳ **political, state**
פוליטיזציה נ׳ **politicization**
פוליטיקאי ז׳ **politician**
פוליטיקה נ׳ **politics, policy, wisdom**
פוליטיקלי קורקט **politically correct**
פוליטכניון ז׳ **polytechnic, poly**
פולימורפי (רב-צורתי) ת׳ **polymorphic**
פולימורפיות נ׳ **polymorphism**
פולימורפיזם ז׳ **polymorphism**
פולימר (מולקולות) ז׳ **polymer**
פולימרי ת׳ **polymeric**
פולימריזציה נ׳ **polymerization**
פולין נ׳ **Poland**
פולינום (רב-איבר) ז׳ **polynomial**
פוליסה נ׳ **policy**
- פוליסה זמנית **cover note**
- פוליסת ביטוח **insurance policy**
פוליפוני (ססקולי) ת׳ **polyphonic**
פוליפוניה נ׳ **polyphony**
פוליפים ז״ר **adenoids, polyps**
פוליתאיזם (אלילות) ז׳ **polytheism**
פוליתאיסט ז׳ **polytheist**
פוליתאיסטי ת׳ **polytheistic**
פולמוס ז׳ **controversy, polemics**
פולמוסי ת׳ **controversial, polemical**
פולמוסן ז׳ **disputant, debater**
פולני ז׳ **Pole, Polish**
פולנית (שפה) נ׳ **Polish**
פולס פ׳ **be paved (a way)**
פולסא דנורא **blows with flames, damnation**
פולסר (כוכב פועם) ז׳ **pulsar**
פולקה (ריקוד צ׳כי) ז׳ **polka**
פולקלור (ידע עם) ז׳ **folklore**
פולקלורי ת׳ **folkloric**
פולקלוריסט ז׳ **folklorist**
פולקלוריסטי ת׳ **folkloristic**
פולרואיד ז׳ **Polaroid**
פולרי (קוטבי) ת׳ **polar**
פולריזציה (קיטוב) נ׳ **polarization**
פולש ז׳ **invader, trespasser**
פולשני ת׳ **invasive**
פו״מ=פיקוד ומטה **command and staff**
פומבי ת׳ **public, open, overt**
פומבי - בפומבי **in public**
פומביות נ׳ **publicity, exposure**
פומה נ׳ **cougar, puma**
פומית נ׳ **mouthpiece, cigarette**
holder
פומלו ז׳ **pomelo, shaddock**
פומפה נ׳ **plunger, *plumber's friend**
פומפון (ציצה) ז׳ **pompon, pompom**
פומפיה נ׳ **grater**
פונדה נ׳ **bandoleer, cartridge belt**
פונדו (מאכל) ז׳ **fondue**
פונדמנטלי (יסודי) ת׳ **fundamental**
פונדמנטליזם (קנאות) ז׳ **fundamentalism**
פונדמנטליסט (קנאי) ז׳ **fundamentalist**
פונדמנטליסטי ת׳ **fundamentalist**
פונדק ז׳ **inn, tavern, roadhouse**
פונדקאות נ׳ **surrogacy**
פונדקאי ז׳ **innkeeper, host**
פונדקאי ת׳ **surrogate**
פונדקאית נ׳ **surrogate mother**
פונה פ׳ **be cleared, be evacuated**
פונולוגי ת׳ **phonological**
פונולוגיה נ׳ **phonology, study of sound system, system of sounds**
פונט (גופן) ז׳ **font, fount**
פונטי (הברוני) ת׳ **phonetic**
פונטיקה (היברון) נ׳ **phonetics**
פוני ז׳ **pony, fringe**
פונמה (הגה) נ׳ **phoneme**
פונמי ת׳ **phonemic**
פונץ׳ (משקה) ז׳ **punch**
פונצ׳ו (גלימה) ז׳ **poncho**
פונק פ׳ **be pampered, be spoiled**
פונקציה נ׳ **function**
פונקציונלי (תפקודי) ת׳ **functional**
- קבוצה פונקציונלית **functional group**
פונקציונליות נ׳ **functionality**
פונקציונליזם ז׳ **functionalism**
פונקציונר (פקיד) ז׳ **functionary**
פונש (משקה) ז׳ **punch**
פוסט- (אחרי, בתר-) **post-**
פוסט-מודרניזם ז׳ **postmodernism**
פוסט-מורטם (אחר מוות) **post-mortem**
פוסט-ציונות ז׳ **post-Zionism**
פוסט-ציוני ז׳ **post-Zionist**
*פוסטמה נ׳ **idiot, blockhead**
פוסטר (כרזה) ז׳ **poster**
פוסל פ׳ **be sculptured, be carved**
פוספור (זרחן) ז׳ **phosphorus**
פוספורסנטי (זרחורי) ת׳ **phosphorescent**
פוספורסנציה נ׳ **phosphorescence**
פוספט (זרחה) ז׳ **phosphate**
פוספטי (זרחתי) ת׳ **phosphatic**
פוסק ז׳ **arbiter, decider, rabbi, normative, ordinate**
פועל ז׳ **verb, work, action, deed**
- בפועל **actually, acting**
- הוצאה לפועל **execution**
- הוציא לפועל **execute**
- פועל חריג **irregular verb**
- פועל יוצא **transitive verb, result**
- פועל עומד **intransitive verb**
- פועל עזר **modal auxiliary**
פועל ז׳ **worker, laborer, working**
- פועל בניין **construction worker**
- פועל ניקיון **refuse collector**

- פועל שחור unskilled laborer
פוֹעֲלִי ת' verbal
פוּעֲנַח פ' be deciphered, be solved
פופ (מוסיקה) ז' pop
פופוליזם ז' populism
פופוליסט ז' populist
פופוליסטי ת' populistic
פופולרי ת' popular, in request
פופולריות נ' popularity, fame
פופולריזציה נ' popularization
*פוּפִּיק (טבור) ז' bellybutton, navel
פופקורן ז' popcorn
פּוּצָּה פ' be compensated
פּוּצַּח פ' be cracked, burst open
פּוּצַּל פ' be split up, be divided
פּוּצְפַּץ פ' be shattered, be smashed
פּוֹצֵץ פ' explode, blow up, detonate
פּוּצַּץ פ' be exploded, be blown up
פּוֹקֵד ז' census holder, counter
פוקוס (מוקד) ז' focus
*פוקס - בְּפוקס by chance
פוקסטרוט (ריקוד) ז' foxtrot
פּוֹקֶר (מִשְׂחַק קְלָפִים) ז' poker
פּוּר ז' lot, die, dice, fate
- הפור נפל the die is cast
*פּוֹר (מֻקְדָּם) ז' head start
פּוֹרֶה ת' fertile, prolific, fruitful
פורום ז' forum, meeting
פורונקל (סֶמֶט) ז' furuncle, boil
פּוּרַז פ' be demilitarized
פּוֹרֵחַ ת' flourishing, flying
פּוּרַט פ' be specified, be itemized
פורטוגזית נ' Portuguese
פורטוגל נ' Portugal
פורטוגלי ת' Portuguese
פורטיסימו (בקול רם) תה"פ fortissimo
פורטפוליו (תיק) ז' portfolio
פורטרט (דיוקן) ז' portrait
פּוֹרִיּוּת נ' fertility, productivity
פוריזם (טַהֲרָנוּת) ז' purism
פוריטני ת' puritanical, strict
פוריטניות נ' puritanism
פּוּרִים ז' Purim (Jewish holiday)
פּוּרִימִי ז' of Purim, cheerful
פורמוזה (טייוון) נ' Formosa
פורמולה (נוסחה) נ' formula
פורמט (תבנית) ז' format
פורמטיבי ת' formative
פורמייקה נ' Formica
פורמלי (רשמי) ת' formal
פורמליות (רשמיות) נ' formality
פורמליזם ז' formalism
פורמליזציה (הַצְרָנָה) נ' formalization
פורמלין (חומר מחטא) ז' formalin
פורמליסט ז' formalist
פורמציה (תצורה) נ' formation
פורנו ז' porno, pornography
פורנוגרפי ת' pornographic
פורנוגרפיה נ' pornography, *porn
פורניר (לָבִיד - קְלִיף) ז' veneer
פּוּרְסַם פ' be published
פּוֹרֵעַ ז' rioter, riotous, hooligan
- פורע חוק lawbreaker
פּוּרְעָנוּת נ' trouble, calamity
פורפיר (בַּהַט) ז' porphyry
פּוֹרְפָן ז' buttonhook

פּוֹרֵץ ז' burglar, housebreaker
פּוֹרְצְלָן ז' porcelain
פּוּרַק פ' be dismantled, be defused, be taken apart, be disarmed
פּוֹרֵק עול ת' disobedient, unruled
פּוּרְקָן ז' relief, outlet, relaxation
- נתן פורקן ל- give vent to
פּוֹרֵר פ' crumble, disintegrate
פּוֹרַשׁ פ' be interpreted
פּוֹרֵשׁ ז' dissenter, dissident, retired
פּוּרְתָּא נ' a little, bit, some
- נחמה פורתא some consolation
פּוֹשֶׂה ת' pervasive, rampant
פּוֹשֵׁט ת' invader, raider, extensor
- פושט יד beggar, pauper
- פושט עור profiteer, skinner
- פושט רגל bankrupt, insolvent
*פושט, פּוֹשְׁטָק ז' hooligan, urchin
פּוֹשֵׁעַ ז' criminal, sinner, culprit
- פושע מלחמה war criminal
פּוּשַּׂק פ' be opened wide apart
פּוֹשֵׁר ת' lukewarm, tepid
- פושרין lukewarm water
פּוֹשְׁרוּת נ' tepidity, lukewarmness
פּוֹת ז' vulva, vagina
פּוּתָּה פ' be seduced, be enticed
פּוּתַּח פ' be developed, be engraved
פּוֹתֵחַ ז' opener, server
פּוֹתְחָן ז' can opener, opener
פּוֹתַחַת נ' master key, passkey
פּוֹתֵת פ' crumble, flake
פָּז ז' gold, pure gold
פָּזָה (ראה גם פאזה) נ' phase, stage
פָּזוּר ת' scattered, dispersed, strewn
- פזור נפש scatterbrained
פְּזוּרָה נ' Diaspora, dispersion
פָּזִיז ת' hasty, reckless, foolhardy
פְּזִיזוּת נ' impetuosity, haste
פְּזִילָה נ' squint, covetous glance
פָּזַל פ' squint, skew, desire, want
פָּזֶל (מִשְׂחַק הַרְכָּבָה) ז' jigsaw puzzle
פז"ם=פרק זמן מינימלי
פִּזְמוֹן ז' song, refrain, burden
פִּזְמוֹנָאוּת נ' songwriting
פִּזְמוֹנַאי ז' songwriter
פַּזְרָן ז' spendthrift, squanderer
פַּזְרָנוּת נ' squandering
פַּזְרָנִי ת' extravagant, lavish
פַּח ז' metal sheet, can, tin, trap
- מן הפח אל הפחת from bad to worse
- פח אשפה garbage can, dustbin
פָּחַד פ' fear, be afraid, dread
- פוחד מהצל של עצמו afraid of his own shadow
פַּחַד ז' fear, fright, awe, dismay
- אל פחד! no fear!, never fear!
- פחד מוות mortal fear
- פחד קהל/במה stage fright
פַּחְדָן ז' coward, timorous, *chicken
פַּחְדָנוּת נ' cowardice, timidity
פַּחְדָנִי ת' cowardly, white-livered
פֶּחָה ז' pasha, governor
פַּחוֹן ז' shack, tin hut
פָּחוּס ת' flattened, oblate, snub
פָּחוּת ת' inferior, less, secondary

- פחות ערך — trivial, unimportant
פָּחוֹת תה"פ — less, minus, least
- לא פחות ולא יותר — exactly
- לכל הפחות — at least
- פחות או יותר — more or less
- פחות ופחות — less and less
פַּחַז ז׳ — rashness, haste
פַּחֲזָנִית נ׳ — cream puff, puff
פֶּחָח ז׳ — tinsmith, tinker
פֶּחָחוּת נ׳ — tinsmith's work
- פחחות רכב — vehicle bodywork, body shop
פֶּחָחִיָּה נ׳ — tinware shop
פַּחֵי נֶפֶשׁ ז"ר — disappointment
פְּחִיסוּת נ׳ — oblateness
פַּחִית נ׳ — can, small tin
פְּחִיתוּת נ׳ — decrease, reduction
- פחיתות כבוד — disrespect
פִּחְלוּץ ז׳ — taxidermy
פִּחְלֵץ פ׳ — stuff skins, stuff
פֶּחָם ז׳ — coal, charcoal
- פחם אבן — anthracite
פַּחְמָה נ׳ — carbonate
פִּחְמוּן ז׳ — carbonization
פַּחְמֵימָה נ׳ — carbohydrate
פַּחְמֵימָן ז׳ — hydrocarbon
פִּחְמֵן פ׳ — carbonize
פַּחְמָן ז׳ — carbon
- דו-תחמוצת הפחמן — carbon dioxide
- פחמן דו-חמצני — carbon dioxide
- פחמן חד-חמצני — carbon monoxide, CO
פַּחְמָנִי ת׳ — carbonic, carbonaceous
פַּחֶמֶת (מחלה) נ׳ — anthrax
פַּחְמָתִי ת׳ — carbonated
פִּחֵס פ׳ — flatten, compress, squash
פִּחֵת פ׳ — lessen, diminish, decrease
פְּחָת ז׳ — amortization, depreciation
פַּחַת נ׳ — trap, pit, snare
- בעברי פי פחת — in great danger
פַּט (בשחמט) ז׳ — stalemate
פִּטְדָה נ׳ — topaz
פָּטֶה (ממרח כבד אווז) ז׳ — pate de foie gras, fatted goose liver paste
פָּטָה מוֹרְגָנָה נ׳ — mirage, illusion
פְּטוֹטֶרֶת נ׳ — petiole, stalk, stem
פֶּטוּנְיָה (צמח נוי) נ׳ — petunia
פְּטוֹר ז׳ — exemption, release
- פטור ממס — tax-free, duty-free
פָּטוּר ת׳ — free, exempt, excused
פַּטְיוֹ (חצר מרוצפת) ז׳ — patio
פָּטֵיפוֹן ז׳ — record player, turntable
פְּטִיפוּר (עוגית) ז׳ — petit four
פֶּטִיצְיָה (עצומה) נ׳ — petition
פְּטִירָה נ׳ — death, decease, demise
פַּטִּישׁ ז׳ — hammer, cock, mallet
- בין הפטיש והסדן — in a predicament
- דג הפטיש — hammerhead
- זריקת פטיש — hammer throw
- פטיש אוויר — pneumatic hammer
- פטיש היושב-ראש — gavel
- פטיש חולץ — claw-hammer
פֶטִישׁ (אליל) ז׳ — fetish
פַּטִּישׁוֹן ז׳ — small hammer
פֶטִישִׁיזְם (פולחן) ז׳ — fetishism
פֶטִישִׁיסְט ז׳ — fetishist

פֶטִישִׁיסְטִי ת׳ — fetishistic
פַּטִּישָׁן (כריש) ז׳ — hammerhead
פֶּטֶל ז׳ — raspberry
פָּטָלִי (גורלי) ת׳ — fatal, predestined
פָּטָלִיּוּת (גורליות) נ׳ — fatalism
פָּטָלִיזְם ז׳ — fatalism
פָּטָלִיסְט ז׳ — fatalist
פֶּטֶם ז׳ — fattened livestock
פִּטְמָה נ׳ — nipple, teat, *tit
פִּטְמִית נ׳ — papilla
פָּטֶנְט ז׳ — patent, device, gadget
פִּטְפּוּט ז׳ — babble, chatter, jabber
פִּטְפֵּט פ׳ — blabber, chatter, *yak
פַּטְפְּטָן ז׳ — chatterbox, *gasbag
פַּטְפְּטָנוּת נ׳ — chatter, garrulity
פַּטְפֶּטֶת נ׳ — chatter, *blah blah
פָּטַר פ׳ — dismiss, exempt, excuse
- פטר אותו בלא כלום — dismiss him empty-handed
פֶּטֶר ז׳ — firstborn
פֶּטְרוֹדוֹלָר ז׳ — petrodollar
פֶּטְרוֹזִילְיָה נ׳ — parsley
פֶּטְרוֹכִימִי ת׳ — petrochemical
פֶּטְרוֹכִימְיָה נ׳ — petrochemistry
פֶּטְרוֹל ז׳ — petrol, petroleum, gasoline
פַּטְרוֹל ז׳ — patrolling, policing
פַּטְרוֹל (משמר נייד) ז׳ — patrol
פַּטְרוֹן ז׳ — patron, sponsor
פַּטְרוֹנוּת נ׳ — patronage, sponsorship
פַּטְרוֹנִי ת׳ — patronizing
פַּטְרִיאַרְךְ (אב) ז׳ — patriarch
פַּטְרִיאַרְכָט ז׳ — patriarchate
פַּטְרִיאַרְכָלִי ת׳ — patriarchal, ruled by men
פַּטְרִיּוֹט (נאמן למולדת) ז׳ — patriot
פַּטְרִיּוֹטִי ת׳ — patriotic, jingoist
פַּטְרִיּוֹטִיּוּת נ׳ — patriotism
פַּטְרִיּוֹטִיזְם ז׳ — patriotism
פִּטְרִיּוֹת נ"ר — fungi
פִּטְרִיָּה נ׳ — mushroom, fungus
- פטריית עשן — mushroom cloud
פִּטְרִיָּתִי ת׳ — fungal, fungoid
פִּטְרֵל פ׳ — patrol, keep watch
פָּטֶרְנָלִיזְם ז׳ — paternalism
פָּטֶרְנָלִיסְטִי (פטרוני) ת׳ — paternalistic
פַּטֶּרֶת הַפֶּה נ׳ — thrush
פַּטֶּרֶת הָרַגְלַיִם נ׳ — athlete's foot
פִּי תה"פ — times, -fold, mouth of
- פי כמה — many times
- פי עשרה — ten times, tenfold
פִּי הַטַּבַּעַת ז׳ — rectum, anus
פֵּאָה נ׳ — edge, side, facet, corner
- פאות לחיים — sideburns
- פיאה נוכרית — wig, hairpiece, *rug
- פיאות — side curls, side locks
פֵּיאוֹדָל (בעל אחוזה) ז׳ — lord
פֵּיאוֹדָלִי ת׳ — feudal, lordly
פֵּיאוֹדָלִיּוּת נ׳ — feudalism
פֵּיאוֹדָלִיזְם ז׳ — feudalism
פֵּיאוֹן ז׳ — polyhedron, polygon
פֵּיאוּר ז׳ — glorification, decoration
פְּיָאנוֹ (בשקט) תה"פ — piano
פְּיָאנִיסִימוֹ תה"פ — pianissimo
פִיאַסְקוֹ (כישלון) ז׳ — fiasco
פְּיָאצָה (כיכר) נ׳ — piazza
פֵּיאֵר פ׳ — decorate, glorify, laud

פֵיבּוֹרִיט (חביב) ז׳	favorite, dear
פִיבֶּרגְלָס (סיבי זכוכית) ז׳	fiberglass
פִיבְּרִין ז׳	fibrin
פִּיגּוּל ז׳	stench, abomination, filth
פִּיגּוּם ז׳	scaffold, cradle, staging
פִּיגּוּעַ ז׳	attack, hit, blow, strike
- פיגוע התאבדות	suicide bombing
פִּיגּוּר ז׳	lag, time lag, backwardness, retardation, arrears, backlog
- פיגור שכלי	mental retardation
פִיגוּרָה (דמות) נ׳	figure
פִיגוּרָטִיבִי (ציורי) ת׳	figurative
פִיג׳י (איי-)	Fiji
פִּיגֵּל פ׳	spoil, pollute, denature
פִּיגָ׳מָה נ׳	pajamas, pyjamas
פִּיגְמֶנְט (צֶבַע) ז׳	pigment
פִּיגְמֶנְטַצְיָה נ׳	pigmentation
פִּיגֵּר פ׳	fall behind, lag, be slow
פִידְבֶּק (מָשׁוֹב) ז׳	feedback
פִּידֵּר פ׳	powder, apply powder
פִּיהוּק ז׳	yawn, yawning
פִּיהֵק פ׳	yawn, gape
פְיוּז (נתיך) ז׳	fuse
*- העלה לו את הפיוזים	enrage, anger
פִּיּוּט ז׳	hymn, poetry
פִּיּוּטִי ת׳	poetical, lyrical
פִּיּוּטִיּוּת נ׳	poetry
פִּיּוּנִית (נקב בעלה) נ׳	stoma
פִּיּוּס ז׳	appeasement, pacification
פְיוֹרְד (מפרץ צר) ז׳	fiord, fjord
פְּיוּרֶה (מְחִית) ז׳	mash, puree
פִּיּוֹת (ריבוי של פה) ז״ר	mouths
פִּיזּוּז ז׳	gambol, prance, dancing
פִּיזּוּם ז׳	humming, singing
פִּיזּוּר ז׳	dispersal, scattering, squandering, dissemination, dissolution, diffusion
- פיזור נפש	absent-mindedness
פִּיזֵּז פ׳	caper, dance, leap, gambol
פִיזִי ת׳	physical
פִיזְיוֹגְנוֹמְיָה נ׳	physiognomy
פִיזְיוֹלוֹג ז׳	physiologist
פִיזְיוֹלוֹגִי ת׳	physiological
פִיזְיוֹלוֹגְיָה נ׳	physiology
פִיזְיוֹתֶרַפְּיָה נ׳	physiotherapy
פִיזְיוֹתֶרַפִּיסְט ז׳	physiotherapist
פִיזִיקַאי ז׳	physicist
פִיזִיקָה נ׳	physics
- פיסיקה גרעינית	nuclear physics
פִיזִיקָלִי ת׳	physical
פִיזִית תה״פ	physically, actually
פִּיזֵּם פ׳	hum, sing, intone
פִּיזֵּר פ׳	disperse, scatter, diffuse, squander, disband, dissolve
- פיזר את הערפל	make clear
פִּיחַ ז׳	soot, lampblack
פִּיחוּם ז׳	carbonization
פִּיחוּת ז׳	devaluation
- פיחות זוחל	gradual devaluation
פִּיחֵם פ׳	carbonize, blacken
פִּיחֵת פ׳	devaluate, reduce
פִּיטּוּם ז׳	stuffing, fattening
פִּיטּוּרִים ז״ר	dismissal, discharge
פִּיטֵּם פ׳	cram, fatten, cloy, stuff, fill
פִּיטָם ז׳	tip (on citron)
פִּיטֵּר פ׳	dismiss, fire, lay off, *sack

פִּיָּה נ׳	mouthpiece, aperture
פֵיָה נ׳	fairy, fay, pixie, pixy
פִּיֶיזוֹאֶלֶקְטְרִי ת׳	piezoelectric
פִּיֵּחַ פ׳	soot, blacken, smut
פַּיְּטָן ז׳	poet, hymnologist, versifier
*פַּיְיטֶר ז׳	fighter, brave man
פַּיְילוֹט (ניסיוני) ת׳	pilot
פִּיֶּלֶת (מחלה) נ׳	elephantiasis
פִּיֵּס פ׳	appease, propitiate, placate
פַּייְסָנוּת נ׳	conciliation
פַּייְסָנִי ת׳	conciliatory, placatory
פַּייקָה (יחידה בדפוס) נ׳	pica
פַּיירֶקְס (סוג זכוכית) ז׳	pyrex
פִּיכָּה פ׳	flow, gush, bubble, well
פִּיכֵּחַ ת׳	sober, level-headed
פִּיכְּחוֹן ז׳	sobriety
פִּיכְּחוּת נ׳	sobriety, soberness
פִּיל ז׳	elephant
- פיל בחנות-חרסינה	bull in a china shop
- פיל לבן	white elephant
פִּילֵּג פ׳	split, divide, separate
פִּילֶגֶשׁ נ׳	concubine, mistress
פִּילַגְשׁוּת נ׳	concubinage
פִּילֵּד פ׳	steel, harden
פִילְדְמַרְשָׁל (קצין גבוה) ז׳	field marshal
פִּילָּה פ׳	delouse, rid of lice
פִילֶה (מותנית) ז׳	fillet
פִילְהַרְמוֹנִי ת׳	philharmonic
פִּילּוּג ז׳	split, separation, schism
פִילוֹדֶנְדְרוֹן (צמח נוי) ז׳	philodendron
פִּילּוּחַ ז׳	slicing, piercing, segmentation
פִילוֹלוֹג (בַּלְשָׁן) ז׳	philologist
פִילוֹלוֹגִי ת׳	philological
פִילוֹלוֹגְיָה (בַּלְשָׁנוּת) נ׳	philology
פִּילוֹן ז׳	young elephant
פִּילּוּס ז׳	leveling, paving
פִילוֹסוֹף ז׳	philosopher
פִילוֹסוֹפִי ת׳	philosophical
פִילוֹסוֹפְיָה נ׳	philosophy
פִּילַּח פ׳	slice, split, pierce, impale
*פִּילַּח פ׳	steal, filch, lift, pilfer
פִילְטֶר (מַסְנֵן) ז׳	filter
פִילִיבַּסְטֶר ז׳	filibuster, long speeches, delaying tactics
פִילִיגְרָן (חוטי זהב) ז׳	filigree
פֵילְיָטוֹן ז׳	satire, feuilleton
פֵילְיָטוֹנַאי ז׳	satirist
פֵילְיָטוֹנִי ת׳	satirical
פִּילִינְג (טיפוח העור) ז׳	peeling
פִילִיפִּינִי ת׳	Filipino
פִילִיפִּינִים	Philippines
פִילִיפִּינִית ת׳	Filipina
פִּילֵּל פ׳	believe, expect, pray
- מי פילל ומי מילל	whoever dreamt??
פִילְם (סרט) ז׳	film
פִילַנְתְרוֹפּ (נדיב) ז׳	philanthropist
פִילַנְתְרוֹפִּי (נדבני) ת׳	philanthropic
פִילַנְתְרוֹפְּיָה (נדבנות) נ׳	philanthropy
פִּילֵּס פ׳	level, straighten
- פילס דרך	pave a way, make way
פִּימָה נ׳	double chin
פִּין ז׳	pin, peg, rivet, penis
פִינָאלֶה (סיום) ז׳	finale
פִּינְג פּוֹנְג ז׳	table tennis, ping-pong

penguin	פִּינגווין ז׳
coffee cup, coffee pot	פִינגָ׳ן ז׳
clear, vacate, evacuate	פִּינָה פ׳
give place to	- פינה מקום ל-
corner, recess, alcove, nook	פִּינָה נ׳
dinette	- פינת אוכל
evacuation, clearing	פִּינוּי ז׳
pampering, spoiling	פִּינוּק ז׳
Finn, Finnish	פִינִי ז׳
finish	פִינִישׁ (גימור) ז׳
Finnish	פִינִית (שפה) נ׳
mess-tin	פִּינְךְ (מֶסְטִינג) ז׳
finale	פִינָלֶה (סיום) ז׳
finalist	פִינָלִיסְט (מגיע לגמר) ז׳
Finland	פִינְלַנְד נ׳
financial	פִינַנְסִי (כספי) ת׳
tweezers	פִּינְצֶטָה (מַלְקֶטֶת) נ׳
affenpinscher	פִּינְצֶ׳ר (כלב שעשועים) ז׳
pamper, spoil, coddle, pet	פִּינֵּק פ׳
corner	פִּינָתִי ת׳
lottery, lot, raffle	פַּיִס ז׳
piece, bit, strip, shred	פִּיסָה נ׳
sculpture, engraving	פִּיסוּל ז׳
sculptural	פִּיסוּלִי ת׳
punctuation, punctuating	פִּיסוּק ז׳
lame, limping	פִּיסֵחַ ת׳
lameness, limping	פִּיסְחוּת נ׳
fistula	פִיסְטוּלָה (בָּתָר) נ׳
pistachio nut	פִּיסְטוּק ז׳
physical	פִיסִי ת׳
physiognomy	פִיסִיוֹגְנוֹמְיָה נ׳
physiologist	פִיסִיוֹלוֹג ז׳
physiological	פִיסִיוֹלוֹגִי ת׳
physiology	פִיסִיוֹלוֹגְיָה נ׳
physiotherapy	פִיסִיוֹתֶרַפְּיָה נ׳
physiotherapist	פִיסִיוֹתֶרַפִּיסְט ז׳
physicist	פִיסִיקַאי ז׳
nuclear physics	- פיסיקה גרעינית
physics	פִיסִיקָה נ׳
physical	פִיסִיקָלִי ת׳
physically, actually	פִיסִית תה״פ
sculpture, hew, carve	פִּיסֵּל פ׳
punctuate	פִּיסֵּק פ׳
fiscal, financial	פִיסְקָלִי ת׳
beat, throb, strike	פִּיעֵם פ׳
fringe, tuft, tassel	פִּיף ז׳
pipette	פִּיפֶּטָה (שפופרת צרה) נ׳
fifty-fifty	פִיפְטִי-פִיפְטִי תה״פ
urine, piss, pee	*פִּיפִּי ז׳
two-edged (sword)	פִּיפִיוֹת
fringes	פִּיפִים (גדילים) ז״ר
compensate, indemnify	פִּיצָה פ׳
pizza	פִּיצָה נ׳
cracking, opening, fission	פִּיצּוּחַ ז׳
roasted seeds, peanuts	*- פיצוחים
compensation, indemnity	פִּיצּוּי ז׳
severance pay	- פיצויי פיטורים
amends, damages	- פיצויים
splitting, dividing, forking	פִּיצּוּל ז׳
schizophrenia	- פיצול האישיות
explosion, blowing up	פִּיצּוּץ ז׳
crack, break open	פִּיצַּח פ׳
pizzicato	פִּיצִיקָטוֹ (פריטה באצבע) ז׳
split, divide, part	פִּיצֵּל פ׳
pizzeria	פִּיצֶרְיָה נ׳
trembling, cold feet	פִּיק בִּרְכַּיִים ז׳
order, command, dominate	פִּיקֵּד פ׳
deposit, pledge, trust	פִּיקָּדוֹן ז׳
cap, kneecap, cam, primer	פִּיקָה נ׳
patella, kneecap	- פיקת הברך
Adam's apple	- פיקת הגרגרת
pique	פִּיקֶה (אריג כותנה) ז׳
command	פִּיקּוּד ז׳
Northern Command	- פיקוד צפון
command, of command	פִּיקּוּדִי ת׳
control, supervision	פִּיקּוּחַ ז׳
saving of life	- פיקוח נפש
birth control	- פיקוח על הילודה
piccolo	פִּיקוֹלוֹ (חֲלִילוֹן) ז׳
ficus	פִיקוּס (עץ או שיח) ז׳
supervise, oversee, control	פִּיקֵּחַ פ׳
clever, smart, not blind	פִּיקֵּחַ ת׳
seeing, vision	פִּיקָּחוֹן ז׳
cleverness, acumen	פִּיקְּחוּת נ׳
clever, intelligent	פִּיקְּחִי ת׳
pictogram	פִּיקְטוֹגְרָם (סמל ציורי) ז׳
pictograph	פִּיקְטוֹגְרָף (סמל ציורי) ז׳
fictitious, false	פִיקְטִיבִי ת׳
fictitiousness	פִיקְטִיבִיּוּת נ׳
piquant, spicy, pungent	פִּיקַנְטִי ת׳
piquancy, sharpness	פִּיקַנְטִיּוּת נ׳
picnic, barbecue	פִּיקְנִיק ז׳
perfectly, excellent	*פִּיקס תה״פ
fixation	פִיקְסַצְיָה (קיבעון) נ׳
fiction, invention, lie	פִיקְצְיָה נ׳
picaresque	פִּיקָרֶסְקִי (של נוכלים) ת׳
shaft, pit, well, stairwell	פִּיר ז׳
fair	פֵיר (הוגן) ת׳
mash, puree	פִּירֶה (מְחִית) ז׳
pirouette	פִּירוּאֶט (סְחרור) ז׳
separation, split, disunion	פֵּירוּד ז׳
demilitarization	פֵּירוּז ז׳
specification, detailing, changing money	פֵּירוּט ז׳
pyrotechnics	פִּירוֹטֶכְנִיקָה (זיקוקין) נ׳
pyromaniac	פִּירוֹמָן (חולה הצתות) ז׳
pyromania	פִּירוֹמַנְיָה נ׳
Pyrrhic (victory)	פִּירוּס (נצחון-) ת׳
dismantling, liquidation, defusing, dissolution, unloading, winding up	פֵּירוּק ז׳
factorization	- פירוק לגורמים
disarmament	- פירוק נשק
crumb, bit, crumbling	פֵּירוּר ז׳
interpretation, meaning	פֵּירוּשׁ ז׳
clearly, explicitly	- בפירוש
mean, spell	- היה פירושו
how dare you!, is it possible?	- מה פירוש?
fruits	פֵּירוֹת (רבים של פרי) ז״ר
demilitarize	פֵּירֵז פ׳
specify, detail, itemize	פֵּירֵט פ׳
pirate, freebooter	פִּירָט ז׳
piratical	פִּירָטִי ת׳
piracy, robbery at sea	פִּירָטִיּוּת נ׳
firm, concern, *expert	פִירְמָה נ׳
pyramid	פִּירָמִידָה נ׳
Florence	פִירֶנְצֶה נ׳
piercing	פִּירְסִינג (ניקוב איבר) ז׳
payment, settlement	פֵּירָעוֹן ז׳
payable	- בר-פירעון
insolvent	- חדל פירעון

- חדלות פירעון insolvency
פֵּירַק פ׳ take apart, dismantle, liquidate, decompose, defuse
- פירק לגורמים factorize
- פירק מנשקו disarm
פֵּירַשׁ פ׳ annotate, comment, explain, interpret
פִּישׁוּט ז׳ simplification, outspread
*פִּישׁוּל נ׳ botch, bungle
פִּישׂוּק ז׳ opening wide, straddle
פִּישׁוּר ז׳ compromising, mediation
פִּישֵׁט פ׳ simplify, streamline
*פִּישֵׁל פ׳ blow it, botch, bungle
פִּישֵׂק פ׳ open wide, part, straddle
פִּישֵׁר פ׳ compromise, mediate
פִּיתָּה פ׳ seduce, tempt, allure, coax
פִּיתָּה נ׳ pitah, flat bread
פִּיתּוּחַ ז׳ development, engraving
פִּיתּוּי ז׳ allurement, temptation
פִּיתּוּל ז׳ twist, curve, bend, torsion
פִּיתוֹם ז׳ ventriloquist
פִּיתוֹן (נחש) ז׳ python
פִּיתַּח פ׳ develop, build up, engrave
פִּיתָּיוֹן ז׳ bait, decoy, lure
פִּיתֵּל פ׳ wind, twist, curve, twine
פַּךְ ז׳ jar, can, jug, vessel
- פכים קטנים trivia, trifles
פַּכִּית נ׳ jar, small can
פַּכְסָם (רקיק) ז׳ cracker
פִּכְפּוּךְ ז׳ bubble, gush, flow, gurgle
פִּכְפֵּךְ פ׳ bubble, gush, flow, gurgle
פָּכַר פ׳ break, wring, clasp
- פכר ידיו wring one's hands
פֶּלֶא ז׳ wonder, miracle, marvel
- הפלא ופלא wonderful
- חולל פלאים do wonders
- לא פלא! no wonder
- מה הפלא? no wonder
- פלאי פלאים! wonderful!
פַּלָּאח ז׳ fellah, farmer
פִּלְאִי ת׳ miraculous, wonderful
פְּלָאיֶיר (מֶלְקַחַת) ז׳ pliers
פְלָאיֶיר (עלון פרסומי) ז׳ flier, flyer
פֶּלֶאפוֹן ז׳ cellular telephone
פָלָאפֶל ז׳ falafel (food), *star (rank)
פָלָאשִׁים (מאתיופיה) ז״ר Falasha
פִּלְבּוּל ז׳ rolling of eyes, goggle
פִּלְבֵּל פ׳ roll eyes, goggle
פֶּלֶג ז׳ stream, brook, rivulet, faction, sect, splinter group
- פלג צל penumbra
פְּלַג (מַצָּת) ז׳ plug, spark plug
פְּלֻגָּה נ׳ group, detachment, detail
פְּלַגְיָאט ז׳ plagiarism, theft, *crib
פַּלְגְלָג ז׳ brook, rivulet, streamlet
פְלֶגְמָטִי ת׳ phlegmatic, listless
פְלֶגְמָטִיּוּת (אדישות) נ׳ phlegm
פַּלְגָנוּת נ׳ factionalism, dissension
פַּלְגָנִי ת׳ divisive, schismatic
פֶּלָגְרָה (חַסְפֶּסֶת) נ׳ pellagra
פְּלָדָה נ׳ steel
- פלדת אל-חלד stainless steel
פְּלָדִּי ת׳ steely, hard
פְּלָדֶלֶת נ׳ steel-door
פִּלָּה פ׳ delouse, rid of lice
פְלוּאוֹר (יסוד כימי) ז׳ fluorine

פְלוּאוֹרִיד ז׳ fluoride
פְלוּאוֹרָנוּת נ׳ fluorescence
פְלוּאוֹרֶסְצֶנְט (נורה) fluorescent lamp
פְּלוּגָה נ׳ company, detachment
- פלוגות סער storm troops
פְּלוּגְתָּא נ׳ dispute, conflict, issue
- בר פלוגתא opponent, disputant
פְּלוּגָתִי ת׳ company
פְּלוּטוֹ (כוכב לכת) ז׳ Pluto
פְּלוּטוֹנִיוּם (יסוד כימי) ז׳ plutonium
פְּלוּטוֹקְרָט ז׳ plutocrat
פְּלוּטוֹקְרָטִי ת׳ plutocratic
פְּלוּטוֹקְרַטְיָה נ׳ plutocracy, rule by the wealthy
פְּלוּמָה נ׳ down, fluff, fuzz
פְּלוּמִי, פְּלוּמָתִי ת׳ downy, fluffy
*פְּלוֹנְטֶר ז׳ tangle, knot, tie
פְּלוֹנִי ז׳ someone, so-and-so, Mr. X
- פלוני אלמוני Mr. X, someone
פְּלוּס ז׳ plus, advantage
*- פלוס מינוס more or less
פְלוֹפ (כישלון חרוץ) ז׳ *flop
פְלוֹרָה (צמחייה) נ׳ flora
פְלוּרוֹסֶנְט (נורה) fluorescent lamp
פְּלוּרָלִיזְם ז׳ pluralism, independent groups
פְּלוּרָלִיסְט ז׳ pluralist
פְּלוּרָלִיסְטִי ת׳ pluralistic
פְּלַזְמָה (נוזל בדם) נ׳ plasma
פֶּלַח ז׳ slice, segment, section
פַּלָּח ז׳ fellah, farmer
פַּלָּחָה נ׳ farming, field crops
פָּלַט פ׳ emit, discharge, say, let slip
פֶּלֶט ז׳ output, printout
פְּלָטָה נ׳ dish, plate, platter, hot-plate, dental plate
פְּלָטִינָה (מתכת) נ׳ platinum
פְּלַטְפוּס ז׳ flatfoot, splayfoot
פְּלַטְפוֹרְמָה נ׳ platform, policy
פַּלְטֵרִין ז׳ palace
פְּלִיאָה נ׳ wonder, surprise
פָּלֵיאוֹגְרָפִי ת׳ paleographic
פָּלֵיאוֹגְרַפְיָה נ׳ paleography, writings of former times
פָּלֵיאוֹלִיתִי ת׳ paleolithic, of early Stone Age
פָּלֵיאוֹנְטוֹלוֹג ז׳ paleontologist
פָּלֵיאוֹנְטוֹלוֹגְיָה ז׳ paleontology, study of fossil animals
פַּלְיָאטִיבִי (מקל כאב) ת׳ palliative, sedative
פְּלִיז ז׳ brass
פָּלִיט ז׳ fugitive, refugee, runaway
פְּלִיטָה נ׳ emission, ejecting
- פליטת פה slip of the tongue
- פליטת קולמוס slip of the pen
פְּלֵיטָה נ׳ remnant, remains
פְּלֵייאוֹף ז׳ play-off, championship games
פְּלֵייבּוֹי ז׳ playboy, womanizer
פְּלֵייבֶּק ז׳ playback
פְּלִייֶה (תנועה בבלט) ז׳ plie
פְּלַייֶר (מֶלְקַחַת) ז׳ pliers
פְּלִילִי ת׳ criminal, penal
פְּלִילִים ז״ר crime, felony, sin
פָּלִימְפְּסֶסְט (כתב יד) ז׳ palimpsest

פָּלִינְדְרוֹם ז׳ palindrome
*פְּלִיק ז׳ flick, slap, smack
פֶּלִיקָן (שַׂקְנַאי) ז׳ pelican
פְלִירְט ז׳ flirtation, coquetry
פְלִירְטוּט ז׳ flirtation, coquetry
פְלִירְטֵט פ׳ flirt, philander
פְּלִישָׁה נ׳ intrusion, invasion, inroad
פֶּלֶךְ ז׳ distaff, spindle, district
פְלַמְבֶּה (מנה בלהבה) flambe
פַּלָמוּדָה (דג) נ׳ bonito
פַּלְמוֹנִי ז׳ someone, so-and-so
פִּלְמוּר ז׳ polymerization
פלמ״ח Palmach (Hagana force)
פְלֶמִי (של פלנדריה) ת׳ Flemish
פְלָמִינְגוֹ (שְׁקִיטָן) ז׳ flamingo
פְלָמֶנְקוֹ (ריקוד) ז׳ flamenco
פָלַנְגָה (יחידה צבאית) נ׳ phalanx
פְּלָנֶטָה (כוכב לכת) נ׳ planet
פְּלָנֶטָרִי ת׳ planetary
פְּלָנֶטַרְיוּם ז׳ planetarium, orrery
פְלָנֶל (אריג רך) ז׳ flannel
פְלָנֶלִית (לניקוי הקנה) נ׳ flannelette
פְּלַנְקְטוֹן (בע״ח בים) ז׳ plankton
פֶּלֶס ז׳ balance, scale, steelyard
- פלס מים spirit level, level
פַּלָּס ז׳ engineer, sapper, pioneer
פְּלַסֶבּוֹ (״תרופת״ אֵינְבּוֹ) ז׳ placebo
פַלְסֶט (סַלְפִית) ז׳ falsetto
פְּלַסְטִי ת׳ plastic
- אמנויות פלסטיות plastic arts
- ניתוח פלסטי plastic surgery
פְּלַסְטִיוּת נ׳ plasticity, flexibility
פָּלֶסְטִינַאי ז׳ Palestinian
פַּלַסְטִינִי ז׳ Palestinian
פְּלַסְטִיק ז׳ plastics
פְּלַסְטִיקָה נ׳ plastics
פְּלַסְטֶלִינָה (כִּיוֹרֶת) נ׳ plasticine
פְּלַסְטֶר ז׳ adhesive bandage
פְּלַסְמָה (נוזל בדם) נ׳ plasma
*פִלְסֵף, פַלְסְפָנוּת philosophizing
פְּלַסְתֵּר ז׳ fraud, deceit, fake
- כתב פלסתר lampoon, libel
פִּלְפּוּל ז׳ dispute, casuistry, sophism
פִּלְפֵּל פ׳ argue, chop logic
פִּלְפֵּל ז׳ pepper
- פלפל אדום cayenne, chilli
- פלפל אנגלי allspice, pimento
- פלפל שחור black pepper
פָלָפֶל ז׳ falafel (food), *star (rank)
פַּלְפְּלָן ז׳ casuist, sophist
פַּלְפְּלָנוּת נ׳ casuistry, hairsplitting
פַּלְפְּלָנִי ת׳ casuistic, sophistic
פִּלְפֶּלֶת נ׳ capsicum, paprika, red pepper
- פלפלת הגינה sweet pepper
פְּלָצוּר ז׳ lasso, lariat
פַּלָּצוּת נ׳ horror, shock, tremble
פְּלָקָט ז׳ placard, poster
פֶּלַרְגוֹנְיוּם (גֶּרַנְיוּם) ז׳ pelargonium
פָּלַשׁ פ׳ invade, intrude, squat
פְלֶשׁ (הֶבְזֵק) ז׳ flash
פְלֶשְׁבֶּק (הבזק לאחור) ז׳ flashback
פָלָשִׁים (מאתיופיה) ז״ר Falasha
פָלָשְׁמוּרָה (מאתיופיה) נ׳ Falasha
פְּלִשְׁתִּי ת׳ Philistine
פָּלֶשְׂתִּינָאִי ז׳ Palestinian

פָּלֶשְׂתִּינָה נ׳ Palestine
פָּמוֹט ז׳ candlestick, sconce
פֶמִינִיזְם ז׳ feminism, equal rights for women
פֶמִינִיסְט ז׳ feminist
פָּמַלְיָה נ׳ entourage, retinue, train
פַּמְפְלֶט ז׳ pamphlet, brochure
*פִּמְפֵּם פ׳ pump, puff, gobble
פָּן ז׳ face, facet, aspect, side
פֶּן מ״י lest, or else, in case, for fear
*פֶן (תסרוקת) ז׳ blow-dry
פ״נ = פה נטמן here lies buried
פְּנַאי ז׳ leisure, free time, spare time
פִּנְגְּוִין ז׳ penguin
פַּנְדָה (יונק דמוי דוב) נ׳ panda
*פֶּנְדֶל ז׳ penalty kick
פָּנָה פ׳ turn, refer, apply, address
- פנה עורף ל- turn one's back on
פָּנוּי ת׳ available, free, unmarried
פֶּנוּמְבְּרָה (פלג-צל) נ׳ penumbra
פֶנוֹמֶן ז׳ phenomenon, wonder
פֶנוֹמֶנָלִי ת׳ phenomenal, unique
פָּנוֹרָמָה (מראה נוף) נ׳ panorama
פָּנוֹרָמִי ת׳ panoramic
- מראה פנורמית panoramic mirror
פֶּנְטָגוֹן (מְחוּמָשׁ) ז׳ pentagon
פֶּנְטְהַאוּז (דירת גג) ז׳ penthouse
פַּנְטוֹגְרָף (גְלַפְכּוֹל) ז׳ pantograph
פַנְטוֹם (רוח רפאים) ז׳ phantom
פַּנְטוֹמִימַאי ז׳ mime, mummer
פַּנְטוֹמִימָה נ׳ pantomime, *panto
*פִנְטֵז פ׳ fantasize, daydream
פַנְטַזְיָה נ׳ fantasy, imagination
*פַנְטַזְיוֹנֶר ז׳ daydreamer
פָנָטִי ת׳ fanatic, zealot, bigot
פָנָטִיוּת נ׳ fanaticism, zealotry
פַנְטַסְטִי ת׳ fantastic, *great
פַנְטַסְיָה נ׳ fantasy, imagination
פֶּנִי ז׳ penny
פְּנֵי- (ראה פָּנִים) the face of
פְּנִיָּה נ׳ application, appeal, salutation, bend, curve, turn
- פנייה חדה dogleg, hairpin bend
- פניית פרסה U-turn
פְּנִים ז׳ inside, interior
- לפנים משורת הדין leniently, indulgently
- עיצוב פנים interior design
פָּנִים ז״ר face, features, front, facade, appearance
- בשום פנים לא not on any account
- העמיד פנים pretend
*- על הפנים defeated, ruined
*- על פניו on the face of it
- פני הדברים situation, status
- פני הים sea level
- פני השטח surface, lie of the land
- פני פוקר poker face
- פני תינוק baby face
- פניו מועדות ל- bound
- פנים אל פנים face to face, vis-a-vis
- פנים לכאן ולכאן equivocal
פְּנִימַאי ז׳ boarder, inmate
פְּנִימָה תה״פ inside, within, inwardly
פְּנִימוֹן ז׳ inner tube
פְּנִימִי ת׳ internal, inner, inside

פְּנִימִיּוּת נ׳ inwardness, immanence
פְּנִימִיָּה נ׳ boarding school
פְּנִימִית נ׳ inner tube
פְּנִינָה נ׳ pearl, gem, witty remark
פְּנִינִיָּה נ׳ guinea fowl
פֶּנִיצִילִין ז׳ penicillin
פָּנִיקָה נ׳ panic, fright, hysteria
פֶנִיקְס (עוף החול) ז׳ phoenix
פִּנְכָּה נ׳ platter, dish
פָּנֶל ז׳ panel, jury, baseboard, skirting board, wainscot
פָּנָמָה נ׳ Panama
- תעלת פנמה Panama Canal
פָּנָס ז׳ lamp, lantern, light, torch, flashlight, *black eye, *shiner
- פנס אחורי taillight, rear light
- פנס איתות winker
- פנס כיס torch, flashlight
- פנס נסיעה לאחור backup light
- פנס קדמי headlamp, headlight
- פנס קסם magic lantern
- פנס רוח lantern, hurricane lamp
- פנס רחוב lamppost, street light
פֶּנְס (מִתְפֶּרֶת בבגד) ז׳ *dart
פֶּנְסְיָה נ׳ pension, superannuation
פֶּנְסִיּוֹן ז׳ boarding house, pension
- פנסיון מלא full board
פֶּנְסְיוֹנֶר ז׳ pensioner, retired man
*פִּנְצֵ׳ר פ׳ puncture, botch up, foul up
פַּנְצֶ׳ר (תֶּקֶר) ז׳ puncture, flat tire, hitch
פַּנְק (מוסיקת רוק) ז׳ punk, punk rock
פַּנְקֵייק (חמיטה) ז׳ pancake
פַּנְקִיסְט ז׳ punk rocker
פִּנְקָס ז׳ blotter, book, notebook, pad, ledger, register
- פנקס צ׳קים checkbook
- פנקס קבלות receipt book
פִּנְקְסָן ז׳ bookkeeper
פִּנְקְסָנוּת נ׳ bookkeeping
פַּנְקְרֵיאָס (לַבְלָב) ז׳ pancreas
פֶּנֶת ז׳ upper, vamp
פַּנְתֵּיאוֹן (מיקדש) ז׳ pantheon
פַּנְתֵּאִיזְם ז׳ pantheism, worshiping all gods
פַּנְתֵּאִיסְט ז׳ pantheist
פַּנְתֵּאִיסְטִי ת׳ pantheistic
פַּנְתֵּר ז׳ panther, puma, leopard
פַּס פ׳ disappear, end, cease
פַּס ז׳ stripe, line, bar, band, rail
- ירד מן הפסים go off the rails
- פס אוטם weather strip
- פס ייצור production line
- פסי האטה/הרעדה speed bumps, speed humps
- פסי רכבת rails, track
*- שם פס על not give a damn
פְּסֶבְדוֹ ת׳ pseudo, false, unauthentic
פְּסֶבְדוֹנִים ז׳ pseudonym, pen name
פִּסְגָּה נ׳ top, crest, peak, summit
פס״ד = פסק דין judgment
פְּסוֹל ז׳ flaw, fault, defect
פָּסוּל ת׳ unfit, disqualified
- פסול חיתון forbidden to marry
*פְּסוּלְיָה נ׳ beans
פְּסֹלֶת נ׳ garbage, litter, waste

פָּסוּק ז׳ verse, sentence, phrase
פְּסוּקִית נ׳ clause
פְּסוֹקֶת (בשיער) נ׳ parting, part
פָּסַח פ׳ omit, pass, skip, leave out
- פסח על שתי הסעיפים waver
פֶּסַח ז׳ Passover
פַּסְחָא ז׳ Easter
פַּסְטָה (אטריות) נ׳ pasta
פִּסְטוּר ז׳ pasteurization
פַּסְטוֹרָלָה (רועית) נ׳ pastoral
פַּסְטוֹרָלִי ת׳ pastoral, idyllic
פַּסְטוֹרָלִיּוּת נ׳ pastorality
פֶסְטִיבָל ז׳ festival, celebration
פַּסְטֶל (ציור) ז׳ pastel
פִּסְטֵר פ׳ pasteurize
פַּסְטְרָאמָה נ׳ pastrami
פְּסֵיאוּדוֹ ת׳ pseudo, false, unauthentic
פְּסֵיאוּדוֹנִים ז׳ pseudonym, pen name
פַּסְיָאנְס ז׳ solitaire, patience
פַּסִּיב ז׳ passive, assets
פַּסִּיבִי (סביל) ת׳ passive, nonviolent
פַּסִּיבִיּוּת נ׳ passivity, passiveness
פָּסִיג ז׳ cotyledon
פְּסִיגִי ת׳ cotyledonous
- דו-פסיגי dicotyledonous
- חד-פסיגי monocotyledonous
פְּסֵידוֹ ת׳ pseudo, false, unauthentic
פְּסֵידוֹנִים ז׳ pseudonym, pen name
פַּסְיוֹן (עוף) ז׳ pheasant
פְּסִיחָה נ׳ skipping, omitting
- פסיחה על שתי הסעיפים waver
פְּסִיכֶדֶלִי ת׳ psychedelic, hallucinatory, mind-bending
פְּסִיכוֹאָנָלִיזָה נ׳ psychoanalysis
פְּסִיכוֹאָנָלִיטִי ת׳ psychoanalytic
פְּסִיכוֹאָנָלִיטִיקַאי ז׳ psychoanalyst
פְּסִיכוֹזָה נ׳ psychosis, mental disorder
פְּסִיכוֹטִי ת׳ psychotic
פְּסִיכוֹטֶכְנִי ת׳ psychotechnical
פְּסִיכוֹלוֹג ז׳ psychologist
- פסיכולוג קליני clinical psychologist, clinician
פְּסִיכוֹלוֹגִי ת׳ psychological
פְּסִיכוֹלוֹגְיָה נ׳ psychology, science of mind, mental make-up
- פסיכולוגיה התנהגותית behaviorism
- פסיכולוגיה חברתית social psychology
- פסיכולוגיה חינוכית educational psychology
- פסיכולוגיה קלינית clinical psychology
- פסיכולוגיית המעמקים depth psychology
פְּסִיכוֹלוֹגִיזְם ז׳ psychologism
פְּסִיכוֹמֶטְרִי ת׳ psychometric
פְּסִיכוֹסוֹמָטִי ת׳ psychosomatic
פְּסִיכוֹפִיזְיוֹלוֹגְיָה נ׳ psychophysiology
פְּסִיכוֹפָּת ז׳ psychopath, lunatic
פְּסִיכוֹפָּתִי ת׳ psychopathic
פְּסִיכוֹפָּתְיָה נ׳ psychopathy
פְּסִיכוֹתֶרַפְּיָה נ׳ psychotherapy
פְּסִיכוֹתֶרַפִּיסְט ז׳ psychotherapist
פְּסִיכִי ת׳ psychic, mental, *mad

פְּסִיכִיאַטֶר ז׳ psychiatrist, *shrink
פְּסִיכִיאַטְרִי ת׳ psychiatric
פְּסִיכִיאַטְרִיָה נ׳ psychiatry
פְּסִילָה נ׳ disqualification
פְּסִילִים ז״ר images, idols
פֶּסִימִי ת׳ pessimistic, despairing
פֶּסִימִיוּת נ׳ pessimism
פֶּסִימִיסְט ז׳ pessimist, worrier
פָּסִיס ז׳ lath, board, slat, batten
- פסיסי אוורור louver, louvre
פְּסִיסִית נ׳ lath, board
פְּסִיעָה נ׳ step, pace
פַּסִיפְלוֹרָה (שעונית) נ׳ passionflower
פְּסֵיפָס ז׳ mosaic
פְּסִיק ז׳ comma, (,)
פְּסִיקָה נ׳ verdict, ruling, judgment
פָּסַל פ׳ disqualify, reject, invalidate, rule out, chisel, carve, sculpture
פֶּסֶל ז׳ statue, sculpture, icon, idol
- פסל חזה bust
פַּסָּל ז׳ sculptor
פִּסְלוֹן ז׳ statuette
פְּסָלוּת נ׳ disqualification, incapacity
פַּסָּלוּת נ׳ sculpture, statuary
פַּסֶּלֶת נ׳ sculptress
פְּסַנְתֵּר ז׳ piano
- פסנתר זקוף upright piano
- פסנתר כנף grand piano, *grand
פְּסַנְתְּרָן ז׳ pianist
פְּסַנְתְּרָנוּת נ׳ piano playing
פָּסַע פ׳ step, pace, walk, stride
פֶּסַע ז׳ step, brink, verge
*פִּסְפּוּס ז׳ miss, mishit, muff, *fluff
פַּסְפּוֹרְט (דרכון) ז׳ passport
*פִּסְפֵּס פ׳ miss the target, muff
פָּסַק פ׳ stop, cease, rule, decide
פְּסַק ז׳ decision, ruling
- פסק בוררות award
- פסק דין sentence, judgment
פְּסַק זְמַן ז׳ timeout, break
פִּסְקָה נ׳ clause, paragraph, passage
פַּסְקוֹל ז׳ soundtrack
פַּסְקָל (שפת תכנות) ז׳ Pascal
פַּסְקָנוּת נ׳ decisiveness, firmness
פַּסְקָנִי ת׳ decisive, definite
פָּעָה פ׳ baa, bleat
פָּעוּט ז׳ baby, infant, tot, toddler
פָּעוּט ת׳ tiny, small, petty, trivial
פָּעוֹטוֹן ז׳ nursery, day nursery
פָּעוּל ת׳ passive, creature
פְּעוּלָה נ׳ act, action, deed, doing, operation, performance
- פעולות איבה hostilities
- פעולת גומלין interaction
- פעולת הסחה diversion
- פעולת מעיים excretion, motion
- פעולת תגמול reprisal, requital
פָּעוּר ת׳ open, agape, wide open
- פעור עיניים open-eyed, popeyed
- פעור פה open-mouthed, agape
פְּעִיָּה נ׳ bleat, baa
פָּעִיל ת׳ active, dynamic, lively, spry
פְּעִילוּת נ׳ activity, hustle, life
- פעילות יתר overactivity
פְּעִימָה נ׳ stroke, beat, pulse
- החסיר פעימה stop beating (heart)

פְּעִירָה נ׳ hiatus, gape, gaping
פָּעַל פ׳ do, work, act, make, operate
פַּעֲלוּל ז׳ special effect, stunt
- פעלולים special effects
פַּעֲלוּלָן ז׳ stunt man
פַּעַלְתָּן ז׳ active person, doer
פַּעַלְתָּנוּת נ׳ activity
פַּעַלְתָּנִי ת׳ active
פָּעַם פ׳ beat, throb, strike, pulsate
פַּעַם נ׳ time, beat, footstep, footfall
- אי פעם ever, one day, sometime
- אף פעם never
- הפעם this time
- לא פעם often, many a time
- לפעמים sometimes
- מדי פעם occasionally, at times
- מפעם לפעם occasionally, at times, from time to time
- פעם (כך) ופעם (כך) now - then -
- פעם אחר פעם time after time
- פעם אחת one time, once
- פעם ביובל once in a blue moon
- שם פעמיו turn one's steps
פַּעַם תה״פ once, sometime
פְּעָמָה נ׳ beat, step, footfall
פַּעֲמוֹן ז׳ bell
- פעמון אזעקה alarm bell, tocsin
- פעמון צלילה diving bell
פַּעֲמוֹנִיָּה נ׳ glockenspiel
פַּעֲמוֹנִית נ׳ campanula, harebell
פַּעֲמוֹנָר ז׳ ringer, bell ringer
פַּעֲמִי: חַד-פַּעֲמִי ת׳ disposable, for one time
פַּעֲמַיִם תה״פ twice, doubly
פְּעָמִים תה״פ sometimes, times
פִּעְנוּחַ ז׳ deciphering, solving
פִּעְנֵחַ פ׳ decipher, decode, solve
פִּעְפּוּעַ ז׳ diffusion, osmosis
פִּעְפֵּעַ פ׳ penetrate, pervade
פָּעַר פ׳ open wide, gape, dilate
פַּעַר ז׳ gap, chasm, inequality
- פער אמון credibility gap
- פער הדורות generation gap
פָּפּוּאָה גִינֵאָה הַחֲדָשָׁה נ׳ Papua New Guinea
פָּפִּיֶה מָשֶׁה (עיסת-נייר) papier-mache
פָּפָּיָה (עץ) ז׳ papaw, papaya
פַּפִּיוֹן (עניבת פרפר) ז׳ bow tie
פַּפִּירוּס (גומא) ז׳ papyrus
פָּפָּרָאצִ׳י (צלמי-עיתונות) ז״ר paparazzi
פַּפְּרִיקָה (פִּלְפֶּלֶת) נ׳ paprika
פָּצָה פ׳ open (one's mouth)
- אין פוצה פה ומצפצף nobody protests
פָּצוּעַ ת׳ injured, wounded
פָּצַח פ׳ open, begin, start
פְּצִיחָה נ׳ cracking, opening
פַּצְיֶינְט (חולה) ז׳ patient
פָּצִיל ת׳ splintery, splittable
פְּצִיעָה נ׳ wound, injury
פָּצִיפִיזְם (אהבת שלום) ז׳ pacifism
פָּצִיפִיסְט (שוחר שלום) ז׳ pacifist
פָּצִיץ ז׳ shrapnel, ricochet
פְּצִירָה נ׳ file, rasp, filing
- פצירת ציפורניים nail file
פַּצֶּלֶת (מחצב) נ׳ feldspar, spar

פָּצַע פ׳ wound, injure, hurt, cut
פֶּצַע ז׳ wound, cut, injury, trauma
- פצע לחץ bedsore
- פצעי בגרות acne, pimples
פְּצָעוֹן ז׳ small wound, pimple
*פִּצְפּוֹן ז׳ tiny, teeny-weeny
פִּצְפּוּץ ז׳ shattering, smashing
פִּצְפֵּץ פ׳ shatter, smash, crash
פַּצָּץ ז׳ detonator
פְּצָצָה נ׳ bomb, *smasher
- פצצה ממולכדת booby trap
- פצצת אטום atomic bomb
- פצצת זמן time bomb
- פצצת מימן hydrogen bomb
- פצצת מין voluptuous woman
- פצצת מצרר cluster bomb
- פצצת סירחון stink bomb
- פצצת עומק depth charge
- פצצת עשן smoke bomb
- פצצת תאורה illuminating bomb
- פצצת תבערה incendiary
פָּצַר פ׳ file, entreat
פצ"ר = פרקליט צבאי ראשי
פָּק פ׳ totter, tremble, wobble
פֶּקָאן (אגוז) ז׳ pecan
פָּקַד פ׳ order, command, count, number, haunt
פַּקָּד ז׳ chief inspector
- רב-פקד superintendent
פָּקוּד (רבים = פְּקוּדִים) ז׳ man, subordinate, soldier
פְּקוּדָה נ׳ order, decree, command
- לפקודת to the order of
- פקודת יום order of the day
- פקודת מעצר warrant
- פקודת קבע standing order
פָּקוּחַ ת׳ open, watchful, vigilant
פָּקוּלְטָה נ׳ faculty, school
פְּקוּעָה (פטרייה) נ׳ agaric, mushroom
פָּקוּק ת׳ plugged, corked, jammed
פָּקַח פ׳ open, be watchful, heed
- פקח את עיניו open his eyes
- פקח עין watch, keep an eye on
פַּקָּח ז׳ inspector, supervisor
- פקח טיסה air-traffic controller
פַּקָּחוּת נ׳ superintendence, control
פַּקְטוֹר (גורם) ז׳ factor
פָּקִיד ז׳ clerk, official, *penpusher
- פקיד קבלה receptionist
- פקיד שומה tax collection officer
פְּקִידָה נ׳ female clerk, counting
- מפקידה לפקידה from time to time
פְּקִידוֹן ז׳ minor official
פְּקִידוּת נ׳ office work, officialdom
פְּקִידוּתִי ת׳ clerical, office
פְּקִימָה נ׳ tacking, tack, diversion
פֶּקִינֶז (כלב קטן) ז׳ Pekingese
פָּקִיסְטָן נ׳ Pakistan
פְּקִיעָה נ׳ expiration, expiry, crack
פְּקִיקָה נ׳ stopping, corking
פָּקִיר (נזיר הודי) ז׳ fakir
פק"ל=פקודת קבע לקרב
פָּקַם פ׳ tack, change course
פק"ם=פיקדון קצר מועד
פֶּקָן (אגוז) ז׳ pecan
פַּקְס ז׳ fax

פַקְסִימִילָה (מַעְתֵּק) ז׳ facsimile
פִּקְסֵס פ׳ fax, send a fax
פָּקַע פ׳ expire, split, lapse, burst
- פקעה סבלנותו lose one's patience
פְּקָעִית (גוש נימיות דם) נ׳ glomerulus
פְּקַעַת נ׳ bulb, coil, spool, tuber
*- פקעת עצבים bundle of nerves
פְּקַעְתִּי ת׳ bulbous
פִּקְפּוּק ז׳ doubt, scruple, discredit
פִּקְפֵּק פ׳ doubt, hesitate, waver
פַּקְפְּקָן ז׳ skeptic, hesitant
פַּקְפְּקָנוּת נ׳ skepticism, hesitance
פָּקַק פ׳ cork, plug, bung, stopper
פְּקָק ז׳ cork, bung, cap, plug
- פקק תנועה traffic jam, snarl-up
פַּקֶּקֶת נ׳ thrombosis, coronary
פַּקְרֵס ז׳ pullover, jumper, sweater
*פִּקְשׁוּשׁ ז׳ miss, muff, bungle
*פִּקְשֵׁשׁ פ׳ miss, blow it, botch
פַּר ז׳ bull
פֶּרֶא ז׳ barbarian, savage, brute
- פרא אדם rude person, wild
פְּרָאג ז׳ Prague
פְּרָאוּת נ׳ savagery, wildness
- בפראות wildly
פְּרָאִי ת׳ barbarous, savage, wild
*פְרַאייר ז׳ sucker, fall guy
פְרָאק ז׳ cutaway, frock-coat
פָּרַבּוֹלָה (בהנדסה) נ׳ parabola
פָּרַבּוֹלָה (מָשָׁל) נ׳ parable, allegory
פַּרְבָּר ז׳ suburb, outskirts, purlieu
פֶּרֶג ז׳ poppy, poppy seed
פַּרְגּוֹד ז׳ screen, curtain
פָּרַגְוַאי נ׳ Paraguay
פַּרְגּוֹל ז׳ whip, whip
פֶּרְגּוֹלָה (עריס) נ׳ pergola
*פִּרְגּוּן ז׳ indulgence, granting
פַּרְגִּית נ׳ chicken, pullet, chick
פְּרַגְמָטִי ת׳ pragmatic, businesslike
פְּרַגְמָטִיוּת (מעשיות) נ׳ pragmatism
פְּרַגְמָטִיזְם ז׳ pragmatism
פְּרַגְמָטִיקָה (בלשון) נ׳ pragmatics
*פִּרְגֵּן פ׳ not grudge, grant
- לא פרגן begrudge, grudge, envy
פֶּרֶד ז׳ mule, odd number
פִּרְדָּה נ׳ mule
פָּרָדוֹקְס ז׳ paradox, contradiction
פָּרָדוֹקְסָלִי ת׳ paradoxical
פָּרָדִיגְמָה (תבנית) נ׳ paradigm
פָּרָדִיגְמָטִי ת׳ paradigmatic
פַּרְדֵּס ז׳ orchard, citrus grove
פַּרְדְּסָן ז׳ citrus grower
פַּרְדְּסָנוּת נ׳ citrus growing
פָּרָה פ׳ be fertile, be fruitful, breed
- פרה ורבה be fruitful and multiply
פָּרָה נ׳ cow
- פרה חולבת milch cow
- פרה קדושה sacred cow
- פרת ים manatee, sea cow
- פרת משה רבנו ladybird, ladybug
פְּרֶהִיסְטוֹרִי ת׳ prehistorical, ancient
פְּרֶהִיסְטוֹרְיָה נ׳ prehistory, old days
פַּרְהֶסְיָה נ׳ publicity, (in) public
פֶּרוּ נ׳ Peru
פְּרוֹ-פוֹרְמָה (למען הסדר) pro forma
- חשבון פרו-פורמה pro forma invoice

פְּרוֹבוֹקָטוֹר ז׳ provoker, agent provocateur
פְּרוֹבוֹקָטִיבִי ת׳ provocative, inciting
פְּרוֹבוֹקַצְיָה (התגרות) נ׳ provocation
פְּרוֹבִיזוֹרִי (ארעי) ת׳ provisional
פְּרוֹבִינְצְיָאלִי (קרתני) ת׳ provincial
פְּרוֹבִינְצְיָאלִיּוּת נ׳ provincialism
פְּרוֹבִינְצְיָה נ׳ province, rural area
פְּרוֹבְּלֶמָה (בעיה) נ׳ problem
פְּרוֹבְּלֶמָתִי (בעייתי) ת׳ problematical
פְּרוֹגְנוֹזָה (חיזוי) נ׳ prognosis
פְּרוֹגֶסְטֵרוֹן (הורמון) ז׳ progesterone
פְּרוֹגְרֶסִיבִי (מתקדם) ת׳ progressive
פְּרוֹגְרֶסִיבִיּוּת (חדשנות) נ׳ progressiveness
פָּרוּד (מאשתו) ת׳ separated
פְּרוּדָה נ׳ molecule
פְּרוֹדוּקְטִיבִי ת׳ productive, fertile
פְּרוֹדוּקְטִיבִיּוּת (פריון) נ׳ productivity
פְּרוֹדוּקְצְיָה (הפקה) נ׳ production
פָּרוֹדִי ת׳ parodic
פָּרוֹדְיָה נ׳ parody, burlesque
פַּרְוָה נ׳ fur, pelt
פַּרְוֶה ת׳ neither milky nor meaty
פַּרְוָן ז׳ furrier, fur seller
פַּרְוָנוּת נ׳ furriery
פַּרְוָר (פרבר) ז׳ suburb
פֶּרְוֶרְט (סוטה) ז׳ pervert
פֶּרְוֶרְטִי (סוטה) ת׳ perverted, perversive
פֶּרְוֶרְסְיָה (נליזות) נ׳ perversion
פְּרוֹזָאִי ת׳ prosaic, dry, flat
פְּרוֹזָאִיּוּת נ׳ prosaicness, prosaism
פְּרוֹזָאִיקָן ז׳ prosaist, prose-writer
פְּרוֹזְבּוּל ז׳ prozbul, not canceling a loan
פֵּרוֹזָג (טורקיז) ז׳ turquoise
פְּרוֹזְדוֹר ז׳ corridor, hall, vestibule
- פרוזדור הלב auricle, atrium
פְּרוֹזָה (סיפורת) נ׳ prose
פְּרוֹזוֹדְיָה (בשירה) נ׳ prosody
פְּרוֹטֶאָה (סוג שיחים) נ׳ protea
פְּרוֹטֶאִין (חלבון) ז׳ protein
פְּרוּטָה נ׳ small coin, penny, mite
- חסר פרוטה לפורטה penniless
פְּרוֹטוֹזוֹאָה (אבחיים) נ׳ protozoa
פְּרוֹטוֹזוֹאוֹן (אבחי) ז׳ protozoon
פְּרוֹטוֹטִיפּוּס (אב-טיפוס) ז׳ prototype
פְּרוֹטוֹמָה נ׳ bust
פְּרוֹטוֹן (חלקיק באטום) ז׳ proton
פְּרוֹטוֹפְּלַזְמָה נ׳ protoplasm
פְּרוֹטוֹקוֹל ז׳ minutes, protocol
פְּרוֹטֶסְטַנְטִי (נוצרי) ת׳ Protestant
פְּרוֹטֶסְטַנְטִיּוּת נ׳ Protestantism
פְּרוֹטֶקְצְיָה נ׳ favoritism, pull
פְּרוֹטֶקְצְיוֹנֶר ז׳ favorite, preferred
פְּרוֹטֶקְשֶׁן ז׳ protection, blackmail
פְּרוּטְרוּט ז׳ change, detail
פְרוֹידְיָאנִי ת׳ Freudian
- טעות פרוידיאנית Freudian slip
פְרוֹידִיסְטִי ת׳ Freudian
פְּרוֹיֶקְט ז׳ project, enterprise
פְּרוֹיֶקְצְיָה (השלכה) נ׳ projection
פָּרֹכֶת נ׳ curtain (of the Ark)
פְּרוֹלוֹג ז׳ prologue, introduction
פְּרוֹלֶטָרִי ת׳ proletarian, *prole

פְּרוֹלֶטַרְיוֹן ז׳ proletariat, workers
פְּרוֹלַקְטִין (הורמון) ז׳ prolactin
פָּרוּם ת׳ unraveled, unstitched
פֶרוֹמַגְנֶטִיּוּת נ׳ ferromagnetism
פְּרוֹמוֹ (קדימון) ז׳ promo
פְּרוֹמִיל ז׳ a thousandth
פְרוֹנְטָלִי ת׳ frontal, face to face
פָּרוּס ת׳ sliced, cut, deployed
פְּרוֹס - בִּפְרוֹס תה״פ on the eve of
פְּרוּסָה נ׳ slice (of bread), slab, piece
פְּרוֹסְטָטָה (ערמונית) נ׳ prostate
פְּרוֹסְפֶּקְט ז׳ prospectus, brochure
פָּרוּעַ ת׳ wild, disheveled, riotous
- המערב הפרוע Wild West
פרופ׳ = פרופסור professor, Prof.
פְּרוֹפּוֹרְצְיָה נ׳ proportion, ratio
פְּרוֹפּוֹרְצְיוֹנָלִי (יחסי) ת׳ proportional
פְּרוֹפִיל ז׳ profile, side view, outline, form, fitness, condition
- פרופיל נמוך low profile
פְּרוֹפִילַקְטִי (מניעתי) ת׳ prophylactic
פְּרוֹפֶּלֶר (מדחף) ז׳ propeller
פְּרוֹפֶסוֹר ז׳ professor, Prof.
- פרופסור אמריטוס professor emeritus
- פרופסור חבר associate professor
פְּרוֹפֶסוּרָה נ׳ professorship
פְּרוֹפֶסְיוֹנָלִי (מקצועי) ת׳ professional
פָּרוּץ ת׳ broken open, wanton
פְּרוֹצֶדוּרָה (נוהל) נ׳ procedure
פְּרוֹצֶדוּרָלִי (נוהלי) ת׳ procedural
פְּרוּצָה נ׳ prostitute, harlot, whore
פְרוּקְטוֹזָה (סוכר פירות) נ׳ fructose
פְּרוּקֵי רַגְלַיִם arthropoda
פְּרוּשׁ ז׳ chaffinch, Pharisee
פָּרוּשׁ ת׳ abstemious, chaste, ascetic
פָּרוּשׂ ת׳ spread, outstretched
פְּרוּשִׁי ז׳ Pharisaic
פְּרוֹתֶזָה נ׳ prosthesis, artificial limb
פְּרָזָה נ׳ phrase, bombast
פִּרְזוּל ז׳ shoeing horses
פְּרָזוֹת תה״פ unwalled, open
פָּרָזִיט (טפיל) ז׳ parasite, pest
פָּרָזִיטִי ת׳ parasitical, *sponging
פָּרָזִיטִיּוּת נ׳ parasitism
פִּרְזֵל פ׳ shoe horses, shoe
פָּרַח פ׳ flourish, blossom, bloom, flower, spread over, fly
- פרח מזיכרונו slip one's memory
- פרחה נשמתו die, be scared
פֶּרַח ז׳ flower, bloom, novice, cadet
- פרח טיס air force cadet
- פרח קצונה cadet
פִּרְחוֹנִי ת׳ flowery, ornate, flowered
פִּרְחָח ז׳ hooligan, rowdy, urchin
פִּרְחָחוּת נ׳ hooliganism, *bovver
פָּרַט פ׳ change money, play, harp
- פרט על נימה נכונה strike the right note
פְּרָט ז׳ detail, element, item, individual, unit
- בפרט particularly, especially
- פרט ל- except, except for, save
- פרטי פרטים full details
פֶּרֶט ז׳ small change, odd number
פְּרָטִי ת׳ private, personal

פְּרָטִיּוּת נ׳ privacy
פַּרְטִיזָן ז׳ partisan, guerrilla
פַּרְטִיזָנִי ת׳ partisan
פַּרְטִיטוּרָה (תכליל) נ׳ score
פָּרָטִיפוּס (כעין טיפוס) ז׳ paratyphoid
פַּרְטִית (תפקיד) נ׳ part
פַּרְטָנוּת נ׳ individuality
- בפרטנות individually
פְּרֶטֶנְזְיָה (יומרה) נ׳ pretension
פַּרְטָנִי ת׳ individual
פְּרֶטֶנְסִיָה (יומרה) נ׳ pretension
פַּרְטְנֶר (שותף) ז׳ partner
פְּרִי ז׳ fruit, result, product
- מפרי עטו of his writings
- סלט פירות fruit salad
- פירות יבשים dried fruit
- פירות ים shellfish
- פרי אסור forbidden fruit
- פרי באושים bad (stinking) result
- פרי בוסר unripe fruit
- פרי בטן progeny, offspring
- פרי הדמיון figment, phantasm
- פרי הדר citrus fruit
- פרי מעלליו result of his deeds
פְּרִיבִילֶגְיָה (זכות יתר) נ׳ privilege
פְרִיגָטָה (משחתת) נ׳ frigate
פְּרִיגִ׳ידִיוּת (קרירות) נ׳ frigidity
פְּרִיגִ׳ידֶר (מקרר) ז׳ frigidaire, refrigerator
פָּרִיד ת׳ separable
פְּרִידָה נ׳ departure, parting
פַּרְיָה (טמא) ז׳ pariah
פְּרִיָּה וּרְבִיָּה propagation
פֶּרִיהֶלְיוֹן ז׳ perihelion
פֶּרִיוֹדִי (מחזורי) ת׳ periodical
פִּרְיוֹן ז׳ productivity, fertility, yield
- פריון עבודה productivity
פָּרִיז נ׳ Paris
פְּרִיזְבִּי (צלחת מישחק) ז׳ Frisbee
פְּרִיזוּרָה (תסרוקת) נ׳ hairdo
פְּרִיזֶר (מַקְפֵּא) ז׳ freezer
פְּרִיחָה נ׳ bloom, flowering, blossom, prosperity, rash
*פְּרִיחָה נ׳ wench, immoral girl
פְּרִיט ז׳ article, item, piece
פְּרִיטָה נ׳ changing money, harping
פָּרִיטֶטִי (שווה בזכויות) ת׳ parity
פְּרַיְים טַיְים (שעת שיא) prime time
פְּרַיְימֶרִיס (מקדימות) ז״ר primaries
*פְּרַיְיר ז׳ sucker, fall guy
פָּרִיךְ ת׳ crisp, brittle, friable
פְּרִיכוּת נ׳ brittleness, friability
פְּרִיכִיּוֹת אוֹרֶז נ״ר rice crackers
פְּרִילַנְס (עובד עצמאי) ז׳ freelance
פְּרִימָדוֹנָה נ׳ prima donna
פְּרִימָטִים (יונקים) ז״ר primates
פֶּרִימֶטֶר (היקף) ז׳ perimeter
פְּרִימִיטִיבִי ת׳ primitive, savage
פְּרִימִיטִיבִיּוּת נ׳ primitiveness
פְּרִינְצִיפּ (עיקרון) ז׳ principle
פְּרִינְצִיפְּיוֹנִי ת׳ principled
פְּרִיסָה נ׳ slicing, spreading out, deployment, disposition
- פריסת חוב rescheduling of a debt
פְּרִיסְמָה (מנסרה) נ׳ prism
פֶּרִיסְקוֹפּ (מכשיר צפייה) ז׳ periscope

פְּרִיעָה נ׳ disheveling, ruffle, payment
פְּרִיפָה נ׳ safety pin, brooch
פֶּרִיפֶרְיָאלִי ת׳ peripheral
פֶּרִיפֶרְיָה נ׳ periphery, outskirts
פָּרִיץ ז׳ robber, landowner
פְּרִיצָה נ׳ break-in, burglary
- פריצת דרך breakthrough
פְּרִיצוּת נ׳ licentiousness, lechery
פְּרִיק ז׳ freak, abnormal, enthusiast
פָּרִיק ת׳ detachable, reducible
פְּרִיקָה נ׳ unloading, discharge
- פריקת עול licentiousness
פָּרִיר ת׳ crumbly
פְּרִישָׁה נ׳ retirement, secession
פְּרִישָׂה נ׳ spreading, extending
פְּרִישׁוּת נ׳ abstinence, self-denial
פֶּרֶךְ - בְּפָרֶךְ תה״פ hard, arduously
פִּרְכָּה נ׳ refutation, contradiction
פִּרְכּוּס ז׳ adornment, make-up
פִּרְכֵּס פ׳ adorn, make up, struggle
פְּרֶלוּד ז׳ prelude, introduction
פְּרֶלִימִינָרִי (מֻקְדָּמִי) ת׳ preliminary
פְּרָלִין (מוּלִיָּה) ז׳ praline
פָּרָלֶלִי (מקביל) ת׳ parallel
פָּרָלֶלִיּוּת (הקבלה) נ׳ parallelism
פָּרָלֶלִיזְם (תקבולת) ז׳ parallelism
פַּרְלָמֶנְט (בית נבחרים) ז׳ parliament
פַּרְלָמֶנְטָר ז׳ parliamentarian
פַּרְלָמֶנְטָרִי ת׳ parliamentary
פָּרַם פ׳ unstitch, unravel, rip, unrip
פָּרָמֶדִיק (חובש) ז׳ paramedic
פִּרְמוּט ז׳ formatting
פִּרְמֵט פ׳ format
פָּרָמֶטֶר ז׳ parameter, constant
פְּרֶמְיָה נ׳ premium, bonus, fee
פְּרֶמְיֶירָה (הצגת בכורה) נ׳ premiere
פָרֶנְהַייט (מעלות חום) ז׳ Fahrenheit
פָּרָנוֹאִיד ז׳ paranoid
פָּרָנוֹאִידִי ת׳ paranoid, paranoic
פָּרָנוֹיָה (מחלת הרדיפה) נ׳ paranoia
פְּרַנְזִים (גדילים) ז״ר fringes
פִּרְנֵס פ׳ maintain, support, keep
פַּרְנָס ז׳ chief, head, leader
פַּרְנָסָה נ׳ maintenance, support
פְרַנְק (מטבע) ז׳ franc
פָּרַס פ׳ cut, slice, deploy, dispose, spread, reschedule (debts)
פְּרָס ז׳ award, prize, reward
- פרס נובל Nobel Prize
- פרס תנחומים consolation prize
פֶּרֶס ז׳ bearded vulture
פָּרַס (איראן) נ׳ Persia, Iran
פְּרֶסְבִּיטֶרְיָאנִי ת׳ Presbyterian
פַּרְסָה נ׳ horseshoe, hoof
- פניית פרסה U-turn
- פרסה שסועה cloven hoof
פַּרְסָה נ׳ farce, comedy, absurdity
פִּרְסוּם ז׳ advertising, publication, fame, publicity, renown
- לא לפרסום off the record
- פרסום חוצות outdoor advertising
פִּרְסוּמַאי ז׳ adman, *huckster
פִּרְסוּמִי ת׳ advertising, of ads
פִּרְסוֹמֶת נ׳ advertising, publicity
- פרסומת סמויה subliminal advertising

פֶּרְסוֹנִיפִיקַצְיָה נ personification
פֶּרְסוֹנָל ז personnel, staff
פֶּרְסוֹנָלִי ת personal, individual
פֶּרְסוֹנָלִיּוּת נ personality
פְּרֶסְטִיזְ'ה (יוּקְרָה) נ prestige
פַּרְסִי ת Iranian, Persian
פַּרְסִית נ Iranian, Persian
פִּרְסֵם פ advertise, publish
פֶּרְסְפֶּקְטִיבָה נ perspective
פֶּרְסְפֶּקְטִיבִי ת perspective
פֶּרְסְפֶּקְס ז perspex
פְרֶסְקוֹ ז fresco, wall painting
פָּרַע פ pay, defray, ruffle, dishevel
פַּרְעֹה ז Pharaoh
- חיפושית פרעה scarab
פַּרְעוֹשׁ ז flea, hopper
פְּרָעוֹת נ"ר pogrom, massacre
פָּרַף פ button, fasten
פַּרְפֶה (גְלִידָה) ז parfait
פַּרְפוּמֶרְיָה (תַמְרוּקִיָּה) נ perfumery
פִּרְפּוּר ז spasm, convulsion, struggle, fibrillation
פֶּרְפוֹרַצְיָה (נִיקוּב) נ perforation
פַּרְפּוֹרֶת נ crumb cake
פָּרָפִין ז paraffin
פָּרָפְּסִיכוֹלוֹג ז parapsychologist
פָּרָפְּסִיכוֹלוֹגִי ת parapsychological
פָּרָפְּסִיכוֹלוֹגְיָה נ parapsychology
*פֶּרְפֶקְט (מוּשְׁלָם) תה"פ perfect
פֶּרְפֶקְצְיוֹנִיזְם ז perfectionism
פֶּרְפֶקְצְיוֹנִיסְט ז perfectionist
פִּרְפֵּר פ struggle, shake, jerk
פַּרְפַּר ז butterfly, *playboy
*- יש לו פרפרים בבטן be nervous
פָּרַפְרָזָה נ paraphrase, rephrasing
פַּרְפְּרָנִי (צֶמַח) ת papilionaceous
פַּרְפֶּרֶת נ dessert
- פרפראות delightful things
פָּרַץ פ break, burst, erupt
- פרץ ב- break into, burst into
פֶּרֶץ ז outflow, gush, outburst, fit
- אין פרץ ואין צווחה nobody protests
- עמד בפרץ defend, hold firm
פִּרְצָה נ breach, gap, opening
- פרצה בחוק loophole in the law
פַּרְצוּף ז face, countenance, *mug
פַּרְצוּפִי ת facial
- דו-פרצופי double-faced
- דו-פרצופיות insincerity, hypocrisy
פַּרְצֶלַצְיָה (חֲלוּקַת שֶׁטַח) נ parceling
פַּרְצָנִי ת impulsive
פָּרַק פ unload, off-load, free, vent
- פרק כל עול throw off the yoke
פֶּרֶק ז chapter, part, lesson, section, installment, stage, joint
- הגיע לפרקו be marriageable
- הוריד מהפרק rule out, exclude
- ירד מהפרק be ruled out
- לימד אותו פרק teach him a lesson
- לפרקים sometimes
- על הפרק discussed, at issue
- פרק זמן period of time, spell
פַּרְק ז park, public garden
- פרק לאומי national park
פְרָק ז cutaway, frock-coat
פְּרַקְדָן תה"פ supine, on back
פֻּרְקָן ז abreaction, acting-out
פַּרְקֶט ז parquet, wood flooring
פְּרַקְטִי ת practical, functional
פְּרַקְטִיּוּת נ practicality
פְּרַקְטִיקָה נ practice, workout
פַּרְקִינְסוֹן ז Parkinson
- חוק פרקינסון Parkinson's law
- מחלת פרקינסון Parkinson's disease
פְּרַקְלִיט ז, advocate, lawyer, attorney, barrister
- פרקליט המדינה state attorney, State Prosecutor
- פרקליט צבאי judge advocate
- פרקליט צבאי ראשי Judge/Military Advocate General
פְּרַקְלִיטוּת נ advocacy, the Bar
פְּרַקְמַטְיָה נ goods, wares
פְּרֶרוֹגָטִיבָה (זְכוּת) נ prerogative
פָּרַשׁ פ retire, withdraw, leave
פָּרָשׁ ז horseman, rider, knight
פָּרַשׂ פ spread out, unfold, extend
- פרש חסותו על shelter
- פרש כנפיים spread its wings
פָּרָשָׁה נ affair, case, section
- פרשת אהבים love affair, romance
- פרשת דרכים crossroads
- פרשת השבוע weekly portion of Torah
- פרשת מים watershed, divide
פָּרָשׁוּת נ horsemanship, equitation
פַּרְשִׁיָּה (ראה פרשה) נ affair
*פִּרְשֵׁן פ comment, explain, interpret
פַּרְשָׁן ז commentator, interpreter
פַּרְשָׁנוּת נ commentary, interpretation, construction
פְּרָת (נהר) ז Euphrates
פָּשׁ פ relax, rest
פָּשָׂה פ spread, pervade, diffuse
פְּשׁוּט ז simple meaning
- פשוטו כמשמעו literally, simply
- פשוטי עם common people
פָּשׁוּט ת simple, plain, common
פָּשׁוּט תה"פ simply, just
פָּשׁוֹשׁ (ציפור שיר) ז warbler
פָּשַׁט פ take off, undress, strip, raid, attack, stretch, extend, spread
- פשט יד beg, call for alms
- פשט עור skin, profiteer, fleece
- פשט רגל go bankrupt, smash
פְּשָׁט ז literal meaning
פַּשְׁטוּת נ simplicity, plainness
- בפשטות bluntly, simply
פַּשְׁטִידָה נ pie, quiche, pastry
פַּשְׁטִידִית נ patty, pate
פַּשְׁטָנוּת נ simpleness, plainness
פַּשְׁטָנִי ת simplistic, simple, plain
פָשִׁיזְם (תנועה גזענית) ז fascism
פָּשִׁיט ת extensive, expansive
פְּשִׁיטָא תה"פ of course, surely
פְּשִׁיטָה נ raid, inroad, foray, attack
- פשיטת רגל bankruptcy, smash
פָשִׁיסְט (גזען) ז fascist
פָשִׁיסְטִי ת fascistic
פְּשִׁיעָה נ crime, offense, vice
פְּשִׂיקָה נ opening (wide)

botch, bungle, foul-up *פַּשְׁלָה נ
bungler, botcher *פַּשְׁלוֹנֶר ז
commit a crime, sin פָּשַׁע פ
crime, sin, felony, *job פֶּשַׁע ז
blameless, guiltless, innocent - חף מפשע
organized crime - פשע מאורגן
crime against humanity - פשע נגד האנושות
war crimes - פשעי מלחמה
only one remove from, on the verge of פֶּשַׂע - כפשע בינו ובין
search, scrutiny, rummage פִּשְׁפּוּשׁ ז
search, scrutinize פִּשְׁפֵּשׁ פ
bedbug, bug, flea (market) פִּשְׁפֵּשׁ ז
wicket, postern פִּשְׁפָּשׁ ז
open wide, open פָּשַׂק פ
meaning, explanation, sense פֵּשֶׁר ז
compromise פְּשָׁרָה נ
compromiser, conceder פַּשְׁרָן ז
reconcilability פַּשְׁרָנוּת נ
compromising, conceding פַּשְׁרָנִי ת
flax פִּשְׁתָּה נ
flax, linen פִּשְׁתָּן ז
flaxen, fustian פִּשְׁתָּנִי ת
bread, meal, slice, piece פַּת נ
become penniless - הגיע לפת לחם
suddenly, all at once פִּתְאוֹם תה"פ
says you!, certainly not! *- מה פתאום?
abrupt, sudden פִּתְאוֹמִי ת
suddenness פִּתְאוֹמִיּוּת נ
seducer, tempter, enticer פַּתַּאי ז
saying, maxim, proverb פִּתְגָּם ז
proverbial, sententious פִּתְגָּמִי ת
open, accessible, frank פָּתוּחַ ת
open university - אוניברסיטה פתוחה
with open arms - בזרועות פתוחות
open door - דלת פתוחה
open-heart surgery - ניתוח לב פתוח
open market - שוק פתוח
pathologist פָּתוֹלוֹג ז
pathological, morbid פָּתוֹלוֹגִי ת
pathology, study of diseases פָּתוֹלוֹגְיָה נ
pathos, enthusiasm פָּתוֹס ז
solved פָּתוּר ת
unsolved - בלתי פתור
crumb, flake פְּתוֹת ז
open, start, begin, turn on פָּתַח פ
open fire - פתח באש
start proceedings - פתח בהליכים
turn over a new leaf - פתח דף חדש
open one's heart - פתח סגור-ליבו
entrance, door, gate פֶּתַח ז
introduction, preface - פתח דבר
ah (Hebrew vowel) פַּתָּח ז
excuse, pretext פִּתְחוֹן פֶּה ז
pathetic, moving, touching פָּתֶטִי ת
simpleton, fool פֶּתִי (פתאים) ז
credulity, folly, gullibility פַּתַיּוּת נ
indentation, preface, lead פְּתִיחַ ז
opening, start, overture פְּתִיחָה נ
openness, accessibility פְּתִיחוּת נ
cord, fuse, string, thread פְּתִיל ז
time fuse - פתיל השהיה
short fuse *- פתיל קצר
wick, suppository, pessary פְּתִילָה נ
paraffin stove, oil-burner פְּתִילִיָּה נ
solvable, decipherable פָּתִיר ת
solving, working-out פְּתִירָה נ
crumb, flake פְּתִית ז
snowflake - פתית שלג
winding, twisty פְּתַלְתּוֹל ת
cobra פֶּתֶן ז
suddenly, unexpectedly פֶּתַע תה"פ
surprise attack - התקפת פתע
suddenly - לפתע (פתאום)
nonsense, *guff פִּתְפּוּתֵי בֵּיצִים ז"ר
note, slip, chit, label, ticket פֶּתֶק ז
vote, ballot paper - פתק הצבעה
note, slip, tab, chit פִּתְקָה נ
ticket, label, sticker פִּתְקִית נ
solve, interpret, work out פָּתַר פ
answer, solution, key פִּתְרוֹן ז
the Final Solution - הפתרון הסופי
conspectus, copy, note פַּתְשֶׁגֶן ז
crumble, crumb פָּתַת פ

צ

Chad צ'אד נ
poinciana צֶאֱלוֹן ז
shadow, acacia צֶאֱלִים ז"ר
sheep, flock, herd צֹאן נ"ר
llama, alpaca - גמל הצאן
flock, fold - צאן מרעית
opportunity, chance צ'אנס ז
descendant, offspring צֶאֱצָא ז
czar, tzar, tsar צָאר ז
going out, departure צֵאת
tortoise, turtle צָב ז
sea turtle - צב ים
assemble, throng, gather צָבָא פ
army, military, host צָבָא ז
God, Lord of Hosts - ה' צבאות
Israel Defense Forces, IDF - צבא הגנה לישראל
heavenly bodies - צבא השמים
regular army - צבא סדיר
standing army - צבא קבע
martial, military צְבָאִי ת
court martial - בית דין צבאי
military post - דואר צבאי
martial law - משטר צבאי
military police - משטרה צבאית
court martial - משפט צבאי
judge advocate - פרקליט צבאי
Judge/Military Advocate General - פרקליט צבאי ראשי
militarism צְבָאִיּוּת נ
deer צְבָאִים (רבים של צבי) ז"ר
militarism צְבָאָנוּת נ
militaristic צְבָאָנִי ת
swell, distend צָבָה פ
hyena צָבוֹעַ ז
painted, hypocrite צָבוּעַ ת
accumulated, piled up צָבוּר ת
nip, pinch, clamp, tweak צָבַט פ
deer, gazelle, buck, stag צְבִי ז

צִבְיוֹן ז׳ color, tint, tone, nature
צְבִיטָה נ׳ nip, pinch, tweak, twinge
צְבִיָּה נ׳ hind
צְבָיִים (רבים של צבי) ז״ר deer
צְבִיעָה נ׳ coloration, painting
צְבִיעוּת נ׳ hypocrisy, cant
צָבִיר ז׳ group, cluster, clump
- צביר כוכבים star cluster
צְבִירָה נ׳ accumulation, hoarding
- מצב צבירה physical state
צָבַע פ׳ paint, color, dye, tinge
צֶבַע ז׳ color, paint, dye, tint, hue
- צבע הסוואה protective coloring
- צבע יסוד undercoat, primer
- צבע מגן protective coloring
- צבע שיער hair-dye, tint
- צבעי גואש gouache
- צבעי מים watercolors
- צבעי שמן oils, oil-colors
צַבָּע ז׳ painter, dyer
צִבְעוֹנִי ז׳ tulip
צִבְעוֹנִי ת׳ chromatic, colored
צִבְעוֹנִיּוּת נ׳ colorfulness
צַבָּעוּת נ׳ painting
צִבְעִי ת׳ chromatic
- חד-צבעי monochromatic
צִבְעָן ז׳ pigment
צָבַר פ׳ accumulate, hoard, store
- צבר מהירות gather speed, run up
צַבָּר ז׳ cactus, prickly pear, sabra, Israel-born
צֶבֶר ז׳ heap, pile, mass, sorus
צַבָּרִי ת׳ Israeli, prickly
צְבָת נ׳ pincers, tongs, nippers
- צבת הסרטן claw, mandibles
צְבָתָן (חרק) ז׳ earwig
צָג ז׳ display, screen
צָד פ׳ hunt, capture, catch, bag
- צד את עינו/מבטו catch his eye
צַד ז׳ side, flank, page, party
- בצד apart, aside
- מכל הצדדים from every side
- מצד אחד on the one hand
- מצד שני on the other hand
- מצידי for my part
- על הצד הטוב ביותר best
- עמד לצידי took sides with me
- צד בצד side by side
- צד ג׳/שלישי third party
צְדָדִי ת׳ lateral, incidental, side
- דו-צדדי bilateral, bipartite
- חד-צדדי unilateral, one-sided
- רב-צדדי many-sided, multilateral
צְדָדִיּוּת נ׳ sidedness
- חד-צדדיות one-sidedness, partiality
- רב-צדדיות many-sidedness
צְדָדִים (רבים של צד) ז״ר sides
צְדוּדִית (פרופיל) נ׳ profile
צְדוֹקִי ז׳ Sadducee
צָדִי נ׳ sadhe (letter)
צְדִידָה נ׳ leeway
צְדִיָּה נ׳ evil intent
צָדִיק נ׳ sadhe (letter)
צַדִּיק ת׳ just, righteous, pious, virtuous, Rabbi

- צדיק תמים paragon of virtue
צַדִּיקוּת נ׳ righteousness, piety
צֶדַע ז׳ temple
צֶדֶף ז׳ shell
צִדְפָּה נ׳ clam, oyster, scallop
- צדפת הפנינים mother-of-pearl
צָדַק פ׳ be right, be correct
צֶדֶק ז׳ justice, honesty, Jupiter
- בצדק deservedly, justly, rightly
- הן צדק word of honor
- הצדק איתך you are right
צְדָקָה נ׳ alms, charity
צַדְקָנוּת נ׳ priggishness, piety
צַדְקָנִי ת׳ priggish, *goody-goody
צַדֶּקֶת נ׳ righteous woman
צֶדֶר (קרום עוטף ריאות) ז׳ pleura
צַדְרָה (בד אטים-מים) ז׳ tarpaulin
צָ׳ה צָ׳ה צָ׳ה (ריקוד) ז׳ cha-cha-cha
צָהַב פ׳ yellow, turn yellow
צְהַבְהַב ת׳ yellowish, yellowy
צַהֶבֶת (מחלה) נ׳ jaundice, yellows
צָהוֹב ת׳ yellow
צָהוּב ת׳ hostile, angry, inimical
צְהוּבּוֹן ז׳ tabloid, yellow press
צָהַל פ׳ rejoice, exult, neigh, whinny
צה״ל=צבא הגנה לישראל IDF
צָהֳלָה נ׳ exultation, glee, neigh
צַהֲלִי ת׳ of the IDF
צַהֲרוֹן ז׳ midday newspaper, afternoon nursery
צָהֳרַיִם ז״ר noon, midday
- בצהרי היום at noon
- צהריים טובים good afternoon
צַו ז׳ decree, edict, order, warrant
- צו איסור פרסום gag order
- צו ביניים interim injunction
- צו גיוס mobilization order
- צו האופנה de rigueur
- צו הבאה habeas corpus
- צו החלטי final/absolute order
- צו הסגרה warrant of extradition
- צו השעה need of the hour
- צו חיפוש search warrant
- צו ירושה inheritance order
- צו לבוא ולנמק show-cause order
- צו מניעה injunction
- צו על תנאי order nisi
- צו קריאה call-up
- צו שמונה emergency call-up
צוֹאָה נ׳ excrement, feces, dung
צוֹאָתִי ת׳ fecal
צוֹבֶל (טורף) ז׳ sable
צוֹבֶר ז׳ bulk, pile, heap
- בצובר in bulk, loose
צוֹבֵר ז׳ accumulator
צוֹדֵד פ׳ capture, catch, captivate
צוֹדֵק ת׳ just, right, equitable, fair
צוֹהֵל ת׳ joyful, exultant, jubilant
צוֹהַר ז׳ window, skylight, zenith
צַוָּאָה נ׳ testament, will
- מת בלי צוואה die intestate
- צוואת שכיב מרע deathbed testament
צַוָּאר ז׳ neck, throat
- צוואר הבקבוק bottleneck
- צוואר הרחם cervix

- שקוע עד צוואר ב-	up to the neck in
צַוָּארוֹן ז׳	collar
- עובדי הצווארון הכחול	blue-collar workers
- עובדי הצווארון הלבן	white-collar workers
- צווארון גולף/נגלל	turtleneck
- צווארון וי	V-neck
צֻוָּה פ׳	be ordered, be commanded
צָוַח פ׳	scream, bellow, bawl, yell
צְוָחָה נ׳	shout, scream, yell, squeak
- אין פרץ ואין צווחה	nobody protests
צַוְחָן ז׳	screamer
צַוְחָנִי ת׳	screaming, squeaky
צְוִיחָה נ׳	shout, scream, bawl
צֶוֶת ז׳	crew, panel, team, staff
- צוות אוויר	air crew
- צוות חשיבה	think tank
- צוות קרקע	ground crew
צַוְתָּא - בְּצַוְותָּא תה״פ	together
צוּחְצַח פ׳	be polished
צוּטַט פ׳	be quoted, be cited
צוּיַּד פ׳	be equipped, be supplied
צוּיַּן פ׳	be marked, be pointed out
- צוין לשבח	be cited, mentioned in dispatches
צוּיַּר פ׳	be drawn, be painted
צוֹלֵב ת׳	cross, crosswise
צוֹלֵל ז׳	diver, frogman, diving
צוֹלְלוּת נ׳	sonority, resonance
צוֹלְלָן ז׳	submariner
צוֹלֶלֶת נ׳	submarine, *sub
צוּלַם פ׳	be filmed, be shot
צוֹלֵעַ ת׳	lame, limping, poor, weak
צוֹם ז׳	fast, fasting
צוֹמֶד ז׳	accolade, brace
צוֹמֵחַ ת׳	growing, flora, vegetation
צוּמְצַם פ׳	be limited, be reduced
צוּמַק פ׳	be shriveled, be shrunken
צוֹמֶת ז׳	crossroads, junction, intersection, crossing, node
- צומת טי	T-junction
- צומת מישורי	level crossing
- צומת תלתן	cloverleaf
צוּנְזַר פ׳	be censored
צוּנָמִי (גל ענק) ז׳	tsunami
צוּנַּן פ׳	be cooled, catch cold
צוֹנֵן ת׳	chilly, cold, cool, aloof
- צוננים	cold water
צוֹעֵד ז׳	marcher, walker, wayfarer
צוֹעֲנִי ז׳	gipsy, gypsy, romany
צוֹעַף פ׳	be veiled, film over
צוֹעֵר ז׳	cadet, assistant
צוּף ז׳	honeydew, nectar
צוּפָּה פ׳	be coated, be plated
צוֹפֶה ז׳	scout, watcher, spectator
צוֹפָה נ׳	girl guide
צוֹפִיּוּת נ׳	scouting
צוּפִית נ׳	sunbird
צוֹפֶן ז׳	code, cipher
- צופן גנטי	genetic code
צ׳וֹפְּסוּאִי (מאכל סיני) ז׳	chop suey
צוֹפֵף פ׳	press, compact, overcrowd
*צ׳וּפְצִ׳יק ז׳	snout, jut, button
צוֹפָר ז׳	horn, siren, hooter, klaxon
*צ׳וּפָּר ז׳	bonus, gift, extra
*צוּצִיק ז׳	kid, rug rat, little one
צוּצֶלֶת נ׳	wild pigeon, palm dove
צוּק ז׳	cliff, promontory, bluff
צ׳וֹק (משנק) ז׳	choke
צוֹק הָעִיתִּים ז׳	hard times
צוּר ז׳	rock, cliff, fortress
- צור ישראל	God, Rock of Israel
- צור מחצבתו	origin, nativity
צוֹר ז׳	flint
צוֹרֵב ת׳	burning, scalding, caustic
צוֹרֵב ז׳	(CD/DVD) burner
צוּרָה נ׳	form, shape, manner, way
- בצורת	in the form of, shaped
*- צורה לו !	looks a sight!, ugly!
צוּרִית (עשב בשרני) נ׳	sedum, stonecrop
צוֹרֶךְ ז׳	need, requirement
- בעת הצורך	when the need arises
- כל צורכו	sufficiently, adequately
- לצורך	for the purpose of
- שלא לצורך	needlessly, in vain
צוֹרֵם ת׳	dissonant, harsh, grating
צוֹרְמָנִי ת׳	harsh, grating, strident
צוּרָן (הברה) ז׳	morpheme
צוֹרָן (יסוד כימי) ז׳	silicon
צוּרָנִי ת׳	formal, morphological
צוֹרֶנֶת נ׳	silicosis
צוֹרַף פ׳	be added, be refined
צוֹרֵף ז׳	goldsmith, silversmith
צוֹרְפוּת נ׳	goldsmith's craft
צוֹרֵר ז׳	enemy, foe, oppressor
צוּרָתִי ת׳	formal, of form
צוֹתֵת פ׳	eavesdrop, wiretap, tap
צֶזוּרָה (מִפְסָק) נ׳	cesura, caesura
צַח ת׳	white, pure, clear, precise
צָחוּן ת׳	stinking, reeking
צְחוֹק ז׳	laughter, laugh, fun, sport
- בצחוק	jokingly, in fun
- בת-צחוק	smile
- גז הצחוק	laughing gas
- געה בצחוק	burst into laughter
- התפקע מצחוק	split one's sides
- צחוק בצד	joking apart
- צחוק הגורל	irony of fate
צָחוֹר ת׳	white, snow-white
צַחוּת נ׳	purity, lucidity, accuracy
צַחֲזַאי ז׳	clairvoyant, seer
צַחֲזוּת נ׳	clairvoyance, prescience
צָחִיחַ ת׳	arid, parched, torrid
צְחִיחוּת נ׳	dryness, aridity, torridity
צָחַן פ׳	stink, reek, smell
צַחֲנָה נ׳	stink, stench, reek, smell
צִחְצוּחַ ז׳	polishing, brush, scour
- צחצוח חרבות	saber rattling
- צחצוח מלים	polemics, sparring
- צחצוח נעליים	shoeshine
צִחְצֵחַ פ׳	brush, polish, rub up
*צ׳חְצָ׳ח ז׳	ill-bred man, hooligan
צָחַק פ׳	laugh, smile, grin, mock
- צחק אחרון	have the last laugh
- צחק בקרבו	laugh up one's sleeve
*- צחק לו בפרצוף	laugh in his face
- צחק על	make fun of
צִחְקוּק ז׳	giggle, chuckle, titter
צַחְקָן ז׳	laugher
צִחְקֵק פ׳	giggle, chuckle, cackle
צִי ז׳	fleet, navy, armada, shipping

- צי הסוחר merchant marine
צִיאָנוֹסִיס (כיחלון) ז׳ cyanosis
צִיאָנִיד (רעל) ז׳ cyanide
צִיבּוּר ז׳ public, community, heap
צִיבּוּרִי ת׳ public, common
- גן ציבורי public garden, park
- דמות ציבורית public figure
- טלפון ציבורי pay phone, telephone-box
- משפט ציבורי public law/trial
- עבודות ציבוריות public works
צִיבּוּרִית (כולבויניק) נ׳ slop bowl
צִיבִית (צלולואיד) נ׳ celluloid
צַיִד ז׳ hunting, hunt, chase, game
- ציד מכשפות witch hunt
צִידֵּד פ׳ support, traverse
צֵידָה נ׳ provisions, supplies
צִידּוּד ז׳ siding, supporting, partisanship, traverse
צִידּוֹן ז׳ broadside, topside
צִידּוּק ז׳ justification, vindication
צִידִּי ת׳ side, flanking, lateral
צֵידָנִית נ׳ picnic box, cooler
צִידֵּק פ׳ justify, vindicate
צִיּוּד ז׳ equipment, outfit, gear, provision, supplies, tackle
- ציוד היקפי peripheral equipment
צִ׳יוּוָאוָה (כלב זעיר) ז׳ chihuahua
צִיוָּה פ׳ command, order, bid, tell
צִיוּוּי ז׳ order, command, imperative
צִיוִילִיזַצְיָה (תרבות) נ׳ civilization
צִיוֵּת פ׳ staff, group, man
צִיוּות ז׳ staffing, grouping
צִיּוּן ז׳ mark, note, grade, notation
- ציון דרך landmark, milestone
- ציון לשבח citation, commendation
- ציון מגן protective mark
צִיּוֹן נ׳ Zion, Israel
צִיּוֹנוּת נ׳ Zionism
צִיּוֹנִי ז׳ Zionist
צִיּוּץ ז׳ cheep, twitter, chirp, peep
צִיּוּר ז׳ painting, picture, drawing
- ציור קיר fresco, wall painting
- ציור שמן oil painting, canvas
צִיּוּרִי ת׳ picturesque, figurative
צִיּוּרִיּוּת נ׳ picturesqueness
צִיּוּת ז׳ obedience, obeying, compliance
*צִ׳יזְבֵּט פ׳ fabricate, fib, lie
*צִ׳יזְבָּט ז׳ tall story, fib, lie
צִיחָיוֹן (התייבשות) ז׳ dehydration
צִ׳יטָה (ברדלס) נ׳ cheetah
צִיטוּט ז׳ quotation, quote, citation
- סוף ציטוט unquote
צִיטֵט פ׳ cite, quote, adduce
צִיטָטָה נ׳ quotation, citation
צִיֵּיד פ׳ equip, furnish, provide, supply, outfit
צַיָּיד ז׳ hunter, huntsman
- צייד כשרונות talent scout, headhunter
צַיֶּידֶת נ׳ huntress
צִיָּיה נ׳ dryness, desert, aridity
צִיֵּין פ׳ mark, signify, specify, point out, note
- ציין לשבח cite, mention in dispatches
צִיֵּיץ פ׳ twitter, cheep, chirp, peep
צַיְיצָנִי ת׳ twittery, squeaky
צִיֵּיר פ׳ draw, paint, describe
צַיָּיר ז׳ artist, painter
צִיְּרָנִי ת׳ descriptive
צִיֵּית פ׳ obey, comply, heed
צַיְיתָן ת׳ obedient, docile, yielding
צַיְיתָנוּת נ׳ obedience, tractability
צַיְיתָנִי ת׳ obedient, docile, tractable
צִ׳ילֶה נ׳ Chile
צִילּוּם ז׳ photography, photograph, picture, shot, x-ray
- צילום דולג-זמן time-lapse photography
- צילום דיגיטלי digital photography
- צילום מסמך photocopy, Xerox
- צילום מקרב/תקריב close-up
- צילום רנטגן X ray, radiogram
צִילוֹן ז׳ Venetian blind, roller shade
צִ׳ילִי (תבלין חריף) ז׳ chili
צִ׳ילִי קוֹן קַרְנֶה chili con carne, ground beef & beans etc.
צִילִינְדֶּר ז׳ cylinder, top hat
צִילֵּם פ׳ photograph, film, take, picture, shoot, photocopy, x-ray
צִילֵּק פ׳ scar, traumatize
צִימָּאוֹן ז׳ thirst
צִימֵּד פ׳ attach, link, couple
צִימּוּד ז׳ homograph, homonym
צִימּוּק ז׳ raisin, currant, anecdote
צִימּוּת ז׳ agglutination, oppression
צִימַּח פ׳ grow, sprout, produce
צִימֵּק פ׳ shrivel, dry, shrink
צִימֶר (חדר נופש) ז׳ Zimmer
צִימֵּת פ׳ pickle, oppress, agglutinate
צִינָּה נ׳ chill, cold, cool, shield
צִינּוּן ז׳ chilling, cooling-off
- תקופת צינון cooling-off period
צִינוֹק ז׳ dungeon, solitary confinement
צִינּוֹר ז׳ hose, pipe, pipeline, tube, canal, drain, duct
- הצינורות המקובלים the proper channels
- צינור בירוץ overflow pipe
- צינור העיכול alimentary canal
- צינור ניקוז drainpipe
- צינור פליטה exhaust pipe
צִינּוֹרָה נ׳ darning needle, knitting needle
צִינּוֹרִית נ׳ crochet hook, pastry roll
צִינִי ת׳ cynical, mocking, sarcastic
צִינִיּוּת נ׳ cynicism, sarcasm
צִינְיָה (צמח נוי) נ׳ zinnia
צִנִּים (רבים של צֵן) ז״ר thorn
צִינִיקָן ת׳ cynic
צִינִית נ׳ podagra, gout
צִינֵּן פ׳ cool, cool off, chill
צִ׳ינְצִ׳ילָה (מכרסם) נ׳ chinchilla
צִינְקוֹגְרַפְיָה נ׳ zincography
צִיסְטָה נ׳ cyst, sac, vesicle, wen
צִיסְטוֹסְקוֹפּ ז׳ cystoscope
צִיעֵף פ׳ veil, cover, film, shroud
צִיעֵר פ׳ cause sorrow, grieve, sadden, upset

ציפה פ׳ expect, hope, coat, plate
- היא מצפה לתינוק she's expecting
ציפה נ׳ cover, bed cover, tick
ציפה נ׳ pulp, flesh, buoyancy
ציפוי ז׳ coating, plating, icing
ציפוף ז׳ crowding, compacting
ציפור נ׳ bird, *birdie
- פגע בציפור נפשו cut to the quick
- ציפור גן עדן bird of paradise
- ציפור דרור footloose, fancy-free
- ציפור נודדת bird of passage
- ציפור שיר songbird
ציפורית נ׳ birdie, small bird
ציפורן נ׳ fingernail, nail, claw
- בציפורני in the clutches of
- בציפורניו (fight) tooth and nail
- ציפורן חודרנית ingrown toenail
- ציפורן עט nib
- ציפורני החתול (פרח) marigold
ציפורן (צמח) ז׳ clove, carnation, pink
ציפורנית (פרח) נ׳ campion
ציפייה נ׳ anticipation, expectation
ציפית נ׳ pillowcase, slip, tick
ציפן פ׳ code, encode, cipher
צ׳יפס ז״ר French fries, chips
*צ׳יפר פ׳ give a bonus
ציץ ז׳ blossom, diadem, feather
ציצה נ׳ frill, tuft, tassel, pompon
ציצית נ׳ forelock, fringe, tassel, zizith, fringed garment
- בדק בציציותיו examine his integrity
*צ׳יק צ׳ק תה״פ chop-chop, immediately, pronto
ציקדה (חרק מצרצר) נ׳ cicada
ציקוריה (עולש) נ׳ chicory, endive
ציקלון (סערה) ז׳ cyclone
ציקלופ (ענק) ז׳ cyclops
ציקלמט (ממתיק) ז׳ cyclamate
ציר ז׳ axis, axle, pivot, hinge, pole, delegate, messenger, sauce, juice
- צירי לידה birth pangs, pains
- צירים birth pangs, travail, pains
צירה ז׳ eh (Hebrew vowel)
צירוזיס (שחמת) ז׳ cirrhosis
צירוס (ענני נוצה) ז׳ cirrus
צירוף ז׳ combination, joining, joinder, consolidation
- בצירוף along with, together with
- צירוף מלים/לשון idiom, phrase
- צירוף מקרים coincidence
- צירוף נסיבות conjuncture
צירות נ׳ legation, consulate
ציריך נ׳ Zurich
צירף פ׳ combine, unite, add, join
ציתות ז׳ eavesdropping, listening-in, wiretapping
ציתר (כלי פריטה) ז׳ zither
צ׳כוסלובקיה נ׳ Czechoslovakia
צ׳כי ז׳ Czech
צ׳כיה נ׳ Czech Republic
צל ז׳ shadow, shade, shelter
- בצל קורתו under his roof
- העמיד בצל put in the shade
- צל צילו של shadow, trace, bit
- צל של ספק a shadow of doubt

צ״ל = צריך להיות should be
צלב פ׳ crucify
צלב ז׳ cross, crucifix, rood
- הצלב האדום Red Cross
- צלב הקרס swastika
צלבון ז׳ dagger, obelisk, cross
צלבן ז׳ crusader
צלבני ת׳ of the crusaders
צלה פ׳ broil, grill, roast
צ׳לו (בטנונית) ז׳ cello
צלוב ת׳ crucified, Christ
צלוחית נ׳ small bottle, phial, vial, flask, saucer
צלוי ת׳ roast, roasted
צלול ת׳ clear, limpid, lucid, sober
צלולואיד (ציבית) ז׳ celluloid
צלולוזה (תאית) נ׳ cellulose
צלופח ז׳ eel
צלופן (נייר שקוף) ז׳ cellophane
צלזיוס ז׳ Celsius, centigrade
צלח פ׳ cross, pass, succeed, prosper
צלחה נ׳ migraine, headache
צלחת נ׳ dish, plate, saucer, hubcap
- צלחת מעופפת flying saucer
צלי ז׳ barbecue, roast, grill
צליאק (כרסת) ז׳ celiac disease
צליבה נ׳ crucifixion
צליחה נ׳ crossing (water), fording
צלייה נ׳ roast, roasting
צליין ז׳ pilgrim, palmer
צליינות נ׳ pilgrimage
צליל ז׳ sound, tone, note, twang
- צליל חיוג dial tone
צלילה נ׳ dive, diving, plunge, spin
- פעמון צלילה diving bell
צלילות נ׳ clarity, lucidity, limpidity
- צלילות דעת presence of mind
צליליות נ׳ resonance, tonality
צ׳ליסט ז׳ cellist
צליעה נ׳ limp, limping, lameness
צליף ז׳ crack, whiplash, snap
צליפה נ׳ sniping, shooting
צלל פ׳ dive, sink, plunge, delve
- צללו אוזניו his ears rang
צללים (רבים של צל) ז״ר shadows
צללית נ׳ silhouette
- צללית עיניים eyeshadow
צלם ז׳ cameraman, photographer
צלם ז׳ icon, idol, image
- בצלמו ובדמותו exactly like him
- צלם אנוש (אנושיות) humanity
צלמוות ז׳ inky darkness
צלמית נ׳ icon
צ׳לן ז׳ cellist
צלסיוס ז׳ Celsius, centigrade
צלע פ׳ limp, halt, be lame, hobble
צלע נ׳ rib, side
- משולש שווה צלעות equilateral triangle
- משולש שונה צלעות scalene triangle
צלעון ז׳ polygon
צלעית נ׳ chop
צלף פ׳ snipe, snipe at
צלף ז׳ marksman, sharpshooter, sniper, shot
צלף (שיח בר) ז׳ caper

צְלָפוּת נ׳ sniping, sharpshooting
צִלְצוּל ז׳ ringing, call, ring, toll
צִלְצֵל פ׳ ring, call, telephone
צִלְצָל ז׳ harpoon, cymbal
צַלֶּקֶת נ׳ scar, mark, cut, trauma, stigma
צל״ש = ציון לשבח citation, commendation
צָם פ׳ fast, refrain from food
צָמָא ז׳ thirst, thirstiness, longing
צָמֵא ת׳ thirsty, greedy, craving
- צמא דם bloodthirsty
צֶ׳מְבָּלוֹ ז׳ harpsichord
צֶמֶג (קאוצ׳וק) ז׳ caoutchouc, rubber
צֶמֶד ז׳ brace, pair, couple, team
- צמד חמד lovely pair
צִמְדָּה נ׳ duet, duo
צַמְדָּן (סקוץ׳) ז׳ scotch, velcro
צַמָּה נ׳ braid, plait, bun, queue
- צמת עורף pigtail
צָמוּד ת׳ attached, adjacent, clinging, closefitting, tight, linked, level, neck and neck
- צמוד לדולר dollar-linked
- צמוד למדד index-linked
צָמוּם ת׳ compact
צָמַח פ׳ grow, sprout, shoot
צֶמַח ז׳ plant, growth, *vegetable
- צמח מים hydrophyte
- צמח רב-שנתי perennial
- צמחי מרפא medicinal plants
צִמְחוֹנוּת נ׳ vegetarianism
צִמְחוֹנִי ת׳ vegetarian, vegan
צִמְחִי ת׳ vegetable
צִמְחִיָּה נ׳ flora, vegetation
צְמִיג ז׳ tyre, tire
- צמיג רדיאלי radial tire
*- צמיגים middle age spread, belly
צָמִיג ת׳ viscous, sticky, tough
צְמִיגוּת נ׳ viscosity, stickiness
צְמִיגִי ת׳ viscous, sticky
צָמִיד ז׳ bracelet, wristlet, armlet
צְמִידוּת נ׳ linking, coupling
צְמִיחָה נ׳ growth, growing
צָמִית ת׳ permanent (serf), villein, vassal
צְמִיתוּת נ׳ permanence, perpetuity
צִמְצוּם ז׳ reduction, diminishing, cutback, poverty, penury
- בצמצום scantily, barely
צִמְצֵם פ׳ reduce, decrease, diminish, limit, restrict
- צמצם (בחשבון) reduce, cancel
צַמְצָם ז׳ diaphragm, shutter
צָמַק פ׳ shrivel, dry
צַמֶּקֶת (מחלה) נ׳ cirrhosis
צֶמֶר ז׳ wool
- צמר גפן cotton, cotton wool
- צמר גפן מתוק candyfloss, cotton candy
- צמר סלעים rock wool
- צמר פלדה steel wool
צַמְרוֹן (כלב) ז׳ poodle
צַמְרִי ת׳ woolen, woolly, fleecy
צְמַרְמוֹרֶת נ׳ shiver, shudder, *creeps

צִמְרֵר פ׳ shock, give him the creeps
צַמֶּרֶת נ׳ top, treetop, leadership
צֵן (צִינִים) ז׳ thorn
צְנוֹבָר ז׳ pine, pine cone
צָנוּם ת׳ thin, lean, skinny
צְנוֹן ז׳ radish, rutabaga, swede
צְנוֹנִית נ׳ small radish, radish
צָנוּעַ ת׳ decent, humble, modest
צָנוּף ת׳ wrapped, rolled up
צֶנְזוּס (מיפקד) ז׳ census
צֶנְזוֹר ז׳ censor
צִנְזוּר ז׳ censoring
צֶנְזוּרָה נ׳ censorship, blue pencil
צִנְזֵר פ׳ bowdlerize, censor
צָנַח פ׳ parachute, sag, sink, drop
צַנְחָן ז׳ parachutist, paratrooper
צֶנְטְרִיפוּגָה (מַפְרֵדָה) נ׳ separator
צֶנְטְרִיפוּגָה (סַרְכֶּזֶת) נ׳ centrifuge
צֶנְטְרִיפוּגָלִי (סְרכּוּזִי) ת׳ centrifugal
צֶנְטְרִיפֶּטָלִי ת׳ centripetal, moving towards a center
צֶנְטְרָלִיזְם ז׳ centralism
צֶנְטְרָלִיזַצְיָה (מרכוז) נ׳ centralization
צֶנְטְרָלִיסְטִי (ריכוזי) ת׳ centralistic
צְנִיחָה נ׳ parachuting, fall, drop
- צניחה חופשית free fall, skydiving
- צניחת רחם uterine prolapse
צְנִים ז׳ rusk, toast
צְנִינִים ז״ר thorn (in one's flesh)
צְנִיעוּת נ׳ modesty, chastity
צָנִיף ז׳ headdress, turban, wimple
צְנִיפָה נ׳ neigh, whinny, wrapping
צְנִירָה נ׳ crochet, knitting
צֶנַע ז׳ austerity, modesty
צִנְעָה נ׳ privacy, secrecy
- צנעת הפרט privacy, intimateness
צָנַף פ׳ wrap, roll up, neigh, whinny
צִנְצֶנֶת נ׳ jar, flask, bottle, cruet
צַנָּר ז׳ pipe layer
צַנְרָן (שנורקל) ז׳ snorkel
צַנֶּרֶת נ׳ piping, pipe system, plumbing, tubing
צִנְתּוּר ז׳ catheterization
צִנְתֵּר פ׳ catheterize
צַנְתָּר ז׳ catheter, pipe, pastry tube
צָעַד פ׳ march, pace, step, walk
צַעַד ז׳ footstep, pace, step, move
- בצעדי ענק by leaps and bounds
- בצעדי צב at a snail's pace
- החליף צעד (בצעידה) change step
- נקט צעדים take steps
- על כל צעד ושעל at every turn
- צעד גאוני (מדיני) masterstroke
- צעד צעד step by step
צְעָדָה נ׳ march, walk, wayfaring
צְעִידָה נ׳ march, walk, wayfaring
צָעִיף ז׳ scarf, shawl, veil, stole
צָעִיר ת׳ young, junior, lad, youth
צְעִירָה נ׳ young woman, *missy
צְעִירוּת נ׳ youth, young days
צַעֲצוּעַ ז׳ toy, plaything, trinket
צָעַק פ׳ yell, cry, scream, *holler
- צעק חי וקיים *bay at the moon
צְעָקָה נ׳ cry, scream, shout, yell
- הצעקה האחרונה the latest, recent fashion

צַעֲקָן ז׳ shouter, vociferous
צַעֲקָנוּת נ׳ flamboyance, shouting
צַעֲקָנִי ת׳ flamboyant, noisy, *chichi
צַעַר ז׳ sorrow, grief, pain, distress
- לְצַעֲרִי to my sorrow, sorry
- צער בעלי חיים mercy to animals
צָף פ׳ float, buoy, surface, bob up
צָף ז׳ ball-cock, buoy, float
צָפַד פ׳ shrivel, dry up
צַפְדִּינָה (מחלה) נ׳ scurvy
צַפֶּדֶת נ׳ tetanus, lockjaw
צָפָה פ׳ watch, look, foresee, predict
צָפוּי ת׳ expected, foreseen, liable, likely, destined
- בלתי צפוי unexpected, unforeseen
צָפוֹן ז׳ north
- איבד את הצפון lose one's bearings
- כוכב הצפון polestar
- צפון מזרח northeast
- צפון מזרחי northeastern
- צפון מערב northwest
- צפון מערבי northwestern
צָפוּן ת׳ hidden, concealed
- צפונות secrets, hidden things
צָפוֹנָה תה״פ northward, north
- צפונה מזרחה northeastward
- צפונה מערבה northwestward
צְפוֹנִי ת׳ northern, *snobbish
- צפונית ל- north of
צָפוּף ת׳ crowded, dense, close
*צְ׳פְּחָה נ׳ slap, pat, strike
צִפְחָה נ׳ shale, slate, schist
צַפַּחַת נ׳ cruse, jar, flask
צֶפִי ז׳ forecast, prognosis
צְפִידַת מָוֶת נ׳ rigor mortis
צַפִּיחִית נ׳ wafer, cake
צְפִיָּה נ׳ watching, viewing
- צפיית שיא prime time
צְפִיפוּת נ׳ density, crowding, congestion, jam
צָפִיר ז׳ goat, kid, tragus
צְפִירָה נ׳ blast, honk, hooting, siren
צָפַן פ׳ hide, conceal
צֶפַע (נחש ארסי) ז׳ viper
צִפְעוֹנִי (משפחת נחשים) ז׳ viper
צִפְצוּף ז׳ whistle, hooting, *contempt, disregard
צִפְצֵף פ׳ whistle, twitter, *scorn
צַפְצֵפָה נ׳ whistle
צַפְצָפָה (עץ נוי) נ׳ poplar
צֶפֶק (קרום הכרס) ז׳ peritoneum
צַפֶּקֶת (דלקת הצפק) נ׳ peritonitis
צָפַר פ׳ hoot, honk, sound a horn
צַפָּר ז׳ ornithologist, birdwatcher
צַפְרָא ז׳ morn, morning
צְפַרְדֵּעַ נ׳ frog
צִפּוֹרְנוּת נ׳ caprice, freak, whim
צִפּוֹרְנִי ת׳ capricious, inconstant
צַפָּרוּת נ׳ ornithology, birdwatching
צַפְרִיר ז׳ zephyr, morning breeze
צְפַת נ׳ Zafed
צָץ פ׳ appear, sprout up, spring
צֶ׳צֶ׳נִי ז׳ Chechen
צֶ׳צֶ׳נְיָה נ׳ Chechnya
צֶ׳ק (המחאה) ז׳ check, cheque
צִקְלוֹן פ׳ bag, knapsack

*צִקְצֵק פ׳ tut-tut, smack one's lips
צָר פ׳ shape, form, mold, besiege
צַר ז׳ enemy, foe, persecutor
צַר ת׳ narrow, close, confined, tight
- בצר לו in one's distress
- צר אופק narrow-minded
- צר לי I'm sorry
- צר עין envious, grudging
צָרַב פ׳ burn, sear, etch, cauterize
צָרֶבֶת נ׳ heartburn
צָרָה נ׳ affliction, trouble, misfortune, distress
- על כל צרה שלא תבוא in case of trouble
- צרה צרורה serious trouble
צָרוּד ת׳ hoarse, husky, throaty
צָרוּעַ ת׳ leprous, leper
צָרוּף ת׳ pure, refined, purged
צְרוֹר ז׳ bundle, batch, bunch
- צרור יריות burst of fire
- צרור פרחים bouquet, posy
צָרוּת נ׳ narrowness, tightness
- צרות אופק narrow-mindedness
- צרות מוחין narrow-mindedness
- צרות עין envy, grudge
צָרַח פ׳ shout, scream, yell, *holler
צַרְחָן ז׳ screamer, yeller
צַרְחָנוּת נ׳ screaming, shouting
צַרְחָנִי ת׳ screaming, high-pitched
צ׳רטר (הֶסְכֵּם שֶׂכֶר) ז׳ charter
צֳרִי ז׳ balm, balsam
צְרִיבָה נ׳ burn, scorching, etching
צְרִידוּת נ׳ hoarseness, huskiness
צְרִיחַ ז׳ castle, tower, turret, rook
צְרִיחָה נ׳ shout, scream, shriek, yell
צָרִיךְ ת׳ must, should, need, ought, necessary
צְרִיכָה נ׳ consumption, use
צְרִימָה נ׳ stridency, dissonance
צְרִיף ז׳ hut, shack, cottage
צְרִיפָה נ׳ purification, refining, smelting
צְרִיפוֹן ז׳ hovel, small hut
צְרִיר ז׳ dissonance, discord
צָרַךְ פ׳ consume, use, require, need
צְרָכִים ז״ר wants, needs, excretion
- עשה צרכיו move the bowels
צַרְכָן ז׳ consumer, user
צַרְכָנוּת נ׳ consumption, consumerism
צַרְכָנִיָּה נ׳ cooperative store, *coop
צָרַם פ׳ be strident, grate, jar, rasp
- צרם את העין offend the eye
צִרְעָה נ׳ hornet, wasp
צָרַעַת נ׳ leprosy
צָרַף פ׳ purify, refine, purge
צָרְפַת נ׳ France
צָרְפָתִי ת׳ French, *Frog
צָרְפָתִית נ׳ French
צִרְצוּר ז׳ chirping, chirp, chirrup
צִרְצֵר פ׳ chirp, cheep, stridulate
צְרָצַר ז׳ cricket, cicada
צֶ׳רְקֶסִי ז׳ Circassian
צָרַר פ׳ pack, bundle, bind, parcel, oppress, persecute
צַתְרָה (צמח) נ׳ savory

ק

קָאוּבּוֹי ז׳ cowboy, wrangler, herder
קָאוֹלִין ז׳ kaolin, china clay
קָאוּנְטְרִי קְלָאבּ country club
קָאוּצ׳וּק (צֶמֶג) ז׳ caoutchouc
קָאלְט (אומנות פולחן) ז׳ cult
קָאמְבֶּק (שיבה) ז׳ comeback
קָאמֶרִי (במוזיקה) ת׳ chamber
קָאָק (עורב) ז׳ daw, jackdaw
קָארִי (מאכל חריף) ז׳ curry
קָאַת נ׳ pelican
קַב ז׳ crutch, stilt, small measure
- קב ונקי brief and to the point
- קביים crutches
קַבַּבּ ז׳ kebab, kabob, shish kebab
קָבוּעַ ת׳ fixed, permanent, steady, regular, constant
קְבוּעָה נ׳ fixture, fitment
קְבוּצָה נ׳ band, group, team, communal settlement
- קבוצת גיל age group
- קבוצת כוכבים constellation
- קבוצת לחץ pressure group
קְבוּצָתִי ת׳ collective, group, party
קָבוּר ת׳ buried, entombed, interred
- פה קבור הכלב there's the rub
קְבוּרָה נ׳ burial, burying, interment
קב״ט=קצין ביטחון security officer
קַבִּייָה נ׳ guinea pig
קָבִיל ת׳ admissible, acceptable
- בלתי קביל inadmissible
קְבִילָה נ׳ complaint, charge
קְבִילוּת נ׳ admissibility
קַבִּינָה נ׳ cabin, cab
קַבִּינֶט ז׳ cabinet, senior ministers
קְבִיעָה נ׳ fixing, installing, verdict, decision, ruling
קְבִיעוּת נ׳ regularity, constancy, permanence, tenure
- בקביעות regularly, invariably
קְבִירָה נ׳ burial, liquidation
קֵבִית נ׳ cavity, ventricle
קָבַל פ׳ complain, grumble
קַבָּל ז׳ condenser, capacitor
קֳבָל תה״פ in front of
- קבל עם publicly, overtly
קַבָּלָה נ׳ receipt, reception, acceptance, cabala
- קבלת פנים welcome, reception
- קבלת שבת reception of Sabbath
קַבְּלָן ז׳ contractor, entrepreneur
- קבלן משנה subcontractor
קַבְּלָנוּת נ׳ piecework, contracting
קַבְּלָנִי ת׳ piecework, contractual
קב״ן=קצין בריאות נפש
קֶבֶס ז׳ nausea, disgust
קַבְּסְתָנִי ת׳ disgusting, sickening
קָבַע פ׳ fix, install, appoint, determine, set
קֶבַע ז׳ permanence, regularity, standing army
קַבְּצָן ז׳ beggar, cadger, pauper

קַבְּצָנוּת נ׳ beggary, poverty
קַבְקַב ז׳ clog, patten, sabot
קָבַר פ׳ bury, entomb, inter
קֶבֶר ז׳ tomb, grave, sepulcher
קַבָּרֶט ז׳ cabaret, floor show
קַבְּרָן ז׳ undertaker, gravedigger
קַבְרָנוּן (דג) ז׳ gudgeon
קַבַּרְנִיט ז׳ skipper, captain, leader
ק״ג = קילוגרם kg., kilogram
קַד (קידה) פ׳ curtsy, bow, genuflect
קָדַד פ׳ curtsy, bow
קָדוּחַ ת׳ drilled, bored
קָדוּם ת׳ ancient, old, immemorial
קְדוּמִית נ׳ protozoon
קְדוּמָנִי ת׳ frontal, advance, fore
קְדוֹרַנִּי ת׳ gloomy, morose, dark
קְדוֹרַנִּית תה״פ gloomily, dejectedly
קָדוֹשׁ ת׳ holy, sacred, saint
- הקדוש ברוך הוא God
- קדוש מעונה martyr
קְדוּשָּׁה נ׳ holiness, sacredness
קָדַח פ׳ bore, drill, suffer from fever
קֹדַח ז׳ bore, diameter
קַדַּחַת נ׳ ague, fever, *not a bit
- קדחת הביצות malaria
- קדחת השחת hay fever
- קדחת השיגרון rheumatic fever
קַדַּחְתָּנוּת נ׳ ardor, vehemence
קַדַּחְתָּנִי ת׳ feverish, hectic
קָדֶט (חניך בי״ס צבאי) ז׳ cadet
קָדִי ז׳ cadi, kadi, Muslim judge
קְדִיחָה נ׳ boring, drilling
קָדִים ז׳ east, east wind
קְדִימָה נ׳ priority, precedence
קָדִימָה תה״פ ahead, onwards, forward, on, let's go!, come on!
קְדִימוֹן (פרומו) ז׳ promo
קְדִימוּת נ׳ priority, preference
קְדֵירָה נ׳ pot, casserole, cauldron
קַדִּישׁ ז׳ Kaddish, prayer
קִדֵּם פ׳ precede, come before
קֶדֶם ז׳ east, ancient times
קְדַם תח׳ pre-, ante-
- קדם-היסטורי prehistoric
- קדם-צבאי pre-military
קִדְמָה נ׳ advance, progress
קֵדְמָה תה״פ eastwards
קִדְמָה נ׳ forecourt, forefront, front
- קדמת הבימה proscenium, apron
קַדְמוֹן ת׳ ancient, primeval
קַדְמוֹנִי ת׳ ancient, primeval
קַדְמוּת נ׳ previous position
קִדְמִי ת׳ frontal, forward, fore
קָדֶנְצָה (תֶּנַח) נ׳ cadenza, cadence
קָדֶנְצְיָה נ׳ tenure, term of office
קָדַר פ׳ darken, be gloomy, lour
קַדָּר ז׳ potter, ceramist
קָדֶר ז׳ cadre, key group
קַדְרוּת נ׳ gloom, depression
קַדָּרוּת נ׳ pottery, ceramics
קַדְרִיל (ריקוד זוגות) ז׳ quadrille
קְדֵשָׁה נ׳ prostitute, harlot
קָהָה פ׳ blunt, become dull
קֵהֶה ת׳ blunt, dull, obtuse
- זווית קהה obtuse angle
קָהוּי ת׳ blunt, dull, matt

קֵהוּת נ׳ bluntness, numbness
- קהות חושים stupor, numbness
קְהִילָה נ׳ parish, community, congregation, assembly
קְהִילִיָּה נ׳ commonwealth, community
קְהִילָתִי ת׳ communal, parochial
קָהִיר נ׳ Cairo
קָהָל ז׳ audience, crowd, public, congregation, throng
קַו ז׳ line, policy, streak
- קו אורך meridian, longitude
- קו אש line of fire
- קו אשראי credit line
- קו גבול borderline
- קו האמצע center line
- קו החיים (בכף היד) lifeline
- קו המשווה equator
- קו העוני poverty line
- קו השער goal line
- קו חוף coastline
- קו ייצור production line
- קו מפלגתי party line
- קו נטוי oblique, slash, (/)
- קו פעולה line of action
- קו רוחב latitude
- קו רקיע skyline
- קו תפר seam
- קווי יסוד guidelines
קוֹאוֹפֶּרָטִיב (איגוד) ז׳ cooperative
קוֹאוֹפֶּרָטִיבִי (משותף) ת׳ cooperative
קוֹאוֹרדִינָטָה נ׳ coordinate, location of a point
קוֹאוֹרדִינַצְיָה נ׳ coordination
קוֹאָלִיצְיָה נ׳ coalition, alliance
קוֹאָלִיצְיוֹנִי ת׳ coalition
קוֹאֶפִיצְיֶינְט (מְקַדֵּם) ז׳ coefficient
קוּב ז׳ cubic meter
קוּבָּה נ׳ hut, tent, brothel, Cuba
קוּבּוּץ ז׳ oo (Hebrew vowel)
קוּבְיוּסְטוּס ז׳ gambler, dice-player
קוּבִּיזְם (באמנות) ז׳ cubism
קוּבִּיָּה נ׳ cube, dice, die, brick
- קוביות dice
- קוביית קרח ice cube
קוֹבַּלְט (מתכת קשה) ז׳ cobalt
קוּבְלָנָה נ׳ complaint, charge
קוֹבַע ז׳ helmet, *tin hat
קוֹבֵעַ ת׳ setter, determinant
קוּבַּעַת נ׳ chalice, font, stoup, goblet
קוּבַּץ פ׳ be gathered, be collected
קוֹבֶץ ז׳ file, collection, anthology
- קובץ אב master file
קוֹבְּרָה (פתן) נ׳ cobra
קוּגֶל (פשטידת אטריות) ז׳ kugel
קוּגֶלָאגֶר (מֵסַב כַּדּוּרִי) ז׳ ball bearing
קוֹגְנִיטִיבִי (הַכָּרָנִי) ת׳ cognitive
קוֹגְנִיצְיָה (הכרה) נ׳ cognition
קוֹד (צוֹפֶן) ז׳ code
- קוד אתי code of ethics
קוֹדְאִין (סם) ז׳ codeine
קוֹדֵד פ׳ code, encode
קוֹדָה (יֶסֶף) נ׳ coda
קוֹדֵחַ ת׳ feverish, hectic, burning
קוֹדִיפִיקַצְיָה נ׳ codification
קוּדַם פ׳ be advanced, be promoted

קוֹדֵם ת׳ preceding, prior, previous, former, erstwhile
קוֹדֶם תה״פ previously, before
- מקודם before, previously
- קודם כל to begin with, first of all
קוֹדְמָן (בבלשנות) ז׳ antecedent
קוֹדקוֹד ז׳ head, crown, skull, top, vertex, apex
קוֹדֶקְס ז׳ code, codex
קוֹדֵר ת׳ gloomy, somber, sullen, morose, dark, dismal
קוּדַשׁ פ׳ be consecrated
קוֹדֶשׁ ז׳ holiness, sanctity
- קודש ל- dedicated to
- קודש קודשים holy of holies
קוֹהֶלֶת Ecclesiastes
קוֹהֶרֶנְטִי (קשור) ת׳ coherent
קְווָזָאר (גרם שמיימי) ז׳ quasar
קַוִּוי ת׳ linear, lined
קַוְויָאר (ביצי דגים) ז׳ caviar, caviare
קְווִינְטֶט (חמשית) ז׳ quintet
קַוָּון ז׳ lineman, linesman
קְוַונְט (חלקיק) ז׳ quantum
קְווּצַּת שֵׂיעָר נ׳ lock, curl, tress
קוּוקַו פ׳ hatch, line, shade
קוּוקוּו hatching, shading
קַווקָז Caucasus
קְווֵקֶר oats, oatmeal
קְווֵקֶר (בן כת נוצרית) ז׳ quaker
קְוורוּם (מניין מספיק) ז׳ quorum
קְוורטֶט (רְבִיעִית) ז׳ quartet, quartette
קְוורץ (מינרל) ז׳ quartz
קוּזַּז פ׳ be offset, be compensated
קוֹזָק ז׳ Cossack
- הקוזק הנגזל robber begs for mercy
קוֹטֶב ז׳ pole
- הקוטב הצפוני the North Pole
קוֹטְבִּי ת׳ polar, diametric
קוֹטְבִּיוּת נ׳ polarity, contrariety
קוֹטֶג׳ ז׳ cottage, cottage cheese
קוֹטֵל ת׳ lethal, killer, -cide
- קוטל חרקים insecticide
- קוטל נשים lady-killer, Don Juan
- קוטל עשבים herbicide
- קוטל קנים nobody, *small beer
קוּטְלַג פ׳ be cataloged
קוֹטֶן ז׳ smallness, little finger
קוֹטַנְגֶנְס ז׳ cotangent, cot
קוֹטֶר ז׳ diameter, gage
- קוטר פנימי caliber
*קוּטֶר (בכיין) complainer, bellyacher
קוּיַּם פ׳ be fulfilled, be kept
קוֹל ז׳ sound, voice, noise, vote
- אין קול ואין עונה nobody answers
- בקולי קולות loudly, noisily
- קול אחד with one voice, unanimously
- קול המון vox populi
- קול מכריע (של יו״ר) casting vote
- קול קורא manifesto, appeal
- קולות צפים floating vote
*קוּל (״גזעי״) ת׳ cool
קוּלָּא נ׳ leniency, mercy, clemency
קוֹלָב ז׳ coat hanger, clothes tree
קוֹלֶג׳ (מכללה) ז׳ college
קוֹלֶגָה (עמית) ז׳ colleague

קולומביָה נ׳ Colombia
קולוניָאלִי ת׳ colonial, of colonies
קולוניָאליזם ז׳ colonialism, imperialism
קולוניָה (מושבה) נ׳ colony
קולוניזציָה נ׳ colonization
קולונֶל (אלוף משנה) ז׳ colonel
קולוסָאלִי (עצום) ת׳ colossal
קולָז׳ (הדבקת גזירים) ז׳ collage
קולָח ז׳ hose-pipe, hose
קולֵט ז׳ collector, solar collector
קולטָן ז׳ receptor
קולִי ת׳ sound, sonic, vocal
קולִי (פועל במזרח) ז׳ coolie
קולייָס (דג) ז׳ mackerel
קולִינָארִי (של בישול) ת׳ culinary
קולִית נ׳ femur, thighbone
קולַל פ׳ be cursed, be damned
קולמוס ז׳ quill pen, pen
קולָן ז׳ tuning fork
קולנוֹעַ ז׳ cinema, movie, *flicks
- קולנוֹע רכב drive-in
קולנוֹעִי ת׳ movie, film, cinematic
קולָנִי ת׳ vociferous, noisy, loud
קולָנִיוּת נ׳ noisiness, vociferation
קולֶס ז׳ stalk, stem
קולֵעַ ת׳ hitting, fit, apt, apropos
קולַף פ׳ be peeled, be shelled
קולֶקטִיבִי ת׳ collective, corporate
קולֶקציָה (אוסף) נ׳ collection
קולָר ז׳ collar, torque, neckband
- תלה את הקולר ב- put the blame on
קולרַבִּי (כְּרוּב הַקָלַח) ז׳ kohlrabi
קום ז׳ curd
קומבַּיין (קְצַרדש) ז׳ combine
*קומבִּינָה נ׳ combination, trick
קומבִּינֶזוֹן ז׳ slip, petticoat, combinations, *combs
קומבִּינַציָה (צירוף) נ׳ combination
קומֶדיָה נ׳ comedy, slapstick
- קומדיית מצבים sitcom, situation comedy
קומָה נ׳ floor, story, height, stature
- קומת ביניים mezzanine
- קומת מרתף basement
- קומת קרקע ground floor
קומָה (תרדמת) ז׳ coma
קומוֹדוֹר (מְפַקֵד יַמִי) ז׳ commodore
קומוּלוּס (ענן ערימה) ז׳ cumulus
קומוּנָה (קבוצה) נ׳ commune
קומוּניזם ז׳ communism
קומוּניסט ז׳ communist, *commie
קומוּנִיקַציָה נ׳ communication
*קומזיץ ז׳ campfire picnic
קומַט פ׳ be creased, be wrinkled
קומִי ת׳ comical, farcical
קומִיסיוֹן (עמילות) ז׳ commission
קומִיסָר (מפקח) ז׳ commissar
קומִיקַאי ז׳ comedian, comic, *card
קומִיקָאִית נ׳ comedienne
קומִיקס (עלילון) ז׳ comics
קומֵם ת׳ rebuild, restore, raise
- קומם נגדו arouse against him
קוֹמְמִיוּת נ׳ independence, upright
קומַנדוֹ (חיל פשיטה) ז׳ commando
קומַנדקָר ז׳ command car

קומפּוֹזִיטוֹר (מלחין) ז׳ composer
קומפּוֹזִיציָה (יצירה) נ׳ composition
קומפּוֹט (לפתן) ז׳ compote, dessert
קומפּוֹסט (זבל אורגני) ז׳ compost
קומפּלִימֶנט (מחמאה) ז׳ compliment
קומפּלִיקַציָה (סיבוך) נ׳ complication
קומפּלֶקס (מערכת מבנים) ז׳ complex
קומפַּקט דיסק (תקליטור) ז׳ compact disc, CD
קומפַּקטִי ת׳ compact, compendious
קומפּרֶסוֹר (מדחס) ז׳ compressor
קוֹמַץ פ׳ be saved, be spared
קוֹמֶץ ז׳ handful, small quantity
קומקום ז׳ kettle
קומקומון ז׳ small kettle, teapot
קוֹמָתִי ת׳ storied, storeyed
קוֹמָתַיִים ת׳ two-storied
קוֹנָאָה נ׳ ninepin, tenpin, pin
קונבֶנציוֹנָלִי (שגרתי) ת׳ conventional
קונבֶקטוֹר (מפזר חום) ז׳ convector
קוֹנגוֹ נ׳ Congo
קוֹנגוֹ-בְּרַזָווִיל נ׳ Congo-Brazzaville
קונגרֶס ז׳ congress, legislature
קונדוֹם (כובעון) ז׳ condom
קונדוֹמִינִיוֹן ז׳ condominium, joint rule
קונדִיטָאוּת נ׳ confectionery
קונדִיטוֹרִיָה נ׳ pastry shop
קונדִישֶנֶר (מרכך שיער) ז׳ conditioner
קונדֶנסָטוֹר (מְעַבֶּה) ז׳ condenser
קונדֵס ז׳ prankster, pickle, rogue
קונדֵסוּת נ׳ prank, practical joke
קוֹנֶה ז׳ buyer, client, customer
קונוֹטַציָה נ׳ connotation
קונוּס (חרוט) ז׳ cone
קוּנַח פ׳ be wiped, be finished
קונטוּר (מְתאָר) ז׳ contour
קונטִינֶנט (יבשת) ז׳ continent
קונטִינֶנטָלִי ת׳ continental
קונטַקט (מגע) ז׳ contact
קונטֶקסט (הֶקשֵר) ז׳ context
קונטרַבַּס (בַּטְנוּן) ז׳ contrabass
קונטרוֹבֶרסִיאָלִי ת׳ controversial
קונטרֵס ז׳ pamphlet, booklet, signature, folded sheet
קונטרַסט (ניגוד) ז׳ contrast
קוֹנִי (חרוטי) ת׳ conic, conical
קוֹנִיאק ז׳ cognac, brandy
קוֹנִיוּקטוּרָה נ׳ conjuncture
קונכִיָה נ׳ conch, shell, seashell
קוֹנֵן פ׳ mourn, lament, bewail
קונסוּל ז׳ consul
קונסוֹלִידַציָה (גיבוש) נ׳ consolidation
קונסוּלִיָה נ׳ consulate
קונסוּלָרִי ת׳ consular
קונסוֹרציוּם (שותפות) ז׳ consortium
קונסטִיטוּציָה (חוקה) נ׳ constitution
קונסטִיטוּציוֹנִי ת׳ constitutional
קונסטֶלַציָה (תנאים) נ׳ constellation
קונסטרוּקטִיבִי (בונה) ת׳ constructive
קונסִיגנַציָה (מְשגוֹר) נ׳ consignation
קונסִיליוּם ז׳ consultation
קונסֶנסוּס (הסכמה) ז׳ consensus
קונספִּירַציָה (קֶשֶר) נ׳ conspiracy
קונספֶּקט (תקציר) ז׳ conspectus
קונסֶרבָטִיבִי (שמרן) ת׳ conservative

קונסרבים (שימורים) ז״ר	conserves
קונסרבטוריון ז׳	conservatoire
קונפדרציה נ׳	confederacy, union
קונפורמיזם (צייתנות) ז׳	conformity
קונפורמיסט (צייתן) ז׳	conformist
קונפטי (גזגזים) ז׳	confetti
קונפיגורציה (מערך) נ׳	configuration
קונפליקט (סכסוך) נ׳	conflict
קונפקציה (לבוש) נ׳	confection
*קונץ ז׳	trick, prank, legerdemain
קונצפציה (תפיסה) נ׳	conception
קונצרט ז׳	concert
קונצ׳רטו ז׳	concerto
קונצרטינה נ׳	concertina, barbed wire
קונצרן ז׳	concern, business
קונקורדנציה נ׳	concordance
קונקלבה (כינוס סגור) נ׳	conclave
קונקרטי ת׳	concrete, actual
קוסובו נ׳	Kosovo
קוסטה ריקה נ׳	Costa Rica
קוסינוס ז׳	cosine, cos
קוסם ז׳	magician, wizard, charmer
קוסמונאוט ז׳	cosmonaut, astronaut
קוסמוס ז׳	cosmos, universe
קוסמופוליטי ת׳	cosmopolitan, citizen of the world
קוסמטי ת׳	cosmetic, beautifying
קוסמטיקאי ז׳	beautician
קוסמטיקה נ׳	cosmetics, beautification
קוסמי ת׳	cosmic, universal
קועקע פ׳	be tattooed, be destroyed
קוף ז׳	monkey, simian, ape
- קופי אדם	anthropoids, apes
קוף נ׳	qoph (letter)
קוף המחט ז׳	eye of a needle
קופאי ז׳	cashier, banker, teller
קופד פ׳	be cut, be taken (life)
קופה נ׳	fund, pool, cash, bank, till, box-office, booking office
- קופה (במשחק קלפים)	kitty, pot
- קופה קטנה	petty cash
- קופה רושמת	cash register
- קופה של שרצים	criminal record
- קופת גמל	provident fund
- קופת חולים	sick fund
- קופת צדקה	poor box
- קופת תגמולים	provident fund
קופון (תלוש) ז׳	coupon
*- גזר קופון	profit, benefit
קופח פ׳	be discriminated against
קופטי ת׳	Coptic, Copt
קופי ז׳	skimmings, scum, froth
קופי ת׳	apish, simian
קופידון (אל האהבה) ז׳	Cupid
קופיף ז׳	little monkey
קופיץ ז׳	chopper, cleaver
קופיקה (מאית הרובל) ז׳	kopeck
קופל פ׳	be folded, be rolled up
קופל ז׳	padlock
קופסה נ׳	box, can, tin, canister
- קופסת גפרורים	matchbox
- קופסת טבק	snuffbox
- קופסת סיגריות	pack of cigarettes
קופסית נ׳	capsule, small box
קופץ ז׳	jumper, vaulter, diver
- אין קופצים עליו	it sells badly
- קופץ לגובה	high jumper
- קופץ לרוחק	long jumper
- קופץ מוט	pole vaulter
קוץ ז׳	thistle, thorn, prickle, spine
- ישב על קוצים	has ants in his pants
- עמד על קוצו של יוד	split hairs
קוצב זמן ז׳	timer
קוצב לב ז׳	pacer, pacemaker
קוצי ת׳	thorny, prickly, spiny
קוציץ (צמח קוצני) ז׳	acanthus
קוצני ת׳	thorny, prickly, spiny
קוצץ פ׳	be cut, be chopped
קוצץ ציפורניים	clippers
קוצר פ׳	be abridged, be shortened
קוצר ז׳	brevity, shortness
- קוצר יד	helplessness, impotence
- קוצר נשימה	difficult breathing
- קוצר ראייה	myopia, shortsightedness
- קוצר רוח	impatience
קוצר ז׳	reaper, harvester
קוקאין ז׳	cocaine, *coke
קוקו ז׳	pony tail, *peekaboo, cuckoo, not all there
קוקוס ז׳	coconut, coco
*קוקוריקו מ״ק	cock-a-doodle-doo
קוקטי (מתחנחן) ת׳	coquettish
קוקטיות (התחנחנות) נ׳	coquetry
קוקטייל (ממסך) ז׳	cocktail
קוקטית (מפלרטטת) נ׳	coquette
קוקייה נ׳	cuckoo
קוקני (ממזרח לונדון) ז׳	cockney
קוקסינל ז׳	transsexual
קור ז׳	chill, cold, coolness, frost
- קור כלבים	perishing cold
- קור רוח	composure, equanimity
קור ז׳	cobweb, spider's web
- קורי עכביש	cobweb, gossamer
קורא ז׳	partridge, reader, narrator
קוראן ז׳	Koran
קורב פ׳	be brought near
קורבטה (אוניית לחימה) נ׳	corvette
קורבן ז׳	sacrifice, victim, offering
קורדורוי ז׳	corduroy
קורה פ׳	be roofed over
קורה נ׳	beam, log, rafter, girder
- קורה (בהתעמלות)	balance beam
- קורת גג	shelter, roof
- קורת השער	goalpost, post
קורוזיה (שיתוך) נ׳	corrosion
קורות נ״ר	history, annals, events, memorials, chronicles
- קורות חיים	curriculum vitae
קורט ז׳	particle, grain, shred, trace
קורטוב ז׳	bit, drop, touch, pinch
קורטיזון (הורמון) ז׳	cortisone
קוריאה נ׳	Korea
קוריוז ז׳	curiosity, amusing event
קורל (אלמוג) ז׳	coral
קורמורן (עוף מים) ז׳	cormorant
קורן ת׳	shining, radiant, refulgent
קורנית (כלי נשיפה) נ׳	cornet
קורנית (צמח) נ׳	thyme
קורנס ז׳	drop hammer, drop press, sledgehammer

קוֹרְנפלוֹר (קמח תירס) ז׳ corn flour
קוֹרְנפלֶקְס (פתיתי תירס) ז׳ cornflakes
קוּרס ז׳ course, seminar, rate, price
קוֹרסֶט (מחוך) ז׳ corset
קוּרסִיב ז׳ italics, cursive
קוֹרֶספּוֹנְדֶנְצְיָה נ׳ correspondence
קוֹרֵעַ לֵב ת׳ heart-rending
קוֹרְפּוֹרָל (רב טוראי) ז׳ corporal
קוֹרַץ פ׳ be formed, be shaped
קוּרצַף פ׳ be curried, be brushed
קוּרְקְבָן ז׳ gizzard, crop, navel
קוֹרֶקְטִי ת׳ correct, seemly, proper
קוֹרֶקְטִיוּת נ׳ correctitude, propriety
קוֹרְקִינֶט (גלגיליים) ז׳ scooter
קוּרקַע פ׳ be grounded
קוּרקַף פ׳ be scalped, be beheaded
קוֹרַר פ׳ be cooled, be chilled
קוֹרַת רוּחַ נ׳ contentment, pleasure
קוּשַט פ׳ be adorned, be decorated
קוֹשִי ז׳ difficulty, hardness, trouble
קוּשְיָה נ׳ question, problem
קוּשָן ז׳ certificate of ownership
קוּשַר פ׳ be associated, be tied
קוֹשֵר ז׳ rebel, conspirator, plotter
קוֹשֵש פ׳ gather straw, pick
קוֹתֶל ז׳ fat meat, wall
- קותל חזיר bacon, ham, gammon
קָזוּאָר (עוף) ז׳ cassowary
קָזוּס בֶּלִי=עילה למלחמה casus belli
קָזַחסְטָן נ׳ Kazakhstan
קָזֵיאִין (מרכיב בחלב) ז׳ casein
קָזִינוֹ ז׳ casino
קַט ת׳ small, little, tiny, mini
קָטָאר נ׳ Qatar
קָטוּם ת׳ cut, lopped off, truncated
קָטוֹן פ׳ be small, be unworthy
- קטונתי I'm unworthy/small
קָטוֹן ת׳ small, young, little
קָטוּעַ ת׳ cut off, interrupted
קָטוּף ת׳ picked, plucked
קְטוֹרֶת נ׳ incense
קְטָטָה נ׳ affray, broil, altercation, quarrel, brawl, *dust-up
קָטֵיגוֹר ז׳ prosecutor
קָטֵיגוֹרִי ת׳ categorical, unqualified
קָטֵיגוֹרְיָה נ׳ category, prosecution
קְטִילָה נ׳ killing, pulling apart
קְטִימָה נ׳ lopping off, truncation
קָטִין ז׳ minor, under age, infant
קְטִינוּת נ׳ minority, nonage
קְטִיעָה נ׳ amputation, cutting off
קָטִיף ז׳ fruit picking season
קְטִיפָה נ׳ velvet, plush, velour
קְטִיפָתִי ת׳ velvety, plushy
קָטֶכִיסִיס (ספר לימוד) ז׳ catechism
קָטַל פ׳ kill, slay, slaughter, pull to pieces
קֶטֶל ז׳ carnage, killing, slaughter
קָטָלָב (מעצי החורש) ז׳ arbutus
קִטלֵג פ׳ catalog, classify
קָטָלוֹג ז׳ catalog, catalogue, list
קִטלוּג ז׳ cataloging, cataloguing
קָטָלִיז (זירוז) ז׳ catalysis
קָטָלִיזָטוֹר (זָרָז) ז׳ catalyst
קַטלָנִי ת׳ deadly, lethal, murderous, destructive, fatal, mortal

קָטַם פ׳ cut off, truncate, lop off
קָטָן ת׳ little, small, small boy
- קטן אמונה faithless, unbelieving
- קטנות petty matters, trivialities
קָטֵן וְהוֹלֵךְ ת׳ growing smaller
קַטנוּנִי ת׳ petty, trivial, narrow-minded, captious
קַטנוּנִיוּת נ׳ pettiness, punctilio
קַטנוֹעַ ז׳ motor scooter, scooter
קַטנוּת נ׳ smallness, childhood
קְטַנטַן ת׳ tiny, very small, *weeny
קִטנִית נ׳ legume, bean, pulse
קְטַנצ׳יק ת׳ tiny, very small
קָטַסטרוֹפָה (אסון) נ׳ catastrophe
קָטַסטרוֹפִי ת׳ catastrophic, disastrous
קָטַע פ׳ amputate, cut off, interrupt
קֶטַע ז׳ piece, section, passage, segment, portion, part, paragraph, excerpt
*- איזה קטע! what fun!
*- מה הקטע? what is it all about?
- קטע עיתון clipping, cutting
קָטַף פ׳ pick, pluck, pull off
קָטָקוֹמבָּה נ׳ catacomb, crypt, tomb
קָטַקְלִיזם (שואה) ז׳ cataclysm
קַטָר ז׳ engine, locomotive
קַטָרַאי ז׳ engine driver, engineer
קַטרָב ז׳ cotter, cotter pin, linchpin
קִטרֵג פ׳ charge, accuse, complain
קַטרֶגֶל ז׳ minifootball
קִטרוּג ז׳ charge, accusation, prosecution, denunciation
קָטָרַקט (ירוד) ז׳ cataract
קֶטשוֹפּ ז׳ ketchup, catsup
קִיא ז׳ vomit
קָיאק (סירה קלה) ז׳ kayak
קֵיבָה נ׳ stomach, *bowel movement, defecation
קִיבּוּל ז׳ capacity, acceptance
קִיבּוּלִית נ׳ jerrycan
קִיבּוֹלֶת נ׳ capacity, volume
קִיבּוּעַ ז׳ fixation, installing
קִיבּוּץ ז׳ gathering, kibbutz, communal settlement
- קיבוץ גלויות gathering of the exiles
- קיבוץ נדבות begging alms
קִיבּוּצִי ת׳ collective, communal
קִיבּוּצִיוּת נ׳ collectivism, collectivity
קִיבּוּצנִיק ז׳ member of a kibbutz
קִיבּוֹרֶת נ׳ biceps
קִיבִּיצֶר ז׳ kibitzer, looker-on
קִיבֵּל פ׳ obtain, receive, get, take, accept
*- קיבל על הראש get a telling-off
- קיבל על עצמו undertake, agree
- קיבל פנים welcome, greet
קִיבָּעוֹן ז׳ fixation, fixture
קִיבֵּץ פ׳ gather, collect, rally
- קיבץ נדבות beg (for) money
קִיבָּר ז׳ coarse flour
קִיבֶּרְנֶטִיקָה נ׳ cybernetics
קֵיבָתִי ת׳ gastric, stomachic
קִידֵד פ׳ code, encode, bore
קִידָה נ׳ bow, curtsy, curtsey, bob
קִידוּד ז׳ encoding, boring, drilling
קִידוּחַ ז׳ drilling, boring

קידום ז׳ advancement, promotion
- קידום מכירות sales promotion
- קידום פנים welcome, greeting
קידומת נ׳ dialing code, prefix
קידוש ז׳ consecration, Kiddush, Friday night blessing
- אותיות של קידוש לבנה big letters
- קידוש השם martyrdom
קידושין ז״ר marriage, betrothal
קידם פ׳ advance, promote, further
- קידם פניו welcome, greet, meet
קידש פ׳ sanctify, betroth, say Kiddush
- קידש מלחמה declare war
- קידש שם שמיים be a martyr
קיווה פ׳ expect, hope, desire
- קיווה לטוב hope for the best
קיווי (עוף) ז׳ kiwi
קיווית (עוף בִּיצָה) נ׳ pewit, lapwing
קיום ז׳ being, existence, subsistence, fulfillment, keeping
- קיום צוואה probate
קיומי ת׳ existential, subsistent
קיוסק ז׳ kiosk, buffet
קיזוז ז׳ setoff, offset, compensation
קיזז פ׳ set off, offset, set against, cancel, compensate, reduce
קיט ז׳ summer vacation
קיטב פ׳ polarize, counteract
קיטבג (מזוודה) ז׳ kitbag, duffle bag
קיטוב ז׳ polarization, polarity
קיטוע ז׳ cutting off, amputation
קיטור ז׳ steam, vapor, smoke
*קיטור ז׳ complaining, bellyaching
קיטע פ׳ chop, lop off, cut
קיטע ז׳ amputee, cripple
קיטר פ׳ burn incense, *complain, bellyache
קיטש ז׳ kitsch, vulgarized art
קייט פ׳ vacation, spend a holiday
קייטן ז׳ summer vacationer
קייטנה נ׳ summer resort
קייטרינג (הסעדה) ז׳ catering
קיים פ׳ fulfill, carry out, maintain, confirm, hold, keep, sustain
- קיים יחסים have relations with
קיים ז׳ existence, duration
קיים ת׳ existing, extant, alive, present, there is
קיימא ז׳ existence, duration
קיכלי ז׳ thrush, ouzel, throstle
קילו ז׳ kilo, 1000, kilogram, k
קילובייט ז׳ kilobyte, KB
קילוגרם ז׳ kilogram, kg
קילוהרץ ז׳ kilocycle, kilohertz, kHz
קילוואט ז׳ kilowatt, kW
קילוח ז׳ squirt, jet, flow, spurt
קילוליטר ז׳ kiloliter, kl
קילומטר ז׳ kilometer, km
קילוס ז׳ praise, acclaim, scorn
קילוף ז׳ peeling, shelling, paring
קילח פ׳ flow, stream, squirt, gush, shower, wash
קילל פ׳ curse, damn, wish ill, swear
קילס פ׳ praise, acclaim, scorn
קילף פ׳ peel, pare, shell, scale off

קימה נ׳ rising, getting up
קימוח ז׳ flouring, dredging, sprinkling
קימוט ז׳ creasing, fold, wrinkle
קימום ז׳ reconstruction, restoration, rehabilitation
קימונו (חלוק יפני) ז׳ kimono
קימוץ ז׳ thrift, economy, stint
קימור ז׳ arching, vault, arch
קימורת נ׳ anticline, arch
קימח פ׳ flour, sprinkle, dredge
קימחון ז׳ mildew, blight, mold
קימט פ׳ crease, crinkle, crumple, fold, wrinkle
- קימט מצחו knit one's brows
קימל (כרוויה) ז׳ caraway
קימץ פ׳ save, economize, skimp
קימר פ׳ arch, vault, camber, hunch
קין - אות קין sign of disgrace
קינא פ׳ envy, be jealous, grudge
קינה נ׳ lament, dirge, elegy
קינוח ז׳ wipe, cleaning, windup
- קינוח סעודה dessert, afters
קינון ז׳ nesting, penetrating
קינח פ׳ wipe, eat dessert, finish
קינטי (תנועתי) ת׳ kinetic
קינטיקה (תנועה) נ׳ kinetics
קינמון ז׳ cinnamon
קינן פ׳ nestle, build a nest, dwell, penetrate, nest
קיסוס (צמח מטפס) ז׳ ivy
קיסוסית (צמח מטפס) ז׳ smilax
קיסם ז׳ splinter, sliver, chip, spill
- קיסם שיניים toothpick
קיסר ז׳ emperor, Caesar
קיסרות נ׳ empire
קיסרי ת׳ imperial, royal, Cesarean
קיסרית ז׳ empress
קיעור ז׳ concavity, concaveness
קיעורת נ׳ syncline
קיער פ׳ concave, make concave
קיפאון ז׳ freeze, deadlock, stalemate, standstill
קיפד פ׳ cut, truncate
- קיפד חייו take his life
קיפה פ׳ remove scum, skim
קיפוד ז׳ hedgehog
- קיפוד ים sea urchin
- קיפוד נמלים porcupine anteater
קיפוח ז׳ deprivation, injustice, discrimination
קיפוי ז׳ scum, skimming
קיפול ז׳ crinkle, fold, crease, pleat
קיפולית (עוגה) נ׳ turnover
קיפון (דג) ז׳ mullet
קיפח פ׳ deprive, discriminate
- קיפח חייו be killed
קיפח ת׳ very tall, lanky
קיפל פ׳ fold, double, include
קיפץ פ׳ jump, leap, caper, gambol
קיץ ז׳ summer
קיצב פ׳ ration, allot
קיצוב ז׳ rationing, allotment
קיצוני ת׳ radical, extreme, extremist, utmost
- קיצוני (בספורט) wing, outside

קיצוניות נ׳ extremism, radicalism
קיצוץ ז׳ cutting, cutback, truncation, chopping, reducing, curtailment, cut
קיצור ז׳ abbreviation, abridgment, brevity, shortening, summary
- בקיצור in brief, briefly, in fine
- קיצור דרך short cut
- קיצורו של דבר in brief
קיצי ת׳ summery, summer
קיצץ פ׳ cut, chop, dice, truncate, curtail, reduce, ax
- קיצץ את כנפיו clip his wings
קיצר פ׳ abridge, shorten, be brief
קיק ז׳ castor oil seed
קיקיון ז׳ castor oil plant
קיקיוני ת׳ ephemeral, short-lived
קיר ז׳ wall
- מקיר אל קיר wall-to-wall
- עמד בפני קיר אטום not gain a hearing
קירב פ׳ draw near, show friendship
קירגיסטן נ׳ Kyrgyzstan
קירד פ׳ comb, scrape
קירה פ׳ roof, make a roof
קירוב ז׳ drawing near, nearness, proximity
- בקירוב approximately
- קירוב לבבות befriending
קירוי ז׳ roofing, roofing over
קירור ז׳ cooling, freezing
קירח ת׳ bald, bare, baldhead, hairless, treeless
- יצא קירח מכאן ומכאן lose either way
קירחות נ׳ baldness, hairlessness
קירר פ׳ chill, cool, ice, refrigerate
קישוא ז׳ squash, marrow, courgette, zucchini
קישוט ז׳ adornment, decoration, ornament, embellishment
קישוטי ת׳ decorative, ornamental
קישוי ז׳ hardening, erection
קישור ז׳ binding, tying, liaison, connection, linkage, ribbon
קישושת נ׳ splint, straw
קישח ת׳ hard, steely, tough
קישט פ׳ decorate, ornament, adorn
קישר פ׳ associate, bond, connect, tie, join, link
קישת פ׳ arch, camber
קיתון ז׳ jug, ewer
- קיתונות shower, barrage, deluge
קל ת׳ easy, simple, effortless, light, swift, agile, slight
- קל דעת fickle, frivolous, light-minded, flippant
- קל וחומר let alone, much more
- קל ערך unimportant, trivial
- קלי קלות piece of cake, easy
קלאוסטרופוביה נ׳ claustrophobia
*קלבוש ז׳ prison, calaboose
קלגס ז׳ soldier, subjugator
קלדנות נ׳ keyboarding
קלדנית נ׳ keyboarder, typist
קלה פ׳ roast, toast, parch

קלה (צמח) נ׳ calla
קלווניזם (בנצרות) ז׳ Calvinism
קלוז אפ (מקרב) ז׳ close-up
קלוט ת׳ taken in, absorbed
- קלוט מן האוויר baseless, false
קלוי ת׳ roasted, toasted, parched
קלון ז׳ dishonor, shame, infamy
קלוע ת׳ twisted, braided, plaited
קלוף ת׳ peeled, pared, shelled
קלוקל ת׳ corrupt, spoilt, inferior, poor, bad
קלורי ת׳ caloric, calorific
קלוריה נ׳ calorie, calory
- דל קלוריות low in calories
קלוש ת׳ thin, sparse, slack, scanty, weak, faint, slim
קלוש (בגד פעמון) ז׳ cloche
קלות נ׳ agility, ease, facility, lightness
- קלות דעת frivolity, recklessness
- קלות ראש frivolity, levity
קלות תה״פ lightly, gently
קלח פ׳ flow, stream, squirt, gush
קלח ז׳ stalk, stem, head (of cabbage)
קלחת נ׳ saucepan, pot, stock-pot, commotion, turmoil
קלט פ׳ absorb, take in, imbibe, understand, comprehend
קלט ז׳ input, reception center
קלטור (תיחוח) ז׳ cultivation
קלטי ז׳ Gaelic, Celtic, Keltic
קלטר פ׳ cultivate, break up soil
קלטרת נ׳ cultivator, tiller
קלטת נ׳ cassette
קלי ז׳ roasted grain, toast
קליבר ז׳ caliber, *big gun
קליגרפיה (כתיבה תמה) נ׳ calligraphy
קליד ז׳ key, manual, *ivory
קלידן ז׳ keyboardist
קליט ת׳ graspable, user-friendly
קליטה נ׳ absorption, taking in, understanding, grasping
קליידוסקופ ז׳ kaleidoscope
קליידוסקופי ת׳ kaleidoscopic, colorful, variegated
קלייה נ׳ roasting, toasting
קליינט ז׳ client, customer, buyer
קליינטורה נ׳ clientele, clients
קליל ת׳ light, easy, nimble, airy
קלילות נ׳ lightness, easy manners
קלילות תה״פ lightly, easily
קלימקס ז׳ climax, payoff, height
קלינאי ז׳ clinician
קליני (רפואי) ת׳ clinical
קליניקה (מרפאה) נ׳ clinic
קליע ז׳ bullet, slug, missile
קליעה נ׳ weaving, plaiting, shooting, sniping, shot
קליף ת׳ easily peeled
קליפ ז׳ clip
קליפה נ׳ crust, peel, shell, skin, rind, shrew, bad woman
- כקליפת השום worthless
- קליפת ביצה eggshell
- קליפת הגולם cocoon
- קליפת עץ bark

קָלִיפְּסוֹ (ריקוד) ז׳ calypso
קְלִיק ז׳ click
קְלִיקָה (כנופיה) נ׳ clique
קְלִירִינְג (סליקה) ז׳ clearing
קְלִישָׁאָה נ׳ cliche, hackneyed phrase
קְלִישֶׁה נ׳ cliche, hackneyed phrase
קְלִישׁוּת נ׳ thinness, slack, sparsity
קְלָלָה נ׳ curse, imprecation, oath
קְלֶמֶנְטִינָה נ׳ clementine
קַלְמָר ז׳ pencil case
קָלֶנְדָרִי ת׳ calendar
קַלְנוֹעַ ז׳ buggy, light vehicle
קֶלֶס ז׳ praise, scorn, mockery
קְלָסִי ת׳ classic, classical, first-rate
קְלָסִיּוּת נ׳ classicism, perfection
קְלָסִיקוֹן (אמן מופת) ז׳ classic
קְלָסֵר ז׳ (clamp) binder
קְלַסְתֵּר פָּנִים ז׳ features, face
קְלַסְתְּרוֹן ז׳ identikit, photofit
קָלַע פ׳ braid, plait, weave, twist, shoot, hit
- קלע למטרה hit the mark
קֶלַע ז׳ bullet, slug, shot, sling
קַלָּע ז׳ marksman, sharpshooter, shooter, slinger, shot, sniper
קַלָּעוּת נ׳ marksmanship
קְלָעִים ז״ר scenes, curtain, wings
- מאחורי הקלעים behind the scenes
קִלֵּף פ׳ peel, pare, shell
קְלָף ז׳ parchment, playing card
- קלף חזק ace, trump card
- קלף מיקוח bargaining card
קְלֶפְּטוֹמָן ז׳ kleptomaniac
קְלֶפְּטוֹמַנְיָה נ׳ kleptomania, strong impulse to steal
קַלְפִּי ז׳ ballot box, polls
קַלְפָן ז׳ gambler, *rook
קַלְפָנוּת נ׳ gambling
קְלַץ׳ (מצמד) ז׳ clutch
קַלְצְיוּם (סידן) ז׳ calcium
קִלְקוּל ז׳ spoiling, damage, corruption, *bug
- קלקול קיבה stomach upset
קִלְקֵל פ׳ spoil, damage, bungle, impair, corrupt, sin
קַלְקָלָה נ׳ failure, bad behavior
קַלְקָר ז׳ polystyrene, styrofoam
קְלַרִינֶט (קלרנית) ז׳ clarinet
קְלֶרִיקָלִי ת׳ clerical, of the clergy
קְלַרְנִיתָן ז׳ clarinetist
קִלְשׁוֹן ז׳ fork, pitchfork, hayfork
קַלַּת נ׳ fruit basket
קַלָּתִית נ׳ tartlet, tart
קָם פ׳ get up, rise, stand up
- לא יקום ולא יהיה it will never happen
- קם לתחיה revive, come to life
קָם ז׳ enemy, foe, riser
קַמָּאִי ת׳ ancient, primeval
קַמְבּוֹדְיָה נ׳ Cambodia
קמב״ץ = קצין מבצעים operations officer
קָמָה נ׳ standing corn
קָמוּט ת׳ crumpled, creased
קָמוּל ת׳ withered, wizened
קָמוּץ ת׳ clenched, closed, tight

קָמוּר ת׳ arched, convex, recurved
קֶמַח ז׳ flour, meal
- קמח תירס corn flour, cornstarch
קִמְחָא דְפִסְחָא Passover alms
קִמְחִי ת׳ floury, mealy
קֶמֶט ז׳ crease, crinkle, crumple, fold, wrinkle, line
קַמְטָן (זוחל דמוי נחש) ז׳ slowworm
קַמְטָר ז׳ chest of drawers
קָמִיט ת׳ wrinkly, crumply
קְמִילָה נ׳ withering, shriveling
קָמִין ז׳ oven, fireplace, stove
קָמִיסוֹל (בגד נשי) ז׳ camisole
קָמֵיעַ ז׳ amulet, cameo, charm, talisman, mascot
קְמִיצָה נ׳ ring finger, third finger
קָמִיקָזָה (מתאבד יפני) ז׳ kamikaze
קְמִירוּת נ׳ convexity, gibbosity
קָמַל פ׳ wither, dry up, shrivel, wilt
קָמֵל ת׳ withered, faded, dry
קָמֶלְיָה (פרח) נ׳ camellia, japonica
קִמְעָה תה״פ a bit, a little, slightly
- קמעה קמעה bit by bit
קִמְעוֹנַאי ז׳ retailer
קִמְעוֹנוּת נ׳ retail, retail trade
קִמְעוֹנִי ת׳ retail
קַמְפּוּס (קריה) ז׳ campus
קֶמְפִּינְג (מחנאות) ז׳ camping
קָמַץ פ׳ take a handful, shut
קָמַץ ah (Hebrew vowel)
קמצוץ ז׳ pinch, touch, a bit
קַמְצָן ז׳ closefisted, miser, parsimonious, stingy
קַמְצָנוּת נ׳ stinginess, parsimony
קַמְצָנִי ת׳ miserly, mean, niggardly
קָמַר פ׳ arch, vault
קמ״ר = קילומטר רבוע square kilometer
קִמְרוֹן ז׳ arch, camber, dome, vault
- קמרון הרגל instep
קָמֶרוּן נ׳ Cameroon
קמ״ש = קילומטר לשעה kilometers per hour
קֵן ז׳ nest, cell
- קן נשר eyrie, eyry, aery
- קן צרעות hornet's nest
קַנָּא ת׳ jealous, zealous
קִנְאָה נ׳ envy, jealousy, grudge
קַנָּאוּת נ׳ fanaticism, zeal, bigotry, fundamentalism
קַנַּאי ז׳ bigot, fanatic, zealot
קַנָּאִי ת׳ jealous, zealous, fanatical
קַנַּבּוֹס ז׳ cannabis, hemp
קֶנְגּוּרוּ ז׳ kangaroo
קָנָדָה נ׳ Canada
קָנָדִי ת׳ Canadian
קָנָה פ׳ buy, purchase, get, gain, acquire, possess
- קנה עולמו succeed, achieve fame
- קנה שם לעצמו win a reputation
קָנֶה ז׳ cane, rod, stick, reed
- קנה הנשימה trachea, windpipe
- קנה מידה criterion, scale, standard, gauge
- קנה סוכר sugar cane
- קנה רובה barrel

- קנה רצוץ	broken reed
קָנוּ (סירת משוט קלה) נ׳	canoe
קָנוּי ת׳	bought, purchased
קָנוֹן ז׳	canon, round
קְנוּנְיָה נ׳	collusion, plot, conspiracy, intrigue, cabal
קְנוֹקֶנֶת נ׳	tendril, bine, volute
קַנְטוֹן (מחוז) ז׳	canton
קַנְטוּר ז׳	taunt, teasing, raillery
קַנְטָטָה (במוסיקה) נ׳	cantata
קַנְטִינָה (חנות צבאית) נ׳	canteen
קִנְטֵר פ׳	vex, annoy, tease, rib
קַנְטָר ז׳	crowbar, pole, rod
קַנְטְרִיקְלַבּ ז׳	country club
קַנְטְרָנוּת נ׳	annoyance, teasing
קַנְטְרָנִי ת׳	vexatious, annoying
קָנִיבָּל ז׳	cannibal, maneater
קָנִיבָּלִי ת׳	cannibalistic
קָנִיבָּלִיּוּת נ׳	cannibalism
קֶנְיָה נ׳	Kenya
קַנְיוֹן ז׳	mall, shopping center
קַנְיוֹן ז׳	canyon, gulch
קְנִיָּה נ׳	purchase, buy, bargain
- קניות	shopping
- קנייה בתשלומים	installment plan, hire purchase, HP
קִנְיָן ז׳	property, ownership
- קניין רוחני	intellectual property
קַנְיָן ז׳	buyer, purchaser
קִנְיָנִי ת׳	proprietary, acquired
קָנַס פ׳	fine, sentence, mulct
קְנָס ז׳	fine, forfeit, surcharge
קַנְצְלֶר ז׳	chancellor
קַנְקַן ז׳	jar, jug, amphora, coffeepot, teapot, cancan
- תהה על קנקנו	evaluate him
קִנְרֵס ז׳	artichoke
קַסְבָּה (רובע מגורים) נ׳	Casbah
קַסְדָּה נ׳	helmet, headpiece, *tin hat
- קסדת מגן	crash helmet
קָסוּם ת׳	magic, charmed
קַסֶּטָה (קַלֶּטֶת) נ׳	cassette, cartridge
קַסְטַנְיֶיטוֹת (ערמוניות) נ״ר	castanets
קְסִילוֹפוֹן (מקושית) ז׳	xylophone
קָסַם פ׳	fascinate, charm, appeal
קֶסֶם ז׳	charm, fascination, magic, enchantment, spell
קְסֶנוֹפוֹבְּיָה (בַּעַת זָרִים) נ׳	xenophobia
קַסְקֶט ז׳	peak cap
קְסַרְקְטִין ז׳	barracks, military camp
קֶסֶת נ׳	inkbottle, inkwell, ink-pot
קָעוּר ת׳	concave, incurved
קְעִירוּת נ׳	concavity, concaveness
קַעֲקוּעַ ז׳	tattoo, destruction
קִעְקֵעַ פ׳	tattoo, destroy, tear down
קַעֲקַע ז׳	tattoo
קַעַר ז׳	concavity, syncline
קְעָרָה נ׳	basin, bowl, dish, tub
קְעַרוּרִי ת׳	concave, incurved
קְעָרִית נ׳	small bowl
קָפָא פ׳	freeze, congeal, freeze over
- קפא על שמריו	stand still, mark time
קָפֶאִין (אלקלואיד) ז׳	caffeine
קַפְדָן ת׳	strict, severe, pedant
קַפְדָנוּת נ׳	strictness, severity
קַפְדָנִי ת׳	austere, strict, severe, pedantic, scrupulous
קָפֶה ז׳	coffee, cafe
- קפה הפוך	coffee with milk
- קפה נמס	instant coffee
קָפוּא ת׳	frozen, iced, congealed
קַפּוֹטָה נ׳	long coat, capote
קָפוּץ ת׳	closefisted, clenched
קַפּוּצִ'ין (מעיל) ז׳	capuchin
קַפּוּצִ'ינוֹ ז׳	cappuccino
קְפוֹזָנַב ז׳	springtail
קָפַח פ׳	strike, beat, hit
קַפְטָן ז׳	caftan, kaftan, long coat
קָפֶטֶרְיָה (מזנון) נ׳	cafeteria
קְפִיאָה נ׳	freezing, solidifying, congealing, stagnation
- קפיאה על השמרים	marking time
קְפִידָה נ׳	strictness, rigor
קַפִּיטָל (הון) ז׳	capital
קַפִּיטָלִיזְם (רכושנות) ז׳	capitalism
קַפִּיטָלִיזַצְיָה (היוון) נ׳	capitalization
קַפִּיטָלִיסְט (רכושן) ז׳	capitalist
קַפִּיטָלִיסְטִי (רכושני) ת׳	capitalistic
קַפִּילָארִי (נימי) ת׳	capillary
קְפִיץ ז׳	spring, elastic, snake
קְפִיצָה נ׳	bounce, caper, jump, leap, spring, bound
- קפיצה משולשת	hop step and jump, triple jump
- קפיצת גובה	high jump
- קפיצת הדרך	short cut
- קפיצת מוט	pole vault
- קפיצת ראש	header, headlong dive
- קפיצת רוחק	long jump, broad jump
קְפִיצִי ת׳	elastic, springy
קְפִיצִיּוּת נ׳	springiness
קֶפֶל ז׳	crease, fold, pleat, tuck
קָפֶּלָה (חדר תפילה) נ׳	chapel
קֶפֶּלֶט ז׳	hairpiece, wig
קַפֶּנְדְּרִיָּה נ׳	short cut
קַפְסוּלָה נ׳	capsule, cachet
קָפַץ פ׳	spring, bounce, caper, jump, leap, vault, *drop in, pop in
*- קפוץ לי!	definitely not!, no!
- קפץ ידו	be tightfisted
- קפץ כיתה	skip a class
- קפץ על המציאה	grab a bargain
קֶפֶץ (מפרק ברגל הסוס) ז׳	hock
קַפְצוֹן ז׳	cap
קִפֵּץ פ׳	caper, jump, leap, gambol
קַפֶּצֶת נ׳	trampoline
קַפְקָאִי ת׳	Kafkaesque, nightmarish
קַפְרִיזָה נ׳	caprice, freak, whim
קַפְרִיזִי ת׳	capricious, wayward
קַפְרִיסִין נ׳	Cyprus
קַפְּרִיצ'וֹ ז׳	caprice, capriccio
קָץ פ׳	loathe, detest, wake up
קֵץ ז׳	end, stop, termination, death
- כלו כל הקצים	all hope was lost
- מקץ	after, afterwards
- עד אין קץ	endlessly
- קץ הימים	doomsday
קָצַב פ׳	allot, allocate, apportion, assign, ration
- קצב עונש	fix a sentence

קֶצֶב ז׳ rhythm, tempo, meter, rate, pace, measure, time
קַצָּב ז׳ butcher
קִצְבַּאי ז׳ pensioner
קִצְבָּה נ׳ allowance, grant, pension
- קצבה שנתית annuity
- קצבת זקנה old age pension
- קצבת נכות disability allowance
קַצָּבוּת נ׳ butchery
קִצְבִּי ת׳ rhythmical
קָצֶה ז׳ border, brim, brink, edge, end, extremity, tip
- אפס קצהו a bit of it
- בקצה המזלג a bit, very little
- מן הקצה אל הקצה from end to end
- על קצה לשונו on the tip of his tongue
- קצה הקרחון tip of the iceberg
- קצה חוט sign, clue, lead
- קצווי תבל ends of the earth
קָצוּב ת׳ fixed, allotted, rhythmical
קְצוּבָּה נ׳ allowance
- קצובת נסיעה traveling allowance, mileage
קְצָווֹת (רבים של קצה) ז״ר ends
קְצוּנָה נ׳ officers' class, commission
קָצוּץ ת׳ cut off, cut, truncate, chopped, minced
*- לא שם קצוץ not care a damn
קֶצַח ז׳ fennel, love-in-a-mist
קָצִין ז׳ officer
- קצין ביטחון security officer
- קצין מבחן probation officer
- קצין מטה staff officer
- קצין עיר town-major
- קצין קישור liaison officer
- קצין תורן orderly officer
קְצִינוּת נ׳ officers' rank
קְצִיפָה נ׳ cream, mousse, frosting
קָצִיץ ז׳ meat loaf
קְצִיצָה נ׳ croquette, cutlet, rissole, patty, fish cake, meatball
קָצִיר ז׳ harvest, harvest-time
- קציר דמים death toll
קְצִירָה נ׳ harvesting, reaping
קָצַף פ׳ be angry, be furious, foam
קֶצֶף ז׳ foam, froth, lather, anger, fury, wrath
- קצף גלים surf, foam
- קצף סבון soapsuds, suds
- קצף של בירה head, foam
קַצֶּפֶת נ׳ whipped cream, cream, icing, frosting
קָצַץ פ׳ chop, dice, truncate, curtail, reduce, cut up, hash
קָצַר פ׳ reap, harvest, mow, be short, have, get
- קצר את הפירות reap the fruits
- קצר הצלחה have much success, make a hit
- קצרה ידו be powerless
- קצרה רוחו be impatient
קֶצֶר ז׳ short circuit, friction
קָצָר ת׳ short, brief, concise, curt
- קצר ולעניין brief and to the point
- קצר יד helpless, powerless
- קצר ימים short-lived
- קצר מועד short-dated, short-term
- קצר נשימה short-winded, out of breath
- קצר ראות myopic, shortsighted
- קצר ראייה nearsighted, shortsighted
- קצר רוח impatient, restless
קַצְרְדָשׁ ז׳ combine (harvester)
קְצָרוֹת תה״פ briefly, in short
קְצָרִים (מכנסונים) ז״ר shorts
קַצְרָן ז׳ stenographer
קַצְרָנוּת נ׳ shorthand, stenography
קְצַרְצַר ת׳ very short, *shortie
קַצֶּרֶת נ׳ asthma
קְצָת תה״פ bit, little, some, somewhat
- קצת קצת bit by bit, piecemeal
ק״ק = קהילה קדושה holy community
קָקָאוֹ ז׳ cocoa, cacao
קָקָדוּ (תוכי) ז׳ cockatoo
קָקוֹפוֹנְיָה (תַּצְרוּם) נ׳ cacophony
קַקְטוּס (צָבָּר) ז׳ cactus
קַר ת׳ cold, chilly, cool, frigid
- קר לי I'm cold
- קר מזג cold-tempered
- קר רוח composed, cool
קָרָא פ׳ call, name, read, cry, shout, proclaim, exclaim
- קרא דרור set at liberty, let loose
- קרא לסדר call to order
- קרא תיגר challenge, impugn
קָרָא (ממיני הדלעת) ז׳ squash
קָרָאִי ז׳ Karaite
קָרַב פ׳ approach, come near, near
קְרָב ז׳ battle, fight, combat, match
- קרב חמש pentathlon
- קרב מגע hand-to-hand combat
- קרב עשר decathlon
קָרֵב ת׳ approaching, oncoming
קֶרֶב ז׳ interior, inside
קִרְבָה נ׳ adjacency, nearness, proximity, kinship, affinity, relation, relationship
- בקרבת מקום near, close by
- קרבת דם kinship, consanguinity
- קרבת חיתון affinity
קַרְבּוֹנָט (פַּחְמָה) ז׳ carbonate
קַרְבּוּרָטוֹר (מְאַיֵּד) ז׳ carburetor
קְרָבִי ת׳ battle, combat, fighting
קְרָבִיּוּת נ׳ fighting spirit
קְרָבַיִם ז״ר bowels, entrails
קֶרֶד ז׳ fur
קַרְדָּה (צמח קוצני) נ׳ thistle
קַרְדּוֹם ז׳ ax, axe, adze, hatchet
- עשהו קרדום לחפור בו turn it to his advantage, make use of it
קַרְדִּיגָן (מִקְטוֹרָה) ז׳ cardigan
קַרְדְּיוֹגְרָמָה (תרשים לב) נ׳ cardiogram
קַרְדְּיוֹלוֹג (רופא לב) ז׳ cardiologist
קַרְדְּיוֹלוֹגְיָה נ׳ cardiology
קְרֶדִיט (אשראי) ז׳ credit
קַרְדִּינָל (חשמן) ז׳ cardinal
קַרְדִּינָלִי (יסודי) ז׳ cardinal
קָרָה פ׳ happen, occur, chance, come about, befall

*- למה מה קרה ? nothing happened!
*- מה קרה לך ? you talk nonsense!
קָרָה נ' frost, cold
קָרוּא ז' guest, invited
- ועדה קרואה nominative council
קרוֹא וּכְתוֹב reading and writing
קְרוֹאַטְיָה נ' Croatia
קְרוּאַסוֹן (סַהֲרִית) ז' croissant
קָרוֹב ת' approximate, close, near, related, relative
- מקרוב recently, intimately
- קרוב ל- about, around, near
- קרוב לוודאי probably
- קרוב משפחה kinsman, relative
קְרָוָון ז' caravan, mobile home
קְרוּטוֹן (קוביית לחם) ז' crouton
קָרוּי ת' called, named
קְרוּם ז' crust, skin, membrane, film
- קרום הבתולים hymen
- קרום שחייה web
קָרוּם ת' cream, creme
קְרוּמִי ת' membranous, cuticular
קְרוּמִית נ' membrane, cuticle
קָרוֹן ז' car, cart, coach, wagon
- קרון מסעדה dining car
- קרון משא freight car
- קרון מת hearse
- קרון נוסעים passenger car
- קרון רכבת car, carriage
- קרון שינה sleeping car, wagon-lit
קְרוֹנִית נ' trolley, cart, go-cart
קֶרוֹסִין ז' kerosene, paraffin oil
קְרוּסֶלָה נ' merry-go-round, roundabout, carousel, carrousel
קָרוּעַ ת' torn, tattered, ragged
קְרוּפִּיֶיה (קופאי) ז' croupier
קָרוּץ ת' formed, made, shaped
קְרוֹקֶט (מִשְׂחָק) ז' croquet
קָרוּשׁ ת' jellified, coagulated, congealed
קְרוֹשֶׁה (סריג) ז' crochet
קֵרוּל ז' curling, waving, kink
קֵרֵל פ' curl, wave, frizzle
קֶרַח ז' ice
קָרְחָה נ' bald place, clearing
קַרְחוֹן ז' glacier, iceberg, berg
קָרַחַת נ' baldness, bald spot
- קרחת יער glade, clearing
קָרָט (יחידת משקל) ז' carat
קָרָטֶה (שיטת התגוננות) ז' karate
קַרְטוֹגְרָף (מפאי) ז' cartographer
קַרְטוֹגְרַפְיָה (מפאות) נ' cartography
קַרְטוֹן ז' cardboard, pasteboard, box, case
קִרְטוּעַ ז' fidgeting, rocking
קַרְטֶזִיאָנִי (של דקארט) ת' Cartesian
קַרְטֶל ז' cartel, trust, monopolizers
קִרְטֵם פ' cut, nip, truncate
קִרְטֵעַ פ' fidget, limp, leap
קֶרִי ז' pollution, emission
קְרִי תה"פ should be read as
קָרִיא ת' legible, readable
קְרִיאָה נ' call, cry, exclamation, naming, reading, appeal
- קריאה שנייה (בכנסת) second reading
- קריאת ביניים interjection
- קריאת הגבר cockcrow
קְרִיאוּת נ' legibility, readability
קִרְיָה נ' city, town, district, campus
*קְרִיזָה נ' shock, crisis, seizure
קְרִיטִי ת' critical, crucial
קְרִיטֶרְיוֹן (אבן בוחן) ז' criterion
קִרְיֵין פ' announce, broadcast
קַרְיָין ז' announcer, narrator
- קריין רצף linkman, anchorman
קַרְיָינוּת נ' announcing, narration
קַרְיֶירָה נ' career, occupation
קַרְיֶירִיסְט ז' careerist, climber
קְרִימִינוֹלוֹג ז' criminologist
קְרִימִינוֹלוֹגְיָה נ' criminology
קְרִימִינָלִי (פלילי) ת' criminal
קָרִין ז' keel
קְרִינָה נ' radiation, radiance
קְרִינוֹלִינָה (שמלה רחבה) נ' crinoline
קְרִיסָה נ' collapse, fall, cave-in
קְרִיסְטָל ז' crystal
קְרִיעָה נ' tear, rending, laceration
*- קריעת ישבן hard work
- קשה כקריעת ים סוף very difficult
קְרִיצָה נ' wink, glance, ogle
קְרִיקֶט (מִשְׂחָק) ז' cricket
קָרִיקָטוּרָה נ' caricature, cartoon
קָרִיקָטוּרִיסְט ז' caricaturist, cartoonist
קָרִיר ת' chilly, cool, frigid, *parky
קְרִירוּת נ' coolness, frigidity
קָרִישׁ ז' aspic, jelly, gel
- קריש דם blood clot, embolus
קְרִישָׁה נ' jellying, clotting
קָרַם פ' crust over, form a crust
- קרם עור וגידים form, take shape
קְרֶם ז' cream, icing, creme
קְרֶמָטוֹרְיוּם (מִשְׂרָפָה) ז' crematorium
קֶרָמִיקָה (קַדָּרוּת) נ' ceramics
קָרָמֶל (שֶׂרֶף סוּכָּר) ז' caramel
קָרֶמֶת (אסכרה) נ' diphtheria
קָרַן פ' shine, radiate, beam, bloom
קֶרֶן נ' fund, capital, principal, horn, beam, ray, corner
- הצמיחה לו קרניים cuckold
- הרים קרן exalt, dignify, ennoble
- קרן אור ray of light, beam
- קרן אנגלית cor anglais, English horn
- קרן הצבי antler, dubious enterprise
- קרן השפע cornucopia, horn of plenty
- קרן השתלמות training fund
- קרן זווית corner
- קרן יער French horn
- קרן נאמנות trust fund
- קרן צרפתית French horn
- קרן קיימת לישראל Jewish National Fund
- קרן שמש sunbeam
- קרני רנטגן X rays
קַרְנָבָל ז' carnival, festival, rag
קַרְנִי ת' horny, hornlike
קַרְנִית נ' cornea
קַרְנָן ז' cuckold

קַרְנַף ז'	rhinoceros, rhino
קָרַס פ'	fall, collapse, cave in, yield, kneel, buckle
קֶרֶס ז'	barb, hook, clasp, fishhook
קַרְסֹל ז'	ankle, hock
- לא מגיע לקרסולי-	can't hold a candle to
קַרְסוּלִית נ'	gaiter, spat, legging
קָרַע פ'	rend, rip, tear, lacerate
*- קרע הישבן	break one's neck
- קרע לגזרים	shred, tear apart
- קרע קריעה	tear mourner's garment
קֶרַע ז'	rent, tear, rip, tatter, rift
קְרֶפּ ז'	crape, crepe
קַרְפָּדָה נ'	toad
קַרְפִּיוֹן ז'	carp
קַרְפִּיף ז'	enclosure, enclosed yard
קָרַץ פ'	wink, ogle, form, shape, cut out, divide dough
- קרץ לו	attract, appeal, fascinate
קִרְצוּף ז'	scraping, currying
קַרְצִית (טפיל) נ'	tick
קִרְצֵף פ'	brush, scrape, curry
קַרְצֶפֶת נ'	currycomb, brush
קִרְקוּעַ ז'	grounding
קִרְקוּר ז'	cackle, cluck, croaking
קִרְקָס ז'	circus
קִרְקַע פ'	ground
קַרְקַע נ'	ground, land, soil
- קרקע אוויר (טיל)	ground-to-air
- קרקע בתולה	virgin soil
קַרְקָעִי ת'	soil, ground
קַרְקָעִית נ'	bottom, base, bed
קִרְקֵף פ'	scalp, behead, decapitate
קָרְקֶפֶת נ'	scalp, head, pate
קִרְקֵר פ'	cackle, cluck, croak
קְרֶקֶר ז'	cracker, crisp biscuit
קֶרֶשׁ ז'	board, plank, batten
- קרש בציעה/חיתוך	breadboard
- קרש גיהוץ	ironing board
- קרש הצלה	lifesaver
- קרש קפיצה	springboard, diving board, steppingstone
- קרשי הבימה	the boards
קְרֶשֶׁנְדוֹ (מִתְגַּבֵּר) תה"פ	crescendo
קֶרֶת נ'	city, town
קַרְתָּנוּת נ'	provincialism
קַרְתָּנִי ת'	provincial, rustic, *hick
קַשׁ ז'	straw
- הקש ששבר את גב הגמל	the last straw
- קש וגבבה	worthless talk
קַשָּׁב ז'	listener, monitor
קֶשֶׁב ז'	attention, listening
קָשָׁה פ'	harden, be difficult
קָשֶׁה ת'	difficult, arduous, hard, rough, rigid, tough, severe
- קשה הבנה	slow-witted, dull
- קשה יום	dejected, miserable
- קשה לכעוס	slow to anger
- קשה מנשוא	insupportable
- קשה עורף	stubborn, obstinate
- קשה תפיסה	slow-witted
קַשּׁוּב ת'	attentive, listening
קַשְׂוָה נ'	valve, shell, shuck
- קשוות הצדפה	clamshell, valve
קָשׁוּחַ ת'	hard, callous, rigid, stern, tough, inexorable
- קשוח לב	hardhearted
קָשׁוּר ת'	bound, tied, connected, related, relevant
קָשׁוֹת נ"ר	hard words
קַשָּׁט ז'	decorator, embellisher
קֹשִׁי- ראה קוֹשִׁי	hardness, difficulty
קָשְׁיוּ (אגוז) ז'	cashew
קַשְׁיוּת נ'	hardness, rigidity, temper
- קשיות עורף	obstinacy, self-will
קָשִׁיחַ ת'	hard, rigid, immovable
קְשִׁיחוּת נ'	hardness, rigidity
- קשיחות לב	callousness
קְשִׁירָה נ'	tying, binding
- קשירת קשר	conspiracy, plot
קְשִׁירוּת נ'	cohesion
קָשִׁישׁ ת'	old, aged, elder, elderly
קְשִׁישׁוּת נ'	old age, seniority
קַשִּׁית נ'	straw
קַשְׁמִיר נ'	Kashmir
קִשְׁקוּשׁ ז'	ringing, tinkling, scribble, scrawl, *nonsense, yak
קִשְׁקֵשׁ פ'	tinkle, scribble, *prattle
*- קשקש בקומקום	talk nonsense
קַשְׂקַשִּׂי ת'	scaly, flaky, imbricate
קַשְׂקַשִּׂים ז"ר	dandruff, scurf, scales
קַשְׁקְשָׁן ז'	chatterbox, prattler
קַשְׂקֶשֶׂת נ'	dandruff, scurf, scale
קָשַׁר פ'	tie, bind, join, fasten
- קשר כתרים ל-	sing him praises
- קשר קשר	conspire, plot
קֶשֶׁר ז'	tie, connection, knot, conspiracy, plot, joint, bond, relation, node
- קשר גורדי	Gordian knot
- קשר ימי	knot
- קשר עין	eye contact
קַשָּׁר ז'	signaler, signalman, liaison, midfield player, halfback
קַשָּׁרוּת נ'	liaison, signaling
קִשְׁרִי ת'	nodal
קִשְׁרִיר ז'	nodule
קִשְׁרִית נ'	nodule
קֹשֵׁשׁ פ'	gather straw
קֶשֶׁת נ'	arc, arch, bow, rainbow
- קשת פחם	carbon arc, arc lamp
- קשת רחבה	wide spectrum, full range
קַשָּׁת ז'	bowman, archer
קַשָּׁתוּת נ'	archery
קַשְׁתִּי ת'	arched, vaulted
קַשְׁתִּית נ'	iris, fretsaw
קַשְׁתָּנִית נ'	bow, drill
קַת נ'	butt, handle, haft, shaft
קָתֶדְרָה נ'	cathedra, chair
קָתֶדְרָלָה נ'	cathedral
קָתוֹדָה נ'	cathode, negative pole
קָתוֹלִי ת'	Catholic, *papist
קָתוֹלִיוּת נ'	Catholicism, popery
קָתֶטֶר ז'	catheter
קַתְרוֹס ז'	guitar, lute
קַתְרוֹסָן ז'	lutanist
קָתַרְזִיס (טיהור הנפש) ז'	catharsis
קָתַרְטִי ת'	cathartic

ר

ר' = ראה q.v., quod vide, see
ר' = רבי rabbi
רָאָה פ׳ see, watch, look, perceive, notice, understand
- ראה בעין יפה favor, sympathize
- ראה בעין רעה disfavor, frown on
- ראה לנכון see fit
רַאֲוָה נ׳ show, display
רַאַוְתָן ז׳ exhibitionist, showoff
רַאַוְתָנוּת נ׳ ostentation, showiness, exhibitionism
רַאַוְתָנִי ת׳ ostentatious, showy
רָאוּי ת׳ deserving, worthy, proper, suitable, fit
- ראוי לשמו worth one's salt, good
רְאוּיוּת נ׳ worthiness, fitness
רֵאוֹרְגָנִיזַצְיָה נ׳ reorganization
רְאוּת נ׳ eyesight, vision, visibility
- כראות עיניו as one sees fit
רְאִי ז׳ mirror, looking glass
רְאָיָה נ׳ proof, evidence
- הא ראיה here is the proof
- ראיה חותכת/מכרעת decisive evidence
רֵאָיוֹן ז׳ appointment, interview
רִאְיוּן ז׳ interviewing
רְאִיָּה נ׳ eyesight, sight, seeing, looking, vision
- ראיית הנולד foresight, prescience
רִאְיֵן פ׳ interview
רֵאִינוֹעַ ז׳ cinema, movies
רְאִיקוֹלִי ת׳ audiovisual
רֶאפּ (מוזיקה קצבית) ז׳ rap
רֶאפֶּר (מוזיקאי ראפ) ז׳ rapper
רְאֵם ז׳ oryx, antelope
ראש ז׳ head, top, leader, chief, start, beginning
- בראש ובראשונה first and foremost
- בראש חוצות openly, in public
*- ג'וק בראש bee in one's bonnet
- ראש בקר head of cattle
- ראש גשר bridgehead
- ראש הטקס master of ceremonies, emcee
- ראש השנה New Year
- ראש התורן masthead
- ראש חודש new moon, first day of month
- ראש חוף beachhead
- ראש חץ arrowhead, salient
*- ראש כרוב woodenhead, fool
- ראש להק group captain
- ראש ממשלה prime minister, premier
- ראש מנזר abbe, abbot
- ראש נפץ גרעיני nuclear warhead
- ראש עיר mayor, mayoress
- ראש קבוצה captain, skipper
*- ראש קטן low profile, avoiding responsibility
- ראשו בעננים on cloud nine, wishful thinker
- ראשו ורובו ב- up to his neck in
- ראשי תיבות acronym, abbreviation, initials
רִאשׁוֹן ת׳ first, former, initial
- מכלי ראשון from the horse's mouth
- ראשון בין שווים primus inter pares
רִאשׁוֹנָה תה״פ first, in the first place
רִאשׁוֹנִי ת׳ first, original, prime
רִאשׁוֹנִיּוּת נ׳ originality
רָאשׁוּת נ׳ leadership, head
- בראשותו headed by him
- ראשות ממשלה premiership
- ראשות עיר mayoralty
רָאשִׁי ת׳ chief, primary, main, major, principal
רֵאשִׁית נ׳ beginning, start, firstly
- ראשית כל first of all, to start with, *for starters
רֵאשִׁיתִי ת׳ primitive, primeval
רֹאשָׁן ז׳ tadpole
רָב פ׳ quarrel, fight, dispute, row
רַב ז׳ rabbi, teacher
- רב צבאי army chaplain
רַב ת׳ much, many, numerous, large, strong, poly-, multi, -ful
- רב אחריות responsible
- רב איבר polynomial
- רב אלוף general, lieutenant-general
- רב אמן grand master
- רב חובל captain
- רב חשיבות all-important
- רב טבחים chef, murderer
- רב טוראי corporal
- רב כוח all-powerful, mighty
- רב כלאי warden, warder
- רב לשוני multilingual
- רב מכר best seller
- רב משמעות meaningful
- רב נגד chief warrant officer
- רב ניצב police commissioner
- רב סמל sergeant first class
- רב סמל בכיר warrant officer
- רב סמל מתקדם sergeant major
- רב סמל ראשון first sergeant
- רב סרן major
- רב ערך valuable, important
- רב פעלים doer, active person
- רב פקד superintendent
- רב צדדי all-round, versatile, multilateral
- רב צורות multiform, variform
- רב צלעון polygon
- רב קולי polyphonic
- רב קומות multistorey, high-rise
- רב רושם impressive, imposing
- רב שוטר lance corporal
- רב שיח symposium
- רב שימושי multipurpose, general-purpose
- רב שנתי perennial
- רב תכליתי all-purpose, utility
רַב תה״פ enough, sufficiently
רְבָב ז׳ stain, blot, taint, blemish

ten thousand, 10000 רְבָבָה נ׳
one of 10000 equal parts רִבְבִית נ׳
colorful, multicolored רַבְגוֹנִי ת׳
variety, variegation רַבְגוֹנִיּוּת נ׳
strata רְבָדִים (רַבִּים שֶׁל רוֹבֶד) ז״ר
multiply, propagate, increase, be numerous רָבָה פ׳
stratified, laminated רָבוּד ז׳
revolution רֶבוֹלוּצְיָה (מהפכה) נ׳
rebus רֶבּוּס ז׳
square, quadrate רָבוּעַ ת׳
lying, couchant רָבוּץ ת׳
much, a great deal רַבּוֹת תה״פ
novelty, news, discovery רְבוּתָא נ׳
gentlemen! רַבּוֹתַי מ״ק
corporal רב״ט = רב טוראי
rabbi, teacher, Mr. רַבִּי ז׳
major scale רַבִּיב ז׳
rain, shower רְבִיבִים ז״ר
necklace, scarf, neckerchief רָבִיד ז׳
revue רֶבְיוּ (תוכנית בידור) ז׳
ravioli רָבְיוֹלִי (כיסן פסטה) ז׳
revision, emendation רֶבִיזְיָה נ׳
revisionism רֶבִיזְיוֹנִיזְם ז׳
revisionist רֶבִיזְיוֹנִיסְט ז׳
increase, reproduction, propagation רְבִיָּה נ׳
parthenogenesis - רביית בתולים
thickening רְבִיכָה נ׳
many, plural רַבִּים ז״ר
in public, openly - ברבים
quarter, quadrant רְבִיעַ ז׳
copulation, mating, rainy season רְבִיעָה נ׳
fourth רְבִיעִי ת׳
quadruplets, quartet רְבִיעִיָּה נ׳
quarter, fourth, fourthly רְבִיעִית נ׳
lying, couching רְבִיצָה נ׳
rabbi, champion רַבָּן ז׳
rabbinate רַבָּנוּת נ׳
rabbinical רַבָּנִי ת׳
our rabbis רַבָּנָן ז״ר
great-grandfather רַבְסָב ז׳
fourth, quarter רֶבַע ז׳
quarterfinal - רבע גמר
crotchet, quarter note - רבע תו
quarterly רִבְעוֹן ז׳
quarterly רִבְעוֹנִי ת׳
quartet, quartette רִבְעִית נ׳
lie, couch, brood, squat רָבַץ פ׳
lie at his door - רבץ לפתחו
capsule רִבְצָל ז׳
braggart, *blowhard רַבְרְבָן ז׳
boastfulness רַבְרְבָנוּת נ׳
boastful, *swanky רַבְרְבָנִי ת׳
large, capital רַבָּתִי ת׳
greater Jerusalem - ירושלים רבתי
definitely not - לא בא׳ רבתי
reggae רֶגֶאי (סגנון מוזיקה) ז׳
clod, lump of earth רֶגֶב ז׳
small clod רַגְבּוּבִית נ׳
football, rugby, *rugger רַגְבִּי ז׳
ragout רָגוּ (תַּרְבִּיךְ) ז׳
angry, irate רָגוּז ת׳
regulator רֶגוּלָטוֹר (וַסָּת) ז׳
regulation רֶגוּלַצְיָה (ויסות) נ׳

calm, relaxed, tranquil רָגוּעַ ת׳
be angry, be enraged, rage רָגַז פ׳
ill-tempered person, irate רַגְזָן ז׳
bad temper, anger רַגְזָנוּת נ׳
fretful, short-tempered רַגְזָנִי ת׳
accustomed, used to, wont, ordinary, common, usual רָגִיל ת׳
four days vacation *רְגִילָה נ׳
habit, custom רְגִילוּת נ׳
stoning, throwing stones רְגִימָה נ׳
relaxation, quiet, placidity, repose, subsidence רְגִיעָה נ׳
sensitive, touchy, allergic רָגִישׁ ת׳
sensitivity, susceptibility רְגִישׁוּת נ׳
foot, leg, holiday רֶגֶל נ׳
start badly - התחיל ברגל שמאל
no simple matter *- זה לא הולך ברגל
not totally baseless - יש רגליים לדבר
quickly, summarily - על רגל אחת
forefoot, foreleg - רגל קדמית
splayfoot, flatfoot - רגל שטוחה
footwork רַגְלוּל ז׳
pedestrian, pawn, infantryman, on foot רַגְלִי ז׳
trestle, leg, foot רַגְלִית נ׳
stone, mortar, pelt, pepper רָגַם פ׳
mortarman, gunner רַגָּם ז׳
rail, complain, grumble רָגַן פ׳
be calm, relax רָגַע פ׳
instant, moment, second רֶגַע ז׳
twinkling, instant - רגע קט
momentary, instantaneous רִגְעִי ת׳
instantaneousness רִגְעִיּוּת נ׳
regressive רֶגְרֶסִיבִי (נסוג) ת׳
regression רֶגְרֶסְיָה (תסוגה) נ׳
storm, rage, be excited רָגַשׁ פ׳
feeling, sentiment, emotion רֶגֶשׁ ז׳
inferiority complex - רגשי נחיתות
sentimental, emotional רִגְשִׁי ת׳
sentiment, emotionality רִגְשִׁיּוּת נ׳
sentimentalism, slush רַגְשָׁנוּת נ׳
sentimental, maudlin רַגְשָׁנִי ת׳
tyrannize, rule, remove רָדָה פ׳
shallow, flimsy, low רָדוּד ת׳
drowsy, sleepy, slumberous, dormant רָדוּם ת׳
radon רָדוֹן (גז רדיואקטיבי) ז׳
persecuted, pursued, hunted רָדוּף ת׳
radiator רַדְיָאטוֹר (מַקְרֵן) ז׳
radial רַדְיָאלִי (טַבּוּרִי) ת׳
scarf, shawl, veil, stole רְדִיד ז׳
shallowness, flimsiness רְדִידוּת נ׳
radio, wireless, radio set רַדְיוֹ ז׳
radioactive רַדְיוֹאַקְטִיבִי ת׳
radioactivity רַדְיוֹאַקְטִיבִיּוּת נ׳
radio telescope רַדְיוֹטֶלֶסְקוֹפ ז׳
radium רַדְיוּם (יסוד כימי) ז׳
radius רַדְיוּס (מחוג) ז׳
radiophonic רַדְיוֹפוֹנִי ת׳
radiotherapy רַדְיוֹתֶרַפְּיָה נ׳
removal (of honey), rule רְדִיָּה נ׳
sleepy, somnolent, drowsy רָדִים ת׳
somnolence, drowsiness רְדִימוּת נ׳
chase, pursuit, persecution רְדִיפָה נ׳
avarice, greed - רדיפת בצע
radical, basic, extremist רַדִּיקָלִי ת׳

רַדִיקָלִיוּת נ׳ radicalism
רַדָם (סם מרדים) ז׳ narcotic
רַדֶמֶת נ׳ lethargy, stupor
רָדַף פ׳ persecute, chase, pursue, run after, seek for, woo, court
רָדָר (מכ"ם) ז׳ radar
רֶדֶת הַלַיְלָה nightfall, sunset
רֶה (צליל) ז׳ D, re
רֶה אִרְגוּן ז׳ reorganization, shakeup
רַהַב ז׳ arrogance, pride, boasting
רֶהַבִּילִיטַצְיָה (שיקום) נ׳ rehabilitation
רָהוּט ת׳ cursive, fluent, flowing
- רהוט דיבור voluble
רַהֲטָן (סוס מרכבה) ז׳ trotter
רָהִיט ז׳ piece of furniture
- רהיטים furniture
רְהִיטָה נ׳ fluency, trot
רְהִיטוּת נ׳ fluency, volubility, trot
רה"מ=ראש הממשלה prime minister
רוֹאֶה ז׳ seer, spectator, watcher
- רואה חשבון accountant, auditor
- רואה שחורות pessimist
רוּאיַן פ׳ be interviewed
רוּאַנְדָה נ׳ Rwanda
רוֹב ז׳ most, majority, plenty
- מרוב due to so many
- רוב מניין ורוב בניין the majority
- רוב קולות majority, plurality
- רוב רובו chiefly, mostly
רוֹבָאוּת נ׳ rifle shooting, musketry
רוֹבַאי ז׳ rifleman
רוּבַּד פ׳ be stratified, be lined
רוֹבֶד ז׳ stratum, layer, thickness
רוֹבֶה ז׳ rifle, gun
- רובה אוויר air gun, air rifle
- רובה אוטומטי automatic
- רובה מיטען self-loading rifle
- רובה סער assault rifle
- רובה ציד shotgun, hunting rifle
- רובה קטום-קנה sawed-off shotgun
רוֹבּוֹט ז׳ robot, automaton
רוֹבּוֹטִיקָה נ׳ robotics, building robots
רוּבִּיקוֹן: חצה את הרוביקון cross the Rubicon
רוּבָּל ז׳ rouble, ruble
רוּבָּנִי ת׳ majority, of the majority
רוּבַּע פ׳ be squared, quadruple
רוֹבַע ז׳ quarter, district, section
רוֹגֶז ז׳ anger, rage, wrath, huff
רוֹגֵז ת׳ angry, irate, cross, mad
רוֹגְזָה נ׳ anger, rage, concern
רוֹגְלִית נ׳ trailing vine
רוֹגֶם ז׳ cairn, dolmen, heap
רוֹגְנָה נ׳ intrigue, machination
רוֹגַע ז׳ calm, tranquility, stillness
רוֹגֵעַ ת׳ calm, tranquil, placid, still
רוֹגֵשׁ ת׳ astir, agitated, turbulent
רוֹדוֹדֶנְדְרוֹן (פרח) ז׳ rhododendron
רוֹדֵיאוֹ (מופע בוקרים) ז׳ rodeo
רוֹדָן ז׳ autocrat, dictator, tyrant
רוֹדָנוּת נ׳ dictatorship, autocracy
רוֹדָנִי ת׳ despotic, dictatorial
רוֹדֵף ז׳ persecutor, pursuer, wooer
- רודף בצע avaricious, greedy
- רודף נשים womanizer
רוּהַט פ׳ be furnished

רוה"מ=ראש הממשלה prime minister
רָוָה פ׳ drink one's fill
- רווה נחת derive pleasure
רָוֶה ת׳ saturated, quenched
רָוַח פ׳ feel relief, be current, be widespread
רֶוַח ז׳ profit, gain, benefit, interval, space, separation, relief
- רווח גולמי gross profit
- רווח נקי net profit
- רווחי הון capital gains
רוֹוֵחַ ת׳ current, widespread, prevalent
רְוָחָה נ׳ relief, welfare, comfort
- פתוח לרווחה wide open
רְווחִי ת׳ profitable, lucrative
רְווחִיוּת נ׳ profitability
רָווּי ת׳ saturated, sodden, soaked
רְוָיָה נ׳ saturation, fill
- לרוויה! good health!
רִוְיוֹן ז׳ saturation, orgasm
רַוָּץ ז׳ jockey, rider
רַוָּק ז׳ bachelor, single, unmarried
רַוָּקָה נ׳ maid, spinster
רַוָּקוּת נ׳ celibacy, bachelorhood
רְוֶורס ז׳ reverse, moving backwards
רוֹזֶטָה (שׁוֹשֶׁנֶת) נ׳ rosette
רוֹזְמָרִין (שיח נוי) ז׳ rosemary
רוֹזֵן ז׳ baron, count, earl, marquis
רוֹזְנוּת נ׳ barony, earldom
רוֹזֶנֶת נ׳ countess, baroness
רוּחַ נ׳ wind, air, spirit, mind, soul, ghost, *gas, boasting
- ברוח טובה in good spirit, agreeably
- הוציא הרוח ממפרשיו refute his arguments, clip his wings
- לרוחו to his liking
- מי לכל הרוחות- who the devil-
- רוח הזמן spirit of the age
- רוח הקודש holy spirit
- רוח עוועים madness, confusion
- רוח פרצים draft, draught
- רוח צד cross-wind
- רוח צוות esprit de corps
- רוח קלה breeze, breath
- רוח קרב fight, militancy
- רוח רעה madness, insanity
- רוח רפאים specter, phantom
רוֹחַב ז׳ breadth, width, spread
- רוחב גיאוגרפי latitude
- רוחב יד generosity
- רוחב לב magnanimity
רוֹחְבִּי ת׳ lateral, transverse
רוּחַם פ׳ be shown mercy
רוּחָנִי ת׳ mental, spiritual
רוּחָנִיוּת נ׳ spirituality
רוֹחַק ז׳ distance
- רוחק ראות long-sightedness
רוֹטֶב ז׳ sauce, gravy
- רוטב עגבניות ketchup
רוֹטוֹר (חוּגָה) ז׳ rotor
רוֹטְטָנִי ת׳ vibrant, quivering
רוּטִינָה נ׳ routine, procedure
רוֹטַצְיָה נ׳ rotation, switching
רוֹטַצְיוֹנִי ת׳ rotatory, spinning

רוּטַשׁ פ׳ be retouched, be shredded
רוֹך ז׳ tenderness, softness, lenience
רוֹכֵב ז׳ rider, jockey, graft
- רוכב אופניים cyclist, cycler
רוּכַּז פ׳ be concentrated, be focused
רוּכַּך פ׳ be softened up
רוֹכֵל ז׳ hawker, peddler, pedlar
רוכלות נ׳ peddling, hawking
רוֹכסן ז׳ zipper, zip fastener
רוֹלָדָה (גלילה) נ׳ roll, Swiss roll
רוֹלֵטָה נ׳ roulette
רוֹלֶר (מַגְלֵל) ז׳ roller
רוּם ז׳ altitude, height, highness
- עומדים ברומו של עולם very important
רוּם (משקה חריף) ז׳ rum
רוֹמָא נ׳ Rome
רוֹמָאִי ז׳ Roman
רוּמְבָּה (ריקוד) ז׳ rumba
רוֹמבּוּס (מעוין) ז׳ diamond, lozenge, rhomb, rhombus
רוּמָה פ׳ be cheated, be deceived
רוֹמֶה ז׳ discharger, discharge cup
רוּמַז פ׳ be hinted, be alluded
רוֹמֵז ת׳ allusive, hinting, indicative
רוֹמַח ז׳ lance, spear
רוֹמִי ת׳ Roman, Romanesque
רוֹמֵם פ׳ raise, lift, praise, glorify
- רומם רוח buoy up, exhilarate
רוֹממוּת נ׳ elevation, majesty
- רוממות רוח high spirits
רוֹמָן ז׳ love affair, affair, love story, novel, romance
רוֹמַנטִי ת׳ romantic, fascinating
רוֹמַנטִיוּת נ׳ romanticism
רוֹמַנטִיקָה נ׳ romanticism
רוֹמַנטִיקָן ז׳ romantic, romanticist
רוֹמָנִי ת׳ Romanian
רוֹמָנְיָה נ׳ Romania
רוֹמָנִית נ׳ Romanian
רוֹמָנסָה (יצירה לירית) נ׳ romance
רוֹן ז׳ song, singing, music
רוֹנדוֹ ז׳ rondo, rondeau
רוּסִי ת׳ Russian
רוּסיָה נ׳ Russia
רוּסִית נ׳ Russian
רוּסַן פ׳ be curbed, be restrained
רוּסַס פ׳ be sprayed, be atomized
רוּסַק פ׳ be crushed, be mashed
רוֹעַ ז׳ wickedness, bad, evil
- רוע לב wickedness, malevolence
רוֹעֶה ז׳ herdsman, herder, shepherd, pastor, leader
- רועה זונות pimp, pander
- רועה רוחני mentor, pastor
רוֹעִית נ׳ pastoral, pastorale
רוֹעֵם ת׳ thunderous, resounding
רוּעֲנַן פ׳ be refreshed
רוּעַף פ׳ be tiled, be lapped
רוֹעֶץ ז׳ obstacle, boomerang
- היה לרועץ fail, backfire, recoil
רוֹעֵשׁ ת׳ loud, noisy, clamorous
רוֹפֵא ז׳ doctor, physician, *medico
- רופא אליל quack doctor
- רופא בהמות וחיות veterinarian
- רופא ילדים pediatrician
- רופא כללי general practitioner, GP, family doctor
- רופא נשים gynecologist
- רופא עור dermatologist
- רופא עיניים ophthalmologist
- רופא עצבים neurologist
- רופא עצמות osteopath
- רופא שיניים dentist
רוּפַּד פ׳ be upholstered, be lined
רוּפָּה פ׳ be slackened, loosen
רוּפִּיָה (מטבע) נ׳ rupee
רוֹפֵס ת׳ weak, soft
רוֹפֵף פ׳ weaken, loosen, slacken
רוֹפֵף ת׳ loose, weak, shaky, frail
רוּצָּה פ׳ be appeased, be served
רוֹצֶה ת׳ willing, desirous, wishful
רוֹצֵחַ ז׳ assassin, murderer
- רוצח סדרתי serial killer
רוֹצַחַת נ׳ murderess
רוּצַּף פ׳ be tiled, be paved
רוֹצֵץ פ׳ smash, crush, shatter
רוּצַּץ פ׳ be crushed, be smashed
רוֹק ז׳ saliva, spit, spittle, rock
רוֹקֵחַ ז׳ druggist, chemist, dispenser, pharmacist
רוֹקחוּת נ׳ pharmacy
רוֹקֵם ז׳ embroiderer, deviser
רוֹקֵן פ׳ empty, deplete, drain
רוּקַּן פ׳ be emptied, be cleaned out
רוֹקֶנרוֹל ז׳ rock 'n' roll, rock
רוּקַּע פ׳ be flattened, be beaten
רוֹרשָך - מבחן רורשך Rorschach test
רוֹשׁ ז׳ hemlock, poison
רוֹשֶׁם ז׳ effect, impression, impact
- יש רושם ש- it seems that
רוֹשֵׁם ז׳ recorder, registrar
רוֹשֵׁשׁ פ׳ impoverish, beggar
רוּשַּׁת פ׳ be netted, be reticulated
רוּת (מגילת רות) Ruth
רוּת! מ״ק roger!, O.K.
רוֹתֵחַ ת׳ boiling, furious, *mad
רוֹתחִין ז״ר boiling water
- דן ברותחין criticize sharply
רוּתַּך פ׳ be welded, be soldered
רוֹתֶם (שיח) ז׳ broom, furze
רוּתַּק פ׳ be confined, be riveted
רָז ז׳ secret, mystery
רָזָה פ׳ thin, lose weight
רָזֶה ת׳ skinny, slender, thin, slim
- בשר רזה lean meat
רֶזוֹלוּצִיָה (דקות פרטים) נ׳ resolution
רֶזוּמֶה (דו״ח קצר) ז׳ resume
רָזוֹן ז׳ thinness, leanness, emaciation
רֶזוֹנַנס (תהודה) ז׳ resonance
רְזִיָה נ׳ thinning, losing weight
רֶזֶרבָה (עתודה) נ׳ reserve, backup
רֶזֶרבִי ת׳ spare, reserve, substitute
ר״ח = ראש חודש
רח׳ = רחוב st., street
רָחַב פ׳ broaden, widen, expand
רָחָב ת׳ broad, wide, spacious, ample
- רחב אופק broad-minded, open-minded
- רחב גרם big-boned
- רחב ידיים spacious, roomy

generous, benevolent - רחב לב
throughout, all over רָחַב - בְּרָחֳבֵי
square, platform, concourse, area רְחָבָה נ׳
penalty area - רחבת העונשין
width, breadth, extent רַחֲבוּת נ׳
street, road רְחוֹב ז׳
merciful, pitiful, clement רַחוּם ת׳
beloved, dear, darling רָחוּם ת׳
washed, bathed רָחוּץ ת׳
distant, far, remote רָחוֹק ת׳
farsighted - רחוק ראות
hovering, flying רְחִיפָה נ׳
washable רָחִיץ ת׳
washing, bath, ablution רְחִיצָה נ׳
moving, swarming, stirring רְחִישָׁה נ׳
ewe, sheep רָחֵל ז׳
ewe, sheep רְחֵלָה נ׳
uterus, womb רֶחֶם ז׳
ectopic pregnancy - הריון מחוץ לרחם
prolapsed uterus - רחם צנוח
Egyptian vulture רָחָם ז׳
uterine, womblike רַחְמִי ת׳
pity, mercy, compassion, clemency, lenity רַחֲמִים ז״ר
clement, merciful, sparing רַחֲמָן ת׳
God forbid רַחֲמָנָא לִצְלַן מ״ק
mercy, pity, compassion רַחֲמָנוּת נ׳
metritis רַחֶמֶת (דלקת הרחם) נ׳
shake, tremble, hover רָחַף פ׳
hydrofoil, air cushion vehicle, hovercraft רַחֶפֶת נ׳
wash, bathe רָחַץ פ׳
wash one's hands of, repudiate a charge - רחץ בניקיון כפיו
washing, bathing רַחְצָה נ׳
be far, keep far from רָחַק פ׳
soon, shortly - לא ירחק היום
smelling, sniffing, snuff רִחְרוּחַ ז׳
nose, smell, sniff, snoop רִחְרַח פ׳
move, stir, swarm, teem, sizzle, frizzle, feel, bear רָחַשׁ פ׳
noise, whisper, ripple, stir, rustle, sizzle, thought רַחַשׁ ז׳
feelings, thoughts - רחשי לב
rustle, thought רַחֲשׁוּשׁ ז׳
racket, racquet, spatula רַחַת נ׳
turner - רחת טיגון
Turkish delight רַחַת לוּקוּם נ׳
damp, humid, wet, moist רָטוֹב ת׳
rhetorical, pompous רֶטוֹרִי ת׳
rhetoric, oratory רֶטוֹרִיקָה נ׳
retouch, brush-up, finish רֶטוּשׁ ז׳
tremble, thrill, vibrate רָטַט פ׳
thrill, vibration, shaking רֶטֶט ז׳
vibrator רַטָּט ז׳
Parkinson's disease רַטֶּטֶת נ׳
damp, moisture, wet רְטִיבוּת נ׳
bandage, compress, patch, application, poultice, plaster רְטִיָּה נ׳
grumble, growl, *bellyache רָטַן פ׳
grumbler, grouch, *nag רַטְנָן ז׳
retroactive רֶטרוֹאַקְטִיבִי (מִפְּרָעִי) ת׳
retroactivity רֶטרוֹאַקְטִיבִיּוּת נ׳
retroactively רֶטרוֹאַקְטִיבִית (למפרע)

retrospective, looking backwards, retroactive רֶטרוֹסְפֶּקְטִיבִי ת׳
lung רֵיאָה נ׳
lights - ריאות בהמות
iron lung - ריאת ברזל
actual, real, existent רֵיאָלִי ת׳
reality, realism רֵיאָלִיּוּת נ׳
realism רֵיאָלִיזְם ז׳
realist רֵיאָלִיסְט ז׳
realistic, pragmatic רֵיאָלִיסְטִי ת׳
reactor רֵיאַקְטוֹר (מָגוֹב) ז׳
reaction, obscurantism רֵיאַקְצְיָה נ׳
reactionary, die-hard רֵיאַקְצְיוֹנֶר ז׳
dispute, quarrel, altercation, argument, strife, *hassle רִיב ז׳
rebound רִיבָּאוּנְד (כדור ניתר) ז׳
laminate, stratify, line רִיבֵּד פ׳
increase, breed, bring up רִיבָּה פ׳
girl, lass, wench רִיבָה נ׳
jam, jelly, preserves רִיבָּה נ׳
ten thousand, 10000 רִיבּוֹא נ׳
stratification, layering רִיבּוּד ז׳
increase, large number of, profusion, propagation, breeding, raising, plural רִיבּוּי ז׳
polygamy - ריבוי נשים
lord, master, sovereign רִיבּוֹן ז׳
God - ריבונו של עולם
sovereignty, domain רִיבּוֹנוּת נ׳
sovereign, independent רִיבּוֹנִי ת׳
square, squaring רִיבּוּעַ ז׳
squaring the circle - ריבוע העיגול
magic square - ריבוע קסם
quadratic, square רִיבּוּעִי ת׳
riviera, coastal region רִיבְיֶרָה נ׳
interest רִיבִּית נ׳
compound interest - ריבית דריבית
compound interest - ריבית מצטברת
prime interest rate - ריבית פריים
simple interest - ריבית פשוטה
usury, excessive interest - ריבית קצוצה
rhubarb רִיבָּס (צמח מאכל) ז׳
square, quadruple רִיבֵּעַ פ׳
great-grandchild רִיבֵּעַ ז׳
espionage, spying רִיגּוּל ז׳
counterespionage - ריגול נגדי
emotion, agitation, excitement, ecstasy רִיגּוּשׁ ז׳
emotional, ecstatic רִיגּוּשִׁי ת׳
emotionality רִיגּוּשִׁיּוּת נ׳
spy, spy on רִיגֵּל פ׳
stone, mortar רִיגֵּם פ׳
excite, enrapture, move רִיגֵּשׁ פ׳
flatten, roll out, shallow רִידֵּד פ׳
flattening, shallowing רִידּוּד ז׳
furniture, furnishing רִיהוּט ז׳
furnish רִיהֵט פ׳
saturate, quench, slake רִיוָּה פ׳
space, separate, ventilate רִיוַּח פ׳
spacing רִיוּוּחַ ז׳
odor, scent, smell, smack רֵיחַ ז׳
body odor, *BO - ריח גוף
fragrance, perfume - ריח ניחוח
halitosis, bad breath - ריח רע מהפה
hovering, flying, levitation רִיחוּף ז׳

ריחוק ז׳ distance, remoteness
- ריחוק מקום distance
רֵחַיִים ז״ר mill, millstone
- ריחיים על צווארו millstone round his neck, heavy burden
ריחֵם פ׳ pity, have mercy, show pity
רֵיחָן (תבלין) ז׳ basil
רֵיחָנִי ת׳ fragrant, aromatic
ריחֵף פ׳ hover, fly, flutter, float
ריטוּאָל (טקס פולחני) ז׳ ritual
ריטוּט ז׳ vibration, tremble
ריטוּן ז׳ growl, grumbling, snarl
ריטוּש ז׳ retouching, retouch, tearing to pieces, crushing
ריטֵט פ׳ tremble, vibrate
ריטֵש פ׳ tear to pieces, retouch
רֵייטִינג (אחוז צפייה) ז׳ rating
ריכּוּז ז׳ concentration, centralizing
ריכּוּזִי ת׳ centralized, compact
ריכּוּזִיוּת נ׳ centralization
ריכּוּך ז׳ softening, softening up
ריכֵּז פ׳ concentrate, focus, mass
ריכטֶר - סולם ריכטר ז׳ Richter scale
ריכֵּך פ׳ soften, soften up, shell
ריכֵל פ׳ gossip, chat, *jaw, peddle
רימָה פ׳ cheat, lie, swindle, *skin
רִמָּה נ׳ maggot, worm, larva
רימוֹן ז׳ grenade, pomegranate
- רימון יד grenade, hand-grenade
רימֵז פ׳ hint, beckon, allude, imply
רֵימָטִיזם (שיגרון) ז׳ rheumatism
רִינָה נ׳ song, singing, joy
רינוּן ז׳ singing, gossip, hearsay
רינֵן פ׳ sing, gossip, talk about, slander
ריס ז׳ eyelash, lash
ריסוּן ז׳ restraint, curbing, control
ריסוּס ז׳ dusting, spraying, atomizing, sprinkling
ריסוּק ז׳ crushing, mashing, mincing, pounding
ריסֵן פ׳ curb, restrain, check, bridle, rein, hold back
ריסֵס פ׳ spray, atomize, sprinkle
- ריסס בכדורים riddle with bullets
ריסֵק פ׳ mash, mince, crush, pound, smash
- ריסק עצמותיו *beat to a pulp
ריעוּף ז׳ tiling, imbrication, slating
ריעֵף פ׳ tile, imbricate, overlap
ריפֵּא פ׳ cure, heal, put right
ריפֵּד פ׳ pad, upholster, cushion
ריפָּה פ׳ slacken, loosen, relax
- ריפה ידיים discourage, dispirit
ריפּוּד ז׳ upholstery, padding
ריפּוּי ז׳ therapy, cure, healing
- ריפוי בהלם shock therapy
- ריפוי במחטים acupuncture
- ריפוי בעיסוק occupational therapy
- ריפוי עור dermatology
- ריפוי עצמות osteopathy
- ריפוי רגליים podiatry
- ריפוי שיניים dentistry
ריפוֹת נ״ר grits, groats
ריפֵּט פ׳ tatter, wear out
ריצֵד פ׳ jump, dance, flicker

ריצָה פ׳ appease, pacify, repay
- ריצה עונש serve a sentence
רִיצָה נ׳ run, running, race
- ריצה קלה jogging, canter
ריצוּד ז׳ dancing, play, flicker
ריצוּי ז׳ placating, appeasing
- ריצוי עונש serving a sentence
ריצוּף ז׳ paving, tiling, flooring
ריצֵף פ׳ tile, pave, floor
ריצֵץ פ׳ crush, smash, shatter, bust
רִיצ'רְץ' (רוכסן) ז׳ zipper
ריק ז׳ emptiness, vacuum
רֵיק ת׳ empty, vacant, blank, void
רֵיקָא ת׳ fickle, idler, vain, rake
ריקָבוֹן ז׳ decay, rot, corruption
ריקֵד פ׳ dance, caper
ריקוּד ז׳ dance, dancing
- ריקוד בטן belly dance
- ריקוד עם folk dance
ריקוּעַ ז׳ flattening, beating, hammering, thin sheet, foil, leaf
ריקוּת נ׳ emptiness, vacancy
רֵיקָם תה״פ empty-handed
רֵיקָנוּת נ׳ emptiness, vacancy
רֵיקָנִי ת׳ hollow, empty
ריקַע פ׳ flatten, hammer out, beat out
ריר ז׳ saliva, spit, mucus, slobber
רירי ת׳ mucous, salivary, slimy
רִירִית נ׳ mucous membrane
רֵיש נ׳ resh (letter)
רֵישָא נ׳ beginning, first part
רישוּי ז׳ license, licensing
רישוּל ז׳ negligence, carelessness
רישוּם ז׳ registration, recording, drawing, impression, mark, inscription, entry
רישוּת ז׳ netting, screening
רישֵת פ׳ net, reticulate, screen
ריתוּך ז׳ welding, soldering
ריתוּק ז׳ binding, connecting, chaining, confinement, riveting
ריתֵּך פ׳ weld, solder
ריתמוּס (מקצב) ז׳ rhythm
ריתמִי ת׳ rhythmical, metrical
ריתֵּק פ׳ bind, chain, connect, confine, rivet, spellbind
רַך ת׳ mild, soft, tender, young
- הרך הנולד newborn baby
- רך לב coward, timid, softhearted
רָכַב פ׳ ride, mount, hack
רֶכֶב ז׳ car, vehicle, transport, graft, upper millstone
רַכָּב ז׳ charioteer, rider, jockey
רַכֶּבֶל ז׳ cable car, cable railway, funicular
- רכבל מושבים chair lift
רַכֶּבֶת נ׳ railway, train, railroad
*- רכבת (בגרב) ladder, run
- רכבת אווירית airlift
- רכבת משוננת-פסים rack railway
- רכבת תחתית metro, subway, underground
רָכוּב ת׳ mounted, riding
רְכוּבָּה נ׳ stirrup
רָכוּן ת׳ bending, stooping, leaning

רָכוּס ת' buttoned, fastened
רְכוּשׁ ז' capital, property, assets
- רכוש קבוע fixed assets
- רכוש שוטף current assets
רְכוּשָׁן ז' capitalist
רְכוּשָׁנוּת נ' capitalism, materialism
רְכוּשָׁנִי ת' capitalistic, acquisitive
רַכּוּת נ' mildness, softness, lenity
רַכּוֹת תה"פ kind words, gently
רַכָּז ז' organizer, playmaker, center, quarterback
רַכֶּזֶת נ' switchboard
רְכִיב ז' component, constituent
רְכִיבָה נ' ride, riding, equitation
רַכִּיכָה נ' mollusc, mollusk, shellfish
רָכִיל - הוֹלֵךְ רָכִיל ז' gossip
רְכִילַאי ז' slanderer, gossip
רְכִילוּת נ' slander, gossip, *chitchat
רָכִין ת' bent, tipping
רְכִיסָה נ' buttoning, fastening
רְכִישָׁה נ' acquirement, acquisition, purchase, procurement
רַכֶּכֶת נ' rachitis, rickets
רָכַל פ' gossip, peddle, vend
רַכְלָן ז' gossip, telltale
רַכְלָנוּת נ' gossip, hearsay, *jaw
רָכַן פ' stoop, bend, lean down
רָכַס פ' button, fasten, zip up
רֶכֶס ז' range, ridge, button, clasp, cuff link
רכסה (חבל התורן) נ' shroud
רכפה (צמח ריחני) נ' mignonette
רַכְרוּכִי ת' softy, weak, feeble
רַכְרוּכִיּוּת נ' softness, weakness
רַכְרַךְ ת' softish, delicate
רָכַשׁ פ' acquire, gain, get, purchase
- רכש לב captivate, charm
רֶכֶשׁ ז' purchase of arms, procurement
ר"ל = רחמנא לצלן God forbid
רֶלֶוַנְטִי ת' relevant, pertinent
רֶלֶוַנְטִיּוּת נ' relevancy, pertinence
רֶלִיף (תבליט) ז' relief
רָם ת' high, lofty, loud, ringing
- רם דרג high-level, high-ranking
- רם לבב haughty, proud
- רם מעלה important person
- רם קומה high, tall
ר"מ=ראש מתיבתא head of yeshiva
רַמָּאוּת נ' cheat, deceit, deception, fraud, hanky-panky, *con
רַמַּאי ז' cheat, deceiver, swindler, mountebank, *con-man
רָמָה פ' throw, hurl, cast
רָמָה נ' height, plateau, level, standard
- רמת חיים standard of living
רָמוּס ת' trampled, trodden
רָמַז פ' hint, beckon, allude, imply, wink, sign
רֶמֶז ז' hint, allusion, clue, cue, suggestion, sign, tip
- רמז שקוף broad hint
רַמְזוֹר ז' traffic light
רמ"ח - בְּכָל רמ"ח אֵבָרָיו the whole of him
רמטכ"ל=ראש מטה כללי Chief of Staff, commander in chief
רַמִּי (משחק קלפים) ז' rummy
רְמִיזָה נ' allusion, hint, wink, insinuation, innuendo
רְמִיָּה נ' deceit, cheating, fraud
רְמִיסָה נ' trample, treading
רַמָּן ז' grenadier
רָמַס פ' stamp, trample, tread
רַמְפָּה (כֶּבֶשׁ) נ' ramp
רֶמֶץ ז' ash, cinders, embers
רַמְקוֹל ז' loudspeaker, speaker, bullhorn, loud-hailer, woofer
רָמַשׂ פ' creep, crawl
רֶמֶשׂ ז' insect
רַמְשִׁית (סרנדה) נ' serenade
רָן פ' sing, chant
רֶנְטַבִּילִי ת' lucrative, profitable
רֶנְטַבִּילִיּוּת נ' lucrativeness
רֶנְטְגֶן ז' Roentgen, X-rays
רֶנְטָה (דמי שכירות) נ' rent
רְנָנָה נ' song, singing, joy
רֶנֶסַנְס ז' renaissance, rebirth
רֶסִיטָל (מֻפָּע) ז' recital
רְסִיס ז' chip, splinter, fragment, shrapnel, drop
רס"ל = רב סמל
רס"ם = רב סמל מתקדם
רֶסֶן ז' bridle, curb, rein, restraint
רס"ן = רב סרן major
רֶסֶס ז' lead shot, fragmentation
רס"פ=רב סמל פלוגתי company sergeant major
רֶסֶק ז' mash, sauce, puree, pulp
- רסק תפוחים applesauce
רס"ר = רב סמל ראשון
רַע ז' wickedness, evil, bad, wrong
- בכי רע very bad
- רע הכרחי necessary evil
רַע ת' bad, evil, wicked, *lousy
- רע לב wicked, heartless
רֵעַ ז' friend, companion
- איש את רעהו one another
רָעֵב פ' be hungry, starve, hanker
רָעָב ז' hunger, famine, starvation
רָעֵב ת' hungry, famished, *empty
רְעָבוֹן ז' hunger, famine, starvation
רַעַבְתָנוּת נ' voracity, hunger, greed, gluttony
רָעַד פ' shake, shiver, tremble
רַעַד ז' tremble, shaking, shudder
רְעָדָה נ' tremble, shaking, shivering
רַעֲדוֹד ז' tremolo
רָעָה פ' browse, graze, pasture, shepherd, lead, guide
רָעָה נ' evil, wickedness, wrong, trouble, detriment
- רעה חולה evil past remedy
רְעוּל פָּנִים ת' veiled, masked
רָעוּעַ ת' shaky, weak, unstable, ramshackle, *rocky
רֵעוּת נ' friendship, fellowship
רְעוּת רוּחַ נ' vanity, folly
רְעִי ז' dung, droppings, cowpat
רְעִידָה נ' tremble, shiver, tremor
- רעידת אדמה earthquake, *quake

רַעְיָה נ׳ wife, spouse
רַעְיוֹן ז׳ concept, idea, notion, thought, brainchild
- רעיון מרכזי keynote, leitmotiv
רַעְיוֹנַאי ז׳ copywriter
רַעְיוֹנִי ת׳ conceptual, ideological, notional
רְעִיָּה נ׳ grazing, pasturing
רַעִיל ת׳ toxic, poisonous
רְעִילוּת נ׳ toxicity, virulence
רְעִיעוּת נ׳ dilapidation, shakiness
רַעַל ז׳ poison, venom, bane
רְעָלָה נ׳ veil, yashmak
רַעֲלִי ת׳ poisonous, toxic
רַעֲלָן ז׳ toxin
- רעלן נגדי antitoxin
רַעֶלֶת נ׳ toxicosis
- רעלת דם toxemia
רָעַם פ׳ thunder, roar, boom, peal
רַעַם ז׳ thunder, roar, boom, peal, rumble, roll
- רעם ביום בהיר a bolt from the blue
רַעְמָה נ׳ mane, shag
רִעְנוּן ז׳ refreshing, brush-up
רִעֲנֵן פ׳ freshen, refresh, brush up
רַעֲנָן ת׳ fresh, refreshed, young
רַעֲנַנּוּת נ׳ freshness, vigor, verdure
רָעַף פ׳ drip, drop, drizzle
רַעַף ז׳ tile, slate, shingle
רַעְפָן ז׳ tiler, slater
רָעַשׁ פ׳ make a noise, storm, din
רַעַשׁ ז׳ noise, din, commotion, tumult, earthquake
רַעֲשִׁי ת׳ seismic
רַעֲשָׁן ז׳ rattler, clapper, rattle
רַעֲשָׁנִי ת׳ noisy, sensational
רַף ז׳ crossbar, bar, shelf
רָפָא פ׳ cure, heal
רְפָאִים ז״ר ghosts, phantoms
רַפָּד ז׳ upholsterer
רֶפֶד ז׳ litter, pad
רַפָּדוּת נ׳ upholstery
רָפָה פ׳ weaken, become lax
רָפֶה ת׳ weak, loose, slack, faint, lax
- רפה שכל feebleminded, *dumb
רְפוּאָה נ׳ medicine, remedy, drug, cure, healing
*- אין אף אדם לרפואה there's not even one man
- הקדים רפואה למכה anticipate trouble
- רפואה מונעת preventive medicine
- רפואה משפטית forensic medicine
רְפוּאִי ת׳ clinical, medical
רֶפּוּבְּלִיקָה נ׳ republic
- רפובליקת בננות banana republic
רֶפּוּבְּלִיקָנִי ת׳ republican
רָפוּי ת׳ lax, loose, slack, flabby
רַפּוֹרט ז׳ ticket, citation, report
רֶפּוֹרְטָז׳ה נ׳ reportage, report, story
רֶפוֹרְמָה נ׳ reform, amendment
רֶפוֹרְמִי ת׳ reformist, not orthodox
רַפְטִינג (שַׁיִט) ז׳ rafting
רָפִיא ת׳ remediable, curable
רְפִיאוּת נ׳ curability
רִפִּיד ז׳ lining, cushion, pad, wad
רְפִידָה נ׳ lining, carpet, insole, pad
רַפְיָה נ׳ bast, raffia
רִפְיוֹן ז׳ weakness, laxity, slack
- רפיון ידיים weakness, apathy
רְפִיסוּת נ׳ softness, flaccidity
רֶפְלֶקְטוֹר (מחזירור) ז׳ reflector
רֶפְלֶקְס (תגובה בגוף) ז׳ reflex
- רפלקס מותנה conditioned reflex
רָפַס פ׳ be weak, be soft
רַפְסוֹדַאי ז׳ raftsman, rafter
רַפְסוֹדָה נ׳ raft, catamaran
רַפְסוֹדְיָה (יצירה) נ׳ rhapsody
רִפֵּף פ׳ be weak, be shaky
רַפָּף (סם משלשל) ז׳ laxative
רְפָפָה נ׳ lath, slat, lattice work
- רפפות louver, louver boards
רפ״ק=רב פקד superintendent
רֶפְּרוֹדוּקְצְיָה (שחזור) נ׳ reproduction
רִפְרוּף ז׳ hovering, browsing, glancing
רֶפְּרֶזֶנְטָטִיבִי ת׳ representative
רֶפְּרֶזֶנְטַצְיָה נ׳ representation
רֶפֶּרְטוּאָר (מלאי יצירות) ז׳ repertory
רֶפְּרִיזָה (חזרה) נ׳ reprise
רִפְרֵף פ׳ hover, flutter, browse, glance, scan, leaf through
רַפְרֶפֶת נ׳ blancmange, custard, pudding
רֶפֶשׁ ז׳ mud, mire, slime, sludge
רֶפֶת נ׳ cowshed, byre, stall
רַפְתָּן ז׳ cowman, dairyman
רָץ פ׳ run, rush, race, *leg it
רָץ ז׳ runner, courier, envoy, bishop, halfback
רצ״ב=רצוף בזה enclosed please find
רָצָה פ׳ desire, want, wish, feel like
רָצוּי ת׳ desirable, welcome, advisable, favorable
רָצוֹן ז׳ desire, will, wish, volition
- ברצון willingly, with pleasure
- יהי רצון I wish, Oh that...
- כרצונך as you like
- מרצון of one's own free will
- רצון טוב goodwill
רְצוֹנִי ת׳ voluntary, volitional
רְצוּעָה נ׳ band, ribbon, strap, tape
- רצועת עזה Gaza Strip
- רצועת שעון watchband
רָצוּף ת׳ paved, consecutive, successive, continuous, nonstop, attached, enclosed
רָצוּץ ת׳ broken, crushed, exhausted, tired
רָצַח פ׳ murder, kill, assassinate
רֶצַח ז׳ murder, assassination, homicide
- רצח אב patricide, parricide
- רצח אופי character assassination
- רצח עם genocide
רַצְחָנִי ת׳ murderous, *excessive
רַצְיוֹנָלִי (הגיוני) ת׳ rational
רַצְיוֹנָלִיּוּת (הגיונות) נ׳ rationality
רַצְיוֹנָלִיזְם (שכלתנות) ז׳ rationalism
רְצִיחָה נ׳ murder, execution
רְצִיָּה נ׳ will, volition, desirability
רְצִינוּת נ׳ seriousness, gravity

רְצִינִי ת׳ earnest, serious, severe, grave, sincere

רָצִיף ז׳ dock, quay, pier, wharf, platform

רָצִיף ת׳ consecutive, continuous, successive, sequential

רְצִיפוּת נ׳ continuity, run, succession

רָצַע פ׳ bore, pierce

רַצְעָן ז׳ shoemaker, saddler

רֶצֶף ז׳ sequence, stretch, continuity, continuum, streak, straight

רַצָּף ז׳ tiler, tile-layer, paver

רִצְפָּה נ׳ floor

רֶצֶפְּט (מרשם) ז׳ prescription

רָצַץ פ׳ crush, shatter, smash

רַק תה״פ only, just, but, except

רָקַב פ׳ rot, decay

רָקָב ז׳ decay, rot, corruption

רַקְבּוּבִי ז׳ containing humus

רַקְבּוּבִית נ׳ humus, rot, decay

רָקַד פ׳ dance

- רקד בכל החתונות meddle in every affair

רַקְדָן ז׳ dancer

רַקְדָנִית נ׳ dancer

- רקדנית בטן belly dancer

רַקָּה נ׳ temple

רָקוּב ת׳ decayed, rotten, putrid

רֶקְוִויאֶם (שיר אשכבה) ז׳ requiem

רָקוּם ת׳ embroidered

רָקַח פ׳ concoct, mix, dispense

רַקֶטָה נ׳ rocket, racket, bat

רֶקְטוּם ז׳ rectum, back passage

רֶקְטוֹר (ראש בי״ס גבוה) ז׳ rector

רְקִיחָה נ׳ concoction

רְקִימָה נ׳ embroidery, devising

רָקִיעַ ז׳ heaven, sky, firmament

- ברקיע השביעי happy, on cloud nine

רְקִיעָה נ׳ stamping, striking

רְקִיעוּת נ׳ ductility

רָקִיק ז׳ wafer, biscuit, cracker

רְקִיקָה נ׳ spitting

רָקַם פ׳ embroider, form, shape, design, devise, plan

רִקְמָה נ׳ embroidery, tissue, texture

רָקַע פ׳ stamp, tread, beat, flatten, hammer out

רֶקַע ז׳ background, ground, setting

- על רקע against a background of

רַקֶּפֶת נ׳ cyclamen, primrose

רָקַק פ׳ spit, expectorate

רְקָק ז׳ bog, swamp, mire

רְקָקִית נ׳ spittoon, cuspidor

רָר פ׳ salivate, drool, slaver

רָשׁ ת׳ poor, beggar, pauper

רַשַּׁאי ת׳ entitled, allowed, can, permitted

רָשׁוּם ת׳ registered, recorded, scheduled, on record, written

רְשׁוּמָה נ׳ record

רְשׁוּמוֹת נ״ר official records

רְשׁוּמֶת נ׳ sketch, personal details

רָשׁוּת נ׳ authority, territory

- רשות הדואר postal authority

- רשות מבצעת the executive

- רשות מחוקקת the legislature

- רשות מקומית local authority

- רשות שופטת the judiciary

רְשׁוּת נ׳ permission, leave, license, possession, ownership, property

- ברשותך by your leave

- עמד ברשות עצמו be independent

- רשות היחיד private domain

- רשות הרבים common domain

רִשָּׁיוֹן ז׳ license, permit

- רשיון נהיגה driver's license

רְשִׁימָה נ׳ list, roll, register, report, short article

- רשימה שחורה blacklist

- רשימת מועמדים slate, ticket

רִשְׁמוֹן ייבוא ז׳ import entry

רַשְׁלָן ז׳ sloven, lazy person

רַשְׁלָנוּת נ׳ neglect, negligence, carelessness, inadvertence

- רשלנות פושעת criminal negligence

רַשְׁלָנִי ת׳ neglectful, lazy, slovenly

רָשַׁם פ׳ write, list, record, register, enter, draw, note

- רשם לפניו note, keep in mind

רַשָּׁם ז׳ registrar, scorer, recorder

רִשְׁמָה נ׳ graph

- רשמת לב חשמלית ECG, electrocardiogram

רַשְׁמְזְמַן ז׳ chronograph

רִשְׁמִי ת׳ formal, official, dress

רִשְׁמִיּוּת נ׳ formality, ceremony

רִשְׁמִית תה״פ officially

רַשְׁמַלְחַץ ז׳ barograph

רַשְׁמְקוֹל ז׳ tape recorder

רָשַׁע פ׳ sin, do wrong

רָשָׁע ת׳ wicked, evil, villain

- רשע מרושע extremely wicked

רֶשַׁע ז׳ wickedness, villainy

רִשְׁעוּת נ׳ wickedness, malice

רֶשֶׁף ז׳ flash, spark

רִשְׁרוּשׁ ז׳ murmur, rustle, swish

רִשְׁרֵשׁ פ׳ murmur, rustle, whisper

רֶשֶׁת נ׳ net, network, screen, lattice, mesh, grid

- רשת דייגים drift-net, trawl

- רשת חנויות chain stores

רִשְׁתִּי ת׳ net-like, reticulate

רִשְׁתִּית נ׳ retina

ר״ת=ראשי תיבות acronym

רָתוּחַ ת׳ boiled

רָתוּם ת׳ harnessed, fastened

רָתוּק ת׳ confined, chained, riveted

רָתַח פ׳ boil, be furious, fume

רְתִחָה נ׳ boiling, fury

רַתְחָן ז׳ hot-tempered man, spitfire

רְתִיחָה נ׳ boiling, fury, simmer

רְתִימָה נ׳ harnessing

רְתִיעָה נ׳ recoil, reluctance, flinching, wince

רַתָּךְ ז׳ welder, solderer

רַתָּכוּת נ׳ welding, soldering

רָתַם פ׳ harness, bind, yoke

רִתְמָה נ׳ harness

רֶתַע ז׳ recoil, recoiling

רֶתֶק ז׳ clip, clamp, hook

רֶתֶת ז׳ tremble, clonus

ש

that, which, who, whom שֶׁ- = אשר
pump, draw, obtain, derive שָׁאַב פ׳
vacuum cleaner שַׁאֲבָק ז׳
roar, bellow, shout, yell שָׁאַג פ׳
roar, bellow, shout שְׁאָגָה נ׳
pumped, derived, drawn שָׁאוּב ת׳
Sheol, hell, grave שְׁאוֹל ז׳
nether world - שאול תחתית
borrowed, loaned, lent שָׁאוּל ת׳
loanword - מילה שאולה
din, noise, tumult, hubbub שָׁאוֹן ז׳
leaven שְׂאוֹר ז׳
essence, main part - שאור שבעיסה
shah שָׁאח (שליט אירן בעבר) ז׳
repulsion, disgust שְׁאָט נֶפֶשׁ ז׳
pump, drawing, obtaining שְׁאִיבָה נ׳
borrowing, asking שְׁאִילָה נ׳
interpellation, query שְׁאִילְתָּה נ׳
aim, ambition, inhalation שְׁאִיפָה נ׳
relative, survivor שָׂרִיד ז׳
ask, question, borrow שָׁאַל פ׳
question, problem, issue שְׁאֵלָה נ׳
catch question - שאלה מכשילה
leading question - שאלה מנחה
rhetorical question - שאלה רטורית
questionnaire שְׁאֵלוֹן ז׳
tranquil, calm, complacent שַׁאֲנָן ת׳
calm, tranquility שַׁאֲנַנּוּת נ׳
chassis שַׁאסִי (שלדה) ז׳
strive, aim, inhale, sniff שָׁאַף פ׳
aim high - שאף לגדולות
infinitesimal, very small - שואף לאפס
ambitious man, aspirant שְׁאַפְתָּן ז׳
ambitiousness שְׁאַפְתָּנוּת נ׳
ambitious, highflying שְׁאַפְתָּנִי ת׳
rest, remainder שְׁאָר ז׳
among other things - בין השאר
other things, etc. - שאר ירקות
inspiration, genius - שאר רוח
relative, kinsman שְׁאֵר ז׳
next of kin - שאר בשר
remainder, remnant, rest שְׁאֵרִית נ׳
odds and ends, scraps - שאריות
tumor שְׂאֵת נ׳
with more force שְׂאֵת - בְּיֶתֶר שְׂאֵת
return, come back, repeat שָׁב פ׳
old man שָׂב ז׳
young hooligans *שַׁבָּאב
splinter, chip, shaving שָׁבָב ז׳
Sweden שְׁבֶדְיָה (גם: שוודיה) נ׳
capture, take prisoner, take שָׁבָה פ׳
agate שְׁבוֹ (אבן יקרה) ז׳
captive, prisoner of war שָׁבוּי ז׳
week שָׁבוּעַ ז׳
workweek - שבוע עבודה
fortnight, two weeks - שבועיים
oath, sworn statement שְׁבוּעָה נ׳
Hippocratic oath - שבועת היפוקראטס
Hippocratic oath - שבועת הרופאים
perjury - שבועת שקר
weekly שְׁבוּעוֹן ז׳
Shavuoth, Feast of Weeks, Pentecost שָׁבוּעוֹת ז״ר
weekly, hebdomadal שְׁבוּעִי ת׳
biweekly, fortnightly - דו-שבועי
broken, heartbroken שָׁבוּר ת׳
heartbroken - שבור לב
return, repatriation שְׁבוּת נ׳
praise, acclaim, improvement, increment שֶׁבַח ז׳
land betterment - שבח מקרקעין
tribe, clan, stick, rod, staff שֵׁבֶט ז׳
for good or for bad - לשבט או לחסד
lash of his tongue - שבט לשונו
Shevat (month) שְׁבָט ז׳
tribal, clannish שִׁבְטִי ת׳
tribalism שִׁבְטִיּוּת נ׳
captivity, prisoners שְׁבִי ז׳
be captivated by - הלך שבי אחרי
gleam, spark, glimmer שְׁבִיב ז׳
comet שָׁבִיט ז׳
capture, capturing, taking שְׁבִיָּה נ׳
path, lane, course, trail שְׁבִיל ז׳
golden mean - שביל הזהב
Milky Way - שביל החלב
parting, part, runner שְׁבִילָה נ׳
kerchief, hair net, coif שָׁבִיס ז׳
satiety, satisfaction שְׂבִיעָה נ׳
satiety שְׂבִיעוּת נ׳
satisfaction, content - שביעות רצון
dissatisfaction - אי שביעות רצון
seventh, 7th שְׁבִיעִי ת׳
happy, on cloud nine, in the seventh heaven - ברקיע השביעי
septet, group of seven שְׁבִיעִיָּה נ׳
seventh, Sabbatical year שְׁבִיעִית נ׳
breakable, brittle, fragile שָׁבִיר ת׳
breaking, refraction שְׁבִירָה נ׳
fragility, frailty שְׁבִירוּת נ׳
strike, stoppage, walkout שְׁבִיתָה נ׳
settle, take root - קנה שביתה
go-slow strike - שביתה איטלקית
wildcat strike - שביתה פראית
token strike - שביתת אזהרה
go-slow strike - שביתת האטה
armistice, truce - שביתת נשק
hunger strike - שביתת רעב
sit-down strike - שביתת שבת
Shin Beth שב״כ=שרות בטחון כללי
grid, lattice, net, grate שְׂבָכָה נ׳
snail, slug, cochlea, volute שַׁבְּלוּל ז׳
mold, pattern, model שַׁבְּלוֹנָה נ׳
trite, hackneyed, routine שַׁבְּלוֹנִי ת׳
be satisfied, eat enough שָׂבַע פ׳
satiety, fullness שֹׂבַע ז׳
satisfied, sated, full שָׂבֵעַ ת׳
old, bowed with age - שבע ימים
pleased, contented - שבע נחת
content, satisfied - שבע רצון
seven, 7 שֶׁבַע ש״מ
keep a close watch on - השגיח בשבע עיניים על
marriage blessing - שבע ברכות
seventeen, 17 שְׁבַע עֶשְׂרֵה ש״מ
seventeenth - השבע עשרה

שִׁבְעָה ש״מ seven, 7
- ישב שבעה mourn for seven days
- שבעה מדורי גיהינום suffering
שִׁבְעָה עָשָׂר ש״מ seventeen, 17
- (החלק) השבעה עשר seventeenth
שִׁבְעִים ש״מ seventy, 70
- שנות השבעים the seventies
- (החלק) השבעים seventieth
שַׁבְעִית נ׳ septet
שִׁבְעָתַיִם תה״פ sevenfold
שָׁבָץ ז׳ apoplexy, fit, stroke
שַׁבֵּץ נָא (מִשְׂחָק) ז׳ Scrabble
שָׁבַק פ׳ abandon, leave, forsake
- שבק חיים die, pass away
שָׁבַר פ׳ break, smash, bust
*- שבר את הכלים break the rules
- שבר את הקרח break the ice
- שבר את הראש rack one's brains
- שבר רעבונו satisfy one's hunger
- שבר שיא break a record
- שברה את ליבו break his heart
שֶׁבֶר ז׳ fragment, fracture, fraction, rupture, hernia
- שבר אמיתי (פשוט) proper fraction
- שבר כלי broken man, wreck
- שבר מדומה improper fraction
- שבר ענן cloudburst
- שבר עשרוני decimal fraction
- שבר פשוט simple fraction
שַׁברוּחַ ז׳ windbreak
שִׁברוֹן לֵב ז׳ heartbreak
שַׁבְרִיר ז׳ particle, fraction, splinter
- שבריר שנייה split second
שַׁבְרִירִי ת׳ slight, fragile, weak
שַׁבְשֶׁבֶת נ׳ vane, weather vane
שָׁבַת פ׳ strike, walk out, rest, cease
שַׁבָּת נ׳ Sabbath, Saturday
שֶׁבֶת נ׳ sitting, anise, dill
שַׁבְּתַאי (כוכב לכת) ז׳ Saturn
שַׁבָּתוֹן ז׳ complete rest, sabbatical
שַׁבַּתִּי ת׳ sabbatical
שַׁבַּתיָין ז׳ sabbatarian
ש״ג=שוטר גדודי regimental guard
שָׂגַב פ׳ be high, be strong
שֶׂגֶב ז׳ greatness, loftiness
שָׁגַג פ׳ sin unintentionally
שְׁגָגָה נ׳ unintentional sin
שָׁגָה פ׳ err, be engrossed in
- שגה בהזיות daydream
שָׂגָה פ׳ grow, prosper
שָׁגוּי ת׳ incorrect, erroneous, wrong
שָׁגוּר ת׳ usual, customary, fluent
שַׂגִּיא ת׳ lofty, enormous
שְׁגִיאָה נ׳ error, mistake, blunder
- שגיאת כתיב misspelling
שַׂגִּיב ת׳ lofty, enormous
שִׁגְיוֹנִי ת׳ obsessive, capricious
שְׁגִירוּת נ׳ fluency, routine, habit
שָׁגַל פ׳ lie with, rape
שֶׁגֶם ז׳ tenon, spline, slip, dowel
שִׁגְעוֹנִי ת׳ insane, mad, crazy
שֶׁגֶר ז׳ offspring, young
שִׁגְרָה נ׳ convention, routine, rut
שַׁגְרִיר ז׳ ambassador, envoy
שַׁגְרִירָה נ׳ ambassadress
שַׁגְרִירוּת נ׳ embassy

שִׁגְרָתִי ת׳ conventional, usual, routine
שִׂגְשֵׂג פ׳ flourish, prosper, thrive
שִׂגְשׂוּג ז׳ prosperity, thriving, boom
שֵׁד ז׳ demon, devil, ghost, spook
*- השד יודע nobody knows
- מי לכל השדים והרוחות who the devil-
- שד משחת expert, *fireball, whiz
שָׁד ז׳ breast, *tit
- שדיים breasts, bust, *boobs
שְׁדָאוּת נ׳ field training
שָׁדַד פ׳ rob, plunder, ravage, *mug
שָׂדֶה ז׳ field, ground
- שדה בור fallow, uncultivated field
- שדה בית השלחין irrigated field
- שדה בעל unirrigated land
- שדה חשמלי electric field
- שדה מגנטי magnetic field
- שדה מוקשים minefield
- שדה מרעה grazing-land, pasture
- שדה פחם coalfield
- שדה פעולה scope for action
- שדה קרב battlefield
- שדה ראייה field of vision, view
- שדה תעופה airfield, airport
שָׁדוּד ת׳ robbed, *mugged
שְׁדוּלָה נ׳ lobby, pressure group
שְׁדוּלָן (לוביסט) ז׳ lobbyist
שְׁדוּלָנוּת נ׳ lobbying
שֵׁדוֹן ז׳ elf, imp, sprite
שֵׁדוֹנִי ת׳ elfin, elfish, elvish, impish
שָׁדוּף ת׳ blighted, empty, hollow
שַׁדַּי ז׳ the Almighty, God
שֵׁדִי ת׳ devilish, demoniacal
שָׁדִיר ת׳ broadcastable
שְׁדֵירָה (ראה שדרה) נ׳ avenue
שַׁדְכָן ז׳ matchmaker, *stapler
שַׁדְכָנוּת נ׳ matchmaking
שַׁדְלָן ז׳ lobbyist, intercessor
שַׁדְלָנוּת נ׳ lobbyism, intercession
שָׁדַף פ׳ blight, parch, blast
שֶׁדֶר ז׳ broadcast, message
שַׁדָּר ז׳ broadcaster
שִׁדְרֵג פ׳ upgrade
שִׁדְרָה נ׳ spine, backbone
- חוט שדרה backbone, spinal cord
- עמוד השדרה backbone, spine
שְׁדֵרָה נ׳ avenue, boulevard, column, rank, class, circle
- שדרת עמודים colonnade, arcade
- שדרת שיחים hedgerow
שִׁדְרוּג ז׳ upgrading
שִׁדְרִית נ׳ keel
שַׁדְרָן ז׳ broadcaster, transmitter
שֶׂה ז׳ lamb, sheep
שֶׁהֲדִי בַּמְּרוֹמִים! מ״ק so help me!
שָׁהָה פ׳ stay, live, linger, tarry
שָׁהוּי ת׳ delayed, slow
שָׁהוּת נ׳ interval, pause, time
שְׁהִי ז׳ rest, pause, fermata
שְׁהִיָּה נ׳ delay, sojourn, stay
שֶׁהַכֹּל blessing before drinking
שׁוֹאֵב ז׳ pumper, drawer, deriver
- שואב אבק vacuum cleaner
שׁוֹאָה נ׳ disaster, calamity

- השואה	the Holocaust
שוֹאֵל ז׳	borrower, questioner
שוב תה״פ	again, anew, back, over
- שוב ושוב	again and again
*- שוב פעם	again, once more
שוֹבֵב פ׳	restore, refresh
- שובב נפש	delight, charm, please
שוֹבָב ז׳	mischief, prankster, rogue
שוֹבְבוּת נ׳	mischief, misbehavior
שוֹבָבִי ת׳	mischievous, wild
שוֹבְבָנִי ת׳	mischievous, wild
שוֹבֶה ז׳	captor
- שובה לב	fascinating, captivating
שוּבָה נ׳	calm, tranquility, peace
שוּבַּח פ׳	be praised, be improved
שוֹבִינִיזם (לאומנות) ז׳	chauvinism
שוֹבִינִיסט (לאומני) ז׳	chauvinist
שוֹבִינִיסטִי ת׳	chauvinistic
שוֹבָךְ ז׳	dovecote, cote, cot
שוֹבֶל ז׳	train, trail, wake, tail
- שובל אדים	contrail, vapor trail
שוֹבַע ז׳	satiety, fullness, repletion
שוֹבְעָה נ׳	satiety, fullness
- שאינו יודע שובעה	insatiable
שוּבַּץ פ׳	be set, be placed
שוֹבֵר ז׳	voucher, receipt, breaker
- שובר גלים	breakwater, sea-wall
- שובר לב	heartbreaking
- שובר קופות	box-office success
- שובר רוח	windbreak
- שובר שוויון	tie-break
- שובר שיניים	tongue twister, jawbreaker
שוּבַּשׁ פ׳	be distorted, be upset
שוֹבֵת ז׳	striker
שוֹגֵג - בְּשׁוֹגֵג	unintentionally
שוּגַּר פ׳	be sent, be launched
שוֹגֵר ז׳	consignor, consigner
שוד ז׳	robbery, plunder, pillage
- שוד ושבר!	woe is me!, alas!
- שוד ים	piracy
- שוד לאור היום	daylight robbery
שוֹדֵד ז׳	bandit, robber, *mugger
- שודד ים	pirate, sea rover
שוּדַּךְ פ׳	be matched, be engaged
שוּדַּל פ׳	be coaxed, be persuaded
שוּדַּר פ׳	be broadcast
שוֹהַם (אבן טובה) ז׳	onyx
שָׁווא ז׳	lie, untruth, vanity, false
- אזעקת שווא	false alarm
- לשווא	in vain, of no avail
שְׁוָוא (בניקוד) ז׳	schwa
שְׁוָואִי ת׳	vocalized by schwa
שְׁוֶודִי ת׳	Swede, Swedish
שְׁוֶודְיָה נ׳	Sweden
שָׁוָוה פ׳	be equal, be like, be worth
שָׁוֶוה ת׳	equal, same, worth, even
- גזירה שווה	analogy, inference
- לא שווה	unequal, *worthless
- צד שווה	common characteristic
- שווה בשווה	fifty-fifty, equally
- שווה זוויות	equiangular
- שווה לכל נפש	not expensive
- שווה נפש	indifferent, apathetic
- שווה ערך	equivalent, tantamount
- שווה צלעות	equilateral

- שווה שוקיים	isosceles
שׁוֹוִי ז׳	value, worth, price
שִׁוְויוֹן ז׳	equality, tie, deuce
- שוויון זכויות	equal rights
- שוויון יום ולילה	equinox
- שוויון נפש	indifference, apathy
שִׁוְויוֹנִי ת׳	egalitarian, equalitarian
שִׁוְויוֹנִיּוּת נ׳	egalitarianism
שְׁוַוייץ נ׳	Switzerland
שְׁוַוייצָרִי ת׳	Swiss
שְׁוַוייצַרְיָה (שוויץ) נ׳	Switzerland
*שְׁוִויץ ז׳	swagger, showing off
*שְׁוִויצֶר ז׳	braggart, swank
שָׁווִיק ת׳	marketable, salable
שַׁוְועָה נ׳	cry, outcry
שׁוּוַק פ׳	be marketed, sell
שַׁוָּוק ז׳	marketer
שַׁוָּור ז׳	ropedancer
שׁוּזַּף פ׳	be tanned, be browned
שׁוּחַד פ׳	be bribed, be prejudiced
שׁוֹחַד ז׳	bribe, bribery, *graft
שׁוּחָה נ׳	pit, ditch, trench, foxhole
שׁוּחְזַר פ׳	be reconstructed
שׂוֹחַח פ׳	talk, discuss, chat
שׁוֹחֵט ז׳	butcher, slaughterer
שׁוֹחֵר ז׳	seeker, lover, friend, cadet
- שוחר שלום	pacifist, peace-lover
שׁוּחְרַר פ׳	be liberated, be exempted
- שוחרר בערבות	be released on bail
שׁוֹט ז׳	whip, lash, scourge
שׁוֹטֶה ת׳	fool, silly, stupid, rabid
- כלב שוטה	mad dog, rabid dog
- שוטה הכפר	village idiot
שׁוֹטוֹן (שלוחה דקה) ז׳	flagellum
שׁוֹטֵט פ׳	roam, rove, wander
שׁוֹטְטוּת נ׳	vagrancy, wandering
שׁוּטִית נ׳	skiff, canoe
שׁוֹטֵף ת׳	current, fluent, running
- גשם שוטף	downpour
שׁוֹטֵר ז׳	constable, cop, policeman, officer, police officer
- שוטר חרש	detective
- שוטר מקוף	patrolman, patroller
- שוטר צבאי	military policeman
- שוטר תנועה	traffic policeman
שׁוֹטֶרֶת נ׳	policewoman
שׁוּיַּךְ פ׳	be ascribed, be connected
שׁוּיַּף פ׳	be filed, be rasped off
שׁוֹךְ ז׳	calming down, end
שׁוּכַּךְ פ׳	be appeased, be allayed
שׁוּכְלַל פ׳	be perfected, be improved
שׁוּכַּן פ׳	be housed, be settled
שׁוֹכֵן ת׳	located, situated, present
שׁוּכְנַע פ׳	be convinced
שׁוּכְפַּל פ׳	be duplicated, be cloned
שׂוֹכֵר ז׳	hirer, renter, lessee, tenant
שׁוּכְתַּב פ׳	be rewritten, be revised
שׁוּלַּב פ׳	be joined, be linked
שׁוּלְהַב פ׳	be excited, be inflamed
שׁוּלַּח פ׳	be sent, be dismissed
שׁוֹלֵחַ ז׳	sender, principal, consigner
שׁוּלְחָן ז׳	table, desk, board
- שולחן הימורים	gaming table
- שולחן המערכת	editor's desk, copydesk
- שולחן טואלט	dressing table

- שולחן כתיבה writing desk
- שולחן מתקפל folding table
- שולחן ניתוחים operating table
- שולחן עבודה worktable
- שולחן עגול round table
- שולחן ערוך set table, code of Jewish laws
- שולחן שחיל extension table
- שולחן תה tea table, tea trolley
שולחנון ז' stand, small table
שולחנות נ' changing money
שולחני ז' moneychanger
שולט פ' be signposted
שולט ת' commanding, dominant, master
שולטני ת' domineering, dominant
שולי ת' marginal, peripheral, small
שוליה ז' apprentice, trainee
- שוליית הקוסם sorcerer's apprentice
שוליים ז"ר margin, edge, edging, brim, hem, fringes, selvage
- שולי הכביש roadside, shoulder
שולל ת' objector, denier
שולל - הוליך שולל mislead
שולם פ' be paid, be settled
שולש פ' be multiplied by three
שולשל פ' be inserted, be pocketed
שולת מוקשים נ' mine sweeper
שום ז' garlic, something, *not any
- שום אדם (לא) nobody
- שום דבר (לא) nothing
שומה נ' mole, valuation, assessment, appraisal
שומה על it's incumbent upon-, one must, you should
שומם ת' empty, desolate, desert
שומן פ' be oiled, be lubricated
שומן ז' fat, schmaltz, dripping
- דל שומן low-fat
שומן ז' adiposity, fatness
שומני ת' fatty, adipose, greasy
שומע ז' hearer, listener, auditor
שומר פ' be conserved, be preserved
שומר ז' guard, keeper, watchman
- שומר חוק law-abiding
- שומר מסורת religious, traditionalist
- שומר מצוות religious
- שומר משקל weight watcher
- שומר ראש bodyguard
שומר (תבלין) ז' fennel
שומרה נ' watchman's booth
שומרון ז' Samaria
שומרוני ת' Samaritan
שומשום ז' sesame
שומשמנית נ' sesame cookie
שונא ז' enemy, foe, hater, hostile
- שונא אדם misanthrope
- שונא ישראל anti-Semite
- שונא נשים misogynist
שונה פ' be changed, be altered
שונה ת' different, unlike, another
- שונים various, sundry, sundries
- שונים ומשונים various, sundry
שונות נ' difference, variance

שונות נ"ר sundries, various items
שוני ז' difference, distinction
שונית נ' cliff, reef
- שונית אלמוגים coral reef
שונן פ' be memorized
שונע פ' be moved, be transshipped
שונר ז' lynx, wildcat
שונרא cat
שונת פ' be calibrated, be graduated
שוסה פ' be incited, be set on
שוסע פ' be interrupted, be rent
שוסף פ' be cut, be split
שוע ז' noble, magnate, rich
שועבד פ' be mortgaged, be enslaved
שועל ז' fox
- שועל קרבות battle-scarred
שועלה נ' vixen
שועלי ת' foxy, vulpine, cunning, sly
שועמם פ' be bored, be tired
שוער פ' be supposed, be estimated
- בל ישוער unimaginable, fantastic
שוער ז' porter, gatekeeper, doorman, janitor, goalkeeper
שוערך פ' be revalued
שועשע פ' be amused, be delighted
שועתק פ' be reproduced
שופד פ' be stabbed, be spitted
שופה פ' be indemnified, be planed
שופט ז' judge, justice, referee
- שופט ביהמ"ש העליון justice, supreme court judge
- שופט חוקר examining magistrate
- שופט מחוזי district court judge
- שופט קו linesman, lineman
- שופט שלום Justice of the Peace, magistrate
שופטות נ' justiceship, judicature
שופטים (בתנ"ך) Judges
שופין ז' file, nail file
שופכה נ' penis, urethra
שופכין ז"ר sewage, sludge
שופע פ' be slanted, abound in
שופע ת' affluent, abundant, rich
שופע (הספינה) ז' trim
שופץ פ' be renovated, be repaired
שופר פ' be improved, ameliorate
שופר ז' ram's horn, shofar, trumpet, mouthpiece, organ
שופרא דשופרא the best
שופשף פ' be rubbed, be seasoned
שוק ז' market, marketplace
- השוק המשותף the Common Market
- שוק אפור gray market
- שוק הכספים money market
- שוק העבודה labor market
- שוק מוכרים sellers' market
- שוק מניות stock market
- שוק פשפשים flea market
- שוק פתוח/חופשי open/free market
- שוק קונים buyers' market
- שוק שחור black market
שוק ז' shank, shin, leg, calf, side, shock
- הוכה שוק על ירך severely beaten
שוקה נ' shinbone, tibia

chocolate שוקו ז׳
chocolate שוקולד ז׳
fibula שוקית (מעצמות השוק) נ׳
be weighted שוקלל פ׳
be rehabilitated שוקם פ׳
be sunk, be submerged שוקע פ׳
draft, draught שוקע (של אונייה) ז׳
bustling, noisy שוקק (חיים) ת׳
trough, drinking trough שוקת נ׳
hopeless - עומד בפני שוקת שבורה
bull, ox, Taurus שור ז׳
buffalo - שור הבר
be inserted erroneously שורבב פ׳
line, row, file, rank, series שורה נ׳
average person - אדם מן השורה
the bottom line - השורה התחתונה
leniently, indulgently - לפנים משורת הדין
Indian file, single file - שורה עורפית
lined sheet שורון ז׳
oo (Hebrew vowel) שורוק ז׳
be drawn, be sketched שורטט פ׳
be armored, be earmarked שוריין פ׳
sibilant, hissing, piping שורקני ת׳
sing, write poetry שורר פ׳
navel, umbilicus שורר ז׳
rife, prevalent, ruling שורר ת׳
be uprooted, be rooted out שורש פ׳
root, source, radical, stem שורש ז׳
strike root, take root - הכה שורש
thorough treatment - טיפול שורש
carpus, wrist - שורש היד
tarsus - שורש הרגל
the root of all evil - שורש הרע
cube root - שורש מעוקב
square root - שורש ריבועי
radical, radicle, rootlet שורשון ז׳
radical, deep-rooted שורשי ת׳
fundamentality שורשיות נ׳
licorice, liquorice שוש ז׳
best man, friend שושבין ז׳
bridesmaid שושבינה נ׳
dynasty, genealogy שושלת נ׳
lily, rosette שושן ז׳
rose, lily שושנה נ׳
erysipelas - שושנה (זיהום עור)
compass card - שושנת הרוחות
sea anemone - שושנת ים
leishmaniasis cutanea - שושנת יריחו (מחלה)
roseate, rosy שושני ת׳
rosette שושנת נ׳
be joined, take part שותף פ׳
partner, companion, party שותף ז׳
accomplice, accessory - שותף לעבירה
partnership, complicity שותפות נ׳
be paralyzed, be silenced שותק פ׳
tanned, suntanned שזוף ת׳
interwoven, twined, laced שזור ת׳
plum, prune שזיף ז׳
interweaving, twist שזירה נ׳
tan, brown, see שזף פ׳
caramel שזף סוכר ז׳
twine, interweave, weave שזר פ׳
cob, corncob, spine שזרה נ׳

speak, say, walk, stroll שח פ׳
You don't say! - מה אתה שח?
chess, check, Shah שח ז׳
bent, bowed, stooping שח ת׳
NIS, new shekel ש״ח = שקל חדש
swim, have a swim שחה פ׳
go with the tide - שחה עם הזרם
bow, stoop, bend שחה פ׳
bent down, bowed שחוח ת׳
slaughtered, butchered שחוט ת׳
brown, swarthy, brunette שחום ת׳
hot, dry, arid, torrid שחון ת׳
laughter, game, play, sport שחוק ז׳
worn, crushed, trite שחוק ת׳
blackness, darkness שחור ז׳
be pessimistic - ראה שחורות
black (clothes) - שחורים
black, dark שחור ת׳
black sheep - כבשה שחורה
bitter end - סוף שחור
pitch-black - שחור משחור
clearly - שחור על גבי לבן
reconstruction, reenactment שחזור ז׳
reconstruct, reenact, restore שחזר פ׳
butcher, slaughter שחט פ׳
armpit שחי ז׳
armpit - בית השחי
bribable, venal שחיד ת׳
butchery, slaughter שחיטה נ׳
swimming, swim, stroke שחייה נ׳
backstroke - שחיית גב
breaststroke - שחיית חזה
crawl - שחיית חתירה
dog paddle - שחיית כלב
butterfly - שחיית פרפר
sidestroke - שחיית צד
swimmer שחיין ז׳
telescopic, extension שחיל ת׳
boils, scabies, mange שחין ז׳
fingerboard, lath, lean שחיף ז׳
attrition, erosion, grinding, wear, burnout שחיקה נ׳
corruption, abuse שחיתות נ׳
lion שחל ז׳
ovary שחלה נ׳
recombination שחלוף ז׳
reexchange, rearrange, recombine שחלף פ׳
granite שחם ז׳
brownish, tawny שחמחם ת׳
chess שחמט ז׳
chess player שחמטאי ז׳
cirrhosis שחמת (מחלה) נ׳
gull, seagull שחף ז׳
tern שחפית (עוף ים) נ׳
consumptive, tubercular שחפני ת׳
consumption, tuberculosis שחפת נ׳
consumptive, tubercular שחפתי ת׳
arrogant, haughty, *uppish שחצן ז׳
arrogance, vanity שחצנות נ׳
arrogant, haughty שחצני ת׳
grind, pulverize, crush, wear out, erode שחק פ׳
laugh, scorn שחק פ׳
heavens, sky, welkin שחקים ז״ר

actor, player, artist שַׂחְקָן ז׳
- שחקן אופי character actor
- שחקן משנה supporting actor
- שחקן ספסל second string, reserve, substitute
- שחקן שדה fielder
שַׂחְקָנִית נ׳ actress
שִׁחֵר פ׳ seek, search, love
שַׁחַר ז׳ dawn, daybreak, truth, base
- בשחר ימיו in the prime of life
- חסר שחר groundless, unfounded
שַׁחֲרוֹמֶת נ׳ melanoma
שִׁחְרוּר ז׳ acquittal, exemption, liberation, release
- שחרור בערבות release on bail
שַׁחֲרוּר (ציפור שיר) ז׳ blackbird
שַׁחֲרוּת נ׳ youth, boyhood
שְׁחַרְחוֹר ת׳ brunette, dark, swarthy
שְׁחַרְחַר ת׳ dark, blackish
שַׁחֲרִית נ׳ morning (prayer)
שִׁחְרֵר פ׳ free, liberate, release, exempt, acquit, loosen, relieve
שַׁחַת נ׳ hay, grave, pitfall
שָׁט פ׳ sail, float, wander
שָׁטוּחַ ת׳ flat, leveled, plane
- שטוח רגליים flat-footed
שְׁטוּיוֹת נ״ר nonsense, rubbish
שָׁטוּף ת׳ washed, addicted, full of
- שטוף זימה salacious, prurient
- שטוף שמש sunlit, sunny
שְׁטוּת נ׳ nonsense, folly, absurdity
*- שטויות במיץ עגבניות sheer nonsense
שְׁטוּתִי ת׳ absurd, foolish
שָׁטַח פ׳ spread, stretch out, let hear, express
שֶׁטַח ז׳ area, zone, surface, field
- בשטח in the field
- שטח הפקר no man's land
- שטח מוגבל restricted area
- שטח ציבורי public area
- שטח שיפוט area of jurisdiction
- שטחים כבושים occupied territory
שִׁטְחָה נ׳ facet
שִׁטְחִי ת׳ superficial, shallow
שִׁטְחִיּוּת נ׳ platitude, superficiality
*שְׁטִיבְּל ז׳ small synagogue
שָׁטִיחַ ז׳ carpet, rug
- שטיח אדום red carpet
- שטיח מקיר לקיר wall-to-wall carpet
- שטיח קיר arras
שְׁטִיחוֹן ז׳ mat, small carpet
שְׁטִיחוּת נ׳ flatness
*שְׁטִינְקֶר ז׳ stinker, informer
שְׁטִיפָה נ׳ rinse, washing, flooding, flushing, *scolding, telling-off
- שטיפת מוח brainwashing
- שטיפת קיבה stomach pumping
שְׁטִיפוּת נ׳ addiction, avidity
*שְׁטִיק (קונצים) ז׳ shtik, trick, pranks
שָׂטַם פ׳ hate, dislike
שָׂטָן ז׳ Satan, devil, fiend
שִׂטְנָה נ׳ hatred, denunciation
שְׂטָנִי ת׳ devilish, fiendish, satanic
שָׁטָנִי ת׳ light brown
שְׂטָנִיּוּת נ׳ devilry, cruelty
*שַׁטַנְץ ז׳ mold, mould, pattern
שִׁטְעוּן ז׳ transshipment
שִׁטְעֵן פ׳ transship, tranship
שָׁטַף פ׳ rinse, wash, flood, sweep, *scold, tell off, give what for
*- שטף את המוח brainwash
שֶׁטֶף ז׳ flow, current, stream
- בשטף fluently, rapidly
- שטף דיבור fluency
- שטף דם hemorrhage
*שְׁטֶקֶר (תֶּקַע) ז׳ plug
שְׁטָר ז׳ bill, promissory note, note, deed, bond
- שטר בנקאי bank note, bank bill
- שטר חוב IOU, promissory note
- שטר חליפין bill of exchange
- שטר כסף bill, (bank)note
- שטר מטען bill of lading
- שטר מכר bill of sale
- שטר קניין deed of covenant
- שטרות לפירעון bills payable
- שטרות לקבל bills receivable
שְׁטְרוּדֶל (כְּרוּכִית) ז׳ strudel
שְׁטְרַיְימְל ז׳ shtreimel, fur hat
שְׁטֶרְלִינְג ז׳ sterling
שַׁי ז׳ gift, present, offering
שִׂיא ז׳ summit, peak, apex, climax, height, high, record, acme
שִׂיאָן ז׳ record holder
שִׁיאָצוּ (תרפיה יפנית) ז׳ shiatsu
שִׁיבֵּב פ׳ plane, splinter, sliver, chip
שִׁיבָה נ׳ return, comeback
שֵׂיבָה נ׳ old age, gray hair
- בשיבה טובה at a ripe old age
שִׁיבּוּב ז׳ planing, splintering
שִׁיבּוּט ז׳ cloning
שִׁיבּוּט (דג) ז׳ turbot, cod
שִׁיבּוֹלֶת נ׳ ear of corn, swirl
- שיבולת שועל oats, oatmeal
שִׁיבּוּץ ז׳ setting, inlay, placing
שִׁיבּוּשׁ ז׳ mistake, error, disorder, disruption, confusion, upset
- שיבוש הליכים disruption of proceedings
שִׁיבֵּחַ פ׳ praise, laud, improve
שִׁיבֵּט ז׳ clone
שִׁיבֵּץ פ׳ checker, inlay, insert, set, place, grade, post
שִׁיבֵּר פ׳ break, shatter, fracture
- שיבר האוזן make it clear
*שִׁיבֶּר ז׳ tap, faucet, valve
שִׁיבֵּשׁ פ׳ upset, make errors, spoil, disrupt, confuse, *screw up
שִׂיג וָשִׂיחַ ז׳ talks, negotiations
שִׁיגָדוֹן (פּוֹדַגְרָה) ז׳ gout
שִׁיגּוּעַ ז׳ maddening, driving mad
שִׁיגּוּר ז׳ sending, dispatch, launch
שִׁיגָּיוֹן ז׳ fixed idea, obsession
שִׁיגְיוֹנִי ת׳ obsessive, capricious
שִׁיגֵּל פ׳ lie with, rape
שִׁיגַּע פ׳ madden, drive crazy
שִׁיגָּעוֹן ז׳ insanity, lunacy, madness, mania, *great!, excellent
- שיגעון הגדלות megalomania
שִׁיגְעוֹנִי ת׳ insane, mad, crazy

שיגר פ׳ consign, send, launch
שיגרון ז׳ rheumatism
שיגרוני ת׳ rheumatic
שידד פ׳ harrow, plow
שידה נ׳ cabinet, dresser, chest of drawers, highboy, chiffonier
שידוד ז׳ harrowing, plowing
- שידוד מערכות reshuffle, reform
שידוך ז׳ match, betrothal
שידול ז׳ persuasion, coaxing
שידור ז׳ broadcast, transmission
- שידור חוזר repeat
- שידור חי live broadcast
שידך פ׳ arrange a marriage
שידל פ׳ persuade, tempt, solicit
שידפון ז׳ blight, smut
שידר פ׳ broadcast, transmit, radio
*- שידרו על אותו גל agree
שיהוק ז׳ hiccup, hiccough
שיהק פ׳ hiccup, hiccough
שיווה פ׳ compare, give, render
- שווה בנפשך! just imagine!
- שיווה לעצמו fancy, imagine
שיוֵט פ׳ systematize
שיווט ז׳ systematization
שיווי ז׳ equalization, parity
- שיווי זכויות equal rights
- שיווי משקל equilibrium, balance
שיווע פ׳ cry, cry out, shout, scream
שיווק פ׳ market
שיווק ז׳ marketing
- מחקר שיווק market research
שיווקי ת׳ market
שיוט ז׳ cruise, rowing, sail
שיוך ז׳ attribution, connection
שיוף ז׳ filing, rasping, abrasion
שיור ז׳ remainder, leftover
שיזוף ז׳ tan, suntan, tanning
שיזף פ׳ tan, brown, bronze
שיזף (עץ פרי) ז׳ jujube
שיח ז׳ bush, shrub, conversation
- שיח ושיג business, talks
שיחד פ׳ bribe, oil his palm
שיחה נ׳ chat, conversation, dialogue, talk, call, lecture
- שיחה ממתינה call waiting
- שיחת גוביינה collect call
- שיחת היום/העיר talk of the town
- שיחת ועידה conference call
- שיחת חולין chat, *confab
- שיחת חוץ long-distance call
שיחוד ז׳ bribing, buying off
שיחול ז׳ extrusion
שיחון ז׳ conversation book
שיחק פ׳ play, toy, act, perform
*- שיחק אותה (בגדול) act, pretend, make it, succeed
- שיחק באש play with fire
- שיחק לו מזלו be lucky
- שיחק לידיו play into his hands
שיחר פ׳ search, visit, turn to
- שיחר לטרף prowl, maraud, raven
- שיחר פנים welcome, greet
שיחת פ׳ spoil, waste, ruin
שיט ז׳ cruise, navigation, sailing
שיטה פ׳ fool, ridicule, mock, *cod

שיטה נ׳ system, manner, method
- בין השיטין between the lines
- שיטה עיוורת touch-typing
- שיטה עשרונית decimal scale
שיטה (עץ) נ׳ acacia, wattle
- שיטה ביישנית mimosa
שיטוח ז׳ flattening, leveling
שיטוי ז׳ fooling, mocking, hoax
שיטור ז׳ policing, patrolling
שיטח פ׳ flatten, relate, present
שיטיון ז׳ dementia
שיטפון ז׳ flood, inundation
שיטתי ת׳ systematic, methodical
שיטתיות נ׳ orderliness, method
*שייבה נ׳ washer, ring
שייה נ׳ lamb, sheep
שייט פ׳ cruise, sail, row, yacht
שייט ז׳ rower, oarsman, navigator
שייטות נ׳ oarsmanship
שייטת נ׳ fleet, flotilla, squadron
שייך פ׳ ascribe, connect, class
שייך ת׳ belong, belonging, pertinent, relevant
שייכות נ׳ relevancy, belonging
שייף פ׳ file, rasp, rasp off, abrade
שייר פ׳ leave, leave over
שיירה נ׳ caravan, convoy, train
שיירים ז״ר leftovers, remains
שיך (נכבד ערבי) ז׳ sheik, sheikh
שיכוך ז׳ calming, mitigation
שיכול ז׳ transposition, crossing
- שיכול אותיות metathesis
שיכול ז׳ bereavement
שיכון ז׳ housing, housing estate
שיכור ז׳ drunk, drunkard, *canned
- שיכור הצלחה drunk with success
- שיכור כלוט dead drunk, *sozzled
שיכח פ׳ erase from memory
שיכחון ז׳ amnesia, oblivion
שיכך פ׳ appease, allay, soothe
שיכל פ׳ bereave, kill (son)
שיכל פ׳ cross, transpose
שיכן פ׳ house, lodge, billet, quarter
שיכר פ׳ intoxicate, inebriate, elate
שיכר ז׳ beer
- שיכר תפוחים cider, applejack
שיכרון ז׳ drunkenness
שיכרון (צמח רעלי) ז׳ henbane
שילב פ׳ combine, join, fit, attach, interlace, engage
- שילב ידיו fold one's arms
- שילב ידיים join hands
שילוב ז׳ combining, linking, connecting, interlacing
שילוח ז׳ sending, dismissal, launching, banishment, send-off
שילוחית (אחריות) ת׳ vicarious (liability)
שילוט ז׳ making signposts, signs
שילום ז׳ payment, reward
- שילומים reparations
שילוש ז׳ Trinity, tripling
שילח פ׳ send, dismiss, fire, launch
שילט פ׳ signpost, fix signposts
שילינג ז׳ shilling, *bob
שילם פ׳ pay, repay, requite, defray

שִׁילֵשׁ פ׳ treble, multiply by three
שִׁילֵשׁ ז׳ great-grandson
שִׁימֵד פ׳ convert, baptize
שִׂימָה נ׳ putting, placing, setting
- שׂימת לב regard, attention
שִׁימּוּן ז׳ lubrication, greasing
שִׁימּוּעַ ז׳ hearing
שִׁימּוּר ז׳ conservation, preservation
- שימורים conserves, canned food
שִׁימּוּשׁ ז׳ use, service, usage
- שימוש לרעה abuse, misuse
שִׁימּוּשִׁי ת׳ handy, practical, useful, usable, applied
שִׁימּוּשִׁיּוּת נ׳ utility, usability
שִׂימַּח פ׳ gladden, make merry
שִׁימָּמוֹן ז׳ dejection, boredom
שִׁימֵּן פ׳ lubricate, oil, grease
שִׁימְפַּנְזָה נ׳ chimpanzee, *chimp
שִׁימֵּר פ׳ conserve, can, tin, preserve
שִׁימֵּשׁ פ׳ serve, act, be, use, attend
שִׂין נ׳ sin (letter)
שִׁין נ׳ shin (letter)
שִׁינָּה פ׳ change, alter, transform
*- לא משנה no matter, never mind
- שינה טעמו shift one's ground
שֵׁינָה נ׳ sleep, sleeping, nap
- שינה חטופה doze, forty winks
- שנת ישרים sweet sleep
שִׁינּוּי ז׳ alteration, change, amendment, modification
- שינוי לטובה change for the better
שִׁינּוּן ז׳ repetition, memorizing
שִׁינּוּס ז׳ girding (one's loins)
שִׁינּוּעַ ז׳ transshipment, handling
שִׁינּוּת ז׳ graduation, calibration
שִׁינִּי ת׳ dental, toothlike
שִׁינַּיִים (רבים של שֵׁן) נ״ר teeth
- שיניים תותבות dentures
שִׁינֵּן פ׳ memorize, repeat, inculcate
שִׁינָּן (מצוי בשתן) ז׳ urea
שִׁינָּן (צמח) ז׳ dandelion
שִׁינָּנִית נ׳ dental hygienist
שִׁינֵּס פ׳ gird (one's loins)
שִׁינַּע פ׳ transport, transship, handle
שִׁינֵּק פ׳ choke, throttle, strangulate
שִׁינְשִׁילָה (צ׳ינצ׳ילה) נ׳ chinchilla
שִׁינֵּת פ׳ graduate, calibrate
שִׁיסָּה פ׳ incite, instigate, set upon
שִׁיסּוּי ז׳ inciting, setting on
שִׁיסּוּעַ ז׳ tearing, interruption
שִׁיסּוּף נ׳ cutting, rending, tearing
שִׁיסַּע פ׳ rend, tear, rip, interrupt
שִׁיסֵּף פ׳ tear, cut, rend, split
שִׁיעָה (זרם באיסלאם) נ׳ Shia
שִׁיעוּל ז׳ cough, hack
שִׁיעוּר ז׳ lesson, measure, extent, rate, size, proportion
- לאין שיעור immeasurably, vastly
- לשיעורין gradually, bit by bit
- שיעור קומה stature, caliber
- שיעורי בית homework
שִׁיעִי (מוסלמי) ת׳ Shiite
שִׁיעֵר פ׳ guess, suppose, believe
- שער בנפשך ! imagine!, just fancy!
שֵׂיעָר ז׳ hair
שִׁיפֵּד פ׳ spit, stab, pierce, skewer

שִׁיפָּה פ׳ smooth, indemnify
שִׁיפָּה פ׳ hem, hemstitch, edge
שִׁיפָה (רקמה בצמח) נ׳ phloem, bast
שִׁיפּוּד ז׳ spit, skewer, spitting
שִׁיפּוּט ז׳ judgment, jurisdiction, discretion
שִׁיפּוּטִי ת׳ judicial, judiciary
שִׁיפּוּי ז׳ indemnity, slope, tilt
שִׁיפּוּי ז׳ hemstitch, hemming
שִׁיפּוּל ז׳ lower part, fall
שִׁיפּוֹלֶת נ׳ baseboard, panel, skirting board
שִׁיפּוֹן ז׳ rye
שִׁיפּוּעַ ז׳ slope, incline, slant, tilt
שִׁיפּוּץ ז׳ renovation, repair
שִׁיפּוּר ז׳ improvement, betterment
שִׁיפַּע פ׳ slant, slope, tilt, cant
שִׁיפֵּץ פ׳ renovate, overhaul, *do up
שִׁיפֵּר פ׳ improve, better
שִׁיק ז׳ chic, stylishness, elegance
שִׁיקּוּי ז׳ drink, potion
- שיקוי פלא elixir, philter
שִׁיקּוּל ז׳ consideration
- שיקול דעת judgment, discretion
שִׁיקּוּם ז׳ rehabilitation, restoration
- שיקום שכונות urban renewal
שִׁיקּוּמִי ת׳ restorative, restoring
שִׁיקּוּעַ ז׳ sinking, submersion, sedimentation, outlay
שִׁיקּוּף ז׳ X-ray examination, reflecting
שִׁיקּוּץ ז׳ abhorrence, abomination
שִׁיקֵּם פ׳ rehabilitate, rebuild
שִׁיקַּע פ׳ sink, insert, drive
שִׁיקֵּף פ׳ reflect, show, mirror
שִׁיקֵּץ פ׳ loathe, abominate, detest
שִׁיקֵּר פ׳ lie, swindle, cheat, *fib
שִׁיר ז׳ song, chant, poem, jingle
- שיר הלל acclaim, praise
- שיר השירים Canticles, Song of Solomon, Song of Songs
- שיר זהב sonnet
- שיר לכת march
- שיר עם folk song
- שיר ערש lullaby
- שיר רועים bucolic, pastoral
- שירי נשמה soul music, soul
שִׁירָאִים ז״ר fine silk
שִׁירָה נ׳ singing, poesy, poetry
- שירה בציבור community singing
- שירת הברבור swan song
שִׁירוֹן ז׳ song book
שִׁירוּשׁ ז׳ uprooting, erasing
שֵׁירוּת ז׳ service, serving
- שירות בתי הסוהר Prison Service
- שירות דוב disservice, harm
- שירות הלוך ושוב shuttle service
- שירות המדינה civil service
- שירות חובה compulsory service
- שירות מטאורולוגי weather bureau
- שירות עצמי self-service
- שירות פעיל active service
- שירות צבאי military service
- שירות ציבורי public utility
שֵׁירוּתִים ז״ר water closet, WC, lavatory, toilet, *lav, *loo

- שירותי גברים — gents, men's room
שירי ת׳ — poetical, lyrical
שיריים ז״ר — leftovers, remains
שירך פ׳ — twist, plod, go astray, sin
שירש פ׳ — uproot, exterminate
שירת פ׳ — serve, attend, wait on
שיש ז׳ — marble
*שישבת ז׳ — weekend
שישה ש״מ — six, 6
שישה עשר ש״מ — sixteen, 16
- (החלק) השישה עשר — sixteenth
שישי ת׳ — sixth, 6th
שישי ת׳ — marmoreal, marbled
שישיה נ׳ — sextuplets, sextet, six
שישים ש״מ — sixty, threescore, 60
- בטל בשישים — negligible, petty
- שנות השישים — the sixties
- (החלק) השישים — sixtieth
שישית ת״פ — sixth, sixthly
שית ז׳ — thorn bush
שיתוך ז׳ — corrosion
שיתוף ז׳ — including, joining, sharing
- שיתוף פעולה — collaboration
שיתופה נ׳ — partnership, firm
שיתופי ת׳ — cooperative, collective
שיתוק ז׳ — paralysis, apoplexy, palsy
- שיתוק ילדים — infantile paralysis, polio
- שיתוק מוחין — cerebral palsy
שיתית נ׳ — sextet, sextette
שיתך פ׳ — corrode, rust, eat away
שיתף פ׳ — join, associate, include
- שיתף פעולה — collaborate
שיתק פ׳ — paralyze, silence
שך (שיכים) ז׳ — thorn, prickle
שכב פ׳ — lie, lie down, sleep
- שכב עם — have relations with
- שכב עם אבותיו — die
שכב ז׳ — lower millstone
שכבה נ׳ — layer, stratum, coat, bed, group (of schoolboys)
שכבנית נ׳ — harlot, whore
שכ״ד = שכר דירה — rent
שכוב ת׳ — lying, lying down
שכוי ז׳ — cock, bantam, grouse
שכוח ת׳ — forgotten, forsaken
- שכוח אל — Godforsaken, desolate
שכול ז׳ — bereavement
שכול ת׳ — bereaved, bereft
שכונה נ׳ — neighborhood, quarter
- שכונות עוני — slums, gutter
שכונתי ת׳ — neighborhood
שכור ת׳ — rented, hired
שכח פ׳ — forget, forsake, leave out
שכחה נ׳ — forgetfulness, oblivion
שכחן ז׳ — forgetful, apt to forget
שכחנות נ׳ — forgetfulness
שכחת (מחלת השכחה) נ׳ — amnesia
*שכטה נ׳ — drag, puff, pull, smoke
שכיב מרע ז׳ — dying, very ill
שכיבה נ׳ — lying, lie-down
- שכיבת סמיכה — push-up, press-up
שכיות חמדה נ״ר — treasures, valuables
שכיח ת׳ — common, frequent, mode
שכיחות נ׳ — frequency, incidence
שכינה נ׳ — God, inspiration

שכיר ז׳ — hired worker, hireling
- שכיר חרב — mercenary
שכירה נ׳ — renting, hiring
שכירות נ׳ — hire, rent, lease, tenancy
- שכירות משנה — sublease
שכך פ׳ — abate, subside, calm, settle
שכל פ׳ — lose one's children
שכל ז׳ — brains, intelligence, wisdom
- שכל ישר — common sense, reason
שכ״ל = שכר לימוד — tuition fee
שכלול ז׳ — improvement, perfection
שכלון ז׳ — rationalization
שכלי ת׳ — intellectual, rational
שכלל פ׳ — elaborate, improve, perfect
שכלתנות נ׳ — rationalism
שכלתני ת׳ — rationalistic
שכם ז׳ — shoulder
- משכמו ומעלה — outstanding
- שכם אחד — as one man, together
שכם פ׳ — Nablus, Shechem
שכמה נ׳ — shoulder blade, scapula
שכמיה נ׳ — cape
שכן פ׳ — live, dwell, abide, reside
שכן ז׳ — neighbor
שכן מ״ח — because, since, as, for
שכנוע ז׳ — persuasion, conviction
שכנות נ׳ — neighborhood, vicinity
שכנע פ׳ — convince, persuade
שכפול ז׳ — duplication, cloning
שכפל פ׳ — duplicate, stencil, clone
שכפלה נ׳ — mimeograph
שכפץ ז׳ — bulletproof vest
שכר פ׳ — hire, rent, lease, charter
שכר ז׳ — wages, salary, pay, reward
- שכר דירה — rent
- שכר טרחת עו״ד — attorney's fee
- שכר מינימום — minimum wage
- שכר סופרים — royalties
שכר ז׳ — charter
- שכר מכר — leasing, hire purchase
שכרות נ׳ — drunkenness, intoxication
שכרת נ׳ — dipsomania
שכשוך ז׳ — splash, paddling, swash
שכשך פ׳ — splash, paddle, swash
שכתב פ׳ — rewrite, revise
שכתוב ז׳ — rewriting, rewrite
של ז׳ — scarf, shawl
של מ״י — of, belonging to
- הוא בשלו — he insists, he is firm
- שלה — her, hers, its
- שלהם — their, theirs
- שלו — his, its, whose, one's own
- שלי — mine, my
- שלך — your, yours, thy, thine
- שלנו — our, ours
שלא = אשר לא מ״ח — not, in-, un-, lest
שלאגר (להיט) ז׳ — hit
שלב ז׳ — phase, step, stage, rung
שלבקת (מחלה) נ׳ — herpes
- שלבקת חוגרת — shingles, zoster
שלג ז׳ — snow
- ירד שלג — snow
- כשלג דאשתקד — melted away
שלגון ז׳ — ice-lolly, popsicle
שלגיה נ׳ — Snow-white, snowdrop
שלגית נ׳ — sled, sleigh, bobsleigh

שֶׁלֶד ז׳ frame, framework, skeleton
שַׁלְדָּג (עוף) ז׳ kingfisher
שִׁלְדָּה נ׳ chassis, skeleton, body
שָׁלָה פ׳ draw out, fish out
שִׁלְהֵב פ׳ inflame, arouse, excite
שַׁלְהֶבִית (פרח) נ׳ phlox
שַׁלְהֶבֶת נ׳ flame, fire
שִׁלְהוּב ז׳ inflaming, kindling
שִׁלְהֵי ז״ר end, conclusion, close
שָׁלוּב ת׳ combined, connected
- שלובי זרוע arm in arm
שְׁלוּבִית נ׳ roll, pretzel
שְׁלוּגִית נ׳ slush
שַׁלְוָה נ׳ calm, peace, tranquility
שָׁלוּחַ ת׳ sent, extended, stretched
- שלוח רסן unrestrained
שְׁלוּחָה נ׳ extension, range, siding, branch, shoot, spur
שְׁלוּלִית נ׳ pool, puddle
שָׁלוֹם ז׳ peace, safety, quiet, goodbye, shalom, so long!
- אנשי שלומנו our friends
- עליו השלום may he rest in peace
- שלום בית internal peace
שְׁלוּמִיאֵל ז׳ bum, worthless, botcher
שְׁלוּמִיאֵלִיּוּת נ׳ clumsiness
*שְׁלוּמְפֶּר ז׳ untidy, sloven, sloppy
שָׁלוּף ת׳ drawn, unsheathed
שָׁלוּק ת׳ boiled, poached, blanched
שָׁלוֹשׁ ש״מ three, 3
שְׁלוֹשׁ עֶשְׂרֵה ש״מ thirteen, 13
שְׁלוֹשָׁה ש״מ three, 3
שְׁלוֹשָׁה עָשָׂר ש״מ thirteen, 13
- (החלק) השלושה עשר thirteenth
שְׁלוֹשִׁים ש״מ thirty, 30
- (החלק) השלושים thirtieth
שְׁלוֹשֶׁער ז׳ hat trick
שְׁלוֹשְׁתַּיִם תה״פ thrice, 3 times
שָׁלַח פ׳ send, transfer, ship, dismiss
- שלח יד steal, embezzle, deal in
- שלח יד בנפשו commit suicide
שֶׁלַח ז׳ rawhide, weapon, pelt
שַׁלְחוּף ז׳ blister, sac, cyst, vesicle
שָׁלַט פ׳ master, rule, command
- שלט ברוחו control oneself
שֶׁלֶט ז׳ sign, signpost, nameplate
- שלט גיבורים coat of arms, shield
שַׁלָּט רָחוֹק ז׳ remote control
שִׁלְטוֹן ז׳ reign, rule, government
- שלטון מקומי local government
- שלטון עצמי self-rule, autonomy
- שלטונות authorities
שִׁלְטוֹנִי ת׳ governmental, ruling
שִׁלְיָה נ׳ placenta, afterbirth
שְׂלָיו ז׳ quail
שָׁלֵיו ת׳ calm, quiet, tranquil
שָׁלִיחַ ז׳ messenger, envoy, delegate, emissary, Apostle
- שליח ציבור cantor
שְׁלִיחוּת נ׳ mission, errand, vocation
שַׁלִּיט ז׳ ruler, sovereign, dominant
שְׁלִיטָ״א may he live long
שְׁלִיטָה נ׳ command, control, dominance, mastership
שְׁלִיָּה נ׳ drawing out, pull
- שליית מוקשים mine-sweeping

שָׁלִיל ז׳ embryo, fetus, foetus
שְׁלִילָה נ׳ denial, negation, deprivation, rejection
- שלילת רשיון revoking of license
שְׁלִילִי ת׳ negative, unfavorable
שְׁלִים מַזָּל ת׳ unlucky, clumsy, bum
שְׁלִיפָה נ׳ drawing out, retrieval
שְׁלִיקָה נ׳ poaching, boiling
שָׁלִישׁ ז׳ adjutant, aide
שְׁלִישׁ ז׳ third, one third, trimester
שִׁלְישׁוֹן ז׳ triplet, the Tertiary
שָׁלִישׁוּת נ׳ adjutancy, manpower office
שְׁלִישִׁי ת׳ third, 3rd, tertiary
שְׁלִישִׁיָּה נ׳ triplet, trio, group of 3
שְׁלִישִׁית תה״פ thirdly
שָׁלָךְ ז׳ osprey
שַׁלֶּכֶת נ׳ falling of leaves, fall
שָׁלַל פ׳ negate, deprive, deny, revoke
שָׁלָל ז׳ spoils, plunder, loot, catch
- שלל צבעים blaze of color
שַׁלָּם ז׳ paymaster, payer
שָׁלֵם ת׳ complete, full, entire, perfect, whole, intact, safe
שַׁלְמוֹנִים ז״ר bribe, bribery
שְׁלֵמוּת נ׳ perfection, integrity
שְׁלָמִים ז״ר peace offering
שָׁלַף פ׳ draw, unsheathe, retrieve
שֶׁלֶף ז׳ stubble
שַׁלְפּוּחִית נ׳ cyst, sac, bladder, vesicle
*שְׁלַפֶּר ז׳ untidy, schlep, slow
שָׁלַק פ׳ boil, poach, blanch
שְׁלָשָׁה נ׳ row of three, triad
שִׁלְשׁוּל ז׳ diarrhea, loose bowels, earthworm, lowering, dropping
שִׁלְשׁוֹם תה״פ the day before yesterday
שְׁלָשִׁית נ׳ trio
שִׁלְשֵׁל פ׳ lower, drop, pocket, suffer from diarrhea, purge
שַׁלְשֶׁלֶת נ׳ chain, cable
- שלשלת יוחסין family tree, lineage
שָׂם פ׳ lay, place, put, set
*- לא שם עליו disregard him
- שם לאל thwart, frustrate
- שם לב mind, note, notice
*- שם לו רגל trip up
- שם נפשו בכפו venture one's life
*- שם פס עליו disregard him
- שם פעמיו make one's way
- שם קץ ל- put an end to
שֵׁם ז׳ name, noun, fame, repute
- בשם in the name of, on behalf of
- לשמו for its own sake
- שם בדוי pseudonym, pen name
- שם דבר famous person, proverb
- שם הגוף pronoun
- שם המפורש ineffable name
- שם המשחק name of the game
- שם משפחה surname
- שם נרדף synonym
- שם עצם noun
- שם עצם כללי common noun
- שם עצם פרטי proper noun
- שם פועלי gerund, verbal noun
- שם פרטי Christian name, first

name, forename, given name
- שם תואר adjective
- שמו הולך לפניו famous
שם תה״פ there, yonder, ibid.
שמא מ״ח lest, perhaps, maybe
שמאות נ׳ valuing, assessing
שמאי ז׳ actuary, assessor, appraiser, surveyor, estimator
שמאל ז׳ left, left hand
שמאלה תה״פ leftward, left
שמאלי ת׳ left, left-handed, *pink
שמאליות נ׳ left-handedness
שמאלנות נ׳ leftism
שמאלני ת׳ leftist, left-winger, *pink
שמד ז׳ religious persecution
שמה נ׳ desolation, ruin
- עשה שמות play havoc, destroy
שמה תה״פ there, yonder, thither
שמוט ת׳ falling, hanging loosely
שמונה (לזכר) ש״מ eight, 8
שמונה (לנקבה) ש״מ eight, 8
שמונה עשר ש״מ eighteen, 18
- (החלק) השמונה עשר eighteenth
שמונה עשרה ש״מ eighteen, standing prayer
שמונים ש״מ eighty, fourscore, 80
- שנות השמונים the eighties
- (החלק) השמונים eightieth
*שמונצס ז״ר odds and ends
שמועה נ׳ rumor, gossip, hearsay
שמור ת׳ guarded, kept, preserved, reserved, restricted
שמורה נ׳ reservation, reserve, eyelid, guard
- שמורת ההדק trigger guard
- שמורת טבע nature reserve
שמות (חומש) ז׳ Exodus
שמח פ׳ be glad, be happy, rejoice
שמח ת׳ glad, happy, merry, lively
שמחה נ׳ joy, happiness, celebration
- שמחה לאידו glee at his ill luck
*- שמחת זקנתי! no cause for joy!
- שמחת תורה Rejoicing of the Torah, Jewish holiday
שמט פ׳ drop, let fall, leave, lose
שמי ת׳ Semite, nominal, of names
שמיטה נ׳ fallow year, dropping, leaving, prolapse
שמים ז״ר heaven, sky, God
- שומר שמים! my goodness!
שמימי ת׳ celestial, heavenly
שמיכה נ׳ blanket, quilt, cover
שמיני ת׳ eighth, 8th
- שמיני עצרת eighth day of Succoth, Jewish holiday
שמינייה נ׳ octave, octet, loop, figure of 8
*- עשה שמיניות באוויר try hard
שמינית נ׳ eighth, twelfth grade, octavo, a bit of, trace
- שמינית תו quaver, eighth note
שמיע ת׳ audible, hearable
שמיעה נ׳ hearing, ear for music
שמיעתי ת׳ auditory, aural, audio
שמיר ז׳ emery, flint, thistle, dill
שמירה נ׳ protection, watch, keeping, guarding
- שמירה אזורית zone defense
- שמירה אישית man-to-man
- שמירת הירון pregnancy supervision
שמיש ת׳ serviceable, usable
שמישות נ׳ usability, applicability
שמך (דג) ז׳ trout
שמכור ז׳ resale
שמלה נ׳ dress, garment
- שמלת הירון maternity dress
- שמלת נשף ball dress
שמלנית נ׳ skirt
שמלץ ז׳ schmaltz, sentimentality
שמם ת׳ desolate, deserted, waste
שממה נ׳ wilderness, desert
שממית נ׳ gecko, spider
שמן פ׳ become fat, put on weight
שמן ז׳ oil, olive oil
- שמן דגים cod liver oil
- שמן זית olive oil
- שמן סיכה lubricating oil
- שמן פשתים linseed oil
- שמן קיק castor oil
שמן ת׳ fat, adipose, corpulent
שמנוני ת׳ oily, fat, greasy
שמנוניות נ׳ oiliness, greasiness
שמנות נ׳ obesity
שמני ת׳ nominal, of a noun
שמנמונת ת׳ buxom, plump, *sonsy
שמנמן ת׳ fat, chubby, roly-poly
שמנת נ׳ cream
שמע פ׳ hear, listen, obey, give ear
שמע ז׳ hearing, rumor, audio
שמפו ז׳ shampoo
שמפניה נ׳ champagne, *bubbly
שמץ ז׳ particle, bit, touch, jot
שמצה נ׳ disgrace, disrepute
שמר פ׳ guard, keep, watch, retain
- שמור לי (ואשמור לך) scratch my back
- שמר אמונים be loyal to
שמרחום ז׳ thermos, vacuum flask
שמרטף ז׳ baby-sitter, *sitter
שמרים ז״ר yeast, lees, ferment
שמרן ז׳ conservative, true blue
שמרנות נ׳ conservatism
שמרני ת׳ conservative, die-hard
שמרקע (פטרייה) ז׳ truffle
שמש ז׳ attendant, janitor, caretaker, beadle, valet
שמש נ׳ sun, star, luminary
שמשה נ׳ windowpane, windshield
שמשי ת׳ solar, sunny
שמשייה נ׳ parasol, sunshade
שמשת (ספינת שירות) נ׳ tender
שן נ׳ tooth, ivory, tine, cog
- כרסה בין שיניה pregnant
- שן בינה wisdom tooth
- שן הארי (צמח) dandelion
- שן חותכת incisor
- שן חלב milk tooth, baby tooth
- שן טוחנת grinder, molar
- שן סלע cliff, crag, bluff
- שן שום clove
שנא פ׳ hate, dislike, detest, loathe

שִׂנְאָה נ׳ hate, hatred, ill will, dislike
- שנאת הבריות misanthropy
- שנאת מוות mortal hatred
שַׁנַּאי ז׳ transformer
שְׁנַאי (רֶפְּרִיזָה) ז׳ reprise
שָׁנָה פ׳ study, teach, repeat
שָׁנָה נ׳ year, twelvemonth
- השנה this year
- שנה בשנה year by year
- שנה טובה ! happy new year!
- שנה מעוברת leap year
- שנות העשרה teens, teenage
- שנת אור light year
- שנת כספים financial year
שֶׁנְהָב ז׳ ivory, enamel, tusk
שָׂנוּא ת׳ hated, disliked, odious
שָׁנוּי ת׳ repeated, studied
- שנוי במחלוקת controversial
שָׁנוּן ת׳ biting, sharp, acute, clever
*שְׁנוֹר ז׳ scrounging, begging
שְׁנוֹרְקֶל (צִנְרָן) ז׳ snorkel
*שְׁנוֹרֵר פ׳ scrounge, beg, sponge
*שְׁנוֹרֶר ז׳ scrounger, beggar, cadger
שִׁנְטֵעַ פ׳ replant, transplant
שָׁנִי ז׳ scarlet, vermilion, cochineal
שֵׁנִי ת׳ second, 2nd, other, runner-up
- אין שני לו peerless, unrivaled
- כל שני וחמישי often, frequently
שְׁנֵי- (ראה שְׁנַיִם) two, both of
שְׁנִיּוֹנִי ת׳ secondary, binary
שְׁנִיּוּת נ׳ dualism, duplicity
שְׁנִיָּה נ׳ second
שְׁנַיִם ש״מ two, 2, twosome, deuce
- שניהם both of them, both
- שנינו both of us
שְׁנֵים עָשָׂר ש״מ twelve, 12, dozen
- (החלק) השנים עשר twelfth
שְׁנִינָה נ׳ mockery, ridicule, byword
שְׁנִינוּת נ׳ sharpness, acuity, subtlety
שְׁנִיצֶל (כְּתִיתָה) ז׳ schnitzel
שָׁנִית נ׳ scarlatina, scarlet fever
שֵׁנִית תה״פ again, secondly
שֶׁנֶף ז׳ vanilla
שְׂנָץ ז׳ cord, lace, ribbon
שֶׁנֶת נ׳ mark, scale mark, notch
שְׁנָתוֹן ז׳ almanac, annual, yearbook, age bracket
שְׁנָתִי ת׳ annual, yearly
שְׁנָתַיִם נ״ר two years
ש״ס = שישה סדרים Talmud
שָׁסָה פ׳ rob, plunder, spoil
שָׁסוּעַ ת׳ cloven, cleft, split
שֶׁסַע ז׳ cleft, split, schism, vent
שַׁסַּעַת נ׳ schizophrenia
שֶׁסֶק ז׳ loquat, medlar
שַׁסְתּוֹם ז׳ valve, stopcock, pallet
שִׁעְבֵּד פ׳ enslave, subdue, mortgage
שִׁעְבּוּד ז׳ bondage, mortgage, lien, charge, subjection, slavery
שָׁעָה פ׳ heed, listen, notice, mind
שָׁעָה נ׳ hour, time, while, moment
- בשעתו at the time
- לפי שעה for the time being
- שעה קלה short while
- שעות נוספות overtime
- שעת האפס zero hour, D-day
- שעת השין zero hour
- שעת חירום emergency
- שעת כושר chance, opportunity
שַׁעֲוָה נ׳ wax
- שעוות האוזן earwax
שַׁעֲוִית נ׳ stencil
שַׁעֲוָנִית נ׳ oilcloth, linoleum
שָׁעוֹן ז׳ clock, watch, timepiece
- שעון חול sandglass, hourglass
- שעון יד wrist watch
- שעון מעורר alarm clock
- שעון נוכחות time clock
- שעון עצר stopwatch, timer
- שעון קיץ daylight saving time
- שעון שמש sundial
שָׁעוּן ת׳ supported, leaning
שְׁעוֹנִית (צמח נוי) נ׳ passionflower
שְׁעוּעִית נ׳ bean, beans, kidney bean
שְׂעוֹרָה נ׳ barley, sty, stye
שָׁעַט פ׳ stamp, run, gallop
שְׁעָטָה נ׳ stamping, gallop
שַׁעַטְנֵז ז׳ wool and linen mixture
שָׂעִיר ז׳ billy goat, satyr
- שעיר לעזאזל scapegoat, *fall guy
שָׂעִיר ת׳ hairy, hirsute, shaggy
שַׁעַל ז׳ step, bit of land
שַׁעֶלֶת נ׳ whooping cough
שַׁעַם ז׳ cork
שְׁמַד ז׳ baptism, conversion
שִׁעֲמוּם ז׳ boredom, dullness, ennui
שִׁעֲמֵם פ׳ bore, weary, tire
שַׁעֲמָנִית נ׳ linoleum, lino
שָׁעָן ז׳ watchmaker
שָׁעָנוּת נ׳ horology, watchmaking
שַׁעַר ז׳ gate, goal, title, page, rate
- שער הריבית rate of interest
- שער חליפין rate of exchange
- שער יציג representative rate
- שער עצמי own goal
שַׂעֲרָה נ׳ hair, strand
- שערות שולמית maidenhair fern
שִׁעֲרוּךְ ז׳ revaluation, revaluing
שַׁעֲרוּרִיָּה נ׳ scandal, outrage, *stink
שַׁעֲרוּרִיָּתִי ת׳ scandalous
שִׁעֲרֵךְ פ׳ revalue, revaluate
שַׁעֲשׁוּעַ ז׳ amusement, fun, entertainment, game
שַׁעֲשׁוּעוֹן ז׳ quiz show
שִׁעֲשַׁע פ׳ amuse, entertain, recreate
שִׁעְתּוּק ז׳ reproduction, transcription
שִׁעְתֵּק פ׳ reproduce, replicate
שֶׁף (אשף מטבח) ז׳ chef
שָׂפָה נ׳ lip, language, bank, shore, border, margin, edge, rim
- שפה עילית high-level language
- שפה שסועה harelip
- שפת אם mother tongue
- שפת הים beach, seaside
- שפת סימנים sign language
שַׁפּוּד ז׳ spit, skewer, rotisserie
שָׁפוּט ת׳ sentenced, *keen, hooked
שָׁפוּי ת׳ sane, sound, all there
שְׁפוֹכֶת נ׳ debris, detritus, dump
שָׁפוּף ת׳ stooping, bent, dejected
שְׁפוֹפֶרֶת נ׳ tube, receiver
שִׁפְחָה נ׳ maid servant, slave

שָׁפַט פ׳ judge, sentence, referee
שְׁפִיוּת נ׳ sanity, saneness, reason
שָׁפִיט ת׳ judgeable, triable
שְׁפִיטָה נ׳ judgment, judging, trial
שְׁפִיכָה נ׳ pouring, spill, ejaculation
שְׁפִיכוּת דָמִים נ׳ bloodshed, killing
שְׁפִיפוֹן ז׳ horned viper
*שְׁפִּיץ (חוד) ז׳ point, tip
שָׁפִיר ז׳ amnion, chorion, fetus' sac
- בדיקת מי שפיר amniocentesis
שַׁפִּיר תה"פ well, fine, OK, benign
שַׁפִּירִית (חרק) נ׳ dragonfly
שְׁפִית נ׳ labium
שְׁפִיתָה נ׳ putting on fire
שָׁפַךְ פ׳ pour, spill, shed, dump, tip
- שפך אור על shed light on
- שפך דם shed blood, spill blood
- שפך ליבו bare one's heart
שֶׁפֶךְ ז׳ estuary, outfall, mouth
*שְׁפַּכְטֶל (מָרִית) נ׳ spatula
שְׁפָכִים ז"ר sewage, drainage, sludge
שֵׁפֶל ז׳ ebb, lowliness, recession
- הגיע לשפל המדרגה deteriorate
שָׁפָל ת׳ abject, base, mean, scum
שְׁפֵלָה נ׳ lowland, plain
שִׁפְלוּת נ׳ baseness, lowliness
- שפלות רוח humility
שְׁפַּלָן ז׳ terrier, fox terrier
שָׂפָם ז׳ moustache, whiskers
שְׂפַמְנוּן (דג) ז׳ catfish
שְׂפַמְפַם ז׳ small moustache
שָׁפָן ז׳ rabbit, cony, bunny, buck, *coward, chicken
- שפן ניסיונות guinea pig
שְׁפַנִיָּיה נ׳ warren, rabbit hutch
שְׁפַנְפַנָּה נ׳ bunny girl
שָׁפַע פ׳ flow, abound in, overflow
שֶׁפַע ז׳ abundance, plenty, riches
שִׁפְעָה נ׳ amplitude, abundance
שִׁפְעוּל ז׳ reactivation
שִׁפְעֵל פ׳ reoperate, reactivate
שַׁפַּעַת נ׳ influenza, flu, *grippe
שָׁפַר פ׳ be good, be well, be fair
שַׁפָּר ז׳ decorator
שֶׁפֶר - אִמְרֵי שֶׁפֶר praise, good words
*שְׁפְּרִיץ (קילוח) ז׳ spray, spurt
שִׁפְשׁוּף ז׳ scour, scrape, rub, going through the mill, ordeal
שִׁפְשֵׁף פ׳ scrub, rub, scrape, scratch
שְׁפְשֶׁפֶת נ׳ doormat
שָׁפַת פ׳ put on the fire
שְׂפָתוֹן ז׳ lipstick
שִׂפְתוּת נ׳ lisp, labialization
שְׂפָתִי ת׳ labial, linguistic, lingual
שְׂפָתַיִם נ"ר lips
ש"ץ = שליח ציבור cantor
שָׁצַף פ׳ flow, stream
שֶׁצֶף קֶצֶף ז׳ wrath, fury
שַׂק ז׳ sack, sackcloth, bag
- שק איגרוף punching bag
- שק האשכים scrotum
- שק חול sandbag
- שק חפצים kit-bag
- שק שינה sleeping bag
ש"ק = שבת קודש holy Sabbath
שֶׁק (המחאה) ז׳ check, cheque
שָׁקַד פ׳ persevere, persist, study
שָׁקֵד ז׳ almond, tonsil
- שקדי מרק soup nuts
שְׁקֵדִי ת׳ almond shaped, oval
שְׁקֵדִיָּיה נ׳ almond, almond tree
שַׁקְדָן ת׳ diligent, assiduous
שַׁקְדָנוּת נ׳ diligence, perseverance
שָׁקוּל ת׳ balanced, deliberate, sane
- שקול כנגד tantamount, equal
שָׁקוּעַ ת׳ absorbed, sunken, deep
שָׁקוּף ת׳ transparent, clear, lucid
שְׁקוּפִית נ׳ slide, transparency
שָׁקַט פ׳ be calm, be quiet, be still
שֶׁקֶט ז׳ quiet, silence, calm, peace
שָׁקֵט ת׳ quiet, silent, still, calm
שְׁקִידָה נ׳ diligence, perseverance
שְׁקִיטָן ז׳ flamingo
שְׁקַיִים ז"ר saddlebags, panniers
שְׁקִילָה נ׳ weighing, considering
שְׁקִילוּת נ׳ equivalence
שְׁקִיעָה נ׳ decline, fall, sinking, setting, sunset
- שקיעת דם sedimentation rate
שְׁקִיפוּת נ׳ transparency, visibility
שַׂקִּיק ז׳ small bag, cornet
שְׁקִיקָה נ׳ lust, eagerness, avidity
שַׂקִּית נ׳ small bag, pouch
שָׁקַל פ׳ weigh, consider
שֶׁקֶל ז׳ shekel
- שקל חדש NIS, new Israeli shekel
שַׁקְלָא וְטַרְיָא ז׳ discussion
שִׁקְלוּל ז׳ weighting
שִׁקְלֵל פ׳ weight
שֶׁקֶם ז׳ canteen, PX
שִׁקְמָה (עץ) נ׳ sycamore
שֶׁקֶמִית נ׳ canteen, military store
שַׂקְנַאי ז׳ pelican
שָׁקַע פ׳ sink, set, decline, be absorbed, be engrossed
שֶׁקַע ז׳ depression, dent, socket
שְׁקַעֲרוּרִי ת׳ concave
שְׁקַעֲרוּרִיּוּת נ׳ concavity
שֶׁקֶף ז׳ perspective, transparency
שֶׁקֶץ ז׳ unclean insect, rake
שִׁקְצָה נ׳ non-Jewish girl
שָׁקַק פ׳ bustle, teem, run about
שֶׁקֶר ז׳ lie, untruth, fib, falsehood
שִׁקְרִי ת׳ false, untrue
שַׁקְרָן ז׳ liar, storyteller
שַׁקְרָנוּת נ׳ lying, mendacity
שִׁקְשׁוּק ז׳ noise, rustle, fear
*שַׁקְשׁוּקָה נ׳ scrambled eggs
שִׁקְשֵׁק פ׳ rumble, rustle, tremble
שָׁר פ׳ sing, chant, praise, laud
שַׂר ז׳ minister, secretary, head
- שר החוץ (ראה משרד) Foreign Minister, Secretary of State
- שר צבא general, commander
שָׁרָב ז׳ hot weather, broiler
שִׁרְבֵּב פ׳ stretch, extend, misplace, put incorrectly
שִׁרְבּוּב ז׳ extending, confusion
שִׁרְבּוּט ז׳ scribble, scrawl
שִׁרְבֵּט פ׳ scribble, scrawl, *doodle
שְׁרָבִי ת׳ very hot, broiling
שַׁרְבִיט ז׳ scepter, wand, rod, baton

שַרְבִּיטַאי ז׳ drum major
שַרְבִּיטָאִית נ׳ drum majorette
שְרַבְרָב ז׳ plumber
שְרַבְרָבוּת נ׳ plumbing
שִרְגֵּן פ׳ reorganize
שָׂרַד פ׳ survive, remain, live on
שְׂרָד ז׳ service, official, ministerial
שָרָה פ׳ dip, steep, soak, immerse
- שרה על rest upon
שָׂרָה פ׳ contend, struggle
שַרְווּל ז׳ sleeve, arm
- מן השרוול off the cuff
- שרוול רוח windsock, drogue
שַרְווּלִית נ׳ cuff, wristband
שָרוּי ת׳ soaked, dipped, in a state
שְׂרוֹךְ ז׳ lace, string, tie, lanyard
- שרוך נעל shoelace, shoestring
שָׂרוּעַ ת׳ outstretched, lying, flat
שָׂרוּף ת׳ burnt, ardent, *keen, freak
שָׂרַט פ׳ scratch, abrade, scrape
שִׂרְטוּט ז׳ blueprint, sketch, drawing, design, plan, outline
שִׂרְטוֹן ז׳ sandbank, sandbar, shoal
- עלה על שרטון reach deadlock
שִׂרְטֵט פ׳ draw, sketch, outline
- שרטט המחאה cross a check
שַׂרְטָט ז׳ designer, draftsman
שָׂרֶטֶת נ׳ cut, scratch
שֶרִי (משקה) ז׳ sherry, cherry
שָׂרִיג ז׳ tendril, twig, sprig
שָׂרִיד ז׳ remnant, survivor, residue, vestige, relic
- שרידים remains, debris
שִרְיוֹן ז׳ armor, armored force, mail
- שריון חזה breastplate, cuirass
- שריון סנטר beaver
- שריון צב shell, carapace
- שריון קשקשים coat of mail
שִרְיוּן ז׳ earmarking, securing
שִרְיוֹנַאי ז׳ armored force soldier
שִרְיוֹנִית נ׳ armored car
שִרְיוֹנֵר ז׳ armored force soldier
שְׂרִיטָה נ׳ scratch, graze, scrape
שְרִיָּה נ׳ soaking, dipping, steep
שִרְיֵן פ׳ armor, earmark, secure
שְרִימְפּ (חֲסִילוֹן) ז׳ shrimp
שָרִיעָה (החוק המוסלמי) ז׳ shariah
שֶרִיף ז׳ sheriff, marshal
שְׂרֵפָה נ׳ fire, combustion
- שריפת מת cremation
שְרִיצָה נ׳ infestation, swarming
שְרִיקָה נ׳ whistle, blast, hiss, toot
- שריקת בוז catcall
שְרִיר ז׳ muscle
שָרִיר ת׳ valid, effective, in force
שְרִירוֹמָת (גידול בשריר) ז׳ myoma
שְרִירוּת לֵב נ׳ arbitrariness
שְרִירוּתִי ת׳ arbitrary, willful
שְרִירִי ת׳ muscular, brawny, sinewy
שְרִירָן (בעל שרירים) ז׳ muscle-man
שְרִירָן (גידול בשריר) ז׳ myoma
שֵׂרַךְ פ׳ lace, pull, drag
שָרָךְ ז׳ fern
שַרְלָטָן ז׳ charlatan, swindler, cheat
שַרְלָטָנוּת נ׳ charlatanism
שַרְעַפִּים ז״ר thoughts

שָׂרַף פ׳ burn, set on fire, consume
- שרף כל הגשרים burn one's bridges
שָׂרָף ז׳ seraph, angel
שְׂרָף ז׳ resin, rosin, frankincense
שְרַפְרַף ז׳ footstool, stool, ottoman
שָרַץ פ׳ abound, swarm, teem
שֶרֶץ ז׳ insects, vermin, villain
שָרַק פ׳ whistle, catcall, hiss, toot
שְרַקְרַק (ציפור) ז׳ bee-eater
שָׂרַר פ׳ reign, dominate, prevail
שְׂרָרָה נ׳ authority, rule, tyranny
שִרְשׁוּר ז׳ concatenation, linking
שַרְשׁוּר (תולעת מעיים) ז׳ tapeworm
שִרְשֵר פ׳ concatenate, link
שַרְשֶרֶת נ׳ chain, necklace, string
- שרשרת מזון food chain
שָרָת ז׳ caretaker, janitor
שָרָתוּת נ׳ maintenance, service
שָׂשׂ פ׳ be glad, rejoice, be eager
- שש לקרב bellicose, militant
שֵש ש״מ six, 6, half a dozen
שֵש בֵּש (מִשְׂחָק) ז׳ backgammon
שֵש עֶשְׂרֵה ש״מ sixteen, 16
שָׂשׂוֹן ז׳ joy, delight, rejoicing
שָת פ׳ put, place, lay, set
שֵת ז׳ buttocks, bottom
שְתַדְלָן ז׳ intercessor, lobbyist
שְתַדְלָנוּת נ׳ intercession, lobbyism
שָתָה פ׳ drink, *booze, knock back
- שתה לחיי- toast, drink his health
שָתוּי ת׳ drunk, intoxicated
שָתוּל ת׳ planted, hidden, *bugged
שְתוּם עַיִן ת׳ blind (in one eye)
שְתִי ז׳ warp
- שתי וערב cross, crisscross
שְתֵי- (ראה שְתַיִם) two, both of
שְתִיָּה נ׳ drink, drinking, potation
שְתַיִם ש״מ two, 2
- שתיהן both of them
- שתינו both of us
שַתְיָן ז׳ alcoholic, drinker, *boozer
שָתִיךְ ת׳ corrodible
שָתִיל ז׳ seedling, plant, set
שְתִילָה נ׳ planting, setting
שְתֵים עֶשְׂרֵה ש״מ twelve, 12
שְתִיקָה נ׳ silence, taciturnity
- שתיקה כהודאה silence gives consent
שְתִיתָה נ׳ bleeding, oozing
שָתַל פ׳ plant, set
שֶתֶל ז׳ graft, plant, set
שְתַלְטָן ז׳ domineering, bully, bossy
שְתַלְטָנוּת נ׳ domineering
שַתְלָן ז׳ nurseryman
שְתַמְטָן ז׳ evader, shirker, truant
שְתַמְטָנוּת נ׳ evasion, shirking
שֶתֶן ז׳ urine
- בדיקת שתן urinalysis
שֶתֶנָן ז׳ urea
שָתַק פ׳ be silent, be quiet, *shut up
שַתְקָן ז׳ silent, taciturn, reticent
שַתְקָנוּת נ׳ quietism, reticence
שַתְקָנִי ת׳ taciturn, closemouthed
שַתֶּקֶת (אפזיה) נ׳ aphasia
שָתַת פ׳ flow, bleed, ooze
- שתת דם bleed

ת

תָּא ז׳ — cell, box, cabin, chamber, compartment, locker, cubicle
- תא גזים — gas chamber
- תא גזע — stem cell
- תא דואר — post office box, POB
- תא הטייס — cockpit, flight deck
- תא הכפפות — glove compartment
- תא המטען — trunk, boot
- תא הקפאה — freezer
- תא זרע — spermatozoon
- תא טלפון — booth, call box, phonebooth, telephone booth
- תא מלתחה — locker
- תא צלילה — caisson, bathysphere
- תא קולי — voice mail
- תאים אפורים — gray matter

ת"א = תל אביב — Tel Aviv
תָּאֵב ת׳ — desirous, craving, thirsty
תָּאַבְדָע ת׳ — curious
תָּאֲגִיד ז׳ — corporation
תְּאוֹ ז׳ — buffalo, bison
תַּאֲוָה נ׳ — lust, desire, passion, greed
- תאווה לעיניים — a gorgeous sight
- תאוות בצע — avarice, greed
- תאוות רצח — blood lust, amok

תַּאַוְתָן ז׳ — voluptuary, lecher
תַּאַוְתָנוּת נ׳ — lust, passion, salacity
תַּאַוְתָנִי ת׳ — lustful, lewd, greedy
תְּאוֹם ז׳ — twin
- תאומי סיאם — Siamese twins
- תאומים — twins, Gemini
- תאומים זהים — identical twins

תָּאוֹן ז׳ — pigeonhole, stall
תְּאוּנָה נ׳ — accident, mishap, casualty
- תאונת דרכים — road accident
- תאונת פגע וברח — hit-and-run accident
- תאונת שרשרת — pileup

תְּאוּצָה נ׳ — acceleration, pickup
תְּאוּרָה נ׳ — illumination, lighting
תָּאוּרָן ז׳ — lighting operator
תְּאוֹרֶת נ׳ — collation
תַּאֲחוּז ז׳ — percentage, percent
תַּאֲחִיזָה נ׳ — cohesion, adhesion
תָּאִי ת׳ — cellular
תָּאִילַנְד נ׳ — Thailand
תָּאִילַנְדִי ת׳ — Thai
תָּאִילַנְדִית (שפה) נ׳ — Thai
תָּאִים ת׳ — symmetrical, compatible
תְּאִימוּת נ׳ — symmetry, compatibility
תָּאִיר ת׳ — figured, describable
תָּאִית נ׳ — cellulose, xylonite
תא"ל = תת-אלוף
תָּאַם פ׳ — match, fit, suit, correspond, agree, be in harmony
תְּאֵנָה נ׳ — fig
תַּאֲנִיָּה (וַאֲנִיָּה) נ׳ — grief and sorrow
תָּאַר פ׳ — encompass, encircle
תַּאֲרִיךְ ז׳ — date
תַּאֲרִיכוֹן ז׳ — date stamp, dater
תְּאָרִית (קבוצת תווים) נ׳ — figure

תְּאַשּׁוּר (עץ) ז׳ — boxwood
תַּבְהָלָה נ׳ — panic, alarm, fright
תַּבְהֲלָן ז׳ — scaremonger, alarmist
תְּבוּאָה נ׳ — corn, grain, crop, produce
תְּבוּנָה נ׳ — intelligence, reason, sense, wisdom, wit
תְּבוּנִי ת׳ — intelligent, rational
תְּבוּסָה נ׳ — beating, defeat, rout
תְּבוּסָן ז׳ — defeatist, quitter
תְּבוּסָנוּת נ׳ — defeatism
תְּבוּסְתָן ז׳ — defeatist, quitter
תַּבְחִין ז׳ — diagnosis, test
תְּבִיעָה נ׳ — demand, claim, action, suit, lawsuit, prosecution
- תביעה משפטית — lawsuit
- תביעת דיבה — libel suit
- תביעת ייצוגית — class action
- תביעת מזונות — maintenance claim
- תביעת נגד — counterclaim
- תביעת נזיקין — damages claim

תֶּבֶל ז׳ — spice, flavoring
תֵּבֵל נ׳ — universe, world
תְּבַלּוּל ז׳ — cataract
תִּבְלֵט פ׳ — emboss, carve a relief
תַּבְלִיט ז׳ — relief
- תבליט נמוך — bas-relief, low relief

תַּבְלִיל ז׳ — batter, mixture
תַּבְלִין ז׳ — condiment, spice, flavoring, seasoning
תֶּבֶן ז׳ — straw
תִּבְנוּן ז׳ — bastion
תַּבְנִית נ׳ — model, mold, shape, form, pattern, format, type
- תבנית אפייה — baking pan

תַּבְנִיתִי ת׳ — structural, modular
תָּבַע פ׳ — claim, demand, require, prosecute, sue, take to court
תַּבְעָן ז׳ — pretender, claimer
תַּבְעֵרָה נ׳ — fire, conflagration
- בקבוק תבערה — petrol bomb

תִּבְצוּר ז׳ — blockhouse
תִּבְרֵג פ׳ — thread, cut screws
תַּבְרוּאָה נ׳ — sanitation
תַּבְרוּאִי ת׳ — sanitary
תַּבְרוּאָן ז׳ — sanitarian
תַּבְרוּאָנוּת נ׳ — sanitation
תִּבְרוּג ז׳ — threading (screws)
תַּבְרוֹגֶת נ׳ — thread, screw thread
תַּבְרִיג ז׳ — thread, screw thread
תַּבְשִׁיל ז׳ — cooked food, dish, stew
תָּג ז׳ — badge, label, tag, apostrophe
- תג יחידה — shoulder flash, patch

תִּגְבּוּר ז׳ — reinforcing, strengthening
תִּגְבֹּרֶת נ׳ — reinforcement, force
תִּגְבֵּר פ׳ — reinforce, strengthen
תְּגוּבָה נ׳ — reaction, response, reflex
- אין תגובה — no comment
- תגובת שרשרת — chain reaction

תַּגּוּבָן ז׳ — reactor
תַּגְזִיר ז׳ — clipping, cutting
תִּגְלַחַת נ׳ — shaving, shave
תַּגְלִיף ז׳ — carving, engraving, relief
תַּגְלִית נ׳ — discovery
תַּגְמוּל ז׳ — reprisal, reward, recompense, retaliation
תַּגְמִיר ז׳ — finish, finishing touch

תגמל פ' reimburse, repay, reward
תגמר פ' finish, touch up
תגר ז' merchant, trader
תגרה נ' quarrel, affray, skirmish
תגרולת נ' raffle, lottery
תגרן ז' merchant, pedlar, hawker
תגרנות נ' bargaining, haggling
ת"ד=תיבת דואר post office box, POB
תדביק ז' agglutination
תדגורת נ' incubation
תדגים ז' sample, specimen
תדהמה נ' amazement, surprise
תדהר ז' elm tree
תדחית נ' moratorium
תדיר ת' frequent, regular, often
תדירות נ' frequency, constancy
- תדירות שמע audio frequency
תדלוק ז' refueling, fill-up
תדליל ז' solution
תדלק פ' fuel, refuel, tank up
תדמית נ' image, appearance, model
תדמיתן ז' image adviser
תדמן ז' modeler
תדפיס ז' printout, offprint
תדר ז' frequency
- תדר אולטרה-גבוה ultra-high frequency, UHF
- תדר גבוה מאוד very high frequency, VHF
- תדר רדיו radio frequency
תדרוך ז' brief, briefing
תדריג ז' echelon
תדריך ז' briefing, instructions
תדרך פ' brief, instruct
תה ז' tea, *char
- לא כוס התה שלי not my cup of tea
- תה מנחה afternoon tea
תהה פ' wonder, be amazed
- תהה על קנקנו sound him out
- תוהה ובוהה wondering, bewildered
תהודה נ' repercussion, echo, resonance
תהום נ' abyss, chasm, depth
- תהום הנשייה oblivion
תהומי ת' abysmal, deep, huge
תהייה נ' wonder, amazement
תהילה נ' praise, acclaim, fame
תהילים (בתנ"ך) ז"ר Psalms
תהילימון (לזמרה) ז' Psalter
תהלוכה נ' procession, parade
תהליך ז' process, procedure
תהלילה נ' psalmody
תהפוכה נ' perversion, change, vicissitude
תו ז' sign, label, note, character
- תו איכות hallmark
- תו קנייה trading stamp
- תו שלם semibreve, whole note
- תו תקן standard mark
- תווי נגינה musical notes, score
- תווי פנים features, lineaments
תואם פ' be coordinated
תואם ז' harmony, symmetry
תואם ת' fit, suitable, harmonious, agreeable, compatible

תואמות נ' compatibility, conformity
תואמן ז' conformist, complying
תואמנות נ' conformism, conformity
תואנה נ' pretext, excuse
תואר פ' be described, be depicted
- בל יתואר indescribable
תואר ז' title, degree, form, appearance, adjective
- תואר הפועל adverb
- תואר השם adjective
- תואר מ"א Master's degree
תוארי ת' adjectival, titular
תוארך פ' be dated
תובה נ' hull, main body, trunk
תובל פ' be spiced, be flavored
תובלה נ' transport, transportation
תובנה נ' insight
תובע ז' claimant, prosecutor, plaintiff
- תובע כללי public prosecutor
- תובע מחוזי district attorney, DA
תובענה (ראה גם תביעה) נ' action
תובעני ת' demanding, challenging
תובר ז' loop, keeper, carrier
תוברה נ' rosette, belt loop
תוגבר פ' be reinforced
תוגה נ' sorrow, grief, dolor
תוגמל פ' be rewarded
תודה נ' thanks, thank-you, gratitude, acknowledgment
- רוב תודות thanks
- תודה לאל thank God
- תודה רבה Thank you
- תודות ל- thanks to, due to
תודלק פ' be refueled, be tanked up
תודעה נ' consciousness
תודעתי ת' conscious
תודרך פ' be briefed, be instructed
תוהו - עלה בתוהו come to nothing
תוהו ובוהו chaos, shambles
תוואי ז' outline, feature, sketch
תווה פ' sketch, outline, draw
תווי ז' outline, feature, sketch, plan
תוויה נ' drawing, plotting
תווין ז' score writer, plotter
תווית נ' label, mark, tab, tag
תווך פ' be mediated, be arbitrated
תווך ז' broker, relay
תווך ז' inside, center, middle, interior, midst
תווכן ז' broker, mediator
תוזמן פ' be timed
תוזמר פ' be orchestrated
תוחזק פ' be maintained, be kept
תוחח פ' be broken up, be crumbled
תוחל פ' be primed, be initiated
תוחלת נ' expectation, hope
- תוחלת חיים life expectancy
תוחם פ' be demarcated
תוחם ת' delimitative, mark
תוחקר פ' be interrogated
תויג פ' be labeled
תויק פ' be filed (away)
תוך ז' inside, center, middle, interior, midst
- תוך הלחם crumb

- תוכו כברו honest, sincere
תּוֹךְ מ״ח within, in, at, intra
- תוך ורידי intravenous, IV
- תוך זמן קצר before long
- תוך כדי while, during
- תוך כדי דיבור immediately
- תוך רחמי intrauterine
תּוֹכָחָה נ׳ admonition, reproof, rebuke, exhortation, reprimand
תּוֹכֵחָה נ׳ punishment
תּוֹכַחְתִּי ת׳ homiletic, admonitory
תּוּכִּי ז׳ parrot
תּוֹכִי ת׳ internal, immanent
תּוֹכִיּוּת נ׳ immanence
תּוֹכִית (מוספית) נ׳ infix
תּוֹכֶן ז׳ subject matter, substance
- תוכן העניינים contents
תּוֹכֵן ז׳ astronomer
תּוֹכָנָה נ׳ software
תּוֹכְנִיָּה נ׳ program, prospectus
תּוֹכְנִית נ׳ plan, program, project, scheme, design
- תוכנית אב master plan
- תוכנית אירוח talk show
- תוכנית בניין ערים urban building scheme
- תוכנית לימודים curriculum, syllabus
תּוֹכְנִיתִי ת׳ planned, programmatic
תּוֹכְנִיתָן ז׳ programmer
תּוּכְנַן פ׳ be planned, be designed
תּוּכְנַת פ׳ be programed
תּוֹלָד ז׳ derivative, outcome, sequel
תּוֹלָדָה נ׳ outcome, result, upshot, consequence, sequel
תּוֹלָדוֹת נ״ר annals, history
- תולדות חיים life story, biography, curriculum vitae, resume
תּוּלַע פ׳ be freed from worms
תּוֹלָעָה נ׳ worm, larva
תּוֹלַעֲנָה (עץ) נ׳ mahogany
תּוֹלַעַת נ׳ worm, larva, maggot
- תולעת משי silkworm
- תולעת ספרים bookworm
תולר = תותח לא-רתע
תֹּם ז׳ innocence, purity, perfection, end, finish
- לתומו at a venture, at random
- תום לב bona fides, good faith
תּוּמָּה נ׳ innocence, honesty
תּוֹמֵךְ ז׳ supporter, advocate
תּוֹמְכָה נ׳ beam, cantilever
תּוּמְצַת פ׳ be summarized
תּוֹמֶר ז׳ date palm, palm tree
תּוּמְרַן פ׳ be maneuvered
תּוּנִיסְיָה נ׳ Tunisia
תּוּנְפָּן ז׳ kettledrum, timbal
תּוּסְכַּל פ׳ be frustrated
תּוֹסֵס ת׳ fermenting, active, lively, fizzy, bubbly, effervescent
תּוּסַף פ׳ be revaluated
תּוֹסָף ז׳ additive, foresail, staysail
- תוספי מזון food additives
תּוֹסֶפֶת נ׳ addition, increase, increment, annex
- תוספת יוקר cost of living bonus
- תוספת סיכון risk bonus, danger money
תּוֹסֶפְתָּן ז׳ (vermiform) appendix
- דלקת התוספתן appendicitis
תּוֹעַב פ׳ be abominated
תּוֹעֵבָה נ׳ abomination, ugly act
תּוֹעַד פ׳ be documented
תּוֹעֶה ת׳ stray, lost, errant
תּוֹעַל פ׳ be canalized, be channeled
תּוֹעֶלֶת נ׳ advantage, benefit, profit, use, utility
- חסר תועלת useless
תּוֹעַלְתִּי ת׳ expedient, useful, profitable
תּוֹעַלְתִּיּוּת נ׳ expedience, usefulness
תּוֹעַלְתָּן ז׳ utilitarian
תּוֹעַלְתָּנוּת נ׳ utilitarianism
תּוֹעַמְלָן ז׳ propagandist, campaigner
תּוֹעַמְלָנוּת נ׳ campaigning
תּוֹעָפוֹת - הון תועפות fortune, wealth
תּוֹעַשׂ פ׳ be industrialized
תֹּף ז׳ drum, tambour
- תוף האוזן eardrum, tympanum
- תוף הכיור kettledrum, timbal
- תוף מרים tambourine, timbrel
- תוף צד side drum
תּוֹפֵחַ ת׳ tumescent, (self-)rising
תּוּפִּי ת׳ drum-like
תּוּפִין ז׳ biscuit, cookie
תּוּפִינִין ז״ר petits fours
תּוֹפִית (דִיאָפְרַגְמָה) נ׳ diaphragm
תּוֹפֵס ת׳ holder, catcher, applicable
- תופס משוט oarsman
- תופס קשת archer, bowman
תּוֹפֶסֶת (מִשְׂחָק) נ׳ tag
תּוֹפָעָה נ׳ phenomenon, occurrence
תּוּפְעַל פ׳ be operated, be activated
תּוֹפֵף פ׳ drum, thrum, beat
תּוֹפֵר ז׳ sewer, tailor
תּוֹפֶרֶת נ׳ seamstress, dressmaker
תּוֹפֶת נ׳ hell, bomb, booby trap
תּוֹצָא ז׳ effect
תּוֹצָאָה נ׳ consequence, outcome, result, upshot
- כתוצאה as a result
תּוֹצָר ז׳ product
- תוצר לאומי גולמי gross national product
- תוצר לוואי by-product, spin-off
תּוֹצֶרֶת נ׳ manufacture, product, produce, make, made in
תּוּקַן פ׳ be corrected, be repaired
תּוֹקֵעַ ז׳ trumpeter, shofar blower
תּוֹקֶף ז׳ force, strength, validity
- בכל תוקף vehemently, decidedly
- בתוקף היותו in his capacity
תּוֹקְפָן ז׳ aggressor, assailant
תּוֹקְפָנוּת נ׳ aggression
תּוֹקְפָנִי ת׳ aggressive, bellicose
תּוּקְצַב פ׳ be budgeted, be allotted
תּוּקְצַר פ׳ be summarized
תּוּקְשַׁר פ׳ be communicated
תּוֹר ז׳ queue, line, turn, spell, move, turtledove
- בתור (בבחינת) as, in the sense of
- הסתדר בתור queue up

- תור הזהב golden age
תּוּרְבַּת פ' be civilized, be cultivated
תּוּרְגַּל פ' be practiced, be trained
תּוּרְגַּם פ' be translated, be rendered
תּוּרְגְּמָן ז' translator, interpreter
תּוֹרָה נ' doctrine, teaching, law, Pentateuch, Torah
- תורה שבכתב Bible
- תורה שבעל פה Talmud
- תורת החי zoology
- תורת המידות ethics
- תורת הנסתר mysticism
- תורת הצומח botany
- תורת הקבוצות set theory
- תורת משה Law of Moses, Torah
תּוּרְכִּי ת' Turkish
תּוּרְכִּיָּה נ' Turkey
תּוּרְכִּית (שפה) נ' Turkish
תּוֹרֵם ז' contributor, donor
- תורם דם blood donor
תּוּרְמוּס (קטנית) ז' lupine
תּוֹרֶן ז' mast, pole
- תורן אחורי mizzenmast
- תורן ראשי mainmast
תּוֹרָן ז' person on duty
תּוֹרָנוּת נ' duty, turn of duty, tour of duty, fatigue
תּוֹרָנִי ת' religious, of the Torah
תּוֹרָנִית נ' axle, main shaft
תּוֹרֶף ז' blank (of a bill)
תּוּרְפָּה נ' weakness, foible
- נקודת תורפה foible, weak point
תּוֹרַץ פ' be explained, be answered
תּוֹרָשָׁה נ' heredity, congenital traits
תּוֹרַשְׁתִּי ת' hereditary, genetic
תּוֹרַשְׁתִּיּוּת נ' atavism, heredity
תּוּשְׁאַל פ' be questioned, be interrogated
תּוֹשָׁב ז' inhabitant, resident, settler
- תושב ספר frontiersman
- תושב קדמון aborigine, native
תּוֹשָׁבוּת נ' residency, residence
תּוֹשֶׁבֶת נ' chassis, base, seat, frame
תּוּשִׁיָּה נ' presence of mind, resource, wisdom
תּוּת ז' mulberry
- תות גינה strawberry
- תות סנה raspberry
- תות שדה strawberry
תּוֹתָב ז' bushing, sleeve, prosthesis
תּוֹתָב ת' fixed, artificial, false
תּוֹתֶבֶת נ' prosthesis
תּוֹתָח ז' cannon, gun
*- תותח כבד personality, *big gun
- תותח מים water cannon
תּוֹתְחָן ז' gunner, artilleryman
תּוֹתְחָנוּת נ' gunnery, artillery
ת"ז = תעודת זהות identity card
תַּזְגִּיג ז' enamel, frosting, icing
תֵּזָה (הנחת יסוד) נ' thesis
תְּזוּזָה נ' shift, movement, progress
תְּזוּנַאי ז' dietitian, nutritionist
תְּזוּנָה נ' diet, dietetics, nourishment, nutrition
תְּזוּנָתִי ת' dietetic, dietary, nutritive
תְּזָזִית נ' madness, delirium
תְּזָזִיתִי ת' mad, frantic, obsessive
תִּזְכּוֹרֶת נ' reminder, memorandum
תַּזְכִּיר ז' memorandum, memo, chit
תִּזְמוּן ז' timing, regulating
תִּזְמוֹנֶת נ' synchronism
תִּזְמוּר ז' orchestration, scoring
תִּזְמוֹרֶת נ' band, orchestra
- תזמורת כלי הקשה steel band
- תזמורת כלי מיתרים string band
- תזמורת כלי נשיפה brass band
- תזמורת ריקודים dance band
תִּזְמוֹרְתִּי ת' instrumental, orchestral
תִּזְמֵן פ' time, set a time
תִּזְמֵר פ' orchestrate, score for
תַּזְקִיק ז' distillation, distillate
תַּזְרִים ז' flow
- תזרים מזומנים cash flow
תַּזְרִיק ז' hypodermic, *shot
תָּחַב פ' insert, thrust, foist, stick
- תחב אפו poke one's nose
תַּחְבּוּלָה נ' device, strategy, trick
תַּחְבּוּלָן ז' schemer, tactician, *brain
תַּחְבּוּלָנִי ת' wily, ingenious, tactical
תַּחְבּוּרָה נ' communication, transport, traffic
- תחבורה ציבורית public transport
תַּחְבּוֹשֶׁת נ' bandage, dressing, compress
- תחבושת היגיינית pad, sanitary napkin, sanitary towel
תַּחְבִּיב ז' hobby, avocation, interest
תַּחְבִּיר ז' syntax
תַּחְבִּירִי ת' syntactic
תַּחְבִּירָן (סינטגמה) ז' syntagma
תִּחְבֵּל פ' scheme, contrive, devise
תַּחְבְּלָנוּת נ' inventiveness, cunning
תַּחְבְּלָנִי ת' wily, crafty, tricky
תַּחְדִּישׁ ז' new word, neologism
תָּחוּב ת' inserted, stuck in, thrust
תָּחוּחַ ת' loose, broken up, plowed
תְּחוּלָה נ' incidence, taking effect, coming into force, applicability
תְּחוּם ז' bound, border, limit, area, boundary, range, scope, zone
- תחום שיפוט jurisdiction
תָּחוּם ת' demarcated, restricted
תְּחוּמִי - בֵּין-תְּחוּמִי interdisciplinary
תְּחוּמִי - רַב-תְּחוּמִי multidisciplinary
תְּחוּשָׁה נ' feeling, sense, perception, sensation, hunch
- תחושת בטן hunch, feeling
תְּחוּשָׁתִי ת' sensory, sensational
תַּחְזוּק פ' maintaining, upkeep
תַּחֲזוּקָה נ' maintenance, upkeep
תַּחֲזוּקָן ז' maintenance man
תַּחֲזוֹרֶת נ' reconstruction
תַּחֲזִית נ' forecast, outlook, spectrum
- תחזית מזג האוויר weather forecast
תִּחְזֵק פ' maintain, keep up
תִּחֵחַ פ' break up, loosen, plow
תְּחִיבָה נ' insertion, sticking in
תְּחִיגָה נ' festival
תְּחִיחוּת נ' looseness
תְּחִיָּה נ' renaissance, revival, rebirth
- תחיית המתים resurrection
תְּחִילָה נ' first, start, beginning

initial, preliminary תְּחִילִי ת׳
prefix תְּחִילִית נ׳
demarcation, delimiting תְּחִימָה נ׳
plea, supplication תְּחִינָה נ׳
legislation תְּחִיקָה נ׳
legislative תְּחִיקָתִי ת׳
sophistication, refinement תִּחְכּוּם ז׳
primer, exploder תֶּחֶל ז׳
emulsify תִּחְלֵב פ׳
morbidity, incidence of disease, illness תַּחְלוּאָה נ׳
diseases, ailments תַּחֲלוּאִים ז״ר
substituting, replacing תִּחְלוּף ז׳
substitution, replacement, change תַּחְלוּפָה נ׳
emulsion, lotion תַּחְלִיב ז׳
alternative, substitute תַּחֲלִיף ז׳
substitute, surrogate תִּחְלֵף פ׳
demarcate, set limits תָּחַם פ׳
contrivance, maneuvering *תִּחְמוּן ז׳
oxide תַּחְמוֹצֶת נ׳
ammunition, *ammo תַּחְמוֹשֶׁת נ׳
silage, ensilage, marinade תַּחְמִיץ ז׳
cartridge תַּחְמִישׁ ז׳
maneuver, scheme, contrive *תִּחְמֵן פ׳
falcon תַּחְמָס ז׳
oxidize תִּחְמֵץ פ׳
base, station, stop, stage תַּחֲנָה נ׳
terminal, terminus - תחנה סופית
bus stop - תחנת אוטובוס
service station, petrol station - תחנת דלק
space station - תחנת חלל
power station - תחנת כוח
cab rank, taxi stand - תחנת מוניות
police station - תחנת משטרה
railroad station - תחנת רכבת
plea, supplication, appeal תַּחֲנוּן ז׳
disguise, fancy dress תַּחְפּוֹשֶׂת נ׳
dress up, disguise תִּחְפֵּשׂ פ׳
debriefing תִּחְקוּר ז׳
investigation, research תַּחְקִיר ז׳
investigator, researcher תַּחְקִירָן ז׳
interrogate, debrief תִּחְקֵר פ׳
lacework, lace, tatting תַּחְרָה נ׳
contest, match, competition, rivalry, race תַּחֲרוּת נ׳
heat, preliminary contest - תחרות מוקדמת
competitive תַּחֲרוּתִי ת׳
engraving, etching תַּחְרִיט ז׳
lacework, lace תַּחְרִים ז׳
dachshund, badger תַּחַשׁ ז׳
calculate תִּחְשֵׁב פ׳
calculation תַּחְשִׁיב ז׳
bottom, buttocks *תַּחַת ז׳
stir oneself - הזיז את התחת
avoid responsibility - כיסה התחת
under, beneath, in place of, instead תַּחַת מ״י
in hand, on hand - תחת ידו
lower, inferior, bottom תַּחְתּוֹן ת׳
underpants, briefs, pants, panties, knickers תַּחְתּוֹנִים ז״ר
drawers - תחתונים ארוכים

camisole, slip, petticoat, underskirt תַּחְתּוֹנִית נ׳
lower, underground תַּחְתִּי ת׳
bottom, foot, saucer, mat, subway, underground תַּחְתִּית נ׳
appetite, stomach תֵּיאָבוֹן ז׳
theologian, theologist תֵּיאוֹלוֹג ז׳
theological תֵּיאוֹלוֹגִי ת׳
theology, divinity, study of the divine תֵּיאוֹלוֹגְיָה נ׳
coordination, matching תֵּיאוּם ז׳
tune-up - תיאום מנוע
theosophy תֵּיאוֹסוֹפְיָה נ׳
theocracy תֵּיאוֹקְרַטְיָה (שלטון הדת) נ׳
description, account, depiction, portrayal תֵּיאוּר ז׳
theoretical תֵּיאוֹרֶטִי ת׳
theoretician, theorist תֵּיאוֹרֶטִיקָן ז׳
theoretically תֵּיאוֹרֶטִית תה״פ
descriptive, narrative תֵּיאוּרִי ת׳
theory, hypothesis תֵּיאוֹרְיָה נ׳
theater, the stage תֵּיאַטְרוֹן ז׳
puppet show, puppetry - תיאטרון בובות
theater of the absurd - תיאטרון האבסורד
theatrical, stage תֵּיאַטְרוֹנִי ת׳
theatrical, affected תֵּיאַטְרָלִי ת׳
theatricality תֵּיאַטְרָלִיּוּת נ׳
theism, belief in God תֵּיאִיזְם ז׳
theist, believer תֵּיאִיסְט ז׳
coordinate, correlate, harmonize, fix תֵּיאֵם פ׳
tune an engine - תיאם מנוע
describe, portray, narrate, outline, draw, depict, picture תֵּיאֵר פ׳
fancy, imagine - תיאר לעצמו
date, assign a date תֵּיאֲרֵךְ פ׳
box, case, crate, word, bar, measure תֵּיבָה נ׳
mailbox, postbox, post office box, POB - תיבת דואר
gearbox, gear-case - תיבת הילוכים
humidor - תיבת לחות
mailbox, letter-box - תיבת מכתבים
barrel organ - תיבת נגינה
Noah's ark - תיבת נוח
Pandora's box, source of trouble - תיבת פנדורה
sound box - תיבת תהודה
seasoning, flavoring תִּיבּוּל ז׳
flavor, season, spice, tinge תִּיבֵּל פ׳
mix with straw תִּיבֵּן פ׳
bargain, peddle תִּיגֵּר פ׳
quarrel, dispute תִּיגָּר ז׳
challenge, impugn - קרא תיגר
resonate, resound תִּיהֵד פ׳
taw (letter) תָּיו נ׳
labeling, ornamenting letters תִּיוּג ז׳
sketch, outline, design תִּיוָוה פ׳
sketching, outlining תִּיוּוּי ז׳
arbitrate, mediate, intermediate, interpose תִּיוֵּךְ פ׳
arbitration, mediation, brokerage תִּיוּוּךְ ז׳
wiring, fastening with wire תִּיוּל ז׳

תֵּיוֹן ז׳ teapot
תִּיּוּק ז׳ filing, filing documents
תִּיּוּר ז׳ sightseeing, tour
תִּיּוּרֶגֶל ז׳ walking tour
תֵּזָה (הנחת יסוד) נ׳ thesis
תִּיחוּחַ ז׳ plowing, loosening
תִּיחוּל ז׳ initialization, priming, *boot
תִּיחוּם ז׳ demarcation, fixing limits
תִּיחֵחַ פ׳ break up, loosen, plow
תִּיחֵל פ׳ prime, initiate, initialize
תִּיחֵם פ׳ delimit, set limits
תִּיחֵר פ׳ compete, vie
תִּיֵּג פ׳ label, ornament letters
תִּיֵּל פ׳ wire, join with wire
תִּיֵּק פ׳ file, place in a file
תַּיָּק ז׳ filing clerk
תִּיֵּר פ׳ tour, travel round, visit
תַּיָּר ז׳ tourist, sightseer, *rubberneck
תַּיָּרוּת נ׳ tourism
תִּיכוֹן ז׳ median, high school
תִּיכוֹן ת׳ middle, central, median
- הים התיכון Mediterranean Sea
תִּיכוֹנִי ת׳ central, high school
*תִּיכוֹנִיסְט ז׳ high school student
תִּיכֵּן פ׳ measure, design, plan
תֵּיכֶף תה״פ immediately, soon
- תיכף ומיד directly, right away
תַּיִל ז׳ wire, flex, filament
- תיל דוקרני barbed wire
תִּילָּה פ׳ ascribe, attribute
תִּילּוּי ז׳ ascription, attribution
תִּילּוּל ז׳ lob, steepening
תִּילּוּם ז׳ furrowing, ridging
תִּילּוֹן ז׳ hillock, knoll
תִּילּוּעַ ז׳ removing worms
תִּילֵּל פ׳ lob, loft, mound, steepen
תִּילֵּם פ׳ furrow, ridge, corrugate
תִּילַּע פ׳ worm, remove worms
תִּילֵּת פ׳ triangulate
תִּימָּה ז׳ wonder, surprise
תֵּימָה (נושא) נ׳ theme
תִּימָּהוֹן ז׳ wonder, astonishment
תִּימּוּכִין ז״ר backing, support
תֵּימָטִי (נושאי) ת׳ thematic
תֵּימָן נ׳ Yemen
תֵּימָנִי ת׳ Yemenite
תִּימֵּר פ׳ rise, go up, mushroom
תִּימָרָה נ׳ column (of smoke), plume
תִּינָּה פ׳ tell, relate, mourn
- תינה אהבים make love
תִּינוֹק ז׳ baby, infant, tot, toddler
- תינוק מבחנה test-tube baby
תִּינוֹקִי ת׳ babyish, infantile
תִּינוֹקֶת נ׳ baby (girl)
תִּיסּוּף ז׳ revaluation, revaluing
תִּיסֵּף פ׳ revaluate, revalue
תִּיעֵב פ׳ abominate, despise, detest
תִּיעֵד פ׳ document, record
תִּיעוּב ז׳ abhorrence, disgust
תִּיעוּד ז׳ documentation, recording
תִּיעוּדִי ת׳ documentary
תִּיעוּל ז׳ drainage, canalization
תִּיעוּשׁ ז׳ industrialization
תִּיעֵל פ׳ canalize, lay sewers

תִּיעֵשׁ פ׳ industrialize
תִּיפּוּף ז׳ drumming, drumbeat
תִּיפֵּר פ׳ sew, stitch
תִּיק ז׳ bag, wallet, brief, case, briefcase, file, dossier, portfolio
- תיק אישי personal file
- תיק ג׳ימס בונד attache case
- תיק השקעות portfolio
- תיק פלילי criminal case
תֵּיקוּ ז׳ draw, tie, stalemate, standoff
תִּיקּוּל ז׳ tackle
תִּיקּוּן ז׳ repair, reform, amendment, correction
- תיקון סופרים unpointed Torah
- תיקוני טעויות corrigenda, errata
תִּיקּוּף ז׳ validation
תִּיקִיָּה נ׳ filing cabinet, file
תִּיקֵּל פ׳ tackle
תִּיקֵּן פ׳ correct, mend, repair, darn, fix, reform, set right
תִּיקָן ז׳ cockroach, roach
תִּיקֵּר פ׳ puncture
*תִּיקְתָּק (לחצנית) ז׳ press-stud
תֵּירוּץ ז׳ excuse, pretext, *alibi
תִּירוֹשׁ ז׳ must, new wine
תִּירָס ז׳ corn, maize, hominy
תֵּירֵץ פ׳ explain (away), reply
תַּיִשׁ ז׳ he-goat, billy-goat, goat
תִּיתּוֹרָה נ׳ brim, rim
תִּיתַּי לוֹ Blessed be he
תַּךְ ז׳ stitch, seam, tack
- תך שרשרת chain stitch
תָּכוֹל ת׳ azure, sky blue
תְּכוּלָּה נ׳ content, capacity, volume
תְּכוּנָה נ׳ attribute, trait, quality, character, astronomy, commotion, bustle
תָּכוּף ת׳ successive, frequent
תְּכוּפוֹת תה״פ often, frequently
תְּכִיפוּת נ׳ frequency, succession, immediacy
תְּכָכִים ז״ר intrigues, machinations
תַּכְכָן ז׳ intriguer, *stirrer
תַּכְכָנוּת נ׳ intriguing, *shenanigans
תִּכְלָה נ׳ purpose, end, limit
תַּכְלִיל ז׳ score
תַּכְלִית נ׳ end, purpose, object, aim
- תכלית שנאה extreme hatred
תַּכְלִיתִי ת׳ purposeful, useful
תַּכְלִיתִיּוּת נ׳ purposefulness
תַּכְלִיתָן ז׳ careerist
תְּכַלְכַּל ת׳ light blue, bluish
*תַּכְלֶס! (תַּכְלִית!) מ״ק to the point!
תְּכֵלֶת ת׳ azure, sky blue
- טלית שכולה תכלת goody-goody
תִּכֵּן פ׳ measure, plan
תֹּכֶן ז׳ design
תִּכְנוּן ז׳ planning, design, layout, engineering
- תכנון המשפחה family planning
תִּכְנוּת ז׳ programming
תָּכְנִית נ׳ program, plan, project, scheme
תִּכְנֵן פ׳ plan, scheme, plot, design
תִּכְנֵת פ׳ program, programme
תַּכְנֵת ז׳ programmer

תכסיס ז׳ — tactic, stratagem, trick
תכסיסי ת׳ — strategical, tactical
תכסיסן ז׳ — tactician
תכסיסנות נ׳ — strategy, tactics
תכף פ׳ — come frequently
תכריך ז׳ — robe, bundle, shroud
- תכריכים — shroud, winding sheet
תכשיט ז׳ — jewel, ornament, *mischief, naughty boy
- תכשיטים — jewelry, jewellery
תכשיטן ז׳ — jeweler, jeweller
תכשיר ז׳ — preparation, concoction
תכתובת נ׳ — correspondence
תכתושת נ׳ — scrum, scrummage
תכתיב ז׳ — dictate, dictation
תל ז׳ — mound, hillock, bank, heap
- עומד על תילו — standing firm
- תל חזה — parapet
תל אביב נ׳ — Tel Aviv
תל אביבי ז׳ — Tel Avivan
תלאה נ׳ — hardship, trouble
תלאובה נ׳ — aridity, suffering
תלבושת נ׳ — dress, clothing, costume
- תלבושת אחידה — uniform
תלביד ז׳ — plywood
תל"ג=תוצר לאומי גלמי — GNP
תלה פ׳ — hang, suspend, ascribe, attribute, pin
- תלה הקולר ב- — pin, blame, impute
- תלה תקוותו ב- — pin one's hopes on
תלוי ת׳ — hanged, suspended, dependent
- חייו תלויים לו מנגד — be in danger
- תלוי ב- — depending on, subject to
- תלוי ועומד — undecided, pending
- תלויים זה בזה — interdependent
*תלוי תה"פ — that depends
תלול ת׳ — abrupt, steep, high, sharp
תלולית נ׳ — hillock, mound, tee
תלונה נ׳ — complaint, *gripe, grouch
תלוע ת׳ — wormy, maggoty
תלוש ז׳ — coupon, counterfoil, token, voucher
- תלוש משכורת — pay slip
תלוש ת׳ — plucked, torn off, detached
תלות נ׳ — dependence, reliance
- תלות הדדית — interdependence
תלותי ת׳ — dependent, hanger-on
תלי ז׳ — quiver, hanger, peg
תליון ז׳ — medallion, pendant, locket
תלייה נ׳ — hanging, scaffold, the rope
תליין ז׳ — hangman, executioner
תלילות נ׳ — steepness
תליש ת׳ — detachable, looseleaf
תלישה נ׳ — tearing out, plucking, detaching
תלישות נ׳ — detachment, remoteness
תלכיד ז׳ — conglomerate, concretion
תללה נ׳ — chute
תלם ז׳ — drill, furrow, ridge
- הלך בתלם — toe the line
תלמוד ז׳ — Talmud, learning
- תלמוד תורה — religious school
תלמודי ת׳ — Talmudic
תלמיד ז׳ — pupil, student, disciple
- תלמיד חכם — learned, scholar
תלמידה נ׳ — schoolgirl, co-ed
תלקיט ז׳ — digest
תלש פ׳ — pick, pluck, tear, rend
תלת ת׳ — tri-, three-
- תלת אופן — tricycle, trike
- תלת חודשי — quarterly
- תלת ממדי — three-dimensional
- תלת רגל — tripod
- תלת שנתי — triennial
תלתול ז׳ — curling, waving
תלתל פ׳ — curl, wave
תלתל ז׳ — curl, lock, tress, kink
- תלתל מצח — forelock, cowlick
תלתלון ז׳ — tendril
תלתן ז׳ — clover, trefoil, club
תלתני ת׳ — trefoiled, three-leaved
תם פ׳ — finish, be exhausted, all over
תם ת׳ — innocent, simple, naive
תמד ז׳ — mead, cheap wine
תמה פ׳ — wonder, be surprised
תמה ת׳ — wondering, surprised
- תמהני — I wonder
תמהוני ת׳ — queer, eccentric, *wacky
תמהיל ז׳ — mixture
תמוה ת׳ — strange, puzzling
תמוז ז׳ — Tammuz (month)
תמוטה נ׳ — collapse, cave-in
תמוכה נ׳ — support, prop, brace
- תמוכת ספרים — book end
תמול תה"פ — yesterday
- איני כתמול שלשום — I'm not myself
- תמול שלשום — formerly, in the past
תמונה נ׳ — picture, photograph, photo, pinup
- בתמונה — in the picture, informed
- תמונת מצב — picture, situation
- תמונת שער — frontispiece, cover picture
תמונתי ת׳ — pictorial
תמורה נ׳ — change, metamorphosis, value, reward, recompense, apposition, permutation, consideration
- תמורת — in exchange for, at
תמות נ׳ — integrity, innocence
תמותה נ׳ — mortality, death (rate)
- בן-תמותה — mortal, man
תמזוגת נ׳ — constitution, mixture
תמזיג ז׳ — mixture, blend, swizzle
תמחוי ז׳ — public kitchen, soup kitchen
תמחור ז׳ — costing, pricing
תמחיר ז׳ — cost accounting, costing
תמחירן ז׳ — cost accountant, pricer
תמחית נ׳ — expertise, puree, mash
תמחר פ׳ — price, set a price, cost out
תמט (התמוטטות איבר) ז׳ — collapse
תמיד תה"פ — always, every time
תמידות נ׳ — permanence, constancy
תמידי ת׳ — permanent, perpetual
תמיהה נ׳ — wonder, surprise
תמיכה נ׳ — backing, help, maintenance, support
תמים ת׳ — artless, innocent, naive, entire, whole
- תמים דעים — of one mind

תְּמִימוּת נ innocence, naivety, integrity
- תמימות דעים unanimity
תְּמִיסָה נ solution, mixture
תָּמִיר ת' high, tall, erect, towering
תְּמִירוּת נ tallness, loftiness
תָּמַךְ פ' maintain, support, back, uphold, help
תַּמְלוּגִים ז"ר royalties
תַּמְלַחַת נ salts, brine
תַּמְלִיל ז' text, libretto, book
תַּמְלִילָן ז' word processor, librettist
תְּמָנוּן ז' octopus
תַּמְנוּעַ ז' parry, preventive medicine
תְּמָנִיוֹן ז' octahedron
תְּמָנִית נ octet, octette, token
תִּמְנַע פ' parry, ward off
תִּמְנָעִי ת' prophylactic
תְּמֶס דָּם ז' hemolysis
תִּמְסוֹרֶת נ transmission
תִּמְסָח ז' crocodile
תַּמְסִיר ז' communique, handout, announcement, release
תַּמְצוּת ז' summarizing, digesting
תַּמְצִית נ essence, summary, precis, abstract, gist
תַּמְצִיתִי ת' concise, pithy, succinct
תַּמְצִיתִיוּת נ conciseness, pithiness
תִּמְצֵת פ' summarize, abstract
תִּמֵּר פ' permute
תָּמָר ז' date, palm
תָּמָרְהִינְדִּי ז' tamarind
תַּמְרוּט ז' lacquer, polish, varnish
תִּמְרוֹן ז' maneuver, manoeuvre
תִּמְרוּן ז' maneuvering
תַּמְרוּקִיָּה נ perfumery
תַּמְרוּקִים ז"ר cosmetics, make-up
תַּמְרוּקָן ז' cosmetician
תַּמְרוּר ז' signpost, signal, sign, road sign, traffic sign
תִּמְרוּר ז' erecting signposts
תַּמְרוּרִים ז"ר bitterness, signals
תַּמְרִיץ ז' stimulus, incentive, spur
תִּמְרֵן פ' maneuver, manoeuvre
תִּמְרֵץ פ' grant an incentive
תַּמְשִׁיחַ ז' fresco, mural
תַּן ז' jackal
תַּנָּא ז' teacher, authority, scholar
- תנא דמסייע support, backing
תְּנַאי ז' condition, term, state, stipulation, provision
- על תנאי on condition
- תנאי בל יעבור must, sine qua non
- תנאי מוקדם prerequisite
- תנאים engagement, conditions, circumstances
תִּנְגּוֹדֶת נ resistance
תִּנְגּוּן ז' instrumentation
תִּנְגֵּן פ' orchestrate
תְּנוּבָה נ yield, produce, crop
תְּנוּדָה נ vibration, oscillation, movement, fluctuation, swing
תְּנוּחָה נ pose, posture, position, lie
תְּנוּךְ ז' lobe, ear lobe
תְּנוּמָה נ doze, slumber, nap
תְּנוּעָה נ movement, motion, move, stir, traffic, vowel, vocal
- תנועה גדולה long vowel
- תנועה מזרחית indecent gesture
- תנועה קטנה short vowel
- תנועת מלקחיים pincer movement
תְּנוּעָתִי ת' motor, of motion
תְּנוּפָה נ leverage, lifting, momentum, swing, sweep
תַּנּוּר ז' oven, stove, cooker, range
- תנור מיקרוגל microwave oven
תַּנּוּרוֹן ז' toaster oven
תַּנֶּה ז' cadence, cadenza
תַּנְחוּמִים ז"ר consolation, comfort, condolence
תְּנִיָּה נ stipulation
תִּנְיָנִי ת' secondary
תַּנִּין ז' alligator, crocodile
תנ"ך Bible, Old Testament
תַּנָּכִי ת' biblical
תֶּנַע ז' motif, motive
- תנע תואר leitmotif, leitmotiv
תֶּנַע ז' momentum
תַּנְעוּלֶת נ footwear
תַּנְעוּמָה נ euphony, melody
תנ"צ = תת ניצב
תנצב"ה RIP, Rest In Peace
תִּנְשֶׁמֶת נ owl
תַּסְבּוֹכֶת נ complication, mix-up
תַּסְבּוֹלֶת נ bearing capacity
תַּסְבִּיךְ ז' complex
- תסביך נחיתות inferiority complex
תַּסְבִּיר ז' prospectus
תִּסְבֵּךְ פ' complicate, snarl up
תַּסְדִּיר ז' arrangement, layout, formatting
תִּסְדֵּר (פירמט) פ' format
תְּסוּגָה נ regression, withdrawal
תַּסְחִיף ז' embolism, embolus
- תסחיף ריאות/ריאתי pulmonary embolism
תְּסִיסָה נ fermentation, agitation, unrest, excitement
תִּסְכּוּל ז' frustration, thwarting
תַּסְכִּית ז' sketch, radio play
תִּסְכֵּל פ' frustrate, stymie, foil
תִּסְמוֹנֶת נ syndrome
- תסמונת דאון Down's syndrome
תַּסְמִיךְ ז' association
תַּסְמִין ז' symptom
תָּסַס פ' ferment, effervesce, seethe
תַּסָּס ז' enzyme, ferment
תַּסְפּוֹקֶת נ supplies
תִּסְפֹּרֶת נ haircut, hair style
- תספורת קצרה bob, crew cut
תִּסְקוֹרֶת נ revue
תַּסְקִיר ז' review, survey
תִּסְרוּט ז' writing scripts
תִּסְרוֹקֶת נ hairdo, hairstyle
תִּסְרֵט פ' write a script
תַּסְרִיט ז' scenario, script, screen play
תַּסְרִיטַאי ז' scenarist, scriptwriter
תַּעֲבוּרָה נ traffic
תָּעָה פ' go astray, lose way, wander
תְּעוּגָה נ choreography
תְּעוּדָה נ certificate, document, report card, school report

- תעודות papers, presents
- תעודת בגרות high school diploma
- תעודת הוקרה testimonial
- תעודת זהות identity card
- תעודת כבוד honor, testimonial
- תעודת לידה birth certificate
- תעודת משלוח delivery note
- תעודת עניות shame, discredit
- תעודת פטירה death certificate

תְּעוּדָתִי ת׳ documentary
תְּעוּזָה נ׳ daring, courage, nerve
תְּעוּפָה נ׳ aviation, flight, flying
תְּעוּקָה נ׳ pressure, constriction
- תעוקת הלב/החזה angina pectoris

תְּעִיָּה נ׳ going astray, wandering
תְּעָלָה נ׳ canal, channel, drain, trench, ditch
- תעלת סואץ Suez Canal

תַּעֲלוּל ז׳ antic, prank, whim, hoax
תַּעֲלוּמָה נ׳ mystery, secret, enigma
תַּעֲמוּלָה נ׳ propaganda, campaign
תַּעֲמוּלָתִי ת׳ propaganda
תַּעֲמִיד ז׳ attitude, pose, posture
תַּעֲמְלָן ז׳ campaigner, propagandist
תַּעֲנוּג ז׳ pleasure, delight, *kick
תַּעֲנוּגְנוּת נ׳ hedonism
תַּעֲנִית נ׳ fast, fasting, avoidance
תַּעֲסוּקָה נ׳ employment, occupation
תַּעֲסוּקָתִי ת׳ occupational
תַּעֲצוּמָה נ׳ power, force, strength
תַּעֲקִיף ז׳ paraphrase
תַּעַר ז׳ razor, cutthroat, sheath
תַּעֲרֹבֶת נ׳ mixture, blend, farrago
תַּעֲרוּכָה נ׳ exhibition, exposition
תַּעֲרִיף ז׳ tariff, price
תַּעֲרִיפוֹן ז׳ tariff, price list
תַּעַשׂ ז׳ military industry
תַּעֲשִׂיָּה נ׳ industry, manufacture
- תעשייה כבדה heavy industry
- תעשייה קלה light industry

תַּעֲשִׂיָּן ז׳ industrialist
תַּעֲשִׂיָּנוּת נ׳ industrialism
תַּעֲשִׂיָּתִי ת׳ industrial
תַּעְתּוּעַ ז׳ deceit, illusion
תַּעְתִּיק ז׳ transcription, transliteration
תִּעְתַּע פ׳ deceive, cheat
תִּעְתֵּק פ׳ transliterate, transcribe
תַּפְאוּרָה נ׳ scenery, decor, setting
תַּפְאוּרָן ז׳ decorator, scene-painter
תִּפְאֶרֶת נ׳ glory, splendor, majesty
- לתפארת gorgeous, great!

*תְּפַדַּל מ״ק please!, be my guest!
תְּפוּגָה נ׳ expiration, expiry, lapse
תַּפּוּד ז׳ potato, *spud
תַּפּוּז ז׳ orange
תַּפּוּז ת׳ orange
תַּפּוּחַ ז׳ apple
- תפוח אדמה potato, *spud
- תפוח בגלימה apple dumpling
- תפוח זהב orange
- תפוח עץ apple

תָּפוּחַ ת׳ swollen, puffed up
תְּפוּנָה נ׳ doubt, scruple
תַּפּוּס ז׳ pommel, handle
תָּפוּס ת׳ occupied, busy, reserved, engaged
תְּפוּסָה נ׳ displacement, tonnage, occupancy, volume
תְּפוּצָה נ׳ distribution, circulation, dispersion
- יהדות התפוצות the Diaspora
- תפוצת קריאה readership

תְּפוּקָה נ׳ production, yield, output, turnout, throughput
תָּפוּר ת׳ sewn, tailored, cut out
תְּפוּזֹרֶת נ׳ bulk, loose cargo
תָּפַח פ׳ swell, rise, puff up
תַּפְטִיר ז׳ spawn, mycelium
תְּפִיחָה נ׳ swelling, lump, souffle
תְּפִיחוּת נ׳ swell, tumescence
תְּפִיחִית נ׳ souffle
תְּפִלָּה נ׳ prayer, service, worship
- אני תפילה I pray, Oh that

תְּפִלִּין נ״ר phylacteries, phylactery
- תפילין של ראש frontlet

תָּפִיס ת׳ perceptible, graspable
תְּפִיסָה נ׳ capture, seizure, outlook, understanding, grasp
- תפיסת עולם opinion, philosophy

תְּפִיסוּת נ׳ perceptibility
תְּפִיסָתִי ת׳ conceptual, perceptual
תְּפִירָה נ׳ needlework, sewing, stitch
תָּפֵל ת׳ insipid, tasteless, vapid, flat
תְּפֵלוּת נ׳ tastelessness, vapidity
תִּפְלוּת נ׳ folly, foolishness
תִּפְלַצְתִּי ת׳ monstrous, hideous
תַּפְנוּק ז׳ spoiling, pleasure
תַּפְנִית נ׳ turn, change, flip-flop
תָּפַס פ׳ capture, catch, take, get, grasp, grip, seize, understand
*- זה לא תופס not valid
- תפוס כפי יכולתך catch as catch can
*- תפס ייאוש despair, lose hope

תֶּפֶס ז׳ catch, clasp, clip, pawl
תִּפְעוּל ז׳ operation, working
תִּפְעוּלִי ת׳ operational, operative
תִּפְעֵל פ׳ operate, activate, work
תָּפַף פ׳ drum, tap, beat
תַּפָּף ז׳ drummer
תִּפְקֵד פ׳ function, act, operate
תִּפְקוּד ז׳ functioning, performance
תִּפְקוּדִי ת׳ functional
תַּפְקִיד ז׳ function, role, part, duty
- בתפקיד on duty
- תפקיד ראשי lead, title role

תָּפַר פ׳ sew, sew up, stitch, tailor
תֶּפֶר ז׳ seam, stitch
- תפר נסתר slip stitch

תִּפְרֹשֶׁת נ׳ sails
תִּפְרַחַת נ׳ inflorescence, rash
תַּפְרִיט ז׳ diet, menu, bill of fare
*תַּפְרָן ז׳ beggar, broke, penniless
תָּפַשׂ פ׳ seize, grasp
תַּפְשׁוּעָה נ׳ criminality, delinquency
תַּצְבִּיר ז׳ concretion
תַּצְהִיר ז׳ declaration, affidavit, statement
תְּצוּגָה נ׳ display, show, exhibition
- תצוגת אופנה fashion display

תְּצוּרָה נ׳ formation, configuration
- תצורה לאחור back-formation

תִּצְלוֹבֶת נ crossing, hybrid
תַּצְלוּם ז picture, photograph
תַּצְלִיל (אקורד) ז chord
- תצליל שבור arpeggio
תַּצְמִיד (בכימיה) ז complex
תַּצְפִּית נ observation, lookout, forecast
תַּצְפִּיתָן ז lookout, watcher
תִּצְרוֹכֶת נ consumption
תַּצְרוּם ז discord, cacophony
תַּצְרִיב ז etching
תַּצְרֵף (פאזל) ז puzzle
תַּקְבּוּל ז receipt, amount received
תַּקְבּוֹלֶת נ parallelism
תַּקְבִּילִי ת analog
תַּקְדִּים ז precedent
תַּקְדִּימִי ת precedential
תִּקְוָה נ hope, expectation
- אני תקווה I hope
- התקווה Hatikvah, Israel's national anthem
תָּקוּל ת out of order
תְּקוּמָה נ recovery, revival, rising
תָּקוּעַ ת stuck, thrust, inserted
תְּקוּפָה נ age, period, era, season, time, term, cycle
- תקופת האבן Stone Age
- תקופת הברונזה Bronze Age
- תקופת הברזל Iron Age
- תקופת המעבר change of life, menopause
תְּקוּפוֹן ז periodical
תְּקוּפָתִי ת periodic, seasonal
תְּקוּצָה נ satiety
תְּקוּרָה נ overhead (expenses)
תַּקִּין ת normal, regular, correct, proper
תְּקִינָה נ standardization
תַּקִּינוּת נ normality, regularity, propriety
תְּקִיעָה נ blowing, blast, insertion
- תקיעת כף handshake, pledge
תַּקִּיף ת firm, strong, stern, stout
תְּקִיפָה נ assault, attack
תַּקִּיפוּת נ firmness, resolve, resolution
*תָּקֶל ז conflict, clash, tackle
תַּקָּלָה נ accident, malfunction, mishap, obstacle, fault, hitch
תַּקְלִיט ז record, disk, *platter
תַּקְלִיטוֹן ז diskette, floppy disk, single
תַּקְלִיטוֹר ז compact disk, CD
תַּקְלִיטִיָּה נ record library
תַּקְלִיטָן ז disk jockey
תֶּקֶן ז norm, standard, strength
*- על תקן של acting as, as
- תקן מלא full complement
תָּקַן (לִתְקוֹן) פ be right, be repaired
תַּקָּנָה נ regulation, rule, remedy
- ללא תקנה incorrigible, hopeless
תַּקָּנוֹן ז regulations, rule book, code, articles
תִּקְנוּן ז standardization
תִּקְנִי ת standard, normal
תִּקְנֵן פ standardize, regularize

תָּקַע פ blow, sound, stick, insert, thrust, push, drive
- מי לידי יתקע? who can promise?
תֶּקַע ז plug
תָּקַף פ attack, assault, set about
תָּקֵף ת valid, in force, in effect
תְּקֵפוּת נ validity, force
תִּקְצֵב פ budget, allocate, ration
תִּקְצוּב ז budgeting, earmarking
תַּקְצִיב ז budget, allocation
תַּקְצִיבִי ת budgetary
תַּקְצִיר ז summary, synopsis
תִּקְצֵר פ summarize, abstract
תֶּקֶר ז flat tire, puncture, blowout
תִּקְרָה נ ceiling
תִּקְרוֹבֶת נ refreshments, treat
תַּקְרִישׁ ז thrombosis
תַּקְרִית נ incident, accident, mishap
תִּקְשֹׁרֶת נ communication, media
- תקשורת פנים intercom
תִּקְשָׁרְתִּי ת communicative, media
תַּקְשִׁיט ז ornament, vignette
תַּקְשִׁיר ז service regulations
תִּקְשֵׁר פ communicate
תִּקְתּוּק ז tick, ticktock, typing
תִּקְתֵּק פ tick, tap, clack, type, *do quickly, finish quickly
תָּר פ tour, travel, scan, survey
תַּרְבּוּשׁ ז fez, tarboosh, turban
תִּרְבּוּת ז cultivating, civilizing
תַּרְבּוּת נ civilization, culture
- תרבות רעה corruption, evil
תַּרְבּוּתִי ת civil, civilized, cultural
תַּרְבִּיךְ ז ragout, stew
תַּרְבִּית נ culture, breeding
תִּרְבֵּת פ civilize, cultivate
תִּרְגּוּל ז practice, exercise, drill
תִּרְגּוֹלֶת נ drill, exercise
תַּרְגּוּם ז translation, rendition
- תרגום בגוף הסרט subtitles
- תרגום השבעים Septuagint
תִּרְגּוּם ז translating, rendering
תִּרְגּוֹשֶׁת נ ecstasy, sensation
תַּרְגִּיל ז drill, exercise, maneuver
תַּרְגִּימָה נ sweets
תִּרְגֵּל פ drill, practice, exercise
תִּרְגֵּם פ translate, interpret, render
תֶּרֶד (ירק גינה) ז spinach
תַּרְדֵּמָה נ sleep, lethargy
- תרדמת חורף hibernation
תַּרְדֶּמֶת נ coma
תָּרוֹג ת yellowish green
תַּרְוָד ז dipper, ladle, scoop
תְּרוֹמְבּוֹזָה (פַּקֶּקֶת) נ thrombosis
תְּרוּמָה נ contribution, donation
תְּרוּמִי ת excellent, outstanding
תְּרוּעָה נ blare, blast, shout, cheer
תְּרוּפָה נ cure, drug, medicine, remedy, medication
- תרופת פלא cure-all, panacea
תְּרוּפָתִי ת medical, medicinal
תִּרְזָה נ linden, birch
*תֶּרַח ז old man, old codger
תַּרְחִיף ז suspension
תַּרְחִיץ ז lotion, wash
תַּרְחִישׁ ז scenario, happening

vibrato תַּרְטִיט ז׳
Minor Prophets תְּרֵי עָשָׂר (בתנ"ך)
shutter, blind, shield תְּרִיס ז׳
jalousie - תריס רפפות
dozen, 12, twelve תְּרֵיסָר ש״מ
duodenum תְּרֵיסַרְיוֹן ז׳
vaccination תִּרְכּוּב ז׳
compound, synthesis תִּרְכּוֹבֶת נ׳
sideboard, trunk תַּרְכּוֹס ז׳
vaccine, inoculation, serum תַּרְכִּיב ז׳
concentrate, decoction תַּרְכִּיז ז׳
contribute, donate, *chip in תָּרַם פ׳
therm תֶּרֶם (יחידת חום) ז׳
thermodynamics תֶּרְמוֹדִינָמִיקָה נ׳
thermos, vacuum flask תֶּרְמוֹס ז׳
thermostat תֶּרְמוֹסְטָט (וַסַּת חום) ז׳
thermostatic תֶּרְמוֹסְטָטִי ת׳
thermal תֶּרְמִי (חוֹמְנִי) ת׳
cartridge case, case, pod, shell, hull, bag, carryall תַּרְמִיל ז׳
knapsack, rucksack - תרמיל גב
backpacker תַּרְמִילַאי ז׳
fraud, deceit, swindle תַּרְמִית נ׳
pod, produce pods תִּרְמֵל פ׳
cock, rooster, bantam תַּרְנְגוֹל ז׳
grouse, moorcock - תרנגול בר
turkey, *gobbler - תרנגול הודו
chicken, hen, fowl תַּרְנְגוֹלֶת נ׳
turkey תַּרְנְהוֹד ז׳
spray תַּרְסִיס ז׳
resentment, grudge תַּרְעוֹמֶת נ׳
poison תַּרְעֵלָה נ׳
therapy תֶּרַפְּיָה (רִיפּוּי) נ׳
household idols תְּרָפִים ז״ר
embroidery תִּרְקוֹמֶת נ׳
design, diagram, sketch, graph, plan, chart תַּרְשִׁים ז׳
flowchart - תרשים זרימה
aquamarine, beryl תַּרְשִׁישׁ ז׳
design, sketch, chart תִּרְשֵׁם פ׳
two תַּרְתֵּי ש״מ
self-contradiction - תרתי דסתרי
double meaning, two-edged, equivocal - תרתי משמע
weaken, be tired, be feeble תָּשׁ פ׳
questioning, interrogation תִּשְׁאוּל ז׳
question, debrief תִּשְׁאֵל פ׳
praise, acclaim תִּשְׁבָּחוֹת נ״ר
crossword puzzle תַּשְׁבֵּץ ז׳
program, broadcast תַּשְׁדִּיר ז׳
commercial - תשדיר פרסומת
public service broadcast - תשדיר שירות
proceeds, yield, return תְּשׁוּאָה נ׳
applause, ovation תְּשׁוּאוֹת נ״ר
applause, cheers - תשואות חן
answer, reply, response, retort, repentance, religiousness תְּשׁוּבָה נ׳
repartee, riposte - תשובה שנונה
input תְּשׂוּמָה נ׳
attention, care, heed - תשומת לב
salvation, help, saving תְּשׁוּעָה נ׳
desire, passion, lust, yen תְּשׁוּקָה נ׳
lustful, craving, erotic תְּשׁוּקָתִי ת׳
present, gift תְּשׁוּרָה נ׳
weak, tired, exhausted תָּשׁוּשׁ ת׳

youth, boyhood תִּשְׁחוֹרֶת נ׳
gargle, wash תַּשְׁטִיף ז׳
ninth, 9th תְּשִׁיעִי ת׳
ninth, ninthly תְּשִׁיעִית נ׳
weakness, fatigue תְּשִׁישׁוּת נ׳
gearing, linkage, complex, conglomerate, concern תִּשְׁלוֹבֶת נ׳
payment, reward, disbursement, fee תַּשְׁלוּם ז׳
by installments - בתשלומים
negative תַּשְׁלִיל ז׳
utensil, thing, article, sexual intercourse תַּשְׁמִישׁ ז׳
rehearsal, run-through תִּשְׁנוּן ז׳
nine, 9 תֵּשַׁע ש״מ
nineteen, 19 תְּשַׁע עֶשְׂרֵה ש״מ
nine, 9 תִּשְׁעָה ש״מ
nineteen, 19 תִּשְׁעָה עָשָׂר ש״מ
nineteenth - (החלק) התשעה עשר
ninety, 90 תִּשְׁעִים ש״מ
at the last minute *- בדקה התשעים
the nineties - שנות התשעים
ninetieth - (החלק) התשעים
ninefold תִּשְׁעָתַיִם תה״פ
outpouring, effusion תִּשְׁפּוֹכֶת נ׳
perspective תִּשְׁקוֹפֶת נ׳
forecast, outlook, prospectus תַּשְׁקִיף ז׳
tip, baksheesh תֶּשֶׁר ז׳
Tishri (month) תִּשְׁרֵי ז׳
validation תִּשְׁרִיר ז׳
tincture תִּשְׁרִית נ׳
be tired, be feeble, weaken תָּשַׁשׁ פ׳
infrastructure, subsoil תַּשְׁתִּית נ׳
sub-, under-, hypo- תַּת תח׳
religious school ת״ת = תלמוד תורה
brigadier, brigadier general תַּת אַלּוּף ז׳
subhuman תַּת אֱנוֹשִׁי ת׳
subconscious תַּת הַכָּרָה נ׳
subconscious, subliminal תַּת הַכָּרָתִי ת׳
subdivision תַּת חֲלוּקָה נ׳
subcontinent תַּת יַבֶּשֶׁת נ׳
submarine תַּת יַמִּי ת׳
unconscious תַּת מוּדָע ז׳
underwater תַּת מֵימִי ת׳
submachine gun תַּת מִקְלָע ז׳
brigadier general תַּת נִיצָּב ז׳
hypodermic, subcutaneous תַּת עוֹרִי ת׳
subsonic תַּת קוֹלִית (מהירות) ת׳
underground, subterranean תַּת קַרְקָעִי ת׳
deputy minister תַּת שַׂר ז׳
malnutrition, undernourishment תַּת תְּזוּנָה נ׳
substandard תַּת תִּקְנִי ת׳
pituitary gland תַּתּוֹן הַמּוֹחַ ז׳
anosmic, lacking olfaction תַּתְרָן ת׳

* * * * *
* * *
*